《当代汉语学习词典》(初级本)
——外国人初级汉语学习词典

Learner's Dictionary of Contemporary Chinese (Elementary Level)
——A Dictionary of Elementary Chinese for Foreigners

编委会

顾 问：胡明扬
策 划：郑定欧
审 订：张 伟
主 编：徐玉敏
编 者：李禄兴　　徐玉敏
　　　　杨裕峰　　杜 健
　　　　张 伟　　郑定欧

CHINESE REFERENCE BOOKS FOR FOREIGNERS

外国人学汉语工具书

当代
汉语学习词典

初级本

Learner's Dictionary
of Contemporary Chinese
(Elementary Level)

徐玉敏 ● 主编

北京语言大学出版社

图书在版编目（CIP）数据

当代汉语学习词典（初级本）/徐玉敏主编.
—北京：北京语言大学出版社，2009 重印
ISBN 978 − 7 − 5619 − 1210 − 2

Ⅰ．当…
Ⅱ．徐…
Ⅲ．汉语 − 对外汉语教学 − 词典
Ⅳ．H195 − 61

中国版本图书馆 CIP 数据核字（2003）第 030200 号

书　　名：	当代汉语学习词典（初级本）	
责任印制：	汪学发	

出版发行：北京语言大学出版社

社　　址：	北京市海淀区学院路 15 号　邮政编码 100083	
网　　址：	www.blcup.com	
电　　话：	发行部　82303648/3591/3651	
	编辑部　82303647	
	读者服务部　82303653/3592	
	网上订购电话　82303668	
	客户服务信箱　service@blcup.net	
印　　刷：	北京中科印刷有限公司	
经　　销：	全国新华书店	

版　　次：	2005 年 3 月第 1 版　2009 年 12 月第 3 次印刷
开　　本：	850 毫米×1168 毫米　1/32　印张：38.75
字　　数：	1250 千字
书　　号：	ISBN 978 − 7 − 5619 − 1210 − 2/H · 03041
定　　价：	79.00 元

凡有印装质量问题本社负责调换，电话：82303590

序 一

胡明扬

编词典很难，也很苦，但是功德无量。编单语词典不容易，因为不能以词释词，说"干净"是"清洁"，又说"清洁"是"干净"，那就等于什么都没有说，一点用处都没有；可是要下定义更难，"落花溶溶"的"溶溶"怎么下定义？连一个看来似乎不难的"走"，该分多少个义项，该怎么下定义也很不容易。编双语词典就更难了，不仅要求作者精通两种语言，还要求作者深入了解两种语言的异同之处，并且还需要处处从读者的角度出发考虑问题，尽可能为读者解疑释惑。近百年来出版的外汉词典不少，可是好的不多。外汉词典绝大多数采用对译的方式，也就是为外语词条的各个义项列出适合不同上下文的不同的对译词。恰当而准确的对译词几乎是难以穷尽的，所以对译词总有疏漏，有时候无意中造成误导，甚至酿成严重后果。20世纪50年代广泛流行的"严重的注意"就是俄汉词典误导的产物，而20世纪40年代一位很有名望的翻译家把"校订本"译成"批评本"也跟当时一些英汉词典在 criticize 词条下失收"校订"这一义项有关。现有的汉外词典很少，并且都比较简单，有的小型汉外词典几乎跟教科书上的新词语表差不太多。这是因为编写汉外词典比编写外汉词典要困难得多，而有条件编写汉外词典的人本来就不多，也很少有人愿意去干这种吃力不讨好的苦差使，所以汉外词典出版的很少，像样的就更少了。

过去编词典，不管采用什么样的释义方式，只有一种办法，那就是靠几个水平较高的作者在屋子里苦思冥想一条条去写。这种办法当然很原始，不过，如果作者水平的确很高，也可以编出高水平的词典来，我国许慎的《说文解字》、英国约翰逊的《英语词典》、法国罗贝尔特的《法语词典》、俄国乌萨柯夫的《俄语词典》就都是个人独立完成的名著。不过，就世界范围来看，现代社会由于种种原因，绝少这样的全才人物。因此，至少从《牛津英语词典》开始就采用抄卡片的办法来搜集资料，然后根据搜集到的资料来编写词典。当然最后还是要靠人来选择、加工。人永远是起决定作用的因素。到了 20 世纪 50 年代末和 60 年代英国与美国纷纷建立起一些为语法研究和词典编纂用的语料库，如布朗英语语料库、劳勃英语语料库、国际英语语料库、柯林斯英语语料库等等，法国的《法语宝库》则利用电子计算机收集了两亿五千万张资料卡片。20 世纪 80 年代，柯林斯公司推出了利用计算机编写的全新的《柯林斯英语词典》。这部全新的计算机编写的词典，第一次既不采用对译的办法，也不采用下定义的办法，而是列举实际语料中代表不同义项的各种不同用法的典型例句，让读者通过这些实际用例去理解和归纳有关词条各个不同义项的含义和用法。因为有庞大的语料库作为后盾，疏漏的可能性大大降低了；因为主要靠例句来示范，编辑个人概括不当或失误的可能性也大大减少了；还因为在语料库中的出现频率决定例句排列的先后次序和是否收录，实用性也大大增强了；至于节省人力降低成本等等好处就更不在话下。这种办法是不是一定能保证质量超过前人还不好说，可是"小荷已露尖尖角"，前途未可限量。在有更多的词典采用这种编写方法的发展过程中，可以肯定会不断改进，不断完善。就目前而言，有一点是可以肯定的，那就是，这显然是一种符合信息时代要求的现代化的词典编纂方式。

　　郑定欧先生很了解国外语言学和词典编纂的新进展，这次他根据自己的新思路和中国人民大学对外语言文化学院的几位同人一起，编写了一部积极型单语外向型的《当代汉语学习词典》。这在国内外都是一个创举。但是由于国内条件的限制，到目前为止还没有一个可以使用的适合词典编纂用的大型语料库，所以不得不有所变通。

　　凡事开头难，创新更难，但是开了一个头，以后的工作就好做得多了。我希望这样一部新型的词典能受到学汉语的外国人的欢迎，并且对他们学习汉语有所裨益。

序　二

郑定欧

　　由本人策划的《当代汉语学习词典》（下称《当代》）终于跟读者见面了。于此，我由衷地感谢国家对外汉语教学领导小组办公室姜明宝教授的大力支持，感谢中国人民大学胡明扬教授的热心督促以及感谢人大对外语言文化学院徐玉敏、张伟、李禄兴、杨裕峰和杜健等老师卓有成效的工作。功劳全归于这几位老师。离开他们，离开他们真诚的合作精神、丰富的教学经验、科学的实践勇气以及不断的探索试验，《当代》的计划只能继续停留在设想的阶段［注1］。

　　《当代》的编纂自始至终贯穿着一种创新意识。这种创新意识背后蕴藏着一条深刻的语言学原理，这就是把"词汇"跟"语法"糅合在一块［注2］。传统的语法，传统的词典向来都是把词汇和语法人为地分开处理的。就学习词典学来说，这种惯性继承长期以来窒息任何创新的尝试。编纂者下意识地一方面把"释义"（对词汇来说）和"示例"（对语法来说）分开处理，而另一方面把"示例"从属于"释义"。20世纪80年代末，对外英语及对外法语学习词典学趋于成熟，其标志正是把"示例"放在一个新的高度上处理。我国对外汉语学习词典近年来出了几本，但都跳不出以"释义"为中心的框框。下面我们聊举一例兹以说明。我们取动词"解"的"把束缚着或系着的东西打开"义（《现代汉语词典》1996年修订本，第648页）。另外，我们取自1995年至2000年先后出版的四本对外汉语学习词典跟《当代》进行比较。在详细分析目标条目之后，我们的结论是，该四本学习词典的微观结构跟一般性的语文词典别无二致，完全体现不出之所以为"学习词典"的独特功能。我们并不认为，把词性标注上了，把释义配上外语，把一些语法信息，如配价又如后面可加动量词呀、趋向词呀或者后面不可加什么呀就可以称为"学习词典"。我们认为，学习词典的独特功能在于引导读者（学习者）活用目标语言。既要活用，就需要语境的支撑；离开语境的支撑，任何信息的附加徒然增加读者的困惑，而所谓语境在词典特定的空间里最充分的表现莫过于语义自主的基本句。请看《当代》的相应条目。

jiè 解 [动]

他 ~ 下领带，觉得不那么热了。→他把脖子上的领带打开，觉得凉快一点儿了。**例**他一进门就 ~ 开扣子，把外衣脱了下来。| 这绳子捆得真结实， ~ 都 ~ 不开。| 鞋带我 ~ 不下来了，请帮忙 ~ ~ 吧。

就是说，其微观设计包含三个组件：

——引导句，即内含被释词的基本句：

他解下领带，觉得不那么热了。

——解说句，即尽量用词典正文内含的词语显化引导句的意义；解说句本身也是一个基本句：

他把脖子上的领带打开，觉得凉快一点儿了。

——例证句，即示例，其功能在于显化被释词入句时常见的语境条件；例证句本身同样是基本句：

他一进门就解开扣子，把外衣脱了下来。

这绳子捆得真结实，解都解不开。

鞋带我解不下来了，请帮忙解解吧。

上述三个组件的例句必须符合五项要求，它们全是规范的、常用的、内容健康的、完整度充足的、无文化因素干扰的基本句。我们深信，这样立足于让读者易懂、易学、易记、易用、易"搬家"的示例方法有助于他们充分地吸收词典所提供的语言信息。这种方法对编写面向初级水平读者的学习词典最为有效，对编写中级水平的学习词典仍有很大的参考价值。

　　这种示例方法在国际上早已注意到了。F.J.Hausmann（1990）对
"释义"的有用性提出了质疑。磐崎弘贞（1995）把 *Cambridge International Dictionary of English* 的特点归结为"例解文法"（example-led grammar）。A.Rey（1995）认为示例涵盖语言上的示例、用法上的示例、规范上的示例以及话语上的示例。G.Stein（1999）强调"应用用法上的示例引出意义"的方法（a meaning paraphrase by usage examples）必须清晰地界定。J.Binon 等（2001）提出了"学习如何学习词汇"的一套方法［注3］。本人（1997a，1997b，2000，2001）集中探讨了学习词典学有关示例的理论和实践原则［注4］。中国人民大学徐玉敏等几位老师的功劳在于系统地开拓性地把上述示例的科学方法应用到对外汉语学习词典的实践中去。我十分乐意向学习现代汉语的国际读者推荐这部好词典。

　　［注1］　关于《当代汉语学习词典》的编纂，参看张伟、杜健《编纂汉语学习词典的几点理论思考》；李禄兴《谈汉语学习词典的科学性问题》（《辞书研究》，1999 年第 5 期，17-25 页，64 页及 26-33 页）；徐玉敏《对外汉语学习词典的条目设置和编排》（《辞书研究》，2001 年第 3 期，83-86 页）。

　　［注2］　参看 Alain Guillet（1990）Fondements formels des classes semantiques dans un lexique-grammaire，*Langages*，98，70-78。

　　［注3］　相关文章出处如下列：Franz Josef Hausmann（1990）La definition est-elle utile? Regard sur les dictionnaires allemands，anglais et francais，*La definition*，Larousse，225-235 页；磐崎弘贞（1995）造访 CIDE 编辑室，《言语》，25：6，大修馆书店（台湾辅仁大学译研所翻译）；Alain Rey（1995）Du discours au discours par l'usage：pour une problematique de l'exemple，*Langue Francaise*，106，95-123；Gabriele Stein（1999）Exemplification in EFL dictionaries，*The Perfect learners' Dictionary*（?），T Herbst & K. Popp（eds）Niemeyer，45-70；Jean Binon，Serge Verlinde，Thierry Selva（2001）Lexicographie pedagogique et enseignement/apprentissage du vocabulaire en francais langue etrangere ou seconde（FLEOS）Un marriage parfait，*Cahiers de Lexicologie*，1，41-63．

[注4] 郑定欧（1997a）口语化与对外词典的编写，法国首届国际汉语教学学术研讨会论文集》，[法]凤凰书店，127-130页；（1997b）外向型现代华语学习词典微观结构之研究，《第五届世界华语文教学研讨会论文集》，语文分析组，505-511页，（台湾）世界华文教育学会编；（2000）对外汉语词典学，《第六届国际汉语教学讨论会论文集》，730-734页，北京大学出版社；（2001）词典学学科建设要求的科学精神，《亚洲辞书论集》（亚洲辞书学会第一届年会论文集），9-12页，上海辞书出版社。

总　　目

说　　明

　　《当代汉语学习词典》（初级本）是为帮助具有初级汉语水平的外国人学习汉语而编写的，它也适用于从事对外汉语教学的教师、国内的小学生以及具有初级汉语水平的少数民族朋友。本词典主要收入《汉语水平词汇与汉字等级大纲》中的甲、乙级词，共有 4337 个条目。

　　这部词典从外国人学习汉语的特点出发，注重实用性。它具有以下七个方面的突出特色：

　　一、义项立目。一般汉语词典都以字或词立为一个条目，一个条目中包括一个或几个义项。本词典以词的一个义项立为一个条目，同一词形有多个义项的分列条目（如：办¹、办²、比较¹、比较²），这样，就使一个条目只有一个词义、一种词性。人们在说话时出现在句子里的词就是只有一个词义、一种词性的，义项立目可以使读者更易于学习和掌握汉语词语。

　　二、词目排列以音序为主，同时注意到义项的使用频度和词义的相关性。本词典按词目打头字的汉语拼音顺序排列；同一词形有多个义项的，常用义项在前；与已列单音词词义相近、相关的多音词聚拢排列，如"爱¹、爱情、爱人，爱²、爱好¹、爱好²，爱³"；与已列单音词词义无关的多音词放在后面，如"爱护、爱惜¹、爱惜²"三个含"爱"字的词，排列到"爱¹、爱²、爱³"之后。这样排列词目，在音序的基础上以单音词为核心，把意义相同、相近或相关的多音词聚合为一个词义场，便于读者通过联系和联想理解词义场中一群词的词义。

　　三、每条词目先出现词音——汉语拼音，后出现汉字词形。这种以词音带词形的编排方法比较符合读者朋友学习汉字词汇的认知习惯。

四、释义方法主要采用"完整句释义法"（占 85%），少部分词条用图示（占 3.5%）、英译（占 9.5%）和说明用法（占 2%）。完整句释义法，是把被释义词放在一个典型的完整句中，让读者在句内语境中理解词义，然后对这个句子的句义进行解释，使读者进一步理解被释义词的词义。这种释义法在汉语词典中还是首次使用，这是我们的一种有益尝试，相信读者会在使用中感受到它的好处的。

五、例句是词条的关键和主体部分，每个词条设 3~8 条完整句作为例证。人们说话是一句一句说的，通过一定数量的例句，让被释词反复出现，读者可以在多种句内上下文中进一步理解词义，了解该词的常用搭配和常用语法格式，熟悉汉语的常用句式，从而学会运用这个词。

六、词典全文所用词语限制在本词典所收词条范围之内。这样就给初学汉语的人带来极大的方便，避免了词典中出现生词给读者带来的困难。

七、每个词条的全部内容用汉语拼音拼写出来，拼音注重口语形式。这样做的目的是帮助读者扫除汉字所带来的障碍，让读者在读和说中更好地接受词典的内容。

查这部词典时请注意：

1. 本词典基本按音序排列，查词时可直接按词的第一音节查找。如果只知词形不知词音，可查《词目笔画索引》。

2. 汉字词形为简体字，如有相对应的繁体字，则在简体字词形后用括号列出繁体字词形，供读者查找。

3. 一个词头有两个读音的，全部列出，如：nà/nèi 那、zhège/zhèige 这个。

Introduction

The *Learners' Dictionary of Contemporary Chinese* (*Elementary Level*) is aimed at foreign learners with an elementary knowledge of the language. It is also suitable for the teachers of Chinese as a second language, Chinese pupils and ethnic minority learners with elementary level skills in Chinese. The 4337 entries in this dictionary cover the A and B level words in *A Syllabus for the Graded Chinese Vocabulary*.

This dictionary approaches Chinese from the perspective of foreign learners and emphasises practicality. Its seven principal features are listed below.

1. The entries are based on the meanings. Most Chinese dictionaries are arranged according to characters or words, with each entry consisting of one or more lexemes (meaningful items). This dictionary arranges the individual lexemes as separate entries, hence the multiple lexemes of a single word are listed separately (as 办¹, 办², 比较¹, 比较²). Thus every entry has a single meaning and is allocated to a single word class. When people speak a word in a sentence contains a single meaning and is of a single word class. Arranging the dictionary in this way allows the learners to learn and master the vocabulary of Chinese more easily.

2. The primary arrangement of the entries is phonetic, but consideration is also given to their frequency of use and semantic relationships. Entries are arranged according to the *pinyin* of the first character of a word. When a word has multiple meanings, the most common is placed first, and polysyllabic words

related in meaning to a monosyllabic word are grouped together. For example: 爱¹（love）爱情（love）爱人（spouse）；爱²（like）爱好¹（be fond of）爱好²（hobby），爱³（cherish）. Polysyllabic words with no connection to the monosyllabic words are placed after them hence 爱护（take care of），爱惜¹（treasure）and 爱惜²（be sparing），all of which contain the character 爱，are placed after 爱¹，爱² and 爱³. Entries are basically arranged phonetically under monosyllabic words with related polysyllabic words grouped to gather around them according to the meanings, i. e., assembling the polysyllabic words with the same, close or related meanings into one lexical field. This enables the reader to grasp the meanings of a group of words in a lexical field through their common semantic relationships and associations.

3. Each entry starts with the pronunciation—*pinyin*, followed by the character (s). This arrangement of introducing characters through pronunciation accords with the cognitive learning process of learners of Chinese vocabulary.

4. The main explicatory method is the 'whole-sentence definition' (85%); a minority of entries use graphic expressions (3.5%), English translations (9.5%) and usage explanations (2%). The whole-sentence definition means to place the word to be defined in a typical sentence to allow the readers to understand the meaning through context. The meaning of the sentence is then explained to help the readers to understand the meaning of the word defined. This is the first time this explicatory method has been used in a Chinese dictionary. We hope that readers will find the benefits of our attempt through the use of the dictionary.

5. Example sentences are the key component main part of each entry, which contains 3 – 8 illustrative whole sentences. People speak sentence by sentence. The word defined appears successively in a number of sentences. Thus the

readers are able to understand the word in the context of different sentences. They can see its common collocations and grammatical patterns, and become familiar with the common Chinese sentence patterns as they learn to use the word.

6. There is an entry in the dictionary for every word used in it. Limiting vocabulary to defined words offers a considerable benefits to elementary learners.

7. The full content of every entry is given in *pinyin*, demonstrating the emphasis on the spoken language. The aim is to reduce the impediment caused to readers by Chinese characters and to allow them to better absorb the contents of this dictionary through reading and speaking.

Notes:

1. The entries in this dictionary is basically arranged according to the order of pronunciation. Entries can be looked up directly according to the first syllable of a word. When readers know a character but not the pronunciation, they can look it up in the stroke index.

2. The characters appear in simplified forms, but the full forms are shown in brackets after them for the benefit of readers.

3. When a word has two pronunciations, they are both listed, e. g. nà/nèi 那 and zhège/zhèige 这个.

説　明

　『当代漢語学習詞典』（初級版）は初級レベルの外国人中国語学習者のために編纂されたものであるが、同時に対外漢語教育に携る教師、国内の小学生及び初級レベルの少数民族の漢語学習者の使用にも適している。本書は主に「漢語水平詞彙等級大綱」の甲・乙レベルの語彙を収め、見出し語の数は合わせて 4337 語である。

　本書は外国人が中国語を学習する際の特徴に合わせ、実用性を重視している。その特色は以下の通りである。

　一、語義による見出し。一般の中国語辞典は文字または語を一つの見出しとし、一つの見出しの中にいくつかの語義が含まれる。本書では語の一つの語義を一見出しとし、同じ語形の異なる語義はそれぞれ別に見出しを立てた。（例：办¹、办²、比較¹、比較²）すなわち一つの見出しには一つの品詞・一つの語義しかないようにした。実際の会話では一つの文では語義は一つであり、品詞も一つであることに対応したものであり、中国語学習者が中国語の語句を把握しやすいように配慮した方法である。

　二、発音及び使用頻度と語義の関連性による配列。見出し語は語頭のピンインにより配列してある。同音多義の場合は使用頻度の高いものを前に置いた。また、単漢字語のあとに同じ使い方の多漢字語をまとめて置いた。例えば爱¹ 爱情 爱人 爱² 爱好¹ 爱好² 爱³ のようにし、これらの三つの爱の使用法とは関係のない爱护 爱惜¹ 爱惜² などの多音語をその後に置いた。これは音による配列を原則とした上で単漢字語を核心に起き、語義の近いあるいは関連する語を一つにまとめ、学習者がこの一まとまりを関連付けて理解できるように配慮したためである。

　三、見出し語はピンインを先とし漢字をあとに置いた。これは中国語学習者の漢字の認識順序に沿ったものである。

　四、解釈方法上の工夫。本書では一般の中国語辞典とは異なり、見出し語の解釈に独特の工夫を凝らしている。ほとんどは例文の説明により自ら意味がわかるようにしてある。(85%)。この方法が難しいものについては図による説明（3.5%）、英語（9.5%）、説明法（2%）などが使われている。例文による説明法は、まず解釈されるべき語の典型的な用法を完全な文によって示して、その実際に使われる文中での意味が理解できるようにする。そのあとでこの文の意味を解釈して、使用者が更によくこの語の意味を理解できるようにしている。このような方法はこれまでの学習辞典には見られないものであるが、中国語学習上必ずメリットがあると信じている。

　五、用例は見出し語の要点かつ中心部分であり、一つの見出し語につき3から8の正しい用例文を示している。実際の会話は一つ一つの文の積み重ねである。そのため、このように一定量の例文を示すことによってそれぞれの文の前後関係から、学習者はより明確にその意味と呼応関係や語の組み合わせ文法などを理解し、中国語の常用文に慣れこの語を使うことができるようになる。

　六、本書の説明に使う語句は本書に収められている 4337 語に限っている。これは初級学習者にとって大きな助けとなるはずである。すなわち語句の説明にわからない語が出てきても、すべてこの一冊で解決できるようになっている。

　七、すべての見出し語はピンインによって表記されるが、このとき口語の習慣に合わせて発音を示してある。それは学習者の漢字に対する困難を取り除き、読む・話すなど実際の運用の中で本書の内容をよりしっかりと身につけることができるための配慮である。

本書の使用上の注意

1. 本書は発音により配列してある。第一音節の音によって引くが、発音
　が分からない場合は＜词目笔画索引＞で調べることができる。漢字の
　画数と第一画によってその文字の発音を調べ、そのあと発音によって
　引く。

2. 漢字は簡体字を使用している。対応する繁体字がある場合は、簡体字
　のあとに括弧に括って示した。

3. 一つの文字に二つ以上の音がある場合は、それを全部示した。例：
　nà/nèi 那、zhège/zhèige 这个。

일러두기

　<當代漢語學習辭典>(初級本)은 중국어 초급 수준의 외국인, 대외한어를 가르치고 있는 교수, 한어가 서투른 소수민족이나 초등학생을 대상으로 만들어진 사전이다. 이 사전은 <漢語水平詞滙大綱>가운데 甲, 乙등급 단어를 위주로 수록하였으며, 전부 4337개 항목의 표제어, 표제자로 구성되어 있다. 이 사전은 외국인이 중국어 학습을 하는데 있어서의 여러 가지 애로점을 감안해 편집하였으며, 실용성에 그 초점을 맞추었다.

　<當代漢語學習辭典>은 아래와 같은 7가지 특징을 갖추고 있다.

　　1. 표제자, 표제어의 한자의 뜻을 위주로 항목을 분류하였다. 기존의 시중에 출판된 한어사전 들은 표제자를 중심으로 표제어를 일괄적으로 나열하는 형식을 취하고 있는 것이 보통이나 이 사전에서는 표제자를 그 의미나 뜻에 따라 재차 분류해 배열했다(예를 들면 办¹ 办², 比較¹ 比較²). 이렇듯 표제자의 각각의 의미를 중심으로 항목을 재분류함으로써 학습자가 한자의 의미를 빨리 파악하고 적응토록 했다.

　　2. 발음은 한어병음으로 표기했으며, 병음을 위주로 단어 배열을 하였다. 동시에 의항(義項)의 사용빈도와 어의(語義)의 상관성에도 주의를 기울였다. 표제자, 표제어가 여러 가지 뜻을 갖고 있는 경우에는 사용빈도수가 높은 의미 순서대로 열거하였으며, 표제자가 동일하거나 유사한 의미의 뜻을 가진 단어는 함께 묶어 정리하였다. 예를 들면 愛¹ 愛情 愛人, 愛² 愛好¹ 愛好², 愛³과 같다. 또한 愛護 愛惜¹ 愛惜²와 같이 현저히 다른 의미 영역을 가지고 있는 경우에는 愛¹ 愛² 愛³ 와 같이 뒤로 배치하였다. 이러한 배열 순서는 중국어를 학습하는데 있어 한자의 여러 가지 의미 영역을 인지하고 구분하게 함으로써 쉽게 그 뜻을 연상시켜 주는데 커다란 도움이 될 것이다.

　　3. 한어병음을 먼저 기재하고, 뒤에 한자의 자형을 수록함으로써

한자에 비교적 쉽게 적응토록 하였다.

　　4. 의미해석방법(釋義)으로는 문장해석방법(85%), 그림해석방법(3.5%), 영어해석방법(9.5%), 설명해석방법(2%)을 사용했다. 문장해석방법이란 설명방식에 의한 풀이를 지양하고, 예문을 들어 예문 안에서 나타나는 한자의 의미를 해석하게 함으로써 자연스럽게 한자의 뜻을 익히게 하는 방법이다. 이는 기존의 한어사전에서는 볼 수 없었던 최초의 해석 방법으로서, 중국어 학습에 커다란 도움이 되리라 기대되고 있다.

　　5. 각각의 표제자, 표제어는 3개~8개의 용례가 실려있으며, 용례를 통해 뜻을 이해하고 사용법을 익히며, 한자와 한자와의 결합방식, 어법구조, 상용문장 등등 한자의 실제적인 응용을 돕고 있다.

　　6. 이 사전에 수록된 모든 한자는 본 사전에서 열거하고 있는 표제자, 표제어 범위를 벗어나지 않도록 하여 편리를 도모하였다.

　　7. 모든 표제자, 표제어, 용례등의 문장들은 한어병음을 함께 수록, 회화를 중심으로 한 독특한 형식을 취했으며, 중국어 학습에 대한 두려움을 없애고, 쉽게 읽고 쉽게 말할 수 있도록 하였다.

<현대한어학습사전>을 사용할 때 아래사항을 참고하라.

　　1. 표제자, 표제어는 한어병음을 기준으로 하여 배열하였으며, 병음을 모를 경우에는 <한자부수색인>을 참조하라.

　　2. 자형은 간체자로 수록되어 있으며, 번체자를 괄호안에 수록함으로써 비교 가능토록 했다.

　　3. 이음자(異音字)는 nà/nèi 那, zhège/zhèige 這個 등과 같이 모두 수록하였다.

音 节 索 引

词目笔画索引

A

a

á 啊¹ ［叹］

~? 你说什么？ ~? Nǐ shuō shénme? →我没听清楚，希望你再说一遍。Wǒ méi tīng qīngchu, xīwàng nǐ zài shuō yí biàn. **例** ~? 我没听清，你再说一遍电话号码好吗？ ~? Wǒ méi tīngqīng, nǐ zài shuō yí biàn diànhuà hàomǎ hǎo ma? ｜ ~? 你叫什么名字？ ~? Nǐ jiào shénme míngzi? ｜他把什么拿走了？ ~? 什么？ Tā bǎ shénme názǒu le? ~? Shénme? ｜他没听清楚我的话，很自然地"~"了一声。Tā méi tīng qīngchu wǒ de huà, hěn zìrán de "~" le yì shēng.

ǎ 啊² ［叹］

~? 他走了？ ~? Tā zǒu le? →他真的走了吗？我很吃惊。Tā zhēnde zǒu le ma? Wǒ hěn chījīng. **例** ~? 他是你哥哥？真看不出来。 ~? Tā shì nǐ gēge? Zhēn kàn bu chūlái. ｜ ~? 这幅漂亮的画ㄦ是那个三岁的孩子画的？ ~? Zhèi fú piàoliang de huàr shì nèige sān suì de háizi huà de? ｜ ~? 他不是中国人？汉语怎么说得那么流利？ ~? Tā bú shì Zhōngguórén? Hànyǔ zěnme shuō de nàme liúlì?

à 啊³ ［叹］

~，他没来上课是因为病了。 ~, tā méi lái shàngkè shì yīnwèi bìng le. →他没来上课的原因我已经知道了。Tā méi lái shàngkè de yuányīn wǒ yǐjīng zhīdao le. **例** ~，我知道他为什么高兴了。 ~, wǒ zhīdao tā wèishénme gāoxìng le. ｜ ~，这个词的意思我懂了。 ~, zhèige cí de yìsi wǒ dǒng le. ｜ ~，我明白了，是这么回事ㄦ。 ~, wǒ míngbai le, shì zhème huí shìr.

à 啊⁴ ［叹］

~，这ㄦ真美！ ~, Zhèr zhēn měi! →这ㄦ非常美，我觉得好极了。Zhèr fēicháng měi, wǒ juéde hǎojí le. **例** ~，今天天气真好！ ~, jīntiān tiānqì zhēn hǎo! ｜ ~，这首歌真好听！ ~, zhèi shǒu gē zhēn hǎotīng! ｜ ~，她真可爱！ ~, tā zhēn kě'ài! ｜ ~，你太了不起了！ ~, nǐ tài liǎobuqǐ le! ｜ ~，你的汉语说得太棒了！ ~, nǐ de Hànyǔ shuō de tài bàng le!

a 啊[5] [助]

你说～，我很想知道这件事。Nǐ shuō ～ (ya), wǒ hěn xiǎng zhīdao zhèi jiàn shì. →我希望你快说出来，别让我着急。Wǒ xīwàng nǐ kuài shuō chulai, bié ràng wǒ zháojí. 例你们吃～，别客气。Nǐmen chī ～ (ya), bié kèqi. l你快去～，他正等着你呢。Nǐ kuài qù ～ (ya), tā zhèng děngzhe nǐ ne. l走～，再不走就赶不上飞机了。Zǒu ～ (wa), zài bù zǒu jiù gǎn bu shàng fēijī le.

a 啊[6] [助]

这件衣服真好看～！Zhèi jiàn yīfu zhēn hǎokàn ～ (na)! →用称赞的语气说这件衣服好看。Yòng chēngzàn de yǔqì shuō zhèi jiàn yīfu hǎokàn. 例这个姑娘真漂亮～！Zhèige gūniang zhēn piàoliang ～ (nga)! l今天的天气真好～！Jīntiān de tiānqì zhēn hǎo ～ (wa)! l时间过得真快～！Shíjiān guò de zhēn kuài ～ (ya)! l一年没跟父母见面了，多想去看看他们～！Yì nián méi gēn fùmǔ jiànmiàn le, duō xiǎng qù kànkan tāmen ～ (na)!

a 啊[7] [助]

你别说没时间，一定要来～！Nǐ bié shuō méi shíjiān, yídìng yào lái ～ (ya)! →我很希望你来。Wǒ hěn xīwàng nǐ lái. 例你别忘了，一定要给我写信～！Nǐ bié wàng le, yídìng yào gěi wǒ xiě xìn ～ (na)! l这件事很重要，你可一定要办好～。Zhèi jiàn shì hěn zhòngyào, nǐ kě yídìng yào bànhǎo ～ (wa). l你什么时候结婚可不能不告诉父母～。Nǐ shénme shíhou jiéhūn kě bù néng bú gàosu fùmǔ ～ (wa).

ai

āiyā 哎呀[1] [叹]

～，今天来的人真多。～, jīntiān lái de rén zhēn duō. →没想到今天来了这么多人，真让我吃惊。Méi xiǎngdào jīntiān láile zhème duō rén, zhēn ràng wǒ chījīng. 例～，这个公园真漂亮。～, zhèige gōngyuán zhēn piàoliang. l～，你半个小时做了这么多菜！～, nǐ bàn ge xiǎoshí zuòle zhème duō cài! l～，好大的房间！～, hǎo dà

de fángjiān! | ~, 你这么快就把工作做完了。~, nǐ zhème kuài jiù
bǎ gōngzuò zuòwán le.

āiyā 哎呀² [叹]

~, 你别说了。~, nǐ bié shuō le. →你说的话我不想听, 别再说
了。Nǐ shuō de huà wǒ bù xiǎng tīng, bié zài shuō le. 例~, 你别
再喝酒了, 再喝就醉了。~, nǐ bié zài hē jiǔ le, zài hē jiù zuì le. |
~, 你走得太慢了! ~, nǐ zǒu de tài màn le! | ~, 你把我的笔弄
坏了。~, nǐ bǎ wǒ de bǐ nònghuài le. | ~, 我都快累死了, 你还
不来帮我! ~, wǒ dōu kuài lèisǐ le, nǐ hái bù lái bāng wǒ!

āiyā 哎呀³ [叹]

~, 我的钥匙丢了! ~, wǒ de yàoshi diū le! →我突然发现钥匙不
见了, 这可真糟糕。Wǒ tūrán fāxiàn yàoshi bú jiàn le, zhè kě zhēn
zāogāo. 例~, 我的汽车坏了! ~, wǒ de qìchē huài le! | ~, 我
把这件大事忘了! ~, wǒ bǎ zhèi jiàn dà shì wàng le! | ~, 还有一
分钟就上课了, 我要迟到了! ~, hái yǒu yì fēnzhōng jiù shàngkè
le, wǒ yào chídào le!

āiyō 哎哟(哎哟) [叹]

~, 真疼! ~, zhēn téng! →人觉得疼的时候往往会说 "哎哟"。
Rén juéde téng de shíhou wǎngwǎng huì shuō "āiyō". 例~, 我肚
子好疼! ~, wǒ dùzi hǎo téng! | ~, 大夫, 我头疼得厉害。~,
dàifu, wǒ tóu téng de lìhai. | 她的手被热水烫了一下儿, "~" 了一
声。Tā de shǒu bèi rèshuǐ tàngle yí xiàr, "~" le yì shēng. | 那个
小孩儿牙疼得 "~ ~" 地叫。Nèige xiǎoháir yá téng de "~ ~" de
jiào.

āi 挨 [动]

我们俩的座位~着。Wǒmen liǎ de zuòwèi ~ zhe. →他的座位就在
我座位的左边或右边。Tā de zuòwèi jiù zài wǒ zuòwèi de zuǒbian
huò yòubian. 例我们俩是邻居, 我家和他家~着。Wǒmen liǎ shì
línjū, wǒ jiā hé tā jiā ~ zhe. | 那个银行紧~着一个电影院。Nèige
yínháng jǐn ~ zhe yí ge diànyǐngyuàn. | 照片上姐妹俩~在一起。
Zhàopiàn shang jiěmèi liǎ ~ zài yìqǐ. | 冰箱和暖气不能~得太近。
Bīngxiāng hé nuǎnqì bù néng ~ de tài jìn.

A

ǎi 矮[1] [形]

他一米七，我一米八，他比我～．Tā yì mǐ qī, wǒ yì mǐ bā, tā bǐ wǒ ～. →他的个子没我高。Tā de gèzi méi wǒ gāo. 例孩子长得真快，现在只比爸爸～一点儿了。Háizi zhǎng de zhēn kuài, xiànzài zhǐ bǐ bàba ～ yìdiǎnr le. | 我为自己～～的个子而烦恼。Wǒ wèi zìjǐ ～ ～ de gèzi ér fánnǎo. | 他父亲长得很～，身高不到一米六。Tā fùqin zhǎng de hěn ～, shēngāo bú dào yì mǐ liù.

ǎi 矮[2] [形]

这把椅子很～，是给小孩儿坐的。Zhèi bǎ yǐzi hěn ～, shì gěi xiǎoháir zuò de. →这把椅子不够高，大人坐会觉得不舒服。Zhèi bǎ yǐzi bú gòu gāo, dàren zuò huì juéde bù shūfu. 例那座山真～，五分钟就能爬上去。Nèi zuò shān zhēn ～, wǔ fēnzhōng jiù néng pá shangqu. | 以前这一带有很多～房子，现在都变成了高楼。Yǐqián zhèi yídài yǒu hěn duō ～ fángzi, xiànzài dōu biànchéngle gāolóu. | 那些～～的小山上新种了许多～～的小树。Nèixiē ～ ～ de xiǎoshān shang xīn zhòngle xǔduō ～ ～ de xiǎoshù. | 书架做得太～，放不了多少书。Shūjià zuò de tài ～, fàng bu liǎo duōshao shū.

ài 唉 [叹]

～，我的电脑又坏了。～, wǒ de diànnǎo yòu huài le. →觉得没办法、可惜或者伤心时常常会说"唉"。Juéde méi bànfǎ, kěxī huòzhě shāngxīn shí chángcháng huì shuō "ài". 例～，火车开走了，要是我早点儿动身就好了。～, huǒchē kāizǒu le, yàoshi wǒ zǎo diǎnr dòngshēn jiù hǎo le. | ～！这么好的电影没看上，真可惜。～! Zhème hǎo de diànyǐng méi kànshàng, zhēn kěxī. | 想到就要跟好朋友分开，她不由得"～"了一声。Xiǎngdào jiù yào gēn hǎo péngyou fēnkāi, tā bùyóude "～" le yì shēng.

ài 爱[1] (愛) [动]

他～妻子，对妻子很好。Tā ～ qīzi, duì qīzi hěn hǎo. →他对妻子有很深的感情。Tā duì qīzi yǒu hěn shēn de gǎnqíng. 例他第一次看见那个漂亮姑娘就～上了她。Tā dì yī cì kànjiàn nèige piàoliang gūniang jiù ～ shangle tā. | 她对丈夫～得很深，从来没想过离开丈夫。Tā

duì zhàngfu ~ de hěn shēn, cónglái méi xiǎngguo líkāi zhàngfu. |她
太 ~ 她的孩子了。Tā tài ~ tā de háizi le. |我深深地 ~ 着我的故乡。
Wǒ shēnshēn de ~ zhe wǒ de gùxiāng. |他一生中最 ~ 的人是辛辛
苦苦把他养大的母亲。Tā yìshēng zhōng zuì ~ de rén shì xīnxīnkǔkǔ
bǎ tā yǎngdà de mǔqin.

àiqíng 爱情（愛情）[名]

小伙子对那个姑娘产生了 ~ 。Xiǎohuǒzi duì nèige gūniang
chǎnshēngle ~ . →这个小伙子爱上了那个姑娘。Zhèige xiǎohuǒzi
àishangle nèige gūniang. 例他与妻子的 ~ 故事感动了很多人。Tā
yǔ qīzi de ~ gùshi gǎndòngle hěn duō rén. |年轻人都很想得到甜蜜
的 ~ 。Niánqīngrén dōu hěn xiǎng dédào tiánmì de ~ . |他和我只是
普通朋友，我们俩之间的感情不是 ~ 。Tā hé wǒ zhǐ shì pǔtōng
péngyou, wǒmen liǎ zhījiān de gǎnqíng bú shì ~ .

àiren 爱人（愛人）[名]

我们俩是夫妻，他是我 ~ 。Wǒmen liǎ shì fūqī, tā shì wǒ ~ . →丈
夫或妻子都可以说成"爱人"。Zhàngfu huò qīzi dōu kěyǐ shuōchéng
"àiren". 例她刚结婚，~ 是她的大学同学。Tā gāng jiéhūn, ~ shì
tā de dàxué tóngxué. |明天公司开晚会，大家可以带自己的~或者
朋友来。Míngtiān gōngsī kāi wǎnhuì, dàjiā kěyǐ dài zìjǐ de ~ huòzhě
péngyou lái. |她结婚以后，买衣服总要问问 ~ 的意见。Tā jiéhūn
yǐhòu, mǎi yīfu zǒng yào wènwen ~ de yìjian.

ài 爱² （愛）[动]

我 ~ 运动，每个周末都要去打球。Wǒ ~ yùndòng, měi ge zhōumò
dōu yào qù dǎ qiú. →我喜欢运动，周末经常去打球。Wǒ xǐhuan
yùndòng, zhōumò jīngcháng qù dǎ qiú. 例她 ~ 旅游，一有时间就想
去旅游。Tā ~ lǚyóu, yì yǒu shíjiān jiù xiǎng qù lǚyóu. |她特别 ~ 看
电视，每天最少要看三四个小时。Tā tèbié ~ kàn diànshì, měi tiān
zuì shǎo yào kàn sān sì gè xiǎoshí. |有一首歌我弟弟最近很 ~ 唱，
我常听见他唱。Yǒu yì shǒu gē wǒ dìdi zuìjìn hěn ~ chàng, wǒ
cháng tīngjiàn tā chàng.

àihào 爱好¹ （愛好）[名]

他的 ~ 是游泳，一个星期最少游三次。Tā de ~ shì yóuyǒng, yí ge

A

xīngqī zuì shǎo yóu sān cì. →游泳是他感兴趣的事。Yóuyǒng shì tā gǎn xìngqu de shì. **例**看电影是他最大的 ~，你请他看电影他肯定高兴。Kàn diànyǐng shì tā zuì dà de ~, nǐ qǐng tā kàn diànyǐng tā kěndìng gāoxìng. | 他没什么特别的 ~，下班以后就不知道干什么好。Tā méi shénme tèbié de ~, xià bān yǐhòu jiù bù zhīdào gàn shénme hǎo. | 我们俩都喜欢踢足球，这是我们共同的 ~。Wǒmen liǎ dōu xǐhuan tī zúqiú, zhè shì wǒmen gòngtóng de ~.

àihào 爱好² （愛好）[动]

我 ~ 运动。Wǒ ~ yùndòng. →我喜欢运动。Wǒ xǐhuan yùndòng. **例**他 ~ 打篮球，一有空儿就去打。Tā ~ dǎ lánqiú, yì yǒu kòngr jiù qù dǎ. | 他从小就 ~ 音乐，钢琴弹得很好。Tā cóngxiǎo jiù ~ yīnyuè, gāngqín tán de hěn hǎo. | 他是个 ~ 旅游的人，去过很多地方。Tā shì ge ~ lǚyóu de rén, qùguo hěn duō dìfang.

ài 爱³ （愛）[动]

白的衣服 ~ 脏，穿的时候要注意。Bái de yīfu ~ zāng, chuān de shíhou yào zhùyì. →白的衣服很容易变脏。Bái de yīfu hěn róngyì biànzāng. **例**玻璃杯 ~ 碎，小心别掉地上。Bōlibēi ~ suì, xiǎoxin bié diào dì shang. | 这种汽车质量不好，~ 出毛病。Zhèi zhǒng qìchē zhìliàng bù hǎo, ~ chū máobìng. | 他的脾气非常好，不 ~ 生气。Tā de píqi fēicháng hǎo, bú ~ shēngqì.

àihù 爱护（愛護）[动]

他很 ~ 自己的孩子，从不让孩子去危险的地方。Tā hěn ~ zìjǐ de háizi, cóng bú ràng háizi qù wēixiǎn de dìfang. →他把孩子看得很重要，很注意保护孩子。Tā bǎ háizi kàn de hěn zhòngyào, hěn zhùyì bǎohù háizi. **例**玛丽十分 ~ 自己的眼睛，很注意让眼睛得到休息。Mǎlì shífēn ~ zìjǐ de yǎnjing, hěn zhùyì ràng yǎnjing dédào xiūxi. | 我们要 ~ 环境，不能破坏森林。Wǒmen yào ~ huánjìng, bù néng pòhuài sēnlín. | 这种动物已经越来越少了，大家都应该 ~。Zhèi zhǒng dòngwù yǐjing yuèláiyuè shǎo le, dàjiā dōu yīnggāi ~.

àixī 爱惜（愛惜）[动]

他很 ~ 自己的新鞋子。Tā hěn ~ zìjǐ de xīn xiézi. →他穿那双新鞋子很小心，舍不得弄脏、弄旧。Tā chuān nèi shuāng xīn xiézi hěn xiǎoxin, shěbude nòngzāng、nòngjiù. **例**他不太~书，老乱扔。Tā bú tài ~ shū, lǎo luàn rēng. I他对汽车一点儿也不~，很少洗车。Tā duì qìchē yìdiǎnr yě bú ~, hěn shǎo xǐ chē. I他父亲是个很~自己身体的人，从来不抽烟、喝酒。Tā fùqin shì ge hěn ~ zìjǐ shēntǐ de rén, cónglái bù chōuyān、hē jiǔ.

an

ān 安 [动]
install**例**电话公司的人正在给我的新家~电话。Diànhuà gōngsī de rén zhèngzài gěi wǒ de xīn jiā ~ diànhuà. I这个房间没~空调，夏天太热。Zhèige fángjiān méi ~ kōngtiáo, xiàtiān tài rè. I墙上的灯已经~好了儿，你开一下儿试试。Qiáng shang de dēng yǐjing ~ hǎo le, nǐ kāi yí xiàr shìshi. I门上的锁坏了，我买了一把新的~上去。Mén shang de suǒ huài le, wǒ mǎile yì bǎ xīn de ~ shangqu.

ānjìng 安静 [形]
图书馆里一般都很~。Túshūguǎn li yìbān dōu hěn ~. →你在图书馆里几乎听不到什么声音。Nǐ zài túshūguǎn li jīhū tīng bu dào shénme shēngyīn. **例**晚上校园里没人，非常~。Wǎnshang xiàoyuán li méi rén, fēicháng ~. I请保持~，别大声说话。Qǐng bǎochí ~, bié dàshēng shuōhuà. I下班后大楼里渐渐~下来。Xiàbān hòu dà lóu li jiànjiàn ~ xialai. I在这个~的小村子里看不到一辆汽车。Zài zhèige ~ de xiǎo cūnzi li kàn bu dào yí liàng qìchē.

ānpái 安排¹ [动]
经理~我去参加这次会议。Jīnglǐ ~ wǒ qù cānjiā zhèi cì huìyì. →经理派我去参加这个会。Jīnglǐ pài wǒ qù cānjiā zhèige huì. **例**这次旅游，吃、住、玩儿都是我朋友~的。Zhèi cì lǚyóu, chī、zhù、wánr dōu shì wǒ péngyou ~ de. I你们的座位已经~好了，你坐这儿，他坐那儿。Nǐmen de zuòwèi yǐjing ~ hǎo le, nǐ zuò zhèr, tā zuò nàr. I请你~一下儿谁干什么。Qǐng nǐ ~ yíxiàr shéi gàn shénme. I别把时间~得太紧，应该留一些自由活动的时间。Bié bǎ shíjiān ~ de tài jǐn, yīnggāi liú yìxiē zìyóu huódòng de shíjiān.

ānpái 安排² [名]
今天晚上你有什么~？Jīntiān wǎnshang nǐ yǒu shénme ~? →今天

晚上你打算做哪些事? Jīntiān wǎnshang nǐ dǎsuan zuò něixiē shì? 例明天晚上我已经有~了，我要去看朋友。Míngtiān wǎnshang wǒ yǐjing yǒu ~ le, wǒ yào qù kàn péngyou. I星期天我没有~，你说干什么就干什么。Xīngqītiān wǒ méiyǒu ~, nǐ shuō gàn shénme jiù gàn shénme. I他的~让大家很满意，所以大家都按他的计划做。Tā de ~ ràng dàjiā hěn mǎnyì, suǒyǐ dàjiā dōu àn tā de jìhuà zuò.

ānquán 安全[1] [形]

跑步很~，不容易受伤。Pǎobù hěn ~, bù róngyì shòushāng. →跑步这项运动没什么危险。Pǎobù zhèi xiàng yùndòng méi shénme wēixiǎn. 例下雪天开车不太~。Xià xuě tiān kāi chē bú tài ~. I汽车停在这儿比较~，一直有人看着。Qìchē tíng zài zhèr bǐjiào ~, yìzhí yǒu rén kānzhe. I这是个~的城市，坏人很少。Zhè shì ge ~ de chéngshì, huàirén hěn shǎo.

ānquán 安全[2] [名]

她第一次一个人出国旅游，妈妈很担心她的~。Tā dì yī cì yí ge rén chū guó lǚyóu, māma hěn dānxīn tā de ~. →妈妈担心她遇到危险。Māma dānxīn tā yùdào wēixiǎn. 例警察在保护她，不用为她的~担心。Jǐngchá zài bǎohù tā, búyòng wèi tā de ~ dānxīn. I开车要注意~，别开得太快。Kāi chē yào zhùyì ~, bié kāi de tài kuài. I法律保护人们的生命、财产~。Fǎlǜ bǎohù rénmen de shēngmìng、cáichǎn ~.

ānwèi 安慰 [动]

我生病了，他来~我。Wǒ shēngbìng le, tā lái ~ wǒ. →他劝我别担心、别着急，保持心情愉快。Tā quàn wǒ bié dānxīn、bié zháojí, bǎochí xīnqíng yúkuài. 例她跟男朋友分手了，妈妈正在~她呢。Tā gēn nánpéngyou fēnshǒu le, māma zhèngzài ~ tā ne. I你快去~~她吧，她的狗死了。Nǐ kuài qù ~ ~ tā ba, tā de gǒu sǐ le. I妹妹的钱包丢了，我~她说："别难过，我送你一个新的。"Mèimei de qiánbāo diū le, wǒ ~ tā shuō: "Bié nánguò, wǒ sòng nǐ yí ge xīn de."

ānxīn 安心 [形]

他工作很~。Tā gōngzuò hěn ~. →他不受周围环境影响，把心思全放在工作上。Tā bú shòu zhōuwéi huánjìng yǐngxiǎng, bǎ xīnsi quán fàngzài gōngzuò shang. 例最近他上课时不太~，老想着放假

的安排。Zuìjìn tā shàngkè shí bú tài ~ , lǎo xiǎngzhe fàngjià de ānpái. I 我让他~养病，别想得太多。Wǒ ràng tā ~ yǎngbìng, bié xiǎng de tài duō. I 父亲病了，所以他不能~学习。Fùqin bìng le, suǒyǐ tā bù néng ~ xuéxí. I 星期六、星期天早上可以~地睡觉。Xīngqīliù、Xīngqītiān zǎoshang kěyǐ ~ de shuìjiào.

àn 按[1] ［介］

他说得对，你~他的话做吧。Tā shuō de duì, nǐ ~ tā de huà zuò ba. →他让你怎么做，你就怎么做。Tā ràng nǐ zěnme zuò, nǐ jiù zěnme zuò. 例你应该~医生的要求吃药才行。Nǐ yīnggāi ~ yīshēng de yāoqiú chī yào cái xíng. I 我同意你的意见，就~你的意见办。Wǒ tóngyì nǐ de yìjiàn, jiù ~ nǐ de yìjiàn bàn. I 既然你假期有空儿，我们就~原计划去旅游吧。Jìrán nǐ jiàqī yǒu kòngr, wǒmen jiù ~ yuán jìhuà qù lǚyóu ba.

ànshí 按时（按時）［副］

他每天都~上班，从来不迟到。Tā měi tiān dōu ~ shàngbān, cónglái bù chídào. →他每天都按照规定的时间上班。Tā měi tiān dōu ànzhào guīdìng de shíjiān shàngbān. 例明天上午十点开会，请大家~参加。Míngtiān shàngwǔ shí diǎn kāihuì, qǐng dàjiā ~ cānjiā. I 他今天没~起床，比平时晚了半个小时。Tā jīntiān méi ~ qǐchuáng, bǐ píngshí wǎnle bàn ge xiǎoshí. I 医生说每过八小时吃一次药，你别忘了~吃。Yīshēng shuō měi guò bā xiǎoshí chī yí cì yào, nǐ bié wàngle ~ chī.

ànzhào 按照 ［介］

他说的办法很好，我们~他的话做吧。Tā shuō de bànfǎ hěn hǎo, wǒmen ~ tā de huà zuò ba. →他怎么说，我们就怎么做吧。Tā zěnme shuō, wǒmen jiù zěnme zuò ba. 例你应该~医生的话去做，身体才会好。Nǐ yīnggāi ~ yīshēng de huà qù zuò, shēntǐ cái huì hǎo. I 他要吃辣的，我~他的要求做了一个特别辣的菜。Tā yào chī là de, wǒ ~ tā de yāoqiú zuòle yí ge tèbié là de cài. I ~机场的规定，乘飞机的时候不能打电话。~ jīchǎng de guīdìng, chéng fēijī de shíhou bù néng dǎ diànhuà.

àn 按[2] ［动］

我用手~了一下儿开关，电灯亮了。Wǒ yòng shǒu ~ le yí xiàr kāiguān, diàndēng liàng le. →我用手打开电灯的开关。Wǒ yòng

shǒu dǎkāi diàndēng de kāiguān. 例有人在～门铃，快去开门吧。
Yǒu rén zài ～ ménlíng, kuài qù kāi mén ba. | 墙太硬了，怎么用力
也不能把图钉～进墙里去。Qiáng tài yìng le, zěnme yònglì yě bù
néng bǎ túdīng ～ jìn qiáng li qu. | 她用手～住头发，不让风吹乱。
Tā yòng shǒu ～ zhù tóufa, bú ràng fēng chuīluàn. | 电脑的开关坏
了，～不下去。Diànnǎo de kāiguān huài le, ～ bu xiàqù.

àn 暗 [形]

晚上房间里没开灯，很～。Wǎnshang fángjiān li méi kāi dēng, hěn
～. →光线比较弱，看不见或者看不清房间里的东西。Guāngxiàn
bǐjiào ruò, kàn bu jiàn huòzhě kàn bu qīng fángjiān li de dōngxi. 例阴
天教室里太～，把灯打开就亮了。Yīntiān jiàoshì li tài ～, bǎ dēng
dǎkāi jiù liàng le. | 天空变～了，看样子要下雨了。Tiānkōng biàn ～
le, kàn yàngzi yào xià yǔ le. | 光线～极了，我几乎什么也看不见。
Guāngxiàn ～ jí le, wǒ jīhū shénme yě kàn bu jiàn. | 太阳下山了，
天～下来了。Tàiyáng xià shān le, tiān ～ xialai le. | 在这么～的台
灯下看书对你的眼睛不好。Zài zhème ～ de táidēng xià kàn shū duì
nǐ de yǎnjing bù hǎo.

B

ba

bā 八 [数]

三加五等于~. Sān jiā wǔ děngyú ~. →3 + 5 = 8 **例**他家有 ~ 口人。Tā jiā yǒu ~ kǒu rén. |这个孩子今年~ 岁。Zhèige háizi jīnnián ~ suì. |我们晚上 ~ 点在电影院门口见面吧。Wǒmen wǎnshang ~ diǎn zài diànyǐngyuàn ménkǒu jiànmiàn ba. |他们获得了这次足球比赛的第 ~ 名。Tāmen huòdéle zhèi cì zúqiú bǐsài de dì ~ míng.

bā 捌 [数]

"八"的大写形式。"Bā" de dàxiě xíngshì.

bá 拔 [动]

他在花园里 ~ 草。Tā zài huāyuán li ~ cǎo. →他用手把草从土里拉出来。Tā yòng shǒu bǎ cǎo cóng tǔ li lā chulai. **例**他从头上 ~ 下了一根头发。Tā cóng tóu shang ~ xiale yì gēn tóufa. |我手上有根刺儿，你帮我 ~ 出来吧。Wǒ shǒu shang yǒu gēn cìr, nǐ bāng wǒ ~ chulai ba. |我去医院 ~ 掉了一颗坏牙。Wǒ qù yīyuàn ~ diàole yì kē huài yá. |这棵树的根很深，谁也 ~ 不动。Zhèi kē shù de gēn hěn shēn, shéi yě ~ bu dòng. |糟糕，钥匙插进锁里 ~ 不出来了。Zāogāo, yàoshi chājìn suǒ li ~ bu chūlái le.

bǎ 把[1] [量]

用于椅子、勺子、尺子、扇子、钥匙、锁、刀、枪、伞等。Yòngyú yǐzi、sháozi、chǐzi、shànzi、yàoshi、suǒ、dāo、qiāng、sǎn děng. **例**他手里拿着一 ~ 刀，准备切蛋糕。Tā shǒu li názhe yì ~ dāo, zhǔnbèi qiē dàngāo. |我有两 ~ 雨伞，借给你一 ~ 。Wǒ yǒu liǎng ~ yǔsǎn, jiè gěi nǐ yì ~ . |请将那 ~ 椅子搬过来。Qǐng jiāng nèi ~ yǐzi bān guolai. |这几 ~ 扇子很好看。Zhèi jǐ ~ shànzi hěn hǎokàn. |我把所有的钥匙一 ~ 一 ~ 地试了一遍，还是打不开这 ~ 锁。Wǒ bǎ suǒyǒu de yàoshi yì ~ yì ~ de shìle yí biàn, háishi dǎ bu kāi zhèi ~ suǒ.

bǎ 把[2] [量]

用于用手抓着的东西。Yòngyú yòng shǒu zhuāzhe de dōngxi. **例**他

B

手里拿着一 ~ 铅笔。Tā shǒu li názhe yì ~ qiānbǐ. |孩子手里抓着一 ~ 沙子。Háizi shǒu li zhuāzhe yì ~ shāzi. |我抓了两大 ~ 花生给他吃。Wǒ zhuāle liǎng dà ~ huāshēng gěi tā chī. |只剩下一小 ~ 米，做饭不够了。Zhǐ shèngxia yì xiǎo ~ mǐ, zuòfàn bú gòu le.

bǎ 把³ ［介］

别开着门，~ 门关上吧。Bié kāizhe mén, ~ mén guānshang ba. →关上门吧。Guānshang mén ba. 例我 ~ 书包里的书拿了出来。Wǒ ~ shūbāo li de shū nále chulai. |我早就 ~ 那本杂志看完了。Wǒ zǎo jiù ~ nèi běn zázhì kànwán le. |你怎么能 ~ 他的东西说成是你的呢？Nǐ zěnme néng ~ tā de dōngxi shuōchéng shì nǐ de ne? |他还没 ~ 我的自行车还给我。Tā hái méi ~ wǒ de zìxíngchē huán gěi wǒ. |你最好别 ~ 这件衣服放在洗衣机里洗，会洗坏的。Nǐ zuìhǎo bié ~ zhèi jiàn yīfu fàng zài xǐyījī li xǐ, huì xǐhuài de.

bàba 爸爸 ［名］

dad 例这个小孩儿是我儿子，我是他 ~。Zhèige xiǎoháir shì wǒ érzi, wǒ shì tā ~. |他是家里最小的孩子，~ 很爱他。Tā shì jiāli zuì xiǎo de háizi, ~ hěn ài tā. |我的 ~ 妈妈已经结婚五十年了。Wǒ de māma yǐjing jiéhūn wǔshí nián le. |他对他父亲说："~，您要多注意身体。"Tā duì tā fùqin shuō: "~, nín yào duō zhùyì shēntǐ." |我对家里人都非常关心。Wǒ ~ duì jiāli rén dōu fēicháng guānxīn.

ba 吧¹ ［助］

他很像你，他是你弟弟 ~？Tā hěn xiàng nǐ, tā shì nǐ dìdi ~? →我猜他大概是你弟弟。Wǒ cāi tā dàgài shì nǐ dìdi. 例他对你那么好，他是你的男朋友 ~？Tā duì nǐ nàme hǎo, tā shì nǐ de nánpéngyou ~? |我从来没听过他说汉语，可能他不会说 ~？Wǒ cónglái méi tīngguo tā shuō Hànyǔ, kěnéng tā bú huì shuō ~? |天这么阴，大概要下雨了 ~？Tiān zhème yīn, dàgài yào xià yǔ le ~? |这么晚了，恐怕没有公共汽车了 ~？Zhème wǎn le, kǒngpà méiyǒu gōnggòng qìchē le ~?

ba 吧² ［助］

那个饭馆儿的菜不错，我们去那儿 ~。Nèige fànguǎnr de cài búcuò, wǒmen qù nàr ~. →我建议去那个饭馆儿。Wǒ jiànyì qù nèige fànguǎnr. 例今天晚上没事儿，我们去看电影 ~。Jīntiān wǎnshang méi shìr, wǒmen qù kàn diànyǐng ~. |我很想看你这本书，借给我

~。Wǒ hěn xiǎng kàn nǐ zhèi běn shū, jiè gěi wǒ ~. ┃我想去买东西，你跟我一块儿去~。Wǒ xiǎng qù mǎi dōngxi, nǐ gēn wǒ yíkuàir qù ~. ┃我会打网球，你想学的话我教你~。Wǒ huì dǎ wǎngqiú, nǐ xiǎng xué dehuà wǒ jiāo nǐ ~.

bai

bái 白[1] [形]

white 例雪是~的。Xuě shì ~ de. ┃这张纸很~。Zhèi zhāng zhǐ hěn ~. ┃她的皮肤比我~一点儿。Tā de pífū bǐ wǒ ~ yìdiǎnr. ┃~衣服很容易弄脏。~ yīfu hěn róngyì nòngzāng. ┃她身体不舒服，脸~得像纸一样。Tā shēntǐ bù shūfu, liǎn ~ de xiàng zhǐ yíyàng. ┃这个屋子的墙~~的，很干净。Zhèige wūzi de qiáng ~ ~ de, hěn gānjìng. ┃下了一夜的雪，早上一切都变~了。Xiàle yí yè de xuě, zǎoshang yíqiè dōu biàn ~ le.

báicài 白菜 [名]

Chinese cabbage 例~是我最爱吃的蔬菜。~ shì wǒ zuì ài chī de shūcài. ┃她从市场上买了几棵~。Tā cóng shìchǎng shang mǎile jǐ kē ~. ┃这个菜是用~和鸡蛋做的。Zhèige cài shì yòng ~ hé jīdàn zuò de. ┃这棵~的叶子有点儿黄。Zhèi kē ~ de yèzi yǒudiǎnr huáng.

báisè 白色 [名]

雪是~的。Xuě shì ~ de. →雪的颜色是白的。Xuě de yánsè shì bái de. 例这些纸原来是~的，现在变黄了。Zhèixiē zhǐ yuánlái shì ~ de, xiànzài biànhuáng le. ┃她喜欢淡的颜色，爱穿~的衣服。Tā xǐhuan dàn de yánsè, ài chuān ~ de yīfu. ┃房间里~的墙壁上挂着一幅画。Fángjiān li ~ de qiángbì shang guàzhe yì fú huà. ┃下雪后，地上变成了~。Xià xuě hòu, dìshang biànchéngle ~.

báitiān 白天 [名]

天亮了，现在是~了。Tiān liàng le, xiànzài shì ~ le. →一天里从天亮到天黑的这段时间是白天。Yì tiān li cóng tiān liàng dào tiān hēi de zhèi duàn shíjiān shì báitiān. 例一般~比晚上气温高。Yìbān ~ bǐ wǎnshang qìwēn gāo. ┃明天~可能会下雨。Míngtiān ~ kěnéng huì xià yǔ. ┃她~要上班，晚上才有空儿。Tā ~ yào shàngbān, wǎnshang cái yǒu kòngr. ┃我~从来不喝酒，晚上才喝。Wǒ ~ cónglái bù hē jiǔ, wǎnshang cái hē. ┃整个~他都呆在办公室里。

Zhěnggè ～ tā dōu dāi zài bàngōngshì li.

B

bái 白² [副]

我对她说的话～说了，她一句也没听。Wǒ duì tā shuō de huà ～ shuō le, tā yí jù yě méi tīng. →我的话一点儿作用也没有。Wǒ de huà yìdiǎnr zuòyòng yě méiyǒu. 例我一天的工作全～干了，老板说必须重做。Wǒ yì tiān de gōngzuò quán ～ gàn le, lǎobǎn shuō bìxū chóng zuò. ｜我去她家找她，她不在，我～跑了一趟。Wǒ qù tā jiā zhǎo tā, tā bú zài, wǒ ～ pǎole yí tàng. ｜我～花了很多钱，却没买到特别满意的书。Wǒ ～ huāle hěn duō qián, què méi mǎidào tèbié mǎnyì de shū.

báibái 白白 [副]

他学习不努力，～花了很多钱。Tā xuéxí bù nǔlì, ～ huāle hěn duō qián. →他花了钱却没效果，什么也没学到。Tā huāle qián què méi xiàoguǒ, shénme yě méi xuédào. 例他昨天什么也没干，～浪费了一天。Tā zuótiān shénme yě méi gàn, ～ làngfèile yì tiān. ｜我以为自己得了大病，其实只是感冒，～担心了几天。Wǒ yǐwéi zìjǐ déle dà bìng, qíshí zhǐshì gǎnmào, ～ dānxīnle jǐ tiān. ｜我～辛苦了半年，还是没考及格。Wǒ ～ xīnkǔle bàn nián, háishi méi kǎo jígé.

bǎi 百 [数]

一百＝100。Yìbǎi děngyú yìbǎi. 例她的自行车要四～多块钱。Tā de zìxíngchē yào sì ～ duō kuài qián. ｜今年有三～六十五天。Jīnnián yǒu sān ～ liùshíwǔ tiān. ｜今天来这个博物馆参观的有五六～人。Jīntiān lái zhèige bówùguǎn cānguān de yǒu wǔ liù ～ rén. ｜他有几～本书。Tā yǒu jǐ ～ běn shū. ｜那座古老的房子已经有好几～年的历史了。Nèi zuò gǔlǎo de fángzi yǐjing yǒu hǎojǐ ～ nián de lìshǐ le. ｜这个大教室有二～来个座位。Zhèige dà jiàoshì yǒu èr ～ lái ge zuòwèi.

bǎi 佰 [数]

"百"的大写形式。"Bǎi" de dàxiě xíngshì.

bǎi 摆（擺）[动]

桌子上～着一瓶花。Zhuōzi shang ～ zhe yì píng huā. →把花放在桌子上是为了让房间更好看。Bǎ huā fàng zài zhuōzi shang shì wèile ràng fángjiān gèng hǎokàn. 例书架上～着很多书，很整齐。Shūjià shang ～ zhe hěn duō shū, hěn zhěngqí. ｜把电视机～在这里最合

适。Bǎ diànshìjī ～ zài zhèli zuì héshì. ｜桌子没～正，有点儿别扭。Zhuōzi méi ～ zhèng, yǒudiǎnr bièniu. ｜椅子～得不整齐，重新～一下儿。Yǐzi ～ de bù zhěngqí, chóngxīn ～ yíxiàr. ｜这个小房间里～不下那么大的钢琴。Zhèige xiǎo fángjiān li ～ bu xià nàme dà de gāngqín.

ban

bān 班[1] [名]

我们俩上中学时在一个～。Wǒmen liǎ shàng zhōngxué shí zài yí ge ～. →我们俩在一块儿上课。Wǒmen liǎ zài yíkuàir shàngkè. 例这所中学一共有二十多个～。Zhèi suǒ zhōngxué yígòng yǒu èrshí duō ge ～. ｜我们～来了一位新同学。Wǒmen ～ láile yí wèi xīn tóngxué. ｜他是这个～里年纪最小的学生。Tā shì zhèige ～ li niánjì zuì xiǎo de xuésheng. ｜我在一～学习，他在三～。Wǒ zài yī ～ xuéxí, tā zài sān ～. ｜我的孩子在那位老师教的～上学习。Wǒ de háizi zài nèi wèi lǎoshī jiāo de ～ shang xuéxí.

bānzhǎng 班长（班長）[名]

那个学生是我们班的～。Nèige xuésheng shì wǒmen bān de ～. →他是我们班的学生，负责组织活动、通知事情等。Tā shì wǒmen bān de xuésheng, fùzé zǔzhī huódòng、tōngzhī shìqing děng. 例他是～，当然关心班上的事情。Tā shì ～, dāngrán guānxīn bān shang de shìqing. ｜他很有领导能力，大家选他当～。Tā hěn yǒu lǐngdǎo nénglì, dàjiā xuǎn tā dāng ～. ｜～的意见大家都很支持。～ de yìjiàn dàjiā dōu hěn zhīchí.

bān 班[2] [量]

长途公共汽车刚开走一～，下一～一个小时以后到。Chángtú gōnggòng qìchē gāng kāizǒu yì ～, xià yì ～ yí ge xiǎoshí yǐhòu dào. →长途公共汽车过一定的时间开一趟。Chángtú gōnggòng qìchē guò yídìng de shíjiān kāi yí tàng. 例这～飞机二十分钟后起飞。Zhèi ～ fēijī èrshí fēnzhōng hòu qǐfēi. ｜早上第一～公共汽车五点发车。Zǎoshang dì yī ～ gōnggòng qìchē wǔ diǎn fāchē. ｜最后一～从这个城市开往那个城市的火车晚上八点开车。Zuìhòu yì ～ cóng zhèige chéngshì kāiwǎng nèige chéngshì de huǒchē wǎnshang bā diǎn kāi chē. ｜我打算乘下一～飞机去上海。Wo dǎsuan chéng xià yì ～ fēijī qù Shànghǎi.

B

bān 搬¹ [动]

他正往汽车上～一个大箱子。Tā zhèng wǎng qìchē shang ～ yí ge dà xiāngzi. →他要把那个大箱子放到车上去。Tā yào bǎ nèige dà xiāngzi fàngdào chē shang qu. 例我们一起～这张桌子吧，它太重了。Wǒmen yìqǐ ～ zhèi zhāng zhuōzi ba, tā tài zhòng le. | 我们把屋子那边的衣柜～过来吧。Wǒmen bǎ wūzi nèibian de yīguì ～ guolai ba. | 你能把这块大石头～起来吗？Nǐ néng bǎ zhèi kuài dà shítou ～ qilai ma? | 他已经把电视～到另一个房间去了。Tā yǐjing bǎ diànshì ～ dào lìng yí ge fángjiān qu le. | 我一个人～不动这个冰箱。Wǒ yí ge rén ～ bu dòng zhèige bīngxiāng.

bān 搬² [动]

他家要～了，以后就不住在这儿了。Tā jiā yào ～ le, yǐhòu jiù bú zhù zài zhèr le. →他们全家人要到别的地方去住了。Tāmen quán jiā rén yào dào biéde dìfang qù zhù le. 例他从父母家～出来一个人住了。Tā cóng fùmǔ jiā ～ chulai yí ge rén zhù le. | 我已经找到了房子，明天就～走。Wǒ yǐjing zhǎodàole fángzi, míngtiān jiù ～ zǒu. | 我的新邻居是刚从别的城市～来的。Wǒ de xīn línjū shì gāng cóng biéde chéngshì ～ lai de. | 因为工作的关系，我已经～了好几次家了。Yīnwèi gōngzuò de guānxi, wǒ yǐjing ～ le hǎojǐ cì jiā le. | 刚～到我家隔壁的那家人对邻居很友好。Gāng ～ dào wǒ jiā gébì de nèi jiā rén duì línjū hěn yǒuhǎo.

bàn 办¹（辦）[动]

我下午要去～一些事儿。Wǒ xiàwǔ yào qù ～ yìxiē shìr. →我下午要去处理一些事儿。Wǒ xiàwǔ yào qù chǔlǐ yìxiē shìr. 例他要～一件很急的事，就是通知大家明天的计划变了。Tā yào ～ yí jiàn hěn jí de shìr, jiù shì tōngzhī dàjiā míngtiān de jìhuà biàn le. | 经理让我去～一下儿广告方面的事情。Jīnglǐ ràng wǒ qù ～ yíxiàr guǎnggào fāngmiàn de shìqing. | 这次组织同学们参加晚会的事儿，班长～得很好。Zhèi cì zǔzhī tóngxuémen cānjiā wǎnhuì de shìr, bānzhǎng ～ de hěn hǎo. | 事情太多了，今天可能～不完。Shìqing tài duō le, jīntiān kěnéng ～ bu wán. | 他的～事能力很强，没有他～不了的事儿。Tā de ～ shì nénglì hěn qiáng, méiyǒu tā ～ bu liǎo de shìr.

B

bàn 办² （辦）［动］

他要出国，目前正在～护照。Tā yào chūguó, mùqián zhèngzài ～ hùzhào. →他在为得到护照做一些有关的事情，像申请、填表、交费等。Tā zài wèi dédào hùzhào zuò yìxiē yǒuguān de shìqing, xiàng shēnqǐng、tián biǎo、jiāo fèi děng. 例你得先～签证才能去那个国家。Nǐ děi xiān ～ qiānzhèng cái néng qù nèige guójiā. ｜那个学生在～自己的学习成绩证明。Nèige xuésheng zài ～ zìjǐ de xuéxí chéngjì zhèngmíng. ｜新学生需要～一些手续。Xīn xuésheng xūyào ～ yìxiē shǒuxù. ｜报名手续已经～好了，你可以参加这次比赛了。Bàomíng shǒuxù yǐjing ～ hǎo le, nǐ kěyǐ cānjiā zhèi cì bǐsài le.

bànfǎ 办法（辦法）［名］

这件事不难，我有～。Zhèi jiàn shì bù nán, wǒ yǒu ～. →我知道该怎么做。Wǒ zhīdao gāi zěnme zuò. 例他给那个商店想了一个吸引顾客的好～。Tā gěi nèige shāngdiàn xiǎngle yí ge xīyǐn gùkè de hǎo ～. ｜真没～，孩子怎么也不听我的话。Zhēn méi ～, háizi zěnme yě bù tīng wǒ de huà. ｜我实在想不出什么～来。Wǒ shízài xiǎng bu chū shénme ～ lai. ｜现在我一点儿～也没有。Xiànzài wǒ yìdiǎnr ～ yě méiyǒu. ｜他的～很多，你有困难应该找他帮忙。Tā de ～ hěn duō, nǐ yǒu kùnnan yīnggāi zhǎo tā bāngmáng. ｜用这个～很快就能解决问题。Yòng zhèige ～ hěn kuài jiù néng jiějué wèntí.

bàngōngshì 办公室（辦公室）［名］

那个房间就是公司经理的～。Nèige fángjiān jiù shì gōngsī jīnglǐ de ～. →那个房间就是经理上班时工作的地方。Nèige fángjiān jiù shì jīnglǐ shàngbān shí gōngzuò de dìfang. 例这个大房间是学院工作人员的～。Zhèige dà fángjiān shì xuéyuàn gōngzuò rényuán de ～. ｜现在是上班时间，他大概在～里。Xiànzài shì shàngbān shíjiān, tā dàgài zài ～ li. ｜我跟她在同一个～工作。Wǒ gēn tā zài tóng yí ge ～ gōngzuò. ｜他最近很忙，常常下班后还留在～里继续工作。Tā zuìjìn hěn máng, chángcháng xiàbān hòu hái liú zài ～ li jìxù gōngzuò. ｜上午～里的人都忙得不得了。Shàngwǔ ～ li de rén dōu máng de bù déliǎo. ｜这不是我家里的电话号码，是我～的。Zhè bú shì wǒ jiāli de diànhuà hàomǎ, shì wǒ ～ de.

bàn 半［数］

一个月有30天，～个月就是15天。Yí ge yuè yǒu sānshí tiān, ～

B

ge yuè jiù shì shíwǔ tiān. →半个月就是1/2个月。Bàn ge yuè jiù shì
èr fēnzhī yī ge yuè. 例这些东西有一～是我同屋的。Zhèixiē dōngxi
yǒu yí ～ shì wǒ tóngwū de. |我一个人喝不了这瓶酒，我们俩一人
喝 ～ 瓶吧。Wǒ yí ge rén hē bu liǎo zhèi píng jiǔ, wǒmen liǎ yì rén hē
～ píng ba. |我学过～年左右的汉语，时间是去年2月到7月。Wǒ
xuéguo ～ nián zuǒyòu de Hànyǔ, shíjiān shì qùnián Èryuè dào
Qīyuè. |我们还有一天～的时间，也就是36个小时。Wǒmen hái
yǒu yì tiān ～ de shíjiān, yě jiù shì sānshíliù ge xiǎoshí. |现在是11
月15号，到新年还有一个～月。Xiànzài shì Shíyīyuè shíwǔ hào,
dào xīnnián hái yǒu yí ge ～ yuè.

bàntiān 半天　[名]

我等了他～，都有点儿着急了。Wǒ děngle tā ～, dōu yǒudiǎnr
zhǎojí le. →我等了他很长时间。Wǒ děngle tā hěn cháng shíjiān.
例我找了他～，好不容易才找到。Wǒ zhǎole tā ～, hǎo bùróngyì
cái zhǎodào. |她过了～才打扮好。Tā guòle ～ cái dǎban hǎo. |我
跟他十年没见了，想了～才想起他的名字来。Wǒ gēn tā shí nián
méi jiàn le, xiǎngle ～ cái xiǎngqǐ tā de míngzi lai. |昨天晚上他看了
～ 电视，很晚才睡。Zuótiān wǎnshang tā kànle ～ diànshì, hěn wǎn
cái shuì.

bànyè 半夜　[名]

他昨天晚上学习了很长时间，～才睡。Tā zuótiān wǎnshang xuéxíle
hěn cháng shíjiān, ～ cái shuì. →他夜里很晚才睡觉。Tā yèli hěn
wǎn cái shuìjiào. 例他昨天晚上跟朋友一起去喝酒了，～才回家。
Tā zuótiān wǎnshang gēn péngyou yìqǐ qù hē jiǔ le, ～ cái huíjiā. |现
在已经是～了，别大声说话。Xiànzài yǐjing shì ～ le, bié dàshēng
shuōhuà. |他看书一直看到～三点。Tā kàn shū yìzhí kàn dào ～
sān diǎn.

bang

bāng 帮（幫）　[动]

我～朋友打扫房间。Wǒ ～ péngyou dǎsǎo fángjiān. →他打扫房间
时我和他一起干，或者我一个人给他打扫。Tā dǎsǎo fángjiān shí
wǒ hé tā yìqǐ gàn, huòzhě wǒ yí ge rén gěi tā dǎsǎo. 例来客人了，
我应该～妈妈做饭。Lái kèren le, wǒ yīnggāi ～ māma zuòfàn. |我
忘了眼镜儿放在哪儿，妻子～我找。Wǒ wàngle yǎnjìngr fàng zài

nǎr, qǐzi ~ wō zhǎo. I 这个箱子太重了，你 ~ 我搬一下儿吧。
Zhèige xiāngzi tài zhòng le, nǐ ~ wǒ bān yíxiàr ba. I 朋友遇到了困
难，我 ~ 着他想办法。Péngyou yùdàole kùnnan, wǒ ~ zhe tā xiǎng
bànfǎ.

bāng máng 帮忙（幫忙）

我今天事儿太多，只好请他 ~ 。Wǒ jīntiān shìr tài duō, zhǐhǎo qǐng
tā ~ . →我请他帮我做一些事儿。Wǒ qǐng tā bāng wǒ zuò yìxiē shìr.
例 这件事儿一个人干不了，需要人 ~ 。Zhèi jiàn shìr yí ge rén gàn bu
liǎo, xūyào rén ~ . I 她拿不了那么多书，我去帮帮忙。Tā ná bu
liǎo nàme duō shū, wǒ qù bāngbang máng. I 请帮个忙，给我倒一
杯水。Qǐng bāng ge máng, gěi wǒ dào yì bēi shuǐ. I 你能不能 ~ 把
这本书还给玛丽？Nǐ néng bu néng ~ bǎ zhèi běn shū huán gěi
Mǎlì? I 他以前帮过我的忙，我很感谢他。Tā yǐqián bāngguo wǒ de
máng, wǒ hěn gǎnxiè tā. I 我实在没时间，帮不了你的忙。Wǒ
shízài méi shíjiān, bāng bu liǎo nǐ de máng. I 他的工作我不懂，一
点儿忙也帮不上。Tā de gōngzuò wǒ bù dǒng, yìdiǎnr máng yě bāng
bu shàng.

bāngzhù 帮助¹（幫助）[动]

我有困难时，他会 ~ 我。Wǒ yǒu kùnnan shí, tā huì ~ wǒ. →他会
帮我的忙。Tā huì bāng wǒ de máng. 例 我没钱的时候他 ~ 过我。
Wǒ méi qián de shíhou tā ~ guo wǒ. I 大卫的中国朋友 ~ 他学汉语。
Dàwèi de Zhōngguó péngyou ~ tā xué Hànyǔ. I 好朋友总是互相
~ 。Hǎo péngyou zǒngshì hùxiāng ~ . I 这是个 ~ 人们找工作的公
司。Zhè shì ge ~ rénmen zhǎo gōngzuò de gōngsī.

bāngzhù 帮助²（幫助）[名]

他给了我很多 ~ 。Tā gěile wǒ hěn duō ~ . →他帮了我很多忙。Tā
bāngle wǒ hěn duō máng. 例 我找工作时得到了他很大的 ~ 。Wǒ
zhǎo gōngzuò shí dédàole tā hěn dà de ~ . I 在外国旅行常常需要别
人的 ~ 。Zài wàiguó lǚxíng chángcháng xūyào biérén de ~ . I 哥哥
教我开车，对我的 ~ 很大。Gēge jiāo wǒ kāi chē, duì wǒ de ~ hěn
dà. I 没有朋友的热心 ~ ，我肯定找不到这么好的房子。Méiyǒu
péngyou de rèxīn ~ , wǒ kěndìng zhǎo bu dào zhème hǎo de
fángzi. I 在老师的 ~ 下，他的汉语进步很快。Zài lǎoshī de ~ xià,
tā de Hànyǔ jìnbù hěn kuài.

B

bǎngyàng 榜样（榜樣）［名］

他学习认真，成绩优秀，是其他学生的～。Tā xuéxí rènzhēn, chéngjì yōuxiù, shì qítā xuésheng de ～. →其他学生都应向他学习，成为他那样的好学生。Qítā xuésheng dōu yīng xiàng tā xuéxí, chéngwéi tā nèiyàng de hǎo xuésheng. 例父母是孩子的～，对孩子的影响很大。Fùmǔ shì háizi de ～, duì háizi de yǐngxiǎng hěn dà. |哥哥考上了最好的大学，弟弟妹妹都把他看成自己的好～。Gēge kǎoshangle zuì hǎo de dàxué, dìdi mèimei dōu bǎ tā kànchéng zìjǐ de hǎo ～. |他通过自己的努力取得了成功，为大家树立了一个好～。Tā tōngguò zìjǐ de nǔlì qǔdéle chénggōng, wèi dàjiā shùlìle yí ge hǎo ～

bàng 棒 ［形］

这个电影真～，我还想再看一遍。Zhèige diànyǐng zhēn ～, wǒ hái xiǎng zài kàn yí biàn. →这个电影很好。Zhèige diànyǐng hěn hǎo. 例他是个运动员，身体很～。Tā shì ge yùndòngyuán, shēntǐ hěn ～. |安娜的汉语说得～极了，又清楚又流利。Ānnà de Hànyǔ shuō de ～ jí le, yòu qīngchu yòu liúlì. |这本书挺～的，非常受欢迎。Zhèi běn shū tǐng ～ de, fēicháng shòu huānyíng. |他的学习成绩一直是班上最～的，回回都考第一。Tā de xuéxí chéngjì yìzhí shì bān shang zuì ～ de, huíhuí dōu kǎo dì yī.

bàngwǎn 傍晚 ［名］

他一般～才下班。Tā yìbān ～ cái xiàbān. →他下班的时候天快黑了。Tā xiàbān de shíhou tiān kuài hēi le. 例他每天～都要出去散步，然后回来吃晚饭。Tā měi tiān ～ dōu yào chūqu sànbù, ránhòu huílai chī wǎnfàn. |～，鸟儿都飞回了树林。～, niǎor dōu fēihuíle shùlín. |我最喜欢～的景色，特别是太阳刚下山的时候。Wǒ zuì xǐhuan ～ de jǐngsè, tèbié shì tàiyáng gāng xià shān de shíhou. |今天～我要跟朋友见面，我们约好六点见。Jīntiān ～ wǒ yào gēn péngyou jiànmiàn, wǒmen yuēhǎo liù diǎn jiàn.

bàng 磅 ［量］

她只买了一～鸡蛋。Tā zhǐ mǎile yí ～ jīdàn. →一磅大约是 0.454 公斤（kg）。Yí bàng dàyuē shì líng diǎnr sì wǔ sì gōngjīn. 例冰箱里还有两～牛奶。Bīngxiāng li hái yǒu liǎng ～ niúnǎi. |他的体重是二百～，也就是九十多公斤。Tā de tǐzhòng shì èrbǎi ～, yě jiù shì jiǔshí duō gōngjīn. |这个孩子出生时有九～重。Zhèige háizi chūshēng shí yǒu jiǔ ~ zhòng.

bao

bāo 包¹ [名]

他出门喜欢带~，觉得放些东西比较方便。Tā chūmén xǐhuan dài ~, juéde fàngxiē dōngxi bǐjiào fāngbiàn. →他出门喜欢带着一个可以放东西的袋子。Tā chūmén xǐhuan dàizhe yí ge kěyǐ fàng dōngxi de dàizi. 例这么多东西我们拿不了，买个~吧。Zhème duō dōngxi wǒmen ná bu liǎo, mǎi ge ~ ba. I你的~这么重啊，放的什么东西呀？Nǐ de ~ zhème zhòng a, fàng de shénme dōngxi ya? I她的~里放了很多东西，有书、笔记本、卫生纸什么的。Tā de ~ li fàngle hěn duō dōngxi, yǒu shū、bǐjìběn、wèishēngzhǐ shénmede. I这~真好看，我们买一个吧。Zhè ~ zhēn hǎokàn, wǒmen mǎi yí ge ba.

bāo 包² [动]

售货员正用纸~我买的花瓶呢。Shòuhuòyuán zhèng yòng zhǐ ~ wǒ mǎi de huāpíng ne. →把花瓶放在纸里边。Bǎ huāpíng fàng zài zhǐ lǐbian. 例她用毛巾~着刚洗完的头发。Tā yòng máojīn ~ zhe gāng xǐwán de tóufa. I她送给我的那盒礼物~在一张漂亮的蓝纸里。Tā sòng gěi wǒ de nèi hé lǐwù ~ zài yì zhāng piàoliang de lán zhǐ li. I书的封面容易弄脏，最好~上。Shū de fēngmiàn róngyì nòngzāng, zuìhǎo ~ shang. I医生把我受伤的手~了起来。Yīshēng bǎ wǒ shòu shāng de shǒu ~ le qilai. I别把这两件东西~在一起。Bié bǎ zhèi liǎng jiàn dōngxi ~ zài yìqǐ. I饺子里~的是鸡肉馅儿。Jiǎozi li ~ de shì jīròuxiànr.

bāozi 包子 [名]

steamed stuffed bun 例这里的~皮儿薄，馅儿大，很好吃。Zhèlǐ de ~ pír báo, xiànr dà, hěn hǎochī. I他很爱吃这个饭馆儿做的~。Tā hěn ài chī zhèige fànguǎnr zuò de ~. I我中午吃了几个~。Wǒ zhōngwǔ chīle jǐ ge ~. I她早上经常买~吃。Tā zǎoshang jīngcháng mǎi ~ chī. I这种肉~的味道好极了。Zhèi zhǒng ròu ~ de wèidao hǎojí le.

bāo 包³ [动]

她做的菜很好吃，~你满意。Tā zuò de cài hěn hǎochī, ~ nǐ

mǎnyì. →你一定会满意。Nǐ yídìng huì mǎnyì. **例**去那个风景优美的地方旅游，我～你不会后悔。Qù nèige fēngjǐng yōuměi de dìfang lǚyóu, wǒ～nǐ bú huì hòuhuǐ. I开车很容易，我～你很快就能学会。Kāi chē hěn róngyì, wǒ～nǐ hěn kuài jiù néng xuéhuì. I听我的意见～你没错儿。Tīng wǒ de yìjiàn～nǐ méicuòr. I这个电影很好看，～你看了还想看。Zhèige diànyǐng hěn hǎokàn,～nǐ kànle hái xiǎng kàn.

bāo 包⁴ [动]

他今天花钱～了一辆出租汽车。Tā jīntiān huā qián～le yí liàng chūzū qìchē. →这辆车今天只为他一个人服务。Zhèi liàng chē jīntiān zhǐ wèi tā yí ge rén fúwù. **例**我们几个人～一只船去海上钓鱼。Wǒmen jǐ ge rén～yì zhī chuán qù hǎishang diào yú. I他在饭店里～了个房间，～了一年。Tā zài fàndiàn li～le ge fángjiān,～le yì nián. I周末学校为学生们～了一场电影。Zhōumò xuéxiào wèi xuéshengmen～le yì chǎng diànyǐng. I这个饭馆儿的座位全被人～下来了，我们只好去别的地方吃饭。Zhèige fànguǎnr de zuòwei quán bèi rén～xialai le, wǒmen zhǐhǎo qù biéde dìfang chīfàn. I这辆汽车～一天要多少钱？Zhèi liàng qìchē～yì tiān yào duōshao qián?

bāo 包⁵ [名]

swelling **例**我的头碰到了墙，起了一个～。Wǒ de tóu pèngdàole qiáng, qǐle yí ge～. I那个年轻人的脸上长出了几个小～。Nèige niánqīngrén de liǎn shang zhǎngchūle jǐ ge xiǎo～. I我手上的～是蚊子咬的。Wǒ shǒu shang de～shì wénzi yǎo de.

bāo 包⁶ [量]

用于包起来的东西。Yòngyú bāo qilai de dōngxi. **例**我买了一～饼干。Wǒ mǎile yì～bǐnggān. I一～香烟有二十支。Yì～xiāngyān yǒu èrshí zhī. I我送给他两～茶叶。Wǒ sòng gěi tā liǎng～cháyè. I她带了一大～东西去旅行。Tā dàile yí dà～dōngxi qù lǚxíng.

bāokuò 包括¹ [动]

他的论文～三个部分。Tā de lùnwén～sān ge bùfen. →他的论文总共有三个部分。Tā de lùnwén zǒnggòng yǒu sān ge bùfen. **例**汉语学习～听、说、读、写四个方面。Hànyǔ xuéxí～tīng、shuō、

B

dú、xiě sì ge fāngmiàn．|交给旅游公司的钱只～乘坐交通工具和住
旅馆的费用。Jiāo gěi lǚyóu gōngsī de qián zhǐ ～ chéngzuò jiāotōng
gōngjù hé zhù lǚguǎn de fèiyong．|这份名单～了每个学生的姓名、
地址和电话号码。Zhèi fèn míngdān ～ le měi ge xuésheng de
xìngmíng、dìzhǐ hé diànhuà hàomǎ．

bāokuò 包括[2] ［动］

他请来的客人中～两位同事。Tā qǐnglái de kèren zhōng ～ liǎng wèi
tóngshì．→那两位同事是他邀请的客人中的两位。Nèi liǎng wèi
tóngshì shì tā yāoqǐng de kèren zhōng de liǎng wèi． **例**我去过很多国
家，～中国。Wǒ qùguo hěn duō guójiā，～ Zhōngguó．|你喜欢的
运动是否～游泳？Nǐ xǐhuan de yùndòng shìfǒu ～ yóuyǒng？|～老
师，教室里共有二十个人。～ lǎoshī，jiàoshì li gòng yǒu èrshí ge
rén．|今天有十个人受到了表扬，玛丽也～在内。Jīntiān yǒu shí ge
rén shòudàole biǎoyáng，Mǎlì yě～zài nèi．

bāo 剥 ［动］

香蕉～了皮儿才能吃。Xiāngjiāo ～ le pír cái néng chī．→吃香蕉以
前先得把皮儿弄掉。Chī xiāngjiāo yǐqián xiān děi bǎ pír nòngdiào． **例**
他正在～橘子皮儿呢。Tā zhèngzài ～ júzipír ne．|我～了个香蕉吃
起来。Wǒ～ le ge xiāngjiāo chī qilai．|花生外边的壳儿已经被～掉
了。Huāshēng wàibian de kér yǐjīng bèi ～ diào le．|橙子的皮儿很难
～下来。Chéngzi de pír hěn nán ～ xialai．

báo 薄 ［形］

这本书厚，那本书～。Zhèi běn shū hòu，nèi běn shū～．→这本书
有五百页，那本只有一百多页。Zhèi běn shū yǒu wǔbǎi yè，nèi
běn zhǐyǒu yìbǎi duō yè． **例**这张纸很～。Zhèi zhāng zhǐ hěn ～．|夏
天人们都穿比较～的衣服。Xiàtiān rénmen dōu chuān bǐjiào ～ de
yīfu．|今天不冷，她只穿着一件～～的毛衣。Jīntiān bù lěng，tā
zhǐ chuānzhe yí jiàn ～ ～ de máoyī．|这双旧鞋子的鞋底儿已经磨得
很～了。Zhèi shuāng jiù xiézi de xiédǐr yǐjīng mó de hěn ～ le．

bǎo 饱(飽) ［形］

我刚才吃了很多东西，现在很～。Wǒ gāngcái chīle hěn duō
dōngxi，xiànzài hěn ～．→我已经吃够了，不想再吃了。Wǒ yǐjīng
chīgòu le，bù xiǎng zài chī le． **例**他刚吃完饭，肚子非常～。Tā
gāng chīwán fàn，dùzi fēicháng ～．|你要是还没吃～就再来一碗。

Nǐ yàoshi hái méi chī ~ jiù zài lái yì wǎn. I不吃~饭怎么会有好身
体呢? Bù chī ~ fàn zěnme huì yǒu hǎo shēntǐ ne? I我已经吃得很
~，不能再吃别的了。Wǒ yǐjing chī de hěn ~, bù néng zài chī
biéde le. I妈妈做的菜真好吃，我每次都吃得~~的。Māma zuò
de cài zhēn hǎochī, wǒ měi cì dōu chī de ~ ~ de.

bǎoguì 宝贵（寶貴）[形]

这里气候干燥，水非常~。Zhèlǐ qìhòu gānzào, shuǐ fēicháng ~. →
这里水很少，水在这里是非常重要的。Zhèlǐ shuǐ hěn shǎo, shuǐ zài
zhèlǐ shì fēicháng zhòngyào de. 例很快就要考试了，时间对我来说
很~。Hěn kuài jiù yào kǎoshì le, shíjiān duì wǒ láishuō hěn ~. I他
很有礼貌地问我有什么~意见。Tā hěn yǒu lǐmào de wèn wǒ yǒu
shénme ~ yìjiàn. I老司机把自己的~经验教给了年轻司机。Lǎo
sījī bǎ zìjǐ de ~ jīngyàn jiāo gěi le niánqīng sījī. I森林是一种~的资
源，人类不能没有森林。Sēnlín shì yì zhǒng ~ de zīyuán, rénlèi bù
néng méiyǒu sēnlín.

bǎochí 保持 [动]

大家在电影院里应该~安静，别打扰别人。Dàjiā zài diànyǐngyuàn li
yīnggāi ~ ānjìng, bié dǎrǎo biérén. →大家应该一直安安静静地看
电影，不应该发出声音。Dàjiā yīnggāi yìzhí ān'ānjìngjìng de kàn
diànyǐng, bù yīnggāi fāchū shēngyīn. 例他经常运动，所以才能~健
康。Tā jīngcháng yùndòng, suǒyǐ cái néng ~ jiànkāng. I我和她一
直~着联系，经常发电子邮件、打电话。Wǒ hé tā yìzhí ~ zhe
liánxì, jīngcháng fā diànzǐ yóujiàn、dǎ diànhuà. I别离前边的汽车太
近，要~一定的距离。Bié lí qiánbian de qìchē tài jìn, yào ~ yídìng
de jùlí. I他打算把早睡早起的好习惯~下去。Tā dǎsuan bǎ zǎo
shuì zǎo qǐ de hǎo xíguàn ~ xiaqu.

bǎocún 保存 [动]

我~着一些我特别喜欢的旧音乐磁带。Wǒ ~ zhe yìxiē wǒ tèbié
xǐhuan de jiù yīnyuè cídài. →我一直把这些磁带好好儿地放着。Wǒ
yìzhí bǎ zhèixiē cídài hǎohāor de fàngzhe. 例她一直~着我送给她的
礼物。Tā yìzhí ~ zhe wǒ sòng gěi tā de lǐwù. I妈妈爱~旧东西，什
么也舍不得扔。Māma ài ~ jiù dōngxi, shénme yě shěbude rēng. I
现在比赛刚开始，应该~一些体力。Xiànzài bǐsài gāng kāishǐ,
yīnggāi ~ yìxiē tǐlì. I这幅画儿将被~在博物馆里。Zhèi fú huàr jiāng
bèi ~ zài bówùguǎn li. I以前的杂志搬家时全丢了，没~下来。

Yǐqián de zázhì bānjiā shí quán diū le, méi ~ xialai.

bǎohù 保护(保護) [动]

刮大风了，她用身体 ~ 着自己的孩子。Guā dàfēng le, tā yòng shēntǐ ~ zhe zìjǐ de háizi. →她不让自己的孩子因为大风受到伤害。Tā bú ràng zìjǐ de háizi yīnwèi dàfēng shòudào shānghài. 例这个地区的森林 ~ 得很好，环境很美。Zhèige dìqū de sēnlín ~ de hěn hǎo, huánjìng hěn měi. |他的力气比你还小，他可 ~ 不了你。Tā de lìqi bǐ nǐ hái xiǎo, tā kě ~ bùliǎo nǐ. |由于受到国家的 ~，老虎的数量增加了。Yóuyú shòudào guójiā de ~, lǎohǔ de shùliàng zēngjiā le.

bǎoliú 保留 [动]

他一直 ~ 着父母送给他的那本书。Tā yìzhí ~ zhe fùmǔ sòng gěi tā de nèi běn shū. →那本书还在他那儿，没有扔掉或者送给别人。Nèi běn shū hái zài tā nàr, méiyǒu rēngdiào huòzhě sòng gěi biérén. 例我现在还 ~ 着几张自己小时候的照片。Wǒ xiànzài hái ~ zhe jǐ zhāng zìjǐ xiǎoshíhou de zhàopiàn. |这个城市 ~ 了很多古老的建筑，使大家可以了解城市过去的样子。Zhèige chéngshì ~ le hěn duō gǔlǎo de jiànzhù, shǐ dàjiā kěyǐ liǎojiě chéngshì guòqù de yàngzi. |好朋友的信我都 ~ 了下来，没有撕掉。Hǎo péngyou de xìn wǒ dōu ~ le xialai, méiyǒu sīdiào. |这是我的第一块手表，我一直把它 ~ 到今天。Zhè shì wǒ de dì yī kuài shǒubiǎo, wǒ yìzhí bǎ tā ~ dào jīntiān.

bǎowèi 保卫(保衛) [动]

军队 ~ 着国家。Jūnduì ~ zhe guójiā. →军队使国家安全得到保证。Jūnduì shǐ guójiā ānquán dédào bǎozhèng. 例警察 ~ 着人民，让大家能安全地生活。Jǐngchá ~ zhe rénmín, ràng dàjiā néng ānquán de shēnghuó. |军队的责任是 ~ 国家的安全。Jūnduì de zérèn shì ~ guójiā de ānquán. |他在一家公司上班，担任安全 ~ 工作。Tā zài yì jiā gōngsī shàngbān, dānrèn ānquán ~ gōngzuò.

bǎozhèng 保证(保證) [动]

他向老师 ~ 以后不迟到。Tā xiàng lǎoshī ~ yǐhòu bù chídào. →他对老师说以后一定不再迟到。Tā duì lǎoshī shuō yǐhòu yídìng bú zài chídào. 例孩子 ~ 再也不说谎了。Háizi ~ zài yě bù shuōhuǎng le. |你借给我的钱，我 ~ 下个星期还给你。Nǐ jiè gěi wǒ de qián, wǒ ~ xià ge xīngqī huán gěi nǐ. |这个商场向顾客 ~ 所有商品的质量。Zhèige shāngchǎng xiàng gùkè ~ suǒyǒu shāngpǐn de zhìliàng. |

B

我可不能～明天不下雨。Wǒ kě bù néng ～ míngtiān bú xià yǔ. | 我可以向你～，这个饭馆儿的菜一定让你满意。Wǒ kěyǐ xiàng nǐ ～, zhèige fànguǎnr de cài yídìng ràng nǐ mǎnyì.

bǎozhòng 保重 [动]

你一个人在国外生活，请多～。Nǐ yí ge rén zài guówài shēnghuó, qǐng duō ～. →你要注意自己的身体健康。Nǐ yào zhùyì zìjǐ de shēntǐ jiànkāng. 例我希望你多多～，不要生病。Wǒ xīwàng nǐ duōduō ～, búyào shēngbìng. | 听说你去的地方气候不好，你一定要～。Tīngshuō nǐ qù de dìfang qìhòu bù hǎo, nǐ yídìng yào ～. | 你不要睡得太晚，要～身体。Nǐ búyào shuì de tài wǎn, yào ～ shēntǐ.

bào 报¹（報）[动]

你们先～一下儿价格，然后我们考虑买还是不买。Nǐmen xiān ～ yíxiàr jiàgé, ránhòu wǒmen kǎolǜ mǎi háishi bù mǎi. →请你们把价格先告诉我们，然后我们才能做出买还是不买的决定。Qǐng nǐmen bǎ jiàgé xiān gàosu wǒmen, ránhòu wǒmen cái néng zuòchū mǎi háishi bù mǎi de juédìng. 例不必我介绍了，大家～一下儿自己的姓名吧。Búbì wǒ jièshào le, dàjiā ～ yíxiàr zìjǐ de xìngmíng ba. | 请把你们班参加比赛的名单～上来。Qǐng bǎ nǐmen bān cānjiā bǐsài de míngdān ～ shanglai. | 我刚从外地回来，还没～账呢。Wǒ gāng cóng wàidì huílai, hái méi ～ zhàng ne. | 调查表已经发下去了，但已经填好～上来的还不多。Diàochábiǎo yǐjing fā xiaqu le, dàn yǐjing tiánhǎo ～ shanglai de hái bù duō.

bàodào 报到（報到）[动]

新来的学生都到办公室～。Xīn lái de xuésheng dōu dào bàngōngshì ～. →他们告诉办公室的人自己已经到学校来了。Tāmen gàosu bàngōngshì de rén zìjǐ yǐjing dào xuéxiào lái le. 例参加这次比赛的运动员今天下午～。Cānjiā zhèi cì bǐsài de yùndòngyuán jīntiān xiàwǔ ～. | 已经开学一个星期了，他还没来～。Yǐjing kāixué yí ge xīngqī le, tā hái méi lái ～. | 明天是会议代表～的日子。Míngtiān shì huìyì dàibiǎo ～ de rìzi.

bàodào 报道¹（報道）[动]

电视里～了一条重大新闻。Diànshì li ～ le yì tiáo zhòngdà xīnwén. →电视里告诉大家一条重大新闻。Diànshì li gàosu dàjiā yì tiáo zhòngdà xīnwén. 例报纸上～了最近发生的几起交通事故。Bàozhǐ

B

shang ~ le zuìjìn fāshēng de jǐ qǐ jiāotōng shìgù. | 记者及时~了这
个消息。Jìzhě jíshí ~ le zhèige xiāoxi. | 这家报纸对昨天的事件~得
最全面。Zhèi jiā bàozhǐ duì zuótiān de shìjiàn ~ de zuì quánmiàn. | 这
个新闻是当地的一家电台首先~的。Zhèige xīnwén shì dāngdì de yì
jiā diàntái shǒuxiān ~ de. | 电视里曾经对这件有趣的事情进行过
~。Diànshì li céngjīng duì zhèi jiàn yǒuqù de shìqing jìnxíngguo ~.

bàodào 报道[2]（報道）[名]

我刚才从电视里看到了一个~。Wǒ gāngcái cóng diànshì li kàndàole
yí ge ~. →我从电视里看到了一条新闻。Wǒ cóng diànshì li
kàndàole yì tiáo xīnwén. 例他正在看报纸上的一则~。Tā zhèngzài
kàn bàozhǐ shang de yì zé ~. | 记者写了一篇关于那位画家的~。
Jìzhě xiěle yì piān guānyú nèi wèi huàjiā de ~. | 关于体育比赛的~
我最喜欢看。Guānyú tǐyù bǐsài de ~ wǒ zuì xǐhuan kàn. | 广播里的
最新~刚刚播送完。Guǎngbō li de zuì xīn ~ gānggāng bōsòng wán.

bàogào 报告[1]（報告）[动]

学生向老师~了自己的学习情况。Xuésheng xiàng lǎoshī ~ le zìjǐ de
xuéxí qíngkuàng. →学生把自己的学习情况告诉了老师。Xuésheng
bǎ zìjǐ de xuéxí qíngkuàng gàosule lǎoshī. 例他正在向总经理~公司
的情况。Tā zhèngzài xiàng zǒngjīnglǐ ~ gōngsī de qíngkuàng. | 电视
里正在~新闻。Diànshì li zhèngzài ~ xīnwén. | 大卫发现有人在邻
居家偷东西，马上~了警察。Dàwèi fāxiàn yǒu rén zài línjū jiā tōu
dōngxi, mǎshàng ~ le jǐngchá.

bàogào 报告[2]（報告）[名]

他在大会上作了一个精彩的~，很受听众欢迎。Tā zài dàhuì shang
zuòle yí ge jīngcǎi de ~, hěn shòu tīngzhòng huānyíng. →他在大会
上讲的话很精彩。Tā zài dàhuì shang jiǎng de huà hěn jīngcǎi. 例一
位代表正在作关于环境问题的~。Yí wèi dàibiǎo zhèngzài zuò
guānyú huánjìng wèntí de ~. | 他今天必须写完这份研究~，因为
明天要把~交给领导。Tā jīntiān bìxū xiěwán zhèi fèn yánjiū ~,
yīnwèi míngtiān yào bǎ ~ jiāo gěi lǐngdǎo. | 这份调查~的内容很
多，非常详细。Zhèi fèn diàochá ~ de nèiróng hěn duō, fēicháng
xiángxì.

bào míng 报名（報名）

想去参观的人请到我这儿来~。Xiǎng qù cānguān de rén qǐng dào

wǒ zhèr lái~. →想去的人请到我这儿来把名字告诉我。Xiǎng qù de rén qǐng dào wǒ zhèr lái bǎ míngzi gàosu wǒ. 例要参加这次会议的人可以发电子邮件~。Yào cānjiā zhèi cì huìyì de rén kěyǐ fā diànzǐ yóujiàn~. I我~参加了这次比赛。Wǒ ~ cānjiāle zhèi cì bǐsài. I这次运动会他报了名，但由于生病，没能参加。Zhèi cì yùndònghuì tā bàole míng, dàn yóuyú shēngbìng, méi néng cānjiā. I想参加比赛的人太多，我没报上名。Xiǎng cānjiā bǐsài de rén tài duō, wǒ méi bàoshang míng. I这次考试的~时间已经过了，你下次再考吧。Zhèi cì kǎoshì de ~ shíjiān yǐjing guò le, nǐ xià cì zài kǎo ba. I~手续很简单，填张表就行了。~ shǒuxù hěn jiǎndān, tián zhāng biǎo jiù xíng le.

bào 报² （報）[名]

我每天都要看~。Wǒ měi tiān dōu yào kàn~. →我天天读报纸上的文章。Wǒ tiāntiān dú bàozhǐ shang de wénzhāng. 例他家订了两份~。Tā jiā dìngle liǎng fèn ~. I今天的~上有重要新闻,你看到了吗? Jīntiān de ~ shang yǒu zhòngyào xīnwén, nǐ kàndào le ma? I祝贺你,你的文章登~了。Zhùhè nǐ, nǐ de wénzhāng dēng ~ le. I今天的~早卖完了。Jīntiān de ~ zǎo màiwán le.

bàozhǐ 报纸（報紙）[名]

newspaper 例爸爸在看今天的~，想了解有什么新闻。Bàba zài kàn jīntiān de~, xiǎng liǎojiě yǒu shénme xīnwén. I等火车的时候我买了一份~看起来。Děng huǒchē de shíhou wǒ mǎile yí fèn ~ kàn qilai. I他比赛时的照片上了~。Tā bǐsài shí de zhàopiàn shàngle ~. I我从~上看到了关于这次运动会的报道。Wǒ cóng ~ shang kàndàole guānyú zhèi cì yùndònghuì de bàodào. I~的价钱越来越低是因为上面的广告越来越多。~ de jiàqian yuèláiyuè dī shì yīnwèi shàngmiàn de guǎnggào yuèláiyuè duō.

bào 抱 [动]

hold or carry in the arms 例妈妈用手~着还不会走路的孩子。Māma yòng shǒu ~ zhe hái bú huì zǒulù de háizi. I她~着一只可爱的小狗。Tā ~ zhe yì zhī kě'ài de xiǎogǒu. I我把篮球~得很紧，不会被他抢走。Wǒ bǎ lánqiú ~ de hěn jǐn, bú huì bèi tā qiǎngzǒu. I孩子走累了，爸爸把他~了起来。Háizi zǒulèi le, bàba bǎ tā ~ le qilai. I我两只手都拿了东西，只好把书~在怀里。Wǒ liǎng zhī shǒu dōu nále dōngxi, zhǐhǎo bǎ shū ~ zài huái li. I这两个好朋友一见面就紧

B

紧地~在一起。Zhèi liǎng ge hǎo péngyou yí jiànmiàn jiù jǐnjǐn de ~ zài yìqǐ.

bàoqiàn 抱歉 [形]

他弄脏了我的书，他觉得很~。Tā nòngzāngle wǒ de shū, tā juéde hěn ~. →他觉得对不起我。Tā juéde duìbuqǐ wǒ. 例我把他的自行车弄坏了，感到十分~。Wǒ bǎ tā de zìxíngchē nònghuài le, gǎndào shífēn ~. | 真~，我迟到了。Zhēn ~, wǒ chídào le. | 我今天没有时间跟你见面，非常~。Wǒ jīntiān méiyǒu shíjiān gēn nǐ jiànmiàn, fēicháng ~. | ~，我帮不了你的忙。~, wǒ bāng bu liǎo nǐ de máng.

bei

bēi 杯 [量]

用于倒在杯子里的水、酒、牛奶等。Yòngyú dào zài bēizi li de shuǐ、jiǔ、niúnǎi děng. 例我给客人倒了一~水。Wǒ gěi kèren dàole yì ~ shuǐ. | 他们周末喜欢去酒吧喝几~酒。Tāmen zhōumò xǐhuan qù jiǔbā hē jǐ ~ jiǔ. | 他一口气喝完了一大~啤酒。Tā yìkǒuqì hēwánle yí dà ~ píjiǔ. | 她睡觉前总要喝一小~牛奶。Tā shuìjiào qián zǒng yào hē yì xiǎo ~ niúnǎi. | 你口渴了就喝~茶吧。Nǐ kǒukěle jiù hē ~ chá ba.

bēizi 杯子 [名]

例我想喝点儿水，请给我一个~。Wǒ xiǎng hē diǎnr shuǐ, qǐng gěi wǒ yí ge ~. | 这个用来喝酒的~是玻璃的。Zhèige yònglái hē jiǔ de ~ shì bōli de. | ~里有满满一杯啤酒。~ li yǒu mǎnmǎn yì bēi píjiǔ. | 把瓶子里的牛奶倒在~里喝吧。Bǎ píngzi li de niúnǎi dào zài ~ li hē ba. | 他常常用这个~喝咖啡。Tā chángcháng yòng zhèige ~ hē kāfēi. | 他把~里的酒一口气喝光了。Tā bǎ ~ li de jiǔ yìkǒuqì hēguāng le.

杯子

bēi 背 [动]

孩子~着书包上学去了。Háizi ~ zhe shūbāo shàngxué qu le. →孩子的书包在背上。Háizi de shūbāo zài bèi shang. 例大卫~着个大包去旅行。Dàwèi ~ zhe ge dà bāo qù lǚxíng. | 她走不了路，我只

好～她。Tā zǒu bu liǎo lù, wǒ zhǐhǎo ～ tā. |孩子走累了，要爸爸
把他～在背上。Háizi zǒulèi le, yào bàba bǎ tā ～ zài bèi shang. |他
太重了，我～不动他。Tā tài zhòng le, wǒ ～ bu dòng tā.

bēishāng 悲伤 (悲傷) [形]

他的狗死了，他很～。Tā de gǒu sǐ le, tā hěn ～. →他很难过。Tā
hěn nánguò. 例就要离开好朋友了，她有些～。Jiù yào líkāi hǎo
péngyou le, tā yǒuxiē ～. |离婚以后，她常常感到十分～。Líhūn
yǐhòu, tā chángcháng gǎndào shífēn ～. |她～的样子让我也感到很
难过。Tā ～ de yàngzi ràng wǒ yě gǎndào hěn nánguò. |听说妈妈
病得很厉害，他脸上显出～的神情。Tīngshuō māma bìng de hěn
lìhai, tā liǎn shang xiǎnchū ～ de shénqíng. |这个令人～的故事让
她流下了眼泪。Zhèige lìng rén ～ de gùshi ràng tā liúxiàle yǎnlèi.

bēitòng 悲痛 [形]

父亲去世了，孩子们都非常～。Fùqin qùshì le, háizimen dōu
fēicháng ～. →孩子们非常难过，心里感到很痛苦。Háizimen
fēicháng nánguò, xīnli gǎndào hěn tòngkǔ. 例那位失去了孩子的母
亲十分～。Nèi wèi shīqùle háizi de mǔqin shífēn ～. |他妻子遇上了
车祸，我能理解他～的心情。Tā qīzi yùshangle chēhuò, wǒ néng
lǐjiě tā ～ de xīnqíng. |这个令人～的消息使她大声地哭了起来。
Zhèige lìng rén ～ de xiāoxi shǐ tā dàshēng de kūle qilai.

bēi 碑 [名]

人们为纪念那位英雄，做了一块～。Rénmen wèi jìniàn nèi wèi
yīngxióng, zuòle yí kuài ～. →人们在大石头上刻上纪念他的文字。
Rénmen zài dà shítou shang kèshang jìniàn tā de wénzì. 例那位受人
尊敬的校长去世后，学校为他立了一块～。Nèi wèi shòu rén zūnjìng
de xiàozhǎng qùshì hòu, xuéxiào wèi tā lìle yí kuài ～. |这座石～记
录了历史上的一件大事。Zhèi zuò shí ～ jìlùle lìshǐ shang de yí jiàn
dàshì. |由于时间太长，～上的文字已经看不清楚了。Yóuyú shíjiān
tài cháng, ～ shang de wénzì yǐjīng kàn bu qīngchu le.

běi 北 [名]

我的宿舍窗户朝～。Wǒ de sùshè chuānghu cháo ～. →我的宿舍窗
户背对着太阳，阳光照不进来。Wǒ de sùshè chuānghu bèi duìzhe
tàiyáng, yángguāng zhào bu jìnlái. 例这间房子的窗户朝～。Zhèi
jiān fángzi de chuānghu cháo ～. |这个国家越往～越冷。Zhèige

guójiā yuè wǎng ~ yuè lěng . |再往~走五分钟就是他家。Zài wǎng ~ zǒu wǔ fēnzhōng jiù shì tā jiā . |他们学校在路~。Tāmen xuéxiào zài lù ~ .

běibian 北边 （北邊）[名]

山的 ~ 有个小村子。Shān de ~ yǒu ge xiǎo cūnzi . →小村子在山北。Xiǎo cūnzi zài shān běi . 例邮局的 ~ 就是银行。Yóujú de ~ jiù shì yínháng . |他家就在我家~。Tā jiā jiù zài wǒ jiā ~ . |汽车往~ 开走了。Qìchē wǎng ~ kāizǒu le . |冬天，城市 ~ 的山挡住了北风。Dōngtiān, chéngshì ~ de shān dǎngzhùle běifēng . |新图书馆将建在旧图书馆的 ~ 。Xīn túshūguǎn jiāng jiàn zài jiù túshūguǎn de ~ . |她就住在学校最 ~ 的那座楼里。Tā jiù zhù zài xuéxiào zuì ~ de nèi zuò lóu li .

běibù 北部 [名]

中国 ~ 冬天比较冷。Zhōngguó ~ dōngtiān bǐjiào lěng . →中国北边的部分冬天比较冷。Zhōngguó běibian de bùfen dōngtiān bǐjiào lěng . 例这个省的 ~ 为山区。Zhèige shěng de ~ wéi shānqū . |~ 的一些城市昨天都下了雪。~ de yìxiē chéngshì zuótiān dōu xiàle xuě . |~ 地区的经济没有南部发达。~ dìqū de jīngjì méiyǒu nánbù fādá . |冷空气从我国 ~ 向南移动，使气温迅速下降。Lěng kōngqì cóng wǒguó ~ xiàng nán yídòng, shǐ qìwēn xùnsù xiàjiàng .

běifāng 北方 [名]

我国 ~ 气候干燥。Wǒguó ~ qìhòu gānzào . →有的国家习惯上把北边的地区叫做北方。Yǒude guójiā xíguàn shang bǎ běibian de dìqū jiàozuò běifāng . 例中国 ~ 冬季很冷。Zhōngguó ~ dōngjì hěn lěng . |他是在~长大的。Tā shì zài ~ zhǎngdà de . |~人的生活习惯跟南方人有些不同。~ rén de shēnghuó xíguàn gēn nánfāngrén yǒuxiē bù tóng . |~ 的夏天白天很长。~ de xiàtiān báitiān hěn cháng . |安娜从小就住在~。Ānnà cóngxiǎo jiù zhù zài ~ .

běimiàn 北面 [名]

大学 ~ 就是公园。Dàxué ~ jiù shì gōngyuán . →公园在大学外边靠北的地方。Gōngyuán zài dàxué wàibian kào běi de dìfang . 例他家 ~ 有一片树林。Tā jiā ~ yǒu yí piàn shùlín . |我的国家在他的国家~。Wǒ de guójiā zài tā de guójiā ~ . |银行~的那座大楼是一家著名的酒店。Yínháng ~ de nèi zuò dà lóu shì yì jiā zhùmíng de jiǔdiàn. | 他上了汽车向～开去。Tā shàngle qìchē xiàng ～ kāiqù.

bèi 背¹ [名]

back of a human being or an animal 例他的～很直，看起来很精神。Tā de ～ hěn zhí, kàn qilai hěn jīngshen. | 昨天搬家太累了，～有点儿疼。Zuótiān bānjiā tài lèi le, ～ yǒudiǎnr téng. | 我～靠着墙站着。Wǒ ～ kàozhe qiáng zhànzhe. | 孩子趴在爸爸～上睡着了。Háizi pā zài bàba ～ shang shuìzháo le. | 他稳稳地骑在马～上。Tā wěnwěn de qí zài mǎ ～ shang.

bèihòu 背后 (背後) [名]

我在他～，看不到他的脸。Wǒ zài tā ～, kàn bu dào tā de liǎn. → 我在他后边。Wǒ zài tā hòubian. 例大卫就在你～，你转过身去就看见他了。Dàwèi jiù zài nǐ ～, nǐ zhuǎnguo shēn qu jiù kànjian tā le. | 村子前面有一条河，～是一片树林。Cūnzi qiánmiàn yǒu yì tiáo hé, ～ shì yí piàn shùlín. | 他总是把书包挂在门～。Tā zǒngshì bǎ shūbāo guà zài mén ～. | 照片上站在我～的人是我哥哥。Zhàopiàn shang zhàn zài wǒ ～ de rén shì wǒ gēge.

bèixīnr 背心儿 (背心兒) [名]

例打篮球时运动员一般都穿～。Dǎ lánqiú shí yùndòngyuán yìbān dōu chuān ～. | 大卫穿着一件白色的～。Dàwèi chuānzhe yí jiàn báisè de ～. | 这个～对我来说太肥了，我穿不了。Zhèige ～ duì wǒ láishuō tài féi le, wǒ chuān bu liǎo. | 天气挺冷，加一件毛～吧。Tiānqì tǐng lěng, jiā yí jiàn máo ～ ba.

背心儿

bèi 背² [动]

老师要学生们～一首诗。Lǎoshī yào xuéshengmen ～ yì shǒu shī. →老师要他们不看书把诗说出来。Lǎoshī yào tāmen bú kàn shū bǎ shī shuō chulai. 例他每天早上都要～课文里的生词。Tā měi tiān zǎoshang dōu yào ～ kèwén li de shēngcí. | 请你把这篇文章～一遍。Qǐng nǐ bǎ zhèi piān wénzhāng ～ yí biàn. | 这孩子真聪明，只看了一遍就把书上的话～出来了。Zhè háizi zhēn cōngming, zhǐ kànle yí biàn jiù bǎ shū shang de huà ～ chulai le. | 今天学习的词语太多，我一下子～不下来。Jīntiān xuéxí de cíyǔ tài duō, wǒ yíxiàzi ～ bu xiàlái.

B

bèi 倍 [量]

六是三的两~。Liù shì sān de liǎng ~ . →6 = 3 × 2 **例**我一个月的收入是三千块，他只有一千，我的收入是他的三~。Wǒ yí ge yuè de shōurù shì sānqiān kuài, tā zhǐ yǒu yìqiān, wǒ de shōurù shì tā de sān ~ . | 今年他的工资是五万元，比去年的两万五增加了一~。Jīnnián tā de gōngzī shì wǔwàn yuán, bǐ qùnián de liǎngwànwǔ zēngjiāle yí ~ . | 现在这本书的价格比两年前贵了两~多。Xiànzài zhèi běn shū de jiàgé bǐ liǎng nián qián guìle liǎng ~ duō . | 我想花五百块买那幅画儿，他出了两~的价钱，花一千块买走了。Wǒ xiǎng huā wǔbǎi kuài mǎi nèi fú huàr, tā chūle liǎng ~ de jiàqián, huā yìqiān kuài mǎizǒu le.

bèi 被 [介]

我的词典~他借走了，现在还没还。Wǒ de cídiǎn ~ tā jièzǒu le, xiànzài hái méi huán. →他把我的词典借走了。Tā bǎ wǒ de cídiǎn jièzǒu le. **例**他的衣服~我不小心弄脏了。Tā de yīfu ~ wǒ bù xiǎoxīn nòngzāng le. | 他~一个坏人骗了。Tā ~ yí ge huàirén piàn le. | 孩子因为说谎被父亲批评了一顿。Háizi yīnwèi shuōhuǎng bèi fùqin pīpíngle yí dùn. | 我~他的热情感动得说不出话来。Wǒ ~ tā de rèqíng gǎndòng de shuō bu chū huà lai. | 晚上有人打电话给我，我~吵醒了。Wǎnshang yǒu rén dǎ diànhuà gěi wǒ, wǒ ~ chǎoxǐng le. | ~偷走的画儿终于又~警察找回来了。~ tōuzǒu de huàr zhōngyú yòu ~ jǐngchá zhǎo huilai le.

bèizi 被子 [名]

quilt **例**天冷了，睡觉时得盖~。Tiān lěng le, shuìjiào shí děi gài ~ . | 昨天晚上真冷，我身上盖了两床~才睡着。Zuótiān wǎnshang zhēn lěng, wǒ shēnshang gàile liǎng chuáng ~ cái shuìzháo. | 这个~太厚了，盖在身上太热了。Zhèige ~ tài hòu le, gài zài shēnshang tài rè le. | 冬天的早晨~里很暖和，他不愿意起床。Dōngtiān de zǎochén ~ li hěn nuǎnhuo, tā bú yuànyì qǐchuáng.

ben

běn 本 [量]

用于书、杂志等。Yòngyú shū、zázhì děng. **例**我去书店买了一~书。Wǒ qù shūdiàn mǎile yì ~ shū. | 这~词典比那~厚。Zhèi ~

cídiǎn bǐ nèi ~ hòu.｜那位作家已经写了好几~小说了。Nèi wèi zuòjiā yǐjing xiěle hǎojǐ ~ xiǎoshuō le.｜这几~杂志借给我看看，行吗？Zhèi jǐ ~ zázhì jiè gěi wǒ kànkan, xíng ma?｜我买了几~关于旅游的书，~ ~都很有意思。Wǒ mǎile jǐ ~ guānyú lǚyóu de shū, ~ ~ dōu hěn yǒu yìsi.｜他把我的书一~一~地从书架上拿下来看。Tā bǎ wǒ de shū yì ~ yì ~ de cóng shūjià shang ná xialai kàn.

běndì 本地　[名]

他是~人，从小就住在这个城市里。Tā shì ~ rén, cóngxiǎo jiù zhù zài zhèige chéngshì li. →他是在这里出生、长大的人。Tā shì zài zhèlǐ chūshēng、zhǎngdà de rén. 例他想找一个~人教自己这里的语言。Tā xiǎng zhǎo yí ge ~ rén jiāo zìjǐ zhèlǐ de yǔyán.｜他不想离开他的父母，想在~的公司工作。Tā bù xiǎng líkāi tā de fùmǔ, xiǎng zài ~ de gōngsī gōngzuò.｜我的孩子长大后都不在~生活，他们住在别的城市里。Wǒ de háizi zhǎngdà hòu dōu bú zài ~ shēnghuó, tāmen zhù zài biéde chéngshì li.

běnlái 本来[1]　（本來）　[形]

他~的想法不是这样的，最近才改变主意。Tā ~ de xiǎngfǎ bú shì zhèiyàng de, zuìjìn cái gǎibiàn zhǔyi. →他以前并不是这么想的。Tā yǐqián bìng bú shì zhème xiǎng de. 例他一直坚持~的意见，一点儿也没改变。Tā yìzhí jiānchí ~ de yìjiàn, yìdiǎnr yě méi gǎibiàn.｜雪化了，院子露出了~的面貌。Xuě huà le, yuànzi lùchūle ~ de miànmào.｜这条裙子~的颜色是黄的，被洗得发白了。Zhèi tiáo qúnzi ~ de yánsè shì huáng de, bèi xǐ de fā bái le.

běnlái 本来[2]　（本來）　[副]

他~挺瘦，现在胖得很。Tā ~ tǐng shòu, xiànzài pàng de hěn. →他以前挺瘦，现在不瘦了。Tā yǐqián tǐng shòu, xiànzài bú shòu le. 例我~不想去看电影，朋友劝我去，我就去了。Wǒ ~ bù xiǎng qù kàn diànyǐng, péngyou quàn wǒ qù, wǒ jiù qù le.｜他~是个老师，现在成了演员。Tā ~ shì ge lǎoshī, xiànzài chéngle yǎnyuán.｜这件事我~已经忘了，他提醒了一句我才想起来。Zhèi jiàn shì wǒ ~ yǐjing wàng le, tā tíxǐngle yí jù wǒ cái xiǎng qilai.｜~大卫有很多钱，买了房子就没钱了。~ Dàwèi yǒu hěn duō qián, mǎile fángzi jiù méi qián le.｜~我在这个学校工作，上个星期我辞职了。~ wǒ zài zhèige xuéxiào gōngzuò, shàng ge xīngqī wǒ cízhí le.

B

běnlǐng 本领(本領) [名]

他游泳的 ～ 很高。Tā yóuyǒng de ～ hěn gāo. →他游泳游得很好。Tā yóuyǒng yóu de hěn hǎo. **例** 他修汽车的 ～ 不错，十分钟就把我的车修好了。Tā xiū qìchē de ～ búcuò, shí fēnzhōng jiù bǎ wǒ de chē xiūhǎo le. | 那个孩子跟音乐老师学了很多 ～。Nèige háizi gēn yīnyuè lǎoshī xuéle hěn duō ～. | 学会了这项 ～，找工作就容易多了。Xuéhuìle zhèi xiàng ～, zhǎo gōngzuò jiù róngyì duō le. | 他很有 ～，比如修电脑、打家具、画画儿等等。Tā hěn yǒu ～, bǐrú xiū diànnǎo、dǎ jiājù、huà huàr děngděng.

běnshi 本事 [名]

他的～真大，什么都会干。Tā de ～ zhēn dà, shénme dōu huì gàn. →他能做好一般人做不了的事情。Tā néng zuòhǎo yìbān rén zuò bu liǎo de shìqing. **例** 大卫没什么 ～，连这么简单的事也不会做。Dàwèi méi shénme ～, lián zhème jiǎndān de shì yě bú huì zuò. | 做这件事可不容易，你要是有～就自己试试。Zuò zhèi jiàn shì kě bù róngyì, nǐ yàoshi yǒu ～ jiù zìjǐ shìshi. | 他跟着师傅学了很多 ～。Tā gēnzhe shīfu xuéle hěn duō ～. | 他的朋友很有 ～，一年能赚很多钱。Tā de péngyou hěn yǒu ～, yì nián néng zhuàn hěn duō qián. | 他说自己很能干，其实没什么真 ～。Tā shuō zìjǐ hěn nénggàn, qíshí méi shénme zhēn ～.

běnzhì 本质(本質) [名]

他有一些坏习惯，但 ～ 是好的。Tā yǒu yìxiē huài xíguàn, dàn ～ shì hǎo de. →从根本上看，他是好人。Cóng gēnběn shang kàn, tā shì hǎorén. **例** 兄弟俩长得很像，～ 却完全不同。Xiōngdì liǎ zhǎng de hěn xiàng, ～ què wánquán bù tóng. | 看问题不能只看表面现象，要看 ～。Kàn wèntí bù néng zhǐ kàn biǎomiàn xiànxiàng, yào kàn ～. | 从 ～ 上来看，电脑只是一种机器。Cóng ～ shang lái kàn, diànnǎo zhǐ shì yì zhǒng jīqì. | 水和冰没有 ～ 的区别。Shuǐ hé bīng méiyǒu ～ de qūbié. | 能够运动是动物最 ～ 的特点之一。Nénggòu yùndòng shì dòngwù zuì ～ de tèdiǎn zhī yī.

běnzi 本子 [名]

我有一个记电话号码的 ～。Wǒ yǒu yí ge jì diànhuà hàomǎ de ～. →本子就是订在一起的一些纸，是用来记东西或者写作业的。Běnzi jiù shì dìng zài yìqǐ de yìxiē zhǐ, shì yòng lái jì dōngxi huòzhě xiě zuòyè de. 例他买了几个~，上课时用来记笔记。Tā mǎile jǐ ge ~, shàngkè shí yòng lái jì bǐjì. | 我用这个~做作业。Wǒ yòng zhège ~ zuò zuòyè. | 我在小~上记下了他的电子邮件地址。Wǒ zài xiǎo ~ shang jìxiàle tā de diànzǐ yóujiàn dìzhǐ. | 这个~的质量很好，在上面写字感觉很舒服。Zhège ~ de zhìliàng hěn hǎo, zài shàngmiàn xiě zì gǎnjué hěn shūfu.

bèn 笨[1] [形]

我很~，连这么简单的问题也回答不了。Wǒ hěn ~, lián zhème jiǎndān de wèntí yě huídá bu liǎo. →我不聪明。Wǒ bù cōngming. 例他一点儿也不~，学东西快着呢。Tā yìdiǎnr yě bú ~, xué dōngxi kuàizhe ne. | 老师说学生们都很聪明，从来不说谁是~学生。Lǎoshī shuō xuéshengmen dōu hěn cōngming, cónglái bù shuō shéi shì ~ xuésheng. | 他以前挺聪明，现在变~了。Tā yǐqián tǐng cōngming, xiànzài biàn~le.

bèn 笨[2] [形]

我的手比较~，弹不了钢琴。Wǒ de shǒu bǐjiào ~, tán bu liǎo gāngqín. →我的手不灵活，做不了很快的动作。Wǒ de shǒu bù línghuó, zuò bu liǎo hěn kuài de dòngzuò. 例他的嘴很~，说话说不快。Tā de zuǐ hěn ~, shuōhuà shuō bu kuài. | 她的手一点儿也不~，打字打得非常快。Tā de shǒu yìdiǎnr yě bú ~, dǎzì dǎ de fēicháng kuài. | 他太胖了，动作显得很~。Tā tài pàng le, dòngzuò xiǎnde hěn ~.

bi

bī 逼 [动]

我不想喝酒，他~我喝。Wǒ bù xiǎng hē jiǔ, tā ~ wǒ hē. →他让我做我不愿意做的事。Tā ràng wǒ zuò wǒ bú yuànyì zuò de shì. 例朋友~着我把刚买的汽车借给他。Péngyou ~ zhe wǒ bǎ gāng mǎi de qìchē jiè gěi tā. | 你别~他了，他不会把这个秘密告诉你的。Nǐ bié ~ tā le, tā bú huì bǎ zhège mìmì gàosu nǐ de. | 他现在比刚毕业的时候认真多了，这都是工作~出来的。Tā xiànzài bǐ gāng bìyè de shíhou rènzhēn duō le, zhè dōu shì gōngzuò ~ chulai de.

bízi 鼻子 [名]

nose 例西方人的~一般比东方人大。Xīfāngrén de ~ yìbān bǐ

Dōngfāngrén dà. l 大卫的~又高又直。Dàwèi de ~ yòu gāo yòu
zhí. l 我有点儿难过，~酸酸的。Wǒ yǒudiǎnr nánguò, ~ suānsuān
de. l 他的~被人撞了一下儿，流血了。Tā de ~ bèi rén zhuàngle yí
xiàr, liú xiě le.

bǐ 比[1] ［动］

他们俩站在一起~个子。Tāmen liǎ zhàn zài yìqǐ ~ gèzi. →他们俩
想看看谁更高。Tāmen liǎ xiǎng kànkan shéi gèng gāo. 例他想跟我
~力气，看看谁的力气大。Tā xiǎng gēn wǒ ~ lìqi, kànkan shéi de
lìqi dà. l 他的汉语水平太低，跟大卫简直没法儿。Tā de Hànyǔ
shuǐpíng tài dī, gēn Dàwèi jiǎnzhí méifǎr ~. l 我要和他~一~谁跑
得快。Wǒ yào hé tā ~ yi ~ shéi pǎo de kuài. l 他很能喝酒，没人
~得过他。Tā hěn néng hē jiǔ, méi rén ~ de guò tā. l 她的歌儿唱
得那么好，我可~不了。Tā de gēr chàng de nàme hǎo, wǒ kě ~
bu liǎo. l 和老医生~起来，年轻医生的工资低得多。Hé lǎo
yīshēng ~ qilai, niánqīng yīshēng de gōngzī dī de duō.

bǐjiào 比较[1]（比較）［动］

他把两支笔放在一起~。Tā bǎ liǎng zhī bǐ fàng zài yìqǐ ~. →他在找
那两支笔一样和不一样的地方。Tā zài zhǎo nèi liǎng zhī bǐ yíyàng hé
bù yíyàng de dìfang. 例我没~过这两篇文章，不知道哪篇好。Wǒ
méi ~ guo zhèi liǎng piān wénzhāng, bù zhīdào něi piān hǎo. l 她正
在~两个花瓶的好坏。Tā zhèngzài ~ liǎng ge huāpíng de hǎohuài. l
请你~一下儿这两件衣服，看看哪件大一些。Qǐng nǐ ~ yíxiàr zhèi
liǎng jiàn yīfu, kànkan něi jiàn dà yìxiē. l 仔细~~，看看这两幅画
有哪些不同的地方。Zǐxì ~ ~, kànkan zhèi liǎng fú huà yǒu něixiē
bùtóng de dìfang. l 那两幅画~的结果是有一幅是假的。Nèi liǎng fú
huà ~ de jiéguǒ shì yǒu yì fú shì jiǎ de.

bǐjiào 比较[2]（比較）［副］

今天~热，但算不上非常热。Jīntiān ~ rè, dàn suàn bu shàng
fēicháng rè. →今天挺热。Jīntiān tǐng rè. 例昨天天气~好。
Zuótiān tiānqì ~ hǎo. l 夏天去那个城市旅游~有意思。Xiàtiān qù
nèige chéngshì lǚyóu ~ yǒu yìsi. l 她很浪漫，~喜欢看爱情小说。
Tā hěn làngmàn, ~ xǐhuan kàn àiqíng xiǎoshuō. l 他说得挺有道理，
我~同意他的看法。Tā shuō de tǐng yǒu dàoli, wǒ ~ tóngyì tā de
kànfǎ.

B

bǐsài 比赛[1] （比賽）[动]

他们在～游泳，人人都想得第一。Tāmen zài ～ yóuyǒng, rénrén dōu xiǎng dé dì yī. →他们在比谁游得快。Tāmen zài bǐ shéi yóu de kuài. 例明天我们学校跟他们学校～篮球。Míngtiān wǒmen xuéxiào gēn tāmen xuéxiào ～ lánqiú. | 他想跟我～，谁先喝完一杯酒谁赢。Tā xiǎng gēn wǒ ～, shéi xiān hēwán yì bēi jiǔ shéi yíng. | 我刚～完足球，累极了。Wǒ gāng ～ wán zúqiú, lèijí le. | 他～时太紧张，成绩不太好。Tā ～ shí tài jǐnzhāng, chéngjì bú tài hǎo.

bǐsài 比赛[2] （比賽）[名]

明天有一场足球～。Míngtiān yǒu yì chǎng zúqiú ～. →明天有两支足球队要比一比谁踢得更好。Míngtiān yǒu liǎng zhī zúqiúduì yào bǐ yi bǐ shéi tī de gèng hǎo. 例他参加了这次游泳～，得了第二名。Tā cānjiāle zhèi cì yóuyǒng ～, déle dì èr míng. | 上星期这里举行了一场精彩的网球～。Shàng xīngqī zhèlǐ jǔxíngle yì chǎng jīngcǎi de wǎngqiú ～. | 观看～的人热情地为运动员们加油。Guānkàn ～ de rén rèqíng de wèi yùndòngyuánmen jiāyóu. | ～进行得十分激烈，不知道哪边会赢。～ jìnxíng de shífēn jīliè, bù zhīdào něi biān huì yíng. | 这场篮球～的结果很难说，因为两队的水平差不多。Zhèi chǎng lánqiú ～ de jiéguǒ hěn nánshuō, yīnwèi liǎng duì de shuǐpíng chàbuduō.

bǐ 比[2] [介]

他～妻子高。Tā ～ qīzi gāo. →他一米八，他妻子一米六，他的个子更高。Tā yì mǐ bā, tā qīzi yì mǐ liù, tā de gèzi gèng gāo. 例旧汽车～新的便宜。Jiù qìchē ～ xīn de piányi. | 他哥哥～他大两岁。Tā gēge ～ tā dà liǎng suì. | 大卫现在很少运动，～以前胖多了。Dàwèi xiànzài hěn shǎo yùndòng, ～ yǐqián pàng duō le. | 他脾气很好，朋友也～我多得多。Tā píqi hěn hǎo, péngyou yě ～ wǒ duō de duō. | 他～我更喜欢看电影，你把电影票给他吧。Tā ～ wǒ gèng xǐhuan kàn diànyǐng, nǐ bǎ diànyǐngpiào gěi tā ba. | 他的汉语非常流利，不～中国人说得差。Tā de Hànyǔ fēicháng liúlì, bù ～ Zhōngguórén shuō de chà.

bǐlì 比例[1] [名]

这个班男学生跟女学生的～是一比二。Zhèige bān nán xuésheng gēn nǚ xuésheng de ～ shì yī bǐ èr. →这个班有十名男学生，二十

名女学生。Zhèige bān yǒu shí míng nán xuésheng, èrshí míng nǚ xuésheng. **例**反对这个意见的人有五个，支持的有三个，～是五比三。Fǎnduì zhèige yìjiàn de rén yǒu wǔ ge, zhīchí de yǒu sān ge, ～ shì wǔ bǐ sān. I你画的人身体太小，头太大，～ 不合适。Nǐ huà de rén shēntǐ tài xiǎo, tóu tài dà, ～ bù héshì. I这种果汁很浓，必须按一比四的～加水以后才好喝。Zhèi zhǒng guǒzhī hěn nóng, bìxū àn yī bǐ sì de ～ jiā shuǐ yǐhòu cái hǎohē.

bǐlì 比例² [名]
这个学校女学生的～是百分之六十（60%）。Zhèige xuéxiào nǚ xuésheng de ～ shì bǎi fēnzhī liùshí. →在全校学生中，女学生有百分之六十。Zài quán xiào xuésheng zhōng, nǚ xuésheng yǒu bǎi fēnzhī liùshí. I**例**这个国家老年人在总人口中的～是百分之二十。Zhèige guójiā lǎoniánrén zài zǒng rénkǒu zhōng de ～ shì bǎi fēnzhī èrshí. I这家公司里年轻人所占的～很高，大概超过五分之四。Zhèi jiā gōngsī li niánqīngrén suǒ zhàn de ～ hěn gāo, dàgài chāoguò wǔ fēnzhī sì. I外语系的学生中，女生占有很大的～。Wàiyǔxì de xuésheng zhōng, nǚshēng zhànyǒu hěn dà de ～.

bǐrú 比如 [动]
他的爱好很多，～打网球、听音乐、看电视等等。Tā de àihào hěn duō, ～ dǎ wǎngqiú、tīng yīnyuè、kàn diànshì děngděng. →他的爱好有很多，包括打网球、听音乐、看电视等等。Tā de àihào yǒu hěn duō, bāokuò dǎ wǎngqiú、tīng yīnyuè、kàn diànshì děnděn. **例**我有好多朋友，～大卫、阿里、安娜等。Wǒ yǒu hǎoduō péngyou, ～ Dàwèi、Ālǐ、Ānnà děng. I他们班的学生学习都很努力，～ 大卫。Tāmen bān de xuésheng xuéxí dōu hěn nǔlì, ～ Dàwèi. I最近老下雨，～这个星期，差不多天天下。Zuìjìn lǎo xià yǔ, ～ zhèige xīngqī, chàbuduō tiāntiān xià.

bǐ 笔¹ （筆）[名]
我的～坏了，写不了字。Wǒ de ～ huài le, xiě bu liǎo zì. →笔是用来写字的。Bǐ shì yòng lái xiě zì de. **例**这支～很好使，我常用它写信。Zhèi zhī ～ hěn hǎoshǐ, wǒ cháng yòng tā xiě xìn. I我向她借了一支～，记她的地址和电话。Wǒ xiàng tā jièle yì zhī ～, jì tā de dìzhǐ hé diànhuà. I我想写信，却找不到～。Wǒ xiǎng xiě xìn, què zhǎo bu dào ～.

bǐjì 笔记（筆記）[名]

他一边听课一边在本子上做~。Tā yìbiān tīngkè yìbiān zài běnzi shang zuò~. →他把听到的内容写在本子上。Tā bǎ tīngdào de nèiróng xiě zài běnzi shang. 例他看书时喜欢在书上做~。Tā kàn shū shí xǐhuan zài shū shang zuò~. | 他上课时记的~又清楚又详细。Tā shàngkè shí jì de ~ yòu qīngchu yòu xiángxì. | 这段~记得不准确，老师不是这么说的。Zhèi duàn ~ jì de bù zhǔnquè, lǎoshī bú shì zhème shuō de. | 快考试了，不用功的学生开始忙着向别人借~。Kuài kǎoshì le, bú yònggōng de xuésheng kāishǐ mángzhe xiàng biéren jiè~.

bǐ 笔² （筆）[量]

用于一次得到或者给别人的一些钱，和一些与钱有关的事情。Yòngyú yí cì dédào huòzhě gěi biéren de yìxiē qián, hé yìxiē yǔ qián yǒuguān de shìqing. 例我给上大学的女儿寄去了一~钱。Wǒ gěi shàng dàxué de nǚ'ér jìqule yì ~ qián. | 她花了一大~钱买衣服。Tā huāle yí dà ~ qián mǎi yīfu. | 这~钱是用来买汽车的。Zhèi qián shì yòng lái mǎi qìchē de. | 他在银行里有一~数目不小的存款。Tā zài yínháng li yǒu yì ~ shùmù bù xiǎo de cúnkuǎn. | 他做成了一~大买卖。Tā zuòchéngle yì ~ dà mǎimai.

bìrán 必然 [形]

他一天没吃东西了，肚子饿是~的。Tā yì tiān méi chī dōngxi le, dùzi è shì ~ de. →一天没吃东西，肚子一定会饿。Yì tiān méi chī dōngxi, dùzi yídìng huì è. 例他学习不努力，考试成绩不好是~的。Tā xuéxí bù nǔlì, kǎoshì chéngjì bù hǎo shì ~ de. | 我这次比赛失利是平时不认真练习的~结果。Wǒ zhèi cì bǐsài shīlì shì píngshí bú rènzhēn liànxí de ~ jiéguǒ. | 每个人都~会死。Měi ge rén dōu ~ huì sǐ.

bìxū 必须（必須）[副]

这个会议很重要，你~参加。Zhèige huìyì hěn zhòngyào, nǐ ~ cānjiā. →你一定要参加，不参加不行。Nǐ yídìng yào cānjiā, bù cānjiā bùxíng. 例你~马上起床才不会迟到。Nǐ ~ mǎshàng qǐchuáng cái bú huì chídào. | 做这个工作~用电脑，不会用可不行。Zuò zhèige gōngzuò ~ yòng diànnǎo, bú huì yòng kě bùxíng. | 上班的地方太远，~坐车去。Shàngbān de dìfang tài yuǎn, ~ zuò chē qù. |这是今天~做完的事情，决不能拖到明天。Zhè shì jīntiān ~ zuòwán de shìqing, jué bù néng tuō dào míngtiān.

bìyào 必要[1] [形]

天这么阴，出门时带把雨伞很~。Tiān zhème yīn, chūmén shí dài bǎ yǔsǎn hěn ~. →可能会下雨，带雨伞可能会有用。Kěnéng huì xià yǔ, dài yǔsǎn kěnéng huì yǒuyòng. 例遇到困难跟朋友商量商量十分~. Yùdào kùnnan gēn péngyou shāngliang shāngliang shífēn ~. |他病得很厉害，送他去医院是~的。Tā bìng de hěn lìhai, sòng tā qù yīyuàn shì ~ de. |旅游前我们得做一些~的准备。Lǚyóu qián wǒmen děi zuò yìxiē ~ de zhǔnbèi. |有信心是找到工作的~条件。Yǒu xìnxīn shì zhǎodào gōngzuò de ~ tiáojiàn. |早点儿回家就不会遇到不~的麻烦。Zǎo diǎnr huíjiā jiù bú huì yùdào bú ~ de máfan.

bìyào 必要[2] [名]

旅行时带点儿常用药很有~. Lǚxíng shí dài diǎnr chángyòng yào hěn yǒu ~. →带点儿药可能用得上。Dài diǎnr yào kěnéng yòng de shàng. 例星期天这么早起床没有~. Xīngqītiān zhème zǎo qǐchuáng méiyǒu ~. |那个孩子今天没来上学，有~给他父母打个电话。Nèige háizi jīntiān méi lái shàng xué, yǒu ~ gěi tā fùmǔ dǎ ge diànhuà. |这次跟我们比赛的篮球队水平不高，没有担心的~. Zhèi cì gēn wǒmen bǐsài de lánqiúduì shuǐpíng bù gāo, méiyǒu dānxīn de ~. |考试前复习一下儿是有~的。Kǎoshì qián fùxí yíxiàr shì yǒu ~ de. |你不用紧张，没那个~。Nǐ búyòng jǐnzhāng, méi nèige ~.

bì yè 毕业（畢業）

他正在上大学四年级，今年就要~了。Tā zhèngzài shàng dàxué sì niánjí, jīnnián jiù yào ~ le. →他快要上完大学了。Tā kuài yào shàngwán dàxué le. 例他刚大学~，正在找工作呢。Tā gāng dàxué ~, zhèngzài zhǎo gōngzuò ne. |他是从一个著名的大学~的。Tā shì cóng yí ge zhùmíng de dàxué ~ de. |他成绩太差，今年恐怕毕不了业。Tā chéngjì tài chà, jīnnián kǒngpà bì bu liǎo yè. |高中~后，我上了大学。Gāozhōng ~ hòu, wǒ shàngle dàxué. |今年~的学生大部分都已经找到了工作。Jīnnián ~ de xuésheng dà bùfen dōu yǐjing zhǎodàole gōngzuò. |父母明天要去我的学校参加我的~典礼。Fùmǔ míngtiān yào qù wǒ de xuéxiào cānjiā wǒ de ~

diǎnlǐ.

B

bì 闭（閉）[动]

睡觉时一般都 ~ 着眼睛。Shuìjiào shí yìbān dōu ~ zhe yǎnjing. →睡觉时一般眼睛都不睁开。Shuìjiào shí yìbān yǎnjing dōu bù zhēngkāi. 例他 ~ 着嘴，一句话也不说。Tā ~ zhe zuǐ, yí jù huà yě bù shuō. | 我看书看累了，~ 上眼休息了一会儿。Wǒ kàn shū kàn lèi le, ~ shang yǎn xiūxile yíhuìr. | 他高兴得 ~ 不上嘴。Tā gāoxìng de ~ bu shàng zuǐ. | 她双眼 ~ 得紧紧的，不敢看那只被车撞死的狗。Tā shuāng yǎn ~ de jǐnjǐn de, bù gǎn kàn nèi zhī bèi chē zhuàngsǐ de gǒu.

bì 避 [动]

突然下雨了，我赶紧到路边的商店里 ~ 雨。Tūrán xià yǔ le, wǒ gǎnjǐn dào lù biān de shāngdiàn li ~ yǔ. →进了商店就不会被雨淋着。Jìnle shāngdiàn jiù bú huì bèi yǔ línzhao. 例风太大了，我们进汽车里 ~ 风吧。Fēng tài dà le, wǒmen jìn qìchē li ~ fēng ba. | 现在雨很大，你在我家 ~ 一 ~ 再走。Xiànzài yǔ hěn dà, nǐ zài wǒ jiā ~ yi ~ zài zǒu. | 一辆自行车朝我冲过来，我赶快 ~ 开。Yí liàng zìxíngchē cháo wǒ chōng guolai, wǒ gǎnkuài ~ kāi. | 为了 ~ 开车多人多的上班时间，他很早就出门了。Wèile ~ kāi chē duō rén duō de shàngbān shíjiān, tā hěn zǎo jiù chūmén le.

bìmiǎn 避免 [动]

这起交通事故本来是可以 ~ 的。Zhèi qǐ jiāotōng shìgù běnlái shì kěyǐ ~ de. →交通事故本来可以不发生。Jiāotōng shìgù běnlái kěyǐ bù fāshēng. 例你细心一点儿，差错就可以 ~ 了。Nǐ xìxīn yìdiǎnr, chācuò jiù kěyǐ ~ le. | 我不喜欢她，总是 ~ 与她见面。Wǒ bù xǐhuan tā, zǒngshì ~ yǔ tā jiànmiàn. | 刚学游泳，喝几口水是 ~ 不了的。Gāng xué yóuyǒng, hē jǐ kǒu shuǐ shì ~ bu liǎo de.

bì yùn 避孕

这对儿夫妻有了一个孩子之后，一直 ~。Zhèi duìr fūqī yǒule yí ge háizi zhīhòu, yìzhí ~. →这对儿夫妻想办法，不再生孩子。Zhèi duìr fūqī xiǎng bànfǎ, bú zài shēng háizi. 例 ~ 失败后，妻子去了医院。~ shībài hòu, qīzi qùle yīyuàn. | 目前 ~ 的方法有很多种。Mùqián ~ de fāngfǎ yǒu hěn duō zhǒng. | 既然你们不想要小孩儿，为什么不 ~ 呢？Jìrán nǐmen bù xiǎng yào xiǎoháir, wèishénme bú ~ ne?

bian

biān 边（邊）[名]

他家住在海～儿。Tā jiā zhù zài hǎi ～ r. →他家住在靠海的地方。Tā jiā zhù zài kào hǎi de dìfang. **例**大卫一直站在河～儿，没去别的地方。Dàwèi yìzhí zhàn zài hé ～ r, méi qù biéde dìfang. I路～儿有个小商店。Lù ～ r yǒu ge xiǎo shāngdiàn. I电视机放在桌子～儿上，容易碰坏。Diànshìjī fàng zài zhuōzi ～ shang, róngyì pènghuài.

biān …biān… 边…边…（邊…邊…）

小伙子～走～唱，显得很高兴。Xiǎohuǒzi ～ zǒu ～ chàng, xiǎnde hěn gāoxìng. →小伙子走路的时候还唱着歌。Xiǎohuǒzi zǒulù de shíhou hái chàngzhe gē. **例**～吃饭～说话是个很不好的习惯。～ chīfàn ～ shuōhuà shì ge hěn bù hǎo de xíguàn. I他～工作～学习，非常辛苦。Tā ～ gōngzuò ～ xuéxí, fēicháng xīnkǔ. I玛丽喜欢～看书～听音乐。Mǎlì xǐhuan ～ kàn shū ～ tīng yīnyuè. I妈妈很会安排生活，她常常～听广播～干活。Māma hěn huì ānpái shēnghuó, tā chángcháng ～ tīng guǎngbō ～ gànhuó.

biān 编（編）[动]

我正在～一本词典。Wǒ zhèngzài ～ yì běn cídiǎn. →我正在按照我的想法写一本词典。Wǒ zhèngzài ànzhào wǒ de xiǎngfǎ xiě yì běn cídiǎn. **例**他们想～一本汉语教材。Tāmen xiǎng ～ yì běn Hànyǔ jiàocái. I这本书我～了两年了，还没完成。Zhèi běn shū wǒ ～ le liǎng nián le, hái méi wánchéng. I这本教材～得很好，很受学生欢迎。Zhèi běn jiàocái ～ de hěn hǎo, hěn shòu xuésheng huānyíng. I这个剧本他～了一半就不～了。Zhèige jùběn tā ～ le yíbàn, jiù bù ～ le.

biān hào 编号（編號）

图书馆的工作人员正在给这些书～儿。Túshūguǎn de gōngzuò rényuán zhèngzài gěi zhèxiē shū ～ r. →工作人员给书排好顺序，写上 001、002、003 等。Gōngzuò rényuán gěi shū páihǎo shùnxù, xiě shang líng líng yāo、líng líng èr、líng líng sān děng. **例**你来给新买的电脑编编号儿吧，这样便于管理。Nǐ lái gěi xīn mǎi de diànnǎo biānbian hàor ba, zhèiyàng biànyú guǎnlǐ. I这些人还没～儿，不能上场比赛。Zhèixiē rén hái méi ～ r, bù néng shàng chǎng bǐsài. I他把

学校里所有的桌子都编上了号儿。Tā bǎ xuéxiào li suǒyǒu de zhuōzi dōu biānshangle hàor.

biǎn 扁 [形]

鸡的嘴是尖的，鸭子嘴是 ~ 的。Jī de zuǐ shì jiān de, yāzi zuǐ shì ~ de. →鸭子的嘴很平。Yāzi de zuǐ hěn píng. 例面包一压就 ~ 了。Miànbāo yì yā jiù ~ le. | 苹果画得太 ~ 了，不好看。Píngguǒ huà de tài ~ le, bù hǎokàn. | 他坐在球上，把球压 ~ 了。Tā zuò zài qiú shang, bǎ qiú yā ~ le.

biàn 变（變）[动]

刚才晴天，现在 ~ 阴了。Gāngcái qíngtiān, xiànzài ~ yīn le. →刚才晴天，现在天上都是黑云。Gāngcái qíngtiān, xiànzài tiānshang dōu shì hēi yún. 例他的脾气 ~ 好了。Tā de píqi ~ hǎo le. | 她长大以后 ~ 得漂亮多了。Tā zhǎngdà yǐhòu ~ de piàoliang duō le. | 几年没回去，家乡 ~ 了样。Jǐ nián méi huíqu, jiāxiāng ~ le yàng. | 十年了，爸爸的模样一点儿也没 ~。Shí nián le, bàba de múyàng yìdiǎnr yě méi ~.

biànchéng 变成（變成）[动]

三十年过去了，她都 ~ 老太太了。Sānshí nián guòqu le, tā dōu ~ lǎotàitai le. →她原来是年轻人，现在是老人了。Tā yuánlái shì niánqīngrén, xiànzài shì lǎorén le. 例鸡蛋 ~ 了小鸡。Jīdàn ~ le xiǎojī. | 这里原来是农村，现在 ~ 城市了。Zhèlǐ yuánlái shì nóngcūn, xiànzài ~ chéngshì le. | 他已经 ~ 美国人了。Tā yǐjing ~ Měiguórén le.

biànhuà 变化[1]（變化）[动]

这几天的气温没有 ~。Zhèi jǐ tiān de qìwēn méiyǒu ~. →今天的温度跟前几天一样，没升也没降。Jīntiān de wēndù gēn qián jǐ tiān yíyàng, méi shēng yě méi jiàng. 例他的模样跟前几年相比，没怎么 ~。Tā de múyàng gēn qián jǐ nián xiāngbǐ, méi zěnme ~. | 你 ~ 一下儿方法，也许就会成功。Nǐ ~ yíxiàr fāngfǎ, yěxǔ jiù huì chénggōng. | 我不想吃面条儿了，咱们 ~ ~ 花样吧。Wǒ bù xiǎng chī miàntiáor le, zánmen ~ ~ huāyàng ba.

biànhuà 变化[2]（變化）[名]

十年来，这里发生了很大 ~。Shí nián lái, zhèlǐ fāshēngle hěn dà

~. →这里跟原来很不一样了。Zhèlǐ gēn yuánlái hěn bù yíyàng le. 例他最近有点儿~，变得爱说话了。Tā zuìjìn yǒudiǎnr ~, biàn de ài shuōhuà le. | 经过这些年的 ~，我都快认不出他来了。Jīngguò zhèixiē nián de ~, wǒ dōu kuài rèn bu chū tā lai le. | 她一点儿~都没有，还是那么年轻。Tā yìdiǎnr ~ dōu méiyǒu, háishi nàme niánqīng. | 这几年，北京的 ~ 真不小。Zhèi jǐ nián, Běijīng de ~ zhēn bù xiǎo.

biàn 便¹ [副]

他一出门~下起了大雨。Tā yì chūmén ~ xiàqile dàyǔ. →他刚出门就下起了大雨。Tā gāng chūmén jiù xiàqile dàyǔ. 例他刚躺下 ~ 睡着了。Tā gāng tǎngxia ~ shuìzháo le. | 上个月底，她~离开了这里。Shàng ge yuèdǐ, tā ~ líkāile zhèlǐ. | 大学一毕业，他们~结婚了。Dàxué yí bìyè, tāmen ~ jiéhūn le. | 我刚说完，他~明白了我的意思。Wǒ gāng shuōwán, tā ~ míngbaile wǒ de yìsi. | 我们早晨七点~到达了那里。Wǒmen zǎochen qī diǎn ~ dàodále nàli.

biàn 便² [连]

因为没买到飞机票，我~多住了两天。Yīnwèi méi mǎidào fēijīpiào, wǒ ~ duō zhù le liǎng tiān. →我多住两天的原因是没买到机票。Wǒ duō zhù liǎng tiān de yuányīn shì méi mǎidào jīpiào. 例既然大家都不同意，我~不去了。Jìrán dàjiā dōu bù tóngyì, wǒ ~ bú qù le. | 如果我找不到他，~会通知警察。Rúguǒ wǒ zhǎo bu dào tā, ~ huì tōngzhī jǐngchá. | 只要大家在一起，~ 能克服这些困难。Zhǐyào dàjiā zài yìqǐ, ~ néng kèfú zhèixiē kùnnan.

biàntiáo 便条(便條) [名]

比尔不在家，他就在门上留了一张~儿。Bǐ'ěr bú zài jiā, tā jiù zài mén shang liúle yì zhāng ~r. →他把写好的纸条留在门上。Tā bǎ xiěhǎo de zhǐtiáor liú zài mén shang. 例他回来后，看见桌子上放着一张~儿。Tā huílai hòu, kànjiàn zhuōzi shang fàngzhe yì zhāng ~r. | ~儿上写着："下午两点开会。" ~r shang xiězhe: "Xiàwǔ liǎng diǎn kāihuì." | 这是写给玛丽的~儿，请你转交给她。Zhè shì xiě gěi Mǎlì de ~r, qǐng nǐ zhuǎnjiāo gěi tā.

biàn 遍¹ [形]

他这两年几乎走~了全世界。Tā zhèi liǎng nián jīhū zǒu ~ le quán

shìjiè. →这两年他差不多去过了全世界所有的国家。Zhèi liǎng nián tā chàbuduō qùguole quán shìjiè suǒyǒu de guójiā. 例他翻～了整个屋子，也没找到那本书。Tā fān～le zhěnggè wūzi, yě méi zhǎodào nèi běn shū. | 那里～地都是黄金。Nàli ～ dì dōu shì huángjīn. | 他们找～了那座城市，也没找到她。Tāmen zhǎo～le nèi zuò chéngshì, yě méi zhǎodào tā. | 这种树在这里～山都是。Zhèi zhǒng shù zài zhèlǐ ～ shān dōu shì.

biàn 遍² [量]

那个电影很好看，我看了两～。Nèige diànyǐng hěn hǎokàn, wǒ kànle liǎng ～. →那个电影我前天看过，今天又看了。Nèige diànyǐng wǒ qiántiān kànguo, jīntiān yòu kàn le. 例我没听懂，请你再说一～。Wǒ méi tīngdǒng, qǐng nǐ zài shuō yí ～. | 这个字我写到第五～才记住。Zhèige zì wǒ xiědào dì wǔ ～ cái jìzhù. | 他写文章总是一～又一～地修改。Tā xiě wénzhāng zǒngshì yí ～ yòu yí ～ de xiūgǎi.

biànbié 辨别 [动]

兄弟俩长得很像，我～不出来。Xiōngdì liǎ zhǎng de hěn xiàng, wǒ ～ bù chūlái. →我无法说出哪个是哥哥，哪个是弟弟。Wǒ wúfǎ shuōchū něige shì gēge, něige shì dìdi. 例对于远处的建筑，他都能一一～出来。Duìyú yuǎnchù de jiànzhù, tā dōu néng yīyī ～ chulai. | 我迷路了，～不清方向了。Wǒ mílù le, ～ bù qīng fāngxiàng le. | 你再仔细～～，看看哪个是你的。Nǐ zài zǐxì ～ ～, kànkan něige shì nǐ de.

biànlùn 辩论（辯論）[动]

他们意见不统一，正在进行～。Tāmen yìjiàn bù tǒngyī, zhèngzài jìnxíng ～. →他们各说各的道理，都想说服对方。Tāmen gè shuō gè de dàoli, dōu xiǎng shuōfú duìfāng. 例同学们经常在一起～各种问题。Tóngxuémen jīngcháng zài yìqǐ ～ gè zhǒng wèntí. | 关于谁对谁错的问题，他们～了一个上午。Guānyú shéi duì shéi cuò de wèntí, tāmen ～ le yí ge shàngwǔ. | 快到中午了，看来他们还得～下去。Kuài dào zhōngwǔ le, kànlái tāmen hái děi ～ xiaqu. | 想法不同，～～没坏处。Xiǎngfǎ bùtóng, ～ ～ méi huàichù.

biao

biāodiǎn 标点（標點）［名］

~在文章中很重要。~ zài wénzhāng zhōng hěn zhòngyào. →文章离不开 ","".""!" 等。Wénzhāng lí bu kāi ","".""!" děng. 例~起着连接词语、句子的作用。~ qǐzhe liánjiē cíyǔ、jùzi de zuòyòng. | 有时候~用错了，意思会相反。Yǒu shíhou ~ yòngcuò le, yìsi huì xiāngfǎn. | 没有~的文章是很难读懂的。Méiyǒu ~ de wénzhāng shì hěn nán dúdǒng de.

biāozhǔn 标准（標準）［名］

在这个问题上，我不知道对与错的~是什么。Zài zhèige wèntí shang, wǒ bù zhīdào duì yǔ cuò de ~ shì shénme. →对于这个问题我不知道根据什么说这样对，那样不对。Duìyú zhèige wèntí wǒ bù zhīdào gēnjù shénme shuō zhèiyàng duì, Nèiyàng búduì. 例有人说我胖，有人说我不胖，他们的~不一样。Yǒu rén shuō wǒ pàng, yǒu rén shuō wǒ bú pàng, tāmen de ~ bù yíyàng. | 这种啤酒的质量完全符合国家~。Zhèi zhǒng píjiǔ de zhìliàng wánquán fúhé guójiā ~. | 这台电视机质量没有达到规定的~，经常出毛病。Zhèi tái diànshìjī zhìliàng méiyǒu dádào guīdìng de ~, jīngcháng chū máobìng.

biǎo 表¹（錶）［名］

例~停了，我们都不知道几点了。~ tíng le, wǒmen dōu bù zhīdào jǐ diǎn le. | 他脖子上挂着一块~，你看一下儿时间。Tā bózì shang guàzhe yí kuài ~, nǐ kàn yí xiàr shíjiān. | 我昨天买了块新~。Wǒ zuótián mǎile kuài xīn ~. | 这个店~修得又快又好。Zhèige diàn ~ xiū de yòu kuài yòu hǎo.

表

biǎo 表²［名］

新来的学生都要填一张登记~儿。Xīn lái de xuésheng dōu yào tián yì zhāng dēngjì ~r. →在格里写上姓名、年龄等。Zài gé li xiěshang xìngmíng、niánlíng děng. 例我有一个工作~儿，根据它来安排工作。Wǒ yǒu yí ge gōngzuò ~r, gēnjù tā lái ānpái gōngzuò. | 查查火车时刻~儿，就知道火车几点到了。Chácha huǒchē shíkè ~r, jiù zhīdao huǒchē jǐ diǎn dào le. |这段话用一个～ㄦ来说明，就更清楚了。Zhèi duàn huà yòng yí ge ～r lái shuōmíng, jiù gèng qīngchu le.

biǎodá 表达（表達）[动]

在会上，我～了自己的想法。Zài huì shang, wǒ ～ le zìjǐ de xiǎngfǎ. →我把自己的想法说给大家听了。Wǒ bǎ zìjǐ de xiǎngfǎ shuō gěi dàjiā tīng le. 例我向经理～了辞职的意思。Wǒ xiàng jīnglǐ ～ le cízhí de yìsi. |他汉语说得还不好，意思～不清。Tā Hànyǔ shuō de hái bù hǎo, yìsi ～ bù qīng. |你～得不够明确，请再说一遍。Nǐ ～ de bú gòu míngquè, qǐng zài shuō yí biàn.

biǎomiàn 表面 [名]

这种面包～有一层奶油。Zhèi zhǒng miànbāo ～ yǒu yì céng nǎiyóu. →一层奶油盖在面包上面。Yì céng nǎiyóu gài zài miànbāo shàngmiàn. 例桌子～都是土。Zhuōzi ～ dōu shì tǔ. |这件衣服～挺好看，可是质量不太好。Zhèi jiàn yīfu ～ tǐng hǎokàn, kěshì zhìliàng bú tài hǎo. |地球～有平原、高山、大海等。Dìqiú ～ yǒu píngyuán、gāoshān、dàhǎi děng. |这座大楼不但～很漂亮，里头也很漂亮。Zhèi zuò dà lóu búdàn ～ hěn piàoliang, lǐtou yě hěn piàoliang.

biǎomíng 表明 [动]

他送你鲜花，～他爱你。Tā sòng nǐ xiānhuā, ～ tā ài nǐ. →他送你鲜花，很明显地说明他爱你。Tā sòng nǐ xiānhuā, hěn míngxiǎn de shuōmíng tā ài nǐ. 例他不说话，～不同意这种看法。Tā bù shuōhuà, ～ tā bù tóngyì zhèi zhǒng kànfǎ. |在会上，我～了自己的态度。Zài huì shang, wǒ ～ le zìjǐ de tàidu. |这个调查～，我们的产品是受欢迎的。Zhèige diàochá ～, wǒmen de chǎnpǐn shì shòu huānyíng de.

biǎoshì 表示[1] [动]

大卫～，他不同意我的看法。Dàwèi ～, tā bù tóngyì wǒ de kànfǎ. →大卫说他的看法跟我不一样。Dàwèi shuō tā de kànfǎ gēn wǒ bù yíyàng. 例他～今后一定努力学习。Tā ～ jīnhòu yídìng nǔlì xuéxí. |一说去旅游，大家都鼓掌～同意。Yì shuō qù lǚyóu, dàjiā dōu gǔzhǎng ～ tóngyì. |她送你礼物，～她爱你。Tā sòng nǐ lǐwù, ～ tā ài nǐ. |我觉得老师已经～得很清楚了。Wǒ juéde lǎoshī yǐjīng ～ de hěn qīngchu le.

表 49 biǎo

B

bǐaoshì 表示 [动]

绿灯亮时，～车辆可以通过。Lǜdēng liàng shí, ～ chēliàng kěyǐ tōngguò. →绿灯亮的时候，车辆就可以往前开了。Lǜdēng liàng de shíhou, chēliàng jiù kěyǐ wǎng qián kāi le. 例他不说话，～他不同意这么做。Tā bù shuōhuà, ～ tā bù tóngyì zhème zuò. | 句号～一句话说完了。Jùhào ～ yí jù huà shuōwán le. | 中国人用点头来～同意。Zhōngguórén yòng diǎntóu lái ～ tóngyì.

bǐaoxiàn 表现¹ （表現）[动]

演员的语言和动作～了人物的性格。Yǎnyuán de yǔyán hé dòngzuò ～ le rénwù de xìnggé. →演员的语言和动作显示出了人物的性格。Yǎnyuán de yǔyán hé dòngzuò xiǎnshì chūle rénwù de xìnggé. 例他说话办事～出很高的水平。Tā shuōhuà bànshì ～ chū hěn gāo de shuǐpíng. | 面对困难，他～得十分坚强。Miànduì kùnnan, tā ～ de shífēn jiānqiáng. | 你觉得他的聪明～在什么地方呢？Nǐ juéde tā de cōngming ～ zài shénme dìfang ne?

bǐaoxiàn 表现² （表現）[名]

今天甲队踢进了四个球，有很好的～。Jīntiān jiǎ duì tījìnle sì ge qiú, yǒu hěn hǎo de ～. →今天甲队踢得很好。jīntiān jiǎ duì tī de hěn hǎo. 例根据他平时的～，经理认为他很能干。Gēnjù tā píngshí de ～, jīnglǐ rènwéi tā hěn nénggàn. | 他最近工作努力，有很好的～。Tā zuìjìn gōngzuò nǔlì, yǒu hěn hǎo de ～. | 工资多少，主要看你的～。Gōngzī duōshǎo, zhǔyào kàn nǐ de ～.

bǐaoyǎn 表演 [动]

我在戏中～一个老太太。Wǒ zài xì zhōng ～ yí ge lǎotàitai. →戏中老太太的角色由我担任。Xì zhōng lǎotàitai de juésè yóu wǒ dānrèn. 例现在该你～节目了。Xiànzài gāi nǐ ～ jiémù le. | 演员们～得很精彩，人们鼓起掌来。Yǎnyuánmen ～ de hěn jīngcǎi, rénmen gǔ qi zhǎng lai. | ～杂技的演员技术很棒。～ zájì de yǎnyuán jìshù hěn bàng.

bǐaoyáng 表扬（表揚）[动]

比尔工作很努力，经理～了他。Bǐ'ěr gōngzuò hěn nǔlì, jīnglǐ ～ le tā. →经理在大家面前对比尔的工作表示肯定。Jīnglǐ zài dàjiā miànqián duì Bǐ'ěr de gōngzuò biǎoshì kěndìng. 例你来得正好，领导正～你呢。Nǐ lái de zhènghǎo, lǐngdǎo zhèng ～ nǐ ne. | 校长经常

B

~他讲课认真。Xiàozhǎng jīngcháng ~ tā jiǎngkè rènzhēn. | 对这样优秀的青年，我们应当好好儿 ~ ~。Duì zhèiyàng yōuxiù de qīngnián, wǒmen yīngdāng hǎohāor ~ ~.

bie

bié 别¹ [动]

她头上 ~ 着一朵花儿，看起来很漂亮。Tā tóu shang ~ zhe yì duǒ huār, kàn qilai hěn piàoliang. →她头发中间插着一朵花儿。Tā tóufa zhōngjiān chāzhe yì duǒ huār. 例把这三张纸 ~ 在一起，就不容易丢了。Bǎ zhèi sān zhāng zhǐ ~ zài yìqǐ, jiù bù róngyì diū le. | 大学生们胸前 ~ 着校徽，闪闪发亮。Dàxuéshēngmen xiōngqián ~ zhe xiàohuī, shǎnshǎn fā liàng. | 新郎的西服上 ~ 着一朵红花。Xīnláng de xīfú shang ~ zhe yì duǒ hóng huā.

bié 别² [副]

请你 ~ 离开商店，我马上就回来。Qǐng nǐ ~ líkāi shāngdiàn, wǒ mǎshàng jiù huílai. →你就在商店里待着，不要到其他的地方去。Nǐ jiù zài shāngdiàn li dāizhe, búyào dào qítā de dìfang qù. 例 ~ 往前走了，我们到了。~ wǎng qián zǒu le, wǒmen dào le. | 我都知道了，你 ~ 说了。Wǒ dōu zhīdao le, nǐ ~ shuō le. | 你要是有事儿，明天就 ~ 来看我了。Nǐ yàoshi yǒu shìr, míngtiān jiù ~ lái kàn wǒ le.

biéde 别的 [代]

我买了一件衣服，还想买点儿 ~。Wǒ mǎile yí jiàn yīfu, hái xiǎng mǎi diǎnr ~. →我买了衣服，还想买点儿其他的东西。Wǒ mǎile yīfu, hái xiǎng mǎi diǎnr qítā de dōngxi. 例 ~ 都卖完了，就剩下这一个了。~ dōu màiwán le, jiù shèngxia zhèi yí ge le. | 我不喜欢玩儿篮球，咱们玩儿 ~ 吧。Wǒ bù xǐhuan wánr lánqiú, zánmen wánr ~ ba. | 这些颜色都不好看，还有没有 ~ 颜色的？Zhèixiē yánsè dōu bù hǎokàn, hái yǒu méi yǒu ~ yánsè be?

biérén / biéren 别人 [代]

当时饭馆儿里只有我们俩，~ 都走了。Dāngshí fànguǎnr li zhǐ yǒu wǒmen liǎ, ~ dōu zǒu le. →饭馆儿里其他的人都走了。Fànguǎnr li qítā de rén dōu zǒu le. 例除了比尔，~ 都听懂了。Chúle Bǐ'ěr, ~ dōu tīngdǒng le. | 这件事我不知道，你再问问 ~ 吧。Zhèi jiàn shì wǒ bù zhīdào, nǐ zài wènwen ~ ba. | 这是 ~ 的信，我们不能随便打开看。Zhè shì ~ de xìn, wǒmen bù néng suíbiàn dǎkāi kàn.

bin

bīnguǎn 宾馆(賓館) [名]

hotel 例 我去北京，每次都住在那个 ~ 。Wǒ qù Běijīng, měi cì dōu zhù zài nèige ~ . | 这个 ~ 有八百多间客房。Zhèige ~ yǒu bābǎi duō jiān kèfáng. | 所有的 ~ 里都住满了客人。Suǒyǒu de ~ li dōu zhùmǎnle kèren. | 这个 ~ 里有游泳池、娱乐室等。Zhèige ~ li yǒu yóuyǒngchí、yúlèshì děng.

bing

bīng 冰¹ [名]

今天零下 10℃，水都冻成 ~ 了。Jīntiān língxià shí shèshì dù, shuǐ dōu dòngchéng ~ le. → 因为天气冷，水不能流动了，变成了硬块儿。Yīnwèi tiānqì lěng, shuǐ bù néng liúdòng le, biànchéngle yìng kuàir. 例 每到冬天，湖面上都会结一层厚厚的 ~ 。Měi dào dōngtiān, húmiàn shang dōu huì jié yì céng hòuhòu de ~ . | 在 ~ 上开车要格外小心。Zài ~ shang kāi chē yào géwài xiǎoxīn. | 他在饮料里放了一块儿 ~ 。Tā zài yǐnliào li fàngle yí kuàir ~ .

bīnggùnr 冰棍儿(冰棍兒) [名]

冰棍儿

例 天气太热了，买根儿 ~ 吃吧。Tiānqì tài rè le, mǎi gēnr ~ chī ba. | 玛丽又热又渴，一下子吃了三根儿 ~ 。Mǎlì yòu rè yòu kě, yíxiàzi chīle sān gēnr ~ r. | 快点儿吃吧，要不 ~ 就化了。Kuài diǎnr chī ba, yàobù ~ jiù huà le.

bīngjilíng 冰激凌 [名]

ice-cream. 也写作 "冰淇淋"。Yě xiě zuò "bīngqílín". 例 夏天的时候，我喜欢吃 ~ 。Xiàtiān de shíhou, wǒ xǐhuan chī ~ . | 热得难受时，吃一盒 ~ 就舒服多了。Rè de nánshòu shí, chī yì hé ~ jiù shūfu duō le. | 这种牌子的 ~ 很好吃。Zhèi zhǒng páizi de ~ hěn hǎochī. | ~ 应当放到冰箱里保存。~ yīngdāng fàngdào bīngxiāng li bǎocún.

B

bīng 冰² ［动］

西瓜放到冰箱里～一下ㄦ，就更好吃了。Xīguā fàngdào bīngxiāng li ～ yíxiàr, jiù gèng hǎochī le. →西瓜放在冰箱里变凉后就更好吃了。 Xīguā fàng zài bīngxiāng li biànliáng hòu jiù gèng hǎochī le. 例夏天，我爱喝～过的汽水ㄦ。Xiàtiān, wǒ ài hē ～ guo de qìshuǐr. | 可乐一～更好喝。Kělè ～ yi ～ gèng hǎohē. | 我刚～上这些水果，过一会ㄦ再吃吧。Wǒ gāng ～ shang zhèixiē shuǐguǒ, guò yíhuìr zài chī ba.

bīngxiāng 冰箱 ［名］

例我买了几瓶啤酒，放到～里了。Wǒ mǎile jǐ píng píjiǔ, fàngdào ～ li le. | ～里放满了水果、鸡蛋、饮料等。～ li fàngmǎnle shuǐguǒ、 jīdàn、yǐnliào děng. | 我买了一台～，生活方便多了。Wǒ mǎile yì tái ～, shēnghuó fāngbiàn duō le.

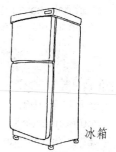

冰箱

bīng 兵 ［名］

每个国家都离不开当～的。Měi ge guójiā dōu lí bu kāi dāng ～ de. →每个国家都需要军人来保卫。Měi ge guójiā dōu xūyào jūnrén lái bǎowèi. 例他长大以后想当～。Tā zhǎngdà yǐhòu xiǎng dāng ～. | 我是～，就要服从部队的指挥。Wǒ shì ～, jiù yào fúcóng bùduì de zhǐhuī. | 他是一名军官，手下有很多～。Tā shì yì míng jūnguān, shǒuxià yǒu hěn duō ～. | 在这ㄦ，我一个～也没见过。Zài zhèr, wǒ yí ge ～ yě méi jiànguo.

bǐng 丙 ［名］

我们的成绩分成甲、乙、～三等。Wǒmen de chéngjì fēnchéng jiǎ、 yǐ、～ sān děng. →我们的成绩分成第一等、第二等、第三等这样几个等级。Wǒmen de chéngjì fēnchéng dì yī děng、dì èr děng、dì sān děng zhèiyàng jǐ ge děngjí. 例这里的足球队分成甲级队、乙级队和～级队。Zhèlǐ de zúqiúduì fēnchéng jiǎ jí duì、yǐ jí duì hé ～ jí duì. | 这位老先生不喜欢用一、二、三编号ㄦ，而喜欢用甲、乙、～。Zhèi wèi lǎo xiānsheng bù xǐhuan yòng yī、èr、sān biānhàor, ér xǐhuan yòng jiǎ、yǐ、～. | 这次考试我只得了～，不太好。Zhèi cì kǎoshì wǒ zhǐ déle ～, bú tài hǎo.

bǐnggān 饼干（餅乾）[名]

例他早饭一般吃～、喝牛奶。Tā zǎofàn yìbān chī～、hē niúnǎi. | 孩子饿了，给他几块～吃吧。Háizi è le, gěi tā jǐ kuài ～ chī ba. | 这种～又香又脆，好吃极了。Zhèi zhǒng ～ yòu xiāng yòu cuì, hǎochī jí le.

饼干

bìng 病[1] [动]

他～了，没来上班。Tā ～ le, méi lái shàngbān. → 他身体不舒服，没来上班。Tā shēntǐ bù shūfu, méi lái shàngbān. 例大卫一直～着，都请了一个月的假了。Dàwèi yìzhí ～ zhe, dōu qǐngle yí ge yuè de jià le. | 我爱人最近～得很厉害。Wǒ àiren zuìjìn ～ de hěn lìhai. | 由于太累，母亲～倒了。Yóuyú tài lèi, mǔqin ～ dǎo le.

bìng 病[2] [名]

比尔没来，去医院看～了。Bǐ'ěr méi lái, qù yīyuàn kàn ～ le. → 比尔身体不舒服，去看医生了。Bǐ'ěr shēntǐ bù shūfu, qù kàn yīshēng le. 例他刚得过一场～，脸色看起来不好。Tā gāng déguo yì cháng ～, liǎnsè kàn qilai bù hǎo. | 他的～很严重，需要住院。Tā de ～ hěn yánzhòng, xūyào zhùyuàn. | 有～就去医院，千万别耽误了。Yǒu ～ jiù qù yīyuàn, qiānwàn bié dānwu le. | 他得的是什么～？Tā dé de shì shénme ～?

bìngfáng 病房 [名]

这家医院很大，一共有五百多间～。Zhèi jiā yīyuàn hěn dà, yígòng yǒu wǔbǎi duō jiān ～. → 这家医院有五百多个供病人住的房间。Zhèi jiā yīyuàn yǒu wǔbǎi duō ge gōng bìngrén zhù de fángjiān. 例安娜住在三号～。Ānnà zhù zài sān hào ～. | 医生不让病人随便走出～。Yīshēng bú ràng bìngrén suíbiàn zǒuchu ～. | 医院很多～空着。Yīyuàn hěn duō ～ 'kōngzhe. | ～里的空气不太好，需要经常开窗户。～ li de kōngqì bú tài hǎo, xūyào jīngcháng kāi chuānghu.

bìngjūn 病菌 [名]

bacteria 例～进入人体，人就会得病。～ jìnrù réntǐ, rén jiù huì débìng. | 这种～很厉害，传播得很快。Zhèi zhǒng ～ hěn lìhai, chuánbō de hěn kuài. | 你要注意保护伤口，不要让～进入。Nǐ yào zhùyì bǎohù shāngkǒu, búyào ràng ～ jìnrù. | 要消灭这种～，必须保持环境清洁。Yào xiāomiè zhèi zhǒng ～, bìxū bǎochí huánjìng qīngjié.

B

bìngrén 病人 [名]

在这家医院里，一个护士要照顾十个~。Zài zhèi jiā yīyuàn li, yí ge hùshi yào zhàogu shí ge ~. →一个护士要照顾十个生病的人。Yí ge hùshi yào zhàogu shí ge shēngbìng de rén. 例我买好了鲜花和水果，明天去看~。Wǒ mǎihǎole xiānhuā hé shuǐguǒ, míngtiān qù kàn ~. | ~需要安静，请大家别大声说话。~ xūyào ānjìng, qǐng dàjiā bié dàshēng shuōhuà. | 这间病房里住着三个~。Zhèi jiān bìngfáng li zhùzhe sān ge ~.

bìng 并¹ [动]

他们手拉着手，肩~着肩往前走。Tāmen shǒu lāzhe shǒu, jiān ~ zhe jiān wǎng qián zǒu. →他们手拉着手，肩挨着肩，排成一行往前走。Tāmen shǒu lāzhe shǒu, jiān āizhe jiān, páichéng yì háng wǎng qián zǒu. 例他把几张桌子~在一起。Tā bǎ jǐ zhāng zhuōzi ~ zài yìqǐ. | 两辆车越来越近，终于~成一排。Liǎng liàng chē yuèláiyuè jìn, zhōngyú ~ chéng yì pái. | 这些家具~起来放，显得比较整齐。Zhèixiē jiājù ~ qilai fàng, xiǎnde bǐjiào zhěngqí.

bìng 并² [副]

这件事~不难办。Zhèi jiàn shì ~ bù nán bàn. →这件事办起来其实不太难。Zhèi jiàn shì bàn qilai qíshí bú tài nán. 例汉字看起来很难，其实~不太难。Hànzì kàn qilai hěn nán, qíshí ~ bú tài nán. | 玛丽没做错什么，我们不应该这样对她。Mǎlì ~ méi zuòcuò shénme, wǒmen bù yīnggāi zhèiyàng duì tā. | 外面很热，屋子里~不热。Wàimiàn hěn rè, wūzi li ~ bú rè.

bìng 并³ [连]

会议讨论~通过了这个办法。Huìyì tǎolùn ~ tōngguòle zhèige bànfǎ. →会议讨论了这个办法，也通过了这个办法。Huìyì tǎolùnle zhèige bànfǎ, yě tōngguòle zhèige bànfǎ. 例他们接待~宴请了这些客人。Tāmen jiēdài ~ yànqǐngle zhèixiē kèren. | 学校表扬~奖励了这些认真学习的学生。Xuéxiào biǎoyáng ~ jiǎnglìle zhèixiē rènzhēn xuéxí de xuésheng. | 我们已经~将继续做好这项工作。Wǒmen yǐjing ~ jiāng jìxù zuòhǎo zhèi xiàng gōngzuò.

bìngqiě 并且¹ [连]

主人很热情，接待~宴请了我们。Zhǔrén hěn rèqíng, jiēdài ~ yànqǐngle wǒmen. →主人接待了我们，又宴请了我们。Zhǔrén jiēdàile wǒmen, yòu yànqǐngle wǒmen. **例** 我听过 ~ 会唱这首歌。Wǒ tīngguo ~ huì chàng zhèi shǒu gē. | 爸爸理解 ~ 支持我们保护环境的活动。Bàba lǐjiě ~ zhīchí wǒmen bǎohù huánjìng de huódòng. | 那天我见到 ~ 认识了大卫。Nèi tiān wǒ jiàndào ~ rènshile Dàwèi.

bìngqiě 并且[2] [连]

比尔会说汉语, ~ 说得很好。Bǐ'ěr huì shuō Hànyǔ, ~ shuō de hěn hǎo. → 比尔不只是会说汉语, 说得还很好。Bǐ'ěr bù zhǐshì huì shuō Hànyǔ, shuō de hái hěn hǎo. **例** 玛丽爱她的小狗儿, ~ 爱得很深。Mǎlì ài tā de xiǎogǒur, ~ ài de hěn shēn. | 他工作很努力, ~ 取得了好成绩。Tā gōngzuò hěn nǔlì, ~ qǔdéle hǎo chéngjì. | 这些花儿新鲜、漂亮, ~ 香味儿很浓。Zhèixiē huār xīnxian、piàoliang, ~ xiāngwèir hěn nóng. | 他一直照顾这位老人的生活, ~ 从经济上帮助他。Tā yìzhí zhàogu zhèi wèi lǎorén de shēnghuó, ~ cóng jīngjì shang bāngzhù tā.

bo

bō 拨(撥) [动]

你往左一 ~, 收音机就关了。Nǐ wǎng zuǒ yì ~, shōuyīnjī jiù guān le. → 收音机的开关可以左右转动。Shōuyīnjī de kāiguān kěyǐ zuǒyòu zhuàndòng. **例** 表慢了, ~ 到10点就对了。Biǎo màn le, ~ dào shí diǎn jiù duì le. | 电话号码 ~ 错了, 再 ~ 一遍吧。Diànhuà hàomǎ ~ cuò le, zài ~ yí biàn ba. | 运动员用脚一 ~, 球就进了。Yùndòngyuán yòng jiǎo yì ~, qiú jiù jìn le. | 钥匙掉到草地上了, ~ 一 ~ 草就能找到。Yàoshi diàodào cǎodì shang le, ~ yi ~ cǎo jiù néng zhǎodào.

bōli 玻璃 [名]

glass **例** 窗户上的 ~ 碎了。Chuānghu shang de ~ suì le. | 这杯子是 ~ 的, 小心别掉地上。Zhè bēizi shì ~ de, xiǎoxīn bié diào dìshang. | 这个窗户坏了三块 ~, 应该马上修理。Zhèige chuānghu huàile sān kuài ~, yīnggāi mǎshàng xiūlǐ. | 这些 ~ 杯又光亮又好看。Zhèixiē ~ bēi yòu guāngliàng yòu hǎokàn.

bōcài 菠菜 [名]

例 ~ 很有营养, 含铁较多。~ hěn yǒu yíngyǎng, hán tiě jiào duō. |

~可以炒着吃，也可以煮着吃。~ kěyǐ chǎozhe chī, yě kěyǐ zhǔzhe chī. | 我爱喝用 ~做的汤，味道很不错。Wǒ ài hē yòng ~ zuò de tāng, wèidao hěn búcuò. | 妈妈买了一斤~，两斤黄瓜。Māma mǎile yì jīn ~, liǎng jīn huánggua.

菠菜

bōsòng 播送 [动]

电视节目~完了，关了电视吧。Diànshì jiémù ~ wán le, guānle diànshì ba. →电视节目结束了，电视台不再放了。Diànshì jiémù jiéshù le, diànshìtái bú zài fàng le. 例这条消息很重要，电台~了两遍。Zhèi tiáo xiāoxi hěn zhòngyào, diàntái ~ le liǎng biàn. | 这家电台经常~现代音乐，很多人喜欢听。Zhèi jiā diàntái jīngcháng ~ xiàndài yīnyuè, hěn duō rén xǐhuan tīng. | 这台晚会在电视上~了两个小时。Zhèi tái wǎnhuì zài diànshì shang ~ le liǎng ge xiǎoshí. | 每天晚上七点半，电视台都要~第二天的天气预报。Měi tiān wǎnshang qī diǎn bàn, diànshìtái dōu yào ~ dì èr tiān de tiānqì yùbào.

bóbo 伯伯 [名]

他的年龄比我父亲大，所以我叫他~。Tā de niánlíng bǐ wǒ fùqin dà, suǒyǐ wǒ jiào tā ~. →对比自己的父亲年龄大的男人这样称呼。Duì bǐ zìjǐ de fùqin niánlíng dà de nánrén zhèiyàng chēnghu. 例~，您最近身体好吧？~, nín zuìjìn shēntǐ hǎo ba? | ~，我爸请您去喝酒。~, wǒ bà qǐng nín qù hē jiǔ. | 怎么好久没看见您了？~。Zěnme hǎojiǔ méi kànjian nín le? ~.

bófù 伯父 [名]

我~比我父亲大三岁。Wǒ ~ bǐ wǒ fùqin dà sān suì. →我父亲的哥哥比我父亲大三岁。Wǒ fùqin de gēge bǐ wǒ fùqin dà sān suì. 例他是我~家的孩子，我们是兄弟。Tā shì wǒ ~ jiā de háizi, wǒmen shì xiōngdì. | 我父亲有两个哥哥，我就有两个~。Wǒ fùqin yǒu liǎng ge gēge, wǒ jiù yǒu liǎng ge ~. | 我从小儿在~家长大。Wǒ cóngxiǎor zài ~ jiā zhǎngdà. | 我们家跟~家的关系很好。Wǒmen jiā gēn ~ jiā de guānxi hěn hǎo.

bómǔ 伯母 [名]

我伯父去世了，~现在一个人生活。Wǒ bófù qùshì le, ~ xiànzài yí

ge rén shēnghuó. →我伯父的妻子现在一个人生活。Wǒ bófù de qīzi xiànzài yí ge rén shēnghuó. 例~把我当成自己的孩子，非常疼爱我。~ bǎ wǒ dàngchéng zìjǐ de háizi, fēicháng téng'ài wǒ. | ~生过两个孩子，可都没活下来。~ shēngguo liǎng ge háizi, kě dōu méi huó xialai. |伯父身体不好，家里的活儿都是 ~ 一个人做。Bófù shēntǐ bù hǎo, jiāli de huór dōu shì ~ yí ge rén zuò.

bózi 脖子 [名]

neck 例头和身子相连的部分是 ~。Tóu hé shēnzi xiāng lián de bùfen shì ~. |她发现 ~上的项链没有了。Tā fāxiàn ~ shang de xiàngliàn méiyǒu le. |我的 ~有点儿疼。Wǒ de ~ yǒudiǎnr téng. |他伸长了 ~往前看，可还是什么也看不见。Tā shēnchángle ~ wǎng qián kàn, kě háishi shénme yě kàn bu jiàn.

bóshì 博士 [名]

doctor 例他硕士毕业以后，又读了 ~。Tā shuòshì bìyè yǐhòu, yòu dúle ~. |哥哥是经济学 ~，弟弟是化学 ~。Gēge shì jīngjìxué ~, dìdi shì huàxué ~. | 去年，比尔获得了 ~ 学位。Qùnián, Bǐ'ěr huòdéle ~ xuéwèi. |几位 ~ 的发言很有水平。Jǐ wèi ~ de fāyán hěn yǒu shuǐpíng. |他 ~ 毕业后，就一直在大学工作。Tā ~ bìyè hòu, jiù yìzhí zài dàxué gōngzuò.

bu

búbì 不必 [副]

文章 ~ 写得太长。Wénzhāng ~ xiě de tài cháng. →文章不需要写得太长。Wénzhāng bù xūyào xiě de tài cháng. 例对于考试，你 ~ 那么紧张。Duìyú kǎoshì, nǐ ~ nàme jǐnzhāng. |我自己能行，~ 麻烦别人了。Wǒ zìjǐ néng xíng, ~ máfan biérén le. |我去就可以了，你 ~ 去了。Wǒ qù jiù kěyǐ le, nǐ ~ qù le. |这点儿小病你 ~ 着急，过两天就好了。Zhèi diǎnr xiǎobìng nǐ ~ zháojí, guò liǎng tiān jiù hǎo le.

búcuò 不错（不錯）[形]

他汉语说得 ~。Tā Hànyǔ shuō de ~. →他汉语说得比较好。Tā Hànyǔ shuō de bǐjiào hǎo. 例我乒乓球打得 ~，得过全校第三名。Wǒ pīngpāngqiú dǎ de ~, déguo quán xiào dì sān míng. |那儿的气候 ~，适合人们居住。Nàr de qìhòu ~, shìhé rénmen jūzhù. |她长

B

得～，怪不得大家都喜欢看她。Tā zhǎng de　～, guài bu de dàjiā
dōu xǐhuan kàn tā. | 我们俩从小ﾙ在一起长大，关系～。Wǒmen liǎ
cóngxiǎor zài yìqǐ zhǎngdà, guānxi ～. | 这是个很～的想法，我们可
以试试。Zhè shì ge hěn　～ de xiǎngfǎ, wǒmen kěyǐ shìshi.

búdà 不大 ［副］

他喜欢思考，～喜欢说话。Tā xǐhuan sīkǎo, ～ xǐhuan shuōhuà. →
他不怎么喜欢说话。Tā bù zěnme xǐhuan shuōhuà. 例我身体不好，
所以～吸烟。Wǒ shēntǐ bù hǎo, suǒyǐ ～ xīyān. | 这篇文章文字～
好，需要改一改。Zhèi piān wénzhāng wénzì ～ hǎo, xūyào gǎi yi
gǎi. | 他平时～注意锻炼，所以身体不太好。Tā píngshí ～ zhùyì
duànliàn, suǒyǐ shēntǐ bú tài hǎo. | 这几天天气～好，总是阴天。
Zhèi jǐ tiān tiānqì ～ hǎo, zǒngshì yīntiān. | 那里交通～方便，很少有
人去。Nàli jiāotōng ～ fāngbiàn, hěn shǎo yǒu rén qù.

búdàn 不但 ［连］

这件衣服～漂亮，价钱也便宜。Zhèi jiàn yīfu ～ piàoliang, jiàqian
yě piányi. →这件衣服又漂亮又便宜。Zhèi jiàn yīfu yòu piàoliang
yòu piányi. 例他～喜欢唱歌ﾙ，还喜欢跳舞。Tā ～ xǐhuan chànggēr,
hái xǐhuan tiàowǔ. | 这首歌ﾙ～年轻人喜欢，老人和孩子也喜欢。
Zhèi shǒu gēr ～ niánqīngrén xǐhuan, lǎorén hé háizi yě xǐhuan. | 弟弟
～去过日本，还去过美国和加拿大。Dìdi ～ qùguo Rìběn, hái qùguo
Měiguó hé Jiānádà. | 她～结过婚，而且还生过三个孩子。Tā ～
jiéguo hūn, érqiě hái shēngguo sān ge háizi.

búduàn 不断（不斷）［副］

她感到很难过，眼泪～地往下流。Tā gǎndào hěn nánguò, yǎnlèi ～
de wǎng xià liú. →她的眼泪一滴接一滴地往下流。Tā de yǎnlèi yì
dī jiē yì dī de wǎng xià liú. 例歌声～地从远处传来。Gēshēng ～ de
cóng yuǎnchù chuánlái. | 河水～地流向大海。Héshuǐ ～ de liúxiàng
dàhǎi. | 经理～鼓励我，我才有了信心。Jīnglǐ ～ gǔlì wǒ, wǒ cái
yǒule xìnxīn.

búguò 不过（不過）［连］

他有女朋友，～是刚刚认识的。Tā yǒu nǚpéngyou, ～ shì gānggāng
rènshi de. →他跟他的女朋友认识的时间很短。Tā gēn tā de
nǚpéngyou rènshi de shíjiān hěn duǎn. 例我去过纽约，～只呆了两
天。Wǒ qùguo Niǔyuē, ～ zhǐ dāile liǎng tiān. | 这件衣服好是好，

~有点儿贵。Zhèi jiàn yīfu hǎo shi hǎo, ~ yǒudiǎnr guì.丨他会吸烟, ~吸得很少。Tā huì xīyān, ~ xī de hěn shǎo.丨我有太太, ~现在没和我住在一起。Wǒ yǒu tàitai, ~ xiànzài méi hé wǒ zhù zài yìqǐ.

búlùn 不论(不論) [连]

~下多大雨, 我都要去。~ xià duō dà yǔ, wǒ dōu yào qù. →不管下多么大的雨, 我一定要去。Bùguǎn xià duōme dà de yǔ, wǒ yídìng yào qù. 例~我怎么说, 他就是不听。~ wǒ zěnme shuō, tā jiùshì bù tīng.丨~工作还是学习, 他都非常努力。~ gōngzuò háishi xuéxí, tā dōu fēicháng nǔlì.丨~在任何时候, 他都那么关心我。~ zài rènhé shíhou, tā dōu nàme guānxīn wǒ.丨~谁有困难, 他都愿意帮助。~ shéi yǒu kùnnan, tā dōu yuànyì bāngzhù.

búshì…jiùshì… 不是…就是…

我们学校的留学生 ~ 日本人 ~ 韩国人。Wǒmen xuéxiào de liúxuéshēng ~ Rìběnrén ~ Hánguórén. →我们学校的外国学生都是从日本和韩国来的。Wǒmen xuéxiào de wàiguó xuésheng dōu shì cóng Rìběn hé Hánguó lái de. 例来电话的人 ~ 大卫, ~ 比尔。Lái diànhuà de rén ~ Dàwèi, ~ Bǐ'ěr.丨我们出发的时间~七点, ~八点。Wǒmen chūfā de shíjiān ~ qī diǎn, ~ bā diǎn.丨我记得他~姓李, ~姓王。Wǒ jìde tā ~ xìng Lǐ, ~ xìng Wáng.

bú shì ma 不是吗(不是嗎)

她今天很漂亮, ~? Tā jīntiān hěn piàoliang, ~? →她今天很漂亮, 难道不是这样吗? Tā jīntiān hěn piàoliang, nándào bú shì zhèiyàng ma? 例他有点儿不高兴, ~? Tā yǒudiǎnr bù gāoxìng, ~?丨你已经爱上她了, ~? Nǐ yǐjing àishang tā le, ~?丨我告诉过你这件事, ~? Wǒ gàosuguo nǐ zhèi jiàn shì, ~?丨他还没结婚, ~? Tā hái méi jiéhūn, ~?

búxìng 不幸 [形]

他真~, 钱包又丢了。Tā zhēn ~, qiánbāo yòu diū le. →他的运气很不好, 总是丢钱包。Tā de yùnqi hěn bù hǎo, zǒngshì diū qiánbāo. 例很~, 这次比赛我们输了。Hěn ~, zhèi cì bǐsài wǒmen shū le.丨~的消息传来后, 她伤心地哭了。~ de xiāoxi chuánlái hòu, tā shāngxīn de kū le.丨他~失去了双手, 但他没失去对生活的信心。Tā ~ shīqùle shuāngshǒu, dàn tā méi shīqù duì shēnghuó de xìnxīn.

B

búyào 不要 [副]

吸烟对身体不好，~ 再吸了。Xīyān duì shēntǐ bù hǎo, ~ zài xī le. →为了身体健康，你最好别抽烟。Wèile shēntǐ jiànkāng, nǐ zuì hǎo bié chōuyān. **例**我都明白了，你就 ~ 说了。Wǒ dōu míngbai le, nǐ jiù ~ shuō le. | 我考试没通过，她劝我 ~ 难过。Wǒ kǎoshì méi tōngguò, tā quàn wǒ ~ nánguò. | ~ 忘了帮我买那本书。~ wàngle bāng wǒ mǎi nèi běn shū. | 你 ~ 听他的，他说的不是真的。Nǐ ~ tīng tā de, tā shuō de bú shì zhēn de.

bú yàojǐn 不要紧（不要緊）

车坏了~，我帮你修。Chē huàile ~, wǒ bāng nǐ xiū. →车坏了没关系，我会修。Chē huàile méi guānxi, wǒ huì xiū. **例**杯子碎了~，可以再买一个。Bēizi suì le ~, kěyǐ zài mǎi yí ge. | 路远~，我们可以坐飞机去。Lù yuǎn ~, wǒmen kěyǐ zuò fēijī qù. | 你的病~，吃几天药就好了。Nǐ de bìng ~, chī jǐ tiān yào jiù hǎo le. | 这事不怎么要紧，你别放在心上。Zhè shì bù zěnme yàojǐn, nǐ bié fàng zài xīnshang.

búyòng 不用 [副]

行李不重，你 ~ 帮我了。Xíngli bú zhòng, nǐ ~ bāng wǒ le. →我一个人拿就可以了。Wǒ yí ge rén ná jiù kěyǐ le. **例**这儿没事了，你 ~ 来了。Zhèr méi shì le, nǐ ~ lái le. | 我们都是老朋友，~ 客气。Wǒmen dōu shì lǎopéngyou, ~ kèqi. | ~ 一个一个地说了，大家一齐说吧。~ yí ge yí ge de shuō le, dàjiā yìqí shuō ba. | 我没做什么，~ 谢我。Wǒ méi zuò shénme, ~ xiè wǒ.

búzhù 不住 [副]

爸爸整个晚上 ~ 地吸烟。Bàba zhěnggè wǎnshang ~ de xīyān. →爸爸晚上一支接一支地吸烟，没有停。Bàba wǎnshang yì zhī jiē yì zhī de xīyān, méiyǒu tíng. **例**她哭了，眼泪 ~ 地往下流。Tā kū le, yǎnlèi ~ de wǎng xià liú. | 他 ~ 地喝酒，一会儿就醉了。Tā ~ de hē jiǔ, yíhuìr jiù zuì le. | 他一天到晚 ~ 地吃，结果吃成了胖子。Tā yìtiān dàowǎn ~ de chī, jiéguǒ chīchéngle pàngzi.

bǔ 补[1] （補）[动]

牙上有个洞，大夫给我 ~ 上了。Yá shang yǒu ge dòng, dàifu gěi wǒ ~ shang le. →大夫给我治疗后，牙上没洞了。Dàifu gěi wǒ zhìliáo hòu, yá shang méi dòng le. **例**奶奶一边帮我 ~ 衣服，一边

讲故事。Nǎinai yìbiān bāng wǒ ~ yīfu, yìbiān jiǎng gùshi. | 车胎漏气了，他 ~ 得又快又好。Chētāi lòu qì le, tā ~ de yòu kuài yòu hǎo. | 这条裤子 ~ 过三次了。Zhèi tiáo kùzi ~ guo sān cì le.

bǔkǎo 补考(補考) [动]

玛丽外语考试不及格，需要 ~。Mǎlì wàiyǔ kǎoshì bù jígé, xūyào ~. → 玛丽外语考试没通过，需要再考一次。Mǎlì wàiyǔ kǎoshì méi tōngguò, xūyào zài kǎo yí cì. **例**考试那天我病了，今天来 ~。Kǎoshì nèi tiān wǒ bìng le, jīntiān lái ~. | ~ 一次仍不及格的，不能升级。~ yí cì réng bù jígé de, bù néng shēngjí. | 他考试没及格，~ 后及格了。Tā kǎoshì méi jígé, ~ hòu jígé le.

bǔ kè 补课(補課)

大卫病了两天，这星期需要 ~。Dàwèi bìngle liǎng tiān, zhè xīngqī xūyào ~. → 大卫这星期要听一遍前两天错过的课。Dàwèi zhè xīngqī yào tīng yí biàn qián liǎng tiān cuòguo de kè. **例**我明天要给大卫 ~，没有时间去旅游了。Wǒ míngtiān yào gěi Dàwèi ~, méiyǒu shíjiān qù lǚyóu le. | 你还得补一个月的课，才能听懂现在的内容。Nǐ hái děi bǔ yí ge yuè de kè, cái néng tīngdǒng xiànzài de nèiróng. | 今天我补上了前天的课。Jīntiān wǒ bǔshangle qiántiān de kè.

bǔxí 补习(補習) [动]

为了翻译这本小说，我正在 ~ 英语。Wèile fānyì zhèi běn xiǎoshuō, wǒ zhèngzài ~ Yīngyǔ. → 我正用业余时间学英语。Wǒ zhèng yòng yèyú shíjiān xué Yīngyǔ. **例**安娜上课听不懂，下课就抓紧时间 ~。Ānnà shàngkè tīng bu dǒng, xiàkè jiù zhuājǐn shíjiān ~. | 为了这个考试，我需要 ~ 数学知识。Wèile zhèige kǎoshì, wǒ xūyào ~ shùxué zhīshi. | ~ 了一段时间后，我的汉语水平有了提高。~ le yí duàn shíjiān hòu, wǒ de Hànyǔ shuǐpíng yǒule tígāo.

bǔ 补²(補) [动]

公司扩大了，需要再 ~ 一位副经理。Gōngsī kuòdà le, xūyào zài ~ yí wèi fùjīnglǐ. → 公司需要增加一名副经理。Gōngsī xūyào zēngjiā yì míng fùjīnglǐ. **例**上个月我没休息，这个月 ~ 了两天假。Shàng ge yuè wǒ méi xiūxi, zhèige yuè ~ le liǎng tiān jià. | 我少上了一次课，明天得 ~ 上。Wǒ shǎo shàngle yí cì kè, míngtiān děi ~ shang. | 我的汉语不太好，你帮我 ~ ~ 吧。Wǒ de Hànyǔ bú tài hǎo, nǐ bāng wǒ ~ ~ ba.

bǔchōng 补充（補充）[动]

校长讲完以后，副校长又～了一些内容。Xiàozhǎng jiǎngwán yǐhòu, fùxiàozhǎng yòu ~ le yìxiē nèiróng. →副校长又做了些说明或讲了另外一些事。Fùxiàozhǎng yòu zuòle xiē shuōmíng huò jiǎngle lìngwài yìxiē shì. 例登山队原来九个人，现在又～了四个人。Dēngshānduì yuánlái jiǔ ge rén, xiànzài yòu~ le sì ge rén. | 运动之后，需要～水分。Yùndòng zhīhòu, xūyào ~ shuǐfèn. | 我的看法不全面，你～得非常好。Wǒ de kànfǎ bù quánmiàn, nǐ ~ de fēicháng hǎo.

bǔ 捕 [动]

这只猫～到了一只老鼠。Zhèi zhī māo ~ dàole yì zhī lǎoshǔ. →这只猫抓住了一只老鼠。Zhèi zhī māo zhuāzhùle yì zhī lǎoshǔ. 例他在海上～了一辈子鱼，当然很有经验。Tā zài hǎishang ~ le yíbèizi yú, dāngrán hěn yǒu jīngyàn. | 小鸡正在学～虫吃。Xiǎojī zhèngzài xué ~ chóng chī. | 这些坏人终于被～了。Zhèixiē huàirén zhōngyú bèi ~ le.

bù 不 [副]

今天下雨，他～走了。Jīntiān xià yǔ, Tā~ zǒu le. →今天他要留下来。Jīntiān tā yào liú xialai. 例大卫～抽烟也～喝酒。Dàwèi ~ chōuyān yě ~ hē jiǔ. | 我会打乒乓球，～会打网球。Wǒ huì dǎ pīngpāngqiú, ~ huì dǎ wǎngqiú. | 玛丽经常来这里，安娜～经常来。Mǎlì jīngcháng lái zhèlǐ, Ānnà ~ jīngcháng lái. | 别穿得太多，今天～怎么冷。Bié chuān de tài duō, jīntiān ~ zěnme lěng. | 我～是中国人，我是日本人。Wǒ~ shì Zhōngguórén, wǒ shì Rìběnrén.

bù dé bù 不得不

我的鞋坏了，～再买一双。Wǒ de xié huài le, ~ zài mǎi yì shuāng. →旧鞋不能穿了，我只好买一双新的。Jiù xié bù néng chuān le, wǒ zhǐhǎo mǎi yì shuāng xīn de. 例我生病了，～休息两天。Wǒ shēngbìng le, ~ xiūxi liǎng tiān. | 雨下得太大，我们～停下来。Yǔ xià de tài da, wǒmen ~ tíng xialai. | 门太矮，他～弯下腰。Mén tài ǎi, tā ~ wānxia yāo. | 会议室不准吸烟，经理～到外面去吸。Huìyìshì bù zhǔn xīyān, jīnglǐ~ dào wàimiàn qù xī.

bùdéliǎo 不得了 [形]

今年夏天，北京热得～。Jīnnián xiàtiān, Běijīng rè de ~ . →今年

夏天北京特别热，让人无法忍受。Jīnnián xiàtiān Běijīng tèbié rè, ràng rén wúfǎ rěnshòu. **例**街上汽车多得～，堵得很厉害。Jiē shang qìchē duō de～, dǔ de hěn lìhai. l 那个电影好得～，人们都爱看。Nèige diànyǐng hǎo de～, rénmen dōu ài kàn. l 他太太胖得～，走起路来很吃力。Tā tàitai pàng de～, zǒu qi lù lai hěn chīlì. l 这些菜好吃得～。Zhèixiē cài hǎochì de～.

bù gǎndāng 不敢当（不敢當）

经理表扬他时，他总是说："～，～。"Jīnglǐ biǎoyáng tā shí, tā zǒngshì shuō："～,～." →他总是客气，说自己做得还不够。Tā zǒngshì kèqi, shuō zìjǐ zuò de hái búgòu. **例**人们说他的表演最好时，他总是谦虚地说："～。"Rénmen shuō tā de biǎoyǎn zuì hǎo shí, tā zǒngshì qiānxū de shuō："～." l "艺术家"这个称号我～，我只是个演员。"Yìshùjiā" zhèige chēnghào wǒ～, wǒ zhǐ shì ge yǎnyuán. l 他说我是全校最聪明的，我实在是～。Tā shuō wǒ shì quán xiào zuì cōngming de, wǒ shízài shì～.

bùguǎn 不管 [连]

～他来不来，反正汽车八点就出发。～tā lái bu lái, fǎnzheng qìchē bā diǎn jiù chūfā. →汽车八点准时出发，跟他来不来没关系。Qìchē bā diǎn zhǔnshí chūfā, gēn tā lái bu lái méi guānxi. **例**～路有多远，他都是走着去。～lù yǒu duō yuǎn, tā dōushì zǒuzhe qù. l ～贵不贵，她喜欢的衣服他都要买。～guì bu guì, tā xǐhuan de yīfu tā dōu yào mǎi. l ～谁有困难，玛丽都热心帮助。～shéi yǒu kùnnan, Mǎlì dōu rèxīn bāngzhù. l ～刮风下雨，他都能准时到。～guā fēng xià yǔ, tā dōu néng zhǔnshí dào.

bù hǎoyìsi 不好意思[1]

婚礼上，新郎还有点儿～呢。Hūnlǐ shang, xīnláng hái yǒudiǎnr～ne. →新郎有点儿害羞。Xīnláng yǒudiǎnr hàixiū. **例**第一次在大家面前唱歌儿，他觉得很～。Dì yī cì zài dàjiā miànqián chànggēr, tā juéde hěn～. l 他承认了错误，同时～地低下了头。Tā chéngrènle cuòwu, tóngshí～de dīxiàle tóu. l 没什么～的，你就说吧。Méi shénme～de, nǐ jiù shuō ba.

bù hǎoyìsi 不好意思[2]

在大家面前，经理～批评他。Zài dàjiā miànqián, jīnglǐ～pīpíng tā. →经理怕他在大家面前出丑，没有批评他。Jīnglǐ pà tā zài dàjiā

B

miànqián chūchǒu, méiyǒu pīpíng tā. 例 在会上，我 ~ 说他撒谎。Zài huì shang, wǒ ~ shuō tā sāhuǎng. | 玛丽请了我三次，我 ~ 不去。Mǎlì qǐngle wǒ sān cì, wǒ ~ bú qù. | 我们朋友之间，还有什么 ~ 的事吗？Wǒmen péngyou zhījiān, hái yǒu shénme ~ de shì ma?

bù hǎo yìsi 不好意思³

给你添了许多麻烦，真 ~ 。Gěi nǐ tiānle xǔduō máfan, zhēn ~ . → 我心里感到很不安。Wǒ xīnlǐ gǎndào hěn bù'ān. 例 耽误了您很长时间，太 ~ 了。Dānwule nín hěn cháng shíjiān, tài ~ le. | 您总是帮助我，我都觉得 ~ 了。Nín zǒngshì bāngzhù wǒ, wǒ dōu juéde ~ le. | 校长那么忙，我 ~ 去麻烦他。Xiàozhǎng nàme máng, wǒ ~ qù máfan tā.

bùjǐn 不仅(不僅) [连]

~ 我想去旅游，大家都想去。~ wǒ xiǎng qù lǚyóu, dàjiā dōu xiǎng qù. → 想去旅游的不只是我一个人，大家都想去。Xiǎng qù lǚyóu de bùzhǐ shì wǒ yí ge rén, dàjiā dōu xiǎng qù. 例 大卫见过她，很多人都见过她。~ Dàwèi jiànguo tā, hěn duō rén dōu jiànguo ta. | 他 ~ 会说汉语，还会说日语和英语。Tā ~ huì shuō Hànyǔ, hái huì shuō Rìyǔ hé Yīngyǔ. | 我 ~ 认识他，而且很了解他。Wǒ ~ rènshi tā, érqiě hěn liǎojiě tā. | ~ 人有生命，树木、花草也有生命。~ rén yǒu shēngmìng, shùmù、huācǎo yě yǒu shēngmìng.

bùjiǔ 不久 [名]

他们是大学四年级的学生，~ 就要毕业了。Tāmen shì dàxué sì niánjí de xuésheng, ~ jiù yào bìyè le. → 他们在大学的时间不长了。Tāmen zài dàxué de shíjiān bù cháng le. 例 这座大楼 ~ 就建成了。Zhèi zuò dà lóu ~ jiù jiànchéng le. | 回国后 ~ ，他就当了翻译。Huíguó hòu ~ , tā jiù dāngle fānyì. | 结婚后 ~ ，他俩就又离了婚。Jiéhūn hòu ~ , tā liǎ jiù yòu líle hūn. | ~ 以前，他去了法国。~ yǐqián, tā qùle Fǎguó.

bùpíng 不平¹ [形]

他遇到 ~ 的事就想管。Tā yùdào ~ de shì jiù xiǎng guǎn. → 他遇到不公平的事情就想管。Tā yùdào bù gōngpíng de shìqing jiù xiǎng guǎn. 例 他的做法明显 ~ ，大家都有意见。Tā de zuòfǎ míngxiǎn ~ , dàjiā dōu yǒu yìjiàn. | 我们公开选举，就是为了消除 ~ 。Wǒmen gōngkāi xuǎnjǔ, jiùshì wèile xiāochú ~ . | 这样处理问题，

显然非常 ~ 。Zhèiyàng chǔlǐ wèntí, xiǎnrán fēicháng ~ . |这样做我觉得很公正，没什么 ~ 。Zhèiyàng zuò wǒ juéde hěn gōngzhèng, méi shénme ~ .

bùpíng 不平² [名]

你有什么 ~ 就说出来。Nǐ yǒu shénme ~ jiù shuō chulai. →你觉得有什么不满意的地方就说出来。Nǐ juéde yǒu shénme bù mǎnyì de dìfang jiù shuō chulai. 例你们这样做，他心中充满了 ~ 。Nǐmen zhèiyàng zuò, tā xīnzhōng chōngmǎnle ~ . |我们要想办法消除人们心中的 ~ 。Wǒmen yào xiǎng bànfǎ xiāochú rénmen xīnzhōng de ~ .|你们有什么 ~ 吗？请说出来。Nǐmen yǒu shénmen ~ ma? Qǐng shuō chulai.

bùrán 不然 [连]

我得赶快出发，~ 就赶不上火车了。Wǒ děi gǎnkuài chūfā, ~ jiù gǎnbushàng huǒchē le. →如果我不赶快出发，就赶不上火车了。Rúguǒ wǒ bù gǎnkuài chūfā, jiù gǎnbushàng huǒchē le. 例这些花儿该浇水了，~ 会干死的。Zhèixiē huār gāi jiāo shuǐ le, ~ huì gānsǐ de. |这件事最好别告诉他，~ 他会生气的。Zhèi jiàn shì zuì hǎo bié gàosu tā, ~ tā huì shēngqì de. |你得快点儿去买，~ 就卖完了。Nǐ děi kuàidiǎnr qù mǎi, ~ jiù màiwán le. |你最好去一趟，~ 的话, 他们会怪你的。Nǐ zuì hǎo qù yí tàng, ~ dehuà, tāmen huì guài nǐ de.

bùrú 不如 [动]

我 ~ 我弟弟高。Wǒ ~ wǒ dìdi gāo. →我没有我弟弟高。Wǒ méiyǒu wǒ dìdi gāo. 例她 ~ 她妹妹漂亮。Tā ~ tā mèimei piàoliang. |我的英语 ~ 比尔，还是让他当翻译吧。Wǒ de Yīngyǔ ~ Bǐ'ěr, háishi ràng tā dāng fānyì ba. |堵车的时候，坐汽车还 ~ 骑自行车快。Dǔchē de shíhou, zuò qìchē hái ~ qí zìxíngchē kuài.

bùshǎo 不少 [形]

他今天喝了 ~ 酒，有点儿醉了。Tā jīntiān hēle ~ jiǔ, yǒudiǎnr zuì le. →他喝得太多了，有点儿醉了。Tā hē de tài duō le, yǒudiǎnr zuì le. 例前两天她一直不想吃饭，这顿她吃了 ~ 。Qián liǎng tiān tā yìzhí bù xiǎng chīfàn, zhèi dùn tā chīle ~ . |这场球赛，来了 ~ 观众。Zhèi chǎng qiúsài, láile ~ guānzhòng. |她买了 ~ 工艺品，准备带回国。Tā mǎile ~ gōngyìpǐn, zhǔnbèi dàihuí guó. |这儿的外国人真 ~ 。Zhèr de wàiguórén zhēn ~ .

B

bùtóng 不同 ［形］

我们俩的年龄～。Wǒmen liǎ de niánlíng ～. →我们俩的年龄不一样，一个大，一个小。Wǒmen liǎ de niánlíng bù yíyàng, yí ge dà, yí ge xiǎo. **例**他们的汉语水平～，安娜的水平最高。Tāmen de Hànyǔ shuǐpíng ～, Ānnà de shuǐpíng zuì gāo. | 我跟弟弟的工作～，我是老师，他是公司职员。Wǒ gēn dìdi de gōngzuò ～, wǒ shì lǎoshī, tā shì gōngsī zhíyuán. | 他们来自～的国家，有～的生活习惯。Tāmen láizì ～ de guójiā, yǒu ～ de shēnghuó xíguàn.

bùxíng 不行[1] ［形］

我唱歌儿还可以，跳舞～。Wǒ chànggēr hái kěyǐ, tiàowǔ ～. →我会唱歌儿，不会跳舞。Wǒ huì chànggēr, bú huì tiàowǔ. **例**我踢足球还行，打网球～。Wǒ tī zúqiú hái xíng, dǎ wǎngqiú ～. | 那张画儿画得～，我不买。Nèi zhāng huàr huà de ～, wǒ bù mǎi. | 老人身体～了，需要赶快送医院。Lǎorén shēntǐ ～ le, xūyào gǎnkuài sòng yīyuàn. | 最近总下雨，想晒衣服都～。Zuìjìn zǒng xià yǔ, xiǎng shài yīfu dōu ～.

bùxíng 不行[2] ［形］

这张桌子太沉，一个人搬可～。Zhèi zhāng zhuōzi tài chén, yí ge rén bān kě ～. →桌子太重，一个人搬会累坏的。Zhuōzi tài zhòng, yí ge rén bān huì lèihuài de. **例**那儿太远，走着去可～。Nàr tài yuǎn, zǒuzhe qù kě ～. | 现在去旅游～，要等到假期才行。Xiànzài qù lǚyóu ～, yào děngdào jiàqī cái xíng. | 你的力气还～，提不动这么重的东西。Nǐ de lìqi hái ～, tí bu dòng zhème zhòng de dōngxi.

bù xíng 不行[3]

你帮我个忙，好吗？——对不起，～，我现在没时间。Nǐ bāng wǒ ge máng, hǎo ma? ——Duìbuqǐ, ～, wǒ xiànzài méi shíjiān. →我现在没有时间，不能帮你。Wǒ xiànzài méiyǒu shíjiān, bù néng bāng nǐ. **例**走着去可以吗？——～，路太远，得坐车。Zǒuzhe qù kěyǐ ma? ——～, lù tài yuǎn, děi zuòchē. | 晚会上你表演个节目吧？——～，～，我不会表演。Wǎnhuì shang nǐ biǎoyǎn ge jiémù ba? ——～, ～, wǒ bú huì biǎoyǎn.

bùxǔ 不许（不許）［动］

很多国家规定，公共场所～吸烟。Hěn duō guójiā guīdìng,

gōnggòng chǎngsuǒ ~ xīyān. →在很多国家，人们不能在公共场所吸烟。Zài hěn duō guójiā, rénmen bù néng zài gōnggòng chǎngsuǒ xīyān. 例他没有票，工作人员~他进去。Tā méiyǒu piào, gōngzuò rényuán ~ tā jìnqu. | 红灯亮时，车辆~通过。Hóng dēng liàng shí, chēliàng ~ tōngguò. | 这里是养鱼的地方，~游泳。Zhèlǐ shì yǎng yú de dìfang, ~ yóuyǒng. | 公司规定，工作的时候~吸烟。Gōngsī guīdìng, gōngzuò de shíhou ~ xīyān. | 这儿~左拐，前面的路口才可以。Zhèr ~ zuǒ guǎi, qiánmiàn de lùkǒu cái kěyǐ.

bù yídìng 不一定

大卫说他~来，我们别等他了。Dàwèi shuō tā ~ lái, wǒmen bié děng tā le. →大卫可能来，也可能不来。Dàwèi kěnéng lái, yě kěnéng bù lái. 例我跟她结不结婚还~呢。Wǒ gēn tā jié bu jiéhūn hái ~ ne. | 我~哪天回来，到时候再说吧。Wǒ ~ nǎ tiān huílai, dào shíhou zài shuō ba. | 天气预报说今天会下雨，我看~。Tiānqì yùbào shuō jīntiān huì xià yǔ, wǒ kàn ~. | 你明天晚上参加那个舞会吗？——~，有时间就去。Nǐ míngtiān wǎnshang cānjiā nèige wǔhuì ma? ——~, yǒu shíjiān jiù qù.

bù 布 [名]

cloth 例用这块~做条裙子，一定好看。Yòng zhèi kuài ~ zuò tiáo qúnzi, yídìng hǎokàn. →这个书包是~的，不是皮的。Zhèige shūbāo shì ~ de, bú shì pí de. | 这块~是妈妈买的。Zhèi kuài ~ shì māma mǎi de. | 电脑上盖着一块~。Diànnǎo shang gàizhe yí kuài ~. | 做这条裤子用了一米二的~。Zuò zhèi tiáo kùzi yòngle yì mǐ èr de ~.

bùzhì 布置¹ [动]

经理正在给大家~工作。Jīnglǐ zhèngzài gěi dàjiā ~ gōngzuò. →经理正在给大家安排每个人做些什么工作。Jīnglǐ zhèngzài gěi dàijiā ānpái měi ge rén zuòxiē shénme gōngzuò. 例他~完明天的任务，就走了。Tā ~ wán míngtiān de rènwù, jiù zǒu le. | 老师~了很多家庭作业。Lǎoshī ~ le hěn duō jiātíng zuòyè. | 你把工作给他们~~吧。Nǐ bǎ gōngzuò gěi tāmen ~ ~ ba.

bùzhì 布置² [动]

大家帮新郎和新娘~新房。Dàjiā bāng xīnláng hé xīnniáng ~ xīnfáng. →他们要把房子收拾得漂亮一些，准备结婚。Tāmen yào bǎ fángzi shōushi de piàoliang yìxiē, zhǔnbèi jiéhūn. **例**下午要开公司大会，我们把会议室～一下儿。Xiàwǔ yào kāi gōngsī dàhuì, wǒmen bǎ huìyìshì ～ yíxiàr. |这房子～得很漂亮。Zhè fángzi ～ de hěn piàoliang. |这么一～，房间就不显得那么乱了。Zhème yí～, fángjiān jiù bù xiǎnde nàme luàn le. |每到新年的时候，他们都要～～房间。Měi dào xīnnián de shíhou, tāmen dōu yào ～ ～ fángjiān.

bù 步 [名]

step **例**从这儿到商店只有几～路，走着去就可以了。Cóng zhèr dào shāngdiàn zhǐ yǒu jǐ ～ lù, zǒuzhe qù jiù kěyǐ le. |这条沟很窄，迈一～就过去了。Zhèi tiáo gōu hěn zhǎi, mài yí ～ jiù guòqu le. |他迈着大～向前走去。Tā màizhe dà ～ xiàng qián zǒuqù.

bùduì 部队（部隊）[名]

她丈夫在～工作，很少回家。Tā zhàngfu zài ～ gōngzuò, hěn shǎo huí jiā. →她丈夫在军队工作。Tā zhàngfu zài jūnduì gōngzuò. **例**战士们喜欢～，喜欢这里的一切。Zhànshìmen xǐhuan ～, xǐhuan zhèlǐ de yíqiè. |我年轻时有过几年的～生活，到现在也忘不了。Wǒ niánqīng shí yǒuguo jǐ nián de ～ shēnghuó, dào xiànzài yě wàng bu liǎo. |他们派～包围了这个村子。Tāmen pài ～ bāowéile zhèige cūnzi.

bùfen 部分 [名]

这篇文章可以分成三个～。Zhèi piān wénzhāng kěyǐ fēnchéng sān ge ～. →这篇文章讲了三个方面的内容。Zhèi piān wénzhāng jiǎngle sān ge fāngmiàn de nèiróng. **例**展览会由两～组成：图片展览和实物展览。Zhǎnlǎnhuì yóu liǎng ～ zǔchéng: túpiàn zhǎnlǎn hé shíwù zhǎnlǎn. |我在巴黎待的时间不长，只去了一～地方。Wǒ zài Bālí dāi de shíjiān bù cháng, zhǐ qùle yí ～ dìfang. |这些苹果大～是好的，只有几个坏的。Zhèixiē píngguǒ dà ～ shì hǎo de, zhǐ yǒu jǐ gè huài de.

bùmén 部门（部門）[名]

我们公司分成五个～。Wǒmen gōngsī fēnchéng wǔ ge ～. →我们公司分成五个组成部分。Wǒmen gōngsī fēnchéng wǔ ge zǔchéng bùfen. **例**我弟弟在交通～工作。Wǒ dìdi zài jiāotōng ～ gōngzuò. |学校的各个～都要服务于教师和学生。Xuéxiào de gè gè ～ dōu yào fúwù yú jiàoshī hé xuésheng. |这个会议要求各～的领导参加。

Zhèige huìyì yāoqiú gè ~ de lǐngdǎo cānjiā. | 商业 ~ 召开会议，讨论价格问题。Shāngyè ~ zhàokāi huìyì, tǎolùn jiàgé wèntí.

bùzhǎng 部长（部長）[名]

各国外交部 ~ 出席了这次会议。Gè guó Wàijiāo Bù ~ chūxíle zhèi cì huìyì. →各国外交部的最高领导出席了这次会议。Gè guó Wàijiāo Bù de zuì gāo lǐngdǎo chūxí le zhèi cì huìyì. 例去年，有八个国家的外交 ~ 访问了中国。Qùnián, yǒu bā ge guójiā de wàijiāo ~ fǎngwènle Zhōngguó. | 她是一名女 ~，很不简单。Tā shì yì míng nǚ ~, hěn bù jiǎndān. | ~们分别谈了各部的主要工作。~ men fēnbié tánle gè bù de zhǔyào gōngzuò.

C

ca

cā 擦¹ [动]

这双鞋脏了，你去 ~ 一下儿 吧。Zhèi shuāng xié zāng le, nǐ qù ~ yíxiàr ba. →请你除去鞋上的灰尘。Qǐng nǐ chúqù xié shang de huīchén. **例** 他把窗户 ~ 得干干净净。Tā bǎ chuānghu ~ de gāngānjìngjìng. | 桌子这么干净，一定是有人~过了。Zhuōzi zhème gānjìng, yídìng shì yǒu rén ~ guo le. | 他急急忙忙地洗了把脸，连 ~ 都没 ~ 就走了。Tā jíjímángmáng de xǐle bǎ liǎn, lián ~ dōu méi ~ jiù zǒu le. | 出了这么多汗，快 ~ ~ 吧。Chūle zhème duō hàn, kuài ~ ~ ba. | 镜子三天没 ~ 了，上面有一层灰。Jìngzi sān tiān méi cā le, shàngmiàn yǒu yì céng huī. | 他从来不~地，地上脏得很。Tā cónglái bù ~ dì, dìshang zāng de hěn.

cā 擦² [动]

这个姑娘脸上 ~ 了一层粉，好看多了。Zhèige gūniang liǎn shang ~ le yì céng fěn, hǎokàn duō le. →为了好看，这个姑娘脸上用了粉。Wèile hǎokàn, zhèige gūniang liǎn shang yòngle fěn. **例** 机器 ~ 过油了，很好用。Jīqì ~ guo yóu le, hěn hǎoyòng. | 你的手流血了，快 ~ 点儿药吧。Nǐ de shǒu liú xiě le, kuài ~ diǎnr yào ba. | 玛丽出门前在脸上和胳膊上 ~ 了防晒油。Mǎlì chūmén qián zài liǎn shang hé gēbo shang ~ le fángshàiyóu.

cai

cāi 猜 [动]

你 ~ 他今年多大啦？Nǐ ~ tā jīnnián duō dà la? →你根据他长的样子，想想他有多大岁数。Nǐ gēnjù tā zhǎng de yàngzi, xiǎngxiang tā yǒu duō dà suìshu. **例** 他今年三十岁，你 ~ 他结婚了没有？Tā jīnnián sānshí suì, nǐ ~ tā jiéhūn le méiyǒu? | 这个答案是我 ~ 出来的。Zhèige dá'àn shì wǒ ~ chulai de. | 我 ~ 了三次，也没 ~ 对他是哪国人。Wǒ ~ le sān cì, yě méi ~ duì tā shì něi guó rén. | 我 ~ 不着，你告诉我答案吧。Wǒ ~ bu zháo, nǐ gàosu wǒ dá'àn ba.

C

cái 才¹（纔）[副]

他~出去，不会走远。Tā ~ chūqu, bú huì zǒuyuǎn. →他刚出去很短的时间，不会走得太远。Tā gāng chūqu hěn duǎn de shíjiān, bú huì zǒu de tài yuǎn. **例**经理~回来，正休息呢。Jīnglǐ ~ huílai, zhèng xiūxi ne. | 我~来北京，哪儿也没去过。Wǒ ~ lái Běijīng, nǎr yě méi qùguo. | 他的病~好，不能吃凉东西。Tā de bìng ~ hǎo, bù néng chī liáng dōngxi. | 他俩结婚~一年，就离婚了。Tā liǎ jiéhūn ~ yì nián, jiù líhūn le.

cái 才²（纔）[副]

他昨晚去酒吧喝酒，直到十二点~回来。Tā zuó wǎn qù jiǔbā hē jiǔ, zhídào shí'èr diǎn ~ huílai. →他昨晚回来得很晚，都十二点钟了。Tā zuó wǎn huílai de hěn wǎn, dōu shí'èr diǎnzhōng le. **例**哥哥一直单身，四十岁~结婚。Gēge yìzhí dānshēn, sìshí suì ~ jiéhūn. | 我们都等你一个小时了，你怎么现在~来？Wǒmen dōu děng nǐ yí ge xiǎoshí le, nǐ zěnme xiànzài ~ lái？| 大雨下了一夜，直到早晨~停下来。Dàyǔ xiàle yí yè, zhídào zǎochen ~ tíng xialai. | 我跑了五家书店，~买到这本书。Wǒ pǎole wǔ jiā shūdiàn, ~ mǎidào zhèi běn shū.

cái 才³（纔）[副]

我们~三个人，抬不动这块石头。Wǒmen ~ sān ge rén, tái bu dòng zhèi kuài shítou. →三个人太少了，抬不动这块石头。Sān ge rén tài shǎo le, tái bu dòng zhèi kuài shítou. **例**他~学了一个月英语，说得还不太好。Tā ~ xuéle yí ge yuè Yīngyǔ, shuō de hái bú tài hǎo. | 他们~派了一辆汽车，这些人坐不下。Tāmen ~ pàile yí liàng qìchē, zhèixiē rén zuò bu xià. | 现在~5点，不用着急。Xiànzài ~ wǔ diǎn, bú yòng zháojí. | 他~16岁，不能结婚。Tā ~ shíliù suì, bù néng jiéhūn.

cái 才⁴（纔）[副]

这么贵的衣服，我~不买呢。Zhème guì de yīfu, wǒ ~ bù mǎi ne. →衣服太贵，我根本不会买。Yīfu tài guì, wǒ gēnběn bú huì mǎi. **例**那么难吃的菜，我~不吃呢。Nàme nánchī de cài, wǒ ~ bù chī ne. | 今天的比赛没意思，昨天的~有意思呢。Jīntiān de bǐsài méi yìsi, zuótiān de ~ yǒu yìsi ne. | 安娜唱得~好听呢。Ānnà chàng de ~ hǎotīng ne. | 她~是你要找的人呢。Tā ~ shì nǐ yào zhǎo de rén ne.

cáiliào 材料 [名]

盖房子用的~都准备好了。Gài fángzi yòng de ~ dōu zhǔnbèi hǎo le. →盖房子用的东西（如砖、瓦、水泥等）都准备好了。Gài fángzi yòng de dōngxi（rú zhuān、wǎ、shuǐní děng）dōu zhǔnbèi hǎo le. 例有了这些~，就可以生产了。Yǒule zhèixiē ~，jiù kěyǐ shēngchǎn le. ǀ我们还缺一部分建筑~，不能马上动工。Wǒmen hái quē yí bùfen jiànzhù ~，bù néng mǎshàng dònggōng. ǀ这些都是造纸用的~，哪一种也不能少。Zhèixiē dōu shì zào zhǐ yòng de ~，něi yì zhǒng yě bù néng shǎo. ǀ这种防火~是用什么制成的？Zhèi zhǒng fáng huǒ ~ shì yòng shénme zhìchéng de?

cáichǎn 财产（財産）[名]

父亲回国后，给了他一大笔~。Fùqin huíguó hòu，gěile tā yí dà bǐ ~. →父亲给了他很多钱和值钱的东西。Fùqin gěile tā hěn duō qián hé zhíqián de dōngxi. 例他有很多~，但他依然喜欢劳动。Tā yǒu hěn duō ~，dàn tā yīrán xǐhuan láodòng. ǀ这些~是国家的，不是我个人的。Zhèixiē ~ shì guójiā de，bú shì wǒ gèrén de. ǀ私人~受法律保护。Sīrén ~ shòu fǎlǜ bǎohù.

cǎi 采 [动]

她~了一朵花儿，戴到了头上。Tā ~ le yì duǒ huār，dàidàole tóu shang. →她摘下一朵花儿插在头发里。Tā zhāixia yì duǒ huār chā zài tóufa li. 例姑娘们一边~茶，一边说笑。Gūniangmen yìbiān ~ chá，yìbiān shuōxiào. ǀ山里人喜欢~树上的野果子吃。Shānlirén xǐhuan ~ shù shang de yěguǒzi chī. ǀ公园里的花儿不能随便~。Gōngyuán li de huār bù néng suíbiàn ~.

cǎigòu 采购（採購）[动]

星期天，我~了一些蔬菜。Xīngqītiān，wǒ ~ le yìxiē shūcài. →我一次买了很多蔬菜。Wǒ yí cì mǎile hěn duō shūcài. 例他去商店~了一批学习用品。Tā qù shāngdiàn ~ le yì pī xuéxí yòngpǐn. ǀ这几台电脑是我为单位~的，不算太贵。Zhèi jǐ tái diànnǎo shì wǒ wèi dānwèi ~ de，bú suàn tài guì. ǀ他去外面~了一天，买回了不少办公用品。Tā qù wàimiàn ~ le yì tiān，mǎihuíle bù shǎo bàngōng yòngpǐn. ǀ过节了，我~点儿东西。Guòjié le，wǒ ~ diǎnr dōngxi.

cǎiqǔ 采取 [动]

他们～了多种方法保护动物。Tāmen ～ le duō zhǒng fāngfǎ bǎohù dòngwù. →他们选择使用了多种办法，保护动物。Tāmen xuǎnzé shǐyòngle duō zhǒng bànfǎ, bǎohù dòngwù. 例学校～了各种办法提高教学水平。Xuéxiào ～ le gè zhǒng bànfǎ tígāo jiàoxué shuǐpíng. | 口语课～了室外教学的方式。Kǒuyǔkè ～ le shìwài jiàoxué de fāngshì. | 过几天，警察就会对他们～行动。Guò jǐ tiān, jǐngchá jiù huì duì tāmen ～ xíngdòng.

cǎiyòng 采用 [动]

这个工厂～了世界上最先进的技术。Zhèige gōngchǎng ～ le shìjiè shang zuì xiānjìn de jìshù. →这个工厂使用了最先进的技术。Zhèige gōngchǎng shǐyòngle zuì xiānjìn de jìshù. 例我们～过他说的办法，可是不行。Wǒmen ～ guo tā shuō de bànfǎ, kěshì bù xíng. | 他们的设备大部分～进口的。Tāmen de shèbèi dà bùfen ～ jìnkǒu de. | 我的那篇稿子被杂志社～了。Wǒ de nèi piān gǎozi bèi zázhìshè ～ le. | 我们没～你的建议，结果失败了。Wǒmen méi ～ nǐ de jiànyì, jiéguǒ shībài le. | 我们也可以～～这种简单的办法。Wǒmen yě kěyǐ ～ ～ zhèi zhǒng jiǎndān de bànfǎ.

cǎidiàn 彩电（彩電）[名]

我那台黑白电视机早就换成了～。Wǒ nèi tái hēibái diànshìjī zǎojiù huànchéngle ～. →我现在的电视机可以看彩色的画面。Wǒ xiànzài de diànshìjī kěyǐ kàn cǎisè de huàmiàn. 例这台～用了十年了，效果还很好。Zhèi tái ～ yòngle shí nián le, xiàoguǒ hái hěn hǎo. | 他家最近买了一台大～，放在客厅里。Tā jiā zuìjìn mǎile yì tái dà ～, fàng zài kètīng li. | 这是一台旧～，效果不太好了。Zhè shì yì tái jiù ～, xiàoguǒ bú tài hǎo le.

cǎisè 彩色 [名]

天上飘着很多～气球。Tiānshang piāozhe hěn duō ～ qìqiú. →气球的颜色有红、黄、蓝、绿等很多种。Qìqiú de yánsè yǒu hóng、huáng、lán、lǜ děng hěn duō zhǒng. 例这些～照片漂亮极了。Zhèixiē ～ zhàopiàn piàoliang jí le. | 现在人们更多是照～照片，很少照黑白照片。Xiànzài rénmen gèng duō shì zhào ～ zhàopiàn, hěn shǎo zhào hēibái zhàopiàn. | 这种～的图片要贵一些。Zhèi zhǒng ～ de túpiàn yào guì yìxiē.

C

căi 踩 [动]

刚下过雨，我~了一脚水。Gāng xiàguo yǔ, wǒ ~ le yì jiǎo shuǐ. →我走到水里去了。Wǒ zǒudào shuǐ li qu le. 例下雪后，人们~出了一串一串的脚印。Xià xuě hòu, rénmen ~ chūle yí chuàn yí chuàn de jiǎoyìn. ｜车上人多，我不小心~了姑娘一脚。Chē shang rén duō, wǒ bù xiǎoxīn ~ le gūniang yì jiǎo. ｜这条路是人们~出来的。Zhèi tiáo lù shì rénmen ~ chulai de. ｜这里的土很软，~一~就硬了。Zhèlǐ de tǔ hěn ruǎn, ~ yi ~ jiù yìng le. ｜别~！这是刚刚种上的小草。Bié ~! zhè shì gānggāng zhòngshang de xiǎocǎo.

cài 菜¹ [名]

vegetable 例她去买~了，一会儿就回来。Tā qù mǎi ~ le, yíhuìr jiù huílai. ｜这儿什么~都卖。Zhèr shénme cài dōu mài. ｜你买那么多~，一个星期也吃不完。Nǐ mǎi nàme duō ~, yí ge xīngqī yě chī bu wán. ｜他自己种~，很有意思。Tā zìjǐ zhòng ~, hěn yǒu yìsi.

cài 菜² [名]

他总是先吃饭，后吃~。Tā zǒngshì xiān chī fàn, hòu chī ~. →他先吃米饭，再吃做熟了的蔬菜和肉类等。Tā xiān chī mǐfàn, zài chī zuòshóule de shūcài hé ròu lèi děng. 例这个~味道很好，大家都爱吃。Zhèige ~ wèidao hěn hǎo, dàjiā dōu ài chī. ｜安娜喜欢吃中国~。Ānnà xǐhuan chī Zhōngguó ~. ｜你做了这么多~，我们吃不完的。Nǐ zuòle zhème duō ~, wǒmen chī bu wán de. ｜你点~吧，不要点太多。Nǐ diǎn ~ ba, búyào diǎn tài duō. ｜你们饭店有什么好吃的~吗？Nǐmen fàndiàn yǒu shénme hǎochī de ~ ma?

can

cānguān 参观(參觀) [动]

他们去博物馆~了一天。Tāmen qù bówùguǎn ~ le yì tiān. →他们去了博物馆，并仔细看了里面的东西。Tāmen qùle bówùguǎn, bìng zǐxì kànle lǐmiàn de dōngxi. 例这里风景很美，我~过很多次了。Zhèlǐ fēngjǐng hěn měi, wǒ ~ guo hěn duō cì le. ｜这个工厂很有名气，每天都有人来~学习。Zhèige gōngchǎng hěn yǒu míngqi, měi tiān dōu yǒu rén lái ~ xuéxí. ｜这次出国，我们一共~了五个城市。Zhèi cì chūguó, wǒmen yígòng ~ le wǔ ge chéngshì. ｜欢迎大家来这里~。Huānyíng dàjiā lái zhèlǐ ~.

C

cānjiā 参加（參加）[动]

他最近~了一个读书会。Tā zuìjìn ~ le yí ge dúshūhuì. →他成了这个读书会里的一员。Tā chéngle zhèige dúshūhuì li de yì yuán. 例她要去~一个舞会，所以穿得很漂亮。Tā yào qù ~ yí ge wǔhuì, suǒyǐ chuān de hěn piàoliang. | 明天的会议大家都要~。Míngtiān de huìyì dàjiā dōu yào ~. | 他二十岁就~了工作，到现在已经三十年了。Tā èrshí suì jiù ~ le gōngzuò, dào xiànzài yǐjing sānshí nián le. | 他从来没~过比赛，所以有点儿紧张。Tā cónglái méi ~ guo bǐsài, suǒyǐ yǒudiǎnr jǐnzhāng.

cāntīng 餐厅（餐廳）[名]

我们不做饭了，去~吃吧。Wǒmen bú zuòfàn le, qù ~ chī ba. →我们去专门卖饭菜的地方吃饭。Wǒmen qù zhuānmén mài fàncài de dìfang chīfàn. 例我们楼下就是~，很方便。Wǒmen lóu xià jiùshì ~, hěn fāngbiàn. | 这家~干净卫生，我们就在这儿吃吧。Zhèi jiā ~ gānjìng wèishēng, wǒmen jiù zài zhèr chī ba. | 火车站附近有很多小~。Huǒchēzhàn fùjìn yǒu hěn duō xiǎo ~. | 这家~的服务很有特点。Zhèi jiā ~ de fúwù hěn yǒu tèdiǎn.

cánkuì 惭愧（慚愧）[形]

这么简单的问题我都不会，我觉得很~。Zhème jiǎndān de wèntí wǒ dōu bú huì, wǒ juéde hěn ~. →我觉得心里不安，不好意思。Wǒ juéde xīnli bù'ān, bù hǎoyìsi. 例别人说汉语进步很大，我却没什么进步，太~了。Biéren shuō Hànyǔ jìnbù hěn dà, wǒ què méi shénme jìnbù, tài ~ le. | 任务没完成，他有一种~的心情。Rènwu méi wánchéng, tā yǒu yì zhǒng ~ de xīnqíng. | 非常~，我只做了那么一点儿工作。Fēicháng ~, wǒ zhǐ zuòle nàme yìdiǎnr gōngzuò. | 他~地对大家说："对不起，这是我的错儿。"Tā ~ de duì dàjiā shuō: "Duìbuqǐ, zhè shì wǒ de cuòr."

cang

cáng 藏 [动]

她把我的书~起来了。Tā bǎ wǒ de shū ~ qilai le. →她把书放在我找不到的地方了。Tā bǎ shū fàng zài wǒ zhǎo bu dào de dìfang le. 例这孩子见了不认识的人就到处~。Zhè háizi jiànle bú rènshi de rén jiù dàochù ~. | 那条狗~到房子后面了。Nèi tiáo gǒu ~ dào fángzi hòumian le . | 他做错了事，～着不敢出来。Tā zuòcuòle shì，～ zhe bù gǎn chūlai. | 别 ～ 了，我已经看见你了。Bié ～ le，wǒ yǐjing kànjiàn nǐ le.

cao

cāochǎng 操场（操場）[名]

学校有两个 ～，供人们锻炼。Xuéxiào yǒu liǎng ge ～，gōng rénmen duànliàn. →学校有两个可以跑步、踢球的地方。Xuéxiào yǒu liǎng ge kěyǐ pǎobù、tīqiú de dìfang. 例他每天早晨在 ～ 上跑步。Tā měi tiān zǎochen zài ～ shang pǎobù. | 每年的运动会都在这个 ～ 上举行。Měi nián de yùndònghuì dōu zài zhèige ～ shang jǔxíng. | 大 ～ 挨着篮球场。Dà ～ āizhe lánqiúchǎng.

cǎo 草 [名]

例院子里长满了 ～。Yuànzi li zhǎngmǎnle ～. | 花园里的～长得太高了，该割了。Huāyuán li de ～ zhǎng de tài gāo le，gāi gē le. | 地里的～有一人高。Dì li de ～ yǒu yì rén gāo. | 他拔了一把～，回去喂兔子。Tā bále yì bǎ ～，huíqu wèi tùzi. | 小 ～ 刚长出来，嫩嫩的。Xiǎo ～ gāng zhǎng chulai，nènnèn de. | 房顶上长出了几棵～。Fángdǐng shang zhǎngchule jǐ kē ～.

草

cǎodì 草地 [名]

春天到了，楼前的～又变绿了。Chūntiān dàole，lóu qián de ～ yòu biàn lǜ le. →楼前种着草的整块地方又绿了。Lóu qián zhòngzhe cǎo de zhěng kuài dìfang yòu lǜ le. 例公园里到处是～，空气很新鲜。Gōngyuán li dàochù shì ～，kōngqì hěn xīnxiān. | 他喜欢躺在 ～ 上，看蓝天白云。Tā xǐhuan tǎng zài ～ shang，kàn lántiān báiyún. | 以前这里是沙漠，现在是一大片 ～。Yǐqián zhèlǐ shì shāmò，xiànzài shì yí dà piàn ～.

cǎoyuán 草原 [名]

在这片大 ～ 上，到处都是牛和羊。Zài zhèi piàn dà ～ shang，dàochù dōu shì niú hé yáng. →这里是大片的草地，看不到边ㄦ。Zhèlǐ shì dà piàn de cǎodì，kàn bu dào biānr. 例他出生在美丽的大 ～，很小就会骑马。Tā chūshēng zài měilì de dà ～，hěn xiǎo jiù huì

qí mǎ. |我国的~很多，适合养马、牛、羊等吃草的动物。Wǒguó
de ~ hěn duō, shìhé yǎng mǎ、niú、yáng děng chī cǎo de
dòngwù. |我走在~上，觉得舒服极了。Wǒ zǒu zài ~ shang,
juéde shūfu jí le. |我喜欢~，喜欢~上的一切。Wǒ xǐhuan ~,
xǐhuan ~ shang de yíqiè.

ce

cè 册 [量]

指书的数量。Zhǐ shū de shùliàng. 例这个图书馆有一千万~书。
Zhèige túshūguǎn yǒu yìqiān wàn ~ shū. |这书分上下两~。Zhè
shū fēn shàng xià liǎng ~. |这书我们只学了第一~，没学第二
~。Zhè shū wǒmen zhǐ xuéle dì yī~, méi xué dì èr ~. |这本书一
共印了十万~。Zhèi běn shū yígòng yìnle shí wàn ~.

cèsuǒ 厕所（厕所）[名]

toilet; rest room（W.C）例他上~了，马上就回来。Tā shàng ~ le,
mǎshàng jiù huílai. |他想去~，可不知道~在哪儿。Tā xiǎng qù
~, kě bù zhīdào ~ zài nǎr. |男~在楼下，女~在楼上。Nán ~
zài lóu xià, nǚ ~ zài lóu shàng. |~里很干净。~ li hěn gānjìng. |请
问，附近有没有~？Qǐngwèn, fùjìn yǒu méiyǒu ~?

cèyàn 测验（測驗）[动]

我们下午~数学，大家正忙着复习。Wǒmen xiàwǔ ~ shùxué, dàjiā
zhèng mángzhe fùxí. →老师下午要考我们数学。Lǎoshī xiàwǔ yào
kǎo wǒme shùxué. 例老师~了我们一上午口语。Lǎoshī ~ le
wǒmen yí shàngwǔ kǒuyǔ. |下午~听力。Xiàwǔ ~ tīnglì. |外语系
刚入学的学生，都要~~听说能力。Wàiyǔxì gāng rùxué de
xuésheng, dōu yào ~ ~ tīng shuō nénglì.

ceng

céng 层（層）[量]

用于楼层、纸、冰等。Yòngyú lóucéng、zhǐ、bīng děng. 例这是我
们这儿最高的一座楼，它有二十六~。Zhè shì wǒmen zhèr zuì gāo
de yí zuò lóu, tā yǒu èrshíliù ~. |安娜的办公室在十二~。Ānnà de
bàngōngshì zài shí'èr ~. |这块儿糖包了两~纸。Zhèi kuàir táng
bāole liǎng ~ zhǐ. |那座房子的窗户都是双~的。Nèi zuò fángzi de

chuānghu dōu shì shuāng ~ de. I来看热闹的人围了好几~。Lái kàn rènao de rén wéile hǎojǐ ~. I河面上已经结了一~冰。Hémiàn shang yǐjing jiéle yì ~ bīng.

céng 曾 [副]

他父亲 ~ 是这所大学的校长。Tā fùqin ~ shì zhèi suǒ dàxué de xiàozhǎng. →他父亲过去是这所大学的校长。Tā fùqin guòqù shì zhèi suǒ dàxué de xiàozhǎng. 例这件事，我 ~ 写信告诉过她。Zhèi jiàn shì, wǒ ~ xiě xìn gàosuguo tā. I我 ~ 在二十年前爬过那座雪山。Wǒ ~ zài èrshí nián qián páguo nèi zuò xuěshān. I这本儿小说我 ~ 看过三遍。Zhèi běnr xiǎoshuō wǒ ~ kànguo sān biàn. I他俩 ~ 好过一段时间，现在分手了。Tā liǎ ~ hǎoguo yí duàn shíjiān, xiànzài fēnshǒu le.

céngjīng 曾经 (曾經) [副]

我 ~ 在这儿工作过。Wǒ ~ zài zhèr gōngzuò guo. →以前我在这儿工作过，现在不在这儿工作了。Yǐqián wǒ zài zhèr gōngzuòguo, xiànzài bú zài zhèr gōngzuò le. 例我和他 ~ 是同学。Wǒ hé tā ~ shì tóngxué. I我们 ~ 在一个宿舍里住过四年。Wǒmen ~ zài yí ge sùshè li zhùguo sì nián. I他 ~ 帮助过我。Tā ~ bāngzhùguo wǒ. I我 ~ 听他讲过这个故事。Wǒ ~ tīng tā jiǎngguo zhèige gùshi.

cha

chā 叉 [名]

如果你不同意，就画一个 ~儿。Rúguǒ nǐ bù tóngyì, jiù huà yí ge ~r. →你不同意，就画一个 "╳"。Nǐ bù tóngyì, jiù huà yí ge "╳". 例我在第三个人名后头打了一个 ~儿，因为我不同意选他。Wǒ zài dì sān ge rénmíng hòutou dǎle yí ge ~r, yīnwèi wǒ bù tóngyì xuǎn tā. I他的数学考试卷上一个 ~儿也没有，考得真好。Tā de shùxué kǎoshìjuàn shang yí ge ~r yě méiyǒu, kǎo de zhēn hǎo. I你认为对，就画一个钩儿，你认为不对，就画一个 ~儿。Nǐ rènwéi duì, jiù huà yí ge gōur, nǐ rènwéi bú duì, jiù huà yí ge ~r.

chāzi 叉子 [名]

例这套 ~ 是银的，那套 ~ 是钢的。Zhèi tào ~ shì yín de, nèi tào ~ shì gāng de. I东方人吃饭常用筷子，西方人吃饭常用 ~。Dōngfāngrén chīfàn cháng yòng kuàizi, Xīfāngrén chīfàn cháng yòng

~. | 小姐，这儿还少一把 ~。Xiǎojie, zhèr hái shǎo yì bǎ ~. | 已经摆好了刀子和 ~，该吃饭了。Yǐjing bǎihǎole dāozi hé ~, gāi chīfàn le. | 先生，请再给我一把 ~。Xiānsheng, qǐng zài gěi wǒ yì bǎ ~.

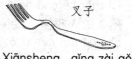

叉子

chā 插[1] [动]
这些花儿 ~ 到花瓶儿里去吧。Zhèixiē huār ~ dào huāpíngr li qu ba. → 在花瓶儿里倒一些水，把这些花儿的杆儿从花瓶口儿放进去。Zài huāpíngr li dào yìxiē shuǐ, bǎ zhèixiē huār de gǎnr cóng huāpíngkǒur fàng jinqu. 例这种树 ~ 到土里就能活。Zhèi zhǒng shù ~ dào tǔ li jiù néng huó. | 那把小叉子在蛋糕上 ~ 着呢。Nèi bǎ xiǎo chāzi zài dàngāo shang ~ zhe ne. | 他站着的时候，总是爱把手 ~ 在裤子口袋里。Tā zhànzhe de shíhou, zǒngshì ài bǎ shǒu ~ zài kùzi kǒudài li. | 这些彩旗已经在操场上 ~ 了三天了。Zhèixiē cǎiqí yǐjing zài cāochǎng shang ~ le sān tiān le.

chā 插[2] [动]
新来的同学 ~ 到三班去。Xīn lái de tóngxué ~ dào sān bān qù. → 新来的同学加入到三班里去学习。Xīn lái de tóngxué jiārù dào sān bān li qù xuéxí. 例我们按个子从高到低排成了一队，她 ~ 到我和安娜中间比较合适。Wǒmen àn gèzi cóng gāo dào dī páichéngle yí duì, tā ~ dào wǒ hé Ānnà zhōngjiān bǐjiào héshì. | 看这个电视剧的时候，中间 ~ 播的广告太多了。Kàn zhèige diànshìjù de shíhou, zhōngjiān ~ bō de guǎnggào tài duō le. | 他不停地说，我一句话也 ~ 不上。Tā bù tíng de shuō, wǒ yí jù huà yě ~ bu shàng.

chá 茶 [名]
tea; boiled water 例这杯 ~ 太热了，我等一会儿再喝。Zhèi bēi ~ tài rè le, wǒ děng yíhuìr zài hē. | 你喝咖啡，还是喝 ~？Nǐ hē kāfēi, háishi hē ~? | 大家一边儿喝 ~，一边儿聊天。Dàjiā yìbiānr hē ~, yìbiānr liáotiānr. | 来客人的时候，我常常给客人们倒 ~。Lái kèren de shíhou, wǒ chángcháng gěi kèrenmen dào ~. | 天气太热，我要一杯凉 ~。Tiānqì tài rè, wǒ yào yì bēi liáng ~. | 这杯 ~ 里放糖了吗？Zhèi bēi ~ li fàng táng le ma?

cháguǎn 茶馆（茶館）[名]
这个 ~ 儿很有名，来这儿喝茶的人很多。Zhèige ~ r hěn yǒumíng,

lái zhèr hē chá de rén hěn duō. →这个喝茶的地方很有名，来这儿
喝茶的人很多。Zhèige hē chá de dìfang hěn yǒumíng, lái zhèr hē
chá de rén hěn duō. **例**这家～儿每天晚上十点钟关门。Zhèi jiā ～r
měi tiān wǎnshang shí diǎnzhōng guānmén. l 这条街上有三个～儿。
Zhèi tiáo jiē shang yǒu sān ge ～ r. l 咱们去哪个～儿? Zánmen qù
něige ～ r? l 北京有个著名的老舍～r. Běijīng yǒu ge zhùmíng de
Lǎoshě ～ r. l 这个～儿的服务很热情。Zhèige ～ r de fúwù hěn
rèqíng. l 下一次咱们还在这个～儿见面。Xià yí cì zánmen hái zài
zhèige ～ r jiànmiàn.

cháyè 茶叶(茶葉) [名]

tea; tea-leaves **例**～有很多种，比如红茶、绿茶、花茶等等。～ yǒu
hěn duō zhǒng, bǐrú hóngchá, lǜchá, huāchá děngděng. l 这包～
是昨天买的。Zhèi bāo ～ shì zuótiān mǎi de. l 这种～的味道很香。
Zhèi zhǒng ～ de wèidao hěn xiāng. l 这盒儿～是中国朋友送给我
的。Zhèi hér ～ shì Zhōngguó péngyou sòng gěi wǒ de. l 我买了一
斤～。Wǒ mǎile yì jīn ～. l 我们那个地方出产～。Wǒmen nèige
dìfang chūchǎn ～.

chá 查¹ [动]

发烧的时候应该去医院，请大夫～一下儿。Fāshāo de shíhou yīnggāi
qù yīyuàn, qǐng dàifu ～ yíxiàr. →请大夫检查一下儿，找出发烧的
原因。Qǐng dàifu jiǎnchá yíxiàr, zhǎochū fāshāo de yuányīn. **例**医生
～了他的血以后才能决定要不要给他打针。Yīshēng ～ le tā de xiě
yǐhòu cái néng juédìng yào bu yào gěi tā dǎzhēn. l 头疼不能乱吃药，
应该去医院～～原因。Tóu téng bù néng luàn chī yào, yīnggāi qù
yīyuàn ～ ～ yuányīn. l 我们这儿每个月～一次水表和电表。Wǒmen
zhèr měi ge yuè ～ yí cì shuǐbiǎo hé diànbiǎo.

chá 查² [动]

为了知道这个词的意思，我～了好几本儿词典。Wèile zhīdao zhèige
cí de yìsi, wǒ ～ le hǎojǐ běnr cídiǎn. →为了知道这个词的意思，我
翻看了好几本儿词典。Wèile zhīdao zhèige cí de yìsi, wǒ fānkànle
hǎojǐ běnr cídiǎn. **例**我们～一下儿世界地图，看看中国在什么地方。
Wǒmen ～ yíxiàr shìjiè dìtú, kànkan Zhōngguó zài shénme dìfang. l
请帮我～～，去上海的飞机一天有几次。Qǐng bāng wǒ ～ ～, qù

C

Shànghǎi de fēijī yì tiān yǒu jǐ cì. | 你还是去国家图书馆 ~ 一 ~ ，那ㄦ一定能 ~ 到。Nǐ háishi qù Guójiā Túshūguǎn ~ yi ~ , nàr yídìng néng ~ dào.

chà 差[1] ［形］

刚到中国的时候，我的汉语听力很 ~ 。Gāng dào Zhōngguó de shíhou, wǒ de Hànyǔ tīnglì hěn ~ . →我的汉语听力很不好，中国人说话我听不懂。Wǒ de Hànyǔ tīnglì hěn bù hǎo, Zhōngguórén shuōhuà wǒ tīng bu dǒng. 例他的学习成绩太 ~ ，三门考试都不及格。Tā de xuéxí chéngjì tài ~ , sān mén kǎoshì dōu bù jígé. | 这辆自行车的质量比较 ~ ，刚骑了一个月就坏了。Zhèi liàng zìxíngchē de zhìliàng bǐjiào ~ , gāng qíle yí ge yuè jiù huài le. | 你写的字真漂亮，我写的比你 ~ 多了。Nǐ xiě de zì zhēn piàoliang, wǒ xiě de bǐ nǐ ~ duō le.

chà 差[2] ［动］

我们是三个人，只有两张电影票，还 ~ 一张票呢。Wǒmen shì sān ge rén, zhǐ yǒu liǎng zhāng diànyǐngpiào, hái ~ yì zhāng piào ne. →三个人需要三张票，现在还少一张票。Sān ge rén xūyào sān zhāng piào, xiànzài hái shǎo yì zhāng piào. 例我很想买这本书，可是现在不能买，因为我 ~ 三块钱。Wǒ hěn xiǎng mǎi zhèi běn shū, kěshì xiànzài bù néng mǎi, yīnwèi wǒ ~ sān kuài qián. | 还 ~ 一个人没来，我们再等一会ㄦ。Hái ~ yí ge rén méi lái, wǒmen zài děng yíhuìr. | 还 ~ 五分钟火车就要开了，快上去吧。Hái ~ wǔ fēnzhōng huǒchē jiù yào kāi le, kuài shàngqu ba.

chàbuduō 差不多[1] ［形］

儿子跟父亲长得 ~ 。Érzi gēn fùqin zhǎng de ~ . →儿子的样子很像父亲。Érzi de yàngzi hěn xiàng fùqin. 例姐妹俩高矮 ~ 。Jiěmèi liǎ gāo ǎi ~ . | 这ㄦ的几家商店开门的时间 ~ 。Zhèr de jǐ jiā shāngdiàn kāimén de shíjiān ~ . | 从宿舍去教室和去图书馆的远近 ~ 。Cóng sùshè qù jiàoshì hé qù túshūguǎn de yuǎnjìn ~ . | 这两个足球队的水平 ~ 。Zhèi liǎng ge zúqiúduì de shuǐpíng ~ . | 我买的是旧车，看起来跟新的 ~ 。Wǒ mǎi de shì jiù chē, kàn qilai gēn xīn de ~ . | 他们的年龄 ~ 大。Tāmen de niánlíng ~ dà.

chàbuduō 差不多[2] ［副］

这些衣服 ~ 都是妈妈给我做的。Zhèixiē yīfu ~ dōu shì māma gěi

wǒ zuò de. →这些衣服大部分是妈妈做的，只有很少一部分是买的。Zhèixiē yīfu dà bùfen shì māma zuò de, zhǐ yǒu hěn shǎo yí bùfen shì mǎi de. 例这些画儿 ~ 全是我画的。Zhèixiē huàr ~ quán shì wǒ huà de. | 吃完饭，客人 ~ 全走了。Chīwán fàn, kèren ~ quán zǒu le. | 听了他的话，大家 ~ 都笑了。Tīngle tā de huà, dàjiā ~ dōu xiào le. | 我 ~ 同时收到了他们的来信。Wǒ ~ tóngshí shōudàole tāmen de láixìn. | 两年以前学的那些汉字，现在我 ~ 都忘了。Liǎng nián yǐqián xué de nèixiē Hànzì, xiànzài wǒ ~ dōu wàng le.

chàdiǎnr 差点儿¹ （差點兒）[副]

昨天他 ~ 被汽车撞死。Zuótiān tā ~ bèi qìchē zhuàngsǐ. 昨天他没被汽车撞死。Zuótiān tā ~ méi bèi qìchē zhuàngsǐ. →两句的意思一样，他没有死。Liǎng jù de yìsi yíyàng, tā méiyǒu sǐ. 例那天我 ~ （没）把钱包丢了。Nèi tiān wǒ ~ (méi) bǎ qiánbāo diū le. | 那次我 ~ （没）哭了。Nèi cì wǒ ~ (méi) kū le. | 他们 ~ （没）去图书馆找你。Tāmen ~ (méi) qù túshūguǎn zhǎo nǐ. | 她 ~ （没）吃错药。Tā ~ (méi) chīcuò yào.

chàdiǎnr 差点儿² （差點兒）[副]

昨天我 ~ 没坐上那趟火车。Zuótiān wǒ ~ méi zuòshang nèi tàng huǒchē. →我坐上火车了，但是再晚一点儿，火车就开走了。Wǒ zuòshang huǒchē le, dànshì zài wǎn yìdiǎnr, huǒchē jiù kāizǒu le. 例他 ~ 没坐上最后一班公共汽车。Tā ~ méi zuòshang zuìhòu yì bān gōnggòng qìchē. | 听力课的考试我 ~ 不及格。Tīnglìkè de kǎoshì wǒ ~ bù jígé. | 那本书，我 ~ 没买着。Nèi běn shū, wǒ ~ méi mǎizháo. | 那个题目我 ~ 没答上来。Nèige tímù wǒ ~ méi dá shànglái.

chàdiǎnr 差点儿³ （差點兒）[副]

昨天我 ~ 就坐上那趟火车了。Zuótiān wǒ ~ jiù zuòshang nèi tàng huǒchē le. →我没坐上火车，要是早来一会儿，就能坐上了。Wǒ méi zuòshang huǒchē, yàoshi zǎo lái yíhuìr, jiù néng zuòshang le. 例他 ~ 就赶上末班车了。Tā ~ jiù gǎnshang mòbānchē le. | 听力课的考试我 ~ 就及格了。Tīnglìkè de kǎoshì wǒ ~ jiù jígé le. | 那本书，我 ~ 就买着了。Nèi běn shū, wǒ ~ jiù mǎizháo le. | 那个题目我 ~ 就答上来了。Nèige tímù wǒ ~ jiù dá shanglai le.

chà diǎnr 差点儿 ⁴ （差點兒）

这间房子很漂亮，那间 ~ 。Zhèi jiān fángzi hěn piàoliang, nèi jiān ~ . →那间房子没有这间漂亮。Nèi jiān fángzi méiyǒu zhèi jiān piàoliang. 例这种咖啡特别好喝，那种 ~ 。Zhèi zhǒng kāfēi tèbié hǎohē, nèi zhǒng ~ . I 买名牌儿的电视机很贵，买 ~ 的就便宜多了。Mǎi míngpáir de diànshìjī hěn guì, mǎi ~ de jiù piányi duō le. I 他舍不得买好茶叶，总是买 ~ 的。Tā shěbude mǎi hǎo cháyè, zǒngshì mǎi ~ de.

chai

chāi 拆¹ ［动］

是谁 ~ 了我的信？Shì shéi ~ le wǒ de xìn? →是谁打开了我的信？Shì shéi dǎkāile wǒ de xìn? 例是谁 ~ 了我要送给朋友的礼物？Shì shéi ~ le wǒ yào sòng gěi péngyou de lǐwù? I 请帮助我把这个包 ~ 开吧。Qǐng bāngzhù wǒ bǎ zhèige bāo ~ kāi ba. I 妈妈帮他把被子 ~ 开洗干净。Māma bāng tā bǎ bèizi ~ kāi xǐ gānjìng.

chāi 拆² ［动］

这儿的平房 ~ 了以后要盖楼房。Zhèr de píngfáng ~ le yǐhòu yào gài lóufáng. →推倒这儿的平房，准备盖楼房。Tuīdǎo zhèr de píngfáng, zhǔnbèi gài lóufáng. 例从前这儿有一些破房子，后来都 ~ 了。Cóngqián zhèr yǒu yìxiē pò fángzi, hòulái dōu ~ le. I ~ 了很多小商店后才盖了这个大商场。~ le hěn duō xiǎo shāngdiàn hòu cái gàile zhèige dà shāngchǎng. I 已经 ~ 了十天了，还没 ~ 完。Yǐjing ~ le shí tiān le, hái méi ~ wán.

chan

chán 馋（饞）［形］

这只猫很 ~ 。Zhèi zhī māo hěn ~ . →这只猫看见好吃的东西就想马上吃，而且只想吃好吃的东西。Zhèi zhī māo kànjiàn hǎochī de dōngxi jiù xiǎng mǎshàng chī, érqiě zhǐ xiǎng chī hǎochī de dōngxi. 例这是一只 ~ 猫，它只爱吃鱼。Zhè shì yì zhī ~ māo, tā zhǐ ài chī yú. I 老大什么都吃，老二很 ~ 。Lǎodà shénme dōu chī, lǎo'èr hěn ~ . I 看见别人吃好吃的东西，他 ~ 得口水都流出来了。Kànjiàn biéren chī hǎochī de dōngxi, tā ~ de kǒushuǐ dōu liú chulai le. I 吃饱

了以后，再看见好吃的东西也不～了。Chībǎole yǐhòu, zài kànjiàn hǎochī de dōngxi yě bù ～ le.

chǎnliàng 产量（産量）[名]

今年的粮食～超过了去年。Jīnnián de liángshi ～ chāoguòle qùnián. →今年收获的粮食数量比去年多。Jīnnián shōuhuò de liángshi shùliàng bǐ qùnián duō. 例我们工厂的钢铁～是全国第一的。Wǒmen gōngchǎng de gāngtiě ～ shì quán guó dì yī de. ｜由于今年的天气不好，棉花～不如去年。Yóuyú jīnnián de tiānqì bù hǎo, miánhuā ～ bù rú qùnián. ｜我们找到了提高～的新办法。Wǒmen zhǎodàole tígāo ～ de xīn bànfǎ.

chǎnpǐn 产品（産品）[名]

这些～是我们工厂生产的。Zhèixiē ～ shì wǒmen gōngchǎng shēngchǎn de. →这些东西是我们工厂生产出来的。Zhèixiē dōngxi shì wǒmen gōngchǎng shēngchǎn chulai de. 例我们厂的～在市场上很受欢迎。Wǒmen chǎng de ～ zài shìchǎng shang hěn shòu huānyíng. ｜这些～是准备出口的。Zhèixiē ～ shì zhǔnbèi chūkǒu de. ｜他们打算生产一批新～。Tāmen dǎsuan shēngchǎn yì pī xīn ～. ｜明年要生产更多的～。Míngnián yào shēngchǎn gèng duō de ～. ｜这种～的质量很好。Zhèi zhǒng ～ de zhìliàng hěn hǎo.

chǎnshēng 产生（産生）[动]

最近她对足球～了兴趣，天天去看足球比赛。Zuìjìn tā duì zúqiú ～ le xìngqù, tiāntiān qù kàn zúqiú bǐsài. →最近她对足球有了兴趣，天天去看足球比赛。Zuìjìn tā duì zúqiú yǒule xìngqù, tiāntiān qù kàn zúqiú bǐsài. 例大卫和安娜在一起工作，慢慢地～了爱情。Dàwèi hé Ānnà zài yìqǐ gōngzuò, mànmàn de ～ le àiqíng. ｜这样做会～一些新的问题。Zhèiyàng zuò huì ～ yìxiē xīn de wèntí. ｜～这些问题是正常的。～ zhèixiē wèntí shì zhèngcháng de.

chang

cháng 长¹（長）[形]

我穿一米的裤子，这条裤子一米二，太～了。Wǒ chuān yì mǐ de kùzi, zhèi tiáo kùzi yì mǐ èr, tài ～ le. →这条裤子一米二，短一点儿我穿才合适。Zhèi tiáo kùzi yì mǐ èr, duǎn yìdiǎnr wǒ chuān cái héshì. 例这件衣服太长了，换件短点儿的吧。Zhèi jiàn yīfu tài ～ le,

huàn jiàn duǎn diǎnr de ba. ｜你看那个姑娘的头发真~，好漂亮。
Nǐ kàn nèige gūniang de tóufa zhēn ~, hǎo piàoliang. ｜冬天的时候
白天短、黑夜~。Dōngtiān de shíhou báitiān duǎn, hēiyè ~. ｜这篇
文章写得真~。Zhèi piān wénzhāng xiě de zhēn ~. ｜读这本书要用
很~时间。Dú zhèi běn shū yào yòng hěn ~ shíjiān.

chángqī 长期（長期）［形］

这是一个~的计划。Zhè shì yí ge ~ de jìhuà. →这是一个要用很长
时间才能完成的计划。Zhè shì yí ge yào yòng hěn cháng shíjiān cái
néng wánchéng de jìhuà. 例这是一个~的打算。Zhè shì yí ge ~ de
dǎsuan. ｜大卫的父亲~在国外工作。Dàwèi de fùqin ~ zài guówài
gōngzuò. ｜我们打算~合作下去。Wǒmen dǎsuan ~ hézuò xiaqu. ｜
这次比赛他得了第一名，这是他~努力的结果。Zhèi cì bǐsài tā déle
dì yī míng, zhè shì tā ~ nǔlì de jiéguǒ.

chángtú 长途（長途）［形］

大卫，你的~电话，是从美国打来的。Dàwèi, nǐ de ~ diànhuà,
shì cóng Měiguó dǎlái de. →大卫的电话是从很远的地方——美国
打来的。Dàwèi de diànhuà shì cóng hěn yuǎn de dìfang——Měiguó
dǎlái de. 例我到中国以后，每个星期给妈妈打一个~电话。Wǒ
dào Zhōngguó yǐhòu, měi ge xīngqī gěi māma dǎ yí ge ~ diànhuà. ｜
去那个城市可以坐火车，也可以坐~汽车。Qù nèige chéngshì kěyǐ
zuò huǒchē, yě kěyǐ zuò ~ qìchē. ｜~旅行很有意思，但是很累。
~ lǚxíng hěn yǒu yìsi, dànshì hěn lèi.

cháng 长²（長）［名］

这张桌子的~是两米，宽是一米。Zhèi zhāng zhuōzi de ~ shì liǎng
mǐ, kuān shì yì mǐ. →这张桌子是长方形的，长度是两米，宽度是
一米。Zhèi zhāng zhuōzi shì chángfāngxíng de, chángdù shì liǎng
mǐ, kuāndù shì yì mǐ. 例这张桌子是正方形的，四条边的~都是一
米。Zhèi zhāng zhuōzi shì zhèngfāngxíng de, sì tiáo biān de ~ dōu
shì yì mǐ. ｜这条公路全~六千公里。Zhèi tiáo gōnglù quán ~ liùqiān
gōnglǐ. ｜这块布有三米~。Zhèi kuài bù yǒu sān mǐ ~.

cháng 场（場）［量］

用于风、雨、病、灾害等。Yòngyú fēng、yǔ、bìng、zāihài děng.
例这~雨今天停不了。Zhèi ~ yǔ jīntiān tíng bu liǎo. ｜去年冬天下
了三~雪，今年冬天一~雪也没下。Qùnián dōngtiān xiàle sān ~

xuě, jīnnián dōngtiān yì ~ xuě yě méi xià. |两年以前他得了一 ~
病，在医院住了很长时间。Liǎng nián yǐqián tā déle yì ~ bìng, zài
yīyuàn zhùle hěn cháng shíjiān. |昨天她不高兴，自己在宿舍里大哭
了一 ~ 。Zuótiān tā bù gāoxìng, zìjǐ zài sùshè li dà kūle yì ~ .

cháng 尝（嘗）［动］

你 ~ 一下儿这些菜和这种酒，告诉我味道怎么样。Nǐ ~ yíxiàr zhèixiē
cài hé zhèi zhǒng jiǔ, gàosu wǒ wèidao zěnmèyàng. →你吃一点儿菜、
喝一点儿酒试试，然后告诉我菜和酒的味道好不好。Nǐ chī yìdiǎnr
cài、hē yìdiǎnr jiǔ shìshi, ránhòu gàosu wǒ cài hé jiǔ de wèidao hǎo
bu hǎo. 例星期天你来 ~ 我做的蛋糕吧。Xīngqītiān nǐ lái ~ wǒ zuò
de dàngāo ba. |她 ~ 了 ~ 我刚做好的汤，点了点头。Tā ~ le ~
wǒ gāng zuòhǎo de tāng, diǎnle diǎn tóu. |做了那么多的菜，让我
先 ~ ~ 吧。Zuòle nàme duō de cài, ràng wǒ xiān ~ ~ ba. |这桌子
上的菜我全 ~ 过了。Zhè zhuōzi shang de cài wǒ quán ~ guo le.

cháng 常 ［副］

我们 ~ 一起去游泳。Wǒmen ~ yìqǐ qù yóuyǒng. →我们一起去游
泳的次数很多。Wǒmen yìyǐ qù yóuyǒng de cìshù hěn duō. 例他 ~
给我打电话。Tā ~ gěi wǒ dǎ diànhuà. |我们两家离得很远，但是
我们 ~ 见面。Wǒmen liǎng jiā lí de hěn yuǎn, dànshì wǒmen ~
jiànmiàn. |我 ~ 去图书城买书。Wǒ ~ qù túshūchéng mǎi shū. |这
种事情是 ~ 有的。Zhèi zhǒng shìqing shì ~ yǒu de.

chángcháng 常常 ［副］

她是我的邻居，我跟她 ~ 见面。Tā shì wǒ de línjū, wǒ gēn tā ~
jiànmiàn. →我跟她不长时间就见一次面，见面的次数很多。Wǒ
gēn tā bù cháng shíjiān jiùjiàn yí cì miàn, jiànmiàn de cìshù hěn duō.
例我 ~ 去图书馆看书。Wǒ ~ qù túshūguǎn kàn shū. |他们 ~ 去河
边儿散步。Tāmen ~ qù hé biānr sànbù. |我父亲工作很忙， ~ 很晚
才下班。Wǒ fùqin gōngzuò hěn máng, ~ hěn wǎn cái xiàbān. |一
年以前，他 ~ 给我写信。Yì nián yǐqián, tā ~ gěi wǒ xiě xìn.

chǎng 场（場）［量］

用于戏剧演出、体育活动等。Yòngyú xìjù yǎnchū、tǐyù huódòng
děng. 例这部电影今天放两 ~ ，八点半放一 ~ ，十四点半放一 ~ 。
Zhèi bù diànyǐng jīntiān fàng liǎng ~ , bā diǎn bàn fàng yì ~ , shísì
diǎn bàn fàng yì ~ . |我在中国看过两 ~ 京剧。Wǒ zài Zhōngguó

kànguo liǎng ～ jīngjù. | 这个星期日体育馆有一～篮球比赛。Zhèige Xīngqīrì tǐyùguǎn yǒu yì ～ lánqiú bǐsài. | 世界杯足球比赛，他～～都看。Shìjièbēi zúqiú bǐsài, tā ～ ～ dōu kàn.

chàng 唱 [动]

sing 例他会～京剧。Tā huì ～ jīngjù. | 你们先～，然后我们～。Nǐmen xiān ～, ránhòu wǒmen ～. | 谁在大声～呢？Shéi zài dàshēng ～ ne? | 他们～得真好听。Tāmen ～ de zhēn hǎotīng. | 你也给大家～一首吧。Nǐ yě gěi dàjiā ～ yì shǒu ba. | 我已经在舞台上～了二十年了。Wǒ yǐjing zài wǔtái shang ～ le èrshí nián le.

chàng gē 唱歌

sing (a song) 例我们常常一起～，一起玩儿。Wǒmen chángcháng yìqǐ ～, yìqǐ wánr. | 妹妹很喜欢～。Mèimei hěn xǐhuan ～. | 她一边儿做饭，一边儿～。Tā yìbiānr zuòfàn, yìbiānr ～. | 我只会唱这首歌。Wǒ zhǐ huì chàng zhèi shǒu gē. | 他唱的歌特别好听。Tā chàng de gē tèbié hǎotīng.

chao

chāo 抄 [动]

考试的时候不能～别人的答案。Kǎoshì de shíhou bù néng ～ biéren de dá'àn. →考试的时候不能看别人的答卷，按照别人的答案写。Kǎoshì de shíhou bù néng kàn biéren de dájuàn, ànzhào biéren de dá'àn xiě. 例作业应该自己做，不应该～同学的。Zuòyè yīnggāi zìjǐ zuò, bù yīnggāi ～ tóngxué de. | 你的笔记借我～一下儿行吗？Nǐ de bǐjì jiè wǒ ～ yíxiàr xíng ma? | 你写得太乱了，再～一遍吧。Nǐ xiě de tài luàn le, zài ～ yí biàn ba. | 我～了两个多小时才～完。Wǒ ～ le liǎng ge duō xiǎoshí cái ～ wán.

chāoxiě 抄写（抄寫）[动]

今天的作业是～课文。Jīntiān de zuòyè shì ～ kèwén. →今天的作业是把课文抄在作业本儿上。Jīntiān de zuòyè shì bǎ kèwén chāo zài zuòyèběnr shang. 例昨天的作业是～生词。Zuótiān de zuòyè shì ～ shēngcí. | 把黑板上的生词～下来。Bǎ hēibǎn shang de shēngcí ～ xialai. | 这几个词我～了好几遍。Zhèi jǐ ge cí wǒ ～ le hǎojǐ biàn. | 他的字写得漂亮，我请他帮我～。Tā de zì xiě de piàoliang, wǒ qǐng tā bāng wǒ ～.

chāoguò 超过[1] （超過）[动]

你再开快点儿，～那辆红色的车。Nǐ zài kāi kuài diǎnr, ～ nèi liàng hóngsè de chē. →你再开快点儿，开到那辆红色的车前边儿去。Nǐ zài kāi kuài diǎnr, kāidào nèi liàng hóngsè de chē qiánbianr qù. 例五号运动员～了三号运动员，跑在最前面。Wǔ hào yùndòngyuán ～ le sān hào yùndòngyuán, pǎo zài zuì qiánmiàn. | 你先跑吧，一会儿我就能追上你，还能～你。Nǐ xiān pǎo ba, yíhuìr wǒ jiù néng zhuīshang nǐ, hái néng ～ nǐ.

chāoguò 超过[2] （超過）[动]

今年出口产品的数量～去年。Jīnnián chūkǒu chǎnpǐn de shùliàng ～ qùnián. →今年出口的产品数量比去年多。Jīnnián chūkǒu de chǎnpǐn shùliàng bǐ qùnián duō. 例今年来这儿旅行的人数～去年。Jīnnián lái zhèr lǚxíng de rénshù ～ qùnián. | 弟弟的个子～了哥哥。Dìdi de gèzi ～ le gēge. | 他的能力～了老师。Tā de nénglì ～ le lǎoshī. | 这是目前的最高水平，还没有人～它。Zhè shì mùqián de zuì gāo shuǐpíng, hái méiyǒu rén ～ tā.

cháo 朝[1] [介]

去地铁车站怎么走？——～南走五分钟就到了。Qù dìtiě chēzhàn zěnme zǒu? —— ～ nán zǒu wǔ fēnzhōng jiù dào le. →往南边儿走五分钟，就能到地铁车站。Wǎng nánbianr zǒu wǔ fēnzhōng, jiù néng dào dìtiě chēzhàn. 例动物园离这儿很近，～北走几分钟就到。Dòngwùyuán lí zhèr hěn jìn, ～ běi zǒu jǐ fēnzhōng jiù dào. | 一直～前走，那儿有个电影院。Yìzhí ～ qián zǒu, nàr yǒu ge diànyǐngyuàn. | 他一边儿叫我，一边儿～我跑过来。Tā yìbiānr jiào wǒ, yìbiānr ～ wǒ pǎo guolai. | 他～着大家说了一声再见，就走了。Tā ～ zhe dàjiā shuōle yì shēng zàijiàn, jiù zǒu le. | 老师～着我们笑了笑，说："很好！"Lǎoshī ～ zhe wǒmen xiàole xiào, shuō: "Hěn hǎo!"

cháo 朝[2] [动]

我的房子大门～南。Wǒ de fángzi dàmén ～ nán. →我的房子的大门面对着南面。Wǒ de fángzi de dàmén miànduìzhe nánmiàn. 例这扇窗户～东，那扇窗户～西。Zhèi shàn chuānghu ～ dōng, nèi shàn chuānghu ～ xī. | 这种花儿总是～着太阳。Zhèi zhǒng huār zǒngshì ～ zhe tàiyáng. | 他一个人躺在草地上，脸～着天。Tā yí ge rén tǎng zài cǎodì shang, liǎn ~ zhe tiān.

chǎo 吵¹ ［动］

你听，他们俩~起来了。Nǐ tīng, tāmen liǎ chǎo qilai le. →他们俩大声地说对方不对，自己对。Tāmen liǎ dàshēng de shuō duìfāng bú duì, zìjǐ duì. 例你们别~了，坐下慢慢儿谈。Nǐmen bié ~ le, zuòxia mànmānr tán. | 不知为什么，他们一见面就~。Bù zhī wèishénme, tāmen yí jiànmiàn jiù ~. | 昨天他们~了两个多钟头。Zuótiān tāmen ~ le liǎng ge duō zhōngtóu. | 他们越~越厉害了。Tāmen yuè ~ yuè lìhai le.

chǎo jià 吵架

哥哥很爱弟弟，弟弟也很喜欢哥哥，他们从来不~。Gēge hěn ài dìdi, dìdi yě hěn xǐhuan gēge, tāmen cónglái bù ~. →哥哥和弟弟从来没有大声地互相说对方不好。Gēge hé dìdi cónglái méiyǒu dàshēng de hùxiāng shuō duìfāng bù hǎo. 例昨天我跟同屋的人~了。Zuótiān wǒ gēn tóngwū de rén ~ le. | 他的脾气不好，因为一点儿小事就跟人家~。Tā de píqì bù hǎo, yīnwèi yìdiǎnr xiǎoshì jiù gēn rénjia ~. | 他们~吵得脸都红了。Tāmen ~ chǎo de liǎn dōu hóng le. | 刚才他们又吵了一架。Gāngcái tāmen yòu chǎole yí jià.

chǎo 吵² ［动］

电话的铃声把我~醒了。Diànhuà de língshēng bǎ wǒ ~ xǐng le. →电话的铃声一响，我醒了。Diànhuà de língshēng yì xiǎng, wǒ xǐng le. 例这孩子常常哭，太~人。Zhèi háizi chángcháng kū, tài ~ rén. | 火车的响声常常把我~醒。Huǒchē de xiǎngshēng chángcháng bǎ wǒ ~ xǐng. | 他不怕~，开着电视也能睡着。Tā bú pà ~, kāizhe diànshì yě néng shuìzháo. | 你们小点儿声吧，~死了。Nǐmen xiǎo diǎnr shēng ba, ~ sǐ le.

chǎo 炒 ［动］

菜切好了，你~吧。Cài qiēhǎo le, nǐ chǎo ba. →你把切好了的菜放进锅里，不停地翻动直到菜熟了。Nǐ bǎ qiēhǎole de cài fàngjìn guō li, bù tíng de fāndòng zhí dào cài shóu le. 例今天你做饭，我~菜。Jīntiān nǐ zuò fàn, wǒ ~ cài. | 先~瓜子儿，再~花生。Xiān ~ guāzǐr, zài ~ huāshēng. | 一个人吃饭，~两盘儿菜就够了。Yí ge rén chīfàn, ~ liǎng pánr cài jiù gòu le. | 西红柿~好了，吃吧。Xīhóngshì ~ hǎo le, chī ba. | 花生还不太熟，再~一~。

Huāshēng hái bú tài shóu, zài ~ yi ~. | 妈妈 ~ 的菜很好吃。Māma
~ de cài hěn hǎochī.

che

chē 车(車) [名]

例这辆 ~ 真漂亮。Zhèi liàng ~ zhēn
piàoliang. | 你的 ~ 不能停在商店门
口儿。Nǐ de ~ bù néng tíng zài
shāngdiàn ménkǒur. | 快上 ~，马上
就要开 ~ 了。Kuài shàng ~,
mǎshàng jiù yào kāi ~ le. | 你骑我
的 ~ 去吧。Nǐ qí wǒ de ~ qù ba. |
把你的 ~ 借给我用一下儿好吗？Bǎ
nǐ de ~ jiè gěi wǒ yòng yíxiàr hǎo
ma? | 这种 ~ 的价格不太高。Zhèi
zhǒng ~ de jiàgé bú tài gāo. | 这辆 ~ 的灯被撞坏了。Zhèi liàng ~
de dēng bèi zhuànghuài le.

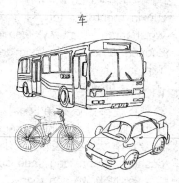

chējiān 车间(車間) [名]

这个服装厂有五个 ~。Zhèige fúzhuāngchǎng yǒu wǔ ge ~. →这
个服装厂按生产过程分成了五个生产单位。Zhèige fúzhuāngchǎng
àn shēngchǎn guòchéng fēnchéngle wǔ ge shēngchǎn dānwèi. 例第
二 ~ 是工人最多的。Dì èr ~ shì gōngrén zuì duō de ~. | 我们 ~
提前完成了任务。Wǒmen ~ tíqián wánchéngle rènwu. | ~ 主任向
大家介绍了这个月的生产情况。~ zhǔrèn xiàng dàjiā jièshàole
zhèige yuè de shēngchǎn qíngkuàng. | 各 ~ 的设备都很先进。Gè ~
de shèbèi dōu hěn xiānjìn.

chēxiāng 车厢(車厢) [名]

这列火车有十二节 ~，我的座位在第三节 ~。Zhèi liè huǒchē yǒu
shí'èr jié ~, wǒ de zuòwèi zài dì sān jié ~. →这列火车有十二节能
坐人的地方，我的座位在第三节。Zhèi liè huǒchē yǒu shí'èr jié
néng zuò rén de dìfang, wǒ de zuòwèi zài dì sān jié. 例第八 ~ 是餐
车。Dì bā ~ shì cānchē. | 这辆车的 ~ 太小，只能坐三个人。Zhèi
liàng chē de ~ tài xiǎo, zhǐ néng zuò sān ge rén. | ~ 里人太多，把
~ 的窗户开开吧。~ li rén tài duō, bǎ ~ de chuānghu kāikai ba.

C

chēzhàn 车站(車站) [名]

女儿坐火车回来，我得去 ~ 接她。Nǚ'ér zuò huǒchē huílai, wǒ děi qù ~ jiē tā. →我得到女儿下火车的地方去接她。Wǒ děi dào nǚ'ér xià huǒchē de dìfang qù jiē tā. 例明天我还得去 ~ 送朋友。Míngtiān wǒ hái děi qù ~ sòng péngyou. | ~ 上有很多人在等车。~ shang yǒu hěn duō rén zài děng chē. | 附近没有地铁 ~ 。Fùjìn méiyǒu dìtiě ~ . | 我们大学门口有 332 路 ~ 。Wǒmen dàxué ménkǒu yǒu sānsān'èr lù ~ . | 从这儿到那儿要经过三个 ~ 。Cóng zhèr dào nàr yào jīngguò sān ge ~ .

chèdǐ 彻底(徹底) [形]

我找他谈了三次，他才 ~ 说出那件事的经过。Wǒ zhǎo tā tánle sān cì, tā cái ~ shuōchu nèi jiàn shì de jīngguò. →我找他谈了三次，他才把那件事的全部经过说出来。Wǒ zhǎo tā tánle sān cì, tā cái bǎ nèi jiàn shì de quánbù jīngguò shuō chulai. 例这件衣服洗了三回，才 ~ 洗干净。Zhèi jiàn yīfu xǐle sān huí, cái ~ xǐ gānjìng. | 圣诞节快要到了，咱们把房子 ~ 打扫一下儿吧。Shèngdànjié kuài yào dào le, zánmen bǎ fángzi ~ dǎsǎo yíxiàr ba. | 这个问题今天总算 ~ 解决了。Zhèige wèntí jīntiān zǒngsuàn ~ jiějué le. | 现在我才 ~ 明白他为什么这样做。Xiànzài wǒ cái ~ míngbai tā wèishénme zhèiyàng zuò.

chen

chéntǔ 尘土(塵土) [名]

床上、桌子上有很多 ~ 。Chuáng shang, zhuōzi shang yǒu hěn duō ~ . →好几天没打扫房间了，床上、桌子上落了很多灰尘。Hǎojǐ tiān méi dǎsǎo fángjiān le, chuáng shang、zhuōzi shang luòle hěn duō huīchén. 例三天没打扫，书架上落了一层 ~ 。Sān tiān méi dǎsǎo, shūjià shang luòle yì céng ~ . | 几天没擦了？自行车上落了那么多的 ~ 。Jǐ tiān méi cā le? Zìxíngchē shang luòle nàme duō de ~ . | 这些 ~ 是从窗户那儿吹进来的。Zhèixiē ~ shì cóng chuānghu nàr chuī jinlai de.

chén 沉[1] [动]

把一块石头放进水里，石头会马上 ~ 下去。Bǎ yí kuài shítou fàngjin shuǐ li, shítou huì mǎshàng ~ xiaqu. →石头会从水面落到水底。

Shítou huì cóng shuǐmiàn luòdào shuǐdǐ. **例**把木板放进水里，木板不会 ~ 下去。Bǎ mùbǎn fàngjin shuǐ li, mùbǎn bú huì ~ xiaqu. | 刚开始学游泳的时候，觉得身体老爱往水里 ~。Gāng kāishǐ xué yóuyǒng de shíhou, juéde shēntǐ lǎo ài wǎng shuǐli ~. | 你套上救生圈，就不会 ~ 下去了。Nǐ tàoshang jiùshēngquān, jiù bú huì ~ xiaqu le. | 他们把 ~ 到水底的那条船打捞上来了。Tāmen bǎ ~ dào shuǐdǐ de nèi tiáo chuán dǎlāo shanglai le.

chén 沉[2] [形]

这个箱子很 ~，我一个人拿不动。Zhèige xiāngzi hěn ~, wǒ yí ge rén ná bu dòng. → 这个箱子里放了很多的东西，很重。Zhèige xiāngzi li fàngle hěn duō de dōngxi, hěn zhòng. **例**这个箱子里装的都是书，真 ~。Zhèige xiāngzi li zhuāng de dōu shì shū, zhēn ~. | 你太 ~ 了，我背不动你。Nǐ tài ~ le, wǒ bēi bu dòng nǐ. | 这两件东西你猜哪件 ~？Zhèi liǎng jiàn dōngxi nǐ cāi něi jiàn ~? | 小件儿的行李可以放在上边，大的、~ 的行李放在座位下面。Xiǎo jiànr de xíngli kěyǐ fàng zài shàngbian, dà de、~ de xíngli fàng zài zuòwèi xiàmiàn.

chénmò 沉默 [形]

大家都在说自己的看法，他一直 ~ 着。Dàjiā dōu zài shuō zìjǐ de kànfǎ, tā yìzhí ~ zhe. → 大家都说自己的看法，他一句话也没说。Dàjiā dōu shuō zìjǐ de kànfǎ, tā yí jù huà yě méi shuō. **例**平时他爱谈自己的想法，今天却 ~ 了。Píngshí tā ài tán zìjǐ de xiǎngfǎ, jīntiān què ~ le. | 他 ~ 了一会儿，说："你们都走吧！"Tā ~ le yíhuìr, shuō: "Nǐmen dōu zǒu ba!" | ~ 了十分钟以后，同学们又热闹起来了。~ le shí fēnzhōng yǐhòu, tóngxuémen yòu rènao qilai le.

chènshān 衬衫（襯衫）[名]

我今天没穿衬衫，没法试这条领带。Wǒ jīntiān méi chuān chènshān, méi fǎ shì zhèi tiáo lǐngdài. → 我今天穿的衣服没地方可以系领带。Wǒ jīntiān chuān de yīfu méi dìfang kěyǐ jì lǐngdài. **例**我的这件 ~ 怎么样？Wǒ de zhèi jiàn ~ zěnmeyàng? | 女孩子喜欢穿花 ~。Nǚ háizi xǐhuan chuān huā ~. | 这件 ~ 多少钱？Zhèi jiàn ~ duōshao qián? | ~ 的颜色跟裤子的颜色不一样。~ de yánsè gēn kùzi de yánsè bù yíyàng.

chènyī 衬衣（襯衣）[名]

在南方，冬天只穿一件 ~ 和毛衣就行了。Zài nánfāng, dōngtiān zhǐ chuān yí jiàn ~ hé máoyī jiù xíng le. →冬天只穿一件单上衣，单上衣外面再穿一件毛衣就行了。Dōngtiān zhǐ chuān yí jiàn dān shàngyī, dān shàngyī wàimiàn zài chuān yí jiàn máoyī jiù xíng le. 例 这件 ~ 很软，穿在身上很舒服。Zhèi jiàn ~ hěn ruǎn, chuān zài shēnshang hěn shūfu. | 这几件 ~ 都是我自己做的。Zhèi jǐ jiàn ~ dōu shì wǒ zìjǐ zuò de. | 我喜欢白色的 ~。Wǒ xǐhuan báisè de ~. | 你把你穿的 ~ 号码告诉我，我给你买。Nǐ bǎ nǐ chuān de ~ hàomǎ gàosu wǒ, wǒ gěi nǐ mǎi.

chèn 趁 [介]

他 ~ 我不注意，拿走了我的手表。Tā ~ wǒ bú zhùyì, názǒule wǒ de shǒubiǎo. →在我不注意的时候，他拿走了我的手表。Zài wǒ bú zhùyì de shíhou, tā názǒule wǒ de shǒubiǎo. 例 我要 ~ 这个星期天给朋友们回信。Wǒ yào ~ zhèige Xīngqītiān gěi péngyoumen huíxìn. | ~ 放假去旅行一下儿吧！~ fàngjià qù lǚxíng yíxià ba. | ~ 出差的机会去看看我的老师。~ chūchāi de jīhuì qù kànkan wǒ de lǎoshī. | ~ 饭菜还没凉，赶紧吃儿吧。~ fàncài hái méi liáng, gǎnjǐn chī ba. | 他想 ~ 年轻多挣一点儿钱。Tā xiǎng ~ niánqīng duō zhèng yìdiǎnr qián.

cheng

chēng 称（稱）[动]

请你 ~ 一下儿这五个苹果。Qǐng nǐ ~ yíxiàr zhèi wǔ ge píngguǒ. →请你计算一下儿这五个苹果的重量，我好付钱。Qǐng nǐ jìsuàn yíxiàr zhèi wǔ ge píngguǒ de zhòngliàng, wǒ hǎo fù qián. 例 这袋儿米 ~ 过了，是五公斤。Zhèi dàir mǐ ~ guo le, shì wǔ gōngjīn. | 咱们俩 ~ 一 ~，看谁重。Zánmen liǎ ~ yi ~, kàn shéi zhòng. | 昨天我一 ~，又重了一公斤。Zuótiān wǒ yì ~, yòu zhòngle yì gōngjīn.

chēnghu 称呼[1]（稱呼）[动]

大家都不 ~ 他"经理"，而是习惯 ~ 他"头儿"。Dàjiā dōu bù ~ tā "jīnglǐ", érshì xíguàn ~ tā "tóur". →大家都不叫他"经理"，而是叫他"头儿"。Dàjiā dōu bú jiào tā "jīnglǐ", érshì jiào tā "tóur". 例 ~ 爸爸的弟弟为叔叔。~ bàba de dìdi wéi shūshu. | 我应该怎么 ~ 您

呢？Wǒ yīnggāi zěnme ～ nín ne? I ～您老师行吗？～ nín lǎoshī xíng ma? I她亲切地～我大姐姐。Tā qīnqiè de ～ wǒ dà jiějie.

chēnghu 称呼² （稱呼）[名]

"先生"这个～用得越来越多了。"Xiānsheng" zhèige ～ yòng de yuèláiyuè duō le. →现在人们之间经常互相叫"先生"。Xiànzài rénmen zhījiān jīngcháng hùxiāng jiào "xiānsheng". 例中国人的～很复杂。Zhōngguórén de ～ hěn fùzá. I这个～很不容易记住。Zhèige ～ hěn bù róngyì jìzhu. I这些～都很有趣。Zhèixiē ～ dōu hěn yǒuqù. I虽然是同一种东西，但是不同的地方有不同的～。Suīrán shì tóng yì zhǒng dōngxi, dànshì bùtóng de dìfang yǒu bùtóng de ～.

chēngzàn 称赞（稱贊）[动]

他工作认真努力，经常受到大家的～。Tā gōngzuò rènzhēn nǔlì, jīngcháng shòudào dàjiā de ～. →大家常常表扬他。Dàjiā chángcháng biǎoyáng tā. 例他经常帮助别人，受到老师和同学们的～。Tā jīngcháng bāngzhù biéren, shòudào lǎoshī hé tóngxuémen de ～. I邻居们～她是个好姑娘。Línjūmen ～ tā shì ge hǎo gūniang. I小伙子们都～这种摩托车质量好而且漂亮。Xiǎohuǒzimen dōu ～ zhèi zhǒng mótuōchē zhìliàng hǎo érqiě piàoliang.

chéng 成¹ [动]

要是事情办～了，我请你吃饭。Yàoshi shìqing bàn ～ le, wǒ qǐng nǐ chīfàn. →要是事情办好了，我请你吃饭。Yàoshi shìqing bànhǎo le, wǒ qǐng nǐ chīfàn. 例昨天你说的那件事情我办～了。Zuótiān nǐ shuō de nèi jiàn shìqing wǒ bànchéng le. I这件事要让他去，一定能办～。Zhèi jiàn shì yào ràng tā qù, yídìng néng bàn ～. I我们昨天去谈的买卖，谈～了。Wǒmen zuótiān qù tán de mǎimai, tán ～ le.

chéng 成² [动]

他刚二十八岁，已经～了全国著名的医生。Tā gāng èrshíbā suì, yǐjing ～ le quán guó zhùmíng de yīshēng. →他二十八岁已经是一个全国有名的医生了。Tā èrshíbā suì yǐjing shì yí ge quán guó yǒumíng de yīshēng le. 例小时候我希望当一名老师，现在却～了一个商人。Xiǎoshíhou wǒ xīwàng dāng yì míng lǎoshī, xiànzài què ～ le yí ge shāngrén. I四十年没见面了，我们都～老太太了。Sìshí nián méi jiànmiàn le, wǒmen dōu ～ lǎotàitai le. I他呀，～不了演员。Tā ya, ~ bu liǎo yǎnyuán.

chéngwéi 成为 (成爲) [动]

你那么喜欢画画儿，将来一定能 ~ 一名画家。Nǐ nàme xǐhuan huà huàr, jiānglái yídìng néng ~ yì míng huàjiā. →你将来一定能变成一名画家。Nǐ jiānglái yídìng néng biànchéng yì míng huàjiā. 例我考新闻系就是想 ~ 一名记者。Wǒ kǎo xīnwénxì jiùshì xiǎng ~ yì míng jìzhě. I他已经 ~ 企业家了。Tā yǐjing ~ qǐyèjiā le. I ~ 一名世界冠军是件非常不容易的事。~ yì míng shìjiè guànjūn shì jiàn fēicháng bù róngyì de shì. I这所大学把他培养 ~ 著名的数学家。Zhèi suǒ dàxué bǎ tā péiyǎng ~ zhùmíng de shùxuéjiā. I爸爸很希望儿子 ~ 自己的接班人。Bàba hěn xīwàng érzi ~ zìjǐ de jiēbānrén.

chéng 成³ [动]

我跟你们一块儿去，~ 吗？Wǒ gēn nǐmen yíkuàir qù, ~ ma? →我跟你们一块儿去，行吗？Wǒ gēn nǐmen yíkuàir qù, xíng ma? 例这样写 ~ 吗？Zhèiyàng xiě ~ ma? I你的字典借我看看 ~ 不 ~? Nǐ de zìdiǎn jiè wǒ kànkan ~ bu ~? I明天你不来可不 ~。Míngtiān nǐ bù lái kě bù ~.

chénggōng 成功¹ [动]

经过努力，我们的试验 ~ 了。Jīngguò nǔlì, wǒmen de shìyàn ~ le. →试验得到了我们希望得到的结果。Shìyàn dédàole wǒmen xīwàng dédào de jiéguǒ. 例昨天我们的试飞 ~ 了。Zuótiān wǒmen de shìfēi ~ le. I先别谢我，等事情 ~ 了再说吧。Xiān bié xiè wǒ, děng shìqing ~ le zàishuō ba. I王大夫的手术一定能 ~。Wáng dàifu de shǒushù yídìng néng ~. I能不能 ~，现在还不清楚。Néng bu néng ~, xiànzài hái bù qīngchu. I请你介绍一下儿 ~ 的经验。Qǐng nǐ jièshào yíxiàr ~ de jīngyàn. I失败是 ~ 之母。Shībài shì ~ zhī mǔ.

chénggōng 成功² [形]

这次比赛非常 ~，我们得了十六块金牌。Zhèi cì bǐsài fēicháng ~, wǒmen déle shíliù kuài jīnpái. →这次比赛的成绩很不错，我们得了十六块金牌。Zhèi cì bǐsài de chéngjì hěn búcuò, wǒmen déle shíliù kuài jīnpái. 例上个星期的会谈很 ~，双方达成了三个协议。Shàng ge xīngqī de huìtán hěn ~, shuāngfāng dáchéngle sān ge xiéyì. I这所学校的教育很 ~，培养了大批的人才。Zhèi suǒ xuéxiào de jiàoyù hěn ~, péiyǎngle dàpī de réncái. I他 ~ 地解决了那个难题。Tā ~

de jiějuéle nèige nántí.

chéngguǒ 成果 [名]

这些粮食是农民一年劳动的 ~ 。Zhèixiē liángshi shì nóngmín yì nián láodòng de ~ . →这些粮食是农民劳动了一年得到的东西。Zhèixiē liángshi shì nóngmín láodòngle yì nián dédào de dōngxi. **例**这个机器人是我们研究所的科研新 ~ . Zhèige jīqìrén shì wǒmen yánjiūsuǒ de kēyán xīn ~ . | 这两年他们也出了许多 ~ 。Zhèi liǎng nián tāmen yě chūle xǔduō ~ . | 这两项 ~ 都得了奖。Zhèi liǎng xiàng ~ dōu déle jiǎng. | 我们要办一个农业~展览。Wǒmen yào bàn yí ge nóngyè ~ zhǎnlǎn.

chéngjì 成绩 (成績) [名]

我今年的考试 ~ 比去年好。Wǒ jīnnián de kǎoshì ~ bǐ qùnián hǎo. →我今年的考试分数比去年高。Wǒ jīnnián de kǎoshì fēnshù bǐ qùnián gāo. **例**他的学习 ~ 很优秀。Tā de xuéxí ~ hěn yōuxiù. | 希望你们明年能取得更大的 ~ 。Xīwàng nǐmen míngnián néng qǔdé gèng dà de ~ . | 这不是我一个人的 ~ ，这是我们集体的 ~ 。Zhè búshì wǒ yí ge rén de ~ , zhè shì wǒmen jítǐ de ~ . | 这是你的~单。Zhè shì nǐ de ~ dān. | ~不及格的人要补考。~ bù jígé de rén yào bǔkǎo.

chéngjiù 成就 [名]

十年来，我国的建设取得了巨大的 ~ 。Shí nián lái, wǒguó de jiànshè qǔdéle jùdà de ~ . →我国的建设取得了很大的成绩。Wǒguó de jiànshè qǔdéle hěn dà de chéngjì. **例**发明了这种药，说明他们在医学上取得了重要的 ~ 。Fāmíngle zhèi zhǒng yào, shuōmíng tāmen zài yīxué shang qǔdéle zhòngyào de ~ . | 请你介绍一下儿你们近几年取得的 ~ 。Qǐng nǐ jièshào yíxiàr nǐmen jìn jǐ nián qǔdé de ~ . | 这几个年轻人取得了这么大的~，真了不起。Zhèi jǐ ge niánqīngrén qǔdéle zhème dà de ~ , zhēn liǎobuqǐ.

chénglì 成立 [动]

中华人民共和国 ~ 于 1949 年 10 月 1 日。Zhōnghuá Rénmín Gònghéguó ~ yú yī jiǔ sì jiǔ nián Shíyuè yī rì. →中华人民共和国是 1949 年 10 月 1 日建立的。Zhōnghuá Rénmín Gònghéguó shì yī jiǔ sì jiǔ nián Shíyuè yī rì jiànlì de. **例**我们班 ~ 了一个足球队。Wǒmen bān ~ le yí ge zúqiúduì. | 这个乐队已经 ~ 八年了。Zhèige yuèduì yǐjing ～ bā nián le. |请你们来参加我们学院的～大会。Qǐng nǐmen lái cānjiā wǒmen xuéyuàn de ～ dàhuì. |新公司的～，给人们带来了新的希望。Xīn gōngsī de ～, gěi rénmen dàiláile xīn de xīwàng.

chéngnián 成年 ［名］

～人的想法和小孩子的想法不太一样。～ rén de xiǎngfǎ hé xiǎo háizi de xiǎngfa bú tài yíyàng. →大人和小孩儿的想法不太一样。Dàrén hé xiǎoháir de xiǎngfǎ bú tài yíyàng. 例这是～人做的事，小孩子做不了。Zhè shì ～ rén zuò de shì, xiǎo háizi zuò bu liǎo. |等他们～以后，我们就老了。Děng tāmen ～ yǐhòu, wǒmen jiù lǎo le. |那只～的熊猫送到另一个动物园去了。Nèi zhī ～ de xióngmāo sòngdào lìng yí ge dòngwùyuán qù le.

chéngshú 成熟 ［动］

秋天，田里的玉米～了。Qiūtiān, tián li de yùmǐ ～ le. →田里的玉米长成了，可以收割了。Tián li de yùmǐ zhǎngchéng le, kěyǐ shōugē le. 例这片麦子再过十天就～了。Zhèi piàn màizi zài guò shí tiān jiù ～ le. |棉花快～的时候，千万别下雨。Miánhua kuài ～ de shíhòu, qiānwàn bié xià yǔ. |秋天是很多水果～的季节。Qiūtiān shì hěn duō shuǐguǒ ～ de jìjié.

chéngzhǎng 成长（成長）［动］

他们几位是八十年代～起来的科学家。Tāmen jǐ wèi shì bāshí niándài ～ qilai de kēxuéjiā. →他们几位是八十年代才发展成为科学家的。Tāmen jǐ wèi shì bāshí niándài cái fāzhǎn chéngwéi kēxuéjiā de. 例孩子们在健康地～。Háizimen zài jiànkāng de ～. |他从一个不懂事的孩子～为一个有知识的青年。Tā cóng yí ge bù dǒng shì de háizi ～ wéi yí ge yǒu zhīshi de qīngnián. |杨树比松树～得快。Yángshù bǐ sōngshù ～ de kuài. |回想自己的～过程，有时顺利，有时不顺利。Huíxiǎng zìjǐ de ～ guòchéng, yǒushí shùnlì, yǒushí bú shùnlì.

chéngkěn 诚恳（誠懇）［形］

sincere 例我母亲待人很～。Wǒ mǔqin dài rén hěn ～. |大家提的意见十分～。Dàjiā tí de yìjiàn shífēn ～. |他的这封信写得非常～。Tā de zhèi fēng xìn xiě de fēicháng ～. |看到他那种～的态度，我们原谅了他。Kàndào tā nèi zhǒng ～ de tàidu, wǒmen yuánliàngle tā. |他～地接受了大家的批评。Tā ～ de jiēshòule dàjiā de pīpíng. |我

再一次～地邀请你们去我家里做客。Wǒ zài yí cì ～ de yāoqǐng nǐmen qù wǒ jiāli zuòkè.

chéngshí 诚实（誠實）[形]

他是一个～的孩子。Tā shì yí ge ～ de háizi. →他怎么做的，怎么想的，就怎么说，不说假话。Tā zěnme zuò de, zěnme xiǎng de, jiù zěnme shuō, bù shuō jiǎ huà. 例他是一个～的青年。Tā shì yí ge ～ de qīngnián. |我们认为他说的话不太～。Wǒmen rènwéi tā shuō de huà bú tài ～. |希望你能～地说出来。Xīwàng nǐ néng ～ de shuō chulai. |事情的经过我们已经清楚了，现在就看你自己～不～了。Shìqing de jīngguò wǒmen yǐjing qīngchu le, xiànzài jiù kàn nǐ zìjǐ～ bu ～ le.

chéngrèn 承认（承認）[动]

开始他不～拿了我的钱，后来～了。Kāishǐ tā bù ～ nále wǒ de qián, hòulái ～ le. →开始他说没拿我的钱，后来说拿了。Kāishǐ tā shuō méi ná wǒ de qián, hòulái shuō ná le. 例这件事我问了他三次，他才～。Zhèi jiàn shì wǒ wènle tā sān cì, tā cái ～. |～缺点才能改正缺点。～ quēdiǎn cái néng gǎizhèng quēdiǎn. |你明天应该公开地向大家～错误。Nǐ míngtiān yīnggāi gōngkāi de xiàng dàjiā ～ cuòwù.

chéng 城 [名]

明天我进～去买东西。Míngtiān wǒ jìn ～ qù mǎi dōngxi. →明天我要去市中心买东西。Míngtiān wǒ yào qù shìzhōngxīn mǎi dōngxi. 例下午我想进～去天安门广场。Xiàwǔ wǒ xiǎng jìn ～ qù Tiān'ān Mén Guǎngchǎng. |我家住在～外。Wǒ jiā zhù zài ～ wài. |我们的工厂不在～里。Wǒmen de gōngchǎng bú zài ～ lǐ. |坐地铁进～很方便。Zuò dìtiě jìn ～ hěn fāngbiàn.

chéngshì 城市 [名]

上海是中国最漂亮的～之一。Shànghǎi shì Zhōngguó zuì piàoliang de ～ zhīyī. →上海这个地方很漂亮。Shànghǎi zhèige dìfang hěn piàoliang. 例这是一个小～，人口只有几十万，但工商业很发达。Zhè shì yí ge xiǎo ～, rénkǒu zhǐ yǒu jǐshí wàn, dàn gōngshāngyè hěn fādá. |那是一座非常古老非常美丽的～。Nà shì yí zuò fēicháng gǔlǎo fēicháng měilì de ～. |我已经去过三百多个～了。Wǒ yǐjing qùguo sānbǎi duō ge ～ le. |我的家在～，我爷爷住在农

村。Wǒ de jiā zài ~ , wǒ yéye zhù zài nóngcūn.

chéng 乘[1] [动]

我的自行车坏了，我是 ~ 公共汽车来的。Wǒ de zìxíngchē huài le, wǒ shì ~ gōnggòng qìchē lái de. →我是坐公共汽车来的。Wǒ shì zuò gōnggòng qìchē lái de. 例路太远了，~ 飞机去比较快。Lù tài yuǎn le, ~ fēijī qù bǐjiào kuài. |从北京到上海~火车要十四个小时左右。Cóng Běijīng dào Shànghǎi ~ huǒchē yào shísì ge xiǎoshí zuǒyòu. |去年我~船去了五个国家，很有意思。Qùnián wǒ ~ chuán qùle wǔ ge guójiā, hěn yǒu yìsi.

chéngkè 乘客 [名]

这班飞机的~总是很多。Zhèi bān fēijī de ~ zǒngshì hěn duō. →坐这班飞机的人总是很多。Zuò zhèi bān fēijī de rén zǒngshì hěn duō. 例这些 ~ 大部分是来旅行的。Zhèixiē ~ dà bùfen shì lái lǚxíng de. |各位 ~，终点站到了，请下车。Gè wèi ~, zhōngdiǎnzhàn dào le, qǐng xià chē. |那位 ~ 说，他认识你。Nèi wèi ~ shuō, tā rènshi nǐ. |今天的车上没有多少 ~。Jīntiān de chē shang méiyǒu duōshao ~. |旅游季节，公共汽车上的外地~较多。Lǚyóu jìjié, gōnggòng qìchē shang de wàidì ~ jiào duō.

chéngwùyuán 乘务员(乘務員) [名]

他的妹妹是火车上的 ~。Tā de mèimei shì huǒchē shang de ~. →他的妹妹在火车上做服务工作。Tā de mèimei zài huǒchē shang zuò fúwù gōngzuò. 例在飞机上工作的女 ~ 也叫空中小姐。Zài fēijī shang gōngzuò de nǚ ~ yě jiào kōngzhōng xiǎojie. |我们这儿女 ~ 比男 ~ 多。Wǒmen zhèr nǚ ~ bǐ nán ~ duō. |那位~服务很热情，大家都很喜欢他。Nèi wèi ~ fúwù hěn rèqíng, dàjiā dōu hěn xǐhuan tā. |我认识那位~的姐姐。Wǒ rènshi nèi wèi ~ de jiějie.

chéng 乘[2] [动]

四 ~ 以五等于二十。Sì ~ yǐ wǔ děngyú èrshí. → 4 × 5 = 20 例五 ~ 六等于三十。Wǔ ~ liù děngyú sānshí. |把这三个数字 ~ 起来就知道总共有多少了。Bǎ zhèi sān ge shùzì ~ qilai jiù zhīdao zǒnggòng yǒu duōshao le. |这个数你~错了。Zhèi ge shù nǐ ~ cuò le. |我的答案是这个数，你 ~ ~ 看对吗？Wǒ de dá'àn shì zhèige shù, nǐ ~ ~ kàn duì ma?

chéngzi 橙子 [名]

橙子

例这个~真大。Zhèige ~ zhēn dà. | 这些~都是打算出口的。Zhèixiē ~ dōushì dǎsuan chūkǒu de. | 我很喜欢吃~。Wǒ hěn xǐhuan chī ~. | 昨天我买了两斤~。Zuótiān wǒ mǎile liǎng jīn ~.

chéngdù 程度¹ [名]

他的外文~不高，这本书他看不懂。Tā de wàiwén ~ bù gāo, zhèi běn shū tā kàn bu dǒng. →他的外文知识水平不高，这本书他现在还看不懂。Tā de wàiwén zhīshi shuǐpíng bù gāo, zhèi běn shū tā xiànzài hái kàn bu dǒng. 例他只上过三年学，所以他的文化~很低。Tā zhǐ shàngguo sān nián xué, suǒyǐ tā de wénhuà ~ hěn dī. | 这个班的同学的中文~都很高。Zhèige bān de tóngxué de Zhōngwén ~ dōu hěn gāo. | 经过三年的学习，她达到了高中毕业的~。Jīngguò sān nián de xuéxí, tā dádàole gāozhōng bìyè de ~.

chéngdù 程度² [名]

吃了药以后，头疼的~比刚才轻多了。Chīle yào yǐhòu, tóuténg de ~ bǐ gāngcái qīngduō le. →吃药以前头疼极了，吃完药以后头不那么疼了。Chī yào yǐqián tóuténg jí le, chīwán yào yǐhòu tóu bú nàme téng le. 例一个孩子能自觉到这种~，已经是很不容易了。Yí ge háizi néng zìjué dào zhèi zhǒng ~, yǐjing shì hěn bù róngyì le. | 他的病很严重，到了无法治疗的~。Tā de bìng hěn yánzhòng, dàole wúfǎ zhìliáo de ~. | 天气很热，但是还没热到受不了的~。Tiānqì hěn rè, dànshì hái méi rèdào shòu bu liǎo de ~. | 他高兴的~很难用语言来表达。Tā gāoxìng de ~ hěn nán yòng yǔyán lái biǎodá.

chi

chī 吃 [动]

中午我吃了米饭和鱼。Zhōngwǔ wǒ ~ le mǐfàn hé yú. →米饭和鱼是我的午饭。Mǐfàn hé yú shì wǒ de wǔfàn. 例再~点儿吧，多好吃啊！Zài ~ diǎnr ba, duō hǎochī a! | 我已经~饱了，什么食物也不要了。Wǒ yǐjing ~ bǎo le, shénme shíwù yě bú yào le. | 他一天喝五杯咖啡，但是只~一顿饭。Tā yì tiān hē wǔ bēi kāfēi, dànshì zhǐ ~ yí dùn fàn. | 这么多！我怎么~得完。Zhème duō! Wǒ zěnme ~

de wán. |你去第二食堂~过饭吗？Nǐ qù dì èr shítáng ~ guo fàn ma? |我很爱~中国菜。Wǒ hěn ài ~ Zhōngguócài.

chīcù 吃醋 [动]

一听到丈夫给其他女人打电话，她就~。Yì tīngdào zhàngfu gěi qítā nǚrén dǎ diànhuà, tā jiù ~. →她一看到丈夫和其他女人交往，就感到很生气。Tā yí kàndào zhàngfu hé qítā nǚrén jiāowǎng, jiù gǎndào hěn shēngqì. 例大卫和中国女孩儿合影，他的女朋友一点儿也不~。Dàwèi hé Zhōngguó nǚháir héyǐng, tā de nǚpéngyou yìdiǎnr yě bù ~. |他们是正常的交往，你不应该~。Tāmen shì zhèngcháng de jiāowǎng, nǐ bù yīnggāi ~.

chī jīng 吃惊（吃驚）

我看到他用手推着一辆汽车往前走，真让我~。Wǒ kàndào tā yòng shǒu tuīzhe yí liàng qìchē wǎng qián zǒu, zhēn ràng wǒ ~. →他的力量那么大，真让我觉得非常奇怪。Tā de lìliang nàme dà, zhēn ràng wǒ juéde fēicháng qíguài. 例这些小孩子得了世界冠军，大家都很~。Zhèixiē xiǎo háizi déle shìjiè guànjūn, dàjiā dōu hěn ~. |他突然哭了起来，大家~地看着他。Tā tūrán kūle qilai, dàjiā ~ de kànzhe tā. |出了这样的事情，谁都感到~。Chūle zhèiyàng de shìqing, shéi dōu gǎndào ~. |一个九岁的小孩考上了大学，我们都吃了一惊。Yí ge jiǔ suì de xiǎoháir kǎoshangle dàxué, wǒmen dōu chīle yì jīng.

chídào 迟到（遲到）[动]

八点上班，你八点十五分才来，你~了。Bā diǎn shàngbān, nǐ bā diǎn shíwǔ fēn cái lái, nǐ ~ le. →你来晚了。Nǐ láiwǎn le. 例这个月上班我~了三次，真不好意思。Zhèige yuè shàngbān wǒ ~ le sān cì, zhēn bù hǎoyìsi. |要按时上课，不能~。Yào ànshí shàngkè, bù néng ~. |他从来不~。Tā cónglái bù ~. |快走吧，要~了。Kuài zǒu ba, yào ~ le. |还早呢，不会~的。Hái zǎo ne, bú huì ~ de.

chǐzi 尺子 [名]

例这把~是木头的。Zhèi bǎ ~ shì mùtou de. |这把~太短了，有没有长一点儿的？Zhèi bǎ ~ tài duǎn le, yǒu méiyǒu cháng yìdiǎnr de? |这是小学生

尺子

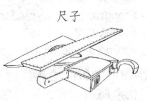

用的 ～。Zhè shì xiǎoxuéshēng yòng de ～. | 这把～用的时间太长
了，～上的刻度已经看不清楚了。Zhèi bǎ ～ yòng de shíjiān tài
cháng le, ～ shang de kèdù yǐjing kàn bu qīngchu le.

chong

chōngfèn 充分[1] ［形］

因为会前准备得很～，所以这个会开得很成功。Yīnwèi huì qián
zhǔnbèi de hěn ～, suǒyǐ zhèige huì kāi de hěn chénggōng. →开会
以前做好了各种各样的准备工作。Kāihuì yǐqián zuòhǎole
gèzhǒng gèyàng de zhǔnbèi gōngzuò. 例这次考试成绩不好，是因
为准备得不太～。Zhèi cì kǎoshì chéngjì bù hǎo, shì yīnwèi zhǔnbèi
de bú tài ～. | 你说的理由不～，我不能同意。Nǐ shuō de lǐyóu bù
～, wǒ bù néng tóngyì. | 为完成好这项任务，他们做了～的准备。
Wèi wánchéng hǎo zhèi xiàng rènwu, tāmen zuòle ～ de zhǔnbèi.

chōngfèn 充分[2] ［副］

希望大家～发表自己的意见。Xīwàng dàjiā ～ fābiǎo zìjǐ de yìjiàn.
→希望大家把意见全部说出来。Xīwàng dàjiā bǎ yìjiàn quánbù shuō
chulai. 例今天可以～地谈你们的想法。Jīntiān kěyǐ ～ de tán nǐmen
de xiǎngfa. | 生病的时候一定要～休息。Shēngbìng de shíhou yídìng
yào ～ xiūxi. | 我打算～利用假期去各地旅行。Wǒ dǎsuan ～ lìyòng
jiàqī qù gè dì lǚxíng. | 这次活动～地满足了孩子们的要求。Zhèi cì
huódòng ～ de mǎnzúle háizimen de yāoqiú.

chōng mǎn 充满[1]（充滿）［动］

同学们正在开联欢会，教室里～了歌声和欢笑声。Tóngxuémen
zhèngzài kāi liánhuānhuì, jiàoshì li ～ le gēshēng hé huānxiàoshēng.
→整个教室里都是同学们的歌声和欢笑声。Zhěnggè jiàoshì li dōu
shì tóngxuémen de gēshēng hé huānxiàoshēng. 例太阳出来以后，
花房里～了阳光。Tàiyáng chūlai yǐhòu, huāfáng li ～ le
yángguāng. | 妈妈正在做饭，厨房里～了饭和菜的香味儿。Māma
zhèngzài zuòfàn, chúfáng li ～ le fàn hé cài de xiāngwèir. | 我看到他
们的眼睛里～了泪水，不知发生了什么事。Wǒ kàndào tāmen de
yǎnjing li ～ le lèishuǐ, bù zhī fāshēngle shénme shì.

chōngmǎn 充满[2]（充滿）［动］

他说的话不多，可每句话都～着信心和力量。Tā shuō de huà bù

duō, kě měi jù huà dōu ~ zhe xìnxīn hé lìliang. →他说的每一句话
都十分有信心和力量。Tā shuō de měi yí jù huà dōu shífēn yǒu
xìnxīn hé lìliang. |例|我们对未来 ~ 希望。Wǒmen duì wèilái ~
xīwàng. |到底应该听谁的呢? 他的心里 ~ 了矛盾。Dàodǐ yīnggāi
tīng shéi de ne? Tā de xīnli ~ le máodùn. |我们的家庭里~着幸福
和欢乐。Wǒmen de jiātíng li ~ zhe xìngfú hé huānlè. |母亲对孩子
~ 了爱。Mǔqin duì háizi ~ le ài.

chōngzú 充足 [形]

商店里的商品很 ~ 。Shāngdiàn li de shāngpǐn hěn ~ . →商店里的商
品很多，你想买什么都有。Shāngdiàn li de shāngpǐn hěn duō, nǐ
xiǎng mǎi shénme dōu yǒu. |例|你想出国旅行，一定要有 ~ 的钱。Nǐ
xiǎng chūguó lǚxíng, yídìng yào yǒu ~ de qián. |没有 ~ 的理由，
是不能说服他们的。Méiyǒu ~ de lǐyóu, shì bù néng shuōfú tāmen
de. |这间房子的阳光很 ~ 。Zhèi jiān fángzi de yángguāng hěn ~ .

chōng 冲 [动]

这种咖啡用热水一 ~ 就能喝。Zhèi zhǒng kāfēi yòng rèshuǐ yì ~ jiù
néng hē. → 这种咖啡倒上热水就能喝了。Zhèi zhǒng kāfēi
dàoshang rèshuǐ jiù néng hē le. |例|给孩子 ~ 一杯牛奶吧。Gěi háizi
~ yì bēi niúnǎi ba. |水不太热，茶叶~不开。Shuǐ bú tài rè, cháyè
~ bu kāi. |水开了，可以 ~ 茶了。Shuǐ kāi le, kěyǐ ~ chá le. |这
杯茶已经~过一次了。Zhèi bēi chá yǐjing ~ guo yí cì le.

chōngxǐ 冲洗 [动]

这个杯子没洗干净，再用水 ~ 一下儿吧。Zhèige bēizi méi xǐ gānjìng,
zài yòng shuǐ ~ yíxiàr ba. →打开水龙头把杯子上的脏东西洗下去。
Dǎkāi shuǐlóngtóu bǎ bēizi shang de zāng dōngxi xǐ xiaqu. |例|下班以
前，把厨房的地 ~ 一下儿。Xiàbān yǐqián, bǎ chúfáng de dì ~
yíxiàr. |你全身都是汗，去卫生间~一下儿吧。Nǐ quánshēn dōu shì
hàn, qù wèishēngjiān ~ yíxiàr ba. |脚上的泥~了半天才掉。Jiǎo
shang de ní ~ le bàntiān cái diào. |一场大雨把公路~得干干净净。
Yì cháng dàyǔ bǎ gōnglù ~ de gāngānjìngjìng.

chóngzi 虫子(蟲子) [名]

insect; worm |例|一条绿 ~ 从树上爬下来了。Yì tiáo lǜ ~ cóng shù
shang pá xialai le. |白菜的叶子上有一条 ~ 。Báicài de yèzi shang
yǒu yì tiáo ~ . |从树上掉下来一条 ~ 。Cóng shù shang diào xialai yì

tiáo ~ . | 我小时候很喜欢在草地里捉 ~ 。Wǒ xiǎoshíhou hěn xǐhuan zài cǎodì li zhuō ~ . | 她很怕小 ~ 。Tā hěn pà xiǎo ~ .

chóng 重 [副]

我没听清楚, 请你 ~ 说一遍。Wǒ méi tīng qīngchu, qǐng nǐ ~ shuō yí biàn. →请你把刚才说过的话再说一遍。Qǐng nǐ bǎ gāngcái shuōguo de huà zài shuō yí biàn. 例请大家注意看, 我把刚才的动作 ~ 做一遍。Qǐng dàjiā zhùyì kàn, wǒ bǎ gāngcái de dòngzuò ~ zuò yí biàn. | 你的作业写得太乱, 得 ~ 写。Nǐ de zuòyè xiě de tài luàn, děi ~ xiě. | 他今年没考上大学, 想明年 ~ 考。Tā jīnnián méi kǎoshang dàxué, xiǎng míngnián ~ kǎo.

chóngdié 重叠 [动]

开完会, 把椅子搬到会场后面 ~ 起来。Kāiwán huì, bǎ yǐzi bāndào huìchǎng hòumian ~ qilai. →把椅子搬到会场后面一把一把地往上摆起来。Bǎ yǐzi bāndào huìchǎng hòumiàn yì bǎ yì bǎ de wǎng shàng bǎi qilai. 例杂技演员们把一些凳子 ~ 起来, 然后到凳子上表演杂技。Zájì yǎnyuánmen bǎ yìxiē dèngzi ~ qilai, ránhòu dào dèngzi shang biǎoyǎn zájì. | 这两个电视剧我都很想看, 可是播出的时间 ~ 在一起了。Zhèi liǎng ge diànshìjù wǒ dōu hěn xiǎng kàn, kěshì bōchū de shíjiān ~ zài yìqǐ le. | 这两个会的时间 ~ 上了, 你只能参加其中一个。Zhèi liǎng ge huì de shíjián ~ shang le, nǐ zhǐnéng cānjiā qízhōng yí ge.

chóngfù 重复 (重復) [动]

我没听清楚, 请你 ~ 一遍行吗? Wǒ méi tīng qīngchu, qǐng nǐ ~ yí biàn xíng ma? →请你再说一遍你刚才说的话。Qǐng nǐ zài shuō yí biàn nǐ gāngcái shuō de huà. 例他说话老爱 ~ 。Tā shuōhuà lǎo ài ~ . | 不用 ~ 了, 我们都听明白了。Bú yòng ~ le, wǒmen dōu tīng míngbai le. | 这两个句子的意思是 ~ 的。Zhèi liǎng ge jùzi de yìsi shì ~ de. | ~ 的话我就不说了, 我只补充一点。~ de huà wǒ jiù bù shuō le, wǒ zhǐ bǔchōng yì diǎn. | 这个电视广告已经 ~ 播出好几百次了。Zhèige diànshì guǎnggào yǐjing ~ bōchū hǎojǐ bǎi cì le.

chóngxīn 重新 [副]

请你把刚才说的话 ~ 说一遍。Qǐng nǐ bǎ gāngcái shuō de huà ~ shuō yí biàn. →请你把刚才说过的话再说一遍。Qǐng nǐ bǎ gāngcái shuōguo de huà zài shuō yí biàn. 例如果你们没听懂的话, 我 ~ 给

你们讲。Rúguǒ nǐmen méi tīngdǒng dehuà, wǒ ~ gěi nǐmen jiǎng. | 这本书我以前看过，上星期又 ~ 看了一遍。Zhèi běn shū wǒ yǐqián kànguo, shàng xīngqī yòu ~ kànle yí biàn. | 昨天讨论过的那个问题今天还得 ~ 讨论。Zuótiān tǎolùnguo de nèige wèntí jīntiān hái děi ~ tǎolùn. | 这张画儿我不喜欢，你再~给我画一张吧。Zhèi zhāng huàr wǒ bù xǐhuan, nǐ zài ~ gěi wǒ huà yì zhāng ba.

chónggāo 崇高 [形]

lofty; sublime 例教育事业是一项 ~ 的事业。Jiàoyù shìyè shì yí xiàng ~ de shìyè. | 我们为这个 ~ 的目标而努力工作。Wǒmen wèi zhèige ~ de mùbiāo ér nǔlì gōngzuò. | 他们都有 ~ 的责任感。Tāmen dōu yǒu ~ de zérèngǎn. | 我们向英雄们致以 ~ 的敬礼。Wǒmen xiàng yīngxióngmen zhìyǐ ~ de jìnglǐ.

chǒngwù 宠物（寵物）[名]

这只白猫是安娜家里的 ~ 。Zhèi zhī bái māo shì Ānnà jiāli de ~ . → 这只白猫是安娜家里的人都很喜爱的小动物。Zhèi zhī bái māo shì Ānnà jiāli de rén dōu hěn xǐ'ài de xiǎodòngwù. 例我们家也有一个 ~ ，是一只小狗儿。Wǒmen jiā yě yǒu yí ge ~ , shì yì zhī xiǎogǒur. | 现在还有电脑小 ~ 呢，你知道吗？Xiànzài hái yǒu diànnǎo xiǎo ~ ne, nǐ zhīdao ma? | 我也想养个小 ~ 。Wǒ yě xiǎng yǎng ge xiǎo ~ . | 这是卖 ~ 的商店。Zhè shì mài ~ de shāngdiàn.

chou

chōu 抽 [动]

他打开信封，从里面 ~ 出了两张信纸。Tā dǎkāi xìnfēng, cóng lǐmiàn ~ chūle liǎng zhāng xìnzhǐ. → 把放在信封里的两张信纸用手拿了出来。Bǎ fàng zài xìnfēng li de liǎng zhāng xìnzhǐ yòng shǒu nále chulai. 例他从书架上 ~ 出一本书给我。Tā cóng shūjià shang ~ chū yì běn shū gěi wǒ. | 她从许多照片里 ~ 了一张让我看。Tā cóng xǔduō zhàopiàn li ~ le yì zhāng ràng wǒ kàn. | 你想 ~ 一道多少分儿的题？Nǐ xiǎng ~ yí dào duōshao fēnr de tí? | 我想 ~ 一道三十分儿的题。Wǒ xiǎng ~ yí dào sānshí fēnr de tí.

chōuti 抽屉 [名]

钱包在写字台的 ~ 里。Qiánbāo zài xiězìtái de ~ li. →钱包放在写字台的能拉出来推回去的放东西的地方。Qiánbāo fàng zài xiězìtái

de néng lā chulai tuī huiqu de fàng dōngxi de dìfang. 例这张桌子有
三个 ~。Zhèi zhāng zhuōzi yǒu sān ge ~. | 这两个 ~都满了，放别
的 ~里吧。Zhèi liǎng ge ~ dōu mǎn le, fàng biéde ~ li ba. | 请把
眼镜ㄦ放到 ~里，把书放到书架上。Qǐng bǎ yǎnjìngr fàngdào ~ li,
bǎ shū fàngdào shūjià shang. | 我把 ~锁上了。Wǒ bǎ ~ suǒshang le.

chōuxiàng 抽象 [形]

abstract 例你这样讲太 ~ 了，能不能用一个事例来说明呢？Nǐ
zhèiyàng jiǎng tài ~ le, néng bu néng yòng yí ge shìlì lái shuōmíng
ne? | 刚才你说得太~，请你谈得具体一些。Gāngcái nǐ shuō de tài
~, qǐng nǐ tán de jùtǐ yìxiē. | 他把那样 ~ 的理论讲得这么生动，大
家听了都很有收获。Tā bǎ nèiyàng ~ de lǐlùn jiǎng de zhème
shēngdòng, dàjiā tīngle dōu hěn yǒu shōuhuò.

chōu yān 抽烟

smoke 例请喝茶，您 ~ 吗？Qǐng hē chá, nín ~ ma? | 电影院里不
许 ~。Diànyǐngyuàn li bùxǔ ~. | 我两年以前 ~，现在不抽了。Wǒ
liǎng nián yǐqián ~, xiànzài bù chōu le. | ~ 对身体不好。~ duì
shēntǐ bù hǎo. | 要让人们知道 ~ 的坏处。Yào ràng rénmen zhīdao ~
de huàichu. | 他经常吃完饭以后抽一支烟。Tā jīngcháng chīwán fàn
yǐhòu chōu yì zhī yān.

chóu 愁 [动]

现在我们不 ~ 吃不 ~ 穿，家里的生活很好。Xiànzài wǒmen bù ~
chī bù ~ chuān, jiāli de shēnghuó hěn hǎo. →现在我们不用为没有
饭吃和没有衣服穿担心。Xiànzài wǒmen búyòng wèi méiyǒu fàn chī
hé méiyǒu yīfu chuān dānxīn. 例妈，您不用 ~，我一定能找到一个
好工作。Mā, nín búyòng ~, wǒ yídìng néng zhǎodào yí ge hǎo
gōngzuò. | 光发 ~ 有什么用，赶快想想办法吧。Guāng fā ~ yǒu
shénme yòng, gǎnkuài xiǎngxiang bànfǎ ba. | 前两天 ~得她吃不下
饭，睡不着觉。Qián liǎng tiān ~ de tā chī bu xià fàn, shuì bu zháo
jiào. | 你看，他的头发都 ~ 白了。Nǐ kàn, tā de tóufa dōu ~ bái
le. | 总这么发 ~，会 ~ 出病来。Zǒng zhème fā ~, huì ~ chū bìng lai.

chǒu 丑（醜）[形]

她小时候挺 ~ 的，现在越来越漂亮了。Tā xiǎoshíhou tǐng ~ de,
xiànzài yuèláiyuè piàoliang le. →她小时候挺难看的，现在越来越漂
亮了。Tā xiǎoshíhou tǐng nánkàn de, xiànzài yuèláiyuè piàoliang le.

例有人说她~，其实她不~。Yǒu rén shuō tā ~, qíshí tā bù ~. | 你把我画得太~了。Nǐ bǎ wǒ huà de tài ~ le. | 姐姐比妹妹~了点儿。Jiějie bǐ mèimei ~ le diǎnr. | 电影里的那个很 ~ 的脸男人是个好人。Diànyǐng li de nèige liǎn hěn ~ de nánrén shì ge hǎorén.

chòu 臭 ［形］

这个厕所太 ~ 了。Zhèige cèsuǒ tài ~ le. →这个厕所好几天没打扫，里面的气味儿很难闻。Zhèige cèsuǒ hǎojǐ tiān méi dǎsǎo, lǐmiàn de qìwèir hěn nánwén. 例鱼缸里的水都快~了，应该换一换了。Yúgāng li de shuǐ dōu kuài ~ le, yīnggāi huàn yi huàn le. | 你出了那么多的汗，~死了，快去洗洗。Nǐ chūle nàme duō de hàn, ~ sǐ le, kuài qù xǐxi. | 再不洗，这些衣服就~了。Zài bù xǐ, zhèixiē yīfu jiù ~ le. | 门前的那条~水沟，早就没有了。Mén qián de nèi tiáo ~ shuǐgōu, zǎo jiù méiyǒu le.

chu

chū 出¹ ［动］

你一会儿~一会儿进的，忙什么呢？Nǐ yíhuìr ~ yíhuìr jìn de, máng shénme ne? →你一会儿到外面去，一会儿又进来，忙什么呢？Nǐ yíhuìr dào wàimiàn qù, yíhuìr yòu jìnlai, máng shénme ne? 例我刚要~家门，电话铃响了。Wǒ gāng yào ~ jiāmén, diànhuàlíng xiǎng le. | 去年我~了两次国。Qùnián wǒ ~ le liǎng cì guó. | 门被锁上了，她~不来了。Mén bèi suǒshang le, tā ~ bu lái le. | 往前走，~得去吗？Wǎngqián zǒu, ~ de qù ma?

chū chāi 出差

我丈夫去北京~了。Wǒ zhàngfu qù Běijīng ~ le. →我丈夫到北京办理公事去了。Wǒ zhàngfu dào Běijīng bànlǐ gōngshì qù le. 例下次我~，你也去吧。Xià cì wǒ ~, nǐ yě qù ba. | 我~的时候，办公室的工作由你负责。Wǒ ~ de shíhou, bàngōngshì de gōngzuò yóu nǐ fùzé. | 一年我得~四五次。Yì nián wǒ děi ~ sì wǔ cì. | 我从来没出过差。Wǒ cónglái méi chūguo chāi. | 上个月我出了二十多天的差。Shàng ge yuè wǒ chūle èrshí duō tiān de chāi.

chūfā 出发（出發）［动］

你不是要去旅行吗？什么时候~? Nǐ bú shì yào qù lǚxíng ma? Shénme shíhou ~? →你什么时候离开家去旅行？Nǐ shénme shíhou líkāi jiā qù lǚxíng? **例** 我们 准备 明天 ~。Wǒmen zhǔnbèi míngtiān ~ . |他们已经~了好几天了。Tāmen yǐjing ~ le hǎojǐ tiān le. |我们离~的时间还有三个钟头。Wǒmen lí ~ de shíjiān hái yǒu sān ge zhōngtóu. |你们打算从哪儿~? Nǐmen dǎsuan cóng nǎr ~ ?

chū jìng 出境

我们从这里~。Wǒmen cóng zhèlǐ ~ . →我们从这里过海关，离开 这个国家到另一个国家去。Wǒmen cóng zhèlǐ guò hǎiguān, líkāi zhèige guójiā dào lìng yí ge guójiā qù. **例** 旅客~都要办理~手续。Lǚkè ~ dōu yào bànlǐ ~ shǒuxù. |这一段时间，~ 旅游的人很多。Zhèi yí duàn shíjiān, ~ lǚyóu de rén hěn duō. |旅客要出国，都要 经过~检查。Lǚkè yào chūguó, dōu yào jīngguò ~ jiǎnchá. | ~并 不难，办一下儿手续就可以了。~ bìng bù nán, bàn yíxiàr shǒuxù jiù kěyǐ le. |这些货物没经过检查，出不了境。Zhèixiē huòwù méi jīngguò jiǎnchá, chū bu liǎo jìng.

chū kǒu 出口¹

这些产品是~到国外的。Zhèixiē chǎnpǐn shì ~ dào guówài de. → 这些产品是运到国外去卖的。Zhèixiē chǎnpǐn shì yùndào guówài qù mài de. **例** 上个月我们公司~了一批服装。Shàng ge yuè wǒmen gōngsī ~ le yì pī fúzhuāng. |去年我们厂~了三千辆汽车。Qùnián wǒmen chǎng ~ le sānqiān liàng qìchē. |这些~的东西都经过了严 格的检查。Zhèixiē ~ de dōngxi dōu jīngguòle yángé de jiǎnchá.

chūkǒu 出口² [名]

请问这个公园的~在哪边儿? Qǐngwèn zhèige gōngyuán de ~ zài něi biānr? → 从公园到外面去的门在哪边儿? Cóng gōngyuán dào wàimiàn qù de mén zài něi biānr? **例** 这个电影院有六个~。Zhèige diànyǐngyuàn yǒu liù ge ~ . |这个 ~ 太小了。Zhèige ~ tài xiǎo le. |我们在地铁站的~处见面吧。Wǒmen zài dìtiězhàn de ~ chù jiànmiàn ba. |他们迷路了，找不到~了。Tāmen mílù le, zhǎo bu dào ~ le.

chū lai 出来¹ （出來）

张老师已经从家里~了。Zhāng lǎoshī yǐjing cóng jiāli ~ le. →张老 师已经离开了家，正往这儿走呢。Zhāng lǎoshī yǐjing líkāile jiā, zhèng wǎng zhèr zǒu ne. **例** 你~一下儿，我跟你说一句话。Nǐ ~ yíxiàr, wǒ gēn nǐ shuō yí jù huà. |我~半天了，该回去了。Wǒ ~

bàntiān le, gāi huíqu le. | 你们 ~ 的时候先给我打个电话。Nǐmen ~ de shíhou xiān gěi wǒ dǎ ge diànhuà. | 明天你还能 ~ 跟我玩儿吗? Míngtiān nǐ hái néng ~ gēn wǒ wánr ma? | 我很忙，出不来了。Wǒ hěn máng, chū bu lái le.

chū mén 出门（出門）

他~去了，到现在还没回来。Tā ~ qu le, dào xiànzài hái méi huílai. →他从这里到外面去了，现在还没回来。Tā cóng zhèlǐ dào wàimiàn qù le, xiànzài hái méi huílai. 例他刚 ~，不会走远，你也许能赶得上他。Tā gāng ~, bú huì zǒu yuǎn, nǐ yěxǔ néng gǎn de shàng tā. | 我一 ~ 就遇见了大卫。Wǒ yì ~ jiù yùjiànle Dàwèi. | 你 ~ 在外，可要注意身体呀! Nǐ ~ zài wài, kě yào zhùyì shēntǐ ya! 你找我有事吗? 我正准备~呢。Nǐ zhǎo wǒ yǒu shì ma? Wǒ zhèng zhǔnbèi ~ ne.

chū qu 出去[1]

外面下着雨，我们别 ~ 了。Wàimiàn xiàzhe yǔ, wǒmen bié ~ le. →下雨了，我们就在屋子里，不要到外面去了。Xià yǔ le, wǒmen jiù zài wūzi li, búyào dào wàimiàn qu le. 例你明天到这里来吧，明天我不 ~。Nǐ míngtiān dào zhèlǐ lái ba, míngtiān wǒ bù ~. | 我 ~ 一下儿，一会儿就回来。Wǒ ~ yíxiàr, yíhuìr jiù huílai. | 我们俩在门口儿见面了，正好他进来我 ~。Wǒmen liǎ zài ménkǒur jiànmiàn le, zhènghǎo tā jìnlai wǒ ~. | 他 ~ 寄信了，请你等一会儿好吗? Tā ~ jì xìn le, qǐng nǐ děng yíhuìr hǎo ma? | 刚才 ~ 的那个人是谁啊? Gāngcái ~ de nèige rén shì shéi a? | 他把门锁上了，我们出不去了。Tā bǎ mén suǒshangle, wǒmen chū bu qù le.

chū yuàn 出院

他的病好了，昨天 ~ 了。Tā de bìng hǎo le, zuótiān ~ le. →他昨天离开了医院，不再住在医院里治病了。Tā zuótiān líkāile yīyuàn, bú zài zhù zài yīyuàn li zhì bìng le. 例请问，在哪儿办 ~ 手续? Qǐngwèn, zài nǎr bàn ~ shǒuxù? | 他准备~之后再在家休息几天。Tā zhǔnbèi ~ zhīhòu zài zài jiā xiūxi jǐ tiān. | 我很想早一点儿 ~，可大夫不同意。Wǒ hěn xiǎng zǎo yìdiǎnr ~, kě dàifu bù tóngyì. | 他 ~ 好几天了，你还不知道? Tā ~ hǎojǐ tiān le, nǐ hái bù zhīdào? | 你的病还没好，出不了院。Nǐ de bìng hái méi hǎo, chū bu liǎo yuàn.

chū 出² [动]

这顿饭用了两百块钱，咱们每人～五十块吧。Zhèi dùn fàn yòngle liǎngbǎi kuài qián, zánmen měi rén ~ wǔshí kuài ba. →这顿饭用了两百块钱，我们四个人每人拿出五十块吧。Zhèi dùn fàn yòngle liǎngbǎi kuài qián, wǒmen sì ge rén měi rén náchū wǔshí kuài ba. 例买这辆汽车你～了多少钱？Mǎi zhèi liàng qìchē nǐ ~ le duōshao qián? |请办公室～一个通知吧。Qǐng bàngōngshì ~ yí ge tōngzhī ba. |这种杂志一个月～一期。Zhèi zhǒng zázhì yí ge yuè ~ yì qī.

chūbǎn 出版 [动]

我们编的词典～了。Wǒmen biān de cídiǎn ~ le. →我们编的词典印出来了。Wǒmen biān de cídiǎn yìn chulai le. 例那本小说再过三个月就能～了。Nèi běn xiǎoshuō zài guò sān ge yuè jiù néng ~ le. |这本书是新～的。Zhèi běn shū shì xīn ~ de. |这个出版社一年能～一千多种书。Zhèige chūbǎnshè yì nián néng ~ yì qiān duō zhǒng shū.

chūzū 出租 [动]

这套房子～，每月人民币两千元。Zhèi tào fángzi ~, měi yuè rénmínbì liǎngqiān yuán. →这套房子暂时给别人住，房子的主人每月向在这里住的人收两千元钱。Zhèi tào fángzi zànshí gěi biéren zhù, fángzi de zhǔrén měi yuè xiàng zài zhèlǐ zhù de rén shōu liǎngqiān yuán qián. 例这里的汽车～，请看价格表ㄦ。Zhèlǐ de qìchē ~, qǐng kàn jiàgébiǎor. |这些图书～不～？一本ㄦ一天多少钱？Zhèixiē túshū ~ bu ~? Yì běnr yì tiān duōshao qián? |哪里～照相机？请告诉我好吗？Nǎli ~ zhàoxiàngjī? Qǐng gàosu wǒ hǎo ma? |这座楼里的房屋全部是～的，一套也不卖。Zhèi zuò lóu li de fángwū quánbù shì ~ de, yí tào yě bú mài.

chūzū qìchē 出租汽车(出租汽車)

好几辆～停在那边ㄦ。Hǎojǐ liàng ~ tíng zài nèibianr. →那些汽车的顶上都有块牌ㄦ，上面写着"TAXI"。Nèixiē qìchē de dǐng shang dōu yǒu kuài páir, shàngmiàn xiězhe "TAXI". 例有辆红色的～开过来了，我们就坐这辆吧。Yǒu liàng hóngsè de ~ kāi guolai le, wǒmen jiù zuò zhèi liàng ba. |他一直开～，对这个城市的路很熟悉。Tā yìzhí kāi ~, duì zhèige chéngshì de lù hěn shúxī. |什么叫"打的"？原来是乘～的意思啊。Shénme jiào "dǎ dī"? Yuánlái shì chéng ~ de yìsi a. |在这个城市里，~的价格很便宜。Zài zhèige chéngshì li，~ de jiàgé hěn piányi. |这位~司机待人非常和气。Zhèi wèi ~ sījī dài rén fēicháng héqi.

chū 出³ ［动］

这所大学~了好几个很有名气的人。Zhèi suǒ dàxué ~ le hǎojǐ gè hěn yǒu míngqì de rén. →这所大学毕业的学生中出现了好几个有名的人。Zhèi suǒ dàxué bìyè de xuésheng zhōng chūxiànle hǎojǐ gè yǒumíng de rén. 例像他这样著名的数学家，多少年才~一个。Xiàng tā zhèiyàng zhùmíng de shùxuéjiā，duōshao nián cái ~ yí ge. |~了问题应该马上解决。~ le wèntí yīnggāi mǎshàng jiějué. |不带安全帽容易~事故。Bú dài ānquánmào róngyì ~ shìgù.

chū cuò 出错（出錯）

认真一点儿，别~儿。Rènzhēn yìdiǎnr，bié ~ r. →认真地做，把事情做好，别出现错误。Rènzhēn de zuò，bǎ shìqing zuòhǎo，bié chūxiàn cuòwù. 例写完了再念一遍就会少~儿。Xiěwánle zài niàn yí biàn jiù huì shǎo ~ r. |细心一点儿就不会~儿了。Xìxīn yìdiǎnr jiù bú huì ~ r le. |我要是出了错儿，你马上告诉我。Wǒ yàoshi chūle cuòr，nǐ mǎshàng gàosu wǒ. |他做事从来没出过什么错儿。Tā zuòshì cónglái méi chūguo shénme cuòr.

chū hàn 出汗

天太热，我的身上都~了。Tiān tài rè，wǒ de shēnshang dōu ~ le. →气温太高，我的皮肤不断地冒出水来。Qìwēn tài gāo，wǒ de pífū búduàn de màochū shuǐ lai. 例夏天我比较爱~。Xiàtiān wǒ bǐjiào ài ~. |人精神紧张的时候也会~的。Rén jīngshén jǐnzhāng de shíhou yě huì ~ de. |~的时候，最好及时用毛巾擦干。~ de shíhou，zuìhǎo jíshí yòng máojīn cāgān. |感冒发烧，吃了药出点儿汗会好得快。Gǎnmào fāshāo，chī le yào chū diǎnr hàn huì hǎo de kuai. |刚才打了一会儿篮球，出了一身汗。Gāngcái dǎle yíhuìr lánqiú，chūle yì shēn hàn.

chū míng 出名

北京的故宫在全世界都很~。Běijīng de Gùgōng zài quán shìjiè dōu hěn ~. →全世界都知道中国北京的故宫。Quán shìjiè dōu zhīdao Zhōngguó Běijīng de Gùgōng. 例李教授在年轻时就~了。Lǐ jiàoshòu zài niánqīng shí jiù ~ le. |这个地方原来并不~，来这儿旅

游的人多了，才出了名。Zhèige dìfang yuánlái bìng bù ~, lái zhèr lǚyóu de rén duō le, cái chūle míng. | 这个人不好好儿工作，却总想 ~ 。Zhèige rén bù hǎohāor gōngzuò, què zǒng xiǎng ~. | 他工作非常努力，也不管以后出得了名还是出不了名。Tā gōngzuò fēicháng nǔlì, yě bùguǎn yǐhòu chū de liǎo míng háishi chū bu liǎo míng.

chūshēng 出生 [动]

他是 1983 年 ~ 的。Tā shì yī jiǔ bā sān nián ~ de. → 妈妈生下他的那一年是 1983 年。Māma shēngxià tā de nèi yì nián shì yī jiǔ bā sān nián. 例他在上海 ~，在北京长大。Tā zài Shànghǎi ~, zài Běijīng zhǎngdà. | 生日就是人 ~ 的日子，也指以后每年的这一天。Shēngri jiù shì rén ~ de rìzi, yě zhǐ yǐhòu měi nián de zhèi yì tiān. | 我 ~ 的时候，哥哥已经五岁了。Wǒ ~ de shíhou, gēge yǐjing wǔ suì le. | 这里是我 ~ 的地方。Zhèlǐ shì wǒ ~ de dìfang.

chūxí 出席 [动]

他们俩都将 ~ 这次大会。Tāmen liǎ dōu jiāng ~ zhèi cì dàhuì. → 他们俩都参加这次大会。Tāmen liǎ dōu cānjiā zhèi cì dàhuì. 例二十个人 ~ 了昨天的座谈会。Èrshí ge rén ~ le zuótiān de zuòtánhuì. | 他因病不能 ~ 大会，已经向大会请了假。Tā yīn bìng bù néng ~ dàhuì, yǐjing xiàng dàhuì qǐngle jià. | 三月十五日举行全体委员会议，请准时 ~ 。Sānyuè shíwǔ rì jǔxíng quántǐ wěiyuán huìyì, qǐng zhǔnshí ~. | ~ 人数是应到人数的百分之九十三。~ rénshù shì yīng dào rénshù de bǎi fēnzhī jiǔshísān.

chūxiàn 出现（出現）[动]

蓝色的天空 ~ 了几片云。Lánsè de tiānkōng ~ le jǐ piàn yún. → 刚才天空还没有云，现在人们看到天空有了几片云。Gāngcái tiānkōng hái méiyǒu yún, xiànzài rénmen kàndào tiānkōng yǒule jǐ piàn yún. 例这几天，情况 ~ 了一些变化。Zhèi jǐ tiān, qíngkuàng ~ le yìxiē biànhuà. | 现在问题 ~ 了，让我们一块儿想办法来解决。Xiànzài wèntí ~ le, ràng wǒmen yíkuàir xiǎng bànfǎ lái jiějué. | 我正在屋里看书，他突然 ~ 在我面前。Wǒ zhèngzài wū li kàn shū, tā tūrán ~ zài wǒ miànqián. | 这是近几年来 ~ 的新技术。Zhè shì jìn jǐ nián lái ~ de xīn jìshù.

chu (chū) 出⁴ [动]

一列火车开 ~ 了车站。Yí liè huǒchē kāi ~ le chēzhàn. → 一列停在火

车站的火车开走了。Yí liè tíng zài huǒchēzhàn de huǒchē kāizǒu le. **例**我从银行取 ~ 一些钱给他。Wǒ cóng yínháng qǔ ~ yìxiē qián gěi tā. | 他拿 ~ 一本书说："你看吗？" Tā ná ~ yì běn shū shuō："Nǐ kàn ma?" | 一个班选 ~ 三个人参加明天的比赛。Yí ge bān xuǎn ~ sān ge rén cānjiā míngtiān de bǐsài. | 他说着说着流 ~ 了眼泪。Tā shuōzhe shuōzhe liú ~ le yǎnlèi. | 他说 ~ 了事情发生的原因。Tā shuō ~ le shìqing fāshēng de yuányīn. | 你看得 ~ 这本书的问题吗？——我看不 ~。Nǐ kàn de ~ zhèi běn shū de wèntí ma? —— Wǒ kàn bu ~.

chulai (chūlái) 出来² （出來） [动]

会议结束了，许多人从会场里走 ~。Huìyì jiéshù le, xǔduō rén cóng huìchǎng li zǒu ~. →我在会场外面看到许多人从会场里走到外面来。Wǒ zài huìchǎng wàimiàn kàndào xǔduō rén cóng huìchǎng li zǒu dào wàimiàn lai. **例**他俩一起从院子里跑了 ~。Tā liǎ yìqǐ cóng yuànzi li pǎole ~. | 树林里的鸟儿飞 ~ 了，它们飞向了天空。Shùlín li de niǎor fēi ~ le, tāmen fēixiàngle tiānkōng. | 小猫见了老鼠一下子跳了 ~。Xiǎomāo jiànle lǎoshǔ yíxiàzi tiàole ~. | 请把你的照片儿拿 ~ 给我们看看好吗？Qǐng bǎ nǐ de zhàopiānr ná ~ gěi wǒmen kànkan hǎo ma? | 门太窄，这张桌子搬不 ~。Mén tài zhǎi, zhèi zhāng zhuōzi bān bu chūlái.

chuqu (chūqù) 出去² [动]

听到喊声，他立刻跑 ~ 了。Tīngdào hǎnshēng, tā lìkè pǎo ~ le. →他在屋子里听到有人喊他，就急忙跑到了屋子外面。Tā zài wūzi li tīngdào yǒu rén hǎn tā, jiù jímáng pǎodàole wūzi wàimiàn. **例**他刚走 ~，就下起雨来。Tā gāng zǒu ~, jiù xià qǐ yǔ lai. | 今天阳光很好，把这几盆花儿都搬 ~ 吧。Jīntiān yángguāng hěn hǎo, bǎ zhèi jǐ pén huār dōu bān ~ ba. | 前天我刚寄 ~ 几张照片儿。Qiántiān wǒ gāng jì ~ jǐ zhāng zhàopiānr. | 你猜，这球我扔得 ~ 扔不 ~？Nǐ cāi, zhè qiú wǒ rēng de chūqù rēng bu chūqù?

chū 出⁵ （齣） [量]

用于戏剧。Yòngyú xìjù. **例**我会唱这 ~ 戏。Wǒ huì chàng zhèi ~ xì. | 他演的那几 ~ 戏很受欢迎。Tā yǎn de nèi jǐ ~ xì hěn shòu huānyíng. | 我只听过他唱的三 ~ 戏。Wǒ zhǐ tīngguo tā chàng de sān ~ xì.

C

chūbù 初步 [形]

这只是我的~想法。Zhè zhǐshì wǒ de ~ xiǎngfa. →我的这个想法是不久前想出来的，还不成熟，还可以讨论、修改。Wǒ de zhèige xiǎngfa shì bùjiǔ qián xiǎng chulai de, hái bù chéngshú, hái kěyǐ tǎolùn、xiūgǎi. 例这个意见只是~的，希望大家补充修改。Zhèige yìjiàn zhǐshì ~ de, xīwàng dàjiā bǔchōng xiūgǎi. | 我对那个年轻人只是有个~的印象，并不十分了解。Wǒ duì nèige niánqīngrén zhǐshì yǒu ge ~ de yìnxiàng, bìng bù shífēn liǎojiě. | 今年的~计划已经订好，请大家来讨论。Jīnnián de ~ jìhuà yǐjing dìnghǎo, qǐng dàjiā lái tǎolùn. | 他们~决定不参加这次旅游活动了。Tāmen ~ juédìng bù cānjiā zhèi cì lǚyóu huódòng le.

chūjí 初级（初级） [形]

这是一本~汉语课本儿。Zhè shì yì běn ~ Hànyǔ kèběnr. →这是一本儿刚刚开始学习汉语的人用的书。Zhè shì yì běnr gānggāng kāishǐ xuéxí Hànyǔ de rén yòng de shū. 例这是一个~班，那是一个中级班。Zhè shì yí ge ~ bān, nà shì yí ge zhōngjíbān. | 学生中~水平的人不太多，中级的比较多。Xuésheng zhōng ~ shuǐpíng de rén bú tài duō, zhōngjí de bǐjiào duō. | 从~到高级需要学习两年的时间。Cóng ~ dào gāojí xūyào xuéxí liǎng nián de shíjiān.

chú 除¹ [介]

~安娜之外，我们都参加了种树的活动。~ Ānnà zhīwài, wǒmen dōu cānjiāle zhòng shù de huódòng. →在参加种树的人中，不包括安娜。Zài cānjiā zhòng shù de rén zhōng, bù bāokuò Ānnà. 例~李阿姨之外，这屋子里全是年轻人。~ Lǐ āyí zhīwài, zhè wūzi li quán shì niánqīngrén. | ~做饭外，在家里他什么活儿都干。~ zuòfàn wài, zài jiāli tā shénme huór dōu gàn. | ~看书外，他没有别的爱好。~ kàn shū wài, tā méiyǒu biéde àihào. | 这个院子~小一点儿之外，别的条件都不错。Zhèige yuànzi ~ xiǎo yìdiǎnr zhīwài, biéde tiáojiàn dōu búcuò. | ~滑冰之外，我对各种运动都很喜欢。~ huábīng zhīwài, wǒ duì gè zhǒng yùndòng dōu hěn xǐhuan.

chúle 除了 [介]

~玛丽，别人都从不迟到。~ Mǎlì, biérén dōu cóng bù chí dào. →在从不迟到的人中，不包括玛丽。Zài cóng bù chídào de rén zhōng, bù bāokuò Mǎlì. 例~这个房间，别的房间都很干净。~ zhèige fángjiān, biéde fángjiān dōu hěn gānjìng. | ~不去的，都到这边来集合。~ bú qù de, dōu dào zhèbiān lái jíhé. |在这本书里，我看~这篇文章之外，别的都比较一般。Zài zhèi běn shū li, wǒ kàn ~ zhèi piān wénzhāng zhīwài, biéde dōu bǐjiào yìbān. |这房间~暗一点儿之外，别的方面都还不错。Zhè fángjiān ~ àn yìdiǎnr zhīwài, biéde fāngmiàn dōu hái búcuò.

chú 除² [动]

十五被三~等于五。Shíwǔ bèi sān ~ děngyú wǔ. →数学里一种计算数的方法，把十五分成三等份，每一份是五。Shùxué li yì zhǒng jìsuàn shù de fāngfǎ, bǎ shíwǔ fēnchéng sān děngfèn, měi yí fèn shì wǔ. 例用二~十八，应该得九。Yòng èr ~ shíbā, yīnggāi dé jiǔ. |五十六~以八等于七。Wǔshíliù ~ yǐ bā děngyú qī. |这个数被十三~，应该是多少？Zhèige shù bèi shísān ~, yīnggāi shì duōshao? |你算错了，请再~一遍。Nǐ suàncuòle, qǐng zài ~ yí biàn. |有了计算器方便多了，加减乘~都能算。Yǒule jìsuànqì fāngbiàn duō le, jiā jiǎn chéng ~ dōu néng suàn.

chúxī 除夕 [名]

今天是~，孩子们特别高兴。Jīntiān shì ~, háizimen tèbié gāoxìng. →明天就是新年了，孩子们怎么能不高兴呢。Míngtiān jiù shì xīnnián le, háizimen zěnme néng bù gāoxìng ne. 例明天是~了，咱们赶快到街上去买些东西吧。Míngtiān shì ~ le, zánmen gǎnkuài dào jiē shang qù mǎi xiē dōngxi ba. |过了~，新的一年就开始了。Guòle ~, xīn de yì nián jiù kāishǐ le. |~之夜，我们全家在一起吃饺子。~ zhī yè, wǒmen quán jiā zài yìqǐ chī jiǎozi. |在~晚会上，大家又唱又跳，玩儿得特别痛快。Zài ~ wǎnhuì shang, dàjiā yòu chàng yòu tiào, wánr de tèbié tòngkuai.

chúfáng 厨房 [名]

他家的~又整齐又清洁。Tā jiā de ~ yòu zhěngqí yòu qīngjié. →他家做饭的房间非常整齐清洁。Tā jiā zuòfàn de fángjiān fēicháng zhěngqí qīngjié. 例这间~比较大，设备也很好。Zhèi jiān ~ bǐjiào dà, shèbèi yě hěn hǎo. |我已经养成习惯，天天打扫~。Wǒ yǐjing yǎngchéng xíguàn, tiāntiān dǎsǎo ~. |我回到家时妈妈正在~里呢。Wǒ huídào jiā shí māma zhèngzài ~ li ne. |这边是餐厅，那边是~。Zhèibiān shì cāntīng, nèibiān shì ~. |你在~里做什么菜呢？真香！Nǐ zài ~ li zuò shénme cài ne? Zhēn xiāng! |这套房子~的

面积不算大。Zhèi tào fángzi ~ de miànjī bú suàn dà.

chǔ 处（處）[动]

他的性格好，和他在一起很容易~。Tā de xìnggé hǎo, hé tā zài yìqǐ hěn róngyì ~. →和他在一起，你会感到很愉快。Hé tā zài yìqǐ, nǐ huì gǎndào hěn yúkuài. 例这个人脾气很怪，特别不好~。Zhèige rén píqi hěn guài, tèbié bù hǎo ~. |我们俩~得很好，不会闹矛盾的。Wǒmen liǎ ~ de hěn hǎo, bú huì nào máodùn de. |你和他~熟了，就了解他了。Nǐ hé tā ~ shúle, jiù liǎojiě tā le. |他特别注意和大家~好关系。Tā tèbié zhùyì hé dàjiā ~ hǎo guānxi.

chǔfèn 处分（處分）[动]

因为他违反了纪律，上级~了他。Yīnwèi tā wéifǎnle jìlǜ, shàngjí ~ le tā. →他犯了错误，上级对他进行了批评和处理。Tā fànle cuòwù, shàngjí duì tā jìnxíng le pīpíng hé chǔlǐ. 例他开车撞伤了人，交通部门肯定要~他的。Tā kāi chē zhuàngshāngle rén, jiāotōng bùmén kěndìng yào ~ tā de. |他被学校~过一次。Tā bèi xuéxiào ~ guo yí cì. |受了~以后，他觉得自己确实应当好好儿想想了。Shòule ~ yǐhòu, tā juéde zìjǐ quèshí yīngdāng hǎohāor xiǎngxiang le.

chǔlǐ 处理[1]（處理）[动]

那件事已经~完了。Nèi jiàn shì yǐjing ~ wán le. →那件事已经做了安排，问题已经解决了。Nèi jiàn shì yǐjing zuòle ānpái, wèntí yǐjing jiějué le. 例这件事情~得很及时。Zhèi jiàn shìqing ~ de hěn jíshí. |过去我曾~过这类问题，很不好办。Guòqù wǒ céng ~ guo zhèi lèi wèntí, hěn bù hǎo bàn. |他是个工作能力很强的人，~日常工作很有办法。Tā shì ge gōngzuò nénglì hěn qiáng de rén, ~ rìcháng gōngzuò hěn yǒu bànfǎ. |大家提出的这些意见，怎么~呀？Dàjiā tíchū de zhèixiē yìjiàn, zěnme ~ ya?

chǔlǐ 处理[2]（處理）[动]

这个商店~夏天的衣服，很便宜。Zhèige shāngdiàn ~ xiàtiān de yīfu, hěn piányi. →刚过夏天，商店就把夏天的衣服降低价格卖出去。Gāng guò xiàtiān, shāngdiàn jiù bǎ xiàtiān de yīfu jiàngdī jiàgé mài chuqu. 例东方商场~一些商品，快去买吧。Dōngfāng Shāngchǎng ~ yìxiē shāngpǐn, kuài qù mǎi ba. |这些衬衫要赶快~掉。Zhèixiē chènshān yào gǎnkuài ~ diào. |买~的东西省不少钱呢。Mǎi ~ de dōngxi shěng bù shǎo qián ne. |买了这双~的鞋真

上当！Mǎile zhèi shuāng ~ de xié zhēn shàngdàng!

chù 处（處）[名]

我想上汉语进修班，明天到报名 ~ 去报名。Wǒ xiǎng shàng Hànyǔ jìnxiūbān, míngtiān dào bàomíng ~ qù bàomíng. →明天我到汉语进修班报名的地方去报名。Míngtiān wǒ dào Hànyǔ jìnxiūbān bào míng de dìfang qù bàomíng. 例来开会的人先到接待 ~ 去登记。Lái kāihuì de rén xiān dào jiēdài ~ qù dēngjì. | 请帮他找个住 ~ 好吗？Qǐng bāng tā zhǎo ge zhù ~ hǎo ma? | 星期天我并不是无 ~ 可去，只是想一个人静静地读读书。Xīngqītiān wǒ bìng bú shì wú ~ kě qù, zhǐshì xiǎng yí ge rén jìngjìng de dúdu shū. | 去登记 ~ 要从这里往东走。Qù dēngjì ~ yào cóng zhèlǐ wǎng dōng zǒu.

chuan

chuān 穿[1] [动]

我们 ~ 过了一条大街，来到了公园门口儿。Wǒmen ~ guole yì tiáo dàjiē, láidàole gōngyuán ménkǒur. →我们从大街的这头儿一直向另一头儿走过去，来到了公园门口儿。Wǒmen cóng dàjiē de zhè tóur yìzhí xiàng lìng yì tóur zǒu guoqu, láidàole gōngyuán ménkǒur. 例你把绳子 ~ 过这个孔儿，镜子就可以挂起来了。Nǐ bǎ shéngzi ~ guo zhèi ge kǒngr, jìngzi jiù kěyǐ guà qilai le. | ~ 过这片空地就是我们村了。~ guo zhèi piàn kòngdì jiù shì wǒmen cūn le. | 他俩是从那条小路上 ~ 过来的。Tā liǎ shì cóng nèi tiáo xiǎolù shang ~ guolai de. | 那天，我一个人在树林里 ~ 来 ~ 去，都找不到路了。Nèi tiān, wǒ yí ge rén zài shùlín li ~ lái ~ qù, dōu zhǎo bu dào lù le.

chuān 穿[2] [动]

他 ~ 上大衣出门去了。Tā ~ shang dàyī chūmén qu le. →他把大衣套在身上就出门去了。Tā bǎ dàyī tào zài shēnshang jiù chūmén qu le. 例他 ~ 着那双黑色的新皮鞋参加晚会去了。Tā ~ zhe nèi shuāng hēisè de xīn píxié cānjiā wǎnhuì qu le. | 快把衣服 ~ 好，咱们该走了。Kuài bǎ yīfu ~ hǎo, zánmen gāi zǒu le. | 新袜子才 ~ 了两三回就 ~ 破了。Xīn wàzi cái ~ le liǎng sān huí jiù ~ pò le. | 鞋太小，脚 ~ 不进去。Xié tài xiǎo, jiǎo ~ bu jìnqù. | 你 ~ ~ 这条裤子看合适不合适。Nǐ ~ ~ zhèi tiáo kùzi kàn héshì bù héshì. | 你 ~ 不 ~ 这件衬衫？Nǐ ~ bu ~ zhèi jiàn chènshān? | 我觉得 ~ 这件好看。

Wǒ juéde ~ zhèi jiàn hǎokàn.

chuán 传¹ (傳) [动]

请把这本书~到前排去。Qǐng bǎ zhèi běn shū ~ dào qiánpái qu. →书从一个人手里递到另一个人手里，一个一个地递过去。Shū cóng yí ge rén shǒu li dìdào lìng yí ge rén shǒu li, yí ge yí ge de dì guoqu. 例五号运动员把球~给了八号运动员。Wǔ hào yùndòngyuán bǎ qiú ~ gěi le bā hào yùndòngyuán. |请你帮我~句话，就说我明天去医院。Qǐng nǐ bāng wǒ ~ jù huà, jiù shuō wǒ míngtiān qù yīyuàn. |A队~球比B队~得快。A duì ~ qiú bǐ B duì ~ de kuài. |那本小说~过来~过去，现在也不知道~到谁手里了。Nèi běn xiǎoshuō ~ guòlái ~ guòqù, xiànzài yě bù zhīdào ~ dào shéi shǒu li le.

chuánrǎn 传染 (傳染) [动]

这种病~，要特别注意。Zhèi zhǒng bìng ~, yào tèbié zhùyì. →这种病的病菌会传到别人身上，让别人也得这种病。Zhèi zhǒng bìng de bìngjūn huì chuándào biéren shēnshang, ràng biéren yě dé zhèi zhǒng bìng. 例别害怕，这种病不~。Bié hàipà, zhèi zhǒng bìng bù ~. |我得了感冒，希望别~给别人。Wǒ déle gǎnmào, xīwàng bié ~ gěi biéren. |他被别人~上感冒了，发烧三十八度呢。Tā bèi biéren ~ shang gǎnmào le, fāshāo sānshíbā dù ne. |春天正是~病流行的时候，最好不要到人多的地方去。Chūntiān zhèng shì ~ bìng liúxíng de shíhou, zuìhǎo búyào dào rén duō de dìfang qù. |这种病~得很快，可厉害啦! Zhèi zhǒng bìng ~ de hěn kuài, kě lìhai la!

chuántǒng 传统 (傳統) [名]

今天是中国的~节日春节。Jīntiān shì Zhōngguó de ~ jiérì Chūnjié. →这个节日是从中国古代传下来的节日。Zhèige jiérì shì cóng Zhōngguó gǔdài chuán xialai de jiérì. 例这个楼群比较特别，全都是~建筑。Zhèige lóuqún bǐjiào tèbié, quán dōu shì ~ jiànzhù. |世界上各个民族都有自己的好~。Shìjiè shang gè gè mínzú dōu yǒu zìjǐ de hǎo ~. |尊敬老人的优良~，我们会好好儿传下去的。Zūnjìng lǎorén de yōuliáng ~, wǒmen huì hǎohāor chuán xiaqu de. |爱国~是许多国家的人民共同具有的。Àiguó ~ shì xǔduō guójiā de rénmín gòngtóng jùyǒu de.

chuánzhēn 传真（傳真）[名]

我已经给公司发～过去了。Wǒ yǐjing gěi gōngsī fā ～ guoqu le. → 我是通过一种专门的机器把文字材料传过去的。Wǒ shì tōngguò yì zhǒng zhuānmén de jīqì bǎ wénzì cáiliào chuán guoqu de. 例我写好这篇文章就给你发～去。Wǒ xiěhǎo zhèi piān wénzhāng jiù gěi nǐ fā ～ qu. l 有你的～，快去看看。Yǒu nǐ de ～, kuài qù kànkan. l 报纸上登出了会议的～照片儿。Bàozhǐ shang dēngchūle huìyì de ～ zhàopiānr. l 请把你的～号码儿写下来。Qǐng bǎ nǐ de ～ hàomǎr xiě xialai.

chuán 传² （傳）[动]

师傅把他的好技术都～给我了。Shīfu bǎ tā de hǎo jìshù dōu ～ gěi wǒ le. → 师傅把他会的好技术都教给了我，帮我也学会了那些好技术。Shīfu bǎ tā huì de hǎo jìshù dōu jiāo gěi le wǒ, bāng wǒ yě xuéhuìle nèixiē hǎo jìshù. 例请把你们的经验～给我们吧。Qǐng bǎ nǐmen de jīngyàn ～ gěi wǒmen ba. l 这种特别的制造技术是从外国～过来的。Zhèi zhǒng tèbié de zhìzào jìshù shì cóng wàiguó ～ guolai de. l 方大夫说："我一定要把看病的经验 ～ 给年轻人。"Fāng dàifu shuō: "Wǒ yídìng yào bǎ kànbìng de jīngyàn ～ gěi niánqīngrén."

chuán 传³ （傳）[动]

比赛胜利的消息～开了。Bǐsài shènglì de xiāoxi ～ kāi le. →人们都知道了比赛胜利的消息。Rénmen dōu zhīdaole bǐsài shènglì de xiāoxi. 例这件事千万不要～出去。Zhèi jiàn shì qiānwàn búyào ～ chuqu. l 我们部门得了科学技术大奖，立刻在全公司～遍了。Wǒmen bùmén déle kēxué jìshù dàjiǎng, lìkè zài quán gōngsī ～ biàn le. l 我出国留学的事，你先别向外～啊。Wǒ chūguó liúxué de shì, nǐ xiān bié xiàng wài ～ a. l 我不相信外面～来的这些消息。Wǒ bù xiāngxìn wàimiàn ～ lai de zhèixiē xiāoxi.

chuánbō 传播（傳播）[动]

这个新的理论很快就～开了。Zhèige xīn de lǐlùn hěn kuài jiù ～ kāi le. →这个新理论很快就广泛地传开了，许多人都知道了。Zhèige xīn lǐlùn hěn kuài jiù guǎngfàn de chuánkāi le, xǔduō rén dōu zhīdao le. 例好的经验已经在全公司～开来。Hǎo de jīngyàn yǐjing zài quán gōngsī ～ kāi lái. l 这件事情怎么～得这么快呀？Zhèi jiàn shìqing zěnme ~ de zhème kuài ya? |苍蝇和蚊子能~疾病。Cāngying hé wénzi néng ~ jíbìng. |东方文化~到了西方，西方文化也~到了东方。Dōngfāng wénhuà ~ dàole Xīfāng, Xīfāng wénhuà yě ~ dàole Dōngfāng. |没有什么根据的话最好别到处~。Méiyǒu shénme gēnjù de huà zuìhǎo bié dàochù ~.

chuán 船 [名]

例 我们从海上坐~到了香港。Wǒmen cóng hǎishang zuò ~ dàole Xiānggǎng. |码头上许多人正在上~，也有不少人下~。Mǎtou shang xǔduō rén zhèngzài shàng ~, yě yǒu bùshǎo rén xià ~. |星期天我们去湖里划~好不好? Xīngqītiān wǒmen qù hú li huá ~ hǎo bu hǎo? |一只运货的大~开过来了。Yì zhī yùn huò de dà ~ kāi guolai le. |~有很多种，你喜欢哪一种? ~ yǒu hěn duō zhǒng, nǐ xǐhuan něi yì zhǒng? |这只~上有多少人? Zhèi zhī ~ shang yǒu duōshao rén?

船

chuang

chuāng 窗 [名]

例 开~通风，可以保持房间里的空气新鲜。Kāi ~ tōngfēng, kěyǐ bǎochí fángjiān li de kōngqì xīnxiān. |刮大风了，快关~吧。Guā dàfēng le, kuài guān ~ ba. |他的座位是靠~的。Tā de zuòwèi shì kào ~ de. |~上挂着两个小玩具，真有意思。 ~ shang guàzhe liǎng ge xiǎo wánjù, zhēn yǒu yìsi. |一进门就把~开开，都成了我的习惯了。Yí jìnmén jiù bǎ ~ kāikai, dōu chéngle wǒ de xíguàn le.

chuānghu 窗户 [名]

例 ~关着，可能房间里没有人。~ guānzhe, kěnéng fángjiān li méiyǒu rén. |我们打开~吧，好让新鲜空气进来。Wǒmen dǎkai ~ ba, hǎo ràng xīnxiān kōngqì jìnlai. |~外边是一片草地。 ~ wàibian shì yí piàn cǎodì. |~的玻璃碎了，该修一下儿了。 ~ de bōli suì le, gāi xiū yíxiàr le. |咱们把~擦一擦，好吗? Zánmen bǎ ~ cā yi cā, hǎo ma? |月亮的光从~里射了进来。

窗、窗户

Yuèliang de guāng cóng ~ li shèle jinlai. | 奶奶用红纸剪成小花儿贴
在 ~ 上。Nǎinai yòng hóng zhǐ jiǎnchéng xiǎohuār tiē zài ~ shang.

chuānglián 窗帘（窗簾）[名]

这个房间里的~真漂亮。Zhèige fángjiān li de ~ zhēn piàoliang. →
房间里挡窗户的布非常好看。Fángjiān li dǎng chuānghu de bù
fēicháng hǎokàn. 例这幅~多好看哪! Zhèi fú ~ duō hǎokàn na! |
我喜欢落地的大 ~。Wǒ xǐhuan luòdì de dà ~. | 这商店里的~布多
着呢，你喜欢哪一种? Zhè shāngdiàn li de ~ bù duōzhe ne, nǐ
xǐhuan něi yì zhǒng? | 天已经大亮了，快把~拉开吧。Tiān yǐjing dà
liàng le, kuài bǎ ~ lākai ba. | 这个颜色的~和这个房间里的家具配
合在一起正合适。Zhèige yánsè de ~ hé zhèige fángjiān li de jiājù
pèihé zài yìqǐ zhèng héshì.

chuáng 床 [名]

例这种 ~ 比较舒服。Zhèi zhǒng ~
bǐjiào shūfu. | 房间里摆了两张~:
一张单人 ~，一张双人 ~。Fángjiān
li bǎile liǎng zhāng ~: yì zhāng
dānrén ~, yì zhāng shuāngrén ~. |
我进门时，他正躺在~上休息。Wǒ
jìnmén shí, tā zhèng tǎng zài ~

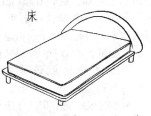

床

shang xiūxi. | 每天晚上到了十点，我们全家人就都上~睡觉了。
Měi tiān wǎnshang dàole shí diǎn, wǒmen quán jiā rén jiù dōu shàng
~ shuìjiào le. | 早上醒来，我还没下 ~，就听到有人喊我。
Zǎoshang xǐnglái, wǒ hái méi xià ~, jiù tīngdào yǒu rén hǎn wǒ.

chuángwèi 床位 [名]

医院里现在没有~，请等几天吧。Yīyuàn li xiànzài méiyǒu ~, qǐng
děng jǐ tiān ba. →病人太多，医院里现在暂时还没有供住院病人用
的床。Bìngrén tài duō, yīyuàn li xiànzài zànshí hái méiyǒu gōng
zhùyuàn bìngrén yòng de chuáng. 例这班轮船有很多空的 ~。Zhèi
bān lúnchuán yǒu hěn duō kōng de ~. | 这所医院的 ~ 不紧张，病
人可以随时来办手续住进医院。Zhèi suǒ yīyuàn de ~ bù jǐnzhāng,
bìngrén kěyǐ suíshí lái bàn shǒuxù zhùjìn yīyuàn. | 我们的集体宿舍里
共有四个 ~，住了三个人。Wǒmen de jítǐ sùshè li gòng yǒu sì ge
~, zhù le sān ge rén. | 近年来，本市医院的~数量增加了不少。
Jìnnián lái, běn shì yīyuàn de ~ shùliàng zēngjiāle bùshǎo.

chuǎng 闯（闖）［动］

我们正在房间里聊天儿，大卫~了进来。Wǒmen zhèngzài fángjiān li liáotiānr, Dàwèi ~ le jinlai. →大卫没有和我们打招呼，很猛地冲了进来。Dàwèi méiyǒu hé wǒmen dǎ zhāohu, hěn měng de chōngle jinlai. 例我们正在街上走着，比尔~了过来。Wǒmen zhèngzài jiē shang zǒuzhe, Bǐ'ěr ~ le guolai. | 我正要出门，忽然~进一个人来。Wǒ zhèng yào chūmén, hūrán ~ jin yí ge rén lai. | 他~进医院着急地问："病人在哪儿?"Tā ~ jin yīyuàn zháojí de wèn: "Bìngrén zài nǎr?"

chuàngzào 创造（創造）［动］

新的方法~出来以后，效率提高了两倍。Xīn de fāngfǎ ~ chulai yǐhòu, xiàolǜ tígāole liǎng bèi. →这种方法从无到有，是人们想出来，研究出来的。Zhèi zhǒng fāngfǎ cóng wú dào yǒu, shì rénmen xiǎng chulai, yánjiū chulai de. 例这种新的理论被~出来，经过了很多年的实验和研究。Zhèi zhǒng xīn de lǐlùn bèi ~ chulai, jīngguòle hěn duō nián de shíyàn hé yánjiū. | 这种机器是王工程师~的。Zhèi zhǒng jīqì shì Wáng gōngchéngshī ~ de. | 我们球队完全能够~出更好的成绩来。Wǒmen qiúduì wánquán nénggòu ~ chu gèng hǎo de chéngjì lai. | 这次比赛~了不少新记录。Zhèi cì bǐsài ~ le bùshǎo xīn jìlù. | 他的这种~精神真了不起! Tā de zhèi zhǒng ~ jīngshén zhēn liǎo bu qǐ!

chuàngzuò 创作¹（創作）［动］

这位作家正在~一部小说。Zhèi wèi zuòjiā zhèngzài ~ yí bù xiǎoshuō. →他正在写一部小说，为社会创造文艺作品。Tā zhèngzài xiě yí bù xiǎoshuō, wèi shèhuì chuàngzào wényì zuòpǐn. 例这位音乐家在一年的时间里~出了不少好歌儿。Zhèi wèi yīnyuèjiā zài yì nián de shíjiān li ~ chule bùshǎo hǎo gēr. | 请把你的~经验介绍给爱好文学的青年吧。Qǐng bǎ nǐ de ~ jīngyàn jièshào gěi àihào wénxué de qīngnián ba. | 他不仅歌儿唱得好，还会~歌曲呢。Tā bùjǐn gēr chàng de hǎo, hái huì ~ gēqǔ ne.

chuàngzuò 创作²（創作）［名］

他的~受到了年轻人的欢迎。Tā de ~ shòudàole Mánqīngrén de huānyíng. →年轻人喜欢读他写的文艺作品。Niánqīngrén xǐhuan dú tā xiě de wényì zuòpǐn. 例这位著名画家的~在展览馆展出了三

个月。Zhèi wèi zhùmíng huàjiā de ~ zài zhǎnlǎnguǎn zhǎnchūle sān ge yuè. | 这部 ~ 反映了当代的社会生活。Zhèi bù ~ fǎnyìngle dāngdài de shèhuì shēnghuó. | 古代的文学家给我们留下了不少优秀的文学 ~。Gǔdài de wénxuéjiā gěi wǒmen liúxiale bùshǎo yōuxiù de wénxué ~.

chui

chuī 吹[1] [动]

秋天，风一~，树上的叶子都落了下来。Qiūtiān, fēng yì ~, shù shang de yèzi dōu luò le xialai. →风经过树的叶子时，叶子都落了下来。Fēng jīngguò shù de yèzi shí, yèzi dōu luòle xialai. 风一~，地上的土都飞起来了。Fēng yì ~, dìshang de tǔ dōu fēi qilai le. | 风轻轻地 ~ 着湖里的水。Fēng qīngqīng de ~ zhe hú li de shuǐ. | 一阵风~过来，我觉得冷极了。Yí zhèn fēng ~ guolai, wǒ juéde lěngjí le. | 春天的风 ~ 到脸上，舒服得很。Chūntiān de fēng ~ dào liǎn shang, shūfu de hěn. | 大风把小树 ~ 倒了。Dàfēng bǎ xiǎoshù ~ dǎo le.

chuī 吹[2] [动]

他一下儿就把蜡烛 ~ 灭了。Tā yí xiàr jiù bǎ làzhú ~ miè le. →他把嘴唇紧缩成圆的形状，向着蜡烛吐出一口气，蜡烛就灭了。Tā bǎ zuǐchún jǐnsuō chéng yuán de xíngzhuàng, xiàngzhe làzhú tǔchū yì kǒu qì, làzhú jiù miè le. 他用力把气球 ~ 得大大的。Tā yònglì bǎ qìqiú ~ de dàdà de. | 十八支蜡烛，他 ~ 了三次。Shíbā zhī làzhú, tā ~ le sān cì. | 大卫一边走一边用嘴 ~ 着歌曲。Dàwèi yìbiān zǒu yìbiān yòng zuǐ ~ zhe gēqǔ.

chuī 吹[3] [动]

他经常 ~ 自己有学问。Tā jīngcháng ~ zìjǐ yǒu xuéwen. →他本来没有学问，可他经常对别人说他有学问。Tā běnlái méiyǒu xuéwen, kě tā jīngcháng duì biéren shuō tā yǒu xuéwen. 他爱把自己 ~ 成英雄。Tā ài bǎ zìjǐ ~ chéng yīngxióng. | 这个人 ~ 得太厉害了，没有人相信他。Zhèige rén ~ de tài lìhai le, méiyǒu rén xiāngxìn tā. | 别再 ~ 了，谁还不了解你呢。Bié zài ~ le, shéi hái bù liǎojiě nǐ ne. | 人们最讨厌爱 ~ 的人了。Rénmen zuì tǎoyàn ài ~ de rén le. | 别看他没什么真本事，却挺能 ~。Bié kàn tā méi shénme zhēn běnshi, què tǐng néng ~.

chuī niú 吹牛

你~, 你说的根本就不是真的。Nǐ ~, nǐ shuō de gēnbě jiù bú shì zhēn de. →你说的全都是事实上达不到或做不到的。Nǐ shuō de quán dōu shì shìshí shang dá bu dào huò zuò bu dào de. 例他~, 你不要信他的话。Tā ~, nǐ búyào xìn tā de huà. | 他~吹得大家都不相信他的话了。Tā ~ chuī de dàjiā dōu bù xiāngxìn tā de huà le. | 我最看不起喜欢~的人了。Wǒ zuì kànbuqǐ xǐhuan ~ de rén le. | 他吹了半天牛, 没有一个人听他的。Tā chuīle bàntiān niú, méiyǒu yí ge rén tīng tā de. | 在我们面前, 你吹什么牛啊! Zài wǒmen miànqián, nǐ chuī shénmen niú a!

chuī 吹[4] [动]

告诉你, 我和我的女朋友~了。Gàosu nǐ, wǒ hé wǒ de nǚpéngyou ~ le. →我和我的女朋友谈恋爱没有成功。Wǒ hé wǒ de nǚpéngyou tán liàn'ài méiyǒu chénggōng. 例你知道吗? 办公司的事~了。Nǐ zhīdao ma? Bàn gōngsī de shì ~ le. | 他们俩的感情特别深, ~不了。Tāmen liǎ de gǎnqíng tèbié shēn, ~ bu liǎo. | 看来困难还不小, 买车的计划就~了吧。Kànlái kùnnan hái bù xiǎo, mǎi chē de jìhuà jiù ~ le ba. | 我们的关系本来很好, 我也没想到会~。Wǒmen de guānxi běnlái hěn hǎo, wǒ yě méi xiǎngdào huì ~.

chun

chūn 春 [名]

spring 例 2002 年~, 我访问了几个著名的城市。Èr líng líng èr nián ~, wǒ fǎngwènle jǐ ge zhùmíng de chéngshì. | 在这里, ~夏秋冬气候的变化不太大。Zài zhèlǐ, ~ xià qiū dōng qìhòu de biànhuà bú tài dà. | 自从那年开~我离开了家乡就再也没回去过。Zìcóng nèi nián kāi ~ wǒ líkāile jiāxiāng jiù zài yě méi huíqu guo. | 外面很冷, 而房间里却温暖如~。Wàimiàn hěn lěng, ér fángjiān li què wēnnuǎn rú ~.

Chūnjié 春节(春節) [名]

~就要到了, 我们要好好儿地玩儿一玩儿。~ jiù yào dào le, wǒmen yào hǎohāor de wánr yi wánr. →这是中国人最主要的传统节日, 大约在每年的一月或二月。Zhè shì Zhōngguórén zuì zhǔyào de chuántǒng jiérì, dàyuē zài měi nián de Yīyuè huò Èryuè. **例** ~ 到了，全国各地都那么热闹。~ dào le, quán guó gè dì dōu nàme rènao. |每年我都回到父母身边过 ~。Měi nián wǒ dōu huídào fùmǔ shēnbiān guò ~. |祝你 ~ 快乐，全家幸福。Zhù nǐ ~ kuàilè, quán jiā xìngfú. |离 ~ 还有好几天，妈妈就忙开了。Lí ~ hái yǒu hǎojǐ tiān, māma jiù mángkai le. |~ 期间，大家都互相祝贺。~ qījiān, dàjiā dōu hùxiāng zhùhè.

chūntiān 春天 [名]

~ 是一年中最好的季节。~ shì yì nián zhōng zuì hǎo de jìjié. →寒冷的冬天过去了，天气渐渐暖和了。Hánlěng de dōngtiān guòqu le, tiānqì jiànjiàn nuǎnhuo le. **例** ~ 来了，花开了，草绿了。~ lái le, huā kāi le, cǎo lǜ le. |我爱 ~，它给人们带来了温暖。Wǒ ài ~, tā gěi rénmen dàilaile wēnnuǎn. | ~ 的天气不冷也不热，比夏天好多了。~ de tiānqì bù lěng yě bú rè, bǐ xiàtiān hǎo duō le. |人们常在 ~ 出去旅游。Rénmen cháng zài ~ chūqu lǚyóu. |明年 ~ 我还要到中国去。Míngnián ~ wǒ hái yào dào Zhōngguó qù.

ci

cídài 磁带（磁帶）[名]

录放机里已经放好 ~ 了。Lùfàngjī li yǐjing fànghǎo ~ le. →在录放机里放好要听的东西以后，你一开机就能听到你所要听的内容了。Zài lùfàngjī li fànghǎo yào tīng de dōngxi yǐhòu, nǐ yì kāijī jiù néng tīngdào nǐ suǒ yào tīng de nèiróng le. **例** 昨天我买了两盘歌曲 ~。Zuótiān wǒ mǎile liǎng pán gēqǔ ~. |我有好多录音 ~，你喜欢什么就选吧。Wǒ yǒu hǎo duō lùyīn ~, nǐ xǐhuan shénme jiù xuǎn ba. |这些 ~ 都不错，每一盘儿我都想要。Zhèixiē ~ dōu búcuò, měi yì pánr wǒ dōu xiǎng yào. |这种 ~ 的质量比那种好。Zhèi zhǒng ~ de zhìliàng bǐ nèi zhǒng hǎo. |平时要把 ~ 放在盒子里好好儿保存。Píngshí yào bǎ ~ fàng zài hézi li hǎohāor bǎocún.

cí 词（詞）[名]

word **例** 你学会这些 ~ 了吗？Nǐ xuéhuì zhèixiē ~ le ma? |我已经查过词典，这些 ~ 我已经懂了。Wǒ yǐjing cháguo cídiǎn, zhèixiē ~ wǒ yǐjing dǒng le. |今天刚学的新 ~，我还不大会用呢。Jīntiān gāng xué de xīn ~, wǒ hái bú dà huì yòng ne. |请用这十个 ~ 造句。Qǐng yòng zhèi shí ge ~ zàojù. |学外语一定要掌握一定数量的

~ 。Xué wàiyǔ yídìng yào zhǎngwò yídìng shùliàng de ~ . |这个 ~ 的意思是什么？Zhèige ~ de yìsi shì shénme?

cídiǎn 词典（詞典）［名］

dictionary 例学习一种语言离不开~ 。Xuéxí yì zhǒng yǔyán lí bu kāi ~ . |学会查~并不难。Xuéhuì chá ~ bìng bù nán. |~是我学习汉语的重要工具。~ shì wǒ xuéxí Hànyǔ de zhòngyào gōngjù. |这本 ~编得好，大家都喜欢用它。Zhèi běn ~ biān de hǎo, dàjiā dōu xǐhuan yòng tā. |请把你的~借给我用用好吗？Qǐng bǎ nǐ de ~ jiè gěi wǒ yòngyong hǎo ma? |在我的学习中，~的用处可大啦。Zài wǒ de xuéxí zhōng, ~ de yòngchù kě dà la. |如果有的词你不懂，翻一翻~就解决了。Rúguǒ yǒude cí nǐ bù dǒng, fān yi fān ~ jiù jiějué le.

cǐ 此 ［代］

就在 ~ 时，忽然从外面走进一个人来。Jiù zài ~ shí, hūrán cóng wàimiàn zǒujìn yí ge rén lai. →就在这个时候，走进一个人来。Jiù zài zhèige shíhou, zǒujìn yí ge rén lai. 例~人我好像在哪儿见过。~ rén wǒ hǎoxiàng zài nǎr jiànguo. |我想在~地多住些日子。Wǒ xiǎng zài ~ dì duō zhùxiē rìzi. |由~向西，你就可以找到那个商店了。Yóu ~ xiàng xī, nǐ jiù kěyǐ zhǎodào nèige shāngdiàn le. |没有别的见面机会了，我们就在~说声再见吧。Méiyǒu biéde jiànmiàn jīhuì le, wǒmen jiù zài ~ shuō shēng zàijiàn ba. |黄教授明天到~给大学生做报告。Huáng jiàoshòu míngtiān dào ~ gěi dàxuéshēng zuò bàogào.

cǐwài 此外 ［连］

我的房间里多数是文学方面的书，~还有一些理论书。Wǒ de fángjiān li duōshù shì wénxué fāngmiàn de shū, ~ hái yǒu yìxiē lǐlùn shū. →我的房间里除了文学方面的书以外，还有一些理论书。Wǒ de fángjiān li chúle wénxué fāngmiàn de shū yǐwài, hái yǒu yìxiē lǐlùn shū. 例这个水果店里有好多苹果，~还有橘子、香蕉什么的。Zhèige shuǐguǒdiàn li yǒu hǎo duō píngguǒ, ~ hái yǒu júzi, xiāngjiāo shénmede. |我想到中国和日本去旅游，~，我还想到亚洲的其他国家看看。Wǒ xiǎng dào Zhōngguó hé Rìběn qù lǚyóu, ~, wǒ hái xiǎng dào Yàzhōu de qítā guójiā kànkan. |他就爱下棋，~什么爱好也没有了。Tā jiù ài xiàqí, ~ shénme àihào yě méiyǒu le. |只有他俩还常来玩儿玩儿，~就没有别的什么人来了。Zhǐyǒu tā liǎ hái cháng lái wánrwanr, ~ jiù méiyǒu biéde shénme rén lái le.

cì 次¹ ［量］

用于可以重复出现的动作。Yòngyú kěyǐ chóngfù chūxiàn de dòngzuò. 例我来过两 ~，都没有找到他。Wǒ láiguo liǎng ~，dōu méiyǒu zhǎodào tā. ｜我给你打电话打了好几 ~，现在才打通。Wǒ gěi nǐ dǎ diànhuà dǎle hǎojǐ ~，xiànzài cái dǎtōng. ｜从小到大，他还没进过一 ~ 城呢。Cóng xiǎo dào dà, tā hái méi jìnguo yí ~ chéng ne. ｜我曾四 ~ 访问法国。Wǒ céng sì ~ fǎngwèn Fǎguó. ｜他第二 ~ 请我参加演出时，我答应了。Tā dì èr ~ qǐng wǒ cānjiā yǎnchū shí, wǒ dāyìng le. ｜这个单词太难读了，我一 ~ ~ 地读着它。Zhèige dāncí tài nán dú le, wǒ yí ~ ~ de dúzhe tā. ｜有一 ~ 我去找比尔，正好他出去了。Yǒu yí ~ wǒ qù zhǎo Bǐ'ěr, zhènghǎo tā chūqu le.

cì 次² ［量］

用于可以重复出现的事物。Yòngyú kěyǐ chóngfù chūxiàn de shìwù. 例这个月的三 ~ 会他都参加了。Zhèige yuè de sān ~ huì tā dōu cānjiā le. ｜这 ~ 活动比上 ~ 活动更有趣。Zhèi ~ huódòng bǐ shàng ~ huódòng gèng yǒuqù. ｜我的第一 ~ 爱情给了他。Wǒ de dì yī ~ àiqíng gěile tā. ｜对于发展自己，这是一 ~ 好机会，我一定要抓住它。Duìyú fāzhǎn zìjǐ, zhè shì yí ~ hǎo jīhuì, wǒ yídìng yào zhuāzhù tā. ｜生命对于每个人来说只有一 ~。Shēngmìng duìyú měige rén lái shuō zhǐ yǒu yí ~. ｜你的一 ~ 又一 ~ 的来信我都收到了。Nǐ de yí ~ yòu yí ~ de láixìn wǒ dōu shōudào le.

cìxù 次序 ［名］

请按 ~ 排好队上车。Qǐng àn ~ páihǎo duì shàng chē. →先来的在前面，后来的在后面，一个挨一个地排好队上车。Xiān lái de zài qiánmiàn, hòu lái de zài hòumiàn, yí ge āi yí ge de páihǎo duì shàng chē. 例请按 ~ 一个一个地登记。Qǐng àn ~ yí ge yí ge de dēngjì. ｜发言的 ~ 已经定下来了。Fāyán de ~ yǐjīng dìng xialai le. ｜来报名的人太多，还是安排一下ㄦ ~ 吧。Lái bàomíng de rén tài duō, háishi ānpái yíxiàr ~ ba. ｜因为有两个演员迟到，需要改变晚会节目的 ~。Yīnwèi yǒu liǎng ge yǎnyuán chídào, xūyào gǎibiàn wǎnhuì jiémù de ~. ｜大家很有 ~ 地进入会场。Dàjiā hěn yǒu ~ de jìnrù huìchǎng.

cì 刺 [动]

针尖儿~破了他的手，都流血了。Zhēnjiānr ~ pòle tā de shǒu, dōu liú xiě le. →针尖儿进到他手的皮肤里去，血都流出来了。Zhēnjiānr jìndào tā shǒu de pífū li qu, xiě dōu liú chulai le. 例我不小心让刀尖儿~了一下儿，不过没流血。Wǒ bù xiǎoxīn ràng dāojiānr ~ le yí xiàr, búguò méi liú xiě. | 这针不太尖，~得进去~不进去? Zhè zhēn bú tài jiān, ~ de jìnqù ~ bu jìnqù? | 医生用银针在我的身体各处~，但是一点儿都不疼。Yīshēng yòng yínzhēn zài wǒ de shēntǐ gè chù ~, dànshì yìdiǎn dōu bù téng. | 小心一点儿，别让针~着手。Xiǎoxīn yìdiǎnr, bié ràng zhēn ~ zháo shǒu.

cong

cōngming 聪明(聰明) [形]

这小孩儿真~，学什么都学得快。Zhè xiǎoháir zhēn ~, xué shénme dōu xué de kuài. →这孩子的理解能力很强，记忆能力也很强。Zhè háizi de lǐjiě nénglì hěn qiáng, jìyì nénglì yě hěn qiáng. 例他从小就很~，学了就能记住。Tā cóngxiǎo jiù hěn ~, xué le jiù néng jìzhù. | 天天和~可爱的孩子在一起，多叫人高兴啊! Tiāntiān hé ~ kě'ài de háizi zài yìqǐ, duō jiào rén gāoxìng a! | 妈妈给小丽讲各种知识，她一听就懂，~极了。Māma gěi Xiǎolì jiǎng gè zhǒng zhīshi, tā yì tīng jiù dǒng, ~ jí le. | 他并不比别的人~，只是做什么事都很认真。Tā bìng bù bǐ biéde rén ~, zhǐshì zuò shénmen shì dōu hěn rènzhēn. | 这些年，他变得~起来了。Zhèixiē nián, tā biàn de ~ qilai le.

cóng 从¹ (從) [介]

他~商店里走了出来。Tā ~ shāngdiàn li zǒule chulai. →他开始往外走的地方是那个商店。Tā kāishǐ wǎng wài zǒu de dìfang shì nèige shāngdiàn. 例公司~明天开始改上下班时间。Gōngsī ~ míngtiān kāishǐ gǎi shàng xià bān shíjiān. | 这里往西拐，走20米就是公共汽车站。~ zhèlǐ wǎng xī guǎi, zǒu èrshí mǐ jiù shì gōnggòng qìchēzhàn. | 你~哪里来? ——我~美国来。Nǐ ~ nǎli lái? ——Wǒ ~ Měiguó lái. | ~我家到公司，开车要用半个小时呢。~ wǒ jiā dào gōngsī, kāi chē yào yòng bàn ge xiǎoshí ne. | 会议~上午八点开始。Huìyì ~ shàngwǔ bā diǎn kāishǐ. | ~八岁开始他就喜欢上足

球了。~ bā suì kāishǐ tā jiù xǐhuan shang zúqiú le.

cóngcǐ 从此（從此）[副]

他16岁离开故乡，~就没再回去。Tā shíliù suì líkāi gùxiāng, ~ jiù méi zài huíqu. →从离开故乡的那个时候开始，他一直没有回去过。Cóng líkāi gùxiāng de nèige shíhou kāishǐ, tā yìzhí méiyǒu huíqu guo. 例1998年我来到上海工作，~我把这里当作自己的第二故乡。Yī jiǔ jiǔ bā nián wǒ láidào Shànghǎi gōngzuò, ~ wǒ bǎ zhèlǐ dàngzuò zìjǐ de dì èr gùxiāng. | 刚上大学时，我和比尔住同一个宿舍，~我们俩成了好朋友。Gāng shàng dàxué shí, wǒ hé Bǐ'ěr zhù tóng yí ge sùshè, ~ wǒmen liǎ chéngle hǎo péngyou. | 前年他去了海南岛，~以后我们两个人就失去了联系。Qiánnián tā qùle Hǎinán Dǎo, ~ yǐhòu wǒmen liǎng ge rén jiù shīqùle liánxì.

cóng…dào… 从…到…（從…到…）

~我家~机场，开车大约需要十多分钟。~ wǒ jiā ~ jīchǎng, kāi chē dàyuē xūyǎo shí duō fēnzhōng. →在我家门口开车去机场，路上大约要用十多分钟。Zài wǒ jiā ménkǒu kāi chē qù jīchǎng, lù shang dàyuē yào yòng shí duō fēnzhōng. 例今天~早上~晚上我都特别忙。Jīntiān ~ zǎoshang ~ wǎnshang wǒ dōu tèbié máng. | 这里~邮局还有多远？~ zhèlǐ ~ yóujú hái yǒu duō yuǎn? | ~今年九月~明年八月，他在北京学习一年。~ jīnnián Jiǔyuè ~ míngnián Bāyuè, tā zài Běijīng xuéxí yì nián. | 他是~纽约~华盛顿来的。Tā shì ~ Niǔyuē ~ Huáshèngdùn lái de. | ~过去~现在，他一直对我很好。~ guòqù ~ xiànzài, tā yìzhí duì wǒ hěn hǎo.

cóng…qǐ 从…起¹（從…起）

~下月~，火车时间要改了。~ xiàyuè ~, huǒchē shíjiān yào gǎi le. →下个月开始，火车时间就要改了。Xià ge yuè kāishǐ, huǒchē shíjiān jiù yào gǎi le. 例~这儿~，跑到那条白线是一百米。~ zhèr ~, pǎodào nèi tiáo bái xiàn shì yìbǎi mǐ. | ~现在~，我再也不吸烟了。~ xiànzài ~, wǒ zài yě bù xīyān le. | 文物展览~五月一日~，到五月二十日止。Wénwù zhǎnlǎn ~ Wǔyuè yī rì ~, dào Wǔyuè èrshí rì zhǐ. | ~青年时代~，他就喜欢读世界各国的文学作品。~ qīngnián shídài ~, tā jiù xǐhuan dú shìjiè gè guó de wénxué zuòpǐn.

cóng…qǐ 从…起²（從…起）

他太感动了，都不知道~哪儿说~了。Tā tài gǎndòng le, dōu bù

zhīdào ~ nǎr shuō ~ le. →他感动得不知道从哪件事情开始说了。Tā gǎndòng de bù zhīdào cóng něi jiàn shìqing kāishǐ shuō le. 例有好几年不说汉语了，还是~头儿学~吧。Yǒu hǎojǐ nián bù shuō Hànyǔ le, háishi ~ tóur xué ~ ba. | ~那年去加拿大算~，他已经出国旅游五次了。~ nèi nián qù Jiānádà suàn ~, tā yǐjing chūguó lǚyóu wǔ cì le. | 我们~这个路口逛~，逛到广场为止，好吗? Wǒmen ~ zhèige lùkǒu guàng ~, guàngdào guǎngchǎng wéizhǐ, hǎo ma? | 我们~这棵树数~，看看这里一共有多少棵树。Wǒmen ~ zhèi kē shù shǔ ~, kànkan zhèlǐ yígòng yǒu duōshao kē shù.

cóng 从² (從) [介]

车~大桥上过去比较近。Chē ~ dà qiáo shang guòqu bǐjiào jìn. →车经过大桥，这条路线近一些。Chē jīngguò dà qiáo, zhèi tiáo lùxiàn jìn yìxiē. 例他是~西边儿的楼梯下来的。Tā shì ~ xībianr de lóutī xià lai de. | 你是~海上坐船来上海的吧? Nǐ shì ~ hǎi shang zuò chuán lái Shànghǎi de ba? | 你愿意~大路走还是愿意~小路走? Nǐ yuànyì ~ dà lù zǒu háishi yuànyì ~ xiǎo lù zǒu? | 一些学生~操场穿过去了。Yìxiē xuésheng ~ cāochǎng chuān guoqu le. | 一只蜜蜂~窗户飞了进来。Yì zhī mìfēng ~ chuānghu fēile jinlai.

cóng 从³ (從) [介]

~说话的声音，我就知道电话是妈妈打来的。~ shuōhuà de shēngyīn, wǒ jiù zhīdao diànhuà shì māma dǎlai de. →根据说话的声音我就知道是妈妈打来的电话。Gēnjù shuōhuà de shēngyīn wǒ jiù zhīdao shì māma dǎlai de diànhuà. 例~他的眼睛，我就看出来他很兴奋。~ tā de yǎnjing, wǒ jiù kàn chulai tā hěn xīngfèn. | 这件事~好的方面考虑也就想通了。Zhèi jiàn shì ~ hǎo de fāngmiàn kǎolǜ yě jiù xiǎngtōng le. | 这些书是刚~书店买来的。Zhèixiē shū shì gāng ~ shūdiàn mǎilai de. | ~实际情况出发，事情就好办了。~ shíjì qíngkuàng chūfā, shìqing jiù hǎo bàn le. | ~他的话里，我听出来他很愿意去。~ tā de huà li, wǒ tīng chulai tā hěn yuànyì qù.

cóng …chūfā 从…出发 (從…出發)

我们~实际~，问题就能解决。Wǒmen ~ shíjì ~, wèntí jiù néng jiějué. →如果我们根据实际情况去考虑和处理这件事，就能解决问题。Rúguǒ wǒmen gēnjù shíjì qíngkuàng qù kǎolǜ hé chǔlǐ zhèi jiàn shì, jiù néng jiějué wèntí. 例他们~需要~改变了原来的计划。

Tāmen ~ xūyào ~ gǎibiànle yuánlái de jìhuà. I 你是爱他的， ~ 这
一点 ~ ，你就不会生他的气了。Nǐ shì ài tā de, ~ zhèi yì diǎn ~ ,
nǐ jiù bú huì shēng tā de qì le. I他们不 ~ 企业的生产实际 ~ ，怎么
可能成功呢? Tāmen bù ~ qǐyè de shēngchǎn shíjì ~ , zěnme
kěnéng chénggōng ne?

cóng bù 从不(從不)

他上班 ~ 迟到。Tā shàngbān ~ chídào. →从过去到现在，他一直
没有迟到过。Cóng guòqù dào xiànzài, tā yìzhí méiyǒu chídàoguo.
例他很诚实， ~ 说假话。Tā hěn chéngshí, ~ shuō jiǎ huà. I他对
人和气， ~ 乱批评人。Tā duì rén héqì, ~ luàn pīpíng rén. I不管别
人怎么称赞他，他 ~ 骄傲。Bùguǎn biéren zěnme chēngzàn tā, tā
~ jiāo'ào. I相信我，我 ~ 骗人。Xiāngxìn wǒ, wǒ ~ piàn rén. I
他怎么哭得这么厉害呀? 过去他 ~ 这样。Tā zěnme kū de zhème
lìhai ya? Guòqù tā ~ zhèiyàng.

cóng'ér 从而(從而) [连]

他们采用了新的方法， ~ 很快解决了问题。Tāmen cǎiyòngle xīn de
fāngfǎ, ~ hěn kuài jiějuéle wèntí. →由于他们用了新方法，才得到
这样好的结果，达到了目的。Yóuyú tāmen yòngle xīn fāngfǎ, cái
dédào zhèiyàng hǎo de jiéguǒ, dádàole mùdì. 例他学习非常刻苦，
~ 很快掌握了技术。Tā xuéxí fēicháng kèkǔ, ~ hěn kuài zhǎngwòle
jìshù. I他俩在学习中互相帮助， ~ 达到了共同提高的目的。Tā liǎ
zài xuéxí zhōng hùxiāng bāngzhù, ~ dádàole gòngtóng tígāo de
mùdì. I公司重视发挥职工的才能， ~ 得到了迅速的发展。Gōngsī
zhòngshì fāhuī zhígōng de cáinéng, ~ dédàole xùnsù de fāzhǎn. I
如果让大家都了解学校的计划， ~ 关心学校，那么，学校一定会办
得更好。Rúguǒ ràng dàjiā dōu liǎojiě xuéxiào de jìhuà, ~ guānxīn
xuéxiào, nàme, xuéxiào yídìng huì bàn de gèng hǎo.

cónglái 从来(從來) [副]

他 ~ 不做对不起别人的事。Tā ~ bú zuò duìbuqǐ biéren de shì. →从
过去到现在他都是这样。Cóng guòqù dào xiànzài tā dōu shì
zhèiyàng. 例我 ~ 没去过南方。Wǒ ~ méi qùguo nánfāng. I这件事
我 ~ 没听说过。Zhèi jiàn shì wǒ ~ méi tīngshuōguo. I这家宾馆待客
~ 都这么热情周到。Zhèi jiā bīnguǎn dài kè ~ dōu zhème rèqíng
zhōudào. I她的房间 ~ 都这么干干净净的。Tā de fángjiān ~ dōu
zhème gāngānjìngjìng de. I他是个非常坚强的人， ~ 不怕困难。Tā

shì ge fēicháng jiānqiáng de rén, ~ bú pà kùnnan. I这个城市~没
有像现在这么漂亮。Zhèige chéngshì ~ méiyǒu xiàng xiànzài zhème
piàoliang.

cóng méi 从没(從沒)

他俩结婚二十多年了, ~闹过矛盾。Tā liǎ jiéhūn èrshí duō nián le,
~ nàoguo máodùn. →在过去的二十多年里, 夫妻二人的感情一直
很好, 从来没出现过矛盾。Zài guòqù de èrshí duō nián li, fūqī èr
rén de gǎnqíng yìzhí hěn hǎo, cónglái méi chūxiàngguo máodùn. 例
他在国外几十年了, ~忘记过自己的祖国。Tā zài guówài jǐshí nián
le, ~ wàngjìguo zìjǐ de zǔguó. I这么好听的音乐, 我还~听到过
呢。Zhème hǎotīng de yīnyuè, wǒ hái ~ tīngdaoguo ne. I我听说
过他, 可~见过面。Wǒ tīngshuōguo tā, kě ~ jiànguo miàn. I我
对他谈起过这件事。Wǒ ~ duì tā tánqǐguo zhèi jiàn shì. I在学习
上, 他什么时候都那么认真, ~马虎过。Zài xuéxí shang, tā
shénme shíhou dōu nàme rènzhēn, ~ mǎhuguo.

cóngqián 从前(從前) [名]

~这里是一片田野, 现在竖起了一座座高楼。~ zhèlǐ shì yí piàn
tiányě, xiànzài shùqǐle yí zuò zuò gāo lóu. →这里的情况, 现在和过
去大不一样了。Zhèlǐ dě qíngkuàng, xiànzài hé guòqù dà bù yíyàng
le. 例~他在这所学校上过学。~ tā zài zhèi suǒ xuéxiào shàngguo
xué. I跟~一样, 她还是那么爱唱歌。Gēn ~ yíyàng, tā háishi
nàme ài chànggē. I现在的生活比~好多了。Xiànzài de shēnghuó
bǐ ~ hǎo duō le. I十几年没见了, 他还是~的样子。Shí jǐ nián méi
jiàn le, tā hái shì ~ de yàngzi. I想想~, 看看现在, 他感到已经很
满足了。Xiǎngxiang ~, kànkan xiànzài, tā gǎndào yǐjīng hěn mǎnzú
le.

cóngshì 从事(從事) [动]

周校长~教育工作已经二十多年了。Zhōu xiàozhǎng ~ jiàoyù
gōngzuò yǐjing èrshí duō nián le. →周校长做教育方面的事情二十多
年了。Zhōu xiàozhǎng zuò jiàoyù fāngmiàn de shìqing èrshí duō nián
le. 例他~编辑工作已有多年。Tā ~ biānjí gōngzuò yǐ yǒu duō
nián. I那些长期~科学研究的人爱动脑子思考。Nèixiē chángqī ~
kēxué yánjiū de rén ài dòng nǎozi sīkǎo. I这些人因为专门~破坏活
动被抓起来了。Zhèixiē rén yīnwèi zhuānmén ~ pòhuài huódòng bèi
zhuā qilai le. I他曾~过文学创作, 后来一直~教育工作。Tā céng

~ guo wénxué chuàngzuò, hòulái yìzhí ~ jiàoyù gōngzuò.

cu

cū 粗 [形]

这棵大树真 ~。Zhèi kē dà shù zhēn ~. →这棵树几个人一起抱都抱不过来。Zhèi kē shù jǐ ge rén yìqǐ bào dōu bào bu guòlái. 例这根绳子太 ~ 了，换一根细的吧。Zhèi gēn shéngzi tài ~ le, huàn yì gēn xì de ba. | 这小孩儿真胖，小腿儿 ~ 得很。Zhè xiǎoháir zhēn pàng, xiǎotuǐr ~ de hěn. | 你看这根竹子 ~ 不 ~？Nǐ kàn zhèi gēn zhúzi ~ bu ~? | 你是不是要 ~ 一点儿的？Nǐ shì bu shì yào ~ yìdiǎnr de?

cūxīn 粗心 [形]

我太 ~ 了，又写错了好几个字。Wǒ tài ~ le, yòu xiěcuòle hǎojǐ gè zì. →我太马虎，太不细心，所以写错了字。Wǒ tài mǎhu, tài bú xìxīn, suǒyǐ xiěcuòle zì. 例他这么 ~，把墙上的画儿都贴歪了。Tā zhème ~, bǎ qiángshang de huàr dōu tiēwāi le. | 我有个大毛病，做什么事都 ~。Wǒ yǒu ge dà máobìng, zuò shénme shì dōu ~. | 你这个 ~ 的人，又忘记带笔了吧？Nǐ zhèige ~ de rén, yòu wàngjì dài bǐ le ba? | 做什么事都要认认真真，千万不能 ~。Zuò shénme shì dōu yào rènrenzhēnzhēn, qiānwàn bù néng ~. | 由于我一时 ~，差点儿把箱子丢了。Yóuyú wǒ yìshí ~, chàdiǎnr bǎ xiāngzi diū le.

cùjìn 促进(促進) [动]

这次访问 ~ 了两国贸易的发展。Zhèi cì fǎngwèn ~ le liǎng guó màoyì de fāzhǎn. →通过这次访问，两国贸易有了很大的发展。Tōngguò zhèi cì fǎngwèn, liǎng guó màoyì yǒule hěn dà de fāzhǎn. 例这次活动 ~ 了民族之间的团结。Zhèi cì huódòng ~ le mínzú zhījiān de tuánjié. | 坚持锻炼身体，可以 ~ 健康。Jiānchí duànliàn shēntǐ, kěyǐ ~ jiànkāng. | 他们俩在学习上互相 ~，两个人进步都很快。Tāmen liǎ zài xuéxí shang hùxiāng ~, liǎng ge rén jìnbù dōu hěn kuài. | 你的谈话，对他确实起到了 ~ 作用。Nǐ de tánhuà, duì tā quèshí qǐdàole ~ zuòyòng.

cù 醋 [名]

vinegar 例这种 ~ 特别酸。Zhèi zhǒng ~ tèbié suān. | 饺子好吃吗？放点儿 ~ 更好吃。Jiǎozi hǎochī ma? Fàng diǎnr ~ gèng hǎochī. | ~ 吃完了，你再去买一瓶吧。~ chīwán le, nǐ zài qù mǎi yì píng ba. |

这种 ~ 的味道不错，你尝尝看。Zhèi zhǒng ~ de wèidao búcuò, nǐ chángchang kàn. l请把 ~ 倒在小盘儿里好吗？Qǐng bǎ ~ dào zài xiǎopánr li hǎo ma?

cui

cuī 催 [动]

经理 ~ 我赶快把计划写出来。Jīnglǐ ~ wǒ gǎnkuài bǎ jìhuà xiě chulai. →经理让我快些行动，早一点儿把事情做完。Jīnglǐ ràng wǒ kuài xiē xíngdòng, zǎo yìdiǎnr bǎ shìqing zuòwán. 例早上，妈妈 ~ 孩子们快快起床。Zǎoshang, māma ~ háizimen kuàikuài qǐchuáng. l请你不要再 ~ 我了，我比你还着急呢。Qǐng nǐ búyào zài ~ wǒ le, wǒ bǐ nǐ hái zháojí ne. l他应该交房费了，还是 ~ ~ 他吧。Tā yīnggāi jiāo fángfèi le, háishi ~ ~ tā ba. l我已经 ~ 过你两次了，希望你快把书还上。Wǒ yǐjing ~ guo nǐ liǎng cì le, xīwàng nǐ kuài bǎ shū huán shang. l他 ~ 得很紧，这事要赶紧办。Tā ~ de hěn jǐn, zhè shì yào gǎnjǐn bàn. l这件事非 ~ 着他办不可。Zhèi jiàn shì fēi ~ zhe tā bàn bùkě.

cuì 脆 [形]

这苹果又 ~ 又甜，真好吃。Zhè píngguǒ yòu ~ yòu tián, zhēn hǎochī. →这苹果又甜又好咬，一咬就裂开，好吃得很。Zhè píngguǒ yòu tián yòu hǎo yǎo, yì yǎo jiù lièkai, hǎochī de hěn. 例这萝卜特别 ~，你吃不吃？Zhè luóbo tèbié ~, nǐ chī bu chī? l你尝尝这梨 ~ 不 ~？Nǐ chángchang zhè lí ~ bu ~? l刚摘下来的瓜，可 ~ 啦。Gāng zhāi xialai de guā, ke ~ la. l这种饼干 ~ ~ 的，我们全家人都爱吃。Zhèi zhǒng bǐnggān ~ ~ de, wǒmen quán jiā rén dōu ài chī. l我爱吃 ~ 的苹果，他爱吃不 ~ 的。Wǒ ài chī ~ de píngguǒ, tā ài chī bú ~ de.

cun

cūn 村 [名]

village; hamlet 例我们 ~ 有一百多户人家。Wǒmen ~ yǒu yìbǎi duō hù rénjiā. l一到春节，~ 里热闹极了。Yí dào Chūnjié, ~ li rènao jí le. l那边儿有一些房子和树的地方是一个小 ~。Nàbianr yǒu yìxiē fángzi hé shù de dìfang shì yí ge xiǎo ~. l这个 ~ 的北面种的都是水稻。Zhèige ~ de běimiàn zhòng de dōu shì shuǐdào. l ~ 前有一条公

路，~后是一座小山。~ qián yǒu yì tiáo gōnglù, ~ hòu shì yí zuò xiǎoshān.

cún 存¹ [动]

我们的箱子都 ~ 到朋友家了。Wǒmen de xiāngzi dōu ~ dào péngyou jiā le. →我们把箱子放在朋友家，请他暂时给收着。Wǒmen bǎ xiāngzi fàng zài péngyou jiā, qǐng tā zànshí gěi shōu zhe. 例这些东西先 ~ 在这里，一会儿我们来取。Zhèixiē dōngxi xiān ~ zài zhèlǐ, yíhuìr wǒmen lái qǔ. | 你的行李在这儿 ~ 了两天了，快拿走吧。Nǐ de xíngli zài zhèr ~ le liǎng tiān le, kuài názǒu ba. | 我们 ~ 好自行车之后，就去逛商场了。Wǒmen ~ hǎo zìxíngchē zhīhòu, jiù qù guàng shāngchǎng le. | 他的包还在我家 ~ 着呢。Tā de bāo hái zài wǒ jiā ~ zhe ne. | 这些书暂时在你这儿 ~ 一 ~ 可以吗？Zhèixiē shū zànshí zài nǐ zhèr ~ yi ~ kěyǐ ma? | 他在我家 ~ 的东西不是很多。Tā zài wǒ jiā ~ de dōngxi bú shì hěn duō.

cún 存² [动]

他把刚发的两千元工资 ~ 起来了。Tā bǎ gāng fā de liǎngqiān yuán gōngzī ~ qilai le. →他把两千元钱放到银行里了。Tā bǎ liǎngqiān yuán qián fàngdào yínháng li le. 例钱 ~ 在银行里就不会丢了。Qián ~ zài yínháng li jiù bú huì diū le. | 这三千元 ~ 了两年了，该取出来了。Zhèi sānqiān yuán ~ le liǎng nián le, gāi qǔ chulai le. | 我的钱都在银行里 ~ 着呢，你用多少我去取出来。Wǒ de qián dōu zài yínháng li ~ zhe ne, nǐ yòng duōshao wǒ qù qǔ chulai. | 我们在银行 ~ 的钱是准备买房子用的。Wǒmen zài yínháng ~ de qián shì zhǔnbèi mǎi fángzi yòng de.

cúnzài 存在 [动]

这篇文章还 ~ 些问题，需要修改一下儿。Zhèi piān wénzhāng hái ~ xiē wèntí, xūyào xiūgǎi yíxiàr. →文章还有问题，不能不修改。Wénzhāng hái yǒu wèntí, bù néng bù xiūgǎi. 例这件事情的做法还 ~ 一些缺点，今后要注意改正。Zhèi jiàn shìqing de zuòfǎ hái ~ yìxiē quēdiǎn, jīnhòu yào zhùyì gǎizhèng. | 这几个部门不同程度地 ~ 着职工迟到的现象。Zhèi jǐ ge bùmén bùtóng chéngdù de ~ zhe zhígōng chídào de xiànxiàng. | 他俩之间的误会还 ~ 着，并没有解决。Tā liǎ zhījiān de wùhuì hái ~ zhe, bìng méiyǒu jiějué. | 这种违反纪律的情况再也不能继续 ~ 下去了。Zhèi zhǒng wéifǎn jìlǜ de qíngkuàng zài yě bù néng jìxù ~ xiaqu le.

cùn 寸 [量]

十寸等于一尺，用于计算两点之间的距离。Shí cùn děngyú yì chǐ, yòngyú jìsuàn liǎng diǎn zhījiān de jùlí. 例这镜子长一尺二~，宽五 ~。Zhè jìngzi cháng yì chǐ èr ~, kuān wǔ ~. | 我做了一件衣服，剩了六~布。Wǒ zuòle yí jiàn yīfu, shèngle liù ~ bù. | 这块花布五尺二~长。Zhèi kuài huā bù wǔ chǐ èr ~ cháng. | 那本书有二~来厚。Nèi běn shū yǒu èr ~ lái hòu. | 这幅画儿长和宽各是几尺几~？Zhèi fú huàr cháng hé kuān gè shì jǐ chǐ jǐ ~?

CUO

cuò 错（錯）[形]

这道题~了，请改过来。Zhèi dào tí ~ le, qǐng gǎi guolai. →这道题的答案不对，你要改成对的。Zhèi dào tí de dá'àn bú duì, nǐ yào gǎichéng duì de. 例这个字~了，你再写一遍。Zhèige zì ~ le, nǐ zài xiě yí biàn. | 这次测验写汉字，我~得不多。Zhèi cì cèyàn xiě Hànzì, wǒ ~ de bù duō. | 你拿~了，这件衬衫才是你的呢。Nǐ ná ~ le, zhèi jiàn chènshān cái shì nǐ de ne. | 他~把坏人当成好人了。Tā ~ bǎ huàirén dàngchéng hǎorén le. | 大胆讲，讲~了也没关系。Dàdǎn jiǎng, jiǎng ~ le yě méi guānxi.

cuòr 错儿（錯兒）[名]

这是我的~，和别人没关系。Zhè shì wǒ de ~, hé biéren méi guānxī. →是我做了不对的事。Shì wǒ zuòle bú duì de shì. 例不管谁的~，改过来就好。Bùguǎn shéi de ~, gǎi guolai jiù hǎo. | 这份文件上有一点儿~，你发现了没有？Zhèi fèn wénjiàn shang yǒu yìdiǎnr ~, nǐ fāxiànle méiyǒu? | 请放心，他办事是出不了~的。Qǐng fàngxīn, tā bàn shì shì chū bu liǎo ~ de. | 这份材料里的~不算多。Zhèi fèn cáiliào li de ~ bú suàn duō. | 怎么能把~都推到别人身上呢？Zěnme néng bǎ ~ dōu tuīdào biéren shēnshang ne?

cuòwù 错误[1]（錯誤）[形]

这种看法是~的，我不能同意。Zhèi zhǒng kànfǎ shì ~ de, wǒ bù néng tóngyì. →这种看法不正确，我当然不能同意。Zhèi zhǒng kànfǎ bú zhèngquè, wǒ dāngrán bù néng tóngyì. 例如果我的想法是~的，我愿意接受批评。Rúguǒ wǒ de xiǎngfa shì ~ de, wǒ yuànyì

jiēshòu pīpíng. ｜～ 的理论产生了 ～ 的行动。～ de lǐlùn chǎnshēngle
～ de xíngdòng. ｜他 ～ 地估计了形势。Tā ～ de gūjìle xíngshì. ｜你
的这种认识是完全 ～ 的。Nǐ de zhèi zhǒng rènshi shì wánquán ～ de.

cuòwù 错误² （錯誤）[名]

最近，他犯了个 ～，受到了批评。Zuìjìn, tā fànle ge ～, shòudàole
pīpíng. →他做的是不正确的事，受批评了。Tā zuò de shì bú
zhèngquè de shì, shòu pīpíng le. 例他改正了 ～，就该原谅他。Tā
gǎizhèng le ～, jiù gāi yuánliàng tā. ｜他翻译的这段文字有几处 ～。
Tā fānyì de zhèi duàn wénzì yǒu jǐ chù ～. ｜这个 ～ 并不是什么大 ～，
改了就好。Zhèige ～ bìng bú shì shénme dà ～, gǎile jiù hǎo. ｜他承
认 ～ 的态度还算不错。Tā chéngrèn ～ de tàidù hái suàn búcuò. ｜请
把这幅画ⱼ 上的 ～ 找出来。Qǐng bǎ zhèi fú huàr shang de ～ zhǎo
chulai.

cuòzì 错字（錯字）[名]

请把 ～ 改过来。Qǐng bǎ ～ gǎi guolai. →写得不对的字，请你改一
下ⱼ。Xiě de bú duì de zì, qǐng nǐ gǎi yíxiàr. 例请你把 ～ 都找出来。
Qǐng nǐ bǎ ～ dōu zhǎo chulai. ｜这里有几个字是 ～，我都画出来
了。Zhèlǐ yǒu jǐ ge zì shì ～, wǒ dōu huà chulai le. ｜你的这篇文章
里，～ 不多。Nǐ de zhèi piān wénzhāng li, ～ bù duō. ｜整篇文章一
个 ～ 也没有。Zhěng piān wénzhāng yí ge ～ yě méiyǒu.

D

da

dā 搭 [动]

我想~火车去旅游。Wǒ xiǎng ~ huǒchē qù lǚyóu. →我想坐火车出去玩儿。Wǒ xiǎng zuò huǒchē chūqu wánr. 例我能~你的车去学校吗? Wǒ néng ~ nǐ de che qù xuéxiào ma? |他打算~明天的船离开这里。Tā dǎsuan ~ míngtiān de chuán líkāi zhèlǐ. |我不熟悉这个城市, 结果~错了车。Wǒ bù shúxī zhèige chéngshì, jiéguǒ ~ cuòle chē. |现在太晚了, 已经~不上地铁了。Xiànzài tài wǎn le, yǐjing ~ bu shàng dìtiě le.

dāying 答应[1] (答應) [动]

我叫他的名字, 可他没~。Wǒ jiào tā de míngzi, kě tā méi ~. →他没说话, 好像没听见一样。Tā méi shuōhuà, hǎoxiàng méi tīngjiàn yíyàng. 例我大声问屋里有没有人, 却没人~。Wǒ dàshēng wèn wū li yǒu méiyǒu rén, què méi rén ~. |我没听见你叫我, 所以没~。Wǒ méi tīngjiàn nǐ jiào wǒ, suǒyǐ méi ~. |他听见妈妈叫他, 马上~了一声"我在这儿"。Tā tīngjiàn māma jiào tā, mǎshàng ~ le yì shēng "wǒ zài zhèr".

dāying 答应[2] (答應) [动]

我请朋友帮个忙, 他~了。Wǒ qǐng péngyou bāng ge máng, tā ~ le. →他同意帮忙。Tā tóngyì bāngmáng. 例朋友要跟他见面, 他高兴地~了。Péngyou yào gēn tā jiànmiàn, tā gāoxìng de ~ le. |孩子要我给他买照相机, 我没~他的要求。Háizi yào wǒ gěi tā mǎi zhàoxiàngjī, wǒ méi ~ tā de yāoqiú. |我在电话里~去机场接她。Wǒ zài diànhuà li ~ qù jīchǎng jiē tā. |你让我办的事不好办, 我~不了。Nǐ ràng wǒ bàn de shì bù hǎobàn, wǒ ~ bu liǎo. |一位好朋友想借我的汽车, 我马上~下来。Yí wèi hǎo péngyou xiǎng jiè wǒ de qìchē, wǒ mǎshàng ~ xialai.

dá 答 [动]

这个孩子~对了我的问题。Zhèige háizi ~ duìle wǒ de wèntí. →我问孩子二加三等于几, 他说等于五。Wǒ wèn háizi èr jiā sān děngyú jǐ, tā shuō děngyú wǔ.' **例**他~错了一个简单的问题，真不应该。Tā ~ cuòle yí ge jiǎndān de wèntí, zhēn bù yīnggāi. | 老师的问题不太难，我很快就~出来了。Lǎoshī de wèntí bú tài nán, wǒ hěn kuài jiù ~ chulai le. | 这个问题太难，我~不上来。Zhèige wèntí tài nán, wǒ ~ bu shànglái.

dá' àn 答案 [名]

这个考试题目的~是 "A"。Zhèige kǎoshì tímù de ~ shì "A". →这个题回答 "A" 就对了。Zhèige tí huídá "A" jiù duì le. **例** "一个星期有几天?" ~是七天。"Yí ge xīngqī yǒu jǐ tiān?" ~ shì qī tiān. | 这个题目只有这一个正确~，回答别的都不对。Zhèige tímù zhǐ yǒu zhèi yí ge zhèngquè ~, huídá biéde dōu bú duì. | 这个困难怎么解决，目前还没有~。Zhèige kùnnan zěnme jiějué, mùqián hái méiyǒu ~. | 我想了半天还是找不到~。Wǒ xiǎngle bàntiān háishi zhǎo bu dào ~. | 这个问题太难了，几乎没人想得出~。Zhèige wèntí tài nán le, jīhū méi rén xiǎng de chū ~.

dájuàn 答卷 [名]

考试结束了，学生们都在交~。Kǎoshì jiéshù le, xuéshengmen dōu zài jiāo ~. →学生们把写了答案的纸交给老师。Xuéshengmen bǎ xiěle dá'àn de zhǐ jiāo gěi lǎoshī. **例**老师正在看学生们考试的~。Lǎoshī zhèngzài kàn xuéshengmen kǎoshì de ~. | 这份~真不错，差不多所有的题目都做对了。Zhèi fèn ~ zhēn búcuò, chàbuduō suǒyǒu de tímù dōu zuòduì le. | 老师提醒参加考试的学生别忘了在~上写上自己的名字。Lǎoshī tíxǐng cānjiā kǎoshì de xuésheng bié wàngle zài ~ shang xiěshang zìjǐ de míngzi.

dá dào 达到 (達到)

他终于~了学会汉语的目的。Tā zhōngyú ~ le xuéhuì Hànyǔ de mùdì. →他的目的是学会汉语，他也终于学会了汉语。Tā de mùdì shì xuéhuì Hànyǔ, tā yě zhōngyú xuéhuìle Hànyǔ. **例**我想让他请我吃饭，可是没~目的。Wǒ xiǎng ràng tā qǐng wǒ chīfàn, kěshì méi ~ mùdì. | 他弹钢琴已经~了很高的水平。Tā tán gāngqín yǐjing ~ le hěn gāo de shuǐpíng. | 不知这种汽车在环境保护方面~没~要求？Bù zhī zhèi zhǒng qìchē zài huánjìng bǎohù fāngmiàn ~ méi ~ yāoqiú? | 我跑得不快，达不到参加这次比赛的标准。Wǒ pǎo de bú kuài, dá bu dào cānjiā zhèi cì bǐsài de biāozhǔn.

dǎ 打[1] [动]

他生气地用手~我。Tā shēngqì de yòng shǒu ~ wǒ. →他的手以很快的速度落到我身上，我很疼。Tā de shǒu yǐ hěn kuài de sùdù luòdào wǒ shēnshang, wǒ hěn téng. 例父母不该~孩子，应该跟孩子讲道理。Fùmǔ bù gāi ~ háizi, yīnggāi gēn háizi jiǎng dàoli. | 他为了保护自己的财产，用棍子~伤了抢他东西的人。Tā wèile bǎohù zìjǐ de cáichǎn, yòng gùnzi ~ shāngle qiǎng tā dōngxi de rén. | 我骗了自己的女朋友，结果被女朋友~了一下儿。Wǒ piànle zìjǐ de nǚpéngyou, jiéguǒ bèi nǚpéngyou ~ le yí xiàr. | 他一拳就把那个坏人~倒了。Tā yì quán jiù bǎ nèige huàirén ~ dǎo le.

dǎ 打[2] [动]

他喜欢运动，特别喜欢~篮球。Tā xǐhuan yùndòng, tèbié xǐhuan ~ lánqiú. →他特别喜欢玩儿篮球。Tā tèbié xǐhuan wánr lánqiú. 例我很喜欢~网球。Wǒ hěn xǐhuan ~ wǎngqiú. | 他从来没~过棒球。Tā cónglái méi ~ guo bàngqiú. | 昨天我跟一个朋友~了一个小时的网球。Zuótiān wǒ gēn yí ge péngyou ~ le yí ge xiǎoshí de wǎngqiú. | 他~排球~得很好。Tā ~ páiqiú ~ de hěn hǎo. | 羽毛球我~不过他。Yǔmáoqiú wǒ ~ bu guò tā.

dǎ 打[3] [介]

我~五岁就开始学画画儿了。Wǒ ~ wǔ suì jiù kāishǐ xué huà huàr le. →我是从五岁开始学画画儿的。Wǒ shì cóng wǔ suì kāishǐ xué huà huàr de. 例你是~什么时候起喜欢上她的？Nǐ shì ~ shénme shíhou qǐ xǐhuan shang tā de? | 我在路上碰见一个朋友，我问他："你~哪儿来？"Wǒ zài lù shang pèngjiàn yí ge péngyou, wǒ wèn tā: "Nǐ ~ nǎr lái?" | 她是~南方来的学生。Tā shì ~ nánfāng lái de xuésheng. | ~这儿往前走三分钟，就能走到公园。~ zhèr wǎng qián zǒu sān fēnzhōng, jiù néng zǒudào gōngyuán.

dǎban 打扮 [动]

她出门前总要~，想让自己看起来更漂亮。Tā chūmén qián zǒng yào ~, xiǎng ràng zìjǐ kàn qilai gèng piàoliang. →她穿上了漂亮的衣服、把头发弄得很好看，还化了妆。Tā chuānshangle piàoliang de yīfu, bǎ tóufa nòng de hěn hǎokàn, hái huàle zhuāng. 例她要参加一个晚会，所以正细心地~呢。Tā yào cānjiā yí ge wǎnhuì, suǒyǐ zhèng xìxīn de ~ ne. | 她很会~自己，大家看到她都觉得很舒服。Tā hěn huì ~ zìjǐ, dàjiā kàndào tā dōu juéde hěn shūfu.

Tā hěn huì ～ zìjǐ, dàjiā kàndào tā dōu juéde hěn shūfu. | 他认真 ～ 了一下儿，想给人留下一个好印象。Tā rènzhēn ～ le yíxiàr, xiǎng gěi rén liúxia yí ge hǎo yìnxiàng. | 跟男朋友见面以前，她 ～ 了半天才 ～ 好。Gēn nánpéngyou jiànmiàn yǐqián, tā ～ le bàntiān cái ～ hǎo. | 她把自己的孩子 ～ 得很可爱。Tā bǎ zìjǐ de háizi ～ de hěn kě'ài.

dǎ dī 打的

他想回家，站在路边伸出手 ～。Tā xiǎng huí jiā, zhàn zài lù biān shēnchū shǒu ～. → 他想坐出租汽车回家。Tā xiǎng zuò chūzū qìchē huí jiā. 例 坐公共汽车去机场来不及了，我们 ～ 吧。Zuò gōnggòng qìchē qù jīchǎng láibují le, wǒmen ～ ba. | 现在已经没有公共汽车了，我只好打了个的。Xiànzài yǐjing méiyǒu gōnggòng qìchē le, wǒ zhǐhǎo dǎle ge dī. | 这儿出租车很少，可能打不着的。Zhèr chūzūchē hěn shǎo, kěnéng dǎ bu zháo dī. | 坐地铁去火车站很方便，用不着 ～ 去。Zuò dìtiě qù huǒchēzhàn hěn fāngbiàn, yòng bu zháo ～ qù.

dǎ diànhuà 打电话（打電話）

make a phone call 例 他一到中国就给爸爸妈妈 ～，让他们放心。Tā yí dào Zhōngguó jiù gěi bàba māma ～, ràng tāmen fàngxīn. | 他正在给女朋友 ～，想约她见面。Tā zhèngzài gěi nǚpéngyou ～, xiǎng yuē tā jiànmiàn. | 我去他家以前给他打了个电话。Wǒ qù tā jiā yǐqián gěi tā dǎle ge diànhuà. | 电话坏了，打不了电话了。Diànhuà huài le, dǎ bu liǎo diànhuà le. | 我往他家打了好几次电话都没打通，可能他正在用电话。Wǒ wǎng tā jiā dǎle hǎojǐ cì diànhuà dōu méi dǎtōng, kěnéng tā zhèngzài yòng diànhuà.

dǎ dǔ 打赌（打賭）

今天一定会下雨，你要是不相信，我们就 ～ 吧。Jīntiān yídìng huì xià yǔ, nǐ yàoshi bù xiāngxìn, wǒmen jiù ～ ba. → 今天如果下雨我就赢了，不下雨你就赢了。Jīntiān rúguǒ xià yǔ wǒ jiù yíng le, bú xià yǔ nǐ jiù yíng le. 例 他跟我 ～，说他的年纪肯定比我大。Tā gēn wǒ ～, shuō tā de niánjì kěndìng bǐ wǒ dà. | 我敢 ～ 他一定知道。Wǒ gǎn ～ tā yídìng zhīdao. | 我和她 ～ 输了，所以我得请她吃饭。Wǒ hé tā ～ shū le, suǒyǐ wǒ děi qǐng tā chīfàn. | 我们俩为比赛的结果打了个赌。Wǒmen liǎ wèi bǐsài de jiéguǒ dǎle ge dǔ.

D

dǎ dǔnr 打盹儿（打盹儿）

他太困了，边看电视边～。Tā tài kùn le, biān kàn diànshì biān ～. →他坐在那儿一会儿睡着了，一会儿又醒过来。Tā zuò zài nàr yíhuìr shuìzháo le, yíhuìr yòu xǐng guolai. 例我昨天晚上睡得太晚，今天上课时老～。Wǒ zuótiān wǎnshang shuì de tài wǎn, jīntiān shàngkè shí lǎo ～. | 我没睡觉，只坐着打了个盹儿。Wǒ méi shuìjiào, zhǐ zuòzhe dǎle ge dǔnr. | 他累得靠在沙发上打起盹儿来。Tā lèi de kào zài shāfā shang dǎ qi dǔnr lai. | 孩子～的时候妈妈轻轻地在他身上披了件衣服。Háizi ～ de shíhou māma qīngqīng de zài tā shēnshang pīle jiàn yīfu.

dǎ gōng 打工

放暑假的时候那个学生在饭馆儿～。Fàng shǔjià de shíhou nèige xuésheng zài fànguǎnr ～. →他暑假在饭馆儿做些临时的工作。Tā shǔjià zài fànguǎnr zuòxiē línshí de gōngzuò. 例我还没找到理想的工作，只好先在一个商场里～。Wǒ hái méi zhǎodào lǐxiǎng de gōngzuò, zhǐhǎo xiān zài yí ge shāngchǎng li ～. | 她以前在这家公司打过工。Tā yǐqián zài zhèi jiā gōngsī dǎguo gōng. | 我打了两个月的工才挣够去旅游的钱。Wǒ dǎle liǎng ge yuè de gōng cái zhènggòu qù lǚyóu de qián. | 我们俩是～的时候认识的。Wǒmen liǎ shì ～ de shíhou rènshi de.

dǎ hāqian 打哈欠

他一直在～，看样子很想睡觉。Tā yìzhí zài ～, kàn yàngzi hěn xiǎng shuìjiào. →人想睡觉时常常会做出张大嘴的动作。Rén xiǎng shuìjiào shí chángcháng huì zuòchū zhāngdà zuǐ de dòngzuò. 例他昨天晚上没睡好，上课时老～。Tā zuótiān wǎnshang méi shuìhǎo, shàngkè shí lǎo ～. | 我实在太困了，忍不住打了个哈欠。Wǒ shízài tài kùn le, rěn bu zhù dǎle ge hāqian. | 孩子困得打了一个大大的哈欠。Háizi kùn de dǎle yí ge dàdà de hāqian. | 她～的时候总是用手挡着嘴。Tā ～ de shíhou zǒngshì yòng shǒu dǎngzhe zuǐ.

dǎ kāi 打开（打开）

屋子里空气不太好，～窗户吧。Wūzi li kōngqì bú tài hǎo, ～ chuānghu ba. →把关着的窗户开开吧。Bǎ guānzhe de chuānghu kāikai ba. 例他～门让我进去。Tā ～ mén ràng wǒ jìnqu. | 他一回家就～电视看了起来。Tā yì huíjiā jiù ～ diànshì kànle qilai. | 有人～

过冰箱，拿走了一瓶牛奶。Yǒu rén ~ guo bīngxiāng, názǒule yì píng niúnǎi. | 我把抽屉 ~ 忘了关上。Wǒ bǎ chōuti ~ wàngle guānshang. | 这瓶酒的盖儿太紧，打不开。Zhèi píng jiǔ de gàir tài jǐn, dǎ bu kāi. | 风从 ~ 的窗户吹了进来。Fēng cóng ~ de chuānghu chuīle jinlai.

dǎliang 打量 [动]

他在 ~ 我，把我看得紧张起来。Tā zài ~ wǒ, bǎ wǒ kàn de jǐnzhāng qilai. →他在仔细地看我的脸和衣服什么的。Tā zài zǐxì de kàn wǒ de liǎn hé yīfu shénmede. 例学生们都在 ~ 新来的同学，想看看他有什么特别的地方。Xuéshengmen dōu zài ~ xīn lái de tóngxué, xiǎng kànkan tā yǒu shénme tèbié de dìfang. | 孩子用眼睛 ~ 着客人。Háizi yòng yǎnjing ~ zhe kèrén. | 他一看见那位漂亮的姑娘就上上下下地 ~ 起来。Tā yí kànjiàn nèi wèi piàoliang de gūniang jiù shàngshangxiàxià de ~ qilai. | 他把来找工作的年轻人 ~ 了半天。Tā bǎ lái zhǎo gōngzuò de niánqīngrén ~ le bàntiān.

dǎrǎo 打扰 (打擾) [动]

他在睡觉，我去敲门会 ~ 他。Tā zài shuìjiào, wǒ qù qiāo mén huì ~ tā. →我去敲门会影响他睡觉。Wǒ qù qiāo mén huì yǐngxiǎng tā shuìjiào. 例他正忙着工作，你别 ~ 他。Tā zhèng mángzhe gōngzuò, nǐ bié ~ tā. | 我这么晚来找你，~ 了! Wǒ zhème wǎn lái zhǎo nǐ, ~ le! | 大卫想好好儿休息休息，不愿意被人 ~。Dàwèi xiǎng hǎohāor xiūxi xiūxi, bú yuànyì bèi rén ~. | ~ 一下儿，我能请你帮个忙吗？ ~ yíxiàr, wǒ néng qǐng nǐ bāng ge máng ma?

dǎsǎo 打扫 (打掃) [动]

我的房间不太干净，该 ~ 了。Wǒ de fángjiān bú tài gānjìng, gāi ~ le. →我应该把房间弄干净。Wǒ yīnggāi bǎ fángjiān nòng gānjìng. 例这几天他太忙了，没时间 ~ 宿舍。Zhèi jǐ tiān tā tài máng le, méi shíjiān ~ sùshè. | 妈妈天天 ~，家里非常干净。Māma tiāntiān ~, jiāli fēicháng gānjìng. | 教室里有点儿脏，我们 ~ 一下儿吧。Jiàoshì li yǒudiǎnr zāng, wǒmen ~ yíxiàr ba. | 工人把街道 ~ 得很干净。Gōngrén bǎ jiēdào ~ de hěn gānjìng.

dǎsuan 打算[1] [动]

明天是星期天，我 ~ 去公园。Míngtiān shì Xīngqītiān, wǒ ~ qù gōngyuán. →明天我想去公园。Míngtiān wǒ xiǎng qù gōngyuán.

例他 ~ 下个月去旅游。Tā ~ xià ge yuè qù lǚyóu. | 他原来 ~ 上朋友家玩儿，可是有人来找他。Tā yuánlái ~ shàng péngyou jiā wánr, kěshì yǒu rén lái zhǎo tā. | 我现在的汽车挺好用，不 ~ 买新车。Wǒ xiànzài de qìchē tǐng hǎoyòng, bù ~ mǎi xīn chē. | 我已经 ~ 好了，过几天就回国。Wǒ yǐjing ~ hǎo le, guò jǐ tiān jiù huíguó.

dǎsuan 打算[2] ［名］

大学毕业以后你有什么 ~ ? Dàxué bìyè yǐhòu nǐ yǒu shénme ~ ? → 对于大学毕业以后干什么你有什么想法? Duìyú dàxué bìyè yǐhòu gàn shénme nǐ yǒu shénme xiǎngfǎ? **例**明天做些什么你有没有 ~ ? Míngtiān zuòxiē shénme nǐ yǒu méiyǒu ~ ? | 我哥哥有个 ~，就是三十岁时结婚。Wǒ gēge yǒu ge ~, jiù shì sānshí suì shí jiéhūn. | 我星期六的 ~ 是打扫打扫房间。Wǒ Xīngqīliù de ~ shì dǎsǎo dǎsǎo fángjiān. | 他退休以后的 ~ 是去世界各地旅行。Tā tuìxiū yǐhòu de ~ shì qù shìjiè gèdì lǚxíng.

dǎting 打听（打聽）［动］

我向大卫的父母 ~ 大卫最近的情况。Wǒ xiàng Dàwèi de fùmǔ ~ Dàwèi zuìjìn de qíngkuàng. → 我问他们大卫最近怎么样。Wǒ wèn tāmen Dàwèi zuìjìn zěnmeyàng. **例**我跟他的朋友 ~ 他去哪儿了。Wǒ gēn tā de péngyou ~ tā qù nǎr le. | 我得找人 ~ ~ 昨天那场比赛的结果。Wǒ děi zhǎo rén ~ ~ zuótiān nèi chǎng bǐsài de jiéguǒ. | 我的消息是从他那儿 ~ 到的。Wǒ de xiāoxi shì cóng tā nàr ~ dào de. | 安娜的电话他知道，我们向他 ~ 一下儿吧。Ānnà de diànhuà tā zhīdao, wǒmen xiàng tā ~ yíxiàr ba.

dǎyìn 打印 ［动］

print (with a printer) **例**他用电脑写了一篇文章，正在 ~。Tā yòng diànnǎo xiěle yì piān wénzhāng, zhèngzài ~. | 我在 ~ 一份重要文件。Wǒ zài ~ yí fèn zhòngyào wénjiàn. | 我想把这封电子邮件 ~ 出来。Wǒ xiǎng bǎ zhèi fēng diànzǐ yóujiàn ~ chulai. | 这篇文章太长，好不容易才 ~ 完。Zhèi piān wénzhāng tài cháng, hǎobù róngyì cái ~ wán. | 电脑坏了，~ 不了文件。Diànnǎo huài le, ~ bu liǎo wénjiàn.

dǎ zhāohu 打招呼[1]

我一看见老师就跟他 ~。Wǒ yí kànjiàn lǎoshī jiù gēn tā ~. → 我对老师说"您好"。Wǒ duì lǎoshī shuō "nín hǎo". **例**他碰见了我，马

D

上跟我～："早上好！" Tā pèngjiànle wǒ, mǎshàng gēn wǒ ～: "Zǎoshang hǎo!" | 我在路上遇到了朋友，互相打了个招呼就分手了。Wǒ zài lùshang yùdàole péngyou, hùxiāng dǎle ge zhāohu jiù fēnshǒu le. | 他们俩关系不好，见了面连招呼也不打。Tāmen liǎ guānxi bù hǎo, jiànle miàn lián zhāohu yě bù dǎ.

dǎ zhāohu 打招呼[2]

他没跟同事～就离开了办公室。Tā méi gēn tóngshì ～ jiù líkāile bàngōngshì. →他离开办公室以前没跟同事先说一下儿。Tā líkāi bàngōngshì yǐqián méi gēn tóngshì xiān shuō yíxiàr. 例她没跟我～就回国了，我有点儿生气。Tā méi gēn wǒ ～ jiù huíguó le, wǒ yǒudiǎnr shēngqì. | 他给我打过招呼，所以我知道他要来我家。Tā gěi wǒ dǎguo zhāohu, suǒyǐ wǒ zhīdao tā yào lái wǒ jiā. | 你要是参加不了他的生日晚会就早点儿打个招呼。Nǐ yàoshi cānjiā bu liǎo tā de shēngri wǎnhuì jiù zǎo diǎnr dǎ ge zhāohu.

dǎ zhēn 打针（打針）

护士正给病人～呢。Hùshì zhèng gěi bìngrén ～ ne. →护士正用针把药水送进病人身体里。Hùshì zhèng yòng zhēn bǎ yàoshuǐ sòngjìn bìngrén shēntǐ li. 例医生已经给这个病人打过针了。Yīshēng yǐjing gěi zhèige bìngrén dǎguo zhēn le. | 护士给他打了一针，他的头慢慢地不疼了。Hùshì gěi tā dǎle yì zhēn, tā de tóu mànmàn de bù téng le. | 你病得挺厉害，得去医院～才行。Nǐ bìng de tǐng lìhai, děi qù yīyuàn ～ cái xíng. | 这位有经验的护士～打得又快又好。Zhèi wèi yǒu jīngyàn de hùshì ～ dǎ de yòu kuài yòu hǎo. | 那个小孩儿在医院～的时候一个劲儿地哭。Nèige xiǎohái'r zài yīyuàn ～ de shíhou yígejìnr de kū.

dà 大[1] ［形］

二比一～。Èr bǐ yī ～. →2>1 例这个房间比那个～。Zhèige fángjiān bǐ nèige ～. | 我住的城市很～，有一千多万人。Wǒ zhù de chéngshì hěn ～, yǒu yìqiān duō wàn rén. | 村子旁边有一条不太～的河。Cūnzi pángbiān yǒu yì tiáo bú tài ～ de hé. | 雨不但没停，反而～起来了。Yǔ búdàn méi tíng, fǎn'ěr ～ qilai le. | 电视的声音我听不清楚，开～一点儿好吗？Diànshì de shēngyīn wǒ tīng bu qīngchu, kāi ～ yìdiǎnr hǎo ma? | 她吃惊的时候总是把眼睛睁得～～的。Tā chījīng de shíhou zǒngshì bǎ yǎnjing zhēng de ～～ de.

dàdǎn 大胆(大膽) [形]

他弟弟是个 ~ 的孩子。Tā dìdi shì ge ~ de háizi. →他弟弟什么也不怕。Tā dìdi shénme yě bú pà. 例她是个很 ~ 的小姑娘，敢在这么多人面前表演。Tā shì ge hěn ~ de xiǎo gūniang, gǎn zài zhème duō rén miànqián biǎoyǎn. | 你 ~ 一点儿，别怕别人笑你。Nǐ ~ yìdiǎnr, bié pà biéren xiào nǐ. | 我 ~ 地告诉她我爱她。Wǒ ~ de gàosu tā wǒ ài tā. | 她以前不敢一个人去旅游，现在变得~ 多了。Tā yǐqián bù gǎn yí ge rén qù lǚyóu, xiànzài biàn de ~ duō le.

dàduōshù 大多数(大多數) [名]

他们班的学生~是女生，男的很少。Tāmen bān de xuésheng ~ shì nǚshēng, nán de hěn shǎo. →他们班的二十个学生里，十五个是女的。Tāmen bān de èrshí ge xuésheng li, shíwǔ ge shì nǚ de. 例这个地区工业不发达，人口的~是农民。Zhèige dìqū gōngyè bù fādá, rénkǒu de ~ shì nóngmín. | 大学里年轻人占~。Dàxué li niánqīngrén zhàn ~. | ~人同意他的看法，只有一两个反对。~ rén tóngyì tā de kànfǎ, zhǐyǒu yì liǎng ge fǎnduì. | 她下班后~时间都呆在家里，很少出去玩儿。Tā xiàbān hòu ~ shíjiān dōu dāi zài jiāli, hěn shǎo chūqu wánr.

dàgài 大概¹ [形]

这件事我不很清楚，只知道 ~ 的情况。Zhèi jiàn shì wǒ bù hěn qīngchu, zhǐ zhīdao ~ de qíngkuàng. →我只知道主要的情况，小的、具体的方面不清楚。Wǒ zhǐ zhīdao zhǔyào de qíngkuàng, xiǎo de、jùtǐ de fāngmiàn bù qīngchu. 例我没全听懂他的话，只明白~的意思。Wǒ méi quán tīngdǒng tā de huà, zhǐ míngbai ~ de yìsi. | 他说得太简单，我只了解了他 ~ 的想法。Tā shuō de tài jiǎndān, wǒ zhǐ liǎojiěle tā ~ de xiǎngfa. | 他很快地向我介绍了这个电影的~内容。Tā hěn kuài de xiàng wǒ jièshàole zhèige diànyǐng de ~ nèiróng. | 他~地说了一下儿事情的主要经过。Tā ~ de shuōle yíxiàr shìqing de zhǔyào jīngguò.

dàgài 大概² [副]

他们班~有二十个人。Tāmen bān ~ yǒu èrshí ge rén. →他们班差不多有二十个人。Tāmen bān chàbuduō yǒu èrshí ge rén. 例这个孩子~有五六岁。Zhèige háizi ~ yǒu wǔ liù suì. | 坐车到学校~要花半个小时。Zuò chē dào xuéxiào ~ yào huā bàn ge xiǎoshí. | 我猜他

的个子 ~ 是一米八。Wǒ cāi tā de gèzi ~ shì yì mǐ bā. | 我估计现在 ~ 八点左右。Wǒ gūjì xiànzài ~ bā diǎn zuǒyòu.

dàgài 大概[3] [副]

天这么阴，~ 会下雨。Tiān zhème yīn, ~ huì xià yǔ. →很可能会下雨。Hěn kěnéng huì xià yǔ. 例已经这么晚了，她~不会来了。Yǐjing zhème wǎn le, tā ~ bú huì lái le. | 她这么没精神，~是生病了。Tā zhème méi jīngshen, ~ shì shēngbìng le. | 大卫一直没把钱还给我，~把借了我钱的事儿忘了。Dàwèi yìzhí méi bǎ qián huán gěi wǒ, ~ bǎ jièle wǒ qián de shìr wàng le. | 他经常找玛丽聊天儿，~他挺喜欢玛丽。Tā jīngcháng zhǎo Mǎlì liáotiānr, ~ tā tǐng xǐhuan Mǎlì.

dàhòutiān 大后天（大後天）[名]

今天是二号，~ 是我的生日。Jīntiān shì èr hào, ~ shì wǒ de shēngri. →两天以后，也就是五号，是我的生日。Liǎng tiān yǐhòu, yě jiù shì wǔ hào, shì wǒ de shēngri. 例今天星期四，~才是星期天呢。Jīntiān Xīngqīsì, ~ cái shì Xīngqītiān ne. | ~有一个重要的会议。~ yǒu yí ge zhòngyào de huìyì. | 他们把开晚会的时间定在~。Tāmen bǎ kāi wǎnhuì de shíjiān dìng zài ~. | 晚上的电视节目特别好看。~ wǎnshang de diànshì jiémù tèbié hǎokàn. | 我打算~去旅游。Wǒ dǎsuan ~ qù lǚyóu.

dàhuì 大会（大會）[名]

mass meeting; a general meeting 例 ~ 马上就要开始举行了。~ mǎshàng jiù yào kāishǐ jǔxíng le. | 我们的大学明天上午召开全校教师 ~。Wǒmen de dàxué míngtiān shàngwǔ zhàokāi quán xiào jiàoshī ~. | 参加这次全国 ~ 的代表有三百多位。Cānjiā zhèi cì quán guó ~ de dàibiǎo yǒu sānbǎi duō wèi. | 好几位代表在 ~ 上发了言。Hǎojǐ wèi dàibiǎo zài ~ shang fāle yán. | 根据~ 的安排，今天讨论这个问题。Gēnjù ~ de ānpái, jīntiān tǎolùn zhèige wèntí. | ~ 的最后一天要宣布一项决定。~ de zuìhòu yì tiān yào xuānbù yí xiàng juédìng.

dàhuǒr 大伙儿（大夥儿）[代]

听说要增加工资，~都很高兴。Tīngshuō yào zēngjiā gōngzī, ~ dōu hěn gāoxìng. →大家都很高兴。Dàjiā dōu hěn gāoxìng. 例我们班开了个晚会，~玩儿得非常开心。Wǒmen bān kāile ge wǎnhuì, ~ wánr de fēicháng kāixīn. | 你怎么现在才来？~都在等你呢。Nǐ zěnme xiànzài cái lái? ~ dōu zài děng nǐ ne. | 我们 ~ 一块儿送了件

礼物给老师。Wǒmen ~ yíkuàir sòngle jiàn lǐwù gěi lǎoshī. |今天我们俩给你们~做晚饭。Jīntiān wǒmen liǎ gěi nǐmen ~ zuò wǎnfàn. |他认为自己是对的，不同意~的看法。Tā rènwéi zìjǐ shì duì de, bù tóngyì ~ de kànfǎ. |她不好意思在~面前唱歌。Tā bù hǎoyìsi zài ~ miànqián chànggē.

D

dàjiā 大家[1] [代]

我要去的地方跟你们一样，~一块儿去吧。Wǒ yào qù de dìfang gēn nǐmen yíyàng, ~ yíkuàir qù ba. →我和你们一块儿去。Wǒ hé nǐmen yíkuàir qù. 例我们完全同意你的话，~的想法是相同的。Wǒmen wánquán tóngyì nǐ de huà, ~ de xiǎngfa shì xiāngtóng de. |我们俩去找他们几个，然后~一起去喝酒。Wǒmen liǎ qù zhǎo tāmen jǐ ge, ránhòu ~ yìqǐ qù hē jiǔ. |~是朋友，应该互相帮助。~ shì péngyou, yīnggāi hùxiāng bāngzhù. |虽然他离开我们回国了，但~的友谊不会改变。Suīrán tā líkāi wǒmen huíguó le, dàn ~ de yǒuyì bú huì gǎibiàn.

dàjiā 大家[2] [代]

我去过那儿，但~都没去过。Wǒ qùguo nàr, dàn ~ dōu méi qùguo. →除了我以外的所有人都没去过。Chúle wǒ yǐwài de suǒyǒu rén dōu méi qùguo. 例他要去游泳，可~不想去。Tā yào qù yóuyǒng, kě ~ bù xiǎng qù. |~先走吧，我一会儿就去。~ xiān zǒu ba, wǒ yíhuìr jiù qù. |老师跟学生们打招呼，说："~好！" Lǎoshī gēn xuéshengmen dǎ zhāohu, shuō: "~ hǎo!" |明天出发的时间我已经告诉过~了，~别忘了。Míngtiān chūfā de shíjiān wǒ yǐjing gàosu guo ~ le, ~ bié wàng le. |你们应该谢谢他，火车票是他给~买的。Nǐmen yīnggāi xièxie tā, huǒchēpiào shì tā gěi ~ mǎi de. |你了解~的想法吗？Nǐ liǎojiě ~ de xiǎngfa ma?

dàjiā 大家[3] [代]

快考试了，我们~都在认真准备。Kuài kǎoshì le, wǒmen ~ dōu zài rènzhēn zhǔnbèi. →我们都在认真准备考试。Wǒmen dōu zài rènzhēn zhǔnbèi kǎoshì. 例咱们~好久没见面了，一块儿吃晚饭吧。Zánmen ~ hǎojiǔ méi jiànmiàn le, yíkuàir chī wǎnfàn ba. |你们~打算什么时候去旅行？Nǐmen ~ dǎsuan shénme shíhou qù lǚxíng? |你快把他们的东西还给他们~。Nǐ kuài bǎ tāmen de dōngxi huán gěi tāmen ~. |我想听听你们~的意见。Wǒ xiǎng tīngting nǐmen ~ de yìjiàn.

D

dàjiē 大街 [名]

main street 例这个大城市有许多条很宽的 ~ 。Zhèige dà chéngshì yǒu xǔduō tiáo hěn kuān de ~ . |这条 ~ 是城里最热闹的地方。Zhèi tiáo ~ shì chéng lǐ zuì rènao de dìfang. |最大最好的商店都在这条 ~ 上。Zuì dà zuì hǎo de shāngdiàn dōu zài zhèi tiáo ~ shang. |过节时 ~ 上到处是人。Guòjié shí ~ shang dàochù shì rén.

dàliàng 大量 [形]

他写这本书花了 ~ 的时间，差不多有十年。Tā xiě zhèi běn shū huāle ~ de shíjiān, chà bu duō yǒu shí nián. →他用了很多时间写这本书。Tā yòngle hěn duō shíjiān xiě zhèi běn shū. 例他的论文写得不好，里面有 ~ 的错误。Tā de lùnwén xiě de bù hǎo, lǐmiàn yǒu ~ de cuòwù. |~ 的工作把他累坏了。~ de gōngzuò bǎ tā lèihuài le. |想买汽车的人很多，公司将 ~ 地生产汽车。Xiǎng mǎi qìchē de rén hěn duō, gōngsī jiāng ~ de shēngchǎn qìchē. |今年这个国家粮食不够，需要 ~ 进口。Jīnnián zhèige guójiā liángshi bú gòu, xūyào ~ jìnkǒu.

dàmǐ 大米 [名]

rice 例中国南方的人爱吃 ~ 。Zhōngguó nánfāng de rén ài chī ~ . |我去商店买了一袋 ~ 。Wǒ qù shāngdiàn mǎile yí dài ~ . |这种小吃是用 ~ 做的。Zhèi zhǒng xiǎochī shì yòng ~ zuò de. |今年气候不错，~ 的产量增加了。Jīnnián qìhòu búcuò, ~ de chǎnliàng zēngjiā le.

dàpī 大批 [形]

~ 学生参加了今天的跑步比赛。~ xuésheng cānjiāle jīntiān de pǎobù bǐsài. →很多学生参加了比赛。Hěn duō xuésheng cānjiāle bǐsài. 例早上，~ 游客来到了这个风景优美的小城。Zǎoshang, ~ yóukè láidàole zhèige fēngjǐng yōuměi de xiǎochéng. |这列火车给受灾地区运来了 ~ 粮食、衣服。Zhèi liè huǒchē gěi shòuzāi dìqū yùnlaile ~ liángshi、yīfu. |人们在这里发现了 ~ 古代的东西。Rénmen zài zhèlǐ fāxiànle ~ gǔdài de dōngxi. |新产品很受欢迎，应该 ~ 生产。Xīn chǎnpǐn hěn shòu huānyíng, yīnggāi ~ shēngchǎn.

dàqiántiān 大前天 [名]

今天是五号，~ 是二号。Jīntiān shì wǔ hào, ~ shì èr hào. →两天

以前的那一天是二号。Liǎng tiān yǐqián de nèi yì tiān shì èr hào. 例 今天是星期天，～是星期四。Jīntiān shì Xīngqītiān, ～ shì Xīngqīsì. |他的生日是～，已经过了两天了。Tā de shēngri shì ～, yǐjing guòle liǎng tiān le. | ～的比赛你看了没有？～ de bǐsài nǐ kànle méiyǒu? | ～晚上我们开了个晚会。～ wǎnshang wǒmen kāile ge wǎnhuì. |我～去看了一个展览。Wǒ ～ qù kànle yí ge zhǎnlǎn.

dàrén 大人 [名]

他已经二十岁，是个～了。Tā yǐjing èrshí suì, shì ge ～ le. →他不再是孩子了。Tā bú zài shì háizi le. 例 上大学后他成了个～。Shàng dàxué hòu tā chéngle ge ～. |小孩儿上街应该有～和他在一起。Xiǎoháir shàngjiē yīnggāi yǒu ～ hé tā zài yìqǐ. |这个孩子很听～的话。Zhèige háizi hěn tīng ～ de huà. | ～的想法比小孩儿复杂得多。～ de xiǎngfa bǐ xiǎoháir fùzá de duō.

dà shēng 大声（大聲）

孩子找不到妈妈，～地哭起来。Háizi zhǎo bu dào māma, ～ de kū qilai. →孩子哭的声音很大。Háizi kū de shēngyīn hěn dà. 例 听了我说的笑话，他～地笑了。Tīngle wǒ shuō de xiàohua, tā ～ de xiào le. |她很少～说话。Tā hěn shǎo ～ shuōhuà. |我没听清楚她的话，就说："请你～点儿。"Wǒ méi tīng qīngchu tā de huà, jiù shuō: "Qǐng nǐ ～ diǎnr." |他离得远，你应该大点儿声对他说。Tā lí de yuǎn, nǐ yīnggāi dàdiǎnr shēng duì tā shuō. |别人都在休息，我们说话别太～了。Biéren dōu zài xiūxi, wǒmen shuōhuà bié tài ～ le.

dàshǐguǎn 大使馆（大使館）[名]

embassy 例 好几个国家的～都在这个地方。Hǎojǐ ge guójiā de ～ dōu zài zhèige dìfang. | 我要去～办签证。Wǒ yào qù ～ bàn qiānzhèng. |他父亲在～当翻译。Tā fùqin zài ～ dāng fānyì. | ～的工作人员正忙着准备欢迎总统。～ de gōngzuò rényuán zhèng mángzhe zhǔnbèi huānyíng zǒngtǒng.

dàxiǎo 大小 [名]

这两个杯子的～不一样。Zhèi liǎng ge bēizi de ～ bù yíyàng. →这两个杯子不一样大。Zhèi liǎng ge bēizi bù yíyàng dà. 例 我的房间～跟他的差不多。Wǒ de fángjiān ～ gēn tā de chàbuduō. |我不知道他的脚的～，没法帮他买鞋子。Wǒ bù zhīdào tā de jiǎo de ～, méi fǎ bāng tā mǎi xiézi. I 你穿这件衣服 ~ 正合适，不肥也不瘦。Nǐ chuān zhèi jiàn yīfu ~ zhèng héshì, bù féi yě bú shòu. I 我们把手伸出来比一比~，看看谁的手更大。Wǒmen bǎ shǒu shēn chulai bǐ yi bǐ ~, kànkan shéi de shǒu gèng dà.

dàxíng 大型 [名]

这个工厂生产 ~ 汽车，不生产家庭用的小汽车。Zhèige gōngchǎng shēngchǎn ~ qìchē, bù shēngchǎn jiātíng yòng de xiǎo qìchē. →这个工厂生产很大的汽车。Zhèige gōngchǎng shēngchǎn hěn dà de qìchē. 例我们公司专门制造建筑用的 ~ 设备。Wǒmen gōngsī zhuānmén zhìzào jiànzhù yòng de ~ shèbèi. I 这是一家人数很多、产量很高的 ~ 企业。Zhè shì yì jiā rénshù hěn duō、chǎnliàng hěn gāo de ~ qǐyè. I 这场~的音乐会有十万人参加。Zhèi chǎng ~ de yīnyuèhuì yǒu shíwàn rén cānjiā. I 这里正在举办一个~的体育比赛，来了很多运动员。Zhèlǐ zhèngzài jǔbàn yí ge ~ de tǐyù bǐsài, láile hěn duō yùndòngyuán.

dàxué 大学（大學）[名]

university 例这所 ~ 学生很多。Zhèi suǒ ~ xuésheng hěn duō. I 我们的 ~ 九月开学。Wǒmen de ~ Jiǔyuè kāixué. I 我妹妹目前还在上 ~ 。Wǒ mèimei mùqián hái zài shàng ~ . I 他考上了一所很著名的 ~ 。Tā kǎoshangle yì suǒ hěn zhùmíng de ~ . I 大卫是我的~同学。Dàwèi shì wǒ de ~ tóngxué. I 她是去年 ~ 毕业的。Tā shì qùnián ~ bìyè de.

dàyī 大衣 [名]

天气太冷，最好穿上 ~ 。Tiānqì tài lěng, zuìhǎo chuānshang ~ . →那是一种穿在外边的、比较长、比较厚的衣服。Nà shì yì zhǒng chuān zài wàibian de、bǐjiào cháng、bǐjiào hòu de yīfu. 例冬天大家都穿着厚厚的 ~ 。Dōngtiān dàjiā dōu chuānzhe hòuhòu de ~ . I 这件 ~ 太长了，我穿不了。Zhèi jiàn ~ tài cháng le, wǒ chuān bu liǎo. I 我一进房间就把~脱掉了。Wǒ yí jìn fángjiān jiù bǎ ~ tuōdiào le. I 手放在 ~ 口袋里比较暖和。Shǒu fàng zài ~ kǒudài li bǐjiào nuǎnhuo.

dàyuē 大约（大約）[副]

教室里~有三十个学生。Jiàoshì li ~ yǒu sānshí ge xuésheng. →教室里的学生有三十个左右。Jiàoshì li de xuésheng yǒu sānshí ge zuǒyòu. 例飞机上 ~ 坐了二百名乘客。Fēijī shang ~ zuòle èrbǎi míng chéngkè. |我 ～ 花了半个小时才找到大卫家。Wǒ ～ huāle bàn ge xiǎoshí cái zhǎodào Dàwèi jiā. |她 ～ 七点左右离开了办公室。Tā ～ qī diǎn zuǒyòu líkāile bàngōngshì. |我以前在这里住了 ～ 三年。Wǒ yǐqián zài zhèlǐ zhùle ～ sān nián. |我猜她今年 ～ 二十岁。Wǒ cāi tā jīnnián ～ èrshí suì.

dà 大² [形]

他比我 ～，是我哥哥。Tā bǐ wǒ ～，shì wǒ gēge. →他的年龄是二十五岁，我二十岁。Tā de niánlíng shì èrshíwǔ suì, wǒ èrshí suì. 例大卫比他弟弟 ～ 两岁。Dàwèi bǐ tā dìdi ～ liǎng suì. |在我们班的学生里，大卫是最 ～ 的。Zài wǒmen bān de xuésheng li, Dàwèi shì zuì ～ de. |他们俩是同学，差不多 ～。Tāmen liǎ shì tóngxué, chàbuduō ～. |我有两个孩子，～ 的十岁，小的八岁。Wǒ yǒu liǎng ge háizi, ～ de shí suì, xiǎo de bā suì.

dà 大³ [副]

他讲了个笑话儿，大家都 ～ 笑起来。Tā jiǎngle ge xiàohuar, dàjiā dōu ～ xiào qilai. →大家笑得很厉害。Dàjiā xiào de hěn lìhai. 例孩子找不到妈妈，开始 ～ 哭起来。Háizi zhǎo bu dào māma, kāishǐ ～ kū qilai. |她生气地对我 ～ 喊、叫。Tā shēngqì de duì wǒ ～ hǎn、jiào. |我饿得很想 ～ 吃一顿。Wǒ è de hěn xiǎng ～ chī yí dùn.

dai

dāi 呆¹ [形]

听到这个突然的消息，我一下子 ～ 了。Tīngdào zhèige tūrán de xiāoxi, wǒ yíxiàzi ～ le. →我一下子什么动作和表情也没有了。Wǒ yíxiàzi shénme dòngzuò hé biǎoqíng yě méiyǒu le. 例她被我吓了一跳，一时 ～ 了。Tā bèi wǒ xiàle yí tiào, yìshí ～ le. |我 ～ 住了，像木头一样一动也不动。Wǒ ～ zhù le, xiàng mùtou yíyàng yí dòng yě bú dòng. |大卫 ～ ～ 地站着，不动也不说话。Dàwèi ～ ～ de zhànzhe, bú dòng yě bù shuōhuà. |表演这么精彩，大家都看 ～ 了。Biǎoyǎn zhème jīngcǎi, dàjiā dōu kàn ～ le.

dāi 呆² [动]

昨天我一直在家里 ～ 着没出去。Zuótiān wǒ yìzhí zài jiālǐ ～ zhe méi chūqu. →我一直在家里。Wǒ yìzhí zài jiālǐ. 例这个房间空气不好，我不想再 ～ 了。Zhèige fángjiān kōngqì bù hǎo, wǒ bù xiǎng zài ～

le. |他在中国~过几年，会说汉语。Tā zài Zhōngguó ~ guo jǐ nián, huì shuō Hànyǔ. |你别回家，再~一会儿吧。Nǐ bié huíjiā, zài ~ yíhuìr ba. |这几天我都~在朋友家。Zhèi jǐ tiān wǒ dōu ~ zài péngyou jiā. |电影没意思，我不愿意在电影院里~下去。Diànyǐng méi yìsi, wǒ bú yuànyì zài diànyǐngyuàn li ~ xiaqu.

D

dāi 待 [动]
晚上她一直在家里~着没出去。Wǎnshang tā yìzhí zài jiāli ~ zhe méi chūqu. →她一直在家里。Tā yìzhí zài jiāli. 例这个房间太热，我可不想~。Zhèige fángjiān tài rè, wǒ kě bù xiǎng ~. |外边很冷，~久了真受不了。Wàibian hěn lěng, ~ jiǔle zhēn shòu bu liǎo. |天气不好，我们就~在家里吧。Tiānqì bù hǎo, wǒmen jiù ~ zài jiāli ba. |我旅游时在这个城市~了一个星期。Wǒ lǚyóu shí zài zhèige chéngshì ~ le yí ge xīngqī. |他在家里~不住，老出去玩儿。Tā zài jiāli ~ bu zhù, lǎo chūqu wánr.

dàifu 大夫 [名]
那位~正在给病人看病。Nèi wèi ~ zhèngzài gěi bìngrén kànbìng. →他是专门给人看病的人。Tā shì zhuānmén gěi rén kànbìng de rén. 例~让我吃这些药。~ ràng wǒ chī zhèixiē yào. |~，我得了什么病？~, wǒ déle shénme bìng? |他是那家医院最好的~。Tā shì nèi jiā yīyuàn zuì hǎo de ~. |这位~的经验十分丰富，病人都很相信他。Zhèi wèi ~ de jīngyàn shífēn fēngfù, bìngrén dōu hěn xiāngxìn tā.

dài 代 [动]
他没时间去接孩子，让我~他去。Tā méi shíjiān qù jiē háizi, ràng wǒ ~ tā qù. →我为他做这件本来应该他做的事。Wǒ wèi tā zuò zhèi jiàn běnlái yīnggāi tā zuò de shì. 例安娜觉得对不起你，让我~她向你道歉。Ānnà juéde duìbuqǐ nǐ, ràng wǒ ~ tā xiàng nǐ dàoqiàn. |我不能去看你父母了，请~我向他们问好。Wǒ bù néng qù kàn nǐ fùmǔ le, qǐng ~ wǒ xiàng tāmen wènhǎo. |我在等人，你能~我出去寄封信吗？Wǒ zài děng rén, nǐ néng ~ wǒ chūqu jì fēng xìn ma? |他的飞机票是朋友~买的。Tā de fēijīpiào shì péngyou ~ mǎi de.

dàibiǎo 代表[1] [名]
他是我们选出来的~，他的意见就是我们大家的意见。Tā shì

D

wǒmen xuǎn chulai de ~，tā de yìjiàn jiù shì wǒmen dàjiā de yìjiàn.
→他是我们选出来为我们说话、办事的人。Tā shì wǒmen xuǎn
chulai wèi wǒmen shuōhuà、bànshì de rén. 例大卫是我们班学生的
~。Dàwèi shì wǒmen bān xuésheng de ~. |大家都相信你，你就
当我们的 ~ 吧。Dàjiā dōu xiāngxìn nǐ, nǐ jiù dāng wǒmen de ~ ba. |
会议上各国 ~ 都表达了本国的看法。Huìyì shang gè guó ~ dōu
biǎodále běn guó de kànfǎ. |大多数 ~ 的态度是支持这个计划。
Dàduōshù ~ de tàidù shì zhīchí zhèige jìhuà.

dàibiǎo 代表² [动]

他 ~ 我们在大会上发了言。Tā ~ wǒmen zài dàhuì shang fāle yán.
→他说了我们大家要说的话。Tā shuōle wǒmen dàjiā yào shuō de
huà. 例我 ~ 所有的学生向老师表示感谢。Wǒ ~ suǒyǒu de
xuésheng xiàng lǎoshī biǎoshì gǎnxiè. |每个运动员都希望能 ~ 自己
的国家参加比赛。Měi ge yùndòngyuán dōu xīwàng néng ~ zìjǐ de
guójiā cānjiā bǐsài. |安娜的话 ~ 了很多女同学的看法。Ānnà de huà
~ le hěn duō nǚ tóngxué de kànfǎ. |我的意见跟他不同，他 ~ 不了
我。Wǒ de yìjiàn gēn tā bùtóng, tā ~ bu liǎo wǒ.

dàitì 代替 [动]

我没时间去参加这次会议，他 ~ 我去。Wǒ méi shíjiān qù cānjiā zhèi
cì huìyì, tā ~ wǒ qù. →本来应该我去，我去不了，就换成了他。
Běnlái yīnggāi wǒ qù, wǒ qù bu liǎo, jiù huànchéngle tā. 例足球队
有人受伤了，需要找人 ~ 他比赛。Zúqiúduì yǒu rén shòushāng le,
xūyào zhǎo rén ~ tā bǐsài. |要是没有这种纸，可以用别的纸 ~。
Yàoshi méiyǒu zhèi zhǒng zhǐ, kěyǐ yòng biéde zhǐ ~. |大卫今天病
了，他的工作只好由我 ~ 一下儿。Dàwèi jīntiān bìng le, tā de
gōngzuò zhǐhǎo yóu wǒ ~ yíxiàr. |这个工作只有他能干，谁也 ~ 不
了他。Zhèige gōngzuò zhǐyǒu tā néng gàn, shéi yě ~ bu liǎo tā.

dài 带¹（帶）[动]

我 ~ 了不少钱，可以多买点儿东西。Wǒ ~ le bùshǎo qián, kěyǐ duō
mǎi diǎnr dōngxi. →我身上有不少钱。Wǒ shēnshang yǒu bùshǎo
qián. 例我忘了 ~ 飞机票，上不了飞机。Wǒ wàngle ~ fēijīpiào,
shàng bu liǎo fēijī. |大卫开生日晚会，我给他 ~ 去了一件礼物。
Dàwèi kāi shēngri wǎnhuì, wǒ gěi tā ~ qule yí jiàn lǐwù. |没吃完的
菜可以 ~ 回去。Méi chīwán de cài kěyǐ ~ huiqu. |你千万别忘了把

护照～上。Nǐ qiānwàn bié wàngle bǎ hùzhào ～ shang. ｜我昨天爬山时东西～得太多了。Wǒ zuótiān pá shān shí dōngxi ～ de tài duō le. ｜这次旅游我～的行李太多，真不方便。Zhèi cì lǚyóu wǒ ～ de xíngli tài duō, zhēn bù fāngbiàn.

dài 带² （帶）［动］

妈妈～孩子去医院了。Māma ～ háizi qù yīyuàn le. →孩子跟着妈妈去医院了。Háizi gēnzhe māma qù yīyuàn le. 例我知道他家在哪儿，我～你去。Wǒ zhīdao tā jiā zài nǎr, wǒ ～ nǐ qù. ｜导游～着游客参观了许多名胜古迹。Dǎoyóu ～ zhe yóukè cānguānle xǔduō míngshèng gǔjì. ｜他不知道去公共汽车站怎么走，我就把他～到了那儿。Tā bù zhīdào qù gōnggòng qìchēzhàn zěnme zǒu, wǒ jiù bǎ tā ～ dàole nàr. ｜弟弟想跟哥哥一块儿上公园，哥哥就～上了他。Dìdi xiǎng gēn gēge yíkuàir shàng gōngyuán, gēge jiù ～ shangle tā.

dài 袋［量］

用于用袋子装起来的东西。Yòngyú yòng dàizi zhuāng qilai de dōngxi. 例他手里提着一～儿要洗的衣服。Tā shǒu li tízhe yí ～ r yào xǐ de yīfu. ｜我买了一大～儿盐。Wǒ mǎile yí dà ～ r yán. ｜我只有一小～儿茶叶了。Wǒ zhǐ yǒu yì xiǎo ～ r cháyè le. ｜这两～儿东西一～儿是我的，另一～儿是他的。Zhèi liǎng ～ r dōngxi yí ～ r shì wǒ de, lìng yí ～ r shì tā de. ｜这几～儿大米～儿～儿都重得很。Zhèi jǐ ～ r dàmǐ ～ r ～ r dōu zhòng de hěn.

dàizi 袋子［名］

bag 例这个～很结实，可以装很沉的东西。Zhèige ～ hěn jiēshi, kěyǐ zhuāng hěn chén de dōngxi. ｜商场给顾客准备了～。Shāngchǎng gěi gùkè zhǔnbèile ～. ｜她手里提着个漂亮的纸～。Tā shǒu li tízhe ge piàoliang de zhǐ ～. ｜我把放衣服的～放在了桌子上。Wǒ bǎ fàng yīfu de ～ fàngzàile zhuōzi shang. ｜我的～里有不少吃的东西。Wǒ de ～ li yǒu bùshǎo chī de dōngxi.

dài 戴［动］

冬天他常常～着帽子。Dōngtiān tā chángcháng ～ zhe màozi. →冬天人们常常能看到他头上有帽子。Dōngtiān rénmen chángcháng néng kàndào tā tóu shang yǒu màozi. 例大卫眼睛不好，必须～眼镜。Dàwèi yǎnjing bù hǎo, bìxū ～ yǎnjìng. ｜我没～手表，不知道现在几点。Wǒ méi ～ shǒubiǎo, bù zhīdào xiànzài jǐ diǎn. ｜外边挺

冷，～上手套再出去吧。Wàibian tǐng lěng, ～ shang shǒutào zài chūqu ba. | 这顶帽子太小，我～不下。Zhèi dǐng màozi tài xiǎo, wǒ ～ bu xià.

dan

dānrèn 担任（擔任）[动]

父亲在一个中学～校长。Fùqin zài yí ge zhōngxué ～ xiàozhǎng. → 他是那个中学的校长。Tā shì nèige zhōngxué de xiàozhǎng. 例他在这家工厂～过厂长。Tā zài zhèi jiā gōngchǎng ～ guo chǎngzhǎng. | 今年谁～我们的音乐老师？Jīnnián shéi ～ wǒmen de yīnyuè lǎoshī? | 公司决定由他～经理。Gōngsī juédìng yóu tā ～ jīnglǐ. | 他的能力不够，～不了这么重要的工作。Tā de nénglì bú gòu, ～ bu liǎo zhème zhòngyào de gōngzuò. | ～这项工作的是一位经验丰富的工程师。～ zhèi xiàng gōngzuò de shì yí wèi jīngyàn fēngfù de gōngchéngshī.

dān xīn 担心（擔心）

父亲年纪大了，我～他的身体。Fùqin niánjì dà le, wǒ ～ tā de shēntǐ. →我不放心他的身体，怕他会生病。Wǒ bú fàngxīn tā de shēntǐ, pà tā huì shēngbìng. 例这次考试大卫没考好，很～自己的成绩。Zhèi cì kǎoshì Dàwèi méi kǎohǎo, hěn ～ zìjǐ de chéngjì. | 别为我～，我知道怎么照顾自己。Bié wèi wǒ ～, wǒ zhīdao zěnme zhàogù zìjǐ. | 天气不好，我真～会下雨。Tiānqì bù hǎo, wǒ zhēn ～ huì xià yǔ. | 我怕自己会迟到，～地看了看手表。Wǒ pà zìjǐ huì chídào, ～ de kànle kàn shǒubiǎo. | 孩子很晚还没回来，父母都～起来。Háizi hěn wǎn hái méi huílai, fùmǔ dōu ～ qilai. | 学生最～的事儿就是找不到好工作。Xuésheng zuì ～ de shìr jiù shì zhǎo bu dào hǎo gōngzuò. | 她一个人去的国外，父母一直为她担着心。Tā yíge rén qù de guówài, fùmǔ yìzhí wèi tā dānzhe xīn.

dān 单¹（單）[形]

小屋里放着一张～人床。Xiǎowū li fàngzhe yì zhāng ～ rén chuáng. →小屋里放着一张一个人睡觉用的床。Xiǎowū li fàngzhe yì zhāng yí ge rén shuìjiào yòng de chuáng. 例学生宿舍一间屋子有两张～人床。Xuésheng sùshè yì jiān wūzi yǒu liǎng zhāng ～ rén chuáng. | 这双手套丢了一只，只剩～只了。Zhèi shuāng shǒutào diūle yì zhī, zhǐ shèng ～ zhī le. | 这套书一共十本，你可以买一整套，也可以单

本买。Zhèi tào shū yígòng shí běn, nǐ kěyǐ mǎi yì zhěng tào, yě kěyǐ ~ běn mǎi.

dān 单² (單) [副]

今天我们不说别的，~ 说我们合作办工厂的事情。Jīntiān wǒmen bù shuō biéde, ~ shuō wǒmen hézuò bàn gōngchǎng de shìqing. →今天我们只说合作办工厂这一件事儿。Jīntiān wǒmen zhǐ shuō hézuò bàn gōngchǎng zhèi yí jiàn shìr. 例我们要让大家一起来干，~ 靠两三个人是干不成的。Wǒmen yào ràng dàjiā yìqǐ lái gàn, ~ kào liǎng sān ge rén shì gàn bu chéng de. | 这次旅行不算吃、住，~ 是交通费就用了三千多块钱。Zhèi cì lǚxíng bú suàn chī、zhù, ~ shì jiāotōngfèi jiù yòngle sānqiān duō kuài qián. | 今天大家在一块儿吃吧，下次我 ~ 请你一个人。Jīntiān dàjiā zài yíkuàir chī ba, xià cì wǒ ~ qǐng nǐ yí ge rén.

dāncí 单词 (單詞) [名]

word 例我学会了"打算"这个 ~。Wǒ xuéhuìle "dǎsuan" zhèige ~. | 这一课有很多没学过的 ~。Zhèi yí kè yǒu hěn duō méi xuéguo de ~. | 您能跟我说说这个 ~ 怎么用吗？Nín néng gēn wǒ shuōshuo zhèige ~ zěnme yòng ma? | 要学好汉语必须记住大量 ~。Yào xuéhǎo Hànyǔ bìxū jìzhù dàliàng ~. | 我不太明白这个 ~ 的意思。Wǒ bú tài míngbai zhèige ~ de yìsi.

dāndiào 单调 (單調) [形]

我的生活很 ~，不是上班就是呆在家里。Wǒ de shēnghuó hěn ~, bú shì shàngbān jiù shì dāizài jiāli. →我天天做差不多的事情，没什么意思。Wǒ tiāntiān zuò chàbuduō de shìqing, méi shénme yìsi. 例这个工作太 ~ 了，每天除了打字就是复印。Zhèige gōngzuò tài ~ le, měi tiān chúle dǎzì jiùshì fùyìn. | 火车发出 ~ 的声音，让人只想睡觉。Huǒchē fāchū ~ de shēngyīn, ràng rén zhǐ xiǎng shuìjiào. | 我天天 ~ 地重复一样的事情。Wǒ tiāntiān ~ de chóngfù yíyàng de shìqing. | 他总是穿一种样子的衣服，穿得很 ~。Tā zǒngshì chuān yì zhǒng yàngzi de yīfu, chuān de hěn ~.

dānwèi 单位 (單位) [名]

你在哪个 ~ 工作？Nǐ zài něige ~ gōngzuò? →你在哪一个地方工作？Nǐ zài něi yí ge dìfang gōngzuò? 例他跟我在同一个 ~ 上班。Tā gēn wǒ zài tóng yí ge ~ shàngbān. | 他工作还没找到，没有 ~。Tā

gōngzuò hái méi zhǎodào, méiyǒu ~. | 他们 ~ 很好，工资很高。
Tāmen ~ hěn hǎo, gōngzī hěn gāo. | 请问你是哪个 ~ 的？
Qǐngwèn nǐ shì něige ~ de? | 这个 ~ 的工作环境不错。Zhèige ~ de
gōngzuò huánjìng búcuò.

dānwu 耽误（耽誤）[动]

他因为生病 ~ 了学习。Tā yīnwèi shēngbìng ~ le xuéxí. →他生病
了，结果学习受了影响。Tā shēngbìng le, jiéguǒ xuéxí shòule
yǐngxiǎng. 例我工作太忙，~ 了吃饭。Wǒ gōngzuò tài máng, ~ le
chīfàn. | 这件事儿非常重要，绝对不能 ~。Zhèi jiàn shìr fēicháng
zhòngyào, juéduì bù néng ~. | 你要是有事就先走吧，别 ~ 了。Nǐ
yàoshi yǒu shì jiù xiān zǒu ba, bié ~ le. | 我只想跟你说几句话，~
不了你赶火车。Wǒ zhǐ xiǎng gēn nǐ shuō jǐ jù huà, ~ bu liǎo nǐ gǎn
huǒchē.

dàn 但 [连]

but 例我的房间很小，~ 很干净。Wǒ de fángjiān hěn xiǎo, ~ hěn
gānjìng. | 他喜欢打篮球，~ 打得不太好。Tā xǐhuan dǎ lánqiú, ~
dǎ de bú tài hǎo. | 这本书好是好，~ 价钱不便宜。Zhèi běn shū
hǎo shi hǎo, ~ jiàqian bù piányi. | 我建议大家去看电影，~ 他坚
决不同意。Wǒ jiànyì dàjiā qù kàn diànyǐng, ~ tā jiānjué bù tóngyì. |
虽然他没说什么，~ 我看得出来他很高兴。Suīrán tā méi shuō
shénme, ~ wǒ kàn de chūlái tā hěn gāoxìng.

dànshì 但是 [连]

but 例这件衣服很漂亮，~ 太贵了。Zhèi jiàn yīfu hěn piàoliang, ~
tài guì le. | 这辆汽车旧是旧，~ 开起来很舒服。Zhèi liàng qìchē jiù
shi jiù, ~ kāi qilai hěn shūfu. | 虽然我跟他是好朋友，~ 我们俩的
爱好不同。Suīrán wǒ gēn tā shì hǎo péngyou, ~ wǒmen liǎ de
àihào bùtóng. | 他本来已经同意了，~ 后来改变了主意。Tā běnlái
yǐjing tóngyì le, ~ hòulái gǎibiànle zhǔyi. | 我倒是很愿意帮他的忙，
~ 他说不用。Wǒ dàoshi hěn yuànyì bāng tā de máng, ~ tā shuō
búyòng.

dàn 淡 [形]

这个菜太 ~ 了，再放点儿盐吧。Zhèige cài tài ~ le, zài fàng diǎnr
yán ba. →这个菜盐放得太少。Zhèige cài yán fàng de tài shǎo. 例
汤里盐放少了，味道很 ~。Tāng li yán fàngshǎo le, wèidao hěn

~ . |我做菜不爱多放盐，大家都说做得太 ~ 。Wǒ zuò cài bú ài duō fàng yán, dàjiā dōu shuō zuò de tài ~ . |她爱吃味道比较 ~ 的东西，不爱吃咸的。Tā ài chī wèidao bǐjiào ~ de dōngxi, bú ài chī xián de.

dàn 蛋 [名]

egg 例母鸡下了一个 ~ 。Mǔjī xiàle yí ge ~ . |鸭子在河边生 ~ 。Yāzi zài hé biān shēng ~ . |今天的早饭是一杯牛奶，两个。Jīntiān de zǎofàn shì yì bēi niúnǎi, liǎng ge ~ . |冰箱里的~还有一些，够我们吃几天。Bīngxiāng li de ~ hái yǒu yìxiē, gòu wǒmen chī jǐ tiān. |这种鸟的 ~ 很小。Zhèi zhǒng niǎo de ~ hěn xiǎo. |小鸡从 ~ 里爬了出来。Xiǎojī cóng ~ li pále chulai.

dàngāo 蛋糕 [名]

他过生日时我送给他一个 ~ 。Tā guò shēngri shí wǒ sòng gěi tā yí ge ~ . →那是一种用蛋和面粉做的比较软的食品。Nà shì yì zhǒng yòng dàn hé miànfěn zuò de bǐjiào ruǎn de shípǐn. 例我早上吃了一块儿 ~ 。Wǒ zǎoshang chīle yíkuàir ~ . |大卫把~切成小块儿给大家吃。Dàwèi bǎ ~ qiēchéng xiǎo kuàir gěi dàjiā chī. |妈妈做的~特别好吃。Māma zuò de ~ tèbié hǎochī. |这个 ~ 的味道好极了。Zhèige ~ de wèidao hǎojí le.

dang

dāng 当¹（當）[动]

这个学生将来想 ~ 医生。Zhèige xuésheng jiānglái xiǎng ~ yīshēng. →他想做医生这种工作。Tā xiǎng zuò yīshēng zhèi zhǒng gōngzuò. 例我希望能 ~ 记者。Wǒ xīwàng néng ~ jìzhě. |大家选大卫~班长。Dàjiā xuǎn Dàwèi ~ bānzhǎng. |他 ~ 过十年厂长，管理工厂很有经验。Tā ~ guo shí nián chǎngzhǎng, guǎnlǐ gōngchǎng hěn yǒu jīngyàn. |她终于 ~ 上老师了，这是她最喜欢的工作。Tā zhōngyú ~ shang lǎoshī le, zhè shì tā zuì xǐhuan de gōngzuò. |我有一个 ~ 警察的哥哥。Wǒ yǒu yí ge ~ jǐngchá de gēge.

dāng 当²（當）[介]

~ 我还是个孩子时，我就开始学音乐了。~ wǒ hái shì ge háizi shí, wǒ jiù kāishǐ xué yīnyuè le. →在我还是个孩子的时候，我就开始学音乐了。Zài wǒ hái shì ge háizi de shíhou, wǒ jiù kāishǐ xué yīnyuè le. 例 ~ 他学会游泳后，几乎每天都去游。 ~ tā xuéhuì yóuyǒng hòu, jīhū měi tiān dōu qù yóu. | ~ 发现孩子病了以后，妈妈非常着急。 ~ fāxiàn háizi bìngle yǐhòu, māma fēicháng zháojí. | ~ 玛丽来到中国之后，才开始真正了解中国。 ~ Mǎlì láidào Zhōngguó zhīhòu, cái kāishǐ zhēnzhèng liǎojiě Zhōngguó.

D

dāng …de shíhou 当…的时候（當…的時候）

~ 他看见我 ~，他高兴得不得了。 ~ tā kànjiàn wǒ ~, tā gāoxìng de bùdéliǎo. → 在他看见我的那个时候，他非常高兴。Zài tā kànjiàn wǒ de nèige shíhou, tā fēicháng gāoxìng. 例 ~ 她生气 ~，她一句话也不说。 ~ tā shēngqì ~, tā yí jù huà yě bù shuō. | 他比我大多了，~ 我还是个小学生 ~，他就上大学了。Tā bǐ wǒ dà duō le, ~ wǒ hái shì ge xiǎoxuéshēng ~, tā jiù shàng dàxué le. | 我很早就起床了，~ 我起来 ~ 家里人都还在睡觉。Wǒ hěn zǎo jiù qǐchuáng le, ~ wǒ qǐlai ~ jiālǐ rén dōu hái zài shuìjiào. | ~ 我到他办公室 ~，他正在打电话。 ~ wǒ dào tā bàngōngshì ~, tā zhèngzài dǎ diànhuà.

dāng …shí 当…时（當…時）

~ 她回到家 ~，已经十二点了。 ~ tā huídào jiā ~, yǐjing shí'èr diǎn le. → 她回到家的那个时候已经十二点了。Tā huídào jiā de nèige shíhou yǐjing shí'èr diǎn le. 例 ~ 我赶到电影院 ~，电影已经开始了。 ~ wǒ gǎndào diànyǐngyuàn ~, diànyǐng yǐjing kāishǐ le. | ~ 他还是个孩子 ~ 我就认识他了。 ~ tā hái shì ge háizi ~ wǒ jiù rènshi tā le. | ~ 我到他房间 ~，他正在看电视。 ~ wǒ dào tā fángjiān ~, tā zhèngzài kàn diànshì.

dāngdài 当代（當代）[名]

~ 社会是信息化的社会。 ~ shèhuì shì xìnxīhuà de shèhuì. → 目前这个时代是信息化的社会。Mùqián zhèige shídài shì xìnxīhuà de shèhuì. 例 他是一位 ~ 的英雄。Tā shì yí wèi ~ de yīngxióng. | 他在研究 ~ 文学。Tā zài yánjiū ~ wénxué. | 他们是 ~ 的作家。Tāmen shì ~ de zuòjiā. | 这是 ~ 青年应该担当的责任。Zhè shì ~ qīngnián yīnggāi dāndāng de zérèn.

dāngdì 当地（當地）[名]

劳驾，去友谊宾馆怎么走？——对不起，我不是 ~ 人，我不知道。Láojià, qù Yǒuyì Bīnguǎn zěnme zǒu? ——Duìbuqǐ, wǒ bú shì ~ rén, wǒ bù zhīdào.→我不是本地人,我不知道。Wǒ bú shì běndìrén, wǒ bù zhīdào. 例你到那儿去工作,应该尊重~的风俗习惯。Nǐ dào nàr qù gōngzuò, yīnggāi zūnzhòng ~ de fēngsú xíguàn. | ~人说方言的时候,我一句话也听不懂。~ rén shuō fāngyán de shíhou, wǒ yí jù huà yě tīng bu dǒng. | 这是~流行的一首民歌。Zhè shì ~ liúxíng de yì shǒu míngē.

dāng miàn 当面(當面)

这件事你必须~告诉他,不能让别人转告。Zhèi jiàn shì nǐ bìxū ~ gàosu tā, bù néng ràng biéren zhuǎngào.→你必须面对面地告诉他。Nǐ bìxū miàn duì miàn de gàosu tā. 例这个问题打电话说不清楚,我们~谈谈吧。Zhèige wèntí dǎ diànhuà shuō bu qīngchu, wǒmen ~ tántan ba. | 我要找到他,~向他道歉。Wǒ yào zhǎodào tā, ~ xiàng tā dàoqiàn. | 他送给我一件礼物,我立刻当着他的面打开了礼物。Tā sòng gěi wǒ yí jiàn lǐwù, wǒ lìkè dāngzhe tā de miàn dǎkāile lǐwù.

dāngnián 当年(當年) [名]

父亲~到过中国,那时他还是个小伙子。Fùqin ~ dàoguo Zhōngguó, nàshí tā hái shì ge xiǎohuǒzi.→父亲很多年以前曾经到过中国。Fùqin hěn duō nián yǐqián céngjīng dàoguo Zhōngguó. 例我和妻子~都在这个中学上学。Wǒ hé qīzi ~ dōu zài zhèige zhōngxué shàngxué. | 年纪大了,身体就不如~了。Niánjì dà le, shēntǐ jiù bùrú ~ le. | 她上大学的时候很受男同学欢迎。~ tā shàng dàxué de shíhou hěn shòu nán tóngxué huānyíng. | 这首老歌让爷爷想起了很多~的事情。Zhèi shǒu lǎo gē ràng yéye xiǎngqǐle hěn duō ~ de shìqing. | 从妈妈~的照片可以看出她年轻的时候很漂亮。Cóng māma ~ de zhàopiàn kěyǐ kànchū tā niánqīng de shíhou hěn piàoliang.

dāngqián 当前(當前) [名]

~,我们国家正在大力发展经济。~, wǒmen guójiā zhèngzài dàlì fāzhǎn jīngjì.→现在,我们国家正努力发展经济。Xiànzài, wǒmen guójiā zhèng nǔlì fāzhǎn jīngjì. 例~,世界面临着越来越严重的环境问题。~, shìjiè miànlínzhe yuèláiyuè yánzhòng de huánjìng wèntí. | 公司~正在努力提高产品质量。Gōngsī ~ zhèngzài nǔlì tígāo chǎnpǐn zhìliàng. | 他出国以后很久没看报纸了,不太清楚他的国家~的情况。Tā chūguó yǐhòu hěn jiǔ méi kàn bàozhǐ le, bú tài qīngchu tā de guójiā ~ de qíngkuàng. | 对我来说,~最重要的事情就是学好汉语。Duì wǒ láishuō, ~ zuì zhòngyào de shìqing jiù shì xuéhǎo Hànyǔ.

dāngrán 当然[1] （當然）[形]

给朋友帮忙是 ~ 的事儿。Gěi péngyou bāngmáng shì ~ de shìr. →这是应该做的事儿，每个人都会那么做。Zhè shì yīnggāi zuò de shìr, měi ge rén dōu huì nàme zuò. 例你没去过那儿，不知道那儿的情况是 ~ 的事儿。Nǐ méi qùguo nàr, bù zhīdào nàr de qíngkuàng shì ~ de shìr. I他学习那么努力，成绩很好是 ~ 的结果。Tā xuéxí nàme nǔlì, chéngjì hěn hǎo shì ~ de jiéguǒ. I借了别人的钱，还钱是 ~ 的。Jièle biéren de qián, huán qián shì ~ de.

dāngrán 当然[2] （當然）[副]

那么好吃的东西，我 ~ 爱吃。Nàme hǎochī de dōngxi, wǒ ~ ài chī. →那一点儿也不奇怪，每个人都一定会这样。Nà yìdiǎnr yě bù qíguài, měi ge rén dōu yídìng huì zhèiyàng. 例他没学过汉语，~ 听不懂汉语。Tā méi xuéguo Hànyǔ, ~ tīng bu dǒng Hànyǔ. I我加了工资，~ 很高兴。Wǒ jiāle gōngzī, ~ hěn gāoxìng. I他是我最好的朋友，我 ~ 应该相信他的话。Tā shì wǒ zuì hǎo de péngyou, wǒ ~ yīnggāi xiāngxìn tā de huà. I你知道他的名字吗？——~，他是我朋友。Nǐ zhīdao tā de míngzi ma? ——~, tā shì wǒ péngyou.

dāngshí 当时（當時）[名]

我是去年来中国的，~ 是夏天。Wǒ shì qùnián lái Zhōngguó de, ~ shì xiàtiān. →我去年来中国的那个时候是夏天。Wǒ qùnián lái Zhōngguó de nèige shíhou shì xiàtiān. 例我上个月去过那儿，~ 正在下雨。Wǒ shàng ge yuè qùguo nàr, ~ zhèngzài xià yǔ. I我昨天在商店遇见了她，~ 她穿着一条黑裙子。Wǒ zuótiān zài shāngdiàn yùjianle tā, ~ tā zhuānzhe yì tiáo hēi qúnzi. I我们是三年前的一天认识的，我现在还记得她 ~ 的样子。Wǒmen shì sān nián qián de yì tiān rènshi de, wǒ xiànzài hái jìde tā ~ de yàngzi.

dāngxīn 当心（當心）[动]

过马路要 ~ 汽车。Guò mǎlù yào ~ qìchē. →过马路要注意汽车，别被汽车撞了。Guò mǎlù yào zhùyì qìchē, bié bèi qìchē zhuàng le. 例你要 ~ 身体，别睡得太晚。Nǐ yào ~ shēntǐ, bié shuì de tài wǎn. I玛丽太不 ~，吃饭时弄脏了裤子。Mǎlì tài bù ~, chīfàn shí nòngzāngle kùzi. I这条狗会咬人，大家 ~ 点儿。Zhèi tiáo gǒu huì yǎo rén, dàjiā ~ diǎnr. I~! 箱子里有玻璃杯！~! Xiāngzi li yǒu bōlibēi!

dǎng 挡[1]（擋）[动]

他站在我前边 ~ 着我，不让我离开。Tā zhàn zài wǒ qiánbian ~ zhe wǒ, bú ràng wǒ líkāi. → 他使我停下来不能往前走。Tā shǐ wǒ tíng xialai bù néng wǎng qián zǒu. 例前面有辆汽车 ~ 着，我的车没法儿再往前开。Qiánmiàn yǒu liàng qìchē ~ zhe, wǒ de chē méi fǎr zài wǎng qián kāi. | 商店快关门了，我想进去却被人 ~ 在了门外。Shāngdiàn kuài guānmén le, wǒ xiǎng jìnqu què bèi rén ~ zàile mén wài. | 我不想见他，请你帮我 ~ 一下儿。Wǒ bù xiǎng jiàn tā, qǐng nǐ bāng wǒ ~ yíxiàr. | 她非要进我的办公室不可，谁也 ~ 不住她。Tā fēi yào jìn wǒ de bàngōngshì bùkě, shéi yě ~ bu zhù tā.

dǎng 挡[2]（擋）[动]

下雨了，人们用雨伞 ~ 雨。Xià yǔ le, rénmen yòng yǔsǎn ~ yǔ. → 雨伞使雨落不到人们身上。Yǔsǎn shǐ yǔ luò bu dào rénmen shēnshang. 例夏天树可以 ~ 太阳。Xiàtiān shù kěyǐ ~ tàiyáng. | 你别 ~ 在电视机前面，我要看电视。Nǐ bié ~ zài diànshìjī qiánmiàn, wǒ yào kàn diànshì. | 窗户的玻璃破了，~ 不了寒冷的北风。Chuānghu de bōli pò le, ~ bu liǎo hánlěng de běifēng. | 她用双手 ~ 住脸，不让我看见她的眼泪。Tā yòng shuāng shǒu ~ zhù liǎn, bú ràng wǒ kànjian tā de yǎnlèi.

dàng 当（當）[动]

我一直把好朋友安娜 ~ 自己的姐姐。Wǒ yìzhí bǎ hǎo péngyou Ānnà ~ zìjǐ de jiějie. → 在我心里，她就像我姐姐一样。Zài wǒ xīnli, tā jiù xiàng wǒ jiějie yíyàng. 例老师把学生 ~ 自己的孩子。Lǎoshī bǎ xuésheng ~ zìjǐ de háizi. | 我开玩笑说明天要考试，他却 ~ 成真的了。Wǒ kāiwánxiào shuō míngtiān yào kǎoshì, tā què ~ chéng zhēnde le. | 我买了一瓶酒 ~ 礼物送给他。Wǒ mǎile yì píng jiǔ ~ lǐwù sòng gěi tā. | 我的雨伞和大卫的很像，所以被他 ~ 成他自己的了。Wǒ de yǔsǎn hé Dàwèi de hěn xiàng, suǒyǐ bèi tā ~ chéng tā zìjǐ de le.

dàngtiān 当天（當天）[名]

他星期六早上出去玩儿，~ 就回来了。Tā Xīngqīliù zǎoshang chūqu wánr, ~ jiù huílai le. → 他出去玩儿和回来是同一天。Tā chūqu wánr hé huílai shì tóng yì tiān. 例我没在朋友家过夜，~ 就回自己家了。Wǒ méi zài péngyou jiā guòyè, ~ jiù huí zìjǐ jiā le. | 面包最好 ~ 吃完，别留到第二天。Miànbāo zuìhǎo ~ chīwán, bié liú dào dì èr tiān. | 她

结婚的 ~ 就和爱人一块ㄦ去旅游了。Tā jiéhūn de ~ jiù hé àiren yíkuàir qù lǚyóu le. | 关于这场比赛的情况, ~ 的报纸上就能看到。Guānyú zhèi chǎng bǐsài de qíngkuàng, ~ de bàozhǐ shang jiù néng kàndào.

D

dàngzuò 当做（當做）［动］

我和弟弟长得很像,他把我弟弟 ~ 我了。Wǒ hé dìdi zhǎng de hěn xiàng, tā bǎ wǒ dìdi ~ wǒ le. →他看到的是我弟弟,却以为是我。Tā kàndào de shì wǒ dìdi, què yǐwéi shì wǒ. 例我又把玛丽的姐姐 ~ 玛丽了。Wǒ yòu bǎ Mǎlì de jiějie ~ Mǎlì le. | 他喜欢帮助别人,总是把别人的困难 ~ 自己的。Tā xǐhuan bāngzhù biéren, zǒngshì bǎ biéren de kùnnan ~ zìjǐ de. | 你别生气,就把他说的话 ~ 一个玩笑吧。Nǐ bié shēngqì, jiù bǎ tā shuō de huà ~ yí ge wánxiào ba. | 爸爸叫客人把我们家 ~ 是自己的家一样。Bàba jiào kèrén bǎ wǒmen jiā ~ shì zìjǐ de jiā yíyàng.

dao

dāo 刀 ［名］

例这把 ~ 是切水果用的。Zhèi bǎ ~ shì qiē shuǐguǒ yòng de. | 这是一把用来削铅笔的 ~ ㄦ。Zhè shì yì bǎ yònglái xiāo qiānbǐ de ~ r. | 玛丽用小 ~ ㄦ把蛋糕切成了六块。Mǎlì yòng xiǎo ~ r bǎ dàngāo qiēchéngle liù kuài. | ~ 上有脏东西,洗洗再用它削苹果。~ shang yǒu zāng dōngxi, xǐxi zài yòng tā xiāo píngguǒ.

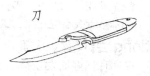

刀

dāozi 刀子 ［名］

这把 ~ 切东西不费力。Zhèi bǎ ~ qiē dōngxi bú fèi lì. →这把小刀ㄦ切东西很轻松。Zhèi bǎ xiǎodāor qiē dōngxi hěn qīngsōng. 例这把削铅笔的 ~ 很快。Zhèi bǎ xiāo qiānbǐ de ~ hěn kuài. | 大卫正在用 ~ 削苹果皮。Dàwèi zhèngzài yòng ~ xiāo píngguǒpí. | ~ 的把ㄦ太短,用起来不方便。~ de bàr tài duǎn, yòng qilai bù fāngbiàn.

dǎoyóu 导游（導游）［名］

这位 ~ 带着我们参观了几个地方。Zhèi wèi ~ dàizhe wǒmen cānguānle jǐ ge dìfang. →他是带游客参观、游览的人。Tā shì dài yóukè cānguān、yóulǎn de rén. 例那个 ~ 告诉了游客很多有意思的事

情。Nèige ~ gàosule yóukè hěn duō yǒu yìsi de shìqing. I 游客们都很感谢这位耐心的女 ~ 。Yóukèmen dōu hěn gǎnxiè zhèi wèi nàixīn de nǚ ~ . I 我去他住的城市玩儿，他给我当了一天 ~ . I ~ 的工作态度很热情，参观的人十分满意。~ de gōngzuò tàidù hěn rèqíng, cānguān de rén shífēn mǎnyì.

dǎo 岛（島）[名]

island 例这座 ~ 风景很美。Zhèi zuò ~ fēngjǐng hěn měi. I 海上有座小 ~ 。Hǎishang yǒu zuò xiǎo ~ . I 每天都有游客坐船来到这个 ~ 。Měi tiān dōu yǒu yóukè zuò chuán láidào zhèige ~ . I 他一直住在这个安静的小 ~ 上。Tā yìzhí zhù zài zhèige ānjìng de xiǎo ~ shang. I ~ 上矮矮的房子不容易被风吹倒。~ shang ǎi'ǎi de fángzi bù róngyì bèi fēng chuīdǎo.

dǎo 倒 [动]

我撞了一下儿桌子，桌上的啤酒瓶儿就 ~ 了。Wǒ zhuàngle yí xiàr zhuōzi, zhuō shang de píjiǔpíngr jiù ~ le. →本来立着的啤酒瓶躺在了桌子上。Běnlái lìzhe de píjiǔpíng tǎngzàile zhuōzi shang. 例椅子 ~ 了，快扶起来吧。Yǐzi ~ le, kuài fú qilai ba. I 他很累，~ 在床上就睡着了。Tā hěn lèi, ~ zài chuáng shang jiù shuìzháo le. I 风太大了，一棵大树 ~ 了下来。Fēng tài dà le, yì kē dà shù ~ le xialai. I 杯子不知被谁不小心碰 ~ 了。Bēizi bù zhī bèi shéi bù xiǎoxīn pèng ~ le.

dǎo méi 倒霉

真 ~ ，我的钱包丢了。Zhēn ~ , wǒ de qiánbāo diū le. →我的运气真坏，把钱包给丢了。Wǒ de yùnqì zhēn huài, bǎ qiánbāo gěi diū le. 例太 ~ 了，钥匙又找不着了。Tài ~ le, yàoshi yòu zhǎo bu zháo le. I 他今年特别 ~ ，生了好几次病。Tā jīnnián tèbié ~ , shēngle hǎojǐ cì bìng. I 我真是倒了大霉，刚买的录音机就被他弄坏了。Wǒ zhēnshì dǎole dà méi, gāng mǎi de lùyīnjī jiù bèi tā nònghuài le. I 这几天我老碰上 ~ 事儿。Zhèi jǐ tiān wǒ lǎo pèngshang ~ shìr. I 昨天是我最 ~ 的一天，到了机场才发现没带飞机票。Zuótiān shì wǒ zuì ~ de yì tiān, dào le jīchǎng cái fāxiàn méi dài fēijīpiào.

dào 到[1] [动]

我坐的飞机大概七点 ~ 北京。Wǒ zuò de fēijī dàgài qī diǎn ~

Běijīng. →大概七点飞机就会在要去的地方——北京了。Dàgài qī
diǎn fēijī jiù huì zài yào qù de dìfang——Běijīng le. 例大卫已经~公
司了。Dàwèi yǐjīng ~ gōngsī le. | 这封信是昨天~的。Zhèi fēng xìn
shì zuótiān ~ de. | 我们走得太慢，十分钟肯定~不了学校。
Wǒmen zǒu de tài màn, shí fēnzhōng kěndìng ~ bu liǎo xuéxiào. |
人没~齐，还差两位。Rén méi ~ qí, hái chà liǎng wèi. | 已经开始
上课了，学生才~了一半。Yǐjīng kāishǐ shàngkè le, xuésheng cái
~ le yíbàn. | 我很晚才离开公司，~家的时候已经十二点了。Wǒ
hěn wǎn cái líkāi gōngsī, ~ jiā de shíhou yǐjīng shí'èr diǎn le.

dàochù 到处（到處）[副]

公园里人真多，~都有人。Gōngyuán li rén zhēn duō, ~ dōu yǒu
rén. →公园里每个地方都有人。Gōngyuán li měi ge dìfang dōu yǒu
rén. 例这个城市~都能看见树。Zhèige chéngshì ~ dōu néng
kànjiàn shù. | 我很喜欢旅游，一有时间就~跑。Wǒ hěn xǐhuan
lǚyóu, yì yǒu shíjiān jiù ~ pǎo. | 我的手表不知放哪儿了，在房间里
~找也没找到。Wǒ de shǒubiǎo bù zhī fàng nǎr le, zài fángjiān li
~ zhǎo yě méi zhǎodào.

dàodá 到达（到達）[动]

我们坐的火车下午三点~北京。Wǒmen zuò de huǒchē xiàwǔ sān
diǎn ~ Běijīng. →火车下午三点就会在要去的地方——北京了。
Huǒchē xiàwǔ sān diǎn jiù huì zài yào qù de dìfang——Běijīng le. 例
飞机一个小时以后~这里。Fēijī yí ge xiǎoshí yǐhòu ~ zhèlǐ. | 我提
前十分钟~了见面的地方。Wǒ tíqián shí fēnzhōng ~ le jiànmiàn de
dìfang. | 去学校的路上车太多，所以我们没能准时~。Qù xuéxiào
de lùshang chē tài duō, suǒyǐ wǒmen méi néng zhǔnshí ~. | 我不
知道他乘的飞机~的时间。Wǒ bù zhīdào tā chéng de fēijī ~ de
shíjiān.

dàodǐ 到底 [副]

你一会儿说要去，一会儿说不去，~去不去？Nǐ yíhuìr shuō yào qù,
yíhuìr shuō bú qù, ~ qù bu qù? →你去还是不去？我想得到一个清
楚明白的回答。Nǐ qù háishi bú qù? Wǒ xiǎng dédào yí ge qīngchu
míngbai de huídá. 例请你老实告诉我，你~认不认识他？Qǐng nǐ
lǎoshi gàosu wǒ, nǐ ~ rèn bu rènshi tā? | 我不太清楚他~在房间里
干什么。Wǒ bú tài qīngchu tā ~ zài fángjiān li gàn shénme. | 没人
知道他~是什么时候离开的。Méi rén zhīdao tā ~ shì shénme

D

shíhou líkāi de. | 他们俩年纪差不多，我猜不出 ~ 谁大一些。
Tāmen liǎ niánjì chàbuduō, wǒ cāi bu chū ~ shéi dà yìxiē.

dào 到² [动]

我的生日过几天就 ~ 了。Wǒ de shēngri guò jǐ tiān jiù ~ le. →过几
天就是我的生日。Guò jǐ tiān jiù shì wǒ de shēngri. 例现在是八点五
十五分，快 ~ 九点了。Xiànzài shì bā diǎn wǔshíwǔ fēn, kuài ~ jiǔ
diǎn le. | 他今天早上起床的时候还没 ~ 六点。Tā jīntiān zǎoshang
qǐchuáng de shíhou hái méi ~ liù diǎn. | 下班的时间刚一 ~ 他就走
了。Xiàbān de shíjiān gāng yí ~ tā jiù zǒu le. | 时间过得真快，又 ~
了星期五。Shíjiān guò de zhēn kuài, yòu ~ le Xīngqīwǔ.

dào 到³ [动]

他想买一些东西，~ 商店去了。Tā xiǎng mǎi yìxiē dōngxi, ~
shāngdiàn qù le. →他去的地方是商店。Tā qù de dìfang shì
shāngdiàn. 例晚上一位朋友要 ~ 我家来。Wǎnshang yí wèi
péngyou yào ~ wǒ jiā lái. | 我下午要 ~ 机场接一个朋友。Wǒ
xiàwǔ yào ~ jīchǎng jiē yí ge péngyou. | 他从来没 ~ 过中国。Tā
cónglái méi ~ guo Zhōngguó. | 这次旅行我 ~ 了不少地方。Zhèi cì
lǚxíng wǒ ~ le bùshǎo dìfang. | 我把她送 ~ 她家才回来。Wǒ bǎ tā
sòng ~ tā jiā cái huílai. | 爸爸忘了把眼镜放 ~ 哪儿了。Bàba wàngle
bǎ yǎnjìng fàng ~ nǎr le.

dào 到⁴ [动]

他从四点一直等 ~ 六点才离开。Tā cóng sì diǎn yìzhí děng ~ liù diǎn
cái líkāi. →他离开的时间是六点。Tā líkāi de shíjiān shì liù diǎn. 例
爷爷早上散步的习惯一直保持 ~ 八十岁。Yéye zǎoshang sànbù de
xíguàn yìzhí bǎochí ~ bāshí suì. | 他昨天晚上学习 ~ 两点才休息。
Tā zuótiān wǎnshang xuéxí ~ liǎng diǎn cái xiūxi. | 星期天大卫睡 ~
吃午饭才起床。Xīngqītiān Dàwèi shuì ~ chī wǔfàn cái qǐchuáng. |
我从星期一 ~ 星期五每天上午都有课。Wǒ cóng Xīngqīyī ~
Xīngqīwǔ měi tiān shàngwǔ dōu yǒu kè.

dào 到⁵ [动]

我去得太晚，没买 ~ 电影票。Wǒ qù de tài wǎn, méi mǎi ~
diànyǐngpiào. →电影票卖完了。Diànyǐngpiào màiwán le. 例他一
会儿就找 ~ 了我家。Tā yíhuìr jiù zhǎo ~ le wǒ jiā. | 谁也想不 ~ 会发
生这么奇怪的事情。Shéi yě xiǎng bu ~ huì fāshēng zhème qíguài

de shìqing. | 出国期间我吃不 ~ 妈妈做的饭。Chūguó qījiān wǒ chī bu ~ māma zuò de fàn. | 我不了解他, 怎么猜得 ~ 他的想法呢? Wǒ bù liǎojiě tā, zěnme cāi de ~ tā de xiǎngfa ne?

dào 倒[1] [动]

他给我 ~ 了一杯酒。Tā gěi wǒ ~ le yì bēi jiǔ. →他让酒瓶里边的酒流出来。Tā ràng jiǔpíng lǐbian de jiǔ liú chulai. 例我很渴, 玛丽就给我 ~ 了杯水。Wǒ hěn kě, Mǎlì jiù gěi wǒ ~ le bēi shuǐ. | 小心点儿, 别把牛奶 ~ 在桌子上。Xiǎoxīn diǎnr, bié bǎ niúnǎi ~ zài zhuōzi shang. | 啤酒 ~ 得太快会从杯子里流出来。Píjiǔ ~ de tài kuài huì cóng bēizi li liú chulai. | 安娜为了找钥匙, 把包里的东西全~了出来。Ānnà wèile zhǎo yàoshi, bǎ bāo li de dōngxi quán ~ le chulai.

dào chē 倒车(倒車)

我要 ~, 请别站在我的汽车后边。Wǒ yào ~, qǐng bié zhàn zài wǒ de qìchē hòubian. →我要把汽车往后开。Wǒ yào bǎ qìchē wǎng hòu kāi. 例汽车开过了我家门口, 得往回 ~。Qìchē kāiguòle wǒ jiā ménkǒu, děi wǎng huí ~. | 我 ~ 倒得太快, 一下子撞上了后面的汽车。Wǒ ~ dào de tài kuài, yíxiàzi zhuàngshangle hòumiàn de qìchē. | 他的车从我面前经过, 看见我又 ~ 回来。Tā de chē cóng wǒ miànqián jīngguò, kànjiàn wǒ yòu ~ huílai. | 这个地方太小, 倒不了车。Zhèige dìfang tài xiǎo, dào bu liǎo chē. | ~ 的时候要注意车后边的情况。~ de shíhou yào zhùyì chē hòubian de qíngkuàng.

dào 倒[2] [动]

这两页书顺序 ~ 了, 第九页却在第十页后边。Zhèi liǎng yè shū shùnxù ~ le, dì jiǔ yè què zài dì shí yè hòubian. →应该在前边的那页却在后边, 应该在后边的却在前边。Yīnggāi zài qiánbian de nèi yè què zài hòubian, yīnggāi zài hòubian de què zài qiánbian. 例墙上的画儿 ~ 了, 画上的人应该头朝上才对。Qiángshang de huàr ~ le, huà shang de rén yīnggāi tóu cháo shàng cái duì. | "6" 这个数字 ~ 过来就成了 "9"。"Liù" zhèige shùzì ~ guolai jiù chéngle "jiǔ". | 我把杯子底儿朝上 ~ 着放在桌子上。Wǒ bǎ bēizi dǐr cháo shàng ~ zhe fàng zài zhuōzi shang. | 小孩儿不认识字, 把书拿 ~ 了。Xiǎoháir bú rènshi zì, bǎ shū ná ~ le.

dào 倒[3] [副]

这支便宜的笔 ~ 比那支贵的好用。Zhèi zhī piányi de bǐ ~ bǐ nèi zhī

guì de hǎoyòng. →便宜的笔一般应该没有贵的好用，这两支笔的
情况跟一般的情况相反。Piányi de bǐ yìbān yīnggāi méiyǒu guì de
hǎoyòng, zhèi liǎng zhī bǐ de qíngkuàng gēn yìbān de qíngkuàng
xiāngfǎn. **例**哥哥的样子～比弟弟还年轻。Gēge de yàngzi ～ bǐ dìdi
hái niánqīng. | 他学习汉语的时间不长，汉语说得～挺流利。Tā
xuéxí Hànyǔ de shíjiān bù cháng, Hànyǔ shuō de ～ tǐng liúlì. | 他弄
脏了大卫的书，～说是我弄脏的。Tā nòngzāngle Dàwèi de shū, ～
shuō shì wǒ nòngzāng de. | 我帮了他的忙，他～让我请他吃饭。
Wǒ bāngle tā de máng, tā ～ ràng wǒ qǐng tā chīfàn.

dào 倒[4] ［副］

这件衣服～挺好看，可太贵了。Zhèi jiàn yīfu ～ tǐng hǎokàn, kě tài
guì le. →这件衣服虽然好看，可是太贵了。Zhèi jiàn yīfu suīrán
hǎokàn, kěshì tài guì le. **例**他～不累，就是有点儿困。Tā ～ bú lèi,
jiùshi yǒudiǎnr kùn. | 我～认识他，不过只见过一两次面。Wǒ ～
rènshi tā, búguò zhǐ jiànguo yì liǎng cì miàn. | 我～想去看电影，可
惜没时间。Wǒ ～ xiǎng qù kàn diànyǐng, kěxī méi shíjiān. | 打网球
～是种挺不错的运动，但是我不会。Dǎ wǎngqiú ～ shì zhǒng tǐng
búcuò de yùndòng, dànshì wǒ bú huì.

dào 道[1] ［量］

用于线或又长又细的伤口、印儿等东西。Yòngyú xiàn huò yòu cháng
yòu xì de shāngkǒu、yìnr děng dōngxi. **例**他用铅笔在纸上画了一～
线。Tā yòng qiānbǐ zài zhǐ shang huàle yí ～ xiàn. | 请在答案上画一
～粗线。Qǐng zài dá'àn shang huà yí ～ cū xiàn. | 我的手被小刀割
了一～伤口。Wǒ de shǒu bèi xiǎodāo gēle yí ～ shāngkǒu. | 玻璃裂
了一～小缝。Bōli lièle yí ～ xiǎo fèng. | 猫在门上抓出了几～印儿。
Māo zài mén shang zhuāchule jǐ ～ yìnr.

dào 道[2] ［量］

用于门、墙的数量。Yòngyú mén、qiáng de shùliàng. **例**他家安了
一～铁门。Tā jiā ānle yí ～ tiěmén. | 从屋子外边到我的房间要经过
两～门。Cóng wūzi wàibian dào wǒ de fángjiān yào jīngguò liǎng ～
mén. | 前边有一～墙挡住了我的路。Qiánbian yǒu yí ～ qiáng
dǎngzhùle wǒ de lù.

dào 道[3] ［量］

用于考试、作业的题目。Yòngyú kǎoshì、zuòyè de tímù. **例**这次考

试一共有十~题目。Zhèi cì kǎoshì yígòng yǒu shí ~ tímù. |这~题很难做。Zhèi ~ tí hěn nán zuò. |今天的作业我做错了好几~题。Jīntiān de zuòyè wǒ zuòcuòle hǎojǐ ~ tí. |第一~题比第二~容易一些。Dì yī ~ tí bǐ dì èr ~ róngyì yìxiē. |这些题目~~都需要仔细考虑才能做对。Zhèixiē tímù ~ ~ dōu xūyào zǐxì kǎolǜ cái néng zuòduì.

dàodé 道德 [名]

morals；morality 例这是一种职业~。Zhè shì yì zhǒng zhíyè ~. |每个人都要遵守公共~。Měi ge rén dōu yào zūnshǒu gōnggòng ~. |这是一种传统的~观念。Zhè shì yì zhǒng chuántǒng de ~ guānniàn. |你怎么能那样做呢？太不讲~了。Nǐ zěnme néng nèiyàng zuò ne? Tài bù jiǎng ~ le.

dàoli 道理 [名]

我不明白为什么要这么做，他向我说明了~。Wǒ bù míngbai wèi shénme yào zhème zuò, tā xiàng wǒ shuōmíngle ~. →他说明了为什么这么做是对的。Tā shuōmíngle wèi shénme zhème zuò shì duì de. 例我觉得他应该换个工作，但我说不出~。Wǒ juéde tā yīnggāi huàn ge gōngzuò, dàn wǒ shuō bu chū ~. |他说的话很有~，你应该听他的。Tā shuō de huà hěn yǒu ~, nǐ yīnggāi tīng tā de. |他一点儿~也不懂，是个想干什么就干什么的人。Tā yìdiǎnr ~ yě bù dǒng, shì ge xiǎng gàn shénme jiù gàn shénme de rén. |你要是把~讲清楚，他一定会同意你的意见。Nǐ yàoshi bǎ ~ jiǎng qīngchu, tā yídìng huì tóngyì nǐ de yìjiàn.

dàolù 道路 [名]

这个城市的~非常宽。Zhèige chéngshì de ~ fēicháng kuān. →这个城市里供人和车辆行走的路非常宽。Zhèige chéngshì li gōng rén hé chēliàng xíngzǒu de lù fēicháng kuān. 例这条~通向海滩。Zhèi tiáo ~ tōng xiàng hǎitān. |~两旁的小树是今年刚种的。~ liǎngpáng de xiǎoshù shì jīnnián gāng zhòng de. |走这两条~都能到你要去的地方。Zǒu zhèi liǎng tiáo ~ dōu néng dào nǐ yào qù de dìfang.

dào qiàn 道歉

我弄脏了玛丽的书，所以向她~。Wǒ nòngzāngle Mǎlì de shū, suǒyǐ xiàng tā ~. →我对她说"对不起"。Wǒ duì tā shuō "duìbuqǐ". 例你迟到了，应该向大家~。Nǐ chídào le, yīnggāi xiàng

dàjiā ~ . | 我骗了你，我 ~ 。Wǒ piànle nǐ, wǒ . | 我已经为弄丢
他的自行车向他道过歉了。Wǒ yǐjing wèi nòngdiū tā de zìxíngchē
xiàng tā dàoguo qiàn le. | 你的话让她很生气，快给她道个歉吧。Nǐ
de huà ràng tā hěn shēngqì, kuài gěi tā dào ge qiàn ba.

dàobǎn 盗版 [名]

这些书是 ~ 的，质量非常差。Zhèixiē shū shì ~ de, zhìliàng
fēicháng chà. →这些书是偷偷印的，没有经过作者同意。Zhèixiē
shū shì tōutōu yìn de, méiyǒu jīngguò zuòzhě tóngyì. 例我们商店卖
的书没有 ~ 的。Wǒmen shāngdiàn mài de shū méiyǒu ~ de. | 我从
来不买 ~ 的书、磁带和 VCD。Wǒ cónglái bù mǎi ~ de shū、cídài
hé VCD. | 我们是大商店，怎么能卖 ~ 书呢? Wǒmen shì dà
shāngdiàn, zěnme néng mài ~ shū ne?

de

dé 得¹ [动]

她每次考试都 ~ 第一名。Tā měi cì kǎoshì dōu ~ dì yī míng. →她的
考试成绩最好。Tā de kǎoshì chéngjì zuì hǎo. 例这次跑步比赛他跑
得最快，~ 了第一名。Zhèi cì pǎobù bǐsài tā pǎo de zuì kuài, ~ le dì
yī míng. | 她去年 ~ 过全国游泳比赛的冠军。Tā qùnián ~ guo quán
guó yóuyǒng bǐsài de guànjūn. | 我们的足球队不是水平最高的，~
不了第一名。Wǒmen de zúqiúduì bú shì shuǐpíng zuì gāo de, ~ bu
liǎo dì yī míng.

dé 得² [动]

他这次考试 ~ 了九十分。Tā zhèi cì kǎoshì ~ le jiǔshí fēn. →他的成
绩是九十分。Tā de chéngjì shì jiǔshí fēn. 例我的论文写得不好，只
能 ~ "B"。Wǒ de lùnwén xiě de bù hǎo, zhǐ néng ~ "B". | 这部电
影很不错，~ 过奖。Zhèi bù diànyǐng hěn búcuò, ~ guo jiǎng. | 我
这门课学得不好，大概 ~ 不了六十分。Wǒ zhèi mén kè xué de bù
hǎo, dàgài ~ bu liǎo liùshí fēn.

dé 得³ [动]

他身体不好，常常 ~ 病。Tā shēntǐ bù hǎo, chángcháng ~ bìng. →
他常常生病。Tā chángcháng shēngbìng. 例因为天气太冷，我 ~ 了
感冒。Yīnwèi tiānqì tài lěng, wǒ ~ le gǎnmào. | 我以前也 ~ 过这种
病，住了几天院才治好。Wǒ yǐqián yě ~ guo zhèi zhǒng bìng, zhùle

jǐ tiān yuàn cái zhìhǎo. |大卫去了医院才知道自己～了什么病。
Dàwèi qùle yīyuàn cái zhīdao zìjǐ ～ le shénme bìng. |我的病可能是
昨天～上的。Wǒ de bìng kěnéng shì zuótiān ～shang de.

dé dào 得到

我～了一本新词典。Wǒ ～ le yì běn xīn cídiǎn. →有人给了我一本
新词典。Yǒu rén gěile wǒ yì běn xīn cídiǎn. 例这个孩子终于～了一
直想要的自行车。Zhèige háizi zhōngyú ～ le yìzhí xiǎng yào de
zìxíngchē. |我向他道了歉，希望～原谅。Wǒ xiàng ta dàole qiàn,
xīwàng ～ yuánliàng. |大卫的意见很正确，～了大家的支持。
Dàwèi de yìjiàn hěn zhèngquè, ～ le dàjiā de zhīchí. |我有困难的时
候～过他的帮助。Wǒ yǒu kùnnan de shíhou ～ guo tā de bāngzhù. |
他要结婚的消息我是从他妈妈那儿的。Tā yào jiéhūn de xiāoxi wǒ
shì cóng tā māma nàr ～ de. |他这么好的人一定能～幸福。Tā
zhème hǎo de rén yídìng néng ～ xìngfú. |要是得不到照顾，小孩子
肯定会生病。Yàoshi dé bu dào zhàogù, xiǎo háizi kěndìng huì
shēngbìng.

déle 得了

我明天一定早点儿起床！——～，我才不信呢！Wǒ míngtiān yídìng
zǎo diǎnr qǐchuáng! ——～, wǒ cái bú xìn ne! →你别说了，我不
相信。Nǐ bié shuō le, wǒ bù xiāngxìn. 例我明天就把钱还给
你。——～，昨天你也是这么说的。Wǒ míngtiān jiù bǎ qián huán
gěi nǐ. ——～, zuótiān nǐ yě shì zhème shuō de. |我再也不吃巧克
力了！——～～，这话你已经说了一百次了！Wǒ zài yě bù chī
qiǎokèlì le! ——～～, zhè huà nǐ yǐjing shuōle yìbǎi cì le! |我一点儿
也不喜欢她。——你～吧，我老看见你跟她在一起。Wǒ yìdiǎnr yě
bù xǐhuan tā. ——Nǐ ～ ba, wǒ lǎo kànjiàn nǐ gēn tā zài yìqǐ.

Déguó 德国（德國）[名]

Germany 例～是个欧洲国家。～ shì ge Ōuzhōu guójiā. |放假时我打
算去～。Fàngjià shí wǒ dǎsuan qù ～. |大卫的爷爷奶奶住在～。
Dàwèi de yéye nǎinai zhù zài ～. |她在～留过学。Tā zài ～ liúguo
xué. |请问你是不是～人？Qǐngwèn nǐ shì bu shì ～ rén? |～的经
济很发达。～ de jīngjì hěn fādá.

Déwén 德文 [名]

这张说明书上写的是～，请一个德国留学生帮着看看吧。Zhèi

zhāng shuōmíngshū shang xiě de shì ~, qǐng yí ge Déguó liúxuéshēng bāngzhe kànkan ba. →这张说明书上写的是德国人使用的文字。Zhèi zhāng shuōmíngshū shang xiě de shì Déguórén shǐyòng de wénzì. 例我学过一年~，但是还不能看~的报纸。Wǒ xuéguo yì nián ~, dànshì hái bù néng kàn ~ de bàozhǐ. |他~学得很好，都能用~写信了。Tā ~ xué de hěn hǎo, dōu néng yòng ~ xiě xìn le.

Déyǔ 德语(德語)[名]

大卫是德国人，当然会说~。Dàwèi shì Déguórén, dāngrén huì shuō ~. →他是德国人，当然会说德国话。Tā shì Déguórén, dāngrán huì shuō Déguóhuà. 例她学过三年~，说得非常流利。Tā xuéguo sān nián ~, shuō de fēicháng liúlì. |~我一点儿也听不懂。~ wǒ yìdiǎnr yě tīng bu dǒng. |我觉得~的发音不算难。Wǒ juéde ~ de fāyīn bú suàn nán. |你能把这篇~的文章翻译成汉语吗？Nǐ néng bǎ zhèi piān ~ de wénzhāng fānyì chéng Hànyǔ ma?

de 的¹ [助]

用在定语的后面。Yòngzài dìngyǔ de hòumiàn. 例他家就在学校~旁边。Tā jiā jiù zài xuéxiào ~ pángbiān. |我有一个十岁~女儿。Wǒ yǒu yí ge shí suì ~ nǚ'ér. |你看了昨天~报纸吗？Nǐ kànle zuótiān ~ bàozhǐ ma? |这个漂亮~姑娘是他妹妹。Zhèige piàoliang ~ gūniang shì tā mèimei. |她圆圆~脸上总带着微笑。Tā yuányuán ~ liǎn shang zǒng dàizhe wēixiào. |那篇关于电脑~文章你看了没有？Nèi piān guānyú diànnǎo ~ wénzhāng nǐ kànle méiyǒu?

de 的² [助]

这本书是他~。Zhèi běn shū shì tā ~. →这是他的书。Zhè shì tā de shū. 例桌子上那块手表是我~。Zhuōzi shang nèi kuài shǒubiǎo shì wǒ ~. |这座小房子是木头~。Zhèi zuò xiǎo fángzi shì mùtou ~. |天气很好，天是蓝~。Tiānqì hěn hǎo, tiān shì lán ~. |他从来不爱吃甜~。Tā cónglái bú ài chī tián ~. |她有两个孩子，大~八岁，小~六岁。Tā yǒu liǎng ge háizi, dà ~ bā suì, xiǎo ~ liù suì. |他饿了，在家里到处找吃~。Tā è le, zài jiāli dàochù zhǎo chī ~. |大卫用~是我的词典。Dàwèi yòng ~ shì wǒ de cídiǎn. |往这儿走过来~是玛丽的一位朋友。Wǎng zhèr zǒu guolai ~ shì

D

Mǎlì de yí wèi péngyou.

de 的³ [助]

他是知道这件事~。Tā shì zhīdao zhèi jiàn shì ~. →我可以肯定他知道这件事。Wǒ kěyǐ kěndìng tā zhīdao zhèi jiàn shì. 例我是爱你~，请相信我。Wǒ shì ài nǐ ~, qǐng xiāngxìn wǒ. ｜他很想参加这个晚会，有空儿的话一定会来~。Tā hěn xiǎng cānjiā zhèige wǎnhuì, yǒu kòngr dehuà yídìng huì lái ~. ｜别担心，你的病很快就会好~。Bié dānxīn, nǐ de bìng hěn kuài jiù huì hǎo ~. ｜这些事情我绝对不会告诉别人~，你放心好了。Zhèixiē shìqing wǒ juéduì bú huì gàosu biéren ~, nǐ fàngxīn hǎo le.

de 的⁴ [助]

我是前年去~中国。Wǒ shì qiánnián qù ~ Zhōngguó. →这件事发生在前年。Zhèi jiàn shì fāshēng zài qiánnián. 例他是去年结~婚。Tā shì qùnián jié ~ hūn. ｜玛丽是跟一位中国朋友学~汉语。Mǎlì shì gēn yí wèi Zhōngguó péngyou xué ~ Hànyǔ. ｜你在哪儿吃~晚饭？Nǐ zài nǎr chī ~ wǎnfàn? ｜我是在飞机上认识他~。Wǒ shì zài fēijī shang rènshi tā ~. ｜你什么时候看~这部电影？Nǐ shénme shíhou kàn ~ zhèi bù diànyǐng?

…dehuà …的话(…的話)

明天天气好~，我们就去公园。Míngtiān tiānqì hǎo ~, wǒmen jiù qù gōngyuán. →如果明天天气好我们就去。Rúguǒ míngtiān tiānqì hǎo wǒmen jiù qù. 例身体不好~就好好儿休息一下儿。Shēntǐ bù hǎo ~ jiù hǎohāor xiūxi yíxiàr. ｜你方便~请给我来个电话。Nǐ fāngbiàn ~ qǐng gěi wǒ lái ge diànhuà. ｜如果你有时间~，我想跟你见一面。Rúguǒ nǐ yǒu shíjiān ~, wǒ xiǎng gēn nǐ jiàn yí miàn. ｜今天的会议你要是不愿意参加~就算了。Jīntiān de huìyì nǐ yàoshi bú yuànyì cānjiā ~ jiù suàn le.

de 地 [助]

他一点儿也不着急，慢慢儿~走着。Tā yìdiǎnr yě bù zháojí, mànmānr ~ zǒuzhe. →他走着，速度很慢。Tā zǒuzhe, sùdù hěn màn. 例我轻轻~敲了敲门。Wǒ qīngqīng ~ qiāole qiāo mén. ｜他高兴~把这个好消息告诉了大家。Tā gāoxìng ~ bǎ zhèige hǎo xiāoxi gàosule dàjiā. ｜她声音很大~哭起来。Tā shēngyīn hěn dà ~ kū qilai. ｜汽车一辆一辆~从我面前开了过去。Qìchē yí liàng yí liàng

~ cóng wǒ miànqián kāile guoqu.

de 得[1] ［助］

他走 ~ 很快。Tā zǒu ~ hěn kuài. → 他走路很快。Tā zǒulù hěn kuài. **例** 我跑 ~ 太慢，怎么也追不上大卫。Wǒ pǎo ~ tài màn, zěnme yě zhuī bu shàng Dàwèi. | 她唱歌唱 ~ 很好，大家都爱听。Tā chànggē chàng ~ hěn hǎo, dàjiā dōu ài tīng. | 玛丽游泳游 ~ 挺不错。Mǎlì yóuyǒng yóu ~ tǐng búcuò. | 他今天吃 ~ 比谁都多。Tā jīntiān chī ~ bǐ shéi dōu duō. | 这次活动安排 ~ 大家都很满意。Zhèi cì huódòng ānpái ~ dàjiā dōu hěn mǎnyì. | 我难过 ~ 流下了眼泪。Wǒ nánguò ~ liúxiàle yǎnlèi.

de 得[2] ［助］

这些东西不多，我吃 ~ 完。Zhèixiē dōngxi bù duō, wǒ chī ~ wán. → 我能吃完这些东西。Wǒ néng chīwán zhèixiē dōngxi. **例** 这个箱子不重，她拿 ~ 动。Zhèige xiāngzi bú zhòng, tā ná ~ dòng. | 这座山不高，连小孩子也爬 ~ 上去。Zhèi zuò shān bù gāo, lián xiǎo háizi yě pá ~ shàngqù. | 他记性真好，十多年前的事都想 ~ 起来。Tā jìxing zhēn hǎo, shí duō nián qián de shì dōu xiǎng ~ qǐlái. | 他说话那么快，你听 ~ 清楚吗？Tā shuōhuà nàme kuài, nǐ tīng ~ qīngchu ma?

···de hěn ···得很

天气好 ~，不冷也不热。Tiānqì hǎo ~, bù lěng yě bú rè. → 天气很好。Tiānqì hěn hǎo. **例** 星期天商店里人多 ~，平时就少一些。Xīngqītiān shāngdiàn li rén duō ~, píngshí jiù shǎo yìxiē. | 他个子高 ~，打篮球最合适了。Tā gèzi gāo ~, dǎ lánqiú zuì héshì le. | 哥哥考上了大学，家里人都高兴 ~。Gēge kǎoshangle dàxué, jiāli rén dōu gāoxìng ~. | 今天晚上的电视好看 ~，不看一定会后悔。Jīntiān wǎnshang de diànshì hǎokàn ~, bú kàn yídìng huì hòuhuǐ.

dei

děi 得[1] ［助动］

已经这么晚了，我 ~ 回家了。Yǐjīng zhème wǎn le, wǒ ~ huíjiā le. → 我应该回家了。Wǒ yīnggāi huíjiā le. **例** 我们 ~ 走了，不然就赶不上火车了。Wǒmen ~ zǒu le, bùrán jiù gǎn bu shàng huǒchē le. | 他很想知道这件事，我 ~ 马上告诉他。Tā hěn xiǎng zhīdao zhèi jiàn

shì, wǒ ～ mǎshàng gàosu tā. | 大家今天～早点儿休息明天才能早
起。Dàjiā jīntiān ～ zǎo diǎnr xiūxi míngtiān cái néng zǎo qǐ. | 我～今
天就把工作做完，明天没时间。Wǒ ～ jīntiān jiù bǎ gōngzuò
zuòwán, míngtiān méi shíjiān.

děi 得[2]　[助动]

从这儿走到学校～半个小时。Cóng zhèr zǒudào xuéxiào ～ bàn ge
xiǎoshí. →从这儿走到学校要半个小时。Cóng zhèr zǒudào xuéxiào
yào bàn ge xiǎoshí. 例买这件衣服～不少钱。Mǎi zhèi jiàn yīfu ～
bùshǎo qián. | 这些事～三天才能做完。Zhèixiē shì ～ sān tiān cái
néng zuòwán. | 他大概～明天才到北京。Tā dàgài ～ míngtiān cái
dào Běijīng. | 大卫去旅游了，可能～下个星期回来。Dàwèi qù
lǚyóu le, kěnéng ～ xià ge xīngqī huílai.

deng

dēng 灯(燈)　[名]

例～坏了，晚上没法儿看书。～ huài le,
wǎnshang méifǎr kàn shū. | 昨天晚上哥
哥一直在学习，房间里的～一直开着。
Zuótiān wǎnshang gēge yìzhí zài xuéxí,
fángjiān li de ～ yìzhí kāizhe. | 我打开了
～，教室里亮多了。Wǒ dǎkāile ～,
jiàoshì li liàng duō le. | 快把～关上，好
好儿睡觉吧。Kuài bǎ ～ guānshang, hǎohāor shuìjiào ba.

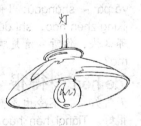

dēng 登[1]　[动]

我很喜欢～山。Wǒ hěn xǐhuan ～ shān. →我很喜欢爬山这种运
动。Wǒ hěn xǐhuan pá shān zhèi zhǒng yùndòng. 例大卫经常去～
他家附近的一座小山。Dàwèi jīngcháng qù ～ tā jiā fùjìn de yí zuò
xiǎoshān. | 星期天我和朋友～了一天山。Xīngqītiān wǒ hé péngyou
～ le yì tiān shān. | 我们走楼梯走了半个小时才～上了这座大楼的
楼顶。Wǒmen zǒu lóutī zǒule bàn ge xiǎoshí cái ～ shangle zhèi zuò
dà lóu de lóudǐng.

dēng 登[2]　[动]

这本杂志上～了一篇他写的文章。Zhèi běn zázhì shang ～ le yì piān
tā xiě de wénzhāng. →你能在这本杂志上看到他的文章。Nǐ néng

zài zhèi běn zázhì shang kàndào tā de wénzhāng. 例报纸上～着一位著名演员的照片儿。Bàozhǐ shang ～ zhe yí wèi zhùmíng yǎnyuán de zhàopiānr. |公司在报纸上～出了一个介绍自己产品的广告。Gōngsī zài bàozhǐ shang ～ chule yí ge jièshào zìjǐ chǎnpǐn de guǎnggào. |这个重要新闻被～在各家报纸上。Zhèige zhòngyào xīnwén bèi ～ zài gè jiā bàozhǐ shang. |关于他的故事被一家杂志～了出来。Guānyú tā de gùshi bèi yì jiā zázhì ～ le chulai.

dēngjì 登记（登記）[动]

客人住饭店以前要～。Kèrén zhù fàndiàn yǐqián yào ～. →客人要把名字等写在一个本子上。Kèrén yào bǎ míngzi děng xiě zài yí ge běnzi shang. 例想去旅游的人请到他那儿～。Xiǎng qù lǚyóu de rén qǐng dào tā nàr ～. |这张表上～了全班学生的成绩。Zhèi zhāng biǎo shang ～ le quán bān xuésheng de chéngjì. |服务员把我的名字和电话～在一个本子上。Fúwùyuán bǎ wǒ de míngzi hé diànhuà ～ zài yí ge běnzi shang. |办公室所有的东西都～下来了。Bàngōngshì suǒyǒu de dōngxi dōu ～ xialai le.

děng 等[1] [动]

我先到了见面的地方，在那儿～他。Wǒ xiān dàole jiànmiàn de dìfang, zài nàr ～ tā. →我呆在那儿，一直到他出现。Wǒ dāi zài nàr, yìzhí dào tā chūxiàn. 例他在电影院门口～女朋友。Tā zài diànyǐngyuàn ménkǒu ～ nǚpéngyou. |我一直在～着家里人的电话。Wǒ yìzhí zài ～ zhe jiāli rén de diànhuà. |他很快就到，我们～～他。Tā hěn kuài jiù dào, wǒmen ～ ～ tā. |我去买点儿饮料，你在这里～我回来。Wǒ qù mǎi diǎnr yǐnliào, nǐ zài zhèlǐ ～ wǒ huílai. |还有一个人没来，大家再～一下儿。Hái yǒu yí ge rén méi lái, dàjiā zài ～ yíxiàr. |～了二十分钟，公共汽车还没来，我～得都着急了。～ le èrshí fēnzhōng, gōnggòng qìchē hái méi lái, wǒ ～ de dōu zháojí le.

děngdài 等待 [动]

我在家里～一位客人。Wǒ zài jiāli ～ yí wèi kèrén. →我呆在家里等客人来。Wǒ dāi zài jiāli děng kèrén lái. 例他一个晚上都在房间里～女朋友的电话。Tā yí ge wǎnshang dōu zài fángjiān li ～ nǚpéngyou de diànhuà. |比赛结果还没出来，大家都在耐心地～着。Bǐsài jiéguǒ hái méi chūlai, dàjiā dōu zài nàixīn de ～ zhe. |为了跟她结婚，

我已经~了五年。Wèile gēn tā jiéhūn, wǒ yǐjing ~ le wǔ nián. | 飞机晚了好几个小时才起飞，大家~的时间太长了。Fēijī wǎnle hǎojǐ gè xiǎoshí cái qǐfēi, dàjiā ~ de shíjiān tài cháng le.

děng 等² [动]

我们别看电视了，~吃完饭再看吧。Wǒmen bié kàn diànshì le, ~ chīwán fàn zài kàn ba. → 我们吃完饭以后再看电视吧。Wǒmen chīwán fàn yǐhòu zài kàn diànshì ba. 例你们俩~放了假再去打工吧。Nǐmen liǎ ~ fàngle jià zài qù dǎgōng ba. | 我打算~雨停了再走。Wǒ dǎsuan ~ yǔ tíngle zài zǒu. | ~你身体好了，我们一块儿去爬山。~ nǐ shēntǐ hǎo le, wǒmen yíkuàir qù pá shān. | ~明天我再告诉你决定。~ míngtiān wǒ zài gàosu nǐ juédìng.

děng 等³ [助]

今天参加比赛的人有大卫、比尔~。Jīntiān cānjiā bǐsài de rén yǒu Dàwèi、Bǐ'ěr ~. → 今天参加比赛的有大卫、比尔和别的人。Jīntiān cānjiā bǐsài de yǒu Dàwèi、Bǐ'ěr hé biéde rén. 例冰箱里的东西有面包、鸡蛋、牛奶~。Bīngxiāng li de dōngxi yǒu miànbāo、jīdàn、niúnǎi ~. | 我喜欢的运动有打球、游泳、跑步~。Wǒ xǐhuan de yùndòng yǒu dǎqiú、yóuyǒng、pǎobù ~. | 笔、书、书包~~都是学生不能少的东西。Bǐ、shū、shūbāo ~ ~ dōu shì xuésheng bù néng shǎo de dōngxi. | 玛丽~人同意我的意见。Mǎlì ~ rén tóngyì wǒ de yìjiàn. | 香蕉、苹果~水果对身体很好。Xiāngjiāo、píngguǒ ~ shuǐguǒ duì shēntǐ hěn hǎo.

děngyú 等于¹ [动]

二加三~五。Èr jiā sān ~ wǔ. → 2 + 3 = 5 例五加六~十一。Wǔ jiā liù ~ shíyī. | 四的三倍~十二。Sì de sān bèi ~ shí'èr. | 这个房间的大小~那个房间的两倍。Zhèige fángjiān de dàxiǎo ~ nèige fángjiān de liǎng bèi. | 他一个人的工资就~我和大卫两个人的。Tā yí ge rén de gōngzī jiù ~ wǒ hé Dàwèi liǎng ge rén de.

děngyú 等于² [动]

说了话没人听，~没说。Shuōle huà méi rén tīng, ~ méi shuō. → 说和没说，这两种情况差不多。Shuō hé méi shuō, zhèi liǎng zhǒng qíngkuàng chàbuduō. 例他这么紧张，~告诉大家他没信心。Tā zhème jǐnzhāng, ~ gàosu dàjiā tā méi xìnxīn. | 我请她吃饭，她没说不去，就~同意了。Wǒ qǐng tā chīfàn, tā méi shuō bú qù, jiù ~ tóngyì

le.｜我跟他是好朋友，不～我们的想法完全一样。Wǒ gēn tā shì hǎo
péngyou, bù ～ wǒmen de xiǎngfa wánquán yíyàng.｜你说他不好，不
～他真的不好。Nǐ shuō tā bù hǎo, bù ～ tā zhēnde bù hǎo.

di

dī 低¹ ［形］

他个子很高，这张桌子对他来说太～了。Tā gèzi hěn gāo, zhèi
zhāng zhuōzi duì tā lái shuō tài ～ le.→桌子面儿离地面的距离太近
了。Zhuōzimiànr lí dìmiàn de jùlí tài jìn le. 例这把小孩儿用的椅子很
～。Zhèi bǎ xiǎoháir yòng de yǐzi hěn ～.｜我家在山上，他家在山
下，比我家～多了。Wǒ jiā zài shān shàng, tā jiā zài shān xià, bǐ
wǒ jiā ～ duō le.｜水总是向～的地方流。Shuǐ zǒngshì xiàng ～ de
dìfang liú.｜一只鸟儿～～地飞着，离地面很近。Yì zhī niǎor ～ ～ de
fēizhe, lí dìmiàn hěn jìn.｜这幅画儿挂得太～了，往上一点儿才好。
Zhèi fú huàr guà de tài ～ le, wǎng shàng yìdiǎnr cái hǎo.

dī 低² ［形］

她说话的声音太～，我听不清楚。Tā shuōhuà de shēngyīn tài ～,
wǒ tīng bu qīngchu.→她说话的声音太小。Tā shuō huà de
shēngyīn tài xiǎo. 例今天气温比较～，你多穿点儿衣服。Jīntiān
qìwēn bǐjiào ～, nǐ duō chuāndiǎnr yīfu.｜我的汉语水平比她～，不
如她说得好。Wǒ de Hànyǔ shuǐpíng bǐ tā ～, bùrú tā shuō de
hǎo.｜这是最～价格，不能再便宜了。Zhè shì zuì ～ jiàgé, bù néng
zài piányi le.｜屋里太热，打开空调以后温度才变得～了一些。Wū
li tài rè, dǎkāi kōngtiáo yǐhòu wēndù cái biàn de ～ le yìxiē.

dī 低³ ［动］

她～着头，不让别人看见她的脸。Tā ～ zhe tóu, bú ràng biéren
kànjian tā de liǎn.→低头的时候脸是向下的。Dītóu de shíhou liǎn
shì xiàng xià de. 例那个学生一直～着头看书。Nèige xuésheng yìzhí
～ zhe tóu kàn shū.｜他～下头看着自己的脚。Tā ～ xia tóu kànzhe
zìjǐ de jiǎo.｜她不好意思地把头～了下去。Tā bù hǎoyìsi de bǎ tóu
～ le xiaqu.

dī 滴 ［量］

用于水、酒、眼泪等。Yòngyú shuǐ、jiǔ、yǎnlèi děng. 例杯子空了，
只倒出一～水。Bēizi kōng le, zhǐ dàochū yì ～ shuǐ.｜酒瓶里只剩

下一两~酒。Jiǔpíng li zhǐ shèngxia yì liǎng ~ jiǔ.丨开始下雨了，有几~雨落在我头上。Kāishǐ xià yǔ le, yǒu jǐ ~ yǔ luò zài wǒ tóu shang.丨她写信时哭了，两大~眼泪落到了信纸上。Tā xiě xìn shí kū le, liǎng dà ~ yǎnlèi luòdàole xìnzhǐ shang.

D

díquè 的确(的確)[副]

他~很聪明，这一点不用怀疑。Tā ~ hěn cōngming, zhèi yì diǎn búyòng huáiyí. →他真的很聪明。Tā zhēnde hěn cōngming. 例她一直在笑，看来她~很高兴。Tā yìzhí zài xiào, kànlái tā ~ hěn gāoxìng.丨请你相信我，我~没有骗你。Qǐng nǐ xiāngxìn wǒ, wǒ ~ méiyǒu piàn nǐ.丨~，她唱歌唱得非常好。~, tā chànggē chàng de fēicháng hǎo.丨你说得没错儿，这里的的确确是散步的好地方。Nǐ shuō de méicuòr, zhèlǐ dídíquèquè shì sànbù de hǎo dìfang.

dírén 敌人(敵人)[名]

enemy; foe 例他是大卫的~，两个人互相恨对方。Tā shì Dàwèi de ~, liǎng ge rén hùxiāng hèn duìfāng.丨这两个国家之间发生了战争，两国人成了~。Zhèi liǎng ge guójiā zhījiān fāshēngle zhànzhēng, liǎng guó rén chéngle ~.丨他们俩就像~一样，见面就吵架。Tāmen liǎ jiù xiàng ~ yíyàng, jiànmiàn jiù chǎojià.丨~的要求我们绝对不能答应。~ de yāoqiú wǒmen juéduì bù néng dāying.

dǐr 底儿(底兒)[名]

这双鞋穿久了，~都变薄了。Zhèi shuāng xié chuānjiǔ le, ~ dōu biànbáo le. →鞋最下面的部分变薄了。Xié zuì xiàmiàn de bùfen biànbáo le. 例箱子~破了，里边的东西掉了出来。Xiāngzi ~ pò le, lǐbian de dōngxi diàole chulai.丨这个瓶子有个很厚的~。Zhèige píngzi yǒu ge hěn hòu de ~.丨他把杯子倒过来，~朝上放在桌子上。Tā bǎ bēizi dào guolai, ~ cháo shàng fàng zài zhuōzi shang.

dǐxia 底下[1][名]

桌子~有一双鞋。Zhuōzi ~ yǒu yì shuāng xié. →桌子下面有一双鞋。Zhuōzi xiàmiàn yǒu yì shuāng xié. 例床~放着一个箱子。Chuáng ~ fàngzhe yí ge xiāngzi.丨我的汽车就在树~。Wǒ de qìchē jiù zài shù ~.丨小猫躲到沙发的~去了。Xiǎomāo duǒdào shāfā de ~ qu le.丨这本词典是玛丽的，~的那本才是我的。Zhèi běn cídiǎn shì Mǎlì de, ~ de nèi běn cái shì wǒ de.丨杯子~的电影票是我放

在那儿的。Bēizi ~ de diànyǐngpiào shì wǒ fàng zài nàr de.

dǐxia 底下[2] [名]

这个杯子~细，上面粗。Zhèige bēizi ~ xì, shàngmiàn cū. →这个杯子靠下边的部分比较细。Zhèige bēizi kào xiàbian de bùfen bǐjiào xì. **例**海里的水~比较凉，上边的还算暖和。Hǎi li de shuǐ ~ bǐjiào liáng, shàngbian de hái suàn nuǎnhuo. | 石头很快就沉到河~去了。Shítou hěn kuài jiù chéndào hé ~ qu le. | 这些书里最~的那本是汉语词典。Zhèixiē shū li zuì ~ de nèi běn shì Hànyǔ cídiǎn.

dì 地[1] [名]

这里~不平，走路要小心。Zhèlǐ ~ bù píng, zǒulù yào xiǎoxīn. →走路时我们的脚下就是地。Zǒulù shí wǒmen de jiǎo xià jiù shì dì. **例**下了雨以后，~很湿。Xiàle yǔ yǐhòu, ~ hěn shī. | 我房间的~脏了，我得扫一下儿。Wǒ fángjiān de ~ zāng le, wǒ děi sǎo yíxiàr ~. | 别坐在~上，~上有水。Bié zuò zài ~ shang, ~ shang yǒu shuǐ. | 这种小动物生活在~底下，很少出来活动。Zhèi zhǒng xiǎodòngwù shēnghuó zài ~ dǐxià, hěn shǎo chūlai huódòng.

dìmiàn 地面 [名]

刚下过大雨，运动场的~很湿。Gāng xiàguo dàyǔ, yùndòngchǎng de ~ hěn shī. →运动场的地很湿。Yùndòngchǎng de dì hěn shī. **例**打扫完以后，房间的~很干净。Dǎsǎo wán yǐhòu, fángjiān de ~ hěn gānjìng. | 这屋子的~比外边高一些。Zhè wūzi de ~ bǐ wàibian gāo yìxiē. | 飞机离开~飞了起来。Fēijī líkāi ~ fēile qilai. | 屋顶到~的距离是两米多。Wūdǐng dào ~ de jùlí shì liǎng mǐ duō. | 在~以下十米的地方发现了一个古代的城市。Zài ~ yǐxià shí mǐ de dìfang fāxiànle yí ge gǔdài de chéngshì.

dìxià 地下 [名]

这座楼地面以上有十层，~还有两层。Zhèi zuò lóu dìmiàn yǐshàng yǒu shí céng, ~ háiyǒu liǎng céng. →地面以下有两层。Dìmiàn yǐxià yǒu liǎng céng. **例**这个饭店~有个游泳池。Zhèige fàndiàn ~ yǒu ge yóuyǒngchí. | 停车的地方在~，这样可以节省空间。Tíngchē de dìfang zài ~, zhèiyàng kěyǐ jiéshěng kōngjiān. | 体育馆的下面有个~商场。Tǐyùguǎn de xiàmiàn yǒu ge ~ shāngchǎng.

dìxia 地下 [名]

我的房间很干净，~也可以坐。Wǒ de fángjiān hěn gānjìng, ~ yě

kěyǐ zuò. →你可以坐在地上。Nǐ kěyǐ zuò zài dì shang. 例~有水，走路要当心。~ yǒu shuǐ, zǒulù yào dāngxīn. | 杯子掉到~摔碎了。Bēizi diàodào ~ shuāisuì le. | 有个喝醉的人倒在~睡着了。Yǒu ge hēzuì de rén dǎo zài ~ shuìzháo le. | 我把~的书捡起来放到了桌子上。Wǒ bǎ ~ de shū jiǎn qilai fàngdàole zhuōzi shang.

dì 地² [名]

参加这次国际比赛的运动员来自世界各~。Cānjiā zhèi cì guójì bǐsài de yùndòngyuán láizì shìjiè gè ~. →他们是从世界上各个地方来的。Tāmen shì cóng shìjiè shang gè gè dìfang lái de. 例他离开了家，跟父母生活在两~。Tā líkāile jiā, gēn fùmǔ shēnghuó zài liǎng ~. | 春节到了，全国各~都有很浓的节日气氛。Chūnjié dào le, quán guó gè ~ dōu yǒu hěn nóng de jiérì qìfēn. | 我喜欢这个城市，此~的人非常热情。Wǒ xǐhuan zhèige chéngshì, cǐ ~ de rén fēicháng rèqíng.

dìdài 地带（地帶）[名]

这里是森林~，这个地方树很多。Zhèlǐ shì sēnlín ~, zhèige dìfang shù hěn duō. →这是一个长着森林的地方。Zhè shì yí ge zhǎngzhe sēnlín de dìfang. 例他们生活的地方是草原~，那里有很多草。Tāmen shēnghuó de dìfang shì cǎoyuán ~, nàli yǒu hěn duō cǎo. | 这个城市在一个平原~上。Zhèige chéngshì zài yí ge píngyuán ~ shang. | 沙漠~的气候十分干燥。Shāmò ~ de qìhòu shífēn gānzào.

dìdiǎn 地点（地點）[名]

我们见面的~是学校门口。Wǒmen jiànmiàn de ~ shì xuéxiào ménkǒu. →我们在那儿见面。Wǒmen zài nàr jiànmiàn. 例明天开会的~就在这个房间。Míngtiān kāihuì de ~ jiù zài zhèige fángjiān. | 上课~改了，你知道吗？Shàngkè ~ gǎi le, nǐ zhīdao ma? | 他告诉了我开晚会的时间，却没告诉我~。Tā gàosule wǒ kāi wǎnhuì de shíjiān, què méi gàosu wǒ ~. | 这个公园就是大卫第一次和女朋友约会的~。Zhèige gōngyuán jiù shì Dàwèi dì yī cì hé nǚpéngyou yuēhuì de ~.

dìfāng 地方 [名]

~政府对中央政府的决定表示支持。~ zhèngfǔ duì zhōngyāng zhèngfǔ de juédìng biǎoshì zhīchí. →地方政府管理各个地区的事情，

中央政府管理全国的事情。Dìfāng zhèngfǔ guǎnlǐ gè gè dìqū de shìqing, zhōngyāng zhèngfǔ guǎnlǐ quán guó de shìqing.例 ~银行要服从中央银行的管理。~ yínháng yào fúcóng zhōngyāng yínháng de guǎnlǐ. |中央的通知很快就发到了 ~。Zhōngyāng de tōngzhī hěn kuài jiù fādàole ~. |从中央到 ~ 都很重视经济工作。Cóng zhōngyāng dào ~ dōu hěn zhòngshì jīngjì gōngzuò.

dìfang 地方¹ ［名］

大卫不在房间里，他去什么 ~ 了？Dàwèi bú zài fángjiān li, tā qù shénme ~ le? →大卫去哪儿了？Dàwèi qù nǎr le?例你昨天晚上在什么 ~？Nǐ zuótiān wǎnshang zài shénme ~? |我背上有个~很疼。Wǒ bèi shang yǒu ge ~ hěn téng. |桌子上放满了书，咖啡就放在别的 ~ 吧。Zhuōzi shang fàngmǎnle shū, kāfēi jiù fàng zài biéde ~ ba. |他周末最常去的~是酒吧。Tā zhōumò zuì cháng qù de ~ shì jiǔbā. |她很喜欢这个 ~ 的空气，常来这儿散步。Tā hěn xǐhuan zhèige ~ de kōngqì, cháng lái zhèr sànbù.

dìfang 地方² ［名］

这本书里有几个写得不好的 ~。Zhèi běn shū li yǒu jǐ ge xiě de bù hǎo de ~. →书里有几个写得不好的部分。Shū li yǒu jǐ ge xiě de bù hǎo de bùfen.例这篇文章里有很多错误的 ~。Zhèi piān wénzhāng li yǒu hěn duō cuòwù de ~. |他说的话有的 ~是对的，有的 ~ 不对。Tā shuō de huà yǒude ~ shì duì de, yǒude ~ bú duì. |这个电影最精彩的 ~是最后几分钟。Zhèige diànyǐng zuì jīngcǎi de ~ shì zuìhòu jǐ fēnzhōng.

dìqiú 地球 ［名］

例~是太阳系九大行星之一，是人类居住的地方。~ shì tàiyángxì jiǔ dà xíngxīng zhīyī, shì rénlèi jūzhù de dìfang. |~在不停地自转。~ zài bù tíng de zìzhuàn. |不论是东方人还是西方人，都生活在同一个 ~ 上。Búlùn shì Dōngfāngrén háishi Xīfāngrén, dōu shēnghuó zài tóng yí ge ~ shang. |~的最南端是南极洲。~ de zuì nán duān shì Nánjízhōu.

地球

dìqū 地区（地區）［名］

这个~有很多山。Zhèige ~ yǒu hěn duō shān. →这个范围比较大

的地方有很多山。Zhèige fànwéi bǐjiào dà de dìfang yǒu hěn duō shān. **例**中国北部～气候比较干燥。Zhōngguó běibù ～ qìhòu bǐjiào gānzào. | 这是一个经济很发达的～，这里工厂很多。Zhè shì yí ge jīngjì hěn fādá de ～, zhèlǐ gōngchǎng hěn duō. | 我去过那个沙漠～，在那儿生活的动物很少。Wǒ qùguo nèige shāmò ～, zài nàr shēnghuó de dòngwù hěn shǎo. | 这个～的人大部分个子比较高。Zhèige ～ de rén dà bùfen gèzi bǐjiào gāo.

dìtú 地图（地圖）[名]

map **例**我有一张～，想去的地方都可以从上面找到。Wǒ yǒu yì zhāng ～, xiǎng qù de dìfang dōu kěyǐ cóng shàngmiàn zhǎodào. | 去不熟悉的地方最好带上～。Qù bù shúxī de dìfang zuìhǎo dàishang ～. | 办公室的墙上挂着一张世界～。Bàngōngshì de qiáng shang guàzhe yì zhāng shìjiè ～. | 这张～太旧了，很多新地方上面都没有。Zhèi zhāng ～ tài jiù le, hěn duō xīn dìfang shàngmian dōu méiyǒu. | 我从～上找到了要去的饭店。Wǒ cóng ～ shang zhǎodàole yào qù de fàndiàn.

dìwèi 地位 [名]

他在我们公司里～最高，大家都得听他的。Tā zài wǒmen gōngsī li ～ zuì gāo, dàjiā dōu děi tīng tā de. →他是我们公司里最重要的人。Tā shì wǒmen gōngsī li zuì zhòngyào de rén. **例**他在政府里的～很高，很多大事由他负责。Tā zài zhèngfǔ li de ～ hěn gāo, hěn duō dà shì yóu tā fùzé. | 法律面前每个人的～都是平等的。Fǎlǜ miànqián měi ge rén de ～ dōu shì píngděng de. | 那个国家妇女没有～，男人决定一切。Nèige guójiā fùnǚ méiyǒu ～, nánrén juédìng yíqiè. | 农业在这个国家占有重要的～。Nóngyè zài zhèige guójiā zhànyǒu zhòngyào de ～.

dìzhǐ 地址 [名]

我知道他的～，能找到他。Wǒ zhīdao tā de ～, néng zhǎodào tā. →我知道他住的地方（或者给他写的信应该寄去的地方）。Wǒ zhīdao tā zhù de dìfang (huòzhě gěi tā xiě de xìn yīnggāi jìqu de dìfang). **例**我给了他我的～，让他有空儿去找我。Wǒ gěile tā wǒ de ～, ràng tā yǒu kòngr qù zhǎo wǒ. | 我把她的～写错了，寄给她的信被邮局退了回来。Wǒ bǎ tā de ～ xiěcuò le, jì gěi tā de xìn bèi yóujú tuìle huílai. | 他最近搬家了，～变了。Tā zuìjìn bānjiā le, ～ biàn le.

dì 地³ [名]

这块~种着各种蔬菜。Zhèi kuài ~ zhòngzhe gè zhǒng shūcài. →这是用来种菜种粮食等的土地。Zhè shì yòng lái zhòng cài zhòng liángshi děng de tǔdì. 例这里人多~少，种出的粮食不够吃。Zhèlǐ rén duō ~ shǎo, zhòngchū de liángshi bú gòu chī. |他家有五亩~，主要种大米。Tā jiā yǒu wǔ mǔ ~, zhǔyào zhòng dàmǐ. |春天，农民们都忙着在~里干活儿。Chūntiān, nóngmínmen dōu mángzhe zài ~ li gànhuór.

dìdao 地道 [形]

他说的汉语真~，听不出来是外国人说的。Tā shuō de Hànyǔ zhēn ~, tīng bu chūlái shì wàiguórén shuō de. →他说的汉语就跟中国人说的一样。Tā shuō de Hànyǔ jiù gēn Zhōngguórén shuō de yíyàng. 例她说的汉语不~，声调不太准确。Tā shuō de Hànyǔ bú ~, shēngdiào bú tài zhǔnquè. |他小时候住在英国，能说一口地地道道的英语。Tā xiǎoshíhou zhù zài Yīngguó, néng shuō yìkǒu dìdìdàodào de Yīngyǔ. |这个饭馆儿的中国菜做得不~，不是真正的中国菜。Zhèige fànguǎnr de Zhōngguócài zuò de bú ~, bú shì zhēnzhèng de Zhōngguócài.

dìdi 弟弟 [名]

他是我~，不是我哥哥。Tā shì wǒ ~, bú shì wǒ gēge. →我们俩都是父母的儿子，他的年龄比我小。Wǒmen liǎ dōu shì fùmǔde érzi, tā de niánlíng bǐ wǒ xiǎo. 例我是家里最大的孩子，有两个~一个妹妹。Wǒ shì jiāli zuì dà de háizi, yǒu liǎng ge ~ yí ge mèimei. |大卫上大学时，~还是个小男孩儿。Dàwèi shàng dàxué shí, ~ hái shì ge xiǎo nánháir. |安娜的~比安娜小两岁。Ānnà de ~ bǐ Ānnà xiǎo liǎng suì. |我~的个子比我还高。Wǒ ~ de gèzi bǐ wǒ hái gāo.

dì 递 (遞) [动]

他把大卫手里的书~给我。Tā bǎ Dàwèi shǒu li de shū ~ gěi wǒ. →他从大卫手里把书拿给我。Tā cóng Dàwèi shǒu li bǎ shū ná gěi wǒ. 例坐在我后边的人让我把一支笔~给前边的人。Zuò zài wǒ hòubian de rén ràng wǒ bǎ yì zhī bǐ ~ gěi qiánbian de rén. |我把桌子上的词典~到他手里。Wǒ bǎ zhuōzi shang de cídiǎn ~ dào tā shǒu li. |主人倒了一杯咖啡~过来。Zhǔrén dàole yì bēi kāfēi ~

guolai . |我离她太远，给她东西必须请中间的人～一下ㄦ。Wǒ lí tā
tài yuǎn, gěi tā dōngxi bìxū qǐng zhōngjiān de rén ～ yíxiàr.

dian

^D **diǎn 点¹** （點）[量]

o'clock 例现在是上午十～。Xiànzài shì shàngwǔ shí ～. |我到学校
的时间是九～零五分。Wǒ dào xuéxiào de shíjiān shì jiǔ ～ líng wǔ
fēn . |请问现在几～了？ Qǐngwèn xiànzài jǐ ～ le? |六～到了，该下
班了。Liù ～ dào le, gāi xiàbān le. |我早上一般七～多起床。Wǒ
zǎoshang yìbān qī ～ duō qǐchuáng . |父母要求孩子九～半以前回
家。Fùmǔ yāoqiú háizi jiǔ ～ bàn yǐqián huíjiā . |我参加不了今天下
午四～的会议。Wǒ cānjiā bu liǎo jīntiān xiàwǔ sì ～ de huìyì.

diǎnzhōng 点钟（點鐘）

我看了看手表，现在是三～。Wǒ kànle kàn shǒubiǎo, xiànzài shì
sān ～. →现在的时间是三点。Xiànzài de shíjiān shì sān diǎn. 例我
们开始上班的时间是九～。Wǒmen kāishǐ shàngbān de shíjiān shì jiǔ
～. |我没带手表，不知道现在几～。Wǒ méi dài shǒubiǎo, bù
zhīdào xiànzài jǐ ～. |晚上七～的新闻节目爸爸每天都看。
Wǎnshang qī ～ de xīnwén jiémù bàba měi tiān dōu kàn. |她一般十
一点半钟睡觉。Tā yìbān shíyī diǎn bàn zhōng shuìjiào . |现在都十点
多钟了，我该回去了。Xiànzài dōu shí diǎn duō zhōng le, wǒ gāi
huíqu le .

diǎn 点² （點）[名]

dot; speck 例"六"字的上面是一个～。"Liù" zì de shàngmiàn shì yí
ge ～. |字母"i"的上边有一个～. Zìmǔ "i" de shàngbian yǒu yí ge
～. |铅笔尖ㄦ在纸上留下了一个黑～。Qiānbǐ jiānr zài zhǐ shang
liúxiale yí ge hēi ～. |墙上的小～是我不小心洒上去的墨水ㄦ。Qiáng
shang de xiǎo ～ shì wǒ bù xiǎoxīn sǎ shangqu de mòshuǐr.

diǎn 点³ （點）[名]

这张桌子的高度是零～七米。Zhèi zhāng zhuōzi de gāodù shì líng ～
qī mǐ. →零点七就是0.7。Líng diǎn qī jiù shì 0.7. 例他的身高是一
～八五米（1.85m）。Tā de shēngāo shì yī ～ bāwǔ mǐ. |三是二的
一～五倍。Sān shì èr de yī ～ wǔ bèi. |公司今年的收入比去年增
加了百分之四～零六（4.06%）。Gōngsī jīnnián de shōurù bǐ qùnián

zēngjiāle bǎi fēnzhī sì ~ líng liù.

diǎn 点⁴ （點）[量]

用于说话内容或文章内容（比如意见、看法、要求、建议、决定等）的一个方面。Yòngyú shuōhuà nèiróng huò wénzhāng nèiróng（bǐrú yìjiàn、 kànfǎ、 yāoqiú、 jiànyì、 juédìng děng）de yí ge fāngmiàn. 例大家讨论工作问题时，他说了两~意见。Dàjiā tǎolùn gōngzuò wéntí shí, tā shuōle liǎng ~ yìjiàn. I 老师对学生提出了几 ~要求。Lǎoshī duì xuésheng tíchūle jǐ ~ yāoqiú. I 他的讲话主要有 三 ~ 内容。Tā de jiǎnghuà zhǔyào yǒu sān ~ nèiróng. I 我问他对这 件事怎么看，他说了几。Wǒ wèn tā duì zhèi jiàn shì zěnme kàn, tā shuōle jǐ ~. I 我希望大家别迟到，这一 ~ 请大家注意。Wǒ xīwàng dàjiā bié chídào, zhèi yì ~ qǐng dàjiā zhùyì.

diǎn 点⁵ （點）[动]

我问他去不去看电影，他 ~ 头说"好"。Wǒ wèn tā qù bu qù kàn diànyǐng, tā ~ tóu shuō "hǎo". →他的头往下动了动又马上回到原 来的位置，这个动作一般表示同意。Tā de tóu wǎng xià dòngle dòng yòu mǎshàng huídào yuánlái de wèizhì, zhèige dòngzuò yìbān biǎoshì tóngyì. 例他问我想不想吃东西，我 ~ 头说想吃。Tā wèn wǒ xiǎng bu xiǎng chī dōngxi, wǒ ~ tóu shuō xiǎng chī. I 他听我说 话时连连~头，表示赞成我的意见。Tā tīng wǒ shuōhuà shí liánlián ~ tóu, biǎoshì zànchéng wǒ de yìjiàn. I 他向我 ~ 了 ~ 头，表示可以 开始工作了。Tā xiàng wǒ ~ le ~ tóu, biǎoshì kěyǐ kāishǐ gōngzuò le. I 你要是同意就把头 ~ 一下儿。Nǐ yàoshi tóngyì jiù bǎ tóu ~ yí xiàr.

diǎn 点⁶ （點）[动]

大卫在一张一张地~手里的钱。Dàwèi zài yì zhāng yì zhāng de ~ shǒu li de qián. →他在数手里有多少钱。Tā zài shǔ shǒu li yǒu duōshao qián. 例老师在~教室里学生的人数。Lǎoshī zài ~ jiàoshì li xuésheng de rénshù. I 请你 ~ ~ 你们的行李，看看对不对。Qǐng nǐ ~ ~ nǐmen de xíngli, kànkan duì bu duì. I 书架上的书真多，我 ~ 了半天才 ~ 完。Shūjià shang de shū zhēn duō, wǒ ~ le bàntiān cái ~ wán. I 这些钱我 ~ 清楚了，一共是三百六十六块。Zhèixiē qián wǒ ~ qīngchu le, yígòng shì sānbǎi liùshíliù kuài. I 这么多人我 可~不过来。Zhème duō rén wǒ kě ~ bu guòlái.

D

diǎn 点⁷（點）[动]

在饭馆儿里，大卫～了两个菜。Zài fànguǎnr li, Dàwèi ～ le liǎng ge cài. →他要了两个菜。Tā yàole liǎng ge cài. 例大家每人～了一个自己爱吃的菜。Dàjiā měi rén ～ le yí ge zìjǐ ài chī de cài. | 啤酒是他～的。Píjiǔ shì tā ～ de. | 我们～菜～得太多了，吃不完。Wǒmen ～ cài ～ de tài duō le, chī bu wán. | 她给我～的这种饮料很好喝。Tā gěi wǒ ～ de zhèi zhǒng yǐnliào hěn hǎohē.

diǎn 点⁸（點）[动]

他在用火～香烟。Tā zài yòng huǒ ～ xiāngyān. →他在用火使香烟开始燃烧。Tā zài yòng huǒ shǐ xiāngyān kāishǐ ránshāo. 例她～了一根烟抽起来。Tā ～ le yì gēn yān chōu qilai. | 妈妈～着了火，开始做饭。Māma ～ zháole huǒ, kāishǐ zuòfàn. | 小孩子玩儿火～着了房子。Xiǎo háizi wánr huǒ ～ zháole fángzi. | 风太大了，火～不着。Fēng tài dà le, huǒ ～ bu zháo.

diǎnxin 点心（點心）[名]

他一边喝咖啡一边吃～。Tā yìbiān hē kāfēi yìbiān chī ～. →他在吃蛋糕、饼干这类食品。Tā zài chī dàngāo、bǐnggān zhèi lèi shípǐn. 例早饭他一般只吃几块儿～。Zǎofàn tā yìbān zhǐ chī jǐ kuàir ～. | 她吃了不少～，所以不想吃饭。Tā chīle bùshǎo ～, suǒyǐ bù xiǎng chī fàn. | 这盒～是朋友送给我的。Zhèi hé ～ shì péngyou sòng gěi wǒ de. | 这种～的味道真好。Zhèi zhǒng ～ de wèidao zhēn hǎo.

diàn 电（電）[名]

electricity 例没有～就用不了电脑。Méiyǒu ～ jiù yòng bu liǎo diànnǎo. | 出去的时候把电灯关上，别浪费～。Chūqu de shíhou bǎ diàndēng guānshang, bié làngfèi ～. | 录音机用的～很少，空调用的就多多了。Lùyīnjī yòng de ～ hěn shǎo, kōngtiáo yòng de jiù duō duō le. | 现在人们的生活离不开～。Xiànzài rénmen de shēnghuó lí bu kāi ～. | 楼里的电灯突然不亮了，可能是停～了。Lóu li de diàndēng tūrán bú liàng le, kěnéng shì tíng ～ le.

diànbào 电报（電報）[名]

telegram 例我去邮局给他发了一个～，让他赶快回国。Wǒ qù yóujú gěi tā fāle yí ge ～, ràng tā gǎnkuài huíguó. | 他刚收到一封～，说他父亲得了很严重的病。Tā gāng shōudào yì fēng ～, shuō tā fùqin déle hěn yánzhòng de bìng. | 她在～里告诉了我她坐什么时间的飞

机来。Tā zài ~ li gàosule wǒ tā zuò shénme shíjiān de fēijī lái. I 现在打电话、发电子邮件很方便，~ 的作用越来越小。Xiànzài dǎ diànhuà、fā diànzǐ yóujiàn hěn fāngbiàn，~ de zuòyòng yuèláiyuè xiǎo. I 这封 ~ 的内容很重要，必须马上给他。Zhèi fēng ~ de nèiróng hěn zhòngyào，bìxū mǎshàng gěi tā.

diànbīngxiāng 电冰箱（電冰箱）[名]

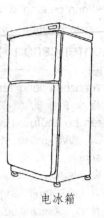
电冰箱

例我有一台 ~，吃的东西都放在里面。Wǒ yǒu yì tái ~，chī de dōngxi dōu fàng zài lǐmiàn. I 玛丽把没吃完的蛋糕放进了 ~。Mǎlì bǎ méi chīwán de dàngāo fàngjìnle ~. I 他打开 ~ 拿了一些冰块儿出来。Tā dǎkāi ~ nále yìxiē bīngkuàir chulai. I ~ 可以长时间保存食品。~ kěyǐ cháng shíjiān bǎocún shípǐn. I ~ 里温度很低。~ li wēndù hěn dī. I ~ 的门一关上，里面的灯就不亮了。~ de mén yì guānshang，lǐmiàn de dēng jiù bú liàng le.

diànchē 电车（電車）[名]

我上班常常坐 ~。Wǒ shàngbān chángcháng zuò ~. →我坐的是用电的公共汽车。Wǒ zuò de shì yòng diàn de gōnggòng qìchē. 例玛丽上了一辆黄色的 ~。Mǎlì shàngle yí liàng huángsè de ~. I ~ 关上门开走了。~ guānshang mén kāizǒu le. I 今天 ~ 上人特别多。Jīntiān ~ shang rén tèbié duō. I 司机是个年轻人。~ sījī shì ge niánqīngrén，I ~ 的速度不太快，但不会污染空气。~ de sùdù bú tài kuài，dàn bú huì wūrǎn kōngqì.

diànchí 电池（電池）[名]

例照相机的~用完了，需要换一节新的。Zhàoxiàngjī de ~ yòngwán le，xūyào huàn yì jié xīn de. I 录音机的~快没电了，声音变得很奇怪。Lùyīnjī de ~ kuài méi diàn le，shēngyīn biàn de hěn qíguài. I 我想买两节五号 ~。Wǒ xiǎng mǎi liǎng jié wǔ hào ~. I 这种电脑靠~可以用三个小时。Zhèi zhǒng diànnǎo kào ~ kěyǐ yòng sān ge xiǎoshí.

电池

diàndēng 电灯（電燈）[名]

例办公室的 ~ 还开着，可能里边还有人。Bàngōngshì de ~ hái

kāizhe, kěnéng lǐbian hái yǒu rén. | ~ 坏
了，没法儿看书。~ huài le, méifǎr
kànshū. | 房间里有点儿暗，打开 ~ 吧。
Fángjiān li yǒudiǎnr àn, dǎkāi ~ ba. | 我
关上 ~ 上床睡觉。Wǒ guānshang ~
shàng chuáng shuìjiào. | ~ 的开关在哪儿?
~ de kāiguān zài nǎr?

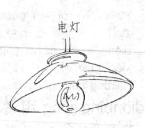

电灯

diànfēngshàn 电风扇（電風扇）[名]

例 ~ 吹来一阵阵凉风。~ chuīlái yí
zhènzhèn liáng fēng. | ~ 开得太大了，吹
得人不舒服。~ kāi de tài dà le, chuī de
rén bù shūfu. | 我买了一台 ~，放在桌子
上。Wǒ mǎile yì tái ~, fàng zài zhuōzi
shang. | 天气太热了，我们打开 ~ 吹一
会儿风吧。Tiānqì tài rè le, wǒmen dǎkāi
~ chuī yíhuìr fēng ba. | 现在不热，把~关
掉吧。Xiànzài bú rè, bǎ ~ guāndiào ba.

电风扇

diànhuà 电话[1]（電話）[名]

例 我房间里有~，不用去外边打。Wǒ fángjiān li yǒu ~, búyòng qù
wàibiàn dǎ. | 哥哥正在用~，我只好等
会儿再打。Gēge zhèngzài yòng ~, wǒ
zhǐhǎo děng huìr zài dǎ. | 我对她说了声
"再见"，就把~挂了。Wǒ duì tā shuōle
shēng "zàijiàn", jiù bǎ ~ guà le. | 他的
~一直打不通。Tā de ~ yìzhí dǎ bu
tōng. | 公用~前边就有，你去打吧。
Gōngyòng ~ qiánbian jiù yǒu, nǐ qù dǎ
ba. | ~响了，快去接。~ xiǎng le, kuài qù jiē. | 大卫的~号码是
多少? Dàwèi de ~ hàomǎ shì duōshao?

电话

diànhuà 电话[2]（電話）[名]

telephone call 例 我给他打了个~，告诉了他明天在哪儿见面。Wǒ gěi
tā dǎle ge ~, gàosule tā míngtiān zài nǎr jiànmiàn. | 妈妈给我来了
个~，让我多注意身体。Māma gěi wǒ láile ge ~, ràng wǒ duō
zhùyì shēntǐ. | 我刚才接的~是朋友打来的。Wǒ gāngcái jiē de ~

shì péngyou dǎlai de. |这个 ~ 是找大卫的，所以我对大卫说："大
卫， ~!" Zhèige ~ shì zhǎo Dàwèi de, suǒyǐ wǒ duì Dàwèi shuō:
"Dàwèi, ~!" |玛丽在 ~ 里告诉老师明天她不能去上课。Mǎlì zài
~ li gàosu lǎoshī míngtiān tā bù néng qù shàngkè. |我把~的内容
记在一张纸上了。Wǒ bǎ ~ de nèiróng jì zài yì zhāng zhǐ shang
le. |她没当面对我说这件事，是~通知我的。Tā méi dāngmiàn duì
wǒ shuō zhèi jiàn shì, shì ~ tōngzhī wǒ de.

D

diànnǎo 电脑（電腦）[名]

例 我有一台新买的 ~，我用它打字、上网。 电脑
Wǒ yǒu yì tái xīn mǎi de ~, wǒ yòng tā dǎzì、
shàngwǎng. |妈妈不会使用 ~。Māma bú
huì shǐyòng ~. |我的~坏了，怎么也打不
开。Wǒ de ~ huài le, zěnme yě dǎ bu kāi. |
你已经在~前面坐了一天了，关上~休息一
会儿吧。Nǐ yǐjing zài ~ qiánmiàn zuòle yì tiān
le, guānshang ~ xiūxi yíhuìr ba. |他用~写
了一篇文章。Tā yòng ~ xiěle yì piān
wénzhāng. |新~的速度很快，用起来感觉很
好。Xīn ~ de sùdù hěn kuài, yòng qilai gǎnjué hěn hǎo.

diànshì 电视[1]（電視）[名]

我的房间里有台~，我常打开它看新闻。Wǒ de fángjiān li yǒu tái
~, wǒ cháng dǎkāi tā kàn xīnwén. →我的房间里有一台电视机。
Wǒ de fángjiān li yǒu yì tái diànshìjī. 例 他一回家就打开~看了起来。
Tā yì huíjiā jiù dǎkāi ~ kànle qilai. |我的~坏了，什么节目也看不
了。Wǒ de ~ huài le, shénme jiémù yě kàn bu liǎo. |这台~的质量
真好，用了这么多年从没出过问题。Zhèi tái ~ de zhìliàng zhēn
hǎo, yòngle zhème duō nián cóng méi chūguo wèntí.

diànshì 电视[2]（電視）[名]

玛丽正在看~呢。Mǎlì zhèngzài kàn ~ ne. →她在看电视机里放的
节目。Tā zài kàn diànshìjī li fàng de jiémù. 例 她每天都要看一会儿
~。Tā měi tiān dōu yào kàn yíhuìr ~. |今天晚上没什么好~。
Jīntiān wǎnshang méi shénme hǎo ~. |这几天的~真没意思。Zhèi
jǐ tiān de ~ zhēn méi yìsi. |昨天~里说今天会下大雨。Zuótiān ~ li
shuō jīntiān huì xià dàyǔ.

diànshìjī 电视机（電視機）［名］

例大卫最近买了一台～。Dàwèi zuìjìn mǎile yì tái ～. | 全家人都坐在～前看新闻节目。Quán jiā rén dōu zuò zài ～ qián kàn xīnwén jiémù. | 我的～坏了，看不了电视。Wǒ de ～ huài le, kàn bu liǎo diànshì. | ～的声音太大了，能不能开小点ᵣ？～ de shēngyīn tài dà le, néng bu néng kāi xiǎo diǎnr?

电视机

diànshìtái 电视台（電視臺）［名］

TV station 例这个城市有好几家～，电视节目很丰富。Zhèige chéngshì yǒu hǎojǐ jiā ～, diànshì jiémù hěn fēngfù. | 大卫在全国最大的那家～工作。Dàwèi zài quán guó zuì dà de nèi jiā ～ gōngzuò. | 这个～的节目很精彩，大家都爱看。Zhèige ～ de jiémù hěn jīngcǎi, dàjiā dōu ài kàn. | ～的工作人员正在忙着做节目。～ de gōngzuò rényuán zhèngzài mángzhe zuò jiémù.

diàntái 电台（電臺）［名］

broadcasting station 例这个～早上五点开始广播。Zhèige ～ zǎoshang wǔ diǎn kāishǐ guǎngbō. | 那家～每天晚上都有一个小时的体育节目。Nèi jiā ～ měi tiān wǎnshang dōu yǒu yí ge xiǎoshí de tǐyù jiémù. | 这是一家专门广播音乐节目的～。Zhè shì yì jiā zhuānmén guǎngbō yīnyuè jiémù de ～. | 这个～的新闻节目有很多听众。Zhèige ～ de xīnwén jiémù yǒu hěn duō tīngzhòng. | 他没事ᵣ的时候常听～的广播。Tā méi shìr de shíhou cháng tīng ～ de guǎngbō.

diàntī 电梯（電梯）［名］

这座大楼里有四部～，上下楼很方便。Zhèi zuò dà lóu li yǒu sì bù ～, shàng xià lóu hěn fāngbiàn. →不想走楼梯就从电梯上下楼。Bù xiǎng zǒu lóutī jiù cóng diàntī shàng xià lóu. 例我要上十五层，正在等～。Wǒ yào shàng shíwǔ céng, zhèngzài děng ～. | ～坏了，我们走上去吧。～ huài le, wǒmen zǒu shangqu ba. | 我住四楼，不坐～上去也行。Wǒ zhù sì lóu, bú zuò ～ shàngqu yě xíng. | ～里人太多，我只好等下一趟。～ li rén tài duō, wǒ zhǐhǎo děng xià yí tàng. | ～的门开了，她走了出来。～ de mén kāi le, tā zǒule chulai.

diànyǐng 电影（電影）[名]

movie 例 这部 ~ 很好看，我已经看过三遍了。Zhèi bù ~ hěn hǎokàn, wǒ yǐjing kànguo sān biàn le. | ~ 快开始了，我们快走吧。 ~ kuài kāishǐ le, wǒmen kuài zǒu ba. | 你看过这部老 ~ 吗？ Nǐ kànguo zhèi bù lǎo ~ ma? | 她在这个 ~ 里演一个女医生。Tā zài zhèige ~ li yǎn yí ge nǚ yīshēng. | 那部 ~ 的内容很吸引人。Nèi bù ~ de nèiróng hěn xīyǐn rén.

D

diànyǐngyuàn 电影院（電影院）[名]

附近有一家 ~，我常去那儿看电影。Fùjìn yǒu yì jiā ~, wǒ cháng qù nàr kàn diànyǐng. →那是个专门放电影给大家看的地方。Nà shì ge zhuānmén fàng diànyǐng gěi dàjiā kàn de dìfang. 例 这个城市里有十几个 ~，想看电影太容易了。Zhèige chéngshì li yǒu shí jǐ ge ~, xiǎng kàn diànyǐng tài róngyì le. | 我们一块儿去 ~ 看电影吧。Wǒmen yíkuàir qù ~ kàn diànyǐng ba. | 这个 ~ 正在放一部新电影。Zhèige ~ zhèngzài fàng yí bù xīn diànyǐng. | 在 ~ 里欣赏电影是一种享受。Zài ~ li xīnshǎng diànyǐng shì yì zhǒng xiǎngshòu.

diànzǐ yóujiàn 电子邮件（電子郵件）

E-mail 例 他给我发了一个 ~。Tā gěi wǒ fāle yí ge ~. | 我的电脑收到了新的 ~。Wǒ de diànnǎo shōudàole xīn de ~. | 这封 ~ 是一家公司发来的广告。Zhèi fēng ~ shì yì jiā gōngsī fālai de guǎnggào. | 我经常通过 ~ 跟朋友联系。Wǒ jīngcháng tōngguò ~ gēn péngyou liánxì. | 我的 ~ 地址很容易记住。Wǒ de ~ dìzhǐ hěn róngyì jìzhù.

diàn 店 [名]

那个 ~ 是卖水果的。Nèige ~ shì mài shuǐguǒ de. →那是个卖水果的商店。Nà shì ge mài shuǐguǒ de shāngdiàn. 例 这家小 ~ 主要卖食品。Zhèi jiā xiǎo ~ zhǔyào mài shípǐn. | 我家附近最近开了一家新 ~，专门卖书。Wǒ jiā fùjìn zuìjìn kāile yì jiā xīn ~, zhuānmén mài shū. | 我常在这家小 ~ 买东西。Wǒ cháng zài zhèi jiā xiǎo ~ mǎi dōngxi. | ~ 里的几个售货员态度都不错。~ li de jǐ ge shòuhuòyuán tàidu dōu búcuò.

diao

diào 吊 [动]

村口的大树上 ~ 着一口大铁钟。Cūnkǒu de dà shù shang ~ zhe yì kǒu dà tiě zhōng. → 一口大铁钟在树上挂着。Yì kǒu dà tiě zhōng zài shù shang guàzhe. **例** 门口 ~ 着许多彩灯。Ménkǒu ~ zhe xǔduō cǎidēng. | 那口大钟现在还在那儿 ~ 着。Nèi kǒu dà zhōng xiànzài hái zài nàr ~ zhe. | 他把两个大红灯笼 ~ 在饭店门口。Tā bǎ liǎng ge dà hóng dēnglong ~ zài fàndiàn ménkǒu.

diào 钓 (釣) [动]

我 ~ 了一条大鱼。Wǒ ~ le yì tiáo dà yú. → 我用鱼竿儿从河里弄上来一条大鱼。Wǒ yòng yúgānr cóng hé li nòngshanglai yì tiáo dà yú. **例** 我 ~ 了半天，一条鱼也没 ~ 着。Wǒ ~ le bàntiān, yì tiáo yú yě méi ~ zháo. | 你在河的这边儿 ~，我在河的那边儿 ~。Nǐ zài hé de zhèibiānr ~, wǒ zài hé de nèibiānr ~. | 今年我只 ~ 过一次鱼。Jīnnián wǒ zhǐ ~ guo yí cì yú. | 这些鱼都是他 ~ 的。Zhèixiē yú dōu shì tā ~ de. | 爬爬山，~ ~ 鱼，对身体有好处。Pápa shān, ~ ~ yú, duì shēntǐ yǒu hǎochu. | 他把 ~ 的鱼全给了我。Tā bǎ ~ de yú quán gěile wǒ.

diào 调 (調) [动]

他从中学 ~ 到了大学。Tā cóng zhōngxué ~ dàole dàxué. → 他工作的地方发生了变动，从中学到了大学。Tā gōngzuò de dìfang fāshēngle biàndòng, cóng zhōngxué dàole dàxué. **例** 他最近 ~ 工作了。Tā zuìjìn ~ gōngzuò le. | 这几个人中，你们 ~ 谁我们都支持。Zhèi jǐ ge rén zhōng, nǐmen ~ shéi wǒmen dōu zhīchí. | 小王从我们这儿 ~ 走了。Xiǎo Wáng cóng wǒmen zhèr ~ zǒu le. | 我们需要的那个人到现在也没 ~ 进来。Wǒmen xūyào de nèige rén dào xiànzài yě méi ~ jìnlái. | 今年我们公司 ~ 来了好几位工程师。Jīnnián wǒmen gōngsī ~ láile hǎojǐ wèi gōngchéngshī. | 他很愿意 ~ 到我们单位工作。Tā hěn yuànyì ~ dào wǒmen dānwèi gōngzuò. | 我们 ~ 的这几个人都是急需的人才。Wǒmen ~ de zhèi jǐ ge rén dōu shì jíxū de réncái.

diàochá 调查[1] (調查) [动]

我们 ~ 了事故发生的原因。Wǒmen ~ le shìgù fāshēng de yuányīn.

→我们到现场去了解了事故发生的原因。Wǒmen dào xiànchǎng qù liǎojiěle shìgù fāshēng de yuányīn. 例他们正在～事情的经过。Tāmen zhèngzài ～ shìqing de jīngguò. |我～过了，这件事跟他没有关系。Wǒ ～ guo le, zhèi jiàn shì gēn tā méiyǒu guānxì. |这个人，你们得好好儿～～。Zhèige rén, nǐmen děi hǎohāor ～ ～. |我们～了几次，都没有发现什么问题。Wǒmen ～ le jǐ cì, dōu méiyǒu fāxiàn shénme wèntí. |关于这件事，他们已经～清楚了。Guānyú zhèi jiàn shì, tāmen yǐjing ～ qīngchu le. |我们去～了两个多月。Wǒmen qù ～ le liǎng ge duō yuè.

diàochá 调查² （調查）[名]

这次人口～很重要。Zhèi cì rénkǒu ～ hěn zhòngyào. →这次到现场去了解人口情况的活动很重要。Zhèi cì dào xiànchǎng qù liǎojiě rénkǒu qíngkuàng de huódòng hěn zhòngyào. 例我们做过社会～。Wǒmen zuòguo shèhuì ～. |他们做了深入细致的～。Tāmen zuòle shēnrù xìzhì de ～. |第一次～我也去了。Dì yī cì ～ wǒ yě qù le. |他把～的情况写成了报告。Tā bǎ ～ de qíngkuàng xiěchéngle bàogào. |他们汇报了～的经过。Tāmen huìbàole ～ de jīngguò. |我们把～的时间提前了。Wǒmen bǎ ～ de shíjiān tíqián le.

diào 掉¹ [动]

秋天到了，树上的叶子都～下来了。Qiūtiān dào le, shù shang de yèzi dōu ～ xialai le. →树上的叶子都落到地上了。Shù shang de yèzi dōu luòdào dìshang le. 例人老了，牙一个一个地～了。Rén lǎo le, yá yí ge yí ge de ～ le. |这件衣服～了一个扣子。Zhèi jiàn yīfu ～ le yí ge kòuzi. |这棵树的叶子全～光了。Zhèi kē shù de yèzi quán ～ guāng le. |钱包儿从口袋里～出来了。Qiánbāor cóng kǒudài li ～ chulai le. |水桶～到河里去了。Shuǐtǒng ～ dào hé li qu le.

diào 掉² [动]

昨天称是五十六公斤，今天称是五十四公斤，～了两公斤。Zuótiān chēng shì wǔshíliù gōngjīn, jīntiān chēng shì wǔshísì gōngjīn, ～ le liǎng gōngjīn. →重量减少了两公斤。Zhòngliàng jiǎnshǎole liǎng gōngjīn. 例晒一晒以后分量就～了。Shài yi shài yǐhòu fènliang jiù ～ le. |他出了一趟差，～了好几斤肉。Tā chūle yí tàng chāi, ～ le hǎojǐ jīn ròu. |减肥的效果很好，一个月就～了三公斤。Jiǎnféi de xiàoguǒ hěn hǎo, yí ge yuè jiù ～ le sān gōngjīn.

D

diào 掉³ [动]

应该往东开，你把汽车～过来。Yīnggāi wǎng dōng kāi, nǐ bǎ qìchē ～ guolai. →你把汽车头向东转。Nǐ bǎ qìchē tóu xiàng dōng zhuǎn. 例这条路不够宽，汽车不能在这儿～头。Zhèi tiáo lù bú gòu kuān, qìchē bù néng zài zhèr ～ tóu. | 他不想见我，我一进屋她就把头～过去了。Tā bù xiǎng jiàn wǒ, wǒ yí jìn wū tā jiù bǎ tóu ～ guoqu le. | 他睁了睁眼，～过身子又睡着了。Tā zhēngle zhēng yǎn, ～ guo shēnzi yòu shuìzháo le.

diào 掉⁴ [动]

我跟安娜～了座位。Wǒ gēn Ānnà ～ le zuòwèi. →现在我坐在安娜的座位上，安娜坐在我的座位上。Xiàn zài wǒ zuò zài Ānnà de zuòwèi shang, Ānnà zuò zài wǒ de zuòwèi shang. 例我想睡上面的床，你跟我～一下儿床位吧。Wǒ xiǎng shuì shàngmian de chuáng, nǐ gēn wǒ ～ yíxiàr chuángwèi ba. | 把写字台和沙发～一个位置比较好。Bǎ xiězìtái hé shāfā ～ yí ge wèizhì bǐjiào hǎo. | 老师让我跟后面的同学～一下儿座位。Lǎoshī ràng wǒ gēn hòumian de tóngxué ～ yíxiàr zuòwèi.

diào 掉⁵ [动]

黑板上的字全擦～了。Hēibǎn shang de zì quán cā ～ le. →黑板上的字全擦没了。Hēibǎn shang de zì quán cāméi le. 例我钱包里的钱都花～了。Wǒ qiánbāo li de qián dōu huā～ le. | 那块坏了的手表，我已经扔～了。Nèi kuài huàile de shǒubiǎo, wǒ yǐjing rēng～ le. | 那么多的饺子你全吃～了？Nàme duō de jiǎozi nǐ quán chī～ le?

die

diē 跌¹ [动]

路很滑，小心～倒。Lù hěn huá, xiǎoxīn ～ dǎo. →小心身体倒下去。Xiǎoxīn shēntǐ dǎo xiaqu. 例我刚进冰场，就～了个跟头。Wǒ gāng jìn bīngchǎng, jiù ～ le ge gēntou. | 他下山的时候～了一跤。Tā xià shān de shíhou ～ le yì jiāo. | 这一跤～得可不轻。Zhèi yì jiāo ～ de kě bù qīng. | 小孩儿从楼梯上～了下来。Xiǎohái'r cóng lóutī shang ～ le xialai. | 有一辆汽车～到路边的沟里去了。Yǒu yí liàng qìchē ～ dào lù biān de gōu li qu le.

diē 跌[2] [动]

这家公司的股票又 ~ 了。Zhèi jiā gōngsī de gǔpiào yòu ~ le. →这家公司的股票价格又下降了。Zhèi jiā gōngsī de gǔpiào jiàgé yòu xiàjiàng le. 例这种电视机 ~ 了三百多元。Zhèi zhǒng diànshìjī ~ le sānbǎi duō yuán. | 今天这种股票比昨天 ~ 了两个百分点。Jīntiān zhèi zhǒng gǔpiào bǐ zuótiān ~ le liǎng ge bǎifēndiǎn. | 有的服装 ~ 得很厉害，原先卖几百元，现在几十元就可以买下来。Yǒude fúzhuāng ~ de hěn lìhai, yuánxiān mài jǐ bǎi yuán, xiànzài jǐ shí yuán jiù kěyǐ mǎi xialai. | 世界石油的价格有时升，有时 ~。Shìjiè shíyóu de jiàgé yǒushí shēng, yǒushí ~.

dīng

dīng 丁 [名]

我们把这些汉字从容易到难分成甲、乙、丙、 ~ 四个等级。Wǒmen bǎ zhèixiē Hànzì cóng róngyì dào nán fēnchéng jiǎ、yǐ、bǐng、 ~ sì ge děngjí. →我们把这些汉字从容易到难分成第一等、第二等、第三等、第四等。Wǒmen bǎ zhèixiē Hànzì cóng róngyì dào nán fēnchéng dì yī děng、dì èr děng、dì sān děng、dìsì děng. 例我们把这些苹果按照大小分成甲级、乙级、丙级、 ~ 级。Wǒmen bǎ zhèixiē píngguǒ ànzhào dàxiǎo fēnchéng jiǎ jí、yǐ jí、bǐng jí、 ~ jí. | 这个老师喜欢用甲、乙、丙、 ~ 来给学生的作业打分。Zhèige lǎoshī xǐhuan yòng jiǎ、yǐ、bǐng、 ~ lái gěi xuésheng de zuòyè dǎ fēn. | ~级汉字要求具有高级汉语水平的外国学生掌握。~ jí Hànzì yāoqiú jùyǒu gāojí Hànyǔ shuǐpíng de wàiguó xuésheng zhǎngwò.

dǐng 顶[1]（頂）[名]

站在那座山的山 ~，可以看见日出。Zhàn zài nèi zuò shān de shān ~, kěyǐ kànjiàn rìchū. →站在山的最高的地方，可以看见日出。Zhàn zài shān de zuì gāo de dìfang, kěyǐ kànjiàn rìchū. 例他的头 ~ 上长了几根白头发。Tā de tóu ~ shang zhǎngle jǐ gēn bái tóufa. | 山 ~ 上立着一块石碑。Shān ~ shang lìzhe yí kuài shíbēi. | 房 ~ 上插着一面红旗。Fáng ~ shang chāzhe yí miàn hóngqí. | 一群鸽子在楼上飞来飞去。Yì qún gēzi zài lóu ~ shang fēi lái fēi qù.

dǐng 顶[2]（頂）[动]

这个少数民族的妇女能 ~ 着东西走路。Zhèige shǎoshù mínzú de

fùnǚ néng ~ zhe dōngxi zǒulù.→这个少数民族的妇女头上放着东西能走得很快。Zhèige shǎoshù mínzú de fùnǚ tóu shang fàngzhe dōngxi néng zǒu de hěn kuài.例小时候爸爸特别喜欢我,常常把我~在头上。Xiǎoshíhou bàba tèbié xǐhuan wǒ,chángcháng bǎ wǒ ~ zài tóu shang.|杂技演员小张能~一大叠碗。Zájì yǎnyuán Xiǎo Zhāng néng ~ yí dà dié wǎn.|他们玩儿牌的时候,谁输了,就罚谁~枕头。Tāmen wánr pái de shíhou,shéi shū le,jiù fá shéi ~ zhěntou.

dǐng 顶³ (頂) [副]

我 ~ 多能吃三个馒头。Wǒ ~ duō néng chī sān ge mántou. →我吃馒头的数量最多是三个,超过三个就吃不了了。Wǒ chī mántou de shùliàng zuì duō shì sān ge,chāoguò sān ge jiù chī bu liǎo le.例去一趟长城,~快也得半天时间。Qù yí tàng Chángchéng,~ kuài yě děi bàn tiān shíjiān.|他女儿~大不过七八岁。Tā nǚ'ér ~ dà búguò qī bā suì.|他这个人呀,~爱开玩笑了。Tā zhèi ge rén ya,~ ài kāiwánxiào le.|我们兄弟三人,爸爸~喜欢小弟弟了。Wǒmen xiōngdì sān rén,bàba ~ xǐhuan xiǎo dìdi le.

dǐng 顶⁴ (頂) [量]

用于帽子、帐篷、轿子等带顶儿的东西。Yòngyú màozi、zhàngpeng、jiàozi děng dài dǐngr de dōngxi.例我买了一~帽子。Wǒ mǎile yì ~ màozi.|我们需要几~帐篷。Wǒmen xūyào jǐ ~ zhàngpeng.|床上支着一~蚊帐。Chuáng shang zhīzhe yì ~ wénzhàng.|这~轿子很漂亮。Zhèi ~ jiàozi hěn piàoliang.

dìng 订¹ (訂) [动]

职工与企业~了劳动合同。Zhígōng yǔ qǐyè ~ le láodòng hétong. →职工与企业经过研究、商量和讨论,立下了劳动合同。Zhígōng yǔ qǐyè jīngguò yánjiū、shāngliang hé tǎolùn,lìxiale láodòng hétong.例两国~了友好条约。Liǎng guó ~ le yǒuhǎo tiáoyuē.|他已经~了学习的计划。Tā yǐjing ~ le xuéxí de jìhuà.|这些制度~得很及时。Zhèixiē zhìdù ~ de hěn jíshí.|方案已经~出来了。Fāng'àn yǐjing ~ chulai le.|制度是大家~的,大家应该遵守。Zhìdù shì dàjiā ~ de,dàjiā yīnggāi zūnshǒu.|领导已经同意你们~的方案了。Lǐngdǎo yǐjing tóngyì nǐmen ~ de fāng'àn le.

dìng 订² (訂) [动]

我~了五种报纸。Wǒ ~ le wǔ zhǒng bàozhǐ.→我提前约定购买了五

种报纸。Wǒ tíqián yuēdìng gòumǎile wǔ zhǒng bàozhǐ. **例**《人民日报》和《人民文学》我都 ~ 了。《Rénmín Rìbào》hé《Rénmín Wénxué》wǒ dōu ~ le. | 这本杂志我每年都 ~ 。Zhèi běn zázhì wǒ měi nián dōu ~ . | 地方性的报纸我们 ~ 得不多。Dìfāngxìng de bàozhǐ wǒmen ~ de bù duō. | 这本儿书是谁 ~ 的？Zhèi běnr shū shì shéi ~ de? | 图书馆 ~ 的报纸真多啊！Túshūguǎn ~ de bàozhǐ zhēn duō a!

dìng 订³（訂）[动]

我把这个月的《北京青年报》 ~ 在一起了。Wǒ bǎ zhèige yuè de 《Běijīng Qīngniánbào》 ~ zài yìqǐ le. →我把这个月的《北京青年报》用书钉等连在一起了。Wǒ bǎ zhèige yuè de 《Běijīng Qīngniánbào》yòng shūdīng děng lián zài yìqǐ le. **例**我想用这些纸 ~ 个本子。Wǒ xiǎng yòng zhèixiē zhǐ ~ ge běnzi. | 我把需要保存的文件全 ~ 了起来。Wǒ bǎ xūyào bǎocún de wénjiàn quán ~ le qilai. | 笔记本太厚了，~ 不透。Bǐjìběn tài hòu le, ~ bu tòu. | 这些文件很重要，你 ~ 好了以后要及时交给办公室。Zhèixiē wénjiàn hěn zhòngyào, nǐ ~ hǎole yǐhòu yào jíshí jiāo gěi bàngōngshì.

dìng 定¹ [动]

开会的时间已经 ~ 了。Kāihuì de shíjiān yǐjing ~ le. →已经确定了开会的时间。Yǐjing quèdìngle kāihuì de shíjiān. **例**明天咱们在哪儿见面，由你 ~ 。Míngtiān zánmen zài nǎr jiànmiàn, yóu nǐ ~ . | 这批家具的价格 ~ 得比较高。Zhèi pī jiājù de jiàgé ~ de bǐjiào gāo. | 考试的时间 ~ 在下个月的十六号。Kǎoshì de shíjiān ~ zài xià ge yuè de shíliù hào. | 先把会议的内容 ~ 下来，我们再讨论其他的问题。Xiān bǎ huìyì de nèiróng ~ xialai, wǒmen zài tǎolùn qítā de wèntí.

dìng 定² [动]

这批货已经 ~ 出去了。Zhèi pī huò yǐjing ~ chuqu le. →经过买卖双方预先商量，这批货已经确定卖给买方了。Jīngguò mǎimai shuāngfāng yùxiān shāngliang, zhèi pī huò yǐjing quèdìng mài gěi mǎifāng le. **例**我在北京饭店 ~ 了一桌饭。Wǒ zài Běijīng Fàndiàn ~ le yì zhuō fàn. | 往返的机票已经 ~ 好了。Wǎngfǎn de jīpiào yǐjing ~ hǎo le. | 我们 ~ 好了交货的时间和地点。Wǒmen ~ hǎole jiāo huò de shíjiān hé dìdiǎn. | 这个航班的机票全 ~ 完了。Zhèige hángbān de jīpiào quán ~ wán le. | 我没 ~ 上明天的机票。Wǒ méi ~ shàng míngtiān de jīpiào.

diu

diū 丢¹ [动]

我出去吃饭时 ~ 了钱包。Wǒ chūqu chī fàn shí ~ le qiánbāo. →我的钱包找不到了。Wǒ de qiánbāo zhǎo bu dào le. 例她 ~ 过不少东西。Tā ~ guo bùshǎo dōngxi. | 我的钥匙 ~ 了，进不了房间。Wǒ de yàoshi ~ le, jìn bu liǎo fángjiān. | 我不知道我的书是在哪儿 ~ 掉的。Wǒ bù zhīdào wǒ de shū shì zài nǎr ~ diào de. | 你放心吧，汽车停在这儿 ~ 不了。Nǐ fàngxīn ba, qìchē tíng zài zhèr ~ bu liǎo. | 对不起，我把你的自行车弄 ~ 了。Duìbuqǐ, wǒ bǎ nǐ de zìxíngchē nòng ~ le.

diū 丢² [动]

孩子往河里 ~ 了一块儿石头。Háizi wǎng hé li ~ le yí kuàir shítou. →他往河里扔了一块儿石头。Tā wǎng hé li rēngle yí kuàir shítou. 例他 ~ 给我一支笔。Tā ~ gěi wǒ yì zhī bǐ. | 她把书包往床上一 ~，就急急忙忙地走了。Tā bǎ shūbāo wǎng chuáng shang yì ~, jiù jíjímángmáng de zǒu le. | 我把他要的笔 ~ 了过去。Wǒ bǎ tā yào de bǐ ~ le guoqu. | 同屋在楼下让我把他的钥匙 ~ 下去。Tóngwū zài lóu xià ràng wǒ bǎ tā de yàoshi ~ xiaqu. | 别把东西 ~ 在地上，放在椅子上吧。Bié bǎ dōngxi ~ zài dìshang, fàng zài yǐzi shang ba.

dong

dōng 东（東）[名]

他的房间窗户朝 ~。Tā de fángjiān chuānghu cháo ~. →他的房间，窗户朝着太阳升起来的方向。Tā de fángjiān, chuānghu cháozhe tàiyáng shēng qilai de fāngxiàng. 例汽车往 ~ 开走了。Qìchē wǎng ~ kāizǒu le. | 这条小河的水向 ~ 流着。Zhèi tiáo xiǎohé de shuǐ xiàng ~ liúzhe. | 去地铁车站从这儿往 ~ 走。Qù dìtiě chēzhàn cóng zhèr wǎng ~ zǒu.

dōngbian 东边（東邊）[名]

我家住九楼 ~ 儿的那个门里。Wǒ jiā zhù jiǔ lóu ~ r de nèige mén li. →九楼有好几个门，我家住在离太阳出来的那边儿近的门里。Jiǔ lóu yǒu hǎojǐ gè mén, wǒ jiā zhù zài lí tàiyáng chūlai de nèibianr jìn de mén li. 例六楼在九楼的 ~ 儿。Liù lóu zài jiǔ lóu de ~ r. | 北京饭

店在天安门广场的 ~ 儿。Běijīng Fàndiàn zài Tiān'ān Mén
Guǎngchǎng de ~ r. | 学校操场的 ~ 儿是校医院。Xuéxiào cāochǎng
de ~ r shì xiào yīyuàn. | 大家都望着 ~ 儿，等待着日出。Dàjiā dōu
wàngzhe ~ r, děngdàizhe rìchū.

dōngběi 东北¹ （東北）[名]

今天刮的是 ~ 风。Jīntiān guā de shì ~ fēng. → 今天的风是从东和北
之间的方向刮过来的。Jīntiān de fēng shì cóng dōng hé běi zhījiān de
fāngxiàn guā guolai de. 例这个公园位于北京的 ~ 。Zhèige gōngyuán
wèiyú Běijīng de ~ . | 我在广场的 ~ 角等你。Wǒ zài guǎngchǎng de
~ jiǎo děng nǐ. | 火车一直朝着 ~ 方向开了两天才停下来。Huǒchē
yìzhí cháozhe ~ fāngxiàng kāile liǎng tiān cái tíng xialai.

Dōngběi 东北² （東北）[名]

他是 ~ 人。Tā shì ~ rén. → 他是中国东北地区的人。Tā shì
Zhōngguó dōngběi dìqū de rén. 例下个月我得去 ~ 出差。Xià ge yuè
wǒ děi qù ~ chūchāi. | 中国的 ~ 冬天很冷。Zhōngguó de ~
dōngtiān hěn lěng. | 他从 ~ 出差回来了。Tā cóng ~ chūchāi huílai
le. | 我在 ~ 生活了八年。Wǒ zài ~ shēnghuóle bā nián.

dōngbù 东部（東部）[名]

中国的 ~ 发展得比较快。Zhōngguó de ~ fāzhǎn de bǐjiào kuài. →
中国东边儿的省市发展得比较快。Zhōngguó dōngbianr de shěng shì
fāzhǎn de bǐjiào kuài. 例明天我国的 ~ 大部分地区都有雨。Míngtiān
wǒguó de ~ dà bùfen dìqū dōu yǒu yǔ. | ~ 地区雨水比较多。~
dìqū yǔshuǐ bǐjiào duō. | 西部的人口比 ~ 少。Xībù de rénkǒu bǐ ~
shǎo. | ~ 的自然环境比较好。~ de zìrán huánjìng bǐjiào hǎo.

dōngfāng 东方¹ （東方）[名]

飞机离开地面，朝着 ~ 飞去。Fēijī líkāi dìmiàn, cháozhe ~ fēiqù.
→ 飞机朝着太阳升起来的方向飞去。Fēijī cháozhe tàiyáng shēng
qilai de fāngxiàng fēiqù. 例太阳从 ~ 升起来了。Tàiyáng cóng ~
shēng qilai le. | 火车开出车站，驶向 ~ 。Huǒchē kāichū chēzhàn,
shǐ xiàng ~ . | 我坐的船一直朝着 ~ 驶去。Wǒ zuò de chuán yìzhí
cháozhe ~ shǐqù.

Dōngfāng 东方² （東方）[名]

~ 人和西方人的生活习惯有些不同。~ rén hé Xīfāngrén de

shēnghuó xíguàn yǒuxiē bùtóng. →亚洲人和欧洲人、美洲人的生活习惯有些不同。Yàzhōurén hé Ōuzhōurén、Měizhōurén de shēnghuó xíguàn yǒuxiē bùtóng. 例中国是~的一个大国。Zhōngguó shì ~ de yí ge dà guó. |~人的头发是黑色的。~ rén de tóufa shì hēisè de. |他们都是~人。Tāmen dōu shì ~ rén.

dōngmiàn 东面(東面)[名]

你看这座山上，~的树木长得很高大，北面的树木长得很矮小。Nǐ kàn zhèi zuò shān shang, ~ de shùmù zhǎng de hěn gāodà, běi miàn de shùmù zhǎng de hěn ǎixiǎo. →这座山朝太阳的地方，树木长得很高大。Zhèi zuò shān cháo tàiyáng de dìfang, shùmù zhǎng de hěn gāodà. 例一刮东风，~的墙很快就干了。Yì guā dōngfēng, ~ de qiáng hěn kuài jiù gān le. |你们站在这条线的~。Nǐmen zhàn zài zhèi tiáo xiàn de ~. |我们家有两个阳台，一个在南面，一个在~。Wǒmen jiā yǒu liǎng ge yángtái, yí ge zài nánmiàn, yí ge zài ~.

dōngnán 东南(東南)[名]

夏天常常刮~风。Xiàtiān chángcháng guā ~ fēng. →夏天的风常常从东和南之间的方向刮过来。Xiàtiān de fēng chángcháng cóng dōng hé nán zhījiān de fāngxiàng guā guolai. 例我们大学的~门修得特别漂亮。Wǒmen dàxué de ~ mén xiū de tèbié piàoliang. |工厂的~角有一座水塔。Gōngchǎng de ~ jiǎo yǒu yí zuò shuǐtǎ. |你去过中国~的沿海地区吗？Nǐ qùguo Zhōngguó ~ de yánhǎi dìqū ma?

dōngxī 东西[1]（東西）[名]

这间教室~各有一扇窗户。Zhèi jiān jiàoshì ~ gè yǒu yí shàn chuānghu. →这间教室东边和西边各有一扇窗户。Zhèi jiān jiàoshì dōngbian hé xībian gè yǒu yí shàn chuānghu. 例这些马路全是~方向的。Zhèixiē mǎlù quán shì ~ fāngxiang de. |剩下的房间全是~向的了。Shèngxia de fángjiān quán shì ~ xiàng de le. |会议室里的~墙上挂着几张国画儿。Huìyìshì li de ~ qiáng shang guàzhe jǐ zhāng guóhuàr.

dōngxī 东西[2]（東西）[名]

这间屋子~长十五米。Zhèi jiān wūzi ~ cháng shíwǔ mǐ. →这间屋子从东到西长十五米。Zhèi jiān wūzi cóng dōng dào xī cháng shíwǔ mǐ. 例这个广场~长一公里。Zhèige guǎngchǎng ~ cháng yì gōnglǐ. |你们先量一下儿~的距离，再量南北的距离。Nǐmen xiān

liáng yíxiàr ~ de jùlí, zài liáng nánběi de jùlí. | 这一排房子，~ 共十
五间。Zhèi yì pái fángzi, ~ gòng shíwǔ jiān.

dōngxi 东西(東西) [名]

thing; matter 例桌子上有一些书、纸、笔什么的，这些~是大卫的。
Zhuōzi shang yǒu yìxiē shū、zhǐ、bǐ shénmede, zhèixiē ~ shì Dàwèi
de. | 他房间里的 ~ 都放得整整齐齐的。Tā fángjiān li de ~ dōu
fàng de zhěngzhěngqíqí de. | 地上有个 ~，好像是钱包。Dìshang
yǒu ge ~, hǎoxiàng shì qiánbāo. | 我要去商店买点儿吃的 ~。Wǒ
yào qù shāngdiàn mǎi diǎnr chī de ~. | 我没看清楚他手上拿的是什
么 ~。Wǒ méi kàn qīngchu tā shǒu shang ná de shì shénme ~.

dōng 冬 [名]

~去了,春来了,天气逐渐变暖。~ qù le, chūn lái le, tiānqì zhújiàn
biànnuǎn. →冬天过去了。Dōngtiān guòqu le. 例秋去 ~来，气温越来
越低。Qiū qù ~ lái, qìwēn yuèláiyuè dī. | 这里四季分明,春暖、夏热、
秋凉、~ 冷。Zhèlǐ sìjì fēnmíng, chūn nuǎn、xià rè、qiū liáng、~ lěng. |
鸟儿飞到温暖的南方去过 ~。Niǎo'ér fēi dào wēnnuǎn de nánfāng
qù guò ~. | 中国大部分地方一年有春夏秋 ~ 四个季节。Zhōngguó
dà bùfen dìfang yì nián yǒu chūn xià qiū ~ sì ge jìjié.

dōngtiān 冬天 [名]

天气冷起来了，~ 就要到了。Tiānqì lěng qilai le, ~ jiù yào dào le.
→一年中最冷的季节就要到了。Yì nián zhōng zuì lěng de jìjié jiù yào
dào le. 例~ 来了，人们都穿上了厚厚的衣服。~ lái le, rénmen
dōu chuānshangle hòuhòu de yīfu. | 他很怕冷，每年都到暖和的地
方去过 ~。Tā hěn pà lěng, měi nián dōu dào nuǎnhuo de dìfang qù
guò ~. | 这里~ 的气温很低，经常下雪。Zhèlǐ ~ de qìwēn hěn dī,
jīngcháng xià xuě.

dǒng 懂 [动]

听了我的解释以后，这个词他完全 ~ 了。Tīngle wǒ de jiěshì yǐhòu,
zhèige cí tā wánquán ~ le. →他完全知道这个词的意思了。Tā
wánquán zhīdao zhèige cí de yìsi le. 例他的意思我 ~，他想跟我交
朋友。Tā de yìsi wǒ ~, tā xiǎng gēn wǒ jiāo péngyou. | 他 ~ 汉语，
跟中国人谈话没问题。Tā ~ Hànyǔ, gēn Zhōngguórén tánhuà méi
wèntí. | 我真不 ~ 她为什么生气。Wǒ zhēn bù ~ tā wèishénme
shēngqì. | 他对经济~得很少。Tā duì jīngjì ~ de hěn shǎo. | 弟弟

没学过汉语，一句汉语也听不 ~ 。Dìdi méi xuéguo Hànyǔ, yí jù Hànyǔ yě tīng bu ~ .

dǒngde 懂得 [动]

我 ~ 这句话的意思。Wǒ ~ zhèi jù huà de yìsi . →我明白这句话的意思。Wǒ míngbai zhèi jù huà de yìsi . 例上学以后，孩子们 ~ 了很多的道理。Shàngxué yǐhòu, háizimen ~ le hěn duō de dàoli . ｜跟妻子分手以后他才 ~ 应该怎样爱妻子。Gēn qīzi fēnshǒu yǐhòu tā cái ~ yīnggāi zěnyàng ài qīzi . ｜经验使我 ~ ，做事必须有耐心。Jīngyàn shǐ wǒ ~ , zuò shì bìxū yǒu nàixīn . ｜他虽然年轻， ~ 的事情却不少。Tā suīrán niánqīng, ~ de shìqing què bùshǎo .

dòng 动¹ (動) [动]

到了开车的时间，火车 ~ 了。Dàole kāi chē de shíjiān, huǒchē ~ le . →火车原来停着，现在开起来了。Huǒchē yuánlái tíngzhe, xiànzài kāi qilai le . 例我让他出去散散步，他却一点儿也不想 ~ 。Wǒ ràng tā chūqu sànsan bù, tā què yìdiǎnr yě bù xiǎng ~ . ｜他一直坐着没 ~ 过。Tā yìzhí zuòzhe méi ~ guo . ｜孩子老 ~ 来 ~ 去，一分钟也安静不下来。Háizi lǎo ~ lái ~ qù, yì fēnzhōng yě ānjìng bú xiàlái . ｜我病得很厉害，躺在床上 ~ 不了。Wǒ bìng de hěn lìhai, tǎng zài chuáng shang ~ bu liǎo . ｜他睡着睡着，手忽然 ~ 了一下儿。Tā shuìzhe shuìzhe, shǒu hūrán ~ le yí xiàr .

dòng 动² (動) [动]

这是他最喜欢的书，从来不让别人 ~ 。Zhè shì tā zuì xǐhuan de shū, cónglái bú ràng biéren ~ . →他不让别人碰这本书。Tā bú ràng biéren pèng zhèi běn shū . 例你别 ~ 我的新车。Nǐ bié ~ wǒ de xīn chē . ｜有人 ~ 过桌子上的东西，有些东西找不到了。Yǒu rén ~ guo zhuōzi shang de dōngxi, yǒuxiē dōngxi zhǎo bu dào le . ｜我 ~ 了一下儿他的录音机他就生气了。Wǒ ~ le yí xiàr tā de lùyīnjī tā jiù shēngqì le . ｜我的电脑里有重要的资料，不经过我的同意千万不要 ~ 。Wǒ de diànnǎo li yǒu zhòngyào de zīliào, bù jīngguò wǒ de tóngyì qiānwàn búyào ~ .

dòngbudòng 动不动 (動不動) [副]

她身体不好， ~ 就生病。Tā shēntǐ bù hǎo, ~ jiù shēngbìng . →她很容易生病。Tā hěn róngyì shēngbìng . 例他的脾气很糟糕， ~ 就跟人吵架。Tā de píqi hěn zāogāo, ~ jiù gēn rén chǎojià . ｜你不要 ~

就埋怨别人，应该多想想自己有没有错儿。Nǐ búyào ~ jiù mányuan biéren, yīnggāi duō xiǎngxiang zìjǐ yǒu méiyǒu cuòr. | 最近天气不好，~ 就下雨。Zuìjìn tiānqì bù hǎo, ~ jiù xià yǔ.

dòngrén 动人（動人）[形]

这个爱情故事非常 ~ 。Zhèige àiqíng gùshi fēicháng ~ . →这个故事让人非常感动。Zhèige gùshi ràng rén fēicháng gǎndòng. 例她唱的歌十分 ~ ，大家都被吸引住了。Tā chàng de gē shífēn ~ , dàjiā dōu bèi xīyǐn zhù le. | 他讲了一个 ~ 的传说，听的人都流下了眼泪。Tā jiǎngle yí ge ~ de chuánshuō, tīng de rén dōu liúxiale yǎnlèi. | 她长得美丽 ~ ，谁见了都会喜欢。Tā zhǎng de měilì ~ , shéi jiànle dōu huì xǐhuan.

dòng shēn 动身（動身）

他明天要去机场，可能早上七点 ~ 。Ta míngtiān yào qù jīchǎng, kěnéng zǎoshang qī diǎn ~ . →他可能早上七点出发。Tā kěnéng zǎoshang qī diǎn chūfā. 例她今天去旅游，过一会儿就 ~ 。Tā jīntiān qù lǚyóu, guò yíhuìr jiù ~ . | 火车十点开，我们八点 ~ 去火车站。Huǒchē shí diǎn kāi, wǒmen bā diǎn ~ qù huǒchēzhàn. | 我正要 ~ 去外边，突然有个朋友来找我。Wǒ zhèng yào ~ qù wàibian, tūrán yǒu ge péngyou lái zhǎo wǒ. | 他本来打算七月去中国，可是因为没办好手续，一直到八月也动不了身。Tā běnlái dǎsuan Qīyuè qù Zhōngguó, kěshì yīnwèi méi bànhǎo shǒuxù, yìzhí dào Bāyuè yě dòng bu liǎo shēn.

dòng shǒu 动手（動手）

要收拾的东西不少，我们早点儿 ~ 吧。Yào shōushi de dōngxi bùshǎo, wǒmen zǎo diǎnr ~ ba. →我们早点儿开始收拾吧。Wǒmen zǎo diǎnr kāishǐ shōushi ba. 例他们还没 ~ ，我们的活儿已经快干完了。Tāmen hái méi ~ , wǒmen de huór yǐjīng kuài gànwán le. | 我的论文 ~ 太晚，时间比较紧张。Wǒ de lùnwén ~ tài wǎn, shíjiān bǐjiào jǐnzhāng. | 我下班后回到家就 ~ 做晚饭。Wǒ xiàbān hòu huí dào jiā jiù ~ zuò wǎnfàn. | 她正准备 ~ 打扫房间。Tā zhèng zhǔnbèi ~ dǎsǎo fángjiān.

dòngwù 动物（動物）[名]

animal 例鱼、鸟、狗、猫等都是 ~ 。Yú, niǎo, gǒu, māo děng dōu shì ~ . | 羊是一种吃草的 ~ 。Yáng shì yì zhǒng chī cǎo de ~ . | 保

护~具有十分重要的意义。Bǎohù ~ jùyǒu shífēn zhòngyào de yìyì. | 自然环境的破坏使一些 ~ 的数量迅速减少。Zìrán huánjìng de pòhuài shǐ yìxiē ~ de shùliàng xùnsù jiǎnshǎo.

dòngwùyuán 动物园（動物園）[名]

想了解关于动物的知识可以去 ~。Xiǎng liǎojiě guānyú dòngwù de zhīshi kěyǐ qù ~. →那是个养着很多动物让大家参观的地方。Nà shì ge yǎngzhe hěn duō dòngwù ràng dàjiā cānguān de dìfang. 例孩子们都爱上 ~ 看各种动物。Háizimen dōu ài shàng ~ kàn gè zhǒng dòngwù. | ~ 里养着几百种动物。~ li yǎngzhe jǐ bǎi zhǒng dòngwù. | 这个 ~ 的动物来自世界各地。Zhèige ~ de dòngwù láizì shìjiè gè dì.

dòngyuán 动员（動員）[动]

老师~学生们参加比赛。Lǎoshī ~ xuéshengmen cānjiā bǐsài. →老师让大家积极参加比赛。Lǎoshī ràng dàjiā jījí cānjiā bǐsài. 例为了保护城市环境，市长 ~ 大家多骑自行车。Wèile bǎohù chéngshì huánjìng, shìzhǎng ~ dàjiā duō qí zìxíngchē. | 他有点儿不想去旅行，我去 ~ 他。Tā yǒudiǎnr bù xiǎng qù lǚxíng, wǒ qù ~ tā. | 他不愿跟我们一起锻炼身体，我 ~ 了几次也没用。Tā bú yuàn gēn wǒmen yìqǐ duànliàn shēntǐ, wǒ ~ le jǐ cì yě méiyòng. | 学校开了一个 ~ 大会，鼓励学生们参加义务劳动。Xuéxiào kāile yí ge ~ dàhuì, gǔlì xuéshengmen cānjiā yìwù láodòng.

dòngzuò 动作（動作）[名]

他做了一个游泳的 ~。Tā zuòle yí ge yóuyǒng de ~. →他身体做出的样子好像在游泳。Tā shēntǐ zuòchu de yàngzi hǎoxiàng zài yóuyǒng. 例他用手做了个打电话的~，表示要去打个电话。Tā yòng shǒu zuòle ge dǎ diànhuà de ~, biǎoshì yào qù dǎ ge diànhuà. | 她跳舞跳得真好，~ 十分优美。Tā tiàowǔ tiào de zhēn hǎo, ~ shífēn yōuměi. | 大卫打篮球时~真快。Dàwèi dǎ lánqiú shí ~ zhēn kuài. | 摇头这个~的意思是不。Yáotóu zhèige ~ de yìsi shì bù.

dòng 冻（凍）[动]

冬天河里的水 ~ 起来了。Dōngtiān hé li de shuǐ ~ qilai le. →水变成了冰。Shuǐ biànchéngle bīng. 例水放在冰箱里，很快就 ~ 住了。Shuǐ fàng zài bīngxiāng li, hěn kuài jiù ~ zhù le. | 外面真冷，地上的水一会儿就 ~ 成了冰。Wàimiàn zhēn lěng, dì shang de shuǐ yíhuìr jiù

~ chéngle bīng. | 牛肉 ~ 得像石头一样硬。Niúròu ~ de xiàng shítou yíyàng yìng. | 放在冰上的杯子跟冰 ~ 在了一起。Fàng zài bīng shang de bēizi gēn bīng ~ zàile yìqǐ.

dòng 栋（棟）[量]

用于楼、房子。Yòngyú lóu、fángzi. 例这 ~ 楼是学生们上课的地方。Zhèi ~ lóu shì xuéshengmen shàngkè de dìfang. | 王医生住在那 ~ 房子里。Wáng yīshēng zhù zài nèi ~ fángzi li. | 河边盖了几 ~ 新楼。Hé biān gàile jǐ ~ xīn lóu. | 留学生都住在这 ~ 楼里。Liúxuéshēng dōu zhù zài zhèi ~ lóu li. | 这一 ~ ~ 漂亮的小楼都是今年建成的。Zhèi yí ~ ~ piàoliang de xiǎolóu dōu shì jīnnián jiànchéng de.

dòng 洞 [名]

hole 例那棵树上有一个 ~。Nèi kē shù shang yǒu yí ge ~. | 这座山上有一个很大的 ~。Zhèi zuò shān shang yǒu yí ge hěn dà de ~. | 我抽烟时不小心把衣服烧了一个小 ~。Wǒ chōuyān shí bù xiǎoxīn bǎ yīfu shāole yí ge xiǎo ~. | 地上这些 ~ 是为种树挖的。Dìshang zhèixiē ~ shì wèi zhòng shù wā de. | 老鼠一看见人就钻进了 ~ 里。Lǎoshǔ yí kànjiàn rén jiù zuānjìnle ~ li.

dou

dōu 都[1] [副]

我和大卫 ~ 喜欢打篮球。Wǒ hé Dàwèi ~ xǐhuan dǎ lánqiú. →我喜欢打篮球，大卫也喜欢打。Wǒ xǐhuan dǎ lánqiú, Dàwéi yě xǐhuan dǎ. 例他们 ~ 去过我家。Tāmen ~ qùguo wǒ jiā. | 照片上的几个人我 ~ 认识。Zhàopiàn shang de jǐ ge rén wǒ ~ rènshi. | 他把我的三张电影票 ~ 拿走了。Tā bǎ wǒ de sān zhāng diànyǐngpiào ~ názǒu le. | 你去不去 ~ 可以，没关系。Nǐ qù bu qù ~ kěyǐ, méi guānxi. | 他什么话 ~ 没说，我不知道他的意见。Tā shénme huà ~ méi shuō, wǒ bù zhīdào tā de yìjiàn. | 玛丽每天 ~ 上图书馆学习。Mǎlì měi tiān ~ shàng túshūguǎn xuéxí.

dōu 都[2] [副]

你 ~ 去过哪些国家？Nǐ ~ qùguo něixiē guójiā? →请告诉我所有你去过的国家。Qǐng gàosu wǒ suǒyǒu nǐ qùguo de guójiā. 例他 ~ 说了什么话？Tā ~ shuōle shénme huà? | 我不知道她 ~ 买了些什么。

D

Wǒ bù zhīdào tā ～ mǎile xiē shénme.｜你们 ～ 谁知道他的电话号码? Nǐmen ～ shéi zhīdao tā de diànhuà hàomǎ?｜我不清楚他们 ～什么时候来的. Wǒ bù qīngchu tāmen ～ shénme shíhou lái de.

dōu 都³ [副]

我父亲今年 ～ 六十岁了。Wǒ fùqin jīnnián ～ liùshí suì le. →他的年纪已经挺大了. Tā de niánjì yǐjing tǐng dà le. 例现在 ～ 晚上十二点了，时间太晚了。Xiànzài ～ wǎnshang shí'èr diǎn le, shíjiān tài wǎn le.｜晚会 ～ 快结束了你才来，是不是太迟了? Wǎnhuì ～ kuài jiéshùle nǐ cái lái, shì bu shì tài chí le?｜他的工作 ～ 已经做完了，我才刚开始做。Tā de gōngzuò ～ yǐjing zuòwán le, wǒ cái gāng kāishǐ zuò.

dòufu 豆腐 [名]

bean curd 例 ～ 是中国的传统食品。～ shì Zhōngguó de chuántǒng shípǐn.｜～ 又好吃又有营养。～ yòu hǎochī yòu yǒu yíngyǎng.｜中国人发明了。Zhōngguórén fāmíngle ～.｜我把一大块儿 ～ 切成了小块儿。Wǒ bǎ yí dà kuàir ～ qiēchéngle xiǎo kuàir.｜～ 的颜色是白的。～ de yánsè shì bái de.

dòu 逗 [动]

tease; play with 例他特别喜欢 ～ 孩子。Tā tèbié xǐhuan ～ háizi.｜妈妈，我把小妹妹 ～ 乐了。Māma, wǒ bǎ xiǎo mèimei ～ lè le.｜别 ～ 了，再 ～ 下去他该哭了。Bié ～ le, zài ～ xiaqu tā gāi kū le.｜他的话 ～ 得大家哈哈大笑起来。Tā de huà ～ de dàjiā hāhā dà xiào qilai.｜你别故意 ～ 我。Nǐ bié gùyì ～ wǒ.

du

dú ‖ 独立¹ (獨立)

我看见他抽着烟 ～ 在窗口。Wǒ kànjiàn tā chōuzhe yān ～ zài chuāngkǒu. →我看见他一个人站在窗口。Wǒ kànjiàn tā yí ge rén zhàn zài chuāngkǒu. 例他 ～ 在河边儿，默默地沉思着。Tā ～ zài hé biānr, mòmò de chénsīzhe.｜后来我才知道，那天晚上他一直 ～ 在雨中等我到天亮。Hòulái wǒ cái zhīdao, nèi tiān wǎnshang tā yìzhí ～ zài yǔ zhōng děng wǒ dào tiān liàng.｜我看到了 ～ 在山上的那块天然巨石——望夫石。Wǒ kàndàole ～ zài shān shang de nèi kuài tiānrán jù shí——Wàngfūshí.

dúlì 独立² （獨立）[动]

第二次世界大战后，许多国家～了。Dì Èr Cì Shìjiè Dàzhàn hòu, xǔduō guójiā ～ le. →许多国家都有自己的主权了。Xǔduō guójiā dōu yǒu zìjǐ de zhǔquán le. 例他们也希望自己的祖国早点儿～。Tāmen yě xīwàng zìjǐ de zǔguó zǎo diǎnr ～. |这个国家也宣布～了。Zhèige guójiā yě xuānbù ～ le. |他们终于获得了～。Tāmen zhōngyú huòdéle ～. |我国是一个～自主的国家。Wǒguó shì yí ge ～ zìzhǔ de guójiā.

dúlì 独立³ （獨立）[形]

你要养成～思考的好习惯。Nǐ yào yǎngchéng ～ sīkǎo de hǎo xíguàn. →你要养成不借助别人，自己思考的好习惯。Nǐ yào yǎngchéng bú jièzhù biéren, zìjǐ sīkǎo de hǎo xíguàn. 例他有～工作的经验。Tā yǒu ～ gōngzuò de jīngyàn. |这是他第一次～完成任务。Zhè shì tā dì yī cì～ wánchéng rènwu. |他在经济上还不能完全～，常常得跟爸爸要钱。Tā zài jīngjì shang hái bù néng wánquán ～, chángcháng děi gēn bàba yào qián.

dú 读¹ （讀）[动]

她的眼睛看不见，常让我给她～报听。Tā de yǎnjing kàn bu jiàn, cháng ràng wǒ gěi tā ～ bào tīng. →她常让我念报纸上的文章给她听。Tā cháng ràng wǒ niàn bàozhǐ shang de wénzhāng gěi tā tīng. 例他们想听我～古诗。Tāmen xiǎng tīng wǒ ～ gǔshī. |这个字的字音你～错了。Zhèige zì de zìyīn nǐ ～ cuò le. |刚才我给你～到哪儿了？Gāngcái wǒ gěi nǐ～ dào nǎr le? |他～得真清楚。Tā ～ de zhēn qīngchu. |这个字怎么～？Zhèige zì zěnme ～? |你要大声～。Nǐ yào dàshēng ～.

dú 读² （讀）[动]

这本小说他一天就～完了。Zhèi běn xiǎoshuō tā yì tiān jiù ～ wán le. →这本小说他一天就看完了。Zhèi běn xiǎoshuō tā yì tiān jiù kànwán le. 例他上二年级的时候，就能～长篇小说了。Tā shàng èr niánjí de shíhou, jiù néng ～ chángpiān xiǎoshuō le. |有～不懂的地方就问我。Yǒu ～ bu dǒng de dìfang jiù wèn wǒ. |这种书，别给孩子～。Zhèi zhǒng shū, bié gěi háizi ～.

D

dú shū 读书[1] （讀書）

孩子在屋里～。Háizi zài wū li ～. →孩子在屋里看着书，出声或不出声地读。Háizi zài wū li kànzhe shū, chū shēng huò bù chū shēng de dú. 例每天早上他都去小树林里～。Měi tiān zǎoshang tā dōu qù xiǎo shùlín li ～. l教室里传出整齐的～声。Jiàoshì li chuánchū zhěngqí de ～ shēng. l他总喜欢坐在这块石头上～。Tā zǒng xǐhuan zuò zài zhèi kuài shítou shang ～. l这是他的～笔记。Zhè shì tā de ～ bǐjì. l不～怎么能增长知识？Bù ～ zěnme néng zēngzhǎng zhīshi? l再读一遍书，你就懂了。Zài dú yí biàn shū, nǐ jiù dǒng le.

dú 读[3] （讀）[动]

我弟弟已经工作了，可我还在～大学。Wǒ dìdi yǐjing gōngzuò le, kě wǒ hái zài ～ dàxué. →我还在上大学。Wǒ hái zài shàng dàxué. 例弟弟没～完大学就工作了。Dìdi méi ～ wán dàxué jiù gōngzuò le. l大学毕业后，我打算继续～研究生。Dàxué bìyè hòu, wǒ dǎsuan jìxù ～ yánjiūshēng. l没有钱交学费的话，就～不了了。Méiyǒu qián jiāo xuéfèi dehuà, jiù ～ bu liǎo le. l我父亲只～过四年小学。Wǒ fùqin zhǐ ～ guo sì nián xiǎoxué. l他初中和高中都是在这个学校～的。Tā chūzhōng hé gāozhōng dōu shì zài zhèige xuéxiào ～ de.

dú shū 读书[2] （讀書）

你在哪所学校～？Nǐ zài něi suǒ xuéxiào ～? →你在哪所学校上学？Nǐ zài něi suǒ xuéxiào shàngxué? 例我女儿刚十九岁，还在大学里～呢。Wǒ nǚ'ér gāng shíjiǔ suì, hái zài dàxué li ～ ne. l在那所大学里～很累。Zài nèi suǒ dàxué li ～ hěn lèi. l国家规定每个孩子最少要读九年书。Guójiā guīdìng měi ge háizi zuì shǎo yào dú jiǔ nián shū. l小的时候不好好儿～，大了想努力就晚了。Xiǎo de shíhou bù hǎohāor ～, dàle xiǎng nǔlì jiù wǎn le.

dúzhě 读者（讀者）[名]

她为青少年～写了许多书。Tā wèi qīngshàonián ～ xiěle xǔduō shū. →他为阅读书刊的青少年写了许多书。Tā wèi yuèdú shūkān de qīngshàonián xiěle xǔduō shū. 例报刊阅览室里坐满了～。Bàokān yuèlǎnshì li zuòmǎnle ～. l这里是～服务部。Zhèlǐ shì ～ fúwùbù. l小～们请老作家为他们签名。Xiǎo ～ men qǐng lǎo zuòjiā wèi tāmen qiān míng. l我们会想办法满足～的要求。Wǒmen huì xiǎng bànfǎ mǎnzú ~ de yāoqiú.

dǔ 堵 ［动］

厕所 ~ 了。Cèsuǒ ~ le. →冲厕所的水流不下去了。Chōng cèsuǒ de shuǐ liú bu xiàqù le. 例~ 住门，别让他进来。~ zhù mén, bié ràng tā jìnlai. | 他用毛巾 ~ 住我的嘴，不让我说话。Tā yòng máojīn ~ zhù wǒ de zuǐ, bú ràng wǒ shuōhuà. | 汽车把路都 ~ 上了。Qìchē bǎ lù dōu ~ shang le. | 你不爱听就把耳朵 ~ 起来好了。Nǐ bú ài tīng jiù bǎ ěrduo ~ qilai hǎo le. | 感冒的时候，鼻子 ~ 得出不来气。Gǎnmào de shíhou, bízi ~ de chū bu lái qì.

dǔchē 堵车（堵車）［动］

十字路口 ~ 了。Shízì lùkǒu ~ le. →从四个方向来的车都挤到了十字路口，去任何一个方向的车都开不动了。Cóng sì ge fāngxiàng lái de chē dōu jǐdàole shízì lùkǒu, qù rènhé yí ge fāngxiàng de chē dōu kāi bu dòng le. 例每天上下班的时候，马路上常常 ~。Měi tiān shàng xià bān de shíhou, mǎlù shang chángcháng ~. | 汽车太多了，哪条路上都 ~。Qìchē tài duō le, něi tiáo lù shang dōu ~. | 我等过了 ~ 的时间再回家。Wǒ děng guòle ~ de shíjiān zài huíjiā. | 从这儿到机场二十分钟就够了，碰上 ~ 就没法儿估计时间了。Cóng zhèr dào jīchǎng èrshí fēnzhōng jiù gòu le, pèngshang ~ jiù méifǎr gūjì shíjiān le.

dùzi 肚子 ［名］

abdomen 例我没吃晚饭，~ 饿极了。Wǒ méi chī wǎnfàn, ~ èjí le. | 哥哥啤酒喝得太多，~ 越来越大。Gēge píjiǔ hē de tài duō, ~ yuèláiyuè dà. | 他吃了不干净的东西，~ 很疼。Tā chīle bù gānjìng de dōngxi, ~ hěn téng.

dù 度[1] ［动］

七天的假期 ~ 完了。Qī tiān de jiàqī ~ wán le. →七天的假期过完了。Qī tiān de jiàqī guòwán le. 例孩子们 ~ 过了一个幸福的童年。Háizimen ~ guòle yí ge xìngfú de tóngnián. | 学生们 ~ 过了愉快的暑假回到了学校。Xuéshengmen ~ guòle yúkuài de shǔjià huídàole xuéxiào. | 我们献上这台节目，希望大家能高高兴兴地 ~ 过一个美好欢乐的夜晚。Wǒmen xiànshang zhèi tái jiémù, xīwàng dàjiā néng gāogāoxìngxing de ~ guò yí ge měihǎo huānlè de yèwǎn. | 我在中国 ~ 过三次圣诞节。Wǒ zài Zhōngguó ~ guo sān cì Shèngdànjié. | 去

年春节我是在国外~过的。Qùnián Chūnjié wǒ shì zài guówài ~ guò de.

dù 度² [量]

用于角、电、温度等等。Yòngyú jiǎo、diàn、wēndù děngděng. **例** 这个三角形的顶角是三十~。Zhèige sānjiǎoxíng de dǐngjiǎo shì sānshí ~. |这个月我们家用了八十~电。Zhèige yuè wǒmen jiā yòngle bāshí ~ diàn. |今天的气温是三十二~。Jīntiān de qìwēn shì sānshí'èr ~. |昨天他发高烧，体温高达四十~。Zuótiān tā fā gāoshāo, tǐwēn gāo dá sìshí ~.

dùguò 度过 (度過) [动]

我要去中国留学一年，我想在中国~一个圣诞节。Wǒ yào qù Zhōngguó liúxué yì nián, wǒ xiǎng zài Zhōngguó ~ yí ge Shèngdànjié. → 圣诞节的时候我不回国，我想在中国过。Shèngdànjié de shíhou wǒ bù huíguó, wǒ xiǎng zài Zhōngguó guò. **例** 去年的暑假我们是在海边儿~的。Qùnián de shǔjià wǒmen shì zài hǎi biānr ~ de. |我不会忘记我们共同~的日日夜夜。Wǒ bú huì wàngjì wǒmen gòngtóng ~ de rìrìyèyè. |我曾经在农村~五个年头儿。Wǒ céngjīng zài nóngcūn ~ wǔ ge niántóur. |我们希望老人们能~一个幸福的晚年。Wǒmen xīwàng lǎorénmen néng ~ yí ge xìngfú de wǎnnián.

dù 渡 [动]

我们坐船~过这条河。Wǒmen zuò chuán ~ guò zhèi tiáo hé. →我们坐着船从河的这边到对岸去。Wǒmen zuòzhe chuán cóng hé de zhèibian dào duì'àn qù. **例** 他曾经多次横~过长江。Tā céngjīng duō cì héng ~ guo Cháng Jiāng. |他们就要开始~河了。Tāmen jiù yào kāishǐ ~ hé le. |咱们从哪儿~过去好呢？Zánmen cóng nǎr ~ guoqu hǎo ne? |他开着汽车飞~过黄河。Tā kāizhe qìchē fēi ~ guo Huáng Hé. |他们克服了很多困难，终于~过了难关。Tāmen kèfúle hěn duō kùnnan, zhōngyú ~ guole nánguān.

duan

duān 端 [动]

服务员~着茶水过来了。Fúwùyuán ~ zhe cháshuǐ guòlai le. →服务员用手平平正正地拿着茶水过来了。Fúwùyuán yòng shǒu

píngpíngzhèngzhèng de názhe cháshuǐ guòlai le. **例**我去 ~ 饭和菜。
Wǒ qù ~ fàn hé cài. | 把碗 ~ 稳了，别把汤洒了。Bǎ wǎn ~ wěn
le, bié bǎ tāng sǎ le. | 盘子没 ~ 住，掉在地上了。Pánzi méi ~
zhù, diào zài dìshang le. | 吃完了，桌上的东西全 ~ 走吧。Chīwán
le, zhuō shang de dōngxi quán ~ zǒu ba. | 她们又给我们 ~ 进来一
些水果。Tāmen yòu gěi wǒmen ~ jinlai yìxiē shuǐguǒ. | 服务员一次
能 ~ 八个盘子。Fúwùyuán yí cì néng ~ bā ge pánzi. | 我 ~ 不动了，
快帮帮我。Wǒ ~ bu dòng le, kuài bāngbang wǒ.

duǎn 短 [形]

这是去年买的裤子，今年一穿，~ 了。Zhè shì qùnián mǎi de kùzi,
jīnnián yì chuān, ~ le. → 今年一穿不够长了。Jīnnián yì chuān bú
gòu cháng le. **例**这件衣服又小又 ~，不能穿了。Zhèi jiàn yīfu yòu
xiǎo yòu ~, bù néng chuān le. | 我们办公室，比尔参加工作的时
间最 ~。Wǒmen bàngōngshì, Bǐ'ěr cānjiā gōngzuò de shíjiān zuì
~. | 这个小女孩儿的头发真 ~。Zhèige xiǎo nǚháir de tóufa zhēn
~. | 夏季白天时间长，晚上时间 ~。Xiàjì báitiān shíjiān cháng,
wǎnshang shíjiān ~. | 这是一件 ~ 大衣。Zhè shì yí jiàn ~ dàyī. |
~ ~ 的三天时间，她们俩成了好朋友。~ ~ de sān tiān shíjiān,
tāmen liǎ chéngle hǎo péngyou. | 她们把开会的时间缩 ~ 了。
Tāmen bǎ kāihuì de shíjiān suō ~ le.

duǎnqī 短期 [名]

这次 ~ 旅行只有三天时间。Zhèi cì ~ lǚxíng zhǐ yǒu sān tiān shíjiān.
→ 这一次旅行时间不能超过三天。Zhèi yí cì lǚxíng shíjiān bù néng
chāoguò sān tiān. **例**这项 ~ 计划只考虑了一个月以内的情况。Zhèi
xiàng ~ jìhuà zhǐ kǎolùle yí ge yuè yǐnèi de qíngkuàng. | 这些 ~ 留学
生只在中国学习半年。Zhèixiē ~ liúxuéshēng zhǐ zài Zhōngguó xuéxí
bàn nián. | 我这次出国是 ~ 的，不久就回来。Wǒ zhèi cì chūguó shì
~ de, bùjiǔ jiù huílai. | 他病得挺厉害，在 ~ 内不会好。Tā bìng de
tǐng lìhai, zài ~ nèi bú huì hǎo.

duàn 段 [量]

用于路、时间、文章、音乐、语言等的某些部分。Yòngyú lù、
shíjiān、wénzhāng、yīnyuè、yǔyán děng de mǒuxiē bùfen. **例**那 ~
铁路被水冲坏了。Nèi ~ tiělù bèi shuǐ chōnghuài le. | 这 ~ 时间她们
一直很忙。Zhèi ~ shíjiān tāmen yìzhí hěn máng. | 文章的第一 ~ 和
第二 ~ 写得很好。Wénzhāng de dì yī ~ hé dì èr ~ xiě de hěn

hǎo. |这两~音乐我听过。Zhèi liǎng ~ yīnyuè wǒ tīngguo. |这 ~
京剧我也会唱。Zhèi ~ jīngjù wǒ yě huì chàng. |把这~话改一
下儿。Bǎ zhèi ~ huà gǎi yíxiàr.

duàn 断¹（斷）[动]

写字的时候，我一使劲儿粉笔就 ~ 了。Xiězì de shíhou, wǒ yì shǐjìnr
fěnbǐ jiù ~ le. →一支粉笔变成了两半儿。Yì zhī fěnbǐ biànchéngle
liǎng bànr. **例** 铅笔太尖，写字的时候容易 ~。Qiānbǐ tài jiān, xiě zì
de shíhou róngyì ~. |电线被大风刮 ~ 了。Diànxiàn bèi dàfēng guā
~ le. |绳子 ~ 了好几回。Shéngzi ~ le hǎojǐ huí. |筷子 ~ 了好几
根。Kuàizi ~ le hǎojǐ gēn.

duàn 断²（斷）[动]

大学毕业以后，她跟同学 ~ 了联系。Dàxué bìyè yǐhòu, tā gēn
tóngxué ~ le liánxì. →她跟同学停止了联系。Tā gēn tóngxué
tíngzhǐle liánxì. **例** 昨天我们这里 ~ 电了。Zuótiān wǒmen zhèlǐ ~
diàn le. |她们俩的关系已经~了一年了。Tāmen liǎ de guānxì yǐjing
~ le yì nián le. |因修水管儿，~ 了半天水。Yīn xiū shuǐguǎnr, ~ le
bàntiān shuǐ. |高山、大河也隔不 ~ 我们之间的友谊。Gāo shān、
dà hé yě gé bu ~ wǒmen zhījiān de yǒuyì.

duànliàn 锻炼¹（鍛煉）[动]

他每天早上都在操场上 ~ 身体。Tā měi tiān zǎoshang dōu zài
cāochǎng shang ~ shēntǐ. →他通过体育活动使身体更好。Tā
tōngguò tǐyù huódòng shǐ shēntǐ gèng hǎo. **例** 下雨天就不能出去 ~
了。Xià yǔ tiān jiù bù néng chūqu ~ le. |他每天 ~ 一个小时。Tā
měi tiān ~ yí ge xiǎoshí. |工作再忙也应该抽点儿时间去 ~ ~。
Gōngzuò zài máng yě yīnggāi chōu diǎnr shíjiān qù ~ ~. |你 ~ 的方
法不对。Nǐ ~ de fāngfǎ bú duì. |他一直坚持体育 ~。Tā yìzhí
jiānchí tǐyù ~.

duànliàn 锻炼²（鍛煉）[动]

他要求到艰苦的地方去 ~ 自己。Tā yāoqiú dào jiānkǔ de dìfang qù
~ zìjǐ. →他要求到艰苦的地方去工作，增长自己的才干。Tā
yāoqiú dào jiānkǔ de dìfang qù gōngzuò, zēngzhǎng zìjǐ de cáigàn.
例 条件艰苦的地方能够 ~ 人。Tiáojiàn jiānkǔ de dìfang nénggòu ~
rén. |我在农村 ~ 过三年。Wǒ zài nóngcūn ~ guo sān nián. |青年人
应该在工作中把自己 ~ 得更加成熟。Qīngniánrén yīnggāi zài

gōngzuò zhōng bǎ zìjǐ ～ de gèngjiā chéngshú.|你呀,从来没吃过苦,
也该出去～～。Nǐ ya,cónglái méi chīguo kǔ,yě gāi chūqu ～～.|这
次活动大家都得到了～。Zhèi cì huódòng dàjiā dōu dédàole ～.

dui

duī 堆[1] [动]

秋天,农民收获的粮食～成了山。Qiūtiān, nóngmín shōuhuò de
liángshi ～chéngle shān.→用手或工具把很多很多的粮食弄得像山
一样。Yòng shǒu huò gōngjù bǎ hěn duō hěn duō de liángshi nòng
de xiàng shān yíyàng. **例**菜店门口儿～了很多大白菜。Càidiàn
ménkǒur ～ le hěn duō dàbáicài.|桌子上怎么～了这么多书? Zhuōzi
shang zěnme ～ le zhème duō shū?|昨天我们～雪人儿～了一上午。
Zuótiān wǒmen ～ xuěrénr ～ le yí shàngwǔ.|土不能～在这儿. Tǔ
bù néng ～ zài zhèr.|砖～得太高了。Zhuān ～ de tài gāo le.|你
们～的雪人儿都化了。Nǐmen ～ de xuěrénr dōu huà le.

duī 堆[2] [量]

用于成群的人或很多的事物。Yòngyú chéng qún de rén huò hěn duō
de shìwù. **例**昨天他去书市买回来一～书。Zuótiān tā qù shūshì mǎi
huilai yì ～ shū.|马路上围了一～人。Mǎlù shang wéile yì ～ rén.|
那～垃圾应该赶快运走。Nèi ～ lājī yīnggāi gǎnkuài yùnzǒu.|出了一
大～问题,怎么办呢? Chūle yí dà ～ wèntí, zěnme bàn ne?|那天
晚上,操场上点了好几～火。Nèi tiān wǎnshang, cāochǎng shang
diǎnle hǎojǐ ～ huǒ.

duì 队[1] (隊) [名]

银行里交水电费的人排了长～。Yínháng li jiāo shuǐdiànfèi de rén
páile cháng ～.→先来的人站在前头,后来的人站在后头。Xiān lái
de rén zhàn zài qiántou, hòu lái de rén zhàn zài hòutou. **例**马上就要
上飞机了,请旅客们站好～。Mǎshàng jiù yào shàng fēijī le, qǐng
lǚkèmen zhànhǎo ～.|下午我们要在操场上练～。Xiàwǔ wǒmen
yào zài cāochǎng shang liàn ～.|他们排着～上汽车。Tāmen
páizhe ～ shàng qìchē.

duì 队[2] (隊) [量]

用于排成队的人或动物。Yòng yú páichéng duì de rén huò dòngwù.
例三十个人排成三～吧。Sānshí ge rén páichéng sān ～ ba.|一～

一~地往里走。Yí ~ yí ~ de wǎng lǐ zǒu. | 前面过来了一~人马。
Qiánmian guòlaile yí ~ rénmǎ.

duìwu 队伍（隊伍）[名]

游行的~走过来了。Yóuxíng de ~ zǒu guolai le. →游行的人们排
着整齐的队走过来了。Yóuxíng de rénmen páizhe zhěngqí de duì zǒu
guolai le. 例举红旗的人站在~的最前面。Jǔ hóngqí de rén zhàn zài
~ de zuì qiánmiàn. | 迟到的人马上站到~里去。Chídào de rén
mǎshàng zhàn dào ~ li qu. | 小学生的~非常整齐。Xiǎoxuéshēng
de ~ fēicháng zhěngqí.

duìzhǎng 队长（隊長）[名]

他是国家足球队的~。Tā shì guójiā zúqiúduì de ~. →他是国家足
球队的领导人。Tā shì guójiā zúqiúduì de lǐngdǎorén. 例他当过我们
学校的排球队~。Tā dāngguo wǒmen xuéxiào de páiqiúduì ~. | 站
在最前面的是军乐队的~。Zhàn zài zuì qiánmian de shì jūnyuèduì
de ~. | 这位年轻的~刚十七岁。Zhèi wèi niánqīng de ~ gāng shíqī
suì. | 我们选比尔当~。Wǒmen xuǎn Bǐ'ěr dāng ~.

duì 对¹（對）[形]

你写的字都~。Nǐ xiě de zì dōu ~. →你写的字都正确。Nǐ xiě de zì
dōu zhèngquè. 例你不遵守学校的规定不~。Nǐ bù zūnshǒu xuéxiào
de guīdìng bú ~. | 要实话实说，~就是~、错就是错。Yào shíhuà
shí shuō, ~ jiù shì ~、cuò jiù shì cuò. | ~，~，就是这么做。
~, ~, jiù shì zhème zuò. | 她的意见是~的。Tā de yìjiàn shì ~
de. | 你答~了。Nǐ dá ~ le. | 你们做得~，我支持。Nǐmen zuò de
~, wǒ zhīchí. | 她做了十道题，只~了四道。Tā zuòle shí dào tí,
zhǐ ~ le sì dào.

duì 对²（對）[动]

下午的足球比赛，我们班~三班。Xiàwǔ de zúqiú bǐsài, wǒmen
bān ~ sān bān. →下午的足球比赛，我们班和三班是比赛时的对
方。Xiàwǔ de zúqiú bǐsài, wǒmen bān hé sān bān shì bǐsài shí de
duìfāng. 例比赛的时候，青年人~青年人，老年人~老年人。Bǐsài
de shíhou, qīngniánrén ~ qīngniánrén, lǎoniánrén ~ lǎoniánrén. |
两队人马刀~刀，枪~枪地打起来了。Liǎng duì rénmǎ dāo ~ dāo,
qiāng ~ qiāng de dǎ qilai le. | 开展批评的时候，应该~事不~人。
Kāizhǎn pīpíng de shíhou, yīnggāi ~ shì bú ~ rén.

D

duì 对³（對）［动］

我们教室的南面 ~ 着操场。Wǒmen jiàoshì de nánmiàn ~ zhe cāochǎng. →我们教室的正南面是操场。Wǒmen jiàoshì de zhèng nánmiàn shì cāochǎng. 例我家跟他家门 ~ 门。Wǒ jiā gēn tā jiā mén ~ mén. |照片儿上的她正 ~ 着我们笑呢。Zhàopiānr shang de tā zhèng ~ zhe wǒmen xiào ne. |她的脸 ~ 着墙，我看不清他的模样。Tā de liǎn ~ zhe qiáng, wǒ kàn bu qīng tā de múyàng. |她已经 ~ 准了目标。Tā yǐjing ~ zhǔnle mùbiāo. |这两行字没 ~ 齐。Zhèi liǎng háng zì méi ~ qí.

duì 对⁴（對）［动］

把两张小桌子 ~ 起来，就大了。Bǎ liǎng zhāng xiǎo zhuōzi ~ qilai, jiù dà le. →把两张小桌子放在一起，就大了。Bǎ liǎng zhāng xiǎo zhuōzi fàng zài yìqǐ, jiù dà le. 例把两个沙发 ~ 起来，就能睡觉。Bǎ liǎng ge shāfā ~ qilai, jiù néng shuìjiào. |这两把椅子一把高，一把矮，~ 起来不平。Zhèi liàng bǎ yǐzi yì bǎ gāo, yì bǎ ǎi, ~ qilai bù píng. |他们俩你唱一句，她唱一句，~ 起歌来。Tāmen liǎ nǐ chàng yí jù, tā chàng yí jù, ~ qi gē lai.

duì 对⁵（對）［动］

考试的时候，不许 ~ 答案。Kǎoshì de shíhou, bùxǔ ~ dá'àn. →考试的时候，不许拿着自己的答案跟别人的答案比较，然后修改。Kǎoshì de shíhou, bùxǔ názhe zìjǐ de dá'àn gēn biéren de dá'àn bǐjiào, ránhòu xiūgǎi. 例 ~ 一下儿笔迹，就知道是谁写的字了。~ yíxiàr bǐjì, jiù zhīdao shì shéi xiě de zì le. |我要去跟她 ~ ~ 昨天的笔记。Wǒ yào qù gēn tā ~ ~ zuótiān de bǐjì. |照片和真人 ~ 上了。Zhàopiàn hé zhēn rén ~ shang le. |她正在 ~ 名单，而且 ~ 得很仔细。Tā zhèngzài ~ míngdān, érqiě ~ de hěn zǐxì. |你 ~ 到第几题了？Nǐ ~ dào dì jǐ tí le?

duì 对⁶（對）［动］

我的手表不太准，我得 ~ 一下儿我的手表。Wǒ de shǒubiǎo bú tài zhǔn, wǒ děi ~ yíxiàr wǒ de shǒubiǎo. →我得看一下儿准确的时间，然后把我的手表调准确。Wǒ děi kàn yíxiàr zhǔnquè de shíjiān, ránhòu bǎ wǒ de shǒubiǎo tiáo zhǔnquè. 例明天早上咱们六点出发，现在咱们 ~ 一下儿表。Míngtiān zǎoshang zánmen liù diǎn chūfā, xiànzài zánmen ~ yíxiàr biǎo. |这架琴已经 ~ 过音了。Zhèi jià qín yǐjing ~ guo yīn le. |照相的时候，我常常 ~ 不好光圈儿。Zhàoxiàng de shíhou, wǒ chángcháng ~ bu hǎo guāngquānr.

duì 对⁷（對）[动]

我喜欢喝~牛奶的咖啡。Wǒ xǐhuan hē ~ niúnǎi de kāfēi. →我喜欢喝加了一些牛奶的咖啡。Wǒ xǐhuan hē jiāle yìxiē niúnǎi de kāfēi. **例**这杯酒里~水了。Zhèi bēi jiǔ li ~ shuǐ le. |你往里~点儿凉水就不烫了。Nǐ wǎng lǐ ~ diǎnr liáng shuǐ jiù bú tàng le. |你要是再~点儿红色，就好看了。Nǐ yàoshi zài ~ diǎnr hóngsè, jiù hǎokàn le. |这些颜色~得太深了。Zhèixiē yánsè ~ de tài shēn le.

duì 对⁸（對）[量]

用于性别相反的人或动物，或者一左一右的东西。Yòngyú xìngbié xiāngfǎn de rén huò dòngwù, huòzhě yì zuǒ yí yòu de dōngxi. **例**中国提倡一~夫妇生一个孩子。Zhōngguó tíchàng yí ~ fūfù shēng yí ge háizi. |你养的这~小猫真好看。Nǐ yǎng de zhèi ~ xiǎomāo zhēn hǎokàn. |我买了一~新沙发。Wǒ mǎile yí ~ xīn shāfā. |这两~花瓶儿大小一样，颜色不一样。Zhèi liǎng ~ huāpíngr dàxiǎo yíyàng, yánsè bù yíyàng. |这些枕头套~儿~儿都很漂亮。Zhèi xiē zhěntou tào ~ r ~ r dōu hěn piàoliang.

duì 对⁹（對）[介]

老师~学生很关心。Lǎoshī ~ xuésheng hěn guānxīn. →老师很关心学生。Lǎoshī hěn guānxīn xuésheng. **例**他~中国的历史不太了解。Tā ~ Zhōngguó de lìshǐ bú tài liǎojiě. |他们~我们很热情。Tāmen ~ wǒmen hěn rèqíng. |小王~我直摆手。Xiǎo Wáng ~ wǒ zhí bǎi shǒu. |吸烟~身体没有好处。Xīyān ~ shēntǐ méiyǒu hǎochu. |~这里的情况，我比较熟悉。~ zhèlǐ de qíngkuàng, wǒ bǐjiào shúxī. |~生活有困难的同学，大家应该帮助他们。~ shēnghuó yǒu kùnnan de tóngxué, dàjiā yīnggāi bāngzhù tāmen. |~孩子们的热情，我们应该鼓励。~ háizimen de rèqíng, wǒmen yīnggāi gǔlì. |~沙漠地区的人来说，水是宝贵的。~ shāmò dìqū de rén láishuō, shuǐ shì bǎoguì de. |他谈了~这件事的看法。Tā tánle ~ zhèi jiàn shì de kànfǎ.

duìbǐ 对比（對比）[动]

现在跟过去~，他的学习成绩有了很大提高。Xiànzài gēn guòqù ~, tā de xuéxí chéngjì yǒule hěn dà tígāo. →他现在的学习成绩跟

他过去的学习成绩比较，提高了。Tā xiànzài de xuéxí chéngjì gēn tā guòqù de xuéxí chéngjì bǐjiào, tígāo le. **例**把兄弟俩的照片～了一下儿，弟弟比哥哥漂亮。Bǎ xiōngdì liǎ de zhàopiàn ～ le yíxiàr, dìdi bǐ gēge piàoliang. | 我把两幅画儿拿来～了半天，也没分清哪幅是真的，哪幅是假的。Wǒ bǎ liǎng fú huàr nálai ～ le bàntiān, yě méi fēnqīng něi fú shì zhēn de, něi fú shì jiǎ de. | 前后一～，就看出他有了明显的进步。Qián hòu yí ～, jiù kànchū tā yǒule míngxiǎn de jìnbù. | 他们俩一个胖，一个瘦，形成了很鲜明的～。Tāmen liǎ yí ge pàng, yí ge shòu, xíngchéngle hěn xiānmíng de ～. | 经过～，我认为这个宾馆的条件比较好。Jīngguò ～, wǒ rènwéi zhèige bīnguǎn de tiáojiàn bǐjiào hǎo.

duìbuqǐ 对不起（對不起）

～，我把你的衣服弄脏了。～, wǒ bǎ nǐ de yīfu nòngzāng le. →我做错了事的时候，我得这样说。Wǒ zuòcuòle shì de shíhou, wǒ děi zhèiyàng shuō. **例**～，我来晚了。～, wǒ láiwǎn le. | ～，～，都怪我没把话说清楚。～, ～, dōu guài wǒ méi bǎ huà shuō qīngchu. | 我不该对你发火，～。Wǒ bù gāi duì nǐ fāhuǒ, ～. | 在这个问题的处理上，我～大家。Zài zhèige wèntí de chǔlǐ shang, wǒ ～ dàjiā. | 回忆过去，我最～的是我的父母。Huíyì guòqù, wǒ zuì ～ de shì wǒ de fùmǔ. | 我曾经做过～他们的事。Wǒ céngjīng zuòguo ～ tāmen de shì.

duìdài 对待（對待）[动]

主人～我们很热情。Zhǔrén ～ wǒmen hěn rèqíng. →主人很热情地接待了我们。Zhǔrén hěn rèqíng de jiēdàile wǒmen. **例**年轻人～老年人要有礼貌。Niánqīngrén ～ lǎoniánrén yào yǒu lǐmào. | 我们应该以友好的态度～客人。Wǒmen yīnggāi yǐ yǒuhǎo de tàidu ～ kèrén. | 要正确～自己的成绩。Yào zhèngquè ～ zìjǐ de chéngjì.

duìfāng 对方（對方）[名]

小王结婚了，～是一位作家。Xiǎo Wáng jiéhūn le, ～ shì yí wèi zuòjiā. →跟小王结婚的人是一位作家。Gēn Xiǎo Wáng jiéhūn de rén shì yí wèi zuòjiā. **例**这场足球比赛，～输了一个球。Zhèi chǎng zúqiú bǐsài, ～ shūle yí ge qiú. | 我们把有关的情况告诉了～。Wǒmen bǎ yǒuguān de qíngkuàng gàosule ～. | 我们比～早到了三十分钟。Wǒmen bǐ ～ zǎo dàole sānshí fēnzhōng. | ～队员的身体都很高大。～ duìyuán de shēntǐ dōu hěn gāodà.

D

duìfu 对付[1] (對付) [动]

他们是上一届全国足球赛的冠军，很难~。Tāmen shì shàng yí jiè quán guó zúqiúsài de guànjūn, hěn nán ~. →我们无论用什么方法也很难赢他们。Wǒmen wúlùn yòng shénme fāngfǎ yě hěn nán yíng tāmen. 例别害怕，我来~他。Bié hàipà, wǒ lái ~ tā. |~这样的人，他有办法。~ zhèiyàng de rén, tā yǒu bànfǎ. |如果出了问题，我们就很难~了。Rúguǒ chūle wèntí, wǒmen jiù hěn nán ~ le. |来了这么多的人，你~得了吗？Láile zhème duō de rén, nǐ ~ deliǎo ma? |只有他才有能力~眼前的这些困难。Zhǐyǒu tā cái yǒu nénglì ~ yǎnqián de zhèixiē kùnnan.

duìfu 对付[2] (對付) [动]

天已经黑了，我们~着在这小旅馆里住一夜吧。Tiān yǐjing hēi le, wǒmen ~ zhe zài zhè xiǎo lǚguǎn li zhù yí yè ba. →我们不愿意住在这个小旅馆里，但是一时又找不着条件好的旅馆，只好在这里住一夜了。Wǒmen bú yuànyì zhù zài zhèige xiǎo lǚguǎn li, dànshì yìshí yòu zhǎo bu zháo tiáojiàn hǎo de lǚguǎn, zhǐhǎo zài zhèlǐ zhù yí yè le. 例这把椅子虽然旧了一点儿，但是还可以~着用。Zhèi bǎ yǐzi suīrán jiùle yìdiǎnr, dànshì hái kěyǐ ~ zhe yòng. |锅里还有点儿剩饭，你~着吃一点儿吧。Guō li hái yǒudiǎnr shèng fàn, nǐ ~ zhe chī yìdiǎnr ba. |如果你找不着住的地方，你就在我这儿~一夜吧。Rúguǒ nǐ zhǎo bu zháo zhù de dìfang, nǐ jiù zài wǒ zhèr ~ yí yè da.

duìhuà 对话(對話) [名]

他们俩在房间里聊天儿，我听到了他们的~。Tāmen liǎ zài fángjiān li liáotiānr, wǒ tīngdào le tàmen dē ~. →我听到了他们两个人在一起说的话。Wǒ tīngdàole tāmen liǎng ge rén zài yìqǐ shuō de huà. 例我很喜欢电影里父亲和孩子的那段~。Wǒ hěn xǐhuan diànyǐng li fùqin hé háizi de nèi duàn ~. |这篇文章是几个朋友之间的~。Zhèi piān wénzhāng shì jǐ ge péngyou zhījiān de ~. |他和玛丽的~说得太快，我没听清楚。Tā hé Mǎlì de ~ shuō de tài kuài, wǒ méi tīng qīngchu. |你们在电话里的~被我录了下来。Nǐmen zài diànhuà li de ~ bèi wǒ lùle xiàlai.

duìle 对了(對了)

~，昨天我借了你的钱，我刚想起来。~, zuótiān wǒ jièle nǐ de qián, wǒ gāng xiǎng qilai. →说话的时候想到别的事情，常常说

"对了"。Shuōhuà de shíhou xiǎngdào biéde shìqing, chángcháng shuō "duìle". 例这个菜真好吃。~，我还不知道它的名字呢。Zhèige cài zhēn hǎochī. ~，wǒ hái bù zhīdào tā de míngzi ne. I我们晚上见！~，别忘了把女朋友带来。Wǒmen wǎnshang jiàn! ~，bié wàngle bǎ nǚpéngyou dàilai. I听说明天的电影很好看。~，你已经看过了，说说怎么样。Tīngshuō míngtiān de diànyǐng hěn hǎokàn. ~ nǐ yǐjing kànguo le，shuōshuo zěnmeyàng.

duìmiàn 对面[1]（對面）[名]

我们大学 ~ 是一家很大的百货商店。Wǒmen dàxué ~ shì yì jiā hěn dà de bǎihuò shāngdiàn. →从我们大学出来过马路是一家很大的百货商店。Cóng wǒmen dàxué chūlai guò mǎlù shì yì jiā hěn dà de bǎihuò shāngdiàn. 例我家 ~ 是张老师的家。Wǒ jiā ~ shì Zhāng lǎoshī de jiā. I你去 ~ 的商店里就能买到。Nǐ qù ~ de shāngdiàn li jiù néng mǎidào. I你坐错车了，下车后到 ~ 去坐车吧。Nǐ zuòcuò chē le，xià chē hòu dào ~ qu zuò chē ba.

duìmiàn 对面[2]（對面）[名]

~来车了，快躲开。~ lái chē le，kuài duǒkāi. →在我的正前方开过来一辆汽车。Zài wǒ de zhèng qiánfāng kāi guolai yí liàng qìchē. 例我们的 ~ 走过来两个人。Wǒmen de ~ zǒu guolai liǎng ge rén. I她站在 ~，一直看着我。Tā zhàn zài ~，yìzhí kànzhe wǒ. I从 ~ 跑过来的是玛丽。Cóng ~ pǎo guolai de shì Mǎlì.

duìxiàng 对象[1]（對象）[名]

老师的工作 ~ 主要是学生。Lǎoshī de gōngzuò ~ zhǔyào shì xuésheng. →老师工作的目标主要是学生。Lǎoshī gōngzuò de mùbiāo zhǔyào shì xuésheng. 例我们学院的招生 ~ 是外国留学生。Wǒmen xuéyuàn de zhāoshēng ~ shì wàiguó liúxuéshēng. I我们的服务 ~ 是老年人。Wǒmen de fúwù ~ shì lǎoniánrén. I他是我们培养的重点 ~。Tā shì wǒmen péiyǎng de zhòngdiǎn ~. I这些就是我的研究 ~。Zhèixiē jiù shì wǒ de yánjiū ~.

duìxiàng 对象[2]（對象）[名]

这个姑娘是他的 ~。Zhèige gūniang shì tā de ~. →这个姑娘是他的恋人。Zhèige gūniang shì tā de liànrén. 例小伙子到了谈恋爱的年龄，想找个 ~。Xiǎohuǒzi dàole tán liàn'ài de niánlíng，xiǎng zhǎo ge ~. I大卫的 ~ 是朋友给他介绍的。Dàwèi de ~ shì péngyou gěi tā jièshào de, |她～的脾气很好，长得又帅，所以她很爱他。Tā ～ de píqi hěn hǎo, zhǎngde yòu shuài, suǒyǐ tā hěn ài tā.

duìyú 对于（對于）[介]

国家～教育事业很重视。Guójiā ～ jiàoyù shìyè hěn zhòngshì. →国家很重视教育事业。Guójiā hěn zhòngshì jiàoyù shìyè. 例～中国的历史，他十分熟悉。～ Zhōngguó de lìshǐ, tā shífēn shúxī. |～那里的环境，我们应该加以保护。～ nàlǐ de huánjìng, wǒmen yīnggāi jiāyǐ bǎohù. |～这个问题，每个人都表明了自己的态度。～ zhèige wèntí, měi ge rén dōu biǎomíngle zìjǐ de tàidu. |～学习差的同学，大家应该帮助他们。～ xuéxí chà de tóngxué, dàjiā yīnggāi bāngzhù tāmen. |～病人来说，最重要的是先把病治好。～ bìngrén láishuō, zuì zhòngyào de shì xiān bǎ bìng zhìhǎo. |医生们～这种病毫无办法。Yīshēngmen ～ zhèi zhǒng bìng háowú bànfǎ. |他～这件事的看法是对的。Tā ～ zhèi jiàn shì de kànfǎ shì duì de. |国家加强了文物的保护。Guójiā jiāqiánglle ～ wénwù de bǎohù.

duìhuàn 兑换 [动]

美元可以～人民币。Měiyuán kěyǐ ～ rénmínbì. →用美元可以按一定比例换成人民币。Yòng měiyuán kěyǐ àn yídìng bǐlì huànchéng rénmínbì. 例我用日元～人民币。Wǒ yòng rìyuán ～ rénmínbì. |～货币要去银行。～ huòbì yào qù yínháng. |上次～的钱我已经用完了。Shàng cì ～ de qián wǒ yǐjing yòngwán le. |我已经～过好几次了。Wǒ yǐjing ～ guo hǎojǐ cì le. |这里～不了外币。Zhèlǐ ～ bu liǎo wàibì.

dun

dūn 吨（噸）[量]

tun 例卡车上装了五～大米。Kǎchē shang zhuāngle wǔ ～ dàmǐ. |公司每年都需要几百万～钢。Gōngsī měi nián dōu xūyào jǐ bǎi wàn ～ gāng. |这只象的重量是两～半。Zhèi zhī xiàng de zhòngliàng shì liǎng ～ bàn. |这辆汽车可以运三～的东西。Zhèi liàng qìchē kěyǐ yùn sān ～ de dōngxi.

dūn 蹲 [动]

squat 例他们照相时后面的人站着，前面的人～着。Tāmen zhàoxiàng shí hòumiàn de rén zhànzhe, qiánmiàn de rén ～ zhe. |一个孩子～下仔细看地上的小虫子。Yí ge háizi ～ xia zǐxì kàn dìshang de xiǎo chóngzi. | 我肚子很疼，忍不住~在地上。Wǒ dùzi hěn téng, rěn bu zhù ~ zài dì shang. | 他站累了，就~了一会儿。Tā zhànlèi le, jiù ~ le yíhuìr.

dùn 顿（頓）[量]

用于吃饭、批评、打、骂等事情。Yòngyú chīfàn、pīpíng、dǎ、mà děng shìqing。例一般人每天吃三~饭。Yìbān rén měi tiān chī sān ~ fàn. | 我因为迟到挨了一~批评。Wǒ yīnwèi chídào áile yí ~ pīpíng. | 我们去饭馆儿吃一~吧。Wǒmen qù fànguǎnr chī yí ~ ba. | 孩子学习不努力，被妈妈骂了一~。Háizi xuéxí bù nǔlì, bèi māma màle yí ~. | 我没帮他的忙，他说了我一~。Wǒ méi bāng tā de máng, tā shuōle wǒ yí ~. | 我这几天~~都在家里吃。Wǒ zhèi jǐ tiān ~ ~ dōu zài jiāli chī.

duo

duō 多[1] [形]

我的书比他的~。Wǒ de shū bǐ tā de ~. →我有五百本，他只有三百本。Wǒ yǒu wǔbǎi běn, tā zhǐ yǒu sānbǎi běn. 例星期天公园里人很~。Xīngqītiān gōngyuán li rén hěn ~. | 这个商店东西便宜，顾客~极了。Zhèige shāngdiàn dōngxi piányi, gùkè ~ jí le. | 我没想到有这么~人来参加晚会。Wǒ méi xiǎngdào yǒu zhème ~ rén lái cānjiā wǎnhuì. | 很~去过那个地方的人都说那儿很美。Hěn ~ qùguo nèige dìfang de rén dōu shuō nàr hěn měi. | 我的钱不够，不敢~买东西。Wǒ de qián bú gòu, bù gǎn ~ mǎi dōngxi. | 酒喝得太~对身体不好。Jiǔ hē de tài ~ duì shēntǐ bù hǎo. | 我衣服穿了，有点儿热。Wǒ yīfu chuān~ le, yǒudiǎnr rè.

duōshao 多少[1] [代]

你们学校有~学生？Nǐmen xuéxiào yǒu ~ xuésheng? →我在问学生的数量。Wǒ zài wèn xuésheng de shùliàng。例一年有~天？Yì nián yǒu ~ tiān? | 这件衣服~钱？Zhèi jiàn yīfu ~ qián? | 我不知道他买了~本书。Wǒ bù zhīdào tā mǎile ~ běn shū. | 冰箱里的鸡蛋还有~？Bīngxiāng li de jīdàn hái yǒu ~ ? | 请问你的电话号码是~？Qǐngwèn nǐ de diànhuà hàomǎ shì ~ ?

duōshao 多少[2] [代]

我是个学生，没~钱。Wǒ shì ge xuésheng, méi ~ qián. →我的

钱很少。Wǒ de qián hěn shǎo. 例公园里没~人，很安静。Gōngyuán li méi ~ rén, hěn ānjìng. | 我马上要去上课，没有~时间了。Wǒ mǎshàng yào qù shàngkè, méiyǒu ~ shíjiān le. | 这本书我还没看~，只看了几页。Zhèi běn shū wǒ hái méi kàn ~, zhǐ kànle jǐ yè. | 他的年龄比我大不了~，也就大一两岁。Tā de niánlíng bǐ wǒ dà bu liǎo ~, yě jiù dà yì liǎng suì.

duōshù 多数（多數）［名］

他们班~是女学生。Tāmen bān ~ shì nǚ xuésheng. →他们班一半以上的学生是女的。Tāmen bān yíbàn yǐshàng de xuésheng shì nǚ de. 例喜欢流行音乐的~是年轻人。Xǐhuan liúxíng yīnyuè de ~ shì niánqīngrén. | 这个商店男售货员很少，女售货员占~。Zhèige shāngdiàn nán shòuhuòyuán hěn shǎo, nǚ shòuhuòyuán zhàn ~. | 这个不合理的建议遭到~人的反对。Zhèige bù hélǐ de jiànyì zāodào ~ rén de fǎnduì. | 公司里~职员上过大学。Gōngsī li ~ zhíyuán shàngguo dàxué.

duō 多² ［形］

我比他大~了。Wǒ bǐ tā dà ~ le. →我已经三十岁了，他才二十岁。Wǒ yǐjing sānshí suì le, tā cái èishí suì. 例他的个子比我高~了，我才到他鼻子那儿。Tā de gèzi bǐ wǒ gāo ~ le, wǒ cái dào tā bízi nàr. | 跟昨天看的电影比起来，今天的有意思得~。Gēn zuótiān kàn de diànyǐng bǐ qilai, jīntiān de yǒu yìsi de ~. | 我弟弟比我聪明得~。Wǒ dìdi bǐ wǒ cōngming de ~.

duō 多³ ［动］

教室里~了一个人。Jiàoshì li ~ le yí ge rén. →教室里刚才是十个人，现在有十一个人。Jiàoshì li gāngcái shì shí ge rén, xiànzài yǒu shíyī ge rén. 例我的房间里~了一台电视机，那是我新买的。Wǒ de fángjiān li ~ le yì tái diànshìjī, nà shì wǒ xīn mǎi de. | 我今年的工资比去年~了三千块。Wǒ jīnnián de gōngzī bǐ qùnián ~ le sānqiān kuài. | 他这个月写的信比以前~出了不少。Tā zhèige yuè xiě de xìn bǐ yǐqián ~ chule bùshǎo.

duō 多⁴ ［副］

你的房间有~大? Nǐ de fángjiān yǒu ~ dà? →我想知道你房间的大小。Wǒ xiǎng zhīdao nǐ fángjiān de dàxiǎo. 例这个箱子有~重? Zhèige xiāngzi yǒu ~ zhòng? | 从这儿到机场有~远? Cóng zhèr dào jīchǎng yǒu ~ yuǎn? |我不知道他有 ~ 高。Wǒ bù zhīdào tā yǒu ~ gāo. |你的孩子今年 ~ 大了? Nǐ de háizi jīnnián ~ dà le? |你等了我 ~ 长时间? Nǐ děngle wǒ ~ cháng shíjiān? |他们需要 ~ 大的桌子? Tāmen xūyào ~ dà de zhuōzi?

duō 多⁵ [副]

今天天气 ~ 好啊! Jīntiān tiānqì ~ hǎo a! →今天天气真好。Jīntiān tiānqì zhēn hǎo. 例 这件衣服 ~ 漂亮啊! Zhèi jiàn yīfu ~ piàoliang a! |她要是知道了这个好消息该 ~ 高兴! Tā yàoshi zhīdàole zhèige hǎo xiāoxi gāi ~ gāoxìng! |我 ~ 希望马上就见到她! Wǒ ~ xīwàng mǎshàng jiù jiàndào tā! |~ 可爱的孩子! ~ kě'ài de háizi! |你看, 他跑得 ~ 快! Nǐ kàn, tā pǎo de ~ kuài! |他们唱歌唱得 ~ 好听! Tāmen chànggē chàng de ~ hǎotīng!

duōme 多么(多麼)[副]

这个孩子 ~ 聪明啊! Zhèige háizi ~ cōngming a! →这个孩子很聪明。Zhèige háizi hěn cōngming. 例 这里的风景 ~ 美啊! Zhèlǐ de fēngjǐng ~ měi a! |我 ~ 想找到一个好工作! Wǒ ~ xiǎng zhǎodào yí ge hǎo gōngzuò! |~ 好的天气啊! 真该出去玩儿玩儿。~ hǎo de tiānqì a! Zhēn gāi chūqu wánrwanr. |奶奶去世了, ~ 让人伤心的消息! Nǎinai qùshì le, ~ ràng rén shāngxīn de xiāoxi! |你看, 演员表演得 ~ 精彩啊! Nǐ kàn, yǎnyuán biǎoyǎn de ~ jīngcǎi a!

duō 多⁶ [数]

我买了十 ~ 本书。Wǒ mǎile shí ~ běn shū. →我买的书超过十本, 但不到二十本。Wǒ mǎi de shū chāoguò shí běn, dàn bú dào èrshí běn. 例 他今天花了两百 ~ 块钱, 大概是两百四十块。Tā jīntiān huāle liǎngbǎi ~ kuài qián, dàgài shì liǎngbǎi sìshí kuài. |一年有三百 ~ 天。Yì nián yǒu sānbǎi ~ tiān. |我还有一年 ~ 才大学毕业。Wǒ hái yǒu yì nián ~ cái dàxué bìyè. |爷爷已经七十 ~ 了。Yéye yǐjing qīshí ~ le. |那个篮球运动员有两米 ~ 高。Nèige lánqiú yùndòngyuán yǒu liǎng mǐ ~ gāo.

duó 夺(奪)[动]

他伸手来 ~ 我正在看的小说。Tā shēnshǒu lái ~ wǒ zhèngzài kàn de xiǎoshuō. →他想在我不愿意的情况下把书从我手里拿走。Tā xiǎng zài wǒ bú yuànyì de qíngkuàng xià bǎ shū cóng wǒ shǒu li názǒu. 例 朋友 ~ 了我的帽子就跑。Péngyou ~ le wǒ de màozi jiù pǎo . |弟弟 ~ 下哥哥的汽水儿喝了起来。Dìdi ~ xia gēge de qìshuǐr hēle qilai . |我拿着的篮球被对方 ~ 走了。Wǒ názhe de lánqiú bèi duìfāng ~ zǒu le . |他从我手里把报纸 ~ 了过去。Tā cóng wǒ shǒu li bǎ bàozhǐ ~ le guoqu .

duǒ 朵 [量]

用于花儿、云。Yòngyú huār、yún . 例这 ~ 花儿真好看。Zhèi ~ huār zhēn hǎokàn . |几 ~ 白云飘在蓝天上。Jǐ ~ bái yún piāo zài lántiān shang . |我种的那盆花儿今天又开了两 ~ 。Wǒ zhòng de nèi pén huār jīntiān yòu kāile liǎng ~ . |画儿上画着一大 ~ 黄色的花儿。Huàr shang huàzhe yí dà ~ huángsè de huār . |飞机从 ~ ~ 白云中间飞过。Fēijī cóng ~ ~ báiyún zhōngjiān fēiguò .

duǒ 躲¹ [动]

他 ~ 在树后面，不让别人看见他。Tā ~ zài shù hòumiàn, bú ràng biéren kànjiàn tā . →他呆在那儿，使别人发现不了他。Tā dāi zài nàr, shǐ biéren fāxiàn bu liǎo tā . 例小孩儿害怕地 ~ 在妈妈背后。Xiǎoháir hàipà de ~ zài māma bèihòu . |他不想跟人见面，一直在自己的房间里 ~ 着。Tā bù xiǎng gēn rén jiànmiàn, yìzhí zài zìjǐ de fángjiān li ~ zhe . |你别 ~ 了，我已经看见你了! Nǐ bié ~ le, wǒ yǐjing kànjiàn nǐ le! |猫跑到床底下 ~ 了起来。Māo pǎo dào chuáng dǐxia ~ le qilai .

duǒ 躲² [动]

牛朝我跑过来，我赶紧往旁边 ~ 。Niú cháo wǒ pǎo guolai, wǒ gǎnjǐn wǎng pángbiān ~ . →我不想让牛撞到我。Wǒ bù xiǎng ràng niú zhuàngdào wǒ . 例你看见自行车过来，为什么不 ~ 呢? Nǐ kànjiàn zìxíngchē guòlai, wèishénme bù ~ ne? |突然下雨了，我跑进商店里 ~ 雨。Tūrán xià yǔ le, wǒ pǎojìn shāngdiàn li ~ yǔ . |我往旁边一跳，~ 开了山上滚下来的石头。Wǒ wǎng pángbiān yí tiào, ~ kāile shān shang gǔn xialai de shítou . |我没能 ~ 开她扔过来的书，书砸在我头上。Wǒ méi néng ~ kāi tā rēng guolai de shū, shū zá zài wǒ tóu shang .

E

e

é 鹅(鵝) [名]

例一群 ~ 正在河里游来游去。Yì qún ~ zhèngzài hé li yóulái yóuqù. | ~ 的脖子长，鸭子的脖子短。~ de bózi cháng, yāzi de bózi duǎn. | ~ 蛋比鸡蛋大很多。~ dàn bǐ jīdàn dà hěn duō. | 他家养了十只 ~，六只鸭子。Tā jiā yǎngle shí zhī ~, liù zhī yāzi.

鹅

è 饿(餓) [动]

我没吃早饭，现在 ~ 了。Wǒ méi chī zǎofàn, xiànzài ~ le. →我现在肚子里空空的，想吃饭。Wǒ xiànzài dùzi li kōngkōng de, xiǎng chīfàn. 例她想减肥，所以总是 ~ 着自己。Tā xiǎng jiǎnféi, suǒyǐ zǒngshì ~ zhe zìjǐ. | 他一天没吃饭，可 ~ 坏了。Tā yì tiān méi chīfàn, kě ~ huài le. | 我刚吃过饭，现在一点儿也不 ~ 。Wǒ gāng chīguo fàn, xiànzài yìdiǎnr yě bú ~ .

er

értóng 儿童(兒童) [名]

到现在，我还记得自己 ~ 时代的事。Dào xiànzài, wǒ hái jìde zìjǐ ~ shídài de shì. →我现在还记得我小时候的事情。Wǒ xiànzài hái jìde wǒ xiǎoshíhou de shìqing. 例今天是 ~ 的节日，孩子们可高兴啦。Jīntiān shì ~ de jiérì, háizimen kě gāoxìng la. | 这个幼儿园有五百多名 ~ 。Zhèige yòu'éryuán yǒu wǔbǎi duō míng ~ . | 这些 ~ 多么可爱啊！Zhèixiē ~ duōme kě'ài a!

érzi 儿子(兒子) [名]

son 例他有两个 ~，一个女儿。Tā yǒu liǎng ge ~, yí ge nǚ'ér. | 这是我的大 ~，那是小 ~ 。Zhè shì wǒ de dà ~, nà shì xiǎo ~ . | 我 ~ 今年三十岁了，在一个公司工作。Wǒ ~ jīnnián sānshí suì le, zài yí ge gōngsī gōngzuò. | 明天，我跟 ~ 一起去北京。Míngtiān, wǒ gēn ~ yìqǐ qù Běijīng.

ér 而[1]　[连]

现在南方很热，~北方却很冷。Xiànzài nánfāng hěn rè，~ běifāng què hěn lěng. →现在南方跟北方的气温相差很大。Xiànzài nánfāng gēn běifāng de qìwēn xiāng chà hěn dà. **例**这种树开白花，~那种树开红花。Zhèi zhǒng shù kāi bái huā，~ nèi zhǒng shù kāi hóng huā. | 他是日本人，~我是美国人。Tā shì Rìběnrén，~ wǒ shì Měiguórén. | 这苹果大~不甜，我不爱吃。Zhè píngguǒ dà ~ bù tián, wǒ bú ài chī.

ér 而[2]　[连]

她聪明~美丽，同事们都喜欢她。Tā cōngming ~ měilì，tóngshìmen dōu xǐhuantā. →她又聪明又美丽，同事们都喜欢她。Tā yòu cōngming yòu měilì，tóngshìmen dōu xǐhuantā. **例**我喜欢温柔~大方的姑娘。Wǒ xǐhuan wēnróu ~ dàfang de gūniang. | 这是个干净~漂亮的城市，来这里旅游的人很多。Zhè shì ge gānjìng ~ piàoliang de chéngshì，lái zhèlǐ lǚyóu de rén hěn duō. | 这本词典大~全，适合水平高的人用。Zhèi běn cídiǎn dà ~ quán，shìhé shuǐpíng gāo de rén yòng.

érqiě 而且　[连]

他不但会说英语，~说得很好。Tā búdàn huì shuō Yīngyǔ，~ shuō de hěn hǎo. →他不仅仅会说英语，说得还非常好。Tā bù jǐnjǐn huì shuō Yīngyǔ，shuō de hái fēicháng hǎo. **例**大卫不但会开汽车，~技术很棒。Dàwèi búdàn huì kāi qìchē，~ jìshù hěn bàng. | 我们俩不仅认识，~还是好朋友。Wǒmen liǎ bùjǐn rènshi，~ hái shì hǎo péngyou. | 我不仅去过美国，~还不止一次。Wǒ bùjǐn qùguo Měiguó，~ hái bùzhǐ yí cì. | 妈妈不仅会说英语，~还会说汉语和日语。Māma bùjǐn huì shuō Yīngyǔ，~ hái huì shuō Hànyǔ hé Rìyǔ.

ěrduo 耳朵　[名]

ear **例**大象的~像一把大扇子。Dàxiàng de ~ xiàng yì bǎ dà shànzi. | 他长着一对儿大~。Tā zhǎngzhe yí duìr dà ~. | 一只虫子飞到他~里去了，很难受。Yì zhī chóngzi fēidào tā ~ li qù le，hěn nánshòu. | 他的~听不见声音了。Tā de ~ tīng bu jiàn shēngyīn le.

èr 二　[数]

一加一等于~。Yī jiā yī děngyú ~. →1＋1＝2 **例**我数完一、~、

三，大家就开始跑。Wǒ shǔwán yī、~、sān, dàjiā jiù kāishǐ pǎo. I 这件衣服要~百八十块钱。Zhèi jiàn yīfu yào ~ bǎi bāshí kuài qián. I 我们班有~十三名同学。Wǒmen bān yǒu ~ shísān míng tóngxué. I 在家里，我是老~，我还有一个哥哥。Zài jiāli, wǒ shì lǎo ~ , wǒ hái yǒu yí ge gēge. I 我考试得了班里第~名。Wǒ kǎoshì déle bān li dì ~ míng.

èr 贰（贰）［数］
"二" 的大写形式。"Èr" de dàxiě xíngshì.

E

F

fa

fā 发[1]（發）[动]

这个月公司 ~ 了我一千元工资。Zhèige yuè gōngsī ~ le wǒ yìqiān yuán gōngzī. →公司给了我一千元工资。Gōngsī gěile wǒ yìqiān yuán gōngzī. 例我们每个月 ~ 三块毛巾。Wǒmen měi ge yuè ~ sān kuài máojīn. |我把答案 ~ 给大家，请仔细看看。Wǒ bǎ dá'àn ~ gěi dàjiā, qǐng zǐxì kànkan. |还没等到 ~ 工资，我就已经没钱了。Hái méi děngdào ~ gōngzī, wǒ jiù yǐjing méi qián le. |两个月的钱一块儿 ~ 下来了。Liǎng ge yuè de qián yíkuàir ~ xialai le.

fā 发[2]（發）[动]

我昨天给女朋友 ~ 了一封信。Wǒ zuótiān gěi nǚpéngyou ~ le yì fēng xìn. →我把给女朋友的信送到了邮局。Wǒ bǎ gěi nǚpéngyou de xìn sòngdàole yóujú. 例电子邮件给你 ~ 过去了。Diànzǐ yóujiàn gěi nǐ ~ guòqu le. |这个通知要 ~ 到每个人手上。Zhèige tōngzhī yào ~ dào měi ge rén shǒu shang. |他天天给女朋友 ~ 短信。Tā tiāntiān gěi nǚpéngyou ~ duǎnxìn. |我给他写的信还没 ~ 呢。Wǒ gěi tā xiě de xìn hái méi ~ ne.

fāchū 发出[1]（發出）[动]

那封信 ~ 十天了，他可能收到了。Nèi fēng xìn ~ shí tiān le, tā kěnéng shōudào le. →那封信送到邮局十天了。Nèi fēng xìn sòngdào yóujú shí tiān le. 例那篇文章才 ~ 三天，报纸就登出来了。Nèi piān wénzhāng cái ~ sān tiān, bàozhǐ jiù dēng chulai le. |老人 ~ 了两封电报，可儿子总是没回信。Lǎorén ~ le liǎng fēng diànbào, kě érzi zǒngshì méi huíxìn. |我给杂志社 ~ 的两篇稿子，已经发表了。Wǒ gěi zázhìshè ~ de liǎng piān gǎozi, yǐjing fābiǎo le.

fāchū 发出[2]（發出）[动]

河水碰到石头，~ 哗哗的声音。Héshuǐ pèngdào shítou, ~ huāhuā de shēngyīn. →河水碰到石头，会哗哗地响。Héshuǐ pèngdào shítou, huì huāhuā de xiǎng. 例他 ~ 了一种奇怪的声音，接着就倒

下了。Tā ~ le yì zhǒng qíguài de shēngyīn，jiēzhe jiù dǎoxià le. | 花ㄦ 开了，~ 阵阵香味ㄦ。Huār kāi le，~ zhènzhèn xiāngwèir. | 听了他 的发言，人们 ~ 了赞叹声。Tīngle tā de fāyán，rénmen ~ le zàntàn shēng.

fābiǎo 发表¹（發表）[动]

在会上，大卫 ~ 了自己的看法。Zài huì shang，Dàwèi ~ le zìjǐ de kànfǎ. → 大卫向大家谈出了自己的看法。Dàwèi xiàng dàjiā tánchule zìjǐ de kànfǎ. 例关于旅游的事ㄦ，请大家 ~ 意见。Guānyú lǚyóu de shìr，qǐng dàjiā ~ yìjiàn. | 我的意见已经 ~ 过了，就不再多 说了。Wǒ de yìjiàn yǐjing ~ guo le，jiù bú zài duō shuō le. | 你是怎 么想的，可以 ~ 一下ㄦ。Nǐ shì zěnme xiǎng de，kěyǐ ~ yíxiàr. | 他的 见解还没 ~，大家就都猜到了。Tā de jiànjiě hái méi ~，dàjiā jiù dōu cāidào le.

fābiǎo 发表²（發表）[动]

我在报纸上 ~ 了一篇文章。Wǒ zài bàozhǐ shang ~ le yì piān wénzhāng. → 报纸登了我写的文章。Bàozhǐ dēngle wǒ xiě de wénzhāng. 例他一个月 ~ 了三篇论文。Tā yí ge yuè ~ le sān piān lùnwén. | 十年来，这位作家 ~ 过六十多篇小说。Shí nián lái，zhèi wèi zuòjiā ~ guo liùshí duō piān xiǎoshuō. | 我的诗歌 ~ 在一本杂志 上。Wǒ de shīgē ~ zài yì běn zázhì shang. | 这篇文章还没 ~，我还 要修改修改。Zhèi piān wénzhāng hái méi ~，wǒ hái yào xiūgǎi xiūgǎi.

fādá 发达（發達）[形]

这里的交通很 ~。Zhèlǐ de jiāotōng hěn ~. → 这里汽车、地铁、铁 路等很多，非常方便。Zhèlǐ qìchē、dìtiě、tiělù děng hěn duō， fēicháng fāngbiàn. 例本市工业 ~，工厂很多。Běn shì gōngyè ~， gōngchǎng hěn duō. | 这里不仅有 ~ 的工农业，还有 ~ 的交通。 Zhèlǐ bùjǐn yǒu ~ de gōngnóngyè，hái yǒu ~ de jiāotōng. | 他们来自 ~ 国家，受过良好的教育。Tāmen láizì ~ guójiā，shòuguo liánghǎo de jiàoyù. | 一些 ~ 国家正在帮助发展中国家发展经济。Yìxiē ~ guójiā zhèngzài bāngzhù fāzhǎnzhōng guójiā fāzhǎn jīngjì.

fādòng 发动¹（發動）[动]

汽车在外面放了一夜，不好 ~ 了。Qìchē zài wàimian fàngle yí yè， bù hǎo ~ le. → 汽车温度太低，里面的机器不工作了。Qìchē wēndù

tài dī, lǐmiàn de jīqì bù gōngzuò le. 例这辆摩托车是新的，很好 ~ 。
Zhèi liàng mótuōchē shì xīn de, hěn hǎo ~ . | 从古到今，~ 战争的
人都没有好下场。Cóng gǔ dào jīn, ~ zhànzhēng de rén dōu méiyǒu
hǎo xiàchǎng. | 这场战争是少数人 ~ 起来的，他们应该负责。Zhèi
cháng zhànzhēng shì shǎoshù rén ~ qilai de, tāmen yīnggāi fùzé.

fādòng 发动² （發動）[动]

他 ~ 群众，一上午就种了一百棵树。Tā ~ qúnzhòng, yí shàngwǔ jiù
zhòngle yìbǎi kē shù. →他请大家一起来种树。Tā qǐng dàjiā yìqǐ lái
zhòng shù. 例这次晚会学校 ~ 老师参加。Zhèi cì wǎnhuì xuéxiáo ~
lǎoshī cānjiā. | 这个组织 ~ 了很多工人参加。Zhèige zǔzhī ~ le hěn
duō gōngrén cānjiā. | 你再 ~ ~ 吧，体育比赛报名的人太少。Nǐ zài
~ ~ ba, tǐyù bǐsài bàomíng de rén tài shǎo. | 由于没有 ~ 起大家来，
这次舞会办得不太好。Yóuyú méiyǒu ~ qǐ dàjiā lai, zhèi cì wǔhuì
bàn de bú tài hǎo.

fādǒu 发抖（發抖）[动]

他穿得太少了，冷得直 ~ 。Tā chuān de tài shǎo le, lěng de zhí ~ .
→他太冷了，身体不停地哆嗦。Tā tài lěng le, shēntǐ bù tíng de
duōsuo. 例她突然看见一条蛇，吓得浑身 ~ 。Tā tūrán kànjiàn yì
tiáo shé, xià de húnshēn ~ . | 他发烧了，身体有点儿 ~ 。Tā
fā shāo le, shēntǐ yǒudiǎnr ~ . | 听了他的话，我气得直 ~ 。Tīngle
tā de huà, wǒ qì de zhí ~ . | 他的病好了，身体也不 ~ 了。Tā de
bìng hǎo le, shēntǐ yě bù ~ le.

fāhuī 发挥（發揮）[动]

当翻译可以 ~ 你外语好的长处。Dāng fānyì kěyǐ ~ nǐ wàiyǔ hǎo de
chángchù. →你外语好的长处可以全部用上。Nǐ wàiyǔ hǎo de
chángchù kěyǐ quánbù yòngshang. 例在公司建设中，他 ~ 了重要作
用。Zài gōngsī jiànshè zhōng, tā ~ le zhòngyào zuòyòng. | 他是技术
人员，在工厂 ~ 着重要作用。Tā shì jìshù rényuán, zài gōngchǎng
~ zhe zhòngyào zuòyòng. | 大学生们 ~ 他们的聪明和智慧，搞了很
多发明。Dàxuéshēngmen ~ tāmen de cōngming hé zhìhuì, gǎole
hěn duō fāmíng.

fāmíng 发明¹ （發明）[动]

二十世纪以来，人类 ~ 了飞机、电脑等。Èrshí shìjì yǐlái, rénlèi ~ le
fēijī、diànnǎo děng. →飞机、电脑等是人类研究创造出来的。Fēijī、

diànnǎo děng shì rénlèi yánjiū chuàngzào chulai de. **例**他很聪明，～
过很多东西。Tā hěn cōngming，～ guo hěn duō dōngxi. | 电灯、电
话很早就～出来了，以后又不断改进。Diàndēng、diànhuà hěn zǎo
jiù ～ chulai le，yǐhòu yòu búduàn gǎijìn. | 他们不断～新技术，提高
生产效率。Tāmen búduàn ～ xīn jìshù，tígāo shēngchǎn xiàolǜ. | 这
种机器～出来十年了。Zhèi zhòng jīqì ～ chulai shí nián le.

fāmíng 发明² （發明）[名]

爱迪生是个科学家，一生有很多～。Àidíshēng shì ge kēxuéjiā，
yìshēng yǒu hěn duō ～. → 爱迪生研究创造出了很多新东西。
Àidíshēng yánjiū chuàngzào chule hěn duō xīn dōngxi. **例**他最近搞了
两项～，都获了奖。Tā zuìjìn gǎole liǎng xiàng ～，dōu huòle
jiǎng. | 这项～已经在社会上推广使用了。Zhèi xiàng ～ yǐjing zài
shèhuì shang tuīguǎng shǐyòng le. | 自动铅笔是他的～，这谁都知
道。Zìdòng qiānbǐ shì tā de ～，zhè shéi dōu zhīdao. | 他的这一～使
他一下子成了～家。Tā de zhèi yì ～ shǐ tā yíxiàzi chéngle ～ jiā.

fā shāo 发烧（發燒）

我这几天感冒了，一直在～。Wǒ zhèi jǐ tiān gǎnmào le，yìzhí zài
～. → 我这几天体温一直在37℃以上。Wǒ zhèi jǐ tiān tǐwēn yìzhí zài
sānshíqī dù yǐshàng. **例**他现在的体温是40℃，说明正在～。Tā
xiànzài de tǐwēn shì sìshí dù，shuōmíng zhèngzài ～. | 我昨天～了，
没来上课。Wǒ zuótiān ～ le，méi lái shàngkè. | 比尔～好几天了，
吃药打针都不管用。Bǐ'ěr ～ hǎojǐ tiān le，chīyào dǎzhēn dōu bù
guǎnyòng. | 爸爸发了两天烧，今天才好些。Bàba fāle liǎng tiān
shāo，jīntiān cái hǎo xiē. | 老师昨天还好好儿的，今天发起烧来了。
Lǎoshī zuótiān hái hǎohāor de，jīntiān fā qi shāo lai le.

fāshēng 发生（發生）[动]

我的家乡～了很大变化。Wǒ de jiāxiāng ～ le hěn dà biànhuà. → 我
的家乡出现了不少变化。Wǒ de jiāxiāng chūxiànle bùshǎo biànhuà.
例南方下雨很多，经常～水灾。Nánfāng xià yǔ hěn duō，jīngcháng
～ shuǐzāi. | 这里～过多次交通事故。Zhèlǐ ～ guo duō cì jiāotōng
shìgù. | 很多人站在那儿，不知道～了什么事情。Hěn duō rén zhàn
zài nàr，bù zhīdào ～ le shénme shìqing. | 他俩很好，吵架的事儿一
次也没有～过。Tā liǎ hěn hǎo，chǎojià de shìr yí cì yě méiyǒu ～ guo.

fāxiàn 发现[1] （發現）[动]

他 ~ 这里古时候是一片海洋。Tā ~ zhèlǐ gǔshíhou shì yí piàn hǎiyáng. →他通过研究认识到了前人从不知道的事：这里古时候是一片海洋。Tā tōngguò yánjiū rènshi dào le qiánrén cóng bù zhīdào de shì: zhèlǐ gǔshíhou shì yí piàn hǎiyáng. 例五十年前，人们 ~ 了这个小岛。Wǔshí nián qián, rénmen ~ le zhèige xiǎodǎo. | 这个规律人们 ~ 得很晚。Zhèige guīlǜ rénmen ~ de hěn wǎn. | 探索了多年，他们什么也没 ~ 。Tànsuǒle duō nián, tāmen shénme yě méi ~.

fāxiàn 发现[2] （發現）[动]

他 ~ 地上有个钱包。Tā ~ dìshang yǒu ge qiánbāo. →他看见地上有个钱包。Tā kànjiàn dìshang yǒu ge qiánbāo. 例他醒来的时候， ~ 妈妈站在床边儿。Tā xǐnglái de shíhou, ~ māma zhàn zài chuáng biānr. | 他的病 ~ 一年多了，还没治好。Tā de bìng ~ yì nián duō le, hái méi zhìhǎo. | 我 ~ 那个小孩儿在抽烟。Wǒ ~ nèige xiǎoháir zài chōuyān. | 我们 ~ 他时，他已经死了。Wǒmen ~ tā shí, tā yǐjing sǐ le.

fāxiàn 发现[3] （發現）[名]

他是一名科学家，在数学上有很多 ~ 。Tā shì yì míng kēxuéjiā, zài shùxué shang yǒu hěn duō ~. →数学上的很多规律是他先认识到的。Shùxué shang de hěn duō guīlǜ shì tā xiān rènshi dào de. 例对于这个问题，科学家们有一些重大 ~ 。Duìyú zhèige wèntí, kēxuéjiāmen yǒu yìxiē zhòngdà ~. | 他的新 ~ ，让很多人大吃一惊。Tā de xīn ~, ràng hěn duō rén dà chī yì jīng. | 医学上的这些 ~ 使人类更加健康。Yīxué shang de zhèixie ~ shǐ rénlèi gèngjiā jiànkāng. | 这是一个了不起的 ~ ，很有价值。Zhè shì yí ge liǎobuqǐ de ~, hěn yǒu jiàzhí.

fā yán 发言[1] （發言）

他平时不爱说话，可今天开会却第一个 ~ 。Tā píngshí bú ài shuōhuà, kě jīntiān kāihuì què dì yī ge ~. →他第一个在会上讲话。Tā dì yī ge zài huì shang jiǎnghuà. 例大会主席正在 ~ ，一会儿他才有空儿。Dàhuì zhǔxí zhèngzài ~, yíhuìr tā cái yǒu kòngr. | 请您到前面来，该您 ~ 了。Qǐng nín dào qiánmian lái, gāi nín ~ le. | 会上代表们都发了言，谈了他们的看法。Huì shang dàibiǎomen dōu fāle yán, tánle tāmen de kànfǎ. | 他很忙，发完言就走了。Tā hěn máng, fāwán yán jiù zǒu le . l 开了两天会，他只发了一次言。Kāile liǎng tiān huì, tā zhǐ fāle yí cì yán.

fāyán 发言[2]（發言）[名]

他的 ~ 很精彩，引起了阵阵掌声。Tā de ~ hěn jīngcǎi, yǐnqǐle zhènzhèn zhǎngshēng. →他在会上的讲话很精彩，大家都给他鼓掌。Tā zài huì shang de jiǎnghuà hěn jīngcǎi, dàjiā dōu gěi tā gǔzhǎng. 例主席的 ~ 很有水平，人们一致同意。Zhǔxí de ~ hěn yǒu shuǐpíng, rénmen yízhì tóngyì. l 很多人同意代表们的 ~ 。Hěn duō rén tóngyì dàibiǎomen de ~ . l 这种 ~ 我听过多次，没什么意思。Zhèi zhǒng ~ wǒ tīngguo duō cì, méi shénme yìsi.

fāyáng 发扬（發揚）[动]

登山队员 ~ 互相帮助的精神，终于登上了山顶。Dēngshān duìyuán ~ hùxiāng bāngzhù de jīngshén, zhōngyú dēngshangle shāndǐng. →登山队员之间提倡和发展互相帮助的精神。Dēngshān duìyuán zhījiān tíchàng hé fāzhǎn hùxiāng bāngzhù de jīngshén. 例这是好传统，我们应该 ~ 它。Zhè shì hǎo chuántǒng, wǒmen yīnggāi ~ tā. l 他们 ~ 不怕吃苦的作风，克服了很多困难。Tāmen ~ bú pà chīkǔ de zuòfēng, kèfúle hěn duō kùnnan. l 大学生们想把勤奋、勇敢的传统 ~ 下去。Dàxuéshēngmen xiǎng bǎ qínfèn、yǒnggǎn de chuántǒng ~ xiaqu.

fāzhǎn 发展[1]（發展）[动]

山区的交通 ~ 很快，现在到处是公路、铁路了。Shānqū de jiāotōng ~ hěn kuài, xiànzài dàochù shì gōnglù、tiělù le. →山区不断建设公路、铁路等。Shānqū búduàn jiànshè gōnglù、tiělù děng. 例近几年，这里的旅游业 ~ 起来了。Jìn jǐ nián, zhèlǐ de lǚyóuyè ~ qilai le. l 这个城市原来很小，现在 ~ 成大城市了。Zhèige chéngshì yuánlái hěn xiǎo, xiànzài ~ chéng dà chéngshì le. l 以前这里很穷，现在 ~ 得很不错了。Yǐqián zhèlǐ hěn qióng, xiànzài ~ de hěn búcuò le.

fāzhǎn 发展[2]（發展）[动]

他们正努力 ~ 当地经济。Tāmen zhèng nǔlì ~ dāngdì jīngjì. →他们正想法使当地经济好起来。Tāmen zhèng xiǎngfa shǐ dāngdì jīngjì hǎo qilai. 例为了孩子，他们在大力 ~ 文化事业。Wèile háizi, tāmen zài dàlì ~ wénhuà shìyè. l 我想在唱歌儿方面 ~ 自己。Wǒ xiǎng zài chànggēr fāngmiàn ~ zìjǐ. | 这种交往很好，~ 了他们之间的友谊。Zhèi zhǒng jiāowǎng hěn hǎo, ~ le tāmen zhījiān de yǒuyì. | 我们很重视 ~ 足球运动，建了很多足球学校。Wǒmen hěn zhòngshì ~ zúqiú yùndòng, jiànle hěn duō zúqiú xuéxiào.

fāzhǎn 发展³（發展）[动]

这个工厂不太大，以后还要 ~。Zhèige gōngchǎng bú tài dà, yǐhòu hái yào ~. →这个工厂以后还要加大。Zhèige gōngchǎng yǐhòu hái yào jiādà. 例这个组织只有二十人，将来要 ~ 到五百人。Zhèige zǔzhī zhǐ yǒu èrshí rén, jiānglái yào ~ dào wǔbǎi rén. | 哥哥的公司经营得不太好，~ 不起来。Gēge de gōngsī jīngyíng de bú tài hǎo, ~ bù qǐlái. | 商场业务 ~ 得很快，需要增加职员。Shāngchǎng yèwù ~ de hěn kuài, xūyào zēngjiā zhíyuán.

fá 罚¹（罰）[动]

我写错了字，老师 ~ 我写二十遍。Wǒ xiěcuòle zì, lǎoshī ~ wǒ xiě èrshí biàn. →为了让我记住这个字的正确写法，老师命令我写二十遍。Wèile ràng wǒ jìzhù zhèige zì de zhèngquè xiěfǎ, lǎoshī mìnglìng wǒ xiě èrshí biàn. 例他开会迟到了，主持人 ~ 他坐在一边儿。Tā kāihuì chídào le, zhǔchírén fá tā zuò zài yìbiānr. | 儿子总是浪费粮食，爸爸 ~ 他吃剩饭。Érzi zǒngshì làngfèi liángshi, bàba ~ tā chī shèng fàn. | 大卫起床太晚，妻子 ~ 他干一天家务活儿。Dàwèi qǐchuáng tài wǎn, qīzi ~ tā gàn yì tiān jiāwùhuór.

fá 罚²（罰）[动]

他开车违章，警察 ~ 了他五十元钱。Tā kāi chē wéizhāng, jǐngchá ~ le tā wǔshí yuán qián. →警察让违章开车的人交了五十元钱。Jǐngchá ràng wéizhāng kāi chē de rén jiāole wǔshí yuán qián. 例他乱扔垃圾，工作人员 ~ 了他的钱。Tā luàn rēng lājī, gōngzuò rényuán ~ le tā de qián. | 我出了错，你们该 ~ 多少就 ~ 多少吧。Wǒ chūle cuò, nǐmen gāi ~ duōshao jiù ~ duōshao ba. | 这种小事别 ~ 得太多了，否则别人有意见。Zhèi zhǒng xiǎoshì bié ~ de tài duō le, fǒuzé biérén yǒu yìjiàn.

fá kuǎn 罚款（罰款）

弄丢了图书馆的书是要 ~ 的。Nòngdiūle túshūguǎn de shū shì yào ~ de. →弄丢了图书馆的书就要赔图书馆钱。Nòngdiūle túshūguǎn de shū jiù yào péi túshūguǎn qián. 例红灯亮时不停车的司机，要被 ~

三百元。Hóngdēng liàng shí bù tíng chē de sījī yào bèi ~ sānbǎi yuán. | 对乱扔垃圾的人要~。Duì luàn rēng lājī de rén yào ~. | 昨天他被~四十元，今天又被~五十元。Zuótiān tā bèi ~ sìshí yuán, jīntiān yòu bèi ~ wǔshí yuán. | 警察没罚他的款，只是批评了他一顿。Jǐngchá méi fá tā de kuǎn, zhǐshì pīpíngle tā yí dùn.

Fǎguó 法国（法國）[名]

France 例 ~ 的首都是巴黎。~ de shǒudū shì Bālí. | 安娜出生在 ~ 南部。Ānnà chūshēng zài ~ nánbù. | ~ 的东边儿是德国。~ de dōngbianr shì Déguó. | 他妈妈是 ~ 人，爸爸是中国人。Tā māma shì ~ rén, bàba shì Zhōngguórén.

fǎlǜ 法律 [名]

law 例 他一向遵守 ~，是个好公民。Tā yíxiàng zūnshǒu ~, shì ge hǎo gōngmín. | 这方面的 ~ 还不完善，我们正在努力。Zhè fāngmiàn de ~ hái bù wánshàn, wǒmen zhèngzài nǔlì. | 我们按照 ~ 办事，不会有错。Wǒmen ànzhào ~ bànshì, bú huì yǒu cuò. | 他们的婚姻符合 ~ 规定。Tāmen de hūnyīn fúhé ~ guīdìng. | 在 ~ 面前，他终于承认了自己的罪行。Zài ~ miànqián, tā zhōngyú chéngrènle zìjǐ de zuìxíng. | 这件事涉及到一些 ~ 问题，我不太懂。Zhèi jiàn shì shèjí dào yìxiē ~ wèntí, wǒ bú tài dǒng.

Fǎwén 法文 [名]

这些都是 ~ 书，我看不懂。Zhèixiē dōu shì ~ shū, wǒ kàn bu dǒng. → 这些书上的话都是法语，我看不懂。Zhèixiē shū shang de huà dōu shì Fǎyǔ, wǒ kàn bu dǒng. 例 我们用的书都是 ~ 的，没有中文。Wǒmen yòng de shū dōu shì ~ de, méiyǒu Zhōngwén. | 我是过去学的 ~，现在都忘了。Wǒ shì guòqù xué de ~, xiànzài dōu wàng le. | 我懂一点儿英文，不懂 ~. Wǒ dǒng yìdiǎnr Yīngwén, bù dǒng ~.

Fǎyǔ 法语（法語）[名]

我学过 ~，去法国可以给你们当翻译。Wǒ xuéguo ~, qù Fǎguó kěyǐ gěi nǐmen dāng fānyì. → 我学过法国人使用的语言。Wǒ xuéguo Fǎguórén shǐyòng de yǔyán. 例 他在法国住过两年，学会了 ~。Tā zài Fǎguó zhùguo liǎng nián, xuéhuìle ~. | 姐姐是学 ~ 的，对法国了解很多。Jiějie shì xué ~ de, duì Fǎguó liǎojiě hěn duō. | 我们学校的 ~ 老师是法国人。Wǒmen xuéxiào de ~ lǎoshī shì Fǎguórén.

fan

fān 翻[1] [动]

汽车 ~ 了，司机只好从底下爬出来。Qìchē ~ le, sījī zhǐhǎo cóng dǐxia pá chulai. →汽车的四个轮子朝上了。Qìchē de sì gè lúnzi cháo shàng le. 例箱子 ~ 了，里面的苹果全出来了。Xiāngzi ~ le, lǐmian de píngguǒ quán chūlai le. | 他 ~ 了一下儿身，又睡着了。Tā ~ le yí xiàr shēn, yòu shuìzháo le. | 他为了找那本小说，把箱子都 ~ 乱了。Tā wèile zhǎo nèi běn xiǎoshuō, bǎ xiāngzi dōu ~ luàn le. | 他不小心把杯子碰 ~ 了。Tā bù xiǎoxīn bǎ bēizi pèng ~ le. | 他躺在床上，手里 ~ 着一本词典。Tā tǎng zài chuáng shang, shǒu li zhe yì běn cídiǎn.

fān 翻[2] [动]

我看不懂英文资料，你把它 ~ 成中文吧。Wǒ kàn bu dǒng Yīngwén zīliào, nǐ bǎ tā ~ chéng Zhōngwén ba. →请你用汉语写出英文资料的意思。Qǐng nǐ yòng Hànyǔ xiěchū Yīngwén zīliào de yìsi. 例他把这篇汉语文章 ~ 成了法语。Tā bǎ zhèi piān Hànyǔ wénzhāng ~ chéngle Fǎyǔ. | 玛丽最近正在 ~ 一本德语小说。Mǎlì zuìjìn zhèngzài ~ yì běn Déyǔ xiǎoshuō. | 这句话很难，我 ~ 了半天才 ~ 出来。Zhèi jù huà hěn nán, wǒ ~ le bàntiān cái ~ chulai.

fānyì 翻译[1] （翻譯）[动]

这是一篇英语文章，请你 ~ 成汉语。Zhè shì yì piān Yīngyǔ wénzhāng, qǐng nǐ ~ chéng Hànyǔ. →请你用汉语写出这篇文章的内容来。Qǐng nǐ yòng Hànyǔ xiěchū zhèi piān wénzhāng de nèiróng lai. 例这位英国作家 ~ 过三部中文小说。Zhèi wèi Yīngguó zuòjiā ~ guo sān bù Zhōngwén xiǎoshuō. | 他外文很好，文章 ~ 得也很漂亮。Tā wàiwén hěn hǎo, wénzhāng ~ de yě hěn piàoliang. | 这段话我看不懂，请你 ~ ~ 吧。Zhèi duàn huà wǒ kàn bu dǒng, qǐng nǐ ~ ~ ba. | 科技方面的文章我没 ~ 过。Kējì fāngmiàn de wénzhāng wǒ méi ~ guo.

fānyì 翻译[2] （翻譯）[名]

他正在学日语，以后想当 ~ 。Tā zhèngzài xué Rìyǔ, yǐhòu xiǎng dāng ~ . →他想做以翻译工作为职业的人。Tā xiǎng zuò yǐ fānyì gōngzuò wéi zhíyè de rén. 例比尔会说汉语，是英国旅游团的 ~ 。

Bǐ'ěr huì shuō Hànyǔ, shì Yīngguó lǚyóutuán de ~. | 我们的英语 ~
是个漂亮姑娘。Wǒmen de Yīngyǔ ~ shì ge piàoliang gūniang. | 我们
都不会说法语，到法国去应该带个 ~。Wǒmen dōu bú huì shuō
Fǎyǔ, dào Fǎguó qù yīnggāi dài ge ~. | 他当了十年的 ~，很有经
验。Tā dāngle shí nián de ~, hěn yǒu jīngyàn.

fán 凡 [副]

~ 他喜欢的东西，他都要买。~ tā xǐhuan de dōngxi, tā dōu yào
mǎi. → 所有他喜欢的东西，他都要买。Suǒyǒu tā xǐhuan de
dōngxi, tā dōu yào mǎi. 例 ~ 住在这里的人，都认识他。~ zhù zài
zhèlǐ de rén, dōu rènshi tā. | ~ 我去过的地方，都照了照片儿。~
wǒ qùguo de dìfang, dōu zhàole zhàopiānr. | ~ 他见过的人，他都
记得。~ tā jiànguo de rén, tā dōu jìde. | ~ 没参加考试的人，都没
有成绩。~ méi cānjiā kǎoshì de rén, dōu méiyǒu chéngjì. | ~ 见过
她的人，都说她漂亮。~ jiànguo tā de rén, dōu shuō tā piàoliang.

fánróng 繁荣[1] （繁榮）[形]

这里市场发达，商业 ~。Zhèlǐ shìchǎng fādá, shāngyè ~. → 这里
商品丰富，买东西、卖东西的人很多。Zhèlǐ shāngpǐn fēngfù, mǎi
dōngxi、mài dōngxi de rén hěn duō. 例 这个城市有很多书店、图书
馆等，文化很 ~。Zhèige chéngshì yǒu hěn duō shūdiàn、túshūguǎn
děng, wénhuà hěn ~. | 这儿经济 ~，人民生活富裕。Zhèr jīngjì ~,
rénmín shēnghuó fùyù. | 上海是个十分 ~ 的城市，生活很方便。
Shànghǎi shì ge shífēn ~ de chéngshì, shēnghuó hěn fāngbiàn.

fánróng 繁荣[2] （繁榮）[动]

他们想用五年时间，~ 那里的商业。Tāmen xiǎng yòng wǔ nián de
shíjiān, ~ nàli de shāngyè. → 他们想让那里的买卖活动增加。
Tāmen xiǎng ràng nàli de mǎimài huódòng zēngjiā. 例 他们想了很多
办法，~ 了当地的文化。Tāmen xiǎngle hěn duō bànfǎ, ~ le dāngdì
de wénhuà. | 在古代，这里曾经 ~ 过二百年。Zài gǔdài, zhèlǐ
céngjīng ~ guo èrbǎi nián. | 我们要进一步 ~ 经济，~ 文化艺术。
Wǒmen yào jìn yí bù ~ jīngjì, ~ wénhuà yìshù.

fǎnduì 反对（反對）[动]

爸爸开始的时候 ~ 我们的婚事，可是后来就同意了。Bàba kāishǐ de
shíhou ~ wǒmen de hūnshì, kěshì hòulái jiù tóngyì le. → 爸爸开始
的时候不让我和女朋友结婚。Bàba kāishǐ de shíhou bú ràng wǒ hé

nǚpéngyou jiéhūn. **例**妻子 ~ 我乱花钱。Qīzi ~ wǒ luàn huā qián. |
我 ~ 老师的看法。Wǒ ~ lǎoshī de kànfǎ. |我们俩关系不好，他一
直 ~ 我。Wǒmen liǎ guānxì bù hǎo, tā yìzhí ~ wǒ. |大家都同意去
旅游，没人 ~ 。Dàjiā dōu tóngyì qù lǚyóu, méi rén ~ . |我不 ~ 你唱
卡拉 OK，只是不要影响别人。Wǒ bù ~ nǐ chàng kǎlā OK, zhǐshì bú
yào yǐngxiǎng biéren.

fǎnfù 反复[1] （反復）[副]

这些单词需要 ~ 记忆，才能记住。Zhèixiē dāncí xūyào ~ jìyì, cái
néng jìzhù. →这些单词要一遍又一遍地记，才能记住。Zhèixiē
dāncí yào yí biàn yòu yí biàn de jì, cái néng jìzhù. **例**他 ~ 思考后，
才明白了这个道理。Tā ~ sīkǎo hòu, cái míngbaile zhèige dàoli. |这
部电影很有意思，我 ~ 看过多次。Zhèi bù diànyǐng hěn yǒu yìsi,
wǒ ~ kànguo duō cì. |我的文章经过了 ~ 修改，错误很少了。Wǒ
de wénzhāng jīngguòle ~ xiūgǎi, cuòwù hěn shǎo le.

fǎnfù 反复[2] （反復）[动]

他的态度总是 ~ ，我不知道他到底是怎么想的。Tā de tàidu zǒngshì
~ , wǒ bù zhīdào tā dàodǐ shì zěnme xiǎng de. →他的态度很容易
变化，一会儿认为这样，一会儿认为那样。Tā de tàidu hěn róngyì
biànhuà, yíhuìr rènwéi zhèiyàng, yíhuìr rènwéi nèiyàng. **例**他做事
常常 ~ ，让人不知道怎么办才好。Tā zuòshì chángcháng ~ , ràng
rén bù zhīdào zěnme bàn cái hǎo. |天气还会 ~ ，最好多穿点儿。
Tiānqì hái huì ~ , zuìhǎo duō chuān diǎnr. |这病 ~ 起来，就不容易
治了。Zhè bìng ~ qilai, jiù bù róngyì zhì le.

fǎnkàng 反抗 [动]

警察抓他的时候，他拼命 ~ 。Jǐngchá zhuā tā de shíhou, tā pīnmìng
~ . →他跟警察打了起来，不想让警察把他抓走。Tā gēn jǐngchá
dǎle qilai, bù xiǎng ràng jǐngchá bǎ tā zhuāzǒu. **例**小偷儿用力 ~ ，
但人们还是抓住了他。Xiǎotōur yònglì ~ , dàn rénmen háishì
zhuāzhùle tā. |对于不合法的婚姻，她 ~ 得很坚决。Duìyú bù hé fǎ
de hūnyīn, tā ~ de hěn jiānjué. |姑娘 ~ 着，那些坏人无法靠近她。
Gūniang ~ zhe, nèixiē huàirén wúfǎ kàojìn tā. |对于外国的侵略，
他们表示要 ~ 到底。Duìyú wàiguó de qīnlüè, tāmen biǎoshì yào ~
dàodǐ.

fǎnyìng 反应(反應) [名]

这部电影很真实，观众的 ~ 很好。Zhèi bù diànyǐng hěn zhēnshí, guānzhòng de ~ hěn hǎo. →观众都说这部电影好。Guānzhòng dōu shuō zhèi bù diànyǐng hǎo. 例对于这本小说，读者的普遍 ~ 是新鲜。Duìyú zhèi běn xiǎoshuō, dúzhě de pǔbiàn ~ shì xīnxian. |他工作出现了严重错误，引起了强烈的社会 ~。Tā gōngzuò chūxiànle yánzhòng cuòwù, yǐnqǐle qiángliè de shèhuì ~. |他的建议，没引起大家的什么 ~。Tā de jiànyì, méi yǐnqǐ dàjiā de shénme ~.

fǎnyìng 反映[1] [动]

这部电影 ~ 了农村青年的恋爱生活。Zhèi bù diànyǐng ~ le nóngcūn qīngnián de liàn'ài shēnghuó. →这部电影的内容是关于农村青年恋爱生活的。Zhèi bù diànyǐng de nèiróng shì guānyú nóngcūn qīngnián liàn'ài shēnghuó de. 例他们想看 ~ 大学生活的电影。Tāmen xiǎng kàn ~ dàxué shēnghuó de diànyǐng. |这座桥的建成，~ 了人类的聪明和智慧。Zhèi zuò qiáo de jiànchéng, ~ le rénlèi de cōngming he zhìhuì. |他的表演很真实，思想 ~ 得也很深刻。Tā de biǎoyǎn hěn zhēnshí, sīxiǎng ~ de yě hěn shēnkè. |他的思想全 ~ 在他的作品中了。Tā de sīxiǎng quán ~ zài tā de zuòpǐn zhōng le.

fǎnyìng 反映[2] [动]

这些问题应该向领导 ~，这样容易及时得到解决。Zhèixiē wèntí yīnggāi xiàng lǐngdǎo ~, zhèiyàng róngyì jíshí dédào jiějué. →这些问题应该跟领导说，让领导知道。Zhèixiē wèntí yīnggāi gēn lǐngdǎo shuō, ràng lǐngdǎo zhīdao. 例你们的意见已经 ~ 给上级了。Nǐmen de yìjiàn yǐjing ~ gěi shàngjí le. |我向经理 ~ 过这些事情，经理没有注意。Wǒ xiàng jīnglǐ ~ guo zhèixiē shìqing, jīnglǐ méiyǒu zhùyì. |出了问题没人 ~，校长怎么会知道？Chūle wèntí méi rén ~, xiàozhǎng zěnme huì zhīdao?

fǎnzhèng 反正 [副]

不管这衣服多么便宜，~ 我不买。Bùguǎn zhè yīfu duōme piányi, ~ wǒ bù mǎi. →这衣服多么便宜我也不买。Zhè yīfu duōme piányi wǒ yě bù mǎi. 例不管你去不去，~ 我不去。Bùguǎn nǐ qù bu qù, ~ wǒ bú qù. |不管我怎么说，~ 他不听。Bùguǎn wǒ zěnme shuō, ~ tā bù tīng. |不管你多么有理，~ 不能打人。Bùguǎn nǐ duōme yǒu lǐ, ~ bù néng dǎ rén.

fàn 犯[1] [动]

比尔~了法，被警察抓起来了。Bǐ'ěr ~ le fǎ, bèi jǐngchá zhuā qilai le. →比尔做了法律禁止的事。Bǐ'ěr zuòle fǎlǜ jìnzhǐ de shì. 例他~了六次规，被学校开除了。Tā ~ le liù cì guī, bèi xuéxiào kāichú le. | 弟弟从来不做~法的事。Dìdi cónglái bú zuò ~ fǎ de shì. | 这些纪律很严格，谁也不能~。Zhèixiē jìlǜ hěn yángé, shéi yě bù néng ~. | 我没~过法，也没做过坏事。Wǒ méi ~ guò fǎ, yě méi zuòguo huài shì.

fàn 犯[2] [动]

她头疼的病又~了，不能来了。Tā tóuténg de bìng yòu ~ le, bù néng lái le. →她以前得过头疼的病，现在又得了。Tā yǐqián déguo tóuténg de bìng, xiànzài yòu dé le. 例玛丽的胃病又~了，现在在住院。Mǎlì de wèibìng yòu ~ le, xiànzài zài zhùyuàn. | 爸爸~起脾气来，谁都劝不了。Bàba ~ qi píqi lai, shéi dōu quàn bu liǎo. | 他做事很马虎，总是~错误。Tā zuòshì hěn mǎhu, zǒngshì ~ cuòwù. | 这种病每年冬天都要~，没办法。Zhèi zhǒng bìng měi nián dōngtiān dōu yào ~, méi bànfǎ. | 吃了这药以后，我的病没~过。Chīle zhè yào yǐhòu, wǒ de bìng méi ~ guo.

fàn 饭[1] （飯） [名]

他光吃菜，不吃~。Tā guāng chī cài, bù chī ~. →他不吃面包、米等主食。Tā bù chī miànbāo, mǐ děng zhǔshí. 例他喝完酒以后，没吃~就走了。Tā hēwán jiǔ yǐhòu, méi chī ~ jiù zǒu le. | 再过五分钟，锅里的~就熟了。Zài guò wǔ fēnzhōng, guō li de ~ jiù shóu le. | 他一个人吃了好几碗~。Tā yí gè rén chīle hǎojǐ wǎn ~. | ~熟了，该准备菜了。~ shóu le, gāi zhǔnbèi cài le. | ~吃完了，菜还有一些。~ chīwán le, cài hái yǒu yìxiē.

fàn 饭[2] （飯） [名]

我饿了，该吃中午~了。Wǒ è le, gāi chī zhōngwǔ ~ le. →该吃午餐了。Gāi chī wǔcān le. 例他们一天吃四顿~。Tāmen yì tiān chī sì dùn ~. | 我今天起床晚了，只吃了两顿~。Wǒ jīntiān qǐchuáng wǎn le, zhǐ chīle liǎng dùn ~. | 他得病了，一天没吃~。Tā débìng le, yì tiān méi chī ~. | 你昨天晚上吃的什么~？Nǐ zuótiān wǎnshang chī de shénme ~?

F

fàndiàn 饭店[1] （飯店）[名]

hotel 例那个 ~ 很高级，也很贵。Nèige ~ hěn gāojí, yě hěn guì. ｜ 这家 ~ 有二百多套房。Zhèi jiā ~ yǒu èrbǎi duō tào fáng. ｜他住在香港最好的 ~。Tā zhù zài Xiānggǎng zuì hǎo de ~. ｜这个 ~ 位置很好，来这儿住宿、吃饭的人很多。Zhèige ~ de wèizhì hěn hǎo, lái zhèr zhùsù、chīfàn de rén hěn duō. ｜友谊 ~ 是 1952 年建成的。Yǒuyì ~ shì yī jiǔ wǔ èr nián jiànchéng de.

fàndiàn 饭店[2] （飯店）[名]

restaurant 例我们今天别做饭了，去 ~ 吃吧。Wǒmen jīntiān bié zuòfàn le, qù ~ chī ba. ｜我们都饿了，找家 ~ 吃饭吧。Wǒmen dōu è le, zhǎo jiā ~ chīfàn ba. ｜所有的 ~ 都关门了，我们回家吧。Suǒyǒu de ~ dōu guānmén le, wǒmen huíjiā ba. ｜这条街上有很多 ~，吃饭很方便。Zhèi tiáo jiē shang yǒu hěn duō ~, chīfàn hěn fāngbiàn.

fànwéi 范围（範圍）[名]

我们考试的 ~ 是第一课到第五课。Wǒmen kǎoshì de ~ shì dì yī kè dào dì wǔ kè. →我们的考试不会超出第一课到第五课。Wǒmen de kǎoshì bú huì chāochū dì yī kè dào dì wǔ kè. 例我们谈话的 ~ 是政治和经济。Wǒmen tánhuà de ~ shì zhèngzhì hé jīngjì. ｜老虎在山里活动，有一定的 ~。Lǎohǔ zài shān li huódòng, yǒu yídìng de ~. ｜这次活动是在全国 ~ 内进行的。Zhèi cì huódòng shì zài quán guó ~ nèi jìnxíng de.

fang

fāng 方 [形]

这张桌子是 ~ 的。Zhè zhāng zhuōzi shì ~ de. →这张桌子的四个边儿一样长，四个角都是 90°。Zhèi zhāng zhuōzi de sì ge biānr yíyàng cháng, sì gè jiǎo dōu shì jiǔshí dù. 例他的脸有点儿 ~，眼睛不大。Tā de liǎn yǒudiǎnr fāng, yǎnjing bú dà. ｜他长得有点儿特别，~ 脑袋，~ 脸。Tā zhǎng de yǒudiǎnr tèbié, ~ nǎodai, ~ liǎn. ｜我要用一块儿 ~ 纸做这个手工。Wǒ yào yòng yí kuàir ~ zhǐ zuò zhèige shǒugōng. ｜那块儿地 ~ ~ 的，正好做球场。Nèi kuàir dì ~ ~ de, zhènghǎo zuò qiúchǎng.

fāng'àn 方案[1] [名]

教练想了三天，才制订出了一个好～。Jiàoliàn xiǎngle sān tiān, cái zhìdìng chule yí ge hǎo～. →教练制订出了好的具体计划。Jiàoliàn zhìdìng chule hǎo de jùtǐ jìhuà. 例怎样完成好任务，请你们拿出一个～来。Zěnyàng wánchéng hǎo rènwu, qǐng nǐmen náchū yí ge～lai. |这个～很实际，一定能成功。Zhèige～hěn shíjì, yídìng néng chénggōng. |我们想好了三套～，保证不会出错。Wǒmen xiǎnghǎole sān tào～, bǎozhèng bú huì chūcuò.

fāng'àn 方案[2] [名]

汉语拼音～公布很多年了。Hànyǔ pīnyīn～gōngbù hěn duō nián le. →书写汉语拼音的标准公布很多年了。Shūxiě Hànyǔ pīnyīn de biāozhǔn gōngbù hěn duō nián le. 例汉字简化～实行了很多年，成绩很大。Hànzì jiǎnhuà～shíxíngle hěn duō nián, chéngjì hěn dà. |他们制订了一个书写外国人名的～。Tāmen zhìdìngle yí ge shūxiě wàiguó rénmíng de～. |国家有这方面的～，我们照办就可以了。Guójiā yǒu zhè fāngmiàn de～, wǒmen zhàobàn jiù kěyǐ le.

fāngbiàn 方便[1] [形]

这儿商店很多，买东西很～。Zhèr shāngdiàn hěn duō, mǎi dōngxi hěn～. →在这儿想买什么就能买到什么。Zài zhèr xiǎng mǎi shénme jiù néng mǎidào shénme. 例山区修了好几条公路，交通十分～。Shānqū xiūle hǎojǐ tiáo gōnglù, jiāotōng shífēn～. |在北京生活挺～的，我没什么不习惯。Zài Běijīng shēnghuó tǐng～de, wǒ méi shénme bù xíguàn. |我住的地方很远，交通不太～。Wǒ zhù de dìfang hěn yuǎn, jiāotōng bú tài～. |现在旅游车很多，外出变得～了。Xiànzài lǚyóuchē hěn duō, wàichū biàn de～le.

fāngbiàn 方便[2] [形]

他家有客人，我现在去不～。Tá jiā yǒu kèrén, wǒ xiànzài qù bù～. →他正接待客人，我去了他会照顾不过来。Tā zhèng jiēdài kèrén, wǒ qùle tā huì zhàogù bú guòlái. 例我俩习惯不一样，住在一起有点儿不～。Wǒ liǎ xíguàn bù yíyàng, zhù zài yìqǐ yǒudiǎnr bù～. |现在说话不～，我想单独见他。Xiànzài shuōhuà bù～, wǒ xiǎng dāndú jiàn tā. |我想找个～的时候，到你家做客。Wǒ xiǎng zhǎo ge～de shíhou, dào nǐ jiā zuòkè. |你现在～吗？我想找你谈谈。Nǐ xiànzài～ma? Wǒ xiǎng zhǎo nǐ tántan.

F

fāngbiàn 方便³ [动]

学校的商店二十四小时营业，大大 ~ 了顾客。Xuéxiào de shāngdiàn èrshísì xiǎoshí yíngyè, dàdà ~ le gùkè. →顾客想什么时候去买东西都可以。Gùkè xiǎng shénme shíhou qù mǎi dōngxi dōu kěyǐ. 例为了 ~ 大家借书，图书馆延长了工作时间。Wèile ~ dàjiā jiè shū, túshūguǎn yáncháng le gōngzuò shíjiān. I 他想的不是怎样 ~ 自己，而是怎样 ~ 别人。Tā xiǎng de bú shì zěnyàng ~ zìjǐ, érshì zěnyàng ~ biéren. I 我们服务员的目的是为了 ~ 大家。Wǒmen fúwùyuán de mùdì shì wèile ~ dàjiā.

fāngfǎ 方法 [名]

我想找工作，你知道用什么 ~ 吗？Wǒ xiǎng zhǎo gōngzuò, nǐ zhīdao yòng shénme ~ ma. →你知道怎样才能找到工作吗？Nǐ zhīdao zěnyàng cái néng zhǎodào gōngzuò ma? 例大卫的学习 ~ 很好，所以进步很快。Dàwèi de xuéxí ~ hěn hǎo, suǒyǐ jìnbù hěn kuài. I 他处理问题的 ~ 太简单，所以群众不满意。Tā chǔlǐ wèntí de ~ tài jiǎndān, suǒyǐ qúnzhòng bù mǎnyì. I 公司的管理 ~ 先进，效益很好。Gōngsī de guǎnlǐ ~ xiānjìn, xiàoyì hěn hǎo. I 他的病打针吃药都不管用，我们试试别的 ~ 吧。Tā de bìng dǎzhēn chīyào dōu bù guǎnyòng, wǒmen shìshi bié de ~ ba.

fāngmiàn 方面 [名]

你们哪些 ~ 不满意，请提出来。Nǐmen něixiē ~ bù mǎnyì, qǐng tí chulai. →在吃、住、学习上，你们有哪些不满意的地方就说出来。Zài chī、zhù、xuéxí shang, nǐmen yǒu něixiē bù mǎnyì de dìfang jiù shuō chulai. 例吃的 ~ 我们很满意，住的 ~ 不太满意。Chī de ~ wǒmen hěn mǎnyì, zhù de ~ bú tài mǎnyì. I 他学习不好，有很多 ~ 的原因。Tā xuéxí bù hǎo, yǒu hěn duō ~ de yuányīn. I 他们在经济、政治 ~ 取得了很大成绩。Tāmen zài jīngjì、zhèngzhì ~ qǔdéle hěn dà chéngjì. I 他没来有三个 ~ 的原因。Tā méi lái yǒu sān ge ~ de yuányīn.

fāngshì 方式 [名]

安娜是美国人，不习惯中国的生活 ~ 。Ānnà shì Měiguórén, bù xíguàn Zhōngguó de shēnghuó ~ . →安娜对中国的吃、住、穿等不习惯。Ānnà duì Zhōngguó de chī、zhù、chuān děng bù xíguàn. 例结婚有很多 ~ ，比如旅行啦、请客啦。Jiéhūn yǒu hěn duō ~ , bǐrú

lǚxíng la、qǐngkè la.丨厂长认为他的工作 ~ 很好，表扬了他。
Chǎngzhǎng rènwéi tā de gōngzuò ~ hěn hǎo, biǎoyángle tā.丨我想
见玛丽，采取什么 ~ 好呢？Wǒ xiǎng jiàn Mǎlì, cǎiqǔ shénme ~ hǎo
ne?

fāngxiàng 方向（方嚮）[名]

他走进森林，不知道 ~ 了。Tā zǒujìn sēnlín, bù zhīdào ~ le. →他不
知道东西南北了。Tā bù zhīdào dōng xī nán běi le. 例我到了新地
方，总是分不清 ~。Wǒ dàole xīn dìfang, zǒngshì fēn bu qīng ~ .丨
拐了两个弯儿以后，他迷失了 ~。Guǎile liǎng ge wānr yǐhòu, tā
míshīle ~ .丨你去问一下儿 ~，看看我们在哪儿。Nǐ qù wèn yíxiàr ~ ,
kànkan wǒmen zài nǎr.丨我辨不清 ~ 了，请告诉我哪面是东。Wǒ
biàn bu qīng ~ le, qǐng gàosu wǒ něi miàn shì dōng.丨请问，他朝哪
个 ~ 走了？Qǐngwèn, tā cháo něige ~ zǒu le?

fāngzhēn 方针（方針）[名]

我们坚持义务教育的 ~ 不会变。Wǒmen jiānchí yìwù jiàoyù de ~ bú
huì biàn. →我们会始终坚持义务教育这一方向和目标。Wǒmen huì
shǐzhōng jiānchí yìwù jiàoyù zhè yī fāngxiàng hé mùbiāo. 例繁荣文化
的 ~ 是正确的。Fánróng wénhuà de ~ shì zhèngquè de.丨国家制定
了发展经济的 ~。Guójiā zhìdìngle fāzhǎn jīngjì de ~ .丨政府的 ~ 得
到了群众的支持。Zhèngfǔ de ~ dédàole qúnzhòng de zhīchí.丨我们
的教育 ~ 是，努力发展大学教育。Wǒmen de jiàoyù ~ shì, nǔlì
fāzhǎn dàxué jiàoyù.

fáng 防 [动]

这种手表可以 ~ 水。Zhèi zhǒng shǒubiǎo kěyǐ ~ shuǐ. →这种手表进
不去水。Zhèi zhǒng shǒubiǎo jìn bu qù shuǐ. 例这里木头多，要注
意 ~ 火。Zhèlǐ mùtou duō, yào zhùyì ~ huǒ.丨饭前便后注意洗手，
这样可以 ~ 病. Fàn qián biàn hòu zhùyì xǐ shǒu, zhèiyàng kěyǐ ~
bìng.丨今年下雨少，各地做好了 ~ 旱的准备。Jīnnián xià yǔ shǎo,
gè dì zuòhǎole ~ hàn de zhǔnbèi.丨这种房子 ~ 不了地震。Zhèi
zhǒng fángzi ~ bu liǎo dìzhèn.丨门上这把大锁，是为了 ~ 小偷儿的。
Mén shang zhèi bǎ dà suǒ, shì wèile ~ xiǎotōur de.

fángzhǐ 防止 [动]

不吃脏东西，就可以 ~ 疾病发生。Bù chī zāng dōngxi, jiù kěyǐ ~
jíbìng fāshēng. →不吃脏东西，是为了不让疾病发生。Bù chī zāng

dōngxi, shì wèile bú ràng jíbìng fāshēng. **例** 我们这样做，是为了~
交通事故。Wǒmen zhèiyàng zuò, shì wèile ~ jiāotōng shìgù. |学校
一直加强青少年教育，~ 他们犯罪。Xuéxiào yìzhí jiāqiáng
qīngshàonián jiàoyù, ~ tāmen fànzuì. |你最好仔细一点儿，~ 出现
错误。Nǐ zuìhǎo zǐxì yìdiǎnr, ~ chūxiàn cuòwù. |保护环境，~ 环境
污染，是全社会的责任。Bǎohù huánjìng, ~ huánjìng wūrǎn, shì
quán shèhuì de zérèn.

F

fángjiān 房间（房間）[名]

这个旅馆有五百个 ~。Zhèi ge lǚguǎn yǒu wǔbǎi ge ~. →这个旅馆
有供人住宿或休息的屋子五百间。Zhèige lǚguǎn yǒu gōng rén zhùsù
huò xiūxi de wūzi wǔbǎi jiān. **例** 我住在留学生楼 512 号 ~。Wǒ zhù
zài liúxuéshēnglóu wǔyāo'èr hào ~. |我们两个人住一个 ~。
Wǒmen liǎng ge rén zhù yí ge ~. |这些 ~ 打扫得很干净。Zhèixiē ~
dǎsǎo de hěn gānjìng. |下午有客人来，我要布置一下儿 ~。Xiàwǔ
yǒu kèrén lái, wǒ yào bùzhì yíxiàr ~. |他的 ~ 里除了书以外，几乎
什么都没有。Tā de ~ li chúle shū yǐwài, jīhū shénme dōu méiyǒu.

fángzi 房子 [名]

他买了木头、砖等，准备盖一座 ~。Tā mǎile mùtou, zhuān děng,
zhǔnbèi gài yí zuò ~. →他准备盖好以后，住在里边。Tā zhǔnbèi
gàihǎo yǐhòu, zhù zài lǐbian. **例** 村里的 ~ 都是一排一排的，很漂亮。
Cūn li de ~ dōu shì yì pái yì pái de, hěn piàoliang. |我准备买一套
~，现在还没那么多钱。Wǒ zhǔnbèi mǎi yí tào ~, xiànzài hái méi
nàme duō qián. |我有了自己的 ~，当然高兴了。Wǒ yǒule zìjǐ de
~, dāngrán gāoxìng le. |我的 ~ 后面是一片小树林。Wǒ de ~
hòumiàn shì yí piàn xiǎo shùlín.

fǎngfú 仿佛 [副]

我一年没看见他，他 ~ 老了十岁。Wǒ yì nián méi kànjiàn tā, tā ~
lǎole shí suì. →他看起来像老了十岁的样子。Tā kàn qilai xiàng
lǎole shí suì de yàngzi. **例** 听完了我的话，他 ~ 不认识我似地看着
我。Tīngwánle wǒ de huà, tā ~ bú rènshi wǒ shìde kànzhe wǒ. |我
喊了一声爸爸，他 ~ 没听见。Wǒ hǎnle yì shēng bàba, tā ~ méi
tīngjiàn. |我 ~ 见过这个人，可想不起在哪儿了。Wǒ ~ jiànguo
zhèige rén, kě xiǎng bu qǐ zài nǎr le. |听他讲故事，我 ~ 也成了故
事里的人。Tīng tā jiǎng gùshi, wǒ ~ yě chéngle gùshi li de rén.

fǎngwèn 访问[1]（訪問）[动]

美国总统下个月将 ~ 法国。Měiguó zǒngtǒng xià ge yuè jiāng ~ Fǎguó. →美国总统将到法国去。Měiguó zǒngtǒng jiāng dào Fǎguó qù. **例**市长最近 ~ 了很多欧洲城市，收获很大。Shìzhǎng zuìjìn ~ le hěn duō Ōuzhōu chéngshì, shōuhuò hěn dà. | 为了熟悉农村生活，作家们 ~ 了那里的农民。Wèile shúxī nóngcūn shēnghuó, zuòjiāmen ~ le nàli de nóngmín. | 时间太短，我们 ~ 不了那么多地方。Shíjiān tài duǎn, wǒmen ~ bu liǎo nàme duō dìfang. | 省长最近出国 ~ 了。Shěngzhǎng zuìjìn chūguó ~ le.

fǎngwèn 访问[2]（訪問）[名]

上个月贵国总统对我国的 ~ 很成功。Shàng ge yuè guì guó zǒngtǒng duì wǒguó de ~ hěn chénggōng. →贵国总统与我国领导人的会谈很成功。Guì guó zǒngtǒng yǔ wǒguó lǐngdǎorén de huìtán hěn chénggōng. **例**这是一次有意义的 ~，作家们收获很大。Zhè shì yí cì yǒu yìyì de ~, zuòjiāmen shōuhuò hěn dà. | 两国领导人进行了互相 ~，加强了两国关系。Liǎng guó lǐngdǎorén jìnxíngle hùxiāng ~, jiāqiángle liǎng guó guānxì. | 五月到农村的那次 ~，我没参加。Wǔyuè dào nóngcūn de nèi cì ~, wǒ méi cānjiā.

fǎngzhī 纺织（紡織）[动]

以前人们用手工 ~，现在都用机器了。Yǐqián rénmen yòng shǒugōng ~, xiànzài dōu yòng jīqì le. →以前人们制出一块儿布要用手工，现在用机器了。Yǐqián rénmen zhìchū yí kuàir bù yào yòng shǒugōng, xiànzài yòng jīqì le. **例**这些花布都是当地妇女手工 ~ 出来的。Zhèxiē huā bù dōu shì dāngdì fùnǚ shǒugōng ~ chulai de. | 这个城市的 ~ 工业很发达。Zhèige chéngshì de ~ gōngyè hěn fādá. | ~ 工人们的劳动强度比过去减轻多了。~ gōngrénmen de láodòng qiángdù bǐ guòqù jiǎnqīng duō le. | 她在大学学习 ~ 专业。Tā zài dàxué xuéxí ~ zhuānyè.

fàng 放[1][动]

他抓住了一只小鸟儿，后来又 ~ 了。Tā zhuāzhùle yì zhī xiǎoniǎor, hòulái yòu ~ le. →他撒开手，让小鸟儿飞走了。Tā sākāi shǒu, ràng xiǎoniǎor fēizǒu le. **例**他把笼子里的鸟儿都 ~ 了。Tā bǎ lóngzi li de niǎor dōu ~ le. | 他们表现不错，警察 ~ 他们走了。Tāmen biǎoxiàn búcuò, jǐngchá ~ tāmen zǒu le. | 你们 ~ 了大卫吧，他没

罪。Nǐmen ~ le Dàwèi ba, tā méi zuì. | 谁 ~ 跑了小偷儿, 谁负责任。Shéi ~ pǎole xiǎotōur, shéi fù zérèn. | 我没 ~ 他, 是他自己跑了。Wǒ méi ~ tā, shì tā zìjǐ pǎo le.

fàngqì 放弃 [动]

由于有事, 他 ~ 了下个月的旅行。Yóuyú yǒu shì, tā ~ le xià ge yuè de lǚxíng. → 他下个月不去旅行了, 要去办别的事。Tā xià ge yuè bú qù lǚxíng le, yào qù bàn biéde shì. 例为了工作, 他 ~ 了很多休息日。Wèile gōngzuò, tā ~ le hěn duō xiūxirì. | 我跑步坚持了一个月, 最后还是 ~ 了。Wǒ pǎobù jiānchíle yí ge yuè, zuìhòu háishi ~ le. | 这是你交女朋友的好机会, 可别 ~ 呀。Zhè shì nǐ jiāo nǚpéngyou de hǎo jīhuì, kě bié ~ ya. | 我不能 ~ 自己的观点, 我认为我是对的。Wǒ bù néng ~ zìjǐ de guāndiǎn, wǒ rènwéi wǒ shì duì de.

fàng 放² [动]

这孩子一边儿 ~ 羊, 一边儿看书。Zhè háizi yìbiānr ~ yáng, yìbiānr kàn shū. → 这孩子一边儿带着羊群吃草, 一边儿看书。Zhè háizi yìbiānr dàizhe yángqún chī cǎo, yìbiānr kàn shū. 例老人 ~ 了一辈子牛, 没读过书。Lǎorén ~ le yíbèizi niú, méi dúguo shū. | 我以前 ~ 过羊, 养过马。Wǒ yǐqián ~ guo yáng, yǎngguo mǎ. | 他一清早就 ~ 马去了, 还没回来。Tā yì qīngzǎo jiù ~ mǎ qu le, hái méi huílai. | 这些鸭子饿了, 我去 ~ ~ 它们。Zhèixiē yāzi è le, wǒ qù ~ ~ tāmen.

fàng 放³ [动]

每到过新年的时候, 他们都要 ~ 鞭炮。Měi dào guò xīnnián de shíhou tāmen dōu yào ~ biānpào. → 他们点着鞭炮, 发出声音。Tāmen diǎnzháo biānpào, fāchū shēngyīn. 例广场上 ~ 起了烟花, 非常漂亮。Guǎngchǎng shang fàngqǐle yānhuā, fēicháng piàoliang. | 我听到了 ~ 礼炮的声音。Wǒ tīngdàole fàng lǐpào de shēngyīn. | 警察 ~ 火烧掉了全部毒品。Jǐngchá ~ huǒ shāodiàole quánbù dúpǐn. | 树林里的火不是人 ~ 的, 而是天气的原因。Shùlín li de huǒ búshì rén ~ de, érshì tiānqì de yuányīn.

fàng 放⁴ [动]

牛奶不能 ~ 太长时间。Niúnǎi bù néng ~ tài cháng shíjiān. → 牛奶不赶快喝掉, 会变坏的。Niúnǎi bù gǎnkuài hēdiào, huì biànhuài de.

例面包刚 ~ 了一天，不可能坏。Miànbāo gāng ~ le yì tiān, bù kěnéng huài. |夏天的食品不能 ~ 太久了。Xiàtiān de shípǐn bù néng ~ tài jiǔ le. |这张照片儿 ~ 得时间太长了，都变色儿了。Zhèi zhāng zhàopiānr ~ de shíjiān tài cháng le, dōu biàn shǎir le. |他 ~ xia 手里的工作就来了。Tā ~ xia shǒu li de gōngzuò jiù lái le. |别的事可以往后 ~ ~，我们先认真复习，准备考试。Biéde shì kěyǐ wǎng hòu ~ ~, wǒmen xiān rènzhēn fùxí, zhǔnbèi kǎoshì.

F

fàng jià 放假

今天是元旦，我们 ~ 一天。Jīntiān shì Yuándàn, wǒmen ~ yì tiān. →大家可以不工作、不上学，休息一天。Dàjiā kěyǐ bù gōngzuò、bú shàngxué, xiūxi yì tiān. 例快 ~ 了，我在考虑去哪儿旅游。Kuài ~ le, wǒ zài kǎolǜ qù nǎr lǚyóu. |~ 期间，办公室有人值班。~ qījiān, bàngōngshì yǒu rén zhíbān. |~ 以后，你准备做什么？~ yǐhòu, nǐ zhǔnbèi zuò shénme? |快到圣诞节了，你们什么时候 ~？Kuài dào Shèngdànjié le, nǐmen shénme shíhou ~? |上个月，我们放了一个星期的假。Shàng ge yuè, wǒmen fàngle yí ge xīngqī de jià.

fàng xīn 放心

您 ~ 吧，这里非常安全。Nín ~ ba, zhèlǐ fēicháng ānquán. →您不用担心，安全方面不会有问题。Nín bú yòng dānxīn, ānquán fāngmiàn bú huì yǒu wèntí. 例他看着儿子上了车，才 ~ 地回家了。Tā kànzhe érzi shàngle chē, cái ~ de huíjiā le. |爱人从北京打来电话后，我才 ~ 了。Àiren cóng Běijīng dǎlái diànhuà hòu, wǒ cái ~ le. |孩子一个人在家，我有点儿 ~ 不下。Háizi yí ge rén zài jiā, wǒ yǒudiǎnr ~ bú xià. |她那么小就一个人出国，家长 ~ 吗？Tā nàme xiǎo jiù yí ge rén chūguó, jiāzhǎng ~ ma? |一直到考试成绩出来，我才放了心。Yīzhídào kǎoshì chéngjì chūlai, wǒ cái fàngle xīn. |父母身体不好，大卫一直放不下心。Fùmǔ shēntǐ bù hǎo, Dàwèi yìzhí fàng bu xià xīn.

fàng 放⁵ [动]

屋子太小，这些家具 ~ 不下。Wūzi tài xiǎo, zhèixiē jiājù ~ bu xià. →这些家具会占满整个屋子。Zhèixiē jiājù huì zhànmǎn zhěnggè wūzi. 例房间里 ~ 着一张床，两张桌子。Fángjiān li ~ zhe yì zhāng chuáng, liǎng zhāng zhuōzi. |那本书就在桌子上 ~ 着，他却没看

见。Nèi běn shū jiù zài zhuōzi shang ~ zhe, tā què méi kànjiàn. | 他的东西都 ~ 得整整齐齐。Tā de dōngxi dōu ~ de zhěngzhěngqíqí. | 请帮我把书 ~ 到书架上。Qǐng bāng wǒ bǎ shū ~ dào shūjià shang. | 我的桌子上什么都没 ~。Wǒ de zhuōzi shang shénme dōu méi ~.

fàng 放[6] ［动］

这杯咖啡里 ~ 了糖，所以不苦。Zhèi bēi kāfēi li ~ le táng, suǒyǐ bù kǔ. → 这杯咖啡里加进了糖，所以不苦。Zhèi bēi kāfēi li jiājinle táng, suǒyǐ bù kǔ. 例这杯可乐里 ~ 了冰，很好喝。Zhèi bēi kělè li ~ le bīng, hěn hǎohē. | 我喜欢吃清淡的东西，菜里不要 ~ 太多盐。Wǒ xǐhuan chī qīngdàn de dōngxi, cài li búyào ~ tài duō yán. | 水 ~ 少了，粥太稠了。Shuǐ ~ shǎo le, zhōu tài chóu le. | 你们 ~ 不 ~ 辣椒？Nǐmen ~ bu ~ làjiāo?

fàng 放[7] ［动］

这块石头晚上会 ~ 光。Zhèi kuài shítou wǎnshang huì ~ guāng. → 这块石头晚上会发出亮光。Zhèi kuài shítou wǎnshang huì fāchū liàngguāng. 例这种动物遇到敌人时，会 ~ 出臭气。Zhèi zhǒng dòngwù yùdào dírén shí, huì ~ chū chòuqì. | 猫的眼睛晚上 ~ 光。Māo de yǎnjing wǎnshang ~ guāng. | 那天上午，我听见有人 ~ 枪。Nèi tiān shàngwǔ, wǒ tīngjiàn yǒu rén ~ qiāng. | 不知谁 ~ 了屁，屋子里很臭。Bù zhī shéi ~ le pì, wūzi li hěn chòu.

fàngdà 放大 ［动］

这张照片儿很漂亮，~ 一张吧。Zhèi zhāng zhàopiānr hěn piàoliang, ~ yì zhāng ba. → 让这张照片儿变得更大一些。Ràng zhèi zhāng zhàopiānr biàn de gèng dà yìxiē. 例他拿着个麦克风，声音 ~ 了很多。Tā názhe ge màikèfēng, shēngyīn ~ le hěn duō. | 这张图再 ~ 三倍，就非常清楚了。Zhèi zhāng tú zài ~ sān bèi, jiù fēicháng qīngchu le. | 望远镜可以 ~ 远处的东西。Wàngyuǎnjìng kěyǐ ~ yuǎnchù de dōngxi. | 这是 ~ 过的图片，当然清楚了。Zhè shì ~ guo de túpiàn, dāngrán qīngchu le.

fei

fēi 飞[1]（飛）［动］

树上的小鸟儿 ~ 了。Shù shang de xiǎoniǎor ~ le. → 树上的小鸟儿张

开翅膀到别处去了。Shù shang de xiǎoniǎor zhāngkāi chìbǎng dào bié chù qu le. **例**刚出生的小鸟儿不会～，长大了就会～了。Gāng chūshēng de xiǎoniǎor bú huì ～, zhǎng dàle jiù huì ～ le. ┃飞机～得很高，看上去很小。Fēijī ～ de hěn gāo, kàn shangqu hěn xiǎo. ┃我误点了，飞机已经～走了。Wǒ wùdiǎn le, fēijī yǐjīng ～ zǒu le. ┃后天他将～香港，参加一个会议。Hòu tiān tā jiāng ～ Xiānggǎng, cānjiā yí ge huìyì.

fēijī 飞机(飛機) [名]

例我们坐～去美国。Wǒmen zuò ～ qù Měiguó. ┃～比火车快多了。～ bǐ huǒchē kuài duō le. ┃那趟～刚刚起飞。Nèi tàng ～ gānggāng qǐfēi. ┃航空公司

飞机

刚买了两架大型～。Hángkōng gōngsī gāng mǎile liǎng jià dàxíng ～. ┃我们参观了～展览馆，有意思极了。Wǒmen cānguānle ～ zhǎnlǎnguǎn, yǒu yìsi jí le. ┃现在交通很发达，天上有～，地上有火车和汽车。Xiànzài jiāotōng hěn fādá, tiānshang yǒu ～, dìshang yǒu huǒchē hé qìchē.

fēi 飞² (飛) [动]

大风一刮，尘土到处～。Dàfēng yì guā, chéntǔ dàochù ～. →大风一刮，尘土起来了，哪儿都有。Dàfēng yì guā, chéntǔ qǐlai le, nǎr dōu yǒu. **例**雪花儿在空中～着，好看极了。Xuěhuār zài kōngzhōng ～ zhe, hǎokàn jí le. ┃气球～到天上去了。Qìqiú ～ dào tiānshang qu le. ┃沙子～到我眼睛里了，很难受。Shāzi ～ dào wǒ yǎnjing li le, hěn nánshòu. ┃风太小，风筝～不起来。Fēng tài xiǎo, fēngzheng ～ bu qǐlái. ┃他的房间里灰尘到处～。Tā de fángjiān li huīchén dàochù ～.

fēi…bùkě 非…不可

妻子不让他喝酒，他～喝～。Qīzi bú ràng tā hē jiǔ, tā ～ hē ～. →他不听妻子的话，一定要喝酒。Tā bù tīng qīzi de huà, yídìng yào hē jiǔ. **例**我们不同意他去，可他～去～。Wǒmen bù tóngyì tā qù, kě tā ～ qù ～. ┃他下了决心，～学好外语～。Tā xiàle juéxīn, ～ xuéhǎo wàiyǔ ～. ┃天这么冷，可他～出去～。Tiān zhème lěng, kě tā ～ chūqu ～. ┃大夫劝他不要吸烟，可他～吸～。Dàifu quàn tā búyào xīyān, kě tā ～ xī ～.

fēicháng 非常 [副]

他快结婚了，～ 高兴。Tā kuài jiéhūn le, ～ gāoxìng. →他快结婚了，心情很好。Tā kuài jiéhūn le, xīnqíng hěn hǎo. 例我今天 ～ 累，想早点儿睡觉。Wǒ jīntiān ～ lèi, xiǎng zǎo diǎnr shuìjiào. I这部电影 ～好看，我看了三遍。Zhèi bù diànyǐng ～ hǎokàn, wǒ kànle sān biàn. I 我哥哥 ～ 喜欢足球运动。Wǒ gēge ～ xǐhuan zúqiú yùndòng. I我们是好朋友，我 ～ 了解他。Wǒmen shì hǎo péngyou, wǒ ～ liǎojiě tā. I我们都 ～ ～ 喜欢听他的歌。Wǒmen dōu ～ ～ xǐhuan tīng tā de gē.

féi 肥[1] [形]

这头猪吃得很多，长得很 ～。Zhèi tóu zhū chī de hěn duō, zhǎng de hěn ～. →这头猪身上肉很多。Zhèi tóu zhū shēngshang ròu hěn duō. 例这块肉太 ～，我不想吃。Zhèi kuài ròu tài ～, wǒ bù xiǎng chī. I这匹马又 ～ 又壮，很有力气。Zhèi pǐ mǎ yòu ～ yòu zhuàng, hěn yǒu lìqi. I这只鸭子真 ～，走路都困难。Zhèi zhī yāzi zhēn ～, zǒulù dōu kùnnan. I这头牛养得 ～ 极了。Zhèi tóu niú yǎng de ～ jí le.

féi 肥[2] [形]

我很胖，衣服要 ～ 一点儿。Wǒ hěn pàng, yīfu yào ～ yìdiǎnr. →我的衣服要宽大一点儿才能穿。Wǒ de yīfu yào kuāndà yìdiǎnr cái néng chuān. 例这件衣服又 ～ 又大，不合适。Zhèi jiàn yīfu yòu ～ yòu dà, bù héshì. I这条裤子太 ～，瘦一点儿才好看。Zhèi tiáo kùzi tài ～, shòu yìdiǎnr cái hǎokàn. I这件上衣 ～ 得不得了，谁也穿不得。Zhèi jiàn shàngyī ～ de bùdéliǎo, shéi yě chuān bu de. I这么 ～ 的衣服，谁穿啊！Zhème ～ de yīfu, shéi chuān a!

fèi 肺 [名]

lung 例比尔总是咳嗽，可能 ～ 有点儿问题。Bǐ'ěr zǒngshì késou, kěnéng ～ yǒudiǎnr wèntí. I他吸烟太多，～ 出了毛病。Tā xīyān tài duō, ～ chūle máobìng. I我 ～ 不好，不能抽烟。Wǒ ～ bù hǎo, bù néng chōuyān. I大夫让我检查一下儿 ～，看看是否正常。Dàifu ràng wǒ jiǎnchá yíxiàr ～, kànkan shìfǒu zhèngcháng. I他的病在左 ～，右 ～ 没问题。Tā de bìng zài zuǒ ～, yòu ～ méi wèntí.

fèi 费[1] (費) [动]

我们每天在饭店吃饭，太 ～ 钱了。Wǒmen měi tiān zài fàndiàn

chīfàn, tài ~ qián lē. →我们在饭店吃饭花钱太多，不如自己做饭省钱。Wǒmen zài fàndiàn chīfàn huā qián tài duō, bùrú zìjǐ zuòfàn shěng qián. 例这几天总买东西，钱 ~ 得厉害。Zhèi jǐ tiān zǒng mǎi dōngxi, qián ~ de lìhài. | 自己做饭太 ~ 时间，不如到饭馆儿吃吧。Zìjǐ zuòfàn tài ~ shíjiān, bùrú dào fànguǎnr chī ba. | 我 ~ 了很大劲儿，才搬走那张桌子。Wǒ ~ le hěn dà jìnr, cái bānzǒu nèi zhāng zhuōzi. | 他每天练习长跑，很 ~ 鞋。Tā měi tiān liànxí chángpǎo, hěn ~ xié.

fèi 费² (費) [名]

我们上午开学，下午交 ~ 。Wǒmen shàngwǔ kāixué, xiàwǔ jiāo ~ . →下午交上学用的钱。Xiàwǔ jiāo shàngxué yòng de qián. 例这里的每一项服务都是收 ~ 的。Zhèlǐ de měi yí xiàng fúwù dōu shì shōu ~ de. | 我每个月要拿出一些钱来交房 ~ 。Wǒ měi ge yuè yào náchū yìxiē qián lái jiāo fáng ~ . | 我这个月总得病，医药 ~ 花得很多。Wǒ zhèi ge yuè zǒng débìng, yīyào ~ huā de hěn duō. | 又该交电话 ~ 了，我还没钱呢。Yòu gāi jiāo diànhuà ~ le, wǒ hái méi qián ne. | 我们每年要交的这种 ~ 、那种 ~ 很多。Wǒmen měi nián yào jiāo de zhèi zhǒng ~ 、nèi zhòng ~ hěn duō.

fèiyong 费用 (費用) [名]

我在中国留学，~ 不太高。Wǒ zài Zhōngguó liúxué, ~ bú tài gāo. →我留学需要花的钱不太多。Wǒ liúxué xūyào huā de qián bú tài duō. 例我在这里生活，~ 很高。Wǒ zài zhèlǐ shēnghuó, ~ hěn gāo. | 我们一下子拿不出这笔 ~ 。Wǒmen yíxiàzi ná bu chū zhèi bǐ ~ . | 买房子是一笔不小的 ~ 。Mǎi fángzi shì yì bǐ bù xiǎo de ~ . | 这个月的办公 ~ 用完了。Zhèige yuè de bàngōng ~ yòngwán le.

fen

fēn 分¹ [动]

四十个人 ~ 成了两个班。Sìshí ge rén ~ chéngle liǎng ge bān. →二十个人一个班，四十个人就变成了两个班。Èrshí ge rén yí ge bān, sìshí ge rén jiù biànchéngle liǎng ge bān. 例这个西瓜大家 ~ 着吃了吧。Zhèige xīguā dàjiā ~ zhe chīle ba. | 这是一天的药，~ 三次吃完。Zhè shì yì tiān de yào, ~ sān cì chīwán. | 他们唱完歌以后，就 ~ 起蛋糕来了。Tāmen chàngwán gē yǐhòu, jiù ~ qǐ dàngāo lai le. |

两个问题不一样，应该 ~ 开来说。Liǎng ge wèntí bù yíyàng, yīnggāi ~ kāi lái shuō. | 你们 ~ ~ 这些苹果吧。Nǐmen ~ ~ zhèixiē píngguǒ ba.

fēnbié 分别[1] [动]

夫妻 ~ 二十年后，终于见面了。Fūqī ~ èrshí nián hòu, zhōngyú jiànmiàn le. → 丈夫和妻子离开已有二十年了，现在终于见面了。Zhàngfu hé qīzi líkāi yǐ yǒu èrshí nián le, xiànzài zhōngyú jiànmiàn le. 例我下个月出国，就要和大家 ~ 了。Wǒ xià ge yuè chūguó, jiù yào hé dàjiā ~ le. | 马上就要 ~ 了，我感到很难过。Mǎshàng jiù yào ~ le, wǒ gǎndào hěn nánguò. | 我和老师见面不久就又 ~ 了。Wǒ hé lǎoshī jiànmiàn bùjiǔ jiù yòu ~ le. | 自从上次 ~ 以后，我们就再也没见过。Zìcóng shàng cì ~ yǐhòu, wǒmen jiù zài yě méi jiànguo.

fēnbié 分别[2] [副]

我们三个人 ~ 是中国人、日本人和美国人。Wǒmen sān ge rén ~ shì Zhōngguórén、Rìběnrén hé Měiguórén. → 我们三个人各有自己的国籍：中国、日本和美国。Wǒmen sān ge rén gè yǒu zìjǐ de guójí: Zhōngguó、Rìběn hé Měiguó. 例这两本书 ~ 是一百元和二百元。Zhèi liǎng běn shū ~ shì yìbǎi yuán hé èrbǎi yuán. | 我 ~ 找了老师和校长，谈了自己的想法。Wǒ ~ zhǎole lǎoshī hé xiàozhǎng, tánle zìjǐ de xiǎngfǎ. | 父亲和母亲 ~ 跟我交换了意见。Fùqin hé mǔqin ~ gēn wǒ jiāohuànle yìjiàn. | 这三只球队 ~ 进行了比赛。Zhèi sān zhī qiúduì ~ jìnxíngle bǐsài.

fēn 分[2] [动]

他刚来不久，公司就 ~ 给他房子了。Tā gāng lái bùjiǔ, gōngsī jiù ~ gěi tā fángzi le. → 房子是公司的，现在让他住。Fángzi shì gōngsī de, xiànzài ràng tā zhù. 例他毕业后，~ 到了报社工作。Tā bìyè hòu, ~ dàole bàoshè gōngzuò. | 这些苹果是单位 ~ 的，不是我自己买的。Zhèixiē píngguǒ shì dānwèi ~ de, bú shì wǒ zìjǐ mǎi de. | 我最近 ~ 了一套房，明天搬家。Wǒ zuìjìn ~ le yí tào fáng, míngtiān bānjiā.

fēnpèi 分配[1] [动]

这台电脑不是我自己买的，是公司 ~ 的。Zhèi tái diànnǎo bú shì wǒ zìjǐ mǎi de, shì gōngsī ~ de. → 这台电脑是公司发给我用的。Zhèi tái diànnǎo shì gōngsī fāgěi wǒ yòng de. 例这些家具是学校 ~ 给你

用的。Zhèixiē jiājù shì xuéxiào ~ gěi nǐ yòng de. | 这房子是工厂 ~ 的，我没花钱。Zhè fángzi shì gōngchǎng ~ de, wǒ méi huā qián. | 东西都 ~ 下去了，没有多余的。Dōngxi dōu ~ xiaqu le, méiyǒu duōyú de. | 我们三个人只有两张票，怎么 ~ 啊？Wǒmen sān ge rén zhǐ yǒu liǎng zhāng piào, zěnme ~ a? | 房子不 ~ 了，要自己买。Fángzi bù ~ le, yào zìjǐ mǎi.

fēnpèi 分配² [动]

经理给每个人 ~ 了任务。Jīnglǐ gěi měi ge rén ~ le rènwu. →经理规定了每个人做什么。Jīnglǐ guīdìngle měi ge rén zuò shénme. **例**领导 ~ 给我的工作是接电话。Lǐngdǎo ~ gěi wǒ de gōngzuò shì jiē diànhuà. | 我们应当合理 ~ 这些人员，搞好这项工作。Wǒmen yīngdāng hélǐ ~ zhèixiē rényuán, gǎohǎo zhèi xiàng gōngzuò. | 大卫被 ~ 到了纽约，离家很远。Dàwèi bèi ~ dàole Niǔyuē, lí jiā hěn yuǎn. | 这些人分别做什么，你来 ~ ~ 吧。Zhèixiē rén fēnbié zuò shénme, nǐ lái ~ ~ ba. | 国家不 ~ 工作了，他们自己找工作。Guójiā bù ~ gōngzuò le, tāmen zìjǐ zhǎo gōngzuò.

fēn 分³ [动]

他俩长得很像，我 ~ 不出来。Tā liǎ zhǎng de hěn xiàng, wǒ ~ bu chūlái. →我看不出他俩的区别。Wǒ kàn bu chū tā liǎ de qūbié. **例**我 ~ 不清红色和绿色。Wǒ ~ bu qīng hóngsè hé lǜsè. | 在这件事上，他们 ~ 不清谁对谁错。Zài zhèi jiàn shì shang, tāmen ~ bu qīng shéi duì shéi cuò. | 玛丽总是 ~ 不清中国人和日本人。Mǎlì zǒngshì ~ bu qīng Zhōngguórén hé Rìběnrén. | 我俩的书混在一起了，你 ~ 一下儿吧。Wǒ liǎ de shū hùn zài yìqǐ le, nǐ ~ yíxiàr ba. | "大"和"太"差不多，你能 ~ 清吗？"Dà" hé "tài" chàbuduō, nǐ néng ~ qīng ma?

fēnxī 分析¹ [动]

你 ~ 一下儿，他们为什么离婚？Nǐ ~ yíxiàr, tāmen wèishénme líhūn? →你仔细想想，他们离婚的原因是什么。Nǐ zǐxì xiǎngxiang, tāmen líhūn de yuányīn shì shénme. **例**他们离婚的原因我 ~ 出来了。Tāmen líhūn de yuányīn wǒ ~ chulai le. | 他们之间的关系需要仔细 ~，才能搞清楚。Tāmen zhījiān de guānxì xūyào zǐxì ~, cái néng gǎo qīngchu. | 这些问题他 ~ 得很清楚，我一下子就懂了。Zhèixiē wèntí tā ~ de hěn qīngchu, wǒ yíxiàzi jiù dǒng le. | 我 ~ 过这种现

象，知道它产生的原因。Wǒ ~ guo zhèi zhǒng xiànxiàng，zhīdao tā chǎnshēng de yuányīn.

fēnxī 分析² [名]

老师的 ~ 很有道理。Lǎoshī de ~ hěn yǒu dàoli. →老师对事情因果关系的看法很有道理。Lǎoshī duì shìqing yīnguǒ guānxì de kànfǎ hěn yǒu dàoli. 例你们的 ~ 还不够全面。Nǐmen de ~ hái bú gòu quánmiàn. | 这是交通事故的 ~ 报告，请您看看。Zhè shì jiāotōng shìgù de ~ bàogào，qǐng nín kànkan. | 你们对事情的 ~ 还要深入下去。Nǐmen duì shìqing de ~ hái yào shēnrù xiaqu. | 你们每个人的 ~ 都有道理。Nǐmen měi ge rén de ~ dōu yǒu dàoli.

fēn 分⁴ [量]

十 ~ 钱是一毛。Shí ~ qián shì yì máo. →一毛钱可以分成十个更小的单位。Yì máo qián kěyǐ fēnchéng shí ge gèng xiǎo de dānwèi. 例这根笔八毛六 ~ 钱。Zhèi gēn bǐ bā máo liù ~ qián. | 他的钱是一 ~ 一 ~ 挣来的，很不容易。Tā de qián shì yì ~ yì ~ zhènglai de，hěn bù róngyì.

fēn 分⁵ [量]

一小时是六十 ~ 。Yì xiǎoshí shì liùshí ~ . →一小时可以分成六十份，每一份是一分。Yì xiǎoshí kěyǐ fēnchéng liùshí fèn，měi yí fèn shì yì fēn. 例时间一 ~ 一 ~ 地过去了，他还在坚持。Shíjiān yì ~ yì ~ de guòqu le，tā hái zài jiānchí. | 现在的时间是差七 ~ 十点。Xiànzài de shíjiān shì chà qī ~ shí diǎn. | 你要马上去医院，一 ~ 也不能再等了。Nǐ yào mǎshàng qù yīyuàn，yì ~ yě bù néng zài děng le.

fēn 分⁶ [名]

这次考试他得了一百 ~ 。Zhèi cì kǎoshì tā déle yìbǎi ~ . →这次考试他都回答对了。Zhèi cì kǎoshì tā dōu huídá duì le. 例我的成绩是八十 ~ 。Wǒ de chéngjì shì bāshí ~ . | 篮球比赛中，进一个球得两 ~ 。Lánqiú bǐsài zhōng，jìn yí ge qiú dé liǎng ~ . | 我们现在开始记 ~ ，谁得 ~ 多谁就胜了。Wǒmen xiànzài kāishǐ jì ~ ，shéi dé ~ duō shéi jiù shèng le. | 他把 ~ 看得很重要。Tā bǎ ~ kàn de hěn zhòngyào. | 乒乓球比赛要一 ~ 一 ~ 地争。Pīngpāngqiú bǐsài yào yì ~ yì ~ de zhēng.

···fēnzhī··· ···分之···

今天来了三十个人，三 ~ 二的人同意这么做。Jīntiān láile sānshí ge

rén, sān ~ èr de rén tóngyì zhème zuò. →三十个人有二十个人同意
这么做。Sānshí ge rén yǒu èrshí ge rén tóngyì zhème zuò. 例这里
百 ~ 八十的人会说英语。Zhèlǐ bǎi ~ bāshí de rén huì shuō Yīngyǔ. |
他们中结过婚的人占十 ~ 三。Tāmen zhōng jiéguo hūn de rén zhàn
shí ~ sān. |我百 ~ 百同意去旅游。Wǒ bǎi ~ bǎi tóngyì qù lǚyóu. |
大学生占全国人口的百 ~ 多少？Dàxuéshēng zhàn quán guó rénkǒu
de bǎi ~ duōshao?

fēnzhōng 分钟（分鐘）[名]

minute 例一小时等于六十 ~ 。Yì xiǎoshí děngyú liùshí ~ . |一 ~ 等于
六十秒。Yì ~ děngyú liùshí miǎo. |我等了他四十 ~ 了，他还没来。
Wǒ děngle tā sìshí ~ le, tā hái méi lái. |他再过二十 ~ 就回来了。
Tā zài guò èrshí ~ jiù huílai le. |现在的时间是差六 ~ 九点。Xiànzài
de shíjiān shì chà liù ~ jiǔ diǎn. |离上课还有几 ~？Lí shàngkè hái
yǒu jǐ ~？

fēnfu 吩咐 [动]

经理 ~ 过，八点钟准时开会。Jīnglǐ ~ guo, bā diǎnzhōng zhǔnshí
kāihuì.→经理告诉过大家，八点开会。Jīnglǐ gàosuguo dàjiā, bā
diǎn kāihuì. 例领导 ~ 我们，一定要按时完成任务。Lǐngdǎo ~
wǒmen, yídìng yào ànshí wánchéng rènwu. |教授 ~ 他的助手，明
天做好实验准备。Jiàoshòu ~ tā de zhùshǒu, míngtiān zuòhǎo
shíyàn zhǔnbèi. |校长 ~ 完以后，学生们就出发了。Xiàozhǎng ~
wán yǐhòu, xuéshengmen jiù chūfā le. |父亲 ~ 了儿子几句，就走
了。Fùqin ~ le érzi jǐ jù, jiù zǒu le. |医生 ~ 你要按时吃药。Yīshēng
~ nǐ yào ànshí chīyào.

fēnfēn 纷纷（紛紛）[形]

大风一吹，树叶儿 ~ 往下落。Dàfēng yì chuī, shùyèr ~ wǎng xià luò.
→很多片树叶儿杂乱地落下来。Hěn duō piàn shùyèr záluàn de luò
xialai. 例近几年，人们 ~ 去农村度假。Jìn jǐ nián, rénmen ~ qù
nóngcūn dùjià. |这次运动会学生们 ~ 报名参加。Zhèi cì yùndònghuì
xuéshengmen ~ bàomíng cānjiā. |这个问题大家都感兴趣，~ 抢
发言。Zhèige wèntí dàjiā dōu gǎn xìngqù, ~ qiǎngzhe fāyán. |人们
对公司的做法议论 ~ ，很不满意。Rénmen duì gōngsī de zuòfǎ yìlùn
~ , hěn bù mǎnyì.

fěnbǐ 粉笔（粉筆）[名]

这儿有 ~ ，你在黑板上写吧。Zhèr yǒu ~ , nǐ zài hēibǎn shang xiě
ba. →这儿有在黑板上写字用的笔。Zhèr yǒu zài hēibǎn shang xiě zì

yòng de bǐ. **例**这些～太短了，拿不住了。Zhèixiē～tài duǎn le，ná bu zhù le. |我需要两根白～画线。Wǒ xūyào liǎng gēn bái～huà xiàn. |教室里没有～了，请你取一盒来。Jiàoshì li méiyǒu～le，qǐng nǐ qǔ yì hé lái. |你在黑板上画画儿，没有～怎么行？Nǐ zài hēibǎn shang huà huàr，méiyǒu～zěnme xíng?

fèndòu 奋斗（奮鬥）[动]

他不断～，终于成了世界冠军。Tā búduàn～，zhōngyú chéngle shìjiè guànjūn. →他不断地努力去做，终于当上了世界冠军。Tā búduàn de nǔlì qù zuò，zhōngyú dāngshangle shìjiè guànjūn. **例**爸爸为了医学事业～了一生。Bàba wèile yīxué shìyè～le yìshēng. |为了实现她的理想，安娜不断～着。Wèile shíxiàn tā de lǐxiǎng，Ānnà búduàn～zhe. |他为了自己的成功～了很多年。Tā wèile zìjǐ de chénggōng～le hěn duō nián. |他相信只要～下去，就一定会成功。Tā xiāngxìn zhǐyào～xiàqù jiù yídìng huì chénggōng.

fèn 份[1] [量]

我们一共五个人，就把蛋糕分成五～儿吧。Wǒmen yígòng wǔ ge rén，jiù bǎ dàngāo fēnchéng wǔ～r ba. →我们把蛋糕分成五块儿。Wǒmen bǎ dàngāo fēnchéng wǔ kuàir. **例**我给大家买了盒饭，每人一～儿。Wǒ gěi dàjiā mǎile héfàn，měi rén yí～r. |这～儿礼物是送给新娘的，那～儿是送给新郎的。Zhèi～r lǐwù shì sòng gěi xīnliáng de，nà～r shì sòng gěi xīnláng de. |这些苹果被他分成了两～儿。Zhèixiē píngguǒ bèi tā fēnchéngle liǎng～r. |我的那～儿东西在哪儿？Wǒ de nèi～r dōngxi zài nǎr?

fèn 份[2] [量]

用于报刊、杂志、表格等。Yòngyú bàokān、zázhì、biǎogé děng. →我买了两～儿报纸。Wǒ mǎile liǎng～r bàozhǐ. **例**这～儿报名表是你的，别丢了。Zhèi～r bàomíngbiǎo shì nǐ de，bié diū le. |这～儿合同是关于商业方面的。Zhèi～r hétóng shì guānyú shāngyè fāngmiàn de. |这～儿材料很重要，一定要保存好。Zhèi～r cáiliào hěn zhòngyào，yídìng yào bǎocún hǎo. |他给了我一～儿学生名单。Tā gěile wǒ yí～r xuésheng míngdān.

fènnù 愤怒（憤怒）[形]

有人说他不诚实，他 ~ 了。Yǒu rén shuō tā bù chéngshí, tā ~ le. →他对这种说法非常生气。Tā duì zhèi zhǒng shuōfa fēicháng shēngqì.[例]说起毒品，人们都很 ~ 。Shuōqi dúpǐn, rénmen dōu hěn ~ . | 儿子经常说假话，爸爸很 ~ 。Érzi jīngcháng shuō jiǎhuà, bàba hěn ~ . | 经过解释，人们不那么 ~ 了。Jīngguò jiěshì, rénmen bú nàme ~ le. | 他 ~ 地说："我决不原谅她。"Tā ~ de shuō: "Wǒ jué bù yuánliàng tā." | 他做了这样的事，我能不 ~ 吗？Tā zuòle zhèiyàng de shì, wǒ néng bú ~ ma?

feng

fēngfù 丰富[1]（豐富）[形]

大卫读书很多，知识很 ~ 。Dàwèi dú shū hěn duō, zhīshi hěn ~ . →大卫哪方面的知识都有。Dàwèi nǎ fāngmiàn de zhīshi dōu yǒu.[例]他经验特别 ~ ，一定能处理好这些事。Tā jīngyàn tèbié ~ , yídìng néng chǔlǐ hǎo zhèixiē shì. | 他有着 ~ 的经历，是个很特别的人。Tā yǒuzhe ~ de jīnglì, shì ge hěn tèbié de rén. | 电视节目越来越 ~ 了。Diànshì jiémù yuèláiyuè ~ le. | 商店里商品 ~ ，种类齐全。Shāngdiàn li shāngpǐn ~ , zhǒnglèi qíquán. | 那里很偏，文化生活不 ~ 。Nàli hěn piān, wénhuà shēnghuó bù ~ .

fēngfù 丰富[2]（豐富）[动]

我想多读点儿书，~ 自己的知识。Wǒ xiǎng duō dú diǎnr shū. ~ zìjǐ de zhīshi. →我想让自己的知识更多、更全面。Wǒ xiǎng ràng zìjǐ de zhīshi gèng duō、gèng quánmiàn.[例]他们经常唱歌儿、跳舞，~ 了文化生活。Tāmen jīngcháng chànggēr, tiàowǔ, ~ le wénhuà shēnghuó. | 这几个月的旅游，大大 ~ 了我的经历。Zhèi jǐ ge yuè de lǚyóu, dàdà ~ le wǒ de jīnglì. | 通过玩儿玩具，可以 ~ 孩子的想像力。Tōngguò wánr wánjù, kěyǐ ~ háizi de xiǎngxiànglì. | 他们想出许多办法来 ~ 老人们的业余生活。Tāmen xiǎngchū xǔduō bànfǎ lái ~ lǎorénmen de yèyú shēnghuó.

fēng 风（風）[名]

wind[例]外面的 ~ 很大，请关好窗户。Wàimian de ~ hěn dà, qǐng guānhǎo chuānghu. | 起 ~ 了，别去划船了。Qǐ ~ le, bié qù huáchuán le. | 明天有七级大 ~ 。Míngtiān yǒu qī jí dà ~ . | 一阵凉

~吹来，真舒服。Yí zhèn liáng ~ chuīlái, zhēn shūfu. | ~停了，我
们出去散步吧。~ tíng le, wǒmen chūqu sànbù ba. | 这里春天常常
刮 ~。Zhèlǐ chūntiān chángcháng guā ~. | 晚上刮起了大 ~。
Wǎngshang guāqile dà ~.

fēnglì 风力（風力）[名]

现在 ~ 很大，可能有六级了。Xiànzài ~ hěn dà, kěnéng yǒu liù jí le.
→现在风刮得很猛。Xiànzài fēng guā de hěn měng. **例**刚才的 ~ 达
到了八级。Gāngcái de ~ dádàole bā jí. | 他们用 ~ 发电。Tāmen
yòng ~ fādiàn. | 等 ~ 小了，你再骑车走吧。Děng ~ xiǎo le, nǐ zài qí
chē zǒu ba. | 这么大的 ~！树都被刮倒了。Zhème dà de ~! Shù
dōu bèi guādǎo le.

fēngjǐng 风景（風景）[名]

我喜欢山里的 ~。Wǒ xǐhuan shān li de ~. →我喜欢山里的树木、
流水等构成的景象。Wǒ xǐhuan shān li de shùmù、liúshuǐ děng
gòuchéng de jǐngxiàng. **例**这里有山有水，~ 很美。Zhèlǐ yǒu shān
yǒu shuǐ, ~ hěn měi. | 这些迷人的 ~ 给我留下了深刻的印象。
Zhèixiē mírén de fēngjǐng gěi wǒ liúxiàle shēnkè de yìnxiàng. | 那里
是著名的 ~ 区，你们该去看看。Nàli shì zhùmíng de ~ qū, nǐmen gāi
qù kànkan. | 游人看到这些美丽的 ~ 时，高兴极了。Yóurén kàndào
zhèixiē měilì de ~ shí, gāoxìng jí le.

fēngqù 风趣（風趣）[形]

他的表演很 ~，逗得人们都笑了。Tā de biǎoyǎn hěn ~, dǒu de
rénmen dōu xiào le. →他的表演逗人发笑。Tā de biǎoyǎn dòu rén
fāxiào. **例**比尔特别 ~，人们都喜欢他。Bǐ'ěr tèbié ~, rénmen dōu
xǐhuan tā. | 这张画儿生动、~，能引起人的思考。Zhèi zhāng huàr
shēngdòng、~, néng yǐnqǐ rén de sīkǎo. | 这篇文章确实很 ~，值
得一读。Zhèi piān wénzhāng quèshí hěn ~, zhíde yì dú. | 经理 ~ 地
说："没来的请说话。"Jīnglǐ ~ de shuō："Méi lái de qǐng shuōhuà."

fēngsú 风俗（風俗）[名]

这里的 ~ 很特别，所以来旅游的人很多。Zhèlǐ de ~ hěn tèbié,
suǒyǐ lái lǚyóu de rén hěn duō. →这里的人们生活方式、礼节等很
特别。Zhèlǐ de rénmen shēnghuó fāngshì、lǐjié děng hěn tèbié. **例**每
个地方都有不同的 ~。Měi ge dìfang dōu yǒu bùtóng de ~. | 这种
抢新娘的 ~ 已经形成很多年了。Zhèi zhǒng qiǎng xīnniáng de ~ yǐjing

xíngchéng hěn duō nián le. | 我不知道这里有什么~习惯，请你介
绍一下儿。Wǒ bù zhīdào zhèlǐ yǒu shénme ~ xíguàn, qǐng nǐ jièshào
yíxiàr.

fēngwèi 风味（風味）[名]

这道菜有北京~儿，我爱吃。Zhèi dào cài yǒu Běijīng ~ r, wǒ ài chī.
→我爱吃有北京特点的菜。Wǒ ài chī yǒu Běijīng tèdiǎn de cài. 例
他很久没吃家乡~儿的菜了。Tā hěn jiǔ méi chī jiāxiāng ~ r de cài
le. | 这个饭店的菜~儿独特，特别受顾客欢迎。Zhèige fàndiàn de
cài ~ rdútè, tèbié shòu gùkè huānyíng. | 我爱吃南方~儿的饭菜。
Wǒ ài chī nánfāng ~ r de fàncài. | 这首歌有民歌~儿，但加上了现代
技巧。Zhèi shǒu gē yǒu míngē ~ r, dàn jiāshangle xiàndài jìqiǎo.

fēng 封 [量]

用于信件。Yòngyú xìnjiàn. 例我今天收到了两~来信，很高兴。
Wǒ jīntiān shōudàole liǎng ~ láixìn, hěn gāoxìng. | 我一下子给女朋
友写了五~信。Wǒ yíxiàzi gěi nǚpéngyou xiěle wǔ ~ xìn. | 这~信是
玛丽的。Zhèi fēng xìn shì Mǎlì de. | 我一个月给家里写一~信。Wǒ
yí ge yuè gěi jiāli xiě yì ~ xìn. | 你写了那么多~信，都是给谁的？Nǐ
xiěle nàme duō ~ xìn, dōu shì gěi shéi de?

fēngjiàn 封建 [形]

feudal 例他很~，不赞成女人参加工作。Tā hěn ~, bú zànchéng
nǚrén cānjiā gōngzuò. | 你认为女人不如男人，这是~思想。Nǐ
rènwéi nǚrén bùrú nánrén, zhè shì ~ sīxiǎng. | 他一点儿也不~，很
支持女儿参加社会活动。Tā yìdiǎnr yě bù ~, hěn zhīchí nǚ'ér cānjiā
shèhuì huódòng. | 你怎么变得越来越~了？竟然相信鬼神的事。Nǐ
zěnme biàn de yuèláiyuè ~ le? Jìngrán xiāngxìn guǐshén de shì. | 你
的~头脑什么时候能改一改呢？Nǐ de ~ tóunǎo shénme shíhou néng
gǎi yi gǎi ne?

féng 逢 [动]

每~星期天，他都要去旅游。Měi ~ Xīngqītiān, tā dōu yào qù
lǚyóu. →每到星期天，他都要去旅游。Měi dào Xīngqītiān, tā dōu
yào qù lǚyóu. 例每~新年，全家人都在一起喝酒。Měi ~ xīnnián,
quán jiā rén dōu zài yìqǐ hē jiǔ. | 他们分别了十年，终于又重~了。
Tāmen fēnbiéle shí nián, zhōngyú yòu chóng ~ le. | 每~我有困难的
时候，朋友都来帮助。Měi ~ wǒ yǒu kùnnan de shíhou, péngyou

dōu lái bāngzhù. | ~年过节，我都去看看老朋友。~ nián guò jié,
wǒ dōu qù kànkan lǎopéngyou.

fou

fǒudìng 否定 ［动］

大会经过讨论，~ 了大卫的意见。Dàhuì jīngguò tǎolùn, ~ le Dàwèi
de yìjiàn. →大会认为大卫的意见不对。Dàhuì rènwéi Dàwèi de
yìjiàn bú duì. 例经理 ~ 了他们的做法，认为太危险。Jīnglǐ ~ le
tāmen de zuòfǎ, rènwéi tài wēixiǎn. | 我从来没 ~ 过他的成绩，但
也要看到他的缺点。Wǒ cónglái méi ~ guo tā de chéngjì, dàn yě
yào kàndào tā de quēdiǎn. | 这是真实的情况，谁也无法 ~。Zhè
shì zhēnshí de qíngkuàng, shéi yě wú fǎ ~. | 他取得的成绩谁也 ~
不了。Tā qǔdé de chéngjì shéi yě ~ bu liǎo.

fǒuzé 否则（否則）［连］

玛丽一定是生病了，~ 她会来的。Mǎlì yídìng shì shēngbìng le, ~
tā huì lái de. →如果玛丽没生病，她会来的。Rúguǒ Mǎlì méi
shēngbìng, tā huì lái de. 例她一定是爱上了你，~ 不会送你礼物
的。Tā yídìng shì àishangle nǐ, ~ bú huì sòng nǐ lǐwù de. | 看来他的
病好了，~ 不会出来的。Kànlái tā de bìng hǎo le, ~ bú huì chūlai
de. | 你应该告诉他地点，~ 他找不到。Nǐ yīnggāi gàosu tā dìdiǎn,
~ tā zhǎo bu dào. | 他一定不生气了，~ 怎么会笑呢。Tā yídìng bù
shēngqì le, ~ zěnme huì xiào ne.

fu

fūqī 夫妻 ［名］

这对老 ~ 在一起生活了三十年。Zhèi duì lǎo ~ zài yìqǐ shēnghuóle
sānshí nián. →丈夫和妻子生活在一起有三十年了。Zhàngfu hé qīzi
shēnghuó zài yìqǐ yǒu sānshí nián le. 例他们上个月成了 ~。Tāmen
shàng ge yuè chéngle ~. | 他们的 ~ 关系一直很好。Tāmen de ~
guānxi yìzhí hěn hǎo. | 他们租了一间房，过起了 ~ 生活。Tāmen
zūle yì jiān fáng, guòqǐle ~ shēnghuó. | 他俩是有名的好 ~，怎么会
离婚呢？Tā liǎ shì yǒumíng de hǎo ~, zěnme huì líhūn ne?

fūren 夫人 ［名］

madame（Ms.）例大使及其 ~ 出席了欢迎晚会。Dàshǐ jí qí ~ chūxíle

huānyíng wǎnhuì. | 晚上，～们聚在一起，讨论了妇女问题。
Wǎngshang，～men jù zài yìqǐ，tǎolùnle fùnǚ wèntí. | 欢迎总统及
夫人访问中国。Huānyíng zǒngtǒng jí ～ fǎngwèn Zhōngguó. | 总理 ～
参观了这所小学。Zǒnglǐ ～ cānguānle zhèi suǒ xiǎoxué. | 这是您的
～吗？她很漂亮。Zhè shì nín de ～ ma? Tā hěn piàoliang.

fú 扶[1] ［动］

他～老人下了车。Tā ～ lǎorén xiàle chē. →他搀着老人的胳膊，帮
老人下车。Tā chānzhe lǎorén de gēbo，bāng lǎorén xià chē. 例你
～着病人，我去叫出租车。Nǐ ～ zhe bìngrén，wǒ qù jiào chūzū
chē. | 你～住桌子，我上去。Nǐ ～ zhù zhuōzi，wǒ shàngqu. | 不用
～，我自己能走。Búyòng ～，wǒ zìjǐ néng zǒu.

fú 扶[2] ［动］

我～着他，让他站起来。Wǒ ～ zhe tā，ràng tā zhàn qilai. →需要我
帮他，他才可以站立。Xūyào wǒ bāng tā，tā cái kěyǐ zhànlì. 例小
树倒了，我们把它～起来吧。Xiǎoshù dǎo le，wǒmen bǎ tā ～ qilai
ba. | 他～了我一下儿，我才站起来。Tā ～ le wǒ yí xiàr，wǒ cái
zhàn qilai. | 快来～～他，他站不起来了。Kuài lái ～ ～ tā，tā zhàn
bu qǐlái le. | 检查完身体以后，护士～病人站了起来。Jiǎnchá wán
shēntǐ yǐhòu，hùshi ～ bìngrén zhànle qilai.

fúcóng 服从（服從）［动］

不论我说什么，他都～。Búlùn wǒ shuō shénme，tā dōu ～. →我
怎么说，他就怎么做。Wǒ zěnme shuō，tā jiù zěnme zuò. 例对于
爱人说的话，他总是～。Duìyú àiren shuō de huà，tā zǒngshì ～. |
这些士兵只～总统的命令。Zhèxiē shìbīng zhǐ ～ zǒngtǒng de
mìnglìng. | 我们的办法是，少数～多数。Wǒmen de bànfǎ shì，
shǎoshù ～ duōshù. | 司机要～警察的指挥。Sījī yào ～ jǐngchá de
zhǐhuī. | 他有自己的想法，不太～领导。Tā yǒu zìjǐ de xiǎngfǎ，bú
tài ～ lǐngdǎo.

fúwù 服务（服務）［动］

商场是为顾客～的。Shāngchǎng shì wèi gùkè ～ de. →商场就是要
满足顾客的各种要求。Shāngchǎng jiùshì yào mǎnzú gùkè de gè
zhǒng yāoqiú. 例这个饭店～得很好，人们都愿意住在这里。Zhèige
fàndiàn ～ de hěn hǎo，rénmen dōu yuànyì zhù zài zhèlǐ. | 今天我是
主人，应该为大家～。Jīntiān wǒ shì zhǔrén，yīnggāi wèi dàjiā ～. |

空中小姐~得很周到，乘客都满意。Kōngzhōng xiǎojie ~ de hěn zhōudào, chéngkè dōu mǎnyì. l他为我们~了一天，也够累的。Tā wèi wǒmen ~ le yì tiān, yě gòu lèi de.

fúwùyuán 服务员（服務員）[名]

他妹妹是一家饭店的~，工作很忙。Tā mèimei shì yì jiā fàndiàn de ~, gōngzuò hěn máng. →他妹妹在一家饭店做服务工作。Tā mèimei zài yì jiā fàndiàn zuò fúwù gōngzuò. 例我是这里的~，有事请找我。Wǒ shì zhèlǐ de ~, yǒu shì qǐng zhǎo wǒ. l商店里~的态度很好。Shāngdiàn li ~ de tàidu hěn hǎo. l这个理发店只有一名~。Zhèige lǐfàdiàn zhǐ yǒu yì míng ~. l~问他喝点儿什么，他没听见。~ wèn tā hē diǎnr shénme, tā méi tīngjiàn. l这家饭店里全是女~。Zhèi jiā fàndiàn li quán shì nǚ ~.

fú 浮 [动]

湖面上~着一些脏东西。Húmiàn shang ~ zhe yìxiē zāng dōngxi. →有一些脏东西在水面上漂着。Yǒu yìxiē zāng dōngxi zài shuǐmiàn shang piāozhe. 例水面上~着几片树叶儿，一动也不动。Shuǐmiàn shang ~ zhe jǐ piàn shùyèr, yí dòng yě bú dòng. l河里~着一群鸭子。Hé li ~ zhe yì qún yāzi. l鱼群一会儿~在水面，一会儿沉入水底。Yúqún yíhuìr ~ zài shuǐmiàn, yíhuìr chén rù shuǐdǐ. l掉进水里的木头一会儿就~上来了。Diàojìn shuǐ li de mùtou yíhuìr jiù ~ shanglai le.

fúhé 符合 [动]

这些产品完全~标准，没有任何问题。Zhèixiē chǎnpǐn wánquán ~ biāozhǔn, méiyǒu rènhé wèntí. →这些产品跟标准规定的完全一样。Zhèixiē chǎnpǐn gēn biāozhǔn guīdìng de wánquán yíyàng. 例你的作业完全~老师的要求。Nǐ de zuòyè wánquán ~ lǎoshī de yāoqiú. l这个办法~我们的想法，我们同意。Zhèige bànfǎ ~ wǒmen de xiǎngfa, wǒmen tóngyì. l他不~当老师的条件。Tā bù ~ dāng lǎoshī de tiáojiàn. l他说的话~事实吗？Tā shuō de huà ~ shìshí ma?

fú 幅 [量]

用于画、布等。Yòngyú huà、bù děng. 例墙上挂着一~山水画儿，很美。Qiáng shang guàzhe yì ~ shānshuǐhuàr, hěn měi. l这~画儿是我自己画的。Zhèi ~ huàr shì wǒ zìjǐ huà de. l前几天，老师送了

我两~画儿。Qián jǐ tiān, lǎoshī sòngle wǒ liǎng ~ huàr. |用一~布做窗帘儿太窄。Yòng yì ~ bù zuò chuāngliánr tài zhǎi. |请问，那~画儿多少钱？Qǐng wèn, nèi ~ huàr duōshao qián?

fǔdǎo 辅导（輔導）[动]

我请了个中国学生 ~ 我的汉语。Wǒ qǐngle ge Zhōngguó xuésheng ~ wǒ de Hànyǔ. →下课以后，我请那个中国学生帮我学习汉语。Xiàkè yǐhòu, wǒ qǐng nèige Zhōngguó xuésheng bāng wǒ xuéxí Hànyǔ. 例大卫经常 ~ 这个女孩儿英语，后来他们结婚了。Dàwèi jīngcháng ~ zhèige nǚháir Yīngyǔ, hòulái tāmen jiéhūn le. |他每天 ~ 我一个小时的口语。Tā měi tiān ~ wǒ yí ge xiǎoshí de kǒuyǔ. |三年来，哥哥一直 ~ 我的作业。Sān nián lái, gēge yìzhí ~ wǒ de zuòyè. |我上课时没听懂，请老师再 ~ ~ 我吧。Wǒ shàngkè shí méi tīngdǒng, qǐng lǎoshī zài ~ ~ wǒ ba.

fùqīn / fùqin 父亲（父親）[名]

father 例我 ~ 今年八十岁了，身体还很好。Wǒ ~ jīnnián bāshí suì le, shēntǐ hái hěn hǎo. |他 ~ 是大学教授。Tā ~ shì dàxué jiàoshòu. |我的 ~ 和母亲非常爱我。Wǒ de ~ hé mǔqin fēicháng ài wǒ. |我非常爱我的 ~ 和母亲。Wǒ fēicháng ài wǒ de ~ hé mǔqin. | ~ 的心愿是建一所小学。~ de xīnyuàn shì jiàn yì suǒ xiǎoxué. |每次跟 ~ 见面，我都亲切地叫他几声"爸爸"。Měi cì gēn ~ jiànmiàn, wǒ dōu qīnqiè de jiào tā jǐ shēng "bàba".

fù 付 [动]

咱们吃饭的钱我已经 ~ 了。Zánmen chīfàn de qián wǒ yǐjing ~ le. →咱们吃饭的钱我已经给饭店了。Zánmen chīfàn de qián wǒ yǐjing gěi fàndiàn le. 例我 ~ 过钱了，咱们走吧。Wǒ ~ guo qián le, zánmen zǒu ba. |我的学费是一次 ~ 清。Wǒ de xuéfèi shì yí cì ~ qīng. |在这儿学习，一年要 ~ 一万元学费。Zài zhèr xuéxí, yì nián yào ~ yí wàn yuán xuéfèi. |我们 ~ 完住宿费，就没钱了。Wǒmen ~ wán zhùsùfèi, jiù méi qián le. |这双鞋你还没 ~ 钱吧？Zhèi shuāng xié nǐ hái méi ~ qián ba? |你怎么能不 ~ 钱就走呢？Nǐ zěnme néng bú ~ qián jiù zǒu ne?

fù zé 负责[1]（負責）

我们明天去爬山，老师 ~ 大家的安全。Wǒmen míngtiān qù pá shān, lǎoshī ~ dàjiā de ānquán. →老师的任务是保证大家不出事儿。

Lǎoshī de rènwù shì bǎozhèng dàjiā bù chūshìr. 例她在公司 ~ 办公室工作。Tā zài gōngsī ~ bàngōngshì gōngzuò. I 这件事是我的错，应该由我 ~ 。Zhèi jiàn shì shì wǒ de cuò, yīnggāi yóu wǒ ~. I 你既然接了这个工作，就 ~ 到底吧。Nǐ jìrán jiēle zhèige gōngzuò, jiù ~ dàodǐ ba. I 我根本不知道这件事，负什么责呀？Wǒ gēnběn bù zhīdào zhèi jiàn shì, fù shénme zé ya? I 这件事关系重大，你负不起这个责。Zhèi jiàn shì guānxì zhòngdà, nǐ fù bu qǐ zhèige zé.

fùzé 负责² (負責) [形]

他是足球教练，对工作很 ~ 。Tā shì zúqiú jiàoliàn, duì gōngzuò hěn ~. →他总是尽最大努力，做好教练工作。Tā zǒngshì jìn zuì dà nǔlì, zuòhǎo jiàoliàn gōngzuò. 例大夫对病人非常 ~ 。Dàifu duì bìngrén fēicháng ~. I 如果我们都像大卫那么 ~ ，就不会出错了。Rúguǒ wǒmen dōu xiàng Dàwèi nàme ~, jiù bú huì chūcuò le. I 他工作不 ~ ，应该受到批评。Tā gōngzuò bú ~, yīnggāi shòudào pīpíng.

fùnǚ 妇女 (婦女) [名]

她已是个中年 ~ 了，可还没结婚。Tā yǐ shì ge zhōngnián ~ le, kě hái méi jiéhūn. →她已经是四十多岁的女人了。Tā yǐjing shì sìshì duō suì de nǚrén le. 例中老年 ~ 容易得这种病。Zhōnglǎonián ~ róngyì dé zhèi zhǒng bìng. I 近些年，~ 的地位有了明显的提高。Jìn xiē nián, ~ de dìwèi yǒule míngxiǎn de tígāo. I 我们很重视 ~ 工作，取得了很大成绩。Wǒmen hěn zhòngshì ~ gōngzuò, qǔdéle hěn dà chéngjì. I 在工作中，~ 们一点儿也不愿意落后。Zài gōngzuò zhōng, ~ men yìdiǎnr yě bú yuànyì luòhòu.

fùjìn 附近 [名]

邮局就在我家 ~ 。Yóujú jiù zài wǒ jiā ~. →邮局离我家很近。Yóujú lí wǒ jiā hěn jìn. 例我家住在学校 ~ ，上学很方便。Wǒ jiā zhù zài xuéxiào ~, shàng xué hěn fāngbiàn. I ~ 就有一家饭馆儿，我们不用到别处去了。~ jiù yǒu yì jiā fànguǎnr, wǒmen búyòng dào biéchù qu le. I 我刚到这儿，对 ~ 的情况还不熟悉。Wǒ gāng dào zhèr, duì ~ de qíngkuàng hái bù shúxī. I 这里新建了一个市场，~ 的居民都觉得很方便。Zhèlǐ xīn jiànle yí ge shìchǎng, ~ de jūmín dōu juéde hěn fāngbiàn.

fùshù 复述¹（復述）[动]

故事我讲完了，请你 ~ 一下﹨。Gùshi wǒ jiǎngwán le, qǐng nǐ ~ yíxiàr. →请你讲一遍我刚才讲的故事。Qǐng nǐ jiǎng yí biàn wǒ gāngcái jiǎng de gùshi. 例他怕忘了爸爸的话，~ 了一遍才走。Tā pà wàngle bàba de huà, ~ le yí biàn cái zǒu. I我不愿意 ~ 那些没意思的话。Wǒ bú yuànyì ~ nèixiē méi yìsi de huà. I父亲总让孩子 ~ 他的要求，孩子不太满意。Fùqin zǒng ràng háizi ~ tā de yāoqiú, háizi bú tài mǎnyì. I我说过的话，他总是 ~ 不上来。Wǒ shuōguo de huà, tā zǒngshì ~ bú shànglái.

fùshù 复述²（復述）[动]

这篇课文你能 ~ 一下﹨吗？Zhèi piān kèwén nǐ néng ~ yíxiàr ma? →你能用自己的话说说这篇课文的意思吗？Nǐ néng yòng zìjǐ de huà shuōshuo zhèi piān kèwén de yìsi ma? 例如果你听懂了课文，就请 ~ 一遍。Rúguǒ nǐ tīngdǒngle kèwén, jiù qǐng ~ yí biàn. I练习口语的一个好方法就是 ~ 课文。Liànxí kǒuyǔ de yí ge hǎo fāngfǎ jiù shì ~ kèwén. I老师每次都要求学生 ~ 文章的内容。Lǎoshī měi cì dōu yāoqiú xuésheng ~ wénzhāng de nèiróng.

fùxí 复习（複習）[动]

今天下午我要在家 ~ 功课。Jīntiān xiàwǔ wǒ yào zài jiā ~ gōngkè. →我要把学过的功课再看看。Wǒ yào bǎ xuéguo de gōngkè zài kànkan. 例我明天该 ~ 英语了，下个月有考试。Wǒ míngtiān gāi ~ Yīngyǔ le, xià ge yuè yǒu kǎoshì. I这篇课文我 ~ 了三遍。Zhèi piān kèwén wǒ ~ le sān biàn. I他 ~ 一个多月了，肯定能考好。Tā fùxí yí ge duō yuè le, kěndìng néng kǎohǎo. I我觉得再 ~ ~ 就记牢了。Wǒ juéde zài ~ ~ jiù jìláo le. I他没 ~ 就来考试了。Tā méi ~ jiù lái kǎoshì le. I比尔上课不注意听老师讲课，下课也不 ~，能学好吗？Bǐ'ěr shàngkè bú zhùyì tīng lǎoshī jiǎngkè, xiàkè yě bú ~, néng xuéhǎo ma?

fùyìn 复印（複印）[动]

这篇文章是我从报纸上 ~ 下来的。Zhèi piān wénzhāng shì wǒ cóng bàozhǐ shang ~ xialai de. →我把报纸上的文章又印下来了。Wǒ bǎ bàozhǐ shang de wénzhāng yòu yìn xialai le. 例那本书很难买，我就 ~ 了一本。Nèi běn shū hěn nán mǎi, wǒ jiù ~ le yì běn. I我想 ~ 一篇论文，你帮我一下﹨吧。Wǒ xiǎng ~ yì piān lùnwén, nǐ bāng wǒ yíxiàr ba. |我有份材料，你可以帮我 ~ 吗? Wǒ yǒu fèn cáiliào, nǐ kěyǐ bāng wǒ ~ ma? | ~ 一页纸多少钱? ~ yí yè zhǐ duōshao qián?

fùzá 复杂（複雜）［形］

这件事很 ~，我搞不清楚。Zhèi jiàn shì hěn ~, wǒ gǎo bu qīngchu. →这件事很不容易搞清楚。Zhèi jiàn shì hěn bù róngyì gǎo qīngchu. 例情况很 ~，我们不知道该怎么办。Qíngkuàng hěn ~, wǒmen bù zhīdào gāi zěnme bàn. |这么 ~ 的问题，我从来没遇见过。Zhème ~ de wèntí, wǒ cónglái méi yùjiànguo. |他们之间的关系太 ~ 了，谁也说不清楚。Tāmen zhījiān de guānxi tài ~ le, shéi yě shuō bu qīngchu. |事故的原因特别 ~，处理起来也不容易。Shìgù de yuányīn tèbié ~, chǔlǐ qilai yě bù róngyì. |这道题一点儿也不 ~。Zhèi dào tí yìdiǎnr yě bú ~.

fù 副[1]［形］

他是正教授，我是 ~ 教授。Tā shì zhèng jiàoshòu, wǒ shì ~ jiàoshòu. →我比正教授低一级。Wǒ bǐ zhèng jiàoshòu dī yì jí. 例我们公司有一位经理，两位 ~ 经理。Wǒmen gōngsī yǒu yí wèi jīnglǐ, liǎng wèi ~ jīnglǐ. |来中国访问的是一位 ~ 总统。Lái Zhōngguó fǎngwèn de shì yí wèi ~ zǒngtǒng. |业务方面的事由 ~ 厂长负责。Yèwù fāngmiàn de shì yóu ~ chǎngzhǎng fùzé. |这次会议是由大会 ~ 主席主持的。Zhèi cì huìyì shì yóu dàhuì ~ zhǔxí zhǔchí de.

fù 副[2]［量］

用于成对儿或成套的东西。Yòngyú chéng duìr huò chéng tào de dōngxi. 例他高高的个子，戴着一 ~ 眼镜。Tā gāogāo de gèzi, dàizhe yí ~ yǎnjìng. |天冷了，我想买一 ~ 手套。Tiān lěng le, wǒ xiǎng mǎi yí ~ shǒutào. |桌子上摆着四 ~ 碗筷。Zhuōzi shang bǎizhe sì ~ wǎn kuài. |我有好几 ~ 扑克，你们玩儿吧。Wǒ yǒu hǎojǐ ~ pūkè, nǐmen wánr ba.

fùshí 副食［名］

附近有很多 ~ 商店，生活很方便。Fùjìn yǒu hěn duō ~ shāngdiàn, shēnghuó hěn fāngbiàn. →附近有很多卖面包、牛奶、蔬菜等的商店。Fùjìn yǒu hěn duō mài miànbāo、niúnǎi、shūcài děng de shāngdiàn. 例主食准备好了，~ 还没买。Zhǔshí zhǔnbèi hǎo le, ~ hái méi mǎi. |这家 ~ 店的东西比较便宜。Zhèi jiā ~ diàn de dōngxi bǐjiào piányi. |食堂的主食、~ 品种都很丰富。Shítáng de zhǔshí、

~ pǐnzhǒng dōu hěn fēngfù. | ~ 包括面包、香肠、饮料、水果等。
~ bāokuò miànbāo、xiāngcháng、yǐnliào、shuǐguǒ děng.

fù 富 [形]

他家太 ~ 了，我们都没法比。Tā jiā tài ~ le, wǒmen dōu méi fǎ bǐ.
→ 他家有很多财产，很多钱，我们没有。Tā jiā yǒu hěn duō
cáichǎn, hěn duō qián, wǒmen méiyǒu. 例 这里经济发展很快，人
们都 ~ 了。Zhèlǐ jīngjì fāzhǎn hěn kuài, rénmen dōu ~ le. | 他穿得那
么好，家里一定很 ~。Tā chuān de nàme hǎo, jiāli yídìng hěn ~. |
她是 ~ 人家的孩子，很有钱。Tā shì ~ rén jiā de háizi, hěn yǒu
qián. | 他虽然不算 ~，但经常帮助穷人。Tā suīrán bú suàn ~, dàn
jīngcháng bāngzhù qióngrén.

G

gai

gāi 该¹（該）[动]

我说完了，~你说了。Wǒ shuōwán le, ~ nǐ shuō le. →现在轮到你说了。Xiànzài lúndào nǐ shuō le. 例昨天是我值班，今天~安娜了。Zuótiān shì wǒ zhíbān, jīntiān ~ Ānnà le. | ~你们表演了，快准备准备吧。~ nǐmen biǎoyǎn le, kuài zhǔnbèi zhǔnbèi ba. | 这个星期~我太太休息了。Zhèige xīngqī ~ wǒ tàitai xiūxi le. | ~谁上场了? 快来吧。~ shéi shàngchǎng le? Kuài lái ba. | 不~你说话的时候，请不要说话。Bù ~ nǐ shuōhuà de shíhou, qǐng búyào shuōhuà.

gāi 该²（該）[助动]

现在是十点钟，我们~出发了。Xiànzài shì shí diǎnzhōng, wǒmen ~ chūfā le. →时间到了，我们应当出发了。Shíjiān dào le, wǒmen yīngdāng chūfā le. 例大家都累了，~休息一会儿了。Dàjiā dōu lèi le, ~ xiūxi yíhuìr le. | 你~把他留下来，陪我们一起吃饭。Nǐ ~ bǎ tā liú xialai, péi wǒmen yìqǐ chīfàn. | 你不~让他走。Nǐ bù ~ ràng tā zǒu. | 这件事不怪他，你不~批评他。Zhèi jiàn shì bú guài tā, nǐ bù ~ pīpíng tā.

gāi 该³（該）[代]

纽约是个大城市，~市交通十分发达。Niǔyuē shì ge dà chéngshì, ~ shì jiāotōng shífēn fādá. →纽约市的交通十分发达。Niǔyuē Shì de jiāotōng shífēn fādá. 例我早就去过那里，~地的风景很美。Wǒ zǎo jiù qùguo nàli, ~ dì de fēngjǐng hěn měi. | 那是个大工厂，~厂效益很好。Nà shì ge dà gōngchǎng, ~ chǎng xiàoyì hěn hǎo. | 那是所有名的大学，~校有很多著名教授。Nà shì suǒ yǒumíng de dàxué, ~ xiào yǒu hěn duō zhùmíng jiàoshòu.

gǎi 改¹[动]

我的电话号码~了。Wǒ de diànhuà hàomǎ ~ le. →我的电话号码原来是1355，现在是2639。Wǒ de diànhuà hàomǎ yuánlái shì yāo sān wǔ wǔ, xiànzài shì èr liù sān jiǔ. 例他的地址~了，现在住五号楼。Tā de dìzhǐ ~ le, xiànzài zhù wǔ hào lóu. | 这个地方太小，我们~个

地方开会吧。Zhèige dìfang tài xiǎo, wǒmen ~ ge dìfang kāihuì ba. |今天我有事，我们 ~ 别的时间见面吧。Jīntiān wǒ yǒu shì, wǒmen ~ biéde shíjiān jiànmiàn ba. |你的样子一点儿也没 ~ ，还是那么年轻。Nǐ de yàngzi yìdiǎnr yě méi ~ ,háishì nàme niánqīng.

gǎibiàn 改变[1] （改變）[动]

他 ~ 了对我们的看法。Tā ~ le duì wǒmen de kànfǎ. →他对我们的看法跟过去不同了。Tā duì wǒmen de kànfǎ gēn guòqù bùtóng le. 例开会的时间 ~ 过两次了。Kāihuì de shíjiān ~ guo liǎng cì le. |他 ~ 了过去的做法，现在每天很早就起床了。Tā ~ le guòqù de zuòfǎ, xiànzài měi tiān hěn zǎo jiù qǐchuáng le. |我们谁都 ~ 不了经理的态度。Wǒmen shéi dōu ~ bù liǎo jīnglǐ de tàidu. |这么多年了，他对玛丽的爱一直没 ~ 。Zhème duō nián le, tā duì Mǎlì de ài yìzhí méi ~ . |不管我们怎么说，他都不 ~ 自己的看法。Bùguǎn wǒmen zěnme shuō, tā dōu bù ~ zìjǐ de kànfǎ.

gǎibiàn 改变[2] （改變）[名]

几天时间，他的想法有了很大 ~ 。Jǐ tiān shíjiān, tā de xiǎngfa yǒule hěn dà ~ . →他的想法跟前几天有了很大不同。Tā de xiǎngfa gēn qián jǐ tiān yǒule hěn dà bùtóng. 例家乡的面貌最近发生了很大 ~ 。Jiāxiāng de miànmào zuìjìn fāshēngle hěn dà ~ . |我们应当看到他的 ~ ，承认他的进步。Wǒmen yīngdāng kàndào tā de ~ , chéngrèn tā de jìnbù. |这几个 ~ 都很好，我们都同意。Zhèi jǐ ge ~ dōu hěn hǎo, wǒmen dōu tóngyì. |这个计划跟原来的相比，有了三个方面的 ~ 。Zhèi ge jìhuà gēn yuánlái de xiāngbǐ, yǒule sān ge fāngmiàn de ~ .

gǎi 改[2] [动]

这篇文章很好，不用 ~ 了。Zhèi piān wénzhāng hěn hǎo, búyòng ~ le. →这篇文章没有不合适的地方，哪儿都不用动了。Zhèi piān wénzhāng méiyǒu bù héshì de dìfang, nǎr dōu búyòng dòng le. 例这个句子有问题，需要 ~ 一下儿。Zhèi ge jùzi yǒu wèntí, xūyào ~ yíxiàr. |老师正在 ~ 学生的作业，没有时间。Lǎoshī zhèngzài ~ xuésheng de zuòyè, méiyǒu shíjiān. |这篇作文我 ~ 过三遍了，还是 ~ 不好。Zhèi piān zuòwén wǒ ~ guo sān biàn le, háishi ~ bu hǎo. |这篇文章你再 ~ ~ 吧。Zhèi piān wénzhāng nǐ zài ~ ~ ba. |这条裤子太长，他没帮我 ~ 。Zhèi tiáo kùzi tài cháng, tā méi bāng wǒ ~ .

gǎi 改[3] ［动］

这个字写错了，请～一下儿。Zhèige zì xiěcuò le, qǐng ～ yíxiàr. →请把这个字写正确。Qǐng bǎ zhèige zì xiě zhèngquè. 例大卫有错儿就～，大家都喜欢他。Dàwèi yǒu cuòr jiù ～, dàjiā dōu xǐhuan tā. | 丈夫～了爱喝酒的毛病，妻子更爱他了。Zhàngfu ～ le ài hē jiǔ de máobìng, qīzi gèng ài tā le. | 你这马虎的毛病一定要～一～。Nǐ zhè mǎhu de máobìng yídìng yào ～ yi ～. | 他明明知道那样做不对，可就是不～。Tā míngmíng zhīdao nèiyàng zuò bú duì, kě jiùshi bù ～.

gǎigé 改革 ［动］

公司最近～了旧的管理办法。Gōngsī zuìjìn ～ le jiù de guǎnlǐ bànfǎ. →公司去除了旧办法中不合理的内容，增加了新内容。Gōngsī qùchúle jiù bànfǎ zhōng bù hélǐ de nèiróng, zēngjiāle xīn nèiróng. 例学校正在～老的教学方法，探索新方法。Xuéxiào zhèngzài ～ lǎo de jiàoxué fāngfǎ, tànsuǒ xīn fāngfǎ. | 这项技术只有不断～，才能保持先进水平。Zhèi xiàng jìshù zhǐyǒu búduàn ～, cái néng bǎochí xiānjìn shuǐpíng. | 没有大家的支持，这种制度怎么～得了呢? Méiyǒu dàjiā de zhīchí, zhèi zhǒng zhìdù zěnme ～ de liǎo ne?

gǎijìn 改进（改進）［动］

足球队～了训练方法，成绩好多了。Zúqiúduì ～ le xùnliàn fāngfǎ, chéngjì hǎo duō le. →足球队的训练方法比过去科学了。Zúqiúduì de xùnliàn fāngfǎ bǐ guòqù kēxué le. 例这个厂～技术以后，产品质量更好了。Zhèige chǎng ～ jìshù yǐhòu, chǎnpǐn zhìliàng gèng hǎo le. | 你只要～一下儿学习方法，就能学好。Nǐ zhǐyào ～ yíxiàr xuéxí fāngfǎ, jiù néng xuéhǎo. | 公司正在～管理办法。Gōngsī zhèngzài ～ guǎnlǐ bànfǎ. | 他的工作方法没有～，人们意见很大。Tā de gōngzuò fāngfǎ méiyǒu ～, rénmen yìjiàn hěn dà.

gǎishàn 改善 ［动］

最近两国～了关系，加强了来往。Zuìjìn liǎng guó ～ le guānxì, jiāqiángle láiwǎng. →两国关系从不好变好了。Liǎng guó guānxi cóng bù hǎo biàn hǎo le. 例他们通过劳动，～了居住条件。Tāmen tōngguò láodòng, ～ le jūzhù tiáojiàn. | 我们今天～生活，做你们最爱吃的菜。Wǒmen jīntiān ～ shēnghuó, zuò nǐmen zuì ài chī de cài. | 这里的环境不太好，要进一步～。Zhèlǐ de huánjìng bú tài hǎo, yào jìn yí bù ~ . | 二十年来，他们的关系一直没 ~ 。Èrshí nián lái, tāmen de guānxì yìzhí méi ~ . | 星期天我们 ~ ~ 伙食吧。 Xīngqītiān wǒmen ~ ~ huǒshí ba.

gǎizào 改造 ［动］

他们 ~ 了这里的环境。Tāmen ~ le zhèlǐ de huánjìng. →他们使这里 的环境发生了变化。Tāmen shǐ zhèlǐ de huánjìng fāshēngle biànhuà. 例他们 ~ 了沙漠，使这里变成了丰收的土地。Tāmen ~ le shāmò, shǐ zhèlǐ biànchéngle fēngshōu de tǔdì. | 这座楼太旧了，公司正在 考虑 ~ 它。Zhèi zuò lóu tài jiù le, gōngsī zhèngzài kǎolǜ ~ tā. | 我们 的房子有五十年了，现在该 ~ 了。Wǒmen de fángzi yǒu wǔshí nián le, xiànzài gāi ~ le. | 这里好好儿 ~ ~ ，能成为一个旅游点。Zhèlǐ hǎohāor ~ ~ , néng chéngwéi yí ge lǚyóudiǎn.

gǎizhèng 改正 ［动］

这个字写错了，请你 ~ 过来。Zhèige zì xiěcuò le, qǐng nǐ ~ guolai. →请你擦掉错字，写成正确的。Qǐng nǐ cādiào cuòzì, xiěchéng zhèngquè de. 例他认识到了错误，并且 ~ 了错误。Tā rènshi dàole cuòwù, bìngqiě ~ le cuòwù. | 弟弟 ~ 了缺点以后，我又喜欢他了。 Dìdi ~ le quēdiǎn yǐhòu, wǒ yòu xǐhuan tā le. | 他爱抽烟的习惯一直 没 ~ 。Tā ài chōuyān de xíguàn yìzhí méi ~ . | 这篇文章错误很多， 你给 ~ ~ 吧。Zhèi piān wénzhāng cuòwù hěn duō, nǐ gěi ~ ~ ba.

gàikuò 概括[1] ［动］

他说了很多，不过 ~ 起来只有一句话。Tā shuōle hěn duō, búguò ~ qilai zhǐ yǒu yí jù huà. →他的那些话可以用一句话来表示。Tā de nèixiē huà kěyǐ yòng yí jù huà lái biǎoshì. 例我把文章 ~ 成三个方面 的内容。Wǒ bǎ wénzhāng ~ chéng sān ge fāngmiàn de nèiróng. | 请你 ~ 一下儿这本小说的内容。Qǐng nǐ ~ yíxiàr zhèi běn xiǎoshuō de nèiróng. | 电影故事很复杂，很难用一句话 ~ 。Diànyǐng gùshi hěn fùzá, hěn nán yòng yí jù huà ~ . | 我把上面说的 ~ ~ ，算作结尾。 Wǒ bǎ shàngmian shuō de ~ ~ , suànzuò jiéwěi.

gàikuò 概括[2] ［形］

他 ~ 地讲了事情的经过。Tā ~ de jiǎngle shìqing de jīngguò. →他讲 了事情的主要经过。Tā jiǎngle shìqing de zhǔyào jīngguò. 例他 ~ 地 说了一遍经理的意思，就走了。Tā ~ de shuōle yí biàn jīnglǐ de yìsi, jiù zǒu le. | 他说得很少，但很 ~ 。Tā shuōde hěn shǎo, dàn hěn

~。|你别说得太~了，我想听全部经过。Nǐ bié shuō de tài ~ le, wǒ xiǎng tīng quánbù jīngguò. |你这样说，是不是太~了？我们都没听明白。Nǐ zhèiyàng shuō, shì bu shì tài ~ le? Wǒmen dōu méi tīng míngbai.

gàiniàn 概念 [名]

母亲和妈妈是一个~。Mǔqin hé māma shì yí ge ~. →母亲和妈妈的意思一样。Mǔqin hé māma de yìsi yíyàng. 例 "姓"和"名"其实是两个~。"Xìng" hé "míng" qíshí shì liǎng ge ~. |这本书里的~太多，我看不明白。Zhèi běn shū li de ~ tài duō, wǒ kàn bu míngbai. |什么是对，什么是错，我们应该有个明确的~。Shénme shì duì, shénme shì cuò, wǒmen yīnggāi yǒu ge míngquè de ~. |谁解释一下儿这个哲学~？Shéi jiěshì yíxiàr zhèige zhéxué ~?

gài 盖[1] （蓋）[动]

天太冷，晚上睡觉要~被子。Tiān tài lěng, wǎnshang shuìjiào yào ~ bèizi. →睡觉时被子要放在身上。Shuìjiào shí, bèizi yào fàng zài shēngshang. 例他~着一件大衣，不会冷。Tā ~ zhe yí jiàn dàyī, bú huì lěng. |这条被子我只~过一次。Zhèi tiáo bèizi wǒ zhǐ ~ guo yí cì. |杯子~着呢，水不会凉的。Bēizi ~ zhene, shuǐ bú huì liáng de. |他没~好杯子，灰尘进去了。Tā méi ~ hǎo bēizi, huīchén jìnqu le. |请把电视~上。Qǐng bǎ diànshì ~ shang.

gài 盖[2] （蓋）[动]

他的护照上~着章，应该没问题。Tā de hùzhào shang ~ zhe zhāng, yīnggāi méi wèntí. →他的护照上印着公章，应该没问题。Tā de hùzhào shang yìnzhe gōngzhāng, yīnggāi méi wèntí. 例毕业证上一般都~着学校的章。Bìyèzhèng shang yìbān dōu ~ zhe xuéxiào de zhāng. |这个章~错地方了，得重~。Zhèige zhāng ~ cuò dìfang le, děi chóng gài. |你拿着申请书，到办公室~个章吧。Nǐ názhe shēnqǐngshū, dào bàngōngshì ~ ge zhāng ba. |这章是谁给你~的？Zhè zhāng shì shéi gěi nǐ ~ de?

gài 盖[3] （蓋）[动]

公司新~了一座办公大楼，很漂亮。Gōngsī xīn ~ le yí zuò bàngōng dà lóu, hěn piàoliang. →公司刚刚建成一座办公大楼。Gōngsī gānggāng jiànchéng yí zuò bàngōng dà lóu. 例去年，我们学校~了一个电影院。Qùnián, wǒmen xuéxiào ~ le yí ge diànyǐngyuàn. |我

们的宿舍楼正~着呢，年底完工。Wǒme de sùshèlóu zhèng ~ zhene, niándǐ wángōng. |这个图书馆~得真快。Zhèige túshūguǎn ~ de zhēn kuài. |等新楼~起来，我们就可以搬进去了。Děng xīn lóu ~ qilai, wǒmen jiù kěyǐ bānjinqu le. |这座大楼~了两年了，还没~好。Zhèi zuò dà lóu ~ le liǎng nián le, hái méi gàihǎo.

gàir 盖儿（蓋兒）[名]

这是瓶子~，别弄丢了。Zhè shì píngzi ~, bié nòngdiū le. →这是堵瓶子口儿的东西。Zhè shì dǔ píngzikǒur de dōngxi. 例我丢了杯子~，只好再买一个新杯子。Wǒ diūle bēizi ~, zhǐhǎo zài mǎi yí ge xīn bēizi. |锅~找不到了。Guō ~ zhǎo bu dào le. |他把~摔碎了，只好先不盖。Tā bǎ ~ shuāisuì le, zhǐhǎo xiān bú gài. |杯子的~在哪儿？Bēizi de ~ zài nǎr?

gan

gān 干（乾）[形]

衣服~了，可以收起来了。Yīfu ~ le, kěyǐ shōu qilai le. →衣服上的水分没有了，可以收到衣柜里了。Yīfu shang de shuǐfēn méiyǒu le, kěyǐ shōudào yīguì li le. 例很久没下雨了，地都~了。Hěn jiǔ méi xià yǔ le, dì dōu ~ le. |面包放时间长了，容易~。Miànbāo fàng shíjiān cháng le, róngyì ~. |这么~的面包，我吃不下去。Zhème ~ de miànbāo wǒ chī bu xiàqù. |近来下雨很少，天气有点儿~。Jìnlái xià yǔ hěn shǎo, tiānqì yǒudiǎnr ~. |这口井~了半年了。Zhèi kǒu jǐng ~ le bàn nián le. |衣服还没~，再晾一天吧。Yīfu hái méi ~, zài liàng yì tiān ba.

gānzào 干燥（乾燥）[形]

很久不下雨了，天气很~。Hěn jiǔ bú xià yǔ le, tiānqì hěn ~. →下雨很少，空气中没有水分。Xià yǔ hěn shǎo, kōngqì zhōng méiyǒu shuǐfēn. 例这里干旱少雨，气候十分~。Zhèlǐ gānhàn shǎo yǔ, qìhòu shífēn ~. |这么~的天气，我不太适应。Zhème ~ de tiānqì, wǒ bú tài shìyìng. |最近气候有点儿~，我们都该多喝些水。Zuìjìn qìhòu yǒudiǎnr ~, wǒmen dōu gāi duō hē xiē shuǐ.

gān bēi 干杯（乾杯）

为了友谊，我们~。Wèile yǒuyì, wǒmen ~. →为了友谊，我们喝完这杯酒。Wèile yǒuyì, wǒmen hēwán zhèi bēi jiǔ. 例他倒满酒，

举起酒杯说:"为了大家的健康, ~。"Tā dàomǎn jiǔ, jǔqǐ jiǔbēi shuō:"Wèile dàjiā de jiànkāng, ~." | 老师, 我们一起 ~ 吧。 Lǎoshī, wǒmen yìqǐ ~ ba. | 没人跟他 ~, 他觉得没有意思。Méi rén gēn tā ~, tā juéde méiyǒu yìsi. | 请您干了这一杯, 我们再说话。Qǐng nín gānle zhèi yì bēi, wǒmen zài shuōhuà.

gāncuì 干脆(乾脆) [形]

他的回答很 ~, 只有一个字"去"。Tā de huídá hěn ~, zhǐ yǒu yí ge zì "qù". →他的回答话很少而且非常肯定。Tā de huídá huà hěn shǎo érqiě fēicháng kěndìng. **例**他有什么说什么, 很 ~。Tā yǒu shénme shuō shénme, hěn ~. | 经理办事就是这么 ~, 一会儿就完。Jīnglǐ bànshì jiùshì zhème ~, yíhuìr jiù wán. | 咱们来 ~ 的, 同意就说同意, 不同意就说不同意。Zánmen lái ~ de, tóngyì jiù shuō tóngyì, bù tóngyì jiù shuō bù tóngyì. | 时间不多了, 咱们 ~ 点儿好不好? Shíjiān bù duō le, zánmen ~ diǎnr hǎo bu hǎo?

gānjìng 干净¹ (乾净) [形]

这件衣服刚洗过, 很 ~。Zhèi jiàn yīfu gāng xǐguo, hěn ~. →这件衣服上没什么尘土。Zhèi jiàn yīfu shang méi shénme chéntǔ. **例**他的房间特别 ~, 也很漂亮。Tā de fángjiān tèbié ~, yě hěn piàoliang. | 菜已经洗 ~ 了, 可以做了。Cài yǐjing xǐ ~ le, kěyǐ zuò le. | 今天的地擦得特别 ~。Jīntiān de dì cā de tèbié ~. | 这儿不 ~, 我们别坐了。Zhèr bù ~, wǒmen bié zuò le. | 他们把窗户擦得干干净净的, 显得很明亮。Tāmen bǎ chuānghu cā de gāngānjìngjìng de, xiǎnde hěn míngliàng.

gānjìng 干净² (乾净) [形]

菜吃得很 ~, 一点儿也没剩。Cài chī de hěn ~, yìdiǎnr yě méi shèng. →菜全吃完了, 一点儿也没剩。Cài quán chīwán le, yìdiǎnr yě méi shèng. **例**苹果卖得真 ~, 一个也没了。Píngguǒ mài de zhēn ~, yí ge yě méi le. | 地里的草拔得 ~ 极了。Dì li de cǎo bá de ~ jí le. | 他想把蚊子消灭 ~, 可总也做不到。Tā xiǎng bǎ wénzi xiāomiè ~, kě zǒng yě zuò bu dào. | 饭菜让他吃得干干净净。Fàncài ràng tā chī de gāngānjìngjìng.

gān 杆 [名]

他找来一根 ~儿, 打树上的果子。Tā zhǎolai yì gēn ~ r, dǎ shù shang de guǒzi. →他找来一根长棍儿, 打树上的果子。Tā zhǎolai yì gēn cháng gùnr, dǎ shù shang de guǒzi. **例**这根～儿很长，可以用来晒衣服。Zhèi gēn ～ r hěn cháng, kěyǐ yònglái shài yīfu. |他把绳子拴在了电线～上。Tā bǎ shéngzi shuān zài le diànxiàn ～ shang. |衣服挂得太高了，只好用～儿取下来。Yīfu guà de tài gāo le, zhǐhǎo yòng ～ r qǔ xialai. |房子前头的这根～儿是用来升旗的。Fángzi qiántou de zhèi gēn ～ r shì yònglái shēngqí de.

gānzi 杆子 ［名］

现在的电线～很多是水泥的。Xiànzài de diànxiàn ～ hěn duō shì shuǐní de. →现在架电线用的柱子很多是水泥做的。Xiànzài jià diànxiàn yòng de zhùzi hěn duō shì shuǐní zuò de. **例**你用树代替电线～，很危险。Nǐ yòng shù dàitì diànxiàn ～, hěn wēixiǎn. |这根长～可以用来晾衣服。Zhèi gēn cháng ～ kěyǐ yònglái liàng yīfu. |树上的果子太高，需要用～打下来。Shù shang de guǒzi tài gāo, xūyào yòng ～ dǎ xialai. |电线太长了，这里需要埋一根儿～。Diànxiàn tài cháng le, zhèlǐ xūyào mái yì gēnr ～.

gān 肝 ［名］

liver **例**你～不太好，就别喝酒了。Nǐ ～ bú tài hǎo, jiù bié hē jiǔ le. |他的～有点儿大，需住院治疗。Tā de ～ yǒudiǎnr dà, xū zhù yuàn zhìliáo. |～病不容易好，得治很长时间。～ bìng bù róngyì hǎo, děi zhì hěn cháng shíjiān. |厂长得了～病，不能生气。Chǎngzhǎng déle ～ bìng, bù néng shēngqì. |他买了一斤猪～，可没人爱吃。Tā mǎile yì jīn zhū ～, kě méi rén ài chī.

gǎn 赶¹ （趕）［动］

大卫走得很快，我～不上他。Dàwèi zǒu de hěn kuài, wǒ ～ bu shàng tā. →我走不了那么快，总落在大卫的后面。Wǒ zǒu bu liǎo nàme kuài, zǒng là zài Dàwèi de hòumiàn. **例**校长刚出去，你快去～他吧。Xiàozhǎng gāng chūqu, nǐ kuài qù ～ tā ba. |这只老虎～得那些羊到处跑。Zhèi zhī lǎohǔ ～ de nèixiē yáng dàochù pǎo. |你的水平要想～上你哥哥，还需要一年。Nǐ de shuǐpíng yào xiǎng ～ shang nǐ gēge, hái xūyào yì nián. |我～了半天，还是看不见他。Wǒ ～ le bàntiān, háishi kàn bu jiàn tā.

gǎn 赶² （趕）［动］

天黑以前，我要～回家去。Tiān hēi yǐqián, wǒ yào ～ huí jiā qu. →我必须在天黑以前回到家。Wǒ bìxū zài tiān hēi yǐqián huídào jiā. **例**

八点以前，我要~到公司。Bā diǎn yǐqián, wǒ yào ~ dào gōngsī. | 我在~写一篇文章，没时间聊天儿。Wǒ zài ~ xiě yì piān wénzhāng, méi shíjiān liáotiānr. | 他在路上紧~，结果还是迟到了。Tā zài lù shang jǐn gǎn, jiéguǒ háishi chídào le. | 时间不多了，工作要往前~。Shíjiān bù duō le, gōngzuò yào wǎng qián ~. | 这活儿你再~~吧，最好明天完成。Zhè huór nǐ zài ~ ~ ba, zuìhǎo míngtiān wánchéng.

gǎnjǐn 赶紧（趕緊）[副]

你们~上车吧，车快开了。Nǐmen ~ shàngchē ba, chē kuài kāi le. →你们快一点儿上车吧，车快开了。Nǐmen kuài yìdiǎnr shàngchē ba, chē kuài kāi le. 例他听到电话响，~跑了过去。Tā tīngdào diànhuà xiǎng, ~ pǎole guoqu. | 时间都过了，我们~开会吧。Shíjiān dōu guò le, wǒmen ~ kāihuì ba. | 天黑了，我得~回家了。Tiān hēi le, wǒ děi ~ huíjiā le. | 他病得很重，~送医院吧。Tā bìng de hěn zhòng, ~ sòng yīyuàn ba.

gǎnkuài 赶快（趕快）[副]

这儿着火了，~打电话吧。Zhèr zháohuǒ le, ~ dǎ diànhuà ba. →能多快就多快。Néng duō kuài jiù duō kuài. 例他病得很厉害，~送医院吧。Tā bìng de hěn lìhai, ~ sòng yīyuàn ba. | 汽车快开了，你们~上来吧。Qìchē kuài kāi le, nǐmen ~ shànglai ba. | 经理有事找你，你~回公司吧。Jīnglǐ yǒu shì zhǎo nǐ, nǐ ~ huí gōngsī ba. | 这种书只有三本了，你们~买吧。Zhèi zhǒng shū zhǐ yǒu sān běn le, nǐmen ~ mǎi ba.

gǎn 敢¹ [助动]

我~摸那只老虎。Wǒ ~ mō nèi zhī lǎohǔ. →我大胆地摸那只老虎，不怕危险。Wǒ dàdǎn de mō nèi zhī lǎohǔ, bú pà wēixiǎn. 例我~吃辣椒。Wǒ ~ chī làjiāo. | 天太晚了，她不~一个人出去。Tiān tài wǎn le, tā bù ~ yí ge rén chūqu. | 这孩子太胆小，连兔子也不~摸。Zhè háizi tài dǎnxiǎo, lián tùzi yě bù ~ mō. | 这酒很厉害，你~喝吗？Zhè jiǔ hěn lìhai, nǐ ~ hē ma? | 你们~不~跟我们比赛足球？Nǐmen ~ bu ~ gēn wǒmen bǐsài zúqiú? | 那里很危险，谁~去？Nàli hěn wēixiǎn, shéi ~ qù?

gǎn 敢² [助动]

我~说，他还没结婚。Wǒ ~ shuō, tā hái méi jiéhūn. →我有把握

说这样的话。Wǒ yǒu bǎwò shuō zhèiyàng de huà. 例我 ~ 说，我们
会成功的。Wǒ ~ shuō, wǒmen huì chénggōng de. ｜他们会不会结
婚，谁也不 ~ 说。Tāmen huì bu huì jiéhūn, shéi yě bù ~ shuō. ｜你
~ 说你的技术最好吗？Nǐ ~ shuō nǐ de jìshù zuì hǎo ma? ｜你 ~ 说你
没见过我吗？Nǐ ~ shuō nǐ méi jiànguo wǒ ma?

gǎndào 感到 [动]

窗户没关，我 ~ 有点儿冷。Chuānghu méi guān, wǒ ~ yǒudiǎnr
lěng. →窗户开着，我觉得有点儿冷。Chuānghu kāizhe, wǒ juéde
yǒudiǎnr lěng. 例他生病了，~ 很难受。Tā shēngbìng le, ~ hěn
nánshòu. ｜比赛得了第一名，队员们 ~ 很高兴。Bǐsài déle dì yī
míng, duìyuánmen ~ hěn gāoxìng. ｜工作了一天，我 ~ 很累。
Gōngzuòle yì tiān, wó ~ hěn lèi. ｜刚才你 ~ 地震了没有？Gāngcái nǐ
~ dìzhèn le méiyǒu?

gǎndòng 感动（感動）[动]

他救人的事情 ~ 了大家，有的人流下了眼泪。Tā jiù rén de shìqing
~ le dàjiā, yǒude rén liúxiale yǎnlèi. →他的行为引起了人们激动的
心情。Tā de xíngwéi yǐnqǐle rénmen jīdòng de xīnqíng. 例他的英雄
行为 ~ 着中国人民。Tā de yīngxióng xíngwéi ~ zhe Zhōngguó
rénmín. ｜这部电影很真实，让我非常 ~。Zhèi bù diànyǐng hěn
zhēnshí, ràng wǒ fēicháng ~. ｜警察把钱包还给他的时候，他 ~ 得
不知说什么才好。Jǐngchá bǎ qiánbāo huán gěi tā de shíhou, tā ~ de
bù zhī shuō shénme cái hǎo. ｜这孩子很可怜，大家被他 ~ 了。Zhè
háizi hěn kělián, dàjiā bèi tā ~ le.

gǎnjī 感激 [动]

这位警察救了我，我非常 ~ 他。Zhèi wèi jǐngchá jiùle wǒ, wǒ
fēicháng ~ tā. →我内心里非常感谢他。Wǒ nèixīn li fēicháng gǎnxiè
tā. 例大火是他们帮我扑灭的，我太 ~ 他们了。Dà huǒ shì tāmen
bāng wǒ pūmiè de, wǒ tài ~ tāmen le. ｜大夫治好了他的病，她 ~
得哭了起来。Dàifu zhìhǎole tā de bìng, tā ~ de kūle qilai. ｜我很 ~
他这么多年一直关心我、照顾我。Wǒhěn ~ tā zhème duō nián yìzhí
guānxīn wǒ、zhàogù wǒ.

gǎnjué 感觉[1]（感覺）[动]

我 ~ 这部电影很真实。Wǒ ~ zhèi bù diànyǐng hěn zhēnshí. →我认
为这部电影很真实。Wǒ rènwéi zhèi bù diànyǐng hěn zhēnshí. 例我

~那位姑娘挺可爱。Wǒ ~ nèi wèi gūniang tǐng kě'ài. | 经理 ~ 到职员们做事不太认真。Jīnglǐ ~ dào zhíyuánmen zuòshì bú tài rènzhēn. | 我 ~ 比尔是真心想帮助你。Wǒ ~ Bǐ'ěr shì zhēnxīn xiǎng bāngzhù nǐ. | 你 ~ 这里的环境怎么样？Nǐ ~ zhèlǐ de huánjìng zěnmeyàng?

G

gǎnjué 感觉² （感覺）[动]

我打了两个小时比赛，~有点儿累。Wǒ dǎle liǎng ge xiǎoshí bǐsài, ~ yǒudiǎnr lèi. → 我觉得身体有些疲劳。Wǒ juéde shēntǐ yǒuxiē píláo. **例**我总 ~ 冷，可能快生病了。Wǒ zǒng ~ lěng, kěnéng kuài shēngbìng le. | 跟孩子们在一起，他 ~ 年轻了很多。Gēn háizimen zài yìqǐ, tā ~ niánqīngle hěn duō. | 你 ~ 到自己正在变胖吗？Nǐ ~ dào zìjǐ zhèngzài biànpàng ma? | 她一直爱着你，你难道没 ~ 出来？Tā yìzhí àizhe nǐ, nǐ nándào méi ~ chūlái?

gǎnjué 感觉³ （感覺）[名]

她给我的 ~ 是热情、大方。Tā gěi wǒ de ~ shì rèqíng、dàfang. → 我对他的印象是热情、大方。Wǒ duì tā de yìnxiàng shì rèqíng、dàfang. **例**北京给人的 ~ 是古老而年轻。Běijīng gěi rén de ~ shì gǔlǎo ér niánqīng. | 人们都说他可怕，可我没这种 ~ 。Rénmen dōu shuō tā kěpà, kě wǒ méi zhèi zhǒng ~ . | 我做事儿总是跟着 ~ 走。Wǒ zuò shìr zǒngshì gēnzhe ~ zǒu. | 这里空气不好，你有没有 ~ ？Zhèlǐ kōngqì bù hǎo, nǐ yǒu méiyǒu ~ ?

gǎnmào 感冒¹ [名]

玛丽得了 ~ ，头疼、咳嗽、发烧。Mǎlì déle ~ , tóuténg、késou、fāshāo. → 玛丽得了病，这种病引起头疼、咳嗽、发烧。Mǎlì déle bìng, zhèi zhǒng bìng yǐnqǐ tóuténg、késou、fā shāo. **例**我的鼻子不透气，可能是 ~ 了。Wǒ de bízi bú tòuqì, kěnéng shì ~ le. | 他这次 ~ 持续了三个星期才好。Tā zhèi cì ~ chíxùle sān ge xīngqī cái hǎo. | 他一年总要得好几次 ~ 。Tā yì nián zǒng yào dé hǎojǐ cì ~ .

gǎnmào 感冒² [动]

大卫最近 ~ 了，总是头疼、咳嗽、发烧。Dàwèi zuìjìn ~ le, zǒngshì tóuténg、késou、fāshāo. → 大卫得了引起头疼、咳嗽、发烧的病。Dàwèi déle yǐnqǐ tóuténg、késou、fāshāo de bìng. **例**我上个月刚好，这个月又 ~ 了。Wǒ shàng ge yuè gāng hǎo, zhèi ge yuè yòu ~

le. | 我 ~ 好几天了。Wǒ ~ hǎojǐ tiān le. | 这个月我 ~ 了两次。Zhèi ge yuè wǒ ~ le liǎng cì. | 我 ~ 得很厉害，不能出去了。Wǒ ~ de hěn lìhai, bù néng chūqu le. | 你穿得太少，小心别 ~ 了。Nǐ chuān de tài shǎo, xiǎoxīn bié ~ le.

gǎnqíng 感情[1] ［名］

安娜又爱哭又爱笑，~ 很丰富。Ānnà yòu ài kū yòu ài xiào, ~ hěn fēngfù. → 安娜的情绪很容易变化。Ānnà de qíngxù hěn róngyì biànhuà. **例** 他的 ~ 很少表现出来。Tā de ~ hěn shǎo biǎoxiàn chulai. | 妹妹容易动 ~，不适合看这种书。Mèimei róngyì dòng ~, bú shìhé kàn zhèi zhǒng shū. | 她对于大自然有着丰富的 ~。Tā duìyú dàzìrán yǒuzhe fēngfù de ~. | 你这样做，会伤他的 ~ 的。Nǐ zhèiyàng zuò, huì shāng tā de ~ de. | 他的 ~ 总是表现在脸上，或高兴，或悲哀。Tā de ~ zǒngshì biǎoxiàn zài liǎn shang, huò gāoxìng, huò bēi'āi.

gǎnqíng 感情[2] ［名］

二十年来，他们的夫妻 ~ 一直很好。Èrshí nián lái, tāmen de fūqī ~ yìzhí hěn hǎo. → 他们夫妻的爱一直很深。Tāmen fūqī de ài yìzhí hěn shēn. **例** 两人在交往中产生了 ~，建立了恋爱关系。Liǎng rén zài jiāowǎng zhōng chǎnshēngle ~, jiànlìle liàn'ài guānxì. | 学生们对老师的 ~ 很深，他们舍不得离开学校。Xuéshengmen duì lǎoshī de ~ hěn shēn, tāmen shěbude líkāi xuéxiào. | 这些职员对公司有着深厚的 ~。Zhèixiē zhíyuán duì gōngsī yǒuzhe shēnhòu de ~. | 我们没有 ~，怎么在一起生活？Wǒmen méiyǒu ~, zěnme zài yìqǐ shēnghuó?

gǎnxiǎng 感想 ［名］

我读完这本书以后，~ 很多。Wǒ dúwán zhèi běn shū yǐhòu, ~ hěn duō. → 这本书的内容引起我很多想法。Zhèi běn shū de nèiróng yǐnqǐ wǒ hěn duō xiǎngfa. **例** 他对于环境保护有很多 ~。Tā duìyú huánjìng bǎohù yǒu hěn duō ~. | 我的 ~ 是，人不能总想着自己。Wǒ de ~ shì, rén bù néng zǒng xiǎngzhe zìjǐ. | 你看了这个电影，有什么 ~？Nǐ kànle zhèige diànyǐng, yǒu shénme ~? | 你们学了三年汉语，能谈谈 ~ 吗？Nǐmen xuéle sān nián Hànyǔ, néng tántan ~ ma?

gǎnxiè 感谢（感謝）［动］

你们给了我很多帮助，我非常~。Nǐmen gěile wǒ hěn duō bāngzhù, wǒ fēicháng ~. →我要特别对你们说声谢谢。Wǒ yào tèbié duì nǐmen shuō shēng xièxie. 例你们来看我，真是太~了。Nǐmen lái kàn wǒ, zhēnshì tài ~ le. | 我代表大家~你们的热情招待。Wǒ dàibiǎo dàjiā ~ nǐmen de rèqíng zhāodài. | 他帮你介绍女朋友，你要好好ㄦ~~人家。Tā bāng nǐ jièshào nǚpéngyou, nǐ yào hǎohāor ~ ~ rénjia. | 这点ㄦ小事，用不着~。Zhèi diǎnr xiǎoshì, yòng bu zháo ~.

gǎn xìngqù 感兴趣（感興趣）

我对电影~，每个星期都看。Wǒ duì diànyǐng ~, měi ge xīngqī dōu kàn. →我觉得电影很有意思，很喜欢看。Wǒ juéde diànyǐng hěn yǒu yìsi, hěn xǐhuan kàn. 例他对足球很~。Tā duì zúqiú hěn ~. | 我弟弟对名人~，喜欢看他们的书。Wǒ dìdi duì míngrén ~, xǐhuan kàn tāmen de shū. | 今天的活动没想到这么多人~。Jīntiān de huódòng méi xiǎngdào zhème duō rén ~. | 她对这种运动不~。Tā duì zhèi zhǒng yùndòng bù ~. | 我们明天去旅游，你~吗？Wǒmen míngtiān qù lǚyóu, nǐ ~ ma?

G

gàn 干（幹）［动］

修车的活ㄦ你会~吗？Xiū chē de huór nǐ huì ~ ma? →你会不会修车？Nǐ huì bu huì xiū chē? 例任务很紧，我们现在就开始~吧。Rènwu hěn jǐn, wǒmen xiànzài jiù kāishǐ ~ ba. | 我~过三年办公室工作。Wǒ ~ guo sān nián bàngōngshì gōngzuò. | 我一直~教师工作，都快三十年了。Wǒ yìzhí ~ jiàoshī gōngzuò, dōu kuài sānshí nián le. | 我是一名服务员，~不了会计。Wǒ shì yì míng fúwùyuán, ~ bu liǎo kuàijì. | 工作有很多，就是没人~。Gōngzuò yǒu hěn duō, jiùshì méi rén ~.

gànbù 干部[1]（幹部）［名］

他在政府工作，是国家~。Tā zài zhèngfǔ gōngzuò, shì guójiā ~. →他是国家政府的工作人员。Tā shì guójiā zhèngfǔ de gōngzuò rényuán. 例伯父是高级~，可对人还是那么热情。Bófù shì gāojí ~, kě duì rén háishi nàme rèqíng. | 他是在总理身边工作的~，很忙的。Tā shì zài zǒnglǐ shēnbiān gōngzuò de ~, hěn máng de. | 这里的~真心为群众服务。Zhèlǐ de ~ zhēnxīn wèi qúnzhòng fúwù. | 市政府有二百多名~。Shìzhèngfǔ yǒu èrbǎi duō míng ~. | 省里的~们要来检查工作。Shěng li de ~ men yào lái jiǎnchá gōngzuò.

gànbù 干部² (幹部) [名]

大卫是学生 ~ , 负责全班的事情。Dàwèi shì xuésheng ~ , fùzé quán bān de shìqing. →大卫是领导其他学生的人。Dàwèi shì lǐngdǎo qítā xuésheng de rén. 例学校的 ~ 下午讨论招生问题。Xuéxiào de ~ xiàwǔ tǎolùn zhāoshēng wèntí. | 他在公司是个 ~ , 领导着二十多人。Tā zài gōngsī shì ge ~ , lǐngdǎozhe èrshí duō rén. | 商场的四名 ~ 违反了规定。Shāngchǎng de sì míng ~ wéifǎnle guīdìng. | 工厂的 ~ 们下午开会,讨论工厂发展问题。Gōngchǎng de ~ men xiàwǔ kāihuì, tǎolùn gōngchǎng fāzhǎn wèntí.

gàn huór 干活儿 (幹活兒)

下班回家后,丈夫和妻子一块儿 ~ 。Xiàbān huíjiā hòu, zhàngfu hé qīzi yíkuàir ~ . →丈夫和妻子共同做家务劳动。Zhàngfu hé qīzi gòngtóng zuò jiāwù láodòng. 例我们在农村的时候,常在一起 ~ 。Wǒmen zài nóngcūn de shíhou, cháng zài yìqǐ ~ . | 工人们正在 ~ , 十二点才下班呢。Gōngrénmen zhèngzài ~ , shí'èr diǎn cái xiàbān ne. | 我要 ~ 了,不能聊天儿了。Wǒ yào ~ le, bù néng liáotiānr le. | 别抽烟了,我们快 ~ 吧。Bié chōuyān le, wǒmen kuài ~ ba. | 他干了一天的活儿,很累了。Tā gànle yì tiān de huór, hěn lèi le.

gànmá 干吗 (幹嗎)

你叫我来 ~ ? Nǐ jiào wǒ lái ~ ? →你叫我来有什么事儿? Nǐ jiào wǒ lái yǒu shénme shìr? 例他在 ~ ? 怎么一直蹲在那儿? Tā zài ~ ? Zěnme yìzhí dūn zài nàr? | 你拿这些工具 ~ ? Nǐ ná zhèixiē gōngjù ~ ? | 你 ~ 非要今天去? Nǐ ~ fēi yào jīntiān qù? | 你买这么多杯子 ~ ? Nǐ mǎi zhème duō bēizi ~ ? | 人家不喜欢你,你 ~ 还要老去找他? Rénjia bù xǐhuan nǐ, nǐ ~ hái yào lǎo qù zhǎo tā?

gàn shénme 干什么 (幹什麼)

他拿着瓶子,想 ~ ? Tā názhe píngzi, xiǎng ~ ? →他拿着瓶子,想做什么事? Tā názhe píngzi, xiǎng zuò shénme shì? 例你们坐在这里 ~ ? 快回家吧。Nǐmen zuò zài zhèlǐ ~ ? Kuài huíjiā ba. | 你来这儿 ~ ? Nǐ lái zhèr ~ ? | 你 ~ 总看着我呀? Nǐ ~ zǒng kànzhe wǒ ya? | 你叫我们来 ~ 呀? Nǐ jiào wǒmen lái ~ ya?

gang

gāng 刚¹（剛）[副]

我爱人～从美国回来。Wǒ àiren ～ cóng Měiguó huílai. →我爱人从美国回来的时间不长。Wǒ àiren cóng Měiguó huílai de shíjiān bù cháng. 例我～到这儿，不知道发生了什么事。Wǒ ～ dào zhèr, bù zhīdào fāshēngle shénme shì. |他的病～好，千万别太累了。Tā de bìng ～ hǎo, qiānwàn bié tài lèi le. |我～学会开车，技术还不太好。Wǒ ～ xuéhuì kāi chē, jìshù hái bú tài hǎo. |他俩～结婚一个月。Tā liǎ ～ jiéhūn yí ge yuè.

gāng…jiù… 刚…就…（剛…就…）

我～出门，～下起雨来了。Wǒ ～ chūmén, ～ xiàqi yǔ lai le. →我出门一会儿就开始下雨了。Wǒ chūmén yíhuìr jiù kāishǐ xià yǔ le. 例你～走，校长～来了。Nǐ ～ zǒu, xiàozhǎng ～ lái le. |他俩～结婚，～出来旅游了。Tā liǎ ～ jiéhūn, ～ chūlai lǚyóu le. |我～扫干净，你～弄脏了。Wǒ ～ sǎo gānjìng, nǐ ～ nòngzāng le. |他～学了三个月汉语，～可以当翻译了。Tā ～ xuéle sān ge yuè Hànyǔ, ～ kěyǐ dāng fānyì le. |我～说了一句话，她～不高兴了。Wǒ ～ shuōle yí jù huà, tā ～ bù gāoxìng le.

gānghǎo 刚好（剛好）[副]

我的身高～一米八十。Wǒ de shēngāo ～ yì mǐ bāshí. →我的身高整一米八十，不多也不少。Wǒ de shēngāo zhěng yì mǐ bāshí, bù duō yě bù shǎo. 例我的体重～七十公斤。Wǒ de tǐzhòng ～ qīshí gōngjīn. |这瓶酒～三杯。Zhèi píng jiǔ ～ sān bēi. |这些饭菜～够我们五个人吃。Zhèixiē fàncài ～ gòu wǒmen wǔ ge rén chī. |我们四个人～坐一辆车。Wǒmen sì ge rén ～ zuò yí liàng chē.

gāng 刚²（剛）[副]

别看他长得这么高，他～十岁。Bié kàn tā zhǎng de zhème gāo, tā ～ shí suì. →他只有十岁就长得这么高了。Tā zhǐ yǒu shí suì jiù zhǎng de zhème gāo le. 例我～十八岁，还不到结婚年龄呢。Wǒ ～ shíbā suì, hái bú dào jiéhūn niánlíng ne. |我们的任务～完成了一半，还要继续努力。Wǒmen de rènwu ～ wángchéngle yíbàn, hái yào jìxù nǔlì. |这本书我～看了二十页，没法儿给你讲。Zhèi běn shū wǒ ～ kànle èrshí yè, méi fǎr gěi nǐ jiǎng. |他们三个人～两张

票。Tāmen sān ge rén ~ liǎng zhāng piào.

gānggāng 刚刚（剛剛）〔副〕

他 ~ 四岁，还不到上学年龄。Tā ~ sì suì, hái bú dào shàngxué niánlíng. →他只有四岁，还不够上学的年龄。Tā zhǐ yǒu sì suì, hái bu gòu shàngxué de niánlíng. 例她 ~ 一米四，打篮球太矮。Tā ~ yì mǐ sì, dǎ lánqiú tài ǎi. | 孩子 ~ 学会走路，还走不稳。Háizi ~ xuéhuì zǒulù, hái zǒu bu wěn. | 我 ~ 学了一个月汉语，说得还不好。Wǒ ~ xuéle yí ge yuè Hànyǔ, shuō de hái bù hǎo. | 经理来的时候，我 ~ 打完电话。Jīnglǐ lái de shíhou, wǒ ~ dǎwán diànhuà.

gāngcái 刚才（剛才）〔名〕

~有人找你，你没在。~ yǒu rén zhǎo nǐ, nǐ méi zài. →几分钟以前有人找过你。Jǐ fēnzhōng yǐqián yǒu rén zhǎoguo nǐ. 例~我还看见他了，一会儿就不见了。~ wǒ hái kànjiàn tā le, yíhuìr jiù bú jiàn le. | ~的事都是我不好，你别生气了。~ de shì dōu shì wǒ bù hǎo, nǐ bié shēngqì le. | ~我到办公室去了。~ wǒ dào bàngōngshì qu le. | 你什么时候丢的钱包？—— 就是 ~。Nǐ shénme shíhou diū de qiánbāo? ——Jiù shì ~.

gāng 钢（鋼）〔名〕

steel 例这把刀是 ~ 的，不生锈。Zhèi bǎ dāo shì ~ de, bù shēng xiù. | 工业上离不了 ~ 和铁。Gōngyè shang lí bu liǎo ~ hé tiě. | 我们国家的 ~ 产量比以前提高了。Wǒmen guójiā de ~ chǎnliàng bǐ yǐqián tígāo le. | 这些盘子都是不锈 ~ 的。Zhèixiē pánzi dōu shì búxiù ~ de. | 我们厂需要买三吨 ~，五吨铁。Wǒmen chǎng xūyào mǎi sān dūn ~, wǔ dūn tiě. | 这是一块好 ~。Zhè shì yí kuài hǎo ~.

gāngbǐ 钢笔（鋼筆）〔名〕

例我的 ~ 没水儿了，写不出字来了。Wǒ de ~ méi shuǐr le, xiě bu chū zì lai le. | 这支 ~ 我用了十年了，一点儿也没坏。Zhèi zhī ~ wǒ yòngle shí nián le, yìdiǎnr yě méi huài. | 我平时用圆珠笔，很少用 ~。Wǒ píngshí yòng yuánzhūbǐ, hěn shǎo yòng ~. | 我昨天买了一支 ~，很贵的。Wǒ zuótiān mǎile yì zhī ~, hěn guì de. | 先生，借你的 ~ 用一下儿，可以吗？Xiānsheng, jiè nǐ de ~ yòng yíxiàr, kěyǐ ma?

钢笔

G

gǎng 港 ［名］

船到 ~ 以后，我们可以休息两天。Chuán dào ~ yǐhòu, wǒmen kěyǐ xiūxi liǎng tiān. →船到一个可以停的地方后，我们就休息。Chuán dào yí ge kěyǐ tíng de dìfang hòu, wǒmen jiù xiūxi. 例船进 ~ 了，大家可以放心了。Chuán jìn ~ le, dàjiā kěyǐ fàngxīn le. | 我们到 ~ 以后，要修修这只船。Wǒmen dào ~ yǐhòu, yào xiūxiu zhèi zhī chuán. | 这个 ~ 很大，可以停很多船。Zhèige ~ hěn dà, kěyǐ tíng hěn duō chuán. | 我们的船要在这个 ~ 停五天。Wǒmen de chuán yào zài zhèige ~ tíng wǔ tiān.

gǎngkǒu 港口 ［名］

上海是个 ~ 城市。Shànghǎi shì ge ~ chéngshì. →上海市靠近海边，可以停船。Shànghǎi Shì kàojìn hǎi biān, kěyǐ tíng chuán. 例这个 ~ 每天有一千多只大船来往、停留。Zhèige ~ měi tiān yǒu yìqiān duō zhī dà chuán láiwǎng、tíngliú. | 这里是全国最大的 ~，设备很好。Zhèlǐ shì quán guó zuì dà de ~, shèbèi hěn hǎo. | 船离开了 ~，向大海中心开去。Chuán líkāile ~, xiàng dàhǎi zhōngxīn kāiqù. | ~ 非常热闹，往来的船只很多。~ fēicháng rènao, wǎnglái de chuánzhī hěn duō. | 香港是个国际 ~，十分繁华。Xiānggǎng shì ge guójì ~, shífēn fánhuá.

gao

gāo 高¹ ［形］

他的个子很 ~。Tā de gèzi hěn ~. →他的个子是两米。Tā de gèzi shì liǎng mǐ. 例这座山太 ~ 了，有八千米。Zhèi zuò shān tài ~ le, yǒu bāqiān mǐ. | 我爱人比我 ~。Wǒ àiren bǐ wǒ ~. | 这孩子今年又长 ~ 了不少。Zhè háizi jīnnián yòu zhǎng ~ le bùshǎo. | 他女朋友个子 ~ ~ 的，很漂亮。Tā nǚpéngyou gèzi ~ ~ de, hěn piàoliang. | 我妹妹不 ~，只有一米五。Wǒ mèimei bù ~, zhǐ yǒu yì mǐ wǔ.

gāodà 高大 ［形］

他的身材 ~，很有力气。Tā de shēncái ~, hěn yǒu lìqi. →他长得又高又大，很有力气。Tā zhǎng de yòu gāo yòu dà, hěn yǒu lìqi. 例我看见一个 ~ 的身影，好像是大卫。Wǒ kànjiàn yí ge ~ de shēnyǐng, hǎoxiàng shì Dàwèi. | 那座 ~ 的建筑就是我们的学校。Nèi zuò ~ de jiànzhù jiù shì wǒmen de xuéxiào. | 广场中央的纪念碑

显得非常 ~ 。Guǎngchǎng zhōngyāng de jìniànbēi xiǎnde fēicháng ~ . |他长得不算 ~ ，但很健康。Tā zhǎng de bú suàn ~ , dàn hěn jiànkāng .

gāo 高² ［名］

他 ~ 两米，体重八十公斤。Tā ~ liǎng mǐ, tǐzhòng bāshí gōngjīn. →他的个子是两米，体重是八十公斤。Tā de gèzi shì liǎng mǐ, tǐzhòng shì bāshí gōngjīn. 例那座山 ~ 五千米。Nèi zuò shān ~ wǔqiān mǐ. |这个房间 ~ 三米，长五米。Zhèige fángjiān ~ sān mǐ, cháng wǔ mǐ. |这个箱子的长、宽、~ 分别是多少？Zhèige xiāngzi de cháng、kuān、~ fēnbié shì duōshao? |这棵树只有两米 ~ 。Zhèi kē shù zhǐ yǒu liǎng mǐ ~ .

gāodù 高度¹ ［名］

现在飞机的飞行 ~ 是一万米。Xiànzài fēijī de fēixíng ~ shì yíwàn mǐ. →现在飞机离地面一万米。Xiànzài fēijī lí dìmiàn yíwàn mǐ. 例气球离地面的 ~ 达到了三千米。Qìqiú lí dìmiàn de ~ dádàole sānqiān mǐ. |这座山的 ~ 是六千三百米。Zhèi zuò shān de ~ shì liùqiān sānbǎi mǐ. |我想知道这座桥的 ~ 是多少。Wǒ xiǎng zhīdao zhèi zuò qiáo de ~ shì duōshao. |由于技术原因，这种飞机还飞不到那样的 ~ 。Yóuyú jìshù yuányīn, zhèi zhǒng fēijī hái fēi bu dào nèiyàng de ~ .

gāodù 高度² ［形］

我们的社会是 ~ 文明的社会。Wǒmen de shèhuì shì ~ wénmíng de shèhuì. →我们的社会文明程度很高。Wǒmen de shèhuì wénmíng chéngdù hěn gāo. 例他是 ~ 近视，摘了眼镜什么也看不见。Tā shì ~ jìnshì, zhāile yǎnjìng shénme yě kàn bu jiàn. |这里的交通 ~ 发达，乘车十分方便。Zhèlǐ de jiāotōng ~ fādá, chéngchē shífēn fāngbiàn. |这个问题引起了政府的 ~ 重视。Zhèige wèntí yǐnqǐle zhèngfǔ de ~ zhòngshì. |他 ~ 赞扬了两国人民之间的友谊。Tā ~ zànyángle liǎng guó rénmín zhījiān de yǒuyì.

gāo 高³ ［形］

她学了四年汉语，水平很 ~ 。Tā xuéle sì nián Hànyǔ, shuǐpíng hěn ~ . →她的汉语超过了一般水平。Tā de Hànyǔ chāoguòle yìbān shuǐpíng. 例老师的要求太 ~ 了，我们做不到。Lǎoshī de yāoqiú tài ~ le, wǒmen zuò bu dào. |他身体的温度有点儿 ~ ，可能是发烧

了。Tā shēntǐ de wēndù yǒudiǎnr ~, kěnéng shì fāshāo le. ｜他给自己定了一个~标准。Tā gěi zìjǐ dìngle yí ge ~ biāozhǔn. ｜他说话的声音总是那么~。Tā shuōhuà de shēngyīn zǒngshì nàme ~. ｜他们~质量地完成了任务，受到了表扬。Tāmen ~ zhìliàng de wánchéngle rènwu, shòudàole biǎoyáng.

gāo 高⁴ [形]

他的社会地位很~，工作也很忙。Tā de shèhuì dìwèi hěn ~, gōngzuò yě hěn máng. →他有很显著的社会地位。Tā yǒu hěn xiǎnzhù de shèhuì dìwèi. 例他职务~了，事儿也多了。Tā zhíwù ~ le, shìr yě duō le. ｜他虽然职位很~，可很和气。Tā suīrán zhíwèi hěn ~, kě hěn héqi. ｜他不想当~官，只想当个老百姓。Tā bù xiǎng dāng ~ guān, zhǐ xiǎng dāng ge lǎobǎixìng. ｜他是个有名的作家，有很~的地位。Tā shì ge yǒumíng de zuòjiā, yǒu hěn ~ de dìwèi.

gāojí 高级（高級）[形]

他开着一辆~轿车。Tā kāizhe yí liàng ~ jiàochē. →他开的轿车性能非常好。Tā kāi de jiàochē xìngnéng fēicháng hǎo. 例这是一座~宾馆，设备很好。Zhè shì yí zuò ~ bīnguǎn, shèbèi hěn hǎo. ｜我父亲是~工程师，设计过很多有名的建筑。Wǒ fùqin shì ~ gōngchéngshī, shèjìguo hěn duō yǒumíng de jiànzhù. ｜来参加这个会议的都是~官员。Lái cānjiā zhèige huìyì de dōu shì ~ guānyuán. ｜这里的设备都很~，价钱也很贵。Zhèlǐ de shèbèi dōu hěn ~, jiàqian yě hěn guì.

gāoxìng 高兴¹（高興）[形]

今天是玛丽的生日，她很~。Jīntiān shì Mǎlì de shēngri, tā hěn ~. →今天玛丽感到非常快乐。Jīntiān Mǎlì gǎndào fēicháng kuàilè. 例比赛得了第一名，他非常~。Bǐsài déle dì yī míng, tā fēicháng ~. ｜他明天就要结婚，~极了。Tā míngtiān jiù yào jiéhūn, ~ jí le. ｜他~的时候，喜欢喝上几杯酒。Tā ~ de shíhou, xǐhuan hēshang jǐ bēi jiǔ. ｜他知道自己要做父亲了，~地笑了起来。Tā zhīdao zìjǐ yào zuò fùqin le, ~ de xiàole qilai. ｜放学后，孩子们高高兴兴地回家了。Fàngxué hòu, háizimen gāogāoxìngxìng de huíjiā le.

gāoxìng 高兴²（高興）[动]

她~和小兔玩儿。Tā ~ hé xiǎotù wánr. →她和小兔玩儿就变得情绪

很愉快。Tā hé xiǎotù wánr, jiù biànde qíngxù hěn yúkuài. 例他总是~来就来，~走就走。Tā zǒngshì ~ lái jiù lái, ~ zǒu jiù zǒu. | 他~那么做，我也管不了。Tā ~ nàme zuò, wǒ yě guǎn bu liǎo. | 他就是~看电影，对看戏不感兴趣。Tā jiùshì ~ kàn diànyǐng, duì kàn xì bù gǎn xìngqù.

gǎo 搞 [动]

他丈夫是~美术的。Tā zhàngfu shì ~ měishù de. →他丈夫是一位画家。Tā zhàngfu shì yí wèi huàjiā. 例我年轻的时候是~体育的。Wǒ niánqīng de shíhou shì ~ tǐyù de. | 我想考医科大学，将来~医学。Wǒ xiǎng kǎo yīkē dàxué, jiānglái ~ yīxué. | 她是~服装设计的。Tā shì ~ fúzhuāng shèjì de. | 你~的这一行，我干不了。Nǐ ~ de zhèi yì háng, wǒ gàn bu liǎo. | 这件事还得再~一些调查。Zhèi jiàn shì hái děi zài ~ yìxiē diàochá. | 这回~好~不好全看你的了。Zhèi huí ~ hǎo ~ bu hǎo quán kàn nǐ de le. | 把那些问题~清楚了再说吧。Bǎ nèixiē wèntí ~ qīngchule zài shuō ba.

gào 告 [动]

她把刚才的事都~你哥哥了。Tā bǎ gāngcái de shì dōu ~ nǐ gēge le. →你哥哥已经知道了刚才的那件事。Nǐ gēge yǐjing zhīdaole gāngcái de nèi jiàn shì. 例你什么时候走，打电话~我也行。Nǐ shénme shíhou zǒu, dǎ diànhuà ~ wǒ yě xíng. | 打长途电话很贵，我写信~你吧。Dǎ chángtú diànhuà hěn guì, wǒ xiě xìn ~ nǐ ba. | 我~你的这件事，你别~别人。Wǒ ~ nǐ de zhèi jiàn shì, nǐ bié ~ biérén. | 你想不想听？不想听，我就不~你了。Nǐ xiǎng bu xiǎng tīng? Bù xiǎng tīng, wǒ jiù bú ~ nǐ le.

gàobié 告别 [动]

你别送我了，我们就在这儿~吧。Nǐ bié sòng wǒ le, wǒmen jiù zài zhèr ~ ba. →你别陪我往前走了，你回去吧。Nǐ bié péi wǒ wǎng qián zǒu le, nǐ huíqu ba. 例明天你不用送我去飞机场了，咱们就在这儿~吧。Míngtiān nǐ búyòng sòng wǒ qù fēijīchǎng le, zánmen jiù zài zhèr ~ ba. | 火车开了，车上和车下的人都挥手~。Huǒchē kāi le, chē shàng hé chē xià de rén dōu huīshǒu ~. | 他十五岁的时候就~了父母，去国外留学了。Tā shíwǔ suì de shíhou jiù ~ le fùmǔ, qù guówài liúxué le. | 明天我就要去中国工作了，今天特来向朋友们~。Míngtiān wǒ jiù yào qù Zhōngguó gōngzuò le, jīntiān tè lái xiàng péngyoumen ~.

gàocí 告辞（告辭）［动］

你家来客人了，我们明天再谈吧，我先～了。Nǐ jiā lái kèrén le, wǒmen míngtiān zài tán ba, wǒ xiān ~ le. →他家来客人了，我跟他说了声"再见"就走了。Tā jiā lái kèrén le, wǒ gēn tā shuōle shēng "zàijiàn" jiù zǒu le. 例他没来得及向大家～就走了。Tā méi láidejí xiàng dàjiā ~ jiù zǒu le. |我家里还有事儿，先～了。Wǒ jiāli hái yǒu shìr, xiān ~ le.

gàosu 告诉（告訴）［动］

我～她那个消息后，她高兴极了。Wǒ ~ tā nèige xiāoxi hòu, tā gāoxìng jí le. →她从我这儿听到了那个消息后，高兴极了。Tā cóng wǒ zhèr tīngdàole nèige xiāoxi hòu, gāoxìng jí le. 例你～我，你为什么哭。Nǐ ~ wǒ, nǐ wèishénme kū. |这件事是谁～你的？Zhèi jiàn shì shì shéi ~ nǐ de? |你先猜一猜，猜不着，我再～你。Nǐ xiān cāi yi cāi, cāi bu zháo, wǒ zài ~ nǐ. |我已经～过他好几次了。Wǒ yǐjing ~ guo tā hǎojǐ cì le. |请你把昨天发生的事～我们吧！Qǐng nǐ bǎ zuótiān fāshēng de shì ~ wǒmen ba!

ge

gēge 哥哥［名］

elder brother 例我有一个～，还有一个姐姐。Wǒ yǒu yí ge ~, hái yǒu yí ge jiějie. |照片儿上的这个人就是比尔的～。Zhàopiānr shang de zhèige rén jiù shì Bǐ'ěr de ~. |～比我大三岁。~ bǐ wǒ dà sān suì. |我～已经结婚了。Wǒ ~ yǐjing jiéhūn le. |他～的朋友特别多。Tā ~ de péngyou tèbié duō. |他们都比～高。Tāmen dōu bǐ ~ gāo.

gēbo 胳膊［名］

例他的～真长。Tā de ~ zhēn cháng. |把～伸直一点儿。Bǎ ~ shēnzhí yìdiǎnr. |医生说，先在～上打一针做试验。Yīshēng shuō, xiān zài ~ shang dǎ yì zhēn zuò shìyàn. |咱们比一比谁的～有劲儿。Zánmen bǐ yi bǐ shéi de ~ yǒujìnr. |他第一次去滑冰，不小心摔伤了～。Tā dì yī cì qù huábīng, bù xiǎoxīn shuāishāngle ~.

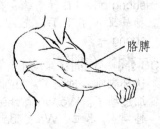

胳膊

gēzi 鸽子（鴿子）［名］

例 这种颜色的~真漂亮。Zhèi zhǒng yánsè de ~ zhēn piàoliang. | ~在广场上空飞来飞去。~ zài guǎngchǎng shàngkōng fēiláifēiqù. | 人们都喜爱这些~。Rénmen dōu xǐ'ài zhèixiē ~. | 我们用玉米喂~。Wǒmen yòng yùmǐ wèi ~. | 这个广场上有好几百只~。Zhèige guǎngchǎng shang yǒu hǎojǐ bǎi zhī ~.

鸽子

G

gē 割［动］

公园里的草一个月得~一次。Gōngyuán li de cǎo yí ge yuè děi ~ yí cì. →为了不让公园里的草长得太高，需要每个月用机器把草弄短一些。Wèile bú ràng Gōngyuán li de cǎo zhǎng de tài gāo, xūyào měi ge yuè yòng jīqì bǎ cǎo nòngduǎn yìxiē. **例** 我们用割草机~院子里的草。Wǒmen yòng gēcǎojī ~ yuànzi li de cǎo. | 秋天的时候农民们忙着~稻子。Qiūtiān de shíhou nóngmínmen mángzhe ~ dàozi. | 这么大一片麦田，得~两天才能~完。Zhème dà yí piàn màitián, děi ~ liǎng tiān cái néng ~ wán. | 二十年前农民们用人工~麦子，现在全用机器了。Èrshí nián qián nóngmínmen yòng réngōng ~ màizi, xiànzài quán yòng jīqì le.

gē 搁¹（擱）［动］

宿舍里~了两张床、两张桌子和两把椅子。Sùshè li ~ le liǎng zhāng chuáng、liǎng zhāng zhuōzi hé liǎng bǎ yǐzi. →宿舍里放了两张床、两张桌子和两把椅子。Sùshè li fàngle liǎng zhāng chuáng、liǎng zhāng zhuōzi hé liǎng bǎ yǐzi. **例** 写字台上~着几本书。Xiězìtái shang ~ zhe jǐ běn shū. | 把书~到书架上去。Bǎ shū ~ dào shūjià shang qu. | 自行车就~在门口吧。Zìxíngchē jiù ~ zài ménkǒu ba. | 抽屉里~不下了，先~床上。Chōuti li ~ bu xià le, xiān ~ chuáng shang.

gē 搁²（擱）［动］

这杯咖啡~过糖了。Zhèi bēi kāfēi ~ guo táng le. →我往这杯咖啡里加过糖了。Wǒ wǎng zhèi bēi kāfēi li jiāguo táng le. **例** 我觉得太甜，再~点儿水吧。Wǒ juéde tài tián, zài ~ diǎnr shuǐ ba. | 我喝牛奶不喜欢~糖。Wǒ hē niúnǎi bù xǐhuan ~ táng. | 做这种菜不能~太多盐。Zuò zhèi zhǒng cài bù néng ~ tài duō yán. | 做这个菜我~了两

次盐。Zuò zhèi ge cài wǒ ~ le liǎng cì yán . |啤酒里要 ~ 冰吗? Píjiǔ li yào ~ bīng ma?

gē 搁³（擱）[动]

孩子一哭，妈妈就 ~ 下手里的活ᵣ去抱孩子。Háizi yì kū, māma jiù ~ xia shǒu li de huór qù bào háizi. →孩子一哭，妈妈就停下工作去抱孩子。Háizi yì kū, māma jiù tíngxià gōngzuò qù bào háizi. **例**你把手里的活ᵣ先 ~ 一下ᵣ，快去帮帮他。Nǐ bǎ shǒu li de huór xiān ~ yíxiàr, kuài qù bāngbang tā. |这个试验做了一半，就 ~ 在那ᵣ了。Zhèige shìyàn zuòle yíbàn, jiù ~ zài nàr le. |由于资金不足，这项工程只好 ~ 下来了。Yóuyú zījīn bù zú, zhèi xiàng gōngchéng zhǐhǎo ~ xialai le.

gē 歌 [名]

song **例**我会唱中国 ~ ᵣ。Wǒ huì chàng Zhōngguó ~ r . |我给你们唱一首 ~ ᵣ吧。Wǒ gěi nǐmen chàng yì shǒu ~ r ba . |这是我最喜欢听的一支 ~ ᵣ。Zhè shì wǒ zuì xǐhuan tīng de yì zhī ~ r . |这是为孩子们写的 ~ ᵣ。Zhè shì wèi háizimen xiě de ~ r . |这首 ~ ᵣ很好听。Zhèi shǒu ~ r hěn hǎotīng. |这首 ~ ᵣ的歌词很美。Zhèi shǒu ~ r de gēcí hěn měi.

gēshǒu 歌手 [名]

她是一位 ~ 。Tā shì yí wèi ~ . →她唱歌ᵣ唱得很好，常常给大家演唱。Tā chànggēr chàng de hěn hǎo, chángcháng gěi dàjiā yǎnchàng. **例**他是一位少数民族 ~ 。Tā shì yí wèi shǎoshù mínzú ~ . |从小她就想当一个 ~ 。Cóngxiǎo tā jiù xiǎng dāng yí ge ~ . |这位小 ~ 才八岁。Zhèi wèi xiǎo ~ cái bā suì. | ~ 们一块ᵣ为大家唱了三首歌ᵣ。~ men yíkuàir wèi dàjiā chàngle sān shǒu gēr.

gé 隔¹ [动]

两国之间 ~ 着一座山。Liǎng guó zhījiān ~ zhe yí zuò shān. →山的这边ᵣ是一个国家，山的那边ᵣ是另一个国家。Shān de zhèibiānr shì yí ge guójiā, shān de nèibiānr shì lìng yí ge guójiā. **例**两个城市 ~ 着一条河。Liǎng ge chéngshì ~ zhe yì tiáo hé . |我们用木板把一间大屋 ~ 成了两间小屋。Wǒmen yòng mùbǎn bǎ yì jiān dà wū ~ chéngle liǎng jiān xiǎowū. |她的家跟我母亲的家只 ~ 着一条街。Tā de jiā gēn wǒ mǔqin de jiā zhǐ ~ zhe yì tiáo jiē . |关上窗户后，他还 ~ 着玻

璃向我招手。Guānshang chuānghu hòu, tā hái ~ zhe bōli xiàng wǒ
zhāo shǒu. | 虽然 ~ 着千山万水，可是我们的心是连在一起的。
Suīrán ~ zhe qiānshānwànshuǐ, kěshì wǒmen de xīn shì lián zài yìqǐ
de.

gébì 隔壁 [名]

你住二号房间，我住三号房间，我就在你 ~。Nǐ zhù èr hào
fángjiān, wǒ zhù sān hào fángjiān, wǒ jiù zài nǐ ~. →我住的房间
和你住的房间紧挨着。Wǒ zhù de fángjiān hé nǐ zhù de fángjiān jǐn
āizhe.例他住在你 ~ 的那间屋子里。Tā zhù zài nǐ ~ de nèi jiān wūzi
li. | ~住的是一个留学生。~ zhù de shì yí ge liúxuéshēng. | ~ 那
人都很和气。~ nèi jiā rén dōu hěn héqi. | 我去 ~ 借点儿东西。Wǒ
qù ~ jiè diǎnr dōngxi. | 你去问问 ~，看他们知道不知道。Nǐ qù
wènwen ~, kàn tāmen zhīdao bu zhīdao.

gé 隔² [动]

这种药 ~ 四个小时吃一次。Zhèi zhǒng yào ~ sì ge xiǎoshí chī yí cì.
→这种药吃完一次后，要过四个小时才能再吃。Zhèi zhǒng yào
chīwán yí cì hòu, yào guò sì ge xiǎoshí cái néng zài chī.例我 ~ 一星
期去看一次我的父亲。Wǒ ~ yì xīngqī qù kàn yí cì wǒ de fùqin. | 每
~ 半小时，就响一次铃。Měi ~ bàn xiǎoshí, jiù xiǎng yí cì líng. | 我
~ 一年检查一次身体。Wǒ ~ yì nián jiǎnchá yí cì shēntǐ. | 时间 ~ 得
越久，我越想念他们。Shíjiān ~ de yuè jiǔ, wǒ yuè xiǎngniàn
tāmen.

gè (ge) 个 (個) [量]

用于人、时间、地点、事物等。例 Yòngyú rén、shíjiān、dìdiǎn、
shìwù děng. | 你一 ~ 人去吧。Nǐ yí ~ rén qù ba. | 一 ~ 小时还不到
呢。Yí ~ xiǎoshí hái bú dào ne. | 那是一 ~ 美好的夜晚。Nà shì yí ~
měihǎo de yèwǎn. | 那 ~ 秋天我认识了比尔。Nèi ~ qiūtiān wǒ
rènshile Bǐ'ěr. | 这儿是一 ~ 好地方。Zhèr shì yí ~ hǎo dìfang. | 快过
来，这儿有 ~ 座。Kuài guòlai, zhèr yǒu ~ zuòr. | 今天我学了十 ~
字。Jīntiān wǒ xuéle shí ~ zì. | 他买了一 ~ 球。Tā mǎile yí ~ qiú. |
我要吃一 ~ 苹果、一 ~ 鸡蛋。Wǒ yào chī yí ~ píngguǒ、yí ~ jīdàn. |
这是一 ~ 好办法。Zhè shì yí ~ hǎo bànfǎ. | 她有 ~ 特点——爱笑。
Tā yǒu ~ tèdiǎn——ài xiào. | 你要答应我三 ~ 条件。Nǐ yào dāying
wǒ sān ~ tiáojiàn. | 这些小伙子，~ ~ 都很聪明。Zhèixiē xiǎohuǒzi,

~ ~ dōu hěn cōngming.

gèbié 个别¹（個别）[形]

我想跟你~谈谈。Wǒ xiǎng gēn nǐ ~ tántan. →谈话的时候只有我和你。Tánhuà de shíhou zhǐ yǒu wǒ hé nǐ. 例老师，我想请您~辅导。Lǎoshī, wǒ xiǎng qǐng nín ~ fǔdǎo. | 这个问题，找她~说一下儿比较好。Zhèige wèntí, zhǎo tā ~ shuō yíxiàr bǐjiào hǎo. | 开完会以后，你同他~交换一下儿意见吧。Kāiwán huì yǐhòu, nǐ tóng tā ~ jiāohuàn yíxiàr yìjiàn ba.

gèbié 个别²（個别）[形]

今天大部分地区是晴天，只有~地方下雨。Jīntiān dà bùfen dìqū shì qíngtiān, zhǐ yǒu ~ dìfang xià yǔ. →今天只有很少的地区下雨。Jīntiān zhǐ yǒu hěn shǎo de dìqū xià yǔ. 例大多数人已经到了，还有~的人没到。Dàduōshù rén yǐjing dào le, hái yǒu ~ de rén méi dào. | 这是~人的意见，不是全班同学的意见。Zhè shì ~ rén de yìjiàn, bú shì quán bān tóngxué de yìjiàn. | 十月份的时候，东北的~地方就下雪了。Shíyuèfèn de shíhou, dōngběi de ~ dìfang jiù xià xuě le. | 以前人们很少碰上这样的事情，这种情况是~的。Yǐqián rénmen hěn shǎo pèngshang zhèiyàng de shìqing, zhèi zhǒng qíngkuàng shì ~ de.

gèr 个儿¹（個兒）[名]

他~真高，有两米一。Tā ~ zhēn gāo, yǒu liǎng mǐ yī. →他从脚底到头顶有两米一高。Tā cóng jiǎodǐ dào tóudǐng yǒu liǎng mǐ yī gāo. 例他们~都不太高，只有一米五左右。Tāmen ~ dōu bú tài gāo, zhǐ yǒu yì mǐ wǔ zuǒyòu. | 那位高~的叫什么名字，你知道吗？Nèi wèi gāo ~ de jiào shénme míngzi, nǐ zhīdao ma? | 我希望我的~再长高一点儿。Wǒ xīwàng wǒ de ~ zài zhǎnggāo yìdiǎnr. | 她呀，吃得不少，可是就是不长~。Tā ya, chī de bù shǎo, kěshì jiùshì bù zhǎng ~.

gèzi 个子（個子）[名]

这孩子的~已经一米八了。Zhè háizi de ~ yǐjing yì mǐ bā le. →这孩子很高，已经一米八了。Zhè háizi hěn gāo, yǐjing yì mǐ bā le. 例妹妹的~比姐姐高。Mèimei de ~ bǐ jiějie gāo. | 她们俩的~一样高。Tāmen liǎ de ~ yíyàng gāo. | 高~的站在后边儿。Gāo ~ de zhàn zài hòubianr. | 他是一个高~的青年。Tā shì yí ge gāo ~ de qīngnián.

gèr 个儿² (個兒) [名]

这个西瓜 ~ 真大, 有十八斤重。Zhèige xīguā ~ zhēn dà, yǒu shíbā jīn zhòng. →这个西瓜的体积真大, 重量有十八斤。Zhèige xīguā de tǐjī zhēn dà, zhòngliàng yǒu shíbā jīn. 例这个苹果 ~ 真大, 有一斤重。Zhèige píngguǒ ~ zhēn dà, yǒu yì jīn zhòng. l 这儿卖梨, 你买吗? ——不买, ~ 太小了。Zhèr mài lí, nǐ mǎi ma? ——Bù mǎi, ~ tài xiǎo le. l 我不想要太大 ~ 的, 也不要太小 ~ 的, 最好是中等 ~ 的。Wǒ bù xiǎng yào tài dà ~ de, yě bú yào tài xiǎo ~ de, zuì hǎo shì zhōngděng ~ de. l 你看那只大象, ~ 那么大。Nǐ kàn nèi zhī dàxiàng, ~ nàme da. l 那只小猴子 ~ 真小。Nèi zhī xiǎo hóuzi ~ zhēn xiǎo.

gèrén 个人¹ (個人) [名]

他的意见只代表他 ~, 不代表我们。Tā de yìjiàn zhǐ dàibiǎo tā ~, bú dàibiǎo wǒmen. →他的意见只代表他一个人, 不代表我们。Tā de yìjiàn zhǐ dàibiǎo tā yí ge rén, bú dàibiǎo wǒmen. 例 ~ 离不开社会。~ lí bu kāi shèhuì. l 做事情不能只考虑 ~, 不考虑集体。Zuò shìqing bù néng zhǐ kǎolǜ ~, bù kǎolǜ jítǐ. l ~ 财产受法律保护。~ cáichǎn shòu fǎlǜ bǎohù. l 他去还是不去, 我们要尊重他 ~ 的意见。Tā qù háishi bú qù, wǒmen yào zūnzhòng tā ~ de yìjiàn.

gèrén 个人² (個人) [名]

刚才我说的话只代表我 ~。Gāngcái wǒ shuō de huà zhǐ dàibiǎo wǒ ~. →刚才我说的话只代表我自己。Gāngcái wǒ shuō de huà zhǐ dàibiǎo wǒ zìjǐ. 例要说的话大家都说了, 我 ~ 没什么说的了。Yào shuō de huà dàjiā dōu shuō le, wǒ ~ méi shénme shuō de le. l 我认为, 他的观点不正确。Wǒ ~ rènwéi, tā de guāndiǎn bú zhèngquè. l 他的话对我 ~ 来说是个很大的鼓励。Tā de huà duì wǒ ~ láishuō shì ge hěn dà de gǔlì.

gètǐ 个体¹ (個體) [名]

老虎喜欢 ~ 活动。Lǎohǔ xǐhuan ~ huódòng. →老虎喜欢自己单独活动。Lǎohǔ xǐhuan zìjǐ dāndú huódòng. 例狮子跟老虎相反, 它们不喜欢 ~ 活动, 它们总是群体活动。Shīzi gēn lǎohǔ xiāngfǎn, tāmen bù xǐhuan ~ huódòng, tāmen zǒngshì qúntǐ huódòng. l 我们先集体活动, 然后再 ~ 活动。Wǒmen xiān jítǐ huódòng, ránhòu zài ~ huódòng. l 我们是先从 ~ 的研究开始的。Wǒmen shì xiān cóng ~ de yánjiū kāishǐ de.

gètǐ 个体² （個體） [名]

这几家商店都是 ~ 的。Zhèi jǐ jiā shāngdiàn dōu shì ~ de. →这几家商店都不是国家的，也不是集体的，是单个儿私人开的。Zhèi jǐ jiā shāngdiàn dōu bú shì guójiā de, yě bú shì jítǐ de, shì dāngèr sīrén kāi de. 例两年前我在工厂当工人，后来我干 ~ 了。Liǎng nián qián wǒ zài gōngchǎng dāng gōngrén, hòulái wǒ gàn ~ le. |现在我是一个 ~ 户。Xiànzài wǒ shì yí ge ~ hù. |这些饭店都是 ~ 的。Zhèixiē fàndiàn dōu shì ~ de.

gè 各 [代]

~ 位来宾，你们好。 ~ wèi láibīn, nǐmen hǎo. →每一位来宾，你们好。Měi yí wèi láibīn, nǐmen hǎo. 例这次他 ~ 门课都考得很好。Zhèi cì tā ~ mén kè dōu kǎo de hěn hǎo. |这里的 ~ 种水果都是两块钱一斤。Zhèlǐ de ~ zhǒng shuǐguǒ dōu shì liǎng kuài qián yì jīn. |普通话是中国 ~ 民族的共同语言。Pǔtōnghuà shì Zhōngguó ~ mínzú de gòngtóng yǔyán. |下班后， ~ 回 ~ 的家。Xiàbān hòu, ~ huí ~ de jiā. |进商店后，我们 ~ 买 ~ 的东西。Jìn shāngdiàn hòu, wǒmen ~ mǎi ~ de dōngxi. |阅览室里人很多，但都在 ~ 看 ~ 的书。Yuèlǎnshì li rén hěn duō, dàn dōu zài ~ kàn ~ de shū. |人虽然不多，可 ~ 有 ~ 的主意。Rén suīrán bù duō, kě ~ yǒu ~ de zhǔyi. |我觉得你们说的 ~ 有道理。Wǒ juéde nǐmen shuō de ~ yǒu dàoli. |小王和小张 ~ 有一个弟弟。Xiǎo Wáng hé Xiǎo Zhāng ~ yǒu yí ge dìdi. |这些孩子 ~ 有不同的要求。Zhèixiē háizi ~ yǒu bùtóng de yāoqiú. |时间不多了，你们 ~ 说三分钟吧。Shíjiān bù duō le, nǐmen ~ shuō sān fēnzhōng ba.

gè zhǒng 各种（各種）

春天， ~ 树都长出了新叶子。Chūntiān, ~ shù dōu zhǎngchūle xīn yèzi. → 每一种树都长出了新叶子。Měi yì zhǒng shù dōu zhǎngchūle xīn yèzi. 例他们克服了 ~ 困难，终于走出了这片沙漠。Tānmen kèfúle ~ kùnnan, zhōngyú zǒuchūle zhèi piàn shāmò. |妈妈做的 ~ 饭菜都特别好吃。Māma zuò de ~ fàncài dōu tèbié hǎochī. |他把 ~ 有利条件都摆了出来。Tā bǎ ~ yǒulì tiáojiàn dōu bǎile chulai.

G

gei

gěi 给¹（給）[动]

照相机我 ~ 大卫了。Zhàoxiàngjī wǒ ~ Dàwèi le. →大卫从我这儿得到了一架照相机。Dàwèi cóng wǒ zhèr dédàole yí jià zhàoxiàngjī. 例这张电影票 ~ 张老师。Zhèi zhāng diànyǐngpiào ~ Zhāng lǎoshī.｜爸爸每个月都 ~ 我钱。Bàba měi ge yuè dōu ~ wǒ qián.｜把桌子上的那本书 ~ 我。Bǎ zhuōzi shang de nèi běn shū ~ wǒ.｜以前他 ~ 过他很多帮助。Yǐqián tā ~ guo wǒ hěn duō bāngzhù.｜那个地方 ~ 我的印象很好。Nèige dìfang ~ wǒ de yìnxiàng hěn hǎo.｜我渴极了，请 ~ 我一杯水喝。Wǒ kě jí le, qǐng ~ wǒ yì bēi shuǐ hē.｜这种蛋糕很好吃， ~ 你一块儿尝尝。Zhèi zhǒng dàngāo hěn hǎochī, ~ nǐ yí kuàir chángchang.

gěi 给²（給）[介]

女儿 ~ 我来了一封信。Nǚ'ér ~ wǒ láile yì fēng xìn. →这封信是从女儿那儿寄到我这儿来的。Zhèi fēng xìn shì cóng nǚ'ér nàr jìdào wǒ zhèr lái de. 例妈妈 ~ 我做了一件新衣服。Māma ~ wǒ zuòle yí jiàn xīn yīfu.｜我已经吃过了，现在是 ~ 丈夫和孩子做饭。Wǒ yǐjing chī guo le, xiànzài shì ~ zhàngfu hé háizi zuòfàn.｜小王 ~ 我们当翻译。Xiǎo Wáng ~ wǒmen dāng fānyì.｜一会儿你 ~ 大卫打个电话吧。Yíhuìr nǐ ~ Dàwèi dǎ ge diànhuà ba.｜你把昨天的事说 ~ 我听听吧。Nǐ bǎ zuótiān de shì shuō ~ wǒ tīngting ba.

gěi 给³（給）[助]

切菜的时候，他把手 ~ 划破了。Qiē cài de shíhou, tā bǎ shǒu ~ huápò le. →他的手被划破了。Tā de shǒu bèi huápò le. 例昨天他把杯子 ~ 打碎了。Zuótiān tā bǎ bēizi ~ dǎsuì le.｜我想找一个助手，你 ~ 注意着点儿。Wǒ xiǎng zhǎo yí ge zhùshǒu, nǐ ~ zhùyìzhe diǎnr.｜手套叫我 ~ 丢了一只。Shǒutào jiào wǒ ~ diūle yì zhī.｜房间我 ~ 收拾干净了，请客人进去休息吧。Fángjiān wǒ ~ shōushi gānjìng le, qǐng kèrén jìnqu xiūxi ba.

gen

gēn 根[1] [名]

例这棵树的 ~ 很深。Zhèi kē shù de ~
hěn shēn. | 这种花儿插在土里就能长
出 ~ 来。Zhèi zhǒng huār chā zài tǔ li
jiù néng zhǎngchū ~ lai. | 这个萝卜
个儿不大，可是它的 ~ 很长。Zhèige
luóbo gèr bú dà, kěshì tā de ~ hěn
cháng. | 你看，这些工艺品都是用各种树的 ~ 做的。Nǐ kàn,
zhèixiē gōngyìpǐn dōu shì yòng gèzhǒng shù de ~ zuò de.

根

gēnběn 根本[1] [名]

现在问题的 ~ 是要找到一个吃饭的地方。Xiànzài wèntí de ~ shì yào
zhǎodào yí ge chīfàn de dìfang. →最主要的问题是要找到一个吃饭
的地方。Zuì zhǔyào de wèntí shì yào zhǎodào yí ge chīfàn de dìfang.
例这样做才能从 ~ 上解决问题。Zhèiyàng zuò cái néng cóng ~ shang
jiějué wèntí. | 发展经济才是我们的 ~。Fāzhǎn jīngjì cái shì wǒmen
de ~. | 要花两三年的时间才能体会到这种功夫的 ~。Yào huā liǎng
sān nián de shíjiān cái néng tǐhuì dào zhèi zhǒng gōngfu de ~.

gēnběn 根本[2] [形]

现在最 ~ 的问题是缺少钱。Xiànzài zuì ~ de wèntí shì quēshǎo qián.
→现在最重要的问题是缺少钱。Xiànzài zuì zhòngyào de wèntí shì
quēshǎo qián. 例这个问题最 ~ 的原因，不像他们说的那么简单。
Zhèige wèntí zuì ~ de yuányīn, bú xiàng tāmen shuō de nàme
jiǎndān. | 姐妹之间最 ~ 的差别是性格。Jiěmèi zhījiān zuì ~ de
chābié shì xìnggé. | 现在最 ~ 的是要找到一个工作。Xiànzài zuì ~ de
shì yào zhǎodào yí ge gōngzuò.

gēnběn 根本[3] [副]

我 ~ 不知道他去过中国。Wǒ ~ bù zhīdào tā qùguo Zhōngguó. →我
一点儿也不知道他去过中国。Wǒ yìdiǎnr yě bù zhīdào tā qùguo
Zhōngguó. 例我 ~ 不认识他，怎么会给他打电话呢？Wǒ ~ bú
rènshi tā, zěnme huì gěi tā dǎ diànhuà ne? | 他说他是我妈妈的朋
友，可是我妈妈说她 ~ 就没有这样的朋友。Tā shuō tā shì wǒ
māma de péngyou, kěshì wǒ māma shuō tā ~ jiù méiyǒu zhèiyàng

de péngyou. | 他 ~ 没在我家里住过。Tā ~ méi zài wǒ jiāli zhùguo. | 这样做 ~ 就不对。Zhèiyàng zuò ~ jiù bú duì. | 她 ~ 不懂你说的是什么。Tā ~ bù dǒng nǐ shuō de shì shénme.

gēnjù 根据[1] （根據）[名]

你这么说的 ~ 是什么？Nǐ zhème shuō de ~ shì shénme? →你这么说有什么事实？→ Nǐ zhème shuō yǒu shénme shìshí? 例这话有 ~ 吗？Zhè huà yǒu ~ ma? | 没有 ~，不能乱说。Méiyǒu ~, bù néng luàn shuō. | 这些就是我的 ~。Zhèixiē jiù shì wǒ de ~.

G

gēnjù 根据[2] （根據）[动]

谁当班长，要 ~ 大家选举的结果。Shéi dāng bānzhǎng, yào ~ dàjiā xuǎnjǔ de jiéguǒ. →谁当班长，要以大家选举的结果作为理由。Shéi dāng bānzhǎng, yào yǐ dàjiā xuǎnjǔ de jiéguǒ zuòwéi lǐyóu. 例我们修改这个剧本，应 ~ 观众的建议。Wǒmen xiūgǎi zhèige jùběn, yīng ~ guānzhòng de jiànyì. | 去还是不去，要 ~ 明天的天气。Qù háishi bú qù, yào ~ míngtiān de tiānqì. | 怎么做，要 ~ 当时的情况。Zěnme zuò, yào ~ dāngshí de qíngkuàng.

gēnjù 根据[3] （根據）[介]

这部电影是 ~ 同名小说改编的。Zhèi bù diànyǐng shì ~ tóngmíng xiǎoshuō gǎibiān de. →先有小说，然后才改编成同名的电影。Xiān yǒu xiǎoshuō, ránhòu cái gǎibiān chéng tóngmíng de diànyǐng. 例 ~ 他的经验，这事儿一定能成功。~ tā de jīngyàn, zhè shìr yídìng néng chénggōng. | 医生 ~ 病人的病情给病人打针吃药。Yīshēng ~ bìngrén de bìngqíng gěi bìngrén dǎzhēn chīyào. | ~ 一两个数字很难得出正确的结论。~ yì liǎng ge shùzì hěn nán déchū zhèngquè de jiélùn.

gēn 根[2] [量]

用于筷子等长条儿的东西。Yòngyú kuàizi děng chángtiáor de dōngxi. 例十 ~ 筷子也可以说成五双筷子。Shí ~ kuàizi yě kěyǐ shuōchéng wǔ shuāng kuàizi. | 她的头上长了两 ~ 白头发。Tā de tóu shang zhǎngle liǎng ~ bái tóufa. | 把掉在地上的那几 ~ 面条儿捡起来。Bǎ diào zài dìshang de nèi jǐ ~ miàntiáor jiǎn qilai. | 这 ~ 绳子不够长，拿一 ~ 长的来。Zhèi ~ shéngzi bú gòu cháng, ná yì ~ cháng de lai. | 我把两 ~ 黄瓜都吃了。Wǒ bǎ liǎng ~ huánggua dōu chī le.

gēn 跟[1] [动]

哥哥，你跑慢一点儿，我 ~ 不上了。Gēge, nǐ pǎomàn yìdiǎnr, wǒ ~ bu shàng le. →如果哥哥不跑慢一点儿，我离哥哥就越来越远了。Rúguǒ gēge bù pǎomàn yìdiǎnr, wǒ lí gēge jiù yuèláiyuè yuǎn le. **例** 老师在前面走，我们在后面 ~ 着。Lǎoshī zài qiánmiàn zǒu, wǒmen zài hòumiàn ~ zhe. | 你们认识那儿吗？不认识的 ~ 我来。Nǐmen rènshi nàr ma? Bú rènshi de ~ wǒ lái. | 你是大学生了，~ 着这些小孩儿去干什么？Nǐ shì dàxuéshēng le, ~ zhe zhèixiē xiǎoháir qù gàn shénme? | 她小的时候总爱 ~ 着我。Tā xiǎo de shíhou zǒng ài ~ zhe wǒ.

gēn 跟[2] [介]

我想 ~ 你说一件事。Wǒ xiǎng ~ nǐ shuō yí jiàn shì. →我想对你说一件事。Wǒ xiǎng duì nǐ shuō yí jiàn shì. **例** 我 ~ 你打听一个人，他叫大卫，你认识他吗？Wǒ ~ nǐ dǎting yí ge rén, tā jiào Dàwèi, nǐ rènshi tā ma? | 你可以 ~ 家里人谈谈。Nǐ kěyǐ ~ jiāli rén tántan. | 谁 ~ 你说的？我怎么不知道？Shéi ~ nǐ shuō de? Wǒ zěnme bù zhīdào? | 你们去那儿，我也想 ~ 你们一起去。Nǐmen qù nàr, wǒ yě xiǎng ~ nǐmen yìqǐ qù. | 我没 ~ 这个人见过面。Wǒ méi ~ zhèige rén jiànguo miàn. | 他没 ~ 你住在一块儿吗？Tā méi ~ nǐ zhù zài yíkuàir ma? | 你女儿说话的声音 ~ 你一样。Nǐ nǚ'ér shuōhuà de shēngyīn ~ nǐ yíyàng. | 你还 ~ 三年前一样年轻。Nǐ hái ~ sān nián qián yíyàng niánqīng. | 我的看法 ~ 你不一样。Wǒ de kànfǎ ~ nǐ bù yíyàng. | 这儿的气候 ~ 我的家乡差不多。Zhèr de qìhòu ~ wǒ de jiāxiāng chàbuduō. | 昨天我没在这儿，这儿发生的事 ~ 我没关系。Zuótiān wǒ méi zài zhèr, zhèr fāshēng de shì ~ wǒ méi guānxi.

gēn 跟[3] [连]

我是日本人，大卫 ~ 安娜是美国人。Wǒ shì Rìběnrén, Dàwèi ~ Ānnà shì Měiguórén. →大卫和安娜都是美国人。Dàwèi hé Ānnà dōu shì Měiguórén. **例** 张老师 ~ 李老师都是北京人。Zhāng lǎoshī ~ Lǐ lǎoshī dōu shì Běijīngrén. | 我的书 ~ 笔记本都忘在教室里了。Wǒ de shū ~ bǐjìběn dōu wàng zài jiàoshì li le. | 他的儿子 ~ 我的女儿都在中国留学。Tā de érzi ~ wǒ de nǚ'ér dōu zài Zhōngguó liúxué. | 请来信告诉我你在国外工作 ~ 生活的情况。Qǐng lái xìn gàosu wǒ nǐ zài guówài gōngzuò ~ shēnghuó de qíngkuàng.

gēnqián 跟前 ［名］

你到我 ~ 来，我教你写字。Nǐ dào wǒ ~ lái, wǒ jiāo nǐ xiězì. →你到我身边儿来，我教你写字。Nǐ dào wǒ shēnbiānr lai, wǒ jiāo nǐ xiězì.例你到王老师 ~ 去，他教你唱歌儿。Nǐ dào Wáng lǎoshī ~ qu, tā jiāo nǐ chànggēr. I爷爷坐在窗户 ~ 看报。Yéye zuò zài chuānghu ~ kàn bào. I你把桌子 ~ 的那个小椅子给我拿过来。Nǐ bǎ zhuōzi ~ de nèige xiǎo yǐzi gěi wǒ ná guolai. I饭已经吃完了，大家正坐在饭桌 ~ 聊天儿呢。Fàn yǐjing chīwán le, dàjiā zhèng zuò zài fànzhuō ~ liáotiānr ne.

geng

gèng 更 ［副］

前天是摄氏零下六度，昨天是摄氏零下九度，今天 ~ 冷，是摄氏零下十二度。Qiántiān shì shèshì língxià liù dù, zuótiān shì shèshì líng xià jiǔ dù, jīntiān ~ lěng, shì shèshì língxià shí'èr dù. →今天比昨天和前天都冷。Jīntiān bǐ zuótiān hé qiántiān dōu lěng.例下了一场雨，地上的小草 ~ 绿了。Xiàle yì cháng yǔ, dìshang de xiǎocǎo ~ lǜ le. I她比以前 ~ 漂亮了。Tā bǐ yǐqián ~ piàoliang le. I让你这么一说，他 ~ 高兴了。Ràng nǐ zhème yì shuō, tā ~ gāoxìng le. I现在我 ~ 不想离开这儿了。Xiànzài wǒ ~ bù xiǎng líkāi zhèr le.

gèngjiā 更加 ［副］

上了大学，他学习 ~ 认真了。Shàngle dàxué, tā xuéxí ~ rènzhēn le. →上大学以前，他学习认真；上大学以后，他学习比上大学以前还认真。Shàng dàxué yǐqián, tā xuéxí rènzhēn; shàng dàxué yǐhòu, tā xuéxí bǐ shàng dàxué yǐqián hái rènzhēn.例这个地方建了一个新商店，~ 热闹了。Zhèige dìfang jiànle yí ge xīn shāngdiàn, ~ rènao le. I这件衣服比昨天穿的那件 ~ 漂亮。Zhèi jiàn yīfu bǐ zuótiān chuān de nèi jiàn ~ piàoliang. I因为工作忙，去看母亲的时间就 ~ 少了。Yīnwèi gōngzuò máng, qù kàn mǔqin de shíjiān jiù ~ shǎo le. I我觉得这篇文章写得 ~ 有水平。Wǒ juéde zhèi piān wénzhāng xiěde ~ yǒu shuǐpíng.

G

gong

gōngchǎng 工厂（工廠）[名]

这种汽车是我们～生产的。Zhèi zhǒng qìchē shì wǒmen ～ shēngchǎn de. →我们工人工作的地方生产这种汽车。Wǒmen gōngrén gōngzuò de dìfang shēngchǎn zhèi zhǒng qìchē. 例这种电视机是我父亲的～生产的。Zhèi zhǒng diànshìjī shì wǒ fùqin de ～ shēngchǎn de. |我们～今年来了许多大学生。Wǒmen ～ jīnnián láile xǔduō dàxuéshēng. |这家～很大。Zhèi jiā ～ hěn dà. |这是个生产电视机的～。Zhè shì ge shēngchǎn diànshìjī de ～. |我儿子也想进那个～。Wǒ érzi yě xiǎng jìn nèige ～.

gōngchéng 工程 [名]

engineering 例这项～到明年才能完成。Zhèi xiàng ～ dào míngnián cái néng wánchéng. |我们又要接受一项新的～。Wǒmen yòu yào jiēshòu yí xiàng xīn de ～. |这是一项生物～。Zhè shì yí xiàng shēngwù ～. |我是搞建筑～的。Wǒ shì gǎo jiànzhù ～ de.

gōngchéngshī 工程师（工程師）[名]

engineer 例小王的哥哥是～。Xiǎo Wáng de gēge shì ～. |我们工厂里有许多～。Wǒmen gōngchǎng li yǒu xǔduō ～. |这个问题我解决不了了，咱们去问问～。Zhèige wèntí wǒ jiějué bu liǎo, zánmen qù wènwen ～. |我要上理工大学，毕业以后当一个～。Wǒ yào shàng lǐgōng dàxué, bìyè yǐhòu dāng yí ge ～.

gōngfu 工夫 [名]

等了不大一会儿～，火车就进站了。Děngle bú dà yíhuìr ～, huǒchē jiù jìn zhàn le. →等了不大一会儿的时间，火车就进站了。Děngle bú dà yíhuìr de shíjiān, huǒchē jiù jìn zhàn le. 例你想学会开车，得花一个月的～。Nǐ xiǎng xuéhuì kāi chē, děi huā yí ge yuè de ～. |只花了半年～，这座大楼就建成了，真了不起。Zhǐ huāle bàn nián ～, zhèi zuò dà lóu jiù jiànchéng le, zhēn liǎobuqǐ. |今年我一定得抽点儿～去旅行。Jīnnián wǒ yídìng děi chōu diǎnr ～ qù lǚxíng.

gōnghuì 工会（工會）[名]

trade union 例～发了一个通知。～ fāle yí ge tōngzhī. |我们公司也成立了～。Wǒmen gōngsī yě chénglìle ～. |我也是～的会员。Wǒ yě shì ～ de huìyuán. |他是我们的～主席。Tā shì wǒmen de ～ zhǔxí. |

他们俩都在 ~ 工作。Tāmen liǎ dōu zài ~ gōngzuò.丨这是 ~ 的办公大楼。Zhè shì ~ de bàngōng dà lóu.

gōngjù 工具¹ [名]

请帮我修修自行车吧！——好，我去拿修自行车的 ~。Qǐng bāng wǒ xiūxiu zìxíngchē ba! ——Hǎo, wǒ qù ná xiū zìxíngchē de ~. → 我去拿修自行车用的东西。Wǒ qù ná xiū zìxíngchē yòng de dōngxi. 例我去拿理发的 ~，给你理发。Wǒ qù ná lǐfà de ~, gěi nǐ lǐfà.丨在你们国家，人们上班都用什么交通 ~？Zài nǐmen guójiā, rénmen shàngbān dōu yòng shénme jiāotōng ~?丨在北京，人们最常用的交通 ~ 是自行车。Zài Běijīng, rénmen zuì chángyòng de jiāotōng ~ shì zìxíngchē.

gōngjù 工具² [名]

人们传递信息，进行交际，最重要的 ~ 是语言。Rénmen chuándì xìnxī, jìnxíng jiāojì, zuì zhòngyào de ~ shì yǔyán. → 人们交流思想需要用的东西中，最重要的是语言。Rénmen jiāoliú sīxiǎng xūyào yòng de dōngxi zhōng, zuì zhòngyào de shì yǔyán. 例报纸、电视、广播等都是信息传播的 ~。Bàozhǐ、diànshì、guǎngbō děng dōu shì xìnxī chuánbō de ~.丨外语也是一种 ~。Wàiyǔ yě shì yì zhǒng ~.丨电脑网络是人们进行信息传播和交流的有力的 ~。Diànnǎo wǎngluò shì rénmen jìnxíng xìnxī chuánbō hé jiāoliú de yǒulì de ~.

gōngjùshū 工具书（工具書）[名]

字典、词典、历史年表、百科全书等等，都属于 ~。Zìdiǎn、cídiǎn、lìshǐ niánbiǎo、bǎikē quánshū děngděng, dōu shǔyú ~. → 字典、词典、历史年表、百科全书等等，都属于专为读者查考有关内容的书（籍）。Zìdiǎn、cídiǎn、lìshǐ niánbiǎo、bǎikē quánshū děngděng, dōu shǔyú zhuān wèi dúzhě chákǎo yǒuguān nèiróng de shū (jí). 例这儿是 ~ 阅览室。Zhèr shì ~ yuèlǎnshì.丨这边儿放的是语言方面的 ~。Zhèbianr fàng de shì yǔyán fāngmiàn de ~.丨我们正在编一本外语 ~。Wǒmen zhèngzài biān yì běn wàiyǔ ~.

gōngrén 工人 [名]

worker 例我们工厂有三千多名 ~。Wǒmen gōngchǎng yǒu sānqiān duō míng ~.丨我也当过 ~。Wǒ yě dāngguo ~.丨我们打算从 ~ 中挑选干部。Wǒmen dǎsuan cóng ~ zhōng tiāoxuǎn gànbù.丨这个车间今年来了三个新 ~。Zhèige chējiān jīnnián láile sān ge xīn ~.

gōngyè 工业（工業）[名]

industry 例各国都很注意发展～和农业。Gè guó dōu hěn zhùyì fāzhǎn ～ hé nóngyè. |近几年电子～发展得很快。Jìn jǐ nián diànzǐ ～ fāzhǎn de hěn kuài. |我们国家轻～很发达。Wǒmen guójiā qīng ～ hěn fādá. |我们的纺织～发展得不太快。Wǒmen de fǎngzhī ～ fāzhǎn de bú tài kuài.

gōngyìpǐn 工艺品（工藝品）[名]

我想买几件～送给我的朋友。Wǒ xiǎng mǎi jǐ jiàn ～ sòng gěi wǒ de péngyou. →我想买几件用手工技术做的漂亮的产品送给我的朋友。Wǒ xiǎng mǎi jǐ jiàn yòng shǒugōng jìshù zuò de piàoliang de chǎnpǐn sòng gěi wǒ de péngyou. 例这件～是从中国买来的。Zhèi jiàn ～ shì cóng Zhōngguó mǎilai de. |那儿有一家很大的～商店。Nàr yǒu yì jiā hěn dà de ～ shāngdiàn. |它既是一把扇子，也是一件精美的～。Tā jì shì yì bǎ shànzi, yě shì yí jiàn jīngměi de ～.

gōngzī 工资（工資）[名]

这个工厂的工人和那个工厂的工人，每个月的～不一样。Zhèige gōngchǎng de gōngrén hé nèige gōngchǎng de gōngrén, měi ge yuè de ～ bù yíyàng. →两个工厂的工人每月得到的工钱不一样多。Liǎng ge gōngchǎng de gōngrén měi yuè dédào de gōngqian bù yíyàng duō. 例一个月过了两个节，～很快就花完了。Yí ge yuè guòle liǎng ge jié, ～ hěn kuài jiù huāwán le. |买了一台电脑，一下子花了好几个月的～。Mǎile yì tái diànnǎo, yíxiàzi huāle hǎojǐ ge yuè de ～. |除了～，我没别的收入。Chúle ～, wǒ méi biéde shōurù. |今年国家要给教师长～。Jīnnián guójiā yào gěi jiàoshī zhǎng ～.

gōngzuò 工作[动]

work 例他～得很好。Tā ～ de hěn hǎo. |他一～起来，常常忘了吃饭。Tā yì ～ qilai, chángcháng wàngle chīfàn. |他父亲在国外～过三年。Tā fùqin zài guówài ～ guo sān nián. |那台机器已经～了二十四小时了。Nèi tái jīqì yǐjing ～ le èrshísì xiǎoshí le. |张工程师常常～到深夜。Zhāng gōngchéngshī chángcháng ～ dào shēnyè. |～完了，我就给你打电话。～ wán le, wǒ jiù gěi nǐ dǎ diànhuà.

gōngzuò 工作[名]

教师的～很辛苦，但很有意思。Jiàoshī de ～ hěn xīnkǔ, dàn hěn

yǒu yìsi. →干教师这个职业很辛苦，但是很有意思。Gàn jiàoshī zhèige zhíyè hěn xīnkǔ, dànshì hěn yǒuyìsi. 例毕业以后，我要马上找～。Bì yè yǐhòu, wǒ yào mǎshàng zhǎo ～. ｜现在他们都有～了。Xiànzài tāmen dōu yǒu ～ le. ｜他很热爱自己的～。Tā hěn rè'ài zìjǐ de ～.

gōngzuò 工作³ ［名］

这是你今天要做的～。Zhè shì nǐ jīntiān yào zuò de ～. →这是你今天要做的事。Zhè shì nǐ jīntiān yào zuò de shì. 例今天的～太多了。Jīntiān de ～ tài duō le. ｜这是一个重要的～。Zhè shì yí ge zhòngyào de ～. ｜领导对他的～很满意。Lǐngdǎo duì tā de ～ hěn mǎnyì. ｜这两个办公室的～完全不同。Zhèi liǎng ge bàngōngshì de ～ wánquán bùtóng.

gōngfèi 公费（公費）［名］

他们是～留学的学生。Tāmen shì ～ liúxué de xuésheng. →他们来留学用的钱是国家或单位给出的。Tāmen lái liú xué yòng de qián shì guójiā huò dānwèi gěi chū de. 例我也想去～留学，可是现在还没找到出钱的单位。Wǒ yě xiǎng qù ～ liúxué, kěshì xiànzài hái méi zhǎodào chū qián de dānwèi. ｜我们班有三个～生，其他的都是自费生。Wǒmen bān yǒu sān ge ～ shēng, qítā de dōu shì zìfèishēng. ｜我们看病都是享受～待遇。Wǒmen kànbìng dōu shì xiǎngshòu ～ dàiyù.

gōnggòng 公共 ［形］

附近有～厕所吗？Fùjìn yǒu ～ cèsuǒ ma? →附近有大家都可以用的厕所吗？Fùjìn yǒu dàjiā dōu kěyǐ yòng de cèsuǒ ma? 例不能在～场所抽烟。Bù néng zài ～ chǎngsuǒ chōuyān. ｜这是～的地方，谁都可以来。Zhè shì ～ de dìfang, shéi dōu kěyǐ lái. ｜大家都要爱护～财产。Dàjiā dōu yào àihù ～ cáichǎn.

gōnggòng qìchē 公共汽车（公共汽車）

例我的自行车丢了，现在我每天坐～上班。Wǒ de zìxíngchē diū le, xiànzài wǒ měi tiān zuò ～ shàngbān. ｜请问你家附近有～站吗？Qǐngwèn nǐ jiā fùjìn yǒu ～ zhàn ma? ｜早上～上的人很多。Zǎoshang ～ shang de rén hěn duō. ｜坐～比坐出租车

公共汽车

便宜多了。Zuò ~ bǐ zuò chūzūchē piányi duō le. | 这几趟 ~ 都能到我们学校。Zhèi jǐ tàng ~ dōu néng dào wǒmen xuéxiào. | 那三辆 ~ 都要经过天安门广场。Nèi sān liàng ~ dōu yào jīngguò Tiān'ān Mén Guǎngchǎng.

gōngjīn 公斤 [量]

kilogram (kg) 例我买了一 ~ 苹果、两 ~ 梨。Wǒ mǎile yì ~ píngguǒ、liǎng ~ lí. | 一 ~ 等于两市斤。Yì ~ děngyú liǎng shìjīn. | 这些苹果有多少 ~ ? Zhèixiē píngguǒ yǒu duōshao ~ ? | 你们说我有八十 ~ 重，其实我只有六十五 ~ 。Nǐmen shuō wǒ yǒu bāshí ~ zhòng, qíshí wǒ zhǐ yǒu liùshíwǔ ~ .

gōngkāi 公开¹（公開）[形]

这是一封 ~ 信。Zhè shì yì fēng ~ xìn. →这封信是给大家看的。Zhèi fēng xìn shì gěi dàjiā kàn de. 例这件事现在已经很 ~ 了。Zhèi jiàn shì xiànzài yǐjīng hěn ~ le. | 找他一个人谈一谈，先别 ~ 批评他。Zhǎo tā yí ge rén tán yi tán, xiān bié ~ pīpíng tā. | 知道错了，就 ~ 向大家道歉吧！Zhīdao cuò le, jiù ~ xiàng dàjiā dàoqiàn ba! | 那件事已经成了 ~ 的秘密。Nèi jiàn shì yǐjīng chéngle ~ de mìmì.

gōngkāi 公开²（公開）[动]

你们结婚的日子选好了吗？什么时候 ~ ? Nǐmen jiéhūn de rìzi xuǎn hǎole ma? Shénme shíhou ~ ? →什么时候让大家知道你们要结婚的消息？Shénme shíhou ràng dàjiā zhīdao nǐmen yào jiéhūn de xiāoxi? 例 这个决定什么时候 ~ ? Zhèige juédìng shénme shíhou ~ ? | 今天你别问了，明天就会 ~ 了。Jīntiān nǐ bié wèn le, míngtiān jiù huì ~ le. | 那件事早已在学生中 ~ 了。Nèi jiàn shì zǎoyǐ zài xuésheng zhōng ~ le. | 她不想把那件事 ~ 出去。Tā bù xiǎng bǎ nèi jiàn shì ~ chuqu.

gōnglǐ 公里 [量]

kilometre (km) 例我家离我们学校有二十 ~ 。Wǒ jiā lí wǒmen xuéxiào yǒu èrshí ~ . | 这辆汽车才走了六千多 ~ 。Zhèi liàng qìchē cái zǒule liùqiān duō ~ . | 这种汽车最快每小时能开一百八十 ~ 。Zhèi zhǒng qìchē zuì kuài měi xiǎoshí néng kāi yìbǎi bāshí ~ . | 我一小时能步行五 ~ 。Wǒ yì xiǎoshí néng bùxíng wǔ ~ . | 一公里是两里。Yì ~ shì liǎng lǐ.

gōnglù 公路 [名]

汽车停在山下，那儿没有上山的～。Qìchē tíng zài shān xià, nàr méiyǒu shàng shān de ～. →汽车不能往山上开了，因为没有汽车走的路了。Qìchē bù néng wǎng shān shàng kāi le, yīnwèi méiyǒu qìchē zǒu de lù le. 例近两年我们村里修了两条～。Jìn liǎng nián wǒmen cūn li xiūle liǎng tiáo ～. | 这条～通往火车站。Zhèi tiáo ～ tōngwǎng huǒchēzhàn. | ～上来来往往的汽车太多了。～ shang láiláiwǎngwǎng de qìchē tài duō le. | 高速～上的汽车开得快极了。Gāosù ～ shang de qìchē kāi de kuàijí le.

gōngsī 公司 [名]

他开始只是一个做衣服的工人，现在已经是服装～的副经理了。Tā kāishǐ zhǐ shì yí ge zuò yīfu de gōngrén, xiànzài yǐjing shì fúzhuāng ～ de fù jīnglǐ le. →他过去是个工人，现在是服装生产和经营单位的副经理了。Tā guòqù shì ge gōngrén, xiànzài shì fúzhuāng shēngchǎn hé jīngyíng dānwèi de fù jīnglǐ le. 例他哥哥是航空～的职员。Tā gēge shì hángkōng ～ de zhíyuán. | 这个食品～的食品很有名。Zhèige shípǐn ～ de shípǐn hěn yǒumíng. | 他是那家计算机～的老板。Tā shì nèi jiā jìsuànjī ～ de lǎobǎn.

gōngyòng diànhuà 公用电话（公用電話）

例地铁车站和一些公共汽车站上有～。Dìtiě chēzhàn hé yìxiē gōnggòng qìchēzhàn shang yǒu ～. | 附近有没有～？Fùjìn yǒu méiyǒu ～? | 这些～可以打本市，也可以打国外。Zhèixiē ～ kěyǐ dǎ běn shì, yě kěyǐ dǎ guówài. | 打～怎么交钱？Dǎ ～ zěnme jiāo qián?

公用电话

gōngyuán 公元 [名]

A.D.; the Christian era 例那天是中国农历正月初一，是～2005年2月9日。Nèitiān shì Zhōngguó nónglì zhēngyuè chūyī, shì ～ èr líng líng wǔ nián Èryuè jiǔ rì. | 他父亲生于～1915年。Tā fùqin shēng yú ～ yī jiǔ yī wǔ nián. | 中国从1949年开始使用～纪年。Zhōngguó cóng yī jiǔ sì jiǔ nián kāishǐ shǐyòng ～ jìnián. | 那是～5年以前的记载了。Nà shì ～ wǔ nián yǐqián de jìzǎi le.

gōngyuán 公园（公園）[名]

park 例那个 ~ 我还没去过呢。Nèige ~ wǒ hái méi qùguo ne. ┃星期天我常常带孩子去 ~ 玩儿。Xīngqītiān wǒ chángcháng dài háizi qù ~ wánr. ┃你有空儿吗？我们在路边的街头 ~ 坐一会儿吧。Nǐ yǒu kòngr ma? Wǒmen zài lù biān de jiētóu ~ zuò yíhuìr ba. ┃我们去 ~ 里划船吧。Wǒmen qù ~ li huá chuán ba. ┃这个 ~ 叫中山 ~。Zhèige ~ jiào Zhōngshān ~.

gōngfu 功夫[1] [名]

他的杂技表演得那么好，是他长期下 ~ 练的结果。Tā de zájì biǎoyǎn de nàme hǎo, shì tā chángqī xià ~ liàn de jiéguǒ. →他的杂技表演得那么好，是他长期努力练习的结果。Tā de zájì biǎoyǎn de nàme hǎo, shì tā chángqī nǔlì liànxí de jiéguǒ. 例只要下 ~ 学习，什么都能学好。Zhǐyào xià ~ xuéxí, shénme dōu néng xuéhǎo. ┃不想下 ~ 的人，什么也学不好。Bù xiǎng xià ~ de rén, shénme yě xué bu hǎo. ┃要在短期内学好一门外语，一定得下 ~。Yào zài duǎnqī nèi xuéhǎo yì mén wàiyǔ, yídìng děi xià ~.

gōngfu 功夫[2] [名]

我学过中国 ~。Wǒ xuéguo Zhōngguó ~. →我学过中国的武术、气功等。Wǒ xuéguo Zhōngguó de wǔshù, qìgōng děng. 例他学的那种 ~ 很难学。Tā xué de nèi zhǒng ~ hěn nán xué. ┃他是在武术馆里学的 ~。Tā shì zài wǔshùguǎn li xué de ~. ┃他师傅的 ~ 很棒。Tā shīfu de ~ hěn bàng. ┃我也想去学习一套 ~。Wǒ yě xiǎng qù xuéxí yí tào ~. ┃学习这种 ~ 很有意思。Xuéxí zhèi zhǒng ~ hěn yǒu yìsi.

gōngkè 功课[1] （功課）[名]

学生在学校里要学好每一门 ~。Xuésheng zài xuéxiào li yào xuéhǎo měi yì mén ~. →学生在学校里要学好每一门课程。Xuésheng zài xuéxiào li yào xuéhǎo měi yì mén kèchéng. 例这学期我们有六门 ~。Zhè xuéqī wǒmen yǒu liù mén ~. ┃我们班大卫的 ~ 最好。Wǒmen bān Dàwèi de ~ zuì hǎo. ┃他有两门 ~ 没考好。Tā yǒu liǎng mén ~ méi kǎohǎo. ┃你的这门 ~ 的成绩怎么下降了呢？Nǐ de zhèi mén ~ de chéngjì zěnme xiàjiàngle ne? ┃我请他帮我复习 ~。Wǒ qǐng tā bāng wǒ fùxí ~.

G

gōngkè 功课² （功課）［名］

下课时，老师给我们留回家做的～。Xiàkè shí, lǎoshī gěi wǒmen liú huí jiā zuò de ～. →老师给我们留家庭作业。Lǎoshī gěi wǒmen liú jiātíng zuòyè. 例今天老师留的～特别多。Jīntiān lǎoshī liú de ～ tèbié duō. | 做完～才能去踢球。Zuòwán ～ cái néng qù tī qiú. | 今天的～一定得今天做完。Jīntiān de ～ yídìng děi jīntiān zuòwán. | 请把昨天你们做的～交给我。Qǐng bǎ zuótiān nǐmen zuò de ～ jiāo gěi wǒ.

gōng 供¹ ［动］

我哥哥～我上大学。Wǒ gēge ～ wǒ shàng dàxué. →我哥哥出钱支持我上大学。Wǒ gēge chū qián zhīchí wǒ shàng dàxué. 例只要你爱学，我就～你。Zhǐyào nǐ ài xué, wǒ jiù ～ nǐ. | 我的公司～我在这儿留学的所有费用。Wǒ de gōngsī ～ wǒ zài zhèr liúxué de suǒyǒu fèiyòng. | 你们要的太多了，我哪儿～得起呀！Nǐmen yào de tài duō le, wǒ nǎr ～ de qǐ ya! | 他上大学时，我～了他两年，后来他就半工半读了。Tā shàng dàxué shí, wǒ ～ le tā liǎng nián, hòulái tā jiù bàngōng bàndú le. | 他们一天～我三顿饭。Tāmen yì tiān ～ wǒ sān dùn fàn.

gōngjǐ 供给（供給）［动］

大草原～牛羊足够的草。Dà cǎoyuán ～ niú yáng zúgòu de cǎo. →大草原提供给它们足够的草。Dà cǎoyuán tígōng gěi tāmen zúgòu de cǎo. 例国家～他们许多钱和粮食。Guójiā ～ tāmen xǔduō qián hé liángshi. | 我们～他们许多药品。Wǒmen ～ tāmen xǔduō yàopǐn. | 这些东西都是免费～的。Zhèixiē dōngxi dōu shì miǎnfèi ～ de. | 他们自己还不够呢，哪儿有钱～我们？Tāmen zìjǐ hái bú gòu ne, nǎr yǒu qián ～ wǒmen?

gōng 供² ［动］

这间房子是～中午不回家的职员吃饭、休息用的。Zhèi jiān fángzi shì ～ zhōngwǔ bù huíjiā de zhíyuán chīfàn、xiūxi yòng de. →这间房子是给中午不回家的职员吃饭、休息用的。Zhèi jiān fángzi shì gěi zhōngwǔ bù huíjiā de zhíyuán chīfàn、xiūxi yòng de. 例这个开架图书室的书只～教师阅览。Zhèige kāijià túshūshì de shū zhǐ ～ jiàoshī yuèlǎn. | 这些书～你查阅。Zhèixiē shū ～ nǐ cháyuè. | 我们提的意见只～你参考。Wǒmen tí de yìjiàn zhǐ ～ nǐ cānkǎo.

gǒnggù 巩固¹（鞏固）[形]

两国建立了～的友好关系。Liǎng guó jiànlìle ～ de yǒuhǎo guānxì. →两国建立了稳定的、不容易破坏的友好关系。Liǎng guó jiànlìle wěndìng de、bù róngyì pòhuài de yǒuhǎo guānxì. 例我高中的物理知识不太～。Wǒ gāozhōng de wùlǐ zhīshi bú tài ～. |他的领导地位很～。Tā de lǐngdǎo dìwèi hěn ～. |他已经打下了～的汉语基础。Tā yǐjing dǎxiàle ～ de Hànyǔ jīchǔ.

gǒnggù 巩固²（鞏固）[动]

我们要进一步～两国的友好关系。Wǒmen yàojìnyí bù ～ liǎng guó de yǒuhǎo guānxì. →我们要使两国的关系更加友好。Wǒmen yào shǐ liǎng guó de guānxì gèngjiā yǒuhǎo. 例我要通过复习，～已经取得的成果，争取更大的胜利。Wǒ yào tōngguò fùxí, ～ suǒ xué de zhīshi. |我们要～已经取得的成果，争取更大的胜利。Wǒmen yào ～ yǐjing qǔdé de chéngguǒ, zhēngqǔ gèng dà de shènglì. |你们的这种关系就是建立起来也～不了。Nǐmen de zhèi zhǒng guānxi jiùshì jiànlì qilai yě ～ bu liǎo. |我们要经常通信，把我们的友谊～下去。Wǒmen yào jīngcháng tōngxìn, bǎ wǒmen de yǒuyì ～ xiaqu.

gòng 共¹ [副]

我们办公室有八个男的、六个女的，～有十四人。Wǒmen bàngōngshì yǒu bā ge nán de、liù ge nǚ de, ～ yǒu shísì rén. →我们办公室的人数合在一起有十四个。Wǒmen bàngōngshì de rénshù hé zài yìqǐ yǒu shísì ge. 例买这件衣服和这双鞋～花了六百五十元。Mǎi zhèi jiàn yīfu hé zhèi shuāng xié ～ huāle liùbǎi wǔshí yuán. |两个星期内我～收到了三十六张圣诞卡。Liǎng ge xīngqī nèi wǒ ～ shōudàole sānshíliù zhāng shèngdànkǎ. |这本小说～三十万字。Zhèi běn xiǎoshuō ～ sānshí wàn zì. |这套邮票～四张。Zhèi tàoʳ yóupiào ～ sì zhāng.

gòng 共² [副]

我们已经三年没见面了，今天大家能在这ʳ～进晚餐，我感到很高兴。Wǒmen yǐjing sān nián méi jiànmiàn le, jīntiān dàjiā néng zài zhèr ～ jìn wǎncān, wǒ gǎndào hěn gāoxìng. →今天大家能在这ʳ一块ʳ吃晚饭，我很高兴。Jīntiān dàjiā néng zài zhèr yíkuàir chī wǎnfàn, wǒ hěn gāoxìng. 例开会，我请你们～进午餐。Kāiwán huì, wǒ qǐng nǐmen ～ jìn wǔcān. |各族人民的代表在人民大会堂～

商国家大事。Gè zú rénmín de dàibiǎo zài Rénmín Dàhuìtáng ~ shāng guójiā dà shì. ｜客人和我们 ~ 度圣诞节。Kèrén hé wǒmen ~ dù Shèngdànjié.

gòngtóng 共同[1] [形]

三月八日是全世界妇女 ~ 的节日。Sānyuè bā rì shì quán shìjiè fùnǚ ~ de jiérì. →三月八日是全世界妇女们都过的一个节日。Sānyuè bā rì shì quán shìjiè fùnǚmen dōu guò de yí ge jiérì. 例大学毕业后当一名教师，这是我和哥哥 ~ 的想法。Dàxué bìyè hòu dāng yì míng jiàoshī, zhè shì wǒ hé gēge ~ de xiǎngfa. ｜姐妹之间有许多 ~ 点。Jiěmèi zhījiān yǒu xǔduō ~ diǎn. ｜我们为了一个 ~ 的目标走到一起来了。Wǒmen wèile yí ge ~ de mùbiāo zǒudào yìqǐ lái le. ｜这是他们 ~ 的理想。Zhè shì tāmen ~ de lǐxiǎng.

gòngtóng 共同[2] [副]

这台电脑是我们宿舍的人 ~ 买的。Zhèi tái diànnǎo shì wǒmen sùshè de rén ~ mǎi de. →这台电脑是我们宿舍的人一块儿出钱买的。Zhèi tái diànnǎo shì wǒmen sùshè de rén yíkuàir chū qián mǎi de. 例我们得 ~ 想办法来解决这个难题。Wǒmen děi ~ xiǎng bànfǎ lái jiějué zhèige nántí. ｜让我们 ~ 去完成那个任务吧。Ràng wǒmem ~ qù wánchéng nèige rènwu ba. ｜只有 ~ 努力，我们才能把这项工作做得更好。Zhǐyǒu ~ nǔlì, wǒmen cái néng bǎ zhèi xiàng gōngzuò zuò de gèng hǎo.

gòngxiàn 贡献[1] （貢獻）[动]

他把一生的精力 ~ 给了教育事业。Tā bǎ yìshēng de jīnglì ~ gěi le jiàoyù shìyè. →他把一生的精力都用在教育事业上了。Tā bǎ yìshēng de jīnglì dōu yòng zài jiàoyù shìyè shang le. 例他们为建设新家园，~ 了自己的青春。Tāmen wèi jiànshè xīn jiāyuán, ~ le zìjǐ de qīngchūn. ｜为了子孙后代的幸福，我愿 ~ 自己的力量。Wèile zǐsūn hòudài de xìngfú, wǒ yuàn ~ zìjǐ de lìliang. ｜他把父母留给他的文物 ~ 给了展览馆。Tā bǎ fùmǔ liúgěi tā de wénwù ~ gěi le zhǎnlǎnguǎn.

gòngxiàn 贡献[2] （貢獻）[名]

他们为儿童们做出的 ~，人们不会忘记。Tāmen wèi értóngmen zuòchū de ~, rénmen bú huì wàngjì. →他们为儿童们做的好事，人们是不会忘记的。Tāmen wèi értóngmen zuò de hǎoshì, rénmen shì bú huì wàngjì de. **例** 我愿意为大家做出更多的～。Wǒ yuànyì wèi dàjiā zuòchū gèng duō de ～. | 他们对祖国的～是很大的。Tāmen duì zǔguó de ～ shì hěn dà de. | 这是他在天文学方面的～。Zhè shì tā zài tiānwénxué fāngmiàn de ～. | 我们看到的是我们的前辈作出的～。Wǒmen kàndào de shì wǒmen de qiánbèi zuòchū de ～.

gou

gǒu 狗 [名]

例 这只小～真漂亮。Zhèi zhī xiǎo ～ zhēn piàoliang. | 这只～又漂亮又聪明，一有人来，它就叫。Zhèi zhī ～ yòu piàoliang yòu cōngming, yì yǒu rén lái, tā jiù jiào. | 我住的那个地方家家都养～。Wǒ zhù de nèige dìfang jiājiā dōu yǎng ～. | 我家有一只小白～。Wǒ jiā yǒu yì zhī xiǎo bái ～.

狗

G

gòuchéng 构成（構成）[动]

那个风景区是由三个岛和一个水上花园～的。Nèige fēngjǐngqū shì yóu sān ge dǎo hé yí ge shuǐshàng huāyuán ～ de. →那个风景区包括了三个岛和一个水上花园。Nèige fēngjǐngqū bāokuòle sān ge dǎo hé yí ge shuǐshàng huāyuán. **例** 广场上孩子们的张张笑脸和他们五颜六色的衣服～了一幅美丽的图画。Guǎngchǎng shang háizimen de zhāngzhāng xiàoliǎn hé tāmen wǔyánliùsè de yīfu ～ le yì fú měilì de túhuà. | 它是由五十六块石头～的。Tā shì yóu wǔshíliù kuài shítou ～ de.

gòuzào 构造（構造）[名]

structure **例** 这间小木屋的～很简单，但是它很漂亮。Zhèi jiān xiǎo mù wū de ～ hěn jiǎndān, dànshì tā hěn piàoliang. | 这个机器人的～很复杂。Zhèige jīqìrén de ～ hěn fùzá. | 他研究过许多动物大脑的～。Tā yánjiūguo xǔduō dòngwù dànǎo de ～. | 他是专门研究飞机发动机的～的。Tā shì zhuānmén yánjiū fēijī fādòngjī de ～ de. | 你知道地球的～吗？Nǐ zhīdao dìqiú de ～ ma? | 我们还不了解它内部的～。Wǒmen hái bù liǎojiě tā nèibù de ～.

gòu 够[1] [形]

你需要多长时间？我给你三天时间，～吗？Nǐ xūyào duō cháng

shíjiān? Wǒ gěi nǐ sān tiān shíjiān, ~ ma? →三天时间能满足你的
需要吗？Sān tiān shíjiān néng mǎnzú nǐ de xūyào ma? 例买一件长
大衣，这些钱 ~ 不 ~? Mǎi yí jiàn cháng dàyī, zhèixiē qián ~ bu
~? |这么点儿面条儿，三个人不 ~ 吃。Zhème diǎnr miàntiáor, sān
ge rén bú ~ chī. |我去拿酒，今天让你喝个 ~。Wǒ qù ná jiǔ,
jīntiān ràng nǐ hē ge ~. |玩儿 ~ 了吧？回家吧。Wánr ~ le ba? Huíjiā
ba. |给我两个面包就 ~ 了。Gěi wǒ liǎng ge miànbāo jiù ~ le.

gòu 够² [动]

身高不 ~ 一米八，不能当篮球运动员。Shēngāo bú ~ yì mǐ bā, bù
néng dāng lánqiú yùndòngyuán. →身高达不到一米八的人，不能当
篮球运动员。Shēngāo dá bu dào yì mǐ bā de rén, bù néng dāng
lánqiú yùndòngyuán. 例她今年才四岁，还不 ~ 上小学的年龄。Tā
jīnnián cái sì suì, hái bú ~ shàng xiǎoxué de niánlíng. |你想跟张先
生比，你还不 ~ 格儿。Nǐ xiǎng gēn Zhāng xiānsheng bǐ, nǐ hái bú ~
gér. |这根线不 ~ 长。Zhèi gēn xiàn bú ~ cháng.

gòu 够³ [动]

你站在床上把那个旅行包给我 ~ 下来。Nǐ zhàn zài chuáng shang bǎ
nèige lǚxíngbāo gěi wǒ ~ xialai. →旅行包放在一个很高的地方，站
在床上才能拿得到。Lǚxíngbāo fàng zài yí ge hěn gāo de dìfang,
zhàn zài chuáng shang cái néng ná de dào. 例请你帮我把书架上的
那本词典 ~ 下来。Qǐng nǐ bāng wǒ bǎ shūjià shang de nèi běn cídiǎn
~ xialai. |他的个儿真高，一伸手就 ~ 着房顶了。Tā de gèr zhēn
gāo, yì shēn shǒu jiù ~ zháo fángdǐng le. |太高了，我可 ~ 不着。
Tài gāo le. wǒ kě ~ bu zháo. |他 ~ 了半天，也没 ~ 下来。Tā ~ le
bàntiān, yě méi ~ xiàlái.

gòu 够⁴ [副]

让他好好儿休息吧，他今天 ~ 累的了。Ràng tā hǎohāor xiūxi ba, tā
jīntiān ~ lèi de le. →让他好好儿休息吧，他已经很累了。Ràng tā
hǎohāor xiūxi ba, tā yǐjing hěn lèi le. 例他 ~ 忙的了，别再麻烦他
了。Tā ~ máng de le, bié zài máfan tā le. |你的同事们对你 ~ 好的
了，你还不满足！Nǐ de tóngshìmen duì nǐ ~ hǎo de le, nǐ hái bù
mǎnzú! |现在的孩子们 ~ 幸福的了。Xiànzài de háizimen ~ xìngfú
de le. |这件事儿 ~ 难办的了。Zhèi jiàn shìr ~ nánbàn de le.

gu

gūjì 估计（估計）[动]

他今天在这儿玩得这么高兴，我 ~ 他明天还会来。Tā jīntiān zài zhèr wánr de zhème gāoxìng, wǒ ~ tā míngtiān hái huì lái. →看他今天高兴的样子，我认为他明天还会来。Kàn tā jīntiān gāoxìng de yàngzi, wǒ rènwéi tā míngtiān hái huì lái. 例你 ~ 一下儿，这篇文章有多少字。Nǐ ~ yíxiàr, zhèi piān wénzhāng yǒu duōshao zì. | 你 ~ ~ 这箱苹果有多少斤。Nǐ ~ ~ zhèi xiāng píngguǒ yǒu duōshao jīn. | 这张画儿值多少钱，你能 ~ 出来吗？Zhèi zhāng huàr zhí duōshao qián, nǐ néng ~ chulai·ma? | 要正确地 ~ 自己的能力。Yào zhèngquè de ~ zìjǐ de nénglì. | 大家在一起 ~ 了半天，也没 ~ 对。Dàjiā zài yìqǐ ~ le bàntiān, yě méi ~ duì.

gūgu 姑姑 [名]

我父亲有一个姐姐，两个妹妹，所以我有三个 ~。Wǒ fùqin yǒu yí ge jiějie, liǎng ge mèimei, suǒyǐ wǒ yǒu sān ge ~. →我父亲的姐妹是我的 ~。Wǒ fùqin de jiěmèi shì wǒ de ~. 例玛丽，你有 ~ 吗？Mǎlì, nǐ yǒu ~ ma? | 这是我的小 ~。Zhè shì wǒ de xiǎo ~. | 我常常去我 ~ 家。Wǒ chángcháng qù wǒ ~ jiā.

gūniang 姑娘¹ [名]

那个地方的 ~ 都很漂亮。Nèige dìfang de ~ dōu hěn piàoliang. →那个地方还没结婚的女孩子都很漂亮。Nèige dìfang hái méi jiéhūn de nǚháizi dōu hěn piàoliang. 例这些 ~ 都是第五女子中学的学生。Zhèixiē ~ dōu shì dì wǔ nǚzǐ zhōngxué de xuésheng. | 这个小姑娘唱歌唱得真好听。Zhèige xiǎo ~ chànggē chàng de zhēn hǎotīng. | 你去问问那个 ~，她叫什么？Nǐ qù wènwen nèige ~, tā jiào shénme? | 我们村里来了几个城里的 ~。Wǒmen cūn li láile jǐ ge chéng lǐ de ~.

gūniang 姑娘² [名]

你有几个孩子？——我有两个孩子，一个儿子，一个 ~。Nǐ yǒu jǐ ge háizi? ——Wǒ yǒu liǎng ge háizi, yí ge érzi, yí ge ~. →我有两个孩子，一个儿子，一个女儿。Wǒ yǒu liǎng ge háizi, yí ge érzi, yí ge nǚ'ér. 例你的 ~ 去年考上北京大学了，对吗？Nǐ de ~ qùnián kǎoshang Běijīng Dàxué le, duì ma? | 张老师的 ~ 也快上小学了。Zhāng lǎoshī de ~ yě kuài shàng xiǎoxué le.

Zhāng lǎoshī de ~ yě kuài shàng xiǎoxué le . | 听说张老师昨天生了
一个 ~ 。Tīngshuō Zhāng lǎoshī zuótián shēngle yí ge ~ .

gǔ 古 [形]

这儿是五百多年前留下来的 ~ 城，那边是新城。Zhèr shì wǔbǎi duō
nián qián liú xialai de ~ chéng, nèibiān shì xīn chéng. →这个城是五
百多年前建造的，那个城是近年来建的。Zhèige chéng shì wǔbǎi
duō nián qián jiànzào de, nèige chéng shì jìnnián lái jiàn de. 例这张
~ 画儿有二百多年的历史了。Zhèi zhāng ~ huàr yǒu èrbǎi duō nián
de lìshǐ le. | 你想看 ~ 长城，我可以陪你去。Nǐ xiǎng kàn ~
Chángchéng, wǒ kěyǐ péi nǐ qù. | 那个地区有许多 ~ 建筑。Nèige
dìqū yǒu xǔduō ~ jiànzhù.

gǔdài 古代 [名]

这些是中国的 ~ 史书。Zhèixiē shì Zhōngguó de ~ shǐshū. →这些书
是写中国近代以前历史的书。Zhèixiē shū shì xiě Zhōngguó jìndài
yǐqián lìshǐ de shū. 例我国 ~ 有许多科学家，他们有很多发明。
Wǒguó ~ yǒu xǔduō kēxuéjiā, tāmen yǒu hěn duō fāmíng. | 我是研
究我国 ~ 史的。Wǒ shì yánjiū wǒguó ~ shǐ de. | 这些 ~ 文明一直流
传到现在。Zhèixiē ~ wénmíng yìzhí liúchuán dào xiànzài. | 这些有趣
的故事都是 ~ 的民间传说。Zhèixiē yǒuqù de gùshi dōu shì ~ de
mínjiān chuánshuō.

gǔguài 古怪 [形]

这头小牛很 ~ ，长了五条腿。Zhèi tóu xiǎoniú hěn ~ , zhǎngle wǔ
tiáo tuǐ. →这头小牛多长了一条腿，让人觉得奇怪。Zhèi tóu
xiǎoniú duō zhǎngle yì tiáo tuǐ, ràng rén juéde qíguài. 例他的脾气很
~ 。Tā de píqi hěn ~ . | 他 ~ 得让人不敢接近。Tā ~ de ràng rén bù
gǎn jiējìn. | 他经常提一些 ~ 的问题。Tā jīngcháng tí yìxiē ~ de
wèntí. | 这本儿书里介绍了许多 ~ 的自然现象。Zhèi běnr shū li
jièshàole xǔduō ~ de zìrán xiànxiàng. | 你打扮得太 ~ 了。Nǐ dǎban
de tài ~ le. | 他对这类 ~ 的问题很感兴趣。Tā duì zhèi lèi ~ de wèntí
hěn gǎn xìngqù.

gǔjì 古迹 [名]

首都北京有很多 ~ 。Shǒudū Běijīng yǒu hěn duō ~ . →首都北京有
很多古代留下来的建筑物。Shǒudū Běijīng yǒu hěn duō gǔdài liú
xialai de jiànzhùwù. 例这部分 ~ 一直保存得很完整。Zhèi bùfen ~

yìzhí bǎocún de hěn wánzhěng. | 这是世界十大 ~ 之一。Zhè shì
shìjiè shí dà ~ zhīyī. | 我们请导游介绍这些 ~ 的历史。Wǒmen qǐng
dǎoyóu jièshào zhèixiē ~ de lìshǐ. | 我参观过许多 ~，但是我对这儿
的印象最深。Wǒ cānguānguo xǔduō ~，dànshì wǒ duì zhèr de
yìnxiàng zuì shēn.

gǔlǎo 古老 ［形］

奶奶常常给我讲那些 ~ 的故事。Nǎinai chángcháng gěi wǒ jiǎng
nèixiē ~ de gùshi. →奶奶常常讲那些很久很久以前的故事。Nǎinai
chángcháng jiǎng nèixiē hěn jiǔ hěn jiǔ yǐqián de gùshi. 例这本 ~ 的
书是爷爷的爷爷留下来的。Zhèi běn ~ de shū shì yéye de yéye liú
xialai de. | 这些都是 ~ 的风俗习惯。Zhèixiē dōu shì ~ de fēngsú
xíguàn. | 这些建筑太 ~ 了。Zhèixiē jiànzhù tài ~ le. | 自从成了旅游
景点以后，这个 ~ 的村子又变得年轻起来。Zìcóng chéngle lǚyóu
jǐngdiǎn yǐhòu, zhèige ~ de cūnzi yòu biàn de niánqīng qilai.

gǔtou 骨头（骨頭）［名］

例人体有二百零六块不同大小的 ~。Réntǐ
yǒu èrbǎi líng liù kuài bùtóng dà xiǎo de ~. |
他第一次进滑冰场就摔了个跟头，把胳膊的
~ 摔断了。Tā dì yī cì jìn huábīngchǎng jiù
shuāile ge gēntou, bǎ gēbo de ~ shuāiduàn
le. | 这些 ~ 是买给狗吃的。Zhèixiē ~ shì mǎi

骨头

gěi gǒu chī de. | 吃鱼的时候小心鱼的 ~。Chī yú de shíhou xiǎoxīn
yúde ~.

gǔ 鼓 ［名］

例这个 ~ 真大。Zhèige ~ zhēn dà. | 那边儿
又敲 ~ 又唱歌儿，真热闹。Nèibiānr yòu
qiāo ~ yòu chànggēr, zhēn rènao. | 我们
乐队又买了一批新的 ~。Wǒmen yuèduì
yòu mǎile yì pī xīn de ~. | 这些 ~ 的颜色真

鼓

好看。Zhèixiē ~ de yánsè zhēn hǎokàn. | 我会敲各种 ~。Wǒ huì
qiāo gèzhǒng ~.

gǔlì 鼓励[1]（鼓勵）［动］

encourage 例对孩子，最好是少批评，多 ~。Duì háizi, zuì hǎo shì
shǎo pīpíng, duō ~. | 当我们遇到困难的时候，他总是笑着 ~ 大家

"加油!" Dāng wǒmen yùdào kùnnan de shíshou, tā zǒngshì xiàozhe ~ dàjiā "jiāyóu!" | 我们可以 ~ 他们去试一试。Wǒmen kěyǐ ~ tāmen qù shì yi shì. | 明天再找他谈谈, ~ ~ 他。Míngtiān zài zhǎo tā tántan, ~ ~ tā. | 对他们的进步, 应当 ~。Duì tāmen de jìnbù, yīngdāng ~.

gǔlì 鼓励² (鼓勵) [名]

当我失去信心的时候, 朋友们给了我很多的 ~。Dāng wǒ shīqù xìnxīn de shíhou, péngyoumen gěile wǒ hěn duō de ~. →朋友们让我别怕困难, 要有信心。Péngyoumen ràng wǒ bié pà kùnnan, yào yǒu xìnxīn. 例我非常感谢你多年来对我的 ~。Wǒ fēicháng gǎnxiè nǐ duō nián lái duì wǒ de ~. | 对那些胆小的孩子, 应当给他们更多的 ~。Duì nèixiē dǎn xiǎo de háizi, yīngdāng gěi tāmen gèng duō de ~. | 除了口头的, 我们还应该想一些别的 ~ 办法。Chúle kǒutóu de ~, wǒmen hái yīnggāi xiǎng yìxiē bié de ~ bànfǎ.

gǔwǔ 鼓舞¹ [动]

他的演讲真 ~ 人心, 听演讲的人一次又一次地为他鼓掌。Tā de yǎnjiǎng zhēn ~ rénxīn, tīng yǎnjiǎng de rén yí cì yòu yí cì de wèi tā gǔzhǎng. →他的演讲非常好, 打动了听演讲的人。Tā de yǎnjiǎng fēicháng hǎo, dǎdòngle tīng yǎnjiǎng de rén. 例他的话 ~ 着大家继续努力。Tā de huà ~ zhe dàjiā jìxù nǔlì. | 他的那种不怕困难的精神 ~ 了许多青年人。Tā de nèi zhǒng bú pà kùnnan de jīngshén ~ le xǔduō qīngniánrén. | 在这种精神的 ~ 下, 我们克服了很多困难。Zài zhèi zhǒng jīngshén de ~ xià, wǒmen kèfúle hěn duō kùnnan.

gǔwǔ 鼓舞² [名]

国家的发展变化给了我们巨大的 ~。Guójiā de fāzhǎn biànhuà gěi le wǒmen jùdà de ~. →看到国家发展变化这么快, 真使人兴奋。Kàndào guójiā fāzhǎn biànhuà zhème kuài, zhēn shǐ rén xīngfèn. 例每听一次我们的校歌, 我都受到很大的 ~。Měi tīng yí cì wǒmen de xiàogē, wǒ dōu shòudào hěn dà de ~. | 听了她为大家讲的故事, 我们都受到了很大的 ~。Tīngle tā wèi dàjiā jiǎng de gùshi, wǒmen dōu shòudàole hěn dà de ~.

gǔ zhǎng 鼓掌

他演讲完了, 大家长时间地 ~, 表示感谢。Tā yǎnjiǎng wán le, dàjiā cháng shíjiān de ~, biǎoshì gǎnxiè. →大家长时间地拍手, 对

他表示感谢。Dàjiā cháng shíjiān de pāishǒu, duì tā biǎoshì gǎnxiè. **例**他刚唱完这首歌, 观众们就鼓起掌来。Tā gāng chàngwán zhèi shǒu gē, guānzhòngmen jiù gǔqi zhǎng lai. | 大家热烈地 ~, 欢迎新老师来上课。Dàjiā rèliè de ~, huānyíng xīn lǎoshī lái shàngkè. | 我们鼓了很多次掌。Wǒmen gǔle hěn duō cì zhǎng. | 他们也高兴地为我们鼓了 ~。Tāmen yě gāoxìng de wèi wǒmen gǔle ~.

gùshi 故事 [名]

story; tale **例**这个 ~ 真有趣。Zhèige ~ zhēn yǒuqù. | 孩子们都喜欢听 ~。Háizimen dōu xǐhuan tīng ~. | 爷爷特爱给小孙子讲 ~。Yéye tè ài gěi xiǎo sūnzi jiǎng ~. | 这是一个真实的 ~。Zhè shì yí ge zhēnshí de ~. | 他写了许多历史 ~。Tā xiěle xǔduō lìshǐ ~. | 我被那些生动的民间 ~ 感动了。Wǒ bèi nèixiē shēngdòng de mínjiān ~ gǎndòng le.

gùxiāng 故乡(故鄉) [名]

我是十岁那年离开 ~ 的。Wǒ shì shí suì nèi nián líkāi ~ de. → 我是十岁那年离开出生地的。Wǒ shì shí suì nèi nián líkāi chūshēngdì de. **例**近几年, 我的 ~ 发生了很大的变化。Jìn jǐ nián, wǒ de ~ fāshēngle hěn dà de biànhuà. | 我已经五年没回 ~ 了。Wǒ yǐjing wǔ nián méi huí ~ le. | 我非常想念我的 ~。Wǒ fēicháng xiǎngniàn wǒ de ~. | 离开 ~ 已经二十年了, 但 ~ 的山、~ 的水和 ~ 的朋友一直记在我的心间。Líkāi ~ yǐjing èrshí nián le, dàn ~ de shān、~ de shuǐ hé ~ de péngyou yìzhí jì zài wǒ de xīn jiān.

gùyì 故意 [形]

我叫了半天, 他 ~ 不来给我开门。Wǒ jiàole bàntiān, tā ~ bù lái gěi wǒ kāi mén. → 我叫了半天, 他听见了, 可是不来给我开门。Wǒ jiàole bàntiān, tā tīngjiàn le, kěshì bù lái gěi wǒ kāi mén. **例**他生我的气了, ~ 不接我的电话。Tā shēng wǒ de qì le, ~ bù jiē wǒ de diànhuà. | 他 ~ 开玩笑说:"我不爱你了。"Tā ~ kāiwánxiào shuō: "Wǒ bú ài nǐ le." | 他 ~ 把录音机的声音开得很大。Tā ~ bǎ lùyīnjī de shēngyīn kāi de hěn dà. | 对不起, 我不是 ~ 的。Duìbuqǐ, wǒ bú shì ~ de. | 他们是 ~ 这样做的吗? Tāmen shì ~ zhèiyàng zuò de ma?

gù 顾(顧) [动]

你不能光 ~ 工作, 也要注意锻炼身体。Nǐ bù néng guāng ~ gōngzuò, yě yào zhùyì duànliàn shēntǐ. → 你不能光注意和考虑工

作。Nǐ bù néng guāng zhùyì hé kǎolǜ gōngzuò. 例这孩子光~玩儿
了，连今天的作业都忘了做。Zhè háizi guāng ~ wánr le, lián jīntiān
de zuòyè dōu wàngle zuò. I 一个人不能只~自己的幸福，不~别人
的痛苦。Yí ge rén bù néng zhǐ ~ zìjǐ de xìngfú, bú ~ biéren de
tòngkǔ。I 妈妈到了家，~不上休息，就去做饭了。Māma dàole
jiā, ~ bu shàng xiūxi, jiù qù zuòfàn le. I 张医生为了抢救病人，还
没~得上吃午饭呢。Zhāng yīshēng wèile qiǎngjiù bìngrén, hái méi
~ de shàng chī wǔfàn ne. I 那么多事儿都要我一个人去做，我可
不过来。Nàme duō shìr dōu yào wǒ yí ge rén qù zuò, wǒ kě ~ bu
guòlái.

gùkè 顾客（顧客）[名]

今天商店里的~不多。Jīntiān shāngdiàn li de ~ bù duō.　→今天来商
店买东西的人不多。Jīntiān lái shāngdiàn mǎi dōngxi de rén bù duō.
例他们是我们商店的老~了。Tāmen shì wǒmen shāngdiàn de lǎo ~
le. I 服务员对~很热情。Fúwùyuán duì ~ hěn rèqíng. I 这儿的服务
很好，~都很满意。Zhèr de fúwù hěn hǎo, ~ dōu hěn mǎnyì. I 这
是为~准备的休息室。Zhè shì wèi ~ zhǔnbèi de xiūxishì. I ~们可以
在这个本儿上写他们的意见。~ men kěyǐ zài zhèige běnr shang xiě
tāmen de yìjiàn.

gua

guā 瓜 [名]

例~有很多种，如西瓜、冬瓜、黄瓜什么
的。~ yǒu hěn duō zhǒng, rú xīguā、
dōngguā、huánggua shénme de. I 这个~
真甜。Zhèige ~ zhēn tián. I 这个~有十多
斤重。Zhèige ~ yǒu shí duō jīn zhòng. I 这
些~是从南方运来的。Zhèixiē ~ shì cóng
nánfāng yùn lai de. I 我们这儿不能种~。Wǒmen zhèr bù néng
zhòng ~.

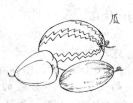

瓜

guāzǐr 瓜子儿（瓜子兒）[名]

这是西瓜的~。Zhè shì xīguā de ~.　→这是西瓜的黑色种子。Zhè
shì xīguā de hēisè zhǒngzi. 例这是新的品种，这种瓜里没~。Zhè
shì xīn de pǐnzhǒng, zhèi zhǒng guā li méi ~. I 我买了二斤~。Wǒ

mǎile èr jīn ~ . |他爱吃炒 ~ 。Tā ài chī chǎo ~ . |把 ~ 皮儿扔到纸袋儿里去。Bǎ ~ pír rēngdào zhǐdàir li qù.

guā 刮[1] ［动］

我丈夫每天早上都 ~ 胡子。Wǒ zhàngfu měi tiān zǎoshang dōu ~ húzi. →我丈夫每天早上都得用刀把脸上的胡子去掉。Wǒ zhàngfu měi tiān zǎoshang dōu děi yòng dāo bǎ liǎnshang de húzi qùdiào. 例 理发员给我理发，也给我 ~ 脸。Lǐfàyuán gěi wǒ lǐfà, yě gěi wǒ ~ liǎn. | 今天你的脸 ~ 得很干净。Jīntiān nǐ de liǎn ~ de hěn gānjìng. |这个刀片儿不行了， ~ 不动胡子了。Zhèige dāopiànr bùxíng le, ~ bu dòng húzi le. |轻轻地往下 ~，别 ~ 破了。Qīngqīng de wǎng xià ~, bié ~ pò le. |把锅底儿的饭 ~ 一 ~ 。Bǎ guōdǐr de fàn ~ yi ~ .

guā 刮[2] （颳） ［动］

blow 例 今天风 ~ 得真大。Jīntiān fēng ~ de zhēn dà. | ~ 大风了，快关窗户。~ dàfēng le, kuài guān chuānghu. |挂在阳台上的衣服被风 ~ 到楼下去了。Guà zài yángtái shang de yīfu bèi fēng ~ dào lóu xiàqu le. |我戴的帽子差点儿让风 ~ 跑了。Wǒ dài de màozi chàdiànr ràng fēng ~ pǎo le. | 风把树都 ~ 倒了。Fēng bǎ shù dōu ~ dǎo le. |这场大风 ~ 了一天一夜。Zhèi cháng dàfēng ~ le yì tiān yí yè. |再 ~ 风的话，天气就更冷了。Zài ~ fēng dehuà, tiānqì jiù gèng lěng le. |这个地区一到春天就 ~ 大风。Zhèige dìqū yí dào chūntiān jiù ~ dàfēng.

guà 挂[1] ［动］

衣帽钩上 ~ 着两件大衣。Yīmàogōu shang ~ zhe liǎng jiàn dàyī. → 衣帽钩上钩着两件大衣。Yīmàogōu shang gōuzhe liǎng jiàn dàyī. 例 墙上 ~ 着一张结婚照片儿。Qiáng shang ~ zhe yì zhāng jiéhūn zhàopiānr. |客厅里 ~ 着几幅画儿。Kètīng li ~ zhe jǐ fú huàr. |饭店门口 ~ 着几个灯笼。Fàndiàn ménkǒu ~ zhe jǐ ge dēnglong. |裤子上 ~ 着钥匙。Kùzi shang ~ zhe yàoshi. |洗手间里的毛巾 ~ 得很整齐。Xǐshǒujiān li de máojīn ~ de hěn zhěngqí. |旅行袋别 ~ 在衣帽钩上，放到行李架上去。Lǚxíngdài bié ~ zài yīmàogōu shang, fàngdào xínglijià shang qu.

guà 挂[2] ［动］

我要 ~ 一个外科的号。Wǒ yào ~ yí ge wàikē de hào. →看病之前，

先要去挂号室交一些钱，挂号室给你一个看病的号码。Kànbìng zhīqián, xiān yào qù guàhàoshì jiāo yìxiē qián, guàhàoshì gěi nǐ yí ge kànbìng de hàomǎ. 例牙疼的病人应该~牙科。Yá téng de bìngrén yīnggāi ~ yákē. | 您 ~ 哪科? Nín ~ něi kē? | 我想 ~ 中医科。Wǒ xiǎng ~ zhōngyī kē. | 看病的人太多，我没 ~ 上号。Kàn bìng de rén tài duō, wǒ méi ~ shang hào. | 明天我去医院帮你 ~，~ 上了就给你打电话。Míngtiān wǒ qù yīyuàn bāng nǐ ~, ~ shang le jiù gěi nǐ dǎ diànhuà.

guà hào 挂号[1] （挂號）

register (at a hospital) 例先去 ~，然后才能看病。Xiān qù ~, ránhòu cái néng kànbìng. | 来这所医院 ~ 看病的人真多。Lái zhèi suǒ yīyuàn ~ kànbìng de rén zhēn duō. | 她在医院的 ~ 处工作。Tā zài yīyuàn de ~ chù gōngzuò. | 你替我挂一个号吧。Nǐ tì wǒ guà yí ge hào ba. | 来一次不容易，今天我挂了一个内科号，还挂了一个眼科的号。Lái yí cì bù róngyì, jīntiān wǒ guàle yí ge nèikē hào, hái guàle yí ge yǎnkē de hào.

guà hào 挂号[2] （挂號）

send by registered mail 例这封信比较重要，我要 ~。Zhèi fēng xìn bǐjiào zhòngyào, wǒ yào ~. | 我要寄两封 ~ 信。Wǒ yào jì liǎng fēng ~ xìn. | 寄这包书的时候，别忘了 ~。Jì zhèi bāo shū de shíhou, bié wàngle ~. | 这些信件都寄 ~。Zhèixiē xìnjiàn dōu jì ~. | ~ 的信件丢了，邮局可以帮助你查找。~ de xìnjiàn diūle, yóujú kěyǐ bāngzhù nǐ cházhǎo.

guà 挂[3] ［动］

ring off 例你别 ~ 电话，我马上去叫他。Nǐ bié ~ diànhuà, wǒ mǎshàng qù jiào tā. | 电话铃响了两下，我拿起来听的时候，对方已经 ~ 上电话了。Diànhuàlíng xiǎngle liǎng xià, wǒ ná qilai tīng de shíhou, duìfāng yǐjīng ~ shang diànhuà le. | 打不通先 ~ 上吧，过几分钟再打。Dǎ bu tōng xiān ~ shang ba, guò jǐ fēnzhōng zài dǎ. | 今天的电话真多，我刚 ~ 上，电话铃又响了。Jīntiān de diànhuà zhēn duō, wǒ gāng ~ shang, diànhuàlíng yòu xiǎng le. | 你先别 ~，我也要跟他说两句话。Nǐ xiān bié ~, wǒ yě yào gēn tā shuō liǎng jù huà.

guai

guǎi 拐 ［动］

走到前边儿的路口往右～，就能看见地铁车站了。Zǒudào qiánbianr de lùkǒu wǎng yòu ～, jiù néng kànjiàn dìtiě chēzhàn le. →走到前边儿的路口不要再往前走，往右走，就能看见地铁车站了。Zǒudào qiánbiānr de lùkǒu búyào zài wǎng qián zǒu, wǎng yòu zǒu, jiù néng kànjiàn dìtiě chēzhàn le. 例应该在第二个路口～，你～错了。Yīnggāi zài dì èr ge lùkǒu ～, nǐ ～ cuò le. |你别往前走了，从这儿～过去。Nǐ bié wǎng qián zǒu le, cóng zhèr ～ guoqu. |刚学骑自行车时，我只会往右～，不会往左～。Gāng xué qí zìxíngchē shí, wǒ zhǐ huì wǎng yòu ～, bú huì wǎng zuǒ ～. |你再往东一～就到了。Nǐ zài wǎng dōng yì ～ jiù dào le.

guan

guān 关¹ （關） ［动］

shut; close 例下雨了，～窗户吧。Xià yǔ le, ～ chuānghu ba. |门坏了，～不上了。Mén huài le, ～ bu shàng le. |别老～在家里看书，出去玩一会儿吧。Bié lǎo ～ zài jiāli kàn shū, chūqu wán yíhuìr ba. |没～好门，小鸟儿飞出去了。Méi ～ hǎo mén, xiǎoniǎor fēi chuqu le. |姑娘长大了，我想把她～在家里也～不住了。Gūniang zhǎngdà le, wǒ xiǎng bǎ tā ～ zài jiāli yě ～ bu zhù le.

guān 关² （關） ［动］

turn off 例他把灯都～上了，现在屋子里很黑。Tā bǎ dēng dōu ～ shang le, xiànzài wūzi li hěn hēi. |睡觉了，～灯吧。Shuìjiào le, ～ dēng ba. |电视我不看了，～上吧。Diànshì wǒ bú kàn le, ～ shang ba. |你出去的时候，把录音机～上。Nǐ chūqu de shíhou, bǎ lùyīnjī ～ shang. |帮我把水龙头～上。Bāng wǒ bǎ shuǐlóngtóu ～ shang. |我到家的时候，收音机还开着呢，你出去的时候怎么不～？Wǒ dào jiā de shíhou, shōuyīnjī hái kāizhe ne, nǐ chūqu de shíhou zěnme bù ～?

guānjiàn 关键¹ （關鍵） ［名］

crux; key 例决定胜负的～是人，而不是什么别的。Juédìng shèngfù de ～ shì rén, ér bú shì shénme biéde. |我能不能去旅行，～是父母

给不给我钱。Wǒ néng bu néng qù lǚxíng, ~ shì fùmǔ gěi bu gěi wǒ qián. | 想一想解决这个问题的 ~ 是什么。Xiǎng yi xiǎng jiějué zhèige wèntí de ~ shì shénme. | 他们之间不团结，不合作，这是问题的 ~。Tāmen zhījiān bù tuánjié, bù hézuò, zhè shì wèntí de ~.

guānjiàn 关键[2] （關鍵）[形]

这篇文章里，这段话很 ~。Zhèi piān wénzhāng li, zhèi duàn huà hěn ~. →这篇文章里，这段话很重要。Zhèi piān wénzhāng li, zhèi duàn huà hěn zhòngyào. 例在这个句子里，这个词很 ~。Zài zhèige jùzi li, zhèige cí hěn ~. | 这步棋很 ~，走不好就会输。Zhèi bù qí hěn ~, zǒu bu hǎo jiù huì shū. | 现在的比分是十四比十四，谁先得一分就赢，这一分太 ~ 了。Xiànzài de bǐfēn shì shísì bǐ shísì, shéi xiān dé yì fēn jiù yíng, zhèi yì fēn tài ~ le. | 在这十分 ~ 的时候，五号队员进了一个球。Zài zhè shífēn ~ de shíhou, wǔ hào duìyuán jìnle yí ge qiú.

guānxì 关系[1] （關係）[名]

我们是师生 ~。Wǒmen shì shīshēng ~. →我是他的老师，他是我的学生，或者他是我的老师，我是他的学生。Wǒ shì tā de lǎoshī, tā shì wǒ de xuésheng, huòzhě tā shì wǒ de lǎoshī, wǒ shì tā de xuésheng. 例他们是夫妻 ~。Tāmen shì fūqī ~. | 两国之间有外交 ~。Liǎng guó zhījiān yǒu wàijiāo ~. | 这是工作 ~。Zhè shì gōngzuò ~. | 我们要搞好各民族之间的 ~。Wǒmen yào gǎohǎo gè mínzú zhījiān de ~. | 他们之间的 ~ 很亲密。Tāmen zhījiān de ~ hěn qīnmì. | 谁也改变不了这种 ~。Shéi yě gǎibiàn bu liǎo zhèi zhǒng ~.

guānxì 关系[2] （關係）[名]

下这么点儿小雨没有 ~，我们有雨衣。Xià zhème diǎnr xiǎoyǔ méiyǒu ~, wǒmen yǒu yǔyī. →下这么点儿小雨不会有问题。Xià zhème diǎnr xiǎoyǔ bú huì yǒu wèntí. 例旧点儿没有 ~，能用就行。Jiù diǎnr méiyǒu ~, néng yòng jiù xíng. | 末班车已经过去了，没什么 ~，我可以骑自行车回去。Mòbānchē yǐjing guòqu le, méi shénme ~, wǒ kěyǐ qí zìxíngchē huíqu. | 学习成绩好不好跟平时努力不努力有 ~。Xuéxí chéngjì hǎo bu hǎo gēn píngshí nǔlì bu nǔlì yǒu ~. | 他的病跟他长期抽烟有 ~。Tā de bìng gēn tā chángqī chōuyān yǒu ~.

guānxì 关系³（關係）[名]

时间～，今天就讲到这里。Shíjiān ～, jīntiān jiù jiǎngdào zhèlǐ. →因为时间比较短，今天就讲到这里。Yīnwèi shíjiān bǐjiào duǎn, jīntiān jiù jiǎngdào zhèlǐ. **例**由于气候的～，许多人感冒了。Yóuyú qìhòu de ～, xǔduō rén gǎnmào le. | 我没有去旅行，是由于经济的～。Wǒ méiyǒu qù lǚxíng, shì yóuyú jīngjì de ～. | 最近他请了一个月的假，主要是因为身体的～。Zuìjìn tā qǐngle yí ge yuè de jià, zhǔyào shì yīnwèi shēntǐ de ～.

guānxì 关系⁴（關係）[动]

这篇论文写得怎么样，～到你能不能毕业的问题。Zhèi piān lùnwén xiě de zěnmeyàng, ～ dào nǐ néng bu néng bìyè de wèntí. →论文写得好就能毕业，写得不好就不能毕业。Lùnwén xiě de hǎo jiù néng bìyè, xiě de bù hǎo jiù bù néng bìyè. **例**这件事～到每个工人的利益。Zhèi jiàn shì ～ dào měi ge gōngrén de lìyì. | 保护环境～到全人类的生存问题。Bǎohù huánjìng ～ dào quán rénlèi de shēngcún wèntí. | ～到他前途的事，他肯定会考虑。～ dào tā qiántú de shì, tā kěndìng huì kǎolǜ. | 这次比赛～到我们球队的名声。Zhèi cì bǐsài ～ dào wǒmen qiúduì de míngshēng.

guānxīn 关心（關心）[动]

妈妈给爸爸做饭，洗衣服，很～爸爸的生活。Māma gěi bàba zuòfàn, xǐ yīfu, hěn ～ bàba de shēnghuó. →妈妈的心里总是想着怎样照顾好爸爸。Māma de xīnli zǒngshì xiǎngzhe zěnyàng zhàogù hǎo bàba. **例**学生们很～自己的考试成绩。Xuéshengmen hěn ～ zìjǐ de kǎoshì chéngjì. | 大家对我～极了。Dàjiā duì wǒ ～ jí le. | 我们对你～得不够。Wǒmen duì nǐ ～ de bú gòu. | 姐姐～地说："你要什么，就告诉我。"Jiějie ～ de shuō: "Nǐ yào shénme, jiù gàosu wǒ." | 我很感谢大家对我的～。Wǒ hěn gǎnxiè dàjiā duì wǒ de ～.

guānyú 关于（關于）[介]

about **例**～这个问题，我们下一次讨论。～ zhèige wèntí, wǒmen xià yí cì tǎolùn. | ～那件事，大家的说法不一样。～ nèi jiàn shì, dàjiā de shuōfa bù yíyàng. | ～买房子的事，我再跟家里人商量一下儿。～ mǎi fángzi de shì, wǒ zài gēn jiālǐ rén shāngliang yíxiàr. | 昨天我买了一本～中国历史的书。Zuótiān wǒ mǎile yì běn ～ Zhōngguó lìshǐ de shū. | 他写过许多～火山方面的书。Tā xiěguo xǔduō ～ huǒshān fāngmiàn de shū.

guānzhào 关照（關照）［动］

我父亲八十岁了，一路上请你们多 ~。Wǒ fùqin bāshí suì le, yílù shang qǐng nǐmen duō ~. →一路上请你们多关心和照顾一下儿我的老父亲。Yílù shang qǐng nǐmen duō guānxīn hé zhàogù yíxiàr wǒ de lǎo fùqin. 例我还不了解情况，请您多多 ~。Wǒ hái bù liǎojiě qíngkuàng, qǐng nín duōduō ~. ｜第一次出远门，你们要互相 ~。Dì yī cì chū yuǎnmén, nǐmen yào hùxiāng ~. ｜我们对你 ~ 得不多，请原谅。Wǒmen duì nǐ ~ de bù duō, qǐng yuánliàng. ｜大卫住院时，受到了医生、护士们的热情 ~。Dàwèi zhùyuàn shí, shòudàole yīshēng、hùshìmen de rèqíng ~.

guāndiǎn 观点（觀點）［名］

我的看法说完了，请把你的 ~ 说出来。Wǒ de kànfǎ shuōwán le, qǐng bǎ nǐ de ~ shuō chulai. →请把你对这件事的看法说出来。Qǐng bǎ nǐ duì zhèi jiàn shì de kànfǎ shuō chulai. 例今天的会上，每个人都说明了自己的 ~。Jīntiān de huì shang, měi ge rén dōu shuōmíngle zìjǐ de ~. ｜这就是这篇文章的基本 ~。Zhè jiù shì zhèi piān wénzhāng de jīběn ~. ｜我不同意他的 ~。Wǒ bù tóngyì tā de ~. ｜看问题要有一个长远的 ~。Kàn wèntí yào yǒu yí ge chángyuǎn de ~. ｜这篇文章里提出了一种新的 ~。Zhèi piān wénzhāng li tíchūle yì zhǒng xīn de ~.

guānkàn 观看（觀看）［动］

他们从外地来这儿 ~ 世界杯足球比赛。Tāmen cóng wàidì lái zhèr ~ shìjièbēi zúqiú bǐsài. →他们来看世界杯足球比赛。Tāmen lái kàn shìjièbēi zúqiú bǐsài. 例老师和我们一起 ~ 了他们的表演。Lǎoshī hé wǒmen yìqǐ ~ le tāmen de biǎoyǎn. ｜昨晚我们去 ~ 了一场京剧。Zuówǎn wǒmen qù ~ le yì chǎng jīngjù. ｜大家都围过来 ~ 这些可爱的小动物。Dàjiā dōu wéi guolai ~ zhèixiē kě'ài de xiǎo dòngwù.

guānzhòng 观众（觀衆）［名］

他们是演员，我们是 ~。Tāmen shì yǎnyuán, wǒmen shì ~. →我们是来看他们表演的。Wǒmen shì lái kàn tāmen biǎoyǎn de. 例今天来的 ~ 真多。Jīntiān lái de ~ zhēn duō. ｜剧场里坐满了 ~。Jùchǎng li zuòmǎnle ~. ｜这儿是记者的座位，那些是 ~ 的座位。Zhèr shì jìzhě de zuòwèi, nèixiē shì ~ de zuòwèi. ｜~ 们不停地鼓掌。

~ men bù tíng de gǔzhǎng. |演员们向～表示感谢。Yǎnyuánmen xiàng ~ biǎoshì gǎnxiè.

guǎn 管[1] [动]

她一个人～十台机器。Tā yí ge rén ~ shí tái jīqì. →她在工厂里一个人管理十台机器。Tá zài gōngchǎng li yí ge rén guǎnlǐ shí tái jīqì. 例比尔～第一车间的工作，我～第二车间。Bǐ'ěr ~ dì yī chējiān de gōngzuò, wǒ ~ dì'èr chējiān. |出差的时候，行李我拿，钱你～。Chūchāi de shíhou, xínglì wǒ ná, qián nǐ ~ . |这个城市的交通～得很好。Zhèige chéngshì de jiāotōng ~ de hěn hǎo. |这件事交给他们三个人去～吧。Zhèi jiàn shì jiāo gěi tāmen sān ge rén qù ~ ba.

guǎnlǐ 管理[1] [动]

我现在的工作是～这个苹果园。Wǒ xiànzài de gōngzuò shì ~ zhèige píngguǒyuán. →我现在的工作是负责这个苹果园。Wǒ xiànzài de gōngzuò shì fùzé zhèige píngguǒyuán. 例他～着三家饭店。Tā ~ zhe sān jiā fàndiàn. |他们的～水平提高了。Tāmen de ~ shuǐpíng tígāo le. |应该改变一下儿～方法。Yīnggāi gǎibiàn yíxiàr ~ fāngfǎ. |他很年轻，但是很有～能力。Tā hěn niánqīng, dànshì hěn yǒu ~ nénglì. |新厂长把工厂～得越来越好。Xīn chǎngzhǎng bǎ gōngchǎng ~ de yuèláiyuè hǎo.

guǎn 管[2] [动]

孩子应该从小～。Háizi yīnggāi cóngxiǎo ~ . →孩子应该从小开始教育。Háizi yīnggāi cóngxiǎo kāishǐ jiàoyù. 例我一定得把这些孩子～好。Wǒ yídìng děi bǎ zhèixiē háizi ~ hǎo. |用这种方法～孩子，～不出好孩子来。Yòng zhèi zhǒng fāngfǎ ~ háizi, ~ bu chū hǎo háizi lai. |你儿子最近常常迟到，你该好好儿～他。Nǐ érzi zuìjìn chángcháng chídào, nǐ gāi hǎohāor ~ tā. |老师把他们的坏毛病～过来了。Lǎoshī bǎ tāmen de huài máobìng ~ guolai le. |这孩子除了他爸爸谁也～不了。Zhè háizi chúle tā bàba shéi yě ~ bu liǎo.

guǎnlǐ 管理[2] [动]

他在国家图书馆～图书。Tā zài Guójiā Túshūguǎn ~ túshū. →他的工作是保管和整理图书。Tā de gōngzuò shì bǎoguǎn hé zhěnglǐ túshū. 例她在银行～外汇。Tá zài yínháng ~ wàihuì. |他是～药品的。Tā shì ~ yàopǐn de. |这些重要的文件应该有专人～。Zhèixiē zhòngyào de wénjiàn yīnggāi yǒu zhuānrén ~ . |这些文物～得很好。

Zhèixiē wénwù ~ de hěn hǎo.

guǎn 管³ [动]

您要是去我们家乡旅行，我 ~ 吃 ~ 住。Nín yàoshi qù wǒmen jiāxiāng lǚxíng, wǒ ~ chī ~ zhù. →您要是去我们家乡旅行，您的吃和住我出钱。Nín yàoshi qù wǒmen jiāxiāng lǚxíng, nín de chī hé zhù wǒ chū qián. 例您如果想来我这儿，我 ~ 您的车票。Nín rúguǒ xiǎng lái wǒ zhèr, wǒ ~ nín de chēpiào. |出差的费用都由公司 ~。Chūchāi de fèiyong dōu yóu gōngsī ~. |我上学的学费都是父母 ~。Wǒ shàng xué dexuéfèi dōu shì fùmǔ ~. |我只 ~ 吃，~ 住，不 ~ 穿。Wǒ zhǐ ~ chī, ~ zhù, bù ~ chuān.

guànjūn 冠军（冠軍）[名]

昨天的游泳比赛，我得了 ~。Zuótiān de yóuyǒng bǐsài, wǒ déle ~. →昨天的游泳比赛，我得了第一名。Zuótiān de yóuyǒng bǐsài, wǒ déle dì yī míng. 例篮球比赛他们队常常得 ~。Lánqiú bǐsài tāmen duì chángcháng dé ~. |下一次比赛我们也应该当 ~。Xià yí cì bǐsài wǒmen yě yīnggāi dāng ~. |领奖台上，中间的那个位置是 ~ 的位置。Lǐngjiǎngtái shang, zhōngjiān de nèige wèizhi shì ~ de wèizhi. |想得到 ~ 的称号不是一件容易的事。Xiǎng dédào ~ de chēnghào bú shì yí jiàn róngyì de shì. |他得过五次全国 ~，一次世界 ~。Tā déguo wǔ cì quán guó ~, yí cì shìjiè ~.

guàntou 罐头（罐頭）[名]

例这些水果 ~ 是我们工厂生产的。Zhèixiē shuǐguǒ ~ shì wǒmen gōngchǎng shēngchǎn de. |这种鱼 ~ 很受人们的欢迎。Zhèi zhǒng yú ~ hěn shòu rénmen de huānyíng. |昨天我买了两瓶西红柿 ~。Zuótiān wǒ mǎile liǎng píng xīhóngshì ~. |出去旅行的时候，我常带几个 ~。Chūqu lǚxíng de shíhou, wǒ cháng dài jǐ ge ~. |要是有新鲜的水果，就不买水果 ~ 了。Yàoshi yǒu xīnxiān de shuǐguǒ, jiù bù mǎi shuǐguǒ ~ le.

罐头

G

guang

guāng 光¹ [名]

light **例** 拉上窗帘就把 ~ 挡住了。Lāshang chuānglián jiù bǎ ~ dǎngzhù le. | 这两天我的眼睛疼，而且怕 ~。Zhèi liǎng tiān wǒ de yǎnjing téng, érqiě pà ~. | 月亮的 ~ 把大地照得像白天一样。Yuèliang de ~ bǎ dàdì zhào de xiàng báitiān yíyàng. | 洗照片儿的工作室，只要很弱的 ~ 就行了。Xǐ zhàopiānr de gōngzuòshì, zhǐ yào hěn ruò de ~ jiù xíng le. | ~ 太强了，睁不开眼睛。~ tài qiáng le, zhēng bu kāi yǎnjing.

guānghuī 光辉（光輝）[名]

太阳的 ~ 照着大地。Tàiyáng de ~ zhàozhe dàdì. →太阳发出的很亮的光照着大地。Tàiyáng fāchū de hěn liàng de guāng zhàozhe dàdì. **例** 冬天，太阳的 ~ 照到人身上，很舒服。Dōngtiān, tàiyáng de ~ zhào dào rén shēnshang, hěn shūfu. | 乌云挡住了太阳的 ~。Wūyún dǎngzhùle tàiyáng de ~. | 他的思想发出了真理的 ~。Tā de sīxiǎng fāchūle zhēnlǐ de ~.

guāngmíng 光明 [形]

你只要努力工作，前途会很 ~。Nǐ zhǐyào nǔlì gōngzuò, qiántú huì hěn ~. →将来会达到自己希望达到的目的。Jiānglái huì dádào zìjǐ xīwàng dádào de mùdì. **例** 孩子们的明天将更加 ~。Háizimen de míngtiān jiāng gèngjiā ~. | 大学毕业后，他的前途非常 ~。Dàxué bìyè hòu, tā de qiántú fēicháng ~. | 这个城市的未来 ~ 得很。Zhèige chéngshì de wèilái ~ de hěn. | 谁都想有一个 ~ 的未来。Shéi dōu xiǎng yǒu yí ge ~ de wèilái. | 随着学习成绩的提高，他的前途逐渐变得 ~ 起来了。Suízhe xuéxí chéngjì de tígāo, tā de qiántú zhújiàn biàn de ~ qilai le.

guāngxiàn 光线（光綫）[名]

冬天，太阳的 ~ 照在身上，特别舒服。Dōngtiān, tàiyáng de ~ zhào zài shēnshang, tèbié shūfu. →太阳发出的光照在身上，特别舒服。Tàiyáng fāchū de guāng zhào zài shēnshang, tèbié shūfu. **例** 屋子里的 ~ 太暗，不适合照相。Wūzi li de ~ tài àn, bú shìhé zhàoxiàng. | 强烈的 ~ 照得人睁不开眼。Qiángliè de ~ zhào de rén zhēng bu kāi yǎn. | 山洞里黑黑的，没有一点儿 ~。Shāndòng li hēihēi de, méiyǒu yìdiǎnr ~. |他用一块布挡住了从窗户射进来的~。Tā yòng yí kuài bù dǎngzhùle cóng chuānghu shè jinlai de ~. |请你把电灯的 ~调得再强一点儿。Qǐng nǐ bǎ diàndēng de ~ tiáo de zài qiáng yìdiǎnr.

guāng 光[2] ［动］

你怎么 ~ 着脚就出来了？Nǐ zěnme ~ zhe jiǎo jiù chūlai le? →你怎么 不穿鞋和袜子就出来了。Nǐ zěnme bù chuān xié hé wàzi jiù chūlai le? 例天那么冷，你怎么 ~ 着头不戴帽子？Tiān nàme lěng, nǐ zěnme ~ zhe tóu bú dài màozi? |夏天的时候，他常常 ~ 着上身。 Xiàtiān de shíhou, tā chángcháng ~ zhe shàngshēn. |下雨的时候我 们那儿的孩子们喜欢 ~ 着身子在水里玩儿。Xià yǔ de shíhou wǒmen nàr de háizimen xǐhuan ~ zhe shēnzi zài shuǐ li wánr.

guāng 光[3] ［形］

一桌子的菜都让我们吃 ~ 了。Yì zhuōzi de cài dōu ràng wǒmen chī ~ le. →菜都让我们吃完了。Cài dōu ràng wǒmen chīwán le. 例一 箱啤酒都让他们喝 ~ 了。Yì xiāng píjiǔ dōu ràng tāmen hē ~ le. |钱 包里的钱全花 ~ 了。Qiánbāo li de qián quán huā ~ le. |这本书已经 卖 ~ 了。Zhèi běn shū yǐjing mài ~ le. |天冷了，树叶全都掉 ~ 了。 Tiān lěng le, shùyè quán dōu diào ~ le. |他把以前的事儿都忘 ~ 了。 Tā bǎ yǐqián de shìr dōu wàng ~ le. |他讲的故事没意思，听故事的 孩子们都跑 ~ 了。Tā jiǎng de gùshi méi yìsi, tīng gùshi de háizimen dōu pǎo ~ le.

guāng 光[4] ［副］

你 ~ 着急有什么用，赶快找朋友想想办法。Nǐ ~ zháojí yǒu shénme yòng, gǎnkuài zhǎo péngyou xiǎngxiǎng bànfǎ. →你只是着急有什 么用，赶快想想办法。Nǐ zhǐshì zháojí yǒu shénme yòng, gǎnkuài xiǎngxiǎng bànfǎ. 例吃啊，吃啊，别 ~ 说话。Chī a, chī a, bié ~ shuōhuà. |你怎么 ~ 抽烟，不说话？Nǐ zěnme ~ chōuyān, bù shuōhuà? |听见他说这句话的不 ~ 我一个人。Tīngjiàn tā shuō zhèi jù huà de bù ~ wǒ yí ge rén. |不 ~ 大卫不感兴趣，大家都不感兴 趣。Bù ~ Dàwèi bù gǎn xìngqù, dàjiā dōu bù gǎn xìngqù.

guāngróng 光荣（光榮） ［形］

孩子考上了全国著名的大学后，全家人觉得很 ~。Háizi kǎoshangle quán guó zhùmíng de dàxué hòu, quán jiā rén juéde hěn ~. →由于

孩子考上了全国著名的大学，全家人觉得很受人们的尊敬。Yóuyú háizi kǎoshangle quán guó zhùmíng de dàxué, quán jiā rén juéde hěn shòu rénmen de zūnjìng. 例当科学家很～。Dāng kēxuéjiā hěn ～. ｜保护环境是一件～的工作。Bǎohù huánjìng shì yí jiàn ～ de gōngzuò. ｜为了救别人，他～地献出了自己的生命。Wèile jiù biéren, tā ～ de xiànchūle zìjǐ de shēngmìng.

guǎngbō 广播[1]（廣播）[动]

broadcast 例电台刚才～了世界大学生运动会的最新消息。Diàntái gāngcái ～ le Shìjiè Dàxuéshēng Yùndònghuì de zuì xīn xiāoxi. ｜中学生节目～完了，同学们，再见。Zhōngxuéshēng jiémù ～ wán le, tóngxuémen, zàijiàn. ｜这个好消息可以在广播站～～。Zhèige hǎo xiāoxi kěyǐ zài guǎngbōzhàn ～ ～. ｜那件事一直～了四十分钟。Nèi jiàn shì yìzhí ～ le sìshí fēnzhōng. ｜这个广告每天都～好几遍。Zhèige guǎnggào měi tiān dōu ～ hǎojǐ biàn.

guǎngbō 广播[2]（廣播）[名]

我每天都听电台的～。Wǒ měi tiān dōu tīng diàntái de ～. →我每天都听收音机里的节目。Wǒ měi tiān dōu tīng shōuyīnjī li de jiémù. 例我的收音机坏了，这两天不能听～了。Wǒ de shōuyīnjī huài le, zhèi liǎng tiān bù néng tīng ～ le. ｜这是为孩子们做的～。Zhè shì wèi háizimen zuò de ～. ｜你想听的～已经开始了。Nǐ xiǎng tīng de ～ yǐjing kāishǐ le. ｜听完～，咱们去散步。Tīngwán ～, zánmen qù sànbù. ｜每天晚上七点是新闻～时间。Měi tiān wǎnshang qī diǎn shì xīnwén ～ shíjiān.

guǎngchǎng 广场（廣場）[名]

public square 例这是世界上最大的～。Zhè shì shìjiè shang zuì dà de ～. ｜每个城市都有许多大大小小的～。Měi ge chéngshì dōu yǒu xǔduō dàdà xiǎoxiǎo de ～. ｜～上有很多游客。～ shang yǒu hěn duō yóukè. ｜晚饭后我们喜欢去～上散散步。Wǎnfàn hòu wǒmen xǐhuan qù ～ shang sànsan bù. ｜～中间有一座纪念碑。～ zhōngjiān yǒu yí zuò jìniànbēi.

guǎngdà 广大（廣大）[形]

～读者都希望能早点儿看到这本书。～ dúzhě dōu xīwàng néng zǎo diǎnr kàndào zhèi běn shū. →很多的读者都希望能早点儿看到这本书。Hěn duō de dúzhě dōu xīwàng néng zǎo diǎnr kàndào zhèi běn shū. 例 ~ 的青少年都参加了种树活动。~ de qīngshàonián dōu cānjiāle zhòng shù huódòng.｜他的事感动了在场的 ~ 群众。Tā de shì gǎndòngle zàichǎng de ~ qúnzhòng.｜他们不能代表 ~ 的工人。Tāmen bù néng dàibiǎo ~ de gōngrén.

guǎngfàn 广泛(廣泛)［形］

她喜欢唱歌儿、跳舞、画画儿等等，爱好很 ~ 。Tā xǐhuan chànggēr、tiàowǔ、huà huàr děngděng, àihào hěn ~ . →她的爱好是多方面的。Tā de àihào shì duō fāngmiàn de. 例 调查的范围比较 ~ 。Diàochá de fànwéi bǐjiào ~ .｜这种活动在群众中有 ~ 的基础。Zhèi zhǒng huódòng zài qúnzhòng zhōng yǒu ~ de jīchǔ.｜对这件事，他们做了 ~ 的宣传。Duì zhèi jiàn shì, tāmen zuòle ~ de xuānchuán.｜这件事受到了人们的 ~ 注意。Zhèi jiàn shì shòudàole rénmen de ~ zhùyì.｜我 ~ 地征求了顾客的意见。Wǒ ~ de zhēngqiúle gùkè de yìjiàn.｜对这件事，他们 ~ 地进行了动员。Duì zhèi jiàn shì, tāmen ~ de jìnxíngle dòngyuán.

guǎnggào 广告(廣告)［名］

advertisement 例 你看电视里播的这个 ~ ，是我们葡萄酒厂的 ~ 。Nǐ kàn diànshì li bō de zhèige ~ , shì wǒmen pútáojiǔ chǎng de ~ .｜这则电视 ~ 很有趣。Zhèi zé diànshì ~ hěn yǒuqù.｜现在电视台播的 ~ 太多了。Xiànzài diànshìtái bō de ~ tài duō le.｜我们可以看看报纸上的电影 ~ 。Wǒmen kěyǐ kànkan bàozhǐ shang de diànyǐng ~ .｜这是汽车公司做的 ~ 。Zhè shì qìchē gōngsī zuò de ~ .｜~ 的设计很重要。~ de shèjì hěn zhòngyào.｜~ 费很贵。~ fèi hěn guì.

guǎngkuò 广阔(廣闊)［形］

城市的周围是 ~ 的土地。Chéngshì de zhōuwéi shì ~ de tǔdì. →城市的周围是面积又大又宽的土地。Chéngshì de zhōuwéi shì miànjī yòu dà yòu kuān de tǔdì. 例 生物工程发展的前景十分 ~ 。Shēngwù gōngchéng fāzhǎn de qiánjǐng shífēn ~ .｜那片土地很 ~ 。Nèi piàn tǔdì hěn ~ .｜~ 的草原上到处是牛羊。~ de cǎoyuán shang dàochù shì niú yáng.

guàng 逛［动］

下午我们一起去 ~ 公园吧。Xiàwǔ wǒmen yìqǐ qù ~ gōngyuán ba. →下午我们一起去公园里走走看看吧。Xiàwǔ wǒmen yìqǐ qù gōngyuán li zǒuzou kànkan ba. 例 他喜欢和朋友 ~ 大街。Tā xǐhuan

hé péngyou ~ dàjiē. | 这个城市他全 ~ 遍了。Zhèige chéngshì tā
quán ~ biàn le. | ~ 了好几个商店，可是什么都没买。~ le hǎojǐ gè
shāngdiàn, kěshì shénme dōu méi mǎi. | 他呀，整天在外面 ~。Tā
ya, zhěng tiān zài wàimiàn ~. | 我已经 ~ 累了，咱们回去吧。Wǒ
yǐjing ~ lèi le, zánmen huíqu ba. | 有空吗？一起去 ~ ~ 吧。Yǒu
kòng ma? Yìqǐ qù ~ ~ ba.

gui

guīdìng 规定[1] （规定）[动]

我们大学 ~ 学生宿舍晚上十一点一定要关灯。Wǒmen dàxué ~
xuésheng sùshè wǎnshang shíyī diǎn yídìng yào guān dēng. →我们
大学决定并要求，学生宿舍晚上十一点要关灯。Wǒmen dàxué
juédìng bìng yāoqiú, xuésheng sùshè wǎnshang shíyī diǎn yào guān
dēng. 例教育部 ~ 了一般大学的学制是四年。Jiàoyù Bù ~ le yìbān
dàxué de xuézhì shì sì nián. | 大家都觉得这项制度 ~ 得很好。Dàjiā
dōu juéde zhèi xiàng zhìdù ~ de hěn hǎo. | 这儿不许放自行车，已经
~ 过好几次了。Zhèr bùxǔ fàng zìxíngchē, yǐjing ~ guo hǎojǐ cì le.

guīdìng 规定[2] （规定）[名]

图书馆的书借一个月就得还，这是图书馆的 ~。Túshūguǎn de shū
jiè yí ge yuè jiù děi huán, zhè shì túshūguǎn de ~. →图书馆的书只
能借一个月，对每一个借书的人都是这样。Túshūguǎn de shū zhǐ
néng jiè yí ge yuè, duì měi yí ge jiè shū de rén dōu shì zhèiyàng. 例
一天工作八小时，这是国家的 ~。Yì tiān gōngzuò bā xiǎoshí, zhè
shì guójiā de ~. | 这些都是新 ~。Zhèi xiē dōu shì xīn ~. | 我们打算
讨论修改三年前的 ~。Wǒmen dǎsuan tǎolùn xiūgǎi sān nián qián
de ~. | 这个 ~ 很多人还不知道。Zhèige ~ hěn duō rén hái bù
zhīdào. | 对这些 ~ 有什么意见，大家可以提。Duì zhèixiē ~ yǒu
shénme yìjiàn, dàjiā kěyǐ tí.

guīlǜ 规律（规律）[名]

水流动的 ~ 是由高的地方流向低的地方。Shuǐ liúdòng de ~ shì yóu
gāo de dìfang liúxiàng dī de dìfang. →由高的地方流向低的地方，
这是水流动时发生的必然的现象。Yóu gāo de dìfang liúxiàng dī de
dìfang, zhè shì shuǐ liúdòng shí fāshēng de bìrán de xiànxiàng. 例人
老了以后，头发会慢慢儿变成白色，这是自然 ~。Rén lǎole yǐhòu,

tóufa huì mànmānr biànchéng báisè, zhè shì zìrán ~ . I人不能创造
~ ，只能发现 ~ ，利用 ~ 。Rén bù néng chuàngzào ~ , zhǐ néng
fāxiàn ~ , lìyòng ~ . I谁如果违反了事物发展的 ~ ，必然要失败。
Shéi rúguǒ wéifǎnle shìwù fāzhǎn de ~ , bìrán yào shībài. I他们还
不太掌握老虎的生活 ~ 。Tāmen hái bú tài zhǎngwò lǎohǔ de
shēnghuó ~ .

guīmó 规模（規模）[名]

这次会议的 ~ 很大。Zhèi cì huìyì de ~ hěn dà. →这次会议的范围、
场面很大，参加的人很多。Zhèi cì huìyì de fànwéi、chǎngmiàn hěn
dà, cānjiā de rén hěn duō. 例北京故宫的建筑 ~ 很宏伟。Běijīng
Gùgōng de jiànzhù ~ hěn hóngwěi. I这个公司已经具备了一定的 ~ 。
Zhèige gōngsī yǐjīng jùbèile yídìng de ~ . I今年北京的大学普遍扩大
了招生 ~ 。Jīnnián Běijīng de dàxué pǔbiàn kuòdàle zhāoshēng ~ . I
两国之间发生了一场小 ~ 的战争。Liǎng guó zhījiān fāshēngle yì
cháng xiǎo ~ de zhànzhēng.

guìzi 柜子（櫃子）[名]

我买了两个 ~ ，一个放衣服，一个摆电视。Wǒ mǎile liǎng ge ~ , yí
ge fàng yīfu, yí ge bǎi diànshì. →我买了两件家具，那个比较高的
放衣服，那个比较低的摆电视。Wǒ mǎile liǎng jiàn jiājù, nèige
bǐjiào gāo de fàng yīfu, nèige bǐjiào dī de bǎi diànshì. 例靠墙的地方
放了一排 ~ ， ~ 里摆满了书。Kào qiáng de dìfang fàngle yì pái ~ ,
~ li bǎimǎnle shū. I这个 ~ 又漂亮又结实。Zhèige ~ yòu piàoliang
yòu jiēshi. I ~ 的旁边儿是桌子。~ de pángbiānr shì zhuōzi.

guì 贵（貴）[形]

这顶帽子五百块，太 ~ 了。Zhèi dǐng màozi wǔbǎi kuài, tài ~ le. →
买这顶帽子要五百块钱，太多了。Mǎi zhèi dǐng màozi yào wǔbǎi
kuài qián, tài duō le. 例这双鞋三十块，不 ~ 。Zhèi shuāng xié
sānshí kuài, bú ~ . I太 ~ 了，我买不起。Tài ~ le, wǒ mǎi bu qǐ. I
这个商店的东西比那个商店的东西 ~ 一点儿。Zhèige shāngdiàn de
dōngxi bǐ nèige shāngdiàn de dōngxi ~ yìdiǎnr. I ~ 也 ~ 不了多少，
就在这儿买吧。~ yě ~ bu liǎo duōshǎo, jiù zài zhèr mǎi ba.

guìxìng 贵姓（貴姓）

您 ~ ？Nín ~ ？→很客气地问对方姓什么。Hěn kèqi de wèn duìfāng
xìng shénme. 例请问老师，您 ~ ？——我姓张。Qǐngwèn lǎoshī,

nín ~ ? ——Wǒ xìng Zhāng. | 请问，您爱人 ~ ? Qǐngwèn, nín àiren~ ? | 请问先生 ~ ? ——免贵，姓王。Qǐngwèn xiānsheng ~ ? ——Miǎn guì, xìng Wáng.

guì 跪 [动]

kneel 例一见皇帝，他们赶快 ~ 下。Yí jiàn huángdì, tāmen gǎnkuài ~ xià. | 你为什么不 ~ ? Nǐ wèishénme bú ~ ? | 他吓得 ~ 在地上不敢抬头。Tā xià de ~ zài dìshang bù gǎn táitóu. | 他 ~ 了两个多小时。Tā ~ le liǎng ge duō xiǎoshí. | 他们有 ~ 着吃饭的习惯。Tāmen yǒu ~ zhe chīfàn de xíguàn.

gun

gǔn 滚 [动]

他轻轻地踢了一下儿，球就 ~ 到床下去了。Tā qīngqīng de tīle yí xiàr, qiú jiù ~ dào chuáng xià qu le. →他轻轻地踢了一下儿，球从这儿到床下去了。Tā qīngqīng de tīle yí xiàr, qiú cóng zhèr dào chuáng xià qu le. 例皮球 ~ 到沙发下面去了。Píqiú ~ dào shāfā xiàmiàn qu le. | 雪球 ~ 得真大。Xuěqiú ~ de zhēn dà. | 疼得他在床上 ~ 来 ~ 去。Téng de tā zài chuáng shang ~ lái ~ qù. | 别让小孩儿从楼梯上 ~ 下去。Bié ràng xiǎoháir cóng lóutī shang ~ xiaqu. | 球 ~ 不了多远，就在这儿找找吧。Qiú ~ bu liǎo duō yuǎn, jiù zài zhèr zhǎozhao ba.

guo

guō 锅（鍋）[名]

例我得去买一个做米饭用的 ~ 。Wǒ děi qù mǎi yí ge zuò mǐfàn yòng de ~ . | 这个 ~ 是朋友送给我的。Zhèige ~ shì péngyou sòng gěi wǒ de. | 这口 ~ 真大。Zhèi kǒu ~ zhēn dà. | 这个商店卖各种各样的 ~ 。Zhèige shāngdiàn mài gèzhǒng gèyàng de ~ . | 把 ~ 洗干净。Bǎ ~ xǐ gānjìng. | ~ 里还有不少饭呢。~ li hái yǒu bùshǎo fàn ne.

锅

guó 国（國）[名]

country 例世界上有许多经济发达的强 ~ ，也有不少经济不发达的弱

~。Shìjiè shang yǒu xǔduō jīngjì fādá de qiáng ~，yě yǒu bùshǎo jīngjì bù fādá de ruò ~. ┃每年的三月八日是全世界各 ~ 劳动妇女的节日。Měi nián de sān yuè bā rì shì quán shìjiè gè ~ láodòng fùnǚ de jiérì. ┃昨天全 ~ 各地都下雨了。Zuótiān quán ~ gè dì dōu xià yǔ le. ┃你哪天回 ~？Nǐ něi tiān huí ~？┃从电视上可以看到 ~ 内外的新闻。Cóng diànshì shang kěyǐ kàndào ~ nèi wài de xīnwén. ┃你是哪 ~ 人？Nǐ shì něi ~ rén?

guójì 国际（國際）[名]

今年 ~ 上发生了很多大事。Jīnnián ~ shang fāshēngle hěn duō dàshì. →今年世界各国之间发生了很多的大事。Jīnnián shìjiè gè guó zhījiān fāshēngle hěn duō de dàshì. 例 ~ 关系在不断地变化着。~ guānxi zài búduàn de biànhuà zhe. ┃明年要在这儿开 ~ 会议。Míngnián yào zài zhèr kāi ~ huìyì. ┃这一技术已经达到 ~ 水平。Zhèi yí jìshù yǐjing dádào ~ shuǐpíng. ┃五月一日是 ~ 劳动节。Wǔyuè yī rì shì ~ Láodòngjié. ┃这项技术要有一个 ~ 标准。Zhèi xiàng jìshù yào yǒu yí ge ~ biāozhǔn.

guójiā 国家（國家）[名]

country 例我们 ~ 是世界上人口最多的一个 ~。Wǒmen ~ shì shìjiè shang rénkǒu zuì duō de yí ge ~. ┃我已经去过五十多个 ~ 了。Wǒ yǐjing qùguo wǔshí duō ge ~ le. ┃那是一个历史很长的 ~。Nà shì yí ge lìshǐ hěn cháng de ~. ┃它们是一些正在发展中的 ~。Tāmen shì yìxiē zhèngzài fāzhǎn zhōng de ~. ┃这几个 ~ 的人，样子差不多。Zhèi jǐ ge ~ de rén, yàngzi chàbuduō.

guówáng 国王（國王）[名]

king 例这是一位很聪明的 ~。Zhè shì yí wèi hěn cōngming de ~. ┃我们要去见见 ~。Wǒmen yào qù jiànjian ~. ┃我们欢迎贵国的 ~ 来我国参观访问。Wǒmen huānyíng guì guó de ~ lái wǒguó cānguān fǎngwèn. ┃昨天两国的 ~ 举行了会谈。Zuótiān liǎng guó de ~ jǔxíngle huìtán.

guǒrán 果然 [副]

医生说他发烧了，他试了试表，~ 是发烧了。Yīshēng shuō tā fāshāo le, tā shìle shì biǎo, ~ shì fāshāo le. →他试了试表，真的像医生说的那样——他发烧了。Tā shìle shì biǎo, zhēn de xiàng yīshēng shuō de nèiyàng——tā fāshāo le. 例这儿 ~ 跟书上介绍的一

样美丽。Zhèr ~ gēn shū shang jièshào de yíyàng měilì. | 打了一针以后，~ 不发烧了。Dǎle yì zhēn yǐhòu, ~ bù fāshāo le. | 山这边儿的风景跟那边儿的风景~不同。Shān zhèibiānr de fēngjǐng gēn nèibiānr de fēngjǐng ~ bùtóng. | 这次努力~没有白费。Zhèi cì nǔlì ~ méiyǒu báifèi.

guò 过¹（過）[动]

我们怎么 ~ 河呢？Wǒmen zěnme ~ hé ne? →我们怎么从河这边儿到河那边儿去呢？Wǒmen zěnme cóng hé zhèibiānr dào hé nèibiānr qù ne? 例 ~ 马路的时候要看一看是红灯还是绿灯。~ mǎlù de shíhou yào kàn yi kàn shì hóngdēng háishì lùdēng. | 劳驾，让我 ~ 一下儿，我要下车。Láo jià, ràng wǒ ~ yíxiàr, wǒ yào xià chē. | 今年我约朋友来我家 ~ 年。Jīnnián wǒ yuē péngyou lái wǒ jiā ~ nián. | 时间 ~ 得真快！Shíjiān ~ de zhēn kuài! | 我们到海边儿 ~ 暑假。Wǒmen dào hǎi biānr ~ shǔjiā. | 他们结婚后，日子 ~ 得很幸福。Tāmen jiéhūn hòu, rìzi ~ de hěn xìngfú.

guò 过²（過）[动]

应该八点上课，你怎么 ~ 了十五分钟才来？Yīnggāi bā diǎn shàngkè, nǐ zěnme ~ le shíwǔ fēnzhōng cái lái. →现在已经八点十五分了。Xiànzài yǐjing bā diǎn shíwǔ fēn le. 例晚上六点下班，~ 了六点，办公室就没人了。Wǎnshang liù diǎn xiàbān, ~ le liù diǎn, bàngōngshì jiù méi rén le. | 已经 ~ 了半个小时了，他可能不来了。Yǐjing ~ le bàn ge xiǎoshí le, tā kěnéng bù lái le. | 这些食品已经 ~ 期了，不能吃了。Zhèixiē shípǐn yǐjing ~ qī le, bù néng chī le. | 这张电影票是上午十点的，现在已经 ~ 了时间了。Zhèi zhāng diànyǐngpiào shì shàngwǔ shí diǎn de, xiànzài yǐjing ~ le shíjiān le.

guò 过³（過）[动]

他刚从我们教室门口儿走 ~ 。Tā gāng cóng wǒmen jiàoshì ménkǒur zǒu ~ . →他刚从我们教室门口儿向别的地方走去。Tā gāng cóng wǒmen jiàoshì ménkǒur xiàng biéde dìfang zǒuqu. 例飞机从大海上空飞 ~ 。Fēijī cóng dàhǎi shàngkōng fēi ~ . | 我们翻 ~ 这座山，就可以看到那条河了。Wǒmen fān ~ zhèi zuò shān, jiù kěyǐ kàndào nèi tiáo hé le. | 他送 ~ 一杯红茶给我喝。Tā sòng ~ yì bēi hóngchá gěi wǒ hē. | 他递 ~ 一封信让我看。Tā dì ~ yì fēng xìn ràng wǒ kàn. | 他拿 ~ 电话，让他妈妈听。Tā ná ~ diànhuà, ràng tā māma tīng. |

G

他回~头，看了我一眼。Tā huí~tóu kànle wǒ yì yǎn.

guò 过⁴（過）[动]

我没听见闹钟六点时的响声，睡~了时间。Wǒ méi tīngjiàn nàozhōng liù diǎn shí de xiǎngshēng, shuì~le shíjiān. →我睡到了六点以后才醒。Wǒ shuìdàole liù diǎn yǐhòu cái xǐng. 例糟糕，我应该上一站下车，我坐~站了。Zāogāo, wǒ yīnggāi shàng yí zhàn xià chē, wǒ zuò~zhàn le. | 喝酒喝~了量，对身体就没好处了。Hē jiǔ hē~le liàng, duì shēntǐ jiù méi hǎochu le. | 他跑一百米只用了九秒，谁能跑得~他呢！Tā pǎo yìbǎi mǐ zhǐ yòngle jiǔ miǎo, shéi néng pǎo de~tā ne! | 他很能说，我们谁也说不~他。Tā hěn néng shuō, wǒmen shéi yě shuō bu~tā. | 这次比赛我们一定得比~A队。Zhèi cì bǐsài wǒmen yídìng děi bǐ~A duì.

guo 过⁵（過）[助]

马上吃饭，吃~饭去看电影。Mǎshàng chīfàn, chī~fàn qù kàn diànyǐng. →吃完了饭去看电影。Chīwánle fàn qù kàn diànyǐng. 例我很想看安娜和大卫表演的节目，等我到礼堂的时候，他俩的节目已经演~了。Wǒ hěn xiǎng kàn Ānnà hé Dàwèi biǎoyǎn de jiémù, děng wǒ dào lǐtáng de shíhou, tā liǎ de jiémù yǐjing yǎn~le. | 你先别着急，等我打~电话再说。Nǐ xiān bié zháojí, děng wǒ dǎ~diànhuà zài shuō. | 那件事等我问~他再告诉你。Nèi jiàn shì děng wǒ wèn~tā zài gàosu nǐ.

guo 过⁶（過）[助]

这本小说没什么意思，我一年前看~。Zhèi běn xiǎoshuō méi shénme yìsi, wǒ yì nián qián kàn~. →看这本小说是一年前的事。Kàn zhèi běn xiǎoshuō shì yì nián qián de shì. 例这件事我们上星期谈~。Zhèi jiàn shì wǒmen shàngxīngqī tán~. | 我去~很多地方旅行。Wǒ qù~hěn duō dìfang lǚxíng. | 他一次也没来看~我。Tā yí cì yě méi lái kàn~wǒ. | 我一直没问~他。Wǒ yìzhí méi wènguo ta. | 他从来没告诉~我。Tā cónglái méi gàosu~wǒ.

guo 过⁷（過）[助]

我年轻的时候胖~。Wǒ niánqīng de shíhou pàng~. →我年轻时胖，现在不胖了。Wǒ niánqīng shí pàng, xiànzài bú pàng le. 例今年冬天一直那么暖和？——不，前几天也冷~。Jīnnián dōngtiān yìzhí nàme nuǎnhuo? ——Bù, qián jǐ tiān yě lěng~. | 你看他今天

多开心啊，我觉得他从来没这么高兴～。Nǐ kàn tā jīntiān duō kāixīn a, wǒ juéde tā cónglái méi zhème gāoxìng ~. | 这儿从来没这么干净～。Zhèr cónglái méi zhème gānjìng ~.

guòchéng 过程（過程）[名]

请你说说那件事情的～。Qǐng nǐ shuōshuo nèi jiàn shìqing de ~. → 请你说说那件事是怎么开始的，怎么结束的。Qǐng nǐ shuōshuo nèi jiàn shì shì zěnme kāishǐ de, zěnme jiéshù de. 例我想了解试验的全～。Wǒ xiǎng liǎojiě shìyàn de quán ~. | 这种花儿的生长～跟其它的花儿不同。Zhèi zhǒng huār de shēngzhǎng ~ gēn qítā de huār bùtóng. | 这两个国家的发展～有些相似的地方。Zhèi liǎng ge guójiā de fāzhǎn ~ yǒuxiē xiāngsì de dìfang. | 他把全部～记了下来。Tā bǎ quánbù ~ jìle xialai. | 大卫向大家介绍了他和玛丽的恋爱～。Dàwèi xiàng dàjiā jièshàole tā hé Mǎlì de liàn'ài ~.

guò lai 过来¹（過來）

安娜，快～！咱们该回宿舍了。Ānnà, kuài ~! Zánmen gāi huí sùshè le. → 安娜，快到我这儿来！咱们该回宿舍了。Ānnà, kuài dào wǒ zhèr lái! Zánmen gāi huí sùshè le. 例往后点儿，火车～了。Wǎng hòu diǎnr, huǒchē ~ le. | 公共汽车太慢，你坐出租汽车～吧。Gōnggòng qìchē tài màn, nǐ zuò chūzū qìchē ~ ba. | 左边儿过不来的话，你从右边儿～吧。Zuǒbiānr guò bu lái dehuà, nǐ cóng yòubiānr ~ ba. | 那么困难的日子我都～了，还怕这点儿困难！Nàme kùnnan de rìzi wǒ dōu ~ le, hái pà zhèi diǎnr kùnnan! | 我们都是从二三十年代～的人了。Wǒmen dōu shì cóng èrsānshí niándài ~ de rén le.

guò lai 过来²（過來）

汽车开～了。Qìchē kāi ~ le. → 汽车开到咱们这儿来了。Qìchē kāidào zánmen zhèr lái le. 例张老师走～了，我们问问张老师吧。Zhāng lǎoshī zǒu ~ le, wǒmen wènwen Zhāng lǎoshī ba. | 你把桌子上的那本书拿～给我看看。Nǐ bǎ zhuōzi shang de nèi běn shū ná ~ gěi wǒ kànkan. | 喂，请帮我把球踢～。Wèi, qǐng bāng wǒ bǎ qiú tī ~. | 你给我递过一支笔来。Nǐ gěi wǒ dì guo yì zhī bǐ lai. | 你把手伸～，让我看看你的手背。Nǐ bǎ shǒu shēn ~, ràng wǒ kànkan nǐ de shǒubèi. | 你把手套翻～洗一洗。Nǐ bǎ shǒutào fān ~ xǐ yi xǐ. | 护士说，病人醒～，你们就可以进去看他了。Hùshi shuō, bìngrén xǐng ~，nǐmen jiù kěyǐ jìnqu kàn tā le. |你把写错的字改~。Nǐ bǎ xiě cuò de zì gǎi ~.

guò lái 过来³ （過來）

那 儿的名胜古迹很多，三天时间也看不~。Nàr de míngshèng gǔjì hěn duō，sān tiān shíjiān yě kàn bu ~. →三天的时间参观不完。Sān tiān de shíjiān cānguān bù wán. 例一个星期想去那么多的城市，可能走不~。Yí ge xīngqī xiǎng qù nàme duō de chéngshì，kěnéng zǒu bu ~. |今天的事儿不太多，我一个人也干得~。Jīntiān de shìr bú tài duō，wǒ yí ge rén yě gàn de ~. |菜太多了，我哪儿吃得~呀! Cài tài duō le，wǒ nǎr chī de ~ ya! |你什么都想学，学得~吗? Nǐ shénme dōu xiǎng xué，xué de ~ ma?

guò nián 过年（過年）

celebrate（or spend）the new year 例很快就要~了。Hěn kuài jiù yào ~ le. |我小的时候特别喜欢~。Wǒ xiǎo de shíhou tèbié xǐhuan ~. |~的时候，我们都去父母家。~ de shíhou，wǒmen dōu qù fùmǔ jiā. |~以前我见过她。~ yǐqián wǒ jiànguo tā. |~那几天，朋友们见面都要互相拜年。~ nèi jǐ tiān，péngyoumen jiànmiàn dōu yào hùxiāng bàinián.

guò qu 过去¹ （過去）

你爸爸叫你呢，快~吧。Nǐ bàba jiào nǐ ne，kuài ~ ba. →快到你爸爸那 儿去。Kuài dào nǐ bàba nàr qù. 例我也不懂，你~问问老师吧。Wǒ yě bù dǒng，nǐ ~ wènwen lǎoshī ba. |安娜也去，你们一起~吧。Ānnà yě qù，nǐmen yìqǐ ~ ba. |你奶奶病了，你~看看她吧。Nǐ nǎinai bìng le，nǐ ~ kànkan tā ba. |人太多了，我过不去呀。Rén tài duō le，wǒ guò bu qù ya. |这条小路，自行车过得去，汽车过不去。Zhèi tiáo xiǎo lù，zìxíngchē guò de qù，qìchē guò bu qù. |这次五门考试他都~了。Zhèi cì wǔ mén kǎoshì tā dōu ~ le. |一个月~了，我还没有收到女儿的回信。Yí ge yuè ~ le，wǒ hái méiyǒu shōudào nǚ'ér de huíxìn. |事情已经~好几天了，你别生气了。Shìqing yǐjīng ~ hǎojǐ tiān le，nǐ bié shēngqì le. |快吃药吧，吃了药，疼痛一会儿就~了。Kuài chīyào ba，chīle yào，téngtòng yíhuìr jiù ~ le.

guo qu 过去² （過去）

刚开~一辆汽车，我只好等下一辆了。Gāng kāi ~ yí liàng qìchē，

wǒ zhǐhǎo děng xià yí liàng le. →刚开走一辆汽车，我只好等下一辆了。Gāng kāizǒu yí liàng qìchē, wǒ zhǐhǎo děng xià yí liàng le. **例**她还站在校门口等你呢，你快跑~找她吧。Tā hái zhàn zài xiào ménkǒu děng nǐ ne, nǐ kuài pǎo~ zhǎo tā ba. | 你别过来了，你的信我让你的同屋带~。Nǐ bié guòlai le, nǐ de xìn wǒ ràng nǐ de tóngwū dài ~. | 这些茶水给客人端~。Zhèixiē cháshuǐ gěi kèrén duān ~. | 河面太宽，我游不~。Hé miàn tài kuān, wǒ yóu bu guòqù. | 你转~，不许看我。Nǐ zhuǎn ~, bùxǔ kàn wǒ. | 他说过来道~的老是这几句话。Tā shuō guòlái dào ~（guòqù）de lǎo shì zhèi jǐ jù huà. | 我的记性不好，什么事听~就忘。Wǒ de jìxing bù hǎo, shénme shì tīng ~ jiù wàng. | 你给奶奶送过一碗饭去。Nǐ gěi nǎinai sòng guo yì wǎn fàn qu. | 他们已经走过桥去了。Tāmen yǐjing zǒu guo qiáo qu le.

guòqù 过去³（過去）[名]

~我不认识她，今天是第一次跟她见面。~ wǒ bú rènshi tā, jīntiān shì dì yī cì gēn tā jiànmiàn. →今天以前我不认识她。Jīntiān yǐqián wǒ bú rènshi tā. **例**我母亲~是医生，现在不工作了。Wǒ mǔqin ~ shì yīshēng, xiànzài bù gōngzuò le. | 我~在农村住过三年。Wǒ ~ zài nóngcūn zhùguo sān nián. | ~的事情他都记不清了。~ de shìqing tā dōu jì bu qīng le. | 老人们在一起，特别喜欢谈~的经历。Lǎorénmen zài yìqǐ, tèbié xǐhuan tán ~ de jīnglì.

H

hái

hái 还¹（還）[副]

我去上课时，大卫没起床，我回宿舍时，他 ~ 在睡觉。Wǒ qù shàngkè shí, Dàwèi méi qǐchuáng, wǒ huí sùshè shí, tā ~ zài shuìjiào. →大卫一直在睡觉。Dàwèi yìzhí zài shuì jiào. 例别人都休息了，安娜 ~ 在复习功课。Biérén dōu xiūxi le, Ānnà ~ zài fùxí gōngkè. l已经一个星期了，他的病 ~ 没好。Yǐjing yí ge xīngqī le, tā de bìng ~ méi hǎo. l快四十岁了，他 ~ 没结婚。Kuài sìshí suì le, tā ~ méi jiéhūn. l我们都老了，你 ~ 那么年轻、漂亮。Wǒmen dōu lǎo le, nǐ ~ nàme niánqīng、piàoliang.

hái 还²（還）[副]

今天比昨天 ~ 冷。Jīntiān bǐ zuótiān ~ lěng. →昨天零下18度，今天零下20度。Zuótiān língxià shíbā dù, jīntiān língxià èrshí dù. 例母亲很漂亮，女儿比母亲 ~ 漂亮。Mǔqin hěn piàoliang, nǚ'ér bǐ mǔqin ~ piàoliang. l张奶奶已经一百零三岁了，李奶奶比她 ~ 大两岁。Zhāng nǎinai yǐjing yìbǎi líng sān suì le, Lǐ nǎinai bǐ tā ~ dà liǎng suì. l上次我没考好，这次比上次考得 ~ 差。Shàng cì wǒ méi kǎohǎo, zhèi cì bǐ shàng cì kǎo de ~ chà.

hái 还³（還）[副]

除了买衣服以外，你 ~ 买什么? Chúle mǎi yīfu yǐwài, nǐ ~ mǎi shénme? →买了衣服以后，你想再买别的东西吗? Mǎile yīfu yǐhòu, nǐ xiǎng zài mǎi biéde dōngxi ma? 例你们 ~ 去哪儿? Nǐmen ~ qù nǎr? l我要买一本信纸，~ 要买两套纪念邮票。Wǒ yào mǎi yì běn xìnzhǐ, ~ yào mǎi liǎng tào jìniàn yóupiào. l他会说汉语，~ 会说英语和西班牙语。Tā huì shuō Hànyǔ, ~ huì shuō Yīngyǔ hé Xībānyáyǔ. l两瓶啤酒哪儿够，~ 得去买两瓶。Liǎng píng píjiǔ nǎr gòu, ~ děi qù mǎi liǎng píng.

hái 还⁴（還）[副]

平时他七点起床，今天 ~ 不到五点就已经起来了。Píngshí tā qī diǎn

qǐchuáng, jīntiān ~ bú dào wǔ diǎn jiù yǐjing qǐlai le. →他今天很早就起床了。Tā jīntiān hěn zǎo jiù qǐchuáng le. 例 ~ 不到六岁，他已经能写信了。~ bú dào liù suì, tā yǐjing néng xiě xìn le. | 我 ~ 没讲完，他就明白了。Wǒ ~ méi jiǎngwán, tā jiù míngbai le. | ~ 不到半年他就写了一部小说。~ bú dào bàn nián tā jiù xiěle yí bù xiǎoshuō. | 那部电影我 ~ 是三年前看的呢。Nèi bù diànyǐng wǒ ~ shì sān nián qián kàn de ne.

hái 还[5] （還）[副]

你只花了一块钱，这 ~ 多呀？Nǐ zhǐ huāle yí kuài qián, zhè ~ duō ya? →你花的钱不算多。Nǐ huā de qián bú suàn duō. 例已经下班了，你 ~ 不回家？Yǐjing xiàbān le, nǐ ~ bù huíjiā? | 住这么好的房子，你 ~ 不满意？Zhù zhème hǎo de fángzi, nǐ ~ bù mǎnyì? | 这 ~ 用问？Zhè ~ yòng wèn?

hái 还[6] （還）[副]

这双鞋的颜色、式样 ~ 不错。Zhèi shuāng xié de yánsè, shìyàng ~ búcuò. →对这双鞋的颜色、式样比较满意。Duì zhèi shuāng xié de yánsè, shìyàng bǐjiào mǎnyì. 例我母亲做的菜味道 ~ 可以，你们尝尝。Wǒ mǔqin zuò de cài wèidao ~ kěyǐ, nǐmen chángchang. | 他画的花儿 ~ 真好看。Tā huà de huār ~ zhēn hǎokàn. | 他对朋友 ~ 挺真心的。Tā duì péngyou ~ tǐng zhēnxīn de. | 他 ~ 真有办法。Tā ~ zhēn yǒu bànfǎ.

hái 还[7] （還）[副]

你 ~ 是哥哥呢，也不让着点儿小弟弟。Nǐ ~ shì gēge ne, yě bú ràngzhe diǎnr xiǎo dìdi. →对哥哥表示不满意。Duì gēge biǎoshì bù mǎnyì. 例你 ~ 是大学生呢，怎么这么不文明？Nǐ ~ shì dàxuéshēng ne, zěnme zhème bù wénmíng? | 雨已经下了三天了，天气怎么 ~ 不晴？Yǔ yǐjing xiàle sān tiān le, tiānqì zěnme ~ bù qíng? | 你打了人家，你 ~ 有理！Nǐ dǎle rénjia, nǐ ~ yǒu lǐ!

háishi 还是[1] （還是）[连]

你喝咖啡 ~ 喝茶？Nǐ hē kāfēi ~ hē chá? →有咖啡和茶，你选择喝哪一样？Yǒu kāfēi hé chā, nǐ xuǎnzé hē něi yí yàng? 例咱们先去看电影 ~ 先去逛商店？Zánmen xiān qù kàn diànyǐng ~ xiān qù guàng shāngdiàn? | 坐公共汽车去 ~ 骑自行车去，我们商量一下儿。Zuò gōnggòng qìchē qù ~ qí zìxíngchē qù, wǒmen shāngliang yíxiàr. | 我

不知道大卫说的对～安娜说的对。Wǒ bù zhīdào Dàwèi shuō de duì ～ Ānnà shuō de duì. |我想当一名老师，不论是中学老师～小学老师都行。Wǒ xiǎng dāng yì míng lǎoshī, búlùn shì zhōngxué ～ xiǎoxué lǎoshī dōu xíng.

háishi 还是[2] （還是）[副]

我去看他了，他～住在原来的地方。Wǒ qù kàn tā le, tā ～ zhù zài yuánlái de dìfang. →他一直住在原来的地方。Tā yìzhí zhù zài yuánlái de dìfang. 例前几次都是你去的，下一次～你去吧。Qián jǐ cì dōu shì nǐ qù de, xià yí cì ～ nǐ qù ba. |已经是秋天了，怎么～这么热？Yǐjing shì qiūtiān le, zěnme ～ zhème rè? |他～那么爱说爱笑的。Tā ～ nàme ài shuō ài xiào de. |她～那么年轻，～那么漂亮。Tā ～ nàme niánqīng, ～ nàme piàoliang.

háishi 还是[3] （還是）[副]

谁去好呢？～大卫去吧。Shéi qù hǎo ne? ～ Dàwèi qù ba. →经过比较，觉得大卫去比较好。Jīngguò bǐjiào, juéde Dàwèi qù bǐjiào hǎo. 例今天别去了，～明天去吧。Jīntiān bié qù le, ～ míngtiān qù ba. |你们～先给他打个电话，看看他在不在家。Nǐmen ～ xiān gěi tā dǎ ge diànhuà, kànkan tā zài bu zài jiā. |你太累了，～早点儿睡吧。Nǐ tài lèi le, ～ zǎo diǎnr shuì ba. |我看这件事～由你跟大家说吧。Wǒ kàn zhèi jiàn shì ～ yóu nǐ gēn dàjiā shuō ba.

háizi 孩子[1] [名]

幼儿园的～们正在做游戏。Yòu'éryuán de ～ men zhèngzài zuò yóuxì. →儿童们正在做游戏。Értóngmen zhèngzài zuò yóuxì. 例这些～真可爱。Zhèixiē ～ zhēn kě'ài. |他刚上小学，还是个～。Tā gāng shàng xiǎoxué, hái shì ge ～. |我最喜欢活泼的～。Wǒ zuì xǐhuan huópo de ～. |老师正在给～们讲故事。Lǎoshī zhèngzài gěi ～ men jiǎng gùshi. |那个淘气的～其实很聪明。Nèige táoqì de ～ qíshí hěn cōngming.

háizi 孩子[2] [名]

我们的～都工作了。Wǒmen de ～ dōu gōngzuò le. →我们的儿子和我们的女儿都工作了。Wǒmen de érzi hé wǒmen de nǚ'ér dōu gōngzuò le. 例王老师有两个～。Wáng lǎoshī yǒu liǎng ge ～. |她快要生～了。Tā kuài yào shēng ～ le. |你照看～，我做饭。Nǐ zhàokàn ～, wǒ zuòfàn. |妈妈夸我是好～。Māma kuā wǒ shì hǎo ～.

hǎi 海 [名]

sea 例我们的村子离~很近。Wǒmen de cūnzi lí ~ hěn jìn. | 夏天的时候，我要和我的朋友去看~。Xiàtiān de shíhou, wǒ yào hé wǒ de péngyou qù kàn ~. | 在~里游泳很痛快。Zài ~ li yóuyǒng hěn tòngkuai. | 他们躺在~边的沙滩上。Tāmen tǎng zài ~ biān de shātān shang. | 这些江河的水向东流入大~。Zhèixiē jiānghé de shuǐ xiàng dōng liúrù dà ~.

hǎiyáng 海洋 [名]

seas and oceans 例我喜欢蓝色的~。Wǒ xǐhuan lánsè de ~. | 飞机飞过了~。Fēijī fēiguole ~. | ~里有各种各样的鱼。~ li yǒu gèzhǒng gèyàng de yú. | 我们坐的火车从~底下走。Wǒmen zuò de huǒchē cóng ~ dǐxia zǒu.

hǎiguān 海关(海關) [名]

出入一个国家时，~要检查你的护照和行李。Chūrù yí ge guójiā shí, ~ yào jiǎnchá nǐ de hùzhào hé xíngli. →检查出国人员护照和行李的地方。Jiǎnchá chūguó rényuán hùzhào hé xíngli de dìfang. 例这个~我进出过三次了。Zhèige ~ wǒ jìnchūguo sān cì le. | 能不能带小动物出国，得问一问~。Néng bu néng dài xiǎo dòngwù chūguó, děi wèn yi wèn ~. | 下午我得去~办手续。Xiàwǔ wǒ děi qù ~ bàn shǒuxù. | 他的儿子在~工作。Tā de érzi zài ~ gōngzuò. | ~的工作人员，我一个也不认识。~ de gōngzuò rényuán, wǒ yí ge yě bú rènshi.

hài 害 [名]

抽烟对身体有~。Chōuyān duì shēntǐ yǒu ~. →抽烟对身体没好处。Chōuyān duì shēntǐ méi hǎochu. 例过分地爱孩子，对孩子的成长有~。Guòfèn de ài háizi, duì háizi de chéngzhǎng yǒu ~.

hàichu 害处(害處) [名]

酒喝多了对人的身体有~。Jiǔ hēduōle duì rén de shēntǐ yǒu ~. →酒喝多了对人的身体没有好处。Jiǔ hēduōle duì rén de shēntǐ méiyǒu hǎochu. 例经常做适当运动没有什么~。Jīngcháng zuò shìdàng yùndòng méiyǒu shénme ~. | 吸烟的~很多。Xīyān de ~ hěn duō. | 我把吸烟的~告诉了他。Wǒ bǎ xīyān de ~ gàosule tā. | 对国家有~的事不能做。Duì guójiā yǒu ~ de shì bù néng zuò.

hàipà 害怕 [动]

scare 例小时候，我很～黑天。Xiǎoshíhou, wǒ hěn ～ hēi tiān. |他
特～虫子。Tā tè ～ chóngzi. |他～父亲骂他。Tā ～ fùqin mà tā. |
别～困难。Bié ～ kùnnan. |他做错了事，心里很～。Tā zuòcuòle
shì, xīnli hěn～. |不光孩子～，连我也～。Bù guāng háizi ～, lián
wǒ yě ～. |他一～就哭。Tā yí ～ jiù kū. |他～极了。Tā ～ jí le.

han

hán 含 [动]

他的嘴里～着一块糖。Tā de zuǐ li ～ zhe yí kuài táng. →他的嘴里
有一块糖还没有吃完。Tā de zuǐ li yǒu yí kuài táng hái méiyǒu
chīwán. 例你猜猜，我嘴里～着什么? Nǐ cāicai, wǒ zuǐ li ～ zhe
shénme? |冰～在嘴里一会儿就化。Bīng ～ zài zuǐ li yíhuìr jiù huà. |
药片儿～在嘴里很苦。Yàopiànr ～ zài zuǐ li hěn kǔ. |～了一会儿，他
就吐出来了。～ le yíhuìr, tā jiù tǔ chulai le.

hánjià 寒假 [名]

～从下星期一开始。～ cóng xià Xīngqīyī kāishǐ. →冬天的假期从下
星期一开始。Dōngtiān de jiàqī cóng xià Xīngqīyī kāishǐ. 例今年～我
去北方看冰灯。Jīnnián ～ wǒ qù běifāng kàn bīngdēng. |时间过得
真快，～马上就要过去了。Shíjiān guò de zhēn kuài, ～ mǎshàng jiù
yào guòqu le. |你想去哪儿过～? Nǐ xiǎng qù nǎr guò ～? |你们学
校什么时候放～? Nǐmen xuéxiào shénme shíhou fàng ～? |～的时
候我准备去打工。～ de shíhou wǒ zhǔnbèi qù dǎgōng.

hánlěng 寒冷 [形]

中国的东北，冬天非常～。Zhōngguó de Dōngběi, dōngtiān
fēicháng ～. →中国东北的冬天，气温很低，有时能低到零下三十
五度。Zhōngguó Dōngběi de dōngtiān, qìwēn hěn dī, yǒushí néng
dīdào língxià sānshíwǔ dù. 例屋外十分～，屋里还挺暖和。Wū wài
shífēn ～, wū lǐ hái tǐng nuǎnhuo. |今年的冬天不算～。Jīnnián de
dōngtiān bú suàn ～. |在那个～的夜晚，我把他带到了我的家。Zài
nèige ～ de yèwǎn, wǒ bǎ tā dàidàole wǒ de jiā. |天气越来越～
了。Tiānqì yuèláiyuè ～ le.

hǎn 喊 [动]

他大声地～："这是谁的书?" Tā dàshēng de ～: "Zhè shì shéi de

shū?" →他大声说："这是谁的书?" Tā dàshēng shuō："Zhè shì shéi de shū?" 例你别 ~ 了，大家要睡觉了。Nǐ bié ~ le, dàjiā yào shuìjiào le. ｜楼下有人 ~ 你，你快下去。Lóuxià yǒu rén ~ nǐ, nǐ kuài xiàqu. ｜他疼得大声 ~ 了起来。Tā téng de dàshēng ~ le qilai. ｜他 ~ 的声音真大。Tā ~ de shēngyīn zhēn dà. ｜我们一块儿 ~ 吧。Wǒmen yíkuàir ~ ba. ｜他一边儿哭一边儿 ~。Tā yìbiānr kū yibiānr ~ .

Hànyǔ 汉语（漢語）[名]

我打算去中国学习 ~。Wǒ dǎsuan qù Zhōngguó xuéxí ~ . →我打算去中国学习中国人使用的语言。Wǒ dǎsuan qù Zhōngguó xuéxí Zhōngguórén shǐyòng de yǔyán. 例我已经学了两年 ~，但是说得还不太流利。Wǒ yǐjing xuéle liǎng nián ~, dànshì shuō de hái bú tài liúlì. ｜他不是中国人，可他的 ~ 说得很好。Tā bú shì Zhōngguórén, kě tā de ~ shuō de hěn hǎo. ｜~ 的语法不难学。~ de yǔfǎ bù nán xué. ｜世界上，学习 ~ 的人多起来了。Shìjiè shang, xuéxí ~ de rén duō qilai le.

Hànzì 汉字（漢字）[名]

我会说一些汉语，但是只会写几个 ~。Wǒ huì shuō yìxiē Hànyǔ, dànshì zhǐ huì xiě jǐ gè ~ . →我会说一些汉语，但是不太会写。Wǒ huì shuō yìxiē Hànyǔ, dànshì bú tài huì xiě. 例~ 是一种比较难学的文字。~ shì yì zhǒng bǐjiào nán xué de wénzì. ｜你认识多少个 ~? Nǐ rènshi duōshao ge ~? ｜一个 ~ 我得写好多遍才能记住。Yí ge ~ wǒ děi xiě hǎoduō biàn cái néng jìzhù. ｜这个 ~ 怎么念? Zhèige ~ zěnme niàn?

hàn 汗 [名]

sweat 例我喝了一杯热水，头上出了很多 ~。Wǒ hēle yì bēi rèshuǐ, tóu shang chūle hěn duō ~ . ｜今天天气太热了，热得我全身都是 ~。Jīntiān tiānqì tài rè le, rè de wǒ quán shēn dōu shì ~ . ｜他不怕热，你看他一点儿 ~ 也没出。Tā bú pà rè, nǐ kàn tā yìdiǎnr ~ yě méi chū. ｜看你满头大 ~ 的，衣服都被 ~ 湿透了，先去洗洗澡吧。Kàn nǐ mǎn tóu dà~ de, yīfu dōu bèi ~ shītòu le, xiān qù xǐxi zǎo ba.

hang

háng 行 [量]

每个生词写三 ~，一 ~ 写六个。Měi ge shēngcí xiě sān ~ , yì ~ xiě

liù ge. →每个生词从左边儿往右边儿写，写六个，要写三回。Měi ge shēngcí cóng zuǒbianr wǎng yòubianr xiě, xiě liù ge, yào xiě sān huí. **例**第一~写得不太好，第二~、第三~写得很漂亮。Dì yī ~ xiě de bú tài hǎo, dì èr ~、dì sān ~ xiě de hěn piàoliang. ｜那张报纸我刚看了几~，就被安娜拿走了。Nèi zhāng bàozhǐ wǒ gāng kànle jǐ ~, jiù bèi Ānnà názǒu le. ｜她哭了，眼睛里流出两~泪。Tā kū le, yǎnjing li liúchū liǎng ~ lèi.

hángkōng 航空 ［名］

爸爸在~部门工作。Bàba zài ~ bùmén gōngzuò. →爸爸在跟飞机飞行有关的部门工作。Bàba zài gēn fēijī fēixíng yǒuguān de bùmén gōngzuò. **例**中国的~事业有了很大发展。Zhōngguó de ~ shìyè yǒule hěn dà fāzhǎn. ｜必须保证~的绝对安全。Bìxū bǎozhèng ~ de juéduì ānquán. ｜我们买了中国~公司的飞机票。Wǒmen mǎile Zhōngguó ~ gōngsī de fēijīpiào.

hao

háo bù 毫不

考试的时候，他~紧张。Kǎoshì de shíhou, tā ~ jǐnzhāng. →考试的时候，他一点儿也不紧张。Kǎoshì de shíhou, tā yìdiǎnr yě bù jǐnzhāng. **例**我~客气地拒绝了他的不合理要求。Wǒ ~ kèqi de jùjuéle tā de bù hélǐ yāoqiú. ｜对于小王的错误，刘师傅~留情地进行了批评。Duìyú Xiǎo Wáng de cuòwù, Liú shīfu ~ liú qíng de jìnxíngle pīpíng. ｜在原则性问题上我们~让步。Zài yuánzéxìng wèntí shang wǒmen ~ ràngbù. ｜表面上看，他好像~着急，实际上他比谁都着急。Biǎomiàn shang kàn, tā hǎoxiàng ~ zháojí, shíjì shang tā bǐ shéi dōu zháojí.

háo wú 毫无（毫無）

他对喝酒~兴趣。Tā duì hē jiǔ ~ xìngqù. →他对喝酒一点儿兴趣也没有。Tā duì hē jiǔ yìdiǎnr xìngqù yě méiyǒu. **例**你上课迟到~理由。Nǐ shàngkè chídào ~ lǐyóu. ｜这次考试我~准备。Zhèi cì kǎoshì wǒ ~ zhǔnbèi. ｜这孩子太淘气，家长对他~办法。Zhè háizi tài táoqì, jiāzhǎng duì tā ~ bànfǎ. ｜这次谈判~成功的可能。Zhèi cì tánpàn ~ chénggōng de kěnéng. ｜他们~目的地向前走着。Tāmen ~ mùdì de xiàng qián zǒuzhe. ｜这种~意义的争论早该停止了。Zhèi zhǒng ~ yìyì de zhēnglùn zǎo gāi tíngzhǐ le.

hǎo 好[1] [形]

今天天气很 ~ 。Jīntiān tiānqì hěn ~ . →今天是晴天，不冷也不热。Jīntiān shì qíngtiān, bù lěng yě bú rè. 例这儿有山、有水、有树、有花儿，真是个 ~ 地方。Zhèr yǒu shān、yǒu shuǐ、yǒu shù、yǒu huār, zhēn shì ge ~ dìfang. | 她是一位 ~ 母亲。Tā shì yí wèi ~ mǔqin. | 我们的日子越过越 ~ 。Wǒmen de rìzi yuè guò yuè ~ . | 她讲故事讲得特别 ~ 。Tā jiǎng gùshi jiǎng de tèbié ~ .

hǎochī 好吃 [形]

我妈妈做的菜很 ~ 。Wǒ māma zuò de cài hěn ~ . →我妈妈做的菜味道很好，大家都爱吃。Wǒ māma zuò de cài wèidao hěn hǎo, dàjiā dōu ài chī. 例这种水果真 ~ ，可是我们那儿没有这种水果。Zhèi zhǒng shuǐguǒ zhēn ~ , kěshì wǒmen nàr méiyǒu zhèi zhǒng shuǐguǒ. | 你觉得 ~ ，就多吃点儿吧！Nǐ juéde ~ , jiù duō chī diǎnr ba! | ~ 的东西，吃得太多也不行。~ de dōngxi, chī de tài duō yě bù xíng.

hǎochu 好处(好處) [名]

人多吃水果和蔬菜， ~ 很多。Rén duō chī shuǐguǒ hé shūcài, ~ hěn duō. →人多吃水果和蔬菜，有利于身体健康。Rén duō chī shuǐguǒ hé shūcài, yǒulì yú shēntǐ jiànkāng. 例经常跑步 ~ 多。Jīngcháng pǎobù ~ duō. | 吸烟对身体没有 ~ 。Xīyān duì shēntǐ méiyǒu ~ . | 我永远也忘不了他给我的 ~ 。Wǒ yǒngyuǎn yě wàng bu liǎo tā gěi wǒ de ~ . | 他经常把 ~ 让给别人。Tā jīngcháng bǎ ~ ràng gěi biéren.

hǎokàn 好看 [形]

这件衣服真 ~ 。Zhèi jiàn yīfu zhēn ~ . →这件衣服看着很美。Zhèi jiàn yīfu kànzhe hěn měi. 例各种颜色的花儿放在一起，很 ~ 。Gèzhǒng yánsè de huār fàng zài yìqǐ, hěn ~ . | 这个小姑娘长得真 ~ 。Zhèige xiǎo gūniang zhǎng de zhēn ~ . | 他画的画儿 ~ 极了。Tā huà de huàr ~ jí le. | 这顶帽子 ~ 不 ~ ？Zhèi dǐng màozi ~ bu ~ ?

hǎotīng 好听(好聽) [形]

他姐姐唱歌儿唱得很 ~ 。Tā jiějie chànggēr chàng de hěn ~ . →他姐姐唱歌儿的声音大家都喜欢听。Tā jiějie chànggēr de shēngyīn dàjiā dōu xǐhuan tīng. 例她说话说得很风趣，声音也非常 ~ 。Tā shuōhuà

shuō de hěn fēngqù, shēngyīn yě fēicháng ~ . |这种鸟儿的叫声特别
~ 。Zhèi zhǒng niǎor de jiào shēng tèbié ~ . |这首歌你觉得~，我
觉得一点儿也不~。Zhèi shǒu gē nǐ juéde ~ ，wǒ juéde yìdiǎnr yě bù
~ .

hǎo 好² [形]

安娜是我的~朋友。Ānnà shì wǒ de ~ péngyou. →安娜跟我的关
系很友好。Ānnà gēn wǒ de guānxì hěn yǒuhǎo. 我家的邻居对我
们真~。Wǒ jiā de línjū duì wǒmen zhēn ~ . |爷爷奶奶，爸爸妈妈，
我和我的孩子都住在一起，全家人可~了。Yéye nǎinai, bàba
māma, wǒ hé wǒ de háizi dōu zhù zài yìqǐ, quán jiā rén kě ~ le. |
那是一个非常~的家庭。Nà shì yí ge fēicháng ~ de jiātíng.

hǎo 好³ [形]

我奶奶已经九十一岁了，她的身体很~。Wǒ nǎinai yǐjing jiǔshíyī suì
le, tā de shēntǐ hěn ~ . →她的身体很健康。Tā de shēntǐ hěn
jiànkāng. 去年他住了一个月的医院，现在完全~了。Qùnián tā
zhùle yí ge yuè de yīyuàn, xiànzài wánquán ~ le. |她生了孩子以后，
孩子和她身体都很~。Tā shēngle háizi yǐhòu, háizi hé tā shēntǐ dōu
hěn ~ . |小时候她常生病，现在身体比以前~多了。Xiǎoshíhou tā
cháng shēngbìng, xiànzài shēntǐ bǐ yǐqián ~ duō le.

hǎo 好⁴ [形]

今天的作业很~做，我一会儿就做完了。Jīntiān de zuòyè hěn ~
zuò, wǒ yíhuìr jiù zuòwán le. →今天的作业很容易做，我做得很
快。Jīntiān de zuòyè hěn róngyì zuò, wǒ zuò de hěn kuài. 这个汉
字很~写。Zhèige Hànzì hěn ~ xiě. |这件事~办，我去办吧。Zhèi
jiàn shì ~ bàn, wǒ qù bàn ba. |这个问题很~回答，你再想一想。
Zhèige wèntí hěn ~ huídá, nǐ zài xiǎng yi xiǎng. |他说话的声音很
清楚，所以很~懂。Tā shuōhuà de shēngyīn hěn qīngchu, suǒyǐ
hěn ~ dǒng.

hǎo 好⁵ [形]

饭已经做~了，现在吃吗？Fàn yǐjing zuò ~ le, xiànzài chī ma? →
我已经做完饭了，现在吃吗？Wǒ yǐjing zuòwán fàn le, xiànzài chī
ma? 信已经写~了，一会儿就可以寄走了。Xìn yǐjing xiě ~ le,
yíhuìr jiù kěyǐ jìzǒu le. |衣服都洗~了，挂到阳台上去吧。Yīfu dōu
xǐ ~ le, guàdào yángtái shang qu ba. |东西都准备~了，咱们走吧。

Dōngxi dōu zhǔnbèi ~ le, zánmen zǒu ba.

hǎo 好[6] ［形］

~，就这么办。~，jiù zhème bàn. →O.K，我同意这么办。O.K, wǒ tóngyì zhème bàn. 例 ~，你现在就来吧。~，nǐ xiànzài jiù lái ba. | ~，我全明白了。~，wǒ quán míngbai le. | ~了，我照你说的去做。~ le, wǒ zhào nǐ shuō de qù zuò. |那我们明天见了面再说? —— ~ 的。Nà wǒmen míngtiān jiànle miàn zài shuō? —— ~ de.

hǎo 好[7] ［副］

我们已经 ~ 多年没见面了。Wǒmen yǐjīng ~ duō nián méi jiànmiàn le. →我们已经很多年没见面了。Wǒmen yǐjīng hěn duō nián méi jiànmiàn le. 例 我 ~ 长时间没给他写信了。Wǒ ~ cháng shíjiān méi gěi tā xiě xìn le. |学了两年日语，一直没用，~ 多生词已经忘了。Xuéle liǎng nián Rìyǔ, yìzhí méi yòng, ~ duō shēngcí yǐjīng wàng le. | 咖啡的味道 ~ 香。Kāfēi de wèidao ~ xiāng. | 这儿的东西 ~ 贵。Zhèr de dōngxi ~ guì. |街上 ~ 热闹。Jiē shang ~ rènao. |这条河 ~ 深 ~ 深。Zhèi tiáo hé ~ shēn ~ shēn. |上个星期我 ~ 忙。Shàng ge xīngqī wǒ ~ máng.

hǎojiǔ 好久 ［名］

~不见了，你最近怎么样? ~ bú jiàn le, nǐ zuìjìn zěnmeyàng? →很长时间没有见到你了，你最近怎么样? Hěn cháng shíjiān méiyǒu jiàndào nǐ le, nǐ zuìjìn zěnmeyàng? 例 我儿子已经 ~ 没来了，明天我得给他打个电话。Wǒ érzi yǐjīng ~ méi lái le, míngtiān wǒ děi gěi tā dǎ ge diànhuà. | 我已经等了 ~ 了，你怎么还不快来? Wǒ yǐjīng děngle ~ le, nǐ zěnme hái bu kuài lái? |他跟我说了 ~ ~，才让我走。Tā gēn wǒ shuōle ~ ~, cái ràng wǒ zǒu. |这道题我不会做，想了 ~ 也没做出来。Zhèi dào tí wǒ bú huì zuò, xiǎngle ~ yě méi zuò chūlái.

hǎohāor 好好儿（好好儿）［形］

前几天他还 ~ 的，怎么现在会病了呢? Qián jǐ tiān tā hái ~ de, zěnme xiànzài huì bìng le ne? →前几天他的身体情况还很正常，现在怎么生病了呢? Qián jǐ tiān tā de shēntǐ qíngkuàng hái hěn zhèngcháng, xiànzài zěnme shēngbìng le ne? 例 这支笔 ~ 的，你怎么不要了呢? Zhèi zhī bǐ ~ de, nǐ zěnme bú yào le ne? | ~ 的一个杯

子让我给摔碎了。~ de yí ge bēizi ràng wǒ gěi shuāisuì le.

hǎoróngyì 好容易 ［副］

我做了半天，~ 才把这道数学题做出来。Wǒ zuòle bàntiān, ~ cái bǎ zhèi dào shùxuétí zuò chulai. →我把这道题做出来很不容易。Wǒ bǎ zhèi dào tí zuò chulai hěn bù róngyì. 例我去了好多书店，~ 才买到这本儿书。Wǒ qùle hǎoduō shūdiàn, ~ cái mǎi dào zhèi běnr shū.｜他累得满身是汗，~ 才爬到了山顶。Tā lèi de mǎn shēn shì hàn, ~ cái pádàole shāndǐng.｜爸爸妈妈辛辛苦苦，~ 才供我念完了大学。Bàba māma xīnxīnkǔkǔ, ~ cái gōng wǒ niànwánle dàxué.

hǎowánr 好玩儿（好玩兒）［形］

北京有很多 ~ 的地方。Běijīng yǒu hěn duō ~ de dìfang. →北京有很多使人感兴趣的地方。Běijīng yǒu hěn duō shǐ rén gǎn xìngqù de dìfang. 例昨天我们去北京游乐场，真 ~。Zuótiān wǒmen qù Běijīng yóulèchǎng, zhēn ~.｜去那儿游泳 ~ 极了。Qù nàr yóuyǒng ~ jí le.｜过两天我们找一个 ~ 的地方去玩儿玩儿，怎么样？Guò liǎng tiān wǒmen zhǎo yí ge ~ de dìfang qù wánrwanr, zěnmeyàng?｜如今那个游乐场变得更 ~ 了。Rújīn nèige yóulèchǎng biàn de gèng ~ le.

hǎoxiàng 好像 ［动］

足球场的草地 ~ 铺在地上的绿色毯子。Zúqiúchǎng de cǎodì ~ pū zài dìshang de lǜsè tǎnzi. →足球场的草地跟铺在地上的绿色毯子有相同和相似的地方。Zúqiúchǎng de cǎodì gēn pū zài dìshang de lǜsè tǎnzi yǒu xiāngtóng hé xiāngsì de dìfang. 例这姑娘长得真漂亮，~ 一朵鲜花一样。Zhè gūniang zhǎng de zhēn piàoliang, ~ yì duǒ xiānhuā yíyàng.｜天空的白云 ~ 一团团飘动的棉花。Tiānkōng de báiyún ~ yì tuántuán piāodòng de miánhuā.｜太阳升起来的时候 ~ 一个大火球。Tàiyáng shēng qilai de shíhou ~ yí ge dà huǒqiú.

hǎoxiē 好些 ［形］

我的 ~ 同学都出国了。Wǒ de ~ tóngxué dōu chūguó le. →我的同学中有很多人都去外国了。Wǒ de tóngxué zhōng yǒu hěn duō rén dōu qù wàiguó le. 例我去过美国的 ~ 城市。Wǒ qùguo Měiguó de ~ chéngshì.｜~ 外国人都游览过长城。~ wàiguórén dōu yóulǎn guo Chángchéng.｜我 ~ 年没回家乡了。Wǒ ~ nián méi huí jiāxiāng le.｜他在中国住了 ~ 日子。Tā zài Zhōngguó zhùle ~ rìzi.｜他把 ~

书都送给了朋友。Tā bǎ ~ shū dōu sòng gěi le péngyou.

hào 号¹ （號）[名]

这是十~楼。Zhè shì shí ~ lóu. →这里有很多楼，这是第十座楼。Zhèlǐ yǒu hěn duō lóu, zhè shì dì shí zuò lóu. 例邮局旁边是九~楼。Yóujú pángbiān shì jiǔ~ lóu. ｜我们家住在新华街100~。Wǒmen jiā zhù zài Xīnhuá Jiē yìbǎi ~. ｜二十~那家人搬走了。Èrshí ~ nèi jiā rén bānzǒu le. ｜你们家是几~? Nǐmen jiā shì jǐ~?

hào 号² （號）[名]

我穿三十七~的鞋。Wǒ chuān sānshíqī ~ de xié. →我穿的鞋，号码是三十七。Wǒ chuān de xié, hàomǎ shì sānshíqī. 例三十八~的鞋，我不能穿，因为太大。Sānshíbā ~ de xié, wǒ bù néng chuān, yīnwèi tài dà. ｜衣服我穿中~的。Yīfu wǒ chuān zhōng ~ de. ｜你的脚太大，没有那么大~的鞋。Nǐ de jiǎo tài dà, méiyǒu nàme dà ~ de xié. ｜三十七~的鞋都卖完了。Sānshíqī~ de xié dōu màiwán le.

hàomǎ 号码（號碼）[名]

我家的电话~是66018898。Wǒ jiā de diànhuà ~ shì liù liù líng yāo bā bā jiǔ bā. →给我家打电话拨66018898。Gěi wǒ jiā dǎ diànhuà bō liù liù líng yāo bā bā jiǔ bā. 例你的汽车牌子的~是多少? Nǐ de qìchē páizi de ~ shì duōshao? ｜我忘记你家电话的~了。Wǒ wàngjì nǐ jiā diànhuà de ~ le. ｜你穿多大~的鞋? Nǐ chuān duō dà ~ de xié? ｜他把自己的身份证的~写在纸上了。Tā bǎ zìjǐ de shēnfènzhèng de ~ xiě zài zhǐ shang le.

hào 号³ （號）[名]

今天是五月一~。Jīntiān shì Wǔyuè yī ~. →今天是五月的第一天。Jīntiān shì Wǔyuè de dì yī tiān. 例明天是五月二~。Míngtiān shì Wǔyuè èr ~. ｜你们几~去旅行? Nǐmen jǐ ~ qù lǚxíng? ｜我打算七月十六~回国。Wǒ dǎsuan Qīyuè shíliù ~ huíguó. ｜九月一~我们开始上课。Jiǔyuè yī ~ wǒmen kāishǐ shàngkè.

hàozhào 号召¹ （號召）[动]

国家~人们保护环境。Guójiā ~ rénmen bǎohù huánjìng. →国家发出倡议，叫人们都来保护环境。Guójiā fāchū chàngyì, jiào rénmen dōu lái bǎohù huánjìng. 例中国政府~一对夫妻只生一个孩子。Zhōngguó zhèngfǔ ~ yí duì fūqī zhǐ shēng yí ge háizi. ｜关于种树的

事，他一～，许多人都响应。Guānyú zhòng shù de shì, tā yí ～, xǔduō rén dōu xiǎngyìng. |他～了半天，也没有几个人报名。Tā ～ le bàntiān, yě méiyǒu jǐ ge rén bàomíng. |我们～过几次，都没有达到理想的效果。Wǒmen ～ guo jǐ cì, dōu méiyǒu dádào lǐxiǎng de xiàoguǒ.

hàozhào 号召[2]（號召）[名]

姐姐、姐夫响应政府的～，到西部地区去工作。Jiějie、jiěfu xiǎngyìng zhèngfǔ de ～, dào xībù dìqū qù gōngzuò. →姐姐、姐夫响应政府发出的倡议。Jiějie、jiěfu xiǎngyìng zhèngfǔ fāchū de chàngyì. 例校长关于减少学生家庭作业的～得到了师生们的热烈响应。Xiàozhǎng guānyú jiǎnshǎo xuésheng jiātíng zuòyè de ～ dédàole shīshēngmen de rèliè xiǎngyìng. |市长向全市人民发出了节约用水的～。Shìzhǎng xiàng quán shì rénmín fāchūle jiéyuē yòng shuǐ de ～. |我们应该把政府的这个～变成行动。Wǒmen yīnggāi bǎ zhèngfǔ de zhèige ～ biànchéng xíngdòng.

hào 好[动]

猴子特别～动。Hóuzi tèbié ～ dòng. →猴子非常喜欢活动。Hóuzi fēicháng xǐhuan huódòng. 例他有个缺点，～在别人面前表现自己。Tā yǒu ge quēdiǎn, ～ zài biéren miànqián biǎoxiàn zìjǐ. |这个人平时～喝酒，但每次都喝得不多。Zhèi ge rén píngshí ～ hē jiǔ, dàn měi cì dōu hē de bù duō. |跳舞、唱歌儿、画画儿什么的，他都～。Tiàowǔ、chànggēr、huà huàr shénmede, tā dōu ～.

hàokè 好客[形]

他热情～，很多人都在他家住过。Tā rèqíng ～, hěn duō rén dōu zài tā jiā zhùguo. →他喜欢接待客人，对客人很热情。Tā xǐhuan jiēdài kèren, duì kèren hěn rèqíng. 例主人非常～。Zhǔrén fēicháng ～. |这个民族具有～的传统。Zhèige mínzú jùyǒu ～ de chuántǒng. |那位～的朋友给了我很大的帮助。Nèi wèi ～ de péngyou gěile wǒ hěn dà de bāngzhù.

he

hē 喝[动]

drink 例东方人常常～茶，西方人常常～咖啡。Dōngfāngrén chángcháng ～ chá, Xīfāngrén chángcháng ～ kāfēi. |他吃饭时，要

~一碗汤。Tā chīfàn shí, yào ~ yì wǎn tāng. | 酒都 ~ 完了，一会儿
再去买几瓶。Jiǔ dōu ~ wán le, yíhuìr zài qù mǎi jǐ píng. | 不要了，
已经~得太多了。Bú yào le, yǐjing ~ de tài duō le. | 这半杯酒，
我一口就能~完了。Zhèi bàn bēi jiǔ, wǒ yì kǒu jiù néng ~ wán le. |
他渴极了，大口大口地~着水。Tā kě jí le, dà kǒu dà kǒu de ~
zhe shuǐ.

hé 合¹ [动]

他忙得已经两夜没 ~ 眼了。Tā máng de yǐjing liǎng yè méi ~ yǎn
le. →他忙得已经两夜没睡觉了。Tā máng de yǐjing liǎng yè méi
shuìjiào le. 例他笑得嘴都 ~ 不上了。Tā xiào de zuǐ dōu ~ bu shàng
le. | 你看那条鱼用嘴一开一 ~ 地呼吸。Nǐ kàn nèi tiáo yú yòng zuǐ yì
kāi yì ~ de hūxī. | 现在不看书了，请把书 ~ 上。Xiànzài bú kàn shū
le, qǐng bǎ shū ~ shang.

hé 合² [动]

这双鞋我穿着很 ~ 脚。Zhèi shuāng xié wǒ chuānzhe hěn ~ jiǎo. →
这双鞋我穿着不大也不小，很合适。Zhèi shuāng xié wǒ chuānzhe
bú dà yě bù xiǎo, hěn héshì. 例这个菜的味道很~我的口味儿。
Zhèige cài de wèidao hěn ~ wǒ de kǒuwèir. | 这样做不~要求，得
重做。Zhèiyàng zuò bù ~ yāoqiú, děi chóng zuò. | 你不能参加，因
为你还不~条件。Nǐ bù néng cānjiā, yīnwèi nǐ hái bù ~ tiáojiàn. |
这是我给你做的衣服，穿穿看~不~身。Zhè shì wǒ gěi nǐ zuò de
yīfu, chuānchuan kàn ~ bu ~ shēn.

hégé 合格 [形]

我们检查了三百六十种商品，有二十五种不 ~。Wǒmen jiǎnchále
sānbǎi liùshí zhǒng shāngpǐn, yǒu èrshíwǔ zhǒng bù ~. →有二十
五种商品的质量有问题。Yǒu èrshíwǔ zhǒng shāngpǐn de zhìliàng
yǒu wèntí. 例这些产品都 ~。Zhèixiē chǎnpǐn dōu ~. | 他是一个不
~ 的技术员。Tā shì yí ge bù ~ de jìshùyuán. | 你写的论文不 ~，还
得重写。Nǐ xiě de lùnwén bù ~, hái děi chóng xiě. | 这是产品的 ~
证书。Zhè shì chǎnpǐn de ~ zhèngshū.

hélǐ 合理 [形]

按照劳动的数量和质量付给工人工资是 ~ 的。Ànzhào láodòng de
shùliàng hé zhìliàng fù gěi gōngrén gōngzī shì ~ de. →按照劳动的数
量和质量付给工人工资，人们认为这样做是应该的、合适的。

Ànzhào láodòng de shùliàng hé zhìliàng fù gěi gōngrén gōngzī, rénmen rènwéi zhèiyàng zuò shì yīnggāi de、héshì de. 例这样的规定不 ~。Zhèiyàng de guīdìng bù ~. I他那样处理 ~ 得很。Tā nèiyàng chǔlǐ ~ de hěn. I制订的制度应该 ~。Zhìdìng de zhìdù yīnggāi ~. I社会上存在着一些不 ~ 的事情。Shèhuì shang cúnzàizhe yìxiē bù ~ de shìqing. I凡是不 ~ 的制度都应该改。Fánshì bù ~ de zhìdù dōu yīnggāi gǎi. I我们需要 ~ 地安排工作、学习和休息的时间。Wǒmen xūyào ~ de ānpái gōngzuò、xuéxí hé xiūxi de shíjiān. I他把这件事处理得既公平又 ~。Tā bǎ zhèi jiàn shì chǔlǐ de jì gōngpíng yòu ~.

héshì 合适(合适) [形]

我们觉得第二种办法更 ~。Wǒmen juéde dì èr zhǒng bànfǎ gèng ~. →按照第二种办法去做，事情会做得更好。Ànzhào dì èr zhǒng bànfǎ qù zuò，shìqing huì zuò de gèng hǎo. 例让中学生考这个题目不 ~。Ràng zhōngxuéshēng kǎo zhèige tímù bù ~. I这个时间对大家都很 ~。Zhèige shíjiān duì dàjiā dōu hěn ~. I这样分配不太 ~。Zhèiyàng fēnpèi bú tài ~. I让他来当办公室主任十分 ~。Ràng tā lái dāng bàngōngshì zhǔrèn shífēn ~. I再也找不到比他更 ~ 的人了。Zài yě zhǎo bu dào bǐ tā gèng ~ de rén le.

hétong 合同 [名]

企业跟职工签订了劳动 ~。Qǐyè gēn zhígōng qiāndìngle láodòng ~. →企业跟职工签订了双方共同遵守的关于劳动方面的分条说明的文字材料。Qǐyè gēn zhígōng qiāndìngle shuāngfāng gòngtóng zūnshǒu de guānyú láodòng fāngmiàn de fēn tiáo shuōmíng de wénzì cáiliào. 例这份 ~ 签订三年了。Zhèi fèn ~ qiāndìng sān nián le. I双方都应该遵守 ~。Shuāngfāng dōu yīnggāi zūnshǒu ~. I他们把 ~ 又修改了一遍。Tāmen bǎ ~ yòu xiūgǎile yí biàn. I我只记住了 ~ 的主要内容。Wǒ zhǐ jìzhùle ~ de zhǔyào nèiróng.

hé yǐng 合影[1]

毕业班的同学们都在校园里 ~ 呢。Bìyèbān de tóngxuémen dōu zài xiàoyuán li ~ ne. →毕业班的同学们都在校园里一块儿照相呢。Bìyèbān de tóngxuémen dōu zài xiàoyuán li yíkuàir zhàoxiàng ne. 例老师，您也来跟我们一起 ~ 吧。Lǎoshī，nín yě lái gēn wǒmen yìqǐ ~ ba. I咱们在这儿 ~ 留念怎么样？Zánmen zài zhèr ~ liú niàn zěnmeyàng? ｜大家在图书馆前边儿合了一个影。Dàjiā zài túshūguǎn qiánbiānr héle yí ge yǐng.

héyǐng 合影[2] ［名］

这是一张我在中国留学时的～。Zhè shì yì zhāng wǒ zài Zhōngguó liúxué shí de ～. →这是一张我在中国留学时和我的朋友一起照的相片儿。Zhè shì yì zhāng wǒ zài Zhōngguó liúxué shí hé wǒ de péngyou yìqǐ zhào de xiàngpiānr. 例这是我们全家人的～。Zhè shì wǒmen quán jiā rén de ～. ｜这张～上的人我都认识。Zhèi zhāng ～ shang de rén wǒ dōu rènshi. ｜每一张～都有一个有趣的故事。Měi yì zhāng ～ dōu yǒu yí ge yǒuqù de gùshi.

hézī 合资（合資）

中国的一家公司和美国的一家公司～建了这个饭店。Zhōngguó de yì jiā gōngsī hé Měiguó de yì jiā gōngsī ～ jiànle zhèige fàndiàn. →中国的一家公司和美国的一家公司各拿出一部分资金建了这个饭店。Zhōngguó de yì jiā gōngsī hé Měiguó de yì jiā gōngsī gè náchū yíbùfen zījīn jiànle zhèige fàndiàn. 例中国的～企业越来越多了。Zhōngguó de ～ qǐyè yuèláiyuè duō le. ｜哥哥在～企业工作。Gēge zài ～ qǐyè gōngzuò. ｜～的形式有好几种。～ de xíngshì yǒu hǎojǐ zhǒng. ｜中国法律允许中外～办公司。Zhōngguó fǎlǜ yǔnxǔ zhōngwài ～ bàn gōngsī.

hézuò 合作[1] ［动］

我们俩～拍过电影。Wǒmen liǎ ～ pāiguo diànyǐng. →为了拍电影，我们俩在一起工作过。Wèile pāi diànyǐng, wǒmen liǎ zài yìqǐ gōngzuòguo. 例两个人～了很长时间。Liǎng ge rén ～ le hěn cháng shíjiān. ｜大家密切～，很快完成了任务。Dàjiā mìqiè ～, hěn kuài wánchéngle rènwu. ｜双方～得很愉快。Shuāngfāng ～ de hěn yúkuài. ｜我们将继续～下去。Wǒmen jiāng jìxù ～ xiaqu. ｜他们拒绝与我们～。Tāmen jùjué yǔ wǒmen ～.

hézuò 合作[2] ［名］

在拍电影的过程中，我们俩的～是成功的。Zài pāi diànyǐng de guòchéng zhōng, wǒmen liǎ de ～ shì chénggōng de. →我们俩为了拍电影在一起做的工作是成功的。Wǒmen liǎ wèile pāi diànyǐng zài yìqǐ zuò de gōngzuò shì chénggōng de. 例我们的～是有意义的。Wǒmen de ～ shì yǒu yìyì de. ｜过去我们和他们曾经有过一些～。

Guòqù wǒmen hé tāmen céngjīng yǒuguo yìxiē ~. | 对于这次 ~，我们很满意。Duìyú zhèi cì ~，wǒmen hěn mǎnyì. | 我们的 ~ 范围很大。Wǒmen de ~ fànwéi hěn dà. | 两个单位建立了长期的 ~ 关系。Liǎng ge dānwèi jiànlìle chángqī de ~ guānxì.

hé 和[1] ［连］

爸爸 ~ 妈妈都是南方人。Bàba ~ māma dōu shì nánfāngrén. →爸爸、妈妈都是南方人。Bàba、māma dōu shì nánfāngrén. 例北京、上海 ~ 广州我都去过。Běijīng、Shànghǎi ~ Guǎngzhōu wǒ dōu qùguo. | 哥哥、姐姐 ~ 弟弟、妹妹全是老师。Gēge、jiějie ~ dìdi、mèimei quán shì lǎoshī. | 明年我要学习现代史 ~ 古代史。Míngnián wǒ yào xuéxí xiàndàishǐ ~ gǔdàishǐ. | 如果你想送给我东西，手表 ~ 电视机我都要。Rúguǒ nǐ xiǎng sòng gěi wǒ dōngxi，shǒubiǎo ~ diànshìjī wǒ dōu yào.

hé 和[2] ［介］

弟弟 ~ 我一样高。Dìdi ~ wǒ yíyàng gāo. →弟弟跟我比个儿，他跟我一样高。Dìdi gēn wǒ bǐ gèr，tā gēn wǒ yíyàng gāo. 例妹妹 ~ 姐姐一样聪明。Mèimei ~ jiějie yíyàng cōngming. | 我很想 ~ 孩子们在一起玩儿。Wǒ hěn xiǎng ~ háizimen zài yìqǐ wánr. | 他 ~ 这件事没关系。Tā ~ zhèi jiàn shì méi guānxi. | 要是你愿意，你就 ~ 我说说吧。Yàoshi nǐ yuànyì，nǐ jiù ~ wǒ shuōshuo ba.

hépíng 和平 ［名］

peace 例这些孩子都出生在 ~ 年代。Zhèixiē háizi dōu chūshēng zài ~ niándài. | 在 ~ 的环境里生活是十分幸福的。Zài ~ de huánjìng li shēnghuó shì shífēn xìngfú de. | 我们热爱 ~。Wǒmen rè'ài ~. | 我们希望世界永远 ~。Wǒmen xīwàng shìjiè yǒngyuǎn ~.

hé 河 ［名］

river 例这条 ~ 很长。Zhèi tiáo ~ hěn cháng. | 我们村里有一条小 ~。Wǒmen cūn li yǒu yì tiáo xiǎo ~. | ~ 水真干净。~ shuǐ zhēn gānjìng. | 夏天我们常去 ~ 里游泳。Xiàtiān wǒmen cháng qù ~ li yóuyǒng. | 那条 ~ 里还有小鱼儿呢。Nèi tiáo ~ li hái yǒu xiǎoyúr ne. | ~ 边儿有很多树。~ biānr yǒu hěn duō shù.

hé 盒[1] ［名］

box 例这些 ~ 儿真小，能放什么呢？Zhèixiē ~ r zhēn xiǎo，néng

fàng shénme ne? | 这个 ~ 儿是我朋友送给我的，好看吗？Zhèige ~ r shì wǒ péngyou sòng gěi wǒ de, hǎokàn ma? | 这叫铅笔 ~ 儿，这叫眼镜 ~ 儿。Zhè jiào qiānbǐ ~ r, zhè jiào yǎnjìng ~ r. | 这是一个空 ~ 儿，里面什么也没有。Zhè shì yí ge kōng ~ r, lǐmiàn shénme yě méiyǒu.

hé 盒² [量]

以前我一天抽一 ~ 烟，现在不抽了。Yǐqián wǒ yì tiān chōu yì ~ yān, xiànzài bù chōu le. →以前我一天抽二十支烟，现在不抽了。Yǐqián wǒ yì tiān chōu èrshí zhī yān, xiànzài bù chōu le. 例这 ~ 糖多少钱？Zhèi ~ táng duōshao qián? | 我买了两 ~ 铅笔。Wǒ mǎile liǎng ~ qiānbǐ. | 这本书录了三 ~ 磁带。Zhèi běn shū lùle sān ~ cídài.

hei

hēi 黑¹ [形]

现在年轻人很喜欢穿 ~ 衣服。Xiànzài niánqīngrén hěn xǐhuan chuān ~ yīfu. →现在年轻人很喜欢穿跟墨一样颜色的衣服。Xiànzài niánqīngrén hěn xǐhuan chuān gēn mò yíyàng yánsè de yīfu. 例她是一个 ~ 头发，黄皮肤的中国姑娘。Tā shì yí ge ~ tóufa, huáng pífū de Zhōngguó gūniang. | 小伙子 ~ ~ 的脸，一笑就露出白白的牙。Xiǎohuǒzi ~ ~ de liǎn, yí xiào jiù lòuchū báibái de yá. | 去了一趟海边儿，人都晒 ~ 了。Qùle yí tàng hǎi biānr, rén dōu shài ~ le.

hēibái 黑白 [名]

我家买的第一台电视机是 ~ 的。Wǒ jiā mǎi de dì yī tái diànshìjī shì ~ de. →我家买的第一台电视机不能看彩色的电视节目，只能看黑色和白色的电视节目。Wǒ jiā mǎi de dì yī tái diànshìjī bù néng kàn cǎisè de diànshì jiémù, zhǐ néng kàn hēisè hé báisè de diànshì jiémù. 例那台 ~ 电视机现在已经坏了。Nèi tái ~ diànshìjī xiànzài yǐjing huài le. | 工作证上的照片儿需要 ~ 照片儿，不要彩色照片儿。Gōngzuòzhèng shang de zhàopiānr xūyào ~ zhàopiānr, bú yào cǎisè zhàopiānr.

hēibǎn 黑板 [名]

刚学写汉字的时候，老师在 ~ 上写一个，我学着在练习本上写一个。Gāng xué xiě Hànzì de shíhou, lǎoshī zài ~ shang xiě yí ge, wǒ xuézhe zài liànxíběn shang xiě yí ge. →老师在教室的黑色的平板上写一个字，我们学着在练习本上写一个字。Lǎoshī zài jiàoshì de hēisè de píngbǎn shang xiě yí ge zì, wǒmen xuézhe zài liànxíběn shang xiě yí ge zì. **例**我们教室里的～很大。Wǒmen jiàoshì li de ～ hěn dà. | 暑假的时候，教室里要换新的～。Shǔjià de shíhou, jiàoshì li yào huàn xīn de ～. | ～上的画儿画得真好看。～ shang de huàr huà de zhēn hǎokàn. | 我把～上的字擦掉了。Wǒ bǎ ～ shang de zì cādiào le.

hēi 黑² [形]

太阳下山了，天慢慢儿～了。Tàiyáng xià shān le, tiān mànmānr ～ le. →太阳下山以后，屋里就看不见了。Tàiyáng xià shān yǐhòu, wū li jiù kàn bu jiàn le. **例**我小的时候，特别怕～，常常等我睡着以后，妈妈才关灯。Wǒ xiǎo de shíhou, tèbié pà ～, chángcháng děng wǒ shuìzháo yǐhòu, māma cái guān dēng. | 看书的时候把灯打开，要不然光线太～了。Kàn shū de shíhou bǎ dēng dǎkāi, yàoburán guāngxiàn tài ～ le. | 外面又冷又～，你别走了。Wàimian yòu lěng yòu ～, nǐ bié zǒu le.

hēi'àn 黑暗 [形]

太阳出来以前的一段时间，是最～的。Tàiyáng chūlai yǐqián de yí duàn shíjiān, shì zuì ～ de. →出太阳以前的一段时间，一点儿光也没有。Chū tàiyáng yǐqián de yí duàn shíjiān, yìdiǎnr guāng yě méiyǒu. **例**你站在～的角落里干什么，吓了我一跳。Nǐ zhàn zài ～ de jiǎoluò li gàn shénme, xiàle wǒ yí tiào. | 停电了，屋子里一下子变得很～。Tíngdiàn le, wūzi li yíxiàzi biàn de hěn ～.

hēiyè 黑夜 [名]

夏天白天时间长，～时间短。Xiàtiān báitiān shíjiān cháng, ～ shíjiān duǎn. →夏天白天时间长，夜里时间比白天时间短。Xiàtiān báitiān shíjiān cháng, yèli shíjiān bǐ báitiān shíjiān duǎn. **例**冬天白天时间短，～时间长。Dōngtiān báitiān shíjiān duǎn, ～ shíjiān cháng. | 母亲住院期间，白天是父亲陪着她，～是我陪着她。Mǔqin zhùyuàn qījiān, báitiān shì fùqin péizhe tā, ～ shì wǒ péizhe tā. | 地球东部是白天的时候，西部正是～。Dìqiú dōngbù shì báitiān de shíhou, xībù zhèng shì ～.

hēi 嘿¹ [叹]

～，玛丽，咱们该走了。～, Mǎlì, zánmen gāi zǒu le. →招呼玛

，引起玛丽的注意。Zhāohu Mǎlì, yǐnqǐ Mǎlì de zhùyì. **例** ~，我回来了。~, wǒ huílai le. ┃ ~，你怎么不早告诉我？~, nǐ zěnme bù zǎo gàosu wǒ? ┃ ~，你们看，车来了！~, nǐmen kàn, chē lái le! ┃ ~，小声点儿，别让他们听见了。~, xiǎo shēng diǎnr, bié ràng tāmen tīngjiàn le.

hēi 嘿² [叹]

~！这小姑娘长得真漂亮！ ~! Zhè xiǎo gūniang zhǎng de zhēn piàoliang. →赞叹这个小姑娘长得漂亮。Zàntàn zhèige xiǎo gūniang zhǎng de piàoliang. **例** ~！我们又赢了一个球！ ~! Wǒmen yòu yíngle yí ge qiú! ┃ ~！跳到海里洗个澡真舒服！ ~! Tiào dào hǎili xǐ ge zǎo zhēn shūfu! ┃ ~！这苹果的味道好极了！ ~! Zhè píngguǒ de wèidao hǎojí le!

hēi 嘿³ [叹]

~！好大的草原啊，一眼都望不到边儿。 ~! Hǎo dà de cǎoyuán a, yì yǎn dōu wàng bu dào biānr. →第一次看到这么大的草原很惊奇、很兴奋。Dì yī cì kàndào zhème dà de cǎoyuán hěn jīngqí、hěn xīngfèn. **例** ~！原来是你啊！这二十多年来，你到哪儿去了？ ~! Yuánlái shì nǐ a! Zhè èrshí duō nián lái, nǐ dào nǎr qù le? ┃ ~！这山真高啊！ ~! Zhè shān zhēn gāo a!

hen

hěn 很 [副]

very **例** 今天 ~ 热。Jīntiān ~ rè. ┃公园里人 ~ 多。Gōngyuán li rén ~ duō. ┃这个司机开得 ~ 慢。Zhèige sījī kāi de ~ màn. ┃这双鞋我穿着 ~ 合适。Zhèi shuāng xié wǒ chuānzhe ~ héshì. ┃他的字写得 ~ 漂亮。Tā de zì xiě de ~ piàoliang. ┃平时他来得 ~ 早，今天 ~ 可能不来了。Píngshí tā lái de ~ zǎo, jīntiān ~ kěnéng bù lái le. ┃她 ~ 会说笑话。Tā ~ huì shuō xiàohua. ┃听了他的话，我们都 ~ 感动。Tīngle tā de huà, wǒmen dōu ~ gǎndòng. ┃老师 ~ 关心同学。Lǎoshī ~ guānxīn tóngxué. ┃我们对太极拳 ~ 感兴趣。Wǒmen duì tàijíquán ~ gǎn xìngqù. ┃我 ~ 理解你们的心情。Wǒ ~ lǐjiě nǐmen de xīnqíng. ┃最近我们商店买东西的人多得 ~。Zuìjìn wǒmen shāngdiàn mǎi dōngxi de rén duō de ~. ┃这两天晚上，广场上热闹得 ~。Zhèi liǎng tiān wǎnshang, guǎngchǎng shang rènao de ~.

hèn 恨 [动]

hate 例大家都～偷东西的人。Dàjiā dōu ～ tōu dōngxi de rén. |我～他说假话。Wǒ ～ tā shuō jiǎ huà. |有时候我也～自己太笨。Yǒu shíhou wǒ yě ～ zìjǐ tài bèn. |我～死偷车的人了。Wǒ ～ sǐ tōu chē de rén le. |他做了对不起我的事，可我～不起来，因为我知道他不是故意的。Tā zuòle duìbuqǐ wǒ de shì，kě wǒ ～ bu qǐlái，yīnwèi wǒ zhīdao tā bú shì gùyì de. |我早就不～他了。Wǒ zǎo jiù bú ～ tā le.

hong

hóng 红（紅）[形]

这种花儿真～。Zhèi zhǒng huār zhēn ～. →这种花儿的颜色像火、像血的颜色一样。Zhèi zhǒng huār de yánsè xiàng huǒ、xiàng xiě de yánsè yíyàng. |例眼睛都熬～了。Yǎnjing dōu áo ～ le. |她觉得不好意思，脸一下子～得像苹果一样。Tā juéde bù hǎoyìsi，liǎn yíxiàzi ～ de xiàng píngguǒ yíyàng. |这个苹果一半儿～，一半儿绿。Zhèige píngguǒ yíbànr ～，yíbànr lù. |你买的这种颜色太～了。Nǐ mǎi de zhèi zhǒng yánsè tài ～ le. |～～的嘴唇，笑起来很美。～ ～ de zuǐchún，xiào qilai hěn měi. |喝酒喝得太多，脸都～起来了。Hē jiǔ hē de tài duō，liǎn dōu ～ qilai le.

hóngchá 红茶（紅茶）[名]

black tea 例夏天我喝绿茶，冬天我喝～。Xiàtiān wǒ hē lùchá，dōngtiān wǒ hē ～. |你喝什么？——来一杯～吧。Nǐ hē shénme？——Lái yì bēi ～ ba. |热的～里放点儿糖，很好喝。Rè de ～ li fàng diǎnr táng，hěn hǎohē. |我还没喝过～呢。Wǒ hái méi hēguo ～ ne.

hóngqí 红旗（紅旗）[名]

red flag 例～插在中间，绿旗、黄旗插在两边儿。～ chā zài zhōngjiān，lù qí、huáng qí chā zài liǎng biānr. |你们先去拿～，然后再拿别的东西。Nǐmen xiān qù ná ～，ránhòu zài ná bié de dōngxi. |中华人民共和国的国旗是五星～。Zhōnghuá Rénmín Gònghéguó de guóqí shì Wǔxīng ～. |举着～的那个小伙子叫大卫。Jǔzhe ～ de nèige xiǎohuǒzi jiào Dàwèi.

hou

hóuzi 猴子 [名]

例这只～多可爱！Zhèi zhī ～ duō kě'ài! |小朋友们都喜欢去动物园

看 ~。Xiǎopéngyoumen dōu xǐhuan qù
dòngwùyuán kàn ~. | 它一定是这三只小
~ 的妈妈。Tā yídìng shì zhèi sān zhī xiǎo
~ de māma. | 一群 ~ 正在爬树。Yì qún
~ zhèngzài pá shù. | 那个动物园里的 ~
还会表演节目呢。Nèige dòngwùyuán li
de ~ hái huì biǎoyǎn jiémù ne. | 我也想
抱一抱那只小 ~。Wǒ yě xiǎng bào yi
bào nèi zhī xiǎo ~.

猴子

hòu 后¹（後）[名]

前有食堂，~ 有商店，住这个宿舍可真方便。Qián yǒu shítáng, ~
yǒu shāngdiàn, zhù zhèige sùshè kě zhēn fāngbiàn. →这个宿舍在
食堂和商店之间，一出宿舍就能看见食堂。Zhèige sùshè zài shítáng
hé shāngdiàn zhījiān, yì chū sùshè jiù néng kànjiàn shítáng. 例前有
老师，~ 有同学，不用怕。Qián yǒu lǎoshī, ~ yǒu tóngxué, bú yòng
pà. | 咱们往前走，还是往 ~ 走? Zánmen wǎng qián zǒu, háishi
wǎng ~ zǒu? | 方向错了，向 ~ 转吧。Fāngxiàng cuò le, xiàng ~
zhuǎn ba. | 你往~看看，谁来了? Nǐ wǎng ~ kànkan, shéi lái le?

hòubian 后边（後邊）[名]

我坐五排六号，安娜坐我 ~ 儿。Wǒ zuò wǔ pái liù hào, Ānnà zuò
wó ~ r. →安娜坐在六排六号或者七排、八排……的一个坐位上。
Ānnà zuò zài liù pái liù hào huòzhě qī pái、bā pái……de yí ge zuòwèi
shang. 例站在老师~ 儿的是老师的女儿。Zhàn zài lǎoshī ~ r de shì
lǎoshī de nǚ'ér. | 这座城市的前边儿是河，~ 儿是山。Zhèi zuò
chéngshì de qiánbianr shì hé, ~ r shì shān. | 小个儿的同学站前
边儿，高个儿的同学站 ~ 儿。Xiǎo gèr de tóngxué zhàn qiánbianr,
gāo gèr de tóngxué zhàn ~ r. | 请从这儿出去，~ 儿的门已经关了。
Qǐng cóng zhèr chūqu, ~ r de mén yǐjing guān le. | 这本书的前边儿
写得很有意思，~ 儿差点儿。Zhèi běn shū de qiánbianr xiě de hěn
yǒu yìsi, ~ r chà diǎnr. | 她说话的声音越来越小，~ 儿说的话我没
听见。Tā shuōhuà de shēngyīn yuèláiyuè xiǎo, ~ r shuō de huà,
wǒ méi tīngjiàn.

hòumiàn 后面（後面）[名]

这本书我刚看到八十页，~ 还没看呢。Zhèi běn shū wǒ gāng

kàndào bāshí yè，～hái méi kàn ne．→这本书从八十页往后，我还没看。Zhèi běn shū cóng bāshí yè wǎng hòu，wǒ hái méi kàn．**例**这部电视剧刚拍摄完前十五集，～还有十五集没拍呢。Zhèi bù diànshìjù gāng pāishè wán qián shíwǔ jí，～hái yǒu shíwǔ jí méi pāi ne．｜请您大点儿声，坐在～的人听不见。Qǐng nín dà diǎnr shēng，zuò zài ～ de rén tīng bu jiàn．｜我不喜欢坐在最～。Wǒ bù xǐhuan zuò zài zuì ～．

hòutou 后头（後頭）［名］

你的个儿高，站到～去。Nǐ de gèr gāo，zhàndào ～ qu．→个儿高的人，排队的时候不能站在前边儿。Gèr gāo de rén，páiduì de shíhou bù néng zhàn zài qiánbianr．**例**我的前头是安娜，～是比尔。Wǒ de qiántou shì Ānnà，～ shì Bǐ'ěr．｜前头的人已经出来了，～的人一会儿就出来。Qiántou de rén yǐjīng chūlai le，～ de rén yíhuìr jiù chūlai．｜剧场里～的票比较便宜。Jùchǎng li ～ de piào bǐjiào piányi．｜她走不动了，慢慢儿地落到了～。Tā zǒu bu dòng le，mànmānr de làdàole ～．

hòu 后² （後）［名］

你先洗，我～洗，洗完澡我们去看电影。Nǐ xiān xǐ，wǒ ～ xǐ，xǐwán zǎo wǒmen qù kàn diànyǐng．→你先洗，你洗完了我再洗。Nǐ xiān xǐ，nǐ xǐwánle wǒ zài xǐ．**例**让他先说，我～说。Ràng tā xiān shuō，wǒ ～ shuō．｜先来的人先吃，～来的人～吃。Xiān lái de rén xiān chī，～ lái de rén ～ chī．｜从教室里先出来了三个人，～又出来了两个人，但是没有看到你弟弟。Cóng jiàoshì li xiān chūlaile sān ge rén，～ yòu chūlaile liǎng ge rén，dànshì méiyǒu kàndào nǐ dìdi．

hòuhuǐ 后悔（後悔）［动］

刚签了合同，他就～了。Gāng qiānle hétong，tā jiù ～ le．→签了合同后，没过一会儿，他觉得不应该签，心里很难过。Qiānle hétong hòu，méi guò yíhuìr，tā juéde bù yīnggāi qiān，xīnli hěn nánguò．**例**他～没让儿子考大学。Tā ～ méi ràng érzi kǎo dàxué．｜他～自己不该犯那样的错误。Tā ～ zìjǐ bù gāi fàn nèiyàng de cuòwù．｜既然去了，就别～。Jìrán qù le，jiù bié ～．｜现在他～得不得了。Xiànzài tā ～ de bùdéliǎo．｜回北京后，他～了好几天。Huí Běijīng hòu，tā ～ le hǎojǐ tiān．｜现在～也没有用了。Xiànzài ～ yě méiyǒu yòng le．｜事情发生以后，他感到很～。Shìqing fāshēng yǐhòu，tā gǎndào hěn

~．｜世界上没有卖 ~ 药的。Shìjiè shang méiyǒu mài ~ yào de.

hòulái 后来（後來）［名］

去年春节以前我给她写过一封信， ~ 我就再没给她写了。Qùnián Chūnjié yǐqián wǒ gěi tā xiěguo yì fēng xìn， ~ wǒ jiù zài méi gěi tā xiě le. →从去年春节以后，我没给她写过信。Cóng qùnián Chūnjié yǐhòu, wǒ méi gěi tā xiěguo xìn. 例他小时候每年夏天都来我家， ~ 就不来了。Tā xiǎoshíhou měi nián xiàtiān dōu lái wǒ jiā, ~ jiù bù lái le. ｜她过生日那天我们见过一面， ~ 再也没见过她。Tā guò shēngri de nèi tiān wǒmen jiànguo yí miàn, ~ zài yě méi jiànguo tā. ｜你的朋友 ~ 怎么样了？Nǐ de péngyou ~ zěnmeyàng le? ｜两年前他很想去中国学汉语， ~ 他去了没有？Liǎng nián qián tā hěn xiǎng qù Zhōngguó xué Hànyǔ, ~ tā qùle méiyǒu? ｜到 ~ ，公共汽车里就只有我一个人了。Dào ~ , gōnggòng qìchē li jiù zhǐ yǒu wǒ yí ge rén le.

hòunián 后年（後年）［名］

今年我儿子四岁， ~ 他就该上小学了。Jīnnián wǒ érzi sì suì, ~ tā jiù gāi shàng xiǎoxué le. →六岁的时候他就该上小学了。Liù suì de shíhou tā jiù gāi shàng xiǎoxué le. 例他现在上大学二年级， ~ 就大学毕业了。Tā xiànzài shàng dàxué èr niánjí, ~ jiù dàxué bìyè le. ｜我们想明年结婚， ~ 生一个小孩儿。Wǒmen xiǎng míngnián jiéhūn, ~ shēng yí ge xiǎoháir. ｜买房子这件事等 ~ 再说。Mǎi fángzi zhèi jiàn shì děng ~ zàishuō. ｜到 ~ 的五月，我们在北京见面。Dào ~ de Wǔyuè, wǒmen zài Běijīng jiànmiàn.

hòutiān 后天（後天）［名］

今天是星期四， ~ 我们去春游。Jīntiān shì Xīngqīsì, ~ wǒmen qù chūnyóu. →星期六我们去春游。Xīngqīliù wǒmen qù chūnyóu. 例 ~ 就放假了，假期你有什么打算？ ~ jiù fàngjià le, jiàqī nǐ yǒu shénme dǎsuan? ｜ ~ 是安娜的生日，我们要为她准备生日礼物。 ~ shì Ānnà de shēngri, wǒmen yào wèi tā zhǔnbèi shēngri lǐwù. ｜咱们什么时候跟他们见面呢？—— ~ 吧！Zánmen shénme shíhou gēn tāmen jiànmiàn ne? —— ~ ba! ｜ ~ 要是天气好，我们就去长城。 ~ yàoshi tiānqì hǎo, wǒmen jiù qù Chángchéng.

hòu 厚［形］

地上的雪有二十厘米 ~ 。Dìshang de xuě yǒu èrshí límǐ ~ . →从雪的表面到地的表面有二十厘米的高度。Cóng xuě de biǎomiàn dào dì de biǎomiàn yǒu èrshí límǐ de gāodù. **例**那本儿词典很~。Nèi běnr cídiǎn hěn ~. |这床被子比那床被子~。Zhèi chuáng bèizi bǐ nèi chuáng bèizi ~. |这块板儿比那块板儿~了一厘米。Zhèi kuài bǎnr bǐ nèi kuài bǎnr ~ le yì límǐ. |到了哈尔滨，你就穿那件~棉衣。Dàole Hā'ěrbīn, nǐ jiù chuān nèi jiàn ~ miányī. |天冷的时候，你要穿得~一点儿。Tiān lěng de shíhou, nǐ yào chuān de ~ yìdiǎnr. |羊肉片儿不能切得太~。Yángròupiànr bù néng qiē de tài ~. |床上铺着~~的被子。Chuáng shang pūzhe ~ ~ de bèizi.

hu

hū 呼[1] [动]
你使劲儿~气，然后再吸气。Nǐ shǐjìnr ~ qì, ránhòu zài xī qì. →你使劲儿让身体里的气从嘴里排出来。Nǐ shǐjìnr ràng shēntǐ li de qì cóng zuǐ li pái chulai. **例**人活着，就得不停地~气和吸气。Rén huózhe, jiù děi bù tíng de ~ qì hé xī qì. |游泳的时候，~气要慢，吸气要快。Yóuyǒng de shíhou, ~ qì yào màn, xī qì yào kuài. |他的肺出毛病了，~气吸气都很费力。Tā de fèi chū máobing le, ~ qì xī qì dōu hěn fèilì.

hūxī 呼吸[动]
breathe **例**他~了大量的煤气，现在在医院里抢救。Tā ~ le dàliàng de méiqì, xiànzài zài yīyuàn li qiǎngjiù. |他~了一下儿窗外的新鲜空气，觉得舒服多了。Tā ~ le yíxiàr chuāngwài de xīnxiān kōngqì, juéde shūfu duō le. |她病得很重，~十分困难。Tā bìng de hěn zhòng, ~ shífēn kùnnan. |四天以后，那个病人的~停止了。Sì tiān yǐhòu, nèige bìngrén de ~ tíngzhǐ le. |医生为他做了人工~。Yīshēng wèi tā zuòle réngōng ~. |护士们一直观察着她的心跳和~。Hùshimen yìzhí guāncházhe tā de xīntiào hé ~.

hū 呼[2] [动]
我认识那个~口号的同学。Wǒ rènshi nèige ~ kǒuhào de tóngxué. →我认识那个大声喊口号的同学。Wǒ rènshi nèige dàshēng hǎn kǒuhào de tóngxué. **例**游行的时候，谁领着大家~口号? Yóuxíng de shíhou, shéi lǐngzhe dàjiā ~ kǒuhào? |当时那儿的秩序很好，没有人大~大叫。Dāngshí nàr de zhìxù hěn hǎo, méiyǒu rén dà ~ dà jiào. |他们~的口号都是经过事先研究过的。Tāmen ~ de kǒuhào

dōu shì jīngguò shìxiān yánjiūguo de.

hūrán 忽然 [副]

这儿的天气真奇怪，刚才还好好儿的，~下起雨来了。Zhèr de tiānqì zhēn qíguài, gāngcái hái hǎohāor de, ~ xiàqi yǔ lai le. →雨下得很快，使人没有准备。Yǔ xià de hěn kuài, shǐ rén méiyǒu zhǔnbèi. 例我们在一起看电影，小张~说："我不看了。"说完就走了。Wǒmen zài yìqǐ kàn diànyǐng, Xiǎo Zhāng ~ shuō: "Wǒ bú kàn le." Shuōwán jiù zǒu le. l我刚上火车，~听见车里有人叫我。Wǒ gāng shàng huǒchē, ~ tīngjiàn chē li yǒu rén jiào wǒ. l~，他盖上被子大哭起来。~, tā gàishang bèizi dà kū qilai.

húluàn 胡乱 (胡亂) [副]

他看时间来不及了，~吃了几口饭就上班去了。Tā kàn shíjiān láibují le, ~ chīle jǐ kǒu fàn jiù shàngbān qu le. →他随随便便而且很快地吃了点饭就上班了。Tā suísuíbiànbiàn érqiě hěn kuài de chīle diǎnr fàn jiù shàngbān le. 例他起晚了，~穿了件衣服就走了。Tā qǐwǎn le, ~ chuānle jiàn yīfu jiù zǒu le. l我没听懂他的问题，只好~回答了几句。Wǒ méi tīngdǒng tā de wèntí, zhǐhǎo ~ huídále jǐ jù. l你在纸上~写什么呢？Nǐ zài zhǐ shang ~ xiě shénme ne?

hútòng 胡同 [名]

这条~儿很长。Zhèi tiáo ~ r hěn cháng. →这条小街道很长。Zhèi tiáo xiǎo jiēdào hěn cháng. 例你住的那条~儿叫什么名字？Nǐ zhù de nèi tiáo ~ r jiào shénme míngzi? l北京有很多小~儿。Běijīng yǒu hěn duō xiǎo ~ r. l我小时候就住在这条~儿。Wǒ xiǎoshíhou jiù zhù zài zhèi tiáo ~ r. l~儿里住着一百二十六户人家。~ r li zhùzhe yìbǎi èrshíliù hù rénjiā. l~口儿有一家饭馆儿。~ kǒur yǒu yì jiā fànguǎnr.

húzi 胡子 (鬍子) [名]

我弟弟上高中时就开始长~了。Wǒ dìdi shàng gāozhōng shí jiù kāishǐ zhǎng ~ le. →我弟弟上高中时，嘴边儿上开始长毛了。Wǒ dìdi shàng gāozhōng shí, zuǐ biānr shang kāishǐ zhǎng máo le. 例我丈夫每天早上都得刮~。Wǒ zhàngfu měi tiān zǎoshang dōu děi guā ~. l他的~三个月没刮，就长这么长了。Tā de ~ sān ge yuè méi guā, jiù zhǎng zhème cháng le. l大卫的~是到中国以后留的。Dàwèi de ~ shì dào Zhōngguó yǐhòu liú de. l那位白~的老人是安娜的爷爷。Nèi wèi bái ~ de lǎorén shì Ānnà de yéye.

H

hú 壶¹（壺）[名]

例 这把 ~ 是新买的，水烧开时会叫。Zhèi bǎ ~ shì xīn mǎi de, shuǐ shāokāi shí huì jiào. | 这把 ~ 是铜的。Zhèi bǎ ~ shì tóng de. | 这 ~ 里是茶水，你喝不喝？Zhè ~ li shì cháshuǐ, nǐ hē bu hē? | 明天我和朋友们去爬山，一会儿我得去买一个带水用的 ~。Míngtiān wǒ hé péngyoumen qù pá shān, yíhuìr wǒ děi qù mǎi yí ge dài shuǐ yòng de ~. | 扔掉那把破 ~ 吧，不要了。Rēngdiào nèi bǎ pò ~ ba, bú yào le.

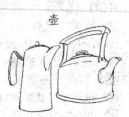

壶

hú 壶²（壺）[量]

用于放在壶里的水、酒、咖啡等。Yòngyú fàng zài hú li de shuǐ、jiǔ、kāfēi děng. **例** 我很渴，一 ~ 水全让我喝完了。Wǒ hěn kě, yì ~ shuǐ quán ràng wǒ hēwán le. | 现在我去烧一 ~ 咖啡给你们喝。Xiànzài wǒ qù shāo yì ~ kāfēi gěi nǐmen hē. | 小姐，先给我们来一 ~ 茶水。Xiǎojie, xiān gěi wǒmen lái yì ~ cháshuǐ. | 他喝了半 ~ 酒，还吃了二斤肉。Tā hēle bàn ~ jiǔ, hái chīle èr jīn ròu.

hú 湖 [名]

lake **例** 这个 ~ 的名字叫青海 ~。Zhèige hú de míngzi jiào Qīnghǎi ~. | 这列火车要经过两个 ~。Zhèi liè huǒchē yào jīngguò liǎng ge ~. | 这个公园里有一个很大很美的 ~。Zhèige gōngyuán li yǒu yí ge hěn dà hěn měi de ~. | 大卫和安娜正在 ~ 边儿散步。Dàwèi hé Ānnà zhèngzài ~ biānr sànbù. | 这 ~ 水真干净，一眼能看到 ~ 底。Zhèi ~ shuǐ zhēn gānjìng, yì yǎn néng kàndào ~ dǐ. | 快看！ ~ 里有很多鱼。Kuài kàn! ~ li yǒu hěn duō yú.

hútu 糊涂（糊塗）[形]

muddle-headed **例** 我奶奶九十多岁了，她一点儿也不 ~。Wǒ nǎinai jiǔshí duō suì le, tā yìdiǎnr yě bù ~. | 我真 ~，又叫错你的名字了。Wǒ zhēn ~, yòu jiàocuò nǐ de míngzi le. | 他一时 ~ 做了错事。Tā yìshí ~ zuòle cuò shì. | 我睡得糊糊涂涂的，不知道发生了什么事。Wǒ shuì de húhútutu de, bù zhīdào fāshēngle shénme shì. | 他糊里糊涂地走了半天，也没找到那个电影院。Tā húlihútu de zǒule bàntiān, yě méi zhǎodào nèige diànyǐngyuàn.

hùxiāng 互相 ［副］

上大学的时候，我和我的同屋经常～帮助。Shàng dàxué de shíhou, wǒ hé wǒ de tóngwū jīngcháng ～ bāngzhù. →我常常帮助我的同屋，我的同屋也常常帮助我。Wǒ chángcháng bāngzhù wǒ de tóngwū, wǒ de tóngwū yě chángcháng bāngzhù wǒ. 例在最困难的时候，我们一直～鼓励。Zài zuì kùnnan de shíhou, wǒmen yìzhí ～ gǔlì. | 新年的时候，朋友们～拜年。Xīnnián de shíhou, péngyoumen ～ bàinián. | 第一次见面的时候，我们～介绍自己的情况。Dì yī cì jiànmiàn de shíhou, wǒmen ～ jièshào zìjǐ de qíngkuàng. | 在工作上，你们应该～支持。Zài gōngzuò shang, nǐmen yīnggāi ～ zhīchí.

hùliánwǎng 互联网（互聯網）［名］

Internet 例这条消息我是在～上看到的。Zhèi tiáo xiāoxi wǒ shì zài ～ shang kàndào de. | 我在～上找到了很多有用的资料。Wǒ zài ～ shang zhǎodàole hěn duō yǒuyòng de zīliào. | 他喜欢在～上聊天。Tā xǐhuan zài ～ shang liáotiān. | 在北京，上网很方便，～的速度也非常快。Zài Běijīng, shàngwǎng hěn fāngbiàn, ～ de sùdù yě fēicháng kuài. | ～给了人们更多的交流机会。～ gěile rénmen gèng duō de jiāoliú jīhuì. | 我们常常发 E-mail，通过～联系。Wǒmen chángcháng fā E-mail, tōngguò ～ liánxì.

hù 户 ［量］

用于人家。Yòngyú rénjiā. 例我们院子里住着六～人家。Wǒmen yuànzi li zhùzhe liù ～ rénjiā. | 这座新楼能住九十多～人家。Zhèi zuò xīn lóu néng zhù jiǔshí duō ～ rénjiā. | 南屋的那～人家昨天搬到新房子里去了。Nánwū de nèi ～ rénjiā zuótiān bāndào xīn fángzi li qu le. | 大年三十晚上，家家～～都包饺子，这是我们这儿的风俗习惯。Dànián Sānshí wǎnshang, jiājiā ～ ～ dōu bāo jiǎozi, zhè shì wǒmen zhèr de fēngsú xíguàn.

hùshi 护士（護士）［名］

hospital nurse 例玛丽是这所医院里的～。Mǎlì shì zhèi suǒ yīyuàn li de ～. | 医院里女～很多。Yīyuàn li nǚ ～ hěn duō. | ～们工作很认真。～ men gōngzuò hěn rènzhēn. | 她是～学校毕业的。Tā shì ～ xuéxiào bìyè de. | ～的工作很辛苦，但是很光荣。～ de gōngzuò hěn xīnkǔ, dànshì hěn guāngróng. | 将来我也要当一名好～。

Jiānglái wǒ yě yào dāng yì míng hǎo ～.

hùzhào 护照（護照）[名]

passport **例**你的～快要过期了。Nǐ de ～ kuài yào guò qī le. |这就是我的～。Zhè jiù shì wǒ de ～. |下午我也去办～。Xiàxǔ wǒ yě qù bàn ～. |你的～号码是多少？Nǐ de ～ hàomǎ shì duōshao? |～上的照片儿照得真好。～ shang de zhàopiānr zhào de zhēn hǎo. |把你的～拿过来给我看看。Bǎ nǐ de ～ ná guolai gěi wǒ kànkan.

hua

huā 花[1] [名]

例路边的～儿，什么颜色的都有，真漂亮。Lù biān de ～ r, shénme yánsè de dōu yǒu, zhēn piàoliang. |我姐姐特别喜欢这盆～儿。Wǒ jiějie tèbié xǐhuan zhèi pén ～ r. |那个小姑娘头上戴了五朵～儿。Nèige xiǎo gūniang tóu shang dàile wǔ duǒ ～ r. |我们校园里有很多树，也种了很多～儿。

花

Wǒmen xiàoyuán li yǒu hěn duō shù, yě zhòngle hěn duō ～ r. |这是学生们送给我的～儿。Zhè shì xuéshengmen sòng gěi wǒ de ～ r. |这是秋天开的～儿。Zhè shì qiūtiān kāi de ～ r.

huāyuán 花园（花園）[名]

flower garden **例**这个～真大。Zhèige ～ zhēn dà. |这个城市里有三个很有名的大～。Zhèige chéngshì li yǒu sān ge hěn yóumíng de dà ～. |星期天，我们一起去湖边儿的那个～散步吧！Xīngqītiān, wǒmen yìqǐ qù hú biānr de nèige ～ sànbù ba! |～里的花儿全开了，真美啊！～ li de huār quán kāi le, zhēn měi a! |这个地方像～一样美丽。Zhèige dìfang xiàng ～ yíyàng měilì.

huā 花[2] [动]

为了买这本儿书，我去了好几家书店，～了很多时间。Wèile mǎi zhèi běnr shū, wǒ qùle hǎojǐ jiā shūdiàn, ～ le hěn duō shíjiān. →我用了很多时间。Wǒ yòngle hěn duō shíjiān. **例**去那儿参观一下儿～点儿时间也值得。Qù nàr cānguān yíxiàr, ～ diǎnr shíjiān yě zhíde. |这道题太难了，我～了一个多小时才做出来。Zhèi dào tí tài nán le, wǒ ~ le yí ge duō xiǎoshí cái zuò chulai. |买这套衣服 ~ 了八千元。Mǎi zhèi tào yīfu ~ le bāqiān yuán. |我带来的钱全 ~ 完了。Wǒ dàilai de qián quán ~ wán le. | ~ 多少钱，能买这座大楼？~ duōshao qián, néng mǎi zhèi zuò dà lóu?

huāshēng 花生 [名]

例这些 ~ 是我们地区出产的。Zhèixiē ~ shì wǒmen dìqū chūchǎn de. |中秋节前后，地里的 ~ 就成熟了。Zhōngqiūjié qiánhòu, dì li de ~ jiù chéngshú le. |那么多 ~ 都被你们吃完了？Nàme duō ~ dōu bèi nǐmen chīwán le? |我们村里的土地不适合种 ~。Wǒmen cūn li de tǔdì bú shìhé zhòng ~. |明天我再去买一些 ~ 来。Míngtiān wǒ zài qù mǎi yìxiē ~ lai.

花生

huá 划 [动]

我们明天去比赛 ~ 船。Wǒmen míngtiān qù bǐsài ~ chuán. →我们明天去比赛，比谁能让自己坐的船跑得最快。Wǒmen míngtiān qù bǐsài, bǐ shéi néng ràng zìjǐ zuò de chuán pǎo de zuì kuài. 例三号船 ~ 得真快，快得像飞一样。Sān hào chuán ~ de zhēn kuài, kuài de xiàng fēi yíyàng. |咱们 ~ 到对面去看看。Zánmen ~ dào duìmiàn qù kànkan. |我 ~ 不动了，你来 ~ 一会儿吧。Wǒ ~ bu dòng le, nǐ lái ~ yíhuìr ba. |学生们一边 ~ 船，一边唱歌儿，玩儿得真高兴。Xuéshengmen yìbiānr ~ chuán, yìbiānr chànggēr, wánr de zhēn gāoxìng.

huá 滑[1] [形]

slippery 例我不敢在冰上走，冰上太 ~。Wǒ bù gǎn zài bīng shang zǒu, bīng shang tài ~. |刚下过雪，路上很 ~。Gāng xiàguo xuě, lù shang hěn ~. |路上 ~ 极了，好多骑自行车的人都滑倒了。Lù shang ~ jí le, hǎoduō qí zìxíngchē de rén dōu huádǎo le. |这么 ~ 的山路，谁也不敢把车开得那么快。Zhème ~ de shānlù, shéi yě bù gǎn bǎ chē kāi de nàme kuài. |这种地板是防 ~ 的。Zhèi zhǒng dìbǎn shì fáng ~ de.

huá 滑[2] [动]

slip 例孩子们很喜欢 ~ 这种板。Háizimen hěn xǐhuan ~ zhèi zhǒng

bǎn. I咱们再~三个来回，就不~了。Zánmen zài ~ sān ge láihuí, jiù bù huá le. I我第一次上冰场的时候，刚进去就~倒了。Wǒ dì yī cì shàng bīngchǎng de shíhou, gāng jìnqu jiù ~ dǎo le. I天气很冷，可我们~得都出汗了。Tiānqì hěn lěng, kě wǒmen ~ de dōu chū hàn le. I穿上这种鞋在马路上也能~来~去。Chuānshang zhèi zhǒng xié zài mǎlù shang yě néng ~ lái ~ qù.

huá bīng 滑冰

skate 例我是五岁的时候开始学~的。Wǒ shì wǔ suì de shíhou kāishǐ xué ~ de. I~难学不难学？~ nán xué bu nán xué? I今天下午我要去参加~比赛。Jīntiān xiàwǔ wǒ yào qù cānjiā ~ bǐsài. I今天来看~表演的人真多。Jīntiān lái kàn ~ biǎoyǎn de rén zhēn duō. I你教我~怎么样？Nǐ jiāo wǒ ~ zěnmeyàng? I玛丽~滑得特别快，比赛的那天，她好像鸟儿在冰上飞一样。Mǎlì ~ huá de tèbié kuài, bǐsài de nèi tiān, tā hǎoxiàng niǎor zài bīng shang fēi yíyàng.

huá xuě 滑雪

skating 例冬天的时候，我们常常去山上~。Dōngtiān de shíhou, wǒmen chángcháng qù shān shang ~. I咱们去~，你去准备~用的东西。Zánmen qù ~, nǐ qù zhǔnbèi ~ yòng de dōngxi. I比尔~的速度很快。Bǐ'ěr ~ de sùdù hěn kuài. I我的家乡一年四季都不下雪，所以我没滑过雪。Wǒ de jiāxiāng yì nián sìjì dōu bú xià xuě, suǒyǐ wǒ méi huáguo xuě.

huà 化 [动]

天气暖和了，河里的冰开始~了。Tiānqì nuǎnhuo le, hé li de bīng kāishǐ ~ le. → 河里的冰开始变成水了。Hé li de bīng kāishǐ biànchéng shuǐ le. 例太阳一出来，地上的雪就~了。Tàiyáng yì chūlai, dì shang de xuě jiù ~ le. I把冰箱里的肉先拿出来~~。Bǎ bīngxiāng li de ròu xiān ná chulai ~ ~. I白糖放在开水里，一会儿就~没了。Báitáng fàng zài kāishuǐ li, yíhuìr jiù ~ méi le.

huàxué 化学（化學）[名]

chemistry 例他是数学老师，我是~老师。Tā shì shùxué lǎoshī, wǒ shì ~ lǎoshī. I我是学~的。Wǒ shì xué ~ de. I这些东西放在一起发生了~变化。Zhèixiē dōngxi fàng zài yìqǐ fāshēng le ~ biànhuà. I中学时，我很喜欢做~试验。Zhōngxué shí, wǒ hěn xǐhuan zuò ~ shìyàn. I这叫做~反应。Zhè jiàozuò ~ fǎnyìng.

huà 画（畫）[动]

draw 例他~了一只猫。Tā ~ le yì zhī māo. | 他专门~山水画儿。Tā zhuānmén ~ shānshuǐhuàr. | 这张画儿~得真好。Zhèi zhāng huàr ~ de zhēn hǎo. | 你~得挺快。Nǐ ~ de tǐng kuài. | 我~得像真的似的。~ de xiàng zhēnde shìde. | 用了半个月的时间才~完。Yòngle bàn ge yuè de shíjiān cái ~ wán. | 你一个人慢慢儿~吧，我走了。Nǐ yí ge rén mànmānr ~ ba, wǒ zǒu le.

huàbào 画报（畫報）[名]

例这本儿~是昨天刚出版的。Zhèi běnr ~ shì zuótiān gāng chūbǎn de. | 我给孩子买了一本儿童~。Wǒ gěi háizi mǎile yì běn értóng ~. | 图书馆里有各种~。Túshūguǎn li yǒu gè zhǒng ~. | 他是~社的记者。Tā shì ~ shè de jìzhě. | 好的图片和照片儿可以登在~上。Hǎo de túpiàn hé zhàopiānr kěyǐ dēng zài ~ shang. | ~上把咱们的照片儿登出来了。~ shàng bǎ zánmen de zhàopiānr dēng chulai le.

画报

huàjiā 画家（畫家）[名]

他是一位~。Tā shì yí wèi ~. →他是一位画画儿画得很好的人。Tā shì yí wèi huà huàr huà de hěn hǎo de rén. 例这位老先生是中国著名的~。Zhèi wèi lǎo xiānsheng shì Zhōngguó zhùmíng de ~. | 这几位~都要来参加画展。Zhèi jǐ wèi ~ dōu yào lái cānjiā huàzhǎn. | 每一位~的画儿都有自己的风格。Měi yí wèi ~ de huàr dōu yǒu zìjǐ de fēnggé. | 我们跟~一起合影留念。Wǒmen gēn ~ yìqǐ hé yǐng liúniàn.

huàr 画儿（畫兒）[名]

例这张~是谁画的？Zhèi zhāng ~ shì shéi huà de? | 这幅~卖多少钱？Zhèi fú ~ mài duōshao qián? | 这些~都是复制品。Zhèixiē ~ dōu shì fùzhìpǐn. | 墙上挂着许多~。Qiáng shang guàzhe xǔduō ~. | 周末的时候，我去学画~。Zhōumò de shíhou, wǒ qù xué huà

画儿

~．｜这幅~的价格不算贵。Zhèi fú ~ de jiàgé bú suàn guì.｜这幅~的作者还给我签了名。Zhèi fú ~ de zuòzhě hái gěi wǒ qiānle míng.｜这是多么美的山水~呀！Zhè shì duōme měi de shānshuǐ ~ ya!

huà 话(話) [名]

words; remark **例**现在请大卫讲几句~。Xiànzài qǐng Dàwèi jiǎng jǐ jù ~．｜今天大家都说出了心里想说的~。Jīntiān dàjiā dōu shuōchule xīnli xiǎng shuō de ~．｜老师说的~太好了。Lǎoshī shuō de ~ tài hǎo le.｜他经常用这些~鼓励我。Tā jīngcháng yòng zhèixiē ~ gǔlì wǒ.｜他的~打动了听众的心，大家长时间为他鼓掌。Tā de ~ dǎdòngle tīngzhòng de xīn, dàjiā cháng shíjiān wèi tā gǔzhǎng.

huàtí 话题(話題) [名]

今天我们以"吸烟"为~，请大家谈谈对这个问题的看法。Jīntiān wǒmen yǐ "xīyān" wéi ~, qǐng dàjiā tántan duì zhèige wèntí de kànfǎ. →今天谈话的中心是围绕着"吸烟"这个题目来议论的。Jīntiān tánhuà de zhōngxīn shì wéiràozhe "xīyān" zhèige tímù lái yìlùn de. **例**这个~大家都感兴趣。Zhèige ~ dàjiā dōu gǎn xìngqù.｜这是近期最热门的~之一。Zhè shì jìnqī zuì rèmén de ~ zhīyī.｜别拿我开玩笑了，下面换一个新的~吧。Bié ná wǒ kāiwánxiào le, xiàmiàn huàn yí ge xīn de ~ ba.

huai

huài 坏¹ (壞) [形]

他小时候偷东西、打人，经常做~事。Tā xiǎoshíhou tōu dōngxi, dǎ rén, jīngcháng zuò ~ shì. →他小的时候经常做一些不好的、不该做的事。Tā xiǎo de shíhou jīngcháng zuò yìxiē bù hǎo de, bù gāi zuò de shì. **例**他们都是好人，不是~人。Tāmen dōu shì hǎorén, bú shì ~ rén.｜他一生气就骂别人，脾气特别~。Tā yì shēngqì jiù mà biéren, píqi tèbié ~.｜这个人心里怎么想就怎么说，心眼儿不~。Zhèige rén xīnli zěnme xiǎng jiù zěnme shuō, xīnyǎnr bú ~.｜你出的主意不~，咱们试试看。Nǐ chū de zhǔyi bú ~, zánmen shìshi kàn.

huàichu 坏处(壞處) [名]

抽烟对人的身体有~。Chōuyān duì rén de shēntǐ yǒu ~. →抽烟对人身体不好。Chōuyān duì rén shēntǐ bù hǎo. **例**你这样说别人，对

你自己没好处，只有～。Nǐ zhèiyàng shuō biéren, duì nǐ zìjǐ méi hǎochu, zhǐ yǒu ～. |每天散散步，对身体没～。Měi tiān sànsan bù, duì shēntǐ méi ～. |电视看得太多对眼睛有～。Diànshì kàn de tài duō duì yǎnjing yǒu ～. |抽烟的～人们越来越清楚了。Chōuyān de ～ rénmen yuèláiyuè qīngchu le.

huài 坏² （壞）［形］

我的自行车～了，不能借给你了。Wǒ de zìxíngchē ～ le, bù néng jiè gěi nǐ le. →我的自行车不能骑了，得修理了。Wǒ de zìxíngchē bù néng qí le, děi xiūlǐ le. 例这些苹果～了，不能吃了。Zhèixiē píngguǒ ～ le, bù néng chī le. |这些笔不能写字了，都～了。Zhèixiē bǐ bù néng xiězì le, dōu ～ le. |杯子掉在地上就摔～了。Bēizi diào zài dì shang jiù shuāi ～ le. |昨天吃得太多，把肚子给吃～了。Zuótiān chī de tài duō, bǎ dùzi gěi chī ～ le.

huài 坏³ （壞）［形］

昨天我渴～了，我想喝水，可是哪ₙ也没有。Zuótiān wǒ kě ～ le, wǒ xiǎng hē shuǐ, kěshì nǎr yě méiyǒu. →昨天我渴极了。Zuótiān wǒ kějí le. 例还没做好饭哪！我都饿～了。Hái méi zuòhǎo fàn na! Wǒ dōu è ～ le. |为哥哥的婚事，这几天，把爸爸妈妈忙～了。Wèi gēge de hūnshì, zhèi jǐ tiān, bǎ bàba māma máng ～ le. |一直没休息，大家都累～了。Yìzhí méi xiūxi, dàjiā dōu lèi ～ le. |听了这个好消息把他们高兴～了。Tīngle zhèige hǎo xiāoxi bǎ tāmen gāoxìng ～ le.

huan

huānsòng 欢送 （歡送）［动］

他们的中文老师今天就要回国了，学生们都来～他。Tāmen de Zhōngwén lǎoshī jīntiān jiù yào huíguó le, xuéshengmen dōu lái ～ tā. →同学们都很高兴地来和老师告别。Tóngxuémen dōu hěn gāoxìng de lái hé lǎoshī gàobié. 例明天我们～毕业生。Míngtiān wǒmen ～ bìyèshēng. |今天我来跟你们告别，因为明天我有事，～不了你们了。Jīntiān wǒ lái gēn nǐmen gàobié, yīnwèi míngtiān wǒ yǒu shì, ～ bu liǎo nǐmen le. |今天～走了一批，下星期还要～一批。Jīntiān ～ zǒule yì pī, xiàxīngqī hái yào ～ yì pī. |车站上都是来～他们的人。Chēzhàn shang dōu shì lái ～ tāmen de rén. |我们去参加～会。Wǒmen qù cānjiā ～ huì.

huānyíng 欢迎（歡迎）［动］

参观团下午两点到这儿，我们在大门口儿～他们。Cānguāntuán xiàwǔ liǎng diǎn dào zhèr, wǒmen zài dàménkǒur ~ tāmen. →我们在大门口儿高兴地迎接来参观的人。Wǒmen zài dàménkǒur gāoxìng de yíngjiē lái cānguān de rén. 例大卫，要是你去我们那儿当老师，我们一定热烈～你。Dàwèi, yàoshi nǐ qù wǒmen nàr dāng lǎoshī, wǒmen yídìng rèliè ~ nǐ. |现在～玛丽给大家唱一首歌。Xiànzài ~ Mǎlì gěi dàjiā chàng yì shǒu gē. |来～你们的人真多！Lái ~ nǐmen de rén zhēn duō! |～的场面很热烈。~ de chǎngmiàn hěn rèliè. |受到那么多人～，我们真是高兴极了。Shòudào nàme duō rén ~, wǒmen zhēnshi gāoxìng jí le.

huán 还（還）［动］

下午我要去图书馆～书。Xiàwǔ wǒ yào qù túshūguǎn ~ shū. →下午我要把从图书馆借出来的书送回图书馆去。Xiàwǔ wǒ yào bǎ cóng túshūguǎn jiè chulai de shū sònghuí túshūguǎn qu. 例我去～自行车。Wǒ qù ~ zìxíngchē. |把字典～给安娜。Bǎ zìdiǎn ~ gěi Ānnà. |这不是我的笔，你～错了。Zhè bú shì wǒ de bǐ, nǐ ~ cuò le. |借的钱，我昨天都～清了。Jiè de qián, wǒ zuótiān dōu ~ qīng le. |他想借那么多的钱，～得起吗？Tā xiǎng jiè nàme duō de qián, ~ de qǐ ma?

huán 环（環）［名］

我家院子的大门儿上有两个铜～儿。Wǒ jiā yuànzi de dàménr shang yǒu liǎng ge tóng ~ r. →我家院子的大门上有两个铜圈儿。Wǒ jiā yuànzi de dàmén shang yǒu liǎng ge tóng quānr. 例参加游园的儿童头上戴着花～。Cānjiā yóu yuán de értóng tóu shang dàizhe huā ~. |墙上的铁～儿是用来拴马的。Qiáng shang de tiě ~ r shì yòng lái shuān mǎ de. |主人把套在狗脖子上的～儿取了下来。Zhǔrén bǎ tào zài gǒu bózi shang de ~ r qǔle xialai.

huánjìng 环境¹（環境）［名］

你去过长城吗？那儿的～很美。Nǐ qùguo Chángchéng ma? Nàr de ~ hěn měi. →长城周围的地方很美。Chángchéng zhōuwéi de dìfang hěn měi. 例你到我们村里来看看吧，我们那儿的～优美极了。Nǐ dào wǒmen cūn li lái kànkan ba, wǒmen nàr de ~ yōuměi jí le. | 大家都知道要保护 ~ 。Dàjiā dōu zhīdao yào bǎohù ~ . | 这些动物都生活在大自然的 ~ 中。Zhèixiē dòngwù dōu shēnghuó zài dàzìrán de ~ zhōng. | 这个地区 ~ 污染越来越严重了。Zhèige dìqū ~ wūrǎn yuèláiyuè yánzhòng le.

huánjìng 环境² （環境）[名]

你们的学习 ~ 真不错。Nǐmen de xuéxí ~ zhēn búcuò. →你们的学习条件真不错。Nǐmen de xuéxí tiáojiàn zhēn búcuò. 例这么好的生活 ~ 你还不满意? Zhème hǎo de shēnghuó ~ nǐ hái bù mǎnyì? | 如果那儿的 ~ 可以，我就准备去那儿工作。Rúguǒ nàr de ~ kěyǐ, wǒ jiù zhǔnbèi qù nàr gōngzuò. | 我想换个工作，改变一下儿工作 ~ 。Wǒ xiǎng huàn ge gōngzuò, gǎibiàn yíxiàr gōngzuò ~ . | 他们想去艰苦的 ~ 中锻炼锻炼自己。Tāmen xiǎng qù jiānkǔ de ~ zhōng duànliàn duànliàn zìjǐ.

huàn 换¹ [动]

我用两支笔跟他 ~ 了这双手套。Wǒ yòng liǎng zhī bǐ gēn tā ~ le zhèi shuāng shǒutào. →我给了他两支笔，他给了我这双手套。Wǒ gěile tā liǎng zhī bǐ, tā gěile wǒ zhèi shuāng shǒutào. 例你要是喜欢我的皮包，就用你的自行车跟我 ~ 吧。Nǐ yàoshi xǐhuan wǒ de píbāo, jiù yòng nǐ de zìxíngchē gēn wǒ ~ ba. | 你觉得我的帽子漂亮的话，咱们就 ~ 着戴吧。Nǐ juéde wǒ de màozi piàoliang dehuà, zánmen jiù ~ zhe dài ba. | 我不愿意跟你 ~ 。Wǒ bú yuànyì gēn nǐ ~ .

huàn 换² [动]

他 ~ 了宿舍，现在不住 226 房间了。Tā ~ le sùshè, xiànzài bú zhù èr èr liù fángjiān le. →他以前住在 226 房间，现在住到别的房间里去了。Tā yǐqián zhù zài èr èr liù fángjiān, xiànzài zhùdào biéde fángjiān li qu le. 例今天我没时间，咱们 ~ 一个时间再去吧。Jīntiān wǒ méi shíjiān, zánmen ~ yí ge shíjiān zài qù ba. | 这家饭店里已经没坐位了，咱们 ~ 一家饭店吧。Zhèi jiā fàndiàn li yǐjīng méi zuòwèi le, zámen ~ yì jiā fàndiàn ba. | 从这里坐公共汽车去动物园要 ~ 两次车。Cóng zhèlǐ zuò gōnggòng qìchē qù dòngwùyuán yào ~ liǎng cì chē. | 这个房间太小了，能不能 ~ 一间大点儿的? Zhèige fángjiān tài xiǎo le, néng bu néng ~ yì jiān dà diǎnr de? | 今天没有空房间，所以 ~ 不了了，明天可以给您 ~ 。Jīntiān méiyǒu kòng fángjiān, suǒyǐ ~ bu liǎo le, míngtiān kěyǐ gěi nín ~ . |他出门时，~了一身新衣服。Tā chūmén shí, ~ le yì shēn xīn yīfu.

huàn 换³ [动]

我用美元跟你 ~ 人民币。Wǒ yòng měiyuán gēn nǐ ~ rénmínbì. →我给你美元，你按一定比例给我人民币。Wǒ gěi nǐ měiyuán, nǐ àn yídìng bǐlì gěi wǒ rénmínbì. 例大卫呢？——他去银行 ~ 钱去了。Dàwèi ne? ——Tā qù yínháng ~ qián qu le. |一百块，我找不开，你去商店 ~ 一下儿零钱吧。Yìbǎi kuài, wǒ zhǎo bu kāi, nǐ qù shāngdiàn ~ yíxiàr língqián ba. |我得去 ~点儿 硬币，打电话时用。Wǒ děi qù ~ diǎnr yìngbì, dǎ diànhuà shí yòng.

huang

huāng 慌 [形]

nervous; scared 例发生了什么事儿？慢慢儿说，别 ~。Fāshēngle shénme shìr? Mànmānr shuō, bié ~ . |考试的时候，不能 ~。Kǎoshì de shíhou, bù néng ~ . |时间还早，还可以再睡一会儿，不用 ~。Shíjiān hái zǎo, hái kěyǐ zài shuì yíhuìr, búyòng ~ . |上飞机之前，他的钱包和飞机票找不到了，他 ~ 了手脚。Shàng fēijī zhīqián, tā de qiánbāo hé fēijīpiào zhǎo bu dào le, tā ~ le shǒujiǎo.

huángdì 皇帝 [名]

emperor 例中国宋朝的~姓赵。Zhōngguó Sòngcháo de ~ xìng Zhào. |秦始皇是中国历史上的第一个 ~。Qínshǐhuáng shì Zhōngguó lìshǐ shang de dì yī ge ~ . |他六岁的时候当上了 ~。Tā liù suì de shíhou dāngshangle ~ . |他在那部电影里演 ~。Tā zài nèi bù diànyǐng li yǎn ~ . |你看过电影《末代 ~》吗？Nǐ kànguo diànyǐng《Mòdài ~》ma?

huánghòu 皇后 [名]

那位 ~ 又聪明又漂亮。Nèi wèi ~ yòu cōngming yòu piàoliang. →那位皇帝的妻子又聪明又漂亮。Nèi wèi huángdì de qīzi yòu cōngming yòu piàoliang. 例这部电影里的 ~ 演得真好。Zhèi bù diànyǐng li de ~ yǎn de zhēn hǎo. |在中国历史上她是一位很有名的 ~。Zài Zhōngguó lìshǐ shang tā shì yí wèi hěn yǒumíng de ~ .

huáng 黄¹ [形]

yellow 例天气冷了，树叶 ~ 了。Tiānqì lěng le, shùyè ~ le. |黄河

里的水真~。Huáng Hé li de shuǐ zhēn ~. |我们都是黑头发、~皮肤的人。Wǒmen dōu shì hēi tóufa、~ pífū de rén. |你的脸色有点儿~，你不舒服吗？Nǐ de liǎnsè yǒudiǎnr~，nǐ bù shūfu mā?

huángsè 黄色 [名]

秋天，杨树叶子由绿色变成了~。Qiūtiān, yángshù yèzi yóu lǜsè biànchéngle ~. →杨树叶子由绿色变成了像金子一样的颜色。Yángshù yèzi yóu lǜsè biànchéngle xiàng jīnzi yíyàng de yánsè. 例~可以表示温暖和成熟。~ kěyǐ biǎoshì wēnnuǎn hé chéngshú. |~是我喜欢的颜色。~ shì wǒ xǐhuan de yánsè. |我喜欢~。Wǒ xǐhuan ~. |这件~的衣服真漂亮。Zhèi jiàn ~ de yīfu zhēn piàoliang.

huáng 黄² [动]

你们谈的那笔生意成功了吗？——没有，已经~了。Nǐmen tán de nèi bǐ shēngyi chénggōngle ma? ——Méiyǒu, yǐjing ~ le. →他们谈的那笔生意没有谈成功。Tāmen tán de nèi bǐ shēngyi méiyǒu tán chénggōng. 例他想出国旅行的事儿已经~了。Tā xiǎng chūguó lǚxíng de shìr yǐjing ~ le. |小张和小王谈恋爱的事早就~了。Xiǎo Zhāng hé Xiǎo Wáng tán liàn'ài de shìr zǎo jiù ~ le. |这件事一定能成功，肯定~不了。Zhèi jiàn shì yídìng néng chénggōng, kěndìng ~ bu liǎo.

huánggua 黄瓜 [名]

例这些~真新鲜。Zhèixiē ~ zhēn xīnxian. |我买二斤~。Wǒ mǎi èr jīn ~. |~炒鸡蛋很好吃。~ chǎo jīdàn hěn hǎochī. |我喜欢吃生~。Wǒ xǐhuan chī shēng ~. |你先洗两根~，然后把~切成丝儿。Nǐ xiān xǐ liǎng gēn ~, ránhòu bǎ ~ qiēchéng sīr.

黄瓜

hui

huī 灰 [形]

grey 例这件~的大衣很漂亮。Zhèi jiàn ~ de dàyī hěn piàoliang. |这件~毛衣多少钱？Zhèi jiàn ~ máoyī duōshao qián? |我买那顶~帽子。Wǒ mǎi nèi dǐng ~ màozi. |他喜欢小白兔，我喜欢小~兔。Tā

H

xǐhuan xiǎo báitù, wǒ xǐhuan xiǎo ~ tù.

huī 挥(揮) [动]

火车开动的时候，大卫和安娜~着手向来送行的人告别。Huǒchē kāidòng de shíhou, Dàwèi hé Ānnà ~ zhe shǒu xiàng lái sòngxíng de rén gàobié. →火车开动的时候，大卫和安娜举起手摆动着向来送行的人告别。Huǒchē kāidòng de shíhou, Dàwèi hé Ānnà jǔqǐ shǒu bǎidòngzhe xiàng lái sòngxíng de rén gàobié. 例班长~着手，让大家快点儿走。Bānzhǎng ~ zhe shǒu, ràng dàjiā kuài diǎnr zǒu. |他 ~ 了两下手，让大家出去。Tā ~ le liǎng xià shǒu, ràng dàjiā chūqu. |他们互相~了~手，说了声再见，就各自回家了。Tāmen hùxiāng ~ le ~ shǒu, shuōle shēng zàijiàn, jiù gèzì huíjiā le.

huīfù 恢复(恢復) [动]

姐姐生完小孩儿后，身体很快就~了。Jiějie shēngwán xiǎoháir hòu, shēntǐ hěn kuài jiù ~ le. →姐姐生完小孩儿后，身体很快变成了原来的样子。Jiějie shēngwán xiǎoháir hòu, shēntǐ hěn kuài biànchéngle yuánlái de yàngzi. 例他经过治疗，很快~了健康。Tā jīngguò zhìliáo, hěn kuài ~ le jiànkāng. |被水冲坏的那些路，昨天已经~了交通。Bèi shuǐ chōnghuài de nèixiē lù, zuótiān yǐjing ~ le jiāotōng. |岁数大了，~起来比较慢。Suìshù dà le, ~ qilai bǐjiào màn. |医生，他的视力还能不能~？Yīshēng, tā de shìlì hái néng bu néng ~?

huí 回¹ [动]

玛丽是从美国来北京的，下星期她就要~国了。Mǎlì shì cóng Měiguó lái Běijīng de, xiàxīngqī tā jiù yào ~ guó le. →玛丽下星期就要从北京到美国去了。Mǎlì xiàxīngqī jiù yào cóng Běijīng dào Měiguó qu le. 例下课以后，他去图书馆，我~宿舍。Xiàkè yǐhòu, tā qù túshūguǎn, wǒ ~ sùshè. |这两天工作很忙，我们晚上八点才能~家。Zhèi liǎng tiān gōngzuò hěn máng, wǒmen wǎnshang bā diǎn cái néng ~ jiā. |我离开家乡十年了，现在~家乡来看看。Wǒ líkāi jiāxiāng shí nián le, xiànzài ~ jiāxiāng lái kànkan.

huí 回² [动]

我收到爸爸的信后，马上给爸爸~了一封信。Wǒ shōudào bàba de xìn hòu, mǎshàng gěi bàba ~ le yì fēng xìn. →我收到爸爸的来信后，马上给爸爸寄去了一封信。Wǒ shōudào bàba de láixìn hòu, mǎshàng gěi bàba jìqule yì fēng xìn. 例张老师给你打过一个电话，

你给他~一个电话吧。Zhāng lǎoshī gěi nǐ dǎguo yí ge diànhuà, nǐ gěi tā ~ yí ge diànhuà ba. | 我马上就给他~传真。Wǒ mǎshàng jiù gěi tā ~ chuánzhēn. | 他给我~了一个 E-mail。Tā gěi wǒ ~ le yí ge E-mail. | 所有的信我都~完了。Suǒyǒu de xìn wǒ dōu ~ wán le.

huí 回³ [动]

书寄走以后，剩下的钱已经全部退~了。Shū jìzǒu yǐhòu, shèngxia de qián yǐjing quánbù tuì ~ le. →剩下的钱已经全部还给了寄钱的人。Shèngxia de qián yǐjing quánbù huán gěi le jì qián de rén. 例大卫已经搬走了，这封寄给大卫的信请邮局退~。Dàwèi yǐjing bānzǒu le, zhèi fēng jì gěi Dàwèi de xìn qǐng yóujú tuì ~. | 这些文件看完以后要收~。Zhèixiē wénjiàn kànwán yǐhòu yào shōu ~. | 我把刚才说的话收~行了吧? Wǒ bǎ gāngcái shuō de huà shōu ~ xíngle ba? | 他去照相馆取~了在那儿洗的照片儿。Tā qù zhàoxiàngguǎn qǔ ~ le zài nàr xǐ de zhàopiānr.

huí 回⁴ [动]

请你把这些报纸放~原处。Qǐng nǐ bǎ zhèixiē bàozhǐ fàng ~ yuánchù. →请你把这些报纸放到原来的地方。Qǐng nǐ bǎ zhèixiē bàozhǐ fàngdào yuánlái de dìfang. 例把车开~家去。Bǎ chē kāi ~ jiā qu. | 下雨了，孩子们都跑~家里去了。Xià yǔ le, háizimen dōu pǎo ~ jiāli qu le. | 他把昨天借来的自行车又送~到原来的地方。Tā bǎ zuótiān jièlai de zìxíngchē yòu sòng ~ dào yuánlái de dìfang.

huí 回⁵ [量]

用于动作的次数。Yòngyú dòngzuò de cìshù. 例那个公园我去过一~。Nèige gōngyuán wǒ qùguo yì ~. | 那件事儿我问过他好几~了。Nèi jiàn shìr wǒ wènguo tā hǎojǐ ~ le. | 我去医院看过他三~。Wǒ qù yīyuàn kànguo tā sān ~. | 我去过一~上海，去过两~西安。Wǒ qùguo yì ~ Shànghǎi, qùguo liǎng ~ Xī'ān. | 广州我一~也没去过。Guǎngzhōu wǒ yì ~ yě méi qùguo. | 他给我打过好几~电话。Tā gěi wǒ dǎguo hǎojǐ ~ diànhuà.

huí 回⁶ [量]

用于事情。Yòngyú shìqing. 例你说的是另外一~事。Nǐ shuō de shì lìngwài yì ~ shì. | 原来是这么~事儿。Yuánlái shì zhème ~ shìr. | 你们说的那~事儿，我一点儿没听说过。Nǐmen shuō de nèi ~ shìr, wǒ yìdiǎnr méi tīngshuō guo. | 你们俩说的不是一~事儿。Nǐmen liǎ shuō de bú shì yì ~ shìr. |新买的鞋，刚穿三天就坏了，这是怎么 ~事儿? Xīn mǎi de xié, gāng chuān sān tiān jiù huài le, zhè shì zěnme ~ shìr?

huídá 回答[1] [动]

这个问题我来 ~。Zhèige wèntí wǒ lái ~. →这个问题我来答复。 Zhèige wèntí wǒ lái dáfù. 例谁能 ~ 这个问题? Shéi néng ~ zhèige wèntí? |大家你看看我，我看看你，谁也 ~ 不出来。Dàjiā nǐ kànkan wǒ, wǒ kànkan nǐ, shéi yě ~ bù chūlái. |他 ~ 得很流利。Tā ~ de hěn liúlì. |他 ~ 得很快。Tā ~ de hěn kuài. |我 ~ 完了。Wǒ ~ wán le.

huídá 回答[2] [名]

我们等着他们的 ~。Wǒmen děngzhe tāmen de ~. →我们等着他们的答复。Wǒmen děngzhe tāmen de dáfù. 例你的 ~ 很对。Nǐ de ~ hěn duì. |这样的 ~ 太简单了。Zhèiyàng de ~ tài jiǎndān le. |对方还没给我们满意的 ~。Duìfāng hái méi gěi wǒmen mǎnyì de ~. |这样的 ~ 是不负责任的。Zhèiyàng de ~ shì bú fù zérèn de.

huí lai 回来[1] (回來)

爸，妈妈买菜 ~ 了。Bà, māma mǎi cài ~ le. →妈妈早上出去买菜，现在拿着菜往家走呢。Māma zǎoshang chūqu mǎi cài, xiànzài názhe cài wǎng jiā zǒu ne. 例我刚从上海 ~。Wǒ gāng cóng Shànghǎi ~. |他已经 ~ 两天了。Tā yǐjing ~ liǎng tiān le. |他们都是从国外 ~ 的留学生。Tāmen dōu shì cóng guówài ~ de liúxuéshēng. |你最好早点儿 ~，七月份回得来回不来? Nǐ zuì hǎo zǎo diǎnr ~, Qīyuèfèn huí de lái huí bu lái? |今天你不 ~，明天你回不回来? Jīntiān nǐ bù ~, míngtiān nǐ huí bu ~?

hui lai 回来[2] (回來)

我把咱家的照相机拿 ~ 了。Wǒ bǎ zán jiā de zhàoxiàngjī ná ~ le. →我把咱家的照相机拿家里来了。Wǒ bǎ zán jiā de zhàoxiàngjī ná jiāli lai le. 例孩子接 ~ 了。Háizi jiē ~ le. |电视机买 ~ 了。Diànshìjī mǎi ~ le. |我把弟弟找 ~ 了。Wǒ bǎ dìdi zhǎo ~ le. |到了国外要经常写信 ~。Dàole guówài yào jīngcháng xiě xìn ~. |他从银行取 ~ 五百块钱。Tā cóng yínháng qǔ ~ wǔbǎi kuài qián. |他把女朋友带回家来了。Tā bǎ nǚpéngyou dàihui jiā lai le.

huí qu 回去[1]

大卫呢？——他～了。Dàwèi ne? ——Tā ～ le. →大卫刚才在这儿，现在去宿舍了。Dàwèi gāngcái zài zhèr, xiànzài qù sùshè le. **例**他两个小时以前就～了。Tā liǎng ge xiǎoshí yǐqián jiù ～ le. | 干不完，不能～。Gàn bu wán, bù néng ～. | 雨下得太大了，你别～了。Yǔ xià de tài dà le, nǐ bié ～ le. | 火车票买不着了，今天回不去了。Huǒchēpiào mǎi bu zháo le, jīntiān huí bu qù le. | 下课后，同学们都回宿舍去了。Xiàkè hòu, tóngxuémen dōu huí sùshè qu le. | 到这儿五年了，他只～过一次。Dào zhèr wǔ nián le, tā zhǐ ～ guo yí cì.

hui qu 回去[2]

你把比尔的自行车送～。Nǐ bǎ Bǐ'ěr de zìxíngchē sòng ～. →你把比尔的自行车送还到比尔那儿去。Nǐ bǎ Bǐ'ěr de zìxíngchē sònghuán dào Bǐ'ěr nàr qu. **例**你把客人送～。Nǐ bǎ kèrén sòng ～. | 把你的书拿～。Bǎ nǐ de shū ná ～. | 这些东西我不要，你搬～吧！Zhèixiē dōngxi wǒ bú yào, nǐ bān ～ ba! | 你等我一下儿，我先把书包放回家去。Nǐ děng wǒ yíxiàr, wǒ xiān bǎ shūbāo fànghuí jiā qu. | 那封信的地址错了，信已经退回原处去了。Nèi fēng xìn de dìzhǐ cuò le, xìn yǐjing tuìhuí yuánchù qu le.

huítóu 回头（回頭）[副]

安娜的事儿你别担心了，～我给她打个电话就行了。Ānnà de shìr nǐ bié dānxīn le, ～ wǒ gěi tā dǎ ge diànhuà jiù xíng le. →过一会儿我给她打个电话就行了。Guò yíhuìr wǒ gěi tā dǎ ge diànhuà jiù xíng le. **例**这个书包坏了，别要了，～再买一个新的吧。Zhèige shūbāo huài le, bié yào le, ～ zài mǎi yí ge xīn de ba. | 你先吃饭，这件事儿～再商量。Nǐ xiān chīfàn, zhèi jiàn shìr ～ zài shāngliang. | 我先去办公室，～咱们一起吃午饭。Wǒ xiān qù bàngōngshì, ～ zánmen yìqǐ chī wǔfàn. | ～见！～ jiàn!

huí xìn 回信[1]

你干什么呢？——我给妈妈～呢。Nǐ gàn shénme ne? ——Wǒ gěi māma ～ ne. →收到妈妈的信后，我给妈妈写答复的信。Shōudào māma de xìn hòu, wǒ gěi māma xiě dáfù de xìn. **例**你的来信我早就收到了，可是一直到今天才～，很抱歉。Nǐ de láixìn wǒ zǎo jiù shōudào le, kěshì yìzhí dào jīntiān cái ～, hěn bàoqiàn. | 你又在给

谁~呢? Nǐ yòu zài gěi shéi ~ ne? | 星期天，我回了八封信。
Xīngqītiān, wǒ huíle bā fēng xìn. | 等我回完这封信，咱们就去买东
西。Děng wǒ huíwán zhèi fēng xìn, zánmen jiù qù mǎi dōngxi.

huíxìn 回信[2] ［名］

我给他写了三封信，可只收到了他的一封~。Wǒ gěi tā xiěle sān
fēng xìn, kě zhǐ shōudàole tā de yì fēng ~. →我给他写了三封信，
可只收到了一封答复我的信。Wǒ gěi tā xiěle sān fēng xìn, kě zhǐ
shōudàole yì fēng dáfù wǒ de xìn. 例你的~我收到了。看了你的
~，我很高兴。Nǐ de ~ wǒ shōudào le. Kànle nǐ de ~, wǒ hěn
gāoxìng. | 你不用给我写~了，因为我马上就要回国了。Nǐ búyòng
gěi wǒ xiě ~ le, yīnwèi wǒ mǎshàng jiù yào huíguó le.

huíyì 回忆[1] （回憶）［动］

我奶奶很喜欢~过去的事情。Wǒ nǎinai hěn xǐhuan ~ guòqù de
shìqing. →我奶奶很喜欢回想过去发生过的事情。Wǒ nǎinai hěn
xǐhuan huíxiǎng guòqù fāshēngguo de shìqing. 例~中学时代，那是
最有意思的、也是最让人难忘的时代。~ zhōngxué shídài, nà shì
zuì yǒuyìsi de、yě shì zuì ràng rén nánwàng de shídài. | ~起童年的
事情，现在觉得很可笑。~ qǐ tóngnián de shìqing, xiànzài juéde
hěn kěxiào. | 你~一下儿，上星期四晚上十点你去哪儿了? Nǐ ~ yí
xiàr, shàng Xīngqīsì wǎnshang shí diǎn nǐ qù nǎr le? | 我一点儿也~
不起来了。Wǒ yìdiǎnr yě ~ bù qǐlái le.

huíyì 回忆[2] （回憶）［名］

每一张照片儿都有一个故事，每一个故事都有一段美好的~。Měi yì
zhāng zhàopiānr dōu yǒu yí ge gùshi, měi yí ge gùshi dōu yǒu yí
duàn měihǎo de ~. →每一个故事都有一段对过去的美好的回想。
Měi yí ge gùshi dōu yǒu yí duàn duì guòqù de měihǎo de huíxiǎng.
例这个本儿里，记了很多他对童年生活的~。Zhèige běnr li, jìle hěn
duō tā duì tóngnián shēnghuó de ~. | 三年的留学生活给我留下了
许多~。Sān nián de liúxué shēnghuó gěi wǒ liúxiàle xǔduō ~. | 把
这些~记下来，整理一下儿，就成一本儿~录了。Bǎ zhèixiē ~ jì
xialai, zhěnglǐ yíxiàr, jiù chéng yì běnr ~ lù le.

huì 会[1] （會）［动］

他~英语、汉语和日语。Tā ~ Yīngyǔ、Hànyǔ hé Rìyǔ. →他懂而且
还能说英语、汉语和日语。Tā dǒng érqiě hái néng shuō Yīngyǔ、

Hànyǔ hé Rìyǔ. 例游泳、滑冰我都～。Yóuyǒng、huábīng wǒ dōu ～. |你想来这儿工作，你～什么呢？Nǐ xiǎng lái zhèr gōngzuò, nǐ ～ shénme ne? |这个字刚才我不会写，现在～了。Zhèige zì gāngcái wǒ bú ～ xiě, xiànzài ～ le. |你不学习，什么也不～。Nǐ bù xuéxí, shénme yě bú ～. |我十八岁的时候就学～开汽车了。Wǒ shíbā suì de shíhou jiù xué ～ kāi qìchē le.

huì 会² (會) [动]

这道题老师已经讲了三遍，可他还是不～。Zhèi dào tí lǎoshī yǐjing jiǎngle sān biàn, kě tā háishi bú ～. →这道题他还是不明白该怎么做。Zhèi dào tí tā háishi bù míngbai gāi zěnme zuò. 例他很聪明，无论多么难的数学题他一看就～。Tā hěn cōngming, wúlùn duōme nán de shùxuétí tā yí kàn jiù ～. |你不认真思考怎么能～呢？Nǐ bú rènzhēn sīkǎo zěnme néng ～ ne? |别着急，我一定教～你怎么做这道题。Bié zháojí, wǒ yídìng jiāo ～ nǐ zěnme zuò zhèi dào tí.

huì 会³ (會) [助动]

你～唱京剧吗？Nǐ ～ chàng jīngjù ma? →你懂得怎么唱京剧吗？你能唱吗？Nǐ dǒngde zěnme chàng jīngjù ma? Nǐ néng chàng ma? 例你～滑雪吗？Nǐ ～ huáxuě ma? |我妈妈～做衣服。Wǒ māma ～ zuò yīfu. |他刚到中国的时候，不太～说汉语，现在已经～说一口流利的普通话了。Tā gāng dào Zhōngguó de shíhou, bú tài ～ shuō Hànyǔ, xiànzài yǐjing ～ shuō yì kǒu liúlì de pǔtōnghuà le.

huì 会⁴ (會) [助动]

天那么阴，也许～下雨。Tiān nàme yīn, yěxǔ ～ xià yǔ. →天那么阴，有可能下雨。Tiān nàme yīn, yǒu kěnéng xià yǔ. 例你的大名我怎么～忘记呢？Nǐ de dàmíng wǒ zěnme ～ wàngjì ne? |我不～再相信你的话了。Wǒ bú ～ zài xiāngxìn nǐ de huà le. |这件事他的父母不～不知道。Zhèi jiàn shì tā de fùmǔ bú ～ bù zhīdào. |要是你问他，他不～不说。Yàoshi nǐ wèn tā, tā bú ～ bù shuō. |他下星期还～不～来这儿？Tā xià xīngqī hái ～ bu ～ lái zhèr?

huì 会⁵ (會) [名]

meeting 例星期三下午，我们有一个～。Xīngqīsān xiàwǔ, wǒmen yǒu yí ge ～. |这个～参加的人很多。Zhèige ～ cānjiā de rén hěn duō. |这个～一共要开三天。Zhèige ～ yígòng yào kāi sān tiān. |他们一个星期开一次～。Tāmen yí ge xīngqī kāi yí cì ～. |～后我们一

起去吃饭吧。~ hòu wǒmen yìqǐ qù chīfàn ba.

huìchǎng 会场（會場）[名]

~布置得真漂亮。~ bùzhì de zhēn piàoliang. →开会的地方布置得真漂亮。Kāihuì de dìfang bùzhì de zhēn piàoliang. 例你们的 ~ 在这座楼的三层。Nǐmen de ~ zài zhèi zuò lóu de sān céng. ‖他们为我们安排好了一个很大的 ~。Tāmen wèi wǒmen ānpái hǎo le yí ge hěn dà de ~. ‖大家很快地走进了 ~。Dàjiā hěn kuài de zǒujìnle ~. ‖请你们坐到 ~ 的前面去。Qǐng nǐmen zuòdào ~ de qiánmiàn qu. ‖~ 里的人真多。~ li de rén zhēn duō. ‖明天我们在 ~ 见。Míngtiān wǒmen zài ~ jiàn.

huìyì 会议（會議）[名]

meeting; conference 例这次 ~ 一共要开三天。Zhèi cì ~ yígòng yào kāi sān tiān. ‖下一个 ~ 将在北京召开。Xià yí ge ~ jiāng zài Běijīng zhàokāi. ‖前两天我去参加了一个学术 ~。Qián liǎng tiān wǒ qù cānjiāle yí ge xuéshù ~. ‖~ 的最后一天，大家在一起共进晚餐。~ de zuìhòu yì tiān, dàjiā zài yìqǐ gòngjìn wǎncān. ‖~ 结束后，大家都觉得很有收获。~ jiéshù hòu, dàjiā dōu juéde hěn yǒu shōuhuò.

huìhuà 会话[1]（會話）[动]

现在两个人一组，用汉语 ~。Xiànzài liǎng ge rén yì zǔ, yòng Hànyǔ ~. →现在两个人一组，用汉语说话。Xiànzài liǎng ge rén yì zǔ, yòng Hànyǔ shuōhuà. 例他学了半年汉语，就能跟中国人 ~ 了。Tā xuéle bàn nián Hànyǔ, jiù néng gēn Zhōngguórén ~ le. ‖比尔经常跟中国朋友在一起 ~，他的口语水平提高得很快。Bǐ'ěr jīngcháng gēn Zhōngguó péngyou zài yìqǐ ~, tā de kǒuyǔ shuǐpíng tígāo de hěn kuài.

huìhuà 会话[2]（會話）[名]

我们先学习课本儿里的 ~。Wǒmen xiān xuéxí kèběnr li de ~. →我们先学习课本儿里的对话。Wǒmen xiān xuéxí kèběnr li de duìhuà. 例这段 ~ 写得很有意思。Zhèi duàn ~ xiě de hěn yǒuyìsi. ‖我听了大卫和安娜的 ~，他们说得不错。Wǒ tīngle Dàwèi hé Ānnà de ~, tāmen shuō de búcuò. ‖我每星期跟玛丽练习一个小时的英语 ~。Wǒ měi xīngqī gēn Mǎlì liànxí yí ge xiǎoshí de Yīngyǔ ~. ‖今天的作业，每人准备一段 ~。Jīntiān de zuòyè, měi rén zhǔnbèi yí duàn

~ . | 我很喜欢上~课。Wǒ hěn xǐhuan shàng ~ kè.

huìjiàn 会见¹ (會見) [动]

中国外交部长今天下午~了来中国访问的日本代表团。Zhōngguó wàijiāo bùzhǎng jīntiān xiàwǔ ~ le lái Zhōngguó fǎngwèn de Rìběn dàibiǎotuán. →中国外交部长今天下午同来中国访问的日本代表团见了面。Zhōngguó wàijiāo bùzhǎng jīntiān xiàwǔ tóng lái Zhōngguó fǎngwèn de Rìběn dàibiǎotuán jiànle miàn. 例明天国务院总理将在人民大会堂~各国朋友。Míngtiān Guówùyuàn zǒnglǐ jiāng zài Rénmín Dàhuìtáng ~ gè guó péngyou. |大学校长亲切地~了在本校任教和进行合作研究的外国教授和专家。Dàxué xiàozhǎng qīnqiè de ~ le zài běn xiào rènjiào hé jìnxíng hézuò yánjiū de wàiguó jiàoshòu hé zhuānjiā.

huìjiàn 会见² (會見) [名]

这次~是在非常友好的气氛中进行的。Zhèi cì ~ shì zài fēicháng yǒuhǎo de qìfēn zhōng jìnxíng de. →这次见面是在非常友好的气氛中进行的。Zhèi cì jiànmiàn shì zài fēicháng yǒuhǎo de qìfēn zhōng jìnxíng de. 例下一次~定在明年五月六日。Xià yí cì ~ dìng zài míngnián Wǔyuè liù rì. |参加~的有十六位代表。Cānjiā ~ de yǒu shíliù wèi dàibiǎo. |那次~，给我留下了很深的印象。Nèi cì ~, gěi wǒ liúxiàle hěn shēn de yìnxiàng.

huì kè 会客 (會客)

总经理今天去开会了，所以不能~。Zǒngjīnglǐ jīntiān qù kāihuì le, suǒyǐ bù néng ~. →总经理今天去开会了，所以不能跟来访的客人见面。Zǒngjīnglǐ jīntiān qù kāihuì le, suǒyǐ bù néng gēn láifǎng de kèrén jiànmiàn. 例主任正在~，请您在这儿等一会儿。Zhǔrèn zhèngzài ~, qǐng nín zài zhèr děng yíhuìr. |厂长，客人们都来了，您先去~吧。Chǎngzhǎng, kèrénmen dōu lái le, nín xiān qù ~ ba. |~室里坐了很多人。~ shì li zuòle hěn duō rén.

huìtán 会谈¹ (會談) [动]

双方~了三个小时。Shuāngfāng ~ le sān ge xiǎoshí. →双方在一起商量并交谈了三个小时。Shuāngfāng zài yìqǐ shāngliang bìng jiāotánle sān ge xiǎoshí. 例两国的代表正在进行~。Liǎng guó de dàibiǎo zhèngzài jìnxíng ~. |我们派比尔去跟他们~。Wǒmen pài Bǐ'ěr qù gēn tāmen ~. |明天他们还要继续~。Míngtiān tāmen hái yào jìxù ~ . | 昨天我们 ~ 得很顺利。Zuótiān wǒmen ~ de hěn shùnlì.

huìtán 会谈[2]（會談）[名]

这次双方的 ~ 准备安排两天时间。Zhèi cì shuāngfāng de ~ zhǔnbèi ānpái liǎng tiān shíjiān. →这次双方在一起的商量和交谈时间准备安排两天。Zhèi cì shuāngfāng zài yìqǐ de shāngliang hé jiāotán shíjiān zhǔnbèi ānpái liǎng tiān. 例看来，今天的 ~ 很成功。Kànlái, jīngtiān de ~ hěn chénggōng. | ~ 在十分友好的气氛中结束了。~ zài shífēn yǒuhǎo de qìfēn zhōng jiéshù le. | 经过多次 ~，大家的意见越来越一致了。Jīngguò duō cì ~ , dàjiā de yìjiàn yuèláiyuè yízhì le. | 那个城市没有派代表来参加这次 ~。Nèige chéngshì méiyǒu pài dàibiǎo lái cānjiā zhèi cì ~ .

hun

hūnmí 昏迷 [动]

stupor; coma 例他又 ~ 过去了。Tā yòu ~ guoqu le. | 他从昨天就开始 ~ 了。Tā cóng zuótiān jiù kāishǐ ~ le. | 他 ~ 了三天后，又慢慢儿地醒过来了。Tā ~ le sān tiān hòu, yòu mànmanr de xǐng guolai le. | 他已经 ~ 过三回了。Tā yǐjing ~ guo sān huí le. | 他要是继续 ~ 下去，那就不好办了。Tā yàoshi jìxù ~ xiaqu, nà jiù bù hǎo bàn le.

hūnyīn 婚姻 [名]

marriage 例大卫和安娜的 ~ 很幸福。Dàwèi hé Ānnà de ~ hěn xìngfú. | 我父母的 ~ 是爷爷奶奶给他们决定的。Wǒ fùmǔ de ~ shì yéye nǎinai gěi tāmen juédìng de. | 现在年轻人的 ~ 都是自己做主的。Xiànzài niánqīngrén de ~ dōu shì zìjǐ zuò zhǔ de. | 他们的 ~ 已经结束了。Tāmen de ~ yǐjing jiéshù le. | ~ 法上规定了结婚的年龄。~ fǎ shang guīdìngle jiéhūn de niánlíng.

hùn 混[1] [动]

mix; confuse 例这两种颜色 ~ 在一起，也很好看。Zhèi liǎng zhǒng yánsè ~ zài yìqǐ, yě hěn hǎokàn. | 孩子们的歌声和笑声 ~ 在一起，热闹极了。Háizimen de gēshēng hé xiàoshēng ~ zài yìqǐ, rènao jí le. | 把水平高的和水平低的人 ~ 在一起上课不太好。Bǎ shuǐpíng gāo de hé shuǐpíng dī de rén ~ zài yìqǐ shàng kè bú tài hǎo. | ~ 在一起以后就分不清楚了。~ zài yìqǐ yǐhòu jiù fēn bu qīngchu le.

hùn 混² [动]

pass for; pass off as 例他没有电影票，他是～进电影院来的。Tā
méiyǒu diànyǐngpiào, tā shì ～ jin diànyǐngyuàn lai de. |要是没有人
查车票的话，今天他就算～过去了。Yàoshi méiyǒu rén chá chēpiào
dehuà, jīntiān tā jiù suàn ～ guoqu le. |如果比尔看门的话，谁也别
想～进去。Rúguǒ Bǐ'ěr kānmén dehuà, shéi yě bié xiǎng ～ jinqu. |
想从海关～进去，那是不可能的。Xiǎng cóng hǎiguān ～ jinqu, nà
shì bù kěnéng de. |差一点儿让他～过去。Chà yìdiǎnr ràng tā ～
guoqu.

hùn 混³ [动]

muddle along; manage to get by 例你一天干了什么？你来～日子吗？
Nǐ yì tiān gànle shénme? Nǐ lái ～ rìzi ma? |他呀，不好好儿学习，整
天～日子。Tā ya, bù hǎohāor xuéxí, zhěngtiān ～ rìzi. |你～到什么
时候为止呢？Nǐ ～ dào shénme shíhou wéizhǐ ne? |这辈子他算～得
不错。Zhèi bèizi tā suàn ～ de búcuò. |你要是实在～不下去了，就
回来吧！Nǐ yàoshi shízài ～ bu xiàqù le, jiù huílai ba! |不能再这样
～时间了。Bù néng zài zhèiyàng ～ shíjiān le.

huo

huó 活¹ [动]

我送给你的那两条小金鱼儿还～着吗？Wǒ sòng gěi nǐ de nèi liǎng
tiáo xiǎo jīnyúr hái ～ zhe ma? →那两条小金鱼儿还在水里游来游去
地生活着吗？Nèi liǎng tiáo xiǎo jīnyúr hái zài shuǐ li yóu lái yóu qù de
shēnghuózhe ma? 例我种的那棵树～了。Wǒ zhòng de nèi kē shù
～ le. |她奶奶～到九十六岁才去世。Tā nǎinai ～ dào jiǔshíliù suì cái
qùshì. |现在的老年人～得很幸福。Xiànzài de lǎoniánrén ～ de hěn
xìngfú. |他～了一辈子，也没出过国。Tā ～ le yíbèizi, yě méi
chūguo guó.

huó 活² [动]

他昏迷了一个星期后，医生把他救～了。Tā hūnmíle yí ge xīngqī
hòu, yīshēng bǎ tā jiù ～ le. →医生为他治疗，使他醒了过来。
Yīshēng wèi tā zhìliáo, shǐ tā xǐngle guolai. 例两只小熊猫都被救～
了。Liǎng zhī xiǎo xióngmāo dōu bèi jiù ～ le. |这种花在北方养不
～。Zhèi zhǒng huā zài běifāng yǎng bu ～. |这种树的树枝，插在

河边儿就能～。Zhèi zhǒng shù de shùzhī, chā zài hé biānr jiù néng ～.

huór 活儿（活兒）[名]

在家里，买菜、做饭这些～都是我妻子干。Zài jiāli, mǎi cài、zuòfàn zhèixiē ～ dōu shì wǒ qīzi gàn. →买菜、做饭这些事儿都是我妻子干。Mǎi cài、zuòfàn zhèixiē shìr dōu shì wǒ qīzi gàn. 例家里的重～累～都是丈夫干。Jiāli de zhòng ～ lèi ～ dōu shì zhàngfu gàn. | 这种～我干不了。Zhèi zhǒng ～ wǒ gàn bu liǎo. | 那么多的～，一天干不完。Nàme duō de ～, yì tiān gàn bu wán. | 星期天我常帮妈妈干家务～。Xīngqītiān wǒ cháng bāng māma gàn jiāwù ～. | 当老师这～真不错。Dāng lǎoshī zhè ～ zhēn búcuò.

huódòng 活动[1]（活動）[动]

我每天早上都去操场上～。Wǒ měi tiān zǎoshang dōu qù cāochǎng shang ～. →我每天早上都去操场上跑跑步，打打球什么的。Wǒ měi tiān zǎoshang dōu qù cāochǎng shang pǎopao bù, dǎda qiú shénmede. 例刚吃完饭别躺着，起来～～。Gāng chīwán fàn bié tǎngzhe, qǐlai ～ ～. | 三号病床的病人已经可以下地～了。Sān hào bìngchuáng de bìngrén yǐjing kěyǐ xiàdì ～ le. | 我希望晚饭后去外边儿散散步，～一下儿。Wǒ xīwàng wǎnfàn hòu qù wàibiānr sànsan bù, ～ yí xiàr. | 游泳以前要先把身体～开。Yóuyǒng yǐqián yào xiān bǎ shēntǐ ～ kāi.

huódòng 活动[2]（活動）[动]

take place 例今天下午天文学小组～。Jīntiān xiàwǔ tiānwénxué xiǎozǔ ～. | 老年书画社的人常在一起～。Lǎonián shūhuàshè de rén cháng zài yìqǐ ～. | 合唱团又开始～了，听，他们唱得多好听。Héchàngtuán yòu kāishǐ ～ le, tīng, tāmen chàng de duō hǎotīng. | 等我们小组～完了，我就去找你。Děng wǒmen xiǎozǔ ～ wán le, wǒ jiù qù zhǎo nǐ. | 为了准备新年联欢会的节目，同学们在学校～到很晚才回家。Wèile zhǔnbèi xīnnián liánhuānhuì de jiémù, tóngxuémen zài xuéxiào ～ dào hěn wǎn cái huí jiā.

huódòng 活动[3]（活動）[动]

be loose; unstable 例我的这颗牙～了，快要掉下来了。Wǒ de zhèi kē yá ～ le, kuàiyào diào xialai le. | 桌子腿儿～了，让工人来修一

下ո。Zhuōzi tuǐr ~ le, ràng gōngrén lái xiū yíxiàr. |这把椅子的靠背
早就 ~ 了。Zhèi bǎ yǐzi de kàobèi zǎo jiù ~ le. |昨天修的写字台没
修好，现在还 ~。Zuótiān xiū de xiězìtái méi xiūhǎo, xiànzài hái ~.

huódòng 活动[4]（活動）［名］

activity 例那个地方体育 ~ 开展得不错。Nèige dìfang tǐyù ~ kāizhǎn
de búcuò. |他们学校的课外 ~ 搞得很好。Tāmen xuéxiào de kèwài
~ gǎo de hěn hǎo. |这次 ~ 咱们老师也参加。Zhèi cì ~ zánmen
lǎoshī yě cānjiā. |新年我们应该搞一个更有意思的 ~。Xīnnián
wǒmen yīnggāi gǎo yí ge gèng yǒu yìsi de ~.

huópo 活泼（活潑）［形］

lively; vivacious 例他很 ~。Tā hěn ~. |这孩子小时候可 ~ 了。Zhè
háizi xiǎoshíhou kě ~ le. |你看，这些天真 ~ 的孩子们多可爱啊！Nǐ
kàn, zhèixiē tiānzhēn ~ de háizimen duō kě'ài a! |这只小猴子 ~ 极
了。Zhèi zhī xiǎo hóuzi ~ jí le. |他一到这ո，就 ~ 得不得了。Tā yí
dào zhèr, jiù ~ de bùdéliǎo.

huóyuè 活跃[1]（活躍）［形］

brisk; active 例这位记者会唱歌ո会跳舞，十分 ~。Zhèi wèi jìzhě
huì chànggēr huì tiàowǔ, shífēn ~. |年轻人思想很 ~。Niánqīngrén
sīxiǎng hěn ~. |会场上大家发言很热烈，气氛很 ~。Huìchǎng
shang dàjiā fāyán hěn rèliè, qìfēn hěn ~. |我知道我不够 ~。Wǒ
zhīdao wǒ bú gòu ~. |昨天的晚会开得很 ~。Zuótiān de wǎnhuì
kāi de hěn ~. |你没见过他，他 ~ 极了。Nǐ méi jiànguo tā, tā ~ jí
le.

huóyuè 活跃[2]（活躍）［动］

enliven; animate 例运动员 ~ 在运动场上。Yùndòngyuán ~ zài
yùndòngchǎng shang. |演员们 ~ 在舞台上。Yǎnyuánmen ~ zài
wǔtái shang. |我们唱一支歌，~ 一下ո气氛。Wǒmen chàng yì zhī
gē, ~ yíxiàr qìfēn. |这样可以 ~ 老年人的文化生活。Zhèiyàng kěyǐ
~ lǎoniánrén de wénhuà shēnghuó. |早上六点半，操场上就开始 ~
起来了。Zǎoshang liù diǎn bàn, cāochǎng shang jiù kāishǐ ~ qilai le.

huǒ 火［名］

fire 例 ~ 点着了。~ diǎnzháo le. |你生 ~ 做饭吧。Nǐ shēng ~
zuòfàn ba. |昨天那家商店着 ~ 了，不知道是什么原因起的 ~。

Zuótiān nèi jiā shāngdiàn zháo ~ le, bù zhīdào shì shénme yuányīn qǐ de ~. | 外面太冷了，快进屋烤烤~。Wàimian tài lěng le, kuài jìn wū kǎokao ~. | 听说，那片森林又起~了。Tīngshuō, nèi piàn sēnlín yòu qǐ ~ le.

huǒchái 火柴 [名]

例一盒儿 ~ 多少钱? Yì hér ~ duōshao qián? | 我买了十盒儿~。Wǒ mǎile shí hér ~. | 你这儿有 ~ 吗? Nǐ zhèr yǒu ~ ma? | 他帮你找 ~ 去了。Tā bāng nǐ zhǎo ~ qu le. | 现在我们很少用 ~ 了。Xiànzài wǒmen hěn shǎo yòng ~ le.

火柴

huǒchē 火车(火車) [名]

例~ 来了，小心! ~ lái le, xiǎoxīn! | ~进站了。~ jìn zhàn le. | 这列 ~ 有十二节车厢。Zhèi liè ~ yǒu shí'èr jié chēxiāng. | 我这次不坐飞机，坐 ~ 去北京。Wǒ zhèi cì bú zuò fēijī, zuò ~ qù Běijīng. | 你买了哪次 ~ 的票? Nǐ mǎile něi cì ~ de piào? | 今天 ~ 站上的人真多! Jīntiān ~ zhàn shang de rén zhēn duō!

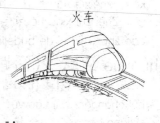

火车

huǒshí 伙食 [名]

我们大学食堂里的 ~ 很好。Wǒmen dàxué shítáng li de ~ hěn hǎo. →我们大学食堂的菜和饭很好吃。Wǒmen dàxué shítáng de cài hé fàn hěn hǎochī. 例你们食堂的 ~ 怎么样? Nǐmen shítáng de ~ zěnmeyàng? | 我们工厂的 ~ 办得不错，每天的菜和饭又香又好吃，还挺便宜。Wǒmen gōngchǎng de ~ bàn de búcuò, měi tiān de cài hé fàn yòu xiāng yòu hǎochī, hái tǐng piányi.

huò 货(貨) [名]

经理，你们商店的~运到了。Jīnglǐ, nǐmen shāngdiàn de ~ yùndào le. →经理，你们商店要卖的东西运到了。Jīnglǐ, nǐmen shāngdiàn yào mài de dōngxi yùndào le. 例这些~明天就能发出去。Zhèixiē ~ míngtiān jiù néng fā chuqu. | 这批 ~ 都是进口的。Zhèi pī ~ dōu shì jìnkǒu de. | 这是一家旧 ~ 商店。Zhè shì yì jiā jiù ~ shāngdiàn. | 把 ~ 装到汽车上。Bǎ ~ zhuāngdào qìchē shang. | 卖完了这批~，再

进新 ~。Màiwánle zhèi pī ~ , zài jìn xīn ~ .

huò 或 [连]

你不明白可以问大卫 ~ 安娜。Nǐ bù míngbai kěyǐ wèn Dàwèi ~ Ānnà. →你不明白的话，问大卫也行，问安娜也行。Nǐ bù míngbai dehuà, wèn Dàwèi yě xíng, wèn Ānnà yě xíng. 例你明天 ~ 后天给我打电话都行。Nǐ míngtiān ~ hòutiān gěi wǒ dǎ diànhuà dōu xíng. | 你叫我张小红 ~ 小张都行。Nǐ jiào wǒ Zhāng Xiǎohóng ~ Xiǎo Zhāng dōu xíng. | 他跟你要钱，~ 多 ~ 少你得给他点儿。Tā gēn nǐ yào qián, ~ duō ~ shǎo nǐ děi gěi tā diǎnr. | 明天的比赛无论赢 ~ 输都不要紧。Míngtiān de bǐsài wúlùn yíng ~ shū dōu bú yàojǐn. | ~ 去游泳，~ 去看电影，你决定吧。 ~ qù yóuyǒng, ~ qù kàn diànyǐng, nǐ juédìng ba.

huòzhě 或者 [连]

快去请一位医生来，请张大夫 ~ 王大夫都可以。Kuài qù qǐng yí wèi yīshēng lai, qǐng Zhāng dàifu ~ Wáng dàifu dōu kěyǐ. →请张大夫也行，请王大夫也行。Qǐng Zhāng dàifu yě xíng, qǐng Wáng dàifu yě xíng. 例这件事要马上告诉安娜 ~ 安娜的丈夫。Zhèi jiàn shì yào mǎshàng gàosu Ānnà ~ Ānnà de zhàngfu. | 今天我去不了，星期六 ~ 星期天我可以去。Jīntiān wǒ qù bu liǎo, Xīngqīliù ~ Xīngqītiān wǒ kěyǐ qù. | 下一次见面，~ 你来我家，~ 我去你家都行。Xià yí cì jiàn miàn, ~ nǐ lái wǒ jiā, ~ wǒ qù nǐ jiā dōu xíng. | 过春节的时候，无论城市 ~ 农村都十分热闹。Guò Chūnjié de shíhou, wúlùn chéngshì ~ nóngcūn dōu shífēn rènao.

huòdé 获得（獲得）[动]

足球比赛结束了，我们队 ~ 了第一名。Zúqiú bǐsài jiéshù le, wǒmen duì ~ le dì yī míng. →我们队得到了第一名。Wǒmen duì dédàole dì yī míng. 例大卫在大学生运动会上 ~ 过两次一百米跑冠军。Dàwèi zài dàxuéshēng yùndònghuì shang ~ guò liǎng cì yìbǎi mǐ pǎo guànjūn. | 这部电视剧 ~ 了观众们的好评。Zhèi bù diànshìjù ~ le guānzhòngmen de hǎopíng. | 能 ~ 这么好的成绩，跟他们平时的努力是分不开的。Néng ~ zhème hǎo de chéngjì, gēn tāmen píngshí de nǔlì shì fēn bu kāi de.

J

ji

jīhū 几乎[1]（幾乎）[副]

他说得跟真的一样，我～相信了他的话。Tā shuō de gēn zhēnde yíyàng, wǒ ～ xiāngxìnle tā de huà. →我差一点儿相信他的话。Wǒ chà yìdiǎnr xiāngxìn tā de huà. 例他～同意了我的意见，可最后还是没同意。Tā ～ tóngyìle wǒ de yìjiàn, kě zuìhòu háishi méi tóngyì. | 听说妈妈病了，她难过得～哭了起来。Tīngshuō māma bìng le, tā nánguò de ～ kūle qilai. | 碰见老朋友，聊天儿聊得很开心，我～忘了自己还有很重要的事情。Pèngjiàn lǎopéngyou, liáotiānr liáo de hěn kāixīn, wǒ ～ wàngle zìjǐ hái yǒu hěn zhòngyào de shìqing. | 再晚一分钟，我～赶不上火车了。Zài wǎn yì fēnzhōng, wǒ ～ gǎnbushàng huǒchē le. | 他的成绩只比第一名低一点儿，～就得了第一名。Tā de chéngjì zhǐ bǐ dì yī míng dī yìdiǎnr, ～ jiù déle dì yī míng.

jīhū 几乎[2]（幾乎）[副]

他们公司的人年纪大的很少，～都是年轻人。Tāmen gōngsī de rén niánjì dà de hěn shǎo, ～ dōu shì niánqīngrén. →他们公司的人大部分是年轻人。Tāmen gōngsī de rén dà bùfen shì niánqīngrén. 例他们几个人～都来过我家，只有一个没来过。Tāmen jǐ ge rén ～ dōu láiguo wǒ jiā, zhǐ yǒu yí ge méi láiguo. | 她非常可爱，～每个人都喜欢她。Tā fēicháng kě'ài, ～ měi ge rén dōu xǐhuan tā. | 这个问题很难，～没人知道怎么回答。Zhèige wèntí hěn nán, ～ méi rén zhīdao zěnme huídá. | 他说的这些办法我～都试过，可惜都没用。Tā shuō de zhèixiē bànfǎ wǒ ～ dōu shìguo, kěxī dōu méiyòng. | 这些地方我～都去过，不想再去了。Zhèixiē dìfang wǒ ～ dōu qùguo, bù xiǎng zài qù le. | 我父亲年纪大了，头发～全白了。Wǒ fùqin niánjì dà le, tóufa ～ quán bái le.

jīhū 几乎[3]（幾乎）[副]

我等了他五十多分钟，～等了一个小时。Wǒ děngle tā wǔshí duō fēnzhōng, ～ děngle yí ge xiǎoshí. →我差不多等了他一个小时。

Wǒ chàbuduō děngle tā yí ge xiǎoshí. 例他太累了，~睡了整整一天。Tā tài lèi le, ~ shuìle zhěngzhěng yì tiān. | 他比我小九岁多，~比我小十岁。Tā bǐ wǒ xiǎo jiǔ·suì duō, ~ bǐ wǒ xiǎo shí suì. | 这件衣服两百块，那件一百一，这件~比那件贵一倍。Zhèi jiàn yīfu liǎngbǎi kuài, nèi jiàn yìbǎiyī, zhèi jiàn ~ bǐ nèi jiàn guì yí bèi. | 他的工资是一千块，大卫的是一千九百多，他的工资~只有大卫的一半。Tā de gōngzī shì yìqiān kuài, Dàwèi de shì yìqiān jiǔbǎi duō, tā de gōngzī ~ zhǐ yǒu Dàwèi de yíbàn.

jīchǎng 机场（機場）[名]

他要去~坐飞机。Tā yào qù ~ zuò fēijī. →飞机从那里起飞。Fēijī cóng nàli qǐfēi. 例我要去~接朋友，他坐的飞机下午两点到。Wǒ yào qù ~ jiē péngyou, tā zuò de fēijī xiàwǔ liǎng diǎn dào. | 这个~每天都有很多飞机降落、起飞。Zhèige ~ měi tiān dōu yǒu hěn duō fēijī jiàngluò、qǐfēi. | 那是全国最大的~，在那儿乘飞机的人特别多。Nà shì quán guó zuì dà de ~, zài nàr chéng fēijī de rén tèbié duō. | 乘飞机的人最好提前两个小时赶到~。Chéng fēijī de rén zuìhǎo tíqián liǎng ge xiǎoshí gǎndào ~. | 我在~见到了一位老朋友，他刚下飞机。Wǒ zài ~ jiàndàole yí wèi lǎopéngyou, tā gāng xià fēijī.

jīchuáng 机床（機床）[名]

machine tool 例工厂里有很多~。Gōngchǎng li yǒu hěn duō ~. | 他们公司专门生产~。Tāmen gōngsī zhuānmén shēngchǎn ~. | 工厂上个月买了几台先进的~。Gōngchǎng shàng ge yuè mǎile jǐ tái xiānjìn de ~. | 这台~他使用得很熟练。Zhèi tái ~ tā shǐyòng de hěn shúliàn. | 那些工具是用这种~生产的。Nèixiē gōngjù shì yòng zhèi zhǒng ~ shēngchǎn de. | 这台~的质量非常好。Zhèi tái ~ de zhìliàng fēicháng hǎo. | 这种~的价格很高。Zhèi zhǒng ~ de jiàgé hěn gāo.

jīguān 机关（機關）[名]

functioning department 例这个~主要管理教育方面的事情。Zhèige ~ zhǔyào guǎnlǐ jiàoyù fāngmiàn de shìqing. | 各个~都很重视老百姓的意见。Gè gè ~ dōu hěn zhòngshì lǎobǎixìng de yìjiàn. | 他最近离开了~，去一家公司工作了。Tā zuìjìn líkāile ~, qù yì jiā gōngsī gōngzuò le. | 他在国家~工作了很多年。Tā zài guójiā ~ gōngzuòle hěn duō nián. | 这件事应该由当地的政府~处理。Zhèi jiàn shì

yīnggāi yóu dāngdì de zhèngfǔ ~ chǔlǐ. |他是中央~的工作人员。
Tā shì zhōngyāng ~ de gōngzuò rényuán.

jīhuì 机会 (機會) [名]

假期不用上课，是学生们旅游的好~。Jiàqī búyòng shàngkè, shì
xuéshengmen lǚyóu de hǎo ~. →假期有时间，可以去旅游。Jiàqī
yǒu shíjiān, kěyǐ qù lǚyóu. 例今天是买东西的好~，商场的商品特
别便宜。Jīntiān shì mǎi dōngxi de hǎo ~, shāngchǎng de shāngpǐn
tèbié piányi. |今天晚上有个音乐会，他不想错过这个欣赏音乐的
~。Jīntiān wǎnshang yǒu ge yīnyuèhuì, tā bù xiǎng cuòguò zhèige
xīnshǎng yīnyuè de ~. |他住在外国，我跟他见面的~不多。Tā
zhù zài wàiguó, wǒ gēn tā jiànmiàn de ~ bù duō. |最近我太忙了，
没有~去看朋友。Zuìjìn wǒ tài máng le, méiyǒu ~ qù kàn péngyou.

jīqì 机器 (機器) [名]

machine 例工厂里有很多新的~。Gōngchǎng li yǒu hěn duō xīn de
~. |他会开这台~。Tā huì kāi zhèi tái ~. |现在没电，~都停了。
Xiànzài méi diàn, ~ dōu tíng le. |~坏了，必须去修理一下儿。~
huài le, bìxū qù xiūlǐ yíxiàr. |这些漂亮的杯子不是用~做的，而是手
工做的。Zhèixiē piàoliang de bēizi bú shì yòng ~ zuò de, ér shì
shǒugōng zuò de. |这台~的重量是两吨。Zhèi tái ~ de zhòngliàng
shì liǎng dūn. |这些~的质量真好，用了很长时间还跟新的一样。
Zhèixiē ~ de zhìliàng zhēn hǎo, yòngle hěn cháng shíjiān hái gēn xīn
de yíyàng.

jīxiè 机械 (機械) [名]

machinery 例这个公司专门生产大型~。Zhèige gōngsī zhuānmén
shēngchǎn dàxíng ~. |这种复杂的~坏了就很难修理。Zhèi zhǒng
fùzá de ~ huàile jiù hěn nán xiūlǐ. |在古代，人们在生产、生活中就
大量使用简单的~了。Zài gǔdài, rénmen zài shēngchǎn、shēnghuó
zhōng jiù dàliàng shǐyòng jiǎndān de ~ le. |这是目前最先进的农业
~。Zhè shì mùqián zuì xiānjìn de nóngyè ~. |近年来，这个国家的
~工业得到了迅速的发展。Jìnnián lái, zhèige
guójiā de ~ gōngyè dédàole xùnsù de fāzhǎn.

jī 鸡 (鷄) [名]

例那只~下了一个蛋。Nèi zhī ~ xiàle yí ge
dàn. |两只~在争一只虫子。Liǎng zhī ~ zài

鸡

zhēng yì zhī chóngzi. |这个村子里每家都养了不少~。Zhèige cūnzi li měi jiā dōu yǎngle bùshǎo ~. |这里是农村，每天早上都能听见 ~叫。Zhèlǐ shì nóngcūn, měi tiān zǎoshang dōu néng tīngjiàn ~ jiào. |这个菜是用~肉做的。Zhèige cài shì yòng ~ ròu zuò de.

jīdàn 鸡蛋（鷄蛋）[名]

egg 例鸡下了一个~。Jī xiàle yí ge ~. |他不爱吃 ~。|~很有营养。~ hěn yǒu yíngyǎng. |~从桌子上滚下来，摔碎了。~ cóng zhuōzi shang gǔn xialai, shuāisuì le. |蛋糕是用~和面粉做的。Dàngāo shì yòng ~ hé miànfěn zuò de. |这里~的价格很便宜。Zhèlǐ ~ de jiàgé hěn piányi. |他不喜欢~的味儿。Tā bù xǐhuan ~ de wèir.

jījí 积极（積極）[形]

他对参加这次晚会很~。Tā duì cānjiā zhèi cì wǎnhuì hěn ~. →他很热心地参加这次晚会。Tā hěn rèxīn de cānjiā zhèi cì wǎnhuì. 例他对俱乐部的活动最~，每次都参加。Tā duì jùlèbù de huódòng zuì ~, měi cì dōu cānjiā. |他们对工作的态度都很~，经常很晚才回家。Tāmen duì gōngzuò de tàidu dōu hěn ~, jīngcháng hěn wǎn cái huíjiā. |公司给大家加了工资，大家工作都~起来了。Gōngsī gěi dàjiā jiāle gōngzī, dàjiā gōngzuò dōu ~ qilai le. |他对于工作的~态度说明他很想做好自己的工作。Tā duìyú gōngzuò de ~ tàidu shuōmíng tā hěn xiǎng zuòhǎo zìjǐ de gōngzuò. |大卫喜欢动物，~参加保护动物的活动。Dàwèi xǐhuan dòngwù, ~ cānjiā bǎohù dòngwù de huódòng. |他在这场篮球比赛中打得很~，一个人得了四十分。Tā zài zhèi chǎng lánqiú bǐsài zhōng dǎ de hěn ~, yí ge rén déle sìshí fēn.

jījíxìng 积极性（積極性）[名]

他喜欢自己的工作，对工作的~很高。Tā xǐhuan zìjǐ de gōngzuò, duì gōngzuò de ~ hěn gāo. →他工作很积极。Tā gōngzuò hěn jījí. 例由于工资太低，工人们对工作的~不高。Yóuyú gōngzī tài dī, gōngrénmen duì gōngzuò de ~ bù gāo. |老师的鼓励提高了大家学习的~。Lǎoshī de gǔlì tígāole dàjiā xuéxí de ~. |妈妈老说我做的菜不好吃，影响了我做菜的~。Māma lǎo shuō wǒ zuò de cài bù hǎochī, yǐngxiǎngle wǒ zuò cài de ~. |我很喜欢旅游，所以对这次旅游很有~。Wǒ hěn xǐhuan lǚyóu, suǒyǐ duì zhèi cì lǚyóu hěn yǒu ~.

jīlěi 积累（積累）［动］

那位老司机开了三十年车，~了很多经验。Nèi wèi lǎo sījī kāile sānshí nián chē, ~ le hěn duō jīngyàn. →他的经验慢慢儿增加，到现在已经有了很多经验。Tā de jīngyàn mànmānr zēngjiā, dào xiànzài yǐjing yǒule hěn duō jīngyàn. 例他经常看中国文化方面的书，慢慢儿地~了不少关于中国文化的知识。Tā jīngcháng kàn Zhōngguó wénhuà fāngmiàn de shū, mànmānr de ~ le bùshǎo guānyú Zhōngguó wénhuà de zhīshi. | 他的钱都是靠做买卖~起来的。Tā de qián dōu shì kào zuò mǎimai ~ qilai de. | 那位老医生把自己在工作中~的经验教给了医院里的年轻医生。Nèi wèi lǎo yīshēng bǎ zìjǐ zài gōngzuò zhōng ~ de jīngyàn jiāo gěi le yīyuàn li de niánqīng yīshēng.

jīběn 基本［形］

做这个工作的~要求是会用电脑。Zuò zhèige gōngzuò de ~ yāoqiú shì huì yòng diànnǎo. →要做这个工作，至少应该会用电脑。Yào zuò zhèige gōngzuò, zhìshǎo yīnggāi huì yòng diànnǎo. 例开飞机的~条件是身体健康。Kāi fēijī de ~ tiáojiàn shì shēntǐ jiànkāng. | 他除了~工资以外，还有一些别的收入。Tā chúle ~ gōngzī yǐwài, háiyǒu yìxiē bié de shōurù. | 吃饭、睡觉是人类最~的需要。Chīfàn、shuìjiào shì rénlèi zuì ~ de xūyào. | 上班不能迟到，这是公司对职员最~的要求。Shàngbān bù néng chídào, zhè shì gōngsī duì zhíyuán zuì ~ de yāoqiú.

jīchǔ 基础（基礎）［名］

他开始学汉语时学得很认真，汉语~很好。Tā kāishǐ xué Hànyǔ shí xué de hěn rènzhēn, Hànyǔ ~ hěn hǎo. →他开始学汉语的时候学得很好。Tā kāishǐ xué Hànyǔ de shíhou xué de hěn hǎo. 例这些学生以前学汉语时很认真，所以~不错。Zhèixiē xuésheng yǐqián xué Hànyǔ shí hěn rènzhēn, suǒyǐ ~ búcuò. | 他上大学时学习很努力，为后来的研究打下了~。Tā shàng dàxué shí xuéxí hěn nǔlì, wèi hòulái de yánjiū dǎxiale ~. | 我从来没学过画画儿，在这方面没什么~。Wǒ cónglái méi xuéguo huà huàr, zài zhè fāngmiàn méi shénme ~. | 他一直从事~研究，对最新技术不是很了解。Tā yìzhí cóngshì ~ yánjiū, duì zuì xīn jìshù bú shì hěn liǎojiě.

jīdòng 激动（激動）［形］

孩子考上了最好的大学，父母都很 ~ 。Háizi kǎoshangle zuì hǎo de dàxué, fùmǔ dōu hěn ~ . →这个消息使父母的心情跟平时很不一样，他们非常高兴。Zhèige xiāoxi shǐ fùmǔ de xīnqíng gēn píngshí hěn bù yíyàng, tāmen fēicháng gāoxìng. 例我听说自己比赛得了第一名，非常 ~ 。Wǒ tīngshuō zìjǐ bǐsài déle dì yī míng, fēicháng ~ . | 那位著名演员一出来，观众们就 ~ 起来了。Nèi wèi zhùmíng yǎnyuán yì chūlai, guānzhòngmen jiù ~ qilai le. | 他很热心地帮助我，我 ~ 得说不出话来。Tā hěn rèxīn de bāngzhù wǒ, wǒ ~ de shuō bu chū huà lai. | 听了这个令人 ~ 的故事，我心里很不平静。Tīngle zhèige lìng rén ~ de gùshi, wǒ xīnli hěn bù píngjìng. | 他控制不住 ~ 的心情，说话的声音也变大了。Tā kòngzhì bú zhù ~ de xīnqíng, shuōhuà de shēngyīn yě biàndà le.

jīliè 激烈［形］

这场篮球比赛很 ~ 。Zhèi chǎng lánqiú bǐsài hěn ~ . →双方都想赢，都在尽最大的努力。Shuāngfāng dōu xiǎng yíng, dōu zài jìn zuì dà de nǔlì. 例昨天的足球比赛没意思，一点儿也不 ~ 。Zuótiān de zúqiú bǐsài méi yìsi, yìdiǎnr yě bù ~ . | 这场辩论会对双方来说都非常重要，肯定是一场十分 ~ 的辩论会。Zhèi chǎng biànlùnhuì duì shuāngfāng láishuō dōu fēicháng zhòngyào, kěndìng shì yì chǎng shífēn ~ de biànlùnhuì. | 网球比赛已经打了三个小时了，现在还在 ~ 地进行着。Wǎngqiú bǐsài yǐjing dǎle sān ge xiǎoshí le, xiànzài hái zài ~ de jìnxíngzhe. | 他们两个人都认为自己是对的，争论得很 ~ 。Tāmen liǎng ge rén dōu rènwéi zìjǐ shì duì de, zhēnglùn de hěn ~ .

jí 及［连］

我知道他的名字 ~ 地址。Wǒ zhīdao tā de míngzi ~ dìzhǐ. →我知道他的名字和地址。Wǒ zhīdao tā de míngzi hé dìzhǐ. 例请把你的姓名 ~ 电话号码填在这张表上。Qǐng bǎ nǐ de xìngmíng ~ diànhuà hàomǎ tián zài zhèi zhāng biǎo shang. | 他生病的时候得到了朋友 ~ 邻居们的帮助。Tā shēngbìng de shíhou dédàole péngyou ~ línjūmen de bāngzhù. | 他打电话通知了我这次会议的时间、地点 ~ 日程。Tā dǎ diànhuà tōngzhīle wǒ zhèi cì huìyì de shíjiān、dìdiǎn ~ rìchéng. | 最近粮食、水果 ~ 蔬菜等食品的价格都提高了。Zuìjìn liángshi、shuǐguǒ ~ shūcài děng shípǐn de jiàgé dōu tígāo le.

jí gé 及格

他考试~了，很高兴。Tā kǎoshì ~ le, hěn gāoxìng. →他通过了考试。Tā tōngguòle kǎoshì. 例 这个学期他有三门课考试没~。Zhèige xuéqī tā yǒu sān mén kè kǎoshì méi ~. l他学习不认真，考试肯定及不了格。Tā xuéxí bú rènzhēn, kǎoshì kěndìng jí bu liǎo gé. l 这门课他考得并不好，成绩刚达到~的标准。Zhèi mén kè tā kǎo de bìng bù hǎo, chéngjì gāng dádào ~ de biāozhǔn. l这次考试太难了，不~的学生很多。Zhèi cì kǎoshì tài nán le, bù ~ de xuésheng hěn duō.

jíshí 及时（及時）[形]

我~赶到了学校，没有迟到。Wǒ ~ gǎndàole xuéxiào, méiyǒu chídào. →我到学校的时间很合适，再晚一点儿就迟到了。Wǒ dào xuéxiào de shíjiān hěn héshì, zài wǎn yìdiǎnr jiù chídào le. 例我们~赶到了火车站，火车还没开。Wǒmen ~ gǎndàole huǒchēzhàn, huǒchē hái méi kāi. l他差点儿被汽车撞上，幸好司机~停下了车。Tā chàdiǎnr bèi qìchē zhuàngshang, xìnghǎo sījī ~ tíngxiale chē. l我正需要这本书，你现在送来真~。Wǒ zhèng xūyào zhèi běn shū, nǐ xiànzài sònglai zhēn ~. l他来得很~，我正想找个人帮忙呢。Tā lái de hěn ~, wǒ zhèng xiǎng zhǎo ge rén bāngmáng ne.

jí 级¹（級）[名]

最常用的汉语甲~词我都会了。Zuì chángyòng de Hànyǔ jiǎ ~ cí wǒ dōu huì le. →外国人学习的汉语词汇，按常用程度分成甲乙丙丁四等。Wàiguórén xuéxí de Hànyǔ cíhuì, àn chángyòng chéngdù fēnchéng jiǎ yǐ bǐng dīng sì děng. 例我们学的汉语词汇分成甲乙丙丁四~。Wǒmen xué de Hànyǔ cíhuì fēnchéng jiǎ yǐ bǐng dīng sì ~. l这种米最好，质量是一~的。Zhèi zhǒng mǐ zuì hǎo, zhìliàng shì yī ~ de. l我学习汉语两年了，现在达到了中~水平。Wǒ xuéxí Hànyǔ liǎng nián le, xiànzài dádàole zhōng ~ shuǐpíng. l你知道吗？大卫升~了，成了高~工程师了。Nǐ zhīdao ma? Dàwèi shēng ~ le, chéngle gāo ~ gōngchéngshī le.

jí 级²（級）[名]

我和玛丽同~，两年前我们都考进了这所大学。Wǒ hé Mǎilì tóng ~, liǎng nián qián wǒmen dōu kǎojìnle zhèi suǒ dàxué. →我和玛丽都是大学二年级。Wǒ hé Mǎilì dōu shì dàxué èr niánjí. 例他们俩在

一个～，不在一个班里。Tāmen liǎ zài yí ge～, bú zài yí ge bān li. | 暑假以后，我就升～了，成了三年级的学生了。Shǔjià yǐhòu, wǒ jiù shēng～le, chéngle sān niánjí de xuésheng le. | 我们～一共有三个班。Wǒmen～yígòng yǒu sān ge bān. | 各～各班请注意，下午四点开全校师生大会。Gè～gè bān qǐng zhùyì, xiàwǔ sì diǎn kāi quán xiào shīshēng dàhuì.

jí 极(極) [副]

这里的冬天～冷，真受不了。Zhèlǐ de dōngtiān～lěng, zhēn shòu bu liǎo. →这里的冬天冷得不得了。Zhèlǐ de dōngtiān lěng de bù déliǎo. 例他的身体～好，什么病也没有。Tā de shēntǐ～hǎo, shénme bìng yě méiyǒu. | 他～爱运动，哪天不运动就觉得不舒服。Tā～ài yùndòng, něi tiān bú yùndòng jiù juéde bù shūfu. | 他上班迟到，经理对他～不满意。Tā shàngbān chídào, jīnglǐ duì tā～bù mǎnyì. | 大卫～会唱歌，听过他唱歌的人都称赞他。Dàwèi～huì chànggē, tīngguo tā chànggē de rén dōu chēngzàn tā. | 他是一个～有礼貌的人，从来不说脏话。Tā shì yí ge～yǒu lǐmào de rén, cónglái bù shuō zānghuà. | 他跑步跑得～快，我怎么也追不上他。Tā pǎobù pǎo de～kuài, wǒ zěnme yě zhuī bu shàng tā.

jí le 极了(極了)

今天不冷也不热，天气好～。Jīntiān bù lěng yě bú rè, tiānqì hǎo～. →今天天气非常好。Jīntiān tiānqì fēicháng hǎo. 例这个饭馆儿的菜好吃，我很喜欢。Zhèige fànguǎnr de cài hǎochī, wǒ hěn xǐhuan. | 他这两天忙～，连睡觉的时间都没有。Tā zhèi liǎng tiān máng～, lián shuìjiào de shíjiān dōu méiyǒu. | 他说话说得快～，我有点儿听不明白。Tā shuōhuà shuō de kuài～, wǒ yǒudiǎnr tīng bu míngbai. | 这个电影有意思～，我看了一遍还想再看一遍。Zhèige diànyǐng yǒu yìsi～, wǒ kànle yí biàn hái xiǎng zài kàn yí biàn.

jíqí 极其(極其) [副]

这个工作～困难，要做好很不容易。Zhèige gōngzuò～kùnnan, yào zuò hǎo hěn bù róngyì. →这个工作难极了。Zhèige gōngzuò nánjí le. 例火车马上就要开了，我们的时间～紧张。Huǒchē mǎshàng jiù yào kāi le, wǒmen de shíjiān～jǐnzhāng. | 她的病很严重，我～担心她的身体。Tā de bìng hěn yánzhòng, wǒ～dānxīn tā de shēntǐ. | 他是个～认真的人，做事从来不马虎。Tā shì ge～rènzhēn de rén, zuò shì cónglái bù mǎhu. | 他平时学习很努力，所

以~顺利地通过了这次考试。Tā píngshí xuéxí hěn nǔlì, suǒyǐ ~ shùnlì de tōngguòle zhèi cì kǎoshì. | 昨天救那个掉进水里的小孩儿时,他表现得~勇敢。Zuótiān jiù nèige diào jin shuǐ li de xiǎoháir shí, tā biǎoxiàn de ~ yǒnggǎn.

jí 即 [动]

"周"和"星期"意思一样,一周~一星期。"Zhōu" hé "xīngqī" yìsi yíyàng, yì zhōu ~ yì xīngqī. →一周就是一星期。Yì zhōu jiù shì yì xīngqī. 例电脑~计算机。Diànnǎo ~ jìsuànjī. | 元旦~一月一号。Yuándàn ~ yīyuè yī hào. | 叔叔~父亲的弟弟。Shūshu ~ fùqin de dìdi.

jíshǐ 即使[1] [连]

他是我的朋友,~不是,我也会帮助他。Tā shì wǒ de péngyou, ~ bú shì, wǒ yě huì bāngzhù tā. →不管他是不是我的朋友我都会帮助他。Bùguǎn tā shì bu shì wǒ de péngyou wǒ dōu huì bāngzhù tā. 例我现在没钱,~有也不借给他,因为他借了钱从来不还。Wǒ xiànzài méi qián, ~ yǒu yě bú jiè gěi tā, yīnwèi tā jièle qián cónglái bù huán. | 我没时间,~有时间我也不去。Wǒ méi shíjiān, ~ yǒu shíjiān wǒ yě bú qù. | 飞机马上就要起飞了,你~现在出发也赶不上了。Fēijī mǎshàng jiù yào qǐfēi le, nǐ ~ xiànzài chūfā yě gǎnbushàng le. | 这个工作非常重要,~不睡觉也要做完。Zhèige gōngzuò fēicháng zhòngyào, ~ bú shuìjiào yě yào zuòwán. | 你~想走也走不了,因为现在太晚了。Nǐ ~ xiǎng zǒu yě zǒu bu liǎo, yīnwèi xiànzài tài wǎn le. | 爷爷有每天早上散步的习惯,~天气不好,他也照常去。Yéye yǒu měi tiān zǎoshang sànbù de xíguàn, ~ tiānqì bù hǎo, tā yě zhàocháng qù.

jíshǐ 即使[2] [连]

这里气候干燥,~下雨也下得不大。Zhèlǐ qìhòu gānzào, ~ xià yǔ yě xià de bú dà. →这里很少下雨,真的下雨时也只是下小雨。Zhèlǐ hěn shǎo xià yǔ, zhēnde xià yǔ shí yě zhǐshì xià xiǎo yǔ. 例这本书卖得很快,书店里~有也不多了。Zhèi běn shū mài de hěn kuài, shūdiàn li ~ yǒu yě bù duō le. | 他有可能来,不过~来也不会太早。Tā yǒu kěnéng lái, búguò ~ lái yě bú huì tài zǎo. | 他~生气,时间也不会太久。Tā ~ shēngqì, shíjiān yě bú huì tài jiǔ. | 他不常喝酒,~喝也喝不了多少。Tā bù cháng hē jiǔ, ~ hē yě hē bu liǎo duōshǎo.

jíshǐ 即使³ [连]

听了这么没礼貌的话，～脾气最好的人也会生气。Tīngle zhème méi lǐmào de huà, ～ píqi zuì hǎo de rén yě huì shēngqì. →听了这么没礼貌的话，最不可能生气的人也会生气，一般人当然更会生气。Tīngle zhème méi lǐmào de huà, zuì bù kěnéng shēngqì de rén yě huì shēngqì, yìbān rén dāngrán gèng huì shēngqì. 例他去的地方他没告诉任何人，～他最好的朋友也不知道。Tā qù de dìfang tā méi gàosu rènhé rén, ～ tā zuì hǎo de péngyou yě bù zhīdào. |他做事很认真，～很小的事也一样。Tā zuò shì hěn rènzhēn, ～ hěn xiǎo de shì yě yíyàng. |他是个非常努力的学生，～在生病的时候也没停止学习。Tā shì ge fēicháng nǔlì de xuésheng, ～ zài shēngbìng de shíhou yě méi tíngzhǐ xuéxí.

jí 急¹ [形]

他～着去上班，连早饭都没来得及吃。Tā ～ zhe qù shàngbān, lián zǎofàn dōu méi láidejí chī. →他可能要迟到了，所以很着急。Tā kěnéng yào chídào le, suǒyǐ hěn zháojí. 例我～着去电影院，因为电影快开始了。Wǒ ～ zhe qù diànyǐngyuàn, yīnwèi diànyǐng kuài kāishǐ le. |别～，等一会儿走也来得及。Bié ～, děng yíhuìr zǒu yě láidejí. |她一～就不知道该怎么办好。Tā yì ～ jiù bù zhīdào gāi zěnme bàn hǎo. |明天就考试了，大卫却一点儿也不～，还在看电视。Míngtiān jiù kǎoshì le, Dàwèi què yìdiǎnr yě bù ～, hái zài kàn diànshì. |～什么，火车四个小时以后才开。～ shénme, huǒchē sì ge xiǎoshí yǐhòu cái kāi. |快上飞机了，他却怎么也找不到飞机票，～得不得了。Kuài shàng fēijī le, tā què zěnme yě zhǎo bu dào fēijīpiào, ～ de bùdéliǎo. |他走得很～，我跟他打招呼他都没听见。Tā zǒu de hěn ～, wǒ gēn tā dǎ zhāohu tā dōu méi tīngjiàn.

jí 急² [形]

这件事很～，快点儿去办才行。Zhèi jiàn shì hěn ～, kuài diǎnr qù bàn cái xíng. →这是一件应该马上办的事。Zhè shì yí jiàn yīnggāi mǎshàng bàn de shì. 例买电视机的事不～，过几天再买也行。Mǎi diànshìjī de shì bù ～, guò jǐ tiān zài mǎi yě xíng. |他的病很～，得马上送他去医院。Tā de bìng hěn ～, děi mǎshàng sòng tā qù yīyuàn. |这个工作比那个～多了，应该先做。Zhèige gōngzuò bǐ nèige ～ duō le, yīnggāi xiān zuò. |他今天有～事，不能来参加我

们的晚会。Tā jīntiān yǒu ~ shì, bù néng lái cānjiā wǒmen de wǎnhuì.

jímáng 急忙 [形]

他担心迟到，~ 起床了。Tā dānxīn chídào, ~ qǐchuáng le. →他心里很着急，所以马上起床了。Tā xīnli hěn zháojí, suǒyǐ mǎshàng qǐchuáng le. 例他看见电梯门快要关上了，~ 对里面的人说："请等一下儿！" Tā kànjiàn diàntī mén kuài yào guānshang le, ~ duì lǐmian de rén shuō: "Qǐng děng yíxiàr!" | 我听见有人敲门，~ 去开门。Wǒ tīngjiàn yǒu rén qiāo mén, ~ qù kāi mén. | 一头牛向人群冲过来，人们 ~ 躲开。Yì tóu niú xiàng rénqún chōng guolai, rénmen ~ duǒkāi. | 上课时间快到了，他急急忙忙地往教室走。Shàngkè shíjiān kuài dào le, tā jíjímángmáng de wǎng jiàoshì zǒu. | 他做什么事都希望快点儿做完，老是这么急急忙忙的。Tā zuò shénme shì dōu xīwàng kuài diǎnr zuòwán, lǎoshi zhème jíjímángmáng de. | 他走路时一副急急忙忙的样子，朋友叫他也没听见。Tā zǒulù shí yí fù jíjímángmáng de yàngzi, péngyou jiào tā yě méi tīngjiàn.

jí 集 [量]

用于分成几个部分的电影或者电视节目。Yòngyú fēnchéng jǐ ge bùfen de diànyǐng huòzhě diànshì jiémù. 例这个电视连续剧一共有二十 ~。Zhèige diànshì liánxùjù yígòng yǒu èrshí ~. | 这部电影有两 ~。Zhèi bù diànyǐng yǒu liǎng ~. | 这个电视连续剧今天演第六 ~。Zhèige diànshì liánxùjù jīntiān yǎn dì liù ~. | 你说的那个电影我只看了上 ~。Nǐ shuō de nèige diànyǐng wǒ zhǐ kànle shàng ~. | 这个电视节目她很喜欢，每 ~ 都看。Zhèige diànshì jiémù tā hěn xǐhuan, měi ~ dōu kàn. | 那个连续剧 ~ ~ 都很精彩。Nèige liánxùjù ~ ~ dōu hěn jīngcǎi.

jíhé 集合 [动]

下午两点大家在学校门口 ~，一起去参观。Xiàwǔ liǎng diǎn dàjiā zài xuéxiào ménkǒu ~, yìqǐ qù cānguān. →下午两点大家都到学校门口去。Xiàwǔ liǎng diǎn dàjiā dōu dào xuéxiào ménkǒu qù. 例明天大家先到我家~，然后一起去爬山。Míngtiān dàjiā xiān dào wǒ jiā ~, ránhòu yìqǐ qù pá shān. | 现在是自由活动时间，一个小时以后大家都要回到这里来 ~。Xiànzài shì zìyóu huódòng shíjiān, yí ge xiǎoshí yǐhòu dàjiā dōu yào huídào zhèlǐ lái ~. | 老师把自己班上的学生~起来，一块儿去吃饭。Lǎoshī bǎ zìjǐ bān shang de xuésheng ~

qǐlai, yíkuàir qù chīfàn. |打算去旅游的人 ~ 在一起，准备坐同一辆汽车出发。Dǎsuan qù lǚyóu de rén ~ zài yìqǐ, zhǔnbèi zuò tóng yí liàng qìchē chūfā.

jítǐ 集体(集體)[名]

一个班是一个 ~ 。Yí ge bān shì yí ge ~ . → 那是一些经常或每天在一起学习或工作的人们。Nà shì yìxiē jīngcháng huò měi tiān zài yìqǐ xuéxí huò gōngzuò de rénmen. 例一个公司、一支球队都是 ~ 。Yí ge gōngsī、yì zhī qiúduì dōu shì ~ . |他们班是一个很团结的 ~ ，大家互相关心、互相帮助。Tāmen bān shì yí ge hěn tuánjié de ~ , dàjiā hùxiāng guānxīn、hùxiāng bāngzhù. |篮球是一项 ~ 运动，比赛时大家必须合作得很好才能赢。Lánqiú shì yí xiàng ~ yùndòng, bǐsài shí dàjiā bìxū hézuò de hěn hǎo cái néng yíng. |这个 ~ 中的每一个人都很重要，少了谁都会出问题。Zhèige ~ zhōng de měi yí ge rén dōu hěn zhòngyào, shǎole shéi dōu huì chū wèntí. |这个办公室的人对公司都不满意，所以打算 ~ 辞职。Zhèige bàngōngshì de rén duì gōngsī dōu bù mǎnyì, suǒyǐ dǎsuan ~ cízhí. |这件事是大家 ~ 决定的，不是他一个人决定的。Zhèi jiàn shì shì dàjiā ~ juédìng de, bú shì tā yí gè rén juédìng de.

jízhōng 集中[1] [动]

开车时必须 ~ 精神，不能想别的。Kāi chē shí bìxū ~ jīngshén, bù néng xiǎng biéde. →必须把精神都放在开车上，只想着开车。Bìxū bǎ jīngshén dōu fàng zài kāi chē shang, zhǐ xiǎngzhe kāi chē. 例工作时应该 ~ 注意力，不能想其他的事。Gōngzuò shí yīnggāi ~ zhùyìlì, bù néng xiǎng qítā de shì. |公司很重视这个新产品，要 ~ 力量进行研究。Gōngsī hěn zhòngshì zhèige xīn chǎnpǐn, yào ~ lìliang jìnxíng yánjiū. |学生们都在 ~ 精力准备考试，没人想去看电影。Xuéshengmen dōu zài ~ jīnglì zhǔnbèi kǎoshì, méi rén xiǎng qù kàn diànyǐng. |上课时他一直在想旅游的事，~ bu liǎo 注意力。Shàngkè shí tā yìzhí zài xiǎng lǚyóu de shì, ~ bu liǎo zhùyìlì. |今天要做的工作都 ~ 在下午，所以我下午特别忙。Jīntiān yào zuò de gōngzuò dōu ~ zài xiàwǔ, suǒyǐ wǒ xiàwǔ tèbié máng. |校长把所有的学生 ~ 起来，说了一下儿明天参观时要注意的事情。Xiàozhǎng bǎ suǒyǒu de xuésheng ~ qilai, shuōle yíxiàr míngtiān cānguān shí yào zhùyì de shìqing.

jízhōng 集中² [形]

他学习时精神很～，不想别的事。Tā xuéxí shí jīngshén hěn ～, bùxiǎng biéde shì. →他学习时脑子里只有学习的事。Tā xuéxí shí nǎozi li zhǐ yǒu xuéxí de shì. 例大家提的问题很～，都是关于找工作的。Dàjiā tí de wèntí hěn ～, dōu shì guānyú zhǎo gōngzuò de. |他一边听我说话一边想别的事，思想不太～。Tā yìbiān tīng wǒ shuōhuà yìbiān xiǎng biéde shì, sīxiǎng bú tài ～. |在去哪儿旅游的问题上，大家各有各的想法，意见很不～。Zài qù nǎr lǚyóu de wèntí shang, dàjiā gè yǒu gè de xiǎngfa, yìjiàn hěn bù ～. |报名的时间安排得很～，只有三天。Bàomíng de shíjiān ānpái de hěn ～, zhǐ yǒu sān tiān. |会议上大家～讨论了交通问题。Huìyì shang dàjiā ～ tǎolùnle jiāotōng wèntí. |这个调查是趁大家都在的时候～进行的。Zhèige diàochá shì chèn dàjiā dōu zài de shíhou ～ jìnxíng de.

jǐ 几¹ （幾）[数]

问从一到九的数目可以用"几"。Wèn cóng yī dào jiǔ de shùmù kěyǐ yòng "jǐ". 例你家有～口人？Nǐ jiā yǒu ～ kǒu rén? |你有～支笔？Nǐ yǒu ～ zhī bǐ? |今天星期～？Jīntiān xīngqī ～ ? |现在～点了？Xiànzài ～ diǎn le? |你的孩子今年～岁了？Nǐ de háizi jīnnián ～ suì le? |你的生日是五月十～号？Nǐ de shēngri shì Wǔyuè shí ～ hào? |我不知道他在大学上～年级。Wǒ bù zhīdào tā zài dàxué shàng ～ niánjí. |有人说这是三百年前的东西，有人说是八百年前的，到底是～百年前的？Yǒu rén shuō zhè shì sānbǎi nián qián de dōngxi, yǒu rén shuō shì bābǎi nián qián de, dàodǐ shì ～ bǎi nián qián de?

jǐ 几² （幾）[数]

从两个到九个都可以说几个。Cóng liǎng ge dào jiǔ ge dōu kěyǐ shuō jǐ ge. 例他买了～个苹果。Tā mǎile ～ ge píngguǒ. |她送给我～件衣服。Tā sòng gěi wǒ～ jiàn yīfu. |我要和～个朋友一起去看电影。Wǒ yào hé ～ ge péngyou yìqǐ qù kàn diànyǐng. |她已经去了好～家商店了，还是没买到满意的鞋子。Tā yǐjing qùle hǎo ～ jiā shāngdiàn le, háishi méi mǎidào mǎnyì de xiézi. |她这～天感冒了，精神不太好。Tā zhè ～ tiān gǎnmào le, jīngshén bú tài hǎo. |我们等了她十～分钟她才来。Wǒmen děngle tā shí ～ fēnzhōng tā cái lái. |今天来参观的人有好～百。Jīntiān lái cānguān de rén yǒu hǎo ～ bǎi. |汉字已经有～千年的历史了。Hànzì yǐjing yǒu ～ qiān nián de lìshǐ le.

jǐ 几³（幾）[数]

早上五点，街上没 ~ 个人。Zǎoshang wǔ diǎn, jiē shang méi ~ ge rén. →街上人很少。Jiē shang rén hěn shǎo. 例这个城市挺小，没 ~ 家商店。Zhèige chéngshì tǐng xiǎo, méi ~ jiā shāngdiàn. | 她在我家没坐 ~ 分钟就走了。Tā zài wǒ jiā méi zuò ~ fēnzhōng jiù zǒu le. | 他很少去旅游，没去过 ~ 个地方。Tā hěn shǎo qù lǚyóu, méi qùguo ~ ge dìfang. | 他过不了 ~ 天就要回国了。Tā guò bu liǎo ~ tiān jiù yào huíguó le.

jǐ 挤¹（擠）[形]

公共汽车里人很多，太 ~ 了。Gōnggòng qìchē li rén hěn duō, tài ~ le. →公共汽车里人多得连下车都有困难。Gōnggòng qìchē li rén duō de lián xiàchē dōu yǒu kùnnan. 例这个小商店里一下子来了很多顾客，看起来很 ~。Zhèige xiǎo shāngdiàn li yíxiàzi láile hěn duō gùkè, kànqilai hěn ~. | 小小的房间里放了这么多东西，能不 ~ 吗？Xiǎoxiǎo de fángjiān li fàngle zhème duō dōngxi, néng bù ~ ma? | 现在是人们去上班的时间，路上车很多，~ 得不得了。Xiànzài shì rénmen qù shàngbān de shíjiān, lù shang chē hěn duō, ~ de bùdéliǎo. | 我们三个人住在一个不大的房间里，住得太 ~ 了。Wǒmen sān ge rén zhù zài yí ge bú dà de fángjiān li, zhù de tài ~ le.

jǐ 挤²（擠）[动]

那张三人沙发上 ~ 了四个人。Nèi zhāng sān rén shāfā shang ~ le sì ge rén. →他们紧紧靠在一起坐着。Tāmen jǐnjǐn kào zài yìqǐ zuòzhe. 例汽车里本来只能坐四个人，却 ~ 了六个人。Qìchē li běnlái zhǐ néng zuò sì ge rén, què ~ le liù ge rén. | 这么多人 ~ 在一辆公共汽车里，真受不了。Zhème duō rén ~ zài yí liàng gōnggòng qìchē li, zhēn shòu bu liǎo. | 天气太冷了，两只小狗冷得 ~ 在一起。Tiānqì tài lěng le, liǎng zhī xiǎogǒu lěng de ~ zài yìqǐ. | 那位歌星住的饭店门口 ~ 满了喜欢听他的歌儿的人。Nèi wèi gēxīng zhù de fàndiàn ménkǒu ~ mǎnle xǐhuan tīng tā de gēr de rén. | 她好不容易才从人群里 ~ 出来。Tā hǎo bù róngyì cái cóng rénqún li ~ chulai. | 电梯里人已经很多了，~ 不下我。Diàntī li rén yǐjing hěn duō le, ~ bu xià wǒ.

jìhuà 计划¹（計劃）[动]

大卫 ~ 放假的时候去中国旅游。Dàwèi ~ fàngjià de shíhou qù

Zhōngguó lǚyóu. →他在放假以前就想好了，放假时去中国旅游。
Tā zài fàngjià yǐqián jiù xiǎnghǎo le, fàngjià shí qù Zhōngguó lǚyóu.
例他 ~ 下个星期开始学习汉语。Tā ~ xià ge xīngqī kāishǐ xuéxí
Hànyǔ. | 我正 ~ 着周末怎么过。Wǒ zhèng ~ zhe zhōumò zěnme
guò. | 他们在 ~ 明天开晚会的事。Tāmen zài ~ míngtiān kāi wǎnhuì
de shì. | 这个星期要做的事情很多，应该好好儿 ~ 一下儿。Zhèige
xīngqī yào zuò de shìqing hěn duō, yīnggāi hǎohāor ~ yíxiàr. | 我已
经 ~ 好了星期天干什么。Wǒ yǐjing ~ hǎole Xīngqītiān gàn shénme. |
这个周末我原来~得很好，可惜我生病了，什么也干不了。Zhèige
zhōumò wǒ yuánlái ~ de hěn hǎo, kěxī wǒ shēngbìng le, shénme yě
gàn bu liǎo.

jìhuà 计划² (計劃) [名]

星期天怎么过我已经有 ~ 了。Xīngqītiān zěnmeguò wǒ yǐjing yǒu ~
le. →我已经想好了星期天怎么过。Wǒ yǐjing xiǎnghǎole Xīngqītiān
zěnme guò. 例大学毕业以后你有什么 ~ ？Dàxué bìyè yǐhòu nǐ yǒu
shénme ~ ？| 这个旅游 ~ 很好，所有的方面都考虑到了。Zhèige
lǚyóu ~ hěn hǎo, suǒyǒu de fāngmiàn dōu kǎolù dào le. | 这项研究
~ 很快就要开始实行了。Zhèi xiàng yánjiū ~ hěn kuài jiù yào kāishǐ
shíxíng le. | 公司正在制订明年的工作 ~ 。Gōngsī zhèngzài zhìdìng
míngnián de gōngzuò ~ . | 她的减肥~失败了，因为她吃得太多。Tā
de jiǎnféi ~ shībài le, yīnwèi tā chī de tài duō. | 她来我的房间跟我
聊天儿，打乱了我的学习 ~ 。Tā lái wǒ de fángjiān gēn wǒ liáotiānr,
dǎluànle wǒ de xuéxí ~ . | 今天下大雨，比赛不能按 ~ 在今天举行。
Jīntiān xià dàyǔ, bǐsài bù néng àn ~ zài jīntiān jǔxíng.

jìsuàn 计算 (計算) [动]

calculate; count; figure up 例我在 ~ 这个月一共花了多少钱。Wǒ zài
~ zhèige yuè yígòng huāle duōshao qián. | 她正在 ~ 这次旅游需要
多少钱。Tā zhèngzài ~ zhèi cì lǚyóu xūyào duōshao qián. | 这顿饭
一共九十块，请你 ~ 一下儿我们五个人每人该付多少钱。Zhèi dùn
fàn yígòng jiǔshí kuài, qǐng nǐ ~ yíxiàr wǒmen wǔ ge rén měi rén gāi
fù duōshao qián. | 住这个房间每天要三十五块，五天应该是一百七
十五块，不是一百八十五块，你 ~ 错了。Zhù zhèige fángjiān měi
tiān yào sānshíwǔ kuài, wǔ tiān yīnggāi shì yìbǎi qīshíwǔ kuài, bú shì
yìbǎi bāshíwǔ kuài, nǐ ~ cuò le. | 我问那个孩子一天有多少分钟，他
很快就 ~ 出来了。Wǒ wèn nèige háizi yì tiān yǒu duōshao fēnzhōng,

tā hěn kuài jiù ~ chulai le. | 这个 ~ 方法不对。Zhèige ~ fāngfǎ bú duì. | 他 ~ 的结果和我的不一样。Tā ~ de jiéguǒ hé wǒ de bù yíyàng.

jìsuànjī 计算机（計算機）[名]

computer 例他最近买了一台 ~。Tā zuìjìn mǎile yì tái ~. | 大卫打开 ~ 准备上网。Dàwèi dǎkāi ~ zhǔnbèi shàngwǎng. | 我的 ~ 坏了，能 不能用一下儿你的? Wǒ de ~ huài le, néng bu néng yòng yíxiàr nǐ de? | 他把所有的资料都存在 ~ 里。Tā bǎ suǒyǒu de zīliào dōu cún zài ~ li. | ~ 的速度越来越快，价格却越来越便宜。 ~ de sùdù yuèláiyuè kuài, jiàgé què yuèláiyuè piányi.

jì 记¹（記）[动]

我 ~ 着他的样子。Wǒ ~ zhe tā de yàngzi. →我没忘记他的样子。 Wǒ méi wàngjì tā de yàngzi. 例我一直 ~ 着我跟他头一次见面的情 况。Wǒ yìzhí ~ zhe wǒ gēn tā tóu yí cì jiànmiàn de qíngkuàng. | 我 ~ 住你让我买的东西了，你放心吧。Wǒ ~ zhù nǐ ràng wǒ mǎi de dōngxi le, nǐ fàngxīn ba. | 我 ~ 得很清楚，当时她穿的是一件黑色的 外衣。Wǒ ~ de hěn qīngchu, dāngshí tā chuān de shì yí jiàn hēisè de wàiyī. | 父亲那天对我说的话我都 ~ 在心里。Fùqin nà tiān duì wǒ shuō de huà wǒ dōu ~ zài xīnli. | 他很聪明，课文的内容他只看了 一遍就 ~ 下来了。Tā hěn cōngming, kèwén de nèiróng tā zhǐ kànle yí biàn jiù ~ xialai le. | 他对我说过他住在哪个房间，可我没 ~ 住。 Tā duì wǒ shuōguo tā zhù zài něige fángjiān, kě wǒ méi ~ zhù. | 要 ~ 的事太多，我的脑子都有点儿 ~ 不过来了。Yào ~ de shì tài duō, wǒ de nǎozi dōu yǒudiǎnr ~ bu guòlái le.

jì 记²（記）[动]

我正在用笔 ~ 他说的话。Wǒ zhèngzài yòng bǐ ~ tā shuō de huà. → 我正在把他说的话写下来。Wǒ zhèngzài bǎ tā shuō de huà xiě xialai. 例他在 ~ 电视里介绍的一个餐馆儿的地址。Tā zài ~ diànshì li jièshào de yí ge cānguǎnr de dìzhǐ. | 这个本子里 ~ 着我的朋友们的 生日。Zhèige běnzi li ~ zhe wǒ de péngyoumen de shēngri. | 他的电 子邮件地址很长，你 ~ 一下儿吧。Tā de diànzǐ yóujiàn dìzhǐ hěn cháng, nǐ ~ yíxiàr ba. | 学生们一边听老师讲课一边 ~ 笔记。 Xuéshengmen yìbiān tīng lǎoshī jiǎngkè yìbiān ~ bǐjì. | 请说一下儿你 的新地址，我用笔 ~ 下来。Qǐng shuō yíxiàr nǐ de xīn dìzhǐ, wǒ yòng bǐ ~ xialai. | 他把我的电话号码 ~ 在一张纸上。Tā bǎ wǒ de diànhuà hàomǎ ~ zài yì zhāng zhǐ shang. | 你说得太快了，我 ~ 不下来。Nǐ shuō de tài kuài le, wǒ ~ bu xiàlái.

jìde 记得（記得）[动]

我 ~ 他的生日，是五月五号。Wǒ ~ tā de shēngri, shì Wǔyuè wǔ hào. →我没忘记他的生日。Wǒ méi wàngjì tā de shēngri. **例** 他十年前跟我见过一次面，现在已经不 ~ 我的名字了。Tā shí nián qián gēn wǒ jiànguo yí cì miàn, xiànzài yǐjing bú ~ wǒ de míngzi le. | 她给我留下了很深的印象，我到现在还 ~ 她的样子。Tā gěi wǒ liúxiale hěn shēn de yìnxiàng, wǒ dào xiànzài hái ~ tā de yàngzi. | 我 ~ 她说过她最喜欢海。Wǒ ~ tā shuōguo tā zuì xǐhuan hǎi. | 她是我小时候的朋友，我还 ~ 她，可是她已经不 ~ 我了。Tā shì wǒ xiǎoshíhou de péngyou, wǒ hái ~ tā, kěshì tā yǐjing bú ~ wǒ le. | 我完全不 ~ 昨天晚上我喝醉以后发生了什么事。Wǒ wánquán bú ~ zuótiān wǎnshang wǒ hēzuì yǐhòu fāshēngle shénme shì.

jìlù 记录[1]（記錄）[动]

他在用笔 ~ 我的话。Tā zài yòng bǐ ~ wǒ de huà. →他在把我说的话写下来。Tā zài bǎ wǒ shuō de huà xiě xialai. **例** 开会时，他负责 ~ 每一位代表的意见。Kāihuì shí, tā fùzé ~ měi yí wèi dàibiǎo de yìjiàn. | 这篇文章 ~ 了事情的整个经过。Zhèi piān wénzhāng ~ le shìqing de zhěnggè jīngguò. | 这个文件 ~ 着公司职员的个人资料。Zhèige wénjiàn ~ zhe gōngsī zhíyuán de gèrén zīliào. | 警察把他的话 ~ 下来作为证据。Jǐngchá bǎ tā de huà ~ xialai zuòwéi zhèngjù. | 关于这位画家的一生，这本书里 ~ 得很详细。Guānyú zhèi wèi huàjiā de yìshēng, zhèi běn shū li ~ de hěn xiángxì. | 他把朋友们的电话号码都 ~ 在这个小本子上。Tā bǎ péngyoumen de diànhuà hàomǎ dōu ~ zài zhèige xiǎo běnzi shang.

jìlù 记录[2]（記錄）[名]

这份材料是他的讲话 ~。Zhèi fèn cáiliào shì tā de jiǎnghuà ~. →这份材料里写的是他讲的话。Zhèi fèn cáiliào li xiě de shì tā jiǎng de huà. **例** 他回答问题时，警察做了一份 ~。Tā huídá wèntí shí, jǐngchá zuòle yí fèn ~. | 这份 ~ 把他说的每一句话都写了下来。Zhèi fèn ~ bǎ tā shuō de měi yí jù huà dōu xiěle xialai. | 会议 ~ 是他写的，会议进行的情况和代表们的发言都写得很清楚。Huìyì ~ shì tā xiě de, huìyì jìnxíng de qíngkuàng hé dàibiǎomen de fāyán dōu xiě de hěn qīngchu. | 这是发生事故时的详细~，是一位当时在场的记者写的。Zhè shì fāshēng shìgù shí de xiángxì ~, shì yí wèi dāngshí zàichǎng de jìzhě xiě de.

jìxing 记性（記性）［名］

他的 ~ 很好，朋友们的生日他都记得。Tā de ~ hěn hǎo, péngyoumen de shēngri tā dōu jìde. →他不容易忘记事情。Tā bù róngyì wàngjì shìqing. 例他父亲年纪大了，~ 不太好。Tā fùqin niánjì dà le, ~ bú tài hǎo. | 他的年龄越来越大，~ 也越来越差。Tā de niánlíng yuèláiyuè dà, ~ yě yuèláiyuè chà. | 他是个 ~ 很好的人，连我十年前说过的话他都记得。Tā shì ge ~ hěn hǎo de rén, lián wǒ shí nián qián shuōguo de huà tā dōu jìde. | 我真没想到他有这么好的 ~，朋友的电话他都记在脑子里。Wǒ zhēn méi xiǎngdào tā yǒu zhème hǎo de ~, péngyou de diànhuà tā dōu jì zài nǎozi li.

jìyì 记忆（記憶）［名］

那个国家的风景给我留下了美好的 ~。Nèige guójiā de fēngjǐng gěi wǒ liúxiàle měihǎo de ~. →那个国家的风景在我脑子里的样子很美好。Nèige guójiā de fēngjǐng zài wǒ nǎozi li de yàngzi hěn měihǎo. 例我和妻子就是在那个地方认识的，所以我对那儿有很深的 ~。Wǒ hé qīzi jiù shì zài nèige dìfang rènshi de, suǒyǐ wǒ duì nàr yǒu hěn shēn de ~. | 被车撞伤后她失去了 ~，想不起自己是谁、住在哪儿。Bèi chē zhuàngshāng hòu tā shīqùle ~, xiǎng bu qǐ zìjǐ shì shéi, zhù zài nǎr. | 我三年前见过她，在我的 ~ 中，她脾气很好。Wǒ sān nián qián jiànguo tā, zài wǒ de ~ zhōng, tā píqi hěn hǎo. | 这个城市现在的样子跟我 ~ 中的已经完全不同了。Zhèige chéngshì xiànzài de yàngzi gēn wǒ ~ zhōng de yǐjīng wánquán bùtóng le.

jìzhě 记者（記者）［名］

reporter; journalist 例他是一家报社的 ~。Tā shì yì jiā bàoshè de ~. | 他以前在一家电视台当过~，报道过很多重要新闻。Tā yǐqián zài yì jiā diànshìtái dāngguo ~, bàodàoguo hěn duō zhòngyào xīnwén. | 事故发生后，新闻 ~ 很快就赶到了。Shìgù fāshēng hòu, xīnwén ~ hěn kuài jiù gǎndào le. | 他是一名体育 ~，专门报道体育新闻。Tā shì yì míng tǐyù ~, zhuānmén bàodào tǐyù xīnwén. | 这次重要会议吸引了很多 ~。Zhèi cì zhòngyào huìyì xīyǐnle hěn duō ~. | ~ 的生活是非常紧张的。~ de shēnghuó shì fēicháng jǐnzhāng de. | 他没有回答 ~ 的问题。Tā méiyǒu huídá ~ de wèntí.

J

jìlǜ 纪律（紀律）[名]

上班时不能聊天儿，这是公司的~。Shàngbān shí bù néng liáotiānr, zhè shì gōngsī de ~. →这是公司对职员们的要求。Zhè shì gōngsī duì zhíyuánmen de yāoqiú. 例旷课超过五次的学生不能参加期末考试，这是学校的~。Kuàngkè chāoguò wǔ cì de xuésheng bù néng cānjiā qīmò kǎoshì, zhè shì xuéxiào de ~. | 他因为不遵守公司的~而受到批评。Tā yīnwèi bù zūnshǒu gōngsī de ~ ér shòudào pīpíng. | 大卫上班第一天就迟到了，违反了工作~。Dàwèi shàngbān dì yī tiān jiù chídào le, wéifǎnle gōngzuò ~. | 他一向遵守学校的各项~，是个很好的学生。Tā yíxiàng zūnshǒu xuéxiào de gè xiàng ~, shì ge hěn hǎo de xuésheng.

jìniàn 纪念（紀念）[动]

他写了一篇文章~两年前去世的那位著名演员。Tā xiěle yì piān wénzhāng ~ liǎng nián qián qùshì de nèi wèi zhùmíng yǎnyuán. →他这样做是表示他还想着那位演员。Tā zhèiyàng zuò shì biǎoshì tā hái xiǎngzhe nèi wèi yǎnyuán. 例人们来到广场上~那些为国牺牲的战士。Rénmen láidào guǎngchǎng shang ~ nèixiē wèi guó xīshēng de zhànshì. | 为了~这位音乐家，人们每年都要举办一场音乐会。Wèile ~ zhèi wèi yīnyuèjiā, rénmen měi nián dōu yào jǔbàn yì chǎng yīnyuèhuì. | 今天是他们结婚十周年，对他们来说是一个值得~的日子。Jīntiān shì tāmen jiéhūn shí zhōunián, duì tāmen láishuō shì yí ge zhíde ~ de rìzi. | 今天的~活动是为我国历史上一位英雄举行的。Jīntiān de ~ huódòng shì wèi wǒ guó lìshǐ shang yí wèi yīngxióng jǔxíng de.

jìshù 技术[1]（技術）[名]

technology 例他发明了一项新~。Tā fāmíngle yí xiàng xīn ~. | 他们掌握了世界上最先进的电脑~。Tāmen zhǎngwòle shìjiè shang zuì xiānjìn de diànnǎo ~. | 这种~是他们研究出来的。Zhèi zhǒng ~ shì tāmen yánjiū chulai de. | 电脑行业的~进步得很快。Diànnǎo hángyè de ~ jìnbù de hěn kuài. | 这家公司采用了一种新的生产~来制造电视机。Zhèi jiā gōngsī cǎiyòngle yì zhǒng xīn de shēngchǎn ~ lái zhìzào diànshìjī. | 在研究过程中，他们遇到了不少~问题。Zài yánjiū guòchéng zhōng, tāmen yùdàole bùshǎo ~ wèntí. | 这家公司制造汽车的~水平很高。Zhèi jiā gōngsī zhìzào qìchē de ~ shuǐpíng hěn gāo.

jìshù 技术² （技術） [名]

他开车的 ~ 很好。Tā kāi chē de ~ hěn hǎo. →他开车开得很好。Tā kāi chē kāi de hěn hǎo. 例他修理汽车已经有二十年的经验了, ~ 特别好。Tā xiūlǐ qìchē yǐjing yǒu èrshí nián de jīngyàn le, ~ tèbié hǎo. I我不经常做饭, 做饭的 ~ 很一般。Wǒ bù jīngcháng zuòfàn, zuòfàn de ~ hěn yìbān. I我打网球的 ~ 都是他教的。Wǒ dǎ wǎngqiú de ~ dōu shì tā jiāo de. I他凭自己熟练的篮球 ~ 成为了球队里最重要的人。Tā píng zìjǐ shúliàn de lánqiú ~ chéngwéile qiúduì li zuì zhòngyào de rén. I那位医生的 ~ 水平很高, 病人们很尊敬他。Nèi wèi yīshēng de ~ shuǐpíng hěn gāo, bìngrénmen hěn zūnjìng tā.

jìshùyuán 技术员 （技術員） [名]

他是这个工厂的 ~ 。Tā shì zhèige gōngchǎng de ~ . →他负责某种技术任务。Tā fùzé mǒu zhǒng jìshù rènwu. 例他以前当过 ~ , 现在是工程师。Tā yǐqián dāngguo ~ , xiànzài shì gōngchéngshī. I由于他很努力, 所以从一名普通工人成为了一名 ~ 。Yóuyú tā hěn nǔlì, suǒyǐ cóng yì míng pǔtōng gōngrén chéngwéile yì míng ~ . I公司派了一名 ~ 教工人们使用新设备。Gōngsī pàile yì míng ~ jiāo gōngrénmen shǐyòng xīn shèbèi. I农业 ~ 的工作之一就是帮助农民解决生产中遇到的困难。Nóngyè ~ de gōngzuò zhīyī jiù shì bāngzhù nóngmín jiějué shēngchǎn zhōng yùdào de kùnnan.

jìjié 季节 （季節） [名]

一年有四个 ~ , 春天、夏天、秋天和冬天。Yì nián yǒu sì ge ~ , chūntiān、xiàtiān、qiūtiān hé dōngtiān. →根据气候的特点, 一年分为春天、夏天、秋天和冬天四个时期。Gēnjù qìhòu de tèdiǎn, yì nián fēnwéi chūntiān、xiàtiān、qiūtiān hé dōngtiān sì ge shíqī. 例夏天是一年中最热的 ~ 。Xiàtiān shì yì nián zhōng zuì rè de ~ . I这里最好的 ~ 是秋天。Zhèlǐ zuì hǎo de ~ shì qiūtiān. I这个 ~ 来旅游的人特别多。Zhèige ~ lái lǚyóu de rén tèbié duō. I这个城市每个 ~ 的特点都很明显。Zhèige chéngshì měi ge ~ de tèdiǎn dōu hěn míngxiǎn. I农忙 ~ 到了, 农民们都忙着收割庄稼。Nóngmáng ~ dào le, nóngmínmen dōu mángzhe shōugē zhuāngjia.

jì 既 [连]

这个孩子 ~ 聪明又可爱。Zhèige háizi ~ cōngming yòu kě'ài. →这个孩子又聪明又可爱。Zhèige háizi yòu cōngming yòu kě'ài. 例他的

房间~干净又漂亮。Tā de fángjiān ~ gānjìng yòu piàoliang. |这些
水果~贵又不新鲜，你最好别买。Zhèixiē shuǐguǒ ~ guì yòu bù
xīnxian, nǐ zuìhǎo bié mǎi. |晚上我要和朋友一起去吃~好吃又好看
的中国菜。Wǎnshang wǒ yào hé péngyou yìqǐ qù chī ~ hǎochī yòu
hǎokàn de Zhōngguócài. |天气非常好，~不冷也不热。Tiānqì
fēicháng hǎo, ~ bù lěng yě bú rè. |他~不想看电视也不想吃东西，
只想睡觉。Tā ~ bù xiǎng kàn diànshì yě bù xiǎng chī dōngxi, zhǐ
xiǎng shuìjiào.

jìrán 既然 [连]

你~喜欢这本书，就买一本吧。Nǐ ~ xǐhuan zhèi běn shū, jiù mǎi yì
běn ba. →你喜欢这本书，那么就买一本吧。Nǐ xǐhuan zhèi běn
shū, nàme jiù mǎi yì běn ba. 例你~不想去就别去。Nǐ ~ bù xiǎng
qù jiù bié qù. |她~是你最好的朋友，你就应该帮助她。Tā ~ shì
nǐ zuì hǎo de péngyou, nǐ jiù yīnggāi bāngzhù tā. |~你这么有空儿，
我们一起去看场电影吧。~ nǐ zhème yǒu kòngr, wǒmen yìqǐ qù kàn
chǎng diànyǐng ba. |~天气这么好，我们为什么不去外边玩儿玩儿
呢？~ tiānqì zhème hǎo, wǒmen wèishénme bú qù wàibian
wánrwanr ne? |~你知道是谁弄坏了她的汽车，怎么不告诉她？~
nǐ zhīdao shì shéi nònghuàile tā de qìchē, zěnme bú gàosu tā?

jìxù 继续¹ （繼續） [动]

他今天特别忙，下班以后还在办公室里~工作。Tā jīntiān tèbié
máng, xiàbān yǐhòu hái zài bàngōngshì li ~ gōngzuò. →他下班以后
没有停止工作回家去，而是还在办公室里工作着。Tā xiàbān yǐhòu
méiyǒu tíngzhǐ gōngzuò huíjiā qù, érshì hái zài bàngōngshì li
gōngzuòzhe. 例他已经学习了半天了，现在还在~学习。Tā yǐjing
xuéxíle bàntiān le, xiànzài hái zài ~ xuéxí. |他们已经喝了很多酒了，
还要~喝。Tāmen yǐjing hēle hěn duō jiǔ le, háiyào ~ hē. |我不能
~等下去了，我还有别的事要办。Wǒ bù néng ~ děng xiaqu le,
wǒ hái yǒu biéde shì yào bàn. |汽车没停，~往前开去。Qìchē méi
tíng, ~ wǎng qián kāiqu.

jìxù 继续² （繼續） [动]

早晨他醒了，一看手表才五点，就又~睡了。Zǎochen tā xǐng le, yí
kàn shǒubiǎo cái wǔ diǎn, jiù yòu ~ shuì le. →他看了一下儿手表，
然后又睡觉了。Tā kànle yí xiàr shǒubiǎo, ránhòu yòu shuìjiào le. 例

我们休息了一会儿又 ~ 向前走。Wǒmen xiūxile yíhuìr yòu ~ xiàng qián zǒu. | 他出去散了一会儿步，回来又 ~ 看起书来。Tā chūqu sànle yíhuìr bù, huílai yòu ~ kàn qi shū lai. | 比赛因为下雨停了一会儿，雨停了又 ~ 进行。Bǐsài yīnwèi xià yǔ tíngle yíhuìr, yǔ tíngle yòu ~ jìnxíng. | 这件事今天做不完了，明天再 ~ 做吧。Zhèi jiàn shì jīntiān zuò bu wán le, míngtiān zài ~ zuò ba. | 别看电视了，吃完饭再 ~ 看吧。Bié kàn diànshì le, chīwán fàn zài ~ kàn ba.

jìxù 继续³（繼續）[动]

这个会是下午两点开始的，现在都七点多了还在 ~ 。Zhèige huì shì xiàwǔ liǎng diǎn kāishǐ de, xiànzài dōu qī diǎn duōle hái zài ~ . →现在还在开会。Xiànzài hái zài kāihuì. 例他们的晚会已经开了好几个小时了，现在还在 ~ 。Tāmen de wǎnhuì yǐjing kāile hǎojǐ gè xiǎoshí le, xiànzài hái zài ~ . | 虽然正在下雨，比赛仍在 ~ 着。Suīrán zhèngzài xià yǔ, bǐsài réng zài ~ zhe. | 紧张的工作一直 ~ 到深夜。Jǐnzhāng de gōngzuò yìzhí ~ dào shēnyè. | 他经常不吃早饭，这种情况再 ~ 下去对他的身体不好。Tā jīngcháng bù chī zǎofàn, zhèi zhǒng qíngkuàng zài ~ xiaqu duì tā de shēntǐ bù hǎo.

jì 寄 [动]

我要 ~ 一封信给朋友。Wǒ yào ~ yì fēng xìn gěi péngyou. →我要让邮局把信送到朋友手里。Wǒ yào ràng yóujú bǎ xìn sòngdào péngyou shǒu li. 例我过生日的时候，他 ~ 了一个礼物给我。Wǒ guò shēngri de shíhou, tā ~ le yí ge lǐwù gěi wǒ. | 他家附近有个邮局，他常去那儿 ~ 信。Tā jiā fùjìn yǒu ge yóujú, tā cháng qù nàr ~ xìn. | 他给在国外的哥哥 ~ 了一本书。Tā gěi zài guówài de gēge ~ le yì běn shū. | 我写了一封信，下午就 ~ 出去。Wǒ xiěle yì fēng xìn, xiàwǔ jiù ~ chuqu. | 妈妈给她 ~ 去了不少好吃的东西。Māma gěi tā ~ qule bùshǎo hǎochī de dōngxi. | 这封信是从国外 ~ 来的。Zhèi fēng xìn shì cóng guówài ~ lai de. | 现在邮局已经下班了，~ 不了包裹。Xiànzài yóujú yǐjing xiàbān le, ~ bu liǎo bāoguǒ. | 我一个月以前 ~ 给他的信他还没收到，大概 ~ 丢了。Wǒ yí ge yuè yǐqián ~ gěi tā de xìn tā hái méi shōudào, dàgài ~ diū le. | 我收到了他 ~ 来的钱。Wǒ shōudàole tā ~ lai de qián.

jia

jiā 加[1] [动]

二~三等于五。Èr ~ sān děngyú wǔ. →2＋3＝5 例五个~三个，
一共是八个。Wǔ ge ~ sān ge, yígòng shì bā ge. | 我今天买衣服花
了四百多块，~上买桌子花的二百块，一共花了六百多。Wǒ jīntiān
mǎi yīfu huāle sìbǎi duō kuài, ~ shang mǎi zhuōzi huā de èrbǎi kuài,
yígòng huāle liùbǎi duō. | 现在我们俩的钱~在一起才一百多。
Xiànzài wǒmen liǎ de qián ~ zài yìqǐ cái yìbǎi duō. | 把我们的钱~起
来就能买一台电视机了。Bǎ wǒmen de qián ~ qilai jiù néng mǎi yì
tái diànshìjī le. | 二十七~十八是四十五，不是五十五，你~错了。
Èrshíqī ~ shíbā shì sìshíwǔ, bú shì wǔshíwǔ, nǐ ~ cuò le.

jiā 加[2] [动]

你的咖啡要~糖吗？Nǐ de kāfēi yào ~ táng ma? →要不要往你的
咖啡里放糖？Yào bu yào wǎng nǐ de kāfēi li fàng táng? 例她每次喝
茶的时候都要~糖。Tā měi cì hē chá de shíhou dōu yào ~ táng. |
这个菜太淡了，再~点儿盐吧。Zhèige cài tài dàn le, zài ~ diǎnr
yán ba. | 这汤太咸了，得往里~点儿水才行。Zhèi tāng tài xián le,
děi wǎng lǐ ~ diǎnr shuǐ cái xíng. | 我要一杯不~糖、不~牛奶的
咖啡。Wǒ yào yì bēi bù ~ táng、bù ~ niúnǎi de kāfēi. | 这杯咖啡
糖~得太多，太甜了。Zhèi bēi kāfēi táng ~ de tài duō, tài tián le. |
水太少了，再~一些进去。Shuǐ tài shǎo le, zài ~ yìxiē jinqu. | 这
种酒~入一些冰才好喝。Zhèi zhǒng jiǔ ~ rù yìxiē bīng cái hǎohē.

jiāgōng 加工 [动]

这个工厂~服装。Zhèige gōngchǎng ~ fúzhuāng. →这个工厂把布
做成衣服。Zhèige gōngchǎng bǎ bù zuòchéng yīfu. 例他的公司专门
~各种家具。Tā de gōngsī zhuānmén ~ gè zhǒng jiājù. | 这种食品是
用牛奶~成的。Zhèi zhǒng shípǐn shì yòng niúnǎi ~ chéng de. | 这
些鞋子~得很好，因为~鞋子的工人都很有经验。Zhèixiē xiézi ~
de hěn hǎo, yīnwèi ~ xiézi de gōngrén dōu hěn yǒu jīngyàn. | 这批
箱子他们只花了三天就~出来了。Zhèi pī xiāngzi tāmen zhǐ huāle
sān tiān jiù ~ chulai le. | 这些椅子还没做好，得再~一下儿。
Zhèixiē yǐzi hái méi zuòhǎo, děi zài ~ yíxiàr.

jiāqiáng 加强 [动]

公司打算~管理。Gōngsī dǎsuan ~ guǎnlǐ. →公司打算管理得更严

格一些。Gōngsī dǎsuan guǎnlǐ de gèng yángé yìxiē. 例她应该～锻
炼，多运动运动。Tā yīnggāi ～ duànliàn, duō yùndòng yùndòng. |
老师要求学生们 ～ 时间观念，不要迟到。Lǎoshī yāoqiú
xuéshengmen ～ shíjiān guānniàn, búyào chídào. |他听汉语已经没
什么困难了，但在口语方面还需要～。Tā tīng Hànyǔ yǐjing méi
shénme kùnnan le, dàn zài kǒuyǔ fāngmiàn hái xūyào ～. |他的工
作能力还应该～一些才能把工作做得更好。Tā de gōngzuò nénglì
hái yīnggāi ～ yìxiē cái néng bǎ gōngzuò zuò de gèng hǎo. |经过刻苦
的训练，他的信心得到了～。Jīngguò kèkǔ de xùnliàn, tā de xìnxīn
dédàole ～.

jiāyǐ 加以 [动]

他工作完成得很好，公司要～表扬。Tā gōngzuò wánchéng de hěn
hǎo, gōngsī yào ～ biǎoyáng. → 公司要表扬他。Gōngsī yào
biǎoyáng tā. 例这件事很重要，应该～重视。Zhèi jiàn shì hěn
zhòngyào, yīnggāi ～ zhòngshì. |这个问题必须马上～解决。Zhèige
wèntí bìxū mǎshàng ～ jiějué. |我的要求他同意～考虑。Wǒ de
yāoqiú tā tóngyì ～ kǎolǜ. |科学家们正在对这种有趣的现象～研究。
Kēxuéjiāmen zhèngzài duì zhèi zhǒng yǒuqù de xiànxiàng ～ yánjiū. |
大家希望他对他的观点～详细地说明。Dàjiā xīwàng tā duì tā de
guāndiǎn ～ xiángxì de shuōmíng. |会议上大家提出了很多意见，他
负责把大家的意见～总结。Huìyì shang dàjiā tíchūle hěn duō yìjiàn,
tā fùzé bǎ dàjiā de yìjiàn ～ zǒngjié.

jiā yóu 加油[1]

比赛时观众们大声地喊："～儿!" Bǐsài shí guānzhòngmen dàshēng
de hǎn: "～r!" →大家喊 "～儿" 是为了让运动员更努力地比赛。
Dàjiā hǎn "～r" shì wèile ràng yùndòngyuán gèng nǔlì de bǐsài. 例比
赛到了最关键的时候，大家整齐地喊着："～儿! ～儿!" Bǐsài dàole
zuì guānjiàn de shíhòu, dàjiā zhěngqí de hǎnzhe: "～r! ～r!" |你明
天比赛时我一定去给你～。Nǐ míngtiān bǐsài shí wǒ yídìng qù gěi nǐ
～r. |他有点儿累了，我们为他加加油儿吧。Tā yǒudiǎnr lèi le,
wǒmen wèi tā jiājia yóur ba. |这次考试你一定要～儿，千万别不及
格。Zhèi cì kǎoshì nǐ yídìng yào ～r, qiānwàn bié bù jígé. |你最近工
作不太认真，应该加加油儿。Nǐ zuìjìn gōngzuò bú tài rènzhēn,
yīnggāi jiājia yóur.

J

jiā yóu 加油²

我的汽车油不多了，需要 ~ 了。Wǒ de qìchē yóu bù duō le, xūyào ~ le. →我的汽车需要再弄点ᵣ油进去。Wǒ de qìchē xūyào zài nòng diǎnr yóu jìnqu. 例他正在给自己的汽车 ~。Tā zhèngzài gěi zìjǐ de qìchē ~. |飞机会在这个机场 ~ 以后再继续飞。Fēijī huì zài zhèige jīchǎng ~ yǐhòu zài jìxù fēi. |汽车快没油了，去加点ᵣ油吧。Qìchē kuài méi yóu le, qù jiā diǎnr yóu ba. |我已经给汽车加满了油，你放心好了。Wǒ yǐjing gěi qìchē jiāmǎnle yóu, nǐ fàngxīn hǎo le. |我的车油不多了，还好前面不远就有一个 ~ 的地方。Wǒ de chē yóu bù duō le, hái hǎo qiánmian bù yuǎn jiù yǒu yí ge ~ de dìfang. |我坐在汽车里趁~的机会向~的工人问路。Wǒ zuò zài qìchē li chèn ~ de jīhuì xiàng ~ de gōngrén wènlù.

jiā 夹¹ （夾）[动]

快来，用筷子 ~ 菜。Kuài lái, yòng kuàizi ~ cài. →手拿两根筷子，用食指、中指用力，菜就可以捡起来了。Shǒu ná liǎng gēn kuàizi, yòng shízhǐ、zhōngzhǐ yònglì, cài jiù kěyǐ jiǎn qilai le. 例大卫的胳膊底下 ~ 着一本书。Dàwèi de gēbo dǐxia ~ zhe yì běn shū. |他一下子把球 ~ 在了两腿中间。Tā yíxiàzi bǎ qiú ~ zàile liǎng tuǐ zhōngjiān. |这个 ~ 东西的夹子不好用，总是 ~ 不紧。Zhèige ~ dōngxi de jiāzi bù hǎo yòng, zǒngshì ~ bu jǐn. |请开一下ᵣ门，车门把我的衣服 ~ 住了。Qǐng kāi yíxiàr mén, chēmén bǎ wǒ de yīfu ~ zhù le.

jiā 夹² （夾）[动]

右边是爸爸，左边是妈妈，我 ~ 在中间。Yòubian shì bàba, zuǒbian shì māma, wǒ ~ zài zhōngjiān. →我坐的地方是在爸爸妈妈座位的中间。Wǒ zuò de dìfang shì zài bàba māma zuòwèi de zhōngjiān. 例我把那片好看的树叶 ~ 到书里了。Wǒ bǎ nèi piàn hǎokàn de shùyè ~ dào shū li le. |你那件白衬衣在两件外衣中间 ~ 着，找到了没有？Nǐ nèi jiàn bái chènyī zài liǎng jiàn wàiyī zhōngjiān ~ zhe, zhǎodàole méiyǒu? |那本厚厚的书里 ~ 了好多漂亮的纸片。Nèi běn hòuhòu de shū li ~ le hǎo duō piàoliang de zhǐpiàn.

jiā 家¹ [名]

family 例我 ~ 有四口人：父亲、母亲、姐姐和我。Wǒ ~ yǒu sì kǒu rén: fùqin、mǔqin、jiějie hé wǒ. |上个星期我们全 ~ 一起去旅行了。Shàng ge xīngqī wǒmen quán ~ yìqǐ qù lǚxíng le. |我们两 ~ 关

系一直很好。Wǒmen liǎng ~ guānxì yìzhí hěn hǎo. | 我 ~ 已经在这个地方住了几十年了。Wǒ ~ yǐjing zài zhèige dìfang zhùle jǐshí nián le. | 大卫 ~ 的人个子都很高。Dàwèi ~ de rén gèzi dōu hěn gāo. | 他 ~ 就住在公园旁边。Tā ~ jiù zhù zài gōngyuán pángbiān.

jiātíng 家庭 [名]

family 例他有一个幸福的 ~, 妻子很好, 孩子也很可爱。Tā yǒu yí ge xìngfú de ~, qīzi hěn hǎo, háizi yě hěn kě'ài. | 他家是一个大 ~, 一共有十几口人。Tā jiā shì yí ge dà ~, yígòng yǒu shíjǐ kǒu rén. | 他希望跟他的女朋友结婚, 组成 ~。Tā xīwàng gēn tā de nǚpéngyou jiéhūn, zǔchéng ~. | 结婚以后她不再去外边工作, 成了 ~ 妇女。Jiéhūn yǐhòu tā bú zài qù wàibian gōngzuò, chéngle ~ fùnǚ. | 他很小的时候父母就去世了, 没得到过 ~ 的温暖。Tā hěn xiǎo de shíhou fùmǔ jiù qùshì le, méi dédàoguo ~ de wēnnuǎn.

jiā 家² [名]

home 例他 ~ 就在附近。Tā ~ jiù zài fùjìn. | 这座漂亮的小楼就是我的新 ~。Zhèi zuò piàoliang de xiǎolóu jiù shì wǒ de xīn ~. | 现在太晚了, 我得回 ~ 了。Xiànzài tài wǎn le, wǒ děi huí ~ le. | 他 ~ 比我 ~ 面积大。Tā ~ bǐ wǒ ~ miànjī dà. | 他 ~ 离学校很近, 从他 ~ 走到学校只需要五分钟。Tā ~ lí xuéxiào hěn jìn, cóng tā ~ zǒudào xuéxiào zhǐ xūyào wǔ fēnzhōng. | 她妈妈说她不在 ~, 上朋友 ~ 玩儿去了。Tā māma shuō tā bú zài ~, shàng péngyou ~ wánr qu le. | 昨天晚上我一直在 ~ 里看电视。Zuótiān wǎnshang wǒ yìzhí zài ~ li kàn diànshì. | 他的 ~ 后面有一片树林。Tā de ~ hòumiàn yǒu yí piàn shùlín.

jiājù 家具 [名]

他家的 ~ 都是新的。Tā jiā de ~ dōu shì xīn de. →他家里的桌子、椅子、柜子等等都是最近买的。Tā jiāli de zhuōzi、yǐzi、guìzi děngděng dōu shì zuìjìn mǎi de. 例我租了新房子, 需要几件 ~。Wǒ zūle xīn fángzi, xūyào jǐ jiàn ~. | 这个房间不太大, 放不下那么多 ~。Zhèige fángjiān bú tài dà, fàng bu xià nàme duō ~. | 这个房间里没什么 ~, 只有一张床和一张桌子。Zhèige fángjiān li méi shénme ~, zhǐ yǒu yì zhāng chuáng hé yì zhāng zhuōzi. | 我现在用的这套 ~ 太旧了, 该换新 ~ 了。Wǒ xiànzài yòng de zhèi tào ~ tài jiù le, gāi huàn xīn ~ le. | 这套 ~ 的样子、颜色都不错, 摆在我的房间里肯定好看。Zhèi tào ~ de yàngzi、yánsè dōu búcuò, bǎi zài wǒ

J

de fángjiān li kěndìng hǎokàn.

jiāwù 家务(家務) [名]

妈妈在家里做~。Māma zài jiāli zuò~. →她在做饭、洗衣服或者收拾房间什么的。Tā zài zuòfàn、xǐ yīfu huòzhě shōushi fángjiān shénmede. 例她虽然年纪不大，却很会做~。Tā suīrán niánjì bú dà, què hěn huì zuò~. l他让孩子学着做一点儿比较容易的~。Tā ràng háizi xuézhe zuò yìdiǎnr bǐjiào róngyì de~. l~太多，妻子希望丈夫能帮帮她。~tài duō, qīzi xīwàng zhàngfu néng bāngbang tā. l她又要照顾孩子又要忙~，真辛苦。Tā yòu yào zhàogù háizi yòu yào máng~, zhēn xīnkǔ.

jiāxiāng 家乡(家鄉) [名]

这里是我的~，父亲母亲、爷爷奶奶都曾住在这里。Zhèlǐ shì wǒ de~, fùqin mǔqin、yéye nǎinai dōu céng zhù zài zhèlǐ. →我家几代人都生活在这个地方。Wǒ jiā jǐ dài rén dōu shēnghuó zài zhèige dìfang. 例河边那个村子就是他的~，他家从爷爷的爷爷开始就一直住在那儿。Hé biān nèige cūnzi jiù shì tā de~, tā jiā cóng yéye de yéye kāishǐ jiù yìzhí zhù zài nàr. l他离开~，去一个很远的城市上大学。Tā líkāi~, qù yí ge hěn yuǎn de chéngshì shàng dàxué. l他每年都要回~看父母亲。Tā měi nián dōu yào huí~ kàn fùmǔqin. l离开十年后又回到~，~的样子已经完全变了。Líkāi shí nián hòu yòu huídào~, ~de yàngzi yǐjing wánquán biàn le. l每次回~时，看见~的人、~的景色都感到特别亲切。Měi cì huí~ shí, kànjiàn~ de rén、~ de jǐngsè dōu gǎndào tèbié qīnqiè.

jiǎ 甲 [名]

~级词是最常用的词。~jí cí shì zuì chángyòng de cí. →中国习惯上用甲乙丙丁代表第一、第二、第三、第四。汉语的词按常用程度分成甲乙丙丁四级。Zhōngguó xíguàn shang yòng jiǎ yǐ bǐng dīng dàibiǎo dì yī、dì èr、dì sān、dì sì. Hànyǔ de cí àn chángyòng chéngdù fēnchéng jiǎ yǐ bǐng dīng sì jí. 例这些棉花最好，是~等的。Zhèixiē miánhua zuì hǎo, shì~ děng de. l我的考试成绩争取~等，千万别考到乙等。Wǒ de kǎoshì chéngjì zhēngqǔ~ děng, qiānwàn bié kǎodào yǐ děng. l根据质量好坏，店里把这些水果分成~乙丙三级。Gēnjù zhìliàng hǎohuài, diàn li bǎ zhèixiē shuǐguǒ fēnchéng~ yǐ bǐng sān jí. l我们年级一共四个班：~班、乙班、丙班和丁班。Wǒmen niánjí yígòng sì ge bān:~ bān、yǐ bān、bǐng bān hé dīng bān.

jiǎ 假 ［形］

他从来不骗人，说的不会是～话。Tā cónglái bú piàn rén, shuō de bú huì shì ～ huà. →他说的都是真的。Tā shuō de dōu shì zhēn de. 例这些钱是我刚从银行里取出来的，决不可能是～钱。Zhèixiē qián shì wǒ gāng cóng yínháng li qǔ chulai de, jué bù kěnéng shì ～ qián. | 他桌子上放的不是真花儿，而是用塑料做的～花儿。Tā zhuōzi shang fàng de bú shì zhēn huār, érshì yòng sùliào zuò de ～ huār. | 警察发现他的护照和名字都是～的。Jǐngchá fāxiàn tā de hùzhào hé míngzi dōu shì ～ de. | 他讲的笑话一点儿也不可笑，但是大家为了礼貌都～笑起来。Tā jiǎng de xiàohua yìdiǎnr yě bù kěxiào, dànshì dàjiā wèile lǐmào dōu ～ xiào qilai.

jiàgé 价格（價格）［名］

这种汽车～很高，我没那么多钱买。Zhèi zhǒng qìchē ～ hěn gāo, wǒ méi nàme duō qián mǎi. →这种汽车很贵。Zhèi zhǒng qìchē hěn guì. 例这个商店的东西～太高，我可买不起。Zhèige shāngdiàn de dōngxi ～ tài gāo, wǒ kě mǎi bu qǐ. | 这个牌子的电冰箱质量很好，～又便宜，很受顾客欢迎。Zhèige páizi de diànbīngxiāng zhìliàng hěn hǎo, ～ yòu piányi, hěn shòu gùkè huānyíng. | 他急等着用钱，以很低的～把他的商店卖了。Tā jí děngzhe yòng qián, yǐ hěn dī de ～ bǎ tā de shāngdiàn mài le. | 这个～不合理，降低百分之二十还差不多。Zhèige ～ bù hélǐ, jiàngdī bǎi fēnzhī èrshí hái chàbuduō. | 今年水果产量不高，～当然就提高了。Jīnnián shuǐguǒ chǎnliàng bù gāo, ～ dāngrán jiù tígāo le. | 电脑～的变化真快，一两个月就便宜了几百块。Diànnǎo ～ de biànhuà zhēn kuài, yì liǎng ge yuè jiù piányi le jǐ bǎi kuài.

jiàqian 价钱（價錢）［名］

这件衣服的～真贵。Zhèi jiàn yīfu de ～ zhēn guì. →这件衣服卖得真贵。Zhèi jiàn yīfu mài de zhēn guì. 例这儿的水果～挺便宜的。Zhèr de shuǐguǒ ～ tǐng piányi de. | 这顶帽子真好看，问了问～，不贵，才二十块。Zhèi dǐng màozi zhēn hǎokàn, wènle wèn ～, bú guì, cái èrshí kuài. | 这么新鲜的橘子，肯定能卖个好～。Zhème xīnxian de júzi, kěndìng néng mài ge hǎo ～. | 你要是真想买我的东西，～还可以再商量。Nǐ yàoshi zhēn xiǎng mǎi wǒ de dōngxi, ～ hái kěyǐ zài shāngliang. | 你说的～太低了，我不卖。Nǐ shuō de ～ tài dī le, wǒ bú mài. | 你这辆旧车卖得太贵了，我们讲讲～吧。Nǐ zhèi liàng jiù chē mài de tài guì le, wǒmen jiǎngjiang ~ ba.

jiàzhí 价值(價值) [名]

他的意见~很大。Tā de yìjiàn ~ hěn dà. →他的意见很重要，很有用。Tā de yìjiàn hěn zhòngyào, hěn yǒu yòng. 例这本书里没有什么新知识，~ 不大。Zhèi běn shū li méiyǒu shénme xīn zhīshi, ~ bú dà. I你的看法很有~，对我的工作很有帮助。Nǐ de kànfǎ hěn yǒu ~, duì wǒ de gōngzuò hěn yǒu bāngzhù. I西红柿的营养~很高。Xīhóngshì de yíngyǎng ~ hěn gāo. I这对我来说已经没什么~了。Zhè duì wǒ láishuō yǐjing méi shénme ~ le. I如果不工作，生活毫无~。Rúguǒ bù gōngzuò, shēnghuó háo wú ~. I这是一篇很有~的论文。Zhè shì yì piān hěn yǒu ~ de lùnwén.

jià 假 [名]

明天放~，我可以好好儿休息一下儿了。Míngtiān fàng ~, wǒ kěyǐ hǎohāor xiūxi yíxiàr le. →明天不用上班、上课。Míngtiān búyòng shàngbān、shàngkè. 例我下个月有~，到时候可以好好儿去玩儿玩儿。Wǒ xià ge yuè yǒu ~, dào shíhou kěyǐ hǎohāo qù wánrwanr. I我明天要去机场接一个朋友，得请一上午~。Wǒ míngtiān yào qù jīchǎng jiē yí ge péngyou, děi qǐng yí shàngwǔ ~. I他最近身体不太好，已经请了好几次病~了。Tā zuìjìn shēntǐ bú tài hǎo, yǐjing qǐngle hǎojǐ cì bìng ~ le.

jiàqī 假期 [名]

~一共有五天，可以去旅游。~ yígòng yǒu wǔ tiān, kěyǐ qù lǚyóu. →这五天不用上班、上课。Zhèi wǔ tiān búyòng shàngbān、shàngkè. 例~从后天开始，明天还得上班。~ cóng hòutiān kāishǐ, míngtiān hái děi shàngbān. I现在是~，学校里人很少。Xiànzài shì ~, xuéxiào li rén hěn shǎo. I我还没想好怎么度过这个~。Wǒ hái méi xiǎnghǎo zěnme dùguo zhèige ~. I大卫打算利用~打工挣学费。Dàwèi dǎsuan lìyòng ~ dǎgōng zhèng xuéfèi. I这么长的~，大家可以好好儿放松放松了。Zhème cháng de ~, dàjiā kěyǐ hǎohāor fàngsōng fàngsōng le. I他正在考虑这个~的旅游计划。Tā zhèngzài kǎolǜ zhèige ~ de lǚyóu jìhuà.

jiàtiáo 假条(假條) [名]

他不能来上课，这是他的~儿。Tā bù néng lái shàngkè, zhè shì tā de ~r. →他在这张纸上写了不能来上课的原因，向老师请假。Tā zài zhèi zhāng zhǐ shang xiěle bù néng lái shàngkè de yuányīn, xiàng lǎoshī qǐngjià. **例**如果有事不能来上班，必须写~儿。Rúguǒ yǒu shì bù néng lái shàngbān, bìxū xiě ~ r. | 他写了一张~儿交给办公室。Tā xiěle yì zhāng ~ r jiāo gěi bàngōngshì. | 老板今天收到了好几张~儿，请假的理由都是感冒。Lǎobǎn jīntiān shōudàole hǎojǐ zhāng ~ r, qǐngjià de lǐyóu dōu shì gǎnmào. | 我在~儿里写了请假的原因和时间。Wǒ zài ~ r li xiěle qǐng jià de yuányīn hé shíjiān.

jian

jiān 尖[1] [形]

这支刚削过的铅笔很~。Zhèi zhī gāng xiāoguo de qiānbǐ hěn ~. → 刚削过的铅笔前头很细，可以写出很小的字来。Gāng xiāoguo de qiānbǐ qiántou hěn xì, kěyǐ xiěchū hěn xiǎo de zì lai. **例**山顶的形状很~，像字母 A。Shāndǐng de xíngzhuàng hěn ~, xiàng zìmǔ A. | 铅笔的一头是圆的，一头是~的。Qiānbǐ de yì tóu shì yuán de, yì tóu shì ~ de. | 这座房子的屋顶~~的。Zhèi zuò fángzi de wūdǐng ~ ~ de. | 我的手指被一根很~的刺儿扎破了。Wǒ de shǒuzhǐ bèi yì gēn hěn ~ de cìr zhāpò le. | 把铅笔削~一点儿，写字写得更清楚。Bǎ qiānbǐ xiāo ~ yìdiǎnr, xiě zì xiě de gèng qīngchu.

jiān 尖[2] [形]

女人的声音一般比男人~。Nǚrén de shēngyīn yìbān bǐ nánrén ~. → 跟男人比起来，女人的声音更高更细。Gēn nánrén bǐ qilai, nǚrén de shēngyīn gèng gāo gèng xì. **例**她唱歌儿的声音很~。Tā chànggēr de shēngyīn hěn ~. | 他说话的声音很~，听起来有点儿像女人。Tā shuōhuà de shēngyīn hěn ~, tīng qilai yǒudiǎnr xiàng nǚrén. | 汽车要是很快地停下来，常常会发出很~的声音。Qìchē yàoshi hěn kuài de tíng xialai, chángcháng huì fāchū hěn ~ de shēngyīn.

jiānruì 尖锐（尖锐）[形]

她的话很~，一点儿也不客气。Tā de huà hěn ~, yìdiǎnr yě bú kèqi. → 她的话让人听起来不舒服。Tā de huà ràng rén tīng qilai bù shūfu. **例**大家提的意见很~。Dàjiā tí de yìjiàn hěn ~. | 老师~地批评了我，说得我很不好意思。Lǎoshī ~ de pīpíngle wǒ, shuō de wǒ hěn bù hǎoyìsi. | 教授~地指出了我论文里的错误。Jiàoshòu ~

de zhǐchūle wǒ lùnwén li de cuòwù. I他说了说我的缺点，说得很 ~。Tā shuōle shuō wǒ de quēdiǎn, shuō de hěn ~. I她 ~ 的批评 让我脸红了。Tā ~ de pīpíng ràng wǒ liǎnhóng le.

jiānchí 坚持[1] （坚持）[动]

他不听我的话，一直~自己的意见。Tā bù tīng wǒ de huà, yìzhí zìjǐ de yìjiàn. →他不改变自己的意见。Tā bù gǎibiàn zìjǐ de yìjiàn. 例我认为我没错儿，我 ~ 我的看法。Wǒ rènwéi wǒ méi cuòr, wǒ ~ wǒ de kànfǎ. I我们都同意改变原来的计划，只有他还在~。Wǒmen dōu tóngyì gǎibiàn yuánlái de jìhuà, zhǐyǒu tā hái zài ~. I大家都不同意你的主意，你就别再~下去了。Dàjiā dōu bù tóngyì nǐ de zhǔyi, nǐ jiù bié zài ~ xiaqu le. I我说我拿得了这些东西，他还是~要帮我拿。Wǒ shuō wǒ ná de liǎo zhèixiē dōngxi, tā háishi yào bāng wǒ ná. I我~大家一起去买礼物，不愿意一个人去。Wǒ ~ dàjiā yìqǐ qù mǎi lǐwù, bú yuànyì yí ge rén qù.

jiānchí 坚持[2] （坚持）[动]

他虽然生病了还~工作。Tā suīrán shēngbìngle hái ~ gōngzuò. →他没有因为生病就不工作。Tā méiyǒu yīnwèi shēngbìng jiù bù gōngzuò. 例不管多忙，他都~运动。Bùguǎn duō máng, tā dōu yùndòng. I他每次戒烟都~不了多久，最多一个星期不抽。Tā měi cì jiè yān dōu ~ bu liǎo duō jiǔ, zuì duō yí ge xīngqī bù chōu. I学汉语很难，不过我还是决定~下去。Xué Hànyǔ hěn nán, búguò wǒ háishi juédìng ~ xiaqu. I她说不再看电视了，可是只~了一天。Tā shuō bú zài kàn diànshì le, kěshì zhǐ ~ le yì tiān. I你再~一会儿，很快就能休息了。Nǐ zài ~ yíhuìr, hěn kuài jiù néng xiūxi le. I他已经工作了整整二十个小时，快~不住了。Tā yǐjing gōngzuòle zhěngzhěng èrshí ge xiǎoshí, kuài ~ bu zhù le.

jiāndìng 坚定（坚定）[形]

他意志很~，不怕困难。Tā yìzhì hěn ~, bú pà kùnnan. →他要是决定了什么事就会坚持做下去。Tā yàoshi juédìngle shénme shì jiù huì jiānchí zuò xiaqu. 例我立场十分~，始终反对他。Wǒ lìchǎng shífēn ~, shǐzhōng fǎnduì tā. I她意志一点儿也不~，上午说决不再吃冰淇淋，下午就忍不住吃了一个。Tā yìzhì yìdiǎnr yě bù ~, shàngwǔ shuō jué bú zài chī bīngqílín, xiàxǔ jiù rěn bu zhù chīle yí ge. I父母~地相信儿子没有犯罪。Fùmǔ ~ de xiāngxìn érzi méiyǒu fànzuì. ｜我认为她是对的，所以~地站在她这一边。Wǒ rènwéi tā shì duì de, suǒyǐ ~ de zhàn zài tā zhè yì biān. ｜他说一定要把工作做好，说得很~。Tā shuō yídìng yào bǎ gōngzuò zuòhǎo, shuō de hěn ~.

jiānjué 坚决 (堅決) ［形］

他说"不行"的时候很~，让他改主意很难。Tā shuō "bùxíng" de shíhou hěn ~, ràng tā gǎi zhǔyi hěn nán. →看他的态度就知道他不会改变想法。Kàn tā de tàidu jiù zhīdao tā bú huì gǎibiàn xiǎngfa. 例他说一定要戒烟，态度很~。Tā shuō yídìng yào jièyān, tàidu hěn ~. ｜他虽然说以后不看电视了，可样子不太~。Tā suīrán shuō yǐhòu bú kàn diànshì le, kě yàngzi bú tài ~. ｜这个办法不好，我~反对。Zhèige bànfǎ bù hǎo, wǒ ~ fǎnduì. ｜他非常~地告诉老板他要辞职。Tā fēicháng ~ de gàosu lǎobǎn tā yào cízhí. ｜她说她不想结婚，~的态度让我觉得一点儿希望也没有。Tā shuō tā bù xiǎng jiéhūn, ~ de tàidu ràng wǒ juéde yìdiǎnr xīwàng yě méiyǒu. ｜她说一定要减肥，说得很~。Tā shuō yídìng yào jiǎnféi, shuō de hěn ~.

jiānqiáng 坚强 (堅強) ［形］

他很~，很累也不抱怨。Tā hěn ~, hěn lèi yě bú bàoyuàn. →一般人受不了的事，他却受得了。Yìbān rén shòu bu liǎo de shì, tā què shòu de liǎo. 例这个孩子挺~，手破了，很疼，他却不哭。Zhèige háizi tǐng ~, shǒu pò le, hěn téng, tā què bù kū. ｜她的性格很~，我从来没见过她哭。Tā de xìnggé hěn ~, wǒ cónglái méi jiànguo tā kū. ｜我一直以为他是个很~的人，没想到他这么害怕失败。Wǒ yìzhí yǐwéi tā shì ge hěn ~ de rén, méi xiǎngdào tā zhème hàipà shībài. ｜~点儿，别为这么一件小事难过。~ diǎnr, bié wèi zhème yí jiàn xiǎoshì nánguò. ｜他虽然遇到了很多困难，却表现得很~。Tā suīrán yùdàole hěn duō kùnnan, què biǎoxiàn de hěn ~. ｜离开父母一个人生活以后，她变得~起来了，什么困难也不怕。Líkāi fùmǔ yí ge rén shēnghuó yǐhòu, tā biàn de ~ qilai le, shénme kùnnan yě bú pà.

jiān 间 (間) ［量］

用于房间。Yòngyú fángjiān. 例他家有三~卧室。Tā jiā yǒu sān ~ wòshì. ｜我住的公寓有四~屋子。Wǒ zhù de gōngyù yǒu sì ~ wūzi. ｜那~屋子光线很好，他经常在那儿看书。Nèi ~ wūzi guāngxiàn hěn

hǎo, tā jīngcháng zài nàr kàn shū. |他住的那~房比弟弟住的大一
点儿。Tā zhù de nèi ~ fáng bǐ dìdi zhù de dà yìdiǎnr. |他打算把电脑
放在这~房子里。Tā dǎsuan bǎ diànnǎo fàng zài zhèi ~ fángzi li. |
这两~屋子一~是我的，另一~是我哥哥的。Zhèi liǎng ~ wūzi yì
~ shì wǒ de, lìng yì ~ shì wǒ gēge de.

jiān 肩　[名]

shoulder 例他的个子很大，~很宽。Tā de gèzi hěn dà, ~ hěn kuān. |
他昨天打篮球的时候右~受了伤。Tā zuótiān dǎ lánqiú de shíhou
yòu ~ shòule shāng. |她习惯用左~背书包。Tā xíguàn yòng zuǒ ~
bēi shūbāo. |她喜欢双~背的书包。Tā xǐhuan shuāng ~ bēi de
shūbāo. |他把箱子放在~上搬走了。Tā bǎ xiāngzi fàng zài ~
shang bānzǒu le.

jiānjù 艰巨（艱巨）　[形]

这个工作很~，不是件轻松的事。Zhèige gōngzuò hěn ~, bú shì
jiàn qīngsōng de shì. → 这个工作非常难做。Zhèige gōngzuò
fēicháng nán zuò. 例半年就学好汉语，这个任务太~了。Bàn nián
jiù xuéhǎo Hànyǔ, zhèige rènwu tài ~ le. |在山里修铁路是一项十
分~的工程。Zài shān li xiū tiělù shì yí xiàng shífēn ~ de gōngchéng. |
他好不容易完成了这个~的任务。Tā hǎo bù róngyì wánchéngle
zhèige ~ de rènwu. |只有大家一起努力，才能做好这项~的工作。
Zhǐyǒu dàjiā yìqǐ nǔlì, cái néng zuòhǎo zhèi xiàng ~ de gōngzuò.

jiānkǔ 艰苦（艱苦）　[形]

她没有钱，生活很~。Tā méiyǒu qián, shēnghuó hěn ~. →她生
活又困难又辛苦。Tā shēnghuó yòu kùnnan yòu xīnkǔ. 例这里生活
条件很~，有时连吃的东西也不够。Zhèlǐ shēnghuó tiáojiàn hěn ~,
yǒushí lián chī de dōngxi yě bú gòu. |这个地方经济很不发达，人们
过着十分~的日子。Zhèige dìfang jīngjì hěn bù fādá, rénmen
guòzhe shífēn ~ de rìzi. |沙漠地区~的生活条件使人很容易老。
Shāmò dìqū ~ de shēnghuó tiáojiàn shǐ rén hěn róngyì lǎo. |为了当
冠军，她一直在~地训练着。Wèile dāng guànjūn, tā yìzhí zài ~ de
xùnliànzhe. |他家很穷，生活过得很~。Tā jiā hěn qióng,
shēnghuó guò de hěn ~.

jiǎn 拣[1]（揀）　[动]

我从他的书架上找了找，~了两本爱看的书。Wǒ cóng tā de shūjià
shang zhǎole zhǎo, ~ le liǎng běn ài kàn de shū. →我选了两本爱

看的书。Wǒ xuǎnle liǎng běn ài kàn de shū. **例**她 ~ 了几件衣服，打算旅游的时候穿。Tā ~ le jǐ jiàn yīfu, dǎsuan lǚyóu de shíhou chuān. | 这些水果里有几个坏了，你帮我 ~ 一 ~ 吧。Zhèixiē shuǐguǒ li yǒu jǐ ge huài le, nǐ bāng wǒ ~ yi ~ ba. | 她买苹果的时候总是 ~ 大的买。Tā mǎi píngguǒ de shíhou zǒngshì ~ dà de mǎi. | 我把她的照片从那些照片里 ~ 了出来。Wǒ bǎ tā de zhàopiàn cóng nèixiē zhàopiàn li ~ le chulai. | 她在商店里 ~ 了半天也 ~ 不出想买的衣服。Tā zài shāngdiàn li ~ le bàntiān yě ~ bu chū xiǎng mǎi de yīfu.

jiǎn 拣² （揀）［动］

我在 ~ 地上的书。Wǒ zài ~ dìshang de shū. →我在把地上的书拿起来。Wǒ zài bǎ dìshang de shū ná qilai. **例**他在 ~ 掉在地上的钱。Tā zài ~ diào zài dìshang de qián. | 他的东西掉了一地，我帮他 ~。Tā de dōngxi diàole yí dì, wǒ bāng tā ~. | 你帮我 ~ 一下儿词典好吗？Nǐ bāng wǒ ~ yíxiàr cídiǎn hǎo ma? | 我的笔从桌子上滚到了地上，他帮我把笔 ~ 了起来。Wǒ de bǐ cóng zhuōzi shang gǔndàole dì shang, tā bāng wǒ bǎ bǐ ~ le qilai.

jiǎn 捡¹ （撿）［动］

一个孩子在用手 ~ 地上的叶子。Yí ge háizi zài yòng shǒu ~ dìshang de yèzi. →他在把地上的叶子拿起来。Tā zài bǎ dìshang de yèzi ná qilai. **例**我在 ~ 掉在地上的书。Wǒ zài ~ diào zài dìshang de shū. | 他累得连书掉在地上也不想 ~。Tā lèi de lián shū diào zài dìshang yě bù xiǎng ~. | 他弯下腰从地上 ~ 起一块石头向狼扔过去。Tā wānxia yāo cóng dìshang ~ qǐ yí kuài shítou xiàng láng rēng guoqu. | 请帮我 ~ 一下儿钥匙。Qǐng bāng wǒ ~ yíxiàr yàoshi. | 我的衣服掉在地上了，我赶紧把它 ~ 了起来。Wǒ de yīfu diào zài dìshang le, wǒ gǎnjǐn bǎ tā ~ le qilai. | 他把我的衣服 ~ 起来递给了我。Tā bǎ wǒ de yīfu ~ qilai dì gěi le wǒ.

jiǎn 捡² （撿）［动］

我在路上 ~ 了一个钱包。Wǒ zài lù shang ~ le yí ge qiánbāo. →有人丢了钱包，被我拿到了。Yǒu rén diūle qiánbāo, bèi wǒ nádào le. **例**我在饭馆儿里 ~ 了一块手表。Wǒ zài fànguǎnr li ~ le yí kuài shǒubiǎo. | 他在图书馆 ~ 到一个书包。Tā zài túshūguǎn ~ dào yí ge shūbāo. | 这把雨伞不是我的，是我在汽车站 ~ 的。Zhèi bǎ yǔsǎn bú shì wǒ de, shì wǒ zài qìchēzhàn ~ de. ㅣ这个电视机是他 ~ 来的。Zhèige diànshìjī shì tā ~ lai de. ㅣ我把一本书忘在教室里，被大卫 ~ 到了。Wǒ bǎ yì běn shū wàng zài jiàoshì li, bèi Dàwèi ~ dào le. ㅣ这两个小孩子 ~ 的手机是大卫的。Zhèi liǎng ge xiǎoháizi ~ de shǒujī shì Dàwèi de. ㅣ~ 到他的钱包的人把钱包还给了他。~ dào tā de qiánbāo de rén bǎ qiánbāo huán gěi le tā.

jiǎnchá 检查（檢查） [动]

上飞机以前机场要 ~ 旅客的行李。Shàng fēijī yǐqián jīchǎng yào ~ lǚkè de xíngli. →机场要找一找行李里有没有不能带上飞机的东西。Jīchǎng yào zhǎo yi zhǎo xíngli li yǒu méiyǒu bù néng dàishang fēijī de dōngxi. 例警察 ~ 了那个箱子，从里面找到了一些危险的东西。Jǐngchá ~ le nèige xiāngzi, cóng lǐmian zhǎodàole yìxiē wēixiǎn de dōngxi. ㅣ这个房间警察已经仔细地 ~ 过了。Zhèige fángjiān jǐngchá yǐjing zǐxì de ~ guo le. ㅣ你既然不舒服，就去医院 ~ 身体吧。Nǐ jìrán bù shūfu, jiù qù yīyuàn ~ shēntǐ ba. ㅣ这篇文章里的几个错字被老师 ~ 出来了。Zhèi piān wénzhāng li de jǐ ge cuòzì bèi lǎoshī ~ chulai le. ㅣ他最近觉得身体不太好，打算让医生 ~ 一下儿。Tā zuìjìn juéde shēntǐ bú tài hǎo, dǎsuan ràng yīshēng ~ yíxiàr.

jiǎn 剪 [动]

朋友用剪刀给我 ~ 头发。Péngyou yòng jiǎndāo gěi wǒ ~ tóufa. →他用剪刀把我的头发弄短一些。Tā yòng jiǎndāo bǎ wǒ de tóufa nòngduǎn yìxiē. 例我的头发太长了，想 ~ 短一点儿。Wǒ de tóufa tài cháng le, xiǎng ~ duǎn yìdiǎnr. ㅣ妈妈把装牛奶的盒子 ~ 开了一个口子。Māma bǎ zhuāng niúnǎi de hézi ~ kāile yí ge kǒuzi. ㅣ她有 ~ 报的习惯，看见报纸上有什么她感兴趣的文章就 ~ 下来。Tā yǒu ~ bào de xíguàn, kànjiàn bàozhǐ shang yǒu shénme tā gǎn xìngqù de wénzhāng jiù ~ xialai. ㅣ这根绳子太结实了，~ 不断。Zhèi gēn shéngzi tài jiēshi le, ~ bu duàn.

jiǎndāo 剪刀 [名]

剪刀

例这把 ~ 很快，剪东西不费力气。Zhèi bǎ ~ hěn kuài, jiǎn dōngxi bú fèi lìqi. ㅣ那把小 ~ 是我新买的。Nèi bǎ xiǎo ~ shì wǒ xīn mǎi de. ㅣ他买 ~ 是因为他的孩子想用纸做一架小飞机。Tā mǎi ~ shì yīnwèi tā de háizi xiǎng yòng zhǐ zuò yí jià xiǎo fēijī. ㅣ他

正在用 ~ 剪开装牛奶的盒子。Tā zhèngzài yòng ~ jiǎnkāi zhuāng niúnǎi de hézi.

jiǎn 减 [动]

十 ~ 七等于三。Shí ~ qī děngyú sān. →10 – 7 = 3 **例** 一百 ~ 八十是二十。Yìbǎi ~ bāshí shì èrshí. | 他的工资 ~ 去生活费和房租还剩下三分之二左右。Tā de gōngzī ~ qù shēnghuófèi hé fángzū hái shèngxia sān fēnzhī èr zuǒyòu. | 我有五千块钱，~ 掉应该还给你的两千块，还有三千块。Wǒ yǒu wǔqiān kuài qián, ~ diào yīnggāi huán gěi nǐ de liǎngqiān kuài, hái yǒu sānqiān kuài.

jiǎn féi 减肥

我太胖了，应该 ~。Wǒ tài pàng le, yīnggāi ~. →我应该减轻自己的体重。Wǒ yīnggāi jiǎnqīng zìjǐ de tǐzhòng. **例** 他一点儿也不胖，用不着 ~。Tā yìdiǎnr yě bú pàng, yòng bu zháo ~. | 为了 ~，她决定再也不吃巧克力了。Wèile ~, tā juédìng zài yě bù chī qiǎokèlì le. | 她 ~ 的方法就是少吃东西多运动。Tā ~ de fāngfǎ jiù shì shǎo chī dōngxi duō yùndòng. | 我吃了这种药以后 ~ 效果很明显，比以前瘦多了。Wǒ chīle zhèi zhǒng yào yǐhòu ~ xiàoguǒ hěn míngxiǎn, bǐ yǐqián shòu duō le. | 你用这种方法减不了肥。Nǐ yòng zhèi zhǒng fāngfǎ jiǎn bu liǎo féi.

jiǎnqīng 减轻[1] （減輕）[动]

她最近太累，体重都 ~ 了。Tā zuìjìn tài lèi, tǐzhòng dōu ~ le. →她以前是七十公斤，现在是六十公斤。Tā yǐqián shì qīshí gōngjīn, xiànzài shì liùshí gōngjīn. **例** 木头干了以后，重量就 ~ 了。Mùtou gānle yǐhòu, zhòngliàng jiù ~ le. | 她把书送给了朋友，这样就 ~ 了行李的重量。Tā bǎ shū sòng gěi le péngyou, zhèiyàng jiù ~ le xíngli de zhòngliàng. | 最近她吃得很少，而且经常运动，体重 ~ 了不少。Zuìjìn tā chī de hěn shǎo, érqiě jīngcháng yùndòng, tǐzhòng ~ le bùshǎo. | 多运动是 ~ 体重的好办法。Duō yùndòng shì ~ tǐzhòng de hǎo bànfǎ.

jiǎnqīng 减轻[2] （減輕）[动]

病人吃了一些药以后，痛苦 ~ 了。Bìngrén chīle yìxiē yào yǐhòu, tòngkǔ ~ le. →病人没有原来那么痛苦了。Bìngrén méiyǒu yuánlái nàme tòngkǔ le. **例** 周末好好儿休息可以 ~ 工作带来的压力。Zhōumò hǎohāor xiūxi kěyǐ ~ gōngzuò dàilái de yālì. | 为了 ~ 经济上

的负担，大卫决定搬到便宜一点儿的房子去住。Wèile ~ jīngjì shang de fùdān, Dàwèi juédìng bāndào piányi yìdiǎnr de fángzi qù zhù. | 两个孩子都工作了，父母亲的负担 ~ 了很多。Liǎng ge háizi dōu gōngzuò le, fùmǔqin de fùdān ~ le hěn duō. | 什么也 ~ 不了她失去孩子的痛苦。Shénme yě ~ bu liǎo tā shīqù háizi de tòngkǔ.

jiǎnshǎo 减少 [动]

今天天气太热，来参观的人比昨天 ~ 了。Jīntiān tiānqì tài rè, lái cānguān de rén bǐ zuótiān ~ le. →昨天有三百人来参观，今天只有一百人。Zuótiān yǒu sānbǎi rén lái cānguān, jīntiān zhǐ yǒu yìbǎi rén. 例冬天去公园的人大大 ~ 了。Dōngtiān qù gōngyuán de rén dàdà ~ le. | 开晚会的地方太小，最好 ~ 参加的人数。Kāi wǎnhuì de dìfang tài xiǎo, zuìhǎo ~ cānjiā de rénshù. | 公司今年很困难，收入比去年 ~ 了百分之二十。Gōngsī jīnnián hěn kùnnan, shōurù bǐ qùnián ~ le bǎi fēnzhī èrshí. | 这种动物的数量越来越少，已经 ~ 到原来的一半了。Zhèi zhǒng dòngwù de shùliàng yuèláiyuè shǎo, yǐjing ~ dào yuánlái de yíbàn le.

jiǎndān 简单(簡單) [形]

这件事很 ~，你一定能做好。Zhèi jiàn shì hěn ~, nǐ yídìng néng zuòhǎo. →这是一件很容易做的事，做起来不会有困难。Zhè shì yí jiàn hěn róngyì zuò de shì, zuò qilai bú huì yǒu kùnnan. 例这个工作很 ~，谁都能做。Zhèige gōngzuò hěn ~, shéi dōu néng zuò. | 她觉得回答这个问题再 ~ 不过了。Tā juéde huídá zhèige wèntí zài ~ búguò le. | 你要是想帮助她，最 ~ 的办法就是给她一些钱。Nǐ yàoshi xiǎng bāngzhù tā, zuì ~ de bànfǎ jiù shì gěi tā yìxiē qián. | 开汽车比开飞机 ~ 得多。Kāi qìchē bǐ kāi fēijī ~ de duō. | 你把这件事想得太 ~ 了，其实挺难的。Nǐ bǎ zhèi jiàn shì xiǎng de tài ~ le, qíshí tǐng nán de.

jiàn 见¹ (見) [动]

我家就在海边，当然 ~ 过海。Wǒ jiā jiù zài hǎi biān, dāngrán ~ guo hǎi. →我看见过海。Wǒ kànjiànguo hǎi. 例我从来没 ~ 过这么美的风景。Wǒ cónglái méi ~ guo zhème měi de fēngjǐng. | 大卫一 ~ 我就高兴地过来跟我聊天儿。Dàwèi yí ~ wǒ jiù gāoxìng de guòlai gēn wǒ liáotiānr. | 我昨天 ~ 他跟女朋友在一起。Wǒ zuótiān ~ tā gēn nǚpéngyou zài yìqǐ. | 我一直在门口等他，但没 ~ 他进来。Wǒ yìzhí zài ménkǒu děng tā, dàn méi ~ tā jìnlai. | 我是在商店买东西时 ~

到她的。Wǒ shì zài shāngdiàn mǎi dōngxi shí ~ dào tā de. | 这种动物越来越少，很快就可能 ~ 不到了。Zhèi zhǒng dòngwù yuèláiyuè shǎo, hěn kuài jiù kěnéng ~ bu dào le.

jiàn 见² （見）[动]

她一个人在中国，很想 ~ 自己的家人。Tā yí ge rén zài Zhōngguó, hěn xiǎng ~ zìjǐ de jiārén. → 她很想跟家人见面。Tā hěn xiǎng gēn jiārén jiànmiàn. 例我晚上要去 ~ 一个朋友。Wǒ wǎnshang yào qù ~ yí ge péngyou. | 我告诉他晚上八点电影院门口 ~。Wǒ gàosu tā wǎnshang bā diǎn diànyǐngyuàn ménkǒu ~. | 大学毕业以后，我们好久不 ~ 了。Dàxué bìyè yǐhòu, wǒmen hǎojiǔ bú ~ le. | 我跟他不太熟，我们只 ~ 过一两次。Wǒ gēn tá bú tài shóu, wǒmen zhǐ ~ guo yì liǎng cì. | 市长很忙，我没 ~ 成。Shìzhǎng hěn máng, wǒ méi ~ chéng. | 他马上就要回国了，可能以后再也 ~ 不到他了。Tā mǎshàng jiù yào huíguó le, kěnéng yǐhòu zài yě ~ bu dào tā le.

jiàn miàn 见面（見面）

我晚上要跟一个老朋友 ~，好好儿聊聊。Wǒ wǎnshang yào gēn yí ge lǎo péngyou ~, hǎohāor liáoliao. → 我晚上会看到他。Wǒ wǎnshang huì kàndào tā. 例我和她约好七点在电影院门口 ~。Wǒ hé tā yuēhǎo qī diǎn zài diànyǐngyuàn ménkǒu ~. | 上大学后，我和中学同学就很少 ~ 了。Shàng dàxué hòu, wǒ hé zhōngxué tóngxué jiù hěn shǎo ~ le. | 我们只见过一面，并不熟悉。Wǒmen zhǐ jiànguo yí miàn, bìng bù shúxī. | 我早就听说他是个好人，很想和他见个面。Wǒ zǎo jiù tīngshuō tā shì ge hǎo rén, hěn xiǎng hé tā jiàn ge miàn. | 我们 ~ 的机会不多。Wǒmen ~ de jīhuì bù duō. | 这个汽车站就是他和女朋友第一次 ~ 的地方。Zhèige qìchēzhàn jiù shì tā hé nǚpéngyou dì yī cì ~ de dìfang.

jiàn 件 [量]

用于衣服、礼物、家具、事情等。Yòngyú yīfu、lǐwù、jiājù、shìqing děng. 例他穿着一 ~ 新衣服。Tā chuānzhe yí ~ xīn yīfu. | 这 ~ 衬衫很好看。Zhèi ~ chènshān hěn hǎokàn. | 今天他过生日，我送了一 ~ 礼物给他。Jīntiān tā guò shēngri, wǒ sòngle yí ~ lǐwù gěi tā. | 我今天很忙，有好几 ~ 事情要办。Wǒ jīntiān hěn máng, yǒu hǎojǐ ~ shìqing yào bàn. | 这 ~ 事很重要，你千万别忘了。Zhèi ~ shì hěn zhòngyào, nǐ qiānwàn bié wàng le. | 这些衣服 ~ ~ 都不错，我真不知道该买哪 ~ 好。Zhèixiē yīfu ~ ~ dōu búcuò, wǒ zhēn bù zhīdào gāi mǎi něi ~ hǎo.

jiànjiē 间接（間接）[形]

我没去过中国，对中国只有一些 ~ 的了解。Wǒ méi qùguo Zhōngguó, duì Zhōngguó zhǐ yǒu yìxiē ~ de liǎojiě. →我知道的情况都是从书报上、电视里得到的，不是自己亲眼看到的。Wǒ zhīdao de qíngkuàng dōu shì cóng shūbào shang、diànshì li dédào de, bú shì zìjǐ qīnyǎn kàndào de. 例我感冒是因为天气太冷，平时不运动是 ~ 原因。Wǒ gǎnmào shì yīnwèi tiānqì tài lěng, píngshí bú yùndòng shì ~ yuányīn. | 大卫通过他的朋友 ~ 地向我道了歉。Dàwèi tōngguò tā de péngyou ~ de xiàng wǒ dàole qiàn. | 他没告诉我他要结婚，我是从他的弟弟那儿 ~ 知道的。Tā méi gàosu wǒ tā yào jiéhūn, wǒ shì cóng tā de dìdi nàr ~ zhīdao de.

jiàn 建 [动]

construct 例工人们正在 ~ 一座大楼。Gōngrénmen zhèngzài ~ yí zuò dà lóu. | 江上 ~ 了一座新桥。Jiāng shang ~ le yí zuò xīn qiáo. | 他们公司的新楼还在 ~ 着，明年才能 ~ 完。Tāmen gōngsī de xīn lóu hái zài ~ zhe, míngnián cái néng ~ wán. | 这座楼刚 ~ 好，还没住人。Zhèi zuò lóu gāng ~ hǎo, hái méi zhù rén. | 湖边 ~ 起了一片小楼儿。Hú biān ~ qile yí piàn xiǎolóur. | 这座房子 ~ 得很漂亮。Zhèi zuò fángzi ~ de hěn piàoliang. | 这个酒店是去年 ~ 成的。Zhèige jiǔdiàn shì qùnián ~ chéng de. | 新图书馆 ~ 在运动场旁边不合适。Xīn túshūguǎn ~ zài yùndòngchǎng pángbiān bù héshì. | 这个新的大楼属于一家大公司。Zhèige xīn ~ de dà lóu shǔyú yì jiā dà gōngsī.

jiànzhù 建筑[1]（建築）[动]

在这个地区 ~ 十座高楼，已经定下来了。Zài zhèige dìqū ~ shí zuò gāo lóu, yǐjing dìng xialai le. →这个地区准备盖十座高楼。Zhèige dìqū zhǔnbèi gài shí zuò gāo lóu. 例那条路上将 ~ 三座立交桥。Nèi tiáo lù shang jiāng ~ sān zuò lìjiāoqiáo. | 天气那么热，~ 工人们还在工作着。Tiānqì nàme rè, ~ gōngrénmen hái zài gōngzuòzhe. | 这个 ~ 公司的 ~ 质量有保证，我们准备和他们订合同。Zhèige gōngsī de ~ zhìliàng yǒu bǎozhèng, wǒmen zhǔnbèi hé tāmen dìng hétong. | 到了这个城市可以欣赏很高的 ~ 艺术。Dàole zhèige chéngshì kěyǐ xīnshǎng hěn gāo de ~ yìshù.

jiànzhù 建筑² (建築) [名]

城市变得越来越大，~ 越来越多。Chéngshì biàn de yuèláiyuè dà, ~ yuèláiyuè duō. → 房子、楼、桥等等越来越多。Fángzi、lóu、qiáo děngděng yuèláiyuè duō. 例中国历史悠久，有很多古老的 ~。Zhōngguó lìshǐ yōujiǔ, yǒu hěn duō gǔlǎo de ~. l这座大楼是城市里最高的 ~。Zhèi zuò dà lóu shì chéngshì li zuì gāo de ~. l这里很注意保护传统 ~，因此能看到很多老房子。Zhèlǐ hěn zhùyì bǎohù chuántǒng ~, yīncǐ néng kàndào hěn duō lǎo fángzi.

jiànlì 建立¹ [动]

我跟他 ~ 了友谊，成了朋友。Wǒ gēn tā ~ le yǒuyì, chéngle péngyou. →我跟他开始有了友谊。Wǒ gēn tā kāishǐ yǒule yǒuyì. 例我和我的同学们 ~ 了很深的友情。Wǒ hé wǒ de tóngxuémen ~ le hěn shēn de yǒuqíng. l他和她交往了一段时间后 ~ 了感情。Tā hé tā jiāowǎngle yí duàn shíjiān hòu ~ le gǎnqíng. l他们俩的爱情是因为共同的爱好 ~ 起来的。Tāmen liǎ de àiqíng shì yīnwèi gòngtóng de àihào ~ qilai de. l这次比赛胜利使他 ~ 了信心。Zhèi cì bǐsài shènglì shǐ tā ~ le xìnxīn.

jiànlì 建立² [动]

establish 例新中国是 1949 年 ~ 的。Xīn Zhōngguó shì yī jiǔ sì jiǔ nián ~ de. l这两个国家 ~ 了外交关系。Zhèi liǎng ge guójiā ~ le wàijiāo guānxì. l这个国际组织已经 ~ 五十年了。Zhèige guójì zǔzhī yǐjing ~ wǔshí nián le. l这个协会刚 ~ 的时候人很少。Zhèige xiéhuì gāng ~ de shíhou rén hěn shǎo.

jiànshè 建设 (建設) [动]

build 例人们共同努力，~ 自己的国家。Rénmen gòngtóng nǔlì, ~ zìjǐ de guójiā. l他毕业以后打算回去 ~ 家乡。Tā bìyè yǐhòu dǎsuan huíqu ~ jiāxiāng. l工人们把城市 ~ 得越来越美。Gōngrénmen bǎ chéngshì ~ de yuèláiyuè měi. l人们正努力工作，希望把这个城市 ~ 成一个现代化的大城市。Rénmen zhèng nǔlì gōngzuò, xīwàng bǎ zhèige chéngshì ~ chéng yí ge xiàndàihuà de dà chéngshì.

jiànyì 建议¹ (建議) [动]

我向大家 ~ 去那个饭馆儿。Wǒ xiàng dàjiā ~ qù nèige fànguǎnr. → 我对大家说去那个饭馆儿比较好。Wǒ duì dàjiā shuō qù nèige fànguǎnr bǐjiào hǎo。**例**我们在商量今天晚上怎么过，她~去看电影。Wǒmen zài shāngliang jīntiān wǎnshang zěnme guò, tā ~ qù kàn diànyǐng. | 那两件衣服都不错，我~她两件都买。Nèi liǎng jiàn yīfu dōu búcuò, wǒ ~ tā liǎng jiàn dōu mǎi. | 他~我们坐火车去旅行。Tā ~ wǒmen zuò huǒchē qù lǚxíng. | 你能不能向老师~一下儿，我们班开个晚会。Nǐ néng bu néng xiàng lǎoshī ~ yíxiàr, wǒmen bān kāige wǎnhuì. | 我~过好几次了，可她根本没考虑。Wǒ ~ guo hǎojǐ cì le, kě tā gēnběn méi kǎolǜ.

jiànyì 建议² （建議）[名]

我们在商量星期天去哪儿，他提了一个~。Wǒmen zài shāngliang Xīngqītiān qù nǎr, tā tíle yí ge ~. →他说了一个他认为我们应该去的地方。Tā shuōle yí ge tā rènwéi wǒmen yīnggāi qù de dìfang. **例**我认为他说得很对，就接受了他的~。Wǒ rènwéi tā shuō de hěn duì, jiù jiēshòule tā de ~. | 商店老板要每个职员提一条关于怎么吸引顾客的~。Shāngdiàn lǎobǎn yào měi ge zhíyuán tí yì tiáo guānyú zěnme xīyǐn gùkè de ~. | 我一定认真考虑你提出的~。Wǒ yídìng rènzhēn kǎolǜ nǐ tíchū de ~. | 她的~很好，我们应该听她的。Tā de ~ hěn hǎo, wǒmen yīnggāi tīng tā de. | 我问他怎么去他家最方便，他的~是骑自行车。Wǒ wèn tā zěnme qù tā jiā zuì fāngbiàn, tā de ~ shì qí zìxíngchē.

jiànkāng 健康¹ [名]

我很关心父亲的~，希望他不生病。Wǒ hěn guānxīn fùqin de ~, xīwàng tā bù shēngbìng. →我很关心他的身体状况。Wǒ hěn guānxīn tā de shēntǐ zhuàngkuàng. **例**寒冷的天气影响了她的~，使她经常生病。Hánlěng de tiānqì yǐngxiǎngle tā de ~, shǐ tā jīngcháng shēngbìng. | 空气污染危害着人们的~。Kōngqì wūrǎn wēihàizhe rénmen de ~. | 适当的运动对~很有好处。Shìdàng de yùndòng duì ~ hěn yǒu hǎochu. | 让我们为他的~干杯吧。Ràng wǒmen wèi tā de ~ gānbēi ba. | 他最近喝酒喝得太多，~状况很糟糕。Tā zuìjìn hē jiǔ hē de tài duō, ~ zhuàngkuàng hěn zāogāo.

jiànkāng 健康² [形]

他很~，很少生病。Tā hěn ~, hěn shǎo shēngbìng. →他的身体很好。Tā de shēntǐ hěn hǎo. **例**她的两个孩子都很~，连感冒都很少得。Tā de liǎng ge háizi dōu hěn ~, lián gǎnmào dōu hěn shǎo dé . | 经常运动的人一般身体都比较 ~ 。Jīngcháng yùndòng de rén yìbān shēntǐ dōu bǐjiào ~ . | 戒了烟和酒以后，他身体比以前 ~ 多了。Jièle yān hé jiǔ yǐhòu, tā shēntǐ bǐ yǐqián ~ duō le . | 他在医院治疗了两个星期就恢复了 ~ 。Tā zài yīyuàn zhìliáole liǎng ge xīngqī jiù huīfùle ~ . | 她虽然有病，却比 ~ 人还快乐。Tā suīrán yǒubìng, què bǐ ~ rén hái kuàilè . | 父母亲都希望孩子能 ~ 地长大。Fùmǔqin dōu xīwàng háizi néng ~ de zhǎngdà . | 这些孩子个个都长得非常 ~ 。Zhèixiē háizi gègè dōu zhǎng de fēicháng ~ .

jiànjiàn 渐渐（漸漸）［副］

她听着音乐，~ 地睡着了。Tā tīngzhe yīnyuè, ~ de shuìzháo le . → 她慢慢地睡着了。Tā mànmàn de shuìzháo le . 例雨 ~ 地变小了。Yǔ ~ de biànxiǎo le . | 她 ~ 地适应了这里的气候。Tā ~ de shìyìngle zhèlǐ de qìhòu . | 人们 ~ 忘记了从前发生的事情。Rénmen ~ wàngjìle cóngqián fāshēng de shìqing . | 开始她非常生气，我劝了她半天，她才 ~ 平静下来。Kāishǐ tā fēicháng shēngqì, wǒ quànle tā bàntiān, tā cái ~ píngjìng xialai . | 快到冬天了，天气 ~ 地冷起来。Kuài dào dōngtiān le, tiānqì ~ de lěng qilai . | ~ 地，她从一个小女孩儿长成了一个漂亮的大姑娘。~ de, tā cóng yí ge xiǎo nǚháir zhǎngchéngle yí ge piàoliang de dà gūniang .

jiang

jiāng 江［名］

river 例一条 ~ 从城市中间流过，把城市分成了两个部分。Yì tiáo ~ cóng chéngshì zhōngjiān liúguò, bǎ chéngshì fēnchéngle liǎng ge bùfen . | 中国有许多大 ~ 大河。Zhōngguó yǒu xǔduō dà ~ dà hé . | 这里没有桥，只能坐船过 ~ 。Zhèlǐ méiyǒu qiáo, zhǐ néng zuò chuán guò ~ . | ~ 上有座大桥。~ shang yǒu zuò dà qiáo . | 她家就住在 ~ 边，站在窗户那儿就能看见 ~ 上的景色。Tā jiā jiù zhù zài ~ biān, zhàn zài chuānghu nàr jiù néng kànjiàn ~ shang de jǐngsè . | 这条 ~ 的 ~ 水以前很干净，但现在已经被污染了。Zhèi tiáo ~ de ~ shuǐ yǐqián hěn gānjìng, dàn xiànzài yǐjing bèi wūrǎn le .

jiāng 将[1]（將）［副］

从明天开始，她 ~ 和我一起工作。Cóng míngtiān kāishǐ, tā ~ hé wǒ yìqǐ gōngzuò . → 根据计划、安排，她以后会和我一起工作。Gēnjù jìhuà、ānpái, tā yǐhòu huì hé wǒ yìqǐ gōngzuò . 例他们 ~ 不参

加这次会议。Tāmen ~ bù cānjiā zhèi cì huìyì. | 他乘坐的火车很快就 ~ 到达。Tā chéngzuò de huǒchē hěn kuài jiù ~ dàodá. | 飞机在十分钟后起飞。Fēijī ~ zài shí fēnzhōng hòu qǐfēi. | 他决定 ~ 在下个月回国。Tā juédìng ~ zài xià ge yuè huí guó. | 他年纪大了, ~ 不再担任校长。Tā niánjì dà le, ~ búzài dānrèn xiàozhǎng. | 因为天气不好, 明天的比赛 ~ 被取消。Yīnwèi tiānqì bù hǎo, míngtiān de bǐsài ~ bèi qǔxiāo. | 他过生日时, 我 ~ 把这件礼物送给他。Tā guò shēngri shí, wǒ ~ bǎ zhèi jiàn lǐwù sòng gěi tā.

jiāngyào 将要（將要）［副］

她在中国的学习结束了, ~ 回国。Tā zài Zhōngguó de xuéxí jiéshù le, ~ huíguó. → 她不久以后就要回国。Tā bùjiǔ yǐhòu jiù yào huíguó. 例我父母 ~ 来学校看我。Wǒ fùmǔ ~ lái xuéxiào kàn wǒ. | 他们 ~ 结婚了, 婚礼就安排在下星期六。Tāmen ~ jiéhūn le, hūnlǐ jiù ānpái zài xià Xīngqīliù. | 这里 ~ 建一个公园, 大概下个月开始建。Zhèlǐ ~ jiàn yí ge gōngyuán, dàgài xià ge yuè kāishǐ jiàn. | 我 ~ 离开饭馆儿时才发现他也在。Wǒ ~ líkāi fànguǎnr shí cái fāxiàn tā yě zài. | 他对明天 ~ 发生的事情不感兴趣。Tā duì míngtiān ~ fāshēng de shìqing bù gǎn xìngqù.

jiāng 将² （將）［副］

以后不想结婚的人 ~ 越来越多。Yǐhòu bù xiǎng jiéhūn de rén ~ yuèláiyuè duō. → 这是对今后的情况的看法。Zhè shì duì jīnhòu de qíngkuàng de kànfǎ. 例由于科技不断发展, 人们的生活 ~ 越来越方便。Yóuyú kējì búduàn fāzhǎn, rénmen de shēnghuó ~ yuèláiyuè fāngbiàn. | 只要大家努力, 世界 ~ 更美好。Zhǐyào dàjiā nǔlì, shìjiè ~ gèng měihǎo. | 他对我的帮助我 ~ 永远不会忘记。Tā duì wǒ de bāngzhù wǒ ~ yǒngyuǎn bú huì wàngjì. | 这个电影 ~ 受到年轻人的欢迎。Zhèige diànyǐng ~ shòudào niánqīngrén de huānyíng. | 十年后 ~ 没人知道这件事。Shí nián hòu ~ méi rén zhīdao zhèi jiàn shì.

jiāng 将³ （將）［介］

他 ~ 手表放在桌上。Tā ~ shǒubiǎo fàng zài zhuō shang. → 他把手表放在桌子上。Tā bǎ shǒubiǎo fàng zài zhuōzi shang. 例他 ~ 酒倒入杯中。Tā ~ jiǔ dàorù bēi zhōng. | 警察要求我 ~ 汽车开走。Jǐngchá yāoqiú wǒ ~ qìchē kāizǒu. | 服务员 ~ 他的行李送到他的房间里。Fúwùyuán ~ tā de xíngli sòngdào tā de fángjiān li. | 请不要

~孩子一个人留在家中。Qǐng búyào ~ háizi yí ge rén liú zài jiā zhōng. | 他未 ~ 此事告诉任何人。Tā wèi ~ cǐ shì gàosu rènhé rén. | 教授 ~ 自己的研究写成论文发表了。Jiàoshòu ~ zìjǐ de yánjiū xiěchéng lùnwén fābiǎo le. | 经理要求他必须在今天内~这项工作完成。Jīnglǐ yāoqiú tā bìxū zài jīntiān nèi ~ zhèi xiàng gōngzuò wánchéng.

jiānglái 将来（將來）[名]

这个孩子~想当医生。Zhèige háizi ~ xiǎng dāng yīshēng. →他以后想当医生。Tā yǐhòu xiǎng dāng yīshēng. 例我弟弟现在不认真学习，~会后悔的。Wǒ dìdi xiànzài bú rènzhēn xuéxí, ~ huì hòuhuǐ de. | 不久的 ~，这里将建成一座大楼。Bùjiǔ de ~, zhèlǐ jiāng jiànchéng yí zuò dà lóu. | 你不能只想着现在，不管 ~。Nǐ bù néng zhǐ xiǎngzhe xiànzài, bù guǎn ~. | 学生们正为了自己的~努力学习。Xuéshengmen zhèng wèile zìjǐ de ~ nǔlì xuéxí. | 他快毕业了，正在考虑自己~的生活。Tā kuài bìyè le, zhèngzài kǎolǜ zìjǐ ~ de shēnghuó. | 他现在正忙着为~的工作做好准备。Tā xiànzài zhèng mángzhe wèi ~ de gōngzuò zuòhǎo zhǔnbèi.

jiǎng 讲¹（講）[动]

我问他这个电影怎么样，他 ~ 了他的看法。Wǒ wèn tā zhèige diànyǐng zěnmeyàng, tā ~ le tā de kànfǎ. →他说了他的看法。Tā shuōle tā de kànfǎ. 例我跟他聊天儿时 ~ 过这件事。Wǒ gēn tā liáotiānr shí ~ guo zhèi jiàn shì. | 她学过一年汉语，会 ~ 汉语。Tā xuéguo yì nián Hànyǔ, huì ~ Hànyǔ. | 她生气的时候总是一句话也不 ~。Tā shēngqì de shíhou zǒngshì yí jù huà yě bù ~. | 妈妈正给孩子~着故事。Māma zhèng gěi háizi ~ zhe gùshi. | 他简单地 ~ 了 ~ 那本小说的内容。Tā jiǎndān de ~ le ~ nèi běn xiǎoshuō de nèiróng. | 你爱她就应该对她~出来。Nǐ ài tā jiù yīnggāi duì tā ~ chulai. | 大卫把昨天晚上的事情 ~ 给我听。Dàwèi bǎ zuótiān wǎnshang de shìqing ~ gěi wǒ tīng. | 他 ~ 了半天，好容易才 ~ 清楚到底发生了什么事。Tā ~ le bàntiān, hǎoróngyì cái ~ qīngchu dàodǐ fāshēngle shénme shì.

jiǎng huà 讲话¹（講話）

大会上，他正在 ~。Dàhuì shang, tā zhèngzài ~. →他在会议这种正式场合上对大家说话。Tā zài huìyì zhèi zhǒng zhèngshì chǎnghé shang duì dàjiā shuōhuà. 例校长要在毕业典礼上～。Xiàozhǎng yào zài bìyè diǎnlǐ shang ～. |新郎的朋友正在向大家～. Xīnláng de péngyou zhèngzài xiàng dàjiā ～. |他在晚会上代表学生讲了话。Tā zài wǎnhuì shang dàibiǎo xuésheng jiǎngle huà. |大家要大卫讲几句话。Dàjiā yào Dàwèi jiǎng jǐ jù huà. |大会主席安排他第一个～。Dàhuì zhǔxí ānpái tā dì yī ge ～. |现在～的人是这次会议的主席。Xiànzài ～ de rén shì zhèi cì huìyì de zhǔxí.

jiǎnghuà 讲话² (講話) [名]

我听过市长的～。Wǒ tīngguo shìzhǎng de ～. →我听过市长在会议等正式场合对大家说的话。Wǒ tīngguo shìzhǎng zài huìyì děng zhèngshì chǎnghé duì dàjiā shuō de huà. 例全国的人都在听总统的电视～。Quán guó de rén dōu zài tīng zǒngtǒng de diànshì ～. |大会主席作了一个热情的～。Dàhuì zhǔxí zuòle yí ge rèqíng de ～. |总理发表了一个关于经济改革的～。Zǒnglǐ fābiǎole yí ge guānyú jīngjì gǎigé de ～. |他的～很精彩，大家不断为他鼓掌。Tā de ～ hěn jīngcǎi, dàjiā búduàn wèi tā gǔzhǎng. |新郎的朋友在婚礼上的～很有意思。Xīnláng de péngyou zài hūnlǐ shang de ～ hěn yǒu yìsi. |这个～的内容很重要，你应该听听。Zhèige ～ de nèiróng hěn zhòngyào, nǐ yīnggāi tīngting.

jiǎng jiàqian 讲价钱 (講價錢)

她在和卖水果的人～，希望他卖得便宜点儿。Tā zài hé mài shuǐguǒ de rén ～, xīwàng tā mài de piányi diǎnr. →她在跟那个人商量水果的价钱。Tā zài gēn nèige rén shāngliang shuǐguǒ de jiàqian. 例她买东西的时候特别喜欢～。Tā mǎi dōngxi de shíhou tèbié xǐhuan ～. |这件衣服太贵了，能不能讲讲价钱？Zhèi jiàn yīfu tài guì le, néng bu néng jiǎngjiang jiàqian? |这个商店的东西不能～。Zhèige shāngdiàn de dōngxi bù néng ～. |我看上了一辆旧汽车，不过价钱怎么也讲不下来。Wǒ kànshangle yí liàng jiù qìchē, búguò jiàqian zěnme yě jiǎng bu xiàlái.

jiǎngzuò 讲座 (講座) [名]

a course of lectures 例今天晚上有个～，我们去听听吧。Jīntiān wǎnshang yǒu ge ～, wǒmen qù tīngting ba. |我昨天听了一个关于中国文化的～。Wǒ zuótiān tīngle yí ge guānyú Zhōngguó wénhuà de ～. |这个～是历史系办的。Zhèige ～ shì lìshǐxì bàn de. |她常常看电视～学习英语。Tā chángcháng kàn diànshì ～ xuéxí Yīngyǔ. |

我开始是通过听广播～学习汉语的。Wǒ kāishǐ shì tōngguò tīng guǎngbō ～ xuéxí Hànyǔ de. | 今天这个～的内容很新。Jīntiān zhèige ～ de nèiróng hěn xīn.

jiǎng 讲² （講）［动］

他很～礼貌，从来不说脏话。Tā hěn ～ lǐmào, cónglái bù shuō zānghuà. →他很重视礼貌，总是注意有礼貌地说话、做事。Tā hěn zhòngshì lǐmào, zǒngshì zhùyì yǒu lǐmào de shuōhuà、zuòshì. 例他很～卫生，吃东西以前一定会洗手。Tā hěn ～ wèishēng, chī dōngxi yǐqián yídìng huì xǐ shǒu. | 他不～文明，在医院里大声说话。Tā bù ～ wénmíng, zài yīyuàn li dàshēng shuōhuà. | 公司很～效率，要求职员尽快把事情做好。Gōngsī hěn ～ xiàolǜ, yāoqiú zhíyuán jǐnkuài bǎ shìqing zuòhǎo. | 他的兴趣是科学研究，从来不～吃穿。Tā de xìngqù shì kēxué yánjiū, cónglái bù ～ chīchuān. | 开车不能只～速度，不～安全。Kāi chē bù néng zhǐ ～ sùdù, bù ～ ānquán. | 现在我没时间打扫房间，～不了干净了。Xiànzài wǒ méi shíjiān dǎsǎo fángjiān, ～ bu liǎo gānjìng le. | 她长大了，也～起打扮来了。Tā zhǎngdà le, yě ～ qi dǎban lai le.

jiǎng 奖¹ （獎）［名］

这次比赛哥哥成绩很好，得了～。Zhèi cì bǐsài gēge chéngjì hěn hǎo, déle ～. →他得了证书、钱或是别的东西，给他这些是为了表扬、鼓励他。Tā déle zhèngshū、qián huòshì biéde dōngxi, gěi tā zhèixiē shì wèile biǎoyáng、gǔlì tā. 例她是我们班最好的学生，每年都得～。Tā shì wǒmen bān zuì hǎo de xuésheng, měi nián dōu dé ～. | 这部电影一共拿了四个～。Zhèi bù diànyǐng yígòng nále sì ge ～. | 他以前得过一次～。Tā yǐqián déguo yí cì ～. | 冠军得的～是一辆汽车。Guànjūn dé de ～ shì yí liàng qìchē. | 他勇敢地救了几个孩子，市长要给他发～。Tā yǒnggǎn de jiùle jǐ ge háizi, shìzhǎng yào gěi tā fā ～. | 他是今年获得我们公司最高～的职员。Tā shì jīnnián huòdé wǒmen gōngsī zuì gāo ～ de zhíyuán. | 在电影方面，这个～的影响最大。Zài diànyǐng fāngmiàn, zhèige ～ de yǐngxiǎng zuì dà.

jiǎng 奖² （獎）［动］

他工作很出色，公司～了他一笔钱。Tā gōngzuò hěn chūsè, gōngsī ～ le tā yì bǐ qián. →公司为了表扬、鼓励他，给了他一笔钱。

Gōngsī wèile biǎoyáng、gǔlì tā, gěile tā yì bǐ qián. 例他的学习成绩非常好，学校～了他两千块钱。Tā de xuéxí chéngjì fēicháng hǎo, xuéxiào ～ le tā liǎngqiān kuài qián. | 公司～给最优秀的职员 一辆汽车。Gōngsī ～ gěi zuì yōuxiù de zhíyuán yí liàng qìchē. | 这本词典不是买的，是学校～的。Zhèi běn cídiǎn bú shì mǎi de, shì xuéxiào ～ de. | 孩子考了第一名，爸爸～的东西是一辆自行车。Háizi kǎole dì yī míng, bàba ～ de dōngxi shì yí liàng zìxíngchē.

jiǎngxuéjīn 奖学金（獎學金）[名]

他学习成绩很好，获得了～。Tā xuéxí chéngjì hěn hǎo, huòdéle ～. →他得到了一些钱，这些钱是为了表扬他的学习成绩、鼓励他努力学习。Tā dédàole yìxiē qián, zhèixiē qián shì wèile biǎoyáng tā de xuéxí chéngjì、gǔlì tā nǔlì xuéxí. 例他是个很优秀的学生，年年都得～。Tā shì ge hěn yōuxiù de xuésheng, niánnián dōu dé ～. | 他得到了一笔～。Tā dédàole yì bǐ ～. | 最好的学生才有资格享受最高的～。Zuì hǎo de xuésheng cái yǒu zīgé xiǎngshòu zuì gāo de ～. | 他是靠～读完大学的。Tā shì kào ～ dúwán dàxué de. | 我用学校发给我的～买了很多书。Wǒ yòng xuéxiào fā gěi wǒ de ～ mǎile hěn duō shū. | 他今年考试考得不错，打算向学校申请～。Tā jīnnián kǎoshì kǎo de búcuò, dǎsuan xiàng xuéxiào shēnqǐng ～.

jiàng 降 [动]

这两天水果多起来了，价钱也～了。Zhèi liǎng tiān shuǐguǒ duō qilai le, jiàqian yě ～ le. →水果的价钱比以前便宜了。Shuǐguǒ de jiàqian bǐ yǐqián piányi le. 例快到冬天了，气温天天都在～。Kuài dào dōngtiān le, qìwēn tiāntiān dōu zài ～. | 晚上气温～了不少。Wǎnshang qìwēn ～ le bùshǎo. | 想上大学的人太多，学费～不下来。Xiǎng shàng dàxué de rén tài duō, xuéfèi ～ bu xiàlái. | 电脑的价格～得很快。Diànnǎo de jiàgé ～ de hěn kuài.

jiàngdī 降低 [动]

今天的气温～了，应该多穿点儿衣服。Jīntiān de qìwēn ～ le, yīnggāi duō chuān diǎnr yīfu. →今天比昨天冷。Jīntiān bǐ zuótiān lěng. 例这种电脑的价格～了。Zhèi zhǒng diànnǎo de jiàgé ～ le. | 他好久没用汉语，汉语水平～了。Tā hǎojiǔ méi yòng Hànyǔ, Hànyǔ shuǐpíng ～ le. | 我一直找不到满意的房子，只好～了标准。Wǒ yìzhí zhǎo bu dào mǎnyì de fángzi, zhǐhǎo ～ le biāozhǔn. | 他从来不～对孩子的要求。Tā cónglái bú ～ duì háizi de yāoqiú. | 今年

公司的状况不好，他的工资也～了很多。Jīnnián gōngsī de zhuàngkuàng bù hǎo, tā de gōngzī yě ～ le hěn duō.

jiàngyóu 酱油（醬油）[名]

soya sauce 例我买了一瓶～。Wǒ mǎile yì píng ～. ｜这种～质量最好，很受欢迎。Zhèi zhǒng ～ zhìliàng zuì hǎo, hěn shòu huānyíng. ｜～用完了，我得去买～。～ yòngwán le, wǒ děi qù mǎi ～. ｜做这个菜的时候不能放～。Zuò zhèige cài de shíhou bù néng fàng ～. ｜你再往菜里加点儿～吧。Nǐ zài wǎng cài li jiā diǎnr ～ ba. ｜糟糕，我不小心把～弄在衣服上了。Zāogāo, wǒ bù xiǎoxīn bǎ ～ nòng zài yīfu shang le. ｜一瓶儿倒了，～洒了一桌子。～ píngr dǎo le, ～ sǎle yì zhuōzi. ｜这种～的味道很鲜。Zhèi zhǒng ～ de wèidao hěn xiān.

jiao

jiāo 交 [动]

他选好了要买的东西，正在～钱。Tā xuǎnhǎole yào mǎi de dōngxi, zhèngzài ～ qián. →他正在把钱给商店。Tā zhèngzài bǎ qián gěi shāngdiàn. 例我已经～了学费了。Wǒ yǐjing ～ le xuéfèi le. ｜老师说作业下个星期～。Lǎoshī shuō zuòyè xià ge xīngqī ～. ｜他把假条儿～给了办公室。Tā bǎ jiàtiáor ～ gěile bàngōngshì. ｜我每个月去银行～一次电话费。Wǒ měi ge yuè qù yínháng ～ yí cì diànhuàfèi. ｜这么贵的学费我～不起。Zhème guì de xuéfèi wǒ ～ bu qǐ. ｜你找房子的事～给我吧，我一定帮你找到满意的。Nǐ zhǎo fángzi de shì ～ gěi wǒ ba, wǒ yídìng bāng nǐ zhǎodào mǎnyì de. ｜你把这件事～给大卫办，我有别的事要让你做。Nǐ bǎ zhèi jiàn shì ～ gěi Dàwèi bàn, wǒ yǒu biéde shì yào ràng nǐ zuò.

jiāohuàn 交换 [动]

我原来不坐这儿，我跟他～了坐位。Wǒ yuánlái bú zuò zhèr, wǒ gēn tā ～ le zuòwèi. →我坐了他的坐位，他坐了我的坐位。Wǒ zuòle tā de zuòwèi, tā zuòle wǒ de zuòwèi. 例我和他～了礼物，我送给他一支笔，他送给我一本书。Wǒ hé tā ～ le lǐwù, wǒ sòng gěi tā yì zhī bǐ, tā sòng gěi wǒ yì běn shū. ｜他想和我～～意见，于是我们都说了说自己的意见。Tā xiǎng hé wǒ ～ ～ yìjiàn, yúshì wǒmen dōu shuōle shuō zìjǐ de yìjiàn. ｜你把这张画儿送给我吧，我拿一本书跟你～。Nǐ bǎ zhèi zhāng huàr sòng gěi wǒ ba, wǒ ná yì běn shū gēn nǐ ～. ｜我们俩谈了谈，～了一下儿对这部电影的看法。

Wǒmen liǎ tánle tán, ~ le yíxiàr duì zhèi bù diànyǐng de kànfǎ.

jiāojì 交际(交際) [动]

她不喜欢一个人呆着，经常跟人 ~ 。Tā bù xǐhuan yí ge rén dāizhe, jīngcháng gēn rén ~ . →她经常跟别人见面、聊天儿、一起玩儿。Tā jīngcháng gēn biéren jiànmiàn、liáotiānr、yìqǐ wánr. 例他不爱说话，很少跟人 ~ 。Tā bú ài shuōhuà, hěn shǎo gēn rén ~ . l他的 ~ 能力不强，没什么朋友。Tā de ~ nénglì bù qiáng, méi shénme péngyou. l语言是一种 ~ 工具。Yǔyán shì yì zhǒng ~ gōngjù. l她是个爱 ~ 的姑娘，朋友很多。Tā shì ge ài ~ de gūniang, péngyou hěn duō. l大卫善于 ~ ，大家都愿意跟他一起玩儿。Dàwèi shànyú ~ , dàjiā dōu yuànyì gēn tā yìqǐ wánr.

jiāoliú 交流 [动]

我和他经常在一起谈话，~ 看法。Wǒ hé tā jīngcháng zài yìqǐ tánhuà, ~ kànfǎ. →我把我的看法告诉他，他把他的看法告诉我。Wǒ bǎ wǒ de kànfǎ gàosu tā, tā bǎ tā de kànfǎ gàosu wǒ. 例他们几个人正在 ~ 学习经验。Tāmen jǐ ge rén zhèngzài ~ xuéxí jīngyàn. l大家在一起互相 ~ 了一下儿这次旅游的体会。Dàjiā zài yìqǐ hùxiāng ~ le yíxiàr zhèi cì lǚyóu de tǐhuì. l几位教授都希望能 ~ ~ 研究成果。Jǐ wèi jiàoshòu dōu xīwàng néng ~ ~ yánjiū chéngguǒ. l聊天儿是 ~ 思想的好办法。Liáotiānr shì ~ sīxiǎng de hǎo bànfǎ. l两国经常互相访问，进行政治、经济、文化 ~ 。Liǎng guó jīngcháng hùxiāng fǎngwèn, jìnxíng zhèngzhì、jīngjì、wénhuà ~ .

jiāo péngyou 交朋友

最近我在跟他 ~ 。Zuìjìn wǒ zài gēn tā ~ . →我常去找他，他也常来找我，我们经常在一起聊天儿、玩儿什么的。Wǒ cháng qù zhǎo tā, tā yě cháng lái zhǎo wǒ, wǒmen jīngcháng zài yìqǐ liáo tiānr、wánr shénmede. 例他们俩正在 ~ ，经常在一起。Tāmen liǎ zhèngzài ~ , jīngcháng zài yìqǐ. l上大学以后我交了几个新朋友。Shàng dàxué yǐhòu wǒ jiāole jǐ ge xīn péngyou. l她还没交过男朋友呢。Tā hái méi jiāoguo nánpéngyou ne. l我很喜欢她，想跟她交个朋友。Wǒ hěn xǐhuan tā, xiǎng gēn tā jiāo ge péngyou. l我们俩都爱打篮球，所以交上了朋友。Wǒmen liǎ dōu ài dǎ lánqiú, suǒyǐ jiāoshangle péngyou. l这个小姑娘是我女儿新交的朋友。Zhèige xiǎo gūniang shì wǒ nǚ'ér xīn jiāo de péngyou.

jiāotōng 交通 [名]

这里离车站很近，～很方便。Zhèlǐ lí chēzhàn hěn jìn, ～ hěn fāngbiàn. →要去什么地方很容易。Yào qù shénme dìfang hěn róngyì. 例这个城市的～很发达，坐飞机、火车或者船去都行。Zhèige chéngshì de ～ hěn fādá, zuò fēijī、huǒchē huòzhě chuán qù dōu xíng. |一位警察正在指挥～。Yí wèi jǐngchá zhèngzài zhǐhuī ～. |上班时间汽车太多，～状况糟糕极了。Shàngbān shíjiān qìchē tài duō, ～ zhuàngkuàng zāogāo jí le. |昨天这里发生了～事故，两辆汽车撞在了一起。Zuótiān zhèlǐ fāshēngle ～ shìgù, liǎng liàng qìchē zhuàngzàile yìqǐ. |他把车停在了禁止停车的地方，违反了～规则。Tā bǎ chē tíngzàile jìnzhǐ tíngchē de dìfang, wéifǎnle ～ guīzé.

jiāoqū 郊区（郊區）[名]

我家在城市的～，离市中心比较远。Wǒ jiā zài chéngshì de ～, lí shì zhōngxīn bǐjiào yuǎn. →我家在城市里离中心比较远的地区。Wǒ jiā zài chéngshì li lí zhōngxīn bǐjiào yuǎn de dìqū. 例这里是～，没有城里热闹。Zhèlǐ shì ～, méiyǒu chéng lǐ rènao. |他在城里工作，但住在环境更好的～。Tā zài chéng lǐ gōngzuò, dàn zhù zài huánjìng gèng hǎo de ～. |城里的房子房租太贵，他打算搬到～去住。Chéng lǐ de fángzi fángzū tài guì, tā dǎsuan bāndào ～ qù zhù. |～的空气、景色都比城里好，所以我愿意买～的房子。～ de kōngqì、jǐngsè dōu bǐ chéng lǐ hǎo, suǒyǐ wǒ yuànyì mǎi ～ de fángzi.

jiāo'ào 骄傲[1]（驕傲）[形]

他家很有钱，所以他很～。Tā jiā hěn yǒu qián, suǒyǐ tā hěn ～. →他觉得自己很了不起，看不起别人。Tā juéde zìjǐ hěn liǎobuqǐ, kànbuqǐ biéren. 例这次考试他考得最好，有点儿～了。Zhèi cì kǎoshì tā kǎo de zuì hǎo, yǒudiǎnr ～ le. |那个演员跟别人说话的时候态度总是～得很。Nèige yǎnyuán gēn biéren shuōhuà de shíhou tàidu zǒngshì ～ de hěn. |称赞他的人越来越多，他就～起来了。Chēngzàn tā de rén yuèláiyuè duō, tā jiù ～ qilai le. |他们比赛赢了我们，很～地跟我们说话。Tāmen bǐsài yíngle wǒmen, hěn ～ de gēn wǒmen shuōhuà. |她是个～的漂亮姑娘。Tā shì ge ～ de piàoliang gūniang. |她怎么也改不了～的性格。Tā zěnme yě gǎi bu liǎo ～ de xìnggé.

J

jiāo'ào 骄傲[2] （驕傲）[形]

他得了冠军，全家人都很～。Tā déle guànjūn, quán jiā rén dōu hěn ～. →全家人都觉得这很了不起，会让别人尊敬他们。Quán jiā rén dōu juéde zhè hěn liǎobuqǐ, huì ràng biéren zūnjìng tāmen. 例我的孩子比赛得了第一名，我很～。Wǒ de háizi bǐsài déle dì yī míng, wǒ hěn ～. | 他为自己考上了最好的大学而～。Tā wèi zìjǐ kǎoshangle zuì hǎo de dàxué ér ～. | 我的一位朋友经常帮助别人，我都为他感到～。Wǒ de yí wèi péngyou jīngcháng bāngzhù biéren, wǒ wèi tā gǎndào ～. | 丈夫受人尊敬，对妻子来说也是值得～的事。Zhàngfu shòu rén zūnjìng, duì qīzi láishuō yě shì zhíde ～ de shì.

jiāo'ào 骄傲[3] （驕傲）[名]

他是全家人的～。Tā shì quán jiā rén de ～. →他是使全家人都感到自己家了不起、感到受人尊敬的人。Tā shì shǐ quán jiā rén dōu gǎndào zìjǐ jiā liǎobuqǐ、gǎndào shòu rén zūnjìng de rén. 例女儿又聪明又漂亮，是父母的～。Nǚ'ér yòu cōngming yòu piàoliang, shì fùmǔ de ～. | 长城是中国人的～。Chángchéng shì Zhōngguórén de ～. | 我们生产的这种汽车质量非常好，是我们公司的～。Wǒmen shēngchǎn de zhèi zhǒng qìchē zhìliàng fēicháng hǎo, shì wǒmen gōngsī de ～.

jiāo 教 [动]

他是我的老师，～我汉语。Tā shì wǒ de lǎoshī, ～ wǒ Hànyǔ. →我跟他学汉语。Wǒ gēn tā xué Hànyǔ. 例我不会做菜，妈妈～我做。Wǒ bú huì zuò cài, māma ～ wǒ zuò. | 他在大学里～历史。Tā zài dàxué li ～ lìshǐ. | 她很聪明，上课时老师一～她就会了。Tā hěn cōngming, shàngkè shí lǎoshī yì ～ tā jiù huì le. | 我不会游泳，他正在～我。Wǒ bú huì yóuyǒng, tā zhèngzài ～ wǒ. | 她当过老师，～过很多学生。Tā dāngguo lǎoshī, ～ guo hěn duō xuésheng. | 他已经～了十年英语了。Tā yǐjing ～ le shí nián Yīngyǔ le. | 我们都觉得那位老师～得最好。Wǒmen dōu juéde nèi wèi lǎoshī ～ de zuì hǎo.

jiǎo 角[1] [名]

例牛的头上有两只～。Niú de tóu shang yǒu liǎng zhī ～. | 羊头上长着两只～。Yáng tóu shang zhǎngzhe liǎng zhī ～. | 牛的～很硬。Niú de ～ hěn yìng.

Niú de ~ hěn yìng. | 这支笔是用牛~做的。Zhèi zhī bǐ shì yòng niú ~ zuò de.

jiǎo 角² ［名］

angle 例 "口" 字有四个 ~ 。 "Kǒu" zì yǒu sì ge ~ . | "△" 有三个 ~ 。 "△" yǒu sān ge ~ . | 桌子有四个 ~ 。Zhuōzi yǒu sì ge ~ . | 别 把杯子放在桌子~上，放在桌子中间吧。Bié bǎ bēizi fàng zài zhuōzi ~ shang, fàng zài zhuōzi zhōngjiān ba.

jiǎo 角³ ［名］

corner 例 电视机放在屋子的一 ~ 。Diànshìjī fàng zài wūzi de yì ~ . | 花瓶放在屋 ~ 比较安全。Huāpíng fàng zài wū ~ bǐjiào ānquán. | 上 课的时候他总是坐在教室的~上。Shàngkè de shíhou tā zǒngshì zuò zài jiàoshì de ~ shang. | 街 ~ 有个酒吧。Jiē ~ yǒu ge jiǔbā.

jiǎo 角⁴ ［量］

RMB 10 cents 例 这种练习本很便宜，只要八 ~ 钱。Zhèi zhǒng liànxíběn hěn piányi, zhǐ yào bā ~ qián. | 我想打个电话，需要五~ 钱。Wǒ xiǎng dǎ ge diànhuà, xūyào wǔ ~ qián. | 我带的钱不够， 差六~钱。Wǒ dài de qián bú gòu, chà liù ~ qián. | 他花四~钱买了 一张报纸。Tā huā sì ~ qián mǎile yì zhāng bàozhǐ. | 这些东西一共是 十元八~五分。Zhèixiē dōngxi yígòng shì shí yuán bā ~ wǔ fēn.

jiǎozi 饺子（餃子）［名］

例 ~是他最爱吃的东西。~ shì tā zuì ài chī de dōngxi. | 他一共吃了三十多个 ~ 。Tā yígòng chīle sānshí duō ge ~ . | 一锅饺子不够吃，再 煮一锅吧。Yì guō ~ bú gòu chī, zài zhǔ yì guō ba. | 这个饭馆儿的 ~ 做得很好吃。Zhèige fànguǎnr de ~ zuò de hěn hǎochī. | 过年的时候，他家总是坐在一起包~吃。Guònián de shíhou, tā jiā zǒngshì zuò zài yìqǐ bāo ~ chī. | 这些 ~ 皮儿太厚， 不容易煮熟。Zhèixiē ~ pír tài hòu, bù róngyì zhǔshóu.

饺子

jiǎo 脚 ［名］

例 人有一双 ~ ，走路全靠它们。Rén yǒu yì shuāng ~ , zǒulù quán kào tāmen. | 马、牛、羊等动物都长着四只 ~ 。Mǎ、 niú、 yáng děng dòngwù dōu zhǎngzhe sì zhī ~ . | 她走路走得太多， ~ 开始疼起来。Tā zǒulù zǒu

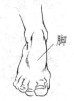

脚

de tài duō, ～ kāishǐ téng qilai. | 他昨天比赛时左～受了伤。Tā zuótiān bǐsài shí zuǒ ～ shòule shāng. | 他～上穿着一双黑色的鞋子。Tā ～ shang chuānzhe yì shuāng hēisè de xiézi.

jiào 叫¹ [动]

比赛时观众们～着"加油ㄦ"。Bǐsài shí guānzhòngmen ～ zhe "jiāyóur". →观众们很大声地说"加油ㄦ"。Guānzhòngmen hěn dà shēng de shuō "jiāyóur". 例他不会游泳，在河里～"救命"。Tā bú huì yóuyǒng, zài hé li ～ "jiùmìng". | 他知道自己得了第一名以后高兴地～了起来。Tā zhīdao zìjǐ déle dì yī míng yǐhòu gāoxìng de ～ le qilai. | 她最怕蛇，一看见蛇就会大～起来。Tā zuì pà shé, yí kànjiàn shé jiù huì dà ～ qilai. | 她疼得忍不住～出声来。Tā téng de rěn bu zhù ～ chu shēng lai.

jiào 叫² [动]

我知道他的名字，他～大卫。Wǒ zhīdao tā de míngzi, tā ～ Dàwèi. →他的名字是大卫。Tā de míngzi shì Dàwèi. 例新来的那个女同学～安娜。Xīn lái de nèige nǚ tóngxué ～ Ānnà. | 他妹妹的名字～玛丽。Tā mèimei de míngzi ～ Mǎlì. | 请问你～什么名字? Qǐngwèn nǐ ～ shénme míngzi? | 我从来没见过这种水果，不知道它～什么。Wǒ cónglái méi jiànguo zhèi zhǒng shuǐguǒ, bù zhīdào tā ～ shénme.

jiàozuò 叫做 [动]

这种水果～橘子。Zhèi zhǒng shuǐguǒ ～ júzi. →这种水果的名称是橘子。Zhèi zhǒng shuǐguǒ de míngchēng shì júzi. 例计算机又～电脑。Jìsuànjī yòu ～ diànnǎo. | 上课的地方～教室。Shàngkè de dìfang ～ jiàoshì. | 中国人把一月一号～元旦。Zhōngguórén bǎ Yīyuè yī hào ～ Yuándàn. | 因为他很胖，所以被朋友们～"胖子"。Yīnwèi tā hěn pàng, suǒyǐ bèi péngyoumen ～ "pàngzi".

jiào 叫³ [动]

我听见有人～我。Wǒ tīngjiàn yǒu rén ～ wǒ. →有人对我说我的名字，想让我注意他。Yǒu rén duì wǒ shuō wǒ de míngzi, xiǎng ràng wǒ zhùyì tā. 例大卫，有人～你。Dàwèi, yǒu rén ～ nǐ. | 这个电话是打给他的，我去～他。Zhèige diànhuà shì dǎ gěi tā de, wǒ qù ～ tā. | 这里有个病人，快去～医生。Zhèlǐ yǒu ge bìngrén, kuài qù ～ yīshēng. | 我～了你好几声，你都没听见。Wǒ ～ le nǐ hǎojǐ shēng, nǐ dōu méi tīngjiàn, nǐ dōu méi tīngjiàn. | 你明天起床的时候～我一下儿。Nǐ míngtiān qǐchuáng de shíhou ～ wǒ yíxiàr. | 妈妈把孩子～到面前，送给孩子一件礼物。Māma bǎ háizi ～ dào miànqián, sòng gěi háizi yí jiàn lǐwù. | 校长打电话把那个学生的母亲～来了。Xiàozhǎng dǎ diànhuà bǎ nèige xuésheng de mǔqin ～ lai le. | 好多年没见了，我一时～不出他的名字。Hǎo duō nián méi jiàn le, wǒ yìshí ～ bu chū tā de míngzi.

jiào 叫⁴ [动]

他～我今天晚上给他打电话。Tā ～ wǒ jīntiān wǎnshang gěi tā dǎ diànhuà. →他让我今天晚上给他打电话。Tā ràng wǒ jīntiān wǎnshang gěi tā dǎ diànhuà. 例大卫～我跟他一起去旅游。Dàwèi ～ wǒ gēn tā yìqǐ qù lǚyóu. | 老板～我去他的办公室。Lǎobǎn ～ wǒ qù tā de bàngōngshì. | 他写信来～我帮他买几本书。Tā xiě xìn lái ～ wǒ bāng tā mǎi jǐ běn shū. | 他～你有空儿去他家玩儿。Tā ～ nǐ yǒu kòngr qù tā jiā wánr. | 公司～我负责这个工作。Gōngsī ～ wǒ fùzé zhèige gōngzuò.

jiào 叫⁵ [动]

这个好消息真～人高兴。Zhèige hǎo xiāoxi zhēn ～ rén gāoxìng. →这个消息使人高兴。Zhèige xiāoxi shǐ rén gāoxìng. 例他父亲病了，这真～他担心。Tā fùqin bìng le, zhè zhēn ～ tā dānxīn. | 我的朋友想要我最喜欢的一张画儿，这～我很为难。Wǒ de péngyou xiǎng yào wǒ zuì xǐhuan de yì zhāng huàr, zhè ～ wǒ hěn wéinán. | 这么多事，～我不知怎么办好。Zhème duō shì, ～ wǒ bù zhī zěnme bàn hǎo. | 这个孩子不爱学习，～他的父母头疼。Zhèige háizi bú ài xuéxí, ～ tā de fùmǔ tóuténg. | 他说话很没礼貌，～人很不舒服。Tā shuōhuà hěn méi lǐmào, ～ rén hěn bù shūfu.

jiào 叫⁶ [介]

我的自行车～他骑走了。Wǒ de zìxíngchē ～ tā qízǒu le. →他骑走了我的自行车。Tā qí zǒule wǒ de zìxíngchē. 例我的书～他弄脏了。Wǒ de shū ～ tā nòngzāng le. | 孩子回家太晚，～爸爸批评了一顿。Háizi huíjiā tài wǎn, ～ bàba pīpíngle yí dùn. | 他说的话全～人听见了。Tā shuō de huà quán ～ rén tīngjiàn le. | 他开车开得这么快，～警察看见就麻烦了。Tā kāi chē kāi de zhème kuài, ～ jǐngchá kànjiàn jiù máfan le.

jiào 较(較) [副]

这个商店的商品价格 ~ 贵。Zhège shāngdiàn de shāngpǐn jiàgé ~ guì. →这里的东西比一般的商店贵，但不算特别贵。Zhèlǐ de dōngxi bǐ yìbān de shāngdiàn guì, dàn bú suàn tèbié guì. 例她家离学校 ~ 远，早上必须早起才能避免迟到。Tā jiā lí xuéxiào ~ yuǎn, zǎoshang bìxū zǎo qǐ cái néng bìmiǎn chídào. |这个周末天气 ~ 好，游客 ~ 多。Zhège zhōumò tiānqì ~ hǎo, yóukè ~ duō. |学校附近有一家 ~ 大的银行。Xuéxiào fùjìn yǒu yì jiā ~ dà de yínháng. |这是一种 ~ 新的技术，是一年前发明的。Zhè shì yì zhǒng ~ xīn de jìshù, shì yì nián qián fāmíng de. |与半年前相比，他的汉语水平有了 ~ 大的进步。Yǔ bàn nián qián xiāngbǐ, tā de Hànyǔ shuǐpíng yǒule ~ dà de jìnbù.

jiàocái 教材 [名]

快开学了，我去书店买 ~ 了。Kuài kāixué le, wǒ qù shūdiàn mǎi ~ le. →我买的是老师讲课用的书。Wǒ mǎi de shì lǎoshī jiǎngkè yòng de shū. 例几位老师正忙着编一本新 ~。Jǐ wèi lǎoshī zhèng mángzhe biān yì běn xīn ~. |今天上课时，老师发给我们一些新印出来的 ~。Jīntiān shàngkè shí, lǎoshī fā gěi wǒmen yìxiē xīn yìn chulai de ~. |还没开学，学校就把各年级的 ~ 都准备齐了。Hái méi kāixué, xuéxiào jiù bǎ gè niánjí de ~ dōu zhǔnbèi qí le. |请各位老师把需要的 ~ 数儿告诉我。Qǐng gè wèi lǎoshī bǎ xūyào de ~ shùr gàosu wǒ.

jiàoshī 教师(教師) [名]

他是一位 ~，教过很多学生。Tā shì yí wèi ~, jiāoguo hěn duō xuésheng. →他的工作就是教学生。Tā de gōngzuò jiù shì jiāo xuésheng. 例大卫的母亲是一名中学 ~。Dàwèi de mǔqin shì yì míng zhōngxué ~. |他们三个人都是这个大学的 ~。Tāmen sān ge rén duō shì zhège dàxué de ~. |她的理想是当 ~，把知识教给学生。Tā de lǐxiǎng shì dāng ~, bǎ zhīshi jiāo gěi xuésheng. |~ 们工作都很认真，学生们很感谢他们。~ men gōngzuò dōu hěn rènzhēn, xuéshengmen hěn gǎnxiè tāmen. |~ 的责任很大，对学生的前途有很大的影响。~ de zérèn hěn dà, duì xuésheng de qiántú yǒu hěn dà de yǐngxiǎng.

jiàoshì 教室 ［名］

这是一个～，学生们正在上课。Zhè shì yí ge ～, xuéshengmen zhèngzài shàngkè. →这是个用来上课的房间。Zhè shì ge yòng lái shàngkè de fángjiān. 例这不是你们的～，你们班在隔壁上课。Zhè bú shì nǐmen de ～, nǐmen bān zài gébì shàngkè. |～里坐满了学生。～ li zuòmǎnle xuésheng. |我们今天在这个～上课。Wǒmen jīntiān zài zhèige ～ shàngkè. |已经开始上课了，他才到～。Yǐjing kāishǐ shàngkè le, tā cái dào ～. |那个学生不小心走错了～。Nèige xuésheng bù xiǎoxīn zǒucuòle ～. |下课了，老师和学生们从～里走出来。Xiàkè le, lǎoshī hé xuéshengmen cóng ～ li zǒu chulai. |这间～的光线很好。Zhèi jiān ～ de guāngxiàn hěn hǎo. |他每次上课都坐在～的最前边。Tā měi cì shàngkè dōu zuò zài ～ de zuì qiánbian.

jiàoshòu 教授 ［名］

professor 例她父亲是大学～。Tā fùqin shì dàxué ～. |他是一位很受人尊敬的老～。Tā shì yí wèi hěn shòu rén zūnjìng de lǎo ～. |他在一所著名的大学当～。Tā zài yì suǒ zhùmíng de dàxué dāng ～. |经过十年的努力，他终于当上了～。Jīngguò shí nián de nǔlì, tā zhōngyú dāngshangle ～. |他是我们大学最有名的～之一。Tā shì wǒmen dàxué zuì yǒumíng de ～ zhī yī. |我是那位～的助手。Wǒ shì nèi wèi ～ de zhùshǒu. |那位～的论文引起了人们的重视。Nèi wèi ～ de lùnwén yǐnqǐle rénmen de zhòngshì. |这位～的脾气很好，学生们都很喜欢他。Zhèi wèi ～ de píqi hěn hǎo, xuéshengmen dōu hěn xǐhuan tā.

jiàotáng 教堂 ［名］

church 例这个城市里有好几座历史很悠久的～。Zhèige chéngshì li yǒu hǎojǐ zuò lìshǐ hěn yōujiǔ de ～. |他家附近有一个不大的～。Tā jiā fùjìn yǒu yí ge bú dà de ～. |他每个星期都要去～。Tā měi ge xīngqī dōu yào qù ～. |他们的婚礼将在这个～举行。Tāmen de hūnlǐ jiāng zài zhèige ～ jǔxíng. |这个～的窗户非常漂亮。Zhèige ～ de chuānghu fēicháng piàoliang. |～的气氛使人感到很平静。～ de qìfēn shǐ rén gǎndào hěn píngjìng.

jiàoxué 教学（教學）［名］

这位老师的～很有水平。Zhèi wèi lǎoshī de ～ hěn yǒu shuǐpíng. →

他在教学生的工作方面水平很高。Tā zài jiāo xuésheng de gōngzuò fāngmiàn shuǐpíng hěn gāo. 例他的 ~ 很受学生欢迎。Tā de ~ hěn shòu xuésheng huānyíng. | 我对 ~ 很有热情。Wǒ duì ~ hěn yǒu rèqíng. | 他的 ~ 方法很好。Tā de ~ fāngfǎ hěn hǎo. | 这位老教师的 ~ 经验很丰富。Zhèi wèi lǎo jiàoshī de ~ jīngyàn hěn fēngfù. | 他是个老师，在大学里从事 ~ 工作。Tā shì ge lǎoshī, zài dàxué li cóngshì ~ gōngzuò. | 他在写下个学期的 ~ 计划。Tā zài xiě xià ge xuéqī de ~ jìhuà. | 几位老师常在一起研究 ~ 中遇到的问题。Jǐ wèi lǎoshī cháng zài yìqǐ yánjiū ~ zhōng yùdào de wèntí.

jiàoxùn 教训[1] （教訓）[名]

我这次考试没及格，这对我来说是一个 ~ 。Wǒ zhèi cì kǎoshì méi jígé, zhè duì wǒ láishuō shì yíge ~ . →这件事让我知道怎么做是对的，怎么做是不对的。Zhèi jiàn shì ràng wǒ zhīdao zěnme zuò shì duì de, zěnme zuò shì bú duì de. 例我这次生病是因为睡觉睡得太少，我应该记住这个 ~ 。Wǒ zhèi cì shēngbìng shì yīnwèi shuìjiào shuì de tài shǎo, wǒ yīnggāi jìzhù zhèige ~ . | 跟他开玩笑他会生气，这是我得到的 ~ 。Gēn tā kāiwánxiào tā huì shēngqì, zhè shì wǒ dédào de ~ . | 他以前喝酒喝得太多进过医院，这次还不接受 ~ 。Tā yǐqián hē jiǔ hē de tài duō jìnguo yīyuàn, zhèi cì hái bù jiēshòu ~ . | 他在开车的事情上有过一次 ~ ，去年他车开得太快出了车祸。Tā zài kāi chē de shìqing shang yǒuguo yí cì ~ , qùnián tā chē kāi de tài kuài chūle chēhuò.

jiàoxùn 教训[2] （教訓）[动]

父亲正在 ~ 说了假话的儿子。Fùqin zhèngzài ~ shuōle jiǎ huà de érzi. →父亲在严厉地批评儿子，或者用别的严厉的方法让他知道怎么做才是正确的。Fùqin zài yánlì de pīpíng érzi, huòzhě yòng biéde yánlì de fāngfǎ ràng tā zhīdao zěnme zuò cái shì zhèngquè de. 例老板 ~ 了经常迟到的职员。Lǎobǎn ~ le jīngcháng chídào de zhíyuán. | 他老骗人，真该 ~ ~ 他。Tā lǎo piàn rén, zhēn gāi ~ ~ tā. | 那个服务员对顾客态度不好，被经理 ~ 了一顿。Nèige fúwùyuán duì gùkè tàidu bù hǎo, bèi jīnglǐ ~ le yí dùn. | 我不同意用打孩子的方法 ~ 孩子。Wǒ bù tóngyì yòng dǎ háizi de fāngfǎ ~ háizi.

jiàoyù 教育[1] [名]

education 例政府很重视 ~ 。Zhèngfǔ hěn zhòngshì ~ . | 他的兴趣是

儿童 ~ 。 Tā de xìngqù shì értóng ~ . ｜我在这个中学受过 ~ 。 Wǒ zài zhèige zhōngxué shòuguo ~ . ｜大学 ~ 对学生的将来很重要。 Dàxué ~ duì xuésheng de jiānglái hěn zhòngyào. ｜父母希望孩子得到最好的 ~ 。 Fùmǔ xīwàng háizi dédào zuì hǎo de ~ . ｜玛丽的理想是当老师，从事 ~ 工作。 Mǎlì de lǐxiǎng shì dāng lǎoshī, cóngshì ~ gōngzuò. ｜爷爷小时候家里太穷，没有受 ~ 的机会。 Yéye xiǎoshíhou jiāli tài qióng, méiyǒu shòu ~ de jīhuì.

jiàoyù 教育[2] ［动］

educate 例老师认真地 ~ 学生们。 Lǎoshī rènzhēn de ~ xuéshengmen. ｜这个大学 ~ 出很多优秀的人才。 Zhèige dàxué ~ chū hěn duō yōuxiù de réncái. ｜学校把学生 ~ 成了对社会有用的人。 Xuéxiào bǎ xuésheng ~ chéngle duì shèhuì yǒuyòng de rén. ｜他是个特别的学生，一般的老师 ~ 不了了。 Tā shì ge tèbié de xuésheng, yìbān de lǎoshī ~ bu liǎo. ｜使学生掌握学习的方法，这是大学的 ~ 目标之一。 Shǐ xuésheng zhǎngwò xuéxí de fāngfǎ, zhè shì dàxué de ~ mùbiāo zhī yī.

jiàoyù 教育[3] ［动］

他在 ~ 不好好儿学习的孩子。 Tā zài ~ bù hǎohāor xuéxí de háizi. →他在跟孩子讲道理，让孩子好好儿学习。 Tā zài gēn háizi jiǎng dàolǐ, ràng háizi hǎohāor xuéxí. 例老师正在 ~ 不认真学习的学生。 Lǎoshī zhèngzài ~ bú rènzhēn xuéxí de xuésheng. ｜朋友开车开得太快出了事，这件事 ~ 了他。 Péngyou kāi chē kāi de tài kuài chūle shì, zhèi jiàn shì ~ le tā. ｜父母从小就 ~ 孩子要尊重别人。 Fùmǔ cóngxiǎo jiù ~ háizi yào zūnzhòng biéren. ｜孩子不懂事，应该好好儿 ~ ~ 。 Háizi bù dǒngshì, yīnggāi hǎohāor ~ ~ . ｜学校对学生进行了交通安全 ~ 。 Xuéxiào duì xuésheng jìnxíngle jiāotōng ānquán ~ . ｜她把孩子 ~ 得很有礼貌。 Tā bǎ háizi ~ de hěn yǒu lǐmào. ｜只批评不表扬的 ~ 方法有问题。 Zhǐ pīpíng bù biǎoyáng de ~ fāngfǎ yǒu wèntí.

jiàoyuán 教员（教员） ［名］

我们系一共有四十多位 ~ ，三百多名学生。 Wǒmen xì yígòng yǒu sìshí duō wèi ~ , sānbǎi duō míng xuésheng. →我们系有四十多位老师。 Wǒmen xì yǒu sìshí duō wèi lǎoshī. 例我哥哥在一所中学当 ~ ，他教数学。 Wǒ gēge zài yì suǒ zhōngxué dāng ~ , tā jiāo shùxué.｜他们学校的女～比较多。Tāmen xuéxiào de nǚ ～ bǐjiào duō.｜这个房间是～下课时休息用的。Zhèige fángjiān shì ～ xiàkè shí xiūxi yòng de.｜这位老～的教学经验非常丰富。Zhèi wèi lǎo ～ de jiàoxué jīngyàn fēicháng fēngfù.｜学生都很感谢～们的努力工作。Xuésheng dōu hěn gǎnxiè ～ men de nǔlì gōngzuò.

jie

jiēduàn 阶段（階段）［名］

大学四年是人生的一个重要～。Dàxué sì nián shì rénshēng de yí ge zhòngyào ～. →这是人的一生里很重要的一段时间。Zhè shì rén de yìshēng li hěn zhòngyào de yí duàn shíjiān. **例**他的一辈子可以分成在中国生活和在美国生活两个～。Tā de yíbèizi kěyǐ fēnchéng zài Zhōngguó shēnghuó hé zài Měiguó shēnghuó liǎng ge ～.｜她只学了半年汉语，还在学汉语的基础～。Tā zhǐ xuéle bàn nián Hànyǔ, hái zài xué Hànyǔ de jīchǔ ～.｜她的论文还在准备～，再过一个月才能开始写。Tā de lùnwén hái zài zhǔnbèi ～, zài guò yí ge yuè cái néng kāishǐ xiě.｜我刚开始学汉语的那个～什么也听不懂。Wǒ gāng kāishǐ xué Hànyǔ de nèige ～ shénme yě tīng bu dǒng.｜比赛进入了最关键的～，双方都很紧张。Bǐsài jìnrùle zuì guānjiàn de ～, shuāngfāng dōu hěn jǐnzhāng.

jiē 结（結）［动］

秋天，梨树上～着很多梨。Qiūtiān, líshù shang ～ zhe hěn duō lí. →梨树上长着很多梨。Líshù shang zhǎngzhe hěn duō lí. **例**香蕉树上～了好多香蕉。Xiāngjiāoshù shang ～ le hǎoduō xiāngjiāo.｜苹果树上～满了苹果。Píngguǒshù shang ～ mǎnle píngguǒ.｜今年气候不好，橘子树上～出的橘子不太大。Jīnnián qìhòu bù hǎo, júzishù shang ～ chū de júzi bú tài dà.

jiēshi 结实¹（結實）［形］

这个篮球运动员很～。Zhèige lánqiú yùndòngyuán hěn ～. →他身体很好，不容易受伤或者生病，很有力气。Tā shēntǐ hěn hǎo, bù róngyì shòushāng huòzhě shēngbìng, hěn yǒu lìqi. **例**篮球运动员一般都比较～。Lánqiú yùndòngyuán yìbān dōu bǐjiào ～.｜他的身体像个运动员一样～。Tā de shēntǐ xiàng ge yùndòngyuán yíyàng ～.｜他经常运动，身体结结实实的。Tā jīngcháng yùndòng, shēntǐ jiējieshishi de.｜这个工作很费力气，需要一个～点儿的人来干。

Zhèige gōngzuò hěn fèi lìqi, xūyào yí ge ~ diǎnr de rén lái gàn. | 我弟弟长得很~，很有力气。Wǒ dìdi zhǎng de hěn ~, hěn yǒu lìqi.

jiēshi 结实² （結實） [形]

这张桌子很~，能用很长时间。Zhèi zhāng zhuōzi hěn ~, néng yòng hěn cháng shíjiān. →这张桌子不容易坏。Zhèi zhāng zhuōzi bù róngyì huài. 例我的鞋很~，穿了很久还没破。Wǒ de xié hěn ~, chuānle hěn jiǔ hái méi pò. | 他的书包不~，不能放太多的书进去。Tā de shūbāo bù ~, bù néng fàng tài duō de shū jìnqu. | 这块手表真~，掉在地上也没事儿。Zhèi kuài shǒubiǎo zhēn ~, diào zài dìshang yě méi shìr. | 捆行李得找一根~的绳子才行。Kǔn xíngli děi zhǎo yì gēn ~ de shéngzi cái xíng. | 这把椅子做得不太~，才用了几天就坏了。Zhèi bǎ yǐzi zuò de bú tài ~, cái yòngle jǐ tiān jiù huài le.

jiē 接¹ [动]

我~过了他给我的礼物。Wǒ ~ guòle tā gěi wǒ de lǐwù. →我用手把他给我的礼物拿了过来。Wǒ yòng shǒu bǎ tā gěi wǒ de lǐwù nále guolai. 例他递给我一张报纸，我~在手里看起来。Tā dì gěi wǒ yì zhāng bàozhǐ, wǒ ~ zài shǒu li kàn qilai. | 客人一边说谢谢，一边把我给他的咖啡~了过去。Kèrén yìbiān shuō xièxie, yìbiān bǎ wǒ gěi tā de kāfēi ~ le guoqu. | 我把篮球扔给他，他~了一下儿，但没~到。Wǒ bǎ lánqiú rēng gěi tā, tā ~ le yí xiàr, dàn méi ~ dào. | 我看见她拿着个大箱子，赶紧去把箱子~了过来。Wǒ kànjiàn tā názhe ge dà xiāngzi, gǎnjǐn qù bǎ xiāngzi ~ le guolai. | 他的眼镜差点儿掉在地上，还好被我~住了。Tā de yǎnjìng chàdiǎnr diào zài dìshang, hái hǎo bèi wǒ ~ zhù le.

jiē 接² [动]

我要去机场~一位朋友。Wǒ yào qù jīchǎng ~ yí wèi péngyou. →我见到他以后就陪他一起回来。Wǒ jiàndào tā yǐhòu jiù péi tā yìqǐ huílai. 例他在电话里告诉我去火车站~我。Tā zài diànhuà li gàosu wǒ qù huǒchēzhàn ~ wǒ. | 你在家等我，我开车去~你。Nǐ zài jiā děng wǒ, wǒ kāi chē qù ~ nǐ. | 你在公共汽车站等着，我去~你来我家。Nǐ zài gōnggòng qìchēzhàn děngzhe, wǒ qù ~ nǐ lái wǒ jiā. | 她现在要去学校~孩子回家。Tā xiànzài yào qù xuéxiào ~ háizi huíjiā. | 她是第一次来中国，去机场~她一下儿比较好。Tā shì dì yī cì lái

Zhōngguó, qù jīchǎng ~ tā yíxiàr bǐjiào hǎo. |我记错了时间，去了火车站却没 ~ 到她。Wǒ jìcuòle shíjiān, qùle huǒchēzhàn què méi ~ dào tā.

jiēchù 接触[1] （接觸）［动］

我们俩是同事，经常 ~ 。Wǒmen liǎ shì tóngshì, jīngcháng ~ . → 我们俩经常见面，在一起工作、聊天儿或者玩儿。Wǒmen liǎ jīngcháng jiànmiàn, zài yìqǐ gōngzuò、liáotiānr huòzhě wánr. 例你们以后要一起工作，应该多 ~ ~ 。Nǐmen yǐhòu yào yìqǐ gōngzuò, yīnggāi duō ~ ~ . |我因为工作的关系和她 ~ guo jǐ cì. |我跟他 ~ 得不多，对他不太了解。Wǒ gēn tā ~ de bù duō, duì tā bú tài liǎojiě. |我跟他从小就认识， ~ 的时间很长。Wǒ gēn tā cóngxiǎo jiù rènshi, ~ de shíjiān hěn cháng. |我和她不在一个大学， ~ 的机会不多。Wǒ hé tā bú zài yí ge dàxué, ~ de jīhuì bù duō. |他在医院工作， ~ 得最多的就是病人。Tā zài yīyuàn gōngzuò, ~ de zuì duō de jiù shì bìngrén.

jiēchù 接触[2] （接觸）［动］

孩子去外边玩儿，手 ~ 了不少脏东西。Háizi qù wàibian wánr, shǒu ~ le bùshǎo zāng dōngxi. →孩子的手碰到或是挨到了脏东西。Háizi de shǒu pèngdào huòshì āidàole zāng dōngxi. 例我的手一 ~ 到火马上就缩了回来。Wǒ de shǒu yì ~ dào huǒ mǎshàng jiù suōle huilai. |冬天洗澡时身体 ~ 到热水非常舒服。Dōngtiān xǐzǎo shí shēntǐ ~ dào rèshuǐ fēicháng shūfu. |小刀儿要放在小孩儿 ~ 不到的地方。Xiǎodāor yào fàng zài xiǎoháir ~ bú dào de dìfang.

jiēdài 接待 ［动］

客人来了，你去 ~ 他们。Kèrén lái le, nǐ qù ~ tāmen. →你去欢迎他们，陪着他们，为他们做点儿什么。Nǐ qù huānyíng tāmen, péizhe tāmen, wèi tāmen zuò diǎnr shénme. 例她是餐厅的服务员，天天都要 ~ 很多客人。Tā shì cāntīng de fúwùyuán, tiāntiān dōu yào ~ hěn duō kèrén. |这个博物馆 ~ guo hěn duō zhòngyào de kèrén. |这个小饭馆儿一下子 ~ 不了那么多顾客。Zhèige xiǎo fànguǎnr yíxiàzi ~ bu liǎo nàme duō gùkè. |来参观的人太多了，她一个人实在 ~ 不过来。Lái cānguān de rén tài duō le, tā yí ge rén shízài ~ bú guòlái. |她在公司里负责客户的 ~ 工作，经常陪客户吃饭、参观。Tā zài gōngsī li fùzé kèhù de ~ gōngzuò, jīngcháng péi kèhù chīfàn、cānguān.

jiē dào 接到

我已经 ~ 了她给我写的信。Wǒ yǐjing ~ le tā gěi wǒ xiě de xìn. → 她给我写的信已经到了我的手里。Tā gěi wǒ xiě de xìn yǐjing dàole wǒ de shǒu li. 例我 ~ 一个电话，是我的好朋友打来的。Wǒ ~ yí ge diànhuà, shì wǒ de hǎo péngyou dǎlái de. | 今天我 ~ 了好几个电子邮件。Jīntiān wǒ ~ le hǎojǐ gè diànzǐ yóujiàn. | 我不清楚明天开不开会，我还没 ~ 通知。Wǒ bù qīngchu míngtiān kāi bu kāi huì, wǒ hái méi ~ tōngzhī. | 军队 ~ 命令以后就马上出发了。Jūnduì ~ mìnglìng yǐhòu jiù mǎshàng chūfā le. | 妈妈寄来的礼物我已经 ~ 了。Māma jìlái de lǐwù wǒ yǐjing ~ le.

jiējiàn 接见（接見）［动］

总统 ~ 了来访问的外国客人。Zǒngtǒng ~ le lái fǎngwèn de wàiguó kèrén. →总统这位地位很高的人跟客人见了面。Zǒngtǒng zhèi wèi dìwèi hěn gāo de rén gēn kèrén jiànle miàn. 例总理亲切地 ~ 了各省的代表。Zǒnglǐ qīnqiè de ~ le gè shěng de dàibiǎo. | 你出名了！总统想 ~ 你。Nǐ chūmíng le! Zǒngtǒng xiǎng ~ nǐ. | 他算是个挺有名的人，总统 ~ 过他好几次。Tā suànshì ge tǐng yǒumíng de rén, zǒngtǒng ~ guo tā hǎojǐ cì. | 市长 ~ 我的时间安排在明天上午。Shìzhǎng ~ wǒ de shíjiān ānpái zài míngtiān shàngwǔ. | 他勇敢地从河里救了一个小孩儿，受到了市长的 ~。Tā yǒnggǎn de cóng hé li jiùle yí ge xiǎoháir, shòudàole shìzhǎng de ~.

jiējìn 接近[1]［动］

他家 ~ 一个商店，买东西很方便。Tā jiā ~ yí ge shāngdiàn, mǎi dōngxi hěn fāngbiàn. →他家离商店不远。Tā jiā lí shāngdiàn bù yuǎn. 例现在快 ~ 他们结婚的日子了。Xiànzài kuài ~ tāmen jiéhūn de rìzi le. | 越 ~ 年底，他的工作就越忙。Yuè ~ niándǐ, tā de gōngzuò jiù yuè máng. | 你的回答已经 ~ 正确答案了。Nǐ de huídá yǐjing ~ zhèngquè dá'àn le. | 他说的话比较 ~ 实际情况，只有一两个小地方说得不准确。Tā shuō de huà bǐjiào ~ shíjì qíngkuàng, zhǐ yǒu yì liǎng ge xiǎo dìfang shuō de bù zhǔnquè. | 这座大楼已 ~ 完成，大概下个月就可以使用了。Zhèi zuò dà lóu yǐ ~ wánchéng, dàgài xià ge yuè jiù kěyǐ shǐyòng le. | 他的工作问题已经 ~ 解决，很快就可以去上班了。Tā de gōngzuò wèntí yǐjing ~ jiějué, hěn kuài jiù kěyǐ qù shàngbān le.

J

jiējìn 接近² [形]

我们俩的看法很～。Wǒmen liǎ de kànfǎ hěn ～. →我们俩的看法差不多。Wǒmen liǎ de kànfǎ chàbuduō. 例大家的意见很～，只是在一两个小问题上有不同的看法。Dàjiā de yìjiàn hěn ～, zhǐshì zài yì liǎng gè xiǎo wèntí shang yǒu bùtóng de kànfǎ. |她的画儿和她老师的画儿风格十分～. Tā de huàr hé tā lǎoshī de huàr fēnggé shífēn ～. |今天比赛的两个队水平非常～, 谁都有机会赢。Jīntiān bǐsài de liǎng ge duì shuǐpíng fēicháng ～, shéi dōu yǒu jīhuì yíng.

jiēshòu 接受 [动]

我请她吃晚饭，她～了我的邀请。Wǒ qǐng tā chī wǎnfàn, tā ～ le wǒ de yāoqǐng. →她答应去。Tā dāying qù. 例她说最好去吃中国菜，我～了她的建议。Tā shuō zuìhǎo qù chī Zhōngguócài, wǒ ～ le tā de jiànyì. |我让他们俩一起工作，但他们俩都不太愿意～这个安排。Wǒ ràng tāmen liǎ yìqǐ gōngzuò, dàn tāmen liǎ dōu bú tài yuànyì ～ zhèige ānpái. |她～了一个重要任务，为公司制订明年的计划。Tā ～ le yí ge zhòngyào rènwu, wèi gōngsī zhìdìng míngnián de jìhuà. |他批评我批评错了，我～不了。Tā pīpíng wǒ pīpíng cuò le, wǒ ～ bu liǎo. |这次篮球比赛双方谁也没输，这是双方都可以～的结果。Zhèi cì lánqiú bǐsài shuāngfāng shéi yě méi shū, zhè shì shuāngfāng dōu kěyǐ ～ de jiéguǒ.

jiēzhe 接着¹ [副]

他休息了一会儿，又～工作。Tā xiūxile yíhuìr, yòu ～ gōngzuò. →他原来在工作，休息了一会儿，又开始工作。Tā yuánlái zài gōngzuò, xiūxile yíhuìr, yòu kāishǐ gōngzuò. 例他接了个电话，又～看起电视来。Tā jiēle ge diànhuà, yòu ～ kàn qi diànshì lai. |雨只停了一会儿就～下起来。Yǔ zhǐ tíngle yíhuìr jiù ～ xià qilai. |对不起，刚才我打断了你，你～说吧。Duìbuqǐ, gāngcái wǒ dǎduànle nǐ, nǐ ～ shuō ba. |我们把一个朋友送回了家，然后换了一个地方～喝酒。Wǒmen bǎ yí ge péngyou sònghuíle jiā, ránhòu huànle yí ge dìfang ～ hē jiǔ. |别停下来，～跑! Bié tíng xialai, ～ pǎo! |这件事今天做不完了，明天再～做吧。Zhèi jiàn shì jīntiān zuò bu wán le, míngtiān zài ～ zuò ba.

jiēzhe 接着² [副]

已经过了下班时间，他还～工作。Yǐjing guòle xiàbān shíjiān, tā hái

~ gōngzuò. →下班以后他没回家，还在工作着。Xiàbān yǐhòu tā méi huíjiā, hái zài gōngzuòzhe. 例有人跟他说话，他好像没听见一样 ~ 看他的书。Yǒu rén gēn tā shuōhuà, tā hǎoxiàng méi tīngjiàn yíyàng ~ kàn tā de shū. | 我已经等了十分钟他还没来，我还得 ~ 等。Wǒ yǐjing děngle shí fēnzhōng tā hái méi lái, wǒ hái děi ~ děng. | 他跟我说话的时候并没有停下来，而是 ~ 往前走。Tā gēn wǒ shuōhuà de shíhou bìng méiyǒu tíng xialai, érshì ~ wǎng qián zǒu.

jiēzhe 接着[3]　[连]

他洗了个澡， ~ 就睡觉了。Tā xǐle ge zǎo, ~ jiù shuìjiào le. →他洗完澡以后马上就睡觉了。Tā xǐwán zǎo yǐhòu mǎshàng jiù shuìjiào le. 例他先去了一趟银行，~ 就上商店买东西去了。Tā xiān qùle yí tàng yínháng, ~ jiù shàng shāngdiàn mǎi dōngxi qu le. | 我刚一开始没听明白她说什么，~ 就明白了。Wǒ gāng yì kāishǐ méi tīng míngbai tā shuō shénme, ~ jiù míngbai le. | 我告诉她要跟她分手，她愣了一下儿，~ 就伤心地哭了起来。Wǒ gàosu tā yào gēn tā fēnshǒu, tā lèngle yíxiàr, ~ jiù shāngxīn de kūle qilai. | 我介绍了一下儿自己，~，他也介绍了他的情况。Wǒ jièshàole yíxiàr zìjǐ, ~, tā yě jièshàole tā de qíngkuàng. | 他笑了起来，~，我也忍不住笑了。Tā xiàole qilai, ~, wǒ yě rěn bu zhù xiào le.

jiē 街[1]　[名]

street 例这条 ~ 商店很多。Zhèi tiáo ~ shāngdiàn hěn duō. | 这条 ~ 总是很热闹。Zhèi tiáo ~ zǒngshì hěn rènao. | 那条小 ~ 平时没什么汽车，比较安静。Nèi tiáo xiǎo ~ píngshí méi shénme qìchē, bǐjiào ānjìng. | 你要去的地方就在那条 ~ 上。Nǐ yào qù de dìfang jiù zài nèi tiáo ~ shang. | ~ 边有好多商店，来买东西的人很多。~ biān yǒu hǎoduō shāngdiàn, lái mǎi dōngxi de rén hěn duō. | 到了周末，~ 两边的小商店生意好极了。Dàole zhōumò, ~ liǎng biān de xiǎo shāngdiàn shēngyi hǎojí le. | 她站在 ~ 对面跟我打了个招呼。Tā zhàn zài ~ duìmiàn gēn wǒ dǎle ge zhāohu.

jiēdào 街道　[名]

street 例那条 ~ 很干净。Nèi tiáo ~ hěn gānjìng. | 这条 ~ 历史很悠久。Zhèi tiáo ~ lìshǐ hěn yōujiǔ. | 这是一条很有特色的 ~。Zhè shì yì tiáo hěn yǒu tèsè de ~. | 每天早上和晚上都有人打扫 ~。Měi

tiān zǎoshang hé wǎnshang dōu yǒu rén dǎsǎo ~. | ~的两边种着
高高的树。 ~ de liǎng biān zhòngzhe gāogāo de shù.

jiē 街² ［名］

她上 ~ 买东西去了。Tā shàng ~ mǎi dōngxi qu le. →她去商店比
较多的路上去了。Tā qù shāngdiàn bǐjiào duō de lù shang qu le. 例
我得上一趟 ~，买点儿衣服。Wǒ děi shàng yí tàng ~，mǎi diǎnr
yīfu. | 她特别爱逛 ~，几乎每个星期都要去~上走一走，看一看。
Tā tèbié ài guàng ~，jīhū měi ge xīngqī dōu yào qù ~ shang zǒu yi
zǒu, kàn yi kàn. | 我逛了一天的 ~，买了不少东西。Wǒ guàngle yì
tiān de ~，mǎile bùshǎo dōngxi.

jié 节¹ （節）［量］

用于电池、车厢、课、文章的一部分等。Yòngyú diànchí、
chēxiāng、kè、wénzhāng de yí bùfen děng. 例这个收音机只需要一
~ 电池。Zhèige shōuyīnjī zhǐ xūyào yì ~ diànchí. | 他今天上了八~
课，累得很。Tā jīntiān shàngle bā ~ kè, lèi de hěn. | 这列火车一
共有二十五 ~ 车厢。Zhèi liè huǒchē yígòng yǒu èrshíwǔ ~
chēxiāng. | 这本书有四章，一共一百 ~。Zhèi běn shū yǒu sì
zhāng, yígòng yìbǎi ~.

jié 节² （節）［名］

这个月一共有三个 ~。Zhèige yuè yígòng yǒu sān ge ~. →这个月
有三个节日。Zhèige yuè yǒu sān ge jiérì. 例明天是什么 ~?
Míngtiān shì shénme ~? | 这个 ~ 你打算怎么过? Zhèige ~ nǐ
dǎsuan zěnme guò? | 他和妻子回父母家和父母一起过了个 ~。Tā
hé qīzi huí fùmǔ jiā hé fùmǔ yìqǐ guòle ge ~. | 过 ~ 的时候你去哪儿
了? Guò ~ de shíhou nǐ qù nǎr le? | 他想在 ~ 前把工作做完。Tā
xiǎng zài ~ qián bǎ gōngzuò zuòwán. | 祝你过个好 ~，我们 ~ 后
见! Zhù nǐ guò ge hǎo ~，wǒmen ~ hòu jiàn!

jiémù 节目（節目）［名］

电视里正在介绍今天的 ~。Diànshì li zhèngzài jièshào jīntiān de ~.
→电视里正在介绍今天安排的内容。Diànshì li zhèngzài jièshào
jīntiān ānpái de nèiróng. 例我最爱听这个音乐 ~。Wǒ zuì ài tīng
zhèige yīnyuè ~. | 现在是体育~时间。Xiànzài shì tǐyù ~ shíjiān. |
广播和电视~很丰富。Guǎngbō hé diànshì ~ hěn fēngfù. | 他最常
看的电视~是新闻。Tā zuì cháng kàn de diànshì ~ shì xīnwén. | 这

是个很有意思的 ~，观众特别多。Zhè shì ge hěn yǒu yìsi de ~, guānzhòng tèbié duō. |今天电视 ~ 的内容很丰富。Jīniān diànshì ~ de nèiróng hěn fēngfù.

jiérì 节日（節日）[名]

festival; holiday; feast day 例春节是中国最重要的 ~。Chūnjié shì Zhōngguó zuì zhòngyào de ~. |春节是一个传统 ~。Chūnjié shì yí ge chuántǒng ~. |三月八号是妇女的 ~，六月一号是儿童的 ~。Sānyuè bā hào shì fùnǚ de ~, Liùyuè yī hào shì értóng de ~. |人们高高兴兴地庆祝这个 ~。Rénmen gāogāoxìngxìng de qìngzhù zhèige ~. |明天是教师的 ~，祝老师 ~ 快乐。Míngtiān shì jiàoshī de ~, zhù lǎoshī ~ kuàilè. |~ 里人们都感到很轻松。~ li rénmen dōu gǎndào hěn qīngsōng. |我送给她一件 ~ 礼物。Wǒ sòng gěi tā yí jiàn ~ lǐwù. |过年的时候商店里挂了很多各种颜色的气球，~ 的气氛很浓。Guònián de shíhou shāngdiàn li guàle hěn duō gè zhǒng yánsè de qìqiú, ~ de qìfēn hěn nóng.

jiéshěng 节省[1]（節省）[动]

她去旅游的时候住在朋友家，~ 了不少钱。Tā qù lǚyóu de shíhou zhù zài péngyou jiā, ~ le bùshǎo qián. →她不用花住酒店的钱。Tā búyòng huā zhù jiǔdiàn de qián. 例我现在的房子房租比原来低得多，一个月可以 ~ 很多钱。Wǒ xiànzài de fángzi fángzū bǐ yuánlái dī de duō, yí ge yuè kěyǐ ~ hěn duō qián. |坐飞机虽然比坐火车贵，但是可以 ~ 时间。Zuò fēijī suīrán bǐ zuò huǒchē guì, dànshì kěyǐ ~ shíjiān. |这种电脑只比那种便宜一点儿，你买这种 ~ 不了多少钱。Zhèi zhǒng diànnǎo zhǐ bǐ nèi zhǒng piányi yìdiǎnr, nǐ mǎi zhèi zhǒng ~ bu liǎo duōshao qián. |我打算不再抽烟，用 ~ 的钱买书。Wǒ dǎsuan bú zài chōuyān, yòng ~ de qián mǎi shū. |她半年没买新衣服，把钱 ~ 下来准备去旅游。Tā bàn nián méi mǎi xīn yīfu, bǎ qián ~ xialai zhǔnbèi qù lǚyóu.

jiéshěng 节省[2]（節省）[形]

他很 ~，从不随便花钱。Tā hěn ~, cóng bù suíbiàn huā qián. →他常买便宜的东西，不该花的钱就不花。Tā cháng mǎi piányi de dōngxi, bù gāi huā de qián jiù bù huā. 例他工资不高，所以比较 ~。Tā gōngzī bù gāo, suǒyǐ bǐjiào ~. |父亲希望孩子生活上 ~ 一点儿，不乱花钱。Fùqin xīwàng háizi shēnghuó shang ~ yìdiǎnr, bú luàn huā qián.｜她花钱很～，从来不买没用的东西。Tā huā qián hěn ～, cónglái bù mǎi méi yòng de dōngxi.｜我的父母亲都是很～的人，开的一直是旧汽车。Wǒ de fùmǔqin dōu shì hěn ～ de rén, kāi de yìzhí shì jiù qìchē.｜她家很有钱，生活过得一点儿也不～。Tā jiā hěn yǒu qián, shēnghuó guò de yìdiǎnr yě bù ～.｜为了买汽车，他最近过得～得很。Wèile mǎi qìchē, tā zuìjìn guò de ～ de hěn.

jiéyuē 节约¹ （節約）［动］

坐飞机旅游可以～时间。Zuò fēijī lǚyóu kěyǐ ～ shíjiān. →坐飞机比较快，花的时间少。Zuò fēijī bǐjiào kuài, huā de shíjiān shǎo. 例你要是自己做饭，能～很多钱。Nǐ yàoshi zìjǐ zuòfàn, néng ～ hěn duō qián.｜他觉得不抽烟～不了多少钱。Tā juéde bù chōuyān ～ bu liǎo duōshao qián.｜你应该～用电，离开房间就把灯关上。Nǐ yīnggāi ～ yòng diàn, líkāi fángjiān jiù bǎ dēng guānshang.｜在父母的教育下，孩子养成了～的习惯。Zài fùmǔ de jiàoyù xià, háizi yǎngchéngle ～ de xíguàn.｜我的钱不多了，得～着花才行。Wǒ de qián bù duō le, děi ～ zhe huā cái xíng.｜她用起水来很浪费，一点儿也不注意～。Tā yòng qi shuǐ lai hěn làngfèi, yìdiǎnr yě bú zhùyì ～.

jiéyuē 节约² （節約）［形］

我母亲用钱很～，从不随便花钱。Wǒ mǔqin yòng qián hěn ～, cóng bù suíbiàn huā qián. →她常买便宜的东西，不该花的钱就不花。Tā cháng mǎi piányi de dōngxi, bù gāi huā de qián jiù bù huā. 例她用电一点儿也不～，出去的时候也不关灯。Tā yòng diàn yìdiǎnr yě bù ～, chūqu de shíhou yě bù guān dēng.｜我这个月钱花得太快了，得～一点儿才行。Wǒ zhèige yuè qián huā de tài kuài le, děi ～ yìdiǎnr cái xíng.｜她比我～多了，很少去外边吃饭。Tā bǐ wǒ ～ duō le, hěn shǎo qù wàibian chīfàn.｜他是一个比较～的人。Tā shì yí ge bǐjiào ～ de rén.｜父母生活得很～。Fùmǔ shēnghuó de hěn ～.

jiégòu 结构（結構）［名］

structure 例这套房子的～很好，各个房间的大小都很合适。Zhèi tào fángzi de ～ hěn hǎo, gè ge fángjiān de dàxiǎo dōu hěn héshì.｜这个句子的～比较复杂，不容易看懂。Zhèige jùzi de ～ bǐjiào fùzá, bù róngyì kàndǒng.｜这个地区男人多女人少，人口～不合理。Zhèige dìqū nánrén duō nǚrén shǎo, rénkǒu ～ bù hélǐ.｜医生十分

了解人的身体~。Yīshēng shífēn liǎojiě rén de shēntǐ ~. | 我市工业发展很快，形成了以工业为中心的经济~。Wǒ shì gōngyè fāzhǎn hěn kuài, xíngchéngle yǐ gōngyè wéi zhōngxīn de jīngjì ~.

jiéguǒ 结果[1]（結果）[名]

这场比赛我没看完，不知道~。Zhèi chǎng bǐsài wǒ méi kànwán, bù zhīdào ~. →我不知道这场比赛最后怎么样了。Wǒ bù zhīdào zhèi chǎng bǐsài zuìhòu zěnmeyàng le. 例她已经知道自己考试的~了。Tā yǐjing zhīdao zìjǐ kǎoshì de ~ le. | 明天去哪儿玩儿他们正在商量，还没有~。Míngtiān qù nǎr wánr tāmen zhèngzài shāngliang, hái méiyǒu ~. | 我从来不运动的~就是越来越胖。Wǒ cónglái bú yùndòng de ~ jiùshì yuèláiyuè pàng. | 我身体检查的~出来了，哪儿都没问题。Wǒ shēntǐ jiǎnchá de ~ chūlai le, nǎr dōu méi wèntí.

jiéguǒ 结果[2]（結果）[连]

她穿的衣服太少，~感冒了。Tā chuān de yīfu tài shǎo, ~ gǎnmào le. →穿得太少是她感冒的原因。Chuān de tài shǎo shì tā gǎnmào de yuányīn. 例我昨天晚上酒喝得太多，~今天头还疼。Wǒ zuótiān wǎnshang jiǔ hē de tài duō, ~ jīntiān tóu hái téng. | 她学习不认真，~没通过考试。Tā xuéxí bú rènzhēn, ~ méi tōngguò kǎoshì. | 我的汽车坏在路上了，~我只好走路回家。Wǒ de qìchē huài zài lù shang le, ~ wǒ zhǐhǎo zǒulù huíjiā. | 我上班迟到了，~，经理把我批评了一顿。Wǒ shàngbān chídào le, ~, jīnglǐ bǎ wǒ pīpíngle yí dùn.

jiéhé 结合（結合）[动]

看问题不能只看一个方面，应该~各个方面看。Kàn wèntí bù néng zhǐ kàn yí ge fāngmiàn, yīnggāi ~ gè ge fāngmiàn kàn. →应该把各个方面联系起来看问题。Yīnggāi bǎ gè ge fāngmiàn liánxì qilai kàn wèntí. 例他~具体的事情说了说对我的看法。Tā ~ jùtǐ de shìqing shuōle shuō duì wǒ de kànfǎ. | 学校对孩子的教育必须和父母的教育~在一起。Xuéxiào duì háizi de jiàoyù bìxū hé fùmǔ de jiàoyù ~ zài yìqǐ. | 大学里学的理论得跟实际工作~起来才行。Dàxué li xué de lǐlùn děi gēn shíjì gōngzuò ~ qilai cái xíng.

jié hūn 结婚（結婚）

他们俩谈了五年恋爱，终于要~了。Tāmen liǎ tánle wǔ nián liàn'ài, zhōngyú yào ~ le. →他们俩就要成为夫妻了。Tāmen liǎ jiù yào chéngwéi fūqī le. 例我们俩还没~，只是男女朋友。Wǒmen liǎ hái méi ~, zhǐshì nán nǔ péngyou. | 父母已经 ~ 二十年了。Fùmǔ yǐjing ~ èrshí nián le. | 这对年轻夫妻是两年前结的婚。Zhèi duì niánqīng fūqī shì liǎng nián qián jié de hūn. | 结了婚的男人不应该再爱上别的女人。Jiéle hūn de nánrén bù yīnggāi zài àishang biéde nǔrén. | 这对花瓶是朋友送给他们的 ~ 礼物。Zhèi duì huāpíng shì péngyou sòng gěi tāmen de ~ lǐwù.

jiélùn 结论(結論) [名]

conclusion 例这个 ~ 是根据经验得出的。Zhège ~ shì gēnjù jīngyàn déchū de. | 这篇文章的 ~ 是正确的。Zhèi piān wénzhāng de ~ shì zhèngquè de. | 已经知道的情况不多，不能随便下 ~。Yǐjing zhīdao de qíngkuàng bù duō, bù néng suíbiàn xià ~. | 大家意见不同，讨论了半天还是没有 ~。Dàjiā yìjiàn bùtóng, tǎolùnle bàntiān háishi méiyǒu ~. | 这件事是不是他做的，要经过调查才能得出 ~。Zhèi jiàn shì shì bu shì tā zuò de, yào jīngguò diàochá cái néng déchū ~.

jiéshù 结束(結束) [动]

比赛 ~ 了，结果是二比一。Bǐsài ~ le, jiéguǒ shì èr bǐ yī. →比赛完了。Bǐsài wán le. 例会议刚 ~，代表们正在往外走。Huìyì gāng ~, dàibiǎomen zhèngzài wǎng wài zǒu. | 总统 ~ 了对中国的访问回国了。Zǒngtǒng ~ le duì Zhōngguó de fǎngwèn huíguó le. | 这么多工作，到晚上十二点也 ~ 不了。Zhème duō gōngzuò, dào wǎnshang shí'èr diǎn yě ~ bu liǎo. | 这场网球比赛 ~ 得太快了，才用了三十分钟。Zhèi chǎng wǎngqiú bǐsài ~ de tài kuài le, cái yòngle sānshí fēnzhōng. | 音乐会 ~ 的时候，观众们都站起来热烈鼓掌。Yīnyuèhuì ~ de shíhou, guānzhòngmen dōu zhàn qǐlái rèliè gǔzhǎng.

jié zhàng 结账(結賬)

我吃完了，~ 吧。Wǒ chīwán le, ~ ba. →我要把吃饭的钱付给饭馆儿。Wǒ yào bǎ chīfàn de qián fù gěi fànguǎnr. 例住这个房间的客人已经结了账，就要离开了。Zhù zhège fángjiān de kèrén yǐjing jiéle zhàng, jiù yào líkāi le. | 出差住饭店由公司 ~。Chūchāi zhù fàndiàn yóu gōngsī ~. | 我要走了，请给我结一下儿账。Wǒ yào zǒu le, qǐng gěi wǒ jié yíxiàr zhàng. | 我想提前把账结了，因为明天很早就得走。Wǒ xiǎng tíqián bǎ zhàng jié le, yīnwèi míngtiān hěn zǎo jiù děi zǒu. | 今天这顿饭是他结的账。Jīntiān zhèi dùn fàn shì tā jié de zhàng.

jiějie 姐姐 [名]

她是我~, 不是我妹妹。Tā shì wǒ ~, bú shì wǒ mèimei. →我们俩父母相同, 她的年龄比我大。Wǒmen liǎ fùmǔ xiāngtóng, tā de niánlíng bǐ wǒ dà. 例~对我很好, 经常帮我洗衣服。~ duì wǒ hěn hǎo, jīngcháng bāng wǒ xǐ yīfu. | 她是三个女儿中最小的, 上面有两个~。Tā shì sān ge nǚ'ér zhōng zuì xiǎo de, shàngmiàn yǒu liǎng ge ~. | 她是大卫的~, 可是看起来就像是妹妹。Tā shì Dàwèi de ~, kěshì kàn qilai jiù xiàng shì mèimei. | 我跟她~是同学。Wǒ gēn tā ~ shì tóngxué. | 他~的男朋友是一位记者。Tā ~ de nánpéngyou shì yí wèi jìzhě.

jiě 解 [动]

他~下领带, 觉得不那么热了。Tā ~ xia lǐngdài, juéde bú nàme rè le. →他把脖子上的领带打开, 觉得凉快一点儿了。Tā bǎ bózi shang de lǐngdài dǎkāi, juéde liángkuai yìdiǎnr le. 例他一进门就~开扣子, 把外衣脱了下来。Tā yí jìnmén jiù ~ kāi kòuzi, bǎ wàiyī tuōle xialai. | 这绳子捆得真结实, ~都~不开。Zhè shéngzi kǔn de zhēn jiēshi, ~ dōu ~ bu kāi. | 鞋带儿我~不下来了, 请帮忙~吧。Xiédàir wǒ ~ bu xiàlái le, qǐng bāngmáng ~ ba? | 那根捆箱子的粗绳子很容易~下来。Nèi gēn kǔn xiāngzi de cū shéngzi hěn róngyì ~ xialai.

jiědá 解答 [动]

我提问题, 你来~。Wǒ tí wèntí, nǐ lái ~. →请你回答解释我提出的问题。Qǐng nǐ huídá jiěshì wǒ tíchū de wèntí. 例第三道题比较难, 谁会~? Dì sān dào tí bǐjiào nán, shéi huì ~? | 服务员耐心地~客人们提出的问题。Fúwùyuán nàixīn de ~ kèrénmen tíchū de wèntí. | 我不太了解那里的情况, 没法~你的疑问。Wǒ bú tài liǎojiě nàli de qíngkuàng, méifǎ ~ nǐ de yíwèn. | 这个问题太难, 我~不了。Zhèige wèntí tài nán, wǒ ~ bu liǎo. | 对学生们提出的问题, 老师都做了~。Duì xuéshengmen tíchū de wèntí, lǎoshī dōu zuòle ~.

jiěfàng 解放 [动]

有了机器以后, 人们就从重体力劳动中~出来了。Yǒule jīqì yǐhòu, rénmen jiù cóng zhòng tǐlì láodòng zhōng ~ chulai le. →机器代替人来干重活儿, 人们就可以得到一些自由了。Jīqì dàitì rén lái gàn zhònghuór, rénmen jiù kěyǐ dédào yìxiē zìyóu le. 例考试太紧张了,

考完最后一门课，我们就可以 ~ 了。Kǎoshì tài jǐnzhāng le, kǎo wán zuìhòu yì mén kè, wǒmen jiù kěyǐ ~ le. |他做事总是怕这怕那的，不敢 ~ 思想。Tā zuòshì zǒngshì pà zhè pà nà de, bù gǎn ~ sīxiǎng. |三月八号是全世界妇女争取 ~ 的节日。Sānyuè bā hào shì quán shìjiè fùnǚ zhēngqǔ ~ de jiérì. |我们的民族获得 ~ 已经五十多年了。Wǒmen de mínzú huòdé ~ yǐjing wǔshí duō nián le.

jiějué 解决 [动]

那个工厂的产品质量问题已经 ~ 了。Nèige gōngchǎng de chǎnpǐn zhìliàng wèntí yǐjing ~ le. →那个工厂的产品质量问题已经得到了处理，不再存在问题了。Nèige gōngchǎng de chǎnpǐn zhìliàng wèntí yǐjing dédàole chǔlǐ, bú zài cúnzài wèntí le. **例**他俩之间的矛盾并不难 ~。Tā liǎ zhījiān de máodùn bìng bù nán ~. |他是个热心人，经常帮助邻居们 ~ 困难。Tā shì ge rèxīn rén, jīngcháng bāngzhù línjūmen ~ kùnnan. |他遇到了难题，我们能不能帮他 ~ ~？Tā yùdàole nántí, wǒmen néng bu néng bāng tā ~ ~? |问题不管 ~ 得了 ~ 不了，我们都要尽力去做。Wèntí bù guǎn ~ de liǎo ~ bu liǎo, wǒmen dōu yào jìnlì qù zuò. |这个城市的缺水问题终于得到了 ~。Zhèige chéngshì de quē shuǐ wèntí zhōngyú dédàole ~.

jiěshì 解释[1] （解釋）[动]

这个词是什么意思，请 ~ 一下儿。Zhèige cí shì shénme yìsi, qǐng ~ yíxiàr. →请你把这个词的意思说明白。Qǐng nǐ bǎ zhèige cí de yìsi shuō míngbai. **例**请把事情的原因 ~ 清楚。Qǐng bǎ shìqing de yuányīn ~ qīngchu. |你的理由很充分，不必再 ~ 了。Nǐ de lǐyóu hěn chōngfèn, búbì zài ~ le. |得到这样的实验结果，应该向大家 ~ ~ 其中的道理。Dédào zhèiyàng de shíyàn jiéguǒ, yīnggāi xiàng dàjiā ~ ~ qízhōng de dàoli. |这事儿我耐心地 ~ 了半天，他还是不明白。Zhè shìr wǒ nàixīn de ~ le bàntiān, tā háishi bù míngbai.

jiěshì 解释[2] （解釋）[名]

关于事故的原因，我觉得他们的 ~ 比较合理。Guānyú shìgù de yuányīn, wǒ juéde tāmen de ~ bǐjiào hélǐ. →我认为他们对事故原因的说明是比较合理的。Wǒ rènwéi tāmen duì shìgù yuányīn de shuōmíng shì bǐjiào hélǐ de. **例**你对迟到理由的 ~，很难叫人满意。Nǐ duì chídào lǐyóu de ~, hěn nán jiào rén mǎnyì. |这个词所包含的意思，现在有了新的 ~。Zhèige cí suǒ bāohán de yìsi, xiànzài yǒule xīn de ~ . | 为什么要提高粮食价格，有关部门做出了详细的 ~ 。 Wèishénme yào tígāo liángshi jiàgé, yǒuguān bùmén zuòchūle xiángxì de ~ . | 最近的气候现象已经得到了科学的 ~ 。 Zuìjìn de qìhòu xiànxiàng yǐjing dédàole kēxué de ~ .

jiè 戒 ［动］

她以前抽烟，现在 ~ 烟了。 Tā yǐqián chōuyān, xiànzài ~ yān le. →她不再抽烟了。 Tā bú zài chōuyān le. 例医生说我不能喝酒，所以我要 ~ 酒。 Yīshēng shuō wǒ bù néng hē jiǔ, suǒyǐ wǒ yào ~ jiǔ. | 父亲为了健康把烟、酒都 ~ 了。 Fùqin wèile jiànkāng bǎ yān、jiǔ dōu ~ le. | 我劝她把烟 ~ 掉。 Wǒ quàn tā bǎ yān ~ diào. | 他 ~ 过一次烟，可惜没 ~ 成。 Tā ~ guo yí cì yān, kǔxī méi ~ chéng. | 你要是真想 ~ 烟，怎么会 ~ 不了呢? Nǐ yàoshi zhēn xiǎng ~ yān, zěnme huì ~ bu liǎo ne? | 我丈夫是去年 ~ 的烟。 Wǒ zhàngfu shì qùnián ~ de yān.

jièshào 介绍（介绍）［动］

老师在向大家 ~ 自己。 Lǎoshī zài xiàng dàjiā ~ zìjǐ. →他正在说他的名字、年龄、爱好等情况。 Tā zhèngzài shuō tā de míngzi、niánlíng、àihào děng qíngkuàng. 例他正在向来参观的人 ~ 博物馆的历史。 Tā zhèngzài xiàng lái cānguān de rén ~ bówùguǎn de lìshǐ. | 他把他的朋友 ~ 给了我。 Tā bǎ tā de péngyou ~ gěile wǒ. | 那位音乐家的经历，这本书里 ~ 得很清楚。 Nèi wèi yīnyuèjiā de jīnglì, zhèi běn shū li ~ de hěn qīngchu. | 这个电视节目 ~ 的是中国几个大城市的情况。 Zhèige diànshì jiémù ~ de shì Zhōngguó jǐ ge dà chéngshì de qíngkuàng.

jiè 届 ［量］

用于毕业的班级或会议、比赛、运动会、政府等。 Yòngyú bìyè de bānjí huò huìyì、bǐsài、yùndònghuì、zhèngfǔ děng. 例他是这个大学一九九一 ~ 的毕业生。 Tā shì zhèige dàxué yī jiǔ jiǔ yī ~ de bìyèshēng. | 这个国家正在选举新一 ~ 政府。 Zhèige guójiā zhèngzài xuǎnjǔ xīn yí ~ zhèngfǔ. | 今年的这 ~ 运动会是参加人数最多的一 ~ 。 Jīnnián de zhèi ~ yùndònghuì shì cānjiā rénshù zuì duō de yí ~ . | 这个会议每两年举行一 ~ 。 Zhèige huìyì měi liǎng nián jǔxíng yí ~ . | 我跟他是同一 ~ ，都是一九九五年毕业的。 Wǒ gēn tā shì tóng yí ~ , dōu shì yī jiǔ jiǔ wǔ nián bìyè de.

jiè 借[1] ［动］

她向我 ~ 词典。Tā xiàng wǒ ~ cídiǎn. →她要我把我的词典给她用用。Tā yào wǒ bǎ wǒ de cídiǎn gěi tā yòngyong. 例我的钱不够，就向朋友 ~ 了一些。Wǒ de qián bú gòu, jiù xiàng péngyou ~ le yìxiē. | 她 ~ 了别人的东西总是不还。Tā ~ le biéren de dōngxi zǒngshì bù huán. | 这辆汽车不是我的，是我 ~ 的。Zhèi liàng qìchē bú shì wǒ de, shì wǒ ~ de. | 我这本杂志是从同学那儿 ~ 来的。Wǒ zhèi běn zázhì shì cóng tóngxué nàr ~ lai de. | 我想看的书已经被别人 ~ 走了。Wǒ xiǎng kàn de shū yǐjing bèi biéren ~ zǒu le.

jiè 借[2] ［动］

他的汽车从来不 ~。Tā de qìchē cónglái bú ~. →他的汽车从来不给别人用。Tā de qìchē cónglái bù gěi biéren yòng. 例我想用一下儿她的铅笔，可是她不 ~。Wǒ xiǎng yòng yíxiàr tā de qiānbǐ, kěshì tā bú ~. | 我没钱了，你能 ~ 我一些钱吗？Wǒ méi qián le, nǐ néng ~ wǒ yìxiē qián ma? | 这辆自行车不是我自己的，是别人 ~ 给我骑的。Zhèi liàng zìxíngchē bú shì wǒ zìjǐ de, shì biéren ~ gěi wǒ qí de. | 你来晚了，我的录音机已经 ~ 出去了。Nǐ láiwǎn le, wǒ de lùyīnjī yǐjing ~ chuqu le. | 你 ~ 我的椅子我明天还你。Nǐ ~ wǒ de yǐzi wǒ míngtiān huán nǐ.

jièkǒu 借口[1] （藉口）［名］

她上班迟到了，~ 是汽车坏了。Tā shàngbān chídào le, ~ shì qìchē huài le. →她说她迟到的原因是汽车坏了，这不是真的。Tā shuō tā chídào de yuányīn shì qìchē huài le, zhè bú shì zhēnde. 例他很晚才回家，~ 是工作太忙，其实是去看电影了。Tā hěn wǎn cái huí jiā, ~ shì gōngzuò tài máng, qíshí shì qù kàn diànyǐng le. | 我不想去喝酒，就找了个 ~，说自己肚子疼。Wǒ bù xiǎng qù hē jiǔ, jiù zhǎole ge ~, shuō zìjǐ dùzi téng. | 这个学生老找 ~ 不来上课。Zhèige xuésheng lǎo zhǎo ~ bù lái shàngkè. | 你找别的 ~ 吧，别说身体不好。Nǐ zhǎo biéde ~ ba, bié shuō shēntǐ bù hǎo.

jièkǒu 借口[2] （藉口）［动］

她 ~ 生病不来上课。Tā ~ shēng bìng bù lái shàngkè. →她说她生病了，其实她并没有生病。Tā shuō tā shēngbìng le, qíshí tā bìng méiyǒu shēngbìng. 例大卫 ~ 没时间不参加这个晚会，实际上是不想参加。Dàwèi ~ méi shíjiān bù cānjiā zhèige wǎnhuì, shíjì shang shì bù xiǎng cānjiā. |他老是～没看完，不把我的书还给我。Tā lǎo shì ～ méi kànwán, bù bǎ wǒ de shū huán gěi wǒ. |他～感谢她的帮助，请她吃晚饭，其实是想跟她谈恋爱。Tā ～ gǎnxiè tā de bāngzhù, qǐng tā chī wǎnfàn, qíshí shì xiǎng gēn tā tán liàn'ài.

jin

jīn 斤 [量]

她买了一～鸡蛋。Tā mǎile yì ～ jīdàn. →一斤等于五百克（500g）。Yì jīn děngyú wǔbǎi kè. 例我要五～苹果。Wǒ yào wǔ ～ píngguǒ. | 这条鱼有十几～重。Zhèi tiáo yú yǒu shíjǐ ～ zhòng. |这些香蕉一共是六～半。Zhèixiē xiāngjiāo yígòng shì liù ～ bàn. |西红柿多少钱一～？Xīhóngshì duōshao qián yì ～? |橘子的价格是每～两块钱。Júzi de jiàgé shì měi ～ liǎng kuài qián.

jīnhòu 今后（今後）[名]

～我再也不抽烟了。～ wǒ zài yě bù chōuyān le. →从现在开始，以后我不再抽烟了。Cóng xiànzài kāishǐ, yǐhòu wǒ bú zài chōuyān le. 例一位朋友回国了，～我们俩不能在一起喝酒、聊天儿了。Yí wèi péngyou huíguó le, ～ wǒmen liǎ bù néng zài yìqǐ hē jiǔ, liáotiānr le. |今天是你在大学的最后一天，你～有什么打算？Jīntiān shì nǐ zài dàxué de zuìhòu yì tiān, nǐ ～ yǒu shénme dǎsuan? | ～，我会经常想起他现在说的话。～, wǒ huì jīngcháng xiǎngqǐ tā xiànzài shuō de huà. |她离婚了，必须重新安排～的生活。Tā líhūn le, bìxū chóngxīn ānpái ～ de shēnghuó. |她是第一次离开父母，～的日子不知道该怎么过。Tā shì dì yī cì líkāi fùmǔ, ～ de rìzi bù zhīdào gāi zěnme guò.

jīnnián 今年 [名]

去年是 2003 年，～是 2004 年。Qùnián shì èr líng líng sān nián, ～ shì èr líng líng sì nián. →说这句话的这一年是 2004 年。Shuō zhèi jù huà de zhèi yì nián shì èr líng líng sì nián. 例去年他十九岁，～二十岁。Qùnián tā shíjiǔ suì, ～ èrshí suì. |他决定从～开始存钱。Tā juédìng cóng ～ kāishǐ cún qián. |她～毕业，希望能找到个好工作。Tā ～ bìyè, xīwàng néng zhǎodào ge hǎo gōngzuò. |他们俩都是～上的大学。Tāmen liǎ dōu shì ～ shàng de dàxué. |他们～上半年去过中国。Tāmen ～ shàng bàn nián qùguo Zhōngguó. |公司～的收入超过了去年。Gōngsī ～ de shōurù chāoguòle qùnián. |今天是十

二月三十一号，是 ~ 的最后一天。Jīntiān shì Shí'èryuè sānshíyī hào, shì ~ de zuìhòu yì tiān.

jīntiān 今天 [名]

昨天是星期六，~ 是星期天。Zuótiān shì Xīngqīliù, ~ shì Xīngqītiān. →说这句话的这一天是星期天。Shuō zhèi jù huà de zhèi yì tiān shì Xīngqītiān. 例~ 天气真不错，应该出去玩儿玩儿。~ tiānqì zhēn búcuò, yīnggāi chūqu wánrwanr. | 她打算从 ~ 开始戒烟。Tā dǎsuan cóng ~ kāishǐ jièyān. | 时间过得真快，到~ 她已经在中国生活了一年了。Shíjiān guò de zhēn kuài, dào ~ tā yǐjing zài Zhōngguó shēnghuóle yì nián le. | 这场比赛本来安排在昨天，由于天气不好才改在 ~ 进行。Zhèi chǎng bǐsài běnlái ānpái zài zuótiān, yóuyú tiānqì bù hǎo cái gǎi zài ~ jìnxíng. | ~ 晚上我要去看一个老朋友。~ wǎnshang wǒ yào qù kàn yí ge lǎopéngyou. | 你看了 ~ 的报纸没有？Nǐ kànle ~ de bàozhǐ méiyǒu?

jīn 金 [名]

gold 例这个杯子是 ~ 的，非常值钱。Zhèige bēizi shì ~ de, fēicháng zhíqián. | 教堂的屋顶是 ~ 的。Jiàotáng de wūdǐng shì ~ de. | 她手上戴着一块漂亮的 ~ 表。Tā shǒu shang dàizhe yí kuài piàoliang de ~ biǎo. | 这个 ~ 盘子是历史上一位著名的国王用过的。Zhèige ~ pánzi shì lìshǐ shang yí wèi zhùmíng de guówáng yòngguo de.

jīnshǔ 金属（金屬）[名]

metal 例金、银、铜、铁都是~。Jīn、yín、tóng、tiě dōu shì ~. | 金是一种很贵的 ~。Jīn shì yì zhǒng hěn guì de ~. | 这个杯子是 ~ 的。Zhèige bēizi shì ~ de. | 这张桌子是用 ~ 做的。Zhèi zhāng zhuōzi shì yòng ~ zuò de. | 为了安全，这个房间装上了 ~ 门。Wèile ānquán, zhèige fángjiān zhuāngshangle ~ mén. | 他把饼干装在一个 ~ 盒子里。Tā bǎ bǐnggān zhuāng zài yí ge ~ hézi li.

jǐn 仅[1]（僅）[副]

这个地方我 ~ 去过一次，不太熟悉。Zhèige dìfang wǒ ~ qùguo yí cì, bú tài shúxī. →我只去过一次。Wǒ zhǐ qùguo yí cì. 例我和她 ~ 见过一两次面，对她并不了解。Wǒ hé tā ~ jiànguo yì liǎng cì miàn, duì tā bìng bù liǎojiě. | 她父亲的病不严重，~ 有点儿感冒。Tā fùqin de bìng bù yánzhòng, ~ yǒudiǎnr gǎnmào. | 他 ~ 用了十分

钟就把行李收拾好了。Tā ~ yòngle shí fēnzhōng jiù bǎ xíngli shōushi hǎo le . | 我没进他家，~ 在门口跟他说了几句话就走了。Wǒ méi jìn tā jiā , ~ zài ménkǒu gēn tā shuōle jǐ jù huà jiù zǒu le . | ~ 靠她一个人不可能这么快就做完饭。~ kào tā yí ge rén bù kěnéng zhème kuài jiù zuòwán fàn .

jǐnjǐn 仅仅¹（僅僅）[副]

他今天中午吃得很少，~ 吃了一个面包。Tā jīntiān zhōngwǔ chī de hěn shǎo , ~ chīle yí ge miànbāo . →他只吃了一个面包。Tā zhǐ chīle yí ge miànbāo . **例**我 ~ 学过两个月的汉语，时间不长。Wǒ ~ xuéguo liǎng ge yuè de Hànyǔ , shíjiān bù cháng . | 这几个月 ~ 下了一场雨，空气干燥得不得了。Zhèi jǐ ge yuè ~ xiàle yì cháng yǔ , kōngqì gānzào de bùdéliǎo . | 我不了解他，~ 知道他的名字。Wǒ bù liǎojiě tā , ~ zhīdao tā de míngzi . | 大卫并不爱她，~ 把她看做普通朋友。Dàwèi bìng bú ài tā , ~ bǎ tā kànzuò pǔtōng péngyou . | 她那么生气，~ 是因为一件小事。Tā nàme shēngqì , ~ shì yīnwèi yí jiàn xiǎoshì .

jǐn 仅²（僅）[副]

我们班的同学 ~ 他会打篮球，别人都不会。Wǒmen bān de tóngxué ~ tā huì dǎ lánqiú , biéren dōu bú huì . →只有他一个人会打篮球。Zhǐyǒu tā yí ge rén huì dǎ lánqiú . **例**大卫的新地址 ~ 他的父母知道。Dàwèi de xīn dìzhǐ ~ tā de fùmǔ zhīdao . | 他各个方面都不错，~ 脾气不太好。Tā gè ge fāngmiàn dōu búcuò , ~ píqi bú tài hǎo . | 这个菜别的地方都没有，~ 这个饭馆ㄦ有。Zhèige cài biéde dìfang dōu méiyǒu , ~ zhèige fànguǎnr yǒu . | 他今年 ~ 十六岁，比我小得多。Tā jīnnián ~ shíliù suì , bǐ wǒ xiǎo de duō . | 这个小公司 ~ 十个人。Zhèige xiǎo gōngsī ~ shí ge rén .

jǐnjǐn 仅仅²（僅僅）[副]

~ 他知道这事ㄦ，别人都不知道。~ tā zhīdao zhè shìr , biéren dōu bù zhīdào . →只有他一个人知道。Zhǐyǒu tā yí ge rén zhīdao . **例** ~ 大卫没来上课，别的人都来了。~ Dàwèi méi lái shàngkè , biéde rén dōu lái le . | 那个地方 ~ 你去过，你给我们介绍一下ㄦ吧。Nèige dìfang ~ nǐ qùguo , nǐ gěi wǒmen jièshào yíxiàr ba . | 我父亲的身体还可以，~ 眼睛看不太清楚。Wǒ fùqin de shēntǐ hái kěyǐ , ~ yǎnjing kàn bu tài qīngchu . | 他的年纪不大，~ 二十岁。Tā de niánjì bú dà, ～ èrshí suì.

jǐn ⋯jiù⋯ 仅⋯就⋯（僅⋯就⋯）

～上个星期他～去了三四次酒吧。～ shàng ge xīngqī tā ～ qùle sān sì cì jiǔbā. →他在一个很小的时间范围内就去了三四次酒吧。Tā zài yí ge hěn xiǎo de shíjiān fànwéi nèi jiù qùle sānsì cì jiǔbā. 例大卫 的妈妈～这个月～生了两次病。Dàwèi de māma ～ zhèige yuè ～ shēngle liǎng cì bìng. |他们都照了很多照片，～她一个人～有二十 张。Tāmen dōu zhàole hěn duō zhàopiàn, ～ tā yí ge rén ～ yǒu èrshí zhāng. |她买了很多东西，～衣服～买了五件。Tā mǎile hěn duō dōngxi, ～ yīfu ～ mǎile wǔ jiàn. |我今天花了很多钱，～买磁 带～花了一百块。Wǒ jīntiān huāle hěn duō qián, ～ mǎi cídài ～ huāle yìbǎi kuài.

jǐnjǐn⋯jiù⋯ 仅仅⋯就⋯（僅僅⋯就⋯）

这个工作别人需要一天时间，他～半天～做完了。Zhèige gōngzuò biéren xūyào yì tiān shíjiān, tā ～ bàntiān ～ zuòwán le. →他在很短 的时间里做了很多工作。Tā zài hěn duǎn de shíjiān li zuòle hěn duō gōngzuò. 例我～一个晚上～看完了这本厚厚的小说。Wǒ ～ yí ge wǎnshang ～ kànwánle zhèi běn hòuhòu de xiǎoshuō. |～半年时 间，他的汉语～说得挺流利了。～ bàn nián shíjiān, tā de Hànyǔ shuō de tǐng liúlì le. |他们今天喝了很多啤酒，～他一个人～喝了五 瓶。Tāmen jīntiān hēle hěn duō píjiǔ, ～ tā yí ge rén ～ hēle wǔ píng. |最近我花钱花得很快，～打电话～花了不少钱。Zuìjìn wǒ huā qián huā de hěn kuài, ～ dǎ diànhuà ～ huāle bù shǎo qián.

jǐnguǎn 尽管[1]（儘管）[连]

～她身体不舒服，还是去上课了。～ tā shēntǐ bù shūfu, háishi qù shàngkè le. →她没有因为身体不舒服就不去上课。Tā méiyǒu yīnwèi shēntǐ bù shūfu jiù bú qù shàngkè. 例她～不太愿意，可还是 答应把照相机借给我。Tā ～ bú tài yuànyì, kě háishi dāying bǎ zhàoxiàngjī jiè gěi wǒ. |～我只帮了他一点儿小忙，他还是非常感谢 我。～ wǒ zhǐ bāngle tā yìdiǎnr xiǎománg, tā háishi fēicháng gǎnxiè wǒ. |我～很累，还是得把今天的事儿做完。Wǒ ～ hěn lèi, háishi děi bǎ jīntiān de shìr zuòwán. |她～长得不算漂亮，喜欢她的人还 是不少。Tā ～ zhǎng de bú suàn piàoliang, xǐhuan tā de rén háishi bùshǎo.

jǐnguǎn 尽管[2]（儘管）[副]

你~吃吧，想吃多少就吃多少。Nǐ ~ chī ba, xiǎng chī duōshao jiù chī duōshao. →你放心地吃吧，别的事不用考虑。Nǐ fàngxīn de chī ba, biéde shì búyòng kǎolǜ. 例你~去旅游吧，别担心你的狗。Nǐ ~ qù lǚyóu ba, bié dānxīn nǐ de gǒu. | 你要是喜欢她就~告诉她，用不着怕她拒绝你。Nǐ yàoshi xǐhuan tā jiù ~ gàosu tā, yòng bu zháo pà tā jùjué nǐ. | 你想说什么？~说，我们不会笑话你的。Nǐ xiǎng shuō shénme? ~ shuō, wǒmen bú huì xiàohua nǐ de. | 你有什么意见就~提吧，我不会不高兴的。Nǐ yǒu shénme yìjiàn jiù ~ tí ba, wǒ bú huì bù gāoxìng de.

jǐnliàng 尽量（儘量）[副]

这个晚会我~参加。Zhèige wǎnhuì wǒ ~ cānjiā. →我只要能参加就参加。Wǒ zhǐyào néng cānjiā jiù cānjiā. 例天气实在太冷，我~不出去。Tiānqì shízài tài lěng, wǒ ~ bù chūqu. | 她身体不舒服，你们~别打扰她。Tā shēntǐ bù shūfu, nǐmen ~ bié dǎrǎo tā. | 该出发了，请大家~抓紧时间收拾行李。Gāi chūfā le, qǐng dàjiā ~ zhuājǐn shíjiān shōushi xíngli. | 今天的菜很多，你~多吃一点儿。Jīntiān de cài hěn duō, nǐ ~ duō chī yìdiǎnr. | 女朋友要来，我得把房间收拾得~干净一些。Nǚpéngyou yào lái, wǒ děi bǎ fángjiān shōushi de ~ gānjìng yìxiē.

jǐn 紧[1]（緊）[形]

这双鞋对我来说太~了，大一点儿才合适。Zhèi shuāng xié duì wǒ láishuō tài ~ le, dà yìdiǎnr cái héshì. →鞋比我的脚小，几乎穿不进去。Xié bǐ wǒ de jiǎo xiǎo, jīhū chuān bu jìnqù. 例你今天穿的衣服小了一点儿，有点儿~。Nǐ jīntiān chuān de yīfu xiǎole yìdiǎnr, yǒudiǎnr ~. | 最近我胖了，觉得裤子很~。Zuìjìn wǒ pàng le, juéde kùzi hěn ~. | 她害怕极了，~~地抓住丈夫的手。Tā hàipà jí le, ~ ~ de zhuāzhù zhàngfu de shǒu. | 把这些书捆~一点儿，不然搬的时候会松开。Bǎ zhèixiē shū kǔn ~ yìdiǎnr, bùrán bān de shíhou huì sōngkāi.

jǐn 紧[2]（緊）[形]

准备的时间只有十分钟，时间很~。Zhǔnbèi de shíjiān zhǐyǒu shí fēnzhōng, shíjiān hěn ~. →要是不快点儿准备，时间就可能不够。Yàoshi bú kuài diǎnr zhǔnbèi, shíjiān jiù kěnéng bú gòu. 例离考试还

有半年呢，时间一点儿也不 ~ 。Lí kǎoshì hái yǒu bàn nián ne, shíjiān yìdiǎnr yě bù ~ . ｜我最近钱挺 ~ ，不能随便花。Wǒ zuìjìn qián tǐng ~ , bù néng suíbiàn huā. ｜这个工作得花一个星期才行，三天太 ~ 了。Zhège gōngzuò děi huā yí ge xīngqī cái xíng, sān tiān tài ~ le. ｜她把时间安排得 ~ ~ 的，根本没时间看电视。Tā bǎ shíjiān ānpái de ~ ~ de, gēnběn méi shíjiān kàn diànshì.

jǐnzhāng 紧张[1] （緊張）[形]

第一次在这么多人面前唱歌儿，我很 ~ 。Dì yī cì zài zhème duō rén miànqián chànggēr, wǒ hěn ~ . 例新来的同学介绍自己时有点儿 ~ 。Xīn lái de tóngxué jièshào zìjǐ shí yǒudiǎnr ~ . ｜别 ~ ，你妈妈的病不重。Bié ~ , nǐ māma de bìng bú zhòng. ｜晚上她一个人在路上走着，心里 ~ 起来。Wǎnshang tā yí ge rén zài lù shang zǒuzhe, xīnli ~ qilai. ｜考试就要开始了，我 ~ 的心情怎么也平静不下来。Kǎoshì jiù yào kāishǐ le, wǒ ~ de xīnqíng zěnme yě píngjìng bú xiàlái. ｜我 ~ 地看着他，很担心他发脾气。Wǒ ~ de kànzhe tā, hěn dānxīn tā fā píqi.

jǐnzhāng 紧张[2] （緊張）[形]

我们要在半个小时之内赶到机场，时间很 ~ 。Wǒmen yào zài bàn ge xiǎoshí zhī nèi gǎndào jīchǎng, shíjiān hěn ~ . →时间不多，如果不快点儿就可能赶不到机场。Shíjiān bù duō, rúguǒ bú kuài diǎnr jiù kěnéng gǎn bu dào jīchǎng. 例我最近钱比较 ~ ，不敢买太贵的东西。Wǒ zuìjìn qián bǐjiào ~ , bù gǎn mǎi tài guì de dōngxi. ｜电影票相当 ~ ，要是不早点儿去买就买不到了。Diànyǐngpiào xiāngdāng ~ , yàoshi bù zǎo diǎnr qù mǎi jiù mǎi bu dào le. ｜旅游季节饭店的房间非常 ~ 。Lǚyóu jìjié fàndiàn de fángjiān fēicháng ~ . ｜新修了几条很宽的路，交通十分 ~ 的状况改善了。Xīn xiūle jǐ tiáo hěn kuān de lù, jiāotōng shífēn ~ de zhuàngkuàng gǎishàn le.

jǐnzhāng 紧张[3] （緊張）[形]

他今天特别忙，工作很 ~ 。Tā jīntiān tèbié máng, gōngzuò hěn ~ . →他今天有很多工作要做，没时间停下来休息。Tā jīntiān yǒu hěn duō gōngzuò yào zuò, méi shíjiān tíng xialai xiūxi. 例我最近事情特别多，生活很 ~ 。Wǒ zuìjìn shìqing tèbié duō, shēnghuó hěn ~ . ｜我一直过着 ~ 的生活，根本没空儿出去玩儿。Wǒ yìzhí guòzhe ~ de shēnghuó, gēnběn méi kòngr chūqu wánr. ｜"大家必须马上开始工

作才行……"他～地安排着大家的工作。　"Dàjiā bìxū mǎshàng kāishǐ gōngzuò cái xíng……" Tā ～ de ānpáizhe dàjiā de gōngzuò. ┃她又要学习又要工作，过得非常～。Tā yòu yào xuéxí yòu yào gōngzuò, guò de fēicháng ～.

jìn 尽（盡）［副］

他～想着工作，别的事都忘了。Tā ～ xiǎngzhe gōngzuò, biéde shì dōu wàng le. → 他只想着工作，不想别的。Tā zhǐ xiǎngzhe gōngzuò, bù xiǎng biéde. 例他上课时～想着昨天晚上的电影，老师讲的内容一点儿也没记住。Tā shàngkè shí ～ xiǎngzhe zuótiān wǎnshang de diànyǐng, lǎoshī jiǎng de nèiróng yìdiǎnr yě méi jìzhù. ┃她～跟我开玩笑，不好好儿跟我说话。Tā ～ gēn wǒ kāiwánxiào, bù hǎohāor gēn wǒ shuōhuà. ┃她买苹果～挑大的，小的一个也不要。Tā mǎi píngguǒ ～ tiāo dà de, xiǎo de yí ge yě bú yào. ┃他～骗人，他的话我一句也不相信。Tā ～ piàn rén, tā de huà wǒ yí jù yě bù xiāngxìn. ┃你别～批评孩子，也应该表扬表扬他。Nǐ bié ～ pīpíng háizi, yě yīnggāi biǎoyáng biǎoyáng tā.

jìn lì 尽力（盡力）

这次比赛大家都～了。Zhèi cì bǐsài dàjiā dōu ～ le. → 大家都用了全部的力量。Dàjiā dōu yòngle quánbù de lìliang. 例医生已经～了，我的病好不了也没办法。Yīshēng yǐjing ～ le, wǒ de bìng hǎo bu liǎo yě méi bànfǎ. ┃你别为钱的事情担心，我们会～帮助你的。Nǐ bié wèi qián de shìqing dānxīn, wǒmen huì ～ bāngzhù nǐ de. ┃这次考试他没～准备，所以考得不太好。Zhèi cì kǎoshì tā méi ～ zhǔnbèi, suǒyǐ kǎo de bú tài hǎo. ┃我已经尽了力了，实在没办法。Wǒ yǐjing jìnle lì le, shízài méi bànfǎ.

jìn shì 尽是（盡是）

他的房间里～书，别的东西很少。Tā de fángjiān li ～ shū, biéde dōngxi hěn shǎo. → 他的房间里有很多很多书。Tā de fángjiān li yǒu hěn duō hěn duō shū. 例星期天商店里～人。Xīngqītiān shāngdiàn li ～ rén. ┃她特别爱吃水果，冰箱里～新鲜的水果。Tā tèbié ài chī shuǐguǒ, bīngxiāng li ～ xīnxiān de shuǐguǒ. ┃现在是下班时间，路上～汽车。Xiànzài shì xiàbān shíjiān, lù shang ～ qìchē. ┃刚下了一场大雨，街上～水。Gāng xiàle yì cháng dàyǔ, jiē shang ～ shuǐ. ┃这几天报纸上～关于经济的新闻。Zhèi jǐ tiān bàozhǐ shang ～ guānyú jīngjì de xīnwén.

jìn 进¹（進）[动]

他下班回到家门口，正要 ~ 房间。Tā xiàbān huídào jiā ménkǒu, zhèngyào ~ fángjiān. →他在房间外边，正要到房间里去。Tā zài fángjiān wàibian, zhèngyào dào fángjiān li qù. 例我有点儿饿，就 ~ 了街边的一个饭馆儿。Wǒ yǒudiǎnr è, jiù ~ le jiē biān de yí ge fànguǎnr. | 有人敲门，我马上说："请 ~ !" Yǒu rén qiāo mén, wǒ mǎshàng shuō: "Qǐng ~ !" | 我的钥匙丢了，~ 不了家门。Wǒ de yàoshi diū le, ~ bu liǎo jiāmén.

jìn 进²（進）[动]

快要迟到了，他加快步伐跑 ~ 会场。Kuài yào chídào le, tā jiākuài bùfá pǎo ~ huìchǎng. →他从会场外面跑到了会场里面。Tā cóng huìchǎng wàimiàn pǎodàole huìchǎng lǐmiàn. 例快上课了，我赶紧走 ~ 了教室。Kuài shàngkè le, wǒ gǎnjǐn zǒu ~ le jiàoshì. | 太小的孩子最好别带 ~ 电影院。Tài xiǎo de háizi zuìhǎo bié dài ~ diànyǐngyuàn. | 他把桌子上的书放 ~ 了书包里。Tā bǎ zhuōzi shang de shū fàng ~ le shūbāo li. | 在比赛最后的一分钟，5 号队员把球踢 ~ 了球门。Zài bǐsài de zuìhòu yì fēnzhōng, wǔ hào duìyuán bǎ qiú tī ~ le qiúmén.

jìnbù 进步¹（進步）[名]

努力学习了一段时间以后，他的汉语有 ~ 了。Nǔlì xuéxíle yí duàn shíjiān yǐhòu, tā de Hànyǔ yǒu ~ le. →他的汉语水平比以前提高了。Tā de Hànyǔ shuǐpíng bǐ yǐqián tígāo le. 例她的工作能力有了很大的 ~，公司领导表扬了她。Tā de gōngzuò nénglì yǒule hěn dà de ~, gōngsī lǐngdǎo biǎoyángle tā. | 我的汉语取得了明显的 ~，说得比以前流利多了。Wǒ de Hànyǔ qǔdéle míngxiǎn de ~, shuō de bǐ yǐqián liúlì duō le. | 他学习不努力，成绩没什么 ~。Tā xuéxí bù nǔlì, chéngjì méi shénme ~. | 今年他在工作方面~很大，比以前能干多了。Jīnnián tā zài gōngzuò fāngmiàn ~ hěn dà, bǐ yǐqián nénggàn duō le. | 她正在认真学习打网球，~ 很快。Tā zhèngzài rènzhēn xuéxí dǎ wǎngqiú, ~ hěn kuài.

jìnbù 进步²（進步）[动]

他的汉语~了，说得比以前流利多了。Tā de Hànyǔ ~ le, shuō de bǐ yǐqián liúlì duō le. →他的汉语水平比以前提高了。Tā de Hànyǔ shuǐpíng bǐ yǐqián tígāo le. 例她开车的技术~了。Tā kāichē de jìshù

~ le. |妹妹的学习成绩比去年 ~ 了。Mèimei de xuéxí chéngjì bǐ qùnián ~ le. |我天天练习打篮球，技术比以前 ~ 了不少。Wǒ tiāntiān liànxí dǎ lánqiú, jìshù bǐ yǐqián ~ le bùshǎo. |他学习非常努力，~ 得很快。Tā xuéxí fēicháng nǔlì, ~ de hěn kuài.

jìngōng 进攻（進攻）［动］

attack 例我们的水平比对方高，比赛中我们大部分时间在 ~。Wǒmen de shuǐpíng bǐ duìfāng gāo, bǐsài zhōng wǒmen dà bùfen shíjiān zài ~. |对手开始向我们 ~ 了。Duìshǒu kāishǐ xiàng wǒmen ~ le. |敌人的军队开始 ~ 我们的城市。Dírén de jūnduì kāishǐ ~ wǒmen de chéngshì. |敌人 ~ 了好几天，我们仍然在坚持。Dírén ~ le hǎojǐ tiān, wǒmen réngrán zài jiānchí. |我们的球队水平高一些，对方 ~ 的机会很少。Wǒmen de qiúduì shuǐpíng gāo yìxiē, duìfāng ~ de jīhuì hěn shǎo. |比赛快结束了，我们向对手发动了最后一次 ~。Bǐsài kuài jiéshù le, wǒmen xiàng duìshǒu fādòngle zuìhòu yí cì ~. |他们的水平比我们低，整场比赛只有两三次 ~。Tāmen de shuǐpíng bǐ wǒmen dī, zhěng chǎng bǐsài zhǐ yǒu liǎng sān cì ~.

jìnhuà 进化（進化）［动］

为了适应环境，生物慢慢地 ~。Wèile shìyìng huánjìng, shēngwù mànmàn de ~. →生物从简单到复杂、从低级到高级慢慢地变化。Shēngwù cóng jiǎndān dào fùzá、cóng dījí dào gāojí mànmàn de biànhuà. 例这里的环境变化很小，生物 ~ 得很慢。Zhèlǐ de huánjìng biànhuà hěn xiǎo, shēngwù ~ de hěn màn. |人类是从动物 ~ 来的。Rénlèi shì cóng dòngwù ~ lái de. |人类经过了很长的时间才 ~ 成了今天的样子。Rénlèi jīngguòle hěn cháng de shíjiān cái ~ chéngle jīntiān de yàngzi. |人们对生物 ~ 的规律越来越了解了。Rénmen duì shēngwù ~ de guīlǜ yuèláiyuè liǎojiě le.

jìnkǒu 进口（進口）［动］

这个国家 ~ 了很多汽车。Zhèige guójiā ~ le hěn duō qìchē. →这个国家从外国买了很多汽车。Zhèige guójiā cóng wàiguó mǎile hěn duō qìchē. 例那个国家要 ~ 一些电冰箱。Nèige guójiā yào ~ yìxiē diànbīngxiāng. |今年粮食 ~ 得太多了。Jīnnián liángshi ~ de tài duō le. |这种纸是 ~ 的，不是本国生产的。Zhèi zhǒng zhǐ shì ~ de, bú shì běn guó shēngchǎn de. |你知道这种酒是从哪国 ~ 的吗？Nǐ zhīdao zhèi zhǒng jiǔ shì cóng nǎ guó ~ de ma? |这个商店里可以买到很多 ~ 商品。Zhèige shāngdiàn li kěyǐ mǎidào hěn duō ~ shāngpǐn.

jìn lai 进来¹ （進來）

屋子外面挺冷的，你～吧。Wūzi wàimian tǐng lěng de, nǐ ~ ba. → 我在屋子里，让他从屋子外面到里面来。Wǒ zài wūzi li, ràng tā cóng wūzi wàimian dào lǐmian lai. 例我敲了敲办公室的门，里面有人说：“～!”Wǒ qiāole qiāo bàngōngshì de mén, lǐmiàn yǒu rén shuō: "~!" |从教室外面～一个新同学。Cóng jiàoshì wàimian ~ yí ge xīn tóngxué. |他没进我家来，只在门口跟我说了几句话。Tā méi jìn wǒ jiā lai, zhǐ zài ménkǒu gēn wǒ shuōle jǐ jù huà. |把窗户关上雨就进不来了。Bǎ chuānghu guānshang yǔ jiù jìn bu lái le. |我抬头一看，从门外～的是大卫。Wǒ tái tóu yí kàn, cóng mén wài ~ de shì Dàwèi.

jin lai 进来² （進來）

我在房间里看书，他走了～。Wǒ zài fángjiān li kàn shū, tā zǒule ~. →我在房间里，他从外面走到了屋子里面。Wǒ zài fángjiān li, tā cóng wàimiàn zǒu dàole wūzi lǐmiàn. 例我在家里看电视，弟弟忽然跑了～。Wǒ zài jiāli kàn diànshì, dìdi hūrán pǎole ~. |从教室外面走～几个学生。Cóng jiàoshì wàimiàn zǒu ~ jǐ ge xuésheng. |我们学校的大门关着，汽车开不～。Wǒmen xuéxiào de dàmén guānzhe, qìchē kāi bu ~ （jìn lái）. |他想跟我说件事，就走进我的办公室里来了。Tā xiǎng gēn wǒ shuō jiàn shì, jiù zǒu jin wǒ de bàngōngshì li lai le. |你把雨伞拿进屋子里来吧，别放在门外。Nǐ bǎ yǔsǎn ná jin wūzi li lai ba, bié fàng zài mén wài.

jìn qu 进去¹ （進去）

你先～吧，我在门口等人。Nǐ xiān ~ ba, wǒ zài ménkǒu děng rén. →我和她都在房间外面，我让她先到房间里面去。Wǒ hé tā dōu zài fángjiān wàimiàn, wǒ ràng tā xiān dào fángjiān lǐmiàn qu. 例你别～，病人正在休息。Nǐ bié ~, bìngrén zhèngzài xiūxi. |我进商店去买点儿东西就出来了。Wǒ jìn shāngdiàn qu mǎile diǎnr dōngxi jiù chūlai le. |公园关门了，我进不去。Gōngyuán guānmén le, wǒ jìn bu qù. |我一直在电影院门口等她，不知道她已经～了一会儿了。Wǒ yìzhí zài diànyǐngyuàn ménkǒu děng tā, bù zhīdào tā yǐjing ~ le yíhuìr le. |刚才～的那位同学是新来的。Gāngcái ~ de nèi wèi tóngxué shì xīn lái de.

jìn qu 进去² （進去）

她让我在商店外面等着，一个人走 ~ 了。Tā ràng wǒ zài shāngdiàn wàimian děngzhe, yí ge rén zǒu ~ le. →她一个人走到商店里去了。Tā yí ge rén zǒudào shāngdiàn li qu le. **例**她从房间里出来了一下ㄦ又走 ~ 了。Tā cóng fángjiān li chūláile yíxiàr yòu zǒu ~ le. ｜送花ㄦ的人在门口对我说："请把花ㄦ拿 ~ 吧。"Sòng huār de rén zài ménkǒu duì wǒ shuō: "Qǐng bǎ huār ná ~ ba." ｜电影快开演了我才急急忙忙地跑进电影院去。Diànyǐng kuài kāiyǎnle wǒ cái jíjímángmáng de pǎo jin diànyǐngyuàn qu. ｜书包口ㄦ太小，放不 ~ 这么大的录音机。Shūbāo kǒur tài xiǎo, fàng bu ~ (jìn qù) zhème dà de lùyīnjī. ｜她在公司门口对我说："刚才走 ~ 的人是我的老板。"Tā zài gōngsī ménkǒu duì wǒ shuō: "Gāngcái zǒu ~ de rén shì wǒ de lǎobǎn."

jìnrù 进入（進入）［动］

2000 年到了，我们将 ~ 一个新的世纪。Èr líng líng líng nián dào le, wǒmen jiāng ~ yí ge xīn de shìjì. →我们到了一个新世纪的时间范围里。Wǒmen dàole yí ge xīn shìjì de shíjiān fànwéi li. **例**比赛 ~ 了最后的阶段。Bǐsài ~ le zuìhòu de jiēduàn. ｜研究马上就要~最关键的时期了。Yánjiū mǎshàng jiù yào ~ zuì guānjiàn de shíqī le. ｜中学毕业后他 ~ 了一所著名大学。Zhōngxué bìyè hòu tā ~ le yì suǒ zhùmíng dàxué. ｜过了这座桥就 ~ 了另一个国家。Guòle zhèi zuò qiáo jiù ~ le lìng yí ge guójiā. ｜他是去年~ 这家公司工作的。Tā shì qùnián ~ zhèi jiā gōngsī gōngzuò de.

jìnxíng 进行（進行）［动］

科学家们正在对这个有趣的现象 ~ 研究。Kēxuéjiāmen zhèngzài duì zhèige yǒuqù de xiànxiàng ~ yánjiū. →科学家们正在研究这个有趣的现象。Kēxuéjiāmen zhèngzài yánjiū zhèige yǒu qù de xiànxiàng. **例**学校对孩子们 ~ 了交通安全教育。Xuéxiào duì háizimen ~ le jiāotōng ānquán jiàoyù. ｜他们为这个问题~过好几次讨论。Tāmen wèi zhèige wèntí ~ guo hǎojǐ cì tǎolùn. ｜网球比赛是一个小时前开始的，现在还在 ~ 。Wǎngqiú bǐsài shì yí ge xiǎoshí qián kāishǐ de, xiànzài hái zài ~ . ｜这次谈判~得很顺利。Zhèi cì tánpàn ~ de hěn shùnlì. ｜他最近~的研究引起了人们的重视。Tā zuìjìn ~ de yánjiū yǐnqǐle rénmen de zhòngshì.

jìnxiū 进修(進修) [动]

工作了几年以后，他决定去～。Gōngzuòle jǐ nián yǐhòu, tā juédìng qù ～. →他决定停止工作去学习。Tā juédìng tíngzhǐ gōngzuò qù xuéxí. 例我打算去那个大学～。Wǒ dǎsuan qù nèige dàxué ～. | 公司送他去中国～汉语。Gōngsī sòng tā qù Zhōngguó ～ Hànyǔ. | 他要去外国～一年。Tā yào qù wàiguó ～ yì nián. |他是来～的老师，以前在中学工作。Tā shì lái ～ de lǎoshī, yǐqián zài zhōngxué gōngzuò.

jìn yí bù 进一步(進一步)

我已经学了一年汉语，还打算～学习。Wǒ yǐjing xuéle yì nián Hànyǔ, hái dǎsuan ～ xuéxí. →我打算花更多的时间把汉语学得更好一些。Wǒ dǎsuan huā gèng duō de shíjiān bǎ Hànyǔ xué de gèng hǎo yìxiē. 例我现在对他了解得不多，想～了解他。Wǒ xiànzài duì tā liǎojiě de bù duō, xiǎng ～ liǎojiě tā. |两国领导人都表示希望～发展两国的友好关系。Liǎng guó lǐngdǎorén dōu biǎoshì xīwàng ～ fāzhǎn liǎng guó de yǒuhǎo guānxì. |科学家对这个问题研究得不够，需要做～的研究。Kēxuéjiā duì zhèige wèntí yánjiū de bú gòu, xūyào zuò ～ de yánjiū. |他们从普通朋友变成了好朋友，关系又进了一步。Tāmen cóng pǔtōng péngyou biànchéngle hǎo péngyou, guānxì yòu jìnle yí bù.

jìn 近 [形]

他家离学校很～，走到学校只要十分钟。Tā jiā lí xuéxiào hěn ～, zǒudào xuéxiào zhǐ yào shí fēnzhōng. →从他家到学校的距离很短。Cóng tā jiā dào xuéxiào de jùlí hěn duǎn. 例医院离这儿非常～，再往前走三分钟就到了。Yīyuàn lí zhèr fēicháng ～, zài wǎng qián zǒu sān fēnzhōng jiù dào le. |这个饭馆儿并不比那个～多少。Zhèige fànguǎnr bìng bù bǐ nèige ～ duōshǎo. |考试的时间越来越～了。Kǎoshì de shíjiān yuèláiyuè ～ le. |你知道离这里最～的银行在哪儿吗？Nǐ zhīdao lí zhèlǐ zuì ～ de yínháng zài nǎr ma? |照相的时候他们俩靠得很～。Zhàoxiàng de shíhou tāmen liǎ kào de hěn ～. |等他走～了我才看清楚他是谁。Děng tā zǒu ～ le wǒ cái kàn qīngchu tā shì shéi.

jìnlái 近来(近來) [名]

～天气不太好。～ tiānqì bú tài hǎo. →从过去不久到现在这段时间

天气一直不太好。Cóng guòqù bùjiǔ dào xiànzài zhèi duàn shíjiān tiānqì yìzhí bú tài hǎo. 例 ~他很少给我写信。~ tā hěn shǎo gěi wǒ xiě xìn. | 学生们 ~ 很忙，因为快考试了。Xuéshengmen ~ hěn máng, yīnwèi kuài kǎoshì le. | ~，大家都在谈那部新电影。~, dàjiā dōu zài tán nèi bù xīn diànyǐng. | 他的感冒还没好，难怪他 ~ 的精神不太好。Tā de gǎnmào hái méi hǎo, nánguài tā ~ de jīngshén bú tài hǎo. | 我们有半个月没联系了，我不知道他 ~ 的情况。Wǒmen yǒu bàn ge yuè méi liánxì le, wǒ bù zhīdào ta ~ de qíngkuàng.

jìnshì 近视（近视）[名]

他的眼睛很 ~，不戴眼镜不行。Tā de yǎnjing hěn ~, bú dài yǎnjìng bù xíng. →他不戴眼镜看不清楚远处的东西。Tā bú dài yǎnjìng kàn bu qīngchu yuǎnchù de dōngxi. 例我有点儿 ~，看电影得戴眼镜。Wǒ yǒudiǎnr ~, kàn diànyǐng děi dài yǎnjìng. | 由于电视看得太多，他越来越 ~ 了。Yóuyú diànshì kàn de tài duō, tā yuèláiyuè ~ le. | 他的眼睛好得很，一点儿也不 ~。Tā de yǎnjing hǎo de hěn, yìdiǎnr yě bú ~. | 我是上中学的时候开始 ~ 的。Wǒ shì shàng zhōngxué de shíhou kāishǐ ~ de. | 大学里 ~ 的学生非常多。Dàxué li ~ de xuésheng fēicháng duō.

jìnr 劲儿（劲兒）[名]

他的 ~ 很大，很重的东西也搬得动。Tā de ~ hěn dà, hěn zhòng de dōngxi yě bān de dòng. →他的力气很大。Tā de lìqi hěn dà. 例大卫的 ~ 比我大，我搬不动这个电视机，他却可以。Dàwèi de ~ bǐ wǒ dà, wǒ bān bu dòng zhèige diànshìjī, tā què kěyǐ. | 他真有 ~，那么大的箱子他一只手就提起来了。Tā zhēn yǒu ~, nàme dà de xiāngzi tā yì zhī shǒu jiù tí qilai le. | 他的身体很棒，有的是 ~。Tā de shēntǐ hěn bàng, yǒudeshì ~. | 这个箱子太重了，她使出全身的 ~ 也拿不动。Zhèige xiāngzi tài zhòng le, tā shǐchū quánshēn de ~ yě ná bu dòng. | 爬了一天的山，我一点儿 ~ 也没有了。Pále yì tiān de shān, wǒ yìdiǎnr ~ yě méiyǒu le.

jìnzhǐ 禁止 [动]

商场里 ~ 吸烟。Shāngchǎng li ~ xīyān. →在商场里吸烟是不可以的。Zài shāngchǎng li xīyān shì bù kěyǐ de. 例飞机上 ~ 使用手机。Fēijī shang ~ shǐyòng shǒujī. | 国家 ~ 生产这种会危害身体健康的

产品。Guójiā ~ shēngchǎn zhèi zhǒng huì wēihài shēntǐ jiànkāng de chǎnpǐn. ｜这种电脑有严重的质量问题，因此被 ~ 出售。Zhèi zhǒng diànnǎo yǒu yánzhòng de zhìliàng wèntí, yīncǐ bèi ~ chūshòu. ｜法律严格 ~ 司机喝了酒以后开车。Fǎlǜ yángé ~ sījī hēle jiǔ yǐhòu kāi chē. ｜那儿有个 ~ 停车的牌子，别把车停在那儿。Nàr yǒu ge ~ tíng chē de páizi, bié bǎ chē tíng zài nàr.

jing

jīngjù 京剧（京劇）［名］

Beijing opera 例今天晚上我要去看 ~ 。Jīntiān wǎnshang wǒ yào qù kàn ~ . ｜我昨天看了一场 ~ 。Wǒ zuótiān kànle yì chǎng ~ . ｜他听不懂 ~ ，不过能看明白。Tā tīng bu dǒng ~ , búguò néng kàn míngbai. ｜他父亲喜欢唱 ~ 。Tā fùqin xǐhuan chàng ~ . ｜几位著名的 ~ 演员进行了精彩的 ~ 表演。Jǐ wèi zhùmíng de ~ yǎnyuán jìnxíngle jīngcǎi de ~ biǎoyǎn.

jīng 经（經）［动］

我不太舒服，~ 老师同意，我回家休息去了。Wǒ bú tài shūfu, ~ lǎoshī tóngyì, wǒ huíjiā xiūxi qu le. →老师同意以后，我回家休息去了。Lǎoshī tóngyì yǐhòu, wǒ huíjiā xiūxi qu le. 例~ 学校批准，我可以提前毕业。~ xuéxiào pīzhǔn, wǒ kěyǐ tíqián bìyè. ｜这种药必须 ~ 政府允许才能进口。Zhèi zhǒng yào bìxū ~ zhèngfǔ yǔnxǔ cái néng jìnkǒu. ｜ ~ 调查，这件事情的经过已经完全清楚了。~ diàochá, zhèi jiàn shìqing de jīngguò yǐjing wánquán qīngchu le. ｜我不应该不 ~ 考虑就答应他的要求。Wǒ bù yīnggāi bù ~ kǎolǜ jiù dāying tā de yāoqiú.

jīngcháng 经常（經常）［副］

他 ~ 去游泳。Tā ~ qù yóuyǒng. →他一个星期大概去游三四次泳。Tā yí ge xīngqī dàgài qù yóu sān sì cì yǒng. 例她的身体很不好，~ 生病。Tā de shēntǐ hěn bù hǎo, ~ shēngbìng. ｜我们俩是好朋友，~ 一起去玩儿。Wǒmen liǎ shì hǎo péngyou, ~ yìqǐ qù wánr. ｜他不 ~ 运动，打了一会儿篮球就累得不得了。Tā bù ~ yùndòng, dǎle yíhuìr lánqiú jiù lèi de bùdéliǎo. ｜这样的事是 ~ 发生的，一点儿也不奇怪。Zhèiyàng de shì shì ~ fāshēng de, yìdiǎnr yě bù qíguài. ｜那就是我 ~ 去的饭馆儿。Nàr jiù shì wǒ ~ qù de fànguǎnr.

jīngguò 经过[1] （經過）［动］

我去上学要~一片树林。Wǒ qù shàngxué yào ~ yí piàn shùlín. → 我要从树林里或者树林旁边走过去。Wǒ yào cóng shùlín li huòzhě shùlín pángbiān zǒu guoqu. 例去他家要~一个公园。Qù tā jiā yào ~ yí ge gōngyuán. | 汽车往前开的时候，~了一个很大的商店。Qìchē wǎng qián kāi de shíhou, ~ le yí ge hěn dà de shāngdiàn. | 这次旅游你要是坐火车，会~一个挺漂亮的小城。Zhèi cì lǚyóu nǐ yàoshi zuò huǒchē, huì ~ yí ge tǐng piàoliang de xiǎochéng. | 我去公司路上要~他家。Wǒ qù gōngsī lù shang yào ~ tā jiā. | 小河~村子向山那边流去。Xiǎohé ~ cūnzi xiàng shān nèibiān liúqù. | 她~我身边的时候对我笑了笑。Tā ~ wǒ shēnbiān de shíhou duì wǒ xiàole xiào.

jīngguò 经过[2] （經過）［名］

他了解这件事的~。Tā liǎojiě zhèi jiàn shì de ~. →他知道这件事从开始到结束的情况。Tā zhīdao zhèi jiàn shì cóng kāishǐ dào jiéshù de qíngkuàng. 例我知道这次交通事故的~。Wǒ zhīdao zhèi cì jiāotōng shìgù de ~. | 在他的婚礼上，大家要他讲一讲他的恋爱~。Zài tā de hūnlǐ shang, dàjiā yào tā jiǎng yi jiǎng tā de liàn'ài ~. | 这次比赛我只知道结果，比赛的~我没看到。Zhèi cì bǐsài wǒ zhǐ zhīdao jiéguǒ, bǐsài de ~ wǒ méi kàndào. | 警察想了解事情发生的时间、地点和整个~。Jǐngchá xiǎng liǎojiě shìqing fāshēng de shíjiān、dìdiǎn hé zhěnggè ~.

jīngguò 经过[3] （經過）［介］

~考虑，我同意了他的要求。~ kǎolǜ, wǒ tóngyìle tā de yāoqiú. →我是在考虑了以后同意的。Wǒ shì zài kǎolǜle yǐhòu tóngyì de. 例~讨论，大家想出了一个好办法。~ tǎolùn, dàjiā xiǎngchūle yí ge hǎo bànfǎ. | ~研究，科学家有了重大发现。~ yánjiū, kēxuéjiā yǒule zhòngdà fāxiàn. | ~不断努力，我的汉语终于达到了比较高的水平。~ búduàn nǔlì, wǒ de Hànyǔ zhōngyú dádàole bǐjiào gāo de shuǐpíng. | 我~这件事对他有了更深的了解。Wǒ ~ zhèi jiàn shì duì tā yǒule gèng shēn de liǎojiě. | ~朋友的帮助，我找到了满意的房子。~ péngyou de bāngzhù, wǒ zhǎodàole mǎnyì de fángzi.

jīngjì 经济[1] （經濟）［名］

economy 例这个地区的~很发达。Zhèige dìqū de ~ hěn fādá. | 这

里交通很不方便，～很落后。Zhèlǐ jiāotōng hěn bù fāngbiàn，～ hěn luòhòu. |去年我国的～增长了百分之八。Qùnián wǒguó de ～ zēngzhǎngle bǎi fēnzhī bā. |水灾严重影响了当地的～。Shuǐzāi yánzhòng yǐngxiǎngle dāngdì de ～. |这个国家今年的～状况不太好。Zhèige guójiā jīnnián de ～ zhuàngkuàng bú tài hǎo. 两国都希望加强～合作。Liǎng guó dōu xīwàng jiāqiáng ～ hézuò. |随着～的发展，人们的生活水平也越来越高。Suízhe ～ de fāzhǎn, rénmen de shēnghuó shuǐpíng yě yuèláiyuè gāo.

jīngjì 经济² （經濟） [形]

在这个小饭馆儿吃饭很～。Zài zhèige xiǎo fànguǎnr chīfàn hěn ～. →花的钱不多又吃得很好。Huā de qián bù duō yòu chī de hěn hǎo. **例**这辆旧汽车不便宜，买它不太～。Zhèi liàng jiù qìchē bù piányi, mǎi tā bú tài ～. |自己做饭吃比去饭馆儿吃～得多。Zìjǐ zuòfàn chī bǐ qù fànguǎnr chī ～ de duō. |自己开车去旅游是最～的办法。Zìjǐ kāi chē qù lǚyóu shì zuì ～ de bànfǎ. |我正在考虑怎么才能更～地把明天的晚会开好。Wǒ zhèngzài kǎolǜ zěnme cái néng gèng ～ de bǎ míngtiān de wǎnhuì kāihǎo. |他的婚礼办得很～。Tā de hūnlǐ bàn de hěn ～.

jīnglǐ 经理（經理）[名]

他是我们公司的～，我们得听他的安排。Tā shì wǒmen gōngsī de ～, wǒmen děi tīng tā de ānpái. →他是负责管理这个公司的人。Tā shì fùzé guǎnlǐ zhèige gōngsī de rén. **例**她是公司里一个部门的～。Tā shì gōngsī li yí ge bùmén de ～. |他父亲在一家有名的公司当～。Tā fùqin zài yì jiā yǒumíng de gōngsī dāng ～. |他以前做过酒店～，管理酒店很有经验。Tā yǐqián zuòguo jiǔdiàn ～, guǎnlǐ jiǔdiàn hěn yǒu jīngyàn. |我工作没做好，受到了～的批评。Wǒ gōngzuò méi zuòhǎo, shòudàole ～ de pīpíng. |～的脾气不好，职员们都怕他。～ de píqi bù hǎo, zhíyuánmen dōu pà tā.

jīnglì 经历¹ （經歷） [名]

他说了说他旅游时的～。Tā shuōle shuō tā lǚyóu shí de ～. →他说了说旅游时遇到、看到或者他自己做的事。Tā shuōle shuō lǚyóu shí yùdào、kàndào huòzhě tā zìjǐ zuò de shì. **例**昨天我差点儿被汽车撞了，真是一次危险的～。Zuótiān wǒ chàdiǎnr bèi qìchē zhuàng le, zhēn shì yí cì wēixiǎn de ～. |他跟我讲了一段他留学时的有趣～

Tā gēn wǒ jiǎngle yí duàn tā liúxué shí de yǒuqù ~ . |这位老人的 ~
真丰富，简直跟电影一样。Zhèi wèi lǎorén de　~ zhēn fēngfù,
jiǎnzhí gēn diànyǐng yíyàng。|这本书是根据作者的 ~ 写出来的。
Zhèi běn shū shì gēnjù zuòzhě de ~ xiě chulai de.

jīnglì 经历² （經歷）［动］

他去过很多地方，~ 过很多事。Tā qùguo hěn duō dìfang,　~ guo
hěn duō shì. →他看到、遇到或者自己做过很多事。Tā kàndào、
yùdào huòzhě zìjǐ zuòguo hěn duō shì. **例**我旅游时 ~ 了很多事情。
Wǒ lǚyóu shí ~ le hěn duō shìqing. |这个地区正 ~ 着巨大的变化。
Zhèige dìqū zhèng ~ zhe jùdà de biànhuà. |他上学、工作都很顺利，
没 ~ 过什么困难。Tā shàngxué、gōngzuò dōu hěn shùnlì, méi ~
guo shénme kùnnan. |电脑突然不工作的情况我已经 ~ 了好几次
了。Diànnǎo tūrán bù gōngzuò de qíngkuàng wǒ yǐjing ~ le hǎojǐ cì
le. |他的文章里写了一些自己 ~ 过的有趣的事儿。Tā de wénzhāng
li xiěle yìxiē zìjǐ ~ guo de yǒuqù de shìr.

jīngyàn 经验 （經驗）［名］

这位老司机开车很有 ~ 。Zhèi wèi lǎo sījī kāi chē hěn yǒu ~ . →开
车方面的事情他知道很多。Kāi chē fāngmiàn de shìqing tā zhīdao
hěn duō. **例**我大学刚毕业，没有什么工作 ~ 。Wǒ dàxué gāng
bìyè, méiyǒu shénme gōngzuò ~ . |他汉语学得很好，大家都想了
解他的学习 ~ 。Tā Hànyǔ xué de hěn hǎo, dàjiā dōu xiǎng liǎojiě tā
de xuéxí ~ . |这位 ~ 丰富的老教师知道怎样教好学生。Zhèi wèi
fēngfù de lǎo jiàoshī zhīdao zěnyàng jiāohǎo xuésheng. |根据这位医
生的 ~ ，我的病很容易治好。Gēnjù zhèi wèi yīshēng de ~ , wǒ de
bìng hěn róngyì zhìhǎo.

jīngcǎi 精彩 ［形］

今天晚上电视节目很 ~ ，我一定要看。Jīntiān wǎnshang diànshì
jiémù hěn ~ , wǒ yídìng yào kàn. →电视节目很好看。Diànshì
jiémù hěn hǎokàn. **例**昨天的篮球比赛太 ~ 了，双方都打得很好。
Zuótiān de lánqiú bǐsài tài ~ le, shuāngfāng dōu dǎ de hěn hǎo. |这
次音乐会有几位优秀的音乐家参加，~ 极了。Zhèi cì yīnyuèhuì yǒu
jǐ wèi yōuxiù de yīnyuèjiā cānjiā, ~ jí le. |这场 ~ 的演出受到了大家
欢迎。Zhèi chǎng ~ de yǎnchū shòudàole dàjiā huānyíng. |大家为
他的 ~ 讲话热烈鼓掌。Dàjiā wèi tā de ~ jiǎnghuà rèliè gǔzhǎng. |
这篇文章写得很 ~ ，我读了好几遍。Zhèi piān wénzhāng xiě de hěn

~, wǒ dúle hǎojǐ biàn.

jīnglì 精力 [名]

年轻人身体好，~ 充足。Niánqīngrén shēntǐ hǎo, ~ chōngzú. → 年轻人想问题、做事情都不容易累。Niánqīngrén xiǎng wèntí、zuò shìqing dōu bù róngyì lèi. **例**我老了，~ 不如以前了。Wǒ lǎo le, ~ bùrú yǐqián le. | 虽然忙了一天，他还是很有 ~。Suīrán mángle yì tiān, tā háishi hěn yǒu ~. | 他为写论文花了很大的 ~，连星期天 也不休息。Tā wèi xiě lùnwén huāle hěn dà de ~, lián Xīngqītiān yě bù xiūxi. | 我今天太累了，没有 ~ 做饭。Wǒ jīntiān tài lèi le, méiyǒu ~ zuòfàn. | 他正集中 ~ 准备考试呢，不会跟你去看电影 的。Tā zhèng jízhōng ~ zhǔnbèi kǎoshì ne, bú huì gēn nǐ qù kàn diànyǐng de. | 我最近把 ~ 全放在了工作上。Wǒ zuìjìn bǎ ~ quán fàngzàile gōngzuò shang.

jīngshén 精神¹ [名]

已经深夜两点了，他的 ~ 还是很好。Yǐjing shēnyè liǎng diǎn le, tā de ~ háishi hěn hǎo. →他看起来不累，一点儿也不想睡觉。Tā kàn qilai bú lèi, yìdiǎnr yě bù xiǎng shuìjiào. **例**他昨天整个晚上都在工 作，所以上午一点儿 ~ 也没有。Tā zuótiān zhěnggè wǎnshang dōu zài gōngzuò, suǒyǐ shàngwǔ yìdiǎnr ~ yě méiyǒu. | 累了喝一杯咖 啡就有 ~ 了。Lèile hē yì bēi kāfēi jiù yǒu ~ le. | 工作不做完不能休 息，打起 ~ 继续工作吧。Gōngzuò bú zuòwán bù néng xiūxi, dǎqi ~ jìxù gōngzuò ba. | 我累得连说话的 ~ 也没有了。Wǒ lèi de lián shuōhuà de ~ yě méiyǒu le. | 他看起来很轻松，~ 状态挺好。Tā kàn qilai hěn qīngsōng, ~ zhuàngtài tǐng hǎo. | 他没找到工作，~ 压力很大。Tā méi zhǎodào gōngzuò, ~ yālì hěn dà.

jīngshen 精神² [形]

这个小伙子真 ~，看着真舒服。Zhèige xiǎohuǒzi zhēn ~, kànzhe zhēn shūfu. →他让人感觉情绪很高。Tā ràng rén gǎnjué qíngxù hěn gāo. **例**他穿着一身很合身的衣服，特别 ~。Tā chuānzhe yì shēn hěn héshēn de yīfu, tèbié ~. | 这个老人身体好极了，就跟年轻人 一样 ~。Zhèige lǎorén shēntǐ hǎojí le, jiù gēn niánqīngrén yíyàng ~. | 休息了一会儿，我又 ~ 起来了。Xiūxile yíhuìr, wǒ yòu ~ qilai le. | 他以前是个 ~ 的小伙子，现在就像个病人。Tā yǐqián shì ge ~ de xiǎohuǒzi, xiànzài jiù xiàng ge bìngrén.

jǐng 井 [名]

例 村子里有一口 ~。Cūnzi li yǒu yì kǒu
~ . | 村子里的人一起挖了一口 ~。
Cūnzi li de rén yìqǐ wāle yì kǒu ~ . . | 今
年气候太干燥，~ 里的水都快干了。
Jīnnián qìhòu tài gānzào, ~ li de shuǐ
dōu kuài gān le. | 以前这里的居民必须
从这口 ~ 里打水。Yǐqián zhèlǐ de jūmín
bìxū cóng zhèi kǒu ~ li dǎ shuǐ. | ~ 边

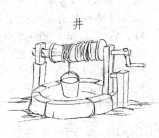

井

长满了小草。~ biān zhǎngmǎnle xiǎocǎo. | 这口 ~ 很深，~ 水冰凉
冰凉的。Zhèi kǒu ~ hěn shēn, ~ shuǐ bīngliáng bīngliáng de.

jǐngsè 景色 [名]

春天这里 ~ 很美。Chūntiān zhèlǐ ~ hěn měi. →春天，这里的山水、
花草、树木看起来很美。Chūntiān, zhèlǐ de shānshuǐ、huācǎo、
shùmù kàn qilai hěn měi. 例 这个城市秋天的 ~ 最美。Zhèige
chéngshì qiūtiān de ~ zuì měi. | 山上开满了各种颜色的花儿，~ 优
美。Shān shang kāimǎnle gè zhǒng yánsè de huār, ~ yōuměi. | 海
边美好的自然 ~ 使人们觉得很轻松。Hǎi biān měihǎo de zìrán ~ shǐ
rénmen juéde hěn qīngsōng. | 小城的 ~ 吸引了很多旅游者。
Xiǎochéng de ~ xīyǐnle hěn duō lǚyóuzhě. | 他站在窗前欣赏窗外的
~ 。Tā zhàn zài chuāng qián xīnshǎng chuāng wài de ~ .

jǐngchá 警察 [名]

policeman 例 ~ 抓住了一个小偷儿。~ zhuāzhùle yí ge xiǎotōur. | 交
通 ~ 在街上指挥交通。Jiāotōng ~ zài jiē shang zhǐhuī jiāotōng. | 这
位勇敢的 ~ 受到了大家的赞扬。Zhèi wèi yǒnggǎn de ~ shòudàole
dàjiā de zànyáng. | 他哥哥是当 ~ 的，工作很辛苦。Tā gēge shì
dāng ~ de, gōngzuò hěn xīnkǔ. | 你需要帮助的时候可以打电话叫
~ 。Nǐ xūyào bāngzhù de shíhou kěyǐ dǎ diànhuà jiào ~ . | 迷路的游
客得到了 ~ 的帮助。Mílù de yóukè dédàole ~ de bāngzhù. | 保护
大家是 ~ 的责任。Bǎohù dàjiā shì ~ de zérèn.

jǐnggào 警告[1] [动]

他又迟到了，公司 ~ 了他。Tā yòu chídào le, gōngsī ~ le tā. →公
司告诉他，要是他再迟到就会有麻烦。Gōngsī gàosu tā, yàoshi tā
zài chídào jiù huì yǒu máfan. 例 这个孩子抽烟被父亲发现了，父亲

J

严肃地~了他。Zhèige háizi chōuyān bèi fùqin fāxiàn le，fùqin yánsù de ~ le tā. l学校~他，要是他再不上课就开除他。Xuéxiào ~ tā，yàoshi tā zài bú shàngkè jiù kāichú tā. l我~你，工厂里是不能抽烟的。Wǒ ~ nǐ，gōngchǎng li shì bù néng chōuyān de. l医生~他，喝酒会影响他的健康。Yīshēng ~ tā，hē jiǔ huì yǐngxiǎng tā de jiànkāng. l他已经因为上班时打电话跟朋友聊天儿被~了好几回了。Tā yǐjing yīnwèi shàngbān shí dǎ diànhuà gēn péngyou liáotiānr bèi ~ le hǎojǐ huí le.

jǐnggào 警告[2] [名]

他经常不上课，老师对他提出了~。Tā jīngcháng bú shàngkě，lǎoshī duì tā tíchūle ~. →老师告诉他，如果再不上课就会有麻烦。Lǎoshī gàosu tā，rúguǒ zài bú shàngkè jiù huì yǒu máfan. 例公司向那个天天迟到的职员发出~。Gōngsī xiàng nèige tiāntiān chídào de zhíyuán fāchū ~. l这个公司因为产品质量差受到了政府的~。Zhèige gōngsī yīnwèi chǎnpǐn zhìliàng chà shòudàole zhèngfǔ de ~. l他父亲不顾医生的~，继续喝酒。Tā fùqin bú gù yīshēng de ~，jìxù hē jiǔ. l这是对你的最后一次~，下次再迟到就不要来上班了。Zhè shì duì nǐ de zuìhòu yí cì ~，xià cì zài chídào jiù búyào lái shàngbān le.

jìngsài 竞赛（競賽）[名]

他参加了一次汉语~。Tā cānjiāle yí cì Hànyǔ ~. →他要和大家比一比，看看谁的汉语最好。Tā yào hé dàjiā bǐ yi bǐ，kànkan shéi de Hànyǔ zuì hǎo. 例学生们开展了学习~，人人都想得第一名。Xuéshengmen kāizhǎnle xuéxí ~，rénrén dōu xiǎng dé dì yī míng. l她在这次数学~中获得了冠军。Tā zài zhèi cì shùxué ~ zhōng huòdéle guànjūn. l生产~提高了工人的工作热情。Shēngchǎn ~ tígāole gōngrén de gōngzuò rèqíng. l这场~的规则很简单，三分钟内谁喝的啤酒多谁就赢了。Zhèi chǎng ~ de guīzé hěn jiǎndān，sān fēnzhōng nèi shéi hē de píjiǔ duō shéi jiù yíng le.

jìng'ài 敬爱（敬愛）[动]

人们~这位伟大的总统。Rénmen ~ zhèi wèi wěidà de zǒngtǒng. →人们尊敬他、热爱他。Rénmen zūnjìng tā、rè'ài tā. 例老百姓都很~这位心里只有国家和人民的领袖。Lǎobǎixìng dōu hěn ~ zhèi wèi xīnli zhǐ yǒu guójiā hé rénmín de lǐngxiù. l这位老人帮助过很多人，大家十分~他。Zhèi wèi lǎorén bāngzhùguo hěn duō rén，dàjiā shífēn ~ tā. |我写了一封信给~的老师。Wǒ xiěle yì fēng xìn gěi ~ de lǎoshī. |他一生都在为世界和平努力工作，是我最~的人。Tā yìshēng dōu zài wèi shìjiè hépíng nǔlì gōngzuò, shì wǒ zuì ~ de rén.

jìng Ⅱ 敬礼（敬禮）

salute 例他在军队里地位很高，士兵们见了他就马上向他~。Tā zài jūnduì li dìwèi hěn gāo, shìbīngmen jiànle tā jiù mǎshàng xiàng tā ~. |士兵举手给总统敬了个礼。Shìbīng jǔ shǒu gěi zǒngtǒng jìngle ge lǐ.

jìng 静 ［形］

晚上公园里很 ~ 。Wǎnshang gōngyuán li hěn ~. →公园里听不到什么声音。Gōngyuán li tīng bu dào shénme shēngyīn. 例考试的时候，教室里~极了。Kǎoshì de shíhou, jiàoshì li ~ jí le. |房间里~得能听见自己呼吸的声音。Fángjiān li ~ de néng tīngjiàn zìjǐ hūxī de shēngyīn. |这条街白天非常热闹，到了晚上才~下来。Zhèi tiáo jiē báitiān fēicháng rènao, dàole wǎnshang cái ~ xialai. |她喜欢一个人在~~的树林里散步。Tā xǐhuan yí ge rén zài ~ ~ de shùlín li sànbù. |玛丽没说话，~ ~ 地听大家聊天儿。Mǎlì méi shuōhuà, ~ ~ de tīng dàjiā liáotiānr. |现在只有我一个人在家，家里变得很~。Xiànzài zhǐyǒu wǒ yí gè rén zài jiā, jiāli biàn de hěn ~.

jìngzi 镜子（鏡子）［名］

例墙上挂着一面 ~ 。Qiáng shang guàzhe yí miàn ~. |她的桌子上摆着一面小 ~ 。Tā de zhuōzi shang bǎizhe yí miàn xiǎo ~. |她觉得脸上好像有一点儿脏东西，于是赶紧去照~。Tā juéde liǎn shang hǎoxiàng yǒu yìdiǎnr zāng dōngxi, yúshì gǎnjǐn qù zhào ~. |为了参加这个晚会，她对着~很仔细地打扮自己。

镜子

Wèile cānjiā zhèige wǎnhuì, tā duìzhe ~ hěn zǐxì de dǎban zìjǐ. |他看了看~里的自己，觉得挺满意。Tā kànle kàn ~ li de zìjǐ, juéde tǐng mǎnyì.

jiu

jiūjìng 究竟 ［副］

想好了没有？你~去不去？Xiǎnghǎole méiyǒu? Nǐ ~ qù bu qù? →

现在你要给我一个清楚的回答。Xiànzài nǐ yào gěi wǒ yí ge qīngchu de huídá. 例你刚才说知道这件事，现在又说不知道，~ 你知道不知道？Nǐ gāngcái shuō zhīdao zhèi jiàn shì, xiànzài yòu shuō bù zhīdào, ~ nǐ zhīdào bù zhīdào? | 我真不明白他为什么生气，~ 是什么原因呢？Wǒ zhēn bù míngbai tā wèishénme shēngqì, ~ shì shénme yuányīn ne? | 这么做 ~ 好不好谁也不敢说。Zhème zuò ~ hǎo bu hǎo shéi yě bù gǎn shuō. | 你们 ~ 把我的书放到哪儿去了？Nǐmen ~ bǎ wǒ de shū fàngdào nǎr qu le? | 她还没决定~什么时候回来。Tā hái méi juédìng ~ shénme shíhou huílai.

jiūzhèng 纠正（糾正）[动]

这篇文章里的错误已经 ~ 了。Zhèi piān wénzhāng li de cuòwu yǐjing ~ le. →文章中错误的地方已经改过来了。Wénzhāng zhōng cuòwu de dìfang yǐjing gǎi guolai le. 例我已经把错字都 ~ 过来了。Wǒ yǐjing bǎ cuòzì dōu ~ guolai le. | 几个月来，他自觉地~不刻苦的缺点，进步很大。Jǐ ge yuè lái, tā zìjué de ~ bú kèkǔ de quēdiǎn, jìnbù hěn dà. | 我的发音不太准，老师热情地帮我 ~ 发音。Wǒ de fāyīn bú tài zhǔn, lǎoshī rèqíng de bāng wǒ ~ fāyīn. | 这个动作 ~ 起来不那么容易，~ 了好多次还是没做对。Zhèige dòngzuò ~ qilai bú nàme róngyì, ~ le hǎo duō cì háishi méi zuòduì.

jiǔ 九 [数]

四加五等于九。Sì jiā wǔ děngyú jiǔ. →4 + 5 = 9 例我的孩子今年 ~ 岁。Wǒ de háizi jīnnián ~ suì. | 今天是 ~ 号。Jīntiān shì ~ hào. | 现在才~点多，不算晚。Xiànzài cái ~ diǎn duō, bú suàn wǎn. | 她是~月来中国的。Tā shì ~ yuè lái Zhōngguó de. | 这本词典要~十~块钱。Zhèi běn cídiǎn yào ~ shí ~ kuài qián. | 她住在这座楼的第~层。Tā zhù zài zhèi zuò lóu de dì ~ céng. | 这个电影院可以坐~百多人。Zhèige diànyǐngyuàn kěyǐ zuò ~ bǎi duō rén.

jiǔ 玖 [数]

"九" 的大写形式。"Jiǔ" de dàxiě xíngshì.

jiǔ 久 [形]

我等了很 ~ 她才来。Wǒ děngle hěn ~ tā cái lái. →我等了她很长时间。Wǒ děngle tā hěn cháng shíjiān. 例我想了很 ~，好不容易才想出一个好办法。Wǒ xiǎngle hěn ~, hǎo bu róngyì cái xiǎngchū yí ge hǎo bànfǎ. | 我对画画儿兴趣不大，学了不 ~ 就不学了。Wǒ duì huà huà huàr xìngqù bú dà, xuéle bù ~ jiù bù xué le. | 这是很 ~ 以前的事情，我已经记不清楚了。Zhè shì hěn ~ yǐqián de shìqing, wǒ yǐjing jì bu qīngchu le. | 她那伤心的样子让我 ~ ~ 不能忘记。Tā nà shāngxīn de yàngzi ràng wǒ ~ ~ bù néng wàngjì. | 她等了我十分钟，我对她说："对不起，让你 ~ 等了。"Tā děngle wǒ shí fēnzhōng, wǒ duì tā shuō: "Duìbuqǐ, ràng nǐ ~ děng le."

jiǔ 酒 [名]

alcoholic drink 例他常常跟朋友们一起喝 ~。Tā chángcháng gēn péngyoumen yìqǐ hē ~. | 我给他倒了一杯 ~. Wǒ gěi tā dàole yì bēi ~. | 我带了一瓶好 ~ 去参加他的生日晚会。Wǒ dàile yì píng hǎo ~ qù cānjiā tā de shēngri wǎnhuì. | ~ 喝得太多对身体不好。~ hē de tài duō duì shēntǐ bù hǎo. | 这种 ~ 很厉害，很容易喝醉。Zhèi zhǒng ~ hěn lìhai, hěn róngyì hēzuì. | 他在 ~ 里加了些冰块儿。Tā zài ~ li jiāle xiē bīngkuàir. | 这种 ~ 的价格很便宜。Zhèi zhǒng ~ de jiàgé hěn piányi. | 这 ~ 的味道真不错，让人越喝越想喝。Zhè ~ de wèidao zhēn búcuò, ràng rén yuè hē yuè xiǎng hē.

jiǔdiàn 酒店 [名]

hotel 例他住在一个 ~ 里。Tā zhù zài yí ge ~ li. | 这是当地最好的 ~ 之一。Zhè shì dāngdì zuì hǎo de ~ zhī yī. | 他去旅游的时候没住 ~，住在一个朋友家。Tā qù lǚyóu de shíhou méi zhù ~, zhù zài yí ge péngyou jiā. | 他是乘出租汽车回 ~ 的。Tā shì chéng chūzū qìchē huí ~ de. | 这个 ~ 的条件很好，当然房价也贵。Zhèige ~ de tiáojiàn hěn hǎo, dāngrán fángjià yě guì. | 这个季节来旅游的人特别多，~ 的房间差不多全住满了。Zhèige jìjié lái lǚyóu de rén tèbié duō, ~ de fángjiān chàbuduō quán zhùmǎn le.

jiǔbēi 酒杯 [名]

他想找个 ~ 喝酒。Tā xiǎng zhǎo ge ~ hē jiǔ. →他想找一个用来喝酒的杯子。Tā xiǎng zhǎo yí ge yònglái hē jiǔ de bēizi. 例请给我一个小点儿的 ~。Qǐng gěi wǒ yí ge xiǎo diǎnr de ~. | 大卫举起 ~ 为新郎新娘祝福。Dàwèi jǔqǐ ~ wèi xīnláng xīnniáng zhùfú. | 他不小心把 ~ 摔破了。Tā bù xiǎoxīn bǎ ~ shuāipò le. | 她总是用那个漂亮的 ~ 喝啤酒。Tā zǒngshì yòng nèige piàoliang de ~ hē píjiǔ. | 他碰倒了 ~，~ 里的酒全流了出来。Tā pèngdǎole ~, ~ li de jiǔ quán liúle chulai. | 这个 ~ 的样子真好看。Zhèige ~ de yàngzi zhēn hǎokàn.

jiǔpíng 酒瓶 [名]

桌子上放着一个~，里边有一些酒。Zhuōzi shang fàngzhe yí ge ~, lǐbian yǒu yìxiē jiǔ. →桌子上放的是用来装酒的瓶子。Zhuōzi shang fàng de shì yònglái zhuāng jiǔ de píngzi. 例~空空的，里面的酒都被他喝了。~ kōngkōng de, lǐmiàn de jiǔ dōu bèi tā hē le. |他的房间里有好多空~，看起来他常喝酒。Tā de fángjiān li yǒu hǎoduō kōng ~, kàn qilai tā cháng hē jiǔ. |这个~里还有半瓶酒。Zhèige ~ li hái yǒu bàn píng jiǔ. |这个~的形状很特别。Zhèige ~ de xíngzhuàng hěn tèbié.

J

jiù 旧¹（舊）[形]

这种十年前的技术太~了。Zhèi zhǒng shí nián qián de jìshù tài ~ le. →这种技术是过去使用的，现在已经有了新的技术。Zhèi zhǒng jìshù shì guòqù shǐyòng de, xiànzài yǐjing yǒule xīn de jìshù. 例你说的电话号码是~的，已经没用了。Nǐ shuō de diànhuà hàomǎ shì ~ de, yǐjing méiyòng le. |这是她搬家以前的~地址。Zhè shì tā bānjiā yǐqián de ~ dìzhǐ. |~的规定中不太合理的地方已经改过来了。~ de guīdìng zhōng bú tài hélǐ de dìfang yǐjing gǎi guolai le. |现在还有这种~想法的人非常少。Xiànzài hái yǒu zhèi zhǒng ~ xiǎngfa de rén fēicháng shǎo.

jiù 旧²（舊）[形]

这件衣服我穿了五年了，太~了。Zhèi jiàn yīfu wǒ chuānle wǔ nián le, tài ~ le. →这件衣服穿的时间太长，都快破了，颜色也变了。Zhèi jiàn yīfu chuān de shíjiān tài cháng, dōu kuài pò le, yánsè yě biàn le. 例那本书看起来很~，纸的颜色已经发黄了。Nèi běn shū kàn qilai hěn ~, zhǐ de yánsè yǐjing fā huáng le. |那座~房子是一百年前建的。Nèi zuò ~ fángzi shì yìbǎi nián qián jiàn de. |他脚上穿的~鞋子都快穿破了。Tā jiǎo shang chuān de ~ xiézi dōu kuài chuānpò le. |我不太爱惜这本词典，只用了一个月就用~了。Wǒ bú tài àixī zhèi běn cídiǎn, zhǐ yòngle yí ge yuè jiù yòng ~ le.

jiù 救 [动]

一个不会游泳的孩子掉进了河里，我~了他。Yí ge bú huì yóuyǒng de háizi diàojìnle hé li, wǒ ~ le tā. →我把他从河里拉了上来，他才没危险了。Wǒ bǎ tā cóng hé li lāle shanglai, tā cái méi wēixiǎn le. 例我的病很严重，医生~了我。Wǒ de bìng hěn yánzhòng, yīshēng

~ le wǒ. |船上的人把掉进海里的乘客~上了船。Chuán shang de rén bǎ diàojìn hǎi li de chéngkè ~ shàngle chuán. |他得了一种奇怪的病，哪个医院也~不了他。Tā déle yì zhǒng qíguài de bìng, něige yīyuàn yě ~ bu liǎo tā. |孩子的父母十分感谢那个把孩子从火里~出来的人。Háizi de fùmǔ shífēn gǎnxiè nèige bǎ háizi cóng huǒ li ~ chulai de rén.

jiù 就[1] [副]

我今天早上五点~起床了。Wǒ jīntiān zǎoshang wǔ diǎn ~ qǐchuáng le. →我今天起床的时间很早。Wǒ jīntiān qǐchuáng de shíjiān hěn zǎo. 例她妈妈二十岁~结婚了。Tā māma èrshí suì ~ jiéhūn le. |我们俩小学的时候~认识了。Wǒmen liǎ xiǎoxué de shíhou ~ rènshi le. |晚会一个小时前~开始了，你怎么现在才来? Wǎnhuì yí ge xiǎoshí qián ~ kāishǐ le, nǐ zěnme xiànzài cái lái? |她的孩子四岁~能看报纸了。Tā de háizi sì suì ~ néng kàn bàozhǐ le. |大卫从小~爱看电影。Dàwèi cóngxiǎo ~ ài kàn diànyǐng. |这件事我早~知道了，她却现在才知道。Zhèi jiàn shì wǒ zǎo ~ zhīdao le, tā què xiànzài cái zhīdao.

jiù 就[2] [副]

我~去你家。Wǒ ~ qù nǐ jiā. →我很快会去你家。Wǒ hěn kuài huì qù nǐ jiā. 例你快点儿收拾行李，我们~走。Nǐ kuài diǎnr shōushi xíngli, wǒmen ~ zǒu. |你等我一分钟，我~回来。Nǐ děng wǒ yì fēnzhōng, wǒ ~ huílai. |你别给我倒茶，我马上~走。Nǐ bié gěi wǒ dào chá, wǒ mǎshàng ~ zǒu. |明天~是新年了，真快。Míngtiān ~ shì xīnnián le, zhēn kuài. |飞机马上~起飞了。Fēijī mǎshàng ~ qǐfēi le. |现在是下午六点，天很快~黑了。Xiànzài shì xiàwǔ liù diǎn, tiān hěn kuài ~ hēi le. |时间过得真快，我明天~回国了。Shíjiān guò de zhēn kuài, wǒ míngtiān ~ huíguó le. |你别着急，我过一会儿~去帮你的忙。Nǐ bié zháojí, wǒ guò yíhuìr ~ qù bāng nǐ de máng.

jiù 就[3] [副]

他洗了澡~去睡觉了。Tā xǐle zǎo ~ qù shuìjiào le. →他洗了澡以后没做别的事，马上去睡觉了。Tā xǐle zǎo yǐhòu méi zuò biéde shì, mǎshàng qù shuìjiào le. 例他下了班~回家了，没跟同事一起去喝酒。Tā xiàle bān ~ huíjiā le, méi gēn tóngshì yìqǐ qù hē jiǔ. |我们

吃了饭～走吧，别休息了。Wǒmen chīle fàn ～ zǒu ba, bié xiūxi le. I 我们收拾好行李～出发。Wǒmen shōushi hǎo xíngli ～ chūfā. I 他的性格特别好，我看见他～高兴。Tā de xìnggé tèbié hǎo, wǒ kànjiàn tā ～ gāoxìng. I 雨一停我们～上街去。Yǔ yì tíng wǒmen ～ shàngjiē qu. I 我刚出门～碰到了大卫。Wǒ gāng chūmén ～ pèngdàole Dàwèi.

jiù 就⁴ [副]

去他家十分钟～够了。Qù tā jiā shí fēnzhōng ～ gòu le. →去他家需要的时间很短。Qù tā jiā xūyào de shíjiān hěn duǎn. 例坐公共汽车去学校花不了多少钱，一块钱～够了。Zuò gōnggòng qìchē qù xuéxiào huā bu liǎo duōshao qián, yí kuài qián ～ gòu le. I 他学骑自行车学得很快，两个小时～学会了。Tā xué qí zìxíngchē xué de hěn kuài, liǎng ge xiǎoshí ～ xuéhuì le. I 那本书她一个晚上～看完了，看得真快。Nèi běn shū tā yí ge wǎnshang ～ kànwán le, kàn de zhēn kuài. I 她很快～把饭做好了。Tā hěn kuài ～ bǎ fàn zuòhǎo le. I 他只花了三天～学会了开车。Tā zhǐ huāle sān tiān ～ xuéhuìle kāi chē. I 我只用了二十块钱～买到了一张很漂亮的桌子。Wǒ zhǐ yòngle èrshí kuài qián ～ mǎidàole yì zhāng hěn piàoliang de zhuōzi.

jiù 就⁵ [副]

在今天参加晚会的人里，我～认识她。Zài jīntiān cānjiā wǎnhuì de rén li, wǒ ～ rènshi tā. →我只认识她，不认识别的人。Wǒ zhǐ rènshi tā, bú rènshi biéde rén. 例照片上的这些人里，我～知道他的名字。Zhàopiàn shang de zhèixiē rén li, wǒ ～ zhīdao tā de míngzi. I 他～学过英语，没学过别的外语。Tā ～ xuéguo Yīngyǔ, méi xuéguo biéde wàiyǔ. I 他没别的爱好，～喜欢打篮球。Tā méi biéde àihào, ～ xǐhuan dǎ lánqiú. I 我刚到中国的时候，～会说"你好"。Wǒ gāng dào Zhōngguó de shíhou, ～ huì shuō "nǐ hǎo". I 我去商店～买了些水果，没买别的东西。Wǒ qù shāngdiàn ～ mǎile xiē shuǐguǒ, méi mǎi biéde dōngxi.

jiù 就⁶ [副]

我们几个人里～他去过中国。Wǒmen jǐ ge rén li ～ tā qùguo Zhōngguó. →只有他去过中国，别的人没去过。Zhǐyǒu tā qùguo Zhōngguó, biéde rén méi qùguo. 例他们家～他喜欢喝茶，其他人都爱喝咖啡。Tāmen jiā ～ tā xǐhuan hē chá, qítā rén dōu ài hē kāfēi. I 我的大学同学 ~ 两三个人现在还没结婚。Wǒ de dàxué tōngxué ~ liǎng sān ge rén xiànzài hái méi jiéhūn. I 今天其他同学都没迟到，~ 她迟到了。Jīntiān qítā tōngxué dōu méi chídào, ~ tā chídào le. I 她以前没迟到过，~ 今天迟到了。Tā yǐqián méi chídàoguo, ~ jīntiān chídào le. I 我家附近的酒吧我 ~ 这一家没去过。Wǒ jiā fùjìn de jiǔbā wǒ ~ zhèi yì jiā méi qùguo.

jiù 就[7] ［副］

他一上午~打了十个电话。Tā yí shàngwǔ ~ dǎle shí ge diànhuà. →他打了很多电话。Tā dǎle hěn duō diànhuà. 例她花钱花得太多了，一个月~花了五千块。Tā huā qián huā de tài duō le, yí ge yuè ~ huāle wǔqiān kuài. I 她今天买的东西特别多，衣服~买了五件。Tā jīntiān mǎi de dōngxi tèbié duō, yīfu ~ mǎile wǔ jiàn. I 他们都喝得不少，他一个人~喝了十瓶啤酒。Tāmen dōu hē de bùshǎo, tā yí ge rén ~ hēle shí píng píjiǔ. I 这里饭馆儿很多，我去过的~有八九家。Zhèlǐ fànguǎnr hěn duō, wǒ qùguo de ~ yǒu bā jiǔ jiā.

jiù 就[8] ［副］

我~学了半年汉语。Wǒ ~ xuéle bàn nián Hànyǔ. →我学汉语的时间不长。Wǒ xué Hànyǔ de shíjiān bù cháng. 例今天她~迟到了一分钟，时间不长。Jīntiān tā ~ chídàole yì fēnzhōng, shíjiān bù cháng. I 他在我家没呆多久，~坐了十分钟。Tā zài wǒ jiā méi dāi duō jiǔ, ~ zuòle shí fēnzhōng. I 大卫和我~见过一次面。Dàwèi hé wǒ ~ jiànguo yí cì miàn. I 今天他喝酒喝得不多，~喝了一两杯啤酒。Jīntiān tā hē jiǔ hē de bù duō, ~ hēle yì liǎng bēi píjiǔ. I 这件衣服她~穿过一次。Zhèi jiàn yīfu tā ~ chuānguo yí cì.

jiù 就[9] ［副］

他~一个妹妹。Tā ~ yí ge mèimei. →他只有一个妹妹。Tā zhǐ yǒu yí ge mèimei. 例他家~三口人，父亲、母亲和他。Tā jiā ~ sān kǒu rén, fùqin、mǔqin hé tā. I 现在我家里~我一个人，其他人都不在家。Xiànzài wǒ jiāli ~ wǒ yí ge rén, qítā rén dōu bú zài jiā. I 我~这一支笔，我自己要用，不能借给你。Wǒ ~ zhèi yì zhī bǐ, wǒ zìjǐ yào yòng, bù néng jiè gěi nǐ. I 我们参观的时间太短了，~半个小时。Wǒmen cānguān de shíjiān tài duǎn le, ~ bàn ge xiǎoshí. I 剩下的电影票~这么几张了，都不太好，你要吗？Shèngxia de diànyǐngpiào ~ zhème jǐ zhāng le, dōu bú tài hǎo, nǐ yào ma? I 我

的钱～这么多，花完就没有了。Wǒ de qián ～ zhème duō, huāwán jiù méiyǒu le. | 房间～这么大，只能住一个人。Fángjiān ～ zhème dà, zhǐ néng zhù yí ge rén.

jiù 就10 ［副］

你不让我去，我～去。Nǐ bú ràng wǒ qù, wǒ ～ qù. →我一定要去，我非去不可。Wǒ yídìng yào qù, wǒ fēi qù búkě. **例**他让我别说话，我～要说。Tā ràng wǒ bié shuōhuà, wǒ ～ yào shuō. | 你这么想知道这件事，我～不告诉你! Nǐ zhème xiǎng zhīdao zhèi jiàn shì, wǒ ～ bú gàosu nǐ! | 我向他借汽车，说了半天他～不借。Wǒ xiàng tā jiè qìchē, shuōle bàntiān tā ～ bú jiè. | 我想用用她的照相机，她说："不行，～不行!" Wǒ xiǎng yòngyong tā de zhàoxiàngjī, tā shuō: "Bù xíng, ～ bù xíng!"

jiù 就11 ［副］

她～是你要找的人。Tā ～ shì nǐ yào zhǎo de rén. →我很肯定地告诉你，我的话用不着怀疑。Wǒ hěn kěndìng de gàosu nǐ, wǒ de huà yòng bu zháo huáiyí. **例**那个老师～是她爱人。Nèige lǎoshī ～ shì tā àiren. | 请问哪位是大卫? ——我～是。Qǐng wèn něi wèi shì Dàwèi? ——Wǒ ～ shì. | 我家～在前面那座楼里。Wǒ jiā ～ zài qiánmiàn nèi zuò lóu li. | 今天～是她的生日，你怎么忘了? Jīntiān ～ shì tā de shēngri, nǐ zěnme wàng le? | 刚才她～坐在这儿，现在不知道去哪儿了。Gāngcái tā ～ zuò zài zhèr, xiànzài bù zhīdào qù nǎr le.

jiù 就12 ［副］

你如果喜欢这件衣服～买吧。Nǐ rúguǒ xǐhuan zhèi jiàn yīfu ～ mǎi ba. →你如果喜欢这件衣服，那么买一件吧。Nǐ rúguǒ xǐhuan zhèi jiàn yīfu, nàme mǎi yí jiàn ba. **例**你要是想吃东西～吃吧。Nǐ yàoshi xiǎng chī dōngxi ～ chī ba. | 你有时间的话～来我家玩儿吧。Nǐ yǒu shíjiān dehuà ～ lái wǒ jiā wánr ba. | 如果他高兴，我～能从他那儿借到钱。Rúguǒ tā gāoxìng, wǒ ～ néng cóng tā nàr jièdào qián.

jiù 就13 ［介］

丈夫和妻子～该不该搬家的问题争论了起来。Zhàngfu hé qīzi ～ gāi bu gāi bānjiā de wèntí zhēnglùnle qilai. →他们争论的问题是该不该搬家。Tāmen zhēnglùn de wèntí shì gāi bu gāi bānjiā. **例**我和她请谁参加她的生日晚会的问题商量了半天。Wǒ hé tā ～ qǐng shéi cānjiā tā de shēngri wǎnhuì de wèntí shāngliangle bàntiān. |他 ~ 这本书说了说自己的看法。Tā ~ zhèi běn shū shuōle shuō zìjǐ de kànfǎ. |我 ~ 昨天的电影谈了谈自己的感想。Wǒ ~ zuótiān de diànyǐng tánle tán zìjǐ de gǎnxiǎng. |两个公司 ~ 合作的事情举行了一个会议。Liǎng ge gōngsī ~ hézuò de shìqing jǔxíngle yí ge huìyì. |两国领导人 ~ 共同关心的国际问题交换了看法。Liǎng guó lǐngdǎorén ~ gòngtóng guānxīn de guójì wèntí jiāohuànle kànfǎ. |双方 ~ 这个问题进行过好几次谈判，都没有成功。Shuāngfāng ~ zhèige wèntí jìnxíngguo hǎojǐ cì tánpàn, dōu méiyǒu chénggōng.

jiùshì 就是[1] ［副］

我想借他的汽车，他~不答应。Wǒ xiǎng jiè tā de qìchē, tā ~ bù dāying. →他怎么也不答应，我说什么也没用。Tā zěnme yě bù dāying, wǒ shuō shénme yě méi yòng. 例我问她为什么不高兴，她~不说。Wǒ wèn tā wèi shénme bù gāoxìng, tā ~ bù shuō. |他卖水果，我要他便宜点儿，他~不同意。Tā mài shuǐguǒ, wǒ yào tā piányi diǎnr, tā ~ bù tóngyì. |大家都劝他别抽烟，他~不听。Dàjiā dōu quàn tā bié chōuyān, tā ~ bù tīng. |我~喜欢他，你们说什么也改变不了我的看法。Wǒ ~ xǐhuan tā, nǐmen shuō shénme yě gǎibiàn bu liǎo wǒ de kànfǎ. |虽然她的父母都反对，她~要跟大卫结婚。Suīrán tā de fùmǔ dōu fǎnduì, tā ~ yào gēn Dàwèi jiéhūn.

jiùshì 就是[2] ［连］

我现在没时间，~有时间也不去看那个电影，因为我已经看过了。Wǒ xiànzài méi shíjiān, ~ yǒu shíjiān yě bú qù kàn nèige diànyǐng, yīnwèi wǒ yǐjīng kànguo le. →不管有没有时间我都不去看。Bùguǎn yǒu méiyǒu shíjiān wǒ dōu bú qù kàn. 例她生病了，~没生病也不会去看这场足球比赛，因为她不喜欢足球。Tā shēngbìng le, ~ méi shēngbìng yě bú huì qù kàn zhèi chǎng zúqiú bǐsài, yīnwèi tā bù xǐhuan zúqiú. |一分钟后火车就开了，你现在还在家里，~你会飞也赶不上了。Yì fēnzhōng hòu huǒchē jiù kāi le, nǐ xiànzài hái zài jiāli, ~ nǐ huì fēi yě gǎn bu shàng le. |今天的工作太多了，~不吃饭不睡觉也做不完。Jīntiān de gōngzuò tài duō le, ~ bù chīfàn bú shuìjiào yě zuò bu wán.

jiùshì 就是[3] ［连］

这里气候干燥，~下雨也下得不大。Zhèlǐ qìhòu gānzào, ~ xià yǔ

yě xià de bú dà. →这里很少下雨，真的下雨时也只是下小雨。Zhèlǐ hěn shǎo xià yǔ, zhēnde xià yǔ shí yě zhǐshì xià xiǎoyǔ. 例电影票卖得很快，~有也不多了。Diànyǐngpiào mài de hěn kuài, ~ yǒu yě bù duō le. | 他有可能来，不过 ~ 来也不会太早。Tā yǒu kěnéng lái, búguò ~ lái yě bú huì tài zǎo. | 他很少看电视，~ 看也只看一会儿就不看了。Tā hěn shǎo kàn diànshì, ~ kàn yě zhǐ kàn yíhuìr jiù bú kàn le. | 她不喜欢喝酒，~ 喝也只喝一点儿。Tā bù xǐhuan hē jiǔ, ~ hē yě zhǐ hē yìdiǎnr.

jiùshì 就是[4] [连]

他去了什么地方，~ 他爱人也不知道。Tā qùle shénme dìfang, ~ tā àiren yě bù zhīdào. →最应该知道的人也不知道，别的人当然更不知道。Zuì yīnggāi zhīdao de rén yě bù zhīdào, biéde rén dāngrán gèng bù zhīdào. 例这里~冬天也不太冷。Zhèlǐ ~ dōngtiān yě bú tài lěng. | 他的脾气太坏，~ 他的父母也不喜欢他。Tā de píqi tài huài, ~ tā de fùmǔ yě bù xǐhuan tā. | 她很爱笑，~ 不太好笑的事也会使她笑半天。Tā hěn ài xiào, ~ bú tài hǎoxiào de shì yě huì shǐ tā xiào bàntiān. | 这个问题太难，~ 他这么聪明的人也回答不了。Zhèige wèntí tài nán, ~ tā zhème cōngming de rén yě huídá bu liǎo. | 他做的事太不像话了，~小孩子也知道不应该这样做。Tā zuò de shì tài bú xiànghuà le, ~ xiǎo háizi yě zhīdao bù yīnggāi zhèiyàng zuò.

ju

júzi 橘子 [名]

tangerine 例水果中她最爱吃 ~。Shuǐguǒ zhōng tā zuì ài chī ~. | 她买了几个 ~。Tā mǎile jǐ ge ~. | ~多少钱一斤？~ duōshǎo qián yì jīn? | 你卖的 ~ 太贵了。Nǐ mài de ~ tài guì le. | 这个 ~ 还没熟，酸得不得了。Zhèige ~ hái méi shóu, suān de bùdéliǎo. | ~ 皮儿很容易剥下来。~ pír hěn róngyì bō xialai. | 这种 ~ 的味道很甜。Zhèi zhǒng ~ de wèidao hěn tián.

jǔ 举(舉) [动]

他 ~ 着一顶帽子向我挥动。Tā ~ zhe yì dǐng màozi xiàng wǒ huīdòng. →他的手向上把帽子拿到比较高的位置。Tā de shǒu xiàng shàng bǎ màozi nádào bǐjiào gāo de wèizhi. 例为了让自己的力气变大，他天天 ~ 石头。Wèile ràng zìjǐ de lìqi biàn dà, tā tiāntiān ~ shítou. | 爸爸喜欢把孩子 ~ 起来。Bàba xǐhuan bǎ háizi ~ qilai. |

这个 ~ 不动。Zhèige ~ bu dòng. | 我一用力把箱子 ~ 过了头顶。
Wǒ yí yònglì bǎ xiāngzi ~ guòle tóudǐng. | 想提问题的学生们把手 ~
得高高的。Xiǎng tí wèntí de xuéshengmen bǎ shǒu ~ de gāogāo
de.

jǔ ‖ 举例（舉例）

他说他喜欢运动，我要他 ~。Tā shuō tā xǐhuan yùndòng, wǒ yào
tā ~. →我要他说出一种或几种他喜欢的运动。Wǒ yào tā shuōchū
yì zhǒng huò jǐ zhǒng tā xǐhuan de yùndòng. 例他说骑自行车有好
处，不过没 ~。Tā shuō qí zìxíngchē yǒu hǎochu, búguò méi ~. |
我说最近的电影很好看，还举了几个例子。Wǒ shuō zuìjìn de
diànyǐng hěn hǎokàn, hái jǔle jǐ ge lìzi. | 老师举他做例子，说学生
们学习都很认真。Lǎoshī jǔ tā zuò lìzi, shuō xuéshengmen xuéxí
dōu hěn rènzhēn. | 他说我脾气不好，却举不出例子来。Tā shuō
wǒ píqi bù hǎo, què jǔ bu chū lìzi lai. | 你举的例子不合适，不能说
明你的看法。Nǐ jǔ de lìzi bù héshì, bù néng shuōmíng nǐ de kànfǎ. |
她的例子举得很好，让人觉得她说得很对。Tā de lìzi jǔ de hěn hǎo,
ràng rén juéde tā shuō de hěn duì.

jǔxíng 举行（舉行）[动]

这个会议明天 ~。Zhèige huìyì míngtiān ~. →这个会明天开。
Zhèige huì míngtiān kāi. 例比赛下午 ~。Bǐsài xiàwǔ ~. | 我们正在
~ 毕业典礼。Wǒmen zhèngzài ~ bìyè diǎnlǐ. | 今年我们这个城市
已经 ~ 过两次运动会了。Jīnnián wǒmen zhèige chéngshì yǐjīng ~
guo liǎng cì yùndònghuì le. | 市长 ~ 了一个仪式欢迎来访问的外国
客人。Shìzhǎng ~ le yí ge yíshì huānyíng lái fǎngwèn de wàiguó
kèrén. | 你来晚了，他的婚礼已经开始 ~ 了。Nǐ láiwǎn le, tā de
hūnlǐ yǐjīng kāishǐ ~ le. | 昨天的会议是在那座楼里 ~ 的。Zuótiān de
huìyì shì zài nèi zuò lóu li ~ de. | 天气不好，比赛可能 ~ 不了。
Tiānqì bù hǎo, bǐsài kěnéng ~ bu liǎo.

jùdà 巨大 [形]

这本书影响 ~，它改变了很多人的想法。Zhèi běn shū yǐngxiǎng
~, tā gǎibiànle hěn duō rén de xiǎngfa. →这本书影响非常大。
Zhèi běn shū yǐngxiǎng fēicháng dà. 例太阳的体积十分 ~。Tàiyáng
de tǐjī shífēn ~. | 这次重要比赛给运动员们带来了 ~ 的精神压力。
Zhèi cì zhòngyào bǐsài gěi yùndòngyuánmen dàiláile ~ de jīngshén
yālì. | 地震使人们遭受了 ~ 的损失。Dìzhèn shǐ rénmen zāoshòule

~ de sǔnshī. |建一座新城市是一项规模 ~ 的工程。Jiàn yí zuò xīn chéngshì shì yí xiàng guīmó ~ de gōngchéng.

jù 句 [量]

用于说出来、唱出来或写下来的话。Yòngyú shuō chulai、chàng chulai huò xiě xialai de huà. 例他刚来中国时只会说一两 ~ 汉语。Tā gāng lái Zhōngguó shí zhǐ huì shuō yì liǎng ~ Hànyǔ. |她只说了一 ~ 话:"我不知道。" Tā zhǐ shuōle yí ~ huà: "Wǒ bù zhīdào." |我难过得一 ~ 话也说不出来。Wǒ nánguò de yí ~ huà yě shuō bu chūlái. |她写信刚写了几 ~ 就听见有人敲门。Tā xiě xìn gāng xiěle jǐ ~ jiù tīngjiàn yǒu rén qiāo mén. |这首歌我只会唱一两 ~。Zhèi shǒu gē wǒ zhǐ huì chàng yì liǎng ~. |他说的 ~ ~ 都是真的,一点儿也没骗你。Tā shuō de ~ ~ dōu shì zhēnde, yìdiǎn yě méi piàn nǐ.

jùzi 句子 [名]

sentence 例"你好!"是见面时常说的一个 ~。"Nǐ hǎo!" shì jiànmiàn shí cháng shuō de yí ge ~. |他写信太慢了,写了半天才写出了几个 ~。Tā xiě xìn tài màn le, xiěle bàntiān cái xiě chūle jǐ gè ~. |老师要学生们用"马上"这个词造个 ~。Lǎoshī yào xuéshengmen yòng "mǎshàng" zhèige cí zào ge ~. |你能说明一下儿这个 ~ 的结构吗? Nǐ néng shuōmíng yíxiàr zhèige ~ de jiégòu ma? |我不太明白这个 ~ 的意思。Wǒ bú tài míngbai zhèige ~ de yìsi.

jùjué 拒绝(拒絕) [动]

我请她一起去吃饭,她 ~ 了。Wǒ qǐng tā yìqǐ qù chīfàn, tā ~ le. →她说不去。Tā shuō bú qù. 例他想送安娜回家,安娜 ~ 了。Tā xiǎng sòng Ānnà huíjiā, Ānnà ~ le. |我很累,所以 ~ 了帮他打扫房间的要求。Wǒ hěn lèi, suǒyǐ ~ le bāng tā dǎsǎo fángjiān de yāoqiú. |警察要求他们马上离开,但他们 ~ 离开。Jǐngchá yāoqiú tāmen mǎshàng líkāi, dàn tāmen ~ líkāi. |他热情邀请我去他家玩儿,我实在 ~ 不了。Tā rèqíng yāoqǐng wǒ qù tā jiā wánr, wǒ shízài ~ bu liǎo. |她不想跟我结婚,~ 的理由是她现在还太年轻。Tā bù xiǎng gēn wǒ jiéhūn, ~ de lǐyóu shì tā xiànzài hái tài niánqīng.

jùbèi 具备(具備) [动]

他 ~ 了当经理的能力。Tā ~ le dāng jīnglǐ de nénglì. →他有了当经

理的能力。Tā yǒule dāng jīnglǐ de nénglì. 例大卫~当医生的条件。Dàwèi ~ dāng yīshēng de tiáojiàn. |他不到十八岁，还不~开车的资格。Tā bú dào shíbā suì, hái bú ~ kāi chē de zīgé. |他没有工作也没有钱，结婚的条件还不~。Tā méiyǒu gōngzuò yě méiyǒu qián, jiéhūn de tiáojiàn hái bú ~. |想在这家公司工作，会使用电脑是必须~的本领之一。Xiǎng zài zhèi jiā gōngsī gōngzuò, huì shǐyòng diànnǎo shì bìxū ~ de běnlǐng zhīyī.

jùtǐ 具体 (具體) [形]

她的计划很~，各个方面都想好了。Tā de jìhuà hěn ~, gè ge fāngmiàn dōu xiǎnghǎo le. →她连很小的事情都计划好了。Tā lián hěn xiǎo de shìqíng dōu jìhuà hǎo le. 例他的意见不太~，只是说他不满意。Tā de yìjiàn bú tài ~, zhǐ shì shuō tā bù mǎnyì. |他告诉了我见面的~地点。Tā gàosule wǒ jiànmiàn de ~ dìdiǎn. |我听别人说过这本书，但~内容我不清楚。Wǒ tīng biéren shuōguo zhèi běn shū, dàn ~ nèiróng wǒ bù qīngchu. |这本书里~地说明了一些中国菜的做法。Zhèi běn shū li ~ de shuōmíngle yìxiē zhōngguócài de zuòfǎ. |他介绍自己介绍得很~，连喜欢的电影都说了。Tā jièshào zìjǐ jièshào de hěn ~, lián xǐhuan de diànyǐng dōu shuō le.

jùyǒu 具有 [动]

他的汉语~很高的水平。Tā de Hànyǔ ~ hěn gāo de shuǐpíng. →他有很高的汉语水平。Tā yǒu hěn gāo de Hànyǔ shuǐpíng. 例这种动物~不怕热的特点。Zhèi zhǒng dòngwù ~ bú pà rè de tèdiǎn. |西红柿~很高的营养价值，多吃对身体有好处。Xīhóngshì ~ hěn gāo de yíngyǎng jiàzhí, duō chī duì shēntǐ yǒu hǎochu. |他是个~很强的适应能力的人。Tā shì ge ~ hěn qiáng de shìyìng nénglì de rén. |这是一场~重要意义的比赛，赢了才有可能成为冠军。Zhè shì yì chǎng ~ zhòngyào yìyì de bǐsài, yíngle cái yǒu kěnéng chéngwéi guànjūn.

jùlèbù 俱乐部 (俱樂部) [名]

club 例这是全国最有名的一家足球~。Zhè shì quán guó zuì yǒumíng de yì jiā zúqiú ~. |我很喜欢打网球，大学里参加了学校的网球~。Wǒ hěn xǐhuan dǎ wǎngqiú, dàxué li cānjiāle xuéxiào de wǎngqiú ~. |我觉得自己最近变胖了，打算去减肥~。Wǒ juéde zìjǐ zuìjìn biànpàng le, dǎsuan qù jiǎnféi ~. |我跟他是在~里认识的。Wǒ gēn tā shì zài ~ li rènshi de. |学生~经常组织学生们参加

各种活动。Xuésheng ~ jīngcháng zǔzhī xuéshengmen cānjiā gè zhǒng huódòng. I 如果你是这个 ~ 的成员，就可以来这里游泳。Rúguǒ nǐ shì zhèige ~ de chéngyuán, jiù kěyǐ lái zhèlǐ yóuyǒng.

jùchǎng 剧场（劇場）[名]

这个 ~ 常常有京剧表演。Zhèige ~ chángcháng yǒu jīngjù biǎoyǎn. →这是大家看戏剧、歌舞表演的地方。Zhè shì dàjiā kàn xìjù、gēwǔ biǎoyǎn de dìfang. 例这座 ~ 很有名，很多著名演员都在这里表演过。Zhèi zuò ~ hěn yǒumíng, hěn duō zhùmíng yǎnyuán dōu zài zhèlǐ biǎoyǎnguo. I 我们今天晚上打算去 ~ 看杂技表演。Wǒmen jīntiān wǎnshang dǎsuan qù ~ kàn zájì biǎoyǎn. I 演出太精彩了，结束时观众们还留在 ~ 里不愿意离开。Yǎnchū tài jīngcǎi le, jiéshù shí guānzhòngmen hái liú zài ~ li bú yuànyì líkāi. I 今天的演出很受欢迎，~ 的座位几乎全坐满了。Jīntiān de yǎnchū hěn shòu huānyíng, ~ de zuòwèi jīhū quán zuòmǎn le.

jùlí 距离¹（距離）[名]

两个城市之间的 ~ 是二百公里。Liǎng ge chéngshì zhī jiān de ~ shì èrbǎi gōnglǐ. →从这个城市到那个城市有二百公里远。Cóng zhèige chéngshì dào nèige chéngshì yǒu èrbǎi gōnglǐ yuǎn. 例我家到学校之间的 ~ 很近。Wǒ jiā dào xuéxiào zhī jiān de ~ hěn jìn. I 从这里到商店的这段 ~ 挺远，你最好坐车去。Cóng zhèlǐ dào shāngdiàn de zhèi duàn ~ tǐng yuǎn, nǐ zuìhǎo zuò chē qù. I 从他家到我家有一段 ~，走路得走十分钟。Cóng tā jiā dào wǒ jiā yǒu yí duàn ~, zǒulù děi zǒu shí fēnzhōng. I 我们的车离前面的车太近了，应该和它保持一定的 ~。Wǒmen de chē lí qiánmiàn de chē tài jìn le, yīnggāi hé tā bǎochí yídìng de ~.

jùlí 距离²（距離）[动]

我家 ~ 学校三公里。Wǒ jiā ~ xuéxiào sān gōnglǐ. →从我家到学校有三公里。Cóng wǒ jiā dào xuéxiào yǒu sān gōnglǐ. 例太阳 ~ 地球很远。Tàiyáng ~ dìqiú hěn yuǎn. I 我 ~ 他很近，他的表情我看得很清楚。Wǒ ~ tā hěn jìn, tā de biǎoqíng wǒ kàn de hěn qīngchu. I ~ 这里最近的商店也有一公里远。~ zhèlǐ zuì jìn de shāngdiàn yě yǒu yì gōnglǐ yuǎn. I 我在 ~ 他家二百米的那个商店等他。Wǒ zài ~ tā jiā èrbǎi mǐ de nèige shāngdiàn děng tā.

jùlí 距离³（距離）[动]

现在 ~ 新年还有十天。Xiànzài ~ xīnnián hái yǒu shí tiān. →再过十

天就到新年了。Zài guò shí tiān jiù dào xīnnián le. 例别着急，~ 电影开演的时间还有半个小时呢。Bié zháojí, ~ diànyǐng kāiyǎn de shíjiān hái yǒu bàn ge xiǎoshí ne. | 今天 ~ 他的生日不远了。Jīntiān ~ tā de shēngri bù yuǎn le. | 这首老歌流行的年代 ~ 今天已经有几十年了。Zhèi shǒu lǎo gē liúxíng de niándài ~ jīntiān yǐjing yǒu jǐshí nián le. | 他现在 ~ 毕业还有一个月。Tā xiànzài ~ bìyè hái yǒu yí ge yuè. | 我到银行的时候，~ 银行关门只有二十分钟了。Wǒ dào yínháng de shíhou, ~ yínháng guānmén zhǐ yǒu èrshí fēnzhōng le.

juan

juǎn 卷¹（捲）[动]

roll up 例他在用双手 ~ 一张画儿。Tā zài yòng shuāngshǒu ~ yì zhāng huàr. | 说 "知" 的时候要 ~ 舌。Shuō "zhī" de shíhou yào ~ shé. | 他 ~ 起衬衫袖子帮我修车。Tā ~ qi chènshān xiùzi bāng wǒ xiū chē. | 这张地图很大，~ 起来才好拿。Zhèi zhāng dìtú hěn dà, ~ qilai cái hǎo ná. | 我已经把画儿 ~ 好了，拿根细绳捆上吧。Wǒ yǐjing bǎ huàr ~ hǎo le, ná gēn xì shéng kǔnshang ba. | 他老 ~ 那本书，把书都 ~ 坏了。Tā lǎo ~ nèi běn shū, bǎ shū dōu ~ huài le.

juǎn 卷²（捲）[量]

用于卷起来的东西。Yòngyú juǎn qilai de dōngxi. 例我买了一 ~ 胶卷。Wǒ mǎile yì ~ jiāojuǎn. | 我的包里有一 ~ 纸。Wǒ de bāo li yǒu yì ~ zhǐ. | 那个安装电灯的工人带着一 ~ 电线。Nèige ānzhuāng diàndēng de gōngrén dàizhe yì ~ diànxiàn. | 他带了一 ~ 绳子去爬山。Tā dàile yì ~ shéngzi qù pá shān. | 商店今天卖出去好几 ~ 布。Shāngdiàn jīntiān mài chuqu hǎojǐ ~ bù.

jue

jué 决 [副]

我 ~ 不相信这件事。Wǒ ~ bù xiāngxìn zhèi jiàn shì. →我怎么也不相信。Wǒ zěnme yě bù xiāngxìn. 例他的要求太过分了，你 ~ 不应该答应。Tā de yāoqiú tài guòfèn le, nǐ ~ bù yīnggāi dāying. | 他不喜欢足球，足球比赛他是 ~ 不会看的。Tā bù xǐhuan zúqiú, zúqiú bǐsài tā shì ~ bú huì kàn de. | 我听说他生病了，~ 没想到他会来。Wǒ tīngshuō tā shēngbìng le, ~ méi xiǎngdào tā huì lái. | 他说的都是真的，~ 没有骗你。Tā shuō de dōu shì zhēn de, ~ méiyǒu piàn nǐ.

juédìng 决定[1] [动]

我~告诉他这件事。Wǒ ~ gàosu tā zhèi jiàn shì. →我考虑好了，我要这样做。Wǒ kǎolǜ hǎo le, wǒ yào zhèiyàng zuò. **例**他~假期去旅行。Tā ~ jiàqī qù lǚxíng. | 他们商量了一会儿，~了明天见面的地点。Tāmen shāngliangle yíhuìr, ~ le míngtiān jiànmiàn de dìdiǎn. | 他还没~参加不参加这次比赛。Tā hái méi ~ cānjiā bù cānjiā zhèi cì bǐsài. | 他们早就把结婚时要请的客人~下来了。Tāmen zǎo jiù bǎ jiéhūn shí yào qǐng de kèrén ~ xialai le. | 这件事我一个人~不了。Zhèi jiàn shì wǒ yí ge rén ~ bu liǎo. | 父亲~的事情谁反对也没用。Fùqin ~ de shìqing shéi fǎnduì yě méiyòng.

juédìng 决定[2] [名]

我一直在考虑放假时干什么，~是去旅游。Wǒ yìzhí zài kǎolǜ fàngjià shí gàn shénme, ~ shì qù lǚyóu. →这是我考虑好了要做的事。Zhè shì wǒ kǎolǜ hǎole yào zuò de shì. **例**去不去留学她想了很久，最后的~是去。Qù bu qù liúxué tā xiǎngle hěn jiǔ, zuìhòu de ~ shì qù. | 明天休息，这是公司刚做的~。Míngtiān xiūxi, zhè shì gōngsī gāng zuò de ~. | 市政府做出了一项重要~：在郊区建一个新城市。Shìzhèngfǔ zuòchūle yí xiàng zhòngyào ~: zài jiāoqū jiàn yí ge xīn chéngshì. | 学校宣布了表扬优秀学生的~。Xuéxiào xuānbùle biǎoyáng yōuxiù xuésheng de ~.

juéxīn 决心[1] [名]

他决定不看电视，~很大。Tā juédìng bú kàn diànshì, ~ hěn dà. →他意志坚定，连电视机都送给别人了。Tā yìzhì jiāndìng, lián diànshìjī dōu sòng gěi biéren le. **例**他戒烟的~很大，把所有的烟都扔掉了。Tā jièyān de ~ hěn dà, bǎ suǒyǒu de yān dōu rēngdiào le. | 他很有~，一定要去大公司工作。Tā hěn yǒu ~, yídìng yào qù dà gōngsī gōngzuò. | 大卫下~不再迟到。Dàwèi xià ~ bú zài chídào. | 他已经下了离婚的~，谁劝他也不听。Tā yǐjing xiàle líhūn de ~, shéi quàn tā yě bù tīng. | 不管汉语有多难，都影响不了我学好汉语的~。Bùguǎn Hànyǔ yǒu duō nán, dōu yǐngxiǎng bu liǎo wǒ xuéhǎo Hànyǔ de ~.

juéxīn 决心[2] [动]

我~上最好的大学。Wǒ ~ shàng zuì hǎo de dàxué. →我一定要这样做，不管有多困难。Wǒ yídìng yào zhèiyàng zuò, bùguǎn yǒu duō kùnnan. **例**他~戒烟。Tā ~ jièyān. | 大卫~改变自己的生活习惯。Dàwèi ~ gǎibiàn zìjǐ de shēnghuó xíguàn. | 他~要成为最好的医生。Tā ~ yào chéngwéi zuì hǎo de yīshēng. | 我~不让父母失望。Wǒ ~ bú ràng fùmú shīwàng. | 这个孩子~再也不跟他的几个坏朋友在一起了。Zhèige háizi ~ zài yě bù gēn tā de jǐ ge huài péngyou zài yìqǐ le.

juéde 觉得[1]（覺得）[动]

我~有点儿热。Wǒ ~ yǒudiǎnr rè. →我的感觉是有点儿热。Wǒ de gǎnjué shì yǒudiǎnr rè. **例**他~很冷，就穿了一件比较厚的衣服。Tā ~ hěn lěng, jiù chuānle yí jiàn bǐjiào hòu de yīfu. | 昨天晚上睡得不好，今天我~困极了。Zuótiān wǎnshang shuì de bù hǎo, jīntiān wǒ ~ kùnjí le. | 虽然今天下雪了，我并不~太冷。Suīrán jīntiān xià xuě le, wǒ bìng bù ~ tài lěng. | 今天见到了一位老朋友，我~挺高兴的。Jīntiān jiàndàole yí wèi lǎo péngyou, wǒ ~ tǐng gāoxìng de. | 他这两天老~肚子不舒服。Tā zhèi liǎng tiān lǎo ~ dùzi bù shūfu.

juéde 觉得[2]（覺得）[动]

我~这个电影很不错。Wǒ ~ zhèige diànyǐng hěn búcuò. →我的看法是这个电影很不错。Wǒ de kànfǎ shì zhèige diànyǐng hěn búcuò. **例**她~我的衣服很好看。Tā ~ wǒ de yīfu hěn hǎokàn. | 我一直这件事是她干的，但我想错了。Wǒ yìzhí ~ zhèi jiàn shì shì tā gàn de, dàn wǒ xiǎngcuò le. | 他~一个人去旅游更有意思，跟我的看法相反。Tā ~ yí ge rén qù lǚyóu gèng yǒu yìsi, gēn wǒ de kànfǎ xiāngfǎn. | 他的意见大家都~有道理。Tā de yìjiàn dàjiā dōu ~ yǒu dàolǐ.

juéduì 绝对（絕對）[副]

他从来没骗过我，我~相信他的话。Tā cónglái méi piànguo wǒ, wǒ ~ xiāngxìn tā de huà. →我完全相信他说的话都是真的。Wǒ wánquán xiāngxìn tā shuō de huà dōu shì zhēn de. **例**你的意见很正确，我们~支持你。Nǐ de yìjiàn hěn zhèngquè, wǒmen ~ zhīchí nǐ. | 我~不同意这个错误的看法。Wǒ ~ bù tóngyì zhèige cuòwù de kànfǎ. | 这本书很厚，一天~看不完。Zhèi běn shū hěn hòu, yì tiān ~ kàn bu wán. | 这个消息~可靠，是我最好的朋友告诉我的。Zhèige xiāoxi ~ kěkào, shì wǒ zuì hǎo de péngyou gàosu wǒ de. |

从这里到机场很近，坐车的话二十分钟~够了。Cóng zhèlǐ dào jīchǎng hěn jìn, zuò chē dehuà èrshí fēnzhōng ~ gòu le.

jun

jūnduì 军队（軍隊）[名]

army 例这是一支强大的~，使用的武器很先进。Zhè shì yì zhī qiángdà de ~, shǐyòng de wǔqì hěn xiānjìn. | 这是哪个国家的~？ Zhè shì něige guójiā de ~? | ~的任务是保卫国家。~ de rènwu shì bǎowèi guójiā. | 这支~的纪律很严格。Zhèi zhī ~ de jìlǜ hěn yángé. | 当兵以后，他很快就适应了~生活。Dāng bīng yǐhòu, tā hěn kuài jiù shìyìngle ~ shēnghuó.

jūnshì 军事（軍事）[名]

military affairs 例两国在~方面的合作对双方都有好处。Liǎng guó zài ~ fāngmiàn de hézuò duì shuāngfāng dōu yǒu hǎochu. | 国际社会希望两个国家通过谈判解决问题，不要采取~行动。Guójì shèhuì xīwàng liǎng ge guójiā tōngguò tánpàn jiějué wèntí, búyào cǎiqǔ ~ xíngdòng. | 他是一位研究武器的~专家。Tā shì yí wèi yánjiū wǔqì de ~ zhuānjiā. | 这个国家~力量很强。Zhèige guójiā ~ lìliang hěn qiáng.

K

ka

kāfēi 咖啡 [名]

coffee 例 ~是他最喜欢喝的饮料。 ~ shì tā zuì xǐhuan hē de yǐnliào. ｜你的 ~要不要放糖? Nǐ de ~ yào bu yào fàng táng? ｜我每天早上都要喝一杯 ~。 Wǒ měi tiān zǎoshang dōu yào hē yì bēi ~. ｜我要一杯不加糖的 ~。 Wǒ yào yì bēi bù jiā táng de ~. ｜我去她家的时候，她正在厨房里煮 ~呢。 Wǒ qù tā jiā de shíhou, tā zhèng zài chúfáng li zhǔ ~ ne. ｜这杯 ~里加了牛奶。 Zhèi bēi ~ li jiāle niúnǎi. ｜这种 ~的味道好极了。 Zhèi zhǒng ~ de wèidao hǎojí le.

kǎchē 卡车(卡車) [名]

例路上开来一辆 ~。 Lù shang kāilái yí liàng ~. ｜几辆 ~停在工厂门口。 Jǐ liàng ~ tíng zài gōngchǎng ménkǒu. ｜这位 ~司机已经开了二十年的车了。 Zhèi wèi ~ sījī yǐjing kāile èrshí nián de chē le. ｜ ~上装满了大米。 ~ shang zhuāngmǎnle dàmǐ. ｜啤酒公司给商店运来了一 ~啤酒。 Píjiǔ gōngsī gěi shāngdiàn yùnlaile yì ~ píjiǔ.

卡车

kai

kāi 开[1] (開) [动]

有人在敲门，快 ~门。 Yǒu rén zài qiāo mén, kuài ~ mén. →这样敲门的人才能进来。 Zhèiyàng qiāo mén de rén cái néng jìnlai. 例屋子里空气不太好， ~窗户换换空气。 Wūzi li kōngqì bú tài hǎo, ~ chuānghu huànhuan kōngqì. ｜门 ~着呢，你进来吧。 Mén ~ zhe ne, nǐ jìnlai ba. ｜你去 ~一下儿门好吗? Nǐ qù ~ yíxiàr mén hǎo ma? ｜箱子锁上了，没钥匙 ~不了。 Xiāngzi suǒshang le, méi yàoshi ~ bu liǎo. ｜我把门 ~开让客人进来。 Wǒ bǎ mén ~ kai ràng kèrén jìnlai.

kāi 开[2] (開) [动]

屋子里有点儿暗， ~灯吧。 Wūzi li yǒudiǎnr àn, ~ dēng ba. →这样

屋里就亮了。Zhèiyàng wū li jiù liàng le. 例我们～电视看看新闻吧。
Wǒmen ~ diànshì kànkan xīnwén ba. | 大卫爱听音乐，在房间的时
候录音机老～着。Dàwèi ài tīng yīnyuè, zài fángjiān de shíhou lùyīnjī
lǎo ~ zhe. | 电脑已经～了一天了，关一会儿吧。Diànnǎo yǐjīng ~ le
yì tiān le, guān yíhuìr ba. | 你要是觉得热就把空调～开。Nǐ yàoshi
juéde rè jiù bǎ kōngtiáo ~ kai.

kāiguān 开关（開關）[名]

我按了一下儿～，灯就亮了。Wǒ ànle yí xiàr
~, dēng jiù liàng le. →开灯关灯都靠它。Kāi
dēng guān dēng dōu kào tā. 例她洗完衣服就
关上了洗衣机的～。Tā xǐwán yīfu jiù
guānshangle xǐyījī de ~. | 我没找到电灯的
~，开不了灯。Wǒ méi zhǎodào diàndēng de
~, kāi bu liǎo dēng. | 要打开电脑就按这个
~。Yào dǎkāi diànnǎo jiù àn zhèige ~. | 电
扇的～坏了，电扇打不开。Diànshàn de ~
huài le, diànshàn dǎ bu kāi.

开关

kāi 开³（開）[动]

我～着汽车，其他人在车里睡觉。Wǒ ~ zhe qìchē, qítā rén zài chē
li shuìjiào. →是我让汽车前进、拐弯儿、后退。Shì wǒ ràng qìchē
qiánjìn、guǎiwānr、hòutuì. 例他年龄不够，还不能～车。Tā
niánlíng bú gòu, hái bù néng ~ chē. | 这位火车司机已经～了二十
年火车了。Zhèi wèi huǒchē sījī yǐjīng ~ le èrshí nián huǒchē le. | 车
~得太快容易出事儿。Chē ~ de tài kuài róngyì chūshìr. | 这里不能
停车，快把车～走。Zhèlǐ bù néng tíng chē, kuài bǎ chē ~ zǒu. | 他
的工作是～飞机。Tā de gōngzuò shì ~ fēijī. | 他～的是一辆新买的
汽车。Tā ~ de shì yí liàng xīn mǎi de qìchē.

kāi 开⁴（開）[动]

春天来了，花儿都～了。Chūntiān lái le, huār dōu ~ le. →春天我
们能看到很多花儿。Chūntiān wǒmen néng kàndào hěn duō huār. 例
公园里的花儿～了，我们去看看吧。Gōngyuán li de huār ~ le,
wǒmen qù kànkan ba. | 我种的那盆花儿～了两朵。Wǒ zhòng de
nèi pén huār ~ le liǎng duǒ. | 花儿～了一天，到晚上就落了。Huār
~ le yì tiān, dào wǎnshang jiù luò le. | 树上～满了白色的小花儿。

Shù shang ~ mǎnle báisè de xiǎohuār. | 这种花儿 ~ 的时候有很浓的
香味儿。Zhèi zhǒng huār ~ de shíhou yǒu hěn nóng de xiāng wèir.

kāi 开[5] （開）[动]

他 ~ 了一家公司，当上了老板。Tā ~ le yì jiā gōngsī, dāngshangle
lǎobǎn. →他自己办了一家公司。Tā zìjǐ bànle yì jiā gōngsī. 例他们
几个人一起 ~ 了一个餐馆儿。Tāmen jǐ ge rén yìqǐ ~ le yí ge
cānguǎnr. | 这个工厂是他父亲 ~ 的。Zhèige gōngchǎng shì tā fùqin
~ de. | 这家商店已经 ~ 了五十年了。Zhèi jiā shāngdiàn yǐjing ~ le
wǔshí nián le. | 这个地方很热闹，饭馆儿 ~ 在这儿生意肯定不错。
Zhèige dìfang hěn rènao, fànguǎnr ~ zài zhèr shēngyi kěndìng
búcuò.

kāi 开[6] （開）[动]

老师们在 ~ 会，讨论教学问题。Lǎoshīmen zài ~ huì, tǎolùn jiàoxué
wèntí. → 老师们在一起讨论事情。Lǎoshīmen zài yìqǐ tǎolùn
shìqing. 例公司领导今天 ~ 会，研究市场计划。Gōngsī lǐngdǎo
jīntiān ~ huì, yánjiū shìchǎng jìhuà. | 他过生日时 ~ 了个晚会，跟朋
友们一起庆祝。Tā guò shēngri shí ~ le ge wǎnhuì, gēn
péngyoumen yìqǐ qìngzhù. | 你知道学校的运动会什么时候 ~ 吗？Nǐ
zhīdao xuéxiào de yùndònghuì shénme shíhou ~ ma? | 会议 ~ 完了，
大家商量出了一个好办法。Huìyì ~ wán le, dàjiā shāngliang chūle yí
ge hǎo bànfǎ.

kāi 开[7] （開）[动]

水烧了一会儿，~ 了。Shuǐ shāole yíhuìr, ~ le. →水的温度到了一
百度就开了。Shuǐ de wēndù dàole yìbǎi dù jiù kāi le. 例锅里的水已
经~了，把饺子放下去煮吧。Guō li de shuǐ yǐjing ~ le, bǎ jiǎozi
fàng xiaqu zhǔ ba. | 这壶水都 ~ 了半天了，再不把火关了就烧干
了。Zhèi hú shuǐ dōu ~ le bàntiān le, zài bù bǎ huǒ guānle jiù
shāogān le. | 牛奶开始冒热气了，很快就能煮 ~。Niúnǎi kāishǐ
mào rèqì le, hěn kuài jiù néng zhǔ ~.

kāi 开[8] （開）[动]

我推 ~ 门，进了房间。Wǒ tuī~ mén, jìnle fángjiān. →门原来是关
着的，我一推，门开了。Mén yuánlái shì guānzhe de, wǒ yì tuī,
mén kāi le. 例他拉 ~ 抽屉，从里边儿拿出了一本书。Tā lā ~

chōuti, cóng lǐbianr náchule yì běn shū. l 我把这个苹果切~，我们
俩一人吃一半儿。Wǒ bǎ zhèige píngguǒ qiē~, wǒmen liǎ yì rén chī
yíbànr. l 窗户本来关着，不知被谁打 ~ 了。Chuānghu běnlái
guānzhe, bù zhī bèi shéi dǎ ~ le. l 瓶子盖得太紧，怎么也弄不~。
Píngzi gài de tài jǐn, zěnme yě nòng bu ~.

kāi 开⁹（開）[动]

他跟我说了一会儿话就走 ~ 了。Tā gēn wǒ shuōle yíhuìr huà jiù zǒu
~ le. →他走到别的地方去了。Tā zǒudào biéde dìfang qù le. 例孩
子有点儿怕狗，一看见狗就赶紧跑 ~。Háizi yǒudiǎnr pà gǒu, yí
kànjiàn gǒu jiù gǎnjǐn pǎo ~. l 冰箱放在这儿不合适，我们把它搬 ~
吧。Bīngxiāng fàng zài zhèr bù héshì, wǒmen bǎ tā bān ~ ba. l 请
把你的东西从我桌子上拿 ~。Qǐng bǎ nǐ de dōngxi cóng wǒ zhuōzi
shang ná ~. l 他躲 ~ 大家，一个人走了。Tā duǒ ~ dàjiā, yí ge rén
zǒu le.

kāi 开¹⁰（開）[动]

这个消息很快就在大学里传 ~ 了。Zhèige xiāoxi hěn kuài jiù zài
dàxué li chuán ~ le. →开始大学里知道这个消息的人不多，很快就
有很多人知道了这个消息。Kāishǐ dàxué li zhīdao zhèige xiāoxi de
rén bù duō, hěn kuài jiù yǒu hěn duō rén zhīdaole zhèige xiāoxi. 例
他勇敢救人的事情在全国流传 ~ 了。Tā yǒnggǎn jiù rén de shìqing
zài quán guó liúchuán ~ le. l 听完老师的安排以后，大家就散 ~ 做
自己的事儿去了。Tīngwán lǎoshī de ānpái yǐhòu, dàjiā jiù sàn ~ zuò
zìjǐ de shìr qu le. l 大家站 ~ 点儿，别挤在一起。Dàjiā zhàn ~ diǎnr,
bié jǐ zài yìqǐ.

kāi 开¹¹（開）[动]

我有很多事儿想告诉他，一看到他我就说 ~ 了。Wǒ yǒu hěn duō
shìr xiǎng gàosu tā, yí kàndào tā wǒ jiù shuō~ le. →我一看到他就
开始说，说了很多话。Wǒ yí kàndào tā jiù kāishǐ shuō, shuōle hěn
duō huà. 例我跟朋友一见面就聊 ~ 了，聊了两三个小时。Wǒ gēn
péngyou yí jiànmiàn jiù liáo ~ le, liáole liǎng sān gè xiǎoshí. l 大家
要她唱歌，她就高兴地唱 ~ 了。Dàjiā yào tā chànggē, tā jiù
gāoxìng de chàng ~ le. l 他拿起筷子就吃 ~ 了，连话也没时间说。
Tā náqǐ kuàizi jiù chī ~ le, lián huà yě méi shíjiān shuō. l 大卫吃完
晚饭就看 ~ 了电视，一直看到十二点。Dàwèi chīwán wǎnfàn jiù

kàn ~ le diànshì, yìzhí kàndào shí'èr diǎn.

kāi 开¹²（開）[动]

有件事让她生气，后来她想 ~ 了。Yǒu jiàn shì ràng tā shēngqì, hòulái tā xiǎng ~ le. → 她想清楚了，没必要为这件事生气。Tā xiǎng qīngchu le, méi bìyào wèi zhèi jiàn shì shēngqì. **例**我看 ~ 了，丢了钱包难过也没用。Wǒ kàn ~ le, diūle qiánbāo nánguò yě méiyòng. | 你别这么想不 ~，一次考试没考好没什么关系。Nǐ bié zhème xiǎng bu ~, yí cì kǎoshì méi kǎohǎo méi shénme guānxi. | 你看 ~ 点儿，困难是人人都会遇到的。Nǐ kàn ~ diǎnr, kùnnan shì rénrén dōu huì yùdào de.

kāichú 开除（開除）[动]

大学最近 ~ 了一个天天喝酒、很少上课的学生。Dàxué zuìjìn ~ le yí ge tiāntiān hē jiǔ、hěn shǎo shàngkè de xuésheng. → 学校不让他再去上学了。Xuéxiào bú ràng tā zài qù shàngxué le. **例**这个学生经常不上课，学校 ~ 了他。Zhèige xuésheng jīngcháng bú shàngkè, xuéxiào ~ le tā. | 他工作太不认真，商店就把他 ~ 了。Tā gōngzuò tài bú rènzhēn, shāngdiàn jiù bǎ tā ~ le. | 他被公司 ~ 的原因是他老迟到。Tā bèi gōngsī ~ de yuányīn shì tā lǎo chídào.

kāifàng 开放（開放）[动]

公园天天都 ~，人们每天都可以去。Gōngyuán tiāntiān dōu ~, rénmen měi tiān dōu kěyǐ qù. → 公园天天都允许人们进去。Gōngyuán tiāntiān dōu yǔnxǔ rénmen jìnqu. **例**博物馆今天不 ~，参观不了。Bówùguǎn jīntiān bù ~, cānguān bu liǎo. | 市场正在逐步向外国 ~。Shìchǎng zhèngzài zhúbù xiàng wàiguó ~. | 体育馆 ~ 的时间是早上九点到下午五点。Tǐyùguǎn ~ de shíjiān shì zǎoshang jiǔ diǎn dào xiàwǔ wǔ diǎn. | 中国政府实行的对外 ~ 政策推动了经济的发展。Zhōngguó zhèngfǔ shíxíng de duìwài ~ zhèngcè tuīdòngle jīngjì de fāzhǎn.

kāi kè 开课（開課）

这门课下星期一 ~。Zhèi mén kè xiàxīngqīyī ~. → 这门课下星期一第一次上课。Zhè mén kè xiàxīngqīyī dì yī cì shàngkè. **例**所有的课程都已经 ~ 了。Suǒyǒu de kèchéng dōu yǐjing ~ le. | 新学生 ~ 开得比较晚。Xīn xuésheng ~ kāi de bǐjiào wǎn. | 我想知道学校下个学期什么时候 ~。Wǒ xiǎng zhīdao xuéxiào xià ge xuéqī shénme shíhou

~ . | 这几门课~的时间比别的课晚一个星期。Zhèi jǐ mén kè ~ de shíjiān bǐ biéde kè wǎn yí ge xīngqī. | 安娜想在~前做一些准备。Ānnà xiǎng zài ~ qián zuò yìxiē zhǔnbèi. | 他们学校放假时间长，这星期开不了课。Tāmen xuéxiào fàngjià shíjiān cháng, zhè xīngqī kāi bu liǎo kè.

kāilǎng 开朗（開朗）[形]

大卫很~，大家经常能听到他的笑声。Dàwèi hěn ~, dàjiā jīngcháng néng tīngdào tā de xiàoshēng. →他总是挺快乐，很少因为什么事难过或者生气。Tā zǒngshì tǐng kuàilè, hěn shǎo yīnwèi shénme shì nánguò huòzhě shēngqì. 例她非常~，跟她在一起真让人开心。Tā fēicháng ~, gēn tā zài yìqǐ zhēn ràng rén kāixīn. | 他的性格很~，不会为这么件小事烦恼。Tā de xìnggé hěn ~, bú huì wèi zhème jiàn xiǎoshì fánnǎo. | 我父亲是个很~的人，喜欢跟人聊天儿、开玩笑。Wǒ fùqin shì ge hěn ~ de rén, xǐhuan gēn rén liáotiānr、kāiwánxiào. | 交了一个活泼的女朋友以后，他也变得~了。Jiāole yí ge huópo de nǚpéngyou yǐhòu, tā yě biàn de ~ le.

kāimíng 开明（開明）[形]

我父亲很~，容易接受新事物、新想法。Wǒ fùqin hěn ~, róngyì jiēshòu xīn shìwù、xīn xiǎngfǎ. →他不会坚持什么旧的、保守的思想。Tā bú huì jiānchí shénme jiù de、bǎoshǒu de sīxiǎng. 例校长虽然年纪大，但很~。Xiàozhǎng suīrán niánjì dà, dàn hěn ~. | 他的想法还是几十年前的，一点儿也不~。Tā de xiǎngfa hái shì jǐshí nián qián de, yìdiǎnr yě bù ~. | 他是个~的老人，愿意了解年轻人的想法。Tā shì ge ~ de lǎorén, yuànyì liǎojiě niánqīngrén de xiǎngfa. | 爷爷常跟年轻人聊天儿，观念变得~多了。Yéye cháng gēn niánqīngrén liáotiānr, guānniàn biàn de ~ duō le.

kāipì 开辟（開辟）[动]

这两个城市之间新~了一条公路。Zhèi liǎng ge chéngshì zhī jiān xīn ~ le yì tiáo gōnglù. →这两个城市之间新修好了一条公路。Zhèi liǎng ge chéngshì zhī jiān xīn xiūhǎole yì tiáo gōnglù. 例去年，北京又~了三条旅游路线。Qùnián, Běijīng yòu ~ le sān tiáo lǚyóu lùxiàn. | 这些新风景区是新~的，人们还不太知道。Zhèxiē xīn fēngjǐngqū shì xīn ~ de, rénmen hái bú tài zhīdao. | 近几年，航空公司~了很多条国际线路。Jìn jǐ nián, hángkōng gōngsī ~ le hěn duō tiáo guójì xiànlù. | 为了交通方便，他们~了很多条道路。Wèile jiāotōng fāngbiàn, tāmen ~ le hěn duō tiáo dàolù. l这个地区多山, 道路~起来十分困难。Zhèige dìqū duō shān, dàolù ~ qǐlai shífēn kùnnan.

kāishǐ 开始[1] （開始）[动]

比赛六点~，运动员正在做准备。Bǐsài liù diǎn ~, yùndòngyuán zhèngzài zuò zhǔnbèi. →比赛从六点起进行。Bǐsài cóng liù diǎn qǐ jìnxíng. 例新学期 ~ 了，学生们回到了学校。Xīn xuéqī ~ le, xuéshengmen huídàole xuéxiào. l我打算从明天~学习汉语。Wǒ dǎsuan cóng míngtiān ~ xuéxí Hànyǔ. l他每天上午九点~工作。Tā měi tiān shàngwǔ jiǔ diǎn ~ gōngzuò. l夏天过去了，天气~凉起来了。Xiàtiān guòqu le, tiānqì ~ liáng qǐlai le. l晚会~的时间是晚上八点。Wǎnhuì ~ de shíjiān shì wǎnshangbā diǎn.

kāishǐ 开始[2] （開始）[名]

我 ~ 不相信他的话，后来才相信了。Wǒ ~ bù xiāngxìn tā de huà, hòulái cái xiāngxìn le. →刚听到他的话时，我不相信。Gāng tīngdào tā de huà shí, wǒ bù xiāngxìn. 例她喝了酒以后~没什么问题，过了一会儿就头晕了。Tā hēle jiǔ yǐhòu ~ méi shénme wèntí, guòle yíhuìr jiù tóu yūn le. l我上大学的第一天就认识了一个朋友，真是个好的 ~ 。Wǒ shàng dàxué de dì yī tiān jiù rènshile yí ge péngyou, zhēn shì ge hǎo de ~ . l他一 ~ 不想去旅游，考虑了一下儿才决定去。Tā yì ~ bù xiǎng qù lǚyóu, kǎolǜle yíxiàr cái juédìng qù. l他 ~ 的想法跟现在完全不一样。Tā ~ de xiǎngfǎ gēn xiànzài wánquán bù yíyàng.

kāi wánxiào 开玩笑（開玩笑）

他跟你 ~ 呢，别相信他的话。Tā gēn nǐ ~ ne, bié xiāngxìn tā de huà. →他说那些话不是认真的，是为了看你可笑的样子。Tā shuō nèixiē huà bú shì rènzhēn de, shì wèile kàn nǐ kěxiào de yàngzi. 例我和他~，把他的书藏了起来。Wǒ hé tā ~ , bǎ tā de shū cángle qilai. l我开了一个玩笑，骗他说有人找他。Wǒ kāile yí ge wánxiào, piàn tā shuō yǒu rén zhǎo tā. l他是个很严肃的人，没人敢开他的玩笑。Tā shì ge hěn yánsù de rén, méi rén gǎn kāi tā de wánxiào. l你的玩笑开得太过分了，我真的以为你生病了。Nǐ de wánxiào kāi de tài guòfèn le, wǒ zhēnde yǐwéi nǐ shēngbìng le.

kāixīn 开心（開心）[形]

她送我一个礼物，我很 ~ 。Tā sòng wǒ yí ge lǐwù, wǒ hěn ~ . →

我很高兴。Wǒ hěn gāoxìng. 例晚会上大家都～极了。Wǎnhuì shang dàjiā dōu ～ jí le. |他性格开朗，和他在一起，我觉得很～。Tā xìnggé kāilǎng, hé tā zài yìqǐ, wǒ juéde hěn ～. |他比赛得了第一名，～得不知道说什么好。Tā bǐsài déle dì yī míng, ～ de bù zhīdào shuō shénme hǎo. |听了他说的笑话，我～地笑了。Tīngle tā shuō de xiàohua, wǒ ～ de xiào le. |孩子们在公园里玩儿得很～。Háizimen zài gōngyuán li wánr de hěn ～.

kāi xué 开学（開學）

暑假快结束了，再过几天就～了。Shǔjià kuài jiéshù le, zài guò jǐ tiān jiù ～ le. →新的学期就要开始了。Xīn de xuéqī jiù yào kāishǐ le. 例大学明天～，又要开始上课了。Dàxué míngtiān ～, yòu yào kāishǐ shàngkè le. |你们学校什么时候～? Nǐmen xuéxiào shénme shíhou ～? |已经～一个星期了，他还没来学校报到。Yǐjing ～ yí ge xīngqī le, tā hái méi lái xuéxiào bàodào. |今天是～的第一天，学校里人很多，比放假的时候热闹多了。Jīntiān shì ～ de dì yī tiān, xuéxiào li rén hěn duō, bǐ fàngjià de shíhou rènao duō le. |新学校的准备工作还没做好，所以开不了学。Xīn xuéxiào de zhǔnbèi gōngzuò hái méi zuòhǎo, suǒyǐ kāi bu liǎo xué.

kāiyǎn 开演（開演）［动］

电影快～了，去晚了就看不到最前边的部分了。Diànyǐng kuài ～ le, qùwǎnle jiù kàn bu dào zuì qiánbian de bùfenle. →电影快开始了。Diànyǐng kuài kāishǐ le. 例我们到电影院的时候，电影已经～了。Wǒmen dào diànyǐngyuàn de shíhou, diànyǐng yǐjing ～ le. |这个电视连续剧每天晚上八点～。Zhèige diànshì liánxùjù měitiān wǎnshang bā diǎn ～. |京剧～半个小时了，他才赶到剧院。Jīngjù ～ bàn ge xiǎoshí le, tā cái gǎndào jùyuàn. |电影～的时候我还没到电影院呢。Diànyǐng ～ de shíhou wǒ hái méi dào diànyǐngyuàn ne.

kāizhǎn 开展（開展）［动］

这个城市的体育运动～得不错。Zhèige chéngshì de tǐyù yùndòng ～ de búcuò. →这个城市的很多人都参加体育运动。Zhèige chéngshì de hěn duō rén dōu cānjiā tǐyù yùndòng. 例我们最近～了足球运动，效果不错。Wǒmen zuìjìn ～ le zúqiú yùndòng, xiàoguǒ búcuò. |通过～文化活动，人们更热爱知识了。Tōngguò ～ wénhuà huódòng, rénmen gèng rè'ài zhīshi le. |她的工作～得很好，大家都很满意。

Tā de gōngzuò ~ de hěn hǎo, dàjiā dōu hěn mǎnyì. I虽然没什么人支持，但她决心把这项活动 ~ 下去。Suīrán méi shénme rén zhīchí, dàn tā juéxīn bǎ zhèi xiàng huódòng ~ xiaqu. I网球运动在这里 ~ 不起来。Wǎngqiú yùndòng zài zhèlǐ ~ bu qǐlái.

kan

kān 看 [动]

夫妻工作都很忙，请了一个姑娘 ~ 孩子。Fūqī gōngzuò dōu hěn máng, qǐngle yí ge gūniang ~ háizi. →这个姑娘守着孩子照顾他。Zhèige gūniang shǒuzhe háizi zhàogù tā. 例爸爸在家里 ~ 家，其他人都上商店了。Bàba zài jiāli ~ jiā, qítā rén dōu shàng shāngdiàn le. I我去买火车票，朋友帮着我 ~ 行李。Wǒ qù mǎi huǒchēpiào, péngyou bāngzhe wǒ ~ xíngli. I这么多孩子，一个人根本 ~ 不过来。Zhème duō háizi, yí ge rén gēnběn ~ bu guòlái.

kǎn 砍 [动]

我到他家时，他正在 ~ 木头。Wǒ dào tā jiā shí, tā zhèngzài ~ mùtou. →他正在用力破开木头。Tā zhèngzài yònglì pòkāi mùtou. 例他用力一 ~，绳子就断了。Tā yònglì yì ~, shéngzi jiù duàn le. I工人们 ~ 倒了一棵死树。Gōngrénmen ~ dǎole yì kē sǐ shù. I你要小心点儿，别 ~ 了自己的脚。Nǐ yào xiǎoxīn diǎnr, bié ~ le zìjǐ de jiǎo. I现在有了电，工人们用不着一棵棵 ~ 树了。Xiànzài yǒule diàn, gōngrénmen yòng bu zháo yì kēkē ~ shù le. I这些树都死了，~ 掉以后种小树吧。Zhèixiē shù dōu sǐ le, ~ diào yǐhòu zhòng xiǎoshù ba. I这刀很快，你 ~ ~ 这根木头就知道了。Zhè dāo hěn kuài, nǐ ~ ~ zhèi gēn mùtou jiù zhīdao le.

kàn 看¹ [动]

我在 ~ 一本书。Wǒ zài kàn yì běn shū. →我用眼睛读一本书。Wǒ yòng yǎnjing dú yì běn shū. 例他已经 ~ 过这部电影了。Tā yǐjing ~ guo zhèi bù diànyǐng le. I这幅画儿画得真好，大家来 ~ ~。Zhèi fú huàr huà de zhēn hǎo, dàjiā lái ~ ~. I我 ~ 着妈妈做菜。Wǒ ~ zhe māma zuò cài. I你 ~，前边儿有个银行。Nǐ ~, qiánbianr yǒu ge yínháng. I请你 ~ 一下儿我写的文章有没有错误。Qǐng nǐ ~ yíxiàr wǒ xiě de wénzhāng yǒu méiyǒu cuòwù.

kànjiàn 看见（看见）[动]

昨天我在邮局 ~ 大卫了。Zuótiān wǒ zài yóujú ~ Dàwèi le. →昨天

K

我去邮局的时候，看到大卫也在邮局。Zuótiān wǒ qù yóujú de shíhou, kàndào Dàwèi yě zài yóujú. 例我现在 ~ 那座山了。Wǒ xiànzài ~ nèi zuò shān le. ｜我刚才 ~ 他们俩一起出去了。Wǒ gāngcái ~ tāmen liǎ yìqǐ chūqu le. ｜你 ~ 过他爱人吗？长得可漂亮了。Nǐ ~ guo tā àiren ma? Zhǎng de kě piàoliang le. ｜放假以后，我就再也没有 ~ 过他。Fàngjià yǐhòu, wǒ jiù zài yě méiyǒu ~ guo tā. ｜这个人我 ~ 过好几次了，他每天都来这儿。Zhèi ge rén wǒ ~ guo hǎojǐ cì le, tā měi tiān dōu lái zhèr.

kàn 看² ［动］

他身体不舒服，我 ~ 他不会来上课。Tā shēntǐ bù shūfu, wǒ ~ tā bú huì lái shàngkè. →我认为他不会来。Wǒ rènwéi tā bú huì lái. 例她很聪明，我 ~ 她能学好汉语。Tā hěn cōngming, wǒ ~ tā néng xuéhǎo Hànyǔ. ｜这事儿你怎么 ~？我想听听你的想法。Zhè shìr nǐ zěnme ~? Wǒ xiǎng tīngting nǐ de xiǎngfǎ. ｜她不喜欢运动，我是这么 ~ 的。Tā bù xǐhuan yùndòng, wǒ shì zhème ~ de.

kànfǎ 看法 ［名］

在这个问题上，我们俩的 ~ 是一致的。Zài zhèige wèntí shàng, wǒmen liǎ de ~ shì yízhì de. →我们俩对这个问题的认识完全一样。Wǒmen liǎ duì zhèige wèntí de rènshi wánquán yíyàng. 例你对这起交通事故有什么 ~？Nǐ duì zhèi qǐ jiāotōng shìgù yǒu shénme ~? ｜我的 ~ 是：我们应该跟他见面。Wǒ de ~ shì: wǒmen yīnggāi gēn tā jiànmiàn. ｜对于这件事，大家还有不同的 ~。Duìyú zhèi jiàn shì, dàjiā hái yǒu bùtóng de ~. ｜你们说的也许有道理，但我坚持自己的 ~。Nǐmen shuō de yěxǔ yǒu dàoli, dàn wǒ jiānchí zìjǐ de ~. ｜这只是我个人的 ~，不代表大家。Zhè zhǐ shì wǒ gèrén de ~, bú dàibiǎo dàjiā.

kàn 看³ ［动］

老师生病了，学生们到医院去 ~ 她。Lǎoshī shēngbìng le, xuéshengmen dào yīyuàn qù ~ tā. →学生们因为关心老师去问候她。Xuéshengmen yīnwèi guānxīn lǎoshī qù wènhòu tā. 例我离开父母一年了，很想回家去 ~ 父母。Wǒ líkāi fùmǔ yì nián le, hěn xiǎng huíjiā qù ~ fùmǔ. ｜大卫打篮球受伤了，我们去 ~ 一下儿吧。Dàwèi dǎ lánqiú shòushāng le, wǒmen qù ~ yíxiàr ba. ｜~ 病人的时候，花儿是最好的礼物。~ bìngrén de shíhou, huār shì zhì hǎo de lǐwù.

kàn 看[4] [助]

我觉得这件衣服挺适合你，你穿穿~~。Wǒ juéde zhèi jiàn yīfu tǐng shìhé nǐ, nǐ chuānchuan ~ ~ . →你穿上试试。Nǐ chuānshang shìshi. 例听说这个饭馆儿的菜不错，我们吃吃~。Tīngshuō zhèige fànguǎnr de cài búcuò, wǒmen chīchi ~ . I我想听听你们的意见，你说说~吧。Wǒ xiǎng tīngting nǐmen de yìjiàn, nǐ shuōshuo ~ ba. I 我不知道有没有你想要的书，我给你找找~。Wǒ bù zhīdào yǒu méiyǒu nǐ xiǎng yào de shū, wǒ gěi nǐ zhǎozhao ~ . I她对这次比赛没有信心，是抱着试试~的心理参加的。Tā duì zhèi cì bǐsài méiyǒu xìnxīn, shì bàozhe shìshi ~ de xīnlǐ cānjiā de.

kàn bìng 看病[1]

医生的工作就是给病人~。Yīshēng de gōngzuò jiù shì gěi bìngrén ~ . →医生的工作就是治好病人的病。Yīshēng de gōngzuò jiù shì zhìhǎo bìngrén de bìng. 例你发烧了，马上去医院~吧。Nǐ fāshāo le, mǎshàng qù yīyuàn ~ ba. I大夫正在给病人~，你过一会儿再找她吧。Dàifu zhèngzài gěi bìngrén ~ , nǐ guò yíhuìr zài zhǎo tā ba. I给我~的医生对病人很热情。Gěi wǒ ~ de yīshēng duì bìngrén hěn rèqíng. I这位老医生已经给人看了三十多年的病了。Zhèi wèi lǎo yīshēng yǐjing gěi rén kànle sānshí duō nián de bìng le. I她花了一年的时间，才看好我的病。Tā huāle yì nián de shíjiān, cái kànhǎo wǒ de bìng. I我们医院看不了这种病，你到大医院去吧。Wǒmen yīyuàn kàn bù liǎo zhèi zhǒng bìng, nǐ dào dà yīyuàn qù ba.

kàn bìng 看病[2]

我头很疼，得去医院~。Wǒ tóu hěn téng, děi qù yīyuàn ~ . →我得去找医生给我检查得了什么病，并给我治病。Wǒ děi qù zhǎo yīshēng gěi wǒ jiǎnchá déle shénme bìng, bìng gěi wǒ zhì bìng. 例大卫肚子不舒服，去医院~了。Dàwèi dùzi bù shūfu, qù yīyuàn ~ le. I她今年老生病，已经看过好几次病了。Tā jīnnián lǎo shēngbìng, yǐjing kànguo hǎojǐ cì bìng le. I身体最重要，你看完了病再考虑工作上的事吧。Shēntǐ zuì zhòngyào, nǐ kànwánle bìng zài kǎolǜ gōngzuò shang de shì ba. I我~的时候遇见了同屋，她也感冒了。Wǒ ~ de shíhou yùjiànle tóngwū, tā yě gǎnmào le.

kàn bu qǐ 看不起

他有点儿~外地人。Tā yǒudiǎnr ~ wàidìrén. →他认为外地人不如

他自己好。Tā rènwéi wàidìrén bùrú tā zìjǐ hǎo. 以前很多人～她，但现在她成功了。Yǐqián hěn duō rén ～ tā, dàn xiànzài tā chénggōng le. | 她～这点儿钱，所以不要。Tā ～ zhèi diǎnr qián, suǒyǐ búyào. | 如果你太懒，会让人～的。Rúguǒ nǐ tài lǎn, huì ràng rén ～ de. | 不要～比你差的人，也许有一天他会超过你。Búyào ～ bǐ nǐ chà de rén, yěxǔ yǒu yì tiān tā huì chāoguò nǐ. | 我从来没～任何人。Wǒ cónglái méi ～ rènhé rén.

kànlái 看来（看來）[连]

天阴了，～要下雨了。Tiān yīn le, ～ yào xià yǔ le. →天阴了，可能要下雨了。Tiān yīn le, kěnéng yào xià yǔ le. 这么晚了，～玛丽不来了。Zhème wǎn le, ～ Mǎlì bù lái le. | 他一句话也不说，～是心情不太好。Tā yí jù huà yě bù shuō, ～ shì xīnqíng bú tài hǎo. | 他的感冒很重，～得住院了。Tā de gǎnmào hěn zhòng, ～ děi zhùyuàn le. | 他又唱又跳，～是有高兴的事。Tā yòu chàng yòu tiào, ～ shì yǒu gāoxìng de shì. | ～他已经知道这件事了。～ tā yǐjing zhīdao zhèi jiàn shì le.

kàn yàngzi 看样子（看樣子）

～他是美国人。～ tā shì Měiguórén. →从他的长相、穿衣来看，他可能是美国人。Cóng tā de zhǎngxiàng、chuān yī lái kàn, tā kěnéng shì Měiguórén. 他～是外地人，没来过这儿。Tā ～ shì wàidìrén, méi láiguo zhèr. | 他～是个大学生，二十来岁。Tā ～ shì ge dàxuésheng, èrshí lái suì. | ～他没有明白我的意思。～ tā méiyǒu míngbai wǒ de yìsi. | ～这雨要下好几天才能停。～ zhè yǔ yào xià hǎojǐ tiān cái néng tíng. | ～他刚从外国回来，在这儿还不太适应。～ tā gāng cóng wàiguó huílai, zài zhèr hái bú tài shìyìng.

kang

káng 扛 [动]

小姐，我帮你～行李吧。Xiǎojie, wǒ bāng nǐ ～ xíngli ba. →请把行李放到我的肩上。Qǐng bǎ xíngli fàngdào wǒ de jiān shang. 这件行李你～半天了，休息一会儿吧。Zhèi jiàn xíngli nǐ ～ bàntiān le, xiūxi yíhuìr ba. | 他～着两袋大米还能跑，真不简单。Tā ～ zhe liǎng dài dàmǐ hái néng pǎo, zhēn bù jiǎndān. | 他每天把自行车～到楼上。Tā měi tiān bǎ zìxíngchē ～ dào lóu shàng. | 东西太沉了，我～不动。Dōngxi tài chén le, wǒ ～ bu dòng. | 他力气很大，一个人能

~二百多斤。Tā lìqi hěn dà, yí ge rén néng ~ èrbǎi duō jīn.

kao

kǎo 考 [动]

明天 ~ 汉语听力，我相信能通过考试。Míngtiān ~ Hànyǔ tīnglì, wǒ xiāngxìn néng tōngguò kǎoshì. → 明天有汉语听力的考试。 Míngtiān yǒu Hànyǔ tīnglì de kǎoshì. 例今天上午 ~ 了口语，我感觉很好。Jīntiān shàngwǔ ~ le kǒuyǔ, wǒ gǎnjué hěn hǎo. | 我 ~ ~ 你，这个汉字是什么意思？Wǒ ~ ~ nǐ, zhèige Hànzì shì shénme yìsi? | 他今年中学毕业，就要 ~ 大学了。Tā jīnnián zhōngxué bìyè, jiù yào ~ dàxué le. | 这次考试我没怎么准备，~ 得不好。Zhèi cì kǎoshì wǒ méi zěnme zhǔnbèi, ~ de bù hǎo. | 我大学毕业后 ~ 上了研究生。Wǒ dàxué bìyè hòu ~ shangle yánjiūshēng.

kǎoshì 考试[1] （考試） [名]

K

examination; test 例我要好好儿复习，准备参加下星期的 ~。Wǒ yào hǎohāor fùxí, zhǔnbèi cānjiā xià xīngqī de ~. | 他平时学习很认真，很顺利地通过了 ~。Tā píngshí xuéxí hěn rènzhēn, hěn shùnlì de tōngguòle ~. | 这次汉语水平 ~ 你考得怎么样？Zhèi cì Hànyǔ shuǐpíng ~ nǐ kǎo de zěnmeyàng? | 这次 ~ 很容易，不及格的人几乎没有。Zhèi cì ~ hěn róngyì, bù jígé de rén jīhū méiyǒu. | 大家都说期中 ~ 的题目太难。Dàjiā dōu shuō qīzhōng ~ de tímù tài nán. | 他这次 ~ 的成绩很好。Tā zhèi cì ~ de chéngjì hěn hǎo.

kǎo shì 考试[2] （考試）

have an examination; have a test 例下星期要 ~，学生们都在忙着准备。Xià xīngqī yào ~, xuéshengmen dōu zài mángzhe zhǔnbèi. | 这个学期什么时候 ~？Zhèige xuéqī shénme shíhou ~? | 这门课不 ~，写篇论文就行了。Zhèi mén kè bù ~, xiě piān lùnwén jiù xíng le. | 我们考完试以后开个晚会怎么样？Wǒmen kǎowán shì yǐhòu kāi ge wǎnhuì zěnme yàng? | 来 ~ 的学生看起来都很有信心。Lái ~ de xuésheng kàn qilai dōu hěn yǒu xìnxīn. | 他 ~ 的时候特别紧张。Tā ~ de shíhou tèbié jǐnzhāng.

kǎolǜ 考虑（考慮）[动]

他正 ~ 明天的计划呢。Tā zhèng ~ míngtiān de jìhuà ne. → 他正在想明天的计划。Tā zhèngzài xiǎng míngtiān de jìhuà. 例我已经 ~ 过

你的意见了，我觉得很好。Wǒ yǐjing ~ guo nǐ de yìjiàn le，wǒ juéde hěn hǎo. l 她最近一直在 ~ 要不要和他结婚。Tā zuìjìn yìzhí zài ~ yào bu yào hé tā jiéhūn. l 他是个好人，做事时总为别人 ~ 。Tā shì ge hǎorén，zuòshì shí zǒng wèi biérén ~ . l 请你 ~ 一下儿我的建议。Qǐng nǐ ~ yíxiàr wǒ de jiànyì. l 这件事她 ~ 了三天才决定下来。Zhèi jiàn shì tā ~ le sān tiān cái juédìng xialai. l 商店为顾客 ~ 得很周到。Shāngdiàn wèi gùkè ~ de hěn zhōudào.

kǎo 烤 [动]

妈妈在厨房里 ~ 牛肉。Māma zài chúfáng li ~ niúròu. →她把牛肉放在火上弄熟。Tā bǎ niúròu fàng zài huǒ shang nòngshóu. **例**她 ~ 了好几个面包。Tā ~ le hǎojǐ gè miànbāo. l 衣服有点儿湿，用火 ~ ~ 吧。Yīfu yǒudiǎnr shī，yòng huǒ ~ ~ ba. l 这只烤鸭 ~ 得真好，香极了。Zhèi zhī kǎoyā ~ de zhēn hǎo，xiāngjí le. l 肉还没 ~ 好呢，别着急。Ròu hái méi ~ hǎo ne，bié zháojí. l 面包 ~ 得太久，都焦了。Miànbāo ~ de tài jiǔ，dōu ~ jiāo le. l 鱼 ~ 着吃味道很好。Yú ~ zhe chī wèidao hěn hǎo.

kǎoyā 烤鸭（烤鴨）[名]

他们在饭馆儿吃饭时要了一只 ~ 。Tāmen zài fànguǎnr chīfàn shí yàole yì zhī ~ . →他们要的是烤熟的鸭子。Tāmen yào de shì kǎoshóu de yāzi. **例**我们都爱吃这家餐馆儿做的 ~ 。Wǒmen dōu ài chī zhèi jiā cānguǎnr zuò de ~ . l 这个餐厅的 ~ 烤得香极了。Zhèige cāntīng de ~ kǎo de xiāngjí le. l ~ 的味道不错，我吃了还想吃。~ de wèidao búcuò，wǒ chīle hái xiǎng chī.

kào 靠¹ [动]

他 ~ 在墙上，一动也不动。Tā ~ zài qiáng shang，yí dòng yě bú dòng. →他的背挨着墙，一动也不动。Tā de bèi āizhe qiáng，yí dòng yě bú dòng. **例**他 ~ 在椅子上睡着了。Tā ~ zài yǐzi shang shuìzháo le. l 他正在 ~ 着一棵大树休息。Tā zhèngzài ~ zhe yì kē dà shù xiūxi. l 他俩背 ~ 背站着，一句话也不说。Tā liǎ bèi ~ bèi zhànzhe，yí jù huà yě bù shuō. l 你们 ~ 近一点儿，照出来的相片才好看。Nǐmen ~ jìn yìdiǎnr，zhào chulai de xiàngpiàn cái hǎokàn. l 这张桌子不结实，你可别 ~ 。Zhèi zhāng zhuōzi bù jiēshi，nǐ kě bié ~ .

kào 靠² [动]

我有困难的时候，全 ~ 朋友来帮忙。Wǒ yǒu kùnnan de shíhou,

quán ~ péngyou lái bāngmáng. →我有困难的时候，都是朋友来帮助。Wǒ yǒu kùnnan de shíhou, dōu shì péngyou lái bāngzhù. 例他~自己的努力，获得了第一名。Tā ~ zìjǐ de nǔlì, huòdéle dì yī míng. | 虽然我是领导，但有事还要~大家。Suīrán wǒ shì lǐngdǎo, dàn yǒu shì hái yào ~ dàjiā. | ~哥哥的帮助，他度过了困难时期。~ gēge de bāngzhù, tā dùguòle kùnnan shíqī. | 他的学费和生活费都是~他自己打工挣的。Tā de xuéfèi hé shēnghuófèi dōu shì ~ tā zìjǐ dǎgōng zhèng de. | 他非常负责任，办事~得住。Tā fēicháng fù zérèn, bànshì ~ de zhù.

ke

kēxué 科学（科學）[名]

science 例学生们从小就开始学习~。Xuéshengmen cóngxiǎo jiù kāishǐ xuéxí ~. | 掌握了~就能理解风、雨、雷、电等自然现象。Zhǎngwòle ~ jiù néng lǐjiě fēng、yǔ、léi、diàn děng zìrán xiànxiàng. | 他在大学里学到了很多~知识。Tā zài dàxué li xuédàole hěn duō ~ zhīshi. | ~的进步是人类社会发展的基础。~ de jìnbù shì rénlèi shèhuì fāzhǎn de jīchǔ.

kēxuéjiā 科学家（科學家）[名]

他父亲是一位研究生物的~。Tā fùqin shì yí wèi yánjiū shēngwù de ~. →他父亲是专门从事科学研究而且有一定的成就的人。Tā fùqin shì zhuānmén cóngshì kēxué yánjiū érqiě yǒu yídìng de chéngjiù de rén. 例他们几位是研究环境问题的~。Tāmen jǐ wèi shì yánjiū huánjìng wèntí de ~. | 经过长期研究，~发明了一种新技术。Jīngguò chángqī yánjiū, ~ fāmíngle yì zhǒng xīn jìshù. | ~们的工作改变了人们的生活。~ men de gōngzuò gǎibiànle rénmen de shēnghuó.

kēyán 科研 [名]

我父亲一直从事~工作。Wǒ fùqin yìzhí cóngshì ~ gōngzuò. →他做的是科学研究工作。Tā zuò de shì kēxué yánjiū gōngzuò. 例这项新技术花费了~人员大量时间和精力。Zhèi xiàng xīn jìshù huāfèile ~ rényuán dàliàng shíjiān hé jīnglì. | 这项~计划将会使人们更深入地了解生命的产生过程。Zhèi xiàng ~ jìhuà jiāng huì shǐ rénmen gèng shēnrù de liǎojiě shēngmìng de chǎnshēng guòchéng. | 科学家在实验室里辛辛苦苦地搞~。Kēxuéjiā zài shíyànshì li xīnxīnkǔkǔ de gǎo ~.

kē 棵 [量]

用于树、草、花儿等植物。Yòngyú shù、cǎo、huār děng zhíwù. **例** 我家门口有一~树。Wǒ jiā ménkǒu yǒu yì ~ shù. | 春天来了，路边长出了几~小草。Chūntiān lái le, lù biān zhǎngchūle jǐ ~ xiǎocǎo. | 这~树是我五年前种的，现在已经变成了一~大树。Zhèi ~ shù shì wǒ wǔ nián qián zhòng de, xiànzài yǐjing biànchéngle yì ~ dà shù. | 这些花儿~~都长得很好。Zhèixiē huār ~ ~ dōu zhǎng de hěn hǎo. | 路边的树被大风刮倒了一~。Lù biān de shù bèi dàfēng guādǎole yì ~ .

kē 颗 (顆) [量]

用于牙齿、糖、星星、心等。Yòngyú yáchǐ、táng、xīngxing、xīn děng. **例** 这个小孩儿刚长出了几~牙齿。Zhèige xiǎoháir gāng zhǎng chūle jǐ ~ yáchǐ. | 请吃~糖吧。Qǐng chī ~ táng ba. | 月亮旁边那~很亮的星星叫什么星？Yuèliang pángbiān nèi ~ hěn liàng de xīngxing jiào shénme xīng? | 她在送给男朋友的礼物上画了一~心。Tā zài sòng gěi nánpéngyou de lǐwù shang huàle yì ~ xīn. | 他不小心摔了一跤，牙掉了两~。Tā bù xiǎoxīn shuāile yì jiāo, yá diàole liǎng ~ .

késou 咳嗽 [动]

cough **例** 我今天感冒了，有点儿~。Wǒ jīntiān gǎnmào le, yǒudiǎnr ~ . | 吃了药以后，他不~了。Chīle yào yǐhòu, tā bù ~ le. | 那个病人不停地~，看上去很痛苦。Nèige bìngrén bù tíng de ~ , kàn shangqu hěn tòngkǔ. | 我的嗓子很痒，忍不住~了一下儿。Wǒ de sǎngzi hěn yǎng, rěn bu zhù ~ le yí xiàr. | 这个菜太辣了，我一吃就~起来。Zhèige cài tài là le, wǒ yì chī jiù ~ qilai. | 父亲最近生病了，~得很厉害。Fùqin zuìjìn shēngbìng le, ~ de hěn lìhai.

kě 可¹ [副]

这件衣服~贵了，我买不起。Zhèi jiàn yīfu ~ guì le, wǒ mǎi bu qǐ. →这件衣服非常贵。Zhèi jiàn yīfu fēicháng guì. **例** 昨天的电影~真有意思，大家都说好。Zuótiān de diànyǐng ~ zhēn yǒu yìsi, dàjiā dōu shuō hǎo. | 我说她的鞋子不好看，她~不高兴啦。Wǒ shuō tā de xiézi bù hǎokàn, tā ~ bù gāoxìng la. | 我弟弟~喜欢打篮球了，一有空儿就去打。Wǒ dìdi ~ xǐhuan dǎ lánqiú le, yì yǒu kòngr jiù qù dǎ. | 工作了一天，~把我累坏了。Gōngzuòle yì tiān, ~ bǎ wǒ lèihuài le. | 玛丽的汉语说得~真流利啊，简直跟中国人一样。Mǎlì de Hànyǔ shuō de ~ zhēn liúlì a, jiǎnzhí gēn Zhōngguórén yíyàng.

kě 可² [副]

这件事我~告诉过你，你别说不知道。Zhèi jiàn shì wǒ ~ gàosuguo nǐ, nǐ bié shuō bù zhīdào. →这件事我告诉过你，这一点你要注意。Zhèi jiàn shì wǒ gàosuguo nǐ, zhèi yì diǎn nǐ yào zhùyì. 例他~是你朋友，你应该帮他。Tā ~ shì nǐ péngyou, nǐ yīnggāi bāng tā. | 早上天气很好，我~没想到会下雨。Zǎoshang tiānqì hěn hǎo, wǒ ~ méi xiǎngdào huì xià yǔ. | 这~不是件容易的事，你要重视点儿。Zhè ~ bú shì jiàn róngyì de shì, nǐ yào zhòngshì diǎnr. | 你弄错了，她~不是学生，她是老师。Nǐ nòngcuò le, tā ~ bú shì xuésheng, tā shì lǎoshī.

kě 可³ [副]

你~来了! 大家一直在等你。Nǐ ~ lái le! Dàjiā yìzhí zài děng nǐ. →大家等了好久你才来。Dàjiā děngle hǎojiǔ nǐ cái lái. 例公共汽车~来了! 我等得都着急了。Gōnggòng qìchē ~ lái le! Wǒ děng de dōu zháojí le. | 我找了你一上午，~找到你了! Wǒ zhǎole nǐ yí shàngwǔ, ~ zhǎodào nǐ le! | 我忙了半天，~把工作做完了。Wǒ mángle bàntiān, ~ bǎ gōngzuò zuòwán le. | 雨~不下了，网球比赛终于可以进行了。Yǔ ~ bú xià le, wǎngqiú bǐsài zhōngyú kěyǐ jìnxíng le. | ~到家了! 我早就想回来睡觉了。~ dào jiā le! Wǒ zǎo jiù xiǎng huílai shuìjiào le.

kě 可⁴ [副]

工作这么忙，你~要注意身体。Gōngzuò zhème máng, nǐ ~ yào zhùyì shēntǐ. →你一定要注意身体。Nǐ yídìng yào zhùyì shēntǐ. 例明天还得上班，你~不能太晚睡觉。Míngtiān hái děi shàngbān, nǐ ~ bù néng tài wǎn shuìjiào. | 孩子要你买的东西你~一定得记住啊! Háizi yào nǐ mǎi de dōngxi nǐ ~ yídìng děi jìzhù a! | 你的胃不好，酒~别喝得太多了。Nǐ de wèi bù hǎo, jiǔ ~ bié hē de tài duō le. | 明天的会议很重要，你~千万别迟到啊! Míngtiān de huìyì hěn zhòngyào, nǐ ~ qiānwàn bié chídào a!

kě 可⁵ [副]

她一个人~怎么拿得了这么多东西? Tā yí ge rén ~ zěnme ná de liǎo zhème duō dōngxi? →她绝对拿不了。Tā juéduì ná bu liǎo. 例

我只知道她的名字，～上哪儿找她去？Wǒ zhǐ zhīdao tā de míngzi, ～ shàng nǎr zhǎo tā qu? |这么麻烦她，我 ～ 怎么好意思呢？ Zhème máfan tā, wǒ ～ zěnme hǎo yìsi ne? |你的要求这么高，～ 叫我怎么办？Nǐ de yāoqiú zhème gāo, ～ jiào wǒ zěnme bàn? |我 到了机场才发现护照丢了，这 ～ 怎么办？Wǒ dàole jīchǎng cái fāxiàn hùzhào diū le, zhè ～ zěnme bàn?

kě 可[6] ［连］

我很想去看电影，～ 没时间。Wǒ hěn xiǎng qù kàn diànyǐng, ～ méi shíjiān. → 我想看电影，但没时间。Wǒ xiǎng kàn diànyǐng, dàn méi shíjiān. 例她会说汉语，～ 说得不太好。Tā huì shuō Hànyǔ, ～ shuō de bú tài hǎo. |我想跟她结婚，～ 她不愿意。Wǒ xiǎng gēn tā jiéhūn, ～ tā bú yuànyì. |她的房间小是小，～ 收拾得 很好。Tā de fángjiān xiǎo shì xiǎo, ～ shōushi de hěn hǎo. |我弟弟 虽然年纪小，～ 读过的书真不少。Wǒ dìdi suīrán niánjì xiǎo, ～ dúguo de shū zhēn bùshǎo.

kě'ài 可爱（可愛）［形］

这个孩子真～，大家都喜欢他。Zhèige háizi zhēn ～, dàjiā dōu xǐhuan tā. → 这个孩子真让人喜欢。Zhèige háizi zhēn ràng rén xǐhuan. 例这只小狗很～，谁都想要。Zhèi zhī xiǎogǒu hěn ～, shéi dōu xiǎng yào. |她的小女儿一见人就笑，～ 极了。Tā de xiǎo nǚ'ér yí jiàn rén jiù xiào, ～ jí le. |这个杯子样子很～，我很喜欢。 Zhèige bēizi yàngzi hěn ～, wǒ hěn xǐhuan. |她长得漂亮，性格又 好，是个～的姑娘。Tā zhǎng de piàoliang, xìnggé yòu hǎo, shì ge ～ de gūniang. |她的眼睛长得非常～。Tā de yǎnjing zhǎng de fēicháng ～.

kěbushì 可不是

我对他说："今天真热。"他说："～，我都出汗了。"Wǒ duì tā shuō: "Jīntiān zhēn rè." Tā shuō: "～, wǒ dōu chū hàn le." →他 同意我的看法。Tā tóngyì wǒ de kànfǎ. 例这个菜真好吃。—— ～, 味道真不错。Zhèige cài zhēn hǎochī. —— ～, wèidao zhēn búcuò. | 这里的衣服太贵了。—— ～ 嘛，我们去别的商店吧。Zhèlǐ de yīfu tài guì le. —— ～ ma, wǒmen qù biéde shāngdiàn ba. |我们好久 不见了！—— ～ 嘛，有三年了吧？Wǒmen hǎojiǔ bú jiàn le! —— ～ ma, yǒu sān nián le ba?

kěkào 可靠¹ [形]

这个人很 ~，我们应该相信他。Zhèige rén hěn ~, wǒmen yīnggāi xiángxìn tā. →他是一个可以相信的人。Tā shì yí ge kěyǐ xiāngxìn de rén. **例**他很 ~，因为他从来不骗人。Tā hěn ~, yīnwèi tā cónglái bú piàn rén. | 这种汽车是最好的，质量再 ~ 不过了。Zhèi zhǒng qìchē shì zuì hǎo de, zhìliàng zài ~ bú guò le. | 我们的产品是 ~ 的，服务也是 ~ 的。Wǒmen de chǎnpǐn shì ~ de, fúwù yě shì ~ de.

kěkào 可靠² [形]

这条消息很 ~。Zhèi tiáo xiāoxi hěn ~. →这条消息很真实可信。Zhèi tiáo xiāoxi hěn zhēnshí kěxìn. **例**这是报纸上说的，当然 ~ 了。Zhè shì bàozhǐ shang shuō de, dāngrán ~ le. | 他们给我们的消息一直都非常 ~。Tāmen gěi wǒmen de xiāoxi yìzhí dōu fēicháng ~. | 我觉得这些数字不 ~，我们应该自己统计一下儿。Wǒ juéde zhèixiē shùzì bù ~, wǒmen yīnggāi zìjǐ tǒngjì yíxiàr.

kělián 可怜¹ （可憐）[形]

没有父母的孩子真 ~。Méiyǒu fùmǔ de háizi zhēn ~. →没有父母的孩子太让人同情了。Méiyǒu fùmǔ de háizi tài ràng rén tóngqíng le. **例**他都一天没吃饭了，自己觉得特别 ~。Tā dōu yì tiān méi chīfàn le, zìjǐ juéde tèbié ~. | 我们帮帮这 ~ 的孩子吧。Wǒmen bāngbang zhè ~ de háizi ba. | 我看见这只小狗怪 ~ 的，就把它抱回家了。Wǒ kànjiàn zhèi zhī xiǎogǒu guài ~ de, jiù bǎ tā bàohuí jiā le. | 儿子在 ~ 地求父亲原谅他的错误。Érzi zài ~ de qiú fùqin yuánliàng tā de cuòwù.

kělián 可怜² （可憐）[形]

他每个月挣的钱少得 ~。Tā měi ge yuè zhèng de qián shǎo de ~. →他每个月挣得钱太少了，不值得一提。Tā měi ge yuè zhèng de qián tài shǎo le, bù zhíde yì tí. **例**这里很旱，水少得 ~。Zhèlǐ hěn hàn, shuǐ shǎo de ~. | 他都二十岁了，身高才一米五，真是矮得 ~。Tā dōu èrshí suì le, shēngāo cái yì mǐ wǔ, zhēn shì ǎi de ~. | 这辆车太旧了，破得有点儿 ~。Zhèi liàng chē tài jiù le, pò de yǒudiǎnr ~.

kělián 可怜³ （可憐）[动]

我 ~ 这只小狗，才带它回家。Wǒ ~ zhèi zhī xiǎogǒu, cái dài tā

huíjiā. →我觉得这只小狗值得同情，才带它回家。Wǒ juéde zhèi zhī xiǎogǒu zhíde tóngqíng, cái dài tā huíjiā. 例爸爸～这些没有父母的孩子，经常帮助他们。Bàba ~ zhèixiē méiyǒu fùmǔ de háizi, jīngcháng bāngzhù tāmen. | 你～～我吧，我都一天没吃饭了。Nǐ ~ ~ wǒ ba, wǒ dōu yì tiān méi chīfàn le. | 我不需要别人～我，我需要的是帮助。Wǒ bù xūyào biéren ~ wǒ, wǒ xūyào de shì bāngzhù. | 我们～他从小就没了爸爸，所以常常去看他。Wǒmen ~ tā cóngxiǎo jiù méile bàba, suǒyǐ chángcháng qù kàn tā.

kěnéng 可能[1] [助动]

他～去了中国。Tā ~ qùle Zhōngguó. →我想他也许去了中国。Wǒ xiǎng tā yěxǔ qùle Zhōngguó. 例晚上他～来，也～不来。Wǎnshang tā ~ lái, yě ~ bù lái. | 天阴了，～马上就要下雨了。Tiān yīn le, ~ mǎshàng jiù yào xià yǔ le. | 我们俩～在什么地方见过。Wǒmen liǎ ~ zài shénme dìfang jiànguo. | 我两个月没看见他了，他很～回国了。Wǒ liǎng ge yuè méi kànjiàn tā le, tā hěn ~ huí guó le. | 大卫不～知道这件事。Dàwèi bù ~ zhīdao zhèi jiàn shì.

kěnéng 可能[2] [名]

他们有～下个月结婚。Tāmen yǒu ~ xià ge yuè jiéhūn. →我的估计是他们下个月结婚。Wǒ de gūjì shì tāmen xià ge yuè jiéhūn. 例天阴了，有～一会儿就下雨。Tiān yīn le, yǒu ~ yíhuìr jiù xià yǔ. | 她虽然跟你说话不多，但爱上你的～还是有的。Tā suīrán gēn nǐ shuōhuà bù duō, dàn àishang nǐ de ~ hái shì yǒu de. | 大桥有提前一个月建成的～。Dà qiáo yǒu tíqián yí ge yuè jiànchéng de ~. | 如果有钱，我们夏天有去美国的～。Rúguǒ yǒu qián, wǒmen xiàtiān yǒu qù Měiguó de ~. | 他们俩结婚，我觉得没有～。Tāmen liǎ jiéhūn, wǒ juéde méiyǒu ~.

kěnéng 可能[3] [形]

他半个小时就爬上山，这完全～。Tā bàn ge xiǎoshí jiù páshàng shān, zhè wánquán ~. →他半小时爬上山，是可以实现的。Tā bàn xiǎoshí páshàng shān, shì kěyǐ shíxiàn de. 例想一个月学好汉语，这怎么～？Xiǎng yí ge yuè xuéhǎo Hànyǔ, zhè zěnme ~? | 在～的情况下，我们会帮助你的。Zài ~ de qíngkuàng xià, wǒmen huì bāngzhù nǐ de. | 半年就盖好一座楼，也是～的事。Bàn nián jiù gàihǎo yí zuò lóu, yě shì ~ de shì. |现在要想得到他的原谅, 已经不 ~ 了。Xiànzài yào xiǎng dédào tā de yuánliàng, yǐjing bù ~ le.

kěpà 可怕 [形]

老虎的样子太 ~ 了。Lǎohǔ de yàngzi tài ~ le. →老虎的样子让人感到害怕。Lǎohǔ de yàngzi ràng rén gǎndào hàipà. 例你生气的样子非常 ~。Nǐ shēngqì de yàngzi fēicháng ~. |当时我们差点儿出交通事故, 真是 ~ 极了。Dāngshí wǒmen chàdiǎnr chū jiāotōng shìgù, zhēn shì ~ jí le. | ~ 的事情终于过去了, 现在我们很幸福。~ de shìqing zhōngyú guòqu le, xiànzài wǒmen hěn xìngfú. |我昨天晚上做了个 ~ 的梦, 把我吓醒了。Wǒ zuótiān wǎnshang zuòle ge ~ de mèng, bǎ wǒ xiàxǐng le. |只要你去努力, 困难没什么 ~ 的。Zhǐyào nǐ qù nǔlì, kùnnan méi shénme ~ de.

kěshì 可是 [连]

她长得虽然不高, ~ 很漂亮。Tā zhǎng de suīrán bù gāo, ~ hěn piàoliang. →她长得不算太高, 但非常漂亮。Tā zhǎng de bú suàn tài gāo, dàn fēicháng piàoliang. 例虽然这件衣服样子不太好, ~ 很便宜。Suīrán zhèi jiàn yīfu yàngzi bú tài hǎo, ~ hěn piányi. |我想去参加晚会, ~ 我没有时间。Wǒ xiǎng qù cānjiā wǎnhuì, ~ wǒ méiyǒu shíjiān. |累是累了一些, ~ 大家十分高兴。Lèi shì lèile yìxiē, ~ dàjiā shífēn gāoxìng. |我不想去旅行, ~ 太太一定要我陪她去。Wǒ bù xiǎng qù lǚxíng, ~ tàitai yídìng yào wǒ péi tā qù.

kěxī 可惜 [形]

他没拿到冠军, 太 ~ 了。Tā méi nádào guànjūn, tài ~ le. →他有能力拿到冠军, 但没拿到, 非常遗憾。Tā yǒu nénglì nádào guànjūn, dàn méi nádào, fēicháng yíhàn. 例新车就修不好了, 真 ~。Xīn chē jiù xiū bu hǎo le, zhēn ~. |这么多菜扔掉, 你不觉得 ~ 吗? Zhème duō cài rēngdiào, nǐ bù juéde ~ ma? |她只活了三十岁, 死得太 ~ 了。Tā zhǐ huóle sānshí suì, sǐ de tài ~ le. |这些面包坏了, 扔了不 ~。Zhèixiē miànbāo huài le, rēngle bù ~.

kěyǐ 可以[1] [助动]

你已经十八岁了, ~ 喝酒了。Nǐ yǐjing shíbā suì le, ~ hē jiǔ le. →你十八岁了, 喝点儿酒没关系。Nǐ shíbā suì le, hē diǎnr jiǔ méi guānxi. 例今天的考试 ~ 带词典。Jīntiān de kǎoshì ~ dài cídiǎn. |这个问题你 ~ 直接找经理谈一谈。Zhèige wèntí nǐ ~ zhíjiē zhǎo

K

jīnglǐ tán yi tán. l飞机上你 ~ 带二十公斤的行李。Fēijī shang nǐ ~ dài èrshí gōngjīn de xíngli. l我 ~ 进你的办公室吗？Wǒ ~ jìn nǐ de bàngōngshì ma? l在北京，骑自行车不 ~ 带人。Zài Běijīng, qí zìxíngchē bù ~ dài rén. l我 ~ 问个问题吗？——当然 ~ 。Wǒ ~ wèn ge wèntí ma? ——Dāngrán ~ .

kěyǐ 可以[2] [助动]

这间屋子 ~ 放十张桌子。Zhèi jiān wūzi ~ fàng shí zhāng zhuōzi. → 这间屋子能放下十张桌子。Zhèi jiān wūzi néng fàngxià shí zhāng zhuōzi. 例新盖的电影院 ~ 坐三千人。Xīn gài de diànyǐngyuàn ~ zuò sānqiān rén. l我们只要二十分钟，就 ~ 到火车站。Wǒmen zhǐ yào èrshí fēnzhōng, jiù ~ dào huǒchēzhàn. l你来香港的时候，我 ~ 去机场接你。Nǐ lái Xiānggǎng de shíhou, wǒ ~ qù jīchǎng jiē nǐ. l我哥哥 ~ 扛二百斤重的东西。Wǒ gēge ~ káng èrbǎi jīn zhòng de dōngxi.

kěyǐ 可以[3] [形]

他打篮球的水平还 ~ ，我们不如他。Tā dǎ lánqiú de shuǐpíng hái ~ , wǒmen bùrú tā. →他打篮球打得不错，不过也不是最好。Tā dǎ lánqiú dǎ de búcuò, búguò yě bú shì zuì hǎo. 例这个菜的味道还 ~ ，我吃了不少。Zhèige cài de wèidao hái ~ , wǒ chīle bùshǎo. l他这个人还 ~ ，对人比较热情。Tā zhèi ge rén hái ~ , duì rén bǐjiào rèqíng. l大卫的汉语进步很大，现在已经说得很 ~ 了。Dàwèi de Hànyǔ jìnbù hěn dà, xiànzài yǐjīng shuō de hěn ~ le. l他游泳游得怎么样？——还 ~ ，比我快得多。Tā yóuyǒng yóu de zěnme yàng? ——Hái ~ , bǐ wǒ kuài de duō.

kě 渴 [形]

我一天没喝水了，很 ~ 。Wǒ yì tiān méi hē shuǐ le, hěn ~ . →我很想喝水。Wǒ hěn xiǎng hē shuǐ. 例天气太热，大家都非常 ~ 。Tiānqì tài rè, dàjiā dōu fēicháng ~ . l你不 ~ 吗？我们喝点儿饮料吧。Nǐ bù ~ ma? Wǒmen hē diǎnr yǐnliào ba. l你要是 ~ 了就喝水吧。Nǐ yàoshi ~ le jiù hē shuǐ ba. l我觉得很 ~ ，就喝了一大杯水。Wǒ juéde hěn ~ , jiù hēle yí dà bēi shuǐ. l ~ 的时候就吃个苹果。~ de shíhou jiù chī ge píngguǒ.

kè 克 [量]

一千克等于一公斤。Yìqiān kè děngyú yì gōngjīn. 例我买了一千 ~

鸡蛋。Wǒ mǎile yìqiān ~ jīdàn. |他平均每天要吃六百 ~ 水果。Tā píngjūn měi tiān yào chī liùbǎi ~ shuǐguǒ. |这瓶牛奶有五百 ~。Zhèi píng niúnǎi yǒu wǔbǎi ~. |这个苹果的重量是二百五十 ~，也就是半斤。Zhèige píngguǒ de zhòngliàng shì èrbǎi wǔshí ~, yě jiù shì bàn jīn.

kèfú 克服 ［动］

他经过努力，终于 ~ 了困难。Tā jīngguò nǔlì, zhōngyú ~ le kùnnan. →他战胜了困难。Tā zhànshèngle kùnnan. **例**大卫 ~ 了感冒发烧的不利情况，跑步得了第一名。Dàwèi ~ le gǎnmào fāshāo de bú lì qíngkuàng, pǎobù déle dì yī míng. |他 ~ 了艰苦的生活条件，在贫穷的地区当老师。Tā ~ le jiānkǔ de shēnghuó tiáojiàn, zài pínqióng de dìqū dāng lǎoshī. |只要坚持下去，就没有 ~ 不了的困难。Zhǐyào jiānchí xiaqu, jiù méiyǒu ~ bu liǎo de kùnnan.

kè 刻¹ ［动］

他在石头上 ~ 了自己的名字。Tā zài shítou shang ~ le zìjǐ de míngzi. →他用刀在石头上写上了自己的名字。Tā yòng dāo zài shítou shang xiěshangle zìjǐ de míngzi. **例**他长高一点儿，就在墙上 ~ 一条线。Tā zhǎnggāo yìdiǎnr, jiù zài qiáng shang ~ yí tiáo xiàn. |这些字是古代的人 ~ 上去的，非常漂亮。Zhèixiē zì shì gǔdài de rén ~ shangqu de, fēicháng piàoliang. |有些人喜欢在自己去过的地方 ~ 名字。Yǒuxiē rén xǐhuan zài zìjǐ qùguo de dìfang ~ míngzi. |我前几天 ~ 了一个印章。Wǒ qián jǐ tiān ~ le yí ge yìnzhāng.

kè 刻² ［量］

用于时间。一刻就是十五分钟。Yòngyú shíjiān. Yí kè jiù shì shíwǔ fēnzhōng. **例**两点一 ~ 就是两点十五分。Liǎng diǎn yí ~ jiù shì liǎng diǎn shíwǔ fēn. |两点三 ~ 就是两点四十五分。Liǎng diǎn sān ~ jiù shì liǎng diǎn sìshíwǔ fēn. |我等了他一 ~ 钟他才到。Wǒ děngle tā yí ~ zhōng tā cái dào. |现在几点？——差一 ~ 三点。Xiànzài jǐ diǎn? ——Chà yí ~ sān diǎn.

kèkǔ 刻苦 ［形］

玛丽学习汉语非常 ~，连周末也不休息。Mǎlì xuéxí Hànyǔ fēicháng ~, lián zhōumò yě bù xiūxi. →玛丽学习汉语很能吃苦，连周末也在学汉语。Mǎlì xuéxí Hànyǔ hěn néng chīkǔ, lián zhōumò yě zài xué Hànyǔ. **例**不管学习什么，他都很 ~。Bùguǎn xuéxí shénme,

tā dōu hěn ~ . |他每天都~学习，很少聊天ㄦ。Tā měi tiān dōu ~
xuéxí, hěn shǎo liáotiānr. |他是个十分~的学生，不用催他。Tā
shì ge shífēn ~ de xuésheng, bú yòng cuī tā. |他有了女朋友后，
学习不那么~了。Tā yǒule nǚpéngyou hòu, xuéxí bú nàme ~ le.

kèqi 客气¹（客氣）[形]

他对谁都非常~。Tā duì shéi dōu fēicháng ~ . →他对谁都很有礼
貌。Tā duì shéi dōu hěn yǒu lǐmào. 例我从来没见过那么~的主人。
Wǒ cónglái méi jiànguo nàme ~ de zhǔrén. |他们一见面，先说了
很多~话。Tāmen yí jiànmiàn, xiān shuōle hěn duō ~ huà. |他
地拒绝了大家的请求。Tā ~ de jùjuéle dàjiā de qǐngqiú. |经理客客
气气地请我坐下，又端来了一杯水。Jīnglǐ kèkeqiqi de qǐng wǒ
zuòxia, yòu duānlaile yì bēi shuǐ. |我们都是老朋友了，就不要~
了。Wǒmen dōu shì lǎopéngyou le, jiù búyào ~ le. |他一点ㄦ也不
~，坐下来就吃。Tā yìdiǎnr yě bú ~, zuò xialai jiù chī.

kèqi 客气²（客氣）[动]

他们~了几句，就开始正式谈话了。Tāmen ~ le jǐ jù, jiù kāishǐ
zhèngshì tánhuà le. →他们先说了几句礼貌的话，就开始正式谈话
了。Tāmen xiān shuōle jǐ jù lǐmào de huà, jiù kāishǐ zhèngshì tánhuà
le. 例我们都是老朋友了，还~什么。Wǒmen dōu shì lǎopéngyou
le, hái ~ shénme. |大卫跟主人~了一会ㄦ，就坐下了。Dàwèi
gēn zhǔrén ~ le yíhuìr, jiù zuòxia le. |第一次见面，大家免不了先
~ ~。Dì yī cì jiànmiàn, dàjiā miǎn bu liǎo xiān ~ ~ . |我们又不是
刚认识，你怎么~起来了？Wǒmen yòu bú shì gāng rènshi, nǐ
zěnme ~ qilai le?

kèrén 客人 [名]

你是我们的~，我们听你的。Nǐ shì wǒmen de ~, wǒmen tīng nǐ
de. →你是我们请来的，我们听你的意见。Nǐ shì wǒmen qǐnglái
de, wǒmen tīng nǐ de yìjiàn. 例家里有~，我离不开。Jiāli yǒu ~,
wǒ lí bu kāi. |既然你们住在这个饭店，就是我们的~。Jìrán nǐmen
zhù zài zhèige fàndiàn, jiù shì wǒmen de ~. |公司来了几位外国
~，你去当翻译吧。Gōngsī láile jǐ wèi wàiguó ~, nǐ qù dāng fānyì
ba. |我们中午想请~们一起吃饭。Wǒmen zhōngwǔ xiǎng qǐng ~
men yìqǐ chīfàn. |~的行李还没有到，我们再等一会ㄦ吧。~ de
xíngli hái méiyǒu dào, wǒmen zài děng yíhuìr ba.

kè 课¹ （課）［名］

今天上午没 ~ 。Jīntiān shàngwǔ méi ~ . →今天上午我们不用去学校。Jīntiān shàngwǔ wǒmen búyòng qù xuéxiào. **例**上午的 ~ 改在下午了。Shàngwǔ de ~ gǎi zài xiàwǔ le. | 我们上午八点钟开始上 ~ 。Wǒmen shàngwǔ bā diǎnzhōng kāishǐ shàng ~ . | 除了周末以外，我们每天都有 ~ 。Chúle zhōumò yǐwài, wǒmen měi tiān dōu yǒu ~ . | 我们一星期有20节 ~ 。Wǒmen yì xīngqī yǒu èrshí jié ~ . | 我今天有两节计算机~ 。Wǒ jīntiān yǒu liǎng jié jìsuànjī ~ .

kè 课² （課）［名］

老师今天讲第六 ~ 。Lǎoshī jīntiān jiǎng dì liù ~ . →老师今天讲课本中的第六部分。Lǎoshī jīntiān jiǎng kèběn zhōng de dì liù bùfen. **例**这本书一共有20 ~ 。Zhèi běn shū yígòng yǒu èrshí ~ . | 每讲完一 ~ ，就有一次考试。Měi jiǎngwán yí ~ , jiù yǒu yí cì kǎoshì. | 讲完第十 ~ ，我们就放假了。Jiǎngwán dì shí ~ , wǒmen jiù fàngjià le. | 这本教材哪一 ~ 都不容易。Zhèi běn jiàocái něi yí ~ dōu bù róngyì. | 每一 ~ 后面都有很多练习。Měi yí ~ hòumiàn dōu yǒu hěn duō liànxí.

kèwén 课文（課文）［名］

老师讲~讲得很好。Lǎoshī jiǎng ~ jiǎng de hěn hǎo. →老师把我们要学习的文章讲得很好。Lǎoshī bǎ wǒmen yào xuéxí de wénzhāng jiǎng de hěn hǎo. **例**我们学完一篇 ~ 后，要念三遍。Wǒmen xuéwán yì piān ~ hòu, yào niàn sān biàn. | 这两篇~有点儿难，我看不懂。Zhèi liǎng piān ~ yǒudiǎnr nán, wǒ kàn bu dǒng. | 我觉得~的内容很容易理解。Wǒ juéde ~ de nèiróng hěn róngyì lǐjiě. | 课本中每篇~后面都有练习。Kèběn zhōng měi piān ~ hòumiàn dōu yǒu liànxí. | ~里有几个句子我看不懂。~ li yǒu jǐ ge jùzi wǒ kàn bu dǒng.

ken

kěn 肯 ［助动］

我想借他的车，又怕他不 ~ 。Wǒ xiǎng jiè tā de chē, yòu pà tā bù ~ . →我怕他不愿意借给我。Wǒ pà tā bú yuànyì jiè gěi wǒ. **例**来这儿工作很辛苦，他 ~ 吗？Lái zhèr gōngzuò hěn xīnkǔ, tā ~ ma? | 只要你 ~ 努力，汉语水平就会提高。Zhǐyào nǐ ~ nǔlì, Hànyǔ

K

shuǐpíng jiù huì tígāo. | 我很丑，你～嫁给我吗？Wǒ hěn chǒu, nǐ ～ jià gěi wǒ ma? | 我说什么他都不～来。Wǒ shuō shénme tā dōu bù ～ lái.

kěndìng 肯定[1] ［动］

经理～了我们的做法。Jīnglǐ ～ le wǒmen de zuòfǎ. →经理认为我们的做法是对的。Jīnglǐ rènwéi wǒmen de zuòfǎ shì duì de. 例这种说法早就被人们～了。Zhèi zhǒng shuōfa zǎo jiù bèi rénmen ～ le. | 我们应当～他们的成绩，指出他们的错误。Wǒmen yīngdāng ～ tāmen de chéngjì, zhǐchū tāmen de cuòwù. | 他说得对的地方我们应当给予。Tā shuō de duì de dìfang wǒmen yīngdāng jǐyǔ ～. | 我敢～，他们去看电影了。Wǒ gǎn ～, tāmen qù kàn diànyǐng le. | 对于我们的看法，领导没有～过。Duìyú wǒmen de kànfǎ, lǐngdǎo méiyǒu ～ guo.

kěndìng 肯定[2] ［形］

去还是不去，请你做个～的回答。Qù háishì bú qù, qǐng nǐ zuò ge ～ de huídá. →请你明确说出来是去还是不去。Qǐng nǐ míngquè shuō chulai shì qù háishì bú qù. 例他说得十分～，我也就相信了。Tā shuō de shífēn ～, wǒ yě jiù xiāngxìn le. | 我可以～地告诉你，我不喜欢打篮球。Wǒ kěyǐ ～ de gàosu nǐ, wǒ bù xǐhuan dǎ lánqiú. | 他说话的语气非常～，所以是不会改变的。Tā shuōhuà de yǔqì fēicháng ～, suǒyǐ shì bú huì gǎibiàn de. | 他说得不～，可能来也可能不来。Tā shuō de bù ～, kěnéng lái yě kěnéng bù lái.

kěndìng 肯定[3] ［副］

他是我的好朋友，有困难他～帮我。Tā shì wǒ de hǎo péngyou, yǒu kùnnan tā ～ bāng wǒ. →我相信这一点。Wǒ xiāngxìn zhèi yì diǎn. 例他对这里很熟悉，～来过这里。Tā duì zhèlǐ hěn shúxī, ～ láiguo zhèlǐ. | 这么简单的问题，他～知道怎么回答。Zhème jiǎndān de wèntí, tā ～ zhīdao zěnme huídá. | 他看起来年纪很小，～不是大学生。Tā kàn qilai niánjì hěn xiǎo, ～ bú shì dàxuéshēng. | 这部电影很受欢迎，～好看。Zhèi bù diànyǐng hěn shòu huānyíng, ～ hǎokàn.

kong

kōng 空 ［形］

这个箱子是～的，里面的东西已经全拿出来了。Zhèige xiāngzi shì

~ de, lǐmiàn de dōngxi yǐjing quán ná chulai le. →箱子里面没有东西。Xiāngzi lǐmiàn méiyǒu dōngxi.例冰箱是 ~ 的，里面什么也没有。Bīngxiāng shì ~ de, lǐmiàn shénme yě méiyǒu. | 我们喝得很快，一会儿酒瓶就 ~ 了。Wǒmen hē de hěn kuài, yíhuìr jiǔpíng jiù ~ le. | 我没吃早饭，肚子里 ~ ~ 的。Wǒ méi chī zǎofàn, dùzi li ~ ~ de. | 他要搬家，需要一些 ~ 盒子。Tā yào bānjiā, xūyào yìxiē ~ hézi. | 他的房间已经搬 ~ 了，什么也没留下。Tā de fángjiān yǐjing bān ~ le, shénme yě méi liúxià.

kōngjiān 空间（空間）[名]

箱子里只放了几本书，还有不少 ~ 。Xiāngzi li zhǐ fàngle jǐ běn shū, hái yǒu bùshǎo ~ . →箱子里还有不少可以放东西的地方。Xiāngzi li hái yǒu bùshǎo kěyǐ fàng dōngxi de dìfang. 例房间里家具不多，还有很大的 ~ 。Fángjiān li jiājù bù duō, hái yǒu hěn dà de ~ . | 随着人口的增加，动物的生活 ~ 越来越小。Suízhe rénkǒu de zēngjiā, dòngwù de shēnghuó ~ yuèláiyuè xiǎo. | 汽车里 ~ 不大，放不了多少东西。Qìchē li ~ bú dà, fàng bu liǎo duōshao dōngxi.

kōngqì 空气（空氣）[名]

屋子里有人在抽烟，~ 不好。Wūzi li yǒu rén zài chōuyān, ~ bù hǎo. →我们呼吸的气体不好。Wǒmen hūxī de qìtǐ bù hǎo. 例这个地区很少下雨，~ 十分干燥。Zhèige dìqū hěn shǎo xià yǔ, ~ shífēn gānzào. | 把窗户打开，让外边的新鲜 ~ 进来。Bǎ chuānghu dǎkāi, ràng wàibian de xīnxiān ~ jìnlai. | 汽车是这个城市 ~ 污染的主要原因。Qìchē shì zhèige chéngshì ~ wūrǎn de zhǔyào yuányīn. | 森林里的 ~ 质量比大城市好多了。Sēnlín li de ~ zhìliàng bǐ dà chéngshì hǎoduō le.

kōngqián 空前 [形]

现在科学发展的速度是 ~ 的。Xiànzài kēxué fāzhǎn de sùdù shì ~ de. →以前从来没有发展得这么快。Yǐqián cónglái méiyǒu fāzhǎn de zhème kuài. 例这次会议的规模是 ~ 的，参加人数超过了过去任何一年。Zhèi cì huìyì de guīmó shì ~ de, cānjiā rénshù chāoguòle guòqù rènhé yì nián. | 这场 ~ 的灾难使人们遭受了巨大的损失。Zhèi cháng ~ de zāinàn shǐ rénmen zāoshòule jùdà de sǔnshī. | 最近十年的经济 ~ 繁荣。Zuìjìn shí nián de jīngjì ~ fánróng.

kōngtiáo 空调（空調）[名]

他的房间有 ~ ，所以不热。Tā de fángjiān yǒu ~ , suǒyǐ bú rè. →

那是一种可以改变房间温度的机器。Nà shì yì zhǒng kěyǐ gǎibiàn fángjiān wēndù de jīqì. **例**你那么怕热，就在房间里装一台 ~ 吧。Nǐ nàme pà rè, jiù zài fángjiān li zhuāng yì tái ~ ba. |冬天，汽车里开着 ~ 很暖和。Dōngtiān, qìchē li kāizhe ~ hěn nuǎnhuo. |你房间的 ~ 开得太冷了，小心感冒。Nǐ fángjiān de ~ kāi de tài lěng le, xiǎoxīn gǎnmào. |现在房间里不热，把 ~ 关上吧。Xiànzài fángjiān li bú rè, bǎ ~ guānshàngba. |这台 ~ 的质量很好，几乎没有什么声音。Zhèi tái ~ de zhìliàng hěn hǎo, jīhū méiyǒu shénme shēngyīn.

kōngzhōng 空中 [名]

飞机离开了地面，升到了 ~。Fēijī líkāile dìmiàn, shēngdàole ~. → 飞机飞到了天上。Fēijī fēidàole tiānshàng. **例**一个大气球飞到了 ~。Yí ge dà qìqiú fēidàole ~. |下雪了，~ 飘着雪花。Xià xuě le, ~ piāozhe xuěhuā. |雨从 ~ 落到了地上。Yǔ cóng ~ luò dàole dìshang. |鸟儿在 ~ 飞来飞去。Niǎor zài ~ fēi lái fēi qù.

kǒng 孔 [名]

门上有个小 ~，从屋里可以看见外面的情况。Mén shang yǒu ge xiǎo ~, cóng wū li kěyǐ kànjiàn wàimiàn de qíngkuàng. → 门上有个小洞。Mén shang yǒu ge xiǎodòng. **例**树上有几个虫子咬的 ~。Shù shang yǒu jǐ ge chóngzi yǎo de ~. |我衣服上的 ~ 是我抽烟时不小心烧的。Wǒ yīfu shang de ~ shì wǒ chōuyān shí bù xiǎoxīn shāo de. |汗从皮肤上的小 ~ 里冒了出来。Hàn cóng pífū shang de xiǎo ~ li màole chulai.

kǒngpà 恐怕 [副]

天这么阴，~ 要下雨。Tiān zhème yīn, ~ yào xià yǔ. → 大概要下雨。Dàgài yào xià yǔ. **例**他感冒了，~ 不会参加晚会。Tā gǎnmào le, ~ bú huì cānjiā wǎnhuì. |这个消息 ~ 是真的，连报纸上也这么说。Zhèige xiāoxi ~ shì zhēnde, lián bàozhǐ shang yě zhème shuō. |这个问题太难，~ 连老师也回答不了。Zhèige wèntí tài nán, ~ lián lǎoshī yě huídá bu liǎo. |今天这么冷，~ 他会呆在家里不出去。Jīntiān zhème lěng, ~ tā huì dāi zài jiāli bù chūqu.

kòng 空[1] [形]

这间房子一直 ~ 着，没人住。Zhèi jiān fángzi yìzhí ~ zhe, méi rén zhù. → 这间房子没有人使用。Zhèi jiān fángzi méiyǒu rén shǐyòng. **例**今天下午不断有人来打篮球，篮球场没 ~ 过。Jīntiān xiàwǔ búduàn yǒu rén lái dǎ lánqiú, lánqiúchǎng méi ~ guo. |公共汽车里没什么人，很 ~ 。Gōnggòng qìchē li méi shénme rén, hěn ~ . | 这儿有个没人坐的~座位。Zhèr yǒu ge méi rén zuò de ~ zuòwèi.

kòng 空² [动]

我把桌子~出来给你用。Wǒ bǎ zhuōzi ~ chulai gěi nǐ yòng. →我把桌子上的东西全拿走。Wǒ bǎ zhuōzi shang de dōngxi quán nǎzǒu. 例我 ~ 出了自己的房间给客人住。Wǒ ~ chūle zìjǐ de fángjiān gěi kèren zhù. |第一行别写字，~ 一行再写。Dì yī háng bié xiě zì, ~ yì háng zài xiě. |用汉语写文章，每一段的开头要~两格。Yòng Hànyǔ xiě wénzhāng, měi yí duàn de kāitóu yào ~ liǎng gé. |这间房子~两年多了，一直没人住。Zhèi jiān fángzi ~ liǎng nián duō le, yìzhí méi rén zhù.

kòngr 空儿（空兒）[名]

今天晚上我有 ~ ，可以去看你。Jīntiān wǎnshang wǒ yǒu ~ , kěyǐ qù kàn nǐ. →我今天晚上有时间，没什么特别的事。Wǒ jīntiān wǎnshang yǒu shíjiān, méi shénme tèbié de shì. 例我想请你去我家玩儿，你明天有 ~ 吗？Wǒ xiǎng qǐng nǐ qù wǒ jiā wánr, nǐ míngtiān yǒu ~ ma? |我太忙了，没 ~ 去看电影。Wǒ tài máng le, méi ~ qù kàn diànyǐng. |我有很多事要做，一点儿 ~ 也没有。Wǒ yǒu hěn duō shì yào zuò, yìdiǎnr ~ yě méiyǒu. |他今天忙得连吃午饭的 ~ 也没有。Tā jīntiān máng de lián chī wǔfàn de ~ yě méiyǒu.

kòngzhì 控制 [动]

博物馆太小，所以 ~ 每天的参观人数。Bówùguǎn tài xiǎo, suǒyǐ ~ měi tiān de cānguān rénshù. →博物馆不让参观的人数超过一定的范围。Bówùguǎn bú ràng cānguān de rénshù chāoguò yídìng de fànwéi. 例电影演员能很好地 ~ 自己的表情。Diànyǐng yǎnyuán néng hěn hǎo de ~ zìjǐ de biǎoqíng. |我每次喝啤酒都 ~ 在三瓶以内。Wǒ měi cì hē píjiǔ dōu ~ zài sān píng yǐnèi. |她 ~ 不住自己高兴的心情，大声笑了起来。Tā ~ bú zhù zìjǐ gāoxìng de xīnqíng, dàshēng xiàole qilai. |上课迟到的现象必须加以 ~ 。Shàngkè chídào de xiànxiàng bìxū jiāyǐ ~ .

kou

kǒu 口 [量]

用于家里的人。Yòngyú jiāli de rén. 例我家有五 ~ 人。Wǒ jiā yǒu

wǔ ~ rén . I过去，很多大家庭有十几~人。Guòqù, hěn duō dà
jiātíng yǒu shíjǐ ~ rén . I孩子出生了，家里又多了一~人。Háizi
chūshēng le, jiāli yòu duōle yì ~ rén . I他们家七~人住在一起。
Tāmen jiā qī ~ rén zhù zài yìqǐ . I他们一家三~都喜欢音乐。Tāmen
yì jiā sān ~ dōu xǐhuan yīnyuè .

kǒudai 口袋 [名]

我的衣服有 ~，可以放点儿东西。Wǒ de yīfu yǒu ~, kěyǐ fàng
diǎnr dōngxi . →我的衣服上有放东西的袋子。Wǒ de yīfu shang yǒu
fàng dōngxi de dàizi . 例这件衣服有两个 ~ . Zhèi jiàn yīfu yǒu liǎng
ge ~ . I我的上衣~很大，可以放下一本书。Wǒ de shàngyī ~
hěn dà, kěyǐ fàngxià yì běn shū . I我的衣服~破了，结果丢了钱
包。Wǒ de yīfu ~ pò le, jiéguǒ diūle qiánbāo . I天冷的时候，他总
是把手放在衣服~里。Tiān lěng de shíhou, tā zǒngshì bǎ shǒu fàng
zài yīfu ~ li .

kǒuhào 口号（口號）[名]

他们提出了"保护环境"的 ~。Tāmen tíchūle "bǎohù huánjìng" de
~ . →"保护环境"是他们对人们提出的号召。"Bǎohù huánjìng"
shì tāmen duì rénmen tíchū de hàozhào . 例我们的 ~是"要和平，
不要战争"。Wǒmen de ~ shì "yào hépíng, búyào zhànzhēng". I
人们一边走，一边喊~。Rénmen yìbiān zǒu, yìbiān hǎn ~ . I这次
活动我们提出了五条 ~。Zhèi cì huódòng wǒmen tíchūle wǔ tiáo ~ .

kǒuyǔ 口语（口語）[名]

玛丽的汉语 ~不错，但写文章不行。Mǎlì de Hànyǔ ~ búcuò, dàn
xiě wénzhāng bù xíng . →她说汉语说得不错，但写得还不好。Tā
shuō Hànyǔ shuō de búcuò, dàn xiě de hái bù hǎo . 例 ~ 中不说
"父亲"，说"爸爸"。~ zhōng bù shuō "fùqin", shuō "bàba". I ~
里常说这个词儿，写文章时一般不用。~ li cháng shuō zhèige cír,
xiě wénzhāng shí yìbān búyòng . I我喜欢上~课，可以练习说话。
Wǒ xǐhuan shàng ~ kè, kěyǐ liànxí shuōhuà . I你的~是怎么练的？
怎么这么好？Nǐ de ~ shì zěnme liàn de? Zěnme zhème hǎo?

kòu 扣[1] [动]

他上班迟到，被 ~了二十块钱。Tā shàngbān chídào, bèi ~ le èrshí
kuài qián . →本来应该给他一千块钱，现在只给他九百八十块钱。
Běnlái yīnggāi gěi tā yìqiān kuài qián, xiànzài zhǐ gěi tā jiǔbǎi bāshí

kuài qián. **例**上个月~了我五十块钱的水电费。Shàng ge yuè ~ le wǒ wǔshí kuài qián de shuǐdiànfèi. | 我买房子的钱要~二十年呢。Wǒ mǎi fángzi de qián yào ~ èrshí nián ne. | 银行一个月~我五百块，要~十年。Yínháng yí ge yuè ~ wǒ wǔbǎi kuài, yào ~ shí nián. | 我的钱交清了，现在不~了。Wǒ de qián jiāoqīng le, xiànzài bú ~ le.

kòu 扣² [动]

你把衣服的扣子都~好再出门吧。Nǐ bǎ yīfu de kòuzi dōu ~ hǎo zài chūmén ba. →请你把扣子套进扣眼儿里。Qǐng nǐ bǎ kòuzi tàojin kòuyǎnr li. **例**这孩子太小，还没学会~扣子呢。Zhè háizi tàixiǎo, hái méi xuéhuì ~ kòuzi ne. | 这件衣服的扣子太难~了，~了半天才~上。Zhèi jiàn yīfu de kòuzi tài nán ~ le, ~ le bàntiān cái ~ shang. | 我的鞋扣儿怎么~不上呀？Wǒ de xiékòur zěnme ~ bu shàng ya? | 他一边~着衣服扣儿一边往外走。Tā yìbiān ~ zhe yīfu kòur yìbiān wǎng wài zǒu.

kòuzi 扣子 [名]

例我的上衣有三颗~。Wǒ de shàngyī yǒu sān kē ~. | 他的衣服掉了一粒~。Tā de yīfu diàole yí lì ~. | 把大衣~扣上吧，小心着凉。Bǎ dàyī ~ kòushang ba, xiǎoxīn zháoliáng. | 天气太热，他就把衬衫的最上面一颗~解开了。Tiānqì tài rè, tā jiù bǎ chènshān de zuì shàngmiàn yì kē ~ jiěkāi le. | 这件衣服~的颜色太深了。Zhèi jiàn yīfu ~ de yánsè tài shēn le.

扣子

ku

kū 哭 [动]

家里的狗死了，孩子们都~了。Jiāli de gǒu sǐ le, háizimen dōu ~ le. →孩子们因为伤心流出了眼泪，有的还发出了声音。Háizimen yīnwèi shāngxīn liúchūle yǎnlèi, yǒude hái fāchūle shēngyīn. **例**她一听说朋友遇上了车祸就大声地~了。Tā yì tīngshuō péngyou yùshangle chēhuò jiù dàshēng de ~ le. | 父亲去世的时候她~得很伤心。Fùqin qùshì de shíhou tā ~ de hěn shāngxīn. | 她难过得~了起来。Tā nánguò de ~ le qilai. | 她~着告诉我她跟男朋友分手了。Tā ~ zhe gàosu wǒ tā gēn nánpéngyou fēnshǒu le.

kǔ 苦[1]　[形]

这杯没放糖的咖啡很~。Zhèi bēi méi fàng táng de kāfēi hěn ~.→咖啡没放糖，味道是苦的。Kāfēi méi fàng táng, wèidao shì kǔ de. |例咖啡太浓，有点儿~。Kāfēi tài nóng, yǒudiǎnr ~. |海水又咸又~。Hǎishuǐ yòu xián yòu ~. |茶里放了糖，一点儿也不~。Chá li fàngle táng, yìdiǎnr yě bù ~. |这种菜的味道本来就是~的，你别以为它坏了。Zhèi zhǒng cài de wèidao běnlái jiù shì ~ de, nǐ bié yǐwéi tā huài le. |这么~的药小孩子当然不愿意吃。Zhème ~ de yào xiǎoháizi dāngrán bú yuànyì chī. |肉烤焦了，有点儿发~。Ròu kǎojiāo le, yǒudiǎnr fā ~.

kǔ 苦[2]　[形]

这里自然条件不好，人们的生活很~。Zhèlǐ zìrán tiáojiàn bù hǎo, rénmen de shēnghuó hěn ~.→人们的生活很困难、很不好过。Rénmen de shēnghuó hěn kùnnan、hěn bù hǎo guò. |例他每天都吃不饱，生活~得不得了。Tā měi tiān dōu chī bu bǎo, shēnghuó ~ de bùdéliǎo. |他家终于富裕起来了，不用再过~日子了。Tā jiā zhōngyú fùyù qilai le, búyòng zài guò ~ rìzi le. |他的一辈子过得太~了，没享受过几天轻松的日子。Tā de yíbèizi guò de tài ~ le, méi xiǎngshòuguo jǐ tiān qīngsōng de rìzi.

kùzi 裤子（褲子）　[名]

例他穿着一条黑~。Tā chuānzhe yì tiáo hēi ~. |他脱下旧~，换了条新的。Tā tuōxia jiù ~, huànle tiáo xīn de. |她今天穿的是裙子，不是~。Tā jīntiān chuān de shì qúnzi, bú shì ~. |这条~太长了，你穿不合适。Zhèi tiáo ~ tài cháng le, nǐ chuān bù héshì. |这种~是骑马的时候穿的。Zhèi zhǒng ~ shì qí mǎ de shíhou chuān de. |我吃饭时不小心把汤洒在了~上。Wǒ chīfàn shí bù xiǎoxīn bǎ tāng sǎ zàile ~ shang. |这条~的口袋破了。Zhèi tiáo ~ de kǒudài pò le.

裤子

kua

kuā 夸（誇）　[动]

他做了好事，大家都~他。Tā zuòle hǎo shì, dàjiā dōu ~ tā.→大

家都说他好。Dàjiā dōu shuō tā hǎo. **例**我要～～这个又聪明又努力的年轻人。Wǒ yào ～ ～ zhèige yòu cōngming yòu nǔlì de niánqīngrén. ｜朋友们都～她漂亮。Péngyoumen dōu ～ tā piàoliang. ｜老师～我的孩子学习认真。Lǎoshī ～ wǒ de háizi xuéxí rènzhēn. ｜我一到朋友的新家就～起他的房子来。Wǒ yí dào péngyou de xīn jiā jiù ～ qǐ tā de fángzi lai. ｜我～了他几句，他很高兴。Wǒ ～ le tā jǐ jù, tā hěn gāoxìng. ｜大家都在说他的优点，把他～得脸都红了。Dàjiā dōu zài shuō tā de yōudiǎn, bǎ tā ～ de liǎn dōu hóng le.

kuà 跨 [动]

地上有一些水，我从上面～了过去。Dìshang yǒu yìxiē shuǐ, wǒ cóng shàngmiàn ～ le guoqu. →我走了一大步，从有水的地方上面过去。Wǒ zǒule yí dà bù, cóng yǒu shuǐ de dìfang shàngmiàn guòqu. **例**我走得很着急，一下儿就～过了好几级楼梯。Wǒ zǒu de hěn zháojí, yíxiàr jiù ～ guole hǎojǐ jí lóutī. ｜他一步从床上～到了地下。Tā yí bù cóng chuáng shang ～ dàole dìxia. ｜这条小河挺宽的，我可不过去。Zhèi tiáo xiǎohé tǐng kuān de, wǒ kě ～ bu guòqù.

kuai

kuài 块¹（塊）[量]

用于石头、手表、糖、蛋糕、饼干等东西。Yòngyú shítou、shǒubiǎo、táng、dàngāo、bǐnggān děng dōngxi. **例**这儿手表很好看。Zhèi ～ r shǒubiǎo hěn hǎokàn. ｜那几～儿饼干就是她的早饭。Nà jǐ ～ r bǐnggān jiù shì tā de zǎofàn. ｜她往咖啡里放了两～儿糖。Tā wǎng kāfēi li fàngle liǎng ～ r táng. ｜他递给我一大～儿蛋糕。Tā dì gěi wǒ yí dà ～ r dàngāo. ｜这些石头～儿～儿都很大。Zhèixiē shítou ～ r ～ r dōu hěn dà. ｜她把地上的石头一～儿一～儿地捡了起来。Tā bǎ dìshang de shítou yí ～ r yí ～ r de jiǎnle qilai.

kuài 块²（塊）[量]

用于钱，一块钱就是一元钱。Yòngyú qián, yí kuài qián jiù shì yì yuán qián. **例**从这儿坐公共汽车到火车站只要一～钱。Cóng zhèr zuò gōnggòng qìchē dào huǒchēzhàn zhǐ yào yí ～ qián. ｜她买这件衣服花了好几百～钱。Tā mǎi zhèi jiàn yīfu huāle hǎojǐ bǎi ～ qián. ｜葡萄多少钱一斤？——两～。Pútao duōshao qián yì jīn? ——Liǎng kuài. |这本书很便宜，才三~五。Zhèi běn shū hěn piányi, cái sān ~ wǔ. |我今天一共买了二百多~钱的东西。Wǒ jīntiān yígòng mǎile èrbǎi duō ~ qián de dōngxi.

kuài 快[1] [形]

他跑步比我~，我追不上他。Tā pǎobù bǐ wǒ ~, wǒ zhuī bu shàng tā. →要是跑一样远的距离，他花的时间比我短。Yàoshi pǎo yíyàng yuǎn de jùlí, tā huā de shíjiān bǐ wǒ duǎn. 例飞机比火车~得多。Fēijī bǐ huǒchē ~ de duō. |他急着去上班，所以~~地吃完了早饭。Tā jízhe qù shàngbān, suǒyǐ ~ ~ de chīwánle zǎofàn. |你再等一会儿，他很~就会来的。Nǐ zài děng yíhuìr, tā hěn ~ jiù huì lái de. |参加比赛的那些汽车开得太~了！Cānjiā bǐsài de nèixiē qìchē kāi de tài ~ le! |我们走~点儿吧，我可不想迟到。Wǒmen zǒu ~ diǎnr ba, wǒ kě bù xiǎng chídào.

kuài 快[2] [副]

你~出发吧，要不就赶不上火车了。Nǐ ~ chūfā ba, yàobu jiù gǎnbushàng huǒchē le. →你最好马上出发。Nǐ zuìhǎo mǎshàng chūfā. 例大家~回去睡觉吧，明天早点儿起来。Dàjiā ~ huíqu shuìjiào ba, míngtiān zǎo diǎnr qǐlai. |你有什么好消息就~说，别让我着急。Nǐ yǒu shénme hǎo xiāoxi jiù ~ shuō, bié ràng wǒ zháojí. |你~别喝水了，先去开门吧。Nǐ ~ bié hē shuǐ le, xiān qù kāimén ba. |~停下来，前边路上有人！~ tíng xialai, qiánbian lù shang yǒu rén!

kuài 快[3] [副]

现在是九点五十，~十点了。Xiànzài shì jiǔ diǎn wǔshí, ~ shí diǎn le. →再过不久就到十点了。Zài guò bùjiǔ jiù dào shí diǎn le. 例他今年四十九岁，~五十岁了。Tā jīnnián sìshíjiǔ suì, ~ wǔshí suì le. |他~结婚了，时间就安排在下个星期六。Tā ~ jié hūn le, shíjiān jiù ānpái zài xià ge Xīngqīliù. |~下雨了，你最好带把伞出去。~ xià yǔ le, nǐ zuìhǎo dài bǎ sǎn chūqu. |我问他什么时候下班，他说："~了，还有一会儿。"Wǒ wèn tā shénme shíhou xiàbān, tā shuō: "~ le, hái yǒu yíhuìr." |银行~关门的时候我才赶到那儿。Yínháng ~ guān mén de shíhou wǒ cái gǎndào nàr.

kuàilè 快乐(快樂) [形]

跟朋友们在一起，我很~。Gēn péngyoumen zài yìqǐ, wǒ hěn ~.

→我的心情很好。Wǒ de xīnqíng hěn hǎo. **例**她找到了满意的工作，非常~。Tā zhǎodàole mǎnyì de gōngzuò, fēicháng ~. | 大家祝他生日~。Dàjiā zhù tā shēngri ~. | 大卫是个~的年轻人，总是有说有笑的。Dàwèi shì ge ~ de niánqīngrén, zǒngshì yǒu shuō yǒu xiào de. | 孩子收到了很多礼物，~地笑了。Háizi shōudàole hěn duō lǐwù, ~ de xiào le. | 周末他去参加了一个晚会，过得很~。Zhōumò tā qù cānjiāle yí ge wǎnhuì, guò de hěn ~.

kuàizi 筷子 [名]

chopsticks **例**请给我一双~。Qǐng gěi wǒ yì shuāng ~. | 中国人发明了~。Zhōngguórén fāmíngle ~. | 这双~是竹子做的。Zhèi shuāng ~ shì zhúzi zuò de. | 这两只~不是一双，一只长一只短。Zhèi liǎng zhī ~ bú shì yì shuāng, yì zhī cháng yì zhī duǎn. | 我的~有一根掉到地下，弄脏了。Wǒ de ~ yǒu yì gēn diàodào dìxia, nòngzāng le. | 大卫好不容易学会了用~吃饭。Dàwèi hǎo bù róngyì xuéhuìle yòng ~ chīfàn.

kuan

kuān 宽(寬) [形]

这条河很~，坐船过河要一刻钟。Zhèi tiáo hé hěn ~, zuò chuán guò hé yào yí kèzhōng. →从河这边到河对面之间的距离很长。Cóng hé zhèibian dào hé duìmiàn zhījiān de jùlí hěn cháng. **例**这条马路不太~，经常堵车。Zhèi tiáo mǎlù bú tài ~, jīngcháng dǔ chē. | 这条大街比那条小街~多了。Zhèi tiáo dàjiē bǐ nèitiáo xiǎojiē ~ duō le. | 我需要一张~一点儿的桌子放电脑。Wǒ xūyào yì zhāng ~ yìdiǎnr de zhuōzi fàng diànnǎo. | 这个商店的门做得很~，几个人同时进去也没问题。Zhèige shāngdiàn de mén zuò de hěn ~, jǐ ge rén tóngshí jìnqu yě méi wèntí.

kuǎn 款 [名]

我在银行还有一些存~。Wǒ zài yínháng hái yǒu yìxiē cún ~. →银行里我还有一些钱。Yínháng li wǒ hái yǒu yìxiē qián. **例**明天我要去交买房~。Míngtiān wǒ yào qù jiāo mǎi fáng ~. | 请您到东边的柜台取~。Qǐng nín dào dōngbian de guìtái qù ~. | 这么多现~，放在手里不安全。Zhème duō xiàn ~, fàng zài shǒu li bù ānquán. | 买衣服是在这儿交~吗？Mǎi yīfu shì zài zhèr jiāo ~ ma? | 我给你寄的~收到了没有？Wǒ gěi nǐ jì de ~ shōudàole méiyǒu?

kuang

kuàng kè 旷课（曠課）

今天这个学生 ~ 了，老师也不知道他为什么没来。Jīntiān zhèige xuésheng ~ le, lǎoshī yě bù zhīdào tā wèi shénme méi lái. →他今天没来上课，而且没请假。Tā jīntiān méi lái shàngkè, érqiě méi qǐngjià. 例最近那个学生忙着打工，经常 ~ 。Zuìjìn nèige xuésheng mángzhe dǎgōng, jīngcháng ~ . | 她是个好学生，从来没旷过一次课。Tā shì ge hǎo xuésheng, cónglái méi kuàngguo yí cì kè. | 这孩子旷了一天课，学校打电话告诉了他的父亲。Zhèi háizi kuàngle yì tiān kè, xuéxiào dǎ diànhuà gàosule tā de fùqin. | 他今天上午 ~ 的原因是睡得太晚，没起来床。Tā jīntiān shàngwǔ ~ de yuányīn shì shuì de tài wǎn, méi qǐlái chuáng.

kuàng 矿（礦）[名]

mine 例这座 ~ 对当地的经济很重要。Zhèi zuò ~ duì dāngdì de jīngjì hěn zhòngyào. | 这个煤 ~ 每年都生产出很多煤。Zhèige méi ~ měi nián dōu shēngchǎn chū hěn duō méi. | 人们在这个地区建了一座新 ~ 。Rénmen zài zhèige dìqū jiàn le yí zuò xīn ~ . | 他一直在一个 ~ 里工作。Tā yìzhí zài yí ge ~ li gōngzuò.

kun

kǔn 捆 [动]

bundle up; bind 例他在用绳子 ~ 书。Tā zài yòng shéngzi ~ shū. | 他担心行李松开，正在 ~ 行李。Tā dānxīn xíngli sōngkāi, zhèngzài ~ xíngli. | 书 ~ 得不紧，容易散开，最好再 ~ 一下儿。Shū ~ de bù jǐn, róngyì sǎnkāi, zuìhǎo zài ~ yíxiàr. | 孩子把家里的旧杂志、旧报纸 ~ 好拿去卖。Háizi bǎ jiāli de jiù zázhì、jiù bàozhǐ ~ hǎo náqu mài. | 大卫把所有的书都 ~ 了起来，准备搬家。Dàwèi bǎ suǒyǒu de shū dōu ~ le qilai, zhǔnbèi bānjiā. | 他把箱子紧紧地 ~ 在自行车上骑回了家。Tā bǎ xiāngzi jǐnjǐn de ~ zài zìxíngchē shang qíhuíle jiā.

kùn 困（睏）[形]

他昨天晚上只睡了三个小时，所以今天很 ~ 。Tā zuótiān wǎnshang zhǐ shuìle sān ge xiǎoshí, suǒyǐ jīntiān hěn ~ . →他今天很想睡觉。Tā jīntiān hěn xiǎng shuìjiào. 例我早上五点就起床了，现在有点儿 ~ 。Wǒ zǎoshang wǔ diǎn jiù qǐchuáng le, xiànzài yǒudiǎnr ~ . | 都

这么晚了，你不～吗？Dōu zhème wǎn le, nǐ bú ～ ma？ | 你要是～了就去睡觉吧。Nǐ yàoshi ～ le jiù qù shuìjiào ba. | 他已经～得连眼睛都睁不开了。Tā yǐjing ～ de lián yǎnjing dōu zhēng bu kāi le.

kùnnan 困难[1]（困難）[名]

在国外生活～一定很多。Zài guówài shēnghuó ～ yídìng hěn duō. →复杂的、难办的事情很多。Fùzá de、nán bàn de shìqing hěn duō. 例要在一天里做完这么多事情，～是很大的。Yào zài yì tiān li zuòwán zhème duō shìqing, ～ shì hěn dà de. | 他的脚受了伤，走路有～。Tā de jiǎo shòu le shāng, zǒulù yǒu ～. | 科学家在研究中遇到了不少～。Kēxuéjiā zài yánjiū zhōng yùdàole bùshǎo ～. | 只要不断地努力，再大的～也能克服。Zhǐyào búduàn de nǔlì, zài dà de ～ yě néng kèfú.

kùnnan 困难[2]（困難）[形]

她力气不大，拿这么重的箱子很～。Tā lìqi bú dà, ná zhème zhòng de xiāngzi hěn ～. →这对她来说很不容易做到。Zhè duì tā láishuō hěn bù róngyì zuòdào. 例要改变自己长期以来养成的习惯是非常～的。Yào gǎibiàn zìjǐ chángqī yǐlái yǎngchéng de xíguàn shì fēicháng ～ de. | 他今天嗓子疼，说话很～。Tā jīntiān sǎngzi téng, shuōhuà hěn ～. | 他非常聪明，学好汉语对他来说不是一件～的事儿。Tā fēicháng cōngming, xuéhǎo Hànyǔ duì tā láishuō bú shì yí jiàn ～ de shìr. | 由于经济出现了问题，找工作变得～起来。Yóuyú jīngjì chūxiànle wèntí, zhǎo gōngzuò biàn de ～ qilai.

kùnnan 困难[3]（困難）[形]

他家没有钱，生活很～。Tā jiā méiyǒu qián, shēnghuó hěn ～. →他家连吃饭、穿衣都有问题。Tā jiā lián chīfàn、chuān yī dōu yǒu wèntí. 例这个地区没有水没有电，生活条件十分～。Zhèige dìqū méiyǒu shuǐ méiyǒu diàn, shēnghuó tiáojiàn shífēn ～. | 他以前很穷，最～的时候连看病都看不起。Tā yǐqián hěn qióng, zuì ～ de shíhou lián kànbìng dōu kàn bu qǐ. | 全家都靠父亲那一点儿工资生活，日子过得很～。Quán jiā dōu kào fùqin nèi yìdiǎnr gōngzī shēnghuó, rìzi guò de hěn ～.

K

kuo

kuòdà 扩大（擴大）[动]

广告～了产品的影响。Guǎnggào ～ le chǎnpǐn de yǐngxiǎng. →广告

使产品的影响变大了。Guǎnggào shǐ chǎnpǐn de yǐngxiǎng biàndà le.

例 为了了解更多的情况，研究人员 ~ 了调查的范围。Wèile liǎojiě gèng duō de qíngkuàng, yánjiū rényuán ~ le diàochá de fànwéi. | 由于产品很受欢迎，这家工厂的生产规模 ~ 了。Yóuyú chǎnpǐn hěn shòu huānyíng, zhèi jiā gōngchǎng de shēngchǎn guīmó ~ le. | 随着经济的发展，城市的面积比十年前 ~ 了几倍。Suízhe jīngjì de fāzhǎn, chéngshì de miànjī bǐ shí nián qián ~ le jǐ bèi.

L

la

lā 拉 [动]

他伸手～我，想让我跟他一起走。Tā shēnshǒu ～ wǒ, xiǎng ràng wǒ gēn tā yìqǐ zǒu. →他抓住我，使我向他的方向移动。Tā zhuāzhù wǒ, shǐ wǒ xiàng tā de fāngxiàng yídòng. **例**爬山的时候我在前面～后边的同学。Pá shān de shíhou wǒ zài qiánmiàn ～ hòubian de tóngxué. |我～开抽屉找我的钢笔。Wǒ ～ kāi chōutì zhǎo wǒ de gāngbǐ. |要不是我～住她，她就滑倒了。Yào bu shì wǒ ～zhù tā, tā jiù huádǎo le. |我坐在地上，他伸手把我～了起来。Wǒ zuò zài dìshang, tā shēnshǒu bǎ wǒ ～ le qilai.

lājī 垃圾 [名]

晚会结束后，房间里有很多～。Wǎnhuì jiéshù hòu, fángjiān li yǒu hěn duō ～. →房间里有很多应该扔掉的东西，像包食品的纸、空酒瓶和一些脏东西。Fángjiān li yǒu hěn duō yīnggāi rēngdiào de dōngxi, xiàng bāo shípǐn de zhǐ、kōng jiǔpíng hé yìxiē zāng dōngxi. **例**好几天没打扫房间了，家里有不少～。Hǎojǐ tiān méi dǎsǎo fángjiān le, jiāli yǒu bùshǎo ～. |请别把～倒在这ㄦ。Qǐng bié bǎ ～ dào zài zhèr. |郊区建立了一座处理～的工厂。Jiāoqū jiànlìle yí zuò chǔlǐ ～ de gōngchǎng. |城市～越来越多。Chéngshì ～ yuèlaiyuè duō. |减少～的数量对环境有好处。Jiǎnshǎo ～ de shùliàng duì huánjìng yǒu hǎochù.

la 啦¹ [助]

我们到家～。Wǒmen dào jiā ～. →这句话和"我们到家了"意思一样，但语气更强。Zhèi jù huà hé "wǒmen dào jiā le" yìsi yíyàng, dàn yǔqì gèng qiáng. **例**真没想到，她已经结婚～。Zhēn méi xiǎngdào, tā yǐjing jiéhūn ～. |时间过得真快，我的孩子都十岁～。Shíjiān guò de zhēn kuài, wǒ de háizi dōu shí suì ～. |大卫答应把汽车借给我～! Dàwèi dāying bǎ qìchē jiè gěi wǒ ～! |就要上课～，大家快走。Jiù yào shàngkè ～, dàjiā kuài zǒu. |你今天喝酒喝得太多，别再喝～。Nǐ jīntiān hē jiǔ hē de tài duō, bié zài hē ～. |这台电脑可贵～，我买不起。Zhèi tái diànnǎo kě guì ～, wǒ mǎi bu qǐ.

la 啦² [助]

我有很多朋友，大卫～，玛丽～，安娜～，都经常见面。Wǒ yǒu hěn duō péngyou, Dàwèi ～, Mǎlì ～, Ānnà ～, dōu jīngcháng jiànmiàn. 例他的冰箱里东西不少，面包～，牛奶～，水果～，啤酒～，放得满满的。Tā de bīngxiāng li dōngxi bùshǎo, miànbāo ～, niúnǎi ～, shuǐguǒ ～, píjiǔ ～, fàng de mǎnmǎn de. | 她爱好运动，打球～，跑步～，游泳～，她都喜欢。Tā àihào yùndòng, dǎqiú ～, pǎobù ～, yóuyǒng ～, tā dōu xǐhuan. | 我今天只想在家里休息，什么跳舞～，上酒吧～，看电影～，我都没兴趣。Wǒ jīntiān zhǐ xiǎng zài jiāli xiūxi, shénme tiàowǔ ～, shàng jiǔbā ～, kàn diànyǐng ～, wǒ dōu méi xìngqù.

lái

lái 来¹ （來） [动]

大卫今天要～我家。Dàwèi jīntiān yào ～ wǒ jiā. →我在家里，他要从别的地方到我所在的地方。Wǒ zài jiāli, tā yào cóng biéde dìfang dào wǒ suǒ zài de dìfang. 例我以前～过这儿，对这儿比较熟悉。Wǒ yǐqián ～ guo zhèr, duì zhèr bǐjiào shúxī. | 我在公园里等了她半个小时她才～。Wǒ zài gōngyuán li děngle tā bàn ge xiǎoshí tā cái ～. | 前边～了几个人。Qiánbian ～ le jǐ ge rén. | 大卫让我告诉你，他今天有事，～不了。Dàwèi ràng wǒ gàosu nǐ, tā jīntiān yǒu shì, ～ bu liǎo. | 我们～得太早了，别的人一个也没有。Wǒmen ～ de tài zǎo le, biéde rén yí ge yě méiyǒu. | 我不知道他是从哪个国家～的留学生。Wǒ bù zhīdào tā shì cóng nǎige guójiā ～ de liúxuéshēng.

láizì 来自（來自） [动]

那个留学生～日本。Nèige liúxuéshēng ～ Rìběn. →他是从日本来的。Tā shì cóng Rìběn lái de. 例他们俩～一个地方。Tāmen liǎ ～ yí ge dìfang. | 这个消息～政府部门。Zhèige xiāoxi ～ zhèngfǔ bùmén. | 参加这次比赛的运动员～世界各地。Cānjiā zhèi cì bǐsài de yùndòngyuán ～ shìjiè gè dì. | 他收到了一封～国外的信。Tā shōudàole yì fēng ～ guówài de xìn. | 我要去机场接几位～家乡的老朋友。Wǒ yào qù jīchǎng jiē jǐ wèi ～ jiāxiāng de lǎopéngyou.

lái 来² （來） [动]

现在麻烦事儿～了，咱们得想办法才行。Xiànzài máfan shìr ～ le,

zánmen děi xiǎng bànfǎ cái xíng. →现在出现了麻烦事儿，我们应该想办法解决。Xiànzài chūxiànle máfan shìr, wǒmen yīnggāi xiǎng bànfǎ jiějué. 例现在问题 ~ 了，看他们怎么对付。Xiànzài wèntí ~ le, kàn tāmen zěnme duìfu. I这个材料 ~ 得很及时，我们正需要呢。Zhèige cáiliào ~ de hěn jíshí, wǒmen zhèng xūyào ne. I他这个病 ~ 得很急，幸好很快就到了医院。Tā zhèige bìng ~ de hěn jí, xìnghǎo hěn kuài jiù dàole yīyuàn. I现在 ~ 了新任务，我们先商量商量怎么办。Xiànzài ~ le xīn rènwu, wǒmen xiān shāngliang shāngliang zěnme bàn. I你这个想法是怎么 ~ 的，说给我听听。Nǐ zhèige xiǎngfa shì zěnme ~ de, shuō gěi wǒ tīngting.

láixìn 来信[1] （來信）[名]

我收到了他的 ~ 。Wǒ shōudàole tā de ~ . →我收到了他寄来的信。Wǒ shōudàole tā jìlái de xìn. 例她在看妈妈的 ~ 。Tā zài kàn māma de ~ . I他的 ~ 我早就收到了，一直没回。Tā de ~ wǒ zǎojiù shōudào le, yìzhí méi huí. I我要搬家了，所以让她把~寄到我朋友那儿。Wǒ yào bānjiā le, suǒyǐ ràng tā bǎ ~ jìdào wǒ péngyou nàr. I他在~里告诉我他找到了工作。Tā zài ~ li gàosu wǒ tā zhǎodàole gōngzuò. I这封 ~ 的信封上没写寄信人的名字。Zhèi fēng ~ de xìnfēng shang méi xiě jìxìnrén de míngzi.

lái xìn 来信[2] （來信）

我到中国以后，妈妈很快就给我 ~ 了。Wǒ dào Zhōngguó yǐhòu, māma hěn kuài jiù gěi wǒ ~ le. →妈妈寄了一封信给我。Māma jìle yì fēng xìn gěi wǒ. 例我请他回国后一定给我 ~ 。Wǒ qǐng tā huíguó hòu yídìng gěi wǒ ~ . I她天天盼着在国外工作的男朋友 ~ 。Tā tiāntiān pànzhe zài guówài gōngzuò de nánpéngyou ~ . I他给我来了一封信。Tā gěi wǒ láile yì fēng xìn. I大卫已经给我来过信了。Dàwèi yǐjing gěi wǒ láiguo xìn le. I朋友 ~ 问我找没找到女朋友。Péngyou ~ wèn wǒ zhǎo méi zhǎodào nǚpéngyou.

lái 来[3] （來）[动]

你干轻活儿，剩下的重活儿我 ~ 。Nǐ gàn qīnghuór, shèngxia de zhònghuór wǒ ~ . →重活儿由我干。Zhònghuór yóu wǒ gàn. 例你想喝茶就自己 ~ 吧。Nǐ xiǎng hē chá jiù zìjǐ ~ ba. I服务员，~ 两碗面条。Fúwùyuán, ~ liǎng wǎn miàntiáo. I安娜唱得这么好，我们欢迎她再 ~ 一个好不好？Ānnà chàng de zhème hǎo, wǒmen huānyíng tā zài ~ yí ge hǎo bu hǎo? | 我打了一个小时的乒乓球，有点儿累了，不想再 ~ 了。Wǒ dǎle yí ge xiǎoshí de pīngpāngqiú, yǒudiǎnr lèi le, bù xiǎng zài ~ le.

lái 来⁴（來）[动]

这件事情的经过我 ~ 说说。Zhèi jiàn shìqing de jīngguò wǒ ~ shuōshuo. →我说说事情的经过。Wǒ shuōshuo shìqing de jīngguò. 例费用问题，我们 ~ 解决。Fèiyong wèntí, wǒmen ~ jiějué. | 你们力气小，那张桌子我 ~ 搬。Nǐmen lìqi xiǎo, nèi zhāng zhuōzi wǒ ~ bān. | 我们到这儿找你 ~ 了，没想到吧。Wǒmen dào zhèr zhǎo nǐ ~ le, méi xiǎngdào ba. | 昨天下午大卫到我家 ~ 了。Zuótiān xiàwǔ Dàwèi dào wǒ jiā ~ le.

lái 来⁵（來）[动]

一只小狗从那边跑 ~ 。Yì zhī xiǎogǒu cóng nèibian pǎo ~ . →一只小狗正朝着我这里跑。Yì zhī xiǎogǒu zhèng cháozhe wǒ zhèlǐ pǎo. 例一辆红色的汽车向这边开 ~ 。Yí liàng hóngsè de qìchē xiàng zhèibian kāi ~ . | 你要的材料，明天就拿 ~ 。Nǐ yào de cáiliào, míngtiān jiù ná ~ . | 从我家乡传 ~ 了好消息，我太高兴了。Cóng wǒ jiāxiāng chuán ~ le hǎo xiāoxi, wǒ tài gāoxìng le. | 你买 ~ 这么多水果，是不是给大家吃的？Nǐ mǎi ~ zhème duō shuǐguǒ, shì bu shì gěi dàjiā chī de?

lái 来⁶（來）[动]

这种菜我吃不 ~ ，你吃得 ~ 吗？Zhèi zhǒng cài wǒ chī bu ~ , nǐ chī de ~ ma. →这种菜我觉得不好吃，你喜欢吃吗？Zhèi zhǒng cài wǒ juéde bù hǎochī, nǐ xǐhuan chī ma? 例我们俩很谈得 ~ ，经常在一起聊天儿。Wǒmen liǎ hěn tán de ~ , jīngcháng zài yìqǐ liáotiānr. | 他们三个在一起很合得 ~ ，是多年的好朋友。Tāmen sān ge zài yìqǐ hěn hé de ~ , shì duō nián de hǎo péngyou. | 这个人的性格有点儿怪，不少人和他处不 ~ 。Zhèi ge rén de xìnggé yǒudiǎnr guài, bùshǎo rén hé tā chǔ bu ~ . | 这个歌儿很难唱，我唱不 ~ 。Zhèige gēr hěn nán chàng, wǒ chàng bu ~ .

lái 来⁷（來）[动]

我找 ~ 找去，只找到一本我喜欢的书。Wǒ zhǎo ~ zhǎo qù, zhǐ zhǎodào yì běn wǒ xǐhuan de shū. →我反复地找，才找到一本。Wǒ fǎnfù de zhǎo, cái zhǎodào yì běn. 例这本书我翻 ~ 翻去，终于

让我翻到了那段话。Zhèi běn shū wǒ fān ~ fān qù, zhōngyú ràng wǒ fāndàole nèi duàn huà. ｜蝴蝶在花园里飞 ~ 飞去。Húdié zài huāyuán li fēi ~ fēi qù. ｜你们俩研究 ~ 研究去，研究出个结果没有？Nǐmen liǎ yánjiū ~ yánjiū qù, yánjiū chū ge jiéguǒ méiyǒu？｜你看他跑 ~ 跑去的，不知在忙什么。Nǐ kàn tā pǎo ~ pǎo qù de, bù zhī zài máng shénme.

lái 来[8]（來）［动］

看 ~，这小伙子年纪也不大。Kàn ~, zhè xiǎohuǒzi niánjì yě bú dà. →我估计他的年纪不大。Wǒ gūjì tā de niánjì bú dà. 例想 ~，这件事儿已经过去十几年了。Xiǎng ~, zhèi jiàn shìr yǐjing guòqu shíjǐ nián le. ｜这些话听 ~ 真叫人感动。Zhèixiē huà tīng ~ zhēn jiào rén gǎndòng. ｜那时的情景说 ~ 可就话长了。Nà shí de qíngjǐng shuō ~ kě jiù huà cháng le. ｜我们两人失去联系算 ~ 已快十年了。Wǒmen liǎng rén shīqù liánxì suàn ~ yǐ kuài shí nián le.

lái 来[9]（來）［数］

我猜他今年二十 ~ 岁。Wǒ cāi tā jīnnián èrshí ~ suì. →他今年二十岁左右。Tā jīnnián èrshí suì zuǒyòu. 例她看起来也就十 ~ 岁。Tā kàn qilai yě jiù shí ~ suì. ｜这本书有两百 ~ 页。Zhèi běn shū yǒu liǎng bǎi ~ yè. ｜我的钱包里大概有两千 ~ 块钱。Wǒ de qiánbāo li dàgài yǒu liǎngqiān ~ kuài qián. ｜这个苹果真大，有一斤 ~ 重吧。Zhèige píngguǒ zhēn dà, yǒu yì jīn ~ zhòng ba.

láibují 来不及（來不及）

火车十分钟以后开，现在去火车站 ~ 了。Huǒchē shí fēnzhōng yǐhòu kāi, xiànzài qù huǒchēzhàn ~ le. →要赶上火车时间不够了。Yào gǎnshang huǒchē shíjiān bú gòu le. 例明天上午考试，现在开始准备可能 ~ 了。Míngtiān shàngwǔ kǎoshì, xiànzài kāishǐ zhǔnbèi kěnéng ~ le. ｜我得马上去上班，~ 吃早饭了。Wǒ děi mǎshàng qù shàngbān, ~ chī zǎofàn le. ｜他明天就要回国，~ 跟每个朋友都见一面。Tā míngtiān jiù yào huíguó, ~ gēn měi ge péngyou dōu jiàn yí miàn.

láidejí 来得及（來得及）

离上课还早着呢，现在去学校肯定 ~。Lí shàngkè hái zǎo zhe ne, xiànzài qù xuéxiào kěndìng ~. →我们有足够的时间去学校，不会迟到。Wǒmen yǒu zúgòu de shíjiān qù xuéxiào, bú huì chídào. 例

L

电影就要开始了，现在回去拿电影票怎么 ~ 呢？Diànyǐng jiù yào kāishǐ le, xiànzài huíqu ná diànyǐngpiào zěnme ~ ne？|客人一个小时以后才到，还 ~ 收拾房间。Kèrén yí ge xiǎoshí yǐhòu cái dào, hái ~ shōushi fángjiān。|我们还有很多时间，~ 把这个电视节目看完。Wǒmen hái yǒu hěn duō shíjiān, ~ bǎ zhèige diànshì jiémù kànwán。

lan

lán 拦（攔）［动］

大卫 ~ 住一辆出租汽车，急急忙忙去火车站了。Dàwèi ~ zhù yí liàng chūzū qìchē, jíjímángmáng qù huǒchēzhàn le. →大卫挡住出租汽车不让通过，他赶快上了车。Dàwèi dǎngzhù chūzū qìchē bú ràng tōngguò, tā gǎnkuài shàngle chē. 例一辆大卡车 ~ 在路中间，许多车都过不去。Yí liàng dà kǎchē ~ zài lù zhōngjiān, xǔduō chē dōu guò bu qù。|我去参加赛车，你不要 ~ 着我。Wǒ qù cānjiā sàichē, nǐ búyào ~ zhe wǒ。|门口儿用绳子 ~ 住，别让小羊跑进来。Ménkǒur yòng shéngzi ~ zhù, bié ràng xiǎoyáng pǎo jinlai。|把这些小树苗 ~ 起来，好好儿保护。Bǎ zhèixiē xiǎo shùmiáo ~ qilai, hǎohāor bǎohù。

lán 蓝（藍）［形］

blue 例今天是晴天，天空很 ~ 。Jīntiān shì qíng tiān, tiānkōng hěn ~ 。|这里的海水很干净，特别 ~ 。Zhèlǐ de hǎishuǐ hěn gānjìng, tèbié ~ 。|他的裤子是~的。Tā de kùzi shì ~ de。|我的衣服比他的 ~ 一点儿。Wǒ de yīfu bǐ tā de ~ yìdiǎnr。|他喜欢用~墨水写字。Tā xǐhuan yòng ~ mòshuǐ xiě zì。|她长着一双可爱的 ~ 眼睛。Tā zhǎngzhe yì shuāng kě'ài de ~ yǎnjing。|~ ~ 的天上飘着几朵白云。~ ~ de tiānshang piāozhe jǐ duǒ báiyún。

lánqiú 篮球¹（籃球）［名］

basketball 例他最喜欢的运动是 ~ 。Tā zuì xǐhuan de yùndòng shì ~ 。|我的爱好是 ~ 。Wǒ de àihào shì ~ 。|他很喜欢打 ~ ，差不多每天都打。Tā hěn xǐhuan dǎ ~ , chàbuduō měi tiān dōu dǎ。|今天我要去看一场 ~ 比赛。Jīntiān wǒ yào qù kàn yì chǎng ~ bǐsài。|这场 ~ 比赛真激烈，直到最后才分出输赢。Zhèi chǎng ~ bǐsài zhēn jīliè, zhídào zuìhòu cái fēnchū shūyíng。|这支 ~ 队今年肯定能得冠军。Zhèi zhī ~ duì jīnnián kěndìng néng dé guànjūn。

lánqiú 篮球²（籃球）［名］

basketball 例他买了一个 ~ 。Tā mǎile yí ge ~ 。|他过生日的时候，

爸爸送给他一个新 ~ 。Tā guò shēngri de shíhou, bàba sòng gěi tā yí ge xīn ~ . | 这个 ~ 没气了，去打打气吧。Zhèige ~ méi qì le, qù dǎda qì ba. | 他的 ~ 太旧了，不好打。Tā de ~ tài jiù le, bù hǎo dǎ. | 个子最高的那个运动员又一次抢到了 ~ 。Gèzi zuì gāo de nèige yùndòngyuán yòu yí cì qiǎngdàole ~ .

lǎn 懒（懶）[形]

他可真 ~ ，房间很乱也不收拾。Tā kě zhēn ~ , fángjiān hěn luàn yě bù shōushi. →他怕辛苦，不爱劳动、工作或学习。Tā pà xīnkǔ, bú ài láodòng、gōngzuò huò xuéxí. 例大卫很 ~ ，他的汽车已经很久没洗了。Dàwèi hěn ~ , tā de qìchē yǐjing hěn jiǔ méi xǐ le. | 这个 ~ 孩子从来不帮妈妈做家务。Zhèige ~ háizi cónglái bù bāng māma zuò jiāwù. | 阿里最近变 ~ 了，学习没有以前努力。Ālǐ zuìjìn biàn ~ le, xuéxí méiyǒu yǐqián nǔlì. | 哥哥 ~ ~ 地躺在床上，什么也不想干。Gēge ~ ~ de tǎng zài chuáng shang, shénme yě bù xiǎng gàn.

làn 烂（爛）[形]

· 香蕉 ~ 了，不能吃。Xiāngjiāo ~ le, bù néng chī. →香蕉变坏了，变得很软，还有难闻的味儿。Xiāngjiāo biànhuài le, biàn de hěn ruǎn, hái yǒu nán wén de wèir. 例白菜放在又湿又热的地方很容易 ~ 。Báicài fàng zài yòu shī yòu rè de dìfang hěn róngyì ~ . | 真可惜，橘子全 ~ 掉了。Zhēn kěxī, júzi quán ~ diào le. | 我把 ~ 水果扔进了垃圾袋。Wǒ bǎ ~ shuǐguǒ rēngjinle lājīdài. | 苹果放得太久，都放 ~ 了。Píngguǒ fàng de tài jiǔ, dōu fàng ~ le.

lang

láng 狼 [名]

wolf 例~是一种可怕的动物。~ shì yì zhǒng kěpà de dòngwù. | 一只 ~ 对着月亮发出可怕的叫声。Yì zhǐ ~ duìzhe yuèliang fāchū kěpà de jiàoshēng. | 这种 ~ 生活在草原上。Zhèi zhǒng ~ shēnghuó zài cǎoyuán shang. | 他在山上发现了几只 ~ 。Tā zài shān shang fāxiànle jǐ zhī ~ . | 昨天晚上村子里有几只羊被 ~ 咬死了。Zuótiān wǎnshang cūnzi li yǒu jǐ zhī yáng bèi ~ yǎosǐ le. | ~ 的样子很像狗。~ de yàngzi hěn xiàng gǒu. | ~ 的叫声让人一听就忘不了。~ de jiàoshēng ràng rén yì tīng jiù wàng bu liǎo.

lǎngdú 朗读（朗讀）[动]

一个学生在 ~ 课文。Yí ge xuésheng zài ~ kèwén. →他在大声地读

课文。Tā zài dàshēng de dú kèwén. 例我 ~ 过这些生词。Wǒ ~ guo zhèixiē shēngcí. | 老师要我 ~ 一下ㄦ课文的第一部分。Lǎoshī yào wǒ ~ yíxiàr kèwén de dì yī bùfen. | 我已经把这篇好文章 ~ 了好几遍了。Wǒ yǐjing bǎ zhèi piān hǎo wénzhāng ~ le hǎojǐ biàn le. | 他把这首诗 ~ 得很有感情。Tā bǎ zhèi shǒu shī ~ de hěn yǒu gǎnqíng. | 老师要求学生 ~ 的时候注意声调。Lǎoshī yāoqiú xuésheng ~ de shíhou zhùyì shēngdiào.

làng 浪 [名]

wave 例今天海上风很大，~ 也很大。Jīntiān hǎishang fēng hěn dà, ~ yě hěn dà. | 现在风很小，海面上 ~ 不大。Xiànzài fēng hěn xiǎo, hǎimiàn shang ~ bú dà. | 小船被一个大 ~ 打翻了。Xiǎo chuán bèi yí ge dà ~ dǎfān le. | 海 ~ 把一个瓶子冲到了岸上。Hǎi ~ bǎ yí ge píngzi chōngdàole àn shang.

làngfèi 浪费（浪費）[动]

买这么贵的东西太 ~ 钱了。Mǎi zhème guì de dōngxi tài ~ qián le. →我认为这钱用得不适当，不该花这么多钱。Wǒ rènwéi zhè qián yòng de bú shìdàng, bù gāi huā zhème duō qián. 例人才太宝贵了，再也不能 ~ 了。Réncái tài bǎoguì le, zài yě bù néng ~ le. | 在生活上，他十分注意节约，从不 ~ 。Zài shēnghuó shang, tā shífēn zhùyì jiéyuē, cóng bú ~ . | 一天的时间就这么 ~ 掉了，真可惜。Yì tiān de shíjiān jiù zhème ~ diào le, zhēn kěxī. | 这个工厂 ~ 现象严重，应该引起重视了。Zhèige gōngchǎng ~ xiànxiàng yánzhòng, yīnggāi yǐnqǐ zhòngshì le.

lao

lāo 捞（撈）[动]

孩子们正在河里 ~ 小鱼。Háizimen zhèngzài hé li ~ xiǎoyú. →孩子们把小鱼从水里取上来。Háizimen bǎ xiǎoyú cóng shuǐ li qǔ shanglai. 例清洁工人划着小船 ~ 水里的脏东西。Qīngjié gōngrén huázhe xiǎochuán ~ shuǐ li de zāng dōngxi. | 勺子掉到汤里了，快 ~ 上来。Sháozi diàodào tāng li le, kuài ~ shanglai. | 他在水里 ~ 虾，~ 了半天也没 ~ 到多少。Tā zài shuǐ li ~ xiā, ~ le bàntiān yě méi ~ dào duōshǎo. | 不管 ~ 得着 ~ 不着鱼，我还是想试试。Bùguǎn ~ de zháo ~ bu zháo yú, wǒ háishi xiǎng shìshi.

láodòng 劳动（勞動）[动]

那几年，我整天在地里 ~ 。Nèi jǐ nián, wǒ zhěngtiān zài dì li ~ . →

我整天在地里干活儿出力。Wǒ zhěngtiān zài dì li gànhuór chūlì. 例 青年人应该多 ~，锻炼自己的身体和意志。Qīngniánrén yīnggāi duō ~，duànliàn zìjǐ de shēntǐ hé yìzhì. | 工人们在机器旁紧张地 ~ 着。Gōngrénmen zài jīqì páng jǐnzhāng de ~ zhe. | 他中学毕业后在农村 ~ 了好几年。Tā zhōngxué bìyè hòu zài nóngcūn ~ le hǎojǐ nián. | 你身体这么弱，~ ~ 就会有力气了。Nǐ shēntǐ zhème ruò，~ ~ jiù huì yǒu lìqi le.

láo jià 劳驾（勞駕）

~，帮我拿一下儿行李。~，bāng wǒ ná yíxiàr xíngli. →请别人为你做事或者让路时，这么说比较有礼貌。Qǐng biéren wèi nǐ zuòshì huòzhě rànglù shí，zhème shuō bǐjiào yǒu lǐmào. 例 ~，让我过去。~，ràng wǒ guòqu. | ~，请把这封信交给玛丽。~，qǐng bǎ zhèi fēng xìn jiāo gěi Mǎlì. | 劳你驾把窗户打开行吗？Láo nǐ jià bǎ chuānghu dǎkāi xíng ma?

lǎo 老[1] ［形］

他今年八十多岁，已经很 ~ 了。Tā jīnnián bāshí duō suì，yǐjing hěn ~ le. →他年纪已经很大了。Tā niánjì yǐjing hěn dà le. 例 孩子长大了，父母也 ~ 了。Háizi zhǎngdà le，fùmǔ yě ~ le. | 他父亲已经六十多了，看起来却不 ~。Tā fùqin yǐjing liùshí duō le，kàn qilai què bù ~. | 他 ~ 得连路也走不了了。Tā ~ de lián lù yě zǒu bu liǎo le. | 我家的 ~ 狗已经十几岁了。Wǒ jiā de ~ gǒu yǐjing shíjǐ suì le. | 那位 ~ 教授虽然年纪大，却像年轻人一样精神。Nèi wèi ~ jiàoshòu suīrán niánjì dà，què xiàng niánqīngrén yíyàng jīngshen.

lǎodàmā 老大妈（老大媽）［名］

这 ~，身体可好啦。Zhè ~，shēntǐ kě hǎo la. →这位年老的女人身体非常好。Zhèi wèi niánlǎo de nǚrén shēntǐ fēicháng hǎo. 例 ~ 的儿子和女儿都已经工作了。~ de érzi hé nǚ'ér dōu yǐjing gōngzuò le. | ~，您去哪儿啊？~，nín qù nǎr a? | ~，这东西太重了，我来帮您提吧。~，zhè dōngxi tài zhòng le，wǒ lái bāng nín tí ba. | 我来扶着这位 ~ 过马路。Wǒ lái fúzhe zhèi wèi ~ guò mǎlù.

lǎodàniáng 老大娘 ［名］

树下坐着三位 ~ 正在聊天儿。Shù xià zuòzhe sān wèi ~ zhèngzài liáotiānr. →有三位我不认识的年纪很老的女人正在树下聊天儿。Yǒu sān wèi wǒ bú rènshi de niánjì hěn lǎo de nǚrén zhèngzài shù xià liáotiānr. **例**这位～看上去大概有七十多岁了吧。Zhèi wèi ～ kàn shangqu dàgài yǒu qīshí duō suì le ba. |安娜安慰那位～说："您老别着急，我送您回家。"Ānnà ānwèi nèi wèi ～ shuō："Nínlǎo bié zháojí, wǒ sòng nín huíjiā." |～, 你是从南方来的吧？～, nǐ shì cóng nánfāng lái de ba?

lǎodàye 老大爷(老大爺) [名]

大卫，刚才有一位～来找你。Dàwèi, gāngcái yǒu yí wèi ～ lái zhǎo nǐ. →大卫，刚才有一位我不认识的年纪很老的男人来找你。Dàwèi, gāngcái yǒu yí wèi wǒ bú rènshi de niánjì hěn lǎo de nánrén lái zhǎo nǐ. **例**你见了六七十岁的老年男人应该叫他～。Nǐ jiànle liùqīshí suì de lǎonián nánrén yīnggāi jiào tā ～. |每天早上都能看到许多～和老大娘在这儿锻炼身体。Měi tiān zǎoshang dōu néng kàndào xǔduō ～ hé lǎodàniáng zài zhèr duànliàn shēntǐ. |～, 请问，附近的公共汽车站在哪儿啊？～, qǐngwèn, fùjìn de gōnggòng qìchēzhàn zài nǎr a? |

lǎorén 老人 [名]

我爷爷是个八十岁的～。Wǒ yéye shì ge bāshí suì de ～. →他是个年纪很大的人。Tā shì ge niánjì hěn dà de rén. **例**他今年七十多岁，是一位受人尊敬的～。Tā jīnnián qīshí duō suì, shì yí wèi shòu rén zūnjìng de ～. |年轻人对～应该有礼貌。Niánqīngrén duì ～ yīnggāi yǒu lǐmào. |那位～五十年前在中国生活过。Nèi wèi ～ wǔshí nián qián zài Zhōngguó shēnghuó guò. |～的身体当然没有年轻的时候那么好。～ de shēntǐ dāngrán méiyǒu niánqīng de shíhou nàme hǎo.

lǎotàitai 老太太 [名]

那几位满头白发的～都那么有精神。Nèi jǐ wèi mǎn tóu báifà de ～ dōu nàme yǒu jīngshen. →那是几位年龄在七十岁左右的女人。Nà shì jǐ wèi niánlíng zài qīshí suì zuǒyòu de nǚrén. **例**在这座房子里住的～总把房间打扫得那么干净。Zài zhèi zuò fángzi li zhù de ～ zǒng bǎ fángjiān dǎsǎo de nàme gānjìng. |～的儿子和女儿都对待她特别好。～ de érzi hé nǚ'ér dōu duìdài tā tèbié hǎo. |从这位～的脸看上去，不像这么大年纪的呀。Cóng zhèi wèi ～ de liǎn kàn shangqu, bú xiàng zhème dà niánjì de ya. |今天我在公共汽车上遇见一位好心的～。Jīntiān wǒ zài gōnggòng qìchē shang yùjiàn yí wèi hǎoxīn de ～.

lǎotóur 老头儿（老頭儿）［名］

这个 ~ 爱讲笑话，大家都喜欢他。Zhèige ~ ài jiǎng xiàohua, dàjiā dōu xǐhuan tā. →那是一位年纪很大的男人。Nà shì yí wèi niánjì hěn dà de nánrén. 例那个 ~ 爱唱京剧，天天早上在公园里唱。Nèige ~ ài chàng jīngjù, tiāntiān zǎoshang zài gōngyuán li chàng. ｜开会的人全都是 ~、老太太。Kāihuì de rén quán dōu shì ~、lǎotàitai. ｜他才五十岁就像个 ~ 的样子了。Tā cái wǔshí suì jiù xiàng ge ~ de yàngzi le. ｜别看他是个 ~，劲儿可大啦。Bié kàn tā shì ge ~, jìnr kě dà la.

lǎo 老²［形］

这部 ~ 电影我十年前看过。Zhèi bù ~ diànyǐng wǒ shí nián qián kànguo. →这是一部以前的电影。Zhè shì yí bù yǐqián de diànyǐng. 例这首~歌几年前很流行。Zhèi shǒu ~ gē jǐ nián qián hěn liúxíng. ｜我跟他是 ~ 朋友，从小就认识。Wǒ gēn tā shì ~ péngyou, cóngxiǎo jiù rènshi. ｜我们和以前一样，在 ~ 地方见面。Wǒmen hé yǐqián yíyàng, zài ~ dìfang jiànmiàn. ｜情况改变了，不能总按从前的 ~ 办法办事。Qíngkuàng gǎibiàn le, bù néng zǒng àn cóngqián de ~ bànfǎ bànshì. ｜这个电话号码是 ~ 的，现在已经改成新的了。Zhèige diànhuà hàomǎ shì ~ de, xiànzài yǐjing gǎichéng xīn de le.

lǎo 老³［副］

他最近 ~ 迟到，差不多两三天就迟到一次。Tā zuìjìn ~ chídào, chàbuduō liǎng sān tiān jiù chídào yí cì. →他经常迟到。Tā jīngcháng chídào. 例我今年身体不好，~ 生病。Wǒ jīnnián shēntǐ bù hǎo, ~ shēngbìng. ｜我 ~ 麻烦你，真对不起。Wǒ ~ máfan nǐ, zhēn duìbuqǐ. ｜上个月 ~ 下雨，只有两三天是晴天。Shàng ge yuè ~ xià yǔ, zhǐ yǒu liǎng sān tiān shì qíngtiān. ｜你~这么晚睡觉，应该注意身体。Nǐ ~ zhème wǎn shuìjiào, yīnggāi zhùyì shēntǐ. ｜他来我的房间时~不敲门，说了他几回也没用。Tā lái wǒ de fángjiān shí ~ bù qiāo mén, shuōle tā jǐ huí yě méiyòng. ｜他记性真差，~ 把我的名字叫错。Tā jìxing zhēn chà, ~ bǎ wǒ de míngzi jiàocuò.

lǎoshì 老是［副］

她身体不好，~ 生病。Tā shēntǐ bù hǎo, ~ shēngbìng. →她经常生病。Tā jīngcháng shēngbìng. 例今天空气太干燥，我 ~ 喝水。Jīntiān kōngqì tài gānzào, wǒ ~ hē shuǐ. ｜最近~下雨，晴天很少。Zuìjìn ~ xià yǔ, qíngtiān hěn shǎo.

L

Zuìjìn ~ xià yǔ, qíngtiān hěn shǎo. I 她很喜欢看电影，~ 去看电影。Tā hěn xǐhuan kàn diǎnyǐng, ~ qù kàn diànyǐng. I 他上课 ~ 迟到，已经被老师批评了好几次了。Tā shàngkè ~ chídào, yǐjing bèi lǎoshī pīpíngle hǎojǐ cì le. I 我不好意思 ~ 麻烦他。Wǒ bù hǎoyìsi ~ máfan tā. I 她为了写论文，~ 一两点才睡觉。Tā wèile xiě lùnwén, ~ yì liǎng diǎn cái shuìjiào. I 他 ~ 把这个声调说错。Tā ~ bǎ zhèige shēngdiào shuōcuò.

lǎo 老⁴ [副]

他 ~ 不给我写信，大概有好几个月了。Tā ~ bù gěi wǒ xiě xìn, dàgài yǒu hǎojǐ ge yuè le. →他很长时间一直不给我写信。Tā hěn cháng shíjiān yìzhí bù gěi wǒ xiě xìn. 例他借了我的钱，~ 不还我。Tā jièle wǒ de qián, ~ bù huán wǒ. I 我很想睡觉，可他 ~ 不走。Wǒ hěn xiǎng shuìjiào, kě tā ~ bù zǒu. I 我们别 ~ 坐着，出去走走吧。Wǒmen bié ~ zuòzhe, chūqu zǒuzou ba. I 你的汽车 ~ 停在这儿不开走，警察会罚你的款的。Nǐ de qìchē ~ tíng zài zhèr bù kāizǒu, jǐngchá huì fá nǐ de kuǎn de.

lǎobǎixìng 老百姓 [名]

~ 希望政府多为他们做好事。~ xīwàng zhèngfǔ duō wèi tāmen zuò hǎo shì. →普通的人民希望政府多给他们做好事。Pǔtōng de rénmín xīwàng zhèngfǔ duō gěi tāmen zuò hǎo shì. 例咱们 ~ 就盼着家家能过上好日子。Zánmen ~ jiù pànzhe jiājiā néng guòshang hǎo rìzi. I 这里的 ~ 都住上了新房子。Zhèlǐ de ~ dōu zhùshangle xīn fángzi. I 政府的工作人员要关心 ~ 。Zhèngfǔ de gōngzuò rényuán yào guānxīn ~ . I 他们把 ~ 的困难当做自己的困难。Tāmen bǎ ~ de kùnnan dàngzuò zìjǐ de kùnnan.

lǎobǎn 老板(老闆) [名]

他是我们这家商店的 ~，大家都为他工作。Tā shì wǒmen zhèi jiā shāngdiàn de ~ , dàjiā dōu wèi tā gōngzuò. →这家商店是他的。Zhèi jiā shāngdiàn shì tā de. 例他是我的 ~，工作时我得听他的。Tā shì wǒ de ~ , gōngzuò shí wǒ děi tīng tā de. I 我打算开个公司，自己当 ~。Wǒ dǎsuan kāi ge gōngsī, zìjǐ dāng ~ . I 这个餐馆儿的 ~ 很会做生意，对客人特别热情。Zhèige cānguǎnr de ~ hěn huì zuò shēngyi, duì kèrén tèbié rèqíng. I ~ 的性格很好，经常跟职员们开玩笑。~ de xìnggé hěn hǎo, jīngcháng gēn zhíyuánmen kāiwánxiào.

lǎodà 老大 ［名］

大卫有两个妹妹，他是～。Dàwèi yǒu liǎng ge mèimei, tā shì ～.. →大卫是家里年龄最大的孩子。Dàwèi shì jiāli niánlíng zuì dà de háizi. 例爸爸妈妈不光爱～，也爱年龄更小的孩子。Bàba māma bù guāng ài ～, yě ài niánlíng gèng xiǎo de háizi. ｜我想我这个～在家里应该多干活儿，照顾好弟弟妹妹。Wǒ xiǎng wǒ zhèige ～ zài jiāli yīnggāi duō gànhuór, zhàogù hǎo dìdi mèimei. ｜妈妈对～要求特别高。Māma duì ～ yāoqiú tèbié gāo. ｜他们家一共有三个孩子：～、老二和老三。Tāmen jiā yígòng yǒu sān ge háizi: ～、lǎo'èr hé lǎosān.

lǎohǔ 老虎 ［名］

例～是一种样子像猫、但比猫大得多的动物。～ shì yì zhǒng yàngzi xiàng māo、dàn bǐ māo dà de duō de dòngwù. ｜～来了，别的动物马上跑得远远的。～ lái le, biéde dòngwù mǎshàng pǎo de yuǎnyuǎn de. ｜动物园里养着几只～。Dòngwùyuán li yǎngzhe jǐ zhī ～. ｜

老虎

由于人类破坏了～生存的自然环境，～的数量减少得很快。Yóuyú rénlèi pòhuàile ～ shēngcún de zìrán huánjìng, ～ de shùliàng jiǎnshǎo de hěn kuài.

lǎopo 老婆 ［名］

她是我朋友大卫的～，跟大卫结婚两年了。Tā shì wǒ péngyou Dàwèi de ～, gēn Dàwèi jiéhūn liǎng nián le. →她是大卫的妻子。在很随便的场合可以把妻子说成"老婆"。Tā shì Dàwèi de qīzi. Zài hěn suíbiàn de chǎnghé kěyǐ bǎ qīzi shuōchéng "lǎopo". 例她是我～，我当然应该关心她。Tā shì wǒ ～, wǒ dāngrán yīnggāi guānxīn tā. ｜他有了～以后就很少晚回家了。Tā yǒule ～ yǐhòu jiù hěn shǎo wǎn huíjiā le. ｜～，快去开门！～, kuài qù kāimén!

lǎoshī 老师(老師) ［名］

他是我们的～，我们是他的学生。Tā shì wǒmen de ～, wǒmen shì tā de xuésheng. →他的工作是教学生。Tā de gōngzuò shì jiāo xuésheng. 例大卫的母亲是一位大学～。Dàwèi de mǔqin shì yí wèi dàxué ~ . | 我妹妹在中学当 ~ 。Wǒ mèimei zài zhōngxué dāng ~ . | 他是我们班的数学 ~ 。Tā shì wǒmen bān de shùxué ~ . | ~ ，我有一个问题想问您。~ , wǒ yǒu yí ge wèntí xiǎng wèn nín. | 那个 ~ 对学生很严格。Nèige ~ duì xuésheng hěn yángé. | 这位 ~ 的教学方法特别好。Zhèi wèi ~ de jiàoxué fāngfǎ tèbié hǎo. | 我们 ~ 的课教得很好。Wǒmen ~ de kè jiāo de hěn hǎo.

lǎoshi 老实[1]（老實）[形]

他是个 ~ 孩子，不会骗人的。Tā shì ge ~ háizi, bú huì piàn rén de. →这个孩子很诚实，从不骗人。Zhèige háizi hěn chéngshí, cóng bú piàn rén. 例我知道他是 ~ 人，从来不说假话。Wǒ zhīdao tā shì ~ rén, cónglái bù shuō jiǎ huà. | 这个人态度不 ~ ，他说的全不是真的。Zhèige rén tàidu bù ~ , tā shuō de quán bú shì zhēn de. | 他一家人都 ~ 得很，可以和他做朋友。Tā yì jiā rén dōu ~ de hěn, kěyǐ hé tā zuò péngyou. | 老老实实做人，老老实实做学问。Lǎolǎoshíshí zuò rén, lǎolǎoshíshí zuò xuéwèn. | ~ 告诉你吧，这个故事是我自己编的。~ gàosu nǐ ba, zhèige gùshi shì wǒ zìjǐ biān de.

lǎoshi 老实[2]（老實）[形]

这孩子上课时挺 ~ ，从来不乱说乱动。Zhè háizi shàngkè shí tǐng ~ , cónglái bú luàn shuō luàn dòng. →这孩子上课时很守纪律，不乱说乱动。Zhè háizi shàngkè shí hěn shǒu jìlǜ, bú luàn shuō luàn dòng. 例这小孩子没有一会儿 ~ ，到处惹事。Zhè xiǎo háizi méiyǒu yíhuìr ~ , dàochù rě shì. | 弟弟现在正在老老实实地呆在房间里写作业呢。Dìdi xiànzài zhèngzài lǎolǎoshíshí de dāi zài fángjiān li xiě zuòyè ne. | 奶奶怕吵怕闹，你 ~ 一点儿好不好？Nǎinai pà chǎo pà nào, nǐ ~ yìdiǎnr hǎo bu hǎo? | 以前他那么爱闹，现在怎么变得 ~ 起来了？Yǐqián tā nàme ài nào, xiànzài zěnme biàn de ~ qilai le?

lǎoshǔ 老鼠[名]

例一只 ~ 从我面前跑了过去。Yì zhī ~ cóng wǒ miànqián pǎole guoqu. | 这座旧房子里有 ~ 。Zhèi zuò jiù fángzi li yǒu ~ . | 她很讨厌 ~ 。Tā hěn tǎoyàn ~ . | 在电视里， ~ 成了一种很可爱的动物。Zài diànshì li, ~ chéngle yì zhǒng hěn kě'ài de dòngwù. | 他看见了他最怕的人，就像 ~ 看见了猫。Tā kànjiànle tā

老鼠

zuì pà de rén, jiù xiàng ~ kànjiànle māo. |~ 的牙齿很尖。~ de
yáchǐ hěn jiān. |有人反对科学家在~身上做实验。Yǒu rén fǎnduì
kēxuéjiā zài ~ shēnshang zuò shíyàn.

le

lè 乐(樂) [动]

听完这个笑话大家都 ~ 了。Tīngwán zhèige xiàohua dàjiā dōu ~ le.
→大家都笑了。Dàjiā dōu xiào le. 例看见我可笑的样子，哥哥 ~
了。Kànjiàn wǒ kěxiào de yàngzi, gēge ~ le. |大卫弄错日子星期
天去上班的事让我 ~ 坏了。Dàwèi nòngcuò rìzi Xīngqītiān qù
shàngbān de shì ràng wǒ ~ huài le. |孩子考了第一名，父母~得合
不上嘴。Háizi kǎole dì yī míng, fùmǔ ~ de hé bu shàng zuǐ.

lèguān 乐观(樂觀) [形]

他是个 ~ 的人，好像天天没有愁事儿。Tā shì ge ~ de rén,
hǎoxiàng tiāntiān méiyǒu chóu shìr. →他对生活充满了信心，整天
那么快乐。Tā duì shēnghuó chōngmǎnle xìnxīn, zhěngtiān nàme
kuàilè. 例~的生活态度使他越活越年轻。~ de shēnghuó tàidu shǐ
tā yuè huó yuè niánqīng. |我对什么事儿都那么 ~，觉得没有解决不
了的问题。Wǒ duì shénme shìr dōu nàme ~, juéde méiyǒu jiějué
bu liǎo de wèntí. |我认为事情的结果不会太 ~。Wǒ rènwéi shìqing
de jiéguǒ bú huì tài ~. |~ 一点儿估计的话，今年可能提前完成任
务。~ yìdiǎnr gūjì dehuà, jīnnián kěnéng tíqián wánchéng rènwu.

le 了¹ [助]

我买 ~ 一张电影票。Wǒ mǎi ~ yì zhāng diànyǐngpiào. →电影票我
已经买来了。Diànyǐngpiào wǒ yǐjing mǎilái le. 例昨天他到 ~ 北京。
Zuótiān tā dào ~ Běijīng. |我也买 ~ 这本词典。Wǒ yě mǎi ~ zhèi
běn cídiǎn. |昨天晚上我睡 ~ 三个钟头。Zuótiān wǎnshang wǒ shuì
~ sān ge zhōngtóu. |这部电影我看 ~ 两遍。Zhèi bù diànyǐng wǒ
kàn ~ liǎng biàn. |他吃 ~ 一个馒头，就不要了。Tā chī ~ yí ge
mántou, jiù búyào le. |咱们吃 ~ 饭再去吧。Zánmen chī ~ fàn zài
qù ba. |要是让他知道 ~，就糟糕了。Yàoshi ràng tā zhīdao ~, jiù
zāogāo le.

le 了² [助]

今天他说他不去 ~。Jīntiān tā shuō tā bú qù ~. →以前他想去，今
天他变了。Yǐqián tā xiǎng qù, jīntiān tā biàn le. 例现在我听懂 ~。

Xiànzài wǒ tīng dǒng ~. ｜她已经买好飞机票~。Tā yǐjing mǎihǎo fēijīpiào ~. ｜我已经告诉他~。Wǒ yǐjing gàosu tā ~. ｜我也买这本词典~。Wǒ yě mǎi zhèi běn cídiǎn ~. ｜他已经喝三杯~。Tā yǐjing hē sān bēi ~. ｜已经等了半个钟头~，再等一会儿吧。Yǐjing děngle bàn ge zhōngtóu ~, zài děng yíhuìr ba. ｜安娜快要回国~。Ānnà kuài yào huíguó ~. ｜赶快回家吧，快要下雨~。Gǎnkuài huíjiā ba, kuài yào xià yǔ ~. ｜这条裤子太短~。Zhèi tiáo kùzi tài duǎn ~. ｜你说的这个办法最好~。Nǐ shuō de zhèige bànfǎ zuì hǎo ~.

lei

léi 雷 [名]

打~了，马上就要下雨了。Dǎ ~ le, mǎshàng jiù yào xià yǔ le. → 下雨之前，天空云层放电的时候发出的很大的响声。Xià yǔ zhīqián, tiānkōng yúncéng fàng diàn de shíhou fāchū de hěn dà de xiǎngshēng. 例昨天晚上打的~真响。Zuótiān wǎnshang dǎ de ~ zhēn xiǎng. ｜春天和夏天下雨之前常常打~。Chūntiān hé xiàtiān xià yǔ zhīqián chángcháng dǎ ~. ｜你听打~的声音离我们越来越近了。Nǐ tīng dǎ ~ de shēngyīn lí wǒmen yuèláiyuè jìn le. ｜这是今年的第一声春~，第一场春雨。Zhè shì jīnnián de dì yī shēng chūn ~, dì yī cháng chūn yǔ.

lèi 类[1]（類）[名]

你们把这些图书分成~，然后放到书架上去。Nǐmen bǎ zhèixiē túshū fēnchéng ~, ránhòu fàngdào shūjià shang qu. → 把图书按规定的标准分开，然后放到书架上。Bǎ túshū àn guīdìng de biāozhǔn fēnkāi, ránhòu fàngdào shūjià shang. 例咱们把这些苹果按着大小分分~。Zánmen bǎ zhèixiē píngguǒ ànzhe dàxiǎo fēnfēn ~. ｜按不同的方法可以分成很多~。Àn bùtóng de fāngfǎ kěyǐ fēnchéng hěn duō ~. ｜事物可以按不同的标准分出不同的~。Shìwù kěyǐ àn bùtóng de biāozhǔn fēnchū bùtóng de ~. ｜把同一个~的放在一起。Bǎ tóng yí ge ~ de fàng zài yìqǐ.

lèi 类[2]（類）[量]

用于有相同特点的一些事物。Yòngyú yǒu xiāngtóng tèdiǎn de yìxiē shìwù. 例人可以按性别分成男人和女人两~。Rén kěyǐ àn xìngbié fēnchéng nánrén hé nǚrén liǎng ~. ｜他很喜欢看这一~的小说。Tā

hěn xǐhuan kàn zhèi yí ~ de xiǎoshuō. | 这 ~ 事儿 你别去管。Zhèi ~
shìr nǐ bié qù guǎn.

lèi 累¹ [动]

在这么暗的地方看书 ~ 眼睛。Zài zhème àn de dìfang kàn shū ~
yǎnjing. → 在这么暗的地方看书，看一会儿眼睛就难受了。Zài
zhème àn de dìfang kàn shū, kàn yíhuìr yǎnjing jiù nánshòu le. 例做
这种工作太 ~ 脑子。Zuò zhèi zhǒng gōngzuò tài ~ nǎozi. | 走了一
天路 ~ 死我了。Zǒule yì tiān lù ~ sǐ wǒ le. | 最近一直没时间休息，
可把他们 ~ 坏了。Zuìjìn yìzhí méi shíjiān xiūxi, kě bǎ tāmen ~ huài
le. | 让年轻人多拿点儿东西，~ 不着。Ràng niánqīngrén duō ná
diǎnr dōngxi, ~ bu zháo. | 您 ~ 了一天了，快休息休息吧。Nín ~
le yì tiān le, kuài xiūxi xiūxi ba.

lèi 累² [形]

我刚下夜班很 ~。Wǒ gāng xià yèbān hěn ~. → 我刚下夜班，现在
全身没有力气，很想马上休息。Wǒ gāng xià yèbān, xiànzài
quánshēn méiyǒu lìqi, hěn xiǎng mǎshàng xiūxi. 例爬到山顶上，老
人们觉得特别 ~，年轻人觉得不怎么 ~。Pádào shāndǐng shang,
lǎorénmen juéde tèbié ~, niánqīngrén juéde bù zěnme ~. | 今天我
~ 极了。Jīntiān wǒ ~ jí le. | ~ 得他饭也没吃就睡觉了。~ de tā
fàn yě méi chī jiù shuìjiào le. | 最 ~ 的活他总抢着干。Zuì ~ de huó
tā zǒng qiǎngzhe gàn.

leng

lěng 冷¹ [形]

今天很 ~，多穿点儿衣服吧。Jīntiān hěn ~, duō chuān diǎnr yīfu
ba. → 今天的温度很低。Jīntiān de wēndù hěn dī. 例这里的冬天特
别 ~。Zhèlǐ de dōngtiān tèbié ~. | 今天比昨天 ~ 得多，可能会下
雪。Jīntiān bǐ zuótiān ~ de duō, kěnéng huì xià xuě. | 快到冬天了，
天气 ~ 起来了。Kuài dào dōngtiān le, tiānqì ~ qilai le. | 冬天是一
年中最 ~ 的季节。Dōngtiān shì yì nián zhōng zuì ~ de jìjié. | 这么 ~
的天气人容易感冒。Zhème ~ de tiānqì rén róngyì gǎnmào.

lěng 冷² [形]

我好 ~，快给我一杯热水。Wǒ hǎo ~, kuài gěi wǒ yì bēi rèshuǐ. →
我感觉温度很低。Wǒ gǎnjué wēndù hěn dī. 例天下着大雪，大家都

很~。Tiān xiàzhe dà xuě, dàjiā dōu hěn ~. | 你穿得这么少, ~ 不 ~? Nǐ chuān de zhème shǎo, ~ bu ~? | 海水温度不高, 我游泳时 ~ 得发抖。Hǎishuǐ wēndù bù gāo, wǒ yóuyǒng shí ~ de fādǒu. | 风 太大了, 我都快~死了。Fēng tài dà le, wǒ dōu kuài ~ sǐ le.

lí

lǐmǐ 厘米 [量]

centimeter 例他的身高是一百八十~。Tā de shēngāo shì yìbǎi bāshí ~. | 这根绳子的长度是二百一十五~。Zhèi gēn shéngzi de chángdù shì èrbǎi yīshíwǔ ~. | 这个小冰箱只有一百二十~高。 Zhèige xiǎo bīngxiāng zhǐ yǒu yìbǎi èrshí ~ gāo. | 这张桌子长一百四 十~, 宽六十五~。Zhèi zhāng zhuōzi cháng yìbǎi sìshí ~, kuān liùshíwǔ ~.

lí 离[1] （離）[介]

他家~医院很近。Tā jiā ~ yīyuàn hěn jìn. →从他家到医院很近。 Cóng tā jiā dào yīyuàn hěn jìn. 例太阳~地球很远。Tàiyáng ~ dìqiú hěn yuǎn. | 我~他不远, 他的话我听得清清楚楚。Wǒ ~ tā bù yuǎn, tā de huà wǒ tīng de qīngqīngchǔchǔ. | 银行~这儿只有几百 米远。Yínháng ~ zhèr zhǐ yǒu jǐ bǎi mǐ yuǎn. | 这是~我家最近的商 店。Zhè shì ~ wǒ jiā zuì jìn de shāngdiàn. | 你快来吧, 我在~你家 不到一百米的那个邮局门口等你。Nǐ kuài lái ba, wǒ zài~ nǐ jiā bú dào yìbǎi mǐ de nèige yóujú ménkǒu děng nǐ.

lí 离[2] （離）[介]

今天 ~ 她的生日还有两天。Jīntiān ~ tā de shēngri hái yǒu liǎng tiān. →再过两天就是她的生日。Zài guò liǎng tiān jiù shì tā de shēngri. 例我下个月回国, 现在~我回国的时间不远了。Wǒ xià ge yuè huíguó, xiànzài ~ wǒ huíguó de shíjiān bù yuǎn le. | 那位作 家生活的年代~今天已经有几百年了。Nèi wèi zuòjiā shēnghuó de niándài ~ jīntiān yǐjing yǒu jǐ bǎi nián le. | 商店十点关门, 现在是九 点五十, ~关门只有十分钟了。Shāngdiàn shí diǎn guānmén, xiànzài shì jiǔ diǎn wǔshí, ~ guānmén zhǐ yǒu shí fēnzhōng le. | 电影开演还早着呢, 我们不用着急。~ Diànyǐng kāiyǎn hái zǎo zhe ne, wǒmen búyòng zháojí.

lí hūn 离婚(離婚)

他和妻子因为感情不好 ~ 了。Tā hé qīzi yīnwèi gǎnqíng bù hǎo ~ le. →他们不再是夫妻了。Tāmen bú zài shì fūqī le. 例丈夫的脾气太坏，妻子决定跟他 ~。Zhàngfu de píqi tài huài, qīzi juédìng gēn tā ~. |我离过一次婚，现在的妻子是我的第二位妻子。Wǒ líguo yí cì hūn, xiànzài de qīzi shì wǒ de dì èr wèi qīzi. |他和妻子是一年前离的婚。Tā hé qīzi shì yì nián qián lí de hūn. |她 ~ 以后一直一个人生活。Tā ~ yǐhòu yìzhí yì ge rén shēnghuó. |他们 ~ 的原因是性格太不一样了。Tāmen ~ de yuányīn shì xìnggé tài bù yíyàng le.

lí kāi 离开(離開)

他一下课就 ~ 了教室。Tā yí xiàkè jiù ~ le jiàoshì. →他到别的地方去了。Tā dào biéde dìfang qù le. 例我的留学生活结束了，很快就要 ~ 中国。Wǒ de liúxué shēnghuó jiéshù le, hěn kuài jiù yào ~ Zhōngguó. |她只在我家坐了一会儿就 ~ 了。Tā zhǐ zài wǒ jiā zuòle yíhuìr jiù ~ le. |她是我最爱的人，我离不开她。Tā shì wǒ zuì ài de rén, wǒ lí bu kāi tā. |在这个地方住了三年，~ 的时候真有点儿舍不得。Zài zhèige dìfang zhùle sān nián, ~ de shíhou zhēn yǒudiǎnr shěbude.

lí 梨 [名]

例 ~ 是她最爱吃的水果。~ shì tā zuì ài chī de shuǐguǒ. |这种 ~ 很甜，好吃极了。Zhèi zhǒng ~ hěn tián, hǎochī jí le. |我吃了一个 ~。Wǒ chīle yí ge ~. |我要买两斤 ~。Wǒ yào mǎi liǎng jīn ~. |他吃 ~ 从来不削皮儿。Tā chī ~ cónglái bù xiāo pír. |你最好把 ~ 洗干净再吃。Nǐ zuìhǎo bǎ ~ xǐ gānjìng zài chī.

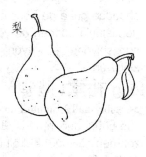

梨

Lǐbàirì 礼拜日(禮拜日) [名]

今天是星期六，明天是 ~。Jīntiān shì Xīngqīliù, míngtiān shì ~. →星期六之后，星期一之前的那一天。Xīngqīliù zhīhòu, Xīngqīyī zhīqián de nèi yì tiān. 例 ~ 你去哪儿了？~ nǐ qù nǎr le? |我打算下 ~ 带孩子去公园。Wǒ dǎsuan xià ~ dài háizi qù gōngyuán. |这 ~ 我在家里洗了很多衣服。Zhè ~ wǒ zài jiāli xǐle hěn duō yīfu. |~ 的

晚上我去看您。~ de wǎnshang wǒ qù kàn nín. I趁~，好好ᵧ睡
个觉。Chèn ~, hǎohāor shuì ge jiào.

Lǐbàitiān 礼拜天（禮拜天）[名]

同"礼拜日"。Tóng "Lǐbàirì". 例明天是 ~。Míngtián shì ~. I这个
~ 我得去加班。Zhèige ~ wǒ děi qù jiābān. I我是上个~跟他见面
的。Wǒ shì shàng ge ~ gēn tā jiànmiàn de. I下个~有场好电影ᵧ，
我们去看吧。Xià ge ~ yǒu chǎng hǎo diànyǐngr, wǒmen qù kàn
ba. I每个~早上他都睡懒觉。Měi ge ~ zǎoshang tā dōu shuì lǎn
jiào. I平时太忙，只能趁~，才能回家去看看父母。Píngshí tài
máng, zhǐ néng chèn ~, cái néng huíjiā qù kànkan fùmǔ.

lǐmào 礼貌¹（禮貌）[名]

courtesy; manners 例这个孩子很懂 ~。Zhèige háizi hěn dǒng ~. I
人和人之间要讲 ~。Rén hé rén zhī jiān yào jiǎng ~. I你对老人要
有 ~。Nǐ duì lǎorén yào yǒu ~. I你这样说太没 ~。Nǐ zhèiyàng
shuō tài méi ~.

lǐmào 礼貌²（禮貌）[形]

mannerly 例刚才你做得不太 ~ 吧? Gāngcái nǐ zuò de bú tài ~ ba? I
你对老师太不 ~ 了。Nǐ duì lǎoshī tài bù ~ le. I这里的服务员个个ᵧ
~ 待人，受到顾客的好评。Zhèlǐ de fúwùyuán gègèr ~ dài rén,
shòudào gùkè de hǎopíng. I玛丽 ~ 地谢绝了对方的邀请。Mǎlì ~
de xièjuéle duìfāng de yāoqǐng. I人人都要使用~语言。Rénrén dōu
yào shǐyòng ~ yǔyán. I这是不 ~ 的行为。Zhè shì bù ~ de
xíngwéi.

lǐtáng 礼堂（禮堂）[名]

assembly hall; auditorium 例这个 ~ 能坐八百多人。Zhèige ~ néng
zuò bābǎi duō rén. I明天下午咱们在小 ~ 开会。Míngtiān xiàwǔ
zánmen zài xiǎo ~ kāihuì. I他已经去 ~ 了。Tā yǐjing qù ~ le. I~
里布置得真漂亮。~ li bùzhì de zhēn piàoliang. I~的最前面是主席
台。~ de zuì qiánmiàn shì zhǔxítái.

lǐwù 礼物（禮物）[名]

生日那天，朋友们送给我很多 ~。Shēngri nà tiān, péngyoumen
sòng gěi wǒ hěn duō ~. →为祝贺我的生日，朋友们送给我很多我
喜欢的东西。Wèi zhùhè wǒ de shēngri, péngyoumen sòng gěi wǒ
hěn duō wǒ xǐhuan de dōngxi. 例这些~我都很喜欢。Zhèixiē ~ wǒ

dōu hěn xǐhuan. | 我也有~要送给你。Wǒ yě yǒu ~ yào sòng gěi nǐ. | 这是妈妈送给我的~. Zhè shì māma sòng gěi wǒ de ~. | 咱们去卖~的商店选一件~吧。Zánmen qù mài ~ de shāngdiàn xuǎn yí jiàn ~ ba.

lǐ 里¹（裏）[名]

刚上车的同志往~走走。Gāng shàng chē de tóngzhì wǎng ~ zǒuzou. → 刚上车的人不要站在车门口，往车厢里边走。Gāng shàng chē de rén búyào zhàn zài chē ménkǒu, wǎng chēxiāng lǐbian zǒu. 例你朝~看，安娜在里边呢。Nǐ cháo ~ kàn, Ānnà zài lǐbian ne. | 我穿的衣服从~到外都是我妈妈做的。Wǒ chuān de yīfu cóng ~ dào wài dōu shì wǒ māma zuò de. | 他们去小树林~散步去了。Tāmen qù xiǎo shùlín ~ sànbù qu le. | 暑假~你去哪儿了？Shǔjià ~ nǐ qù nǎr le?

lǐbian 里边（裏邊）[名]

inside; interior 例厕所~有人，请等一会儿。Cèsuǒ ~ yǒu rén, qǐng děng yíhuìr. | 屋子~有人吗？Wūzi ~ yǒu rén ma? | 他去年一年~写了两本书。Tā qùnián yì nián ~ xiěle liǎng běn shū. | 这些 CD~没有一首我爱听的歌儿。Zhèixiē CD ~ méiyǒu yì shǒu wǒ ài tīng de gēr. | 比尔坐在电影院的最~一排。Bǐ'ěr zuò zài diànyǐngyuàn de zuì ~ yì pái.

lǐmiàn 里面（裏面）[名]

同 "里边"。Tóng "lǐbian". 例教室~还有人吗？Jiàoshì ~ hái yǒu rén ma? | 我的钱包~没有钱了。Wǒ de qiánbāo ~ méiyǒu qián le. | 屋子~的人我一个也不认识。Wūzi ~ de rén wǒ yí ge yě bú rènshi. | 他一个星期~看了三场电影。Tā yí ge xīngqī ~ kànle sān chǎng diànyǐng.

lǐtou 里头（裏頭）[名]

同 "里边"。Tóng "lǐbian". 例星期天商店~人太多。Xīngqītiān shāngdiàn ~ rén tài duō. | 你心~要是有不痛快的事，就说出来。Nǐ xīn ~ yàoshi yǒu bú tòngkuai de shì, jiù shuō chulai. | 去年一年~，他回了三次国。Qùnián yì nián ~, tā huíle sān cì guó. | 最~的那家人姓张。Zuì ~ de nèi jiā rén xìng Zhāng.

lǐ 里²[量]

一公里等于二~. Yì gōnglǐ děngyú èr ~. → 1 *kilometer*（*km*）= 2 *li*

例一~等于五百米。Yì ~ děngyú wǔbǎi mǐ. |一天步行十~地的话，三天以后就能到了。Yì tiān bùxíng shí ~ dì dehuà, sān tiān yǐhòu jiù néng dào le. |从学校东门儿到西门儿大约有六~地。Cóng xuéxiào dōng ménr dào xī ménr dàyuē yǒu liù ~ dì.

lǐfà 理发（理髮）

你的头发太长了，该~了。Nǐ de tóufa tài cháng le, gāi ~ le. →你的头发太长了，该剪短一点儿，弄漂亮一点儿了。Nǐ de tóufa tài cháng le, gāi jiǎnduǎn yìdiǎnr, nòng piàoliang yìdiǎnr le. 例我先洗澡，然后去~。Wǒ xiān xǐzǎo, ránhòu qù ~. |小时候常常是我父亲给我~。Xiǎoshíhou chángcháng shì wǒ fùqin gěi wǒ ~. |以前我也学过~。Yǐqián wǒ yě xuéguo ~. |~不难，学一学就会。~ bù nán, xué yi xué jiù huì. |我认识那位女~师。Wǒ rènshi nèi wèi nǚ ~ shī. |他每个月去理一次发。Tā měi ge yuè qù lǐ yí cì fà. |请给我理成短发。Qǐng gěi wǒ lǐchéng duǎn fà.

lǐjiě 理解 [动]

那时他太小，不~这些道理。Nàshí tā tài xiǎo, bù ~ zhèixiē dàoli. →他太小，还不能懂这些道理。Tā tài xiǎo, hái bù néng dǒng zhèixiē dàoli. 例我为什么这么做，你能~吗？Wǒ wèishénme zhème zuò, nǐ néng ~ ma? |要人家~你，你得先~他们。Yào rénjia ~ nǐ, nǐ děi xiān ~ tāmen. |他对问题~得很深刻。Tā duì wèntí ~ de hěn shēnkè. |相互~比什么都重要。Xiānghù ~ bǐ shénme dōu zhòngyào. |要是有不~的地方，可以问老师。Yàoshi yǒu bù ~ de dìfang, kěyǐ wèn lǎoshī.

lǐlùn 理论（理論）[名]

theory 例这些~早就过时了。Zhèixiē ~ zǎo jiù guò shí le. |我们提倡~联系实际的工作作风。Wǒmen tíchàng ~ liánxì shíjì de gōngzuò zuòfēng. |管理人员应该懂一点儿经济~。Guǎnlǐ rényuán yīnggāi dǒng yìdiǎnr jīngjì ~. |这就是我们的~根据。Zhè jiù shì wǒmen de ~ gēnjù. |我们还要不断地提高~水平。Wǒmen hái yào búduàn de tígāo ~ shuǐpíng. |这些~问题还有待于进一步的研究。Zhèixiē ~ wèntí hái yǒudài yú jìn yí bù de yánjiū.

lǐxiǎng 理想[1] [名]

他的~是当一名记者。Tā de ~ shì dāng yì míng jìzhě. →他未来的愿望是想当一名记者。Tā wèilái de yuànwàng shì xiǎng dāng yì míng jìzhě. **例**他的～真的实现了。Tā de ～ zhēnde shíxiàn le. ｜年轻人都有远大的～。Niánqīngrén dōu yǒu yuǎndà de ～. ｜这位姑娘正是导演～中的人物。Zhèi wèi gūniang zhèng shì dǎoyǎn ～ zhòng de rénwù.

lǐxiǎng 理想[2] ［形］

这批毕业生找到的工作都很～。Zhèi pī bìyèshēng zhǎodào de gōngzuò dōu hěn ～. →他们找到的工作符合自己的愿望，每个人都很满意。Tāmen zhǎodào de gōngzuò fúhé zìjǐ de yuànwàng, měi gè rén dōu hěn mǎnyì. **例**这个设计方案比较～。Zhèige shèjì fāng'àn bǐjiào ～. ｜他们都找到了～的工作。Tāmen dōu zhǎodàole ～ de gōngzuò. ｜这个地方是个很～的休息场所。Zhèige dìfang shì ge hěn ～ de xiūxi chǎngsuǒ. ｜这儿的条件我觉得十分～。Zhèr de tiáojiàn wǒ juéde shífēn ～. ｜今年的考试成绩考得不够～。Jīnnián de kǎoshì chéngjì kǎo de bú gòu ～.

lǐyóu 理由 ［名］

你为什么这样做？请你说出～。Nǐ wèishénme zhèiyàng zuò? Qǐng nǐ shuōchū ～. →请你说出你这样做的道理是什么。Qǐng nǐ shuōchū nǐ zhèiyàng zuò de dàoli shì shénme. **例**这些～足够证明你说的是假话。Zhèixiē ～ zúgòu zhèngmíng nǐ shuō de shì jiǎ huà. ｜没有充分的～，他们是不会同意的。Méiyǒu chōngfèn de ～, tāmen shì bú huì tóngyì de. ｜我这样说也不是毫无～的。Wǒ zhèiyàng shuō yě bú shì háo wú ～ de.

lìliang 力量[1] ［名］

他的～真大，一个人就把这个大箱子搬起来了。Tā de ～ zhēn dà, yí ge rén jiù bǎ zhèige dà xiāngzi bān qilai le. →大箱子有五十多斤重，他能一个人搬起来。Dà xiāngzi yǒu wǔshí duō jīn zhòng, tā néng yí ge rén bān qilai. **例**我的手～小，抓不住这根铁棍。Wǒ de shǒu ～ xiǎo, zhuā bu zhù zhèi gēn tiě gùn. ｜再加把劲儿，把全身的～都使出来！Zài jiā bǎ jìnr, bǎ quánshēn de ～ dōu shǐ chulai! ｜他这么瘦，哪有～搬这么重的东西呀。Tā zhème shòu, nǎ yǒu ～ bān zhème zhòng de dōngxi ya.

lìliang 力量[2] ［名］

我会尽自己的～做好这件事的。Wǒ huì jìn zìjǐ de ～ zuòhǎo zhèi jiàn shì de. →我将拿出自己的全部能力来做这件事。Wǒ jiāng náchū

zìjǐ de quánbù nénglì lái zuò zhèi jiàn shì. **例**我有～帮助你，请相信
我吧。Wǒ yǒu ～ bāngzhù nǐ, qǐng xiāngxìn wǒ ba. |今后一段时
间，他要集中～读一些书。Jīnhòu yí duàn shíjiān, tā yào jízhōng ～
dú yìxiē shū. |集体的～比一个人的～大得多。Jítǐ de ～ bǐ yí ge rén
de ～ dà de duō. |科学技术发展这么快，使我看到了知识的～。
Kēxué jìshù fāzhǎn zhème kuài, shǐ wǒ kàndàole zhīshi de ～.

lìqi 力气 [名]

他～很大，拿着这么重的行李却显得很轻松。Tā ～ hěn dà, názhe
zhème zhòng de xíngli què xiǎnde hěn qīngsōng. →很重的东西他也
拿得动。Hěn zhòng de dōngxi tā yě ná de dòng. **例**孩子～太小，搬
不动这张大桌子。Háizi ～ tài xiǎo, bān bu dòng zhèi zhāng dà
zhuōzi. |他很有～，一个人就把那个大箱子拿走了。Tā hěn yǒu
～, yí ge rén jiù bǎ nèige dà xiāngzi názǒu le. |他在海里游了很久，
～快用完了。Tā zài hǎi li yóule hěn jiǔ, ～ kuài yòngwán le. |她累
得连说话的～都没有了。Tā lèi de lián shuōhuà de ～ dōu méiyǒu
le. |我用最大的～把石头向河里扔了出去。Wǒ yòng zuì dà de ～
bǎ shítou xiàng hé li rēngle chuqu.

lìshǐ 历史[1] （歷史）[名]

history; past record **例**这段～我很清楚。Zhèi duàn ～ wǒ hěn
qīngchu. |中国有悠久的～。Zhōngguó yǒu yōujiǔ de ～. |我们不
但要研究古代的～，还要研究现代的～。Wǒmen búdàn yào yánjiū
gǔdài de ～, hái yào yánjiū xiàndài de ～. |这些事早已成为～了。
Zhèixiē shì zǎoyǐ chéngwéi ～ le. |这里记载了许多～故事。Zhèlǐ
jìzǎile xǔduō ～ gùshi. |这件事的发展可分为三个～阶段。Zhèi jiàn
shì de fāzhǎn kě fēnwéi sān ge ～ jiēduàn. |我们应当～地看待这个
问题。Wǒmen yīngdāng ～ de kàndài zhèige wèntí.

lìshǐ 历史[2] （歷史）[名]

history (a branch of learning) **例**他是～系的毕业生。Tā shì ～ xì de
bìyèshēng. |他是我们的～老师。Tā shì wǒmen de ～ lǎoshī. |～
学起来非常有趣。～ xué qilai fēicháng yǒuqù. |明天我们考地理和
～。Míngtiān wǒmen kǎo dìlǐ hé ～. |这是中学的～课本。Zhè shì
zhōngxué de ～ kèběn.

lìhai 厉害（厲害）[形]

我的头疼得很～。Wǒ de tóu téng de hěn ～. →我的头疼极了，疼

得很难忍受。Wǒ de tóu téngjí le, téng de hěn nán rěnshòu. **例**他批评人很~。Tā pīpíng rén hěn ~. I那是一个非常~的老人。Nà shì yí ge fēicháng ~ de lǎorén. I看到他那~的样子，孩子们就吓跑了。Kàndào tā nà ~ de yàngzi, háizimen jiù xiàpǎo le. I咱们要让他们知道知道咱们的~。Zánmen yào ràng tāmen zhīdao zhīdao zánmen de ~.

‖立 [动]

你别~在车门口，往里走走。Nǐ bié ~ zài chē ménkǒu, wǎng lǐ zǒuzou. →你别站在车门口，往里走走。Nǐ bié zhàn zài chē ménkǒu, wǎng lǐ zǒuzou. **例**那个人在马路边上~了好长时间了。Nèi ge rén zài mǎlù biān shang ~ le hǎo cháng shíjiān le. I别老~着了，坐下吧。Bié lǎo ~ zhe le, zuòxia ba. I今天上午，有个人在你们家门口~了十几分钟，后来走了。Jīntiān shàngwǔ, yǒu ge rén zài nǐmen jiā ménkǒu ~ le shíjǐ fēnzhōng, hòulái zǒu le.

‖chǎng 立场 [名]

你站在我的~上，就会理解我了。Nǐ zhàn zài wǒ de ~ shang, jiù huì lǐjiě wǒ le. →你从我这方面来考虑问题，你就能理解我了。Nǐ cóng wǒ zhèi fāngmiàn lái kǎolǜ wèntí, nǐ jiù néng lǐjiě wǒ le. **例**咱们各有各的~，当然想不到一起了。Zánmen gè yǒu gè de ~, dāngrán xiǎng bu dào yìqǐ le. I我的~并没有改变，还是不能同意你的看法和做法。Wǒ de ~ bìng méiyǒu gǎibiàn, háishi bù néng tóngyì nǐ de kànfǎ hé zuòfǎ. I他的基本~已经说清楚了，不必再问他了。Tā de jīběn ~ yǐjing shuō qīngchu le, búbì zài wèn tā le. I如果只从个人的~，而不从国家的~看问题，就不可能想通。Rúguǒ zhǐ cóng gèrén de ~, ér bù cóng guójiā de ~ kàn wèntí, jiù bù kěnéng xiǎngtōng.

‖fāng 立方 [名]

三的~是二十七。Sān de ~ shì èrshíqī. →$3 \times 3 \times 3 = 27$ **例** b 的~写成 b^3。b de ~ xiěchéng b^3. I二的平方是四，二的~是八。Èr de píngfāng shì sì, èr de ~ shì bā. I十三的~是多少？Shísān de ~ shì duōshao?

‖fāngmǐ 立方米 [名]

这个箱子大约有一~。Zhèige xiāngzi dàyuē yǒu yí ~. →这个箱子的长宽高都是一米。Zhèige xiāngzi de cháng kuān gāo dōu shì yì mǐ.

例那个木房子一共几~? Nèige mù fángzi yígòng jǐ ~? |木头常常用 ~来计算。Mùtou chángcháng yòng ~ lái jìsuàn. |请你算一算，二 米乘三米乘四米是多少~? Qǐng nǐ suàn yi suàn, èr mǐ chéng sān mǐ chéng sì mǐ shì duōshao ~?

lìjí 立即 [副]

听到门铃响，他~去开门。Tīngdào ménlíng xiǎng, tā ~ qù kāimén. →刚听到门铃响，他就去开门了。Gāng tīngdào ménlíng xiǎng, tā jiù qù kāimén le. **例**接到电报，他~赶回家乡。Jiēdào diànbào, tā ~ gǎnhuí jiāxiāng. |老师讲完话，同学们~行动起来， 把教室打扫得干干净净。Lǎoshī jiǎngwán huà, tóngxuémen ~ xíngdòng qilai, bǎ jiàoshì dǎsǎo de gāngānjìngjìng. |请你接到电话 后，~来公司一趟。Qǐng nǐ jiēdào diànhuà hòu, ~ lái gōngsī yí tàng. |这件事非常重要，他决定~处理。Zhèi jiàn shì fēicháng zhòngyào, tā juédìng ~ chǔlǐ.

lìjiāoqiáo 立交桥(立交橋) [名]

overpass; flyover **例**近几年，北京建了许多~。Jìn jǐ nián, Běijīng jiànle xǔduō ~. |从这里到机场要经过两座~。Cóng zhèlǐ dào jīchǎng yào jīngguò liǎng zuò ~. |我觉得在所有的~当中，这一座 最漂亮。Wǒ juéde zài suǒyǒu de ~ dāngzhōng, zhèi yí zuò zuì piàoliang. |这里的~是去年刚建起来的。Zhèlǐ de ~ shì qùnián gāng jiàn qilai de. |有了~，交通方便多了。Yǒule ~, jiāotōng fāngbiàn duō le.

lìkè 立刻 [副]

你先走，我~就到。Nǐ xiān zǒu, wǒ ~ jiù dào. →你走后，我接着 就走。Nǐ zǒu hòu, wǒ jiēzhe jiù zǒu. **例**听到有人喊他，就~跑了 出去。Tīngdào yǒu rén hǎn tā, jiù ~ pǎole chuqu. |喂，请你~到 我这儿来一下儿。Wèi, qǐng nǐ ~ dào wǒ zhèr lái yíxiàr. |他得的是 急病，需要~送医院。Tā dé de shì jíbìng, xūyào ~ sòng yīyuàn. | 一见到他们的妈妈，孩子们~高兴起来。Yí jiàndào tāmen de māma, háizimen ~ gāoxìng qilai.

lìyì 利益 [名]

他们为了人民的~牺牲了自己的生命。Tāmen wèile rénmín de ~ xīshēngle zìjǐ de shēngmìng. →他们为了让人民得到好处，牺牲了 自己的生命。Tāmen wèile ràng rénmín dédào hǎochu, xīshēngle zìjǐ de shēngmìng. **例**国家和人民的~高于一切。Guójiā hé rénmín de

~ gāo yú yíqiè. |个人~要服从集体~。Gèrén ~ yào fúcóng jítǐ
~. |不能只看到眼前~，还要考虑到长远~。Bù néng zhǐ kàndào
yǎnqián ~, hái yào kǎolǜ dào chángyuǎn ~.

lìyòng 利用 ［动］

我们十分重视合理~自然资源。Wǒmen shífēn zhòngshì hélǐ ~ zìrán
zīyuán. →我们将努力让自然资源在社会经济发展中很好地发挥作
用。Wǒmen jiāng nǔlì ràng zìrán zīyuán zài shèhuì jīngjì fāzhǎn zhōng
hěn hǎo de fāhuī zuòyòng. 例我和玛丽~放假的时间访问了农村。
Wǒ hé Mǎlì ~ fàngjià de shíjiān fǎngwènle nóngcūn. |我想~这次
和大家见面的机会听听你们的想法。Wǒ xiǎng ~ zhèi cì hé dàjiā
jiànmiàn de jīhuì tīngting nǐmen de xiǎngfa. |那条河完全可以~来发
电。Nèi tiáo hé wánquán kěyǐ ~ lái fādiàn. |这里的土地没有很好
地~，太可惜了。Zhèlǐ de tǔdì méiyǒu hěn hǎo de ~, tài kěxī le.

lìrú 例如 ［动］

for instance; for example 例这几年他学了很多手艺，~做家具、修理
电器等等。Zhèi jǐ nián tā xuéle hěn duō shǒuyì, ~ zuò jiājù、xiūlǐ
diànqì děngděng. |他喜欢球类运动，~排球、篮球、足球什么的。
Tā xǐhuan qiúlèi yùndòng, ~ páiqiú、lánqiú、zúqiú shénmede. |这
学期有的同学，~安娜、比尔、大卫、玛丽在学习成绩上有了很大
的进步。Zhè xuéqī yǒude tóngxué, ~ Ānnà、Bǐ'ěr、Dàwèi、Mǎlì
zài xuéxí chéngjì shàng yǒule hěn dà de jìnbù.

lìzi 例子 ［名］

example; case; instance 例为了让同学们理解这个词的意思，老师举
了很多~。Wèile ràng tóngxuémen lǐjiě zhèige cí de yìsi, lǎoshī jǔle
hěn duō ~. |这个~很能说明问题。Zhèige ~ hěn néng shuōmíng
wèntí. |可以用一些反面的~来教育学生。Kěyǐ yòng yìxiē fǎnmiàn
de ~ lái jiàoyù xuésheng. |在那个集体里，同志之间互相帮助的~很
多。Zài nèige jítǐ li, tóngzhì zhī jiān hùxiāng bāngzhù de ~ hěn duō.

lì 粒 ［量］

用于小的圆形的东西。Yòngyú xiǎo de yuánxíng de dōngxi. 例他十
分注意节约，一~米一度电也从不浪费。Tā shífēn zhùyì jiéyuē, yí
~ mǐ yí dù diàn yě cóng bú làngfèi. |这种药一天吃三~。Zhèi
zhǒng yào yì tiān chī sān ~. |他把撒在地上的粮食一~一~地捡起
来。Tā bǎ sǎ zài dìshang de liángshi yí ~ yí ~ de jiǎn qilai. |前些天

种下的几 ~ 种子，长出了小小的绿叶。Qián xiē tiān zhòngxià de jǐ ~ zhǒngzi, zhǎng chūle xiǎoxiǎo de lǜyè.

lia

liǎ 俩(俩) [数]

他一天吃 ~ 鸡蛋，早上一个，晚上一个。Tā yì tiān chī ~ jīdàn, zǎoshang yí ge, wǎnshang yí ge. →他一天吃两个鸡蛋。Tā yì tiān chī liǎng ge jīdàn. 例我有 ~ 孩子，大的十岁，小的七岁。Wǒ yǒu ~ háizi, dà de shí suì, xiǎo de qī suì. | 我昨天买的苹果今天只剩了 ~ 。Wǒ zuótiān mǎi de píngguǒ jīntiān zhǐ shèngle ~ . | 我们 ~ 是夫妻。Wǒmen ~ shì fūqī. | 这兄弟 ~ 都爱踢足球。Zhè xiōngdì ~ dōu ài tī zúqiú. | 她们姐妹 ~ 长得很像。Tāmen jiěmèi ~ zhǎng de hěn xiàng.

lian

lián 连[1] (連) [动]

这里山 ~ 着山，水 ~ 着水，自然风景美极了。Zhèlǐ shān ~ zhe shān, shuǐ ~ zhe shuǐ, zìrán fēngjǐng měijí le. →山和山接在一起，水和水接在一起，这里的风景很美。Shān hé shān jiē zài yìqǐ, shuǐ hé shuǐ jiē zài yìqǐ, zhèlǐ de fēngjǐng hěn měi. 例夫妻二人彼此感情很深，心 ~ 着心。Fūqī èr rén bǐcǐ gǎnqíng hěn shēn, xīn ~ zhe xīn. | 两条公路相 ~ ，路上来往的汽车很多。Liǎng tiáo gōnglù xiāng ~ , lù shang láiwǎng de qìchē hěn duō. | 这两个字要 ~ 在一起读。Zhèi liǎng ge zì yào ~ zài yìqǐ dú. | 你画错了，应该把这两根线 ~ 起来。Nǐ huàcuò le, yīnggāi bǎ zhèi liǎng gēn xiàn ~ qilai.

liánxù 连续[1] (連續) [动]

这两个事件是 ~ 着的。Zhèi liǎng ge shìjiàn shì ~ zhe de. →两个事件是一个接着一个的，不是分开的。Liǎng ge shìjiàn shì yí ge jiēzhe yí ge de, bú shì fēnkāi de. 例下这样的小雨已经 ~ 好几天了。Xià zhèiyàng de xiǎoyǔ yǐjīng ~ hǎojǐ tiān le. | 小学生的队伍一队接着一队， ~ 不断。Xiǎoxuéshēng de duìwu yí duì jiēzhe yí duì, ~ búduàn. | 体操队员这几个 ~ 的动作做得好极了。Tǐcāo duìyuán zhèi jǐ ge ~ de dòngzuò zuò de hǎojí le. | 白医生的手术 ~ 了几个小时，现在刚刚做完。Bái yīshēng de shǒushù ~ le jǐ ge xiǎoshí, xiànzài gānggāng zuòwán.

lián 连² (連) [副]

哥哥~发三封信，让我快回去。Gēge ~ fā sān fēng xìn，ràng wǒ kuài huíqu. →哥哥一封接一封地共发了三封信催我回去。Gēge yì fēng jiē yì fēng de gòng fāle sān fēng xìn cuī wǒ huíqu. **例**那句话他 ~说了两遍，我都没听清楚。Nèi jù huà tā ~ shuōle liǎng biàn，wǒ dōu méi tīng qīngchu. |这次比赛，我们~胜了两场。Zhèi cì bǐsài，wǒmen ~ shèngle liǎng chǎng. |安娜一边听着我说，一边~~点头。Ānnà yìbiān tīngzhe wǒ shuō，yìbiān ~ ~ diǎntóu. |一~下了三天雨，今天才晴了。Yì ~ xiàle sān tiān yǔ，jīntiān cái qíng le.

liánmáng 连忙 (連忙) [副]

客人刚进门，我~站起来迎接。Kèrén gāng jìnmén，wǒ ~ zhàn qilai yíngjiē. →见客人进来，我赶快站了起来，走过去迎接。Jiàn kèrén jìnlai，wǒ gǎnkuài zhànle qilai，zǒu guoqu yíngjiē. **例**妈妈脱下外衣，我~接了过来。Māma tuōxià wàiyī，wǒ ~ jiēle guolai. |我们刚坐下，服务员~给我们倒茶。Wǒmen gāng zuòxia，fúwùyuán ~ gěi wǒmen dào chá. |一听铃响，他~去接电话。Yì tīng líng xiǎng，tā ~ qù jiē diànhuà. |小孩儿跌倒了，妈妈~跑过去把他扶起来。Xiǎoháir diēdǎo le，māma ~ pǎo guoqu bǎ tā fú qilai.

liánxù 连续² (連續) [动]

雨~下了好几天了。Yǔ ~ xiàle hǎojǐ tiān le. →雨接连不断地一直下了好几天。Yǔ jiēlián búduàn de yìzhí xiàle hǎojǐ tiān. **例**他已经~工作了二十多个小时了。Tā yǐjing ~ gōngzuòle èrshí duō ge xiǎoshí le. |在排球比赛中，A队~得了八分。Zài páiqiú bǐsài zhōng，A duì ~ déle bā fēn. |节日期间，本商店~营业，随时接待顾客。Jiérì qījiān，běn shāngdiàn ~ yíngyè，suíshí jiēdài gùkè. |他~发表了好几篇文章，谈他对健康的认识。Tā ~ fābiǎole hǎojǐ piān wénzhāng，tán tā duì jiànkāng de rènshi.

lián 连³ (連) [介]

去开会的人~你共三个人。Qù kāihuì de rén ~ nǐ gòng sān ge rén. →去开会的人包括你一共三个人。Qù kāihuì de rén bāokuò nǐ yígòng sān ge rén. **例**离考试的时间~今天还有四天。Lí kǎoshì de shíjiān ~ jīntiān hái yǒu sì tiān. |在这条小街上，~那个小店，有五家百货店。Zài zhèi tiáo xiǎojiē shang，~ nèige xiǎodiàn，yǒu wǔ jiā bǎihuòdiàn. |刚才那一场，今天放了五场电影。~ gāngcái nèi yì chǎng, jīntiān fàngle wǔ chǎng diànyǐng. | ~老人、小孩儿才来了三十多人。 ~ lǎorén、xiǎoháir cái láile sānshí duō rén.

lián ···dài··· 连···带···¹ （連···帶···）

来这儿报名的 ~男的 ~女的，一共二百多人。Lái zhèr bàomíng de ~ nán de ~ nǚ de, yígòng èrbǎi duō rén. →二百多报名的人中，包括男的也包括女的。Èrbǎi duō bàomíng de rén zhōng, bāokuò nán de yě bāokuò nǚ de. 例这些书，~ 厚的 ~ 薄的，共十本。Zhèixiē shū, ~ hòu de ~ báo de, gòng shí běn. | 房间里~桌子~椅子都是新买的。Fángjiān li ~ zhuōzi ~ yǐzi dōu shì xīn mǎi de. | ~买菜~买水果，一共花不了多少钱。 ~ mǎi cài ~ mǎi shuǐguǒ, yígòng huā bu liǎo duōshao qián. | ~读书~写字一共用了两个小时。 ~ dú shū ~ xiězì yígòng yòngle liǎng ge xiǎoshí.

lián ···dài··· 连···带···² （連···帶···）

小女孩儿 ~唱~跳，高兴得不得了。Xiǎo nǚháir ~ chàng ~ tiào, gāoxìng de bùdéliǎo. →小女孩儿一边唱一边跳，非常高兴。Xiǎo nǚháir yìbiān chàng yìbiān tiào, fēicháng gāoxìng. 例他 ~说~笑，一点儿看不出有什么不愉快的事。Tā ~ shuō ~ xiào, yìdiǎnr kàn bu chū yǒu shénme bù yúkuài de shì. | 一听见响，小狗就 ~滚~爬地逃走了。Yì tīngjiàn xiǎng, xiǎogǒu jiù ~ gǔn ~ pá de táozǒu le. | 只见两位演员 ~说~表演，把观众都吸引住了。Zhǐ jiàn liǎng wèi yǎnyuán ~ shuō ~ biǎoyǎn, bǎ guānzhòng dōu xīyǐn zhù le. | 他哭~闹的，真叫人讨厌。Tā ~ kū ~ nào de, zhēn jiào rén tǎoyàn.

lián ···dōu(yě)··· 连···都(也)···（連···都〈也〉···）

这事~你~不知道，我真想不到。Zhè shì ~ nǐ ~ bù zhīdào, wǒ zhēn xiǎng bu dào. →你最应该知道这事，你怎么会不知道呢？Nǐ zuì yīnggāi zhīdào zhè shì, nǐ zěnme huì bù zhīdào ne? 例他 ~水没喝一口，整整干了一个上午。Tā ~ shuǐ ~ méi hē yì kǒu, zhěngzhěng gànle yí ge shàngwǔ. | 他这样不用功，~小孩儿~不如。Tā zhèiyàng bú yònggōng, ~ xiǎoháir ~ bùrú. | 我~自行车不会骑，只好坐公共汽车去了。Wǒ ~ zìxíngchē ~ bú huì qí, zhǐhǎo zuò gōnggòng qìchē qù le. | ~他弟弟叫什么名字，我~忘了问。 ~ tā dìdi jiào shénme míngzi, wǒ ~ wàngle wèn. | 这个月，他~一天~没休息，天天忙着上班。Zhèige yuè, tā ~ yì tiān ~ méi xiūxi, tiāntiān mángzhe shàngbān.

liánhé 联合（聯合）[动]

两个班~起来，力量就大了。Liǎng ge bān ~ qilai, lìliang jiù dà le. →两个班联系在一起，力量就更大了。Liǎng ge bān liánxì zài yìqǐ, lìliang jiù gèng dà le. 例我们几人~在一起，就不怕有人欺负了。Wǒmen jǐ rén ~ zài yìqǐ, jiù bú pà yǒu rén qīfu le. | 几个分散的小厂要求~，这是个好事情。Jǐ ge fēnsàn de xiǎochǎng yāoqiú ~, zhè shì ge hǎo shìqing. | 在晚会上，几所中学~演出了精彩的文艺节目。Zài wǎnhuì shàng, jǐ suǒ zhōngxué ~ yǎnchūle jīngcǎi de wényì jiémù. | 两大公司合成了一个更大的公司，真正实现了强强~。Liǎng dà gōngsī héchéngle yí ge gèng dà de gōngsī, zhēnzhèng shíxiànle qiáng qiáng ~.

liánhuān 联欢（聯歡）[动]

周末晚上我们和理工大学的同学~。Zhōumò wǎnshang wǒmen hé Lǐgōng Dàxué de tóngxué ~. →两个学校的同学在一起演节目，共同度过一个欢乐的周末。Liǎng ge xuéxiào de tóngxué zài yìqǐ yǎn jiémù, gòngtóng dùguò yí ge huānlè de zhōumò. 例我们几个工厂的青年将于五月四号在一起~，庆祝青年节。Wǒmen jǐ ge gōngchǎng de qīngnián jiāng yú Wǔyuè sì hào zài yìqǐ ~, qìngzhù Qīngniánjié. | 明天晚上礼堂里有~晚会，你去不去看？Míngtiān wǎnshang lǐtáng li yǒu ~ wǎnhuì, nǐ qù bu qù kàn? | 在我们这里，军民~活动每年都举行一次。Zài wǒmen zhèlǐ, jūnmín ~ huódòng měi nián dōu jǔxíng yí cì. | 在~会上，大家在一块儿唱呀跳呀，快乐极了。Zài ~ huì shang, dàjiā zài yíkuàir chàng ya tiào ya, kuàilè jí le.

liánxì 联系¹（聯繫）[动]

我先和李经理~一下儿，然后你们再谈。Wǒ xiān hé Lǐ jīnglǐ ~ yíxiàr, ránhòu nǐmen zài tán. →在你们谈话之前，我和他先接上关系。Zài nǐmen tánhuà zhī qián, wǒ hé tā xiān jiēshang guānxì. 例我已经和李先生~好了，你直接去找他就可以。Wǒ yǐjing hé Lǐ xiānsheng ~ hǎo le, nǐ zhíjiē qù zhǎo tā jiù kěyǐ. | 最近我要去上海~业务。Zuìjìn wǒ yào qù Shànghǎi ~ yèwù. | 请你~实际来谈问题。Qǐng nǐ ~ shíjì lái tán wèntí. | 那个公司他~过几次都没有~上。Nèige gōngsī tā ~ guo jǐ cì dōu méiyǒu ~ shàng. | 这件事不管能不能办成，先~~再说吧。Zhèi jiàn shì bùguǎn néng bu néng bànchéng, xiān ~ ~ zàishuō ba.

liánxì 联系² (聯繫) [名]

毕业这些年他们俩一直有 ~ 。Bìyè zhèixiē nián tāmen liǎ yìzhí yǒu ~ . →他们俩的关系一直保持着，没有断。Tāmen liǎ de guānxì yìzhí bǎochízhe, méiyǒu duàn. 例自从那次分别之后，我们两人就失去了 ~ 。Zìcóng nèi cì fēnbié zhīhòu, wǒmen liǎng rén jiù shīqùle ~ . l 我想应该想办法赶快和他取得 ~ 。Wǒ xiǎng yīnggāi xiǎng bànfǎ gǎnkuài hé tā qǔdé ~ . l 我国和几十个国家建立了广泛的 ~ 。Wǒguó hé jǐ shí ge guójiā jiànlìle guǎngfàn de ~ . l 我们两个部门之间的 ~ 很多，我很了解他们的情况。Wǒmen liǎng ge bùmén zhījiān de ~ hěn duō, wǒ hěn liǎojiě tāmen de qíngkuàng.

liánxiǎng 联想 (聯想) [动]

每逢见到河，我就 ~ 起故乡的那条小河。Měi féng jiàndào hé, wǒ jiù ~ qǐ gùxiāng de nèi tiáo xiǎohé. →我常常从所见到的河想起自己故乡的小河。Wǒ chángcháng cóng suǒ jiàndào de hé xiǎngqǐ zìjǐ gùxiāng de xiǎohé. 例这棵大树常使我们 ~ 到小时候在树下玩儿的情景。Zhèi kē dà shù cháng shǐ wǒmen ~ dào xiǎoshíhou zài shù xià wánr de qíngjǐng. l 他学外语，经常通过 ~ 来记住单词。Tā xué wàiyǔ, jīngcháng tōngguò ~ lái jìzhù dāncí. l 这个故事让我 ~ 到很多。Zhèige gùshi ràng wǒ ~ dào hěn duō. l 大卫非常聪明，~ 能力特别强。Dàwèi fēicháng cōngming, ~ nénglì tèbié qiáng. l 这里的风景引起了我的不少 ~ 。Zhèlǐ de fēngjǐng yǐnqǐle wǒ de bùshǎo ~ .

liǎn 脸 (臉) [名]

face 例小女孩儿的 ~ 总是红红的，那么好看。Xiǎo nǚháir de ~ zǒngshì hónghóng de, nàme hǎokàn. l 你出汗了，擦擦 ~ 吧。Nǐ chū hàn le, cāca ~ ba. l 她的 ~ 上总是带着笑。Tā de ~ shang zǒngshì dàizhe xiào. l 你看他，~ 的颜色很不好看，可能病了吧。Nǐ kàn tā, ~ de yánsè hěn bù hǎokàn, kěnéng bìng le ba.

liàn 练 (練) [动]

写字要多 ~ 才能写好。Xiězì yào duō ~ cái néng xiěhǎo. →要反复地写，写熟了才能写得好。Yào fǎnfù de xiě, xiěshóule cái néng xiě de hǎo. 例学习外语不 ~ 是不行的。Xuéxí wàiyǔ bú ~ shì bùxíng de. l 他 ~ 游泳 ~ 得很有成绩。Tā ~ yóuyǒng ~ de hěn yǒu chéngjì. l 这一套动作我 ~ 了好几天了，还没 ~ 会呢。Zhèi yí tào dòngzuò wǒ ~ le hǎojǐ tiān le, hái méi ~ huì ne. l 每天早上 ~ ~ 跑

步对身体很有好处。Měi tiān zǎoshang ~ ~ pǎobù duì shēntǐ hěn yǒu hǎochu.

liànxí 练习[1] （練習）[动]

他天天 ~ 写汉字，进步得很快。Tā tiāntiān ~ xiě Hànzì, jìnbù de hěn kuài. →他反复地学习写汉字，越写越熟练。Tā fǎnfù de xuéxí xiě Hànzì, yuè xiě yuè shúliàn. **例**他 ~ 画画儿好几年了，现在画得很不错了。Tā ~ huà huàr hǎojǐ nián le, xiànzài huà de hěn búcuò le. |学习弹钢琴，只学习不 ~ 怎么行呢? Xuéxí tán gāngqín, zhǐ xuéxí bú ~ zěnme xíng ne? |大卫 ~ 着用汉语跟中国人会话。Dàwèi ~ zhe yòng Hànyǔ gēn Zhōngguórén huìhuà. |你的英语水平不错，还要多 ~ ~ 朗读。Nǐ de Yīngyǔ shuǐpíng búcuò, háiyào duō ~ ~ lǎngdú.

liànxí 练习[2] （練習）[名]

他正在做数学 ~ 。Tā zhèngzài zuò shùxué ~. →为了复习刚讲完的数学课的内容，他正在写作业。Wèile fùxí gāng jiǎngwán de shùxué kè de nèiróng, tā zhèngzài xiě zuòyè. **例**现在我们来做课文后面的 ~ 。Xiànzài wǒmen lái zuò kèwén hòumiàn de ~. |今天的 ~ 不多，一会儿就能做完。Jīntiān de ~ bù duō, yíhuìr jiù néng zuòwán. |老师布置的 ~ ，我早就做完了。Lǎoshī bùzhì de ~, wǒ zǎo jiù zuòwán le. |今天早上交 ~ ，你带来了吗? Jīntiān zǎoshang jiāo ~, nǐ dàilái le ma?

liàn'ài 恋爱[1] （戀愛）[动]

这两个年轻人 ~ 了两年才结婚。Zhèi liǎng ge niánqīngrén ~ le liǎng nián cái jiéhūn. →一个男青年和一个女青年，他俩相爱产生了爱情，两年之后才结婚。Yí ge nán qīngnián hé yí ge nǚ qīngnián, tā liǎ xiāng'ài chǎnshēngle àiqíng, liǎng nián zhīhòu cái jiéhūn. **例**小李和小王 ~ 了，大家都觉得他俩是很幸福的一对儿。Xiǎo Lǐ hé Xiǎo Wáng ~ le, dàjiā dōu juéde tā liǎ shì hěn xìngfú de yí duìr. |现在的年轻人都是先 ~ 后结婚，我和你奶奶是先结婚后 ~ 。Xiànzài de niánqīngrén dōu shì xiān ~ hòu jiéhūn, wǒ hé nǐ nǎinai shì xiān jiéhūn hòu ~. |中学生不应该过早地 ~ 。Zhōngxuéshēng bù yīnggāi guò zǎo de ~. |我看他俩之间有点儿意思，是不是在 ~ 了? Wǒ kàn tā liǎ zhījiān yǒudiǎnr yìsi, shì bu shì zài ~ le?

liàn'ài 恋爱² （戀愛）[名]

大卫和他的女朋友正在谈～。Dàwèi hé tā de nǚpéngyou zhèngzài tán ～. →他俩互相爱着，现在还没结婚。Tā liǎ hùxiāng àizhe, xiànzài hái méi jiéhūn. 例我现在正在读书，不想谈～。Wǒ xiànzài zhèngzài dúshū, bù xiǎng tán ～. | ～是一件严肃的事情，关系到一个人一生的幸福。～ shì yí jiàn yánsù de shìqing, guānxì dào yí ge rén yìshēng de xìngfú. | 我们很愿意听他讲他的～故事。Wǒmen hěn yuànyì tīng tā jiǎng tā de ～ gùshi. | 他们俩的～历史可真不短啊。Tāmen liǎ de ～ lìshǐ kě zhēn bù duǎn a.

liang

liánghǎo 良好 [形]

他身体状况～，什么病也没有。Tā shēntǐ zhuàngkuàng ～, shénme bìng yě méiyǒu. →他的身体状况很好。Tā de shēntǐ zhuàngkuàng hěn hǎo. 例我对那个热情的年轻人印象～。Wǒ duì nèige rèqíng de niánqīngrén yìnxiàng ～. | 今天不冷不热，大家感觉～。Jīntiān bù lěng bú rè, dàjiā gǎnjué ～. | 吃东西前洗手是个～的生活习惯。Chī dōngxi qián xǐ shǒu shì ge ～ de shēnghuó xíguàn. | 工作第一天一切都很顺利，真是个～的开始。Gōngzuò dì yī tiān yíqiè dōu hěn shùnlì, zhēn shì ge ～ de kāishǐ. | 我向他表达了想跟他成为好朋友的～愿望。Wǒ xiàng tā biǎodále xiǎng gēn tā chéngwéi hǎo péngyou de ～ yuànwàng.

liáng 凉 [形]

到了九月，北方的天气就～了。Dàole Jiǔyuè, běifāng de tiānqì jiù ～ le. →九月的天气不那么热了，也并不感到冷。Jiǔyuè de tiānqì bú nàme rè le, yě bìng bu gǎndào lěng. 例这水太～了，再放一点儿热水吧。Zhè shuǐ tài ～ le, zài fàng yìdiǎnr rè shuǐ ba. | 这里春天早晚都比较～，应该多穿点儿衣服。Zhèlǐ chūntiān zǎo wǎn dōu bǐjiào ～, yīnggāi duō chuān diǎnr yīfu. | 知道你喜欢吃～一些的饭菜，早就给你准备好了。Zhīdao nǐ xǐhuan chī ～ yìxiē de fàncài, zǎo jiù gěi nǐ zhǔnbèi hǎo le. | 秋风把全身都吹得～～的，真舒服。Qiūfēng bǎ quánshēn dōu chuī de ～ ～ de, zhēn shūfu.

liángkuai 凉快 [形]

今天不热，很～。Jīntiān bú rè, hěn ～. →今天的气温不高，让人觉得很舒服。Jīntiān de qìwēn bù gāo, ràng rén juéde hěn shūfu.

例今年夏天下雨很多，特别～。Jīnnián xiàtiān xià yǔ hěn duō, tèbié ~. | 快到秋天了，天气变得～起来了。Kuài dào qiūtiān le, tiānqì biànde ~ qilai le. | 大树下面比较～，快过来坐会儿吧。Dà shù xiàmiàn bǐjiào ~, kuài guòlai zuò huìr ba. | 这里太热，我们找个～的地方休息吧。Zhèlǐ tài rè, wǒmen zhǎo ge ~ de dìfang xiūxi ba. | 早晨凉凉快快的，正好锻炼。Zǎochen liángliángkuàikuài de, zhènghǎo duànliàn. | 天这么热，哪儿也不～。Tiān zhème rè, nǎr yě bù ~.

liáng 量 [动]

我刚～过体温，三十八度。Wǒ gāng ~ guo tǐwēn, sānshíbā dù. → 我刚用温度计检查了体温，三十八度。Wǒ gāng yòng wēndùjì jiǎnchále tǐwēn, sānshíbā dù. 例她昨天～了体重，正好七十公斤。Tā zuótiān ~ le tǐzhòng, zhènghǎo qīshí gōngjīn. | 我的身高你可能～得不对。Wǒ de shēn'gāo nǐ kěnéng ~ de bú duì. | 他说着说着，就给我～起了血压。Tā shuōzhe shuōzhe, jiù gěi wǒ ~ qǐle xuèyā. | 我想～～这间屋子，看看有多大。Wǒ xiǎng ~ ~ zhèi jiān wūzi, kànkan yǒu duō dà. | 我最近没～身高，不知道长了多少。Wǒ zuìjìn méi ~ shēngāo, bù zhīdào zhǎngle duōshao. | 你好好儿～～这块地，看可不可以当个足球场。Nǐ hǎohāor ~ ~ zhèi kuài dì, kàn kě bu kěyǐ dāng ge zúqiúchǎng.

liángshi 粮食（糧食）[名]

grain; cereals; food 例今年地里打的～又多又好。Jīnnián dì li dǎ de ~ yòu duō yòu hǎo. | 我们都能做到不浪费～。Wǒmen dōu néng zuòdào bú làngfèi ~. | 这个～商店里还卖面条、馒头什么的。Zhèige ~ shāngdiàn li hái mài miàntiáo、mántou shénmede. | 农民们把一袋一袋的～运往山区。Nóngmínmen bǎ yí dài yí dài de ~ yùnwǎng shānqū.

liǎng 两[1]（两）[数]

2 例人都有～只手。Rén dōu yǒu ~ zhī shǒu. | 爸爸妈妈～个人都在家。Bàba māma ~ ge rén dōu zài jiā. | 这种苹果～块钱一斤。Zhèi zhǒng píngguǒ ~ kuài qián yì jīn. | 我已经上了～年大学，该上三年级了。Wǒ yǐjīng shàngle ~ nián dàxué, gāi shàng sān niánjí le. | 这座建筑是1790年建的，已经有～百多年的历史了。Zhèi zuò jiànzhù shì yī qī jiǔ líng nián jiàn de, yǐjīng yǒu ~ bǎi duō nián de lìshǐ le.

liǎng 两² (兩) [量]

50 grams **例**她中午吃了三~米饭。Tā zhōngwǔ chīle sān ~ mǐfàn. | 请问你要几~饺子? Qǐng wèn nǐ yào jǐ ~ jiǎozi? | 这些葡萄的重量一共是四斤八~多。Zhèixiē pútao de zhòngliàng yígòng shì sì jīn bā ~ duō. | 这个鸡蛋大概有二~重。Zhèige jīdàn dàgài yǒu èr ~ zhòng.

liàng 亮¹ [动]

夏天的时候, 早上五点天就~了。Xiàtiān de shíhou, zǎoshang wǔ diǎn tiān jiù ~ le. →早上五点钟就可以看得很清楚了。Zǎoshang wǔ diǎnzhōng jiù kěyǐ kàn de hěn qīngchu le. **例**天一~, 她就起床了。Tiān yí ~, tā jiù qǐchuáng le. | 电灯~了一个小时后, 就又灭了。Diàndēng ~ le yí ge xiǎoshí hòu, jiù yòu miè le. | 都晚上十二点了, 他的房间还~着灯。Dōu wǎnshang shí'èr diǎn le, tā de fángjiān hái ~ zhe dēng. | 街上的灯突然不~了, 不知道为什么。Jiē shang de dēng tūrán bú ~ le, bù zhīdào wèishénme. | 你去看看那些新装的灯~着没~着。Nǐ qù kànkan nèixiē xīn zhuāng de dēng ~ zhe méi ~ zhe.

liàng 亮² [形]

灯太~了, 我睁不开眼。Dēng tài ~ le, wǒ zhēng bu kāi yǎn. →灯光太强了, 我睁不开眼。Dēngguāng tài qiáng le, wǒ zhēng bu kāi yǎn. **例**现在天还很~, 不用开灯了。Xiànzài tiān hái hěn ~, búyòng kāi dēng le. | 大卫把桌子擦得~极了。Dàwèi bǎ zhuōzi cā de ~ jí le. | 这儿有点儿暗, 找个~点儿的地方看书吧。Zhèr yǒudiǎnr àn, zhǎo ge ~ diǎnr de dìfang kàn shū ba. | 玛丽的眼睛~~的, 很迷人。Mǎlì de yǎnjing ~ ~ de, hěn mírén. | 这个房间不够~, 我想换一个。Zhèige fángjiān bú gòu ~, wǒ xiǎng huàn yí ge.

liàng 辆 (輛) [量]

用于汽车、自行车等。Yòngyú qìchē děng、zìxíngchē děng. **例**公司门口停着一~汽车。Gōngsī ménkǒu tíngzhe yí ~ qìchē. | 前面有几~大卡车。Qiánmiàn yǒu jǐ ~ dà kǎchē. | 他骑着一~新自行车。Tā qízhe yí ~ xīn zìxíngchē. | 这些汽车每~都很贵。Zhèixiē qìchē měi ~ dōu hěn guì. | 他的汽车是~红色的。Tā de qìchē shì ~ hóngsè de. | 今天这种汽车卖出去了好几十~。Jīntiān zhèi zhǒng qìchē mài chuqule hǎojǐ shí ~. | 晚会结束了, 人们的汽车一~一~地开走了。

Wǎnhuì jiéshù le, rénmen de qìchē yí ~ yí ~ de kāizǒu le.

liao

liáo 聊 [动]

我们昨天 ~ 了一晚上，什么话都说了。Wǒmen zuótiān ~ le yì wǎnshang, shénme huà dōu shuō le. →我们昨天晚上想到什么就说什么，一直说到天亮。Wǒmen zuótiān wǎnshang xiǎngdào shénme jiù shuō shénme, yìzhí shuōdào tiān liàng. 例我不知道他们在 ~ 什么。Wǒ bù zhīdào tāmen zài ~ shénme. |我和大卫一直 ~ 到两点多才去吃饭。Wǒ hé Dàwèi yìzhí ~ dào liǎng diǎn duō cái qù chīfàn. |他不管跟谁都能 ~ 到一起。Tā bùguǎn gēn shéi dōu néng ~ dào yìqǐ. |我跟他 ~ 过几次，觉得他很有学问。Wǒ gēn tā ~ guo jǐ cì, juéde tā hěn yǒu xuéwen. |他们不工作的时候，喜欢在一起 ~。Tāmen bù gōngzuò de shíhou, xǐhuan zài yìqǐ ~. |我们随便 ~ ~ 吧，说什么都可以。Wǒmen suíbiàn ~ ~ ba, shuō shénme dōu kěyǐ.

liáo tiānr 聊天儿（聊天兒）

我喜欢一边喝茶，一边 ~。Wǒ xǐhuan yìbiān hē chá, yìbiān ~. → 我喜欢一边喝茶，一边跟人随便谈话。Wǒ xǐhuan yìbiān hē chá, yìbiān gēn rén suíbiàn tánhuà. 例昨天晚上我们在一起 ~ 了，什么也没干。Zuótiān wǎnshang wǒmen zài yìqǐ ~ le, shénme yě méi gàn. |你没事的时候，找我去 ~ 吧。Nǐ méi shì de shíhou, zhǎo wǒ qù ~ ba. |大卫喜欢和人 ~，一聊就是好几个小时。Dàwèi xǐhuan hé rén ~, yì liáo jiùshì hǎojǐ ge xiǎoshí. |我最近很忙，没时间 ~。Wǒ zuìjìn hěn máng, méi shíjiān ~. |他下班以后，喜欢跟人聊聊天儿，下下棋。Tā xiàbān yǐhòu, xǐhuan gēn rén liáoliao tiānr, xiàxia qí. |我们刚才没去别的地方，就在屋子里 ~ 来着。Wǒmen gāngcái méi qù biéde dìfang, jiù zài wūzi li ~ láizhe. |大家走了以后，我们俩又聊了一会儿天儿。Dàjiā zǒule yǐhòu, wǒmen liǎ yòu liáole yíhuìr tiānr.

liǎo 了 [动]

菜太多了，我们吃不 ~。Cài tài duō le, wǒmen chī bu ~. →菜很多，我们不能吃完。Cài hěn duō, wǒmen bù néng chīwán. 例这杯啤酒我喝不 ~ 了。Zhèi bēi píjiǔ wǒ hē bu ~ le. |这么多饭，你吃得 ~ 吗? Zhème duō fàn, nǐ chī de ~ ma? |他生病了，来不 ~ 了。Tā shēngbìng le, lái bu ~ le. |他把钱藏在了一个谁也发现不 ~ 的

地方了。Tā bǎ qián cáng zàile yí ge shéi yě fāxiàn bu ~ de dìfang le. | 天气太热，我有点儿受不 ~ 。Tiānqì tài rè, wǒ yǒudiǎnr shòu bu ~ .

liǎobuqǐ 了不起

他会说六门外语，真 ~ 。Tā huì shuō liù mén wàiyǔ, zhēn ~ . → 他会说很多国家的语言，非常不一般。Tā huì shuō hěn duō guójiā de yǔyán, fēicháng bú yìbān. 例 大卫考试得了第一名，太 ~ 了。Dàwèi kǎoshì déle dì yī míng, tài ~ le. | 你们国家的足球队很 ~ ，经常拿冠军。Nǐmen guójiā de zúqiúduì hěn ~ , jīngcháng ná guànjūn. | 他们只用了半年就盖起了这座大楼，真是件 ~ 的事。Tāmen zhǐ yòngle bàn nián jiù gàiqǐle zhèi zuò dà lóu, zhēn shì jiàn ~ de shì. | 谁要觉得自己 ~ ，谁就不能进步。Shéi yào juéde zìjǐ ~ , shéi jiù bù néng jìnbù. | 我觉得自己是个普通人，没什么 ~ 。Wǒ juéde zìjǐ shì ge pǔtōngrén, méi shénme ~ .

liǎojiě 了解（瞭解）[动]

我 ~ 你的想法，你不用多说了。Wǒ ~ nǐ de xiǎngfa, nǐ búyòng duō shuō le. → 你的想法我已经知道得很清楚了，你不用说什么了。Nǐ de xiǎngfa wǒ yǐjing zhīdao de hěn qīngchu le, nǐ búyòng shuō shénme le. 例 我 ~ 这件事，知道该怎么做。Wǒ ~ zhèi jiàn shì, zhīdao gāi zěnme zuò. | 你的意思我已经 ~ 了。Nǐ de yìsi wǒ yǐjing ~ le. | 我们要不断地 ~ 新情况，解决新问题。Wǒmen yào búduàn de ~ xīn qíngkuàng, jiějué xīn wèntí. | 我很 ~ 大卫，相信他不会做出那种事的。Wǒ hěn ~ Dàwèi, xiāngxìn tā bú huì zuòchū nèi zhǒng shì de. | 问题已经 ~ 清楚了，你哥哥没有错误。Wèntí yǐjing ~ qīngchu le, nǐ gēge méiyǒu cuòwù. | 关于这件事，我一点儿也不 ~ 。Guānyú zhèi jiàn shì, wǒ yìdiǎnr yě bù ~ . | 你去 ~ ~ ，看他们有什么意见。Nǐ qù ~ ~ , kàn tāmen yǒu shénme yìjiàn.

lie

liè 列 [量]

他们站成了五 ~ ，非常整齐。Tāmen zhànchéngle wǔ ~ , fēicháng zhěngqí. → 他们竖着站成了五行，非常整齐。Tāmen shùzhe zhànchéngle wǔ háng, fēicháng zhěngqí. 例 三十辆汽车排成了三 ~ ，一起往前开。Sānshí liàng qìchē páichéngle sān ~ , yìqǐ wǎngqián kāi. | 这 ~ 火车马上就要出发了。Zhèi ~ huǒchē mǎshàng jiù yào chūfā le. | 一 ~ 火车从南往北开过来了。Yí ~ huǒchē cóng nán wǎng běi kāi guolai le. | 一 ~ ~ 火车不停地开到这里，交通十分方便。Yí ~ ~ huǒchē bù tíng de kāidào zhèlǐ, jiāotōng shífēn fāngbiàn.

liè 裂 [动]

那道墙 ~ 了，很危险。Nèi dào qiáng ~ le, hěn wēixiǎn. →那道墙中间断开了，很危险。Nèi dào qiáng zhōngjiàn duànkāi le, hěn wēixiǎn. **例**天气太干，地都晒 ~ 了。Tiānqì tài gān, dì dōu shài ~ le. | 太阳一晒，木头都 ~ 开了。Tàiyáng yí shài, mùtou dōu ~ kāi le. | 这里冬天很冷，我的手都冻 ~ 了。Zhèlǐ dōngtiān hěn lěng, wǒ de shǒu dōu dòng ~ le. | 玻璃 ~ 了，但没有碎。Bōli ~ le, dàn méiyǒu suì. | 到了夏天，你的手就不会 ~ 了。Dàole xiàtiān, nǐ de shǒu jiù bú huì ~ le. | 这些桃子都 ~ 了，便宜一点儿吧。Zhèxiē táozi dōu ~ le, piányi yìdiǎnr ba.

lin

línjū 邻居（鄰居）[名]

大卫是我的 ~，我当然认识了。Dàwèi shì wǒ de ~, wǒ dāngrán rènshi le. →大卫家和我家离得很近，我们很熟悉。Dàwèi jiā hé wǒ jiā lí de hěn jìn, wǒmen hěn shúxī. **例**我们的 ~ 是一对外国夫妇。Wǒmen de ~ shì yí duì wàiguó fūfù. | 我们两家是老 ~ 了，一起住了二十年。Wǒmen liǎng jiā shì lǎo ~ le, yìqǐ zhùle èrshí nián. | 我家以前有四户 ~，现在还有三户。Wǒ jiā yǐqián yǒu sì hù ~, xiànzài hái yǒu sān hù. | 这几天我要搬家了，我得跟 ~ 告别一下儿。Zhèi jǐ tiān wǒ yào bānjiā le, wǒ děi gēn ~ gàobié yíxiàr. | 我们的 ~ 中有许多人喜欢画画儿。Wǒmen de ~ zhōng yǒu xǔduō rén xǐhuan huà huàr. | 虽然他们做 ~ 做了很多年，但他们并不认识。Suīrán tāmen zuò ~ zuòle hěn duō nián, dàn tāmen bìng bú rènshi.

lín 临¹（臨）[动]

我家的房子 ~ 街。Wǒ jiā de fángzi ~ jiē. →我家的房子靠近大街。Wǒ jiā de fángzi kàojìn dàjiē. **例**他们 ~ 河盖的那座房子很漂亮。Tāmen ~ hé gài de nèi zuò fángzi hěn piàoliang. | 这里 ~ 山 ~ 水，风景十分优美。Zhèlǐ ~ shān ~ shuǐ, fēngjǐng shífēn yōuměi. | 这些大楼 ~ 山而建，十分雄伟。Zhèxiē dà lóu ~ shān ér jiàn, shífēn xióngwěi. | ~ 街的房子很贵，我买不起。~ jiē de fángzi hěnguì, wǒ mǎi bu qǐ. |我家紧~着商场,买东西很方便。Wǒ jiā jǐn ~ zhe shāngchǎng, mǎi dōngxi hěn fāngbiàn.

lín 临² (臨) [介]

他~走的时候,送了我一张相片。Tā ~ zǒu de shíhou, sòngle wǒ yì zhāng xiàngpiàn. →他快要走的时候,送了我一张相片。Tā kuài yào zǒu de shíhou, sòngle wǒ yì zhāng xiàngpiàn. 例 ~ 上课的时候,老师才说要考试。~ shàngkè de shíhou, lǎoshī cái shuō yào kǎoshì. |他~睡觉的时候,又吃了一个苹果。Tā ~ shuìjiào de shíhou, yòu chīle yí ge píngguǒ. |~出发的时候,妈妈又给了我二百块钱。~ chūfā de shíhou, māma yòu gěile wǒ èrbǎi kuài qián. |~上飞机时,他又不想走了。~ shàng fēijī shí, tā yòu bù xiǎng zǒu le. |~别时,我们说了很多话。~ bié shí, wǒmen shuōle hěn duō huà.

línshí 临时¹ (臨時) [形]

记者是我~的工作,以后我想当老师。Jìzhě shì wǒ ~ de gōngzuò, yǐhòu wǒ xiǎng dāng lǎoshī. →我不想做太长时间的记者工作,以后我要当老师。Wǒ bù xiǎng zuò tài cháng shíjiān de jìzhě gōngzuò, yǐhòu wǒ yào dāng lǎoshī. 例这是他们 ~ 的房子,一个月以后就会搬走。Zhè shì tāmen ~ de fángzi, yí ge yuè yǐhòu jiù huì bānzǒu. |那个国家成立了一个 ~ 政府。Nèige guójiā chénglìle yí ge ~ zhèngfǔ. |我只是~负责这里的工作,所以不能作决定。Wǒ zhǐshì ~ fùzé zhèlǐ de gōngzuò, suǒyǐ bù néng zuò juédìng. |困难只是 ~ 的,以后就会好的。Kùnnan zhǐ shì ~ de, yǐhòu jiù huì hǎo de. |我~借了一张桌子,用完以后再还人家吧。Wǒ ~ jièle yì zhāng zhuōzi, yòngwán yǐhòu zài huán rénjia ba.

línshí 临时² (臨時) [形]

我是~决定去英国留学的。Wǒ shì ~ juédìng qù Yīngguó liúxué de. →我以前没有去英国留学的打算,只是刚决定不久。Wǒ yǐqián méiyǒu qù Yīngguó liúxué de dǎsuan, zhǐshì gāng juédìng bùjiǔ. 例他们俩~决定,十天后就结婚。Tāmen liǎ ~ juédìng, shí tiān hòu jiù jiéhūn. |我们准备的椅子不够,又 ~ 增加了一些。Wǒmen zhǔnbèi de yǐzi bú gòu, yòu ~ zēngjiāle yìxiē. |他们~又增加了一些人,这样车上就没有空座位了。Tāmen ~ yòu zēngjiāle yìxiē rén, zhèiyàng chē shang jiù méiyǒu kòng zuòwèi le. |你考试以前做好准

备，就不会～紧张了。Nǐ kǎoshì yǐqián zuòhǎo zhǔnbèi, jiù bú huì ～ jǐnzhāng le. I如果还有什么问题，我们再～想办法吧。Rúguǒ hái yǒu shénme wèntí, wǒmen zài ～ xiǎng bànfǎ ba.

líng

línghuó 灵活（靈活）[形]

他比赛的时候，动作十分～。Tā bǐsài de shíhou, dòngzuò shífēn ～. →他的动作又快又准确。Tā de dòngzuò yòu kuài yòu zhǔnquè. **例**他虽然年纪大了，可是身体还很～。Tā suīrán niánjì dà le, kěshì shēntǐ hái hěn ～. I别看他胖，打起球来～着呢。Bié kàn tā pàng, dǎ qi qiú lai ～ zhe ne. I他总是～地躲过守门员，把球踢进大门。Tā zǒngshì ～ de duǒguo shǒuményuán, bǎ qiú tījìn dàmén. I人老了，脑筋不太～，做起事来也很慢。Rén lǎo le, nǎojīn bú tài ～, zuò qi shì lai yě hěn màn. I他常常运动，所以手脚都很～。Tā chángcháng yùndòng, suǒyǐ shǒujiǎo dōu hěn ～.

líng 铃（鈴）[名]

bell **例**在我们这儿，上课下课都要打～。Zài wǒmen zhèr, shàngkè xiàkè dōu yào dǎ ～. I下课的～声一响，学生们就都跑出了教室。Xiàkè de ～ shēng yì xiǎng, xuéshengmen jiù dōu pǎochūle jiàoshì. I我家的门～坏了，怎么按也不响了。Wǒ jiā de mén ～ huài le, zěnme àn yě bù xiǎng le. I我没听见～响，所以不知道时间。Wǒ méi tīngjiàn ～ xiǎng, suǒyǐ bù zhīdào shíjiān. I响过两次～以后，电影就开始了。Xiǎngguo liǎng cì ～ yǐhòu, diànyǐng jiù kāishǐ le.

líng 零 [数]

一减一等于～。Yī jiǎn yī děngyú ～. →1-1=0 **例**这个月我的工资是～。Zhèige yuè wǒ de gōngzī shì ～. I我考试怎么也不会得～分吧。Wǒ kǎoshì zěnme yě bú huì dé ～ fēn ba. I他是二～～～年出生的。Tā shì èr ～ ～ ～ nián chūshēng de. I我住在四～五房间。Wǒ zhù zài sì ～ wǔ fángjiān. I我一共就有二百～八块钱了。Wǒ yígòng jiù yǒu èrbǎi ～ bā kuài qián le. I请把书翻到第一百～二页。Qǐng bǎ shū fāndào dì yìbǎi ～ èr yè. I今天是～下十度，特别冷。Jīntiān shì ～ xià shí dù, tèbié lěng.

líng ○ [数]

同"零"，多在书面上用于数的空位。Tóng "líng", duō zài shūmiàn shang yòngyú shù de kòngwèi. **例**去年是二～～三年，今年是二～

~四年。Qùnián shì èr ~ ~ sān nián, jīnnián shì èr ~ ~ sì nián. | 我在四~二房间。Wǒ zài sì ~ èr fángjiān. | 他在三~九医院工作。Tā zài sān ~ jiǔ yīyuàn gōngzuò. | 那一段话在书的五~四页上。Nèi yí duàn huà zài shū de wǔ ~ sì yè shang.

língqián 零钱（零錢）[名]

我准备了坐车、打电话用的~。Wǒ zhǔnbèile zuò chē、dǎ diànhuà yòng de ~. →我准备了一毛两毛、一块两块的钱。Wǒ zhǔnbèi le yì máo liǎng máo、yí kuài liǎng kuài de qián. 例我的钱包里只有几张一百块的钱，没有~。Wǒ de qiánbāo li zhǐ yǒu jǐ zhāng yìbǎi kuài de qián, méiyǒu ~. | 我要坐公共汽车，所以身上带了一些~。Wǒ yào zuò gōnggòng qìchē, suǒyǐ shēnshang dàile yìxiē ~. | 您能把一百块换成十块十块的~吗？Nín néng bǎ yìbǎi kuài huànchéng shí kuài shí kuài de ~ ma? | 我给了售货员五十，他找给我几块钱~。Wǒ gěile shòuhuòyuán wǔshí, tā zhǎo gěi wǒ jǐ kuài qián ~.

lǐng 领[1]（領）[动]

我知道银行在哪儿，我~他们去吧。Wǒ zhīdao yínháng zài nǎr, wǒ ~ tāmen qù ba. →他们不知道银行在哪儿，我带他们一起去。Tāmen bù zhīdào yínháng zài nǎr, wǒ dài tāmen yìqǐ qù. 例如果不是大卫~我们上山，我们会迷路的。Rúguǒ bú shì Dàwèi ~ wǒmen shàngshān, wǒmen huì mílù de. | 他来的时候，还~着他六岁的儿子。Tā lái de shíhou, hái ~ zhe tā liù suì de érzi. | 你先把客人~到会议室，我马上就到。Nǐ xiān bǎ kèren ~ dào huìyìshì, wǒ mǎshàng jiù dào. | 我~你们去一个好地方吧，肯定有意思。Wǒ ~ nǐmen qù yí ge hǎo dìfang ba, kěndìng yǒu yìsi.

lǐng 领[2]（領）[动]

我们的工资明天就可以~了。Wǒmen de gōngzī míngtiān jiù kěyǐ ~ le. →我们明天就可以拿到工资了。Wǒmen míngtiān jiù kěyǐ nádào gōngzī le. 例交完钱的人现在就可以~书。Jiāowán qián de rén xiànzài jiù kěyǐ ~ shū. | 你不用买笔了，到办公室~一支就行了。Nǐ búyòng mǎi bǐ le, dào bàngōngshì ~ yì zhī jiù xíng le. | 这钱现在~不了，得过两天才行。Zhè qián xiànzài ~ bu liǎo, děi guò liǎng tiān cái xíng. | 这是公司的介绍，每人可以~一份。Zhè shì gōngsī de jièshào, měi rén kěyǐ ~ yí fèn. | 我们~回来了三项任务，明天要完成。Wǒmen ~ huílaile sān xiàng rènwu, míngtiān yào wánchéng

wánchéng. | 你的奖学金~了没有? Nǐ de jiǎngxuéjīn ~ le méiyǒu? | 他把丢失的钱包~走了。Tā bǎ diūshī de qiánbāo ~ zǒu le. | 这辆车放在这里三天了，还没有人来~。Zhèi liàng chē fàng zài zhèlǐ sān tiān le, hái méiyǒu rén lái ~.

lǐngdǎo 领导[1] （領導）[动]

我觉得~一个大企业不容易。Wǒ juéde ~ yí ge dà qǐyè bù róngyì. →我觉得率领并管理好一个大企业不容易。Wǒ juéde shuàilǐng bìng guǎnlǐ hǎo yí ge dà qǐyè bù róngyì. 例他~着全国人民，走向了富强。Tā ~ zhe quán guó rénmín, zǒuxiàngle fùqiáng. | 他把这个学校~得很好，现在排名是第一位了。Tā bǎ zhèige xuéxiào ~ de hěn hǎo, xiànzài páimíng shì dì yī wèi le. | 要是有人好好儿~他们，他们会做得更好。Yàoshi yǒu rén hǎohāor ~ tāmen, tāmen huì zuò de gèng hǎo. | 足球队由您~，我们一定会得第一名的。Zúqiúduì yóu nín ~, wǒmen yídìng huì dé dì yī míng de. | 这支足球队不好~，我不想干了。Zhèi zhī zúqiúduì bù hǎo ~, wǒ bù xiǎng gàn le.

lǐngdǎo 领导[2] （領導）[名]

这次会议很重要，公司的几位~都参加了。Zhèi cì huìyì hěn zhòngyào, gōngsī de jǐ wèi ~ dōu cānjiā le. →公司的几位负责人都参加了这次会议。Gōngsī de jǐ wèi fùzérén dōu cānjiāle zhèi cì huìyì. 例学校~来听课的时候，我很紧张。Xuéxiào ~ lái tīngkè de shíhou, wǒ hěn jǐnzhāng. | 系主任快退休了，我们马上就会有新~了。Xì zhǔrèn kuài tuìxiū le, wǒmen mǎshàng jiù huì yǒu xīn ~ le. | 他当~的时候，对职工非常关心。Tā dāng ~ de shíhou, duì zhígōng fēicháng guānxīn. | 很多国家的~都到这里参观过。Hěn duō guójiā de ~ dōu dào zhèlǐ cānguānguo. | ~们的工作都很忙，我们就不要麻烦他们了。~ men de gōngzuò dōu hěn máng, wǒmen jiù búyào máfan tāmen le.

lǐngxiù 领袖（領袖）[名]

他是学生~，很有号召力。Tā shì xuésheng ~, hěn yǒu hàozhào lì. →他在学生中是领导，大家都响应他的号召。Tā zài xuésheng zhōng shì lǐngdǎo, dàjiā dōu xiǎngyìng tā de hàozhào. 例我见过很多~，但对他印象最深。Wǒ jiànguo hěn duō ~, dàn duì tā yìnxiàng zuì shēn. | 历史上出现过很多~人物，他们对历史都有贡献。Lìshǐ shang chūxiànguo hěn duō ~ rénwù, tāmen duì lìshǐ dōu yǒu gòngxiàn. | 人们对~总是非常尊敬的。Rénmen duì ~ zǒngshì fēicháng zūnjìng de. | 大卫是我们公认的~，我们都愿意听他的。Dàwèi shì wǒmen gōngrèn de ~, wǒmen dōu yuànyì tīng tā de. | ~的作用很大，但人民的作用更大。~ de zuòyòng hěn dà, dàn rénmín de zuòyòng gèng dà.

lǐngzi 领子（領子）[名]

衣服的~很容易脏。Yīfu de ~ hěn róngyì zāng. →衣服上围住脖子的那部分很容易脏。Yīfu shang wéizhù bózi de nèi bùfen hěn róngyì zāng. **例**这件衣服的~破了。Zhèi jiàn yīfu de ~ pò le. | 天太冷了，他把大衣的~竖了起来。Tiān tài lěng le, tā bǎ dàyī de ~ shùle qilai. | 他那天穿了一件没~的衣服，我记得很清楚。Tā nèi tiān chuānle yí jiàn méi ~ de yīfu, wǒ jì de hěn qīngchu. | 我喜欢那种的衣服。Wǒ xǐhuan nèi zhǒng ~ de yīfu. | 衬衣的~太短了，我系不上扣子。Chènyī de ~ tài duǎn le, wǒ jì bu shàng kòuzi. | 这些衣服的样子都差不多，不过~都不一样。Zhèixiē yīfu de yàngzi dōu chàbuduō, búguò ~ dōu bù yíyàng.

lìng 另 [形]

我住这个房间，玛丽住~一个房间。Wǒ zhù zhèige fángjiān, Mǎlì zhù ~ yí ge fángjiān. →玛丽没有和我住一个房间，她住在别的房间。Mǎlì méiyǒu hé wǒ zhù yí ge fángjiān, tā zhù zài biéde fángjiān. **例**我想买这件衣服，可是太太想买~一件。Wǒ xiǎng mǎi zhèi jiàn yīfu, kěshì tàitai xiǎng mǎi ~ yí jiàn. | 这两本书一本给大卫，~一本给他的儿子。Zhèi liǎng běn shū yì běn gěi Dàwèi, ~ yì běn gěi tā de érzi. | 这是我的大学，我弟弟在~一所大学学习。Zhè shì wǒ de dàxué, wǒ dìdi zài ~ yì suǒ dàxué xuéxí. | 我说的是一件事，你说的是~一件事。Wǒ shuō de shì yí jiàn shì, nǐ shuō de shì ~ yí jiàn shì.

lìngwài 另外 [形]

你说的人是大卫，我说的是~一个人。Nǐ shuō de rén shì Dàwèi, wǒ shuō de shì ~ yí ge rén. →你说的是大卫，我说的不是大卫，是别的人。Nǐ shuō de shì Dàwèi, wǒ shuō de bú shì Dàwèi, shì biéde rén. **例**我想跟你谈的是~一件事。Wǒ xiǎng gēn nǐ tán de shì ~ yí jiàn shì. | 这张桌子我还要用，你用~一张吧。Zhèi zhāng zhuōzi wǒ hái yào yòng, nǐ yòng ~ yì zhāng ba. | 这场比赛我们赢了，~一场比赛谁赢了？Zhèi chǎng bǐsài wǒmen yíng le, ~ yì chǎng bǐsài shéi yíng le? | 我不想去附近的商场，我想去～一家商场。Wǒ bù xiǎng qù fùjìn de shāngchǎng, wǒ xiǎng qù ～ yì jiā shāngchǎng.

liu

liú 留 [动]

我大学毕业后，～在北京工作了。Wǒ dàxué bìyè hòu, ～ zài Běijīng gōngzuò le. →我在北京上完大学，又在北京找到了工作。Wǒ zài Běijīng shàngwán dàxué, yòu zài Běijīng zhǎodàole gōngzuò. 例你很少来香港，就多～几天吧。Nǐ hěn shǎo lái Xiānggǎng, jiù duō ～ jǐ tiān ba. | 爸爸很客气，一定要～客人吃晚饭。Bàba hěn kèqi, yídìng yào ～ kèren chī wǎnfàn. | 他不在家，我给他～了一张纸条。Tā bú zài jiā, wǒ gěi tā ～ le yì zhāng zhǐtiáo. | 别人都出去玩儿了，就他一个人～在屋子里看书。Biérén dōu chūqu wánr le, jiù tā yí ge rén ～ zài wūzi li kàn shū. | 我们给你～了个大西瓜，你吃吧。Wǒmen gěi nǐ ～ le ge dà xīguā, nǐ chī ba.

liú niàn 留念

快毕业了，我们一起照相～吧。Kuài bìyè le, wǒmen yìqǐ zhàoxiàng ～ ba. →我们一起照张相片留作纪念吧。Wǒmen yìqǐ zhào zhāng xiàngpiàn liúzuò jìniàn ba. 例大家分别的时候，都照了合影～。Dàjiā fēnbié de shíhou, dōu zhàole héyǐng ～. | 他送给我一幅画作为～。Tā sòng gěi wǒ yì fú huà zuòwéi ～. | 我们在图书馆前种了几棵树，作为毕业～。Wǒmen zài túshūguǎn qián zhòngle jǐ kē shù, zuòwéi bìyè ～. | 我就要走了，送你一件小礼物，留个念吧。Wǒ jiù yào zǒu le, sòng nǐ yí jiàn xiǎo lǐwù, liú ge niàn ba.

liú xué 留学 (留學)

大卫是个美国人，现在在中国～。Dàwèi shì ge Měiguórén, xiànzài zài Zhōngguó ～. →他不是中国人，在中国学习。Tā bú shì Zhōngguórén, zài Zhōngguó xuéxí. 例不少外国学生在这个中国大学～。Bùshǎo wàiguó xuésheng zài zhèige Zhōngguó dàxué ～. | 我在美国留过几年学。Wǒ zài Měiguó liúguo jǐ nián xué. | 玛丽打算大学毕业以后到中国去～一年。Mǎlì dǎsuan dàxué bìyè yǐhòu dào Zhōngguó qù ～ yì nián. | 在外国～的中国学生很多。Zài wàiguó ～ de Zhōngguó xuésheng hěn duō. | 安娜来中国～的目的是学习汉语。Ānnà lái Zhōngguó ～ de mùdì shì xuéxí Hànyǔ.

liúxuéshēng 留学生（留學生）[名]

他是一个中国 ~ 。Tā shì yí ge Zhōngguó ~ . →他是一个在别的国家学习的中国学生。Tā shì yí ge zài bié de guójiā xuéxí de Zhōngguó xuésheng. 例我们大学里有很多来自世界各地的 ~ 。Wǒmen dàxué li yǒu hěn duō láizì shìjiè gè dì de ~ . | ~ 们已经习惯了在外国的生活。~ men yǐjing xíguànle zài wàiguó de shēnghuó. |各国 ~ 都住在这座大楼里。Gè guó ~ dōu zhù zài zhèi zuò dà lóu li. |新建的 ~ 公寓条件很好。Xīn jiàn de ~ gōngyù tiáojiàn hěn hǎo. |他住在 ~ 楼十层。Tā zhù zài ~ lóu shí céng. |现在 ~ 的人数越来越多。Xiànzài ~ de rénshù yuèláiyuè duō.

liú 流 [动]

大河里的水日夜不停地 ~ 向东方。Dà hé li de shuǐ rìyè bù tíng de ~ xiàng dōngfāng. →河水不停向着东方移动。Hé shuǐ bù tíng xiàngzhe dōngfāng yídòng. 例他高兴得泪水都要 ~ 出来了。Tā gāoxìng de lèishuǐ dōu yào ~ chulai le. |从山上 ~ 下来的水一直 ~ 到村里。Cóng shān shang ~ xialai de shuǐ yìzhí ~ dào cūn li. |他的手 ~ 血了，可是 ~ 得不多。Tā de shǒu ~ xiě le, kěshì ~ de bù duō. |刚才热得他 ~ 了很多汗，现在凉快一点儿了。Gāngcái rè de tā ~ le hěn duō hàn, xiànzài liángkuai yìdiǎnr le.

liúlì 流利 [形]

他说汉语很 ~ ，跟中国人差不多。Tā shuō Hànyǔ hěn ~ , gēn Zhōngguórén chàbuduō. →他说汉语说得又快又清楚。Tā shuō Hànyǔ shuō de yòu kuài yòu qīngchu. 例他的口语水平提高了，说话越来越 ~ 。Tā de kǒuyǔ shuǐpíng tígāo le, shuōhuà yuèláiyuè ~ . |大卫在中国呆过五年，能说一口 ~ 的汉语。Dàwèi zài Zhōngguó dāiguo wǔ nián, néng shuō yìkǒu ~ de Hànyǔ. |他很 ~ 地把课文读了一遍，老师说他读得很好。Tā hěn ~ de bǎ kèwén dúle yí biàn, lǎoshī shuō tā dú de hěn hǎo. |他常和中国朋友聊天儿，汉语说得非常 ~ 。Tā cháng hé Zhōngguó péngyou liáotiānr, Hànyǔ shuō de fēicháng ~ .

liù 六 [数]

三加三等于 ~ 。Sān jiā sān děngyú ~ . →3 + 3 = 6 例半年是 ~ 个月。Bàn nián shì ~ ge yuè. |他家有 ~ 口人：爸爸、妈妈、哥哥、姐姐、弟弟和他。Tā jiā yǒu ~ kǒu rén: bàba, māma, gēge, jiějie、dìdi hé tā. | 我住在~楼，不算高。Wǒ zhù zài ~ lóu, bú suàn gāo. | 他每天~点下班。Tā měi tiān ~ diǎn xiàbān.

liù 陆（陸）[数]

"六"的大写形式。"Liù" de dàxiě xíngshì.

long

lóng 龙（龍）[名]

dragon 例~是中国古代的人想像出来的一种动物。~ shì Zhōngguó gǔdài de rén xiǎngxiàng chulai de yì zhǒng dòngwù. | 那边高墙上画着九条~呢。Nèibian gāo qiáng shang huàzhe jiǔ tiáo ~ ne. | ~的尾巴像狮子尾巴，~的身子像蛇，可是还有脚。~ de wěiba xiàng shīzi wěiba, ~ de shēnzi xiàng shé, kěshì hái yǒu jiǎo. | 自古以来，中国人就把~当做自己民族的代表，称中国人是~的传人。Zì gǔ yǐlái, Zhōngguórén jiù bǎ ~ dàngzuò zìjǐ mínzú de dàibiǎo, chēng Zhōngguórén shì ~ de chuánrén.

lou

lóu 楼[1]（樓）[名]

例这个小区里有十座~。Zhèige xiǎoqū li yǒu shí zuò ~. | 近几年北京建起了许多高层~。Jìn jǐ nián Běijīng jiànqǐle xǔduō gāocéng ~. | 这座~真高啊，有三十多层吧？Zhèi zuò ~ zhēn gāo a, yǒu sānshí duō céng ba? | 我们同住一个~，我住十五层，他住在第六层。Wǒmen tóng zhù yí ge ~, wǒ zhù shíwǔ céng, tā zhù zài dì liù céng. | 这些~的颜色都不一样，都非常漂亮。Zhèixiē ~ de yánsè dōu bù yíyàng, dōu fēicháng piàoliang.

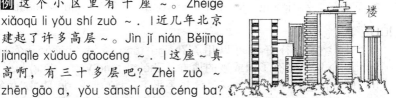

楼

lóutī 楼梯（樓梯）[名]

例我正在下~，妈妈喊住了我。Wǒ zhèngzài xià ~, māma hǎnzhùle wǒ. | 在~上我遇到了安娜，已有好久没见她了。Zài ~ shang wǒ yùdàole Ānnà, yǐ yǒu hǎojiǔ méi jiàn tā le. | 这座楼

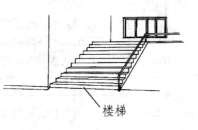

楼梯

的~总是那么干净。Zhèi zuò lóu de ~ zǒngshì nàme gānjìng. | 这
~ 的卫生很不好，~ 的光线也很暗。Zhè ~ de wèishēng hěn bù
hǎo, ~ de guāngxiàn yě hěn àn.

lóu 楼[2]（樓）[名]

我家住在四~。Wǒ jiā zhù zài sì ~. → 我住在楼的第四层。Wǒ zhù
zài lóu de dì sì céng. 例冬天，三~以上见到阳光更多一些。
Dōngtiān, sān ~ yǐ shàng jiàndào yángguāng gèng duō yìxiē. | 下班
后我在二~的楼梯口等你。Xiàbān hòu wǒ zài èr ~ de lóutīkǒu děng
nǐ. | 餐厅在五~，可以从这里上去。Cāntīng zài wǔ ~, kěyǐ cóng
zhèlǐ shàngqu. | 他家在六层~靠东的门，是603房间。Tā jiā zài liù
céng ~ kào dōng de mén, shì liùlíngsān fángjiān.

lòu 漏[1] [动]

这把壶~水，该修一修了。Zhèi bǎ hú ~ shuǐ, gāi xiū yi xiū le. →
这把壶有破的地方，放进水去就滴水。Zhèi bǎ hú yǒu pò de dìfang,
fàng jin shuǐ qu jiù dī shuǐ. 例煤气管~气可不得了，千万注意。
Méiqìguǎnr ~ qì kě bùdéliǎo, qiānwàn zhùyì. | 那汽车~了不少油，
全~到地上了。Nà qìchē ~ le bùshǎo yóu, quán ~ dào dìshang le. |
袋子里的米~了。Dàizi li de mǐ ~ le. | 这个工具真好用，细沙子都
~下去了。Zhèige gōngjù zhēn hǎo yòng, xì shāzi dōu ~ xiaqu le.

lòu 漏[2] [动]

这个桶~了，补好还可以用。Zhèige tǒng ~ le, bǔhǎo hái kěyǐ
yòng. → 这个桶有了洞或破的地方。Zhèige tǒng yǒule dòng huò pò
de dìfang. 例壶底~得厉害，没法再用了。Hú dǐ ~ de lìhai, méifǎ
zài yòng le. | 一下雨这房子就~，得赶快想办法。Yí xià yǔ zhè
fángzi jiù ~, děi gǎnkuài xiǎng bànfǎ. | 把那个~的盆拿走吧，现
在没法用。Bǎ nèige ~ de pén názǒu ba, xiànzài méifǎ yòng. | ~
的袋子都要捡出来。~ de dàizi dōu yào jiǎn chulai.

lòu 露 [动]

妈妈看着女儿，脸上~出了微笑。Māma kànzhe nǚ'ér, liǎn shang
~ chūle wēixiào. → 妈妈的脸上显现出微笑的样子。Māma de liǎn
shang xiǎnxiàn chū wēixiào de yàngzi. 例他刚跳下水去，一会儿就
~ 出头来了。Tā gāng tiàoxia shuǐ qu, yíhuìr jiù ~ chu tóu lai le. | 水
面上~出一些刚长出的叶子。Shuǐmiàn shang ~ chū yìxiē gāng
zhǎngchū de yèzi. | 天气冷了，晚上睡觉胳膊不要~出来。Tiānqì

lěng le, wǎnshang shuìjiào gēbo búyào ~ chulai. l女孩子们穿着短裙子，腿~在外面，看上去很精神。Nǚ háizimen chuānzhe duǎn qúnzi, tuǐ ~ zài wàimiàn, kàn shangqu hěn jīngshen.

lu

lùxù 陆续（陸續）[副]

快开演了，人们 ~ 走进了电影院。Kuài kāiyǎn le, rénmen ~ zǒujìnle diànyǐngyuàn. → 人们连续不断地进入电影院。Rénmen liánxù búduàn de jìnrù diànyǐngyuàn. 例参加会的人 ~ 到了，大会就要开始了。Cānjiā huì de rén ~ dào le, dàhuì jiù yào kāishǐ le. l演出结束，演员们 ~ 走下台来和观众们握手。Yǎnchū jiéshù, yǎnyuánmen ~ zǒuxia tái lai hé guānzhòngmen wòshǒu. l走在后面的人陆陆续续赶了过来。Zǒu zài hòumiàn de rén lùlùxùxù gǎnle guolai. l春天，我们陆陆续续地走了好几个地方，调查那里的环境保护情况。Chūntiān, wǒmen lùlùxùxù de zǒule hǎojǐ gè dìfang, diàochá nàli de huánjìng bǎohù qíngkuàng.

lù 录（録）[动]

那几首好听的歌我已经 ~ 下来了。Nèi jǐ shǒu hǎotīng de gē wǒ yǐjing ~ xialai le. →我已经用录音机把那几首歌在磁带上保留下来了。Wǒ yǐjing yòng lùyīnjī bǎ nèi jǐ shǒu gē zài cídài shang bǎoliú xialai le. 例这些电视节目用一盘磁带 ~ 不完。Zhèixiē diànshì jiémù yòng yì pán cídài ~ bu wán. l那几篇课文我早就 ~ 了，你用不用？Nèi jǐ piān kèwén wǒ zǎojiù ~ le, nǐ yòng bu yòng? l我 ~ 了几段汉语会话，好好儿练习。Wǒ ~ le jǐ duàn Hànyǔ huìhuà, hǎohāor liànxí. l我 ~ 的电视剧都在这里，你选吧。Wǒ ~ de diànshìjù dōu zài zhèlǐ, nǐ xuǎn ba.

lù xiàng 录像[1]（録像）

下午电视台的记者要来给你们 ~ 。Xiàwǔ diànshìtái de jìzhě yào lái gěi nǐmen ~ . →电视台的记者要把你们的形象、活动情景、声音用磁带录下来。Diànshìtái de jìzhě yào bǎ nǐmen de xíngxiàng、huódòng qíngjǐng、shēngyīn yòng cídài lù xialai. 例这次重要会议已经了像。Zhèi cì zhòngyào huìyì yǐjing lùle xiàng. l我想把这台歌舞晚会录下像来。Wǒ xiǎng bǎ zhèi tái gēwǔ wǎnhuì lù xia xiàng lai. l这次活动打算 ~ 。Zhèi cì huódòng dǎsuan ~ . l上次 ~ 的效果很不错。Shàng cì ~ de xiàoguǒ hěn búcuò.

lùxiàng 录像² （録像）[名]

学生们正在教室里看～。Xuéshengmen zhèngzài jiàoshì li kàn ～. →学生们看的是用磁带录下来又用电视机放出来的形象和声音。Xuéshengmen kàn de shì yòng cídài lù xialai yòu yòng diànshìjī fàng chulai de xíngxiàng hé shēngyīn. 例大厅里正在放～，我们去看看。Dàtīng li zhèngzài fàng ～, wǒmen qù kànkan. | 他俩一晚上看了好几部～。Tā liǎ yì wǎnshang kànle hǎojǐ bù ～. | 什么～在这里都能看到，有电视剧～、电影～、教学～等等。Shénme ～ zài zhèlǐ dōu néng kàndào, yǒu diànshìjù ～、diànyǐng ～、jiàoxué ～ děngděng. | 把他俩结婚的～放给大家看看吧。Bǎ tā liǎ jiéhūn de ～ fàng gěi dàjiā kànkan ba. | 这部～的声音不太清楚。Zhèi bù ～ de shēngyīn bú tài qīngchu.

lù yīn 录音¹ （録音）

老师讲课时，有几个担心听不懂的同学在～。Lǎoshī jiǎngkè shí, yǒu jǐ ge dānxīn tīng bu dǒng de tóngxué zài ～. →他们在用录音机录老师讲的话。Tāmen zài yòng lùyīnjī lù lǎoshī jiǎng de huà. 例我打开录音机，开始～。Wǒ dǎkāi lùyīnjī, kāishǐ ～. | 录音机正在～，他说的话都录了下来。Lùyīnjī zhèngzài ～, tā shuō de huà dōu lùle xialai. | 今天的新闻节目被我录了音。Jīntiān de xīnwén jiémù bèi wǒ lùle yīn. | ～的环境要保持安静。～ de huánjìng yào bǎochí ānjìng.

lùyīn 录音² （録音）[名]

他没说话，你听到的是～。Tā méi shuōhuà, nǐ tīngdào de shì ～. →你听到的是录下来的声音。Nǐ tīngdào de shì lù xialai de shēngyīn. 例电话没人接，只有让人留言的～。Diànhuà méi rén jiē, zhǐ yǒu ràng rén liúyán de ～. | 大卫边听课文的～边跟着读。Dàwèi biān tīng kèwén de ～ biān gēnzhe dú. | 听完～以后，老师要大家回答几个问题。Tīngwán ～ yǐhòu, lǎoshī yào dàjiā huídá jǐ ge wèntí. | 这段～的主要内容是说明中国菜的特点。Zhèi duàn ～ de zhǔyào nèiróng shì shuōmíng Zhōngguócài de tèdiǎn. | 这个～的效果不好，听不清楚。Zhèige ～ de xiàoguǒ bù hǎo, tīng bu qīngchu.

lùyīnjī 录音机（録音機）[名]

我买了一台～，打算把老师讲的课录下来。Wǒ mǎile yì tái ～, dǎsuan bǎ lǎoshī jiǎng de kè lù xialai. →那是一台用来录音（一般也

可以把录下来的声音放出来）的机器。Nà shì yì tái yòng lái lùyīn（yìbān yě kěyǐ bǎ lù xialai de shēngyīn fàng chulai）de jīqì. **例**大卫家有一个～，他常常用它录汉语广播。Dàwèi jiā yǒu yí ge ～, tā chángcháng yòng tā lù Hànyǔ guǎngbō. | 刚才～开着，我们的谈话给录了音。Gāngcái ～ kāizhe, wǒmen de tánhuà gěi lùle yīn. | 他用～录下了我说的话。Tā yòng ～ lùxiale wǒ shuō de huà. | 现在～里放的音乐很好听。Xiànzài ～ li fàng de yīnyuè hěn hǎotīng. | 这台～的录音质量很好。Zhèi tái ～ de lùyīn zhìliàng hěn hǎo.

lù 路¹ ［名］

road **例**山前有一条直通火车站的～。Shān qián yǒu yì tiáo zhí tōng huǒchēzhàn de ～. | 这条～又平又宽，开车非常舒服。Zhèi tiáo ～ yòu píng yòu kuān, kāi chē fēicháng shūfu. | 前面正在修～，咱们绕着走吧。Qiánmian zhèngzài xiū ～, zánmen ràozhe zǒu ba. | ～旁有两排树，还有红花和绿草。～ páng yǒu liǎng pái shù, hái yǒu hóng huā hé lǜ cǎo.

lù 路² ［名］

去北京大学可以坐 332 ～公共汽车。Qù Běijīng Dàxué kěyǐ zuò sānsān'èr ～ gōnggòng qìchē. →332 是经过北京大学的一条公共汽车线路。Sānsān'èr shì jīngguò Běijīng Dàxué de yì tiáo gōnggòng qìchē xiànlù. **例**请问，716 ～人民大学站是在前面吗？Qǐngwèn, qīyāoliù ～ Rénmín Dàxué zhàn shì zài qiánmian ma? | 你到天安门去，有好几～车都可以到。Nǐ dào Tiān'ān Mén qù, yǒu hǎojǐ ～ chē dōu kěyǐ dào. | 我想去友谊商店，乘公共汽车应该坐几～? Wǒ xiǎng qù Yǒuyì Shāngdiàn, chéng gōnggòng qìchē yīnggāi zuò jǐ ～?

lùkǒu 路口 ［名］

你要去的商店就在～儿有红绿灯的地方。Nǐ yào qù de shāngdiàn jiù zài ～r yǒu hónglǜdēng de dìfang. →那个商店在两条路相交的地方。Nèige shāngdiàn zài liǎng tiáo lù xiāngjiāo de dìfang. **例**到前边的～儿，再向左拐就是车站。Dào qiánbian de ～r, zài xiàng zuǒ guǎi jiù shì chēzhàn. | ～儿车多，要多加小心。～r chē duō, yào duō jiā xiǎoxīn. | 往前二百米就到了十字～儿。Wǎng qián èrbǎi mǐ jiù dàole shí zì ～r. | 今天经过的几个～儿车都很挤。Jīntiān jīngguò de jǐ ge ～r chē dōu hěn jǐ.

lùshang 路上¹ [名]

刚下过雨，~ 还很湿。Gāng xiàguo yǔ, ~ hái hěn shī. →雨后道路上面还有一些水。Yǔ hòu dàolù shàngmiàn hái yǒu yìxiē shuǐ. 例到下班时间，~ 骑自行车的人特别多。Dào xiàbān shíjiān, ~ qí zìxíngchē de rén tèbié duō. | 这是个清洁的城市，~ 干净得很。Zhè shì ge qīngjié de chéngshì, ~ gānjìng de hěn. | 要在 ~ 走，不要踩草地。Yào zài ~ zǒu, búyào cǎi cǎodì. | ~ 的车很多，过马路时要小心一点儿。~ de chē hěn duō, guò mǎlù shí yào xiǎoxīn yìdiǎnr. | ~ 很多泥，不好走，还是坐车吧。~ hěn duō ní, bù hǎo zǒu, háishi zuò chē ba.

lùshang 路上² [名]

现在我已经下班了，正在回家的 ~。Xiànzài wǒ yǐjing xiàbān le, zhèngzài huíjiā de ~. →我已经下班离开了工作的地方，正在回家的过程中。Wǒ yǐjing xiàbān líkāile gōngzuò de dìfang, zhèngzài huíjiā de guòchéng zhōng. 例今天晚上在回家的 ~ 遇到了大雨。Jīntiān wǎnshang zài huíjiā de ~ yùdàole dàyǔ. | 你出门在外，一~ 多多注意身体啊！Nǐ chūmén zài wài, yí ~ duōduō zhùyì shēntǐ a! | 他从家乡来到这个大城市，~ 走了三天。Tā cóng jiāxiāng láidào zhèige dà chéngshì, ~ zǒule sān tiān. | 在旅游的 ~，他照了好多相。Zài lǚyóu de ~, tā zhàole hǎoduō xiàng.

lǚ

lǚguǎn 旅馆（旅館）[名]

我上次旅行时就住在这家 ~。Wǒ shàng cì lǚxíng shí jiù zhù zài zhèi jiā ~. →这是专门给旅行的人住的地方。Zhè shì zhuānmén gěi lǚxíng de rén zhù de dìfang. 例这次旅行他带的钱不多，得住便宜的 ~。Zhèi cì lǚxíng tā dài de qián bù duō, děi zhù piányi de ~. | 来这里旅游的人很多，因此 ~ 不少。Lái zhèlǐ lǚyóu de rén hěn duō, yīncǐ ~ bùshǎo. | ~ 里住满了来自各地的旅客。~ li zhùmǎnle láizì gè dì de lǚkè. | 这家 ~ 的服务态度很好，客人们住得很满意。Zhèi jiā ~ de fúwù tàidu hěn hǎo, kèrénmen zhù de hěn mǎnyì.

lǚkè 旅客 [名]

离开车时间还有半个小时，~ 们陆陆续续上了火车。Lí kāichē shíjiān hái yǒu bàn ge xiǎoshí, ~ men lùlùxùxù shàngle huǒchē. →

快开车了，一些坐火车旅行的人陆续上了车。Kuài kāichē le, yìxiē zuò huǒchē lǚxíng de rén lùxù shàngle chē. **例** 放假期间，~ 很多，他们都要到外地去旅行。Fàngjià qījiān, ~ hěn duō, tāmen dōu yào dào wàidì qù lǚxíng. | 各位 ~，现在就要开车了，祝大家旅途愉快。Gè wèi ~, xiànzài jiù yào kāi chē le, zhù dàjiā lǚtú yúkuài. | 请下车的~拿好自己的行李，准备下车。Qǐng xiàchē de ~ náhǎo zìjǐ de xíngli, zhǔnbèi xiàchē. | 服务员们热情地为~服务，努力满足~的要求。Fúwùyuánmen rèqíng de wèi ~ fúwù, nǔlì mǎnzú ~ de yāoqiú. | 起飞的时间快要到了，还有一些 ~ 没有上飞机呢。Qǐfēi de shíjiān kuài yào dào le, hái yǒu yìxiē ~ méiyǒu shàng fēijī ne.

lǚtú 旅途 [名]

我在~中遇到了不少有趣的事。Wǒ zài ~ zhōng yùdàole bùshǎo yǒuqù de shì. →在旅行的路上我遇到不少有趣的事。Zài lǚxíng de lùshang wǒ yùdào bùshǎo yǒuqù de shì. **例** 在 ~ 上，不要太累才能玩ⓝ得好。Zài ~ shang, búyào tài lèi cái néng wánⓝ de hǎo. | 大卫，你下午就要走了，祝你 ~ 愉快。Dàwèi, nǐ xiàwǔ jiù yào zǒu le, zhù nǐ ~ yúkuài. | 我们的 ~ 生活太丰富了。Wǒmen de ~ shēnghuó tài fēngfù le.

lǚxíng 旅行 [动]

假期，我们一家人去 ~ 了。Jiàqīn, wǒmen yì jiā rén qù ~ le. →我们到别的地方去玩ⓝ，参观那里的风景和名胜古迹。Wǒmen dào biéde dìfang qù wánⓝ, cānguān nàli de fēngjǐng hé míngshèng gǔjì. **例** 大卫打算明年到中国去 ~. Dàwèi dǎsuan míngnián dào Zhōngguó qù ~. | 我喜欢和朋友一起 ~. Wǒ xǐhuan hé péngyou yìqǐ ~. | 我以前到那里~过，风景美极了。Wǒ yǐqián dào nàli ~ guo, fēngjǐng měijí le. | 你们出去 ~ 的时候，一定要注意安全。Nǐmen qūqu ~ de shíhou, yídìng yào zhùyì ānquán. | 这箱子是 ~ 用的，非常方便。Zhè xiāngzi shì ~ yòng de, fēicháng fāngbiàn.

lǚyóu 旅游 [动]

她经常 ~，去过很多地方。Tā jīngcháng ~, qùguo hěn duō dìfang. →她经常去别的地方看风景、参观名胜古迹什么的。Tā jīngcháng qù biéde dìfang kàn fēngjǐng、cānguān míngshèng gǔjì shénmede. **例** 放假的时候我打算到处 ~. Fàngjià de shíhou wǒ dǎsuan dàochù ~. | 我最喜欢一个人去 ~. Wǒ zuì xǐhuan yí ge rén qù ~. | 我们

俩一起～了两个星期。Wǒmen liǎ yìqǐ ～ le liǎng ge xīngqī.｜大卫几年前去中国～过一次。Dàwèi jǐ nián qián qù Zhōngguó ～ guo yí cì.｜他是我～时认识的朋友。Tā shì wǒ ～ shí rènshi de péngyou.｜这里风景优美，是～的好地方。Zhèlǐ fēngjǐng yōuměi, shì ～ de hǎo dìfang.

lǜ 绿（綠）［形］

green 例公园里到处是～～的草地。Gōngyuán li dàochù shì ～～ de cǎodì.｜春天来了，树也变～了。Chūntiān lái le, shù yě biàn ～ le.

luan

luàn 乱¹（亂）［形］

他的屋子好久没收拾了，里边很～。Tā de wūzi hǎojiǔ méi shōushi le, lǐbian hěn ～. →屋子里的东西没有放在该放的地方。Wūzi li de dōngxi méiyǒu fàng zài gāi fàng de dìfang. 例桌子上太～了，好好儿整理一下儿吧。Zhuōzi shang tài ～ le, hǎohāor zhěnglǐ yíxiàr ba.｜大风吹～了我本来很整齐的头发。Dàfēng chuī ～ le wǒ běnlái hěn zhěngqí de tóufa.｜她书架上的书放得很～，什么规律也没有。Tā shūjià shang de shū fàng de hěn ～, shénme guīlǜ yě méiyǒu.

luàn 乱²（亂）［形］

她总是～花钱，买了很多不该买的东西。Tā zǒngshì ～ huā qián, mǎile hěn duō bù gāi mǎi de dōngxi. →她总是不经过考虑就随便花钱买东西。Tā zǒngshì bù jīngguò kǎolǜ jiù suíbiàn huā qián mǎi dōngxi. 例我经常～吃东西，很少想对身体有没有好处。Wǒ jīngcháng ～ chī dōngxi, hěn shǎo xiǎng duì shēntǐ yǒu méiyǒu hǎochù.｜我没想好要去哪个商店，在街上到处～走。Wǒ méi xiǎnghǎo yào qù něige shāngdiàn, zài jiē shang dàochù ～ zǒu.｜你要是不了解情况可别～说。Nǐ yàoshi bù liǎojiě qíngkuàng kě bié ～ shuō.

lüe

lüè 略［副］

他的个子比我～高一点儿。Tā de gèzi bǐ wǒ ～ gāo yìdiǎnr. →他的个子比我高，但高得不多。Tā de gèzi bǐ wǒ gāo, dàn gāo de bù duō. 例今天的风比昨天～小一些。Jīntiān de fēng bǐ zuótiān ～ xiǎo yìxiē.｜她变化不大，只是比以前～～胖了一点点。Tā biànhuà bú dà, zhǐshì bǐ yǐqián ~ ~ pàngle yìdiǎndiǎn. | 我 ~ 有点儿不舒服，很快就好了。Wǒ ~ yǒudiǎnr bù shūfu, hěn kuài jiù hǎo le.

lun

lúnchuán 轮船（輪船）[名]

一艘 ~ 在海里开着。Yì sōu ~ zài hǎi li kāizhe. →那是一种用来运人或运货的比较大的船。Nà shì yì zhǒng yòng lái yùn rén huò yùn huò de bǐjiào dà de chuán. 例~ 慢慢儿地在码头上停了下来。~ mànmānr de zài mǎtou shang tíngle xialai. | 我喜欢坐~旅游，欣赏江上的风景。Wǒ xǐhuan zuò ~ lǚyóu, xīnshǎng jiāng shang de fēngjǐng. | 这些煤要用~运走。Zhèixiē méi yào yòng ~ yùnzǒu. | 这只 ~ 上一共有一百多名乘客。Zhèi zhī ~ shang yígòng yǒu yìbǎi duō míng chéngkè.

lúnliú 轮流（輪流）[动]

哥哥和我 ~ 做饭，每人做一天。Gēge hé wǒ ~ zuòfàn, měi rén zuò yì tiān. →哥哥做一天，我做一天，一直这样。Gēge zuò yì tiān, wǒ zuò yì tiān, yìzhí zhèiyàng. 例我和朋友~开车，每人开四个小时。Wǒ hé péngyou ~ kāi chē, měi rén kāi sì ge xiǎoshí. | 同屋和我~打扫房间。Tóngwū hé wǒ ~ dǎsǎo fángjiān. | 这么重的东西一直你拿太累了，我们俩~吧。Zhème zhòng de dōngxi yìzhí nǐ ná tài lèi le, wǒmen liǎ ~ ba.

lùnwén 论文（論文）[名]

教授写了一篇关于经济问题的 ~ 。Jiàoshòu xiěle yì piān guānyú jīngjì wèntí de ~ . →教授写的是一篇讨论、研究经济问题的文章。Jiàoshòu xiě de shì yì piān tǎolùn、yánjiū jīngjì wèntí de wénzhāng. 例他在杂志上发表了一篇研究语言的 ~ 。Tā zài zázhì shang fābiǎole yì piān yánjiū yǔyán de ~ . | 这篇~对气候的变化进行了分析。Zhèi piān ~ duì qìhòu de biànhuà jìnxíngle fēnxī. | 我完全不同意这篇~的观点。Wǒ wánquán bù tóngyì zhèi piān ~ de guāndiǎn.

luo

luóbo 萝卜（蘿蔔）[名]

radish 例~是我常吃的蔬菜。~ shì wǒ cháng chī de shūcài. | 兔子很爱吃 ~ 。Tùzi hěn ài chī ~ . | 这个汤里放了 ~ 。Zhèige tāng li fàngle ~ . | 这个菜是用~做的。Zhèige cài shì yòng ~ zuò de. | 他

不太喜欢~的味道。Tā bú tài xǐhuan ~ de wèidao. I~的营养价值很高。~ de yíngyǎng jiàzhí hěn gāo.

luò 落 [动]

秋天到了，叶子开始~了。Qiūtiān dào le, yèzi kāishǐ ~ le. →叶子开始从树上掉下来了。Yèzi kāishǐ cóng shù shang diào xialai le. 例一场大雨以后，花儿都~了。Yì cháng dàyǔ yǐhòu, huār dōu ~ le. I桌子上~了厚厚的一层灰。Zhuōzi shang ~ le hòuhòu de yì céng huī. I她伤心地~下了眼泪。Tā shāngxīn de ~ xiàle yǎnlèi. I雪花从天空~下来，慢慢儿地~在地上。Xuěhuā cóng tiānkōng ~ xialai, mànmānr de ~ zài dì shang. I大风刮了一天，树下~满了叶子。Dàfēng guāle yì tiān, shù xià ~ mǎnle yèzi.

luòhòu 落后（落後）[形]

这个地区经济很~，人们的生活水平不高。Zhèige dìqū jīngjì hěn ~, rénmen de shēnghuó shuǐpíng bù gāo. →这个地区的经济没有别的地方好。Zhèige dìqū de jīngjì méiyǒu bié de dìfang hǎo. 例这里很~，连电也没有。Zhèlǐ hěn ~, lián diàn yě méiyǒu. I他们公司的技术不行，最少比我们~了两年。Tāmen gōngsī de jìshù bùxíng, zuì shǎo bǐ wǒmen ~ le liǎng nián. I这是一套~的生产设备，别的工厂早就不用了。Zhè shì yí tào ~ de shēngchǎn shèbèi, biéde gōngchǎng zǎojiù búyòng le. I这里发展得太慢，属于~地区。Zhèlǐ fāzhǎn de tài màn, shǔyú ~ dìqū.

M

ma

māma 妈妈（媽媽）[名]

Mum 例我爸爸是工人，~是老师。Wǒ bàba shì gōngrén, ~ shì lǎoshī. | ~生我的时候都快三十岁了。~ shēng wǒ de shíhou dōu kuài sānshí suì le. | 她的 ~ 没有工作，是家庭主妇。Tā de ~ méiyǒu gōngzuò, shì jiātíng zhǔfù. | 我 ~ 做的菜特别好吃。Wǒ ~ zuò de cài tèbié hǎochī. | ~是女儿的知心朋友。~ shì nǚ'ér de zhīxīn péngyou. | 她是个好 ~，也是个好妻子。Tā shì ge hǎo ~, yě shì ge hǎo qīzi.

máfan 麻烦¹（麻煩）[形]

这个字写起来很 ~。Zhèige zì xiě qilai hěn ~. →这个字笔画多，很不容易写。Zhèige zì bǐhuà duō, hěn bù róngyì xiě. 例我刚才遇到一件 ~ 事，所以来晚了。Wǒ gāngcái yùdào yí jiàn ~ shì, suǒyǐ láiwǎn le. | 这件事处理起来非常 ~。Zhèi jiàn shì chǔlǐ qilai fēicháng ~. | 王大夫对病人很好，从来不怕 ~。Wáng dàifu duì bìngrén hěn hǎo, cónglái bú pà ~. | 手续不 ~，一会儿就办好了。Shǒuxù bù ~, yíhuìr jiù bànhǎo le.

máfan 麻烦²（麻煩）[动]

我想 ~ 你帮我买一本书。Wǒ xiǎng ~ nǐ bāng wǒ mǎi yì běn shū. →我想请你帮忙，替我买一本书。Wǒ xiǎng qǐng nǐ bāngmáng, tì wǒ mǎi yì běn shū. 例我找房子总是 ~ 大卫。Wǒ zhǎo fángzi zǒngshì ~ Dàwèi. | 我 ~ 过你好几次了，真不好意思。Wǒ ~ guo nǐ hǎojǐ cì le, zhēn bù hǎoyìsi. | ~你站在一边儿，好吗？~ nǐ zhàn zài yìbiānr, hǎo ma? | 他从来没 ~ 过别人，什么事儿都自己做。Tā cónglái méi ~ guo biéren, shénme shìr dōu zìjǐ zuò.

mǎ 马（馬）[名]

例这匹 ~ 跑得非常快。Zhèi pǐ ~ pǎo de fēicháng kuài. | 他从小就喜欢骑 ~。Tā cóngxiǎo jiù xǐhuan qí ~. | 他家养着三四 ~，

马

一头牛。Tā jiā yǎngzhe sān pǐ ~ , yì tóu niú. |这些 ~ 都很老实，不踢人。Zhèixiē ~ dōu hěn lǎoshi, bù tī rén. |这群马一共五十匹。Zhèi qún ~ yígòng wǔshí pǐ.

mǎhu 马虎(馬虎) [形]

他做事总是很 ~ , 经常出错儿。Tā zuòshì zǒngshì hěn ~ , jīngcháng chū cuòr. →他做事总是不细心，经常出错儿。Tā zuòshì zǒngshì bú xìxīn, jīngcháng chū cuòr. 例我太 ~ 了，把东西忘在车上了。Wǒ tài ~ le, bǎ dōngxi wàng zài chē shang le. |你这 ~ 的毛病需要改改了。Nǐ zhè ~ de máobìng xūyào gǎigai le. |开车的事儿 ~ 不得。Kāi chē de shìr ~ bùdé. |他很认真，做什么事儿都不 ~ 。Tā hěn rènzhēn, zuò shénme shìr dōu bù ~ . |他这样马马虎虎，我有点儿不放心。Tā zhèiyàng mǎmahūhū, wǒ yǒudiǎnr bú fàngxīn.

mǎlù 马路(馬路) [名]

这条 ~ 又宽又平，开起车来很舒服。Zhèi tiáo ~ yòu kuān yòu píng, kāiqi chē lai hěn shūfu. →这是一条又宽又平的道路。Zhè shì yì tiáo yòu kuān yòu píng de dàolù. 例北京的 ~ 很宽，车也很多。Běijīng de ~ hěn kuān, chē yě hěn duō. |我家就住在 ~ 对面，很近。Wǒ jiā jiù zhù zài ~ duìmiàn, hěn jìn. |你穿过两条 ~ , 就可以看见那个商店。Nǐ chuānguo liǎng tiáo ~ , jiù kěyǐ kànjiàn nèige shāngdiàn. |他站在 ~ 边，等了一个小时。Tā zhàn zài ~ biān, děngle yí ge xiǎoshí. |以前这里没有 ~ , 交通很不方便。Yǐqián zhèlǐ méiyǒu ~ , jiāotōng hěn bù fāngbiàn.

mǎshàng 马上(馬上) [副]

飞机 ~ 就要起飞了，请大家坐好。Fēijī ~ jiù yào qǐfēi le, qǐng dàjiā zuòhǎo. →飞机很快就要起飞了。Fēijī hěn kuài jiù yào qǐfēi le. 例电影 ~ 就要开始了，我们进去吧。Diànyǐng ~ jiù yào kāishǐ le, wǒmen jìnqu ba. |咱们 ~ 结婚吧，我等不及了。Zánmen ~ jiéhūn ba, wǒ děngbují le. |你等一下儿，我 ~ 就来。Nǐ děng yíxiàr, wǒ ~ jiù lái. |看样子 ~ 就要下雨了，我们赶快走吧。Kàn yàngzi ~ jiù yào xià yǔ le, wǒmen gǎnkuài zǒu ba. |我一看他，他 ~ 就不说话了。Wǒ yí kàn tā, tā ~ jiù bù shuōhuà le.

mǎtou 码头(碼頭) [名]

江边的 ~ 上站着很多人。Jiāng biān de ~ shang zhànzhe hěn duō rén. →很多人站在江边可以上船的地方。Hěn duō rén zhàn zài

jiāng biān kěyǐ shàng chuán de dìfang. 例船到下一个 ~，停 20 分
钟。Chuán dào xià yí ge mǎtou, tíng èrshí fēnzhōng. | ~ 上上下船
的人很多。~ shang shàng xià chuán de rén hěn duō. | 他在 ~ 上干
活儿，主要是运货物。Tā zài ~ shang gànhuór, zhǔyào shì yùn
huòwù. | ~ 工人的工作很辛苦。~ gōngrén de gōngzuò hěn xīnkǔ. |
这座 ~ 是新建的，设备非常先进。Zhèi zuò ~ shì xīn jiàn de,
shèbèi fēicháng xiānjìn.

mà 骂（罵）[动]

不管为什么，~ 人总是不对的。Bùguǎn wèishénme, ~ rén
zǒngshì bú duì de. →对别人说不文明的话是错误的。Duì biéren
shuō bù wénmíng de huà shì cuòwù de. 例警察来的时候，他还在
不停地 ~ 着。Jǐngchá lái de shíhou, tā hái zài bù tíng de ~ zhe. | 他
生气的时候，什么话都 ~ 得出来。Tā shēngqì de shíhou, shénme
huà dōu ~ de chūlái. | 他 ~ 了没两分钟，警察就来了。Tā ~ le méi
liǎng fēnzhōng, jǐngchá jiù lái le. | 我只是讲道理，什么也没 ~。
Wǒ zhǐshì jiǎng dàoli, shénme yě méi ~. | 他经常教育孩子不要 ~
人。Tā jīngcháng jiàoyù háizi bú yào ~ rén.

ma 吗（嗎）[助]

明天开会，你来 ~？Míngtiān kāihuì, nǐ lái ~. →你来不来？Nǐ lái
bu lái? 例你的女朋友漂亮 ~？Nǐ de nǚpéngyou piàoliang ~? | 你结
婚了 ~？Nǐ jiéhūn le ~? | 你去过美国 ~？Nǐ qùguo Měiguó ~? |
你看过那部日本电影 ~？Nǐ kànguo nèi bù Rìběn diànyǐng ~? | 那封
信你写完了 ~？Nèi fēng xìn nǐ xiěwán le ~? | 你会说汉语 ~？Nǐ
huì shuō Hànyǔ ~?

ma 嘛 [助]

你来了就好 ~。Nǐ láile jiù hǎo ~. →你来这件事本身就很好。Nǐ lái
zhèi jiàn shì běnshēn jiù hěn hǎo. 例成绩不好没关系，努力学 ~。
Chéngjì bù hǎo méi guānxi, nǔlì xué ~. | 他不做饭，你就做 ~。Tā
bú zuòfàn, nǐ jiù zuò ~. | 犯了错误，改了就好 ~。Fànle cuòwù,
gǎile jiù hǎo ~. | 你不喜欢去，就别去了 ~。Nǐ bù xǐhuan qù, jiù
bié qù le ~.

mai

mái 埋 [动]

房子倒了，家具都被 ~ 在里面了。Fángzi dǎo le, jiājù dōu bèi ~ zài

lǐmiàn le. →家具被倒了的房子盖住了。Jiājù bèi dǎole de fángzi gàizhù le. 例他把土豆儿~在土里了。Tā bǎ tǔdòur ~ zài tǔ li le. | 以前这里死了人都要~，现在要烧。Yǐqián zhèlǐ sǐle rén dōu yào ~, xiànzài yào shāo. |沙子~住了我的钥匙，怎么找也找不到。Shāzi ~ zhùle wǒ de yàoshi, zěnme zhǎo yě zhǎo bu dào. |大雪把小狗儿~住了。Dà xuě bǎ xiǎogǒur ~ zhù le. |以前这里~过很多金银。Yǐqián zhèlǐ ~ guo hěn duō jīnyín. |这棵树用的土太少，你再~~吧。Zhèi kē shù yòng de tǔ tài shǎo, nǐ zài ~ ~ ba.

mǎi 买（買）[动]

我~了一个西瓜。Wǒ ~ le yí ge xīguā. →我给他钱，他给我西瓜。Wǒ gěi tā qián, tā gěi wǒ xīguā. 例这件衣服是我三年前~的。Zhèi jiàn yīfu shì wǒ sān nián qián ~ de. |小姐，我~三斤苹果。Xiǎojie, wǒ ~ sān jīn píngguǒ. |香蕉~得太多了，吃不完会烂的。Xiāngjiāo ~ de tài duō le, chī bu wán huì làn de. |我去了很多地方，就是~不到那本书。Wǒ qùle hěn duō dìfang, jiùshi ~ bu dào nèi běn shū. |我不喜欢的东西多便宜也不~。Wǒ bù xǐhuan de dōngxi duō piányi yě bù ~. |你~到英汉词典了吗？Nǐ ~ dào Yīng Hàn cídiǎn le ma?

mǎimai 买卖（買賣）[名]

那条街上做~的人很多。Nèi tiáo jiē shang zuò ~ de rén hěn duō. →那条街上卖东西的人很多。Nèi tiáo jiē shang mài dōngxi de rén hěn duō. 例他喜欢做~，不喜欢读书。Tā xǐhuan zuò ~, bù xǐhuan dúshū. |公司最近做成了一笔大~。Gōngsī zuìjìn zuòchéngle yì bǐ dà ~. |今年公司的~不错，可以多给大家发一些工资。Jīnnián gōngsī de ~ búcuò, kěyǐ duō gěi dàjiā fā yìxiē gōngzī. |我们干的是小~，挣不了多少钱。Wǒmen gàn de shì xiǎo ~, zhèng bu liǎo duōshao qián.

mài 迈（邁）[动]

这条小河很窄，一步就可以~过去。Zhèi tiáo xiǎohé hěn zhǎi, yí bù jiù kěyǐ ~ guoqu. →只要一步，就可以跨过小河。Zhǐyào yí bù, jiù kěyǐ kuàguo xiǎohé. 例他说完以后，~开脚步就走了。Tā shuōwán yǐhòu, màikāi jiǎobù jiù zǒu le. |学生们~着整齐的脚步，走进了会场。Xuéshengmen ~ zhe zhěngqí de jiǎobù, zǒujìnle huìchǎng. |你往前~一步，就跟他们站齐了。Nǐ wǎng qián ~ yí bù, jiù gēn tāmen zhànqí le. |这条沟太宽，我~不过去。Zhèi tiáo gōu tài kuān, wǒ ~ bu guòqù.

mài 卖(賣) [动]

那辆车旧了，我 ~ 了。Nèi liàng chē jiù le, wǒ ~ le. →我给别人旧车，别人给我钱。Wǒ gěi biéren jiù chē, biéren gěi wǒ qián. 例我 ~ 了些旧家具，得了些钱。Wǒ ~ le xiē jiù jiājù, déle xiē qián. | 这种照相机又便宜又好，~ 得很快。Zhèi zhǒng zhàoxiàngjī yòu piányi yòu hǎo, ~ de hěn kuài. | 今年的西瓜可以 ~ 个好价钱。Jīnnián de xīguā kěyǐ ~ ge hǎo jiàqian. | 电影票 ~ 完了。Diànyǐngpiào ~ wán le. | 你给钱太少，我不 ~。Nǐ gěi qián tài shǎo, wǒ bú ~. | 我们这个商店没 ~ 过冰箱。Wǒmen zhèige shāngdiàn méi ~ guo bīngxiāng.

man

mántou 馒头(饅頭) [名]

例 ~ 太干，我吃不下去。~ tài gān, wǒ chī bu xiàqù. | 他一顿饭能吃三个 ~，两碗粥。Tā yí dùn fàn néng chī sān ge ~, liǎng wǎn zhōu. | 北方人喜欢吃 ~，南方人喜欢吃米饭。Běifāngrén xǐhuan chī ~, nánfāngrén xǐhuan chī mǐfàn. | 这么大的 ~，我一顿吃不了。Zhème dà de ~, wǒ yí dùn chī bu liǎo. | 他每次去饭馆儿都要吃炸 ~。Tā měi cì qù fànguǎnr dōu yào chī zhá ~.

馒头

mǎn 满(滿) [形]

我的杯子 ~ 着呢，不用加水了。Wǒ de bēizi ~ zhe ne, bú yòng jiā shuǐ le. →我的杯子装不下水了。Wǒ de bēizi zhuāng bu xià shuǐ le. 例观众很多，座位都 ~ 了。Guānzhòng hěn duō, zuòwèi dōu ~ le. | 这碗米饭太 ~ 了，我吃不完。Zhèi wǎn mǐfàn tài ~ le, wǒ chī bu wán. | 他倒了 ~ ~ 一杯酒，全喝下去了。Tā dàole ~ ~ yì bēi jiǔ, quán hē xiaqu le. | 我的包还没 ~，还可以放些东西。Wǒ de bāo hái méi ~, hái kěyǐ fàng xiē dōngxi. | 你的杯子不 ~，再倒点儿水。Nǐ de bēizi bù ~, zài dào diǎnr shuǐ.

mǎnyì 满意(滿意) [形]

经理对职员们的工作很 ~。Jīnglǐ duì zhíyuánmen de gōngzuò hěn

~. →经理认为职员们工作得很好。Jīnglǐ rènwéi zhíyuánmen de gōngzuò hěn hǎo. 例他们对考试的成绩十分~。Tāmen duì kǎoshì de chéngjì shénfēn ~. |他找到了一份比较~的工作。Tā zhǎodàole yí fèn bǐjiào ~ de gōngzuò. |他们对这次活动表示~。Tāmen duì zhèi cì huódòng biǎoshì ~. |我说完情况后，校长~地点了点头。Wǒ shuōwán qíngkuàng hòu, xiàozhǎng ~ de diǎnle diǎn tóu. |教练对这场比赛中球员们的表现很不~。Jiàoliàn duì zhèi chǎng bǐsài zhōng qiúyuánmen de biǎoxiàn hěn bù ~.

mǎnzú 满足¹ （滿足） [动]

只要她能看我一眼，我就~了。Zhǐyào tā néng kàn wǒ yì yǎn, wǒ jiù ~ le. →她看我一眼，我就感到足够了。Tā kàn wǒ yì yǎn, wǒ jiù gǎndào zúgòu le. 例我只有得了第一名，才会感到~。Wǒ zhǐyǒu déle dì yī míng, cái huì gǎndào ~. |你有那么漂亮的妻子，应该~了。Nǐ yǒu nàme piàoliang de qīzi, yīnggāi ~ le. |他很容易~，所以进步不大。Tā hěn róngyì ~, suǒyǐ jìnbù bú dà. |他不~已经取得的成绩，总是有更高的目标。Tā bù ~ yǐjing qǔdé de chéngjì, zǒngshì yǒu gèng gāo de mùbiāo. |他对生活从来没~过。Tā duì shēnghuó cónglái méi ~ guo.

mǎnzú 满足² （滿足） [动]

我~了他的出国要求。Wǒ ~ le tā de chūguó yāoqiú. →他想出国，我就让他出国了。Tā xiǎng chūguó, wǒ jiù ràng tā chūguó le. 例我总是~他的需要，给他更多的关心。Wǒ zǒngshì ~ tā de xūyào, gěi tā gèng duō de guānxīn. |今年，我们~了人们的住房需要。Jīnnián, wǒmen ~ le rénmen de zhùfáng xūyào. |你们的要求我~不了。Nǐmen de yāoqiú wǒ ~ bù liǎo. |我就这点儿要求，你看能不能~？Wǒ jiù zhèi diǎnr yāoqiú, nǐ kàn néng bu néng ~?

màn 慢 [形]

汽车开得很~，跟走路差不多。Qìchē kāi de hěn ~, gēn zǒulù chà bu duō. →汽车一点儿一点儿地往前开，跟步行的速度差不多。Qìchē yìdiǎnr yìdiǎnr de wǎng qián kāi, gēn bùxíng de sùdù chà bu duō. 例我们走得太~了，这样会迟到的。Wǒmen zǒu de tài ~ le, zhèiyàng huì chídào de. |他吃饭比较~。Tā chīfàn bǐjiào ~. |这么~的车，他有点儿受不了。Zhème ~ de chē, tā yǒudiǎnr shòu bu liǎo. |你~~说，别着急。Nǐ ~ ~ shuō, bié zháojí. |别看他个子

小，跑得可不～。Bié kàn tā gèzi xiǎo, pǎo de kě bú ～.

mang

máng 忙 [形]

我这几天很～，没来看你。Wǒ zhèi jǐ tiān hěn ～, méi lái kàn nǐ. →我这几天事情很多，没有时间来看你。Wǒ zhèi jǐ tiān shìqing hěn duō, méiyǒu shíjiān lái kàn nǐ. 例我爱人最近特别～，都三天没回家了。Wǒ àiren zuìjìn tèbié ～, dōu sān tiān méi huíjiā le. | 我们～的时候，都顾不上吃饭。Wǒmen ～ de shíhou, dōu gù bu shàng chīfàn. | 他是个～人，我好几天没看见他了。Tā shì ge ～ rén, wǒ hǎojǐ tiān méi kànjiàn tā le. | 他这几天休息，不太～。Tā zhèi jǐ tiān xiūxi, bú tài ～. | 你这个月～吗？Nǐ zhèi ge yuè ～ ma?

mao

māo 猫 [名]

例这只～又捉住了两只老鼠。Zhèi zhī ～ yòu zhuōzhùle liǎng zhī lǎoshǔ. | 我养了一只～，它很可爱。Wǒ yǎngle yì zhī ～, tā hěn kě'ài. | 我买了点儿小鱼喂～。Wǒ mǎile diǎnr xiǎoyú wèi ～. | 我家的～生病了，我要带他去动物医院。Wǒ jiā de ～ shēngbìng le, wǒ yào dài tā qù dòngwù yīyuàn. | 他养的～又肥又大。Tā yǎng de ～ yòu féi yòu dà.

猫

máo 毛[1] [名]

hair; feather 例冬天来了，动物身上长出了厚厚的～。Dōngtiān lái le, dòngwù shēnshang zhǎngchūle hòuhòu de ～. | 羊～可以用来做衣服、被子等。Yáng ～ kěyǐ yònglái zuò yīfu、bèizi děng. | 夏天，动物身上的～很少。Xiàtiān, dòngwù shēnshang de ～ hěn shǎo. | 这匹马掉了一层～，不好看了。Zhèi pǐ mǎ diàole yì céng ～, bù hǎokàn le. | 这只小鸟没～了。Zhèi zhī xiǎoniǎo méi ～ le. | 他的胸上长着很多～。Tā de xiōng shang zhǎngzhe hěn duō ～.

máobǐ 毛笔（毛筆）[名]

例中国古代用～写字。Zhōngguó gǔdài yòng ～ xiě zì. | 我买了三支～，想学习书法。Wǒ mǎile sān zhī ～, xiǎng liànxí shūfǎ. | 他会用

M

~，我不会。Tā huì yòng ~，wǒ bú huì. | 这
支~是用羊毛做的。Zhèi zhī ~ shì yòng
yángmáo zuò de. | 我会写~字。Wǒ huì xiě
~ zì. | 兔毛、羊毛都可以做成~。Tùmáo、
yángmáo dōu kěyǐ zuòchéng ~.

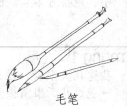
毛笔

máobìng 毛病[1] [名]

我的肚子出了点儿~，现在不想吃饭。Wǒ de dùzi chūle diǎnr ~,
xiànzài bù xiǎng chīfàn. →我的肚子有点儿不舒服，不想吃饭。Wǒ
de dùzi yǒudiǎnr bù shūfu, bù xiǎng chīfàn. 例他有头疼的~，经常
犯。Tā yǒu tóuténg de ~, jīngcháng fàn. | 她牙疼的~早就治好
了。Tā yáténg de ~ zǎo jiù zhìhǎo le. | 他的腿有点儿~，所以走得
很慢。Tā de tuǐ yǒudiǎnr ~, suǒyǐ zǒu de hěn màn. | 那只猫的眼
出~了，总是流泪。Nèi zhī māo de yǎn chū ~ le, zǒngshì liú lèi.

máobìng 毛病[2] [名]

他的~是吃饭前不洗手。Tā de ~ shì chīfàn qián bù xǐ shǒu. →吃
饭前不洗手是他的坏习惯。Chīfàn qián bù xǐ shǒu shì tā de huài
xíguàn. 例他最大的~是懒，什么也不愿意干。Tā zuì dà de ~ shì
lǎn, shénme yě bú yuànyi gàn. | 粗心是我的老~了。Cūxīn shì wǒ
de lǎo ~ le. | 你什么时候能改掉爱吃零食的~？Nǐ shénme shíhou
néng gǎidiào ài chī língshí de ~? | 几天没见，他的~越来越多了。
Jǐ tiān méi jiàn, tā de ~ yuèláiyuè duō le.

máojīn 毛巾 [名]

例我的~找不到了。Wǒ de ~ zhǎo bu dào
le. | 这种~的质量很好。Zhèi zhǒng máojīn
de zhìliàng hěn hǎo. | 我买了两条~，一条擦
脸，一条擦脚。Wǒ mǎile liǎng tiáo ~, yì
tiáo cā liǎn, yì tiáo cā jiǎo. | 我这条~刚用了
两天就破了。Wǒ zhèi tiáo ~ gāng yòngle
liǎng tiān jiù pò le. | 你把~给他，让他擦擦
脸。Nǐ bǎ ~ gěi tā, ràng tā cāca liǎn. | 请把
~ 递给我，谢谢。Qǐng bǎ ~ dì gěi wǒ,
xièxie.

毛巾

máoyī 毛衣 [名]

她的手很巧，会织~。Tā de shǒu hěn qiǎo, huì zhī ~. →她会用

毛线织成衣服。Tā huì yòng máoxiàn zhīchéng yīfu. 例她今天穿了件红 ~，很漂亮。Tā jīntiān chuānle jiàn hóng ~，hěn piàoliang. | 我有好几件 ~，够冬天穿了。Wǒ yǒu hǎojǐ jiàn ~，gòu dōngtiān chuān le. | 天冷了，该穿厚 ~ 了。Tiān lěng le, gāi chuān hòu ~ le. | 这件 ~ 上有个洞，补补吧。Zhèi jiàn ~ shang yǒu ge dòng, bǔbu ba. | 他不小心，把 ~ 烧了个洞。Tā bù xiǎoxīn, bǎ ~ shāole ge dòng.

máo 毛² [量]

用于钱，一元钱的十分之一。Yòngyú qián, yì yuán qián de shí fēn zhī yī. 例我想把这一块钱换成十个一 ~ 的。Wǒ xiǎng bǎ zhèi yí kuài qián huànchéng shí ge yì ~ de. | 他摸了摸口袋，一 ~ 钱也没带。Tā mōle mō kǒudai, yì ~ qián yě méi dài. | 我的钱都是整元的，没有 ~ 的。Wǒ de qián dōu shì zhěng yuán de, méiyǒu ~ de. | 他找我借六 ~ 钱，我给了他一块。Tā zhǎo wǒ jiè liù ~ qián, wǒ gěile tā yí kuài.

máodùn 矛盾 [名]

我们俩的意见发生了 ~。Wǒmen liǎ de yìjiàn fāshēngle ~. →我们两个人的意见不一样或完全相反。Wǒmen liǎng ge rén de yìjiàn bù yíyàng huò wánquán xiāngfǎn. 例他俩闹了点儿小 ~，但很快就解决了。Tā liǎ nàole diǎnr xiǎo ~，dàn hěn kuài jiù jiějué le. | 真和假是一对儿 ~。Zhēn hé jiǎ shì yí duìr ~. | 他们之间的 ~ 很深，不容易解决。Tāmen zhījiān de ~ hěn shēn, bù róngyì jiějué. | 民族 ~ 处理不好，有时候会带来战争。Mínzú ~ chǔlǐ bù hǎo, yǒushíhou huì dàilái zhànzhēng.

mào 冒 [动]

地下的水不停地往外 ~。Dìxià de shuǐ bù tíng de wǎng wài ~. →地下的水不停地向上流出地面。Dìxià de shuǐ bù tíng de xiàng shàng liúchū dìmiàn. 例厕所堵了，脏水 ~ 出来了。Cèsuǒ dǔ le, zāngshuǐ ~ chulai le. | 包子刚出锅，还 ~ 着热气呢。Bāozi gāng chū guō, hái ~ zhe rèqì ne. | 他跑得很累，脸上不停地 ~ 汗。Tā pǎo de hěn lèi, liǎn shang bù tíng de ~ hàn. | 你看那边，烟在往上 ~ 呢。Nǐ kàn nèi bian, yān zài wǎng shàng ~ ne. | 鱼在水下游过时，水面上就 ~ 泡儿。Yú zài shuǐ xià yóuguo shí, shuǐmiàn shang jiù ~ pàor.

màoyì 贸易（貿易）[名]

我们是一家 ~ 公司，主要做进出口生意。Wǒmen shì yì jiā ~

gōngsī, zhǔyào zuò jìnchūkǒu shēngyi. →我们公司主要同外国企业做买卖。Wǒmen gōngsī zhǔyào tóng wàiguó qǐyè zuò mǎimai. 例两国之间的 ~ 活动近来十分活跃。Liǎng guó zhījiān de ~ huódòng jìnlái shífēn huóyuè. | 他们觉得，发展两地之间的 ~ 很重要。Tāmen juéde, fāzhǎn liǎng dì zhījiān de ~ hěn zhòngyào. | 外国商人对汽车 ~ 很感兴趣。Wàiguó shāngrén duì qìchē ~ hěn gǎn xìngqù. | 边境地区 ~ 自由，市场繁荣。Biānjìng dìqū ~ zìyóu, shìchǎng fánróng.

màozi 帽子 [名]

例他平常总戴着一顶 ~。Tā píngcháng zǒng dàizhe yì dǐng ~. | 衣服上有个 ~，挺方便的。Yīfu shang yǒu ge ~, tǐng fāngbiàn de. | 这种 ~ 样式很好看，适合你戴。Zhèi zhǒng ~ yàngshì hěn hǎokàn, shìhé nǐ dài. | 大夫进门

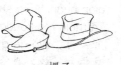

帽子

后，就把 ~ 摘了。Dàifu jìnmén hòu, jiù bǎ ~ zhāi le. | 我不喜欢戴 ~。Wǒ bù xǐhuan dài ~. | 她戴红 ~ 显得特别漂亮。Tā dài hóng ~ xiǎnde tèbié piàoliang.

mei

méi 没[1] [动]

上午阴天，~ 太阳。Shàngwǔ yīntiān, ~ tàiyang. →上午阴天，人们看不见太阳。Shàngwǔ yīntiān, rénmen kàn bu jiàn tàiyang. 例你别去了，屋子里 ~ 人。Nǐ bié qù le, wūzi li ~ rén. | 他最多二十八岁，肯定 ~ 三十岁。Tā zuì duō èrshíbā suì, kěndìng ~ sānshí suì. | 他累极了，~ 一分钟就睡着了。Tā lèijí le, ~ yì fēnzhōng jiù shuìzháo le. | 我还 ~ 女朋友呢，你帮我介绍一个吧。Wǒ hái ~ nǚpéngyou ne, nǐ bāng wǒ jièshào yí ge ba. | 我的汉语水平 ~ 他高。Wǒ de Hànyǔ shuǐpíng ~ tā gāo.

méi cuòr 没错儿（没錯兒）

我看见的就是他，绝对 ~。Wǒ kànjiàn de jiùshì tā, juéduì ~. →我肯定看见的人是他。Wǒ hěndìng kànjiàn de rén shì tā. 例 ~，我9点钟到的机场。~, wǒ jiù diǎnzhōng dào de jīchǎng. | 他说的都是真的，一点儿 ~。Tā shuō de dōu shì zhēn de, yìdiǎnr ~. | 我记得这个字就是这么写，~。Wǒ jìde zhèige zì jiùshì zhème xiě, ~. | 这是八块五，~ 吧？Zhè shì bākuàiwǔ, ~ ba?

méi guānxi 没关系（没關係）

衣服脏了～，洗洗就行了。Yīfu zāngle ～, xǐxi jiù xíng le.　→衣服脏了不是大问题，洗洗就不脏了。Yīfu zāngle bú shì dà wèntí, xǐxi jiù bù zāng le. 例 你做错了～，从头儿再来一次嘛。Nǐ zuòcuòle ～, cóng tóur zài lái yí cì ma. | 车坏了～，我帮你修。Chē huàile ～, wǒ bāng nǐ xiū. | 对不起，我来晚了。——～，我们还没开始呢。Duìbuqǐ, wǒ láiwǎn le. ——～, wǒmen hái méi kāishǐ ne. | 我碰疼你了吧? ——～，不疼。Wǒ pèngténg nǐ le ba? ——～, bù téng.

méi shénme 没什么（没什麽）

我有点儿头疼，不过～。Wǒ yǒudiǎnr tóuténg, búguò ～. →我有点儿头疼，不过不太要紧。Wǒ yǒudiǎnr tóuténg, búguò bú tài yàojǐn. 例 他只是碰破了点儿皮，～。Tā zhǐshì pèngpòle diǎnr pí, ～. | 对于离婚，他觉得～。Duìyú líhūn, tā juéde ～. | 我认为这样做～，很正常。Wǒ rènwéi zhèiyàng zuò ～, hěn zhèngcháng. | 他伤得重吗? ——～，不太重。Tā shāng de zhòng ma? ——～, bú tài zhòng.

méi shìr 没事儿[1]（没事兒）

对不起，踩你脚了。——～。Duìbuqǐ, cǎi nǐ jiǎo le. ——～. →没关系，不要紧。Méi guānxi, bú yàojǐn. 例 打扰您了，实在抱歉。——～，～。Dǎrǎo nín le, shízài bàoqiàn. ——～, ～. | 我读书的声音是不是影响你休息了? ——～，你只管读好了。Wǒ dú shū de shēngyīn shì bu shì yǐngxiǎng nǐ xiūxi le? ——～, nǐ zhǐguǎn dú hǎo le. | 开着灯你能睡着吗? ——～，能睡着。Kāizhe dēng nǐ néng shuìzháo ma? ——～, néng shuìzháo.

méi shìr 没事儿[2]（没事兒）

我上个星期感冒了，现在～了。Wǒ shàng ge xīngqī gǎnmào le, xiànzài ～ le. →我的感冒现在好了。Wǒ de gǎnmào xiànzài hǎo le. 例 刚才情况有点儿危险，现在～了。Gāngcái qíngkuàng yǒudiǎnr wēixiǎn, xiànzài ～ le. | 汽车翻了，不过司机～。Qìchē fān le, búguò sījī ～. | 坐飞机～，挺安全的。Zuò fēijī ～, tǐng ānquán de. | 我身体～，你们不用担心。Wǒ shēntǐ ～, nǐmen bú yòng dānxīn.

méi yìsi 没意思

这部电影～，我不想看了。Zhèi bù diànyǐng ～, wǒ bù xiǎng kàn

le. →我觉得这部电影不好看，没趣味。Wǒ juéde zhèi bù diànyǐng bù hǎokàn, méi qùwèi. 例山上～，你们别去了。Shān shang ～, nǐmen bié qù le. | 他讲的故事～，我都快睡着了。Tā jiǎng de gùshi ～, wǒ dōu kuài shuìzháo le. | 我觉得喝酒没什么意思，不如喝茶。Wǒ juéde hē jiǔ méi shénme yìsi, bùrú hē chá. | 他不爱说话，我们俩在一起没一点儿意思。Tā bú ài shuōhuà, wǒmen liǎ zài yìqǐ méi yìdiǎnr yìsi.

méi yòng 没用

这张纸～了，扔掉吧。Zhèi zhāng zhǐ ～ le, rēngdiào ba. →这张纸没有用处了，可以扔掉了。Zhèi zhāng zhǐ méiyǒu yòngchu le, kěyǐ rēngdiào le. 例他把～的东西都卖掉了。Tā bǎ ～ de dōngxi dōu màidiào le. | 他说了很多～的话。Tā shuōle hěn duō ～ de huà. | 谁在这儿也～，谁都帮不上他。Shéi zài zhèr yě ～, shéi dōu bāng bu shàng tā. | 这段话没什么用，可以不要。Zhèi duàn huà méi shénme yòng, kěyǐ bú yào. | 天冷了，电扇～了。Tiān lěng le, diànshàn ～ le.

méiyǒu 没有[动]

他快四十岁了，还～妻子。Tā kuài sìshí suì le, hái ～ qīzi. →他快四十岁了，还一个人生活。Tā kuài sìshí suì le, hái yí ge rén shēnghuó. 例他们夫妻俩～孩子，生活得也很快乐。Tāmen fūqī liǎ ～ háizi, shēnghuó de yě hěn kuàilè. | 我想买房子，可是～钱。Wǒ xiǎng mǎi fángzi, kěshì ～ qián. | 我～英汉词典，那本是借的。Wǒ ～ Yīng Hàn cídiǎn, nèi běn shì jiè de. | 电影院早就～票了。Diànyǐngyuàn zǎo jiù ～ piào le. | 我～办法救你，你叫警察吧。Wǒ ～ bànfǎ jiù nǐ, nǐ jiào jǐngchá ba.

méiyǒu 没有[动]

今天晴天，～雨。Jīntiān qíngtiān, ～ yǔ. →今天晴天，不会下雨。Jīntiān qíngtiān, bú huì xià yǔ. 例现在～热水，不能洗澡。Xiànzài ～ rèshuǐ, bù néng xǐzǎo. | 那里～火车，只能坐汽车去。Nàli ～ huǒchē, zhǐnéng zuò qìchē qù. | 这方面的问题～人问过。Zhè fāngmiàn de wèntí ～ rén wènguo. | 他从小就～了妈妈。Tā cóngxiǎo jiù ～ le māma. | 冰箱里什么吃的也～。Bīngxiāng li shénme chī de yě ～. | 这儿～人来，你放心吧。Zhèr ～ rén lái, nǐ fàngxīn ba.

méiyǒu 没有³ ［动］

他看起来很小，可能 ~ 二十岁。Tā kàn qilai hěn xiǎo, kěnéng ~ èrshí suì. →他看起来不到二十岁。Tā kàn qilai bú dào èrshí suì. 例他 ~ 一米七，个子不算高。Tā ~ yìmǐqī, gèzi bú sàn gāo. | 她的体重还 ~ 五十公斤，太瘦了。Tā de tǐzhòng hái ~ wǔshí gōngjīn, tài shòu le. | 我学汉语还 ~ 一个月，所以说得不好。Wǒ xué Hànyǔ hái ~ yí ge yuè, suǒyǐ shuō de bù hǎo. | 我在饭店干了 ~ 一年，就不干了。Wǒ zài fàndiàn gànle ~ yì nián, jiù bú gàn le.

méiyǒu 没有⁴ ［动］

今天 ~ 昨天冷。Jīntiān ~ zuótiān lěng. →昨天很冷，今天不像昨天那么冷。Zuótiān hěn lěng, jīntiān bú xiàng zuótiān nàme lěng. 例我 ~ 我弟弟高。Wǒ ~ wǒ dìdi gāo. | 安娜 ~ 她妹妹长得漂亮。Ānnà ~ tā mèimei zhǎng de piàoliang. | 我的汉语 ~ 别的同学好。Wǒ de Hànyǔ ~ biéde tóngxué hǎo. | 我家 ~ 他家大。Wǒ jiā ~ tā jiā dà. | 北京从来 ~ 这么热过。Běijīng cónglái ~ zhème règuo.

méi 没² ［副］

商店已经开门了吧? ——才八点，商店还 ~ 开门呢。Shāngdiàn yǐjing kāimén le ba? ——Cái bā diǎn, shāngdiàn hái ~ kāimén ne. →商店还关着门呢，过一会儿才营业。Shāngdiàn hái guānzhe mén ne, guò yíhuìr cái yíngyè. 例大卫 ~ 在家，去图书馆了。Dàwèi ~ zài jiā, qù túshūguǎn le. | 昨天你 ~ 来，晚会可热闹啦。Zuótiān nǐ ~ lái, wǎnhuì kě rènao la. | 我还 ~ 睡着，正想事情呢。Wǒ hái ~ shuìzháo, zhèng xiǎng shìqing ne. | 我 ~ 买到火车票，还得等两天才能走。Wǒ ~ mǎidào huǒchēpiào, hái děi děng liǎng tiān cái néng zǒu.

méiyǒu 没有⁵ ［副］

他昨天病了，~ 去公司上班。Tā zuótiān bìng le, ~ qù gōngsī shàngbān. →他昨天病了，在家休息了一天。Tā zuótiān bìng le, zài jiā xiūxile yì tiān. 例我爸爸还 ~ 回来，你可以等一等。Wǒ bàba hái ~ huílai, nǐ kěyǐ děng yi děng. | 现在还早，银行还 ~ 开门。Xiànzài hái zǎo, yínháng hái ~ kāimén. | 我今天一天 ~ 看见比尔。Wǒ jīntiān yì tiān ~ kànjiàn Bǐ'ěr. | 我去过很多国家，但 ~ 去过中国。Wǒ qùguo hěn duō guójiā, dàn ~ qùguo Zhōngguó.

méimao 眉毛 ［名］

例她的 ~ 很长，眼睛很大。Tā de ~ hěn cháng, yǎnjing hěn dà. |

他的~特别密，特别浓。Tā de ~ tèbié mì,
tèbié nóng. I她总是把~修得又窄又细。Tā
zǒngshì bǎ ~ xiū de yòu zhǎi yòu xì. I等我画
上人物的~，就像了。Děng wǒ huàshang
rénwù de ~, jiù xiàng le. I老人的~都白了，
但很健康。Lǎorén de ~ dōu bái le, dàn hěn
jiànkāng.

眉毛

méi 煤 [名]

coal 例~是很重要的能源。~ shì hěn zhòngyào de néngyuán. I这
个发电厂主要烧~。Zhèige fādiànchǎng zhǔyào shāo ~. I他们那
里冬天烧暖气要用大量的~。Tāmen nàli dōngtiān shāo nuǎnqì yào
yòng dàliàng de ~. I~的形成要经过几十万年。~ de xíngchéng
yào jīngguò jǐshí wàn nián. I他们是挖~工人，常年在地下工作。
Tāmen shì wā ~ gōngrén, chángnián zài dìxià gōngzuò.

méiqì 煤气(煤氣) [名]

gas 例居民区都通了~，做饭很方便。Jūmínqū dōu tōngle ~,
zuòfàn hěn fāngbiàn. I我们以前烧煤做饭，现在改用~了。Wǒmen
yǐqián shāo méi zuòfàn, xiànzài gǎi yòng ~ le. I我闻到一股~味儿，
快看看~开关是不是开着。Wǒ wéndào yì gǔ ~ wèir, kuài kànkan
~ kāiguān shì bu shì kāizhe. I我买了一台~热水器，每天可以洗热
水澡了。Wǒ mǎile yì tái ~ rèshuǐqì, měi tiān kěyǐ xǐ rèshuǐzǎo le. I
请关好~开关，否则太危险。Qǐng guānhǎo ~ kāiguān, fǒuzé tài
wēixiǎn.

měi 每¹ [代]

我们~个人都看过这部电影。Wǒmen ~ ge rén dōu kànguo zhèi bù
diànyǐng. →我们中的任何一个人都看过这部电影。Wǒmen zhōng
de rènhé yí ge rén dōu kànguo zhèi bù diànyǐng. 例他们~天都要上
课。Tāmen ~ tiān dōu yào shàngkè. I这座楼里~家的灯都亮着。
Zhèi zuò lóu li ~ jiā de dēng dōu liàngzhe. I他~回吃饭都要喝酒。
Tā ~ huí chīfàn dōu yào hē jiǔ. I他的~一个动作我们都看得清清
楚楚。Tā de ~ yí ge dòngzuò wǒmen dōu kàn de qīngqīngchǔchǔ. I
我~三个星期去一次理发店。Wǒ ~ sān ge xīngqī qù yí cì lǐfàdiàn.

měi 每² [副]

我~隔一个月理一次发。Wǒ ~ gé yí ge yuè lǐ yí cì fà. →我过一个

M

月就去理一次发。Wǒ guò yí ge yuè jiù qù lǐ yí cì fà. **例**他 ~ 隔两个星期给妈妈打一次电话。Tā ~ gé liǎng ge xīngqī gěi māma dǎ yí cì diànhuà. | 我 ~ 生一次病就要休息两天。Wǒ ~ shēng yí cì bìng jiù yào xiūxi liǎng tiān. | 我们 ~ 学一课都要听写生字。Wǒmen ~ xué yí kè dōu yào tīngxiě shēngzì. | 他 ~ 去一次中国，都要买回很多茶叶。Tā ~ qù yí cì Zhōngguó, dōu yào mǎihuí hěn duō cháyè.

měi 美 [形]

这里的姑娘个个都很 ~ 。Zhèlǐ de gūniang gègè dōu hěn ~ . →这里的姑娘无论哪个都非常漂亮。Zhèlǐ de gūniang wúlùn něige dōu fēicháng piàoliang. **例**你的女儿今天打扮得真 ~ 。Nǐ de nǚ'ér jīntiān dǎban de zhēn ~ . | 那儿的风景 ~ 极了。Nàr de fēngjǐng ~ jí le. | 姐妹俩一个长得 ~ ，一个长得丑。Jiěmèi liǎ yí ge zhǎng de ~ , yí ge zhǎng de chǒu. | 你穿这件衣服显得特别 ~ 。Nǐ chuān zhèi jiàn yīfu xiǎnde tèbié ~ . | 那座小城有山有水，我还没见过这么 ~ 的风景呢。Nèi zuò xiǎochéng yǒu shān yǒu shuǐ, wǒ hái wéi jiànguo zhème ~ de fēngjǐng ne.

Měiguó 美国（美國）[名]

America **例**纽约是 ~ 的一个大城市。Niǔyuē shì ~ de yí ge dà chéngshì. | 从中国坐飞机去 ~ ，大约 14 个小时。Cóng Zhōngguó zuò fēijī qù ~ , dàyuē shísì ge xiǎoshí. | 我太太去了 ~ ，下个月回来。Wǒ tàitai qùle ~ , xià ge yuè huílai. | 我在 ~ 住过一年。Wǒ zài ~ zhùguo yì nián.

měihǎo 美好 [形]

他们已经过上了 ~ 的生活。Tāmen yǐjing guòshangle ~ de shēnghuó. →他们的生活条件已经非常好了。Tāmen de shēnghuó tiáojiàn yǐjing fēicháng hǎo le. **例**我们的世界会变得更加 ~ 。Wǒmen de shìjiè huì biàn de gèngjiā ~ . | 人类实现和平的 ~ 愿望一定能够实现。Rénlèi shíxiàn hépíng de ~ yuànwàng yídìng nénggòu shíxiàn. | 年轻人有着 ~ 的未来。Niánqīngrén yǒuzhe ~ de wèilái. | 这里的一切显得那么 ~ 。Zhèlǐ de yíqiè xiǎnde nàme ~ . | 他想用双手来创造自己 ~ 的前途。Tā xiǎng yòng shuāng shǒu lái chuàngzào zìjǐ ~ de qiántú.

měilì 美丽（美麗）[形]

他的女儿长得非常 ~ 。Tā de nǚ'ér zhǎng de fēicháng ~ . →他的女

儿长得非常好看。Tā de nǚ'ér zhǎng de fēicháng hǎokàn. 例春天来了，到处都是 ~ 的花朵。Chūntiān lái le, dàochù dōu shì ~ de huāduǒ. | 他的太太善良、~、聪明。Tā de tàitai shànliáng、 ~ 、cōngming. | 节日的北京显得非常 ~。Jiérì de Běijīng xiǎnde fēicháng ~. | 我喜欢大山中 ~ 的风景。Wǒ xǐhuan dàshān zhōng ~ de fēngjǐng. | 那里的景色 ~ 极了，你们该去看看。Nàli de fēngjǐng ~ jí le, nǐmen gāi qù kànkan. | 这本书描写了许多十分 ~ 的传说。Zhèi běn shū miáoxiěle xǔduō shífēn měilì de chuánshuō.

měishù 美术（美術）[名]

他从小就喜欢 ~，后来成了画家。Tā cóngxiǎo jiù xǐhuan ~, hòulái chéngle huàjiā. →他从小就喜欢画画儿。Tā cóngxiǎo jiù xǐhuan huà huàr. 例我最爱上 ~ 课，可以画我想像的东西。Wǒ zuì ài shàng ~ kè, kěyǐ huà wǒ xiǎngxiàng de dōngxi. | 这个 ~ 展览展出的都是著名画家的画儿。Zhèige ~ zhǎnlǎn zhǎnchū de dōu shì zhùmíng huàjiā de huàr. | 他能写一手漂亮的 ~ 字。Tā néng xiě yì shǒu piàoliang de ~ zì. | 他是从事 ~ 工作的，字写得很漂亮。Tā shì cóngshì ~ gōngzuò de, zì xiě de hěn piàoliang.

měiyuán 美元 [名]

我想把 ~ 换成人民币。Wǒ xiǎng bǎ ~ huànchéng rénmínbì. →我想把美国人使用的钱换成人民币。Wǒ xiǎng bǎ Měiguórén shǐyòng de qián huànchéng rénmínbì. 例这个照相机是我在美国买的，三百 ~。Zhèige zhàoxiàngjī shì wǒ zài Měiguó mǎi de, sānbǎi ~. | 我们只收人民币，不收 ~。Wǒmen zhǐ shōu rénmínbì, bù shōu ~. | 他在美国工作过几年，家里有不少 ~。Tā zài Měiguó gōngzuòguo jǐ nián, jiāli yǒu bù shǎo ~. | 请问，我可以付 ~ 吗？Qǐngwèn, wǒ kěyǐ fù ~ ma?

mèimei 妹妹 [名]

我有一个哥哥，一个 ~。Wǒ yǒu yí ge gēge, yí ge ~. →我家只有一个女孩儿，我和哥哥都比她大。Wǒ jiā zhǐyǒu yí ge nǚháir, wǒ hé gēge dōu bǐ tā dà. 例 ~ 长得跟姐姐差不多，不仔细看都分不出来。~ zhǎng de gēn jiějie chàbuduō, bù zǐxì kàn dōu fēn bu chūlái. | 他 ~ 在上大学，他每星期去看她一次。Tā ~ zài shàng dàxué, tā měi xīngqī qù kàn tā yí cì. | 我有两个 ~，这是我的小 ~。Wǒ yǒu liǎng ge ~, zhè shì wǒ de xiǎo ~. | 我 ~ 今年18岁，还没男朋友呢。Wǒ ~ jīnnián shíbā suì, hái méi nánpéngyou ne.

men

mén 门[1]（門）[名]

例这间屋子有两个 ~。Zhèi jiān wūzi yǒu liǎng ge ~. | 我觉得有点ㄦ凉，关上 ~ 吧。Wǒ juéde yǒudiǎnr liáng, guān shang ~ ba. | 天气很热，开着~吧。Tiānqì hěn rè, kāizhe ~ ba. | 他在木头 ~ 外面又装了一个铁 ~。Tā zài mùtou ~ wàimian yòu zhuāngle yí ge tiě ~. | 他家的两扇~紧紧闭着。Tā jiā de liǎng shàn ~ jǐnjǐn bìzhe. | 我看见他进了学校的大 ~。Wǒ kànjiàn tā jìnle xuéxiào de dà ~.

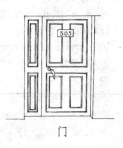

门

ménkǒu 门口（門口）[名]

我在学校 ~ㄦ等你。Wǒ zài xuéxiào ~ r děng nǐ. →我在学校进门的地方等你。Wǒ zài xuéxiào jìnmén de dìfang děng nǐ. 例我的自行车就放在我家楼 ~ㄦ。Wǒ de zìxíngchē jiù fàng zài wǒ jiā lóu ~ r. | 孩子们喜欢在屋 ~ㄦ玩ㄦ。Háizimen xǐhuan zài wū ~ r wánr. | ~ㄦ就有卖冰棍ㄦ的，你自己去吧。~ r jiù yǒu mài bīnggùnr de, nǐ zìjǐ qù ba. | 他每天都在~ㄦ坐 20 分钟。Tā měi tiān dōu zài ~ r zuò èrshí fēnzhōng.

mén 门[2]（門）[量]

用于课程、技术、学科等。Yòngyú kèchéng、jìshù、xuékē děng. 例这学期我有三 ~ㄦ课：口语、听力和写作。Zhè xuéqī wǒ yǒu sān ~ r kè: kǒuyǔ、tīnglì hé xiězuò. | 口语这 ~ㄦ课很重要。Kǒuyǔ zhèi ~ r kè hěn zhòngyào. | 我觉得数学是一 ~ㄦ很复杂的学问。Wǒ juéde shùxué shì yì ~ r hěn fùzá de xuéwen. | 修车是一 ~ㄦ技术，不容易学好。Xiū chē shì yì ~ r jìshù, bù róngyì xuéhǎo. | 我这学期有一 ~ㄦ课不及格。Wǒ zhè xuéqī yǒu yì ~ r kè bù jígé.

men 们（們）

用在名词或代词后，表示复数。Yòng zài míngcí huò dàicí hòu, biǎoshì fùshù. 例孩子 ~ 玩ㄦ得很高兴。Háizi ~ wánr de hěn gāoxìng. | 女人 ~ 在一起都喜欢谈什么事情？Nǚrén ~ zài yìqǐ dōu xǐhuan tán shénme shìqing? | 学生 ~ 准备举办一个舞会。Xuésheng ~ zhǔnbèi jǔbàn yí ge wǔhuì. | 你 ~ 下午有课吗？Nǐ ~ xiàwǔ yǒu kè ma?

M

meng

mèng 梦（夢）[名]

刚才～里的情景，就好像是真的。Gāngcái ～ li de qíngjǐng, jiù hǎoxiàng shì zhēn de. →我睡觉时脑子里出现的情景好像是真的。Wǒ shuìjiào shí nǎozi li chūxiàn de qíngjǐng hǎoxiàng shì zhēn de. 例我夜里做了一个很可怕的～。Wǒ yèli zuòle yí ge hěn kěpà de ～. | 昨天晚上我一直在做～，没睡好。Zuótiān wǎnshang wǒ yìzhí zài zuò ～, méi shuìhǎo. | 我醒来的时候，发现刚才的事只是一个～。Wǒ xǐnglái de shíhou, fāxiàn gāngcái de shì zhǐ shì yí ge ～. | 祝你今天晚上做个好～。Zhù nǐ jīntiān wǎnshang zuò ge hǎo ～.

mi

mǐ 米[1] [名]

rice 例他一粒～也不浪费。Tā yí lì mǐ yě bú làngfèi. | 这种～煮的饭很好吃。Zhèi zhǒng ～ zhǔ de fàn hěn hǎochī. | 我买了五斤～。Wǒ mǎile wǔ jīn ～. | 家里没～了，没法儿做饭。Jiā li méi ～ le, méi fǎr zuòfàn. | 这儿出产的～特别白。Zhèr chūchǎn de ～ tèbié bái.

mǐfàn 米饭（米飯）[名]

今天的～真香。Jīntiān de ～ zhēn xiāng. →用大米做熟的饭很香。Yòng dàmǐ zuòshú de fàn hěn xiāng. 例我吃了一碗～，两盘儿菜。Wǒ chīle yì wǎn ～, liǎng pánr cài. | 我们五个人要五碗～就够了。Wǒmen wǔ ge rén yào wǔ wǎn ～ jiù gòu le. | 我中午吃的是～和菜。Wǒ zhōngwǔ chī de shì ～ hé cài. | 我们一天要吃两顿～。Wǒmen yì tiān yào chī liǎng dùn ～. | 你吃了两个馒头，还能吃得下～吗？Nǐ chīle liǎng ge mántou, hái néng chī de xià ～ ma?

mǐ 米[2] [量]

metre 例屋子长五～，宽三～。Wūzi cháng wǔ ～, kuān sān ～. | 他的身高是一～八。Tā de shēngāo shì yì ～ bā. | 从宿舍到图书馆大约一百～。Cóng sùshè dào túshūguǎn dàyuē yìbǎi ～. | 我能跳两～远。Wǒ néng tiào liǎng ～ yuǎn. | 这孩子有一～高吗？Zhè háizi yǒu yì ～ gāo ma?

mìmì 秘密[1] [名]

我们之间有一个～。Wǒmen zhījiān yǒu yí ge ～. →有件事情只有我们两个人知道。Yǒu jiàn shìqing zhǐyǒu wǒmen liǎng ge rén zhīdao. 例这是个~，我不能告诉你。Zhè shì ge ~, wǒ bù néng gàosu nǐ. |这些钱我爱人不知道，这是我的~。Zhèixiē qián wǒ àiren bù zhīdào, zhè shì wǒ de ~. |我发现了一个~，原来他们认识。Wǒ fāxiànle yí ge ~, yuánlái tāmen rènshi. |我们夫妻之间没有什么~。Wǒmen fūqī zhījiān méiyǒu shénme ~. |看他的样子，是不是有什么~? Kàn tā de yàngzi, shì bu shì yǒu shénme ~?

mìmì 秘密[2] [形]

他们~地见了一次面。Tāmen ~ de jiànle yí cì miàn. →他们见面时故意不让别人发现。Tāmen jiànmiàn shí gùyì bú ràng biéren fāxiàn. 例这项工作正在~地进行。Zhèi xiàng gōngzuò zhèngzài ~ de jìnxíng. |他们结婚的事儿办得很~，我都不知道。Tāmen jiéhūn de shìr bàn de hěn ~, wǒ dōu bù zhīdào. |他和那位小姐有~联系。Tā hé nèi wèi xiǎojie yǒu ~ liánxì. |这是一个~消息，不能让任何人知道。Zhè shì yí ge ~ xiāoxi, bù néng ràn rènhé rén zhīdao. |他们谈恋爱为什么要那么~呢? Tāmen tán liàn'ài wèishénme yào nàme ~ ne?

mì 密 [形]

这里的楼群太~了。Zhèlǐ de lóuqún tài ~ le. →这里楼跟楼离得太近了。Zhèlǐ lóu gēn lóu lí de tài jìn le. 例这些树种得很~，可能长不高。Zhèixiē shù zhòng de hěn ~, kěnéng zhǎng bu gāo. |这孩子头发真~。Zhè háizi tóufa zhēn ~. |他写的字那么~，都分不清了。Tā xiě de zì nàme ~, dōu fēn bu qīng le. |这里的人~得透不过气来。Zhèlǐ de rén ~ de tòu bu guo qì lai. |我写的字~，他写的稀。Wǒ xiě de zì ~, tā xiě de xī.

mìqiè 密切[1] [形]

他们两家的关系非常~。Tāmen liǎng jiā de guānxì fēicháng ~. →他们两家很亲近，关系很好。Tāmen liǎng jiā hěn qīnjìn, guānxì hěn hǎo. 例他俩关系十分~，好得就像一个人。Tā liǎ guānxì shífēn ~, hǎo de jiù xiàng yí ge rén. |两国领导人保持着~的联系。Liǎng guó lǐngdǎorén bǎochízhe ~ de liánxì. |我们之间的来往~，关系很好。Wǒmen zhījiān de láiwang ~, guānxì hěn hǎo. |我希望你们三个人~合作，把工作做好。Wǒ xīwàng nǐmen sān ge rén ~ hézuò, bǎ gōngzuò zuò hǎo. |他们之间不太~，来往不多。Tāmen zhījiān bú tài ~, láiwang bù duō.

mìqiè 密切² [动]

两国领导人的互访，~ 了两国关系。Liǎng guó lǐngdǎorén de hùfǎng，~ le liǎng guó guānxì. → 互访使两国的关系更近了。Hùfǎng shǐ liǎng guó de guānxì gèng jìn le. 例通过我们的交往，我们之间 ~ 了起来。Tōngguò wǒmen de jiāowǎng, wǒmen zhījiān ~ le qilai. I 经过一段时间的了解，学生之间的关系 ~ 起来了。Jīngguò yí duàn shíjiān de liǎojiě, xuésheng zhījiān de guānxì ~ qilai le. I 他们的关系 ~ 过一段儿，但后来又疏远了。Tāmen de guānxì ~ guo yí duànr, dàn hòulái yòu shūyuǎn le.

mìfēng 蜜蜂 [名]

例花儿上有很多小 ~。Huār shang yǒu hěn duō xiǎo ~. I 这群 ~ 是他们养的。Zhèi qún ~ shì tāmen yǎng de. I 一只 ~ 飞过来，吓得她直叫。Yì zhī ~ fēi guolai, xià de tā zhí jiào. I 他在画 ~，画得非常像。Tā zài huà ~, huà de fēicháng xiàng. I 辨别方向的能力非常强。~ biànbié fāngxiàng de nénglì fēicháng qiáng. I 你最好离这群~远一点儿。Nǐ zuìhǎo lí zhèi qún ~ yuǎn yìdiǎnr.

蜜蜂

mìyuè 蜜月 [名]

他们刚结婚，去海边度 ~ 了。Tāmen gāng jiéhūn, qù hǎi biān dù ~ le. → 他们结婚后的第一个月要在海边度过。Tāmen jiéhūn hòu de dì yī ge yuè yào zài hǎi biān dùguò. 例现在正是这对儿新人的~期，我们最好别去打扰。Xiànzài zhèng shì zhèi duìr xīnrén de ~ qī, wǒmen zuìhǎo bié qù dǎrǎo. I ~ 结束了，新郎新娘高高兴兴地回来了。~ jiéshù le, xīnláng xīnniáng gāogāoxìngxìng de huílai le. I 新婚夫妇准备去哪儿度 ~？Xīnhūn fūfù zhǔnbèi qù nǎr dù ~？I ~是他们夫妇一生中最难忘的时光。~ shì tāmen fūfù yìshēng zhōng zuì nánwàng de shíguāng.

mian

miánhua 棉花 [名]

cotton 例今年的 ~ 获得了大丰收。Jīnnián de ~ huòdéle dà fēngshōu. I 这块地种 ~，那块地种玉米。Zhèi kuài dì zhòng ~, nèi kuài dì zhòng yùmǐ. I 我的被子是用 ~ 做的。Wǒ de bèizi shì yòng ~ zuò de. I 这些~白得像雪一样。Zhèixiē ~ bái de xiàng xuě yíyàng. I 田里的 ~ 还没成熟，不能摘。Tián li de ~ hái méi chéngshú, bù néng zhāi. I ~ 的用处可大了。~ de yòngchu kě dà le. I 姑娘们一边摘~，一边说笑。Gūniangmen yìbiān zhāi ~, yìbiān shuōxiào.

miányī 棉衣 [名]

今天特别冷，很多人都穿上了~。Jīntiān tèbié lěng, hěn duō rén dōu chuānshangle ~. →天太冷，人们都穿上了中间有棉花的衣服。Tiān tài lěng, rénmen dōu chuānshangle zhōngjiān yǒu miánhua de yīfu. 例冬天来了，该换~了。Dōngtiān lái le, gāi huàn ~ le. I 他不怕冷，一冬天没穿 ~. I 这里很冷，没有~会冻坏的。Zhèlǐ hěn lěng, méiyǒu ~ huì dònghuài de. I 他穿着厚厚的~，觉得很暖和。Tā chuānzhe hòuhòu de ~, juéde hěn nuǎnhuo.

miàn 面¹ （麵）[名]

noodles 例今天中午吃~，不吃米饭了。Jīntiān zhōngwǔ chī ~, bù chī mǐfàn le. I 我觉得牛肉 ~ 很好吃。Wǒ juéde niúròu ~ hěn hǎochī. I 我一顿能吃两碗 ~. Wǒ yí dùn néng chī liǎng wǎn ~. I 我要一碗~就够吃了。Wǒ yào yì wǎn ~ jiù gòu chī le. I 我吃了两天 ~ 了，不想再吃了。Wǒ chīle liǎng tiān ~ le, bù xiǎng zài chī le.

miàn 面² （麵）[名]

我买了一袋儿 ~，准备包饺子。Wǒ mǎile yí dàir ~, zhǔnbèi bāo jiǎozi. →我包饺子要用小麦粉。Wǒ bāo jiǎozi yào yòng xiǎomàifěn. 例馒头是用 ~ 做成的。Mántou shì yòng ~ zuòchéng de. I 这些食品的制作都离不开~。Zhèixiē shípǐn de zhìzuò dōu lí bu kāi ~. I 我喜欢喝用玉米~熬成的粥。Wǒ xǐhuan hē yòng yùmǐ ~ áochéng de zhōu. I 小麦都磨成了 ~。Xiǎomài dōu mòchéngle ~. I 家里没 ~ 了，你去买点儿吧。Jiāli méi ~ le, nǐ qù mǎi diǎnr ba.

miànbāo 面包（麵包）[名]

bread 例我早饭吃的是 ~、香肠。Wǒ zǎofàn chī de shì ~、xiāngcháng. I 我早饭喜欢吃~、喝牛奶。Wǒ zǎofàn xǐhuan chī ~、hē niúnǎi. I 你饿了就先吃个~吧。Nǐ èle jiù xiān chī ge ~ ba. I 他只吃了两片儿 ~ 就走了。Tā zhǐ chīle liǎng piànr ~ jiù zǒu le. I 这个

M

小店里卖各种~。Zhèige xiǎodiàn li mài gè zhǒng ~. |我早晨的主要食品是~和鸡蛋。Wǒ zǎochen de zhǔyào shípǐn shì ~ hé jīdàn.

miàntiáor 面条儿（麵條儿）[名]

noodles 例我喜欢吃~，不喜欢吃米饭。Wǒ xǐhuanchī ~, bù xǐhuan chī mǐfàn. |这儿的~五块钱一碗。Zhèr de ~ wǔ kuài qián yì wǎn. |这~是我自己做的，你尝尝。Zhè ~ shì wǒ zìjǐ zuò de, nǐ chángchang. |我吃一碗~就饱了，不要别的了。Wǒ chī yì wǎn ~ jiù bǎo le, bú yào biéde le.

miàn 面³ [量]

用于旗子、镜子、鼓等。Yòngyú qízi、jìngzi、gǔ děng. 例他手里举着一~国旗。Tā shǒu li jǔzhe yí ~ guóqí. |他们每人手里都拿着一~小旗子。Tāmen měi rén shǒu li dōu názhe yí ~ xiǎo qízi. |他家一进门就是一~大镜子，显得很亮。Tā jiā yí jìnmén jiùshì yí miàn dà jìngzi, xiǎnde hěn liàng. |桌子上放着一~镜子，他每天出门时都要照一照。Zhuōzi shang fàngzhe yí ~ jìngzi, tā měi tiān chū mén shí dōu yào zhào yi zhào. |这~鼓非常大，也非常响。Zhèi ~ gǔ fēicháng dà, yě fēicháng xiǎng.

miànjī 面积（面積）[名]

这间屋子的~是12平方米。Zhèi jiān wūzi de ~ shì shí'èr píngfāngmǐ. →这间屋子长4米，宽3米，大小是12平方米。Zhèi jiān wūzi cháng sì mǐ, kuān sān mǐ, dàxiǎo shì shí'èr píngfāngmǐ. 例我住的地方~不大，只有10平方米。Wǒ zhù de dìfang ~ bú dà, zhǐyǒu shí píngfāngmǐ. |在地球上，海洋~比较大，陆地~比较小。Zài dìqiú shang, hǎiyáng ~ bǐjiào dà, lùdì ~ bǐjiào xiǎo. |这个广场有多大~? Zhèige guǎngchǎng yǒu duō dà ~?

miànmào 面貌 [名]

近几年，我的家乡改变了~。Jìn jǐ nián, wǒ de jiāxiāng gǎibiànle ~. →我家乡的样子全变了。Wǒ jiāxiāng de yàngzi quán biàn le. 例最近，北京的~发生了很大变化。Zuìjìn, Běijīng de ~ fāshēngle hěn dà biànhuà. |我们想用五年时间，改变交通的落后~。Wǒmen xiǎng yòng wǔ nián shíjiān, gǎibiàn jiāotōng de luòhòu ~. |这座古代建筑的历史~终于得到了恢复。Zhèi zuò gǔdài jiànzhù de lìshǐ ~ zhōngyú dédàole huīfù. |近几年，中国又出现了新~。Jìn jǐ nián, Zhōngguó yòu chūxiànle xīn ~.

miànqián 面前 [名]

他站在妻子～，一句话也没说。Tā zhàn zài qīzi ～, yí jù huà yě méi shuō. → 他在妻子跟前站着，离得很近。Tā zài qīzi gēnqián zhànzhe, lí de hěn jìn. 例大卫就在你～，可你不认识他。Dàwèi jiù zài nǐ ～, kě nǐ bú rènshi tā. | 你～的这位先生是个著名音乐家。Nǐ ～ de zhèi wèi xiānsheng shì ge zhùmíng yīnyuèjiā. | 他走到老师～，问了一声好。Tā zǒudào lǎoshī ～, wènle yì shēng hǎo. | 不一会儿，经理就出现在大家～。Bù yíhuìr, jīnglǐ jiù chūxiàn zài dàjiā ～.

miao

miáotiao 苗条（苗條）[形]

他的女朋友长得很～。Tā de nǚpéngyou zhǎng de hěn ～. → 他的女朋友又高又瘦。Tā de nǚpéngyou yòu gāo yòu shòu. 例她身体～，很适合跳舞。Tā shēntǐ ～, hěn shìhé tiào wǔ. | 她吃那么少，是想变得更～。Tā chī nàme shǎo, shì xiǎng biànde gèng ～. | 她虽然五十岁了，却还是那么～。Tā suīrán wǔshí suì le, què háishì nàme ～. | 那个姑娘非常～，也非常漂亮。Nèige gūniang fēicháng ～, yě fēicháng piàoliang. | 她最近～多了。Tā zuìjìn ～ duō le.

miáoxiě 描写（描寫）[动]

这篇小说在～人物语言方面十分成功。Zhèi piān xiǎoshuō zài ～ rénwù yǔyán fāngmiàn shífēn chénggōng. → 小说在用文字表现人物语言方面很成功。Xiǎoshuō zài yòng wénzì biǎoxiàn rénwù yǔyán fāngmiàn hěn chénggōng. 例作者～了美丽的大海，给人的印象很深刻。Zuòzhě ～ le měilì de dàhǎi, gěi rén de yìnxiàng hěn shēnkè. | 对于这个小人物，作品～得十分成功。Duìyú zhèige xiǎorénwù, zuòpǐn ～ de shífēn chénggōng. | 他把一个普通人～成了一位英雄。Tā bǎ yí ge pǔtōngrén ～ chéngle yí wèi yīngxióng.

miǎo 秒 [量]

secend 例一分钟是六十～。Yì fēnzhōng shì liùshí miǎo. | 我跑一百米用十三秒。Wǒ pǎo yì bǎi mǐ yòng shísān miǎo. | 他工作很努力，连一～也不浪费。Tā gōngzuò hěn nǔlì, lián yì ～ yě bú làngfèi. | 时间一分一～地过去了，他还是没来。Shíjiān yì fēn yì ～ de guòqu le, tā háishi méi lái. | 结束的时间快到了，只剩下几～了。Jiéshù de shíjiān kuài dào le, zhǐ shèngxia jǐ ～ le. | 他想用最后几～，超过前面那辆车。Tā xiǎng yòng zuìhòu jǐ ～, chāoguo qiánmian nèi liàng chē.

M

miào 妙 [形]

你的办法太 ~ 了，问题一下子就解决了。Nǐ de bànfǎ tài ~ le, wèntí yíxiàzi jiù jiějué le. →你的办法特别好，解决问题非常轻松。Nǐ de bànfǎ tèbié hǎo, jiějué wèntí fēicháng qīngsōng. 这主意非常 ~，我们就这么办。Zhè zhǔyi fēicháng ~, wǒmen jiù zhème bàn. | 这一步棋下得 ~ 极了，马上你就变主动了。Zhèi yí bù qí xià de ~ jí le, mǎshàng nǐ jiù biàn zhǔdòng le. | 我想不出更 ~ 的办法，只好先这样。Wǒ xiǎng bu chū gèng ~ de bànfǎ, zhǐhǎo xiān zhèiyàng. | 他一看情况不 ~，就想走。Tā yí kàn qíngkuàng bú ~, jiù xiǎng zǒu.

miào 庙 (廟) [名]

这些和尚住在山上的 ~ 里。Zhèixiē héshang zhù zài shān shang de ~ li. → 这些人住在有神像的房子里。Zhèixiē rén zhù zài yǒu shénxiàng de fángzi li. 这里有很多 ~，人们常来烧香。Zhèlǐ yǒu hěn duō ~, rénmen cháng lái shāoxiāng. | 这座 ~ 有二百多年了，保存得很好。Zhèi zuò ~ yǒu èrbǎi duō nián le, bǎocún de hěn hǎo. | 老太太经常到 ~ 里烧香拜佛。Lǎotàitai jīngcháng dào ~ li shāoxiāng bàifó.

mie

miè 灭 (滅) [动]

刚才停电，电灯都 ~ 了。Gāngcái tíng diàn, diàndēng dōu ~ le. → 刚才停电，电灯全不亮了。Gāngcái tíng diàn, diàndēng quán bú liàng le. 运动会的火炬 ~ 了，运动会结束了。Yùndònghuì de huǒjù ~ le, yùndònghuì jiéshù le. | 他一口气吹 ~ 了五根火柴。Tā yì kǒu qì chuī ~ le wǔ gēn huǒchái. | 这条马路上的路灯全 ~ 了。Zhèi tiáo mǎlù shang de lùdēng quán ~ le. | 他吹了好几次才把蜡烛吹 ~ 了。Tā chuīle hǎojǐ cì cái bǎ làzhú chuī ~ le.

min

mínzhǔ 民主 [名]

我们用 ~ 的办法选出了班长。Wǒmen yòng ~ de bànfǎ xuǎnchū le bānzhǎng. →我们的办法是每个人都可以参加选举。Wǒmen de bànfǎ shì měi ge rén dōu kěyǐ cānjiā xuǎnjǔ. 人民争取 ~ 的行动没有错。Rénmín zhēngqǔ ~ de xíngdòng méiyǒu cuò. | 他为了 ~，奋

斗了一生。Tā wèile ~, fèndòule yìshēng. | 他具有~思想，一定能做好领导工作。Tā jùyǒu ~ sīxiǎng, yídìng néng zuòhǎo lǐngdǎo gōngzuò. | 我们实行的~制度，很受欢迎。Wǒmen shíxíng de ~ zhìdù, hěn shòu huānyíng.

mínzú 民族 [名]

nationality 例我们在研究世界上不同~的语言。Wǒmen zài yánjiū shìjiè shang bù tóng ~ de yǔyán. | 我想去少数~地区旅游。Wǒ xiǎng qù shǎoshù ~ dìqū lǚyóu. | 这个~的风俗习惯很有意思。Zhèige ~ de fēngsú xíguàn hěn yǒu yìsi. | 那是一个多~的国家。Nà shì yí ge duō ~ de guójiā. | 中国有五十六个~。Zhōngguó yǒu wǔshíliù ge ~. | 我国是由很多~组成的国家。Wǒ guó shì yóu hěn duō ~ zǔchéng de guójiā.

ming

míng 名¹ [名]

name 例大卫是我的~儿，我姓亚历山大。Dàwèi shì wǒ de ~r, wǒ xìng Yàlìshāndà. | 孩子刚生下来，还没有~儿。Háizi gāng shēng xialai, hái méiyǒu ~r. | 你不用叫我经理，叫我~儿就可以了。Nǐ búyòng jiào wǒ jīnglǐ, jiào wǒ ~r jiù kěyǐ le. | 你们的产品叫什么~儿? 我怎么没听说过? Nǐmen de chǎnpǐn jiào shénme ~r? Wǒ zěnme méi tīngshuōguo?

míng 名² [量]

他考试得了第一~。Tā kǎoshì déle dì yī ~. →他是考试得分最高的一个。Tā shì kǎoshì dé fēn zuì gāo de yí gè. 例我赛跑得过第二~。Wǒ sàipǎo déguo dì èr ~. | 我们学校有三千多~学生。Wǒmen xuéxiào yǒu sānqiān duō ~ xuésheng. | 我们公司有二十~职员参加了这次活动。Wǒmen gōngsī yǒu èrshi ~ zhíyuán cānjiāle zhèi cì huódòng. | 三~电视观众得了奖。Sān ~ diànshì guānzhòng déle jiǎng.

míngdān 名单(名單) [名]

这是运动员的~，请你看一下儿。Zhè shì yùndòngyuán de ~, qǐng nǐ kàn yíxiàr. →这张纸上写着每个运动员的名字。Zhèi zhāng zhǐ shang xiězhe měi ge yùndòngyuán de míngzì. 例我给了经理一份~，上面有公司所有职员的名字。Wǒ gěile jīnglǐ yí fèn ~, shàngmian

M

yǒu gōngsī suǒyǒu zhíyuán de míngzi. I 这张～上没有我的名字，说明我考试通过了。Zhèi zhāng ～ shang méiyǒu wǒ de míngzi, shuōmíng wǒ kǎoshì tōngguò le. I 参加会议人员的～我打印出来了。Cānjiā huìyì rényuán de ～ wǒ dǎyìn chulai le. I 谁去谁不去，我们最好写一个～。Shéi qù shéi bú qù, wǒmen zuìhǎo xiě yí ge ～.

míngqi 名气（名氣）[名]

这位歌唱家的～很大。Zhèi wèi gēchàngjiā de ～ hěn dà. →很多人都知道这位歌唱家。Hěn duō rén dōu zhīdao zhèi wèi gēchàngjiā. 例他的～那么大，跟他谈话我有点儿紧张。Tā de ～ nàme dà, gēn tā tánhuà wǒ yǒudiǎnr jǐnzhāng. I 他最近在电影界有了～。Tā zuìjìn zài diànyǐngjiè yǒule ～. I 他不太关心～和金钱方面的事儿。Tā bú tài guānxīn ～ hé jīnqián fāngmiàn de shìr. I 我没有～和地位，但有热心。Wǒ méiyǒu ～ hé dìwèi, dàn yǒu rèxīn.

míngshèng 名胜（名勝）[名]

我喜欢去有～古迹的地方旅游。Wǒ xǐhuan qù yǒu ～ gǔjì de dìfang lǚyóu. →我喜欢去风景优美或有古迹的地方旅游。Wǒ xǐhuan qù fēngjǐng yōuměi huò yǒu gǔjì de dìfang lǚyóu. 例这座山景色优美，可以说是一处～。Zhèi zuò shān jǐngsè yōuměi, kěyǐ shuō shì yí chù ～. I 北京有很多～古迹。Běijīng yǒu hěn duō ～ gǔjì. I 我去过的～旅游区很多，但最喜欢的还是这里。Wǒ qùguo de ～ lǚyóuqū hěn duō, dàn zuì xǐhuan de hái shì zhèlǐ. I 这里的山水可以说是～了。Zhèlǐ de shānshuǐ kěyǐ shuō shì ～ le.

míngzi 名字 [名]

name 例我的～叫大卫。Wǒ de ～ jiào Dàwèi. I 他的～很好听，也很好记。Tā de ～ hěn hǎotīng, yě hěn hǎo jì. I 我忘了那本书的～。Wǒ wàngle nèi běn shū de ～. I 他有好几个～，叫哪个都行。Tā yǒu hǎojǐ gè ～, jiào něige dōu xíng. I 这个～太长，我记不住。Zhèige ～ tài cháng, wǒ jì bu zhù. I 这颗星星很难见到，还没有～。Zhèi kē xīngxing hěn nán jiàndào, hái méiyǒu ～. I 你叫什么～？Nǐ jiào shénme ～?

míngbai 明白[1] [动]

你的意思我已经～了。Nǐ de yìsi wǒ yǐjing ～ le. →我已经知道了你的想法。Wǒ yǐjing zhīdaole nǐ de xiǎngfa. 例这一年，我～了很多道理。Zhèi yì nián, wǒ míngbaile hěn duō dàoli. I 他给我讲了半天，

我才～。Tā gěi wǒ jiǎngle bàntiān, wǒ cái ～. ｜不管我怎么解释,
玛丽就是不～。Bù guǎn wǒ zěnme jiěshì, Mǎlì jiùshì bù ～. ｜我不
～他为什么生气。Wǒ bù ～ tā wèishénme shēngqì. ｜这其中的道
理,他始终没搞～。Zhè qízhōng de dàoli, tā shǐzhōng méi gǎo ～.

míngbai 明白² [形]

大卫喜欢她,她心里很～。Dàwèi xǐhuan tā, tā xīnli hěn ～. →大
卫喜欢她,她心里很清楚。Dàwèi xǐhuan tā, tā xīnli hěn qīngchu.
例他的意思很～,希望你别走。Tā de yìsi hěn ～, xīwàng nǐ bié
zǒu. ｜道理非常～,我就不多说了。Dàoli fēicháng ～, wǒ jiù bù
duō shuō le. ｜我已经很～地告诉了他们,我不想去玩儿。Wǒ yǐjing
hěn ～ de gàosule tāmen, wǒ bù xiǎng qù wánr. ｜老师讲得又清楚
又～,谁都能听懂。Lǎoshī jiǎng de yòu qīngchu yòu ～, shéi dōu
néng tīngdǒng. ｜这句话的意思明明白白的,你怎么还不懂? Zhèi jù
huà de yìsi míngmingbáibái de, nǐ zěnme hái bù dǒng?

míngliàng 明亮 [形]

这个房间很～。Zhèige fángjiān hěn ～. →这个房间光线很好。Zhèi
ge fángjiān guāngxiàn hěn hǎo. **例**今天晚上的月光～极了。Jīntiān
wǎnshang de yuèguāng ～ jí le. ｜灯一开,屋子里立刻～起来了。
Dēng yì kāi, wūzi li lìkè ～ qilai le. ｜他俩坐在～的月光下,不想分
开。Tā liǎ zuò zài ～ de yuèguāng xià, bù xiǎng fēnkāi. ｜经理来到
这间～的办公室里,心情也好了许多。Jīnglǐ láidào zhèi jiān ～ de
bàngōngshì li, xīnqíng yě hǎole xǔduō. ｜～的灯光照得他睁不开眼。
～ de dēngguāng zhào de tā zhēng bu kāi yǎn.

míngnián 明年 [名]

今年是 2004 年,～是 2005 年。Jīnnián shì èr líng líng sì nián, ～ shì
èr líng líng wǔ nián. →过了 2004 年就是 2005 年。Guòle èr líng líng
sì nián jiùshì èr líng líng wǔ nián. **例**我今年 17 岁,～就 18 岁了。
Wǒ jīnnián shíqī suì, ～ jiù shíbā suì le. ｜我哥哥～结婚。Wǒ gēge
～ jiéhūn. ｜大卫打算～来中国学习汉语。Dàwèi dǎsuan ～ lái
Zhōngguó xuéxí Hànyǔ. ｜你～还住在纽约吗? Nǐ ～ hái zhù zài
Niǔyuē ma? ｜我想用～一年的时间学习英语。Wǒ xiǎng yòng ～ yì
nián de shíjiān xuéxí Yīngyǔ.

míngquè 明确(明確) [形]

经理的意见很～,大卫不能去。Jīnglǐ de yìjiàn hěn ～,

Dàwèi bù néng qù.→经理说得很明白，大卫不能去。Jīnglǐ shuō de hěn míngbai, Dàwèi bù néng qù.例他学习的目的非常～，就是为了找个好工作。Tā xuéxí de mùdì fēicháng ～, jiù shì wèile zhǎo ge hǎo gōngzuò. ｜我已经说得够～了。Wǒ yǐjing shuō de gòu ～ le. ｜比尔～表示，不同意这个方法。Bǐ'ěr ～ biǎoshì, bù tóngyì zhèige fāngfǎ. ｜这句话的意思不太～，大家都看不懂。Zhèi jù huà de yìsi bú tài ～, dàjiā dōu kàn bu dǒng. ｜我不知道我讲～了没有。Wǒ bù zhīdào wǒ jiǎng ～ le méiyǒu.

míngtiān 明天 ［名］

今天是 21 号，～是 22 号。Jīntiān shì èrshíyī hào, ～ shì èrshí'èr hào. →21 号再过一天是 22 号。Èrshíyī hào zài guò yì tiān shì èrshí'èr hào.例今天是星期一，～是星期二。Jīntiān shì Xīngqīyī, ～ shì Xīngqī'èr. ｜我打算～去旅行。Wǒ dǎsuan ～ qù lǚxíng. ｜～我要陪女朋友去买东西。～ wǒ yào péi nǚpéngyou qù mǎi dōngxi. ｜天气预报说，～有雨。Tiānqì yùbào shuō, ～ yǒu yǔ. ｜我们～见。Wǒmen ～ jiàn.

míngxiǎn 明显（明顯）［形］

这几个月，大卫的汉语水平～提高了。Zhèi jǐ ge yuè, Dàwèi de Hànyǔ shuǐpíng ～ tígāo le. →可以看出来，大卫的汉语水平最近提高了许多。Kěyǐ kàn chulai, Dàwèi de Hànyǔ shuǐpíng zuìjìn tígāole xǔduō.例这几年，我们的生活发生了～的变化。Zhèi jǐ nián, wǒmen de shēnghuó fāshēngle ～ de biànhuà. ｜这个道理很～，人人都看得出来。Zhèige dàoli hěn ～, rénrén dōu kàn de chūlái. ｜十分～，大家对这种做法不满意。Shífēn ～, dàjiā duì zhèi zhǒng zuòfǎ bù mǎnyì. ｜这件衣服有点儿脏，不过不～。Zhèi jiàn yīfu yǒudiǎnr zāng, búguò bù ～.

mìnglìng 命令[1] ［名］

部队接到～，晚上出发。Bùduì jiēdào ～, wǎnshang chūfā. →上级要求部队晚上出发。Shàngjí yāoqiú bùduì wǎnshang chūfā.例总统的～谁都不敢不听。Zǒngtǒng de ～ shéi dōu bù gǎn bù tīng. ｜我们正在等～，不知道上级让我们做什么。Wǒmen zhèngzài děng ～, bù zhīdào shàngjí ràng wǒmen zuò shénme. ｜昨天，司令发布了一条～。Zuótiān, sīlìng fābùle yì tiáo ～. ｜我们接到上面的～后，马上就行动了。Wǒmen jiēdào shàngmian de ～ hòu, mǎshàng jiù xíngdòng le. ｜人们都不知道～的内容，只是跟着走。Rénmen dōu bù zhīdào ～ de nèiróng, zhǐshì gēnzhe zǒu.

mìnglìng 命令² ［动］

教练~队员们坐在一起。Jiàoliàn ~ duìyuánmen zuò zài yìqǐ. →教练发出指示，让队员们坐在一起。Jiàoliàn fāchū zhǐshì, ràng duìyuánmen zuò zài yìqǐ. 例他~警察们马上出发。Tā ~ jǐngchámen mǎshàng chūfā. | 总统~飞机下午五点起飞。Zǒngtǒng ~ fēijī xiàwǔ wǔ diǎn qǐfēi. | 上级一再~，不许乱砍树木。Shàngjí yízài ~, bùxǔ luàn kǎn shùmù. | 队长大声~战士说：“坐下！”Duìzhǎng dàshēng ~ zhànshì shuō: "Zuòxià!" | 电话里传来声音：我~你们，不要行动。Diànhuà li chuánlái shēngyīn: wǒ ~ nǐmen, bú yào xíngdòng.

mìngyùn 命运（命運）［名］

那个演员的~不太好，总演小人物。Nèige yǎnyuán de ~ bú tài hǎo, zǒng yǎn xiǎorénwù. →那个演员不该总演小人物。Nèige yǎnyuán bù gāi zǒng yǎn xiǎorénwù. 例他的~不错，20岁就出名了。Tā de ~ búcuò, èrshí suì jiù chūmíng le. | 大卫不太相信~，他相信自己的努力。Dàwèi bú tài xiāngxìn ~, tā xiāngxìn zìjǐ de nǔlì. | 他总是失败，似乎~对他不太公平。Tā zǒngshì shībài, sìhū ~ duì tā bú tài gōngpíng. | 大家都很关心那个女孩ㄦ的~，希望她幸福。Dàjiā dōu hěn guānxīn nèige nǚháir de ~, xīwàng tā xìngfú.

M

mo

mō 摸 ［动］

他一~口袋ㄦ，钱包没了。Tā yì ~ kǒudair, qiánbāo méi le. →他用手挨了一下ㄦ口袋ㄦ。Tā yòng shǒu āile yí xiàr kǒudair. 例屋里太黑，大卫只好去~电灯开关。Wū li tài hēi, Dàwèi zhǐhǎo qù ~ diàndēng kāiguān. | 你~~他的头，看是不是发烧了。Nǐ ~ ~ tā de tóu, kàn shì bu shì fāshāo le. | 他~了一下ㄦ暖气，一点儿也不热。Tā ~ le yí xiàr nuǎnqì, yìdiǎnr yě bú rè. | 你~一~这瓶子，看看水热不热。Nǐ ~ yi ~ zhè píngzi, kànkan shuǐ rè bu rè. | 这些东西都有电，~不得。Zhèixiē dōngxi dōu yǒu diàn, ~ bude.

mófǎng 模仿 ［动］

孩子总爱~大人的动作。Háizi zǒng ài ~ dàren de dòngzuò. →大人怎么做，孩子就怎么做。Dàren zěnme zuò, háizi jiù zěnme zuò. 例

大卫在～猴子的样子。Dàwèi zài ～ hóuzi de yàngzi. |我会～鸟儿的叫声。Wǒ huì ～ niǎor de jiàoshēng. |这动作太难，不好～。Zhè dòngzuò tài nán, bù hǎo ～. |他～经理的声音，还真像。Tā ～ jīnglǐ de shēngyīn, hái zhēn xiàng. |他～老虎的声音，～得很像。Tā ～ lǎohǔ de shēngyīn, ～ de hěn xiàng. |我做个动作，你们来～～。Wǒ zuò ge dòngzuò, nǐmen lái ～ ～.

mó 磨 [动]

王师傅正在石头上～刀。Wáng shīfu zhèngzài shítou shang ～ dāo. →王师傅把刀放在石头上来回移动。Wáng shīfu bǎ dāo fàng zài shítou shang láihuí yídòng. 例这把剪刀我～了三次了。Zhèi bǎ jiǎndāo wǒ ～ le sān cì le. |大卫每天要走很远的路，鞋都～破了。Dàwèi měi tiān yào zǒu hěn yuǎn de lù, xié dōu ～ pò le. |我学开车时，手都～疼了。Wǒ xué kāi chē shí, shǒu dōu ～ téng le. |他一上午～了四把菜刀。Tā yí shàngwǔ ～ le sì bǎ càidāo. |这刀不好用了，你给～～吧。Zhè dāo bù hǎo yòng le, nǐ gěi ～ ～ ba. |这把小刀虽然没～过，但还是很快。Zhèi bǎ xiǎodāo suīrán méi ～ guo, dàn háishi hěn kuài.

mòshuǐ 墨水 [名]

我的钢笔里没有～儿了。Wǒ de gāngbǐ li méiyǒu ～r le. →我的钢笔写不出字来了。Wǒ de gāngbǐ xiě bu chū zì lai le. 例我买了一瓶～儿。Wǒ mǎile yì píng ～r. |～儿的颜色有好几种：红、黑、蓝等。～r de yánsè yǒu hǎojǐ zhǒng: hóng、hēi、lán děng. |这支钢笔用的是黑～儿。Zhèi zhī gāngbǐ yòng de shì hēi mòshuǐr. |衣服上的～儿不容易洗掉。Yīfu shang de ～r bù róngyì xǐdiào. |纸上有好几滴～儿。Zhǐ shang yǒu hǎojǐ dī ～r. |这瓶～儿我用了三个月。Zhèi píng ～r wǒ yòngle sān ge yuè.

mou

mǒu 某[1] [代]

我们知道大卫是～公司的总经理。Wǒmen zhīdao Dàwèi shì ～ gōngsī de zǒngjīnglǐ. →我们知道那个公司的名字，但不想说出来。Wǒmen zhīdao nèige gōngsī de míngzi, dàn bù xiǎng shuō chulai. 例她和～人结婚后，生了三个小孩儿。Tā hé ～ rén jiéhūn hòu, shēngle sān ge xiǎoháir. |大家都明白，这事儿肯定是～人干的。

Dàjiā dōu míngbai, zhè shìr kěndìng shì ~ rén gàn de. | ~些人没完
成工作，我们提出批评。 ~ xiē rén méi wánchéng gōngzuò,
wǒmen tíchū pīpíng. | 这些人中，李 ~ 最爱喝酒。Zhèixiē rén
zhōng, Lǐ ~ zuì ài hē jiǔ. | 我知道，那个胆小的人是 ~ ~ ~ 。Wǒ
zhīdao, nèige dǎnxiǎo de rén shì ~ ~ ~ .

mǒu 某[2] [代]

去年的 ~ 一天，我交上了女朋友。Qùnián de ~ yì tiān, wǒ
jiāoshangle nǚpéngyou. →去年我交上了女朋友，我忘了是几月几
号了。Qùnián wǒ jiāoshangle nǚpéngyou, wǒ wàngle shì jǐ yuè jǐ
hào le. **例**他出生在美国的 ~ 个地方。Tā chūshēng zài Měiguó de
~ ge dìfang. | 如果你要跟 ~ 个国家做买卖，最好先了解一下儿他
们的文化。Rúguǒ nǐ yào gēn ~ ge guójiā zuò mǎimai, zuì hǎo xiān
liǎojiě yíxiàr tāmen de wénhuà. | 你们公司 ~ 人找过我，请帮忙问问
是谁。Nǐmen gōngsī ~ rén zhǎoguo wǒ, qǐng bāngmáng wènwen shì
shéi. | 如果你们中的 ~ 一位会说英语，那就好了。Rúguǒ nǐmen
zhōng de ~ yí wèi huì shuō Yīngyǔ, nà jiù hǎo le.

mu

múyàng 模样（模樣）[名]

玛丽的 ~ 很像她爸爸。Mǎlì de ~ hěn xiàng tā bàba. →玛丽长得跟
她爸爸差不多。Mǎlì zhǎng de gēn tā bàba chàbuduō. **例**这姑娘 ~
很好看。Zhè gūniang ~ hěn hǎokàn. | 我记不清奶奶长得什么 ~
了。Wǒ jì bu qīng nǎinai zhǎng de shénme ~ le. | 小伙子有一副好
~ ，个子又高。Xiǎohuǒzi yǒu yí fù hǎo ~ , gèzi yòu gāo. | 那几个
人的 ~ 不像中国人。Nèi jǐ ge rén de ~ bú xiàng Zhōngguórén. | 有
几个学生 ~ 的人来找过你。Yǒu jǐ ge xuésheng ~ de rén lái zhǎoguo
nǐ. | 我喜欢玛丽开玩笑时候的 ~ 。Wǒ xǐhuan Mǎlì kāiwánxiào
shíhou de ~ .

mǔ 母 [名]

这五只鸡全是 ~ 鸡。Zhèi wǔ zhī jī quán shì ~ jī. →这五只鸡都可以
生蛋。Zhèi wǔ zhī jī dōu kěyǐ shēng dàn. **例**这头老 ~ 猪都养了八年
了。Zhèi tóu lǎo ~ zhū dōu yǎngle bā nián le. | 我要条 ~ 狗，以后
好生小狗。Wǒ yào tiáo ~ gǒu, yǐhòu hǎo shēng xiǎogǒu. | 这头
牛昨天刚生下一头小牛。Zhèi tóu ~ niú zuótiān gāng shēngxià yì
tóu xiǎoniú. | 这几只小鸡有公的，也有 ~ 的。Zhèi jǐ zhī xiǎojī yǒu

M

gōng de, yě yǒu ~ de.

mǔqīn / mǔqin 母亲（母親）[名]

mother 例我 ~ 26 岁时生了我。Wǒ ~ èrshíliù suì shí shēngle wǒ. ｜
我 ~ 和我父亲一起生活了 50 年。Wǒ ~ hé wǒ fùqin yìqǐ shēnghuóle
wǔshí nián. ｜~ 给了我太多的爱。~ gěile wǒ tài duō de ài. ｜~ 的
爱让我一生也不能忘记。~ de ài ràng wǒ yìshēng yě bù néng
wàngjì. ｜她是一位好妻子，好 ~。Tā shì yí wèi hǎo qīzi, hǎo ~. ｜
她把国家看做自己的 ~。Tā bǎ guójiā kànzuò zìjǐ de ~.

mǔ 亩（畝）[量]

用于田地。Yòngyú tiándì. 例比尔大叔今年种了 30 ~ 小麦。Bǐ'ěr
dàshū jīnnián zhòngle sānshí ~ xiǎomài. ｜我们这儿一 ~ 地能产三百
多公斤玉米。Wǒmen zhèr yì ~ dì néng chǎn sānbǎi duō gōngjīn
yùmǐ. ｜我们学校的占地面积是二百多 ~。Wǒmen xuéxiào de zhàn
dì miànjī shì èrbǎi duō ~. ｜我们公司最近买了 20 ~ 地，准备盖楼。
Wǒmen gōngsī zuìjìn mǎile èrshí ~ dì, zhǔnbèi gài lóu.

mù 木 [名]

~ 桌子不凉，铁桌子有点儿凉。~ zhuōzi bù liáng, tiě zhuōzi
yǒudiǎnr liáng. →用木头做成的桌子不凉，用铁做的凉。Yòng
mùtou zòuchéng de zhuōzi bù liáng, yòng tiě zuò de liáng. 例这座房
子用的是 ~ 门窗。Zhèi zuò fángzi yòng de shì ~ ménchuāng. ｜这些
~ 家具用了很多年了，一点儿也没坏。Zhèixiē ~ jiājù yòngle hěn
duō nián le, yìdiǎnr yě méi huài. ｜这把 ~ 椅子有点儿沉。Zhèi bǎ ~
yǐzi yǒudiǎnr chén. ｜我坐的是一只小 ~ 船。Wǒ zuò de shì yì zhī xiǎo
~ chuán.

mùtou 木头（木頭）[名]

这些桌子是 ~ 做的，怕火。Zhèixiē zhuōzi shì ~ zuò de, pà huǒ.
→这些桌子是用干的树木做成的，怕火。Zhèixiē zhuōzi shì yòng
gān de shùmù zuòchéng de, pà huǒ. 例大卫买了很多 ~，准备做
家具。Dàwèi mǎile hěn duō ~, zhǔnbèi zuò jiājù. ｜这是一座 ~ 房
子，很好看。Zhè shì yí zuò ~ fángzi, hěn hǎokàn. ｜这块 ~ 可以用
来做个工艺品。Zhèi kuài ~ kěyǐ yònglái zuò ge gōngyìpǐn. ｜我想找
两块儿小 ~，补一补这张桌子。Wǒ xiǎng zhǎo liǎng kuàir xiǎo ~,
bǔ yi bǔ zhèi zhāng zhuōzi. ｜这几根 ~ 还没干，不能用。Zhèi jǐ gēn
~ hái méi gān, bù néng yòng.

mùbiāo 目标(目標) [名]

明年公司的 ~ 是赚一百万元。Míngnián gōngsī de ~ shì zhuàn yìbǎi wàn yuán. →明年公司要达到赚一百万元的指标。Míngnián gōngsī yào dádào zhuàn yìbǎi wàn yuán de zhǐbiāo. **例**他的 ~ 很高，不容易实现。Tā de ~ hěn gāo, bù róngyì shíxiàn. | 我们学校有一个长期发展 ~，有一个短期发展 ~。Wǒmen xuéxiào yǒu yí ge chángqī fāzhǎn ~, yǒu yí ge duǎnqī fāzhǎn ~. | 我们现在只有一个 ~：拿第一名。Wǒmen xiànzài zhǐyǒu yí ge ~: ná dì yī míng. | 大卫给自己订了一个学习 ~。Dàwèi gěi zìjǐ dìngle yí ge xuéxí ~. | 我争取实现这个奋斗 ~。Wǒ zhēngqǔ shíxiàn zhèige fèndòu ~.

mùdi 目的 [名]

我到美国的 ~ 是学习英语。Wǒ dào Měiguó de ~ shì xuéxí Yīngyǔ. →我是为了学习英语才去美国的。Wǒ shì wèile xuéxí Yīngyǔ cái qù Měiguó de. **例**大卫对安娜好的 ~ 是想跟她结婚。Dàwèi duì Ānnà hǎo de ~ shì xiǎng gēn tā jiéhūn. | 这一年我达到了学习 ~，学会了日常汉语。Zhèi yì nián wǒ dádàole xuéxí ~, xuéhuìle rìcháng Hànyǔ. | 我只是习惯这么做，没什么 ~。Wǒ zhǐshì xíguàn zhème zuò, méi shénme ~. | 大卫去法国只有两个 ~：一是买法语书，二是买香水儿。Dàwèi qù Fǎguó zhǐyǒu liǎng ge ~: yī shì mǎi Fǎyǔ shū, èr shì mǎi xiāngshuǐr.

M

mùqián 目前 [名]

公司的职员 ~ 都很忙。Gōngsī de zhíyuán ~ dōu hěn máng. →现在这段儿时间公司的职员都很忙。Xiànzài zhèi duànr shíjiān gōngsī de zhíyuán dōu hěn máng. **例**我们 ~ 正在搞一个研究。Wǒmen ~ zhèngzài gǎo yí ge yánjiū. | 我 ~ 还没有女朋友。Wǒ ~ hái méiyǒu nǚpéngyou. | 病人 ~ 情况很好。Bìngrén ~ qíngkuàng hěn hǎo. | 这个国家 ~ 的经济情况还可以。Zhèige guójiā ~ de jīngjì zhuàngkuàng hái kěyǐ. | 你们 ~ 在忙什么？Nǐmen ~ zài máng shénme? | ~，学校正在进行考试。~, xuéxiào zhèngzài jìnxíng kǎoshì.

N

na

ná 拿 [动]

那个~着花ㄦ的人是我姐姐。Nèige ~ zhe huār de rén shì wǒ jiějie.
→那个手里有花ㄦ的人是我姐姐。Nèige shǒu li yǒu huār de rén shì
wǒ jiějie. 例 大卫~来苹果让大家吃。Dàwèi ~ lái píngguǒ ràng dàjiā
chī. | 你手里~的是什么？让我看看。Nǐ shǒu li ~ de shì shénme?
ràng wǒ kànkan. | 我来帮你~行李吧。Wǒ lái bāng nǐ ~ xíngli ba. |
这么多东西，玛丽一个人~不了。Zhème duō dōngxi, Mǎlì yí ge
rén ~ bu liǎo. | 我的票一直~在手里，怎么没了？Wǒ de piào yìzhí
~ zài shǒu li, zěnme méi le? | 我买了 10 斤苹果，你~一点ㄦ吧。
Wǒ mǎile shí jīn píngguǒ, nǐ ~ yìdiǎnr ba.

náshǒu 拿手 [形]

我做中国菜最~。Wǒ zuò Zhōngguócài zuì ~ . → 我做得最好的菜
是中国菜。Wǒ zuò de zuì hǎo de cài shì Zhōngguó cài. 例 大卫打乒
乓球比较~。Dàwèi dǎ pīngpāngqiú bǐjiào ~ . | 这个菜是我妈妈的
~菜。Zhèige cài shì wǒ māma de ~ cài. | 大卫的~活ㄦ是修汽车。
Dàwèi de ~ huór shì xiū qìchē. | 在唱歌ㄦ方面，我还算~。Zài
chànggēr fāngmiàn, wǒ hái suàn ~ . | 赛跑我可不~，肯定是最后。
Sàipǎo wǒ kě bù ~ , kěndìng shì zuìhòu. | 你有什么~本领都使出来
吧。Nǐ yǒu shénme ~ běnlǐng dōu shǐ chulai ba.

nǎ / něi 哪[1] [代]

玛丽和安娜你喜欢~一位？Mǎlì hé Ānnà nǐ xǐhuan ~ yí wèi? →你喜
欢玛丽还是安娜？Nǐ xǐhuan Mǎlì háishi Ānnà? 例 你认为~张画比较
好？Nǐ rènwéi ~ zhāng huà bǐjiào hǎo? | ~位是你请来的客人？ ~
wèi shì nǐ qǐng lái de kèren? | ~张照片上有你？ ~ zhāng zhàopiàn
shang yǒu nǐ? | 请问，你喝~种饮料？Qǐngwèn, nǐ hē ~ zhǒng
yǐnliào? | 我们坐~条船？Wǒmen zuò ~ tiáo chuán?

nǎge / něige 哪个（哪個）[代]

你是~国家的？Nǐ shì ~ guójiā de? → 你们国家的名字是什么？
Nǐmen guójiā de míngzi shì shénme? 例 你住在~房间？Nǐ zhù zài ~
fángjiān? | 这张照片上~是你？Zhèi zhāng zhàopiàn shang ~ shì

nǐ? |咱们去 ~ 饭店吃饭? Zánmen qù ~ fàndiàn chīfàn? |大卫在 ~
学校读书? Dàwèi zài ~ xuéxiào dúshū? | 北京 ~ 公园最漂亮?
Běijīng ~ gōngyuán zuì piàoliang? |这些菜你最爱吃 ~? Zhèixiē cài nǐ
zuì ài chī ~?

nǎli 哪里[1] （哪裏）[代]

咱们中午去 ~ 吃饭? Zánmen zhōngwǔ qù ~ chīfàn? →咱们中午到什
么地方去吃饭? Zánmen zhōngwǔ dào shénme dìfang qù chīfàn? 例
你住在 ~? Nǐ zhù zài ~? |请问, 这附近 ~ 有邮局? Qǐngwèn, zhè
fùjìn ~ yǒu yóujú? |你刚才去 ~ 了? Nǐ gāngcái qù ~ le? |你们觉得学
习汉语困难在 ~? Nǐmen juéde xuéxí Hànyǔ kùnnan zài ~? |请问,
~ 有公用电话? Qǐngwèn, ~ yǒu gōngyòng diànhuà? |大卫, 你的
收音机在 ~? Dàwèi, nǐ de shōuyīnjī zài ~?

nǎxiē / něixiē 哪些 [代]

~ 人明天去旅行? ~ rén míngtiān qù lǚxíng? →明天去旅行的都有
谁? Míngtiān qù lǚxíng de dōu yǒu shéi? 例 ~ 东西不能吃? ~ dōngxi
bù néng chī? |你去过 ~ 国家? Nǐ qùguo ~ guójiā? | ~ 行李是大卫
的? ~ xíngli shì Dàwèi de? |你知道锻炼的好处有 ~ 吗? Nǐ zhīdao
duànliàn de hǎochu yǒu ~ ma? |你看过美国的 ~ 电影? Nǐ kànguo
Měiguó de ~ diànyǐng? | ~ 书你还没有看过? 我可以帮你借。~ shū
nǐ hái méiyǒu kànguo? Wǒ kěyǐ bāng nǐ jiè.

nǎ / něi 哪[2] [代]

~ 天你有空儿, 我们一起去打网球吧。~ tiān nǐ yǒu kòngr, wǒmen
yìqǐ qù dǎ wǎngqiú ba. → 你有空儿的时候, 我们就去。Nǐ yǒu
kòngr de shíhou, wǒmen jiù qù. 例 你随便拿 ~ 个吧, 我没关系。Nǐ
suíbiàn ná ~ ge ba, Wǒ méi guānxi. |我们坐 ~ 条船都行。Wǒmen
zuò ~ tiáo chuán dōu xíng. |我记得好像 ~ 年来过这儿似的。Wǒ jìde
hǎoxiàng ~ nián láiguo zhèr shìde.

nǎli 哪里[2] （哪裏）[代]

我好像在 ~ 见过他。Wǒ hǎoxiàng zài ~ jiànguo tā. → 我好像见过
他, 但忘了什么地方。Wǒ hǎoxiàng jiànguo tā, dàn wàngle
shénme dìfang. 例 我记得 ~ 卖过这种书。Wǒ jìde ~ màiguo zhèi
zhǒng shū. |明天咱们去 ~ 玩儿玩儿吧。Míngtiān zánmen qù ~
wánrwanr ba. |我不知道他在 ~ 买的这台旧电视。Wǒ bù zhīdào tā
zài ~ mǎi de zhèi tái jiù diànshì. |你想去 ~ 就去 ~, 不用告诉我。Nǐ
xiǎng qù ~ jiù qù ~, búyòng gàosu wǒ. | ~ 好玩儿, 我们就去 ~ 吧。

~ hǎowánr, wǒmen jiù qù ~ ba.

nǎ / něi 哪³ [代]

现在 ~ 家书店都能买到这本书。Xiànzài ~ jiā shūdiàn dōu néng mǎidào zhèi běn shū. → 现在任何一家书店都能买到这本书。Xiànzài rènhé yì jiā shūdiàn dōu néng mǎidào zhèi běn shū. 例 这些画儿我 ~ 张也买不起。Zhèixiē huàr wǒ ~ zhāng yě mǎi bu qǐ. | 这些饮料安娜 ~ 种也不爱喝。Zhèixiē yǐnliào Ānnà ~ zhǒng yě bú ài hē. | 大卫 ~ 家商店都去过了，就是买不到这种外衣。Dàwèi ~ jiā shāngdiàn dōu qùguo le, jiùshì mǎi bu dào zhèi zhǒng wàiyī. | 我 ~ 种办法都试过了，就是不管用。Wǒ ~ zhǒng bànfǎ dōu shìguo le, jiùshì bù guǎnyòng. | 我给他的书，他 ~ 本也没看。Wǒ gěi tā de shū, tā ~ běn yě méi kàn.

nǎli 哪里³ （哪裏） [代]

他从小住在农村，~ 都没去过。Tā cóngxiǎo zhù zài nóngcūn, ~ dōu méi qùguo. → 他没去过任何其他的地方。Tā méi qùguo rènhé qítā de dìfang. 例 这几天过圣诞节，~ 都特别热闹。Zhèi jǐ tiān guò Shèngdànjié, ~ dōu tèbié rènao. | 北京市我 ~ 都去过。Běijīng Shì wǒ ~ dōu qùguo. | 大卫去 ~ 都带着一把雨伞。Dàwèi qù ~ dōu dàizhe yì bǎ yǔsǎn. | 不管在 ~，他说话总是那么大声音。Bùguǎn zài ~, tā shuōhuà zǒngshì nàme dà shēngyīn. | 不管去 ~，安娜总是一个人。Bùguǎn qù ~, Ānnà zǒngshì yí ge rén.

nǎ 哪⁴ [代]

大卫结婚，我 ~ 能不去呀！Dàwèi jiéhūn, wǒ ~ néng bú qù ya! → 大卫结婚时我一定去。Dàwèi jiéhūn shí wǒ yídìng qù. 例 他们都在学英语，我 ~ 能不学呀！Tāmen dōu zài xué Yīngyǔ, wǒ ~ néng bù xué ya! | 大卫一直在宿舍，你 ~ 会在街上看见他。Dàwèi yìzhí zài sùshè, nǐ ~ huì zài jiē shang kànjiàn tā. | ~ 有你说的那种事。~ yǒu nǐ shuō de nèi zhǒng shì. | 我 ~ 知道他不来，要不就不用等了。Wǒ ~ zhīdao tā bù lái, yàobu jiù búyòng děng le. | 我从小生活在农村，~ 吃过法国菜？Wǒ cóngxiǎo shēnghuó zài nóngcūn, ~ chīguo Fǎguó cài?

nǎli 哪里⁴ （哪裏） [代]

这么多菜，我们俩 ~ 吃得完呀！Zhème duō cài, wǒmen liǎ ~ chī de wán ya. → 我们俩根本吃不完这么多菜。Wǒmen liǎ gēnběn chī bu

wán zhème duō cài. **例** 我 ~ 会做饭呀！Wǒ ~ huì zuòfàn ya! | 我的
汉语 ~ 有你说得好？Wǒ de Hànyǔ ~ yǒu nǐ shuō de hǎo? | 我们是朋
友，~ 能不互相帮助呀！Wǒmen shì péngyou, ~ néng bú hùxiāng
bāngzhù ya! | 我 ~ 能说谎？这些都是真的。Wǒ ~ néng shuō huǎng?
Zhèixiē dōu shì zhēn de.

nǎli 哪里⁵ （哪裏）[代]

你做的菜真好吃。——~，我做得不好。Nǐ zuò de cài zhēn hǎochī.
——~, wǒ zuò de bù hǎo. → 我觉得自己做得还不够好。Wǒ
juéde zìjǐ zuò de hái bú gòu hǎo. **例** 你的汉语说得很好。——~，一
般吧。Nǐ de Hànyǔ shuō de hěn hǎo. ——~, yìbān ba. | 你最近进
步很大。——~，还差得远呢。Nǐ zuìjìn jìnbù hěn dà. ——~, hái
chà de yuǎn ne. | 你女朋友真漂亮。——~，她长得太平常了。Nǐ
nǚpéngyou zhēn piàoliang. ——~, tā zhǎng de tài píngcháng le. |
谢谢你帮我！——~，这是应该的。Xièxie nǐ bāng wǒ! ——~,
zhè shì yīnggāi de.

nǎpà 哪怕 [连]

~ 等二十年，我也要跟她结婚。~ děng èrshí nián, wǒ yě yào gēn
tā jiéhūn. → 能跟她结婚，就是等二十年我也愿意。Néng gēn tā
jiéhūn, jiùshì děng èrshí nián wǒ yě yuànyì. **例** ~ 不睡觉我也要完成
工作。~ bú shuìjiào wǒ yě yào wánchéng gōngzuò. | ~ 经理批评
我，我还是要说自己的意见。~ jīnglǐ pīpíng wǒ, wǒ háishi yào shuō
zìjǐ de yìjiàn. | ~ 再辛苦，我都会做。~ zài xīnkǔ, wǒ dōu huì
zuò. | ~ 再忙，大卫也要每天给妻子写一封信。~ zài máng, Dàwèi
yě yào měi tiān gěi qīzi xiě yì fēng xìn. | ~ 是死，我也要去。~ shì
sǐ, wǒ yě yào qù.

nà / nèi 那¹ [代]

前边 ~ 座大楼是学校的图书馆。Qiánbian ~ zuò dà lóu shì xuéxiào de
túshūguǎn. → 图书馆在我们前面稍远一点ⅉ的地方。Túshūguǎn
zài wǒmen qiánmian shāo yuǎn yìdiǎnr de dìfang. **例** 你们 ~ 地方我
还没去过。Nǐmen ~ dìfang wǒ hái méi qùguo. | 妈妈去世 ~ 年，我
才 10 岁。Māma qùshì ~ nián, wǒ cái shí suì. | 站在山顶上的 ~ 人
是谁？Zhàn zài shāndǐng shang de ~ rén shì shéi? | 请你拿 ~ 瓶酒给
我看看。Qǐng nǐ ná ~ píng jiǔ gěi wǒ kànkan. | 你往远处看，~ 是什
么？Nǐ wǎng yuǎnchù kàn, ~ shì shénme?

nàbiān / nèibiān 那边 (那邊) [代]

大卫用手一指说："你们看，～就是我家。" Dàwèi yòng shǒu yì zhǐ shuō: "Nǐmen kàn, ～jiù shì wǒ jiā." 大卫的家还在比较远的地方。Dàwèi de jiā hái zài bǐjiào yuǎn de dìfang. 你从～那个门出去就是邮局了。Nǐ cóng ～ nèige mén chūqu jiù shì yóujú le. | 这张桌子最好放在～。Zhèi zhāng zhuōzi zuìhǎo fàng zài ～. | 我在河这边，她在河～。Wǒ zài hé zhèbiān, tā zài hé ～. | 这儿没什么意思，我们去～吧! Zhèr méi shénme yìsi, wǒmen qù ～ ba! | ～有两棵大树，一定很凉快。～ yǒu liǎng kē dà shù, yídìng hěn liángkuai.

nàge / nèige 那个 (那個) [代]

～人离我太远，我看不清楚是谁。～ rén lí wǒ tài yuǎn, wǒ kàn bu qīngchu shì shéi. → 远处有一个人，我看不清楚。Yuǎnchù yǒu yí ge rén, wǒ kàn bù qīngchu. ～穿红衣服的人是我妹妹。～ chuān hóng yīfu de rén shì wǒ mèimei. | 我住的～房子很大。Wǒ zhù de ～ fángzi hěn dà. | 请你帮我把～箱子提过来。Qǐng nǐ bāng wǒ bǎ ～ xiāngzi tí guolai. | 桌子上有两个录音机，这个是我的，～是大卫的。Zhuōzi shang yǒu liǎng ge lùyīnjī, zhèi ge shì wǒ de, ～ shì Dàwèi de. | 你把～苹果拿来，好吗? Nǐ bǎ ～ píngguǒ nálai, hǎo ma?

nàli 那里 (那裏) [代]

我们老家～的苹果又大又甜。Wǒmen lǎojiā ～ de píngguǒ yòu dà yòu tián. → 我现在没在老家。Wǒ xiànzài méi zài lǎojiā. 我去过两次澳大利亚，我喜欢～的风景。Wǒ qùguo liǎng cì Àodàlìyà, wǒ xǐhuan ～ de fēngjǐng. | 你看，～就有两只猴子。Nǐ kàn, ～ jiù yǒu liǎng zhī hóuzi. | ～可太远啦，坐飞机要十个小时。～ kě tài yuǎn la, zuò fēijī yào shí ge xiǎoshí. | 你怎么到～去了，快回来吧。Nǐ zěnme dào ～ qù le? Kuài huílai ba. | 这一片是教学区，～是一个足球场。Zhèi yí piàn shì jiàoxuéqū, ～ shì yí ge zúqiúchǎng.

nàme 那么¹ (那麼) [代]

这棵树～高，我爬不上去。Zhèi kē shù ～ gāo, wǒ pá bu shàngqù. → 这棵树太高了，我爬不上去。Zhèi kē shù tài gāo le, wǒ pá bu shàngqù. 昨天大卫不该发～大的火儿。Zuótiān Dàwèi bù gāi fā ～ dà de huǒr. | 他们～热情，我只好留下来。Tāmen ～ rèqíng, wǒ zhǐhǎo liú xialai. | 今天，大卫显得～高兴。Jīntiān, Dàwèi xiǎnde ～

gāoxìng. | 他唱得 ~ 好，我都听入迷了。Tā chàng de ~ hǎo, wǒ dōu tīng rù mí le. | 你 ~ 做，经理会不高兴的。Nǐ ~ zuò, jīnglǐ huì bù gāoxìng de. | 这句话 ~ 翻译就错了。Zhèi jù huà ~ fānyì jiù cuò le.

nàxiē / nèixiē 那些 [代]

我去年买的 ~ 衣服不能穿了。Wǒ qùnián mǎi de ~ yīfu bù néng chuān le. → 我去年买了好几件衣服，现在不能穿了。Wǒ qùnián mǎile hǎojǐ jiàn yīfu, xiànzài bù néng chuān le. 例 大卫讲的 ~ 故事我都听过。Dàwèi jiǎng de ~ gùshi wǒ dōu tīngguo. | ~ 人站成一排，在做什么？~ rén zhànchéng yì pái, zài zuò shénme? | 我不在家的 ~ 日子，我爱人很辛苦。Wǒ bú zài jiā de ~ rìzi, wǒ àiren hěn xīnkǔ. | 桌子上的 ~ 东西不是我的。Zhuōzi shang de ~ dōngxi bú shì wǒ de. | ~ 行李没有一件是我的。~ xíngli méiyǒu yí jiàn shì wǒ de.

nàyàng / nèiyàng 那样 (那樣) [代]

他没发火儿，其实 ~ 是对的。Tā méi fāhuǒr, qíshí ~ shì duì de. → 其实他没发火儿是对的。Qíshí tā méi fāhuǒr shì duì de. 例 大卫骂人了，~ 是不文明的。Dàwèi mà rén le, ~ shì bù wénmíng de. | 安娜的衣服很漂亮，我也想买件 ~ 的。Ānnà de yīfu hěn piàoliang, wǒ yě xiǎng mǎi jiàn ~ de. | 他还小，~ 开玩笑不合适。Tā hái xiǎo, ~ kāiwánxiào bù héshì. | 要是像他说的 ~，我们就没希望了。Yàoshi xiàng tā shuō de ~, wǒmen jiù méi xīwàng le. | 我们去劝劝大卫吧，~ 他会好受些。Wǒmen qù quànquan Dàwèi ba, ~ tā huì hǎoshòu xiē.

nà 那² [连]

既然车坏了，~ 我们就去修吧。Jìrán chē huài le, ~ wǒmen jiù qù xiū ba. → 车已经坏了，我们只好去修。Chē yǐjing huài le, wǒmen zhǐhǎo qù xiū. 例 既然大卫说不来了，~ 我们就不用等了。Jìrán Dàwèi shuō bù lái le, ~ wǒmen jiù búyòng děng le. | 如果明天下雨，~ 我们就改天再去旅行。Rúguǒ míngtiān xià yǔ, ~ wǒmen jiù gǎi tiān zài qù lǚxíng. | 要是你不吸烟，~ 就太好了。Yàoshi nǐ bù xīyān, ~ jiù tài hǎo le. | 既然你已经买了票，~ 我就跟你去吧。Jìrán nǐ yǐjing mǎile piào, ~ wǒ jiù gēn nǐ qù ba.

nàme 那么² (那麼) [连]

如果你行李多，~ 我去机场接你。Rúguǒ nǐ xíngli duō, ~ wǒ qù jīchǎng jiē nǐ. → 我去机场接你，因为你行李多。Wǒ qù jīchǎng jiē

N

nǐ, yīnwèi nǐ xíngli duō. 例 既然你喜欢这里，～就多住几天吧。Jìrán nǐ xǐhuan zhèlǐ, ～ jiù duō zhù jǐ tiān ba. | 你既然想结婚，～就找个女朋友吧。Nǐ jìrán xiǎng jiéhūn, ～ jiù zhǎo ge nǚpéngyou ba. | 要是大卫也在这儿，～我们就可以一起吃饭了。Yàoshi Dàwèi yě zài zhèr, ～ wǒmen jiù kěyǐ yìqǐ chīfàn le. | 既然你喜欢开车，～以后就当个司机好了。Jìrán nǐ xǐhuan kāi chē, ～ yǐhòu jiù dāng ge sījī hǎo le.

na 哪（呐）[助]

同语气助词"啊"，当"啊（a）"出现在尾音是"n"的字后面时读成"哪"。Tóng yǔqì zhùcí "a", dāng "a" chūxiàn zài wěiyīn shì "n" de zì hòumian shí dúchéng "na". 例 他可是个好人～。Tā kě shì ge hǎorén ～. | 在这儿买房子要花很多钱～。Zài zhèr mǎi fángzi yào huā hěn duō qián ～. | 你找她谈谈～，看她愿不愿意。Nǐ zhǎo tā tántan ～, kàn tā yuàn bu yuànyì. | 这台电视可真新～！Zhèi tái diànshì kě zhēn xīn ～!

nai

nǎi 奶 [名]

milk 例 他早餐只喝了一袋～，就来上班了。Tā zǎocān zhǐ hēle yí dài ～, jiù lái shàngbān le. | 他去买～了，一会儿就回来。Tā qù mǎi le, yíhuìr jiù huílai. | 冰箱里的～坏了，我把它给扔了。Bīngxiāng li de ～ huài le, wǒ bǎ tā gěi rēng le. | 这个商店的～便宜，所以我只在这儿买。Zhèige shāngdiàn de ～ piányi, suǒyǐ wǒ zhǐ zài zhèr mǎi. | 你是喝～还是喝茶? Nǐ shì hē ～ háishi hē chá?

nǎinai 奶奶 [名]

我父亲每个星期去一次～家。Wǒ fùqin měi ge xīngqī qù yí cì ～ jiā. → 我父亲每个星期去一次他的妈妈家。Wǒ fùqin měi ge xīngqī qù yí cì tā de māma jiā. 例 我～只有我父亲一个儿子。Wǒ ～ zhǐyǒu wǒ fùqin yí ge érzi. | 我爸爸是～24岁那年生的。Wǒ bàba shì ～ èrshísì suì nà nián shēng de. | "～，孙子来看您了。" "～, sūnzi lái kàn nín le." | 大卫的爷爷死了，他的～一个人生活。Dàwèi de yéye sǐ le, tā de ～ yí ge rén shēnghuó. | 这个蛋糕是给我～的，她今年七十多岁了。Zhèige dàngāo shì gěi wǒ ～ de, tā jīnnián qīshí duō suì le.

nàixīn 耐心[1] [形]

小姐在～地解释飞机晚点的原因。Xiǎojie zài ～ de jiěshì fēijī wǎndiǎn

de yuányīn. → 小姐不急不烦，解释了一遍又一遍。Xiǎojie bù jí bù fán, jiěshìle yí biàn yòu yí biàn. **例** 关于产品使用问题，服务员 ~ 地讲了 20 分钟。Guānyú chǎnpǐn shǐyòng wèntí, fúwùyuán ~ de jiǎngle èrshí fēnzhōng. | 他教育孩子特别 ~，孩子也就听他的话。Tā jiàoyù háizi tèbié ~, háizi yě jiù tīng tā de huà. | 我做事总爱着急，没他那么 ~。Wǒ zuò shì zǒng ài zháojí, méi tā nà me ~. | 你要是不 ~ 做，什么事儿也做不好。Nǐ yàoshi bú ~ zuò, shénme shìr yě zuò bu hǎo.

nàixīn 耐心² [名]

大卫在这儿等了两个小时了，他真有 ~。Dàwèi zài zhèr děngle liǎng ge xiǎoshí le, tā zhēn yǒu ~. → 大卫等了两个小时也不着急。Dàwèi děngle liǎng ge xiǎoshí yě bù zháojí. **例** 这事儿需要 ~，着急也没用。Zhè shìr xūyào ~, zháojí yě méi yòng. | 他教育孩子缺少 ~，总爱发火儿。Tā jiàoyù háizi quēshǎo ~, zǒng ài fāhuǒr. | 大卫钓鱼一点儿 ~ 也没有。Dàwèi diàoyú yìdiǎnr ~ yě méiyǒu. | 你要跟动物交朋友，没有 ~ 可不行。Nǐ yào gēn dòngwù jiāo péngyou, méiyǒu ~ kě bùxíng.

nàiyòng 耐用 [形]

这种汽车不太好看，但很 ~。Zhèi zhǒng qìchē bú tài hǎokàn, dàn hěn ~. → 这种汽车不容易出毛病。Zhèi zhǒng qìchē bù róngyì chū máobing. **例** 这沙发看起来很结实，一定 ~。Zhè shāfā kàn qilai hěn jiēshi, yídìng ~. | 桌子、椅子都是 ~ 的家具。Zhuōzi、yǐzi dōu shì ~ de jiājù. | 这种杯子又便宜又 ~。Zhèi zhǒng bēizi yòu piányi yòu ~. | 比较来说，我们的产品更 ~ 一些。Bǐjiào láishuō, wǒmen de chǎnpǐn gèng ~ yìxiē. | 这些灯管儿不太 ~，几个月就坏了。Zhèixiē dēngguǎnr bú tài ~, jǐ ge yuè jiù huài le. | 这种笔不 ~，我要多买一些。Zhèi zhǒng bǐ bú ~, wǒ yào duō mǎi yìxiē.

nan

nán 男 [形]

male **例** 左边是 ~ 厕所，右边是女厕所。Zuǒbian shì ~ cèsuǒ, yòubian shì nǚcèsuǒ. | 女孩子们都喜欢漂亮的 ~ 演员。Nǚháizimen dōu xǐhuan piàoliang de ~ yǎnyuán. | 这个班的学生全是 ~ 的。Zhèige bān de xuésheng quán shì ~ de. | ~ 的在地里劳动，女的在

家做饭。~ de zài dì li láodòng, nǚ de zài jiā zuòfàn. | 那儿有~有女，挺热闹。Nàr yǒu ~ yǒu nǚ, tǐng rènao. | 力气活儿还是~的干比较好。Lìqihuór háishi ~ de gàn bǐjiào hǎo. | 世界上的总统~的多，女的少。Shìjiè shang de zǒngtǒng ~ de duō, nǚ de shǎo.

nánpéngyou 男朋友 [名]

玛丽找到了~。Mǎlì zhǎodàole ~. → 玛丽找到了自己喜欢的男人。Mǎlì zhǎodàole zìjǐ xǐhuan de nánrén. 例 她在准备和~结婚的事儿。Tā zài zhǔnbèi hé ~ jiéhūn de shìr. | 我妹妹和她的~一起去看电影了。Wǒ mèimei hé tā de ~ yìqǐ qù kàn diànyǐng le. | 她最近和~分手了，很伤心。Tā zuìjìn hé ~ fēnshǒu le, hěn shāngxīn. | 你帮玛丽介绍个~吧，她都快二十五岁了。Nǐ bāng Mǎlì jièshào ge ~ ba, tā dōu kuài èrshíwǔ suì le. | 她每星期和~约会两次。Tā měi xīngqī hé ~ yuēhuì liǎng cì. | 我见过她的~，长得很帅。Wǒ jiànguo tā de ~, zhǎng de hěn shuài.

nánrén 男人 [名]

man 例 ~能做的工作，女人也能做。~ néng zuò de gōngzuò, nǚrén yě néng zuò. | 那个村子~多，女人少。Nèige cūnzi ~ duō, nǚrén shǎo. | 三个~从后面跑出来，跟大家说谢谢。Sān ge ~ cóng hòumian pǎo chulai, gēn dàjiā shuō xièxie. | ~一般比女人有力气。~ yìbān bǐ nǚrén yǒu lìqi. | 这儿的~们都喜欢玛丽。Zhèr de ~ men dōu xǐhuan Mǎlì. | 玛丽看到那么多~，有点儿不好意思了。Mǎlì kàndào nàme duō ~, yǒudiǎnr bù hǎoyìsi le. | 这是女人的事，~最好别管。Zhè shì nǚrén de shì, ~ zuìhǎo bié guǎn.

nán 南 [名]

现在是中午，对着太阳的那边儿是~。Xiànzài shì zhōngwǔ, duìzhe tàiyang de nàbiānr shì ~. → 中午面对太阳的一面儿。Zhōngwǔ miànduì tàiyang de yí miànr. 例 屋子的窗户是朝~的，光线很好。Wūzi de chuānghu shì cháo ~ de, guāngxiàn hěn hǎo. | 现在刮的是~风，往北走顺风。Xiànzài guā de shì ~ fēng, wǎng běi zǒu shùn fēng. | 我迷路了，分不清东西~北了。Wǒ mílù le, fēn bu qīng dōng xī ~ běi le. | 从这儿一直往~，就是邮局。Cóng zhèr yìzhí wǎng ~, jiù shì yóujú.

nánbian 南边(南邊) [名]

我房间的窗户在~儿，中午可以见到阳光。Wǒ fángjiān de

chuānghu zài ~ r, zhōngwǔ kěyǐ jiàndào yángguāng. → 我房间的窗户中午对着太阳的那边儿。Wǒ fángjiān de chuānghu zhōngwǔ duìzhe tàiyang de nà biānr. 例 你往 ~ 儿看，那里是有名的风景区。Nǐ wǎng ~ r kàn, nàli shì yǒumíng de fēngjǐngqū. l 我们学校 ~ 儿是教学区，北边儿是足球场。Wǒmen xuéxiào ~ r shì jiàoxuéqū, běibianr shì zúqiúchǎng. l 你再往 ~ 儿走走，就会看到一个白房子。Nǐ zài wǎng ~ r zǒuzou, jiù huì kàndào yí ge bái fángzi. l 邮局在电影院的 ~ 儿。Yóujú zài diànyǐngyuàn de ~ r.

nánbù 南部 [名]

这个国家的 ~ 是高山。Zhèige guójiā de ~ shì gāoshān. → 这个国家靠南的地方是高山。Zhèige guójiā kào nán de dìfang shì gāoshān. l 例 我国 ~ 地区气温比较高，北部比较低。Wǒ guó ~ dìqū qìwēn bǐjiào gāo, běibù bǐjiào dī. l 我们学校的 ~ 是一片小树林，环境很好。Wǒmen xuéxiào de ~ shì yí piàn xiǎo shùlín, huánjìng hěn hǎo. l 明天，~ 地区有雨，北部地区有风。Míngtiān, ~ dìqū yǒu yǔ, běibù dìqū yǒu fēng. l 你去过美国的 ~ 吗？Nǐ qùguo Měiguó de ~ ma? l 我住在英国 ~ 的一个小城市。Wǒ zhù zài Yīngguó ~ de yí ge xiǎo chéngshì.

nánfāng 南方[1] [名]

现在是中午，看看太阳就知道哪边儿是 ~ 了。Xiànzài shì zhōngwǔ, kànkan tàiyang jiù zhīdao nǎbiānr shì ~ le. → 中午对着太阳的一方。Zhōngwǔ duìzhe tàiyang de yì fāng. 例 我们要往 ~ 走，才能到达纽约。Wǒmen yào wǎng ~ zǒu, cái néng dàodá Niǔyuē. l 我们面对着的一方就是 ~。Wǒmen miànduìzhe de yì fāng jiù shì ~. l 这儿的路是斜的，要分清 ~ 和北方可不太容易。Zhèr de lù shì xié de, yào fēnqīng ~ hé běifāng kě bú tài róngyi. l 你往 ~ 看，那座山很像一只老虎。Nǐ wǎng ~ kàn, nèi zuò shān hěn xiàng yì zhī lǎohǔ. l ~ 那座山比北方这座高。~ nèi zuò shān bǐ běifāng zhèi zuò gāo.

nánfāng 南方[2] [名]

在中国，~ 和北方的气候不一样。Zài Zhōngguó, ~ hé běifāng de qìhòu bù yíyàng. → 靠南的地区和靠北的地区气候不同。Kào nán de dìqū hé kào běi de dìqū qìhòu bùtóng. 例 ~ 经常下雨，北方比较干燥。~ jīngcháng xià yǔ, běifāng bǐjiào gānzào. l 暑假，我们一家人要到 ~ 去旅行。Shǔjià, wǒmen yì jiā rén yào dào ~ qù lǚxíng. l

桂林市在中国 ~ 。Guìlín Shì zài Zhōngguó ~ . |我喜欢 ~ 的风景。
Wǒ xǐhuan ~ de fēngjǐng. |我是 ~ 人，说话跟北方人不太一样。Wǒ
shì ~ rén, shuōhuà gēn běifāngrén bú tài yíyàng. | ~ 的山水很美，
姑娘也很美。~ de shānshuǐ hěn měi, gūniang yě hěn měi.

nánmiàn 南面 ［名］

山的 ~ 有一片树林。Shān de ~ yǒu yí piàn shùlín. → 中午正对太阳
的那一面是树林。Zhōngwǔ zhèng duì tàiyang de nèi yí miàn shì
shùlín. 例 ~ 是阳光照到的一面，所以又叫阳面。~ shì yángguāng
zhàodào de yí miàn, suǒyǐ yòu jiào yángmiàn. |我们学校可以分成
两部分：~ 一部分，北面一部分。Wǒmen xuéxiào kěyǐ fēnchéng
liǎng bùfen：~ yí bùfen, běimiàn yí bùfen. |邮局的 ~ 要盖一个电
影院。Yóujú de ~ yào gài yí ge diànyǐngyuàn. |大卫喜欢住 ~ 的房
间。Dàwèi xǐhuan zhù ~ de fángjiān. | ~ 的光线比北面要好些。~
de guāngxiàn bǐ běimiàn yào hǎo xiē.

nán 难（難）［形］

大卫觉得学汉语很 ~ 。Dàwèi juéde xué Hànyǔ hěn ~ . → 大卫觉得
汉语不容易学。Dàwèi juéde Hànyǔ bù róngyi xué. 例 昨天的考试太
~ 了。Zuótiān de kǎoshì tài ~ le. |这个发音有点儿 ~ ，我总发不好。
Zhèige fāyīn yǒudiǎnr ~ , wǒ zǒng fā bu hǎo. |他俩的事儿比较 ~ 解
决。Tā liǎ de shìr bǐjiào ~ jiějué. |你觉得汉语 ~ 在什么地方？Nǐ
juéde Hànyǔ ~ zài shénme dìfang? |踢足球一点儿也不 ~ 学。Tī zúqiú
yìdiǎnr yě bù ~ xué. |学会不 ~ ，但学好就不容易了。Xuéhuì bù ~ ,
dàn xuéhǎo jiù bù róngyì le. |不管工作有多 ~ ，我都要努力去做。
Bùguǎn gōngzuò yǒu duō ~ , wǒ dōu yào nǔlì qù zuò.

nándào 难道（難道）［副］

我们十点开会，~ 你忘了？Wǒmen shí diǎn kāihuì, ~ nǐ wàng le?
→ 你怎么能忘呢？nǐ zěnme néng wàng ne? 例 老师病了，~ 你没
听说吗？Lǎoshī bìng le, ~ nǐ méi tīngshuō ma? |他说话时不太自
然，~ 他在说谎？Tā shuōhuà shí bú tài zìrán, ~ tā zài shuō
huǎng? | ~ 我们一定要离婚吗？~ wǒmen yídìng yào líhūn ma? |比
赛输了，这 ~ 只怪教练一个人吗？Bǐsài shū le, zhè ~ zhǐ guài
jiàoliàn yí ge rén ma? |你们 ~ 真的没办法了吗？Nǐmen ~ zhēn de
méi bànfǎ le ma? |我们过去是邻居，你 ~ 不认识我了吗？Wǒmen
guòqù shì línjū, nǐ ~ bú rènshi wǒ le ma?

nánguò 难过（難過）[形]

他父亲昨天去世了，他很 ~ 。Tā fùqin zuótiān qùshì le, tā hěn ~ . → 他觉得心里很痛苦，不好受。Tā juéde xīnli hěn tòngkǔ, bù hǎo shòu . 例 比赛输了，队员们十分 ~ 。Bǐsài shū le, duìyuánmen shífēn ~ . | 比尔的女朋友跟他分手了，他 ~ 得哭了。Bǐ'ěr de nǔpéngyou gēn tā fēnshǒu le, tā ~ de kū le. | 她的小狗死了，她感到非常 ~ 。Tā de xiǎogǒu sǐ le, tā gǎndào fēicháng ~ . | 他 ~ 地对大家说："我们以后很难见面了。"Tā ~ de duì dàjiā shuō："Wǒmen yǐhòu hěn nán jiànmiàn le." | 这件事，你 ~ 也没用。Zhèi jiàn shì, nǐ ~ yě méi yòng.

nánkàn 难看（難看）[形]

这件衣服太 ~ ，我不想买了。Zhèi jiàn yīfu tài ~ , wǒ bù xiǎng mǎi le . → 这件衣服一点儿也不漂亮。Zhèi jiàn yīfu yìdiǎnr yě bú piàoliang. 例 我觉得这张画儿有点儿 ~ 。Wǒ juéde zhèi zhāng huàr yǒudiǎnr ~ . | 我不明白，他怎么会喜欢那么 ~ 的女人。Wǒ bù míngbai, tā zěnme huì xǐhuan nàme ~ de nǔrén. | 那个看门人长得 ~ 极了。Nèige kānménrén zhǎng de ~ jí le. | 这种动物 ~ 得让人受不了。Zhèi zhǒng dòngwù ~ de ràng rén shòu bu liǎo. | 他女朋友不 ~ 。Tā nǔpéngyou bù ~ . | 这座大楼的颜色挺 ~ 的。Zhèi zuò dàlóu de yánsè tǐng ~ de.

nánshòu 难受（難受）[形]

我肚子有点儿 ~ ，不想吃东西。Wǒ dùzi yǒudiǎnr ~ , bù xiǎng chī dōngxi. → 我的肚子不太舒服，不想吃东西。Wǒ de dùzi bú tài shūfu, bù xiǎng chī dōngxi. 例 我感冒了，哪儿都很 ~ 。Wǒ gǎnmào le, nǎr dōu hěn ~ . | 大卫昨天晚上牙疼， ~ 得一夜没睡觉。Dàwèi zuótiān wǎnshang yá téng, ~ de yí yè méi shuìjiào. | 我头疼， ~ 得厉害。Wǒ tóu téng, ~ de lìhai. | 孩子生病了，爸爸感到很 ~ 。Háizi shēngbìng le, bàba gǎndào hěn ~ . | 比赛失败了，教练和队员都挺 ~ 的。Bǐsài shībài le, jiàoliàn hé duìyuán dōu tǐng ~ de.

nao

nǎodai 脑袋（腦袋）[名]

我有点儿 ~ 疼，想休息一会儿。Wǒ yǒudiǎnr ~ téng, xiǎng xiūxi

yíhuìr. → 我有点儿头疼。Wǒ yǒudiǎnr tóuténg. 例 他是个怪人，~
里想的跟别人不一样。Tā shì ge guàirén, ~ li xiǎng de gēn biéren
bù yíyàng. | 一只小鸟落在了大卫的~上。Yì zhī xiǎoniǎo luò zài le
Dàwèi de ~ shang. | 他想问题的时候，习惯摸一摸~。Tā xiǎng
wèntí de shíhou, xíguàn mō yi mō~. | ~大的人不一定聪明。~ dà
de rén bù yídìng cōngming. | 他摇摇~说："不，我不去。"Tā
yáoyao ~ shuō: "Bù, wǒ bú qù."

nǎozi 脑子(腦子) [名]

他~很好，二十多年前的事还记得。Tā ~ hěn hǎo, èrshí duō nián
qián de shì hái jìde. → 他的记忆特别好，二十年前的事儿还没忘。
Tā de jìyì tèbié hǎo, èrshí duō nián qián de shìr hái méi wàng. 例 大
卫的~很好用，理解问题很快。Dàwèi de ~ hěn hǎo yòng, lǐjiě
wèntí hěn kuài. | 安娜~很聪明，学习很好。Ānnà ~ hěn cōngming,
xuéxí hěn hǎo. | 你说了那么多，我~都乱了。Nǐ shuōle nàme duō,
wǒ ~ dōu luàn le. | 这件事在我~里一点儿印象也没有。Zhèi jiàn shì
zài wǒ ~ li yìdiǎnr yìnxiàng yě méiyǒu. | 我都告诉他三遍了，他好像
没~。Wǒ dōu gàosu tā sān biàn le, tā hǎoxiàng méi ~.

nào 闹(鬧) [动]

昨天他们在宿舍里喝酒，~了一夜。Zuótiān tāmen zài sùshè li hē
jiǔ, ~ le yí yè. → 他们喝酒时又唱又跳，声音很大。Tāmen hē jiǔ
shí yòu chàng yòu tiào, shēngyīn hěn dà. 例 夜里，汽车的声音~
得我睡不着觉。Yèli, qìchē de shēngyīn ~ de wǒ shuì bu zháo
jiào. | 声音这么大，是谁在~啊？Shēngyīn zhème dà, shì shéi zài
~ a? | 年轻人在一起，哪儿有不~的。Niánqīngrén zài yìqǐ, nǎr yǒu
bú ~ de. | 他没有道理，还找经理去~。Tā méiyǒu dàoli, hái zhǎo
jīnglǐ qù ~. | 工作时间你们就别~了。Gōngzuò shíjiān nǐmen jiù bié
~ le. | 他俩~着~着就急了。Tā liǎ ~ zhe ~ zhe jiù jí le.

nàozhōng 闹钟(鬧鐘) [名]

早晨，~把我吵醒了。Zǎochen, ~ bǎ wǒ chǎoxǐng le. → 钟上的
铃不停地响，我就醒了。Zhōng shang de líng bùtíng de xiǎng, wǒ
jiù xǐng le. 例 ~的时间定在早上6点吧。~ de shíjiān dìng zài
zǎoshang liù diǎn ba. | 我怕早晨起不来，就上了~。Wǒ pà
zǎochen qǐ bu lái, jiù shàngle ~. | 这个~的铃坏了，不响了。
Zhèige ~ de líng huài le, bù xiǎng le. | 你起床老晚，买个~吧。Nǐ

qǐchuáng lǎo wǎn, mǎi ge ~ ba. | 我下午两点有事儿，到时候 ~ 会响的。Wǒ xiàwǔ liǎng diǎn yǒu shìr, dào shíhou ~ huì xiǎng de.

ne

ne 呢¹ ［助］

大卫 ~? 他去哪儿了? Dàwèi ~? Tā qù nǎr le? → 大卫到哪儿去了? Dàwèi dào nǎr qù le? 例 我的书 ~? 谁看见了? Wǒ de shū ~? Shéi kànjiàn le? | 这个问题我怎么回答好 ~? Zhèige wèntí wǒ zěnme huídá hǎo ~? | 你们在哪儿 ~? 快出来吧。Nǐmen zài nǎr ~? kuài chūlai ba. | 大卫的个子有多高 ~? 你们猜猜吧。Dàwèi de gèzi yǒu duō gāo ~? Nǐmen cāicai ba. | 这头大象一天吃多少 ~? Zhèi tóu dàxiàng yì tiān chī duōshao ~? | 你在找什么 ~? Nǐ zài zhǎo shénme ~? | 你最近忙什么 ~? Nǐ zuìjìn máng shénme ~?

ne 呢² ［助］

老师正讲课 ~, 你一会儿再找他吧。Lǎoshī zhèng jiǎngkè ~, nǐ yíhuìr zài zhǎo tā ba. → 现在老师还没有下课。Xiànzài lǎoshī hái méiyǒu xiàkè. 例 大卫还在睡觉 ~, 我们小点声儿吧。Dàwèi hái zài shuìjiào ~, wǒmen xiǎo diǎn shēngr ba. | 经理在打电话 ~, 你等一会儿。Jīnglǐ zài dǎ diànhuà ~, nǐ děng yíhuìr. | 外面下着雨 ~, 你带把伞吧。Wàimian xiàzhe yǔ ~, nǐ dài bǎ sǎn ba. | 前边正修路 ~, 汽车过不去。Qiánbian zhèng xiū lù ~, qìchē guò bu qù. | 我的汽车坏着 ~, 不能用。Wǒ de qìchē huàizhe ~, bù néng yòng. | 玛丽病着 ~, 不能出去。Mǎlì bìngzhe ~, bù néng chūqu.

ne 呢³ ［助］

我哥哥是工人，我姐姐 ~, 是医生。Wǒ gēge shì gōngrén, wǒ jiějie ~, shì yīshēng. → 哥哥是工人，要说姐姐，她是医生。Gēge shì gōngrén, yào shuō jiějie, tā shì yīshēng. 例 你要是同意 ~, 我们就这么做。Nǐ yàoshi tóngyì ~, wǒmen jiù zhème zuò. | 他说他不会吸烟，其实 ~, 是他爱人不让他吸。Tā shuō tā bú huì xīyān, qíshí ~, shì tā àiren bú ràng tā xī. | 说起这事儿 ~, 也没什么了不起。Shuōqi zhè shìr ~, yě méi shénme liǎobuqǐ. | 我去买票，你 ~, 在这儿等一会儿。Wǒ qù mǎi piào, nǐ ~, zài zhèr děng yíhuìr.

nei

nèi 内 [名]

这三件事，我今年~做完。Zhèi sān jiàn shì, wǒ jīnnián ~ zuòwán. → 我在今年里做完，不会超过今年。Wǒ zài jīnnián li zuòwán, bú huì chāoguò jīnnián. 例 大卫这个月~走，他去美国。Dàwèi zhèige yuè ~ zǒu, tā qù Měiguó. ｜学校~就有商店和邮局，很方便的。Xuéxiào ~ jiù yǒu shāngdiàn hé yóujú, hěn fāngbiàn de. ｜车厢~不让吸烟。Chēxiāng ~ bú ràng xīyān. ｜我的妻子和孩子都在国~。Wǒ de qīzi hé háizi dōu zài guó ~. ｜教室~非常安静。Jiàoshì ~ fēicháng ānjìng. ｜屋~屋外都有很多人。Wū ~ wū wài dōu yǒu hěn duō rén.

nèibù 内部 [名]

这座大楼外边不太好看，可~很漂亮。Zhèi zuò dàlóu wàibian bú tài hǎokàn, kě ~ hěn piàoliang. → 大楼的里边很漂亮。Dàlóu de lǐbian hěn piàoliang. 例 电视机~的结构很复杂。Diànshìjī ~ de jiégòu hěn fùzá. ｜这是公司~的事，跟别人没关系。Zhè shì gōngsī ~ de shì, gēn biéren méi guānxì. ｜我们打开车盖儿，看看汽车的~。Wǒmen dǎkāi chēgàir, kànkan qìchē de ~. ｜计算机~是怎样的呢？Jìsuànjī ~ shì zěnyàng de ne? ｜今天商店~整理，不营业。Jīntiān shāngdiàn ~ zhěnglǐ, bù yíngyè.

nèikē 内科 [名]

~看的是身体内的病。~ kàn de shì shēntǐ nèi de bìng. →肚子疼、头疼等都是身体内的病。Dùzi téng, tóu téng děng dōu shì shēntǐ nèi de bìng. 例 医院里分~、外科、牙科等。Yīyuàn li fēn ~, wàikē, yákē děng. ｜大卫是~大夫。Dàwèi shì ~ dàifu. ｜~的病人很多，要等一会儿。~ de bìngrén hěn duō, yào děng yíhuìr. ｜感冒是~的常见病。Gǎnmào shì ~ de chángjiànbìng. ｜你看~还是看外科? Nǐ kàn ~ háishì kàn wàikē?

nèiróng 内容 [名]

文章的主要~是写交通问题。Wénzhāng de zhǔyào ~ shì xiě jiāotōng wèntí. →文章主要写交通方面的问题。Wénzhāng zhǔyào xiě jiāotōng fāngmiàn de wèntí. 例 这封信的~很简单，就是跟你借钱。Zhèi fēng xìn de ~ hěn jiǎndān, jiù shì gēn nǐ jiè qián. ｜"人类

需要和平"是这本书的中心~。"Rénlèi xūyào hépíng" shì zhèi běn shū de zhōngxīn ~. | 那天的演出 ~ 很丰富。Nà tiān de yǎnchū ~ hěn fēngfù. | 你给我们介绍一下儿这部电影的 ~ 吧。Nǐ gěi wǒmen jièshào yíxiàr zhèi bù diànyǐng de ~ ba. | 作品的 ~ 是好的，可惜写作手法太旧了。Zuòpǐn de ~ shì hǎo de, kěxī xiězuò shǒufǎ tài jiù le.

neng

néng 能¹ [动]

大卫一小时 ~ 走 15 公里路。Dàwèi yì xiǎoshí ~ zǒu shíwǔ gōnglǐ lù. → 大卫一小时可以走 15 公里路。Dàwèi yì xiǎoshí kěyǐ zǒu shíwǔ gōnglǐ lù. **例** 我 ~ 举起五十多公斤重的东西。Wǒ ~ jǔqǐ wǔshí duō gōngjīn zhòng de dōngxi. | 你一顿 ~ 喝多少瓶儿啤酒？Nǐ yí dùn ~ hē duōshao píngr píjiǔ? | 你坐得那么远，~ 看见吗？Nǐ zuò de nàme yuǎn, ~ kànjiàn ma? | 9 点以前我 ~ 回来。Jiǔ diǎn yǐqián wǒ ~ huílai. | 我 ~ 听懂英语、法语和德语。Wǒ ~ tīngdǒng Yīngyǔ、Fǎyǔ hé Déyǔ. | 公共汽车里不 ~ 抽烟！Gōnggòng qìchē li bù ~ chōuyān!

nénggòu 能够 [动]

我相信大卫 ~ 学好汉语。Wǒ xiāngxìn Dàwèi ~ xuéhǎo Hànyǔ. → 大卫学好汉语没有问题。Dàwèi xuéhǎo Hànyǔ méiyǒu wèntí. **例** 我们 ~ 完成这个月的计划。Wǒmen ~ wánchéng zhèige yuè de jìhuà. | 他的伤好了，~ 走路了。Tā de shāng hǎo le, ~ zǒulù le. | 安娜 ~ 认真学习，按时完成作业。Ānnà ~ rènzhēn xuéxí, ànshí wánchéng zuòyè. | 这种产品我们厂也 ~ 生产。Zhèi zhǒng chǎnpǐn wǒmen chǎng yě ~ shēngchǎn. | 谁都不 ~ 违反纪律。Shéi dōu bù ~ wéifǎn jìlǜ. | 他们不 ~ 拿走那么多东西。Tāmen bù ~ názǒu nàme duō dōngxi.

néng 能² [动]

他们俩谈朋友 ~ 成吗？Tāmen liǎ tán péngyou ~ chéng ma? → 他们俩会不会成为恋爱关系？Tāmen liǎ huì bu huì chéngwéi liàn'ài guānxì? **例** 天气这么好，~ 下雨吗？Tiānqì zhème hǎo, ~ xià yǔ ma? | 这事儿多半 ~ 成功。Zhè shìr duōbàn ~ chénggōng. | 这电视机 ~ 有五十斤重吧？Zhè diànshìjī ~ yǒu wǔshí jīn zhòng ba? | 这只狗伤得不重，大概 ~ 活下来。Zhèi zhī gǒu shāng de bú zhòng, dàgài ~ huó xialai. | 下这么大雨，他 ~ 来吗？Xià zhème dà yǔ, tā ~ lái ma?

N

néng 能³ [动]

大卫不怎么说话，但很~写文章。Dàwèi bù zěnme shuōhuà, dàn hěn~ xiě wénzhāng. → 大卫写的文章又多又好。Dàwèi xiě de wénzhāng yòu duō yòu hǎo. 他性格开朗，挺~交朋友的。Tā xìnggé kāilǎng, tǐng~ jiāo péngyou de. |经理~说，讲一个小时也不觉得累。Jīnglǐ~ shuō, jiǎng yí ge xiǎoshí yě bù juéde lèi. |他特别~跑，三千米才用十分钟。Tā tèbié~ pǎo, sānqiān mǐ cái yòng shí fēnzhōng. |大象非常~吃，一天吃两吨草。Dàxiàng fēicháng~ chī, yì tiān chī liǎng dūn cǎo.

nénggàn 能干（能幹） [形]

大卫在公司很~，上个月当上了经理。Dàwèi zài gōngsī hěn~, shàng ge yuè dāngshangle jīnglǐ. → 大卫的工作成绩很好，当上了经理。Dàwèi de gōngzuò chéngjì hěn hǎo, dāngshangle jīnglǐ. 这个小伙子大学毕业，又很~。Zhèige xiǎohuǒzi dàxué bìyè, yòu hěn~. |他特别~，提前完成了任务。Tā tèbié~, tíqián wánchéngle rènwu. |这么~的人才，哪个单位都愿意要。Zhème~ de réncái, něige dānwèi dōu yuànyì yào. |玛丽真够~的，那么多活儿，一会儿就做完了。Mǎlì zhēn gòu~ de, nàme duō huór, yíhuìr jiù zuòwán le.

nénglì 能力 [名]

我想提高汉语口语的表达~。Wǒ xiǎng tígāo Hànyǔ kǒuyǔ de biǎodá~. → 我想使自己的汉语说得更好。Wǒ xiǎng shǐ zìjǐ de Hànyǔ shuō de gèng hǎo. 大卫的阅读~不错。Dàwèi de yuèdú~ búcuò. |我觉得他很有领导~。Wǒ juéde tā hěn yǒu lǐngdǎo~. |人的~有大小的差别。Rén de~ yǒu dà xiǎo de chābié. |他的工作~也是锻炼出来的。Tā de gōngzuò~ yě shì duànliàn chulai de. |校长鼓励大家把~发挥出来。Xiàozhǎng gǔlì dàjiā bǎ~ fāhuī chulai. |我没有~当经理，还是请别人吧。Wǒ méiyǒu~ dāng jīnglǐ, háishi qǐng biéren ba.

néngyuán 能源 [名]

现在世界上的~越来越少。Xiànzài shìjiè shang de~ yuèláiyuè shǎo. → 像石油、煤、天然气等越来越少。Xiàng shíyóu、méi、tiānránqì děng yuèláiyuè shǎo. 工业生产需要很多的~。Gōngyè shēngchǎn xūyào hěn duō de ~. | 今天，节约～成了全社会的大事儿。Jīntiān, jiéyuē ~ chéngle quán shèhuì de dà shìr. | 谁浪费～，谁就是不热爱生命。Shéi làngfèi ~, shéi jiùshì bú rè'ài shēngmìng. | ～是非常宝贵的，大家都该保护。~ shì fēicháng bǎoguì de, dàjiā dōu gāi bǎohù. | 地球上的～是有限的。Dìqiú shang de ~ shì yǒuxiàn de.

ng

ǹg 嗯 [叹]

你同意吗？——～，我同意。Nǐ tóngyì ma? —— ~, wǒ tóngyì. → 是的，我同意。Shìde, wǒ tóngyì. 例 你快来呀！——～，马上就来。Nǐ kuài lái ya! —— ~, mǎshàng jiù lái. | 明天你去旅行吗？——～，我去。Míngtiān nǐ qù lǚxíng ma? —— ~, wǒ qù. | 你是日本人吗？——～，我是。Nǐ shì Rìběnrén ma? —— ~, wǒ shì. | 你学过汉语吗？——～，学过一年。Nǐ xuéguo Hànyǔ ma? —— ~, xuéguo yì nián. | 你会游泳吗？——～，会游。Nǐ huì yóuyǒng ma? —— ~, huì yóu. | 他"～"了一声，就走了。Tā "~" le yì shēng, jiù zǒu le.

N

ni

ní 泥 [名]

下雨了，到处都是～。Xià yǔ le, dàochù dū shì ~. → 雨水和土混在一起就成了泥。Yǔshuǐ hé tǔ hùn zài yìqǐ jiù chéngle ní. 例 小孩子就爱玩儿～、玩儿土。Xiǎoháizi jiù ài wánr ~、wánr tǔ. | 衣服上有点儿～，洗洗吧。Yīfu shang yǒudiǎnr ~, xǐxi ba. | 盖房子离不了砖和～。Gài fángzi lí bu liǎo zhuān hé ~. | 刚盖完的房子，墙上的～还没干。Gāng gàiwán de fángzi, qiáng shang de ~ hái méi gān. | 这儿的马路很干净，没土也没～。Zhèr de mǎlù hěn gānjìng, méi tǔ yě méi ~.

nǐ 你 [代]

you 例 ～叫什么名字？~ jiào shénme míngzi? | ～刚才去哪儿了？~ gāngcái qù nǎr le? | 刚才有人找～。Gāngcái yǒu rén zhǎo ~. | 这本书是我的，那本书是～的。Zhèi běn shū shì wǒ de, nèi běn shū shì ~ de. | ～哥哥跟我是好朋友。~ gēge gēn wǒ shì hǎopéngyou. | ～的字写得真漂亮。~ de zì xiě de zhēn piàoliang. | ～结婚了吗？

~ jiéhūn le ma? ┃我们去 ~ 的房间吧。Wǒmen qù ~ de fángjiān ba. ┃我已经跟 ~ 说过三次了。Wǒ yǐjing gēn ~ shuōguo sān cì le.

nǐmen 你们（你們）[名]

you 例 ~ 三个人来一下儿。~ sān ge rén lái yíxiàr. ┃ ~ 人多，当然吃得就多。~ rén duō, dāngrán chī de jiù duō. ┃下午的参观 ~ 都去吧? Xiàwǔ de cānguān ~ dōu qù ba? ┃我喜欢 ~ 这些美国人。Wǒ xǐhuan ~ zhèixiē Měiguórén. ┃大家注意一下儿，我跟 ~ 说个事儿。Dàjiā zhùyì yíxiàr, wǒ gēn ~ shuō ge shìr. ┃这个房间 ~ 俩住吧。Zhèige fángjiān ~ liǎ zhù ba. ┃这些礼物是给 ~ 的，大家别客气。Zhèixiē lǐwù shì gěi ~ de, dàjiā bié kèqi. ┃ ~ 公司现在有多少人? ~ gōngsī xiànzài yǒu duōshao rén? ┃我想念 ~ 每个人。Wǒ xiǎngniàn ~ měi ge rén.

nian

nián 年 [名]

year 例 一 ~ 有 365 天。Yì ~ yǒu sānbǎi liùshíwǔ tiān. ┃大卫每 ~ 都去南方旅行一次。Dàwèi měi ~ dōu qù nánfāng lǚxíng yí cì. ┃我准备在 2005 ~ 结婚。Wǒ zhǔnbèi zài èr líng líng wǔ nián jiéhūn. ┃玛丽 ~ ~ 举行一次生日晚会。Mǎlì ~ ~ jǔxíng yí cì shēngrì wǎnhuì. ┃时间很快，过了一 ~ 又一 ~。Shíjiān hěn kuài, guòle yì ~ yòu yì ~. ┃我们公司成立十五 ~ 了。Wǒmen gōngsī chénglì shíwǔ ~ le. ┃这座大楼需要三 ~ 的时间才能建成。Zhèi zuò dà lóu xūyào sān ~ de shíjiān cái néng jiànchéng.

niándài 年代[1] [名]

大卫是 20 世纪 80 ~ 出生的。Dàwèi shì èrshí shìjì bāshí ~ chūshēng de. → 大卫是 1980 年至 1989 年间出生的。Dàwèi shì yī jiǔ bā líng nián zhì yī jiǔ bā jiǔ nián jiān chūshēng de. 例 故事发生在 16 世纪 20 ~。Gùshi fāshēng zài shíliù shìjì èrshí ~. ┃30 ~ 那会儿，这儿可热闹了。Sānshí ~ nà huìr, zhèr kě rènao le. ┃他们是 50 ~ 的人，想法跟你们不一样。Tāmen shì wǔshí ~ de rén, xiǎngfa gēn nǐmen bù yíyàng. ┃70 ~ 的事儿我一点儿也不知道。Qīshí ~ de shìr wǒ yìdiǎnr yě bù zhīdào.

niándài 年代[2] [名]

这张桌子 ~ 很久了。Zhèi zhāng zhuōzi ~ hěn jiǔ le. → 这张桌子有很多年了。Zhèi zhāng zhuōzi yǒu hěn duō nián le. 例 他经历过战争

~，知道战争的可怕。Tā jīnglìguo zhànzhēng ~，zhīdao zhànzhēng de kěpà. | 这张画儿可有 ~ 了，爷爷都不记得是谁画的了。Zhèi zhāng huàr kě yǒu ~ le, yéye dōu bú jìde shì shéi huà de le. | 我们生活在这样的和平 ~，多么幸福啊！Wǒmen shēnghuó zài zhèiyàng de hépíng ~, duōme xìngfú a! | 这 ~，不努力就会失去工作。Zhè ~, bù nǔlì jiù huì shīqù gōngzuò.

niánjí 年级（年級）［名］

一般儿童六岁上一 ~。Yìbān értóng liù suì shàng yī ~. →小孩儿六岁开始上学。Xiǎoháir liù suì kāishǐ shàngxué. 例 我去年上的大学，现在是大学二 ~。Wǒ qùnián shàng de dàxué, xiànzài shì dàxué èr ~. | 四 ~ 有三个班。Sì ~ yǒu sān ge bān. | ~ 不同，上的课也不同。~ bù tóng, shàng de kè yě bù tóng. | 高 ~ 有实验课，低 ~ 没有。Gāo ~ yǒu shíyànkè, dī ~ méiyǒu. | 你今年上几 ~？Nǐ jīnnián shàng jǐ ~?

niánjì 年纪（年紀）［名］

大卫 ~ 不大，就当上了教授。Dàwèi ~ bú dà, jiù dāngshangle jiàoshòu. → 大卫才 27 岁，就当上了教授。Dàwèi cái èrshíqī suì, jiù dāngshangle jiàoshòu. 例 看他的样子，~ 可能很大了。Kàn tā de yàngzi, ~ kěnéng hěn dà le. | 大爷，您今年多大 ~？Dàye, nín jīnnián duō dà ~? | 您老人家有多大 ~ 了？Nín lǎorénjia yǒu duō dà ~ le? | 他虽然上了 ~，身体却很结实。Tā suīrán shàngle ~, shēntǐ què hěn jiēshi. | 像我这样的 ~，还能做什么？Xiàng wǒ zhèiyàng de ~, hái néng zuò shénme?

niánlíng 年龄（年齡）［名］

我的 ~ 是 18 岁。Wǒ de ~ shì shíbā suì. → 我出生 18 年了。Wǒ chūshēng shíbā nián le. 例 我不知道玛丽的 ~。Wǒ bù zhīdào Mǎlì de ~. | 请在这儿写上你的 ~。Qǐng zài zhèr xiěshang nǐ de ~. | 做这工作 ~ 大小没关系。Zuò zhè gōngzuò ~ dàxiǎo méi guānxi. | 你还不到退休 ~，还可以干几年。Nǐ hái bú dào tuìxiū ~, hái kěyǐ gàn jǐ nián. | 你今年多大 ~？Nǐ jīnnián duō dà ~? | 这棵树 ~ 不小了。Zhèi kē shù ~ bù xiǎo le. | 这只老猴的 ~ 最大。Zhèi zhī lǎo hóu de ~ zuì dà.

niánqīng 年轻（年輕）［形］

他太 ~，没有经验。Tā tài ~, méiyǒu jīngyàn. →他才二十来岁，没有经验。Tā cái èrshí lái suì, méiyǒu jīngyàn. 例 大卫那么 ~，不

能干这么重要的活儿。Dàwèi nàme ~, bù néng gàn zhème zhòngyào de huór. |我母亲比我父亲 ~ 八岁。Wǒ mǔqin bǐ wǒ fùqin ~ bā suì. |~ 人要走的路还很长。~ rén yào zǒu de lù hái hěn cháng. |他们都是二十来岁的 ~ 孩子。Tāmen dōu shì èrshí lái suì de ~ háizi. |他们 ~ 得很, 不考虑什么生活问题。Tāmen ~ de hěn, bù kǎolǜ shénme shēnghuó wèntí.

niàn 念 [动]

他每天早晨 ~ 英语。Tā měi tiān zǎochen ~ Yīngyǔ. →他每天早晨大声读英语。Tā měi tiān zǎochen dàshēng dú Yīngyǔ. 例我今天 ~ 了三遍课文。Wǒ jīntiān ~ le sān biàn kèwén. |文章太长, 20 分钟 ~ 不完。Wénzhāng tài cháng, èrshí fēnzhōng ~ bu wán. |他课文 ~ 得很流利。Tā kèwén ~ de hěn liúlì. |我听见有人大声 ~ 英语。Wǒ tīngjiàn yǒu rén dàshēng ~ Yīngyǔ. |谁 ~ ~ 黑板上的字? Shéi ~ ~ hēibǎn shang de zì? |这个字我不会 ~。Zhèige zì wǒ bú huì ~.

niao

niǎo 鸟(鳥) [名]

例小 ~儿飞到树上去了。Xiǎo ~ r fēi dào shù shang qu le. |一只 ~儿落到了窗台上。Yì zhī ~ r luò dào le chuāngtái shang. |这些 ~儿多可爱呀! Zhèixiē ~ r duō kě'ài ya! |这种 ~儿的羽毛很漂亮。Zhèi zhǒng ~ r de yǔmáo hěn piàoliang. |他养着三只小 ~儿。Tā yǎngzhe sān zhī xiǎo ~ r. |~儿的叫声很好听。~ r de jiàoshēng hěn hǎotīng. |我们叫这种 ~儿长嘴 ~儿。Wǒmen jiào zhèi zhǒng ~ r cháng zuǐ ~ r.

鸟

nin

nín 您 [代]

"你" 的客气说法是 " ~"。"Nǐ" de kèqi shuōfa shì " ~". →"您" 跟 "你" 的意思一样, 只是更尊敬对方。"Nín" gēn "nǐ" de yìsi yíyàng, zhǐshì gèng zūnjìng duìfāng. 例 ~ 是我的老师, 最了解我。~ shì wǒ de lǎoshī, zuì liǎojiě wǒ. |~ 请坐, 我去倒茶。~ qǐng zuò, wǒ qù dào chá. |~ 给了我很多帮助, 谢谢。~ gěile wǒ hěn duō bāngzhù, xièxie. | 我有件事想麻烦~。Wǒ yǒu jiàn shì xiǎng máfan~. | ~什么时候来的中国？~ shénme shíhou lái de Zhōngguó? | ~真是一位好人。~ zhēn shì yí wèi hǎorén. | 这礼物是送给~的。Zhè lǐwù shì sòng gěi~ de. | ~二位想喝什么酒？~ èr wèi xiǎng hē shénme jiǔ?

niu

niú 牛 [名]

例 我们种地早不用 ~ 了。Wǒmen zhǒng dì zǎo búyòng ~ le. | ~拉车太慢。~ lā chē tài màn. | 草原上有很多~、马、羊等。Cǎoyuán shang yǒu hěn duō~、mǎ、yáng děng. | 我去给~喂点儿草吧。Wǒ qù gěi ~ wèi diǎnr cǎo ba. | 这个农民养了五头 ~。Zhèige nóngmín yǎngle wǔ tóu ~. | ~肉的营养很丰富。~ ròu de yíngyǎng hěn fēngfù. | 我还没见过这么多头 ~ 呢。Wǒ hái méi jiànguo zhème duō tóu ~ ne. | ~可分很多种：黄~、水~、奶~等等。~ kě fēn hěn duō zhǒng: huáng ~、shuǐ ~、nǎi ~ děng děng. | 这头小 ~ 刚生下来三天。Zhèi tóu xiǎo ~ gāng shēng xialai sān tiān.

牛

niúnǎi 牛奶 [名]

milk 例 我的早餐是面包、香肠和 ~。Wǒ de zǎocān shì miànbāo、xiāngcháng hé ~. | 他每天都要喝一瓶儿 ~。Tā měi tiān dōu yào hē yì píngr ~. | ~的营养很丰富。~ de yíngyǎng hěn fēngfù. | 我去买两袋儿 ~。Wǒ qù mǎi liǎng dàir ~. | 这个小店里卖 ~ 吗？Zhèige xiǎodiàn li mài ~ ma?

niǔ 扭 [动]

他 ~ 头看了我一眼。Tā ~ tóu kànle wǒ yì yǎn. →他把头转向后看了我一眼。Tā bǎ tóu zhuǎn xiàng hòu kànle wǒ yì yǎn. 例 大卫在 ~ 着身子跟她讲话。Dàwèi zài ~ zhe shēnzi gēn tā jiǎnghuà. | 她走路时，身子一 ~ 一 ~ 的。Tā zǒulù shí, shēnzi yì ~ yì ~ de. | 你 ~ 过脸来，让大家看看。Nǐ ~ guo liǎn lai, ràng dàjiā kànkan. | 他脖子疼，~ 不动了。Tā bózi téng, ~ bu dòng le. | 音乐一响，他就 ~ 起来了。Yīnyuè yì xiǎng, tā jiù ~ qilai le.

N

nong

nóngcūn 农村（農村）[名]

我的家在～，父母种田。Wǒ de jiā zài ～, fùmǔ zhòngtián. → 我们那里有很多田地，我父母也种田。Wǒmen nàli yǒu hěn duō tiándì, wǒ fùmǔ yě zhòngtián. 例 城市里的菜都是从～运来的。Chéngshì li de cài dōu shì cóng ～ yùnlai de. | 明天我们参观～，看农民怎么种地。Míngtiān wǒmen cānguān ～, kàn nóngmín zěnme zhòngdì. | 大卫喜欢～生活，每天可以下地劳动。Dàwèi xǐhuan ～ shēnghuó, měi tiān kěyǐ xiàdì láodòng. | 这是个新～，生活条件跟城市差不多。Zhè shì ge xīn ～, shēnghuó tiáojiàn gēn chéngshì chàbuduō.

nóngmín 农民（農民）[名]

～种田很辛苦。～ zhòngtián hěn xīnkǔ. → 在农村进行生产劳动的人很辛苦。Zài nóngcūn jìnxíng shēngchǎn láodòng de rén hěn xīnkǔ. 例 ～们很关心天气的变化。～ men hěn guānxīn tiānqì de biànhuà. | 这些粮食都是～生产的，我们不能浪费。Zhèixiē liángshi dōu shì ～ shēngchǎn de, wǒmen bù néng làngfèi. | 今年，～的小麦都丰收了。Jīnnián, ～ de xiǎomài dōu fēngshuó le. | 这儿的～除了种蔬菜以外，也种果树。Zhèr de ～ chúle zhòng shūcài yǐ wài, yě zhòng guǒshù. | 我父亲在农村，是个～。Wǒ fùqin zài nóngcūn, shì ge ～.

nóngyè 农业（農業）[名]

今年～获得了丰收，粮食产量达到了三亿吨。Jīnnián ～ huòdéle fēngshōu, liángshi chǎnliàng dádàole sān yì dūn. → 今年粮食、蔬菜等都丰收了。Jīnnián liángshi、shūcài děng dōu fēngshōu le. 例 他们在发展工业的同时，也发展～。Tāmen zài fāzhǎn gōngyè de tóngshí, yě fāzhǎn ～. | ～是人们生活的基础。～ shì rénmen shēnghuó de jīchǔ. | ～不发达，人们的生活水平就提高不了。～ bù fādá, rénmen de shēnghuó shuǐpíng jiù tígāo bù liǎo. | ～上的事我不太懂。～ shang de shì wǒ bú tài dǒng. | ～的科技化越来越重要。～ de kējìhuà yuèláiyuè zhòngyào.

nóng 浓（濃）[形]

这杯咖啡很～。Zhèi bēi kāfēi hěn ～. → 咖啡放得很多，水很少。Kāfēi fàng de hěn duō, shuǐ hěn shǎo. 例 我喜欢喝～一点儿的茶。

Wǒ xǐhuan hē ~ yìdiǎnr de chá. | 屋子里烟味儿很~, 我受不了。
Wūzi li yānwèir hěn ~ , wǒ shòu bu liǎo. | 这杯茶比刚才那杯~得
多。Zhèi bēi chá bǐ gāngcái nèi bēi ~ de duō. | ~ ~ 大雾中, 什么也
看不清楚。~ ~ dà wù zhōng, shénme yě kàn bu qīngchu. | 这杯牛
奶不~, 再加点儿奶粉吧。Zhèi bēi niúnǎi bù ~ , zài jiā diǎnr nǎifěn
ba.

nòng 弄 [动]

妈妈正 ~ 饭呢。Māma zhèng ~ fàn ne. → 妈妈正在做饭。Māma
zhèngzài zuòfàn. 例 她 ~ 了不少菜, 够我们十个人吃。Tā ~ le bù
shǎo cài, gòu wǒmen shí ge rén chī. | 他把我的衣服 ~ 脏了。Tā bǎ
wǒ de yīfu ~ zāng le. | 我们把这几张桌子 ~ 进去吧。Wǒmen bǎ
zhèi jǐ zhāng zhuōzi ~ jinqu ba. | 最近, 我 ~ 了一台电脑。Zuìjìn,
wǒ ~ le yì tái diànnǎo. | 这菜我做不好, 你帮我 ~ ~ 吧。Zhè cài wǒ
zuò bu hǎo, nǐ bāng wǒ ~ ~ ba. | 这车坏了, ~ 起来很麻烦。Zhè
chē huài le, ~ qilai hěn máfan.

nu

nǔlì 努力 [形]

大卫工作一直很 ~ 。Dàwèi gōngzuò yìzhí hěn ~ . → 大卫一直在尽
最大能力工作。Dàwèi yìzhí zài jìn zuì dà nénglì gōngzuò. 例 他的基
础不好, 但非常 ~ 。Tā de jīchǔ bù hǎo, dàn fēicháng ~ . | 我们会
~ 学习的。Wǒmen huì ~ xuéxí de. | 如果你再 ~ 些, 成绩会更好。
Rúguǒ nǐ zài ~ xiē, chéngjì huì gèng hǎo. | 只要你 ~ 地做, 最后一
定能成功。Zhǐyào nǐ ~ de zuò, zuìhòu yídìng néng chénggōng. | 比
尔打球不太 ~ , 结果输了。Bǐ'ěr dǎ qiú bú tài ~ , jiéguǒ shū le.

nü

nǔ 女 [名]

female 例 我们公司男的多, ~ 的少。Wǒmen gōngsī nán de duō, ~
de shǎo. | 我最喜欢的 ~ 演员是玛丽。Wǒ zuì xǐhuan de ~ yǎnyuán
shì Mǎlì. | 他的性别, 男还是 ~ ? Tā de xìngbié, nán háishi ~ ? |
二十多名 ~ 学生参加了这次活动。Èrshí duō míng ~ xuésheng
cānjiāle zhèi cì huódòng. | 公司有三名 ~ 司机, 都干得不错。Gōngsī
yǒu sān míng ~ sījī, dōu gàn de bú cuò. | 他们认为, ~ 的教幼儿园
更好。Tāmen rènwéi, ~ de jiāo yòu'éryuán gèng hǎo.

nǚ'ér 女儿(女兒) [名]

大卫没有儿子，有四个~。Dàwèi méiyǒu érzi, yǒu sì ge ~. → 大卫有四个孩子，都是女的。Dàwèi yǒu sì ge háizi, dōu shì nǚ de. 例 我的小~最听话。Wǒ de xiǎo ~ zuì tīnghuà. | 老人的两个~都嫁出去了。Lǎorén de liǎng ge ~ dōu jià chuqu le. | ~长大了，总是要嫁人的。~ zhǎngdà le, zǒngshì yào jià rén de. | 做母亲的，对儿子、~都亲。Zuò mǔqin de, duì érzi、~ dōu qīn. | 我~今年刚四岁。Wǒ ~ jīnnián gāng sì suì. | 他看着~的对象，高兴极了。Tā kànzhe ~ de duìxiàng, gāoxìng jí le. | 这些东西都是给我~的。Zhèixiē dōngxi dōu shì gěi wǒ ~ de.

nǚpéngyou 女朋友 [名]

大卫找到了~。Dàwèi zhǎodàole ~. → 大卫找到了自己喜欢的女人。Dàwèi zhǎodàole zìjǐ xǐhuan de nǚrén. 例 他正准备和~结婚的事儿。Tā zhèng zhǔnbèi hé ~ jiéhūn de shìr. | 比尔和~一起去看电影了。Bǐ'ěr hé ~ yìqǐ qù kàn diànyǐng le. | 他的~最近跟他分手了。Tā de ~ zuìjìn gēn tā fēnshǒu le. | 你帮我介绍个~吧。Nǐ bāng wǒ jièshào ge ~ ba. | 我见过大卫的~，很漂亮。Wǒ jiànguo Dàwèi de ~, hěn piàoliang. | 他每周和~约会两次。Tā měi zhōu hé ~ yuēhuì liǎng cì.

nǚrén 女人 [名]

woman 例 男人能做的事儿，~也能做。Nánrén néng zuò de shìr, ~ yě néng zuò. | ~的特点是会关心别人。~ de tèdiǎn shì huì guānxīn biérén. | 她是四十多岁的~了，还没结婚。Tā shì sìshí duō suì de ~ le, hái méi jiéhūn. | 比较来看，~更容易哭。Bǐ jiào láikàn, ~ gèng róngyì kū. | 越来越多的~走出家庭，走向社会。Yuèláiyuè duō de ~ zǒuchū jiātíng, zǒuxiàng shèhuì. | ~也需要有自己的事业。~ yě xūyào yǒu zìjǐ de shìyè. | 大卫不喜欢特别厉害的~。Dàwèi bù xǐhuan tèbié lìhai de ~. | ~们说得最多的是孩子。~ men shuō de zuì duō de shì háizi.

nǚshì 女士 [名]

她快四十岁了，我们称她~比较好。Tā kuài sìshí suì le, wǒmen chēng tā ~ bǐjiào hǎo. → 对年龄比较大的女子的客气叫法。Duì niánlíng bǐjiào dà de nǚzǐ de kèqi jiào fǎ. 例 这位~是王经理的太太。Zhèi wèi ~ shì Wáng jīnglǐ de tàitai. | 上车的时候，~先上。Shàngchē de shíhou, ~ xiān shàng. | 尊敬的~们、先生们，晚上好。Zūnjìng de ~ men、xiānshengmen, wǎnshang hǎo. | 这位是著

名歌唱家玛丽 ~ 。Zhèi wèi shì zhùmíng gēchàngjiā Mǎlì ~ . ┃我们欢
迎张 ~ 讲话。Wǒmen huānyíng Zhāng ~ jiǎnghuà. ┃今天，~ 喝啤
酒，先生们喝白兰地。Jīntiān ~ hē píjiǔ, xiānshengmen hē báilándì.

nuan

nuǎn 暖 [形]

天 ~ 了，花儿开了。Tiān ~ le, huār kāi le. → 天气不冷了，花儿开
了。Tiānqì bù lěng le, huār kāi le. 例 屋里比外面 ~ 一点儿。Wū li bǐ
wàimian ~ yìdiǎnr. ┃我刚才很冷，现在 ~ 多了。Wǒ gāngcái hěn
lěng, xiànzài ~ duō le. ┃太阳一出来，有点 ~ 了。Tàiyang yì chūlai,
yǒudiǎnr ~ le. ┃外面 ~ ~ 的阳光，让人觉得很舒服。Wàimian ~ ~
de yángguāng, ràng rén juéde hěn shūfu. ┃你盖的被子 ~ 不 ~ ？Nǐ
gài de bèizi ~ bu ~ ?

nuǎnhuo 暖和 [形]

外头很冷，可屋里很 ~ 。Wàitou hěn lěng, kě wū li hěn ~ . → 屋里
一点儿也不冷。Wū li yìdiǎnr yě bù lěng. 例 春天来了，天气变 ~ 了。
Chūntiān lái le, tiānqì biàn ~ le. ┃冬天，动物喜欢呆在 ~ 的阳光下。
Dōngtiān, dòngwù xǐhuan dāi zài ~ de yángguāng xià. ┃今天风大，
穿 ~ 一点儿吧。Jīntiān fēng dà, chuān ~ yìdiǎnr ba. ┃屋子里暖暖和
和的，他当然不愿出去。Wūzi li nuǎnnuǎnhuohuo de, tā dāngrán bú
yuàn chūqu. ┃这么 ~ 的天，我们出去玩儿吧。Zhème ~ de tiān,
wǒmen chūqu wánr ba. ┃天气 ~ 了，雪也开始化了。Tiānqì ~ le,
xuě yě kāishǐ huà le.

nuǎnqì 暖气（暖氣）[名]

这儿冬天室内有 ~ ，不冷。Zhèr dōngtiān shì nèi yǒu ~ , bù lěng. →
室内有使屋里暖和的设备。Shì nèi yǒu shǐ wū li nuǎnhuo de shèbèi.
例 ~ 烧得挺热，屋内有点儿干。~ shāo de tǐng rè, wū nèi yǒudiǎnr
gān. ┃天冷了，该给 ~ 了。Tiān lěng le, gāi gěi ~ le. ┃这几天 ~ 上
水，你看看漏不漏。Zhèi jǐ tiān ~ shàng shuǐ, nǐ kànkan lòu bu
lòu. ┃春天来了，~ 停了。Chūntiān lái le, ~ tíng le. ┃我这屋 ~ 不
太热，晚上有点儿冷。Wǒ zhè wū ~ bú tài rè, wǎnshang yǒudiǎnr
lěng. ┃白天天气好，就没 ~ 了。Báitiān tiānqì hǎo, jiù méi ~ le.

N

O

ou

Ōuzhōu 欧洲（歐洲）[名]

Europe 例 他最近访问了英国、法国、意大利等~国家。Tā zuìjìn fǎngwènle Yīngguó、Fǎguó、Yìdàlì děng ~ guójiā. | 去年，德国队取得了~足球比赛冠军。Qùnián, Déguóduì qùdéle ~ zúqiú bǐsài guànjūn. | 我在~的时候，很少吃中国饭。Wǒ zài ~ de shíhou, hěn shǎo chī Zhōngguó fàn. | 我弟弟去~旅行了，现在在荷兰。Wǒ dìdi qù ~ lǚxíng le, xiànzài zài Hélán. | 刚才有你一个电话，好像是从~打来的。Gāngcái yǒu nǐ yí ge diànhuà, hǎoxiàng shì cóng ~ dǎ lai de.

ōuyuán 欧元（歐元）[名]

欧洲大部分国家都使用了~。Ōuzhōu dà bùfen guójiā dōu shǐyòng le ~. →欧洲大部分国家用的钱是一样的。Ōuzhōu dà bùfen guójiā yòng de qián shì yíyàng de. 例 我想去法国旅行一个星期，大概要花多少~？Wǒ xiǎng qù Fǎguó lǚxíng yí ge Xīngqī, dàgài yào huā duōshao ~? | 1~大概能换7.8元人民币。Yì ~ dàgài néng huàn qī diǎn bā yuán rénmínbì. | 以前去欧洲，要带很多国家的钱，现在只要带~就行了。Yǐqián qù Ōuzhōu, yào dài hěn duō guójiā de qián, xiànzài zhǐyào dài ~ jiù xíng le. | ~方便了欧洲国家的贸易和日常生活。~ fāngbiànle Ōuzhōu guójiā de màoyì hé rìcháng shēnghuó.

P

pa

pā 趴 [动]

大卫肚子不太舒服，在床上～着呢。Dàwèi dùzi bú tài shūfu, zài chuáng shang ～ zhe ne. →大卫肚子朝下，挨着床。Dàwèi dùzi cháo xià, āizhe chuáng. 例 你～在地上，就能听见远处的声音。Nǐ ～ zài dìshang, jiù néng tīngjiàn yuǎnchù de shēngyīn. ｜他在草地里 ～了好半天。Tā zài cǎodì li ～ le hǎo bàn tiān. ｜大树下～着一条狗。Dà shù xia ～ zhe yì tiáo gǒu. ｜老虎～在地上，一动也不动。Lǎohǔ ～ zài dìshang, yí dòng yě bú dòng. ｜我胃疼，想在床上～一～。Wǒ wèi téng, xiǎng zài chuáng shang ～ yi ～. ｜他没～一会儿，就起来了。Tā méi ～ yíhuìr, jiù qǐlai le.

pá 爬¹ [动]

这孩子六个月就会～了。Zhè háizi liù ge yuè jiù huì ～ le. →这孩子会用手和脚向前移了。Zhè háizi huì yòng shǒu hé jiǎo xiàng qián yí le. 例 他的腿摔坏了，只能～着向前走。Tā de tuǐ shuāihuài le, zhǐ néng ～ zhe xiàng qián zǒu. ｜那条蛇受伤了，～不动了。Nèi tiáo shé shòushāng le, ～ bu dòng le. ｜他～了两公里，才回到家。Tā ～ liǎng gōnglǐ, cái huí dào jiā. ｜一到晚上，虫子都～进洞里去了。Yí dào wǎnshang, chóngzi dōu ～ jìn dòng li qu le. ｜你一摸它，它就不 ～了。Nǐ yì mō tā, tā jiù bù ～ le. ｜这只乌龟～了三个小时，还没停。Zhèi zhī wūguī ～ le sān ge xiǎoshí, hái méi tíng.

pá 爬² [动]

他们～到树上摘苹果。Tāmen ～ dào shù shang zhāi píngguǒ. →他们用手和脚上到树上摘苹果。Tāmen yòng shǒu hé jiǎo shàngdao shù shang zhāi píngguǒ. 例 那些工人每天都要～那么高的墙。Nèixiē gōngrén měi tiān dōu yào ～ nàme gāo de qiáng. ｜大卫喜欢～山运动。Dàwèi xǐhuan ～ shān yùndòng. ｜山很高，他～了六个小时才上去。Shān hěn gāo, tā ～ le liù ge xiǎoshí cái shàngqu. ｜这树太高，他～不上去。Zhè shù tài gāo, tā ～ bu shàngqù. ｜猴子喜欢～高儿。Hóuzi xǐhuan ～ gāor.

P

pà 怕¹ [动]

大卫有点儿～他父亲。Dàwèi yǒudiǎnr ~ tā fùqin. →大卫不敢不听父亲的话。Dàwèi bù gǎn bù tīng fùqin de huà. 例 经理总爱发火，我们～他。Jīnglǐ zǒng ài fāhuǒr, wǒmen ~ tā. I老鼠生下来就～猫。Lǎoshǔ shēng xialai jiù ~ māo. I你～冷就多穿点儿衣服。Nǐ ~ lěng jiù duō chuān diǎnr yīfu. I小偷儿哪有不～警察的? Xiǎotōur nǎ yǒu bú ~ jǐngchá de? I这是一条虫子，你怎么～成这样? Zhè shì yì tiáo chóngzi, nǐ zěnme ~ chéng zhèiyàng? I他不敢喝酒，～妻子说他。Tā bù gǎn hē jiǔ, ~ qīzi shuō tā. I他们不～困难，获得了胜利。Tāmen bú ~ kùnnan, huòdéle shènglì.

pà 怕² [动]

我～大卫太累，所以让他休息一会儿。Wǒ ~ Dàwèi tài lèi, suǒyǐ ràng tā xiūxi yíhuìr. →我担心累坏了大卫，让他休息一会儿。Wǒ dān xīn lèihuàile Dàwèi, ràng tā xiūxi yíhuìr. 例 我～你不知道，所以来告诉你。Wǒ ~ nǐ bù zhīdào, suǒyǐ lái gàosu nǐ. I我～下雨，就带了一把伞。Wǒ ~ xià yǔ, jiù dàile yì bǎ sǎn. I大卫～我听不懂，所以说得很慢。Dàwèi ~ wǒ tīng bu dǒng, suǒyǐ shuō de hěn màn. I他总是～女朋友不来，所以老给她打电话。Tā zǒngshì ~ nǚpéngyou bù lái, suǒyǐ lǎo gěi tā dǎ diànhuà. I我带伞了，不～下雨。Wǒ dài sǎi le, bú ~ xià yǔ.

pai

pāi 拍¹ [动]

大卫用手～着我的肩膀说："很好。"Dàwèi yòng shǒu ~ zhe wǒ de jiānbǎng shuō: "Hěn hǎo." →大卫用手轻轻打我的肩膀说："很好"。Dàwèi yòng shǒu qīngqīng dǎ wǒ de jiānbǎng shuō: "Hěn hǎo." 例 他～了～我说："咱们走吧"。Tā ~ le ~ wǒ shuō: "Zánmen zǒu ba." I她～着手说："好啊，我们一块儿去。"Tā ~ zhe shǒu shuō: "Hǎo a, wǒmen yíkuàirqù." I他一生气，就爱～桌子。Tā yì shēngqì, jiù ài ~ zhuōzi. I篮球没气儿了，～不起来了。Lánqiú méi qìr le, ~ bu qǐlái le. I昨天鼓掌时，我的手都～疼了。Zuótiān gǔzhǎng shí, wǒ de shǒu dōu ~ téng le.

pāi 拍² [动]

我们一起 ~ 张照片吧。Wǒmen yìqǐ ~ zhāng zhàopiàn ba. →我们一起照一张相吧。Wǒmen yìqǐ zhào yì zhāng xiàng ba. **例** 这儿很漂亮，~ 下来吧。Zhèr hěn piàoliang, ~ xialai ba. I 她正在 ~ 一部电影，很忙的。Tā zhèng zài ~ yí bù diànyǐng, hěn máng de. I 这个胶卷儿快 ~ 完了。Zhèige jiāojuǎnr kuài ~ wán le. I 他们在 ~ 一个风景片，快完成了。Tāmen zài ~ yí ge fēngjǐngpiàn, kuài wánchéng le. I 这张相没 ~ 好，再来一张吧。Zhèi zhāng xiàng méi ~ hǎo, zài lái yì zhāng ba. I 他不爱照相，说什么也不 ~。Tā bú ài zhào xiàng, shuō shénme yě bù ~.

pái 排¹ [名]

教室前 ~ 坐的都是女同学。Jiàoshì qián ~ zuò de dōu shì nǚtóngxué. →在前面坐的几行都是女同学。Zài qiánmian zuò de jǐ háng dōu shì nǚtóngxué. **例** 我们的座位在电影院的前 ~。Wǒmen de zuòwèi zài diànyǐngyuàn de qián ~. I 前面第一 ~ 坐的都是客人。Qiánmian dì yī ~ zuò de dōu shì kèren. I 我不知道我的座位是多少 ~。Wǒ bù zhīdào wǒ de zuòwèi shì duōshao ~. I 你的号儿在哪 ~? Nǐ de hàor zài nǎ ~? I 我是第八 ~ 第四号儿。Wǒ shì dì bā ~ dì sì hàor.

pái 排² [量]

他的两 ~ 牙齿非常整齐。Tā de liǎng ~ yáchǐ fēicháng zhěngqí. →他上面和下面的牙齿一个挨一个，很整齐。Tā shàngmian hé xiàmian de yáchǐ yí gè āi yí gè, hěn zhěngqí. **例** 教室前面有一 ~ 椅子，是给教授坐的。Jiàoshì qiánmian yǒu yì ~ yǐzi, shì gěi jiàoshòu zuò de. I 街道两旁，是一 ~ ~ 树木。Jiēdào de liǎng páng, shì yì ~ ~ shùmù. I 屋内一 ~ ~ 桌子放得很整齐。Wū nèi yì ~ ~ zhuōzi fàng de hěn zhěngqí. I 座位不够，再加两 ~ 椅子吧。Zuòwèi bú gòu, zài jiā liǎng ~ yǐzi ba.

pái 排³ [动]

今天的会我 ~ 第三个发言。Jīntiān de huì wǒ ~ dì sān ge fāyán. →按次序会上第三个发言的人是我。Àn cìxù huì shang dì sān ge fāyán de rén shì wǒ. **例** 大家挨着 ~，队就不会乱。Dàjiā āizhe ~, duì jiù bú huì luàn. I 今天的比赛大卫 ~ 最后一个出场。Jīntiān de bǐsài Dàwèi ~ zuìhòu yí ge chūchǎng. I 我 ~ 了半小时了，还没买到票。Wǒ ~ le bàn xiǎoshí le, hái méi mǎi dào piào. I 我们 ~ 一 ~ 谁在前，

谁在后。Wǒmen ~ yi ~ shéi zài qián, shéi zài hòu. I 买票的队 ~ 得很快，一会儿就到我了。Mǎi piào de duì ~ de hěn kuài, yíhuìr jiù dào wǒ le.

pái duì 排队（排隊）

他们在 ~ 买足球票。Tāmen zài ~ mǎi zúqiúpiào. →他们一个挨一个地在买票。Tāmen yí gè āi yí gè de zài mǎi piào. 例 上车的人多，请大家 ~ 。Shàng chē de rén duō, qǐng dàjiā ~ . I 他们总是 ~ 回家，一点儿也不乱。Tāmen zǒng shì ~ huíjiā, yìdiǎnr yě bú luàn. I 谁不 ~ ，他就不卖给谁。Shéi bù ~ , tā jiù bú mài gěi shéi. I 如果大家都 ~ ，就没这么乱了。Rúguǒ dàjiā dōu ~ , jiù méi zhème luàn le. I ~ 上车其实一点儿也不慢。~ shàngchē qíshí yìdiǎnr yě bú màn. I 请大家排好队。Qǐng dàjiā pái hǎo duì.

páiqiú 排球 [名]

例 今天的 ~ 比赛打满了五局，很精彩。Jīntiān de ~ bǐsài dǎmǎnle wǔ jú, hěn jīngcǎi. I 女子 ~ 比赛就要开始了。Nǚzǐ ~ bǐsài jiù yào kāishǐ le. I 大卫喜欢打 ~ 。Dàwèi xǐhuan dǎ ~ . I 我们学校有四个 ~ 场。Wǒmen xuéxiào yǒu sì ge ~ chǎng. I 他 ~ 打得特别好。Tā ~ dǎ de tèbié hǎo. I 我们去玩儿 ~ 吧。Wǒmen qù wánr ~ ba. I 这个 ~ 是我借的。Zhèige ~ shì wǒ jiè de. I 我的 ~ 很久没玩儿了，没气儿了。Wǒ de ~ hěn jiǔ méi wánr le, méi qìr le.

排球

pái 牌 [名]

我们看看路 ~ 儿，就知道这是什么地方了。Wǒmen kànkan lù ~ r, jiù zhīdao zhè shì shénme dìfang le. →路边竖着的板上写着这是哪条路。Lù biān shùzhe de bǎn shang xiězhe zhè shì něi tiáo lù. 例 你存车的时候，他们会给你一个 ~ 儿。Nǐ cún chē de shíhou, tāmen huì gě nǐ yí ge ~ r. I 地上埋着一块木 ~ 儿，上面的字不清楚了。Dì shang máizhe yí kuài mù ~ r, shàngmian de zì bù qīngchu le. I 我的车 ~ 儿找不到了。Wǒ de chē ~ r zhǎo bu dào le. I 开会的人都戴着一个 ~ 儿，上面写着他们的名字。Kāihuì de rén dōu dàizhe yí ge ~ r, shàngmian xiězhe tāmen de míngzi.

páizi 牌子 [名]

可口可乐是一种饮料的~。Kěkǒukělè shì yì zhǒng yǐnliào de ~. → 只有这个公司生产的这种饮料才可以叫可口可乐。Zhǐyǒu zhèige gōngsī shēngchǎn de zhèi zhǒng yǐnliào cái kěyǐ jiào kěkǒukělè. 例 大卫喜欢买这个~的衣服。Dàwèi xǐhuan mǎi zhèige páizi de yīfu. | 我没见过这种~的电视机。Wǒ méi jiànguo zhèi zhǒng ~ de diànshìjī. | "Sony"是个很有名的~。"Sony" shì ge hěn yǒumíng de ~. | 一种产品的~很重要。Yì zhǒng chǎnpǐn de ~ hěn zhòngyào. | 市场上有这种~的冰箱吗? Shìchǎng shang yǒu zhèi zhǒng ~ de bīngxiāng ma?

pài 派 [动]

公司~我去美国工作一年。Gōngsī ~ wǒ qù Měiguó gōngzuò yì nián. → 我要去美国工作一年，这是公司决定的。Wǒ yào qù Měiguó gōngzuò yì nián, zhè shì gōngsī juédìng de. 例 我们学校~两个人参加这个会。Wǒmen xuéxiào ~ liǎng ge rén cānjiā zhèige huì. | 大卫总是让人~，才知道做什么。Dàwèi zǒngshì ràng rén ~, cái zhīdao zuò shénme. | 经理正给他~活儿。Jīnglǐ zhèng gěi tā ~ huór. | 上级~给了我们任务，要在一个月内完成。Shàngjí ~ gěi le wǒmen rènwu, yào zài yí ge yuè nèi wánchéng. | 你来~~这些人，谁买菜，谁做饭。Nǐ lái ~ ~ zhèixiē rén, shéi mǎi cài, shéi zuò fàn.

pan

pán 盘¹ （盤）[名]

plate 例 这个~儿放水果，那个放菜。Zhèige pánr fàng shuǐguǒ, nèige fàng cài. | 菜做熟了，拿几个~儿来吧。Cài zuòshóu le, ná jǐ ge ~ r lái ba. | 请把橘子放在~儿里。Qǐng bǎ júzi fàng zài ~ r li. | 我家没那么多~儿，再买几个吧。Wǒ jiā méi nàme duō ~ r, zài mǎi jǐ ge ba. | 一个~儿里一个菜。Yí ge ~ r li yí ge cài. | 我买了四个~儿，四个碗儿。Wǒ mǎile sì ge ~ r, sì ge wǎnr. | 这个~太浅了，放不下这么多菜。Zhèige ~ r tài qiǎn le, fàng bu xià zhème duō cài.

pánzi 盘子（盤子）[名]

例 吃完饭，她要洗碗，洗~。Chīwán fàn, tā yào xǐ wǎn, xǐ ~. | ~不够了，再买几个吧。~ bú gòu le, zài mǎi jǐ ge ba. | 饭馆儿的服务员一个人端着三个~。Fànguǎnr de fúwùyuán yí ge rén

P

duānzhe sān ge pánzi. | ~ 掉在地上摔碎了。
~ diào zài dìshang shuāisuì le. | 我想找个大
~，放苹果用。Wǒ xiǎng zhǎo ge dà ~，fàng
píngguǒ yòng. | 大卫不知道 ~ 放在哪儿了。
Dàwèi bù zhīdào ~ fàng zài nǎr le.

盘子

pán 盘² （盤）[量]

他们一 ~ 棋用了四个小时。Tāmen yì ~ qí yòngle sì ge xiǎoshí. → 他
们从开始下棋到分出胜负用了四个小时。Tāmen cóng kāishǐ xià qí
dào fēnchū shèngfù yòngle sì ge xiǎoshí. 例 我们俩赛 ~ 棋，怎么
样？Wǒmen liǎ sài ~ qí, zěnmeyàng? | 昨天的乒乓球儿比赛我胜了
三 ~，输了一 ~。Zuótiān de pīngpāngqiúr bǐsài wǒ shèngle sān ~,
shūle yì ~. | 乒乓球儿比赛是七 ~ 四胜制。Pīngpāngqiúr bǐsài shì qī
~ sì shèng zhì. | 他 ~ ~ 棋都下得很精彩。Tā ~ ~ qí dōu xià de hěn
jīngcǎi.

pànduàn 判断（判斷）[名]

我的 ~ 是，大卫说的是真话。Wǒ de ~ shì, Dàwèi shuō de shì
zhēnhuà. → 我反复考虑后的结论是，大卫说的是真的。Wǒ fǎnfù
kǎolǜ hòu de jiélùn shì, Dàwèi shuō de shì zhēn de. 例 我敢做这样
的 ~，玛丽不会来。Wǒ gǎn zuò zhèiyàng de ~, Mǎlì bú huì lái. |
比尔对这事的 ~ 特别准确。Bǐ'ěr duì zhè shì de ~ tèbié zhǔnquè. |
他是不是罪犯，我们现在不能下 ~。Tā shì bu shì zuìfàn, wǒmen
xiànzài bù néng xià ~. | 我不同意你的 ~，我认为她是对的。Wǒ bù
tóngyì nǐ de ~, wǒ rènwéi tā shì duì de. | 我相信这是正确的 ~。
Wǒ xiāngxìn zhè shì zhèngquè de ~.

pànwàng 盼望 [动]

大卫 ~ 着结婚的那一天。Dàwèi ~ zhe jiéhūn de nèi yì tiān. → 大卫
希望结婚的日子快点儿到来。Dàwèi xīwàng jiéhūn de rìzi kuài diǎnr
dàolái. 例 我们都 ~ 着你成功。Wǒmen dōu ~ zhe nǐ chénggōng. |
比尔 ~ 毕业后能有个好工作。Bǐ'ěr ~ bìyè hòu néng yǒu ge hǎo
gōngzuò. | 这封信我 ~ 很久了，今天才收到。Zhèi fēng xìn wǒ ~
hěn jiǔ le, jīntiān cái shōu dào. | 很小的时候，我就 ~ 着当个警察。
Hěn xiǎo de shíhou, wǒ jiù ~ zhe dāng ge jǐngchá. | 我一直都在
成为一个电影演员。Wǒ yìzhí dōu zài ~ chéngwéi yí ge diànyǐng
yǎnyuán.

pang

páng 旁 [名]

街道两 ~ 是一排排树木。Jiēdào liǎng ~ shì yì páipái shùmù. → 街道的左右两边是一排排树木。Jiēdào de zuǒ yòu liǎng biān shì yì páipái shùmù. 例 路 ~ 有座高楼，那就是我们公司。Lù ~ yǒu zuò gāo lóu, nà jiù shì wǒmen gōngsī. | 大卫希望爱人快点儿回到他身 ~。Dàwèi xīwàng àiren kuài diǎnr huídào tā shēn ~. | 电话就在桌 ~，你去打吧。Diànhuà jiù zài zhuō ~, nǐ qù dǎ ba. | 那座楼 ~ 有很多树。Nèi zuò lóu ~ yǒu hěn duō shù.

pángbiān 旁边 (旁邊) [名]

我 ~ 儿坐的是玛丽。Wǒ ~ r zuò de shì Mǎlì. → 挨着我坐的人是玛丽。Āizhe wǒ zuò de rén shì Mǎlì. 例 商场 ~ 儿是个书店。Shāngchǎng ~ r shì ge shūdiàn. | 邮局就在银行 ~。Yóujú jiù zài yínghàng ~. | ~ 儿的商店里就卖这种照相机。~ r de shāngdiàn li jiù mài zhèi zhǒng zhàoxiàngjī. | 我们这座楼 ~ 儿要建一个公园儿。Wǒmen zhèi zuò lóu ~ r yào jiàn yí ge gōngyuánr. | 电话放在桌子 ~ 儿，比较方便。Diànhuà fàng zài zhuōzi ~ r, bǐjiào fāngbiàn. | 站在你 ~ 儿的人是谁? Zhàn zài nǐ ~ r de rén shì shéi?

pàng 胖 [形]

我哥哥很 ~。Wǒ gēge hěn ~. → 我哥哥有一百五十多公斤重。Wǒ gēge yǒu yìbǎi wǔshí duō gōngjīn zhòng. 例 我以前没这么 ~。Wǒ yǐqián méi zhème ~. | 两个月没见，大卫比以前更 ~ 了。Liǎng ge yuè méi jiàn, Dàwèi bǐ yǐqián gèng ~ le. | ~ 人有很多不方便的地方。~ rén yǒu hěn duō bù fāngbiàn de dìfang. | 这孩子越来越 ~ 了。Zhè háizi yuèláiyuè ~ le. | 那个 ~ 女人说一会儿再来。Nèige ~ nǚrén shuō yíhuìr zài lái. | 你这么高，不算 ~。Nǐ zhème gāo, bú suàn ~. | 他不 ~，个子高高的。Tā bú ~, gèzi gāogāo de.

pao

pǎo 跑 [动]

例 他 ~ 得很快，一百米才用十二秒。Tā ~ de hěn kuài, yì bǎi mǐ cái yòng shí'èr miǎo. | 他每天早晨围着学校 ~ 半个小时。Tā měi tiān zǎochen wéizhe xuéxiào ~ bàn ge xiǎoshí. | 大卫一边 ~，一边跟我

说话。Dàwèi yìbiān ~, yìbiān gēn wǒ shuōhuà. | 我坐累了，想出去 ~ ~。Wǒ zuòlèi le, xiǎng chūqu ~ ~. | 这只兔子病了，~ 不动了。Zhèi zhī tùzi bìng le, ~ bu dòng le. | 你们俩比赛，看谁 ~ 得快。Nǐmen liǎ bǐsài, kàn shéi ~ de kuài. | 时间不多了，他急得 ~ 起来了。Shíjiān bù duō le, tā jí de ~ qilai le.

跑

pǎo bù 跑步

他每天早晨 ~, 锻炼身体。Tā měi tiān zǎochen ~, duànliàn shēn tǐ. →他锻炼身体的方法是按规定姿势快速前进。Tā duànliàn shēntǐ de fāngfǎ shì àn guīdìng zīshì kuài sù qiánjìn. 例 学习累了，我们去操场 ~ 吧。Xuéxí lèi le, wǒmen qù cāochǎng ~ ba. | 大卫喜欢踢足球，不喜欢 ~。Dàwèi xǐhuan tī zúqiú, bù xǐhuan ~. | 我喊一二三，大家 ~ 前进。Wǒ hǎn yī èr sān, dàjiā ~ qiánjìn. | 你 ~ 跑累了就休息一会儿。Nǐ ~ pǎolèile jiù xiūxi yíhuìr. | 我刚才去跑了会儿步。Wǒ gāngcái qù pǎole huìr bù.

pào 炮 [名]

例 20 世纪 30 年代的武器主要是枪和 ~。Èrshí shìjì sānshí niándài de wǔqì zhǔyào shì qiāng hé ~. | 敌人不断地向我们开 ~。Dírén búduàn de xiàng wǒmen kāi ~. | 我们朝那个目标放了三 ~。Wǒmen cháo nèige mùbiāo fàngle sān ~. | 他们一

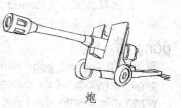

炮

~ 可以炸毁一座楼。Tāmen yí ~ kěyǐ zhàhuǐ yí zuò lóu. | 军队没有怎么打仗？Jūnduì méiyǒu ~ zěnme dǎ zhàng? | ~ 比枪更厉害，破坏力更强。~ bǐ qiāng gèng lìhai, pòhuàilì gèng qiáng.

pei

péi 陪 [动]

你们对这儿不熟悉，我 ~ 你们上街吧。Nǐmen duì zhèr bù shúxi, wǒ ~ nǐmen shàngjiē ba. →我熟悉这里，可以同你们一起去。Wǒ shúxi zhèlǐ, kěyǐ tóng nǐmen yìqǐ qù. 例 玛丽病得很重，大卫 ~ 她去了医院。Mǎlì bìng de hěn zhòng, Dàwèi ~ tā qùle yīyuàn. | 我这几天很忙，没时间 ~ 你们。Wǒ zhèi jǐ tiān hěn máng, méi shíjiān ~

nǐmen . |你 ~ 客人说说话吧，我出去一会儿。Nǐ ~ kèren shuōshuo huà ba, wǒ chūqu yíhuìr . |安娜心情不太好，我去 ~ ~ 她。Ānnà xīnqíng bú tài hǎo, wǒ qù ~ ~ tā . |我父亲来北京，我 ~ 了一个月。Wǒ fùqin lái Běijīng, wǒ ~ le yí ge yuè .

péi 赔（賠）［动］

大卫的自行车是我弄丢的，我来 ~ 。Dàwèi de zìxíngchē shì wǒ nòngdiū de, wǒ lái ~ . →我给大卫钱或者给他买一辆新车。Wǒ gěi Dàwèi qián huòzhě gěi tā mǎi yí liàng xīn chē . 例那本词典我找不到了，~ 你一本吧。Nèi běn cídiǎn wǒ zhǎo bu dào le, ~ nǐ yì běn ba . |茶杯碎了，我 ~ 五块钱吧。Chábēi suì le, wǒ ~ wǔ kuài qián ba . |汽车丢了，保险公司 ~ 了他一万块钱。Qìchē diū le, bǎoxiǎn gōngsī ~ le tā yí wàn kuài qián . |我借书总爱丢，~ 过图书馆好几次了。Wǒ jiè shū zǒng ài diū, ~ guo túshūguǎn hǎojǐ cì le .

pèihé 配合［动］

公司派了两个年轻人 ~ 我的工作。Gōngsī pàile liǎng ge niánqīngrén ~ wǒ de gōngzuò . →两个年轻人将和我一起完成这项工作。Liǎng ge niánqīngrén jiāng hé wǒ yìqǐ wánchéng zhèi xiàng gōngzuò . 例他俩演夫妻 ~ 得很好。Tā liǎ yǎn fūqī ~ de hěn hǎo . |这些队员 ~ 得时间短，所以不熟练。Zhèixiē duìyuán ~ de shíjiān duǎn, suǒyǐ bù shúliàn . |我们几个人 ~ 过多次了，一定能做好。Wǒmen jǐ ge rén ~ guo duō cì le, yídìng néng zuò hǎo . |一个人不 ~ 我的工作，我就做不好。Yí ge rén bú ~ wǒ de gōngzuò, wǒ jiù zuò bu hǎo .

pen

pēn 喷（噴）［动］

他一笑，饭都 ~ 出来了。Tā yí xiào, fàn dōu ~ chulai le . →饭突然从嘴里散着射出来了。Fàn tūrán cóng zuǐ li sǎnzhe shè chulai le . 例那儿的火山又 ~ 火了。Nàr de huǒshān yòu pēn huǒ le . |这盆花缺水了，~ 点儿水吧。Zhèi pén huār quē shuǐ le, ~ diǎnr shuǐ ba . |井水 ~ 出来了，山里人高兴得跳了起来。Jǐngshuǐ ~ chulai le, shānlǐrén gāoxìng de tiàole qilai . |水龙头坏了，水在不停地往外 ~ 。Shuǐlóngtou huài le, shuǐ zài bù tíng de wǎng wài ~ . |这水是从地下 ~ 出来的，挺干净的。Zhè shuǐ shì cóng dìxià ~ chulai de, tǐng gānjìng de .

P

pén 盆 [名]

例 我用这个~儿洗脸，那个~儿洗脚。Wǒ yòng zhèige ~ r xǐ liǎn, nèige ~ r xǐ jiǎo. | 他洗脸从来不用~儿。Tā xǐ liǎn cónglái bú yòng ~ r. | 房间里怎么有四个~儿? Fángjiān li zěnme yǒu sì ge ~ r? | 我们用这个~儿洗菜吧。Wǒmen yòng zhèige ~ r xǐ cài ba. | 这屋里怎么连个~儿也没有。Zhè wūli zěnme lián ge ~ r yě méiyǒu. | 我的洗脸~儿坏了，该买新的了。Wǒ de xǐliǎn ~ r huài le, gāi mǎi xīn de le. | 过节了，很多地方摆上了花~儿。Guòjié le, hěn duō dìfang bǎishangle huā ~ r. | 塑料~儿轻一点儿，用着方便。Sùliào ~ r qīng yìdiǎnr, yòngzhe fāngbiàn.

盆

peng

péngyou 朋友 [名]

他们俩是好~，经常在一起。Tāmen liǎ shì hǎo ~, jīngcháng zài yìqǐ. →他们是关系非常好的两个人。Tāmen shì guānxi fēicháng hǎo de liǎng ge rén. **例** 我的~病了，我明天去看他。Wǒ de ~ bìng le, wǒ míngtiān qù kàn tā. | ~之间，不用太客气了。~ zhījiān, bú yòng tài kèqi le. | 我们是老~了，互相都很了解。Wǒmen shì lǎo ~ le, hùxiāng dōu hěn liǎojiě. | 大卫跟我是小时候的~，多年不见了。Dàwèi gēn wǒ shì xiǎoshíhou de ~, duō nián bú jiàn le. | 比尔喜欢交~。Bǐ'ěr xǐhuan jiāo ~. | 他有很多日本~。Tā yǒu hěn duō Rìběn ~. | 这件事~们帮了不少忙。Zhèi jiàn shì ~ men bāngle bù shǎo máng.

pěng 捧 [动]

他把酒杯~到总经理面前。Tā bǎ jiǔbēi ~ dào zǒngjīnglǐ miànqián. →他用双手托着酒杯，送到总经理面前。Tā yòng shuāngshǒu tuōzhe jiǔbēi, sòngdào zǒngjīnglǐ miànqián. **例** 姑娘手~着鲜花儿，眼泪流下来了。Gūniang shǒu ~ zhe xiānhuār, yǎnlèi liú xialai le. | 他~起一捧花生，说："自己种的，尝尝吧。"Tā ~ qi yì pěng huāshēng, shuō: "Zìjǐ zhòng de, chángchang ba." | 他们~着冠军奖杯，高兴得哭了。Tāmen ~ zhe guànjūn jiǎngbēi, gāoxìng de kū le. | 他~起家乡的泥土闻了闻，觉得香极了。Tā ~ qi jiāxiāng de nítǔ wénle wén, juéde xiāngjí le.

pèng 碰[1] [动]

他骑车 ~ 了我。Tā qí chē ~ le wǒ. →他骑车撞到了我身上。Tā qí chē zhuàngdàole wǒ shēnshang. **例** 他走路不小心, ~ 到了墙上。Tā zǒulù bù xiǎoxīn, ~ dàole qiáng shang. |他们俩一 ~ 杯, 就都喝完了。Tāmen liǎ yí ~ bēi, jiù dōu hēwán le. |他走过去的时候, 把椅子 ~ 倒了。Tā zǒu guoqu de shíhou, bǎ yǐzi ~ dǎo le. |我们 ~ ~ 杯吧, 祝大家健康。Wǒmen ~ ~ bēi ba, zhù dàjiā jiànkāng. |我开车从来很仔细, 没 ~ 过人。wǒ kāi chē cónglái hěn zǐxì, méi ~ guo rén.

pèng 碰[2] [动]

我刚才 ~ 上了安娜, 我们聊了一会ㄦ。Wǒ gāngcái ~ shangle Ānnà, wǒmen liáole yíhuìr. → 我遇见了安娜, 我们说了一会ㄦ话。Wǒ yùjiànle Ānnà, wǒmen shuōle yíhuìr huà. **例** 我在银行 ~ 到了一位老同学。Wǒ zài yínháng ~ dàole yí wèi lǎo tóngxué. |我和我的老板一星期 ~ 一次面ㄦ。Wǒ hé wǒ de lǎobǎn yì xīngqī ~ yí cì miànr. |以前我总会在这条路上 ~ 到他, 现在 ~ 不到了。Yǐqián wǒ zǒng huì zài zhèi tiáo lù shang ~ dào tā, xiànzài ~ bu dào le. |你说大卫也去邮局了, 我怎么没 ~ 上他? Nǐ shuō dàwèi yě qù yóujú le, wǒ zěnme méi ~ shang tā?

pèngjiàn 碰见(碰見) [动]

上午, 我 ~ 了一位多年不见的老朋友。Shàngwǔ, wǒ ~ le yí wèi duō nián bú jiàn de lǎopéngyou. → 我没想到会看见这位老朋友。Wǒ méi xiǎngdào huì kànjiàn zhèi wèi lǎopéngyou. **例** 我刚要去找你, 正好在这ㄦ ~ 了。Wǒ gāng yào qù zhǎo nǐ, zhènghǎo zài zhèr ~ le. |你猜我今天 ~ 谁了? Nǐ cāi wǒ jīntiān ~ shéi le? |他偷东西的时候正好让警察 ~ 了。Tā tōu dōngxi de shíhou zhènghǎo ràng jǐngchá ~ le. |路上我谁也没 ~ 。Lùshang wǒ shéi yě méi ~.

pi

pī 批 [量]

我们公司新来了一 ~ 大学毕业生。Wǒmen gōngsī xīn láile yì pī dàxué bìyèshēng. →我们公司来了十多个大学毕业生。Wǒmen gōngsī láile shí duō gè dàxué bìyèshēng. **例** 一大 ~ 老年人要去美国

旅行。Yí dà ~ lǎoniánrén yào qù Měiguó lǚxíng. | 这 ~ 电视机卖得特别快。Zhèi ~ diànshìjī mài de tèbié kuài. | 我们是第一 ~ 来的，明天还来一 ~。Wǒmen shì dì yī ~ lái de, míngtiān hái lái yì ~. | 最近，人们一 ~ 一 ~ 地到这儿来参观。Zuìjìn, rénmen yì ~ yì ~ de dào zhèr lái cānguān. | 这种牌子的电话机，我们进了好几 ~ 了。Zhèi zhǒng páizi de diànhuàjī, wǒmen jìnle hǎojǐ ~ le.

pīpíng 批评（批評）［动］

经理 ~ 了这种不负责任的做法。Jīnglǐ ~ le zhèi zhǒng bú fù zhérèn de zuòfǎ. →经理指出这种不负责任的做法是错误的。Jīnglǐ zhǐchū zhèi zhǒng bú fù zérèn de zuòfǎ shì cuòwù de. **例** 校长从来没 ~ 过我。Xiàozhǎng cónglái méi ~ guo wǒ. | 那天，我把他 ~ 哭了。Nà tiān, wǒ bǎ tā ~ kū le. | 孩子们都喜欢表扬，不喜欢 ~。Háizimen dōu xǐhuan biǎoyáng, bù xǐhuan ~. | 我都 ~ 过他三次了，可他就是不改。Wǒ dōu ~ guo tā sān cì le, kě tā jiùshì bù gǎi. | 比尔今天又挨 ~ 了。Bǐ'ěr jīntiān yòu ái ~ le.

pīzhǔn 批准 ［动］

经理 ~ 了我辞职的请求。Jīnglǐ ~ le wǒ cízhí de qǐngqiú. →我跟经理说不想在这儿工作了，他同意了。Wǒ gēn jīnglǐ shuō bù xiǎng zài zhèr gōngzuò le, tā tóngyì le. **例** 院长 ~ 我们开这次会了。Yuànzhǎng ~ wǒmen kāi zhèi cì huì le. | 上级 ~ 了我们这个办法。Shàngjí ~ le wǒmen zhèi ge bànfǎ. | 我的请求从来没有被 ~ 过。Wǒ de qǐngqiú cónglái méiyǒu bèi ~ guo. | 这个建议肯定不会被 ~。Zhèi ge jiànyì kěndìng bú huì bèi ~. | 我们的计划没有被 ~。Wǒmen de jìhuà méiyǒu bèi ~. | 校长不 ~，我们就没法儿做。Xiàozhǎng bù ~, wǒmen jiù méi fǎr zuò.

pī 披 ［动］

外面冷，你 ~ 上大衣吧。Wàimian lěng, nǐ ~ shang dàyī ba. →你把大衣搭在两个肩上，手不伸到袖子里。Nǐ bǎ dàyī dā zài liǎng ge jiān shang, shǒu bù shēndào xiùzi li. **例** 他 ~ 上衣服就出去了。Tā ~ shang yīfu jiù chūqu le. | 比尔 ~ 了件红外衣，显得很精神。Bǐ'ěr ~ le jiàn hóng wàiyī, xiǎnde hěn jīngshen. | 这件大衣我 ~ 了两天了，有点儿脏了。Zhèi jiàn dàyī wǒ ~ le liǎng tiān le, yǒudiǎnr zāng le. | 雨下得很大，你 ~ 件雨衣吧。Yǔ xià de hěn dà, nǐ ~ jiàn yǔyī ba. | 你先 ~ ~ 这件儿，那件儿该洗了。Nǐ xiān ~ ~ zhèi jiànr, nèi jiànr gāi xǐ le.

pí 皮¹ [名]

西瓜 ~ 可以用来做菜。Xīguā ~ kěyǐ yòng lái zuò cài. →西瓜外边那一层可以用来做菜。Xīguā wàibian nèi yì céng kěyǐ yòng lái zuò cài. 例 我不小心把手碰破了一层 ~。Wǒ bù xiǎoxīn bǎ shǒu pèngpòle yì céng ~. ｜这棵树年代久了，~ 都没了。Zhèi kē shù niándài jiǔ le, ~ dōu méi le. ｜苹果 ~ 就放在桌子上吧。Píngguǒ ~ jiù fàng zài zhuōzi shang ba. ｜土豆要去 ~，切成条，放在锅里。Tǔdòu yào qù ~, qiēchéng tiáo, fàng zài guō li. ｜这棵树没 ~ 了。Zhèi kē shù méi ~ le.

pífū 皮肤（皮膚）[名]

人类按 ~ 的颜色可分为白种人、黄种人和黑种人。Rénlèi àn ~ de yánsè kě fēnwéi báizhǒngrén、huángzhǒngrén hé hēizhǒngrén. →按人体表面的颜色可以分成白、黄、黑三种人。Àn réntǐ biǎomiàn de yánsè kěyǐ fēnchéng bái、huáng、hēi sān zhǒng rén. 例 天气太冷了，我的 ~ 有点儿干。Tiānqì tài lěng le, wǒ de ~ yǒudiǎnr gān. ｜他得了 ~ 病，总觉得痒。Tā déle ~ bìng, zǒng juéde yǎng. ｜我经常晒太阳，~ 变成了黑红色。Wǒ jīngcháng shài tàiyang, ~ biànchéngle hēihóng sè. ｜玛丽 ~ 很细，很好看。Mǎlì ~ hěn xì, hěn hǎokàn. ｜保持 ~ 卫生，就会少得病。Bǎochí ~ wèishēng, jiù huì shǎo dé bìng.

pí 皮² [名]

这本书的书 ~ 儿有点儿破了。Zhèi běn shū de shū ~ r yǒudiǎnr pò le. →包着书上下两面的纸破了。Bāozhe shū shàng xià liǎng miàn de zhǐ pò le. 例 我爱吃豆腐 ~ 儿。Wǒ ài chī dòufu ~ r. ｜这是包饺子用的 ~ 儿和馅儿。Zhè shì bāo jiǎozi yòng de ~ r hé xiànr. ｜我们买点儿饺子 ~ 儿，回去包饺子吧。Wǒmen mǎi diǎnr jiǎozi ~ r, huíqu bāo jiǎozi ba. ｜我的手上起了一层 ~ 儿。Wǒ de shǒu shang qǐle yì céng ~ r. ｜牛奶表面的那层 ~ 儿很好吃。Niúnǎi biǎomiàn de nèi céng ~ r hěn hǎochī.

píláo 疲劳（疲勞）[形]

他工作了一天，很 ~。Tā gōngzuòle yì tiān, hěn ~. →他很累了，需要休息。Tā hěn lèi le, xūyào xiūxi. 例 我爬了一天山，感到特别 ~。Wǒ pále yì tiān shān, gǎndào tèbié ~. ｜大卫坐了十个小时的

飞机，觉得太~了。Dàwèi zuòle shí ge xiǎoshí de fēijī, juéde tài ~ le. | 你看起来太~了，要好好儿休息。Nǐ kàn qilai tài ~ le, yào hǎohāor xiūxi. | 他觉得~不算什么，把工作做好才是最重要的。Tā juéde ~ bú suàn shénme, bǎ gōngzuò zuòhǎo cái shì zuì zhòngyào de. | 你要是觉得~了，就去睡觉。Nǐ yàoshi juéde ~ le, jiù qù shuìjiào.

píjiǔ 啤酒 ［名］

beer 例 ~喝得太多，对身体也不好。~ hē de tài duō, duì shēntǐ yě bù hǎo. | 大卫吃饭时，总要喝一瓶~。Dàwèi chīfàn shí, zǒng yào hē yì píng ~. | 我喝了两瓶~，吃不下饭了。Wǒ hēle liǎng píng ~, chī bu xià fàn le. | 这些~瓶子没用了，卖掉吧。Zhèixiē ~ píngzi méi yòng le, màidiào ba. | 小姐，请拿几个~杯来。Xiǎojie, qǐng ná jǐ ge píjiǔbēi lai. | 那个~厂离我们家不远。Nèi ge ~ chǎng lí wǒmen jiā bù yuǎn. | 你喝什么？饮料还是~？Nǐ hē shénme? Yǐnliào háishi ~?

píqi 脾气（脾氣） ［名］

他的~有点儿急。Tā de ~ yǒudiǎnr jí. → 他这个人爱着急。Tā zhèi ge rén ài zháojí. 例 我们都熟悉经理的~，爱着急。Wǒmen dōu shúxi jīnglǐ de ~, ài zháojí. | 玛丽的~很好，从来不怕麻烦。Mǎlì de ~ hěn hǎo, cónglái bú pà máfan. | 艺术家的~跟平常人有点儿不一样。Yìshùjiā de ~ gēn píngchángrén yǒudiǎnr bù yíyàng. | 他对每个人的~都了解得清清楚楚。Tā duì měi ge rén de ~ dōu liǎojiě de qīngqīngchǔchǔ. | 最近他~变好了，不那么爱发火儿了。Zuìjìn tā ~ biànhǎo le, bú nàme ài fāhuǒr le. | 你们别生气，他就是那个~。Nǐmen bié shēngqì, tā jiù shì nèige ~.

pǐ 匹 ［量］

用于马、骆驼等。Yòngyú mǎ、luòtuo děng. 例 这~马跑得特别快。Zhèi ~ mǎ pǎo de tèbié kuài. | 他骑上了一~快马。Tā qíshangle yì ~ kuài mǎ. | 他家养了四~马，三只羊。Tā jiā yǎngle sì ~ mǎ, sān zhī yáng. | 每~马都长得那么结实。Měi ~ mǎ dōu zhǎng de nàme jiēshi. | 他骑着一~骆驼，准备走过这片沙漠。Tā qízhe yì ~ luòtuo, zhǔnbèi zǒuguo zhèi piàn shāmò. | 那两~马像比赛似的往前跑。Nèi liǎng ~ mǎ xiàng bǐsài shìde wǎng qián pǎo.

pian

piān 偏¹ [形]

这张画儿挂 ~ 了。Zhèi zhāng huàr guà ~ le. →这张画儿挂得左右不一样高。Zhèi zhāng huàr guà de zuǒ yòu bù yíyàng gāo. **例** 西瓜切 ~ 了，一块儿大，一块儿小。Xīguā qiē ~ le, yí kuàir dà, yí kuàir xiǎo. ｜飞机往 ~ 东方向飞去。Fēijī wǎng ~ dōng fāngxiàng fēiqù. ｜价钱有点儿 ~ 高，我不想买。Jiàqian yǒudiǎnr ~ gāo, wǒ bù xiǎng mǎi. ｜你坐得太 ~ 左了，请往中间移一下儿。Nǐ zuò de tài ~ zuǒ le, qǐng wǎng zhōngjiān yí yíxiàr. ｜电视机放得有点儿 ~ 。Diànshìjī fàng de yǒudiǎnr ~ .

piān 偏² [形]

你把事情看 ~ 了。Nǐ bǎ shìqing kàn ~ le. →你只看到了事情的一个方面，而没有看到其他方面。Nǐ zhǐ kàndàole shìqing de yí ge fāngmiàn, ér méiyǒu kàndào qítā fāngmiàn. **例** 你对他的批评太 ~ 了，他还是有很多优点的。Nǐ duì tā de pīpíng tài ~ le, tā háishi yǒu hěn duō yōudiǎn de. ｜这个研究 ~ 于应用。Zhèi ge yánjiū ~ yú yìngyòng. ｜你的看法有些 ~ 了，其实不是那样。Nǐ de kànfǎ yǒuxiē ~ le, qíshí bú shì nèiyàng. ｜这些孩子他都爱，对谁都不 ~ 。Zhèixiē háizi tā dōu ài, duì shéi dōu bù ~ .

piān 偏³ [副]

我不让他去，他 ~ 去。Wǒ bú ràng tā qù, tā ~ qù. →他故意不听我的，一定要去。Tā gùyì bù tīng wǒ de, yídìng yào qù. **例** 我让大卫告诉我，可他 ~ 不告诉我。Wǒ ràng Dàwèi gàosu wǒ, kě tā ~ bú gàosu wǒ. ｜我 ~ 不按你说的办，你能怎么样？Wǒ ~ bú àn nǐ shuō de bàn, nǐ néng zěnmeyàng? ｜我们希望晴天，却 ~ 赶上了下雨。Wǒmen xīwàng qíngtiān, què ~ gǎnshangle xià yǔ. ｜我想买这本书，可爸爸 ~ 不让买。Wǒ xiǎng mǎi zhèi běn shū, kě bàba ~ bú ràng mǎi.

piānpiān 偏偏¹ [副]

这件事我不想告诉他，可 ~ 让他知道了。Zhèi jiàn shì wǒ bù xiǎng gàosu tā, kě ~ ràng tā zhīdao le. →我希望他不知道，可是跟我的希望相反，他知道了。Wǒ xīwàng tā bù zhīdào, kěshì gēn wǒ de xīwàng xiāngfǎn, tā zhīdao le. **例** 早不下，晚不下，~ 这时候下起

雨来。Zǎo bú xià, wǎn bú xià, ~ zhè shíhòu xià qi yǔ lai. |我有急事找他, 可他 ~ 不在家。Wǒ yǒu jíshì zhǎo tā, kě tā ~ bú zài jiā. |他们明天结婚, 可他 ~ 这时候病了。Tāmen míngtiān jiéhūn, kě tā ~ zhè shíhou bìng le. |我没学过法语, 可 ~ 就考法语。Wǒ méi xuéguo Fǎyǔ, kě ~ jiù kǎo Fǎyǔ.

piānpiān 偏偏² [副]

大家都来了, ~ 他没来。Dàjiā dōu lái le, ~ tā méi lái. →大家都来了, 只有他没来。(含有不满的语气) Dàjiā dōu lái le, zhǐyǒu tā méi lái. (hányǒu bùmǎn de yǔqì) 例 大家都同意了, ~ 他一个人不同意。Dàjiā dōu tóngyì le, ~ tā yí ge rén bù tóngyì. |那么多花儿都开了, ~ 这盆儿不开, Nàme duō huār dōu kāi le, ~ zhèi pénr bù kāi. |别人都很准时, 为什么 ~ 你不准时? Biéren dōu hěn zhǔnshí, wèishénme ~ nǐ bù zhǔnshí? |我们都去跳舞, ~ 玛丽不去。Wǒmen dōu qù tiàowǔ, ~ Mǎlì bú qù.

piān 篇 [量]

用于文章。Yòngyú wénzhāng. 例 这 ~ 文章写得很好。Zhèi wénzhāng xiě de hěn hǎo. |这 ~ 小说不长, 大概八千字, Zhèi xiǎoshuō bù cháng, dàgài bāqiān zì. |他在写一本长 ~ 小说。Tā zài xiě yì běn cháng ~ xiǎoshuō. |我下午要写一 ~ 作文。Wǒ xiàwǔ yào xiě yì ~ zuòwén. |这本杂志上有四 ~ 关于婚姻问题的文章。Zhèi běn zázhì shang yǒu sì ~ guānyú hūnyīn wèntí de wénzhāng. |最近, 他的文章发了一 ~ 又一 ~。Zuìjìn, tā de wénzhāng fāle yì ~ yòu yì ~. |这张报纸上的每 ~ 文章都那么有意思。Zhèi zhāng bàozhǐ shang de měi ~ wénzhāng dōu nàme yǒu yìsi.

piányi 便宜 [形]

电视机比去年 ~ 了。Diànshìjī bǐ qùnián ~ le. →去年买一台电视机一千元, 现在八百元。Qùnián mǎi yì tái diànshìjī yì qiān yuán, xiànzài bābǎi yuán. 例 这个饭馆儿的菜很 ~。Zhèige fànguǎnr de cài hěn ~. |这么 ~ 的衣服是在哪儿买的? Zhème ~ de yīfu shì zài nǎr mǎi de? |现在是秋天, 苹果比春天 ~。Xiànzài shì qiūtiān, píngguǒ bǐ chūntiān ~. |老板, 再 ~ 点儿行吗? Lǎobǎn, zài ~ diǎnr xíng ma? |这种车比那种 ~ 不了多少。Zhèi zhǒng chē bǐ nèi zhǒng ~ bù liǎo duōshǎo. |那儿的东西一点儿也不 ~。Nàr de dōngxi yìdiǎnr yě bù ~.

piàn 片[1] ［名］

水果刀上的刀~ᵣ断了。Shuǐguǒdāo shang de dāo ~ r duàn le. →水果刀上削水果的那部分断了。Shuǐguǒdāo shang xiāo shuǐguǒ de nà bùfen duàn le. **例** 这块牛肉切成~ᵣ，放盘子里就可以了。Zhèi kuài niúròu qiēchéng ~ r, fàng pánzi li jiù kěyǐ le. | 地上有好多玻璃~ᵣ。Dìshang yǒu hǎo duō bōli ~ r. | 他把纸撕成了碎~ᵣ。Tā bǎ zhǐ sīchéngle suì ~ r. | 我需要一个小铁~ᵣ，才能修好这辆车。Wǒ xūyào yí ge xiǎo tiě ~ r, cái néng xiūhǎo zhèi liàng chē. | 你找个木~ᵣ放在桌子底下，它就不动了。Nǐ zhǎo ge mù ~ r fàng zài zhuōzi dǐxia, tā jiù bú dòng le.

piàn 片[2] ［量］

用于天空、地面、水面等。Yòngyú tiānkōng、dìmiàn、shuǐmiàn děng. **例** 楼前是一~草地。Lóu qián shì yí ~ cǎodì. | 楼后是一~小树林。Lóu hòu shì yí ~ xiǎo shùlín. | 我们头上是一~蓝天，脚下是一~绿地。Wǒmen tóu shang shì yí ~ lántiān, jiǎo xià shì yí ~ lǜdì. | 前面是看不到边ᵣ的一~水面。Qiánmian shì kàn bu dào biānr de yí ~ shuǐmiàn. | 这ᵣ的草地一~一~的，显得很绿。Zhèr de cǎodì yí ~ yí ~ de, xiǎnde hěn lǜ.

piàn 片[3] ［量］

用于又扁又薄的东西。Yòngyú yòu biǎn yòu báo de dōngxi. **例** 我早晨吃一~ᵣ面包就够了。Wǒ zǎochen chī yí ~ r miànbāo jiù gòu le. | 树上掉下了几~ᵣ叶子。Shù shang diàoxiale jǐ ~ r yèzi. | 我们切几~ᵣ牛肉吃吧。Wǒmen qiē jǐ ~ r niúròu chī ba. | 世界上没有完全相同的两~ᵣ树叶。Shìjiè shang méiyǒu wánquán xiāngtóng de liǎng ~ r shùyè. | 他吃药时，每~ᵣ都先看看。Tā chī yào shí, měi ~ r dōu xiān kànkan. | 雪下起来的时候，是一~ᵣ一~ᵣ的。Xuě xià qilai de shíhou, shì yí ~ r yí ~ r de.

piàn 骗（騙）［动］

大卫~了我，其实他结婚了。Dàwèi ~ le wǒ, qíshí tā jiéhūn le. →大卫对我说他没有结婚，实际上正相反。Dàwèi duì wǒ shuō tā méiyǒu jiéhūn, shíjì shang zhèng xiāngfǎn. **例** 他~比尔，说自己是记者。Tā ~ Bǐ'ěr, shuō zìjǐ shì jìzhě. | 他把我弟弟~到了纽约。Tā bǎ wǒ dìdi ~ dàole Niǔyuē. |这孩子胆子越来越大,竟然~起老师来了。Zhè háizi dǎnzi yuèláiyuè dà, jìngrán ~ qi lǎoshī lai le. |他心好,但总是受~。Tā xīn hǎo, dàn zǒngshì shòu ~. |他们把我~了,今天根本就没有比赛。Tāmen bǎ wǒ ~ le, jīntiān gēnběn jiù méiyǒu bǐsài. |我从来没~过人。Wǒ cónglái méi ~ guo rén.

piao

piāo 飘(飄) [动]

风一吹,旗子就~起来了。Fēng yì chuī, qízi jiù ~ qilai le. →有风的时候,旗子就会在空中来回动。Yǒu fēng de shíhou, qízi jiù huì zài kōngzhōng lái huí dòng. 例 雪花儿~到屋里来了。Xuěhuār ~ dào wū li lái le. |空中~着很多灰尘。Kōngzhōng ~ zhe hěn duō huīchén. |花园里~来一阵阵香气。Huāyuán li ~ lái yí zhènzhèn xiāngqì. |气球~到天上去了。Qìqiú ~ dao tiānshang qu le. |风一吹,桌子上的纸~到地上去了。Fēng yì chuī, zhuōzi shang de zhǐ ~ dao dìshang qu le. |天上~着几朵白云。Tiānshang ~ zhe jǐ duǒ báiyún.

piào 票 [名]

我买了两张电影~,今天晚上的。Wǒ mǎile liǎng zhāng diànyǐng ~, jīntiān wǎnshang de. → 我今天晚上可以去看电影了。Wǒ jīntiān wǎnshang kěyǐ qù kàn diànyǐng le. 例 我买好了去美国的飞机~。Wǒ mǎihǎole qù Měiguó de fēijī ~. |小姐,我买一张票。Xiǎojie, wǒ mǎi yì zhāng ~. |你在哪儿买的~?Nǐ zài nǎr mǎi de ~? |我把~丢了,再买一张吧。Wǒ bǎ ~ diū le, zài mǎi yì zhāng ba. |我有三张足球~,我们一起去吧。Wǒ yǒu sān zhāng zúqiú ~, wǒmen yìqǐ qù ba. |这~多少钱一张?Zhè ~ duōshao qián yì zhāng?

piàoliang 漂亮 [形]

这辆车真~。Zhèi liàng chē zhēn ~. → 这辆车的样子很好看。Zhèi liàng chē de yàngzi hěn hǎokàn. 例 你的房子真~。Nǐ de fángzi zhēn ~. |玛丽长得~极了。Mǎlì zhǎng de ~ jí le. |这件衣服穿在她身上,显得非常~。Zhèi jiàn yīfu chuān zài tā shēnshang, xiǎnde fēicháng ~. |他今天穿了件~的西服。Tā jīntiān chuānle jiàn ~ de xīfú. |你去见他,一定要穿得~点儿。Nǐ qù jiàn tā, yídìng yào chuān de ~ diǎnr. |今天,这座城市显得特别~。Jīntiān, zhèi zuò chéngshì xiǎnde tèbié ~. |我觉得她不怎么~。Wǒ juéde tā bù zěnme ~.

pin

pīn mìng 拼命

他~往前开，想追上前面那辆汽车。Tā ~ wǎng qián kāi, xiǎng zhuīshang qiánmian nèi liàng qìchē. → 汽车能跑多快他就开多快。Qìchē néng pǎo duō kuài tā jiù kāi duō kuài. 例 他~往前游，终于获得了冠军。Tā ~ wǎng qián yóu, zhōngyú huòdéle guànjūn. | 大卫这几天~地干，想快点儿完成这项工作。Dàwèi zhèi jǐ tiān ~ de gàn, xiǎng kuài diǎnr wánchéng zhèi xiàng gōngzuò. | 时间还很多，你用不着这么~。Shíjiān hái hěn duō, nǐ yòngbuzháo zhème ~ . | 他不高兴的时候，总是~喝酒。Tā bù gāoxìng de shíhou, zǒngshi ~ hē jiǔ. | 他总是~学习。Tā zǒngshi ~ xuéxí. | 大卫拼了命地干，但还是没能按时完成这项工作。Dàwèi pīnle mìng de gàn, dàn háishi méi néng ànshí wánchéng zhèi xiàng gōngzuò.

pǐnzhǒng 品种（品種）［名］

这儿种的树~很多。Zhèr zhòng de shù ~ hěn duō. →这儿的树有松树、杨树、柳树等很多类。Zhèr de shù yǒu sōngshù、yángshù、liǔshù děng hěn duō lèi. 例 世界上鱼的~有三百多个。Shìjiè shang yú de ~ yǒu sānbǎi duō gè. | 市场上的商品~齐全，买什么有什么。Shìchǎng shang de shāngpǐn ~ qíquán, mǎi shénme yǒu shénme. | 你们这儿的地板有多少~? Nǐmen zhèr de dìbǎn yǒu duōshao ~ ? | 这种行李包儿我们计划再增加一些~。Zhèi zhǒng xínglibāor wǒmen jìhuà zài zēngjiā yìxiē ~ . | 这个商场的照相机~不多，没法儿挑。Zhèi ge shāngchǎng de zhàoxiàngjī ~ bù duō, méi fǎr tiāo.

ping

pīngpāngqiú 乒乓球 ［名］

ping-pang ball 例 ~是一种室内运动。~ shì yì zhǒng shìnèi yùndòng. | 我喜欢打~。Wǒ xǐhuan dǎ ~ . | ~比赛中，谁先到十一分谁胜。~ bǐsài zhōng, shéi xiān dào shíyī fēn shéi shèng. | 这张~台子有点儿旧了。Zhèi zhāng ~ táizi yǒudiǎnr jiù le. | 一个~只有鸡蛋那么大。Yí ge ~ zhǐyǒu jīdàn nàme dà. | ~落到球台上才能打过去。~ luòdào qiútái shang cái néng dǎ guoqu. | ~很轻，只有 0.625 克。~ hěn qīng, zhǐyǒu 0.625 kè.

P

~ hěn qīng, zhǐyǒu líng diǎn liù'èrwǔ kè.

píng 平 [形]

这条马路不 ~ 。Zhèi tiáo mǎlù bù ~ . → 这条马路有的地方高，有的地方低。Zhèi tiáo mǎlù yǒude dìfang gāo, yǒude dìfang dī. 例 这张桌子的面儿不很 ~ 。Zhèi zhāng zhuōzi de miànr bù hěn ~ . | 冰箱放不 ~ ，声音就很大。Bīngxiāng fàng bu ~ , shēngyīn jiù hěn dà. | 这里很 ~ ，我们就在这儿踢球儿吧。Zhèlǐ hěn ~ , wǒmen jiù zài zhèr tī qiúr ba. | 他们在 ~ 地种粮食，在山上种树。Tāmen zài ~ dì zhòng liángshi, zài shān shang zhòng shù. | 他眼睛不大，鼻子 ~ ~ 的。Tā yǎnjing bú dà, bízi ~ ~ de.

píng'ān 平安 [形]

我们 ~ 到达了北京。Wǒmen ~ dàodále Běijīng. → 我们路上没什么麻烦和危险。Wǒmen lù shang méi shénme máfan hé wēixiǎn. 例 他们一直过着很 ~ 的日子。Tāmen yìzhí guòzhe hěn ~ de rìzi. | 祝你们一路 ~ 。Zhù nǐmen yílù ~ . | 她昨天生了个男孩儿，目前母子 ~ 。Tā zuótiān shēngle ge nánháir, mùqián mǔzǐ ~ . | 他不想出名，只想平平安安地生活。Tā bù xiǎng chūmíng, zhǐ xiǎng píngping'ān'ān de shēnghuó. | 祝好人一生 ~ 。Zhù hǎorén yìshēng ~ . | ~ 就是最大的幸福。~ jiù shì zuì dà de xìngfú.

píngcháng 平常 [形]

她长得很 ~ 。Tā zhǎng de hěn ~ . → 她长得不是特别漂亮，也不是特别丑。Tā zhǎng de bú shì tèbié piàoliang, yě bú shì tèbié chǒu. 例 他就是个 ~ 人，普普通通的。Tā jiù shì ge ~ rén, pǔpǔtōngtōng de. | 我这技术平平常常，谈不上很好。Wǒ zhè jìshù píngping-chángcháng, tán bu shàng hěn hǎo. | 这位总统看起来跟 ~ 人一样。Zhèi wèi zǒngtǒng kàn qilai gēn ~ rén yíyàng. | 一切都太 ~ 了，人们看不出他们在改变着世界。Yíqiè dōu tài ~ le, rénmen kàn bu chū tāmen zài gǎibiànzhe shìjiè. | 这个人可不 ~ ，他是世界著名的电影演员。Zhèige rén kě bù ~ , tā shì shìjiè zhùmíng de diànyǐng yǎnyuán.

píngděng 平等 [形]

我们认为男女是 ~ 的。Wǒmen rènwéi nánnǚ shì ~ de. → 男人和女人在各方面的待遇都应该相同。Nánrén hé nǚrén zài gè fāngmiàn de dàiyù dōu yīnggāi xiāngtóng. 例 在法律面前，每个人都是 ~ 的。Zài fǎlù miànqián, měi ge rén dōu shì ~ de. | 他对所有的客人都 ~ 对

待。Tā duì suǒyǒu de kèren dōu ~ duìdài. | 我们给每个人的机会是 ~ 的。Wǒmen gěi měi ge rén de jīhuì shì ~ de. | 我们要求跟他们 ~ 的权利。Wǒmen yāoqiú gēn tāmen ~ de quánlì. | 我反对这种不 ~ 的做法。Wǒ fǎnduì zhèi zhǒng bù ~ de zuòfǎ.

píngfāng 平方 [名]

5 的 ~ 是 25。Wǔ de ~ shì èrshíwǔ. → 5 乘以 5 是 25。Wǔ chéngyǐ wǔ shì èrshíwǔ. 例 10 的平方是 100。Shí de ~ shì yìbǎi. | 你算算 125 的 ~ 是多少? Nǐ suànsuan yìbǎi èrshíwǔ de ~ shì duōshao? | ~ 在数学上可表示成 N²。~ zài shùxué shang kě biǎoshì chéng N². | 我们看看 4225 是多少的 ~? Wǒmen kànkan sìqiān èrbǎi èrshíwǔ shì duōshǎo de ~?

píngjìng 平静 [形]

比赛过去十天了,可我的心情总也 ~ 不下来。Bǐsài guòqu shí tiān le, kě wǒ de xīnqíng zǒng yě ~ bú xiàlái. → 这十天里,我总想着那场比赛。Zhè shí tiān lǐ, wǒ zǒng xiǎngzhe nèi chǎng bǐsài. 例 我见到了二十多年前的老朋友,心情不能 ~。Wǒ jiàndàole èrshí duō nián qián de lǎopéngyou, xīnqíng bù néng ~. | 他们在乡村一直过着非常 ~ 的生活。Tāmen zài xiāngcūn yìzhí guòzhe fēicháng ~ de shēnghuó. | 今天一点儿风也没有,大海显得特别 ~。Jīntiān yìdiǎnr fēng yě méiyǒu, dàhǎi xiǎnde tèbié ~. | 他虽然不高兴,可表面上很 ~。Tā suīrán bù gāoxìng, kě biǎomiàn shang hěn ~.

P

píngjūn 平均¹ [动]

五个人分五百块钱,~ 每个人一百。Wǔ ge rén fēn wǔbǎi kuài qián, ~ měi ge rén yìbǎi. → 如果每个人拿同样多的钱,应该一个人一百。Rúguǒ měi ge rén ná tóngyàng duō de qián, yīnggāi yí ge rén yìbǎi. 例 这顿饭是二百块钱,我们四个人 ~ 吧,每个人出五十块。Zhèi dùn fàn shì èrbǎi kuài qián, wǒmen sì ge rén ~ ba, měi ge rén chū wǔshí kuài. | 这些苹果 ~ 起来,每个有零点五公斤重。Zhèixiē píngguǒ ~ qilai, měi ge yǒu líng diǎn wǔ gōngjīn zhòng. | 这个月 ~ 每个人挣了四千元。Zhèi ge yuè ~ měi ge rén zhèngle sì qiān yuán. | 我 ~ 每天花五十块钱。Wǒ ~ měi tiān huā wǔshí kuài qián.

píngjūn 平均² [形]

这顿饭一百元,我们每个人出了二十元,很 ~。Zhèi dùn fàn yìbǎi yuán, wǒmen měi ge rén chūle èrshí yuán, hěn ~. → 我们谁也没多

出，谁也没少出，都是二十块钱。Wǒmen shéi yě méi duō chū, shéi yě méi shǎo chū, dōu shì èrshí kuài qián. 例 这些钱我们～分吧。Zhèixiē qián wǒmen ～ fēn ba. |经理给每个人的工作都比较～。Jīnglǐ gěi měi ge rén de gōngzuò dōu bǐjiào ～. |我每个月～使用这些钱，哪个月也不多花。Wǒ měi ge yuè ～ shǐyòng zhèixiē qián, něi yuè yě bù duō huā. |我们不搞～，谁干得多就挣得多。Wǒmen bù gǎo ～, shéi gàn de duō jiù zhèng de duō.

píngshí 平时（平時）[名]

他～不看电视，只在星期六、星期天看。Tā ～ bú kàn diànshì, zhǐ zài Xīngqīliù、Xīngqītiān kàn. →星期六、星期天以外的日子他不看电视。Xīngqīliù、Xīngqītiān yǐwài de rìzi tā bú kàn diànshì. 例 大卫不爱说话，可跟女朋友在一起时就特别爱说。Dàwèi ～ bú ài shuōhuà, kě gēn nǚpéngyou zài yìqǐ shí jiù tèbié ài shuō. |我们～很忙，只有假期才可以休息几天。Wǒmen ～ dōu hěn máng, zhǐyǒu jiàqī cái kěyǐ xiūxi jǐ tiān. |他成绩好，是因为他～很努力。Tā chéngjì hǎo, shì yīnwèi tā ～ hěn nǔlì. |这件事如果是在～，我就原谅他了。Zhèi jiàn shì rúguǒ shì zài ～, wǒ jiù yuánliàng tā le.

píngyuán 平原 [名]

我从小儿生活在～，没见过山。Wǒ cóngxiǎor shēnghuó zài ～, méi jiànguo shān. →我生活的地方是大片平地，没有山。Wǒ shēnghuó de dìfang shì dà piàn píngdì, méiyǒu shān. 例 这里是一大片～，主要种小麦、玉米等。Zhèlǐ shì yí dà piàn ～, zhǔyào zhòng xiǎomài、yùmǐ děng. |这里是～地区，没有老虎。Zhèlǐ shì ～ dìqū, méiyǒu lǎohǔ. |他喜欢在～上开车，可以开得很快。Tā xǐhuan zài ～ shang kāi chē, kěyǐ kāi de hěn kuài. |过了这座山，前面就是～了。Guòle zhèi zuò shān, qiánmian jiù shì ～ le. |他从～来到这里，显得十分高兴。Tā cóng ～ láidào zhèlǐ, xiǎnde shífēn gāoxìng.

píng 瓶 [量]

用于瓶儿装的东西。Yòngyú píngrzhuāng de dōngxi. 例 他中午喝了两～儿啤酒。Tā zhōngwǔ hēle liǎng ～ r píjiǔ. |我买了一大～儿可乐，够咱俩喝的。Wǒ mǎile yí dà ～ r kělè, gòu zán liǎ hē de. |我一顿能喝五～儿啤酒。Wǒ yí dùn néng hē wǔ ～ r píjiǔ. |我去买几～儿饮料。Wǒ qù mǎi jǐ ～ r yǐnliào. |在这儿，一～儿钢笔水儿要五块钱。Zài zhèr, yì ～ r gāngbǐshuǐr yào wǔ kuài qián. |这么多～儿汽水，我们

喝不完的。Zhème duō ~ r qìshuǐr, wǒmen hē bu wán de. I 喝了三
~ 儿汽水儿，还是觉得渴。Hēle sān ~ r qìshuǐr, háishi juéde kě.

píngzi 瓶子 ［名］

例 这个 ~ 是空的，里面什么也没有。Zhèige
~ shì kōng de, lǐmian shénme yě méiyǒu. I
这是装过药的 ~ ，没用了。Zhè shì zhuāngguo
yào de ~ , méi yòng le. I 大卫屋里有很多空
酒 ~ 。Dàwèi wūli yǒu hěn duō kōng jiǔ ~ . I
我喜欢这个 ~ 的样子，就买了这瓶酒。Wǒ
xǐhuan zhèige ~ de yàngzi, jiù mǎile zhèi píng
jiǔ. I 桌上的三个 ~ ，里面装的东西都不一
样。Zhuō shang de sān ge ~ , lǐmian zhuāng
de dōngxi dōu bù yíyàng. I 我不知道哪个是酱油 ~ ，哪个是醋 ~ 。
Wǒ bù zhīdào něi ge shì jiàngyóu ~ , něige shì cù ~ . I 这些 ~ 都没用
了，卖掉算了。Zhèixiē ~ dōu méi yòng le, màidiào suàn le.

瓶子

po

pō 坡 ［名］

例 ~ 路危险，请注意安全。~ lù wēixiǎn,
qǐng zhùyì ānquán. I 汽车正在爬 ~ 儿，请大家
坐好。Qìchē zhèngzài pá ~ r, qǐng dàjiā
zuòhǎo. I 下 ~ 儿的时候，速度很快。Xià ~ r
de shíhou, sùdù hěn kuài. I 我骑的是上 ~ 儿
的路，很费劲。Wǒ qí de shì shàng ~ r de lù,
hěn fèi jìn. I 他们在山 ~ 儿的南面种了很多果

坡

树。Tāmen zài shān ~ r de nánmian zhòngle hěn duō guǒshù. I 汽车
停在一个 ~ 儿上。Qìchē tíng zài yí ge ~ r shang.

pò 破¹ ［动］

我的手 ~ 了。Wǒ de shǒu ~ le. → 我的手流出血来了。Wǒ de shǒu
liúchū xiě lai le. 例 你的头 ~ 了，快上医院吧。Nǐ de tóu ~ le, kuài
shàng yīyuàn ba. I 这双袜子 ~ 了两个洞，不能穿了。Zhèi shuāng
wàzi ~ le liǎng ge dòng, bù néng chuān le. I 这双鞋 ~ 成了这样，快
去买双新的吧。Zhèi shuāng xié ~ chéngle zhèiyàng, kuài qù mǎi
shuāng xīn de ba. I 他的裤子 ~ 了一个月了也没缝。Tā de kùzi ~ le

yí ge yuè le yě méi féng. |牛仔裤~着穿才好玩儿。Niúzǎikù ~ zhe chuān cái hǎowánr. |这个包我用了三年了，哪儿都没~。Zhèige bāo wǒ yòngle sān nián le, nǎr dōu méi ~.

pòhuài 破坏（破壞）[动]

战争~了这里的古代建筑。Zhànzhēng ~ le zhèlǐ de gǔdài jiànzhù. →战争使得这里的古代建筑不像原来那么好了。Zhànzhēng shǐde zhèlǐ de gǔdài jiànzhù bú xiàng yuánlái nàme hǎo le. 例 敌人~了这座大桥，现在只能坐船了。Dírén ~ le zhèi zuò dà qiáo, xiànzài zhǐ néng zuò chuán le. |这里的电话亭总是有人~，修过好几次了。Zhèlǐ de diànhuàtíng zǒngshi yǒu rén ~, xiūguo hǎojǐ cì le. |我们之间的友谊谁也~不了。Wǒmen zhījiān de yǒuyì shéi yě ~ bùliǎo. |这段公路遭到了~，不平了。Zhèi duàn gōnglù zāodàole ~, bù píng le.

pò 破² [形]

这辆车太~了，不能开了。Zhèi liàng chē tài ~ le, bù néng kāi le. →这辆车从里到外坏的地方很多。Zhèi liàng chē cóng lǐ dào wài huài de dìfang hěn duō. 例 那些~房子早就没有了。Nèixiē ~ fángzi zǎo jiù méiyǒu le. |我那张~桌子早就换成新的了。Wǒ nèi zhāng ~ zhuōzi zǎo jiù huànchéng xīn de le. |那件衣服~得不能穿了。Nèi jiàn yīfu ~ de bù néng chuān le. |这本书有五十多年了，看起来有点儿~了。Zhèi běn shū yǒu wǔshí duō nián le, kàn qilai yǒudiǎnr ~ le. |这些家具有点儿旧了，可是还不太~。Zhèixiē jiājù yǒudiǎnr jiù le, kěshì hái bú tài ~.

pòqiè 迫切 [形]

她现在想结婚的心情十分~。Tā xiànzài xiǎng jiéhūn de xīnqíng shífēn ~. →她非常想马上结婚。Tā fēicháng xiǎng mǎshàng jiéhūn. 例 他们对住房的要求非常~。Tāmen duì zhùfáng de yāoqiú fēicháng ~. |人们~要求解决环境污染问题。Rénmen ~ yāoqiú jiějué huánjìng wūrǎn wèntí. |玛丽~地想知道那个男人是谁。Mǎlì ~ de xiǎng zhīdao nèige nánrén shì shéi. |他们想打比赛的心情~得很。Tāmen xiǎng dǎ bǐsài de xīnqíng ~ de hěn. |买一套房子是他们现在~的愿望。Mǎi yí tào fángzi shì tāmen xiànzài ~ de yuànwàng.

pu

pū 扑(撲)[动]

他用力一~，身体压住了足球。Tā yòng lì yì ~，shēntǐ yāzhùle zúqiú. → 他的身体向前一用力，倒下后压住了足球。Tā de shēntǐ xiàng qián yí yòng lì, dǎoxia hòu yāzhùle zúqiú. 例 警察~向那个小偷儿，把他抓了起来。Jǐngchá ~ xiàng nèige xiǎotōur, bǎ tā zhuāle qilai. | 他~过去救球的时候，不小心摔破了手。Tā ~ guoqu jiù qiú de shíhou, bù xiǎoxīn shuāipòle shǒu. | 好久没见，孩子一下子~到了妈妈的怀里。Hǎojiǔ méi jiàn, háizi yíxiàzi ~ dàole māma de huái li. | 警察把罪犯~了个跟头。Jǐngchá bǎ zuìfàn ~ le ge gēntou. | 他~倒在地上，再也起不来了。Tā ~ dǎo zài dìshang, zài yě qǐ bu lái le.

pū 铺(鋪)[动]

他在桌子上~了一块儿布，显得干净多了。Tā zài zhuōzi shang ~ le yí kuàir bù, xiǎnde gānjìng duō le. → 他把布展开盖住了桌面。Tā bǎ bù zhǎnkāi gàizhùle zhuōmiàn. 例 我家的地毯是刚~的，很新。Wǒ jiā de dìtǎn shì gāng ~ de, hěn xīn. | 他们~好被子，准备睡觉了。Tāmen ~ hǎole bèizi, zhǔnbèi shuìjiào le. | 女朋友要来，他~上了一块儿新床单。Nǚpéngyou yào lái, tā ~ shangle yí kuàir xīn chuángdān. | 那儿正在~公路，以后就好走多了。Nàr zhèngzài ~ gōnglù, yǐhòu jiù hǎozǒu duō le. | 这块儿布~得不怎么平，再~~吧。Zhèi kuàir bù ~ de bù zěnme píng, zài ~ ~ ba.

pǔsù 朴素(樸素)[形]

他生活很~，从来不乱花钱。Tā shēnghuó hěn ~, cónglái bú luàn huā qián. → 他在吃、穿、用等方面要求不高，花钱很节约。Tā zài chī、chuān、yòng děng fāngmiàn yāoqiú bù gāo, huā qián hěn jiéyuē. 例 几十年来，我们一直过着艰苦~的生活。Jǐshí nián lái, wǒmen yìzhí guòzhe jiānkǔ ~ de shēnghuó. | 他虽然当了总统，可生活还是那么~。Tā suīrán dāngle zǒngtǒng, kě shēnghuó háishi nàme ~. | 我们~惯了，住不了这么高级的房子。Wǒmen ~ guàn le, zhù bu liǎo zhème gāojí de fángzi. | 现在他们钱多了，也不像以前那么~了。Xiànzài tāmen qián duō le, yě bú xiàng yǐqián nàme ~ le.

P

pǔbiàn 普遍 [形]

一家一个孩子，现在很～。Yì jiā yí ge háizi, xiànzài hěn ～. → 大部分家庭现在都是一个孩子。Dà bùfen jiātíng xiànzài dōu shì yí ge háizi. 例 A 队能获胜，这是我们～的想法。A duì néng huò shèng, zhè shì wǒmen ～ de xiǎngfa. | 在我们这个公司，大家～喜欢踢足球。Zài wǒmen zhèige gōngsī, dàjiā ～ xǐhuan tī zúqiú. | 乒乓球运动在城市开展得很～。Pīngpāngqiú yùndòng zài chéngshì kāizhǎn de hěn ～. | 人们的～看法是，这里的东西很便宜。Rénmen de ～ kànfǎ shì, zhèlǐ de dōngxi hěn piányi. | 大学生谈恋爱，在这儿～得很。Dàxuéshēng tán liàn'ài, zài zhèr ～ de hěn.

pǔtōng 普通 [形]

这种车很～，哪儿都能买到。Zhèi zhǒng chē hěn ～, nǎr dōu néng mǎidào. → 这种车很常见，不太高级。Zhèi zhǒng chē hěn chángjiàn, bú tài gāojí. 例 他穿得非常～，不像一个高级官员。Tā chuān de fēicháng ～, bú xiàng yí ge gāojí guānyuán. | 他们的家具～得很，就是两张写字台，一张床。Tāmen de jiājù ～ de hěn, jiù shì liǎng zhāng xiězìtái, yì zhāng chuáng. | 她虽然很有钱，但还是住着～的房子。Tā suīrán hěn yǒu qián, dàn hái shì zhùzhe ～ de fángzi. | 这可不是～的手表，一块三万多美元呢。Zhè kě bú shì ～ de shǒubiǎo, yí kuài sānwàn duō měiyuán ne.

pǔtōnghuà 普通话（普通話）[名]

在中国，大家都听得懂～。Zài Zhōngguó, dàjiā dōu tīng de dǒng ～. → 在中国，大家都能听懂标准汉语。Zài Zhōngguó, dàjiā dōu néng tīngdǒng biāozhǔn Hànyǔ. 例 ～和北京话不太一样。～ hé Běijīnghuà bú tài yíyàng. | 我说的是标准的～，不是方言。Wǒ shuō de shì biāozhǔn de ～, bú shì fāngyán. | 我的～说得不太好。Wǒ de ～ shuō de bú tài hǎo. | 电影、电视里说的大部分都是～。Diànyǐng、diànshì li shuō de dà bùfen dōu shì ～. | 在这儿要说～，说方言没人听得懂。Zài zhèr yào shuō ～, shuō fāngyán méi rén tīng de dǒng. | 他讲得～不太标准，但也听得懂。Tā jiǎng de ～ bú tài biāozhǔn, dàn yě tīng de dǒng.

Q

qi

qī 七 [数]

二加五等于～。Èr jiā wǔ děngyú ～. →2＋5＝7 例一个星期有～天。Yí ge xīngqī yǒu qī tiān. I 我家有～口人。Wǒ jiā yǒu ～ kǒu rén. I 在北京，～月是最热的一个月。Zài Běijīng, ～ yuè shì zuì rè de yí ge yuè. I 晚上的电影～点钟开始。Wǎnshang de diànyǐng ～ diǎnzhōng kāishǐ. I 我每天早上～点起床，八点上课。Wǒ měi tiān zǎoshang ～ diǎn qǐchuáng, bā diǎn shàngkè. I 这种笔～块钱一支。Zhèi zhǒng bǐ ～ kuài qián yì zhī. I 我们～个人一起去吧。Wǒmen ～ ge rén yìqǐ qù ba.

qī 柒 [数]

"七"的大写形式。"Qī" de dàxiě xíngshì.

qīzi 妻子 [名]

wife 例他娶了个漂亮的～。Tā qǔle ge piàoliang de ～. I 我～是一个公司的经理。Wǒ ～ shì yí ge gōngsī de jīnglǐ. I 他很爱他的～，他是一个好丈夫。Tā hěn ài tā de ～, tā shì yí ge hǎo zhàngfu. I 大卫和他的～都是老师。Dàwèi hé tā de ～ dōu shì lǎoshī. I ～的事情，大卫从来都很关心。～ de shìqing, Dàwèi cónglái dōu hěn guānxīn. I 他的～是日本人，很会做菜。Tā de ～ shì Rìběnrén, hěn huì zuò cài. I 谁娶她作～，谁就是最幸福的人。Shéi qǔ tā zuò ～, shéi jiù shì zuì xìngfú de rén.

qī 期 [量]

用于杂志、学习班等。Yòngyú zázhì、xuéxíbān děng. 例这本杂志一个月出一～。Zhèi běn zázhì yí ge yuè chū yì ～. I 这一～的《学汉语》内容很丰富。Zhèi yì ～ de 《Xué Hànyǔ》 nèiróng hěn fēngfù. I 这个杂志三个月出一～。Zhèige zázhì sān ge yuè chū yì ～. I 他们办的刊物，～～都很有意思。Tāmen bàn de kānwù, ～ ～ dōu hěn yǒu yìsi. I 汉语学习班我们已经办过十～了。Hànyǔ xuéxíbān wǒmen yǐjing bànguo shí ～ le. I 这是第一～英语学习班，我们一定要办好。Zhè shì dì yī ～ Yīngyǔ xuéxíbān, wǒmen yídìng yào bànhǎo. I 你们这

个杂志一共出了多少～了？Nǐmen zhèige zázhì yígòng chūle duōshao ～ le?

qījiān 期间（期間）[名]

放假～我想去南方旅游。Fàngjià ～ wǒ xiǎng qù nánfāng lǚyóu. →我想用放假的这段时间去南方旅游。Wǒ xiǎng yòng fàngjià de zhèi duàn shíjiān qù nánfāng lǚyóu. 例 大学～的生活是很有意思的。Dàxué ～ de shēnghuó shì hěn yǒu yìsi de. I在国外～，我一直想着你们。Zài guówài ～, wǒ yìzhí xiǎngzhe nǐmen. I我在美国～，学好了英语。Wǒ zài Měiguó ～, xuéhǎole Yīngyǔ. I会议～，我们听到了很多好的意见。Huìyì qījiān, wǒmen tīngdàole hěn duō hǎo de yìjiàn. I我们谈恋爱～，一直是我送她回家。Wǒmen tán liàn'ài ～, yìzhí shì wǒ sòng tā huíjiā.

qīpiàn 欺骗（欺騙）[动]

他说借钱给他母亲治病，我相信他不会～我。Tā shuō jiè qián gěi tā mǔqin zhì bìng, wǒ xiāngxìn tā bú huì ～ wǒ. →他借钱肯定是给他母亲治病，我相信他不会对我说假话，把钱拿去做别的。Tā jiè qián kěndìng shì gěi tā mǔqin zhì bìng, wǒ xiāngxìn tā bú huì duì wǒ shuō jiǎhuà, bǎ qián náqu zuò biéde. 例他～妈妈说自己丢了钱，妈妈发现他说的是假话。Tā ～ māma shuō zìjǐ diūle qián, māma fāxiàn tā shuō de shì jiǎhuà. I我不能再～自己了，我真的爱上了她。Wǒ bù néng zài ～ zìjǐ le, wǒ zhēn de àishangle tā. I这人～过我们好几次了。Zhè rén ～ guo wǒmen hǎojǐ cì le. I你不可能一直～下去，现在不得不说真话了吧？Nǐ bù kěnéng yìzhí ～ xiaqu, xiànzài bù dé bù shuō zhēnhuà le ba?

qí 齐[1]（齊）[形]

这些人的个子很～。Zhèixiē rén de gèzi hěn ～. →这些人都是一米七八。Zhèixiē rén dōu shì yì mǐ qībā. 例小麦长得特别～。Xiǎomài zhǎng de tèbié ～. I这三条线要画～。Zhèi sān tiáo xiàn yào huà ～. I他们排队排得很～。Tāmen pái duì pái de hěn ～. I学生们～～地坐在那里，眼睛看着老师。Xuéshengmen ～ ～ de zuò zài nàli, yǎnjing kànzhe lǎoshī. I他们唱得不太～，有先唱的，有后唱的。Tāmen chàng de bú tài ～, yǒu xiān chàng de, yǒu hòu chàng de. I汽车停得这么～，真好看。Qìchē tíng de zhème ～, zhēn hǎokàn.

qí 齐² （齊） ［动］

游泳池里的水很浅，刚～腰。Yóuyǒngchí li de shuǐ hěn qiǎn, gāng ～yāo. →游泳池的水刚刚到腰部。Yóuyǒngchí de shuǐ gānggāng dào yāobù. 例小树长得很快，已经～墙高了。Xiǎoshù zhǎng de hěn kuài, yǐjing ～ qiáng gāo le. | 几场大雨之后，河水就～了岸。Jǐ cháng dàyǔ zhīhòu, héshuǐ jiù ～ le àn. | 茶水～着杯子口儿，都快出来了。Cháshuǐ ～ zhe bēizikǒur, dōu kuài chūlai le. | 雨下得很大，水都快～窗户了。Yǔ xià de hěn dà, shuǐ dōu kuài ～ chuānghu le.

qícì 其次 ［副］

我第一个发言，～是大卫。Wǒ dì yī ge fāyán, ～ shì Dàwèi. →大卫第二个发言。Dàwèi dì èr ge fāyán. 例我先表演，～是你，比尔第三。Wǒ xiān biǎoyǎn, ～ shì nǐ, Bǐ'ěr dì sān. | 我们先去英国，～去法国，最后去德国。Wǒmen xiān qù Yīngguó, ～ qù Fǎguó, zuìhòu qù Déguó. | 我们首先谈事情的经过，～讨论一下儿处理意见。Wǒmen shǒuxiān tán shìqing de jīngguò, ～ tǎolùn yíxiàr chǔlǐ yìjiàn. | 我首先介绍这里的经济情况，～介绍风俗习惯。Wǒ shǒuxiān jièshào zhèlǐ de jīngjì qíngkuàng, ～ jièshào fēngsú xíguàn. | 首先，我们要找到他，～，要把东西给他。Shǒuxiān, wǒmen yào zhǎodào tā, ～, yào bǎ dōngxi gěi tā.

qítā 其他 ［代］

我们公司里只有大卫会说汉语，～人都不会。Wǒmen gōngsī li zhǐyǒu Dàwèi huì shuō Hànyǔ, ～ rén dōu bú huì. →除了大卫以外，没人会说汉语。Chúle Dàwèi yǐwài, méi rén huì shuō Hànyǔ. 例只有这一个空房间，～房间都住满了。Zhǐyǒu zhèi yí ge kòng fángjiān, ～ fángjiān dōu zhùmǎn le. | 你只管买菜，～的事我来做。Nǐ zhǐ guǎn mǎi cài, ～ de shì wǒ lái zuò. | 我们先说去哪儿，～问题以后再说。Wǒmen xiān shuō qù nǎr, ～ wèntí yǐhòu zài shuō. | 你只带几件衣服就可以了，～什么都不用带了。Nǐ zhǐ dài jǐ jiàn yīfu jiù kěyǐ le, ～ shénme dōu bú yòng dài le.

qítā 其它 ［代］

同"其他"，用于事物。Tóng "qítā", yòngyú shìwù. 例只有这只老虎走来走去，～的都趴着不动。Zhǐyǒu zhèi zhī lǎohǔ zǒulái zǒuqù, ～ de dōu pāzhe bú dòng. →除了这只老虎外，别的老虎都趴着不动。Chúle zhèi zhī lǎohǔ wài, biéde lǎohǔ dōu pāzhe bú

Q

dòng. 例我们只看见了猴子，～的动物好像躲起来了。Wǒmen zhǐ kànjiànle hóuzi, ～ de dòngwù hǎoxiàng duǒ qilai le. | 你喂一只小兔，～的也就都过来了。Nǐ wèi yì zhī xiǎotù, ～ de yě jiù dōu guòlai le. | 屋里只有一条母狗，～都出去找东西吃了。Wū li zhǐyǒu yì tiáo mǔ gǒu, qítā dōu chūqu zhǎo dōngxi chī le.

qíshí 其实（其實）［副］

他看起来像中国人，～是日本人。Tā kàn qilai xiàng Zhōngguórén, ～ shì Rìběnrén. →他只是像中国人，实际上是日本人。Tā zhǐshì xiàng Zhōngguórén, shíjì shang shì Rìběnrén. 例人们都以为他在上中学，～他已经是大学生了。Rénmen dōu yǐwéi tā zài shàng zhōngxué, ～ tā yǐjing shì dàxuéshēng le. | 这些家具看上去是木头的，～是石头的。Zhèixiē jiājù kàn shangqu shì mùtou de, ～ shì shítou de. | 他说自己不会唱歌儿，～他唱得非常好。Tā shuō zìjǐ bú huì chànggēr, ～ tā chàng de fēicháng hǎo. | 他看上去有五十多岁，～才三十多岁。Tā kàn shangqu yǒu wǔshí duō suì, ～ cái sānshí duō suì.

qíyú 其余（其餘）［代］

这些人中我只认识大卫，～的都不认识。Zhèixiē rén zhōng wǒ zhǐ rènshi Dàwèi, ～ de dōu bú rènshi. →除了大卫以外，剩下的那些人我都不认识。Chúle Dàwèi yǐwài, shèngxia de nèixiē rén wǒ dōu bú rènshi. 例这儿就我一个人，～的人都去参加舞会了。Zhèr jiù wǒ yí ge rén, ～ de rén dōu qù cānjiā wǔhuì le. | 我只知道那儿很冷，～的就不知道了。Wǒ zhǐ zhīdao nàr hěn lěng, ～ de jiù bù zhīdào le. | 我猜对了不到一半，～的都猜错了。Wǒ cāiduìle bú dào yí bàn, ～ de dōu cāicuò le. | 我只知道他姓李，～的情况就不清楚了。Wǒ zhǐ zhīdao tā xìng Lǐ, ～ de qíngkuàng jiù bù qīngchu le.

qízhōng 其中［名］

我买了十本书，～八本是汉语书。Wǒ mǎile shí běn shū, ～ bā běn shì Hànyǔ shū. →十本书里有八本是汉语书。Shí běn shū li yǒu bā běn shì Hànyǔ shū. 例我们公司只有两个人得了奖，～就有我。Wǒmen gōngsī zhǐ yǒu liǎng ge rén déle jiǎng, qízhōng jiù yǒu wǒ. | 我在外国工作了六年，～四年是在美国。Wǒ zài wàiguó gōngzuòle liù nián, ～ sì nián shì zài Měiguó. | 我们比赛过五次，～胜了四次。Wǒmen bǐsàiguo wǔ cì, ～ shèngle sì cì. | 经理表扬了四个人，我也在～。Jīnglǐ biǎoyángle sì ge rén, wǒ yě zài ～. | 这本书有四百多

页，我读了~的三百页。Zhèi běn shū yǒu sìbǎi duō yè, wǒ dúle ~ de sānbǎi duō yè.

qíguài 奇怪 [形]

这辆汽车的样子很 ~。Zhèi liàng qìchē de yàngzi hěn ~. →这辆汽车的样子跟普通汽车不一样。Zhèi liàng qìchē de yàngzi gēn pǔtōng qìchē bù yíyàng. 例这只羊有两条尾巴，真 ~。Zhèi zhī yáng yǒu liǎng tiáo wěiba, zhēn ~. | 大卫今天的打扮很 ~，我差点儿没认出来。Dàwèi jīntiān de dǎban hěn ~, wǒ chàdiǎnr méi rèn chūlái. | 这种表可以发出一种 ~ 的声音。Zhèi zhǒng biǎo kěyǐ fāchū yì zhǒng ~ de shēngyīn. | 我在动物园看到了很多 ~ 的动物。Wǒ zài dòngwùyuán kàndàole hěn duō ~ de dòngwù. | 这棵树的样子不 ~，那棵树才 ~ 呢。Zhèi kē shù de yàngzi bù ~, nèi kē shù cái ~ ne.

qí 骑（騎）[动]

ride 例他喜欢 ~ 马。Tā xǐhuan ~ mǎ. | 我是 ~ 自行车来的。Wǒ shì ~ zìxíngchē lái de. | 摩托车别 ~ 得太快了。Mótuōchē bié ~ de tài kuài le. | 你 ~ ~，这匹马很老实。Nǐ ~ ~, zhèi pǐ mǎ hěn lǎoshi. | 这车 ~ 起来真舒服。Zhè chē ~ qilai zhēn shūfu. | 我 ~ 了两个小时车，才赶到这里。Wǒ ~ le liǎng ge xiǎoshí chē, cái gǎndào zhèlǐ. | 这孩子喜欢 ~ 在爸爸身上玩儿。Zhè háizi xǐhuan qí zài bàba shēnshang wánr. | 他刚 ~ 了一次就喜欢上这辆车了。Tā gāng ~ le yí cì jiù xǐhuan shang zhèi liàng chē le. | 我没 ~ 过马。Wǒ méi ~ guo mǎ. | 不管我说什么，他就是不 ~。Bùguǎn wǒ shuō shénme, tā jiùshì bù ~.

qízi 旗子 [名]

例街道两旁挂着很多彩色的 ~。Jiēdào liǎng páng guàzhe hěn duō cǎisè de ~. | 他们表演时，每人手里拿着一个小 ~。Tāmen biǎoyǎn shí, měi rén shǒu li názhe yí ge xiǎo ~. | 举着 ~ 的人走在最前面。Jǔzhe ~ de rén zǒu zài zuì qiánmian. | 你们做这么多 ~，有什么用吗？Nǐmen zuò zhème duō ~, yǒu shénme yòng ma? | 一面面 ~ 在微风中飘着，欢迎新来的同学。Yí miànmiàn ~ zài wēifēng zhōng piāozhe, huānyíng xīn lái de tóngxué. | 你跑到前面那面 ~ 那儿，就

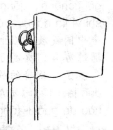

旗子

算跑完了。Nǐ pǎo dào qiánmian nèi miàn ~ nàr, jiù suàn pǎowán le.

qǐtú 企图[1]（企圖）[动]

那个偷东西的人 ~ 躲起来。Nèige tōu dōngxi de rén ~ duǒ qilai. → 那个偷东西的人打算藏起来。Nèige tōu dōngxi de rén dǎsuan cáng qilai. 例他们 ~ 欺骗我，说经理不在。Tāmen ~ qīpiàn wǒ, shuō jīnglǐ bú zài. | 这家伙 ~ 不买票，就上火车。Zhè jiāhuo ~ bù mǎi piào, jiù shàng huǒchē. | 那伙人 ~ 把孩子骗走。Nèi huǒ rén ~ bǎ háizi piànzǒu. | 他 ~ 杀死那个女学生，结果被人发现了。Tā ~ shāsǐ nèige nǚxuésheng, jiéguǒ bèi rén fāxiàn le. | 刚才，他 ~ 抢我的钱包，吓了我一跳。Gāngcái, tā ~ qiǎng wǒ de qiánbāo, xiàle wǒ yí tiào.

qǐtú 企图[2]（企圖）[名]

他想骗人的 ~ 被我看出来了。Tā xiǎng piàn rén de ~ bèi wǒ kàn chulai le. → 他有骗人的想法，但被我看出来了。Tā yǒu piàn rén de xiǎngfa, dàn bèi wǒ kàn chulai le. 例他们抢钱包的 ~ 没有实现。Tāmen qiǎng qiánbāo de ~ méiyǒu shíxiàn. | 售票员发现那个人有不买票的 ~。Shòupiàoyuán fāxiàn nèige rén yǒu bù mǎi piào dè ~. | 警察调查出来她有杀人的 ~。Jǐngchá diàochá chulai tā yǒu shā rén de ~. | 他们的 ~ 是想把我赶走。Tāmen de ~ shì xiǎng bǎ wǒ gǎnzǒu. | 不管他有什么 ~，都不能让他达到目的。Bùguǎn tā yǒu shénme ~, dōu bù néng ràng tā dádào mùdì.

qǐyè 企业（企業）[名]

我们村有很多 ~，所以比较富。Wǒmen cūn yǒu hěn duō ~, suǒyǐ bǐjiào fù. → 我们村有很多工厂、公司等。Wǒmen cūn yǒu hěn duō gōngchǎng、gōngsī děng. 例那是一家大 ~，有两万多名职工。Nà shì yì jiā dà ~, yǒu liǎngwàn duō míng zhígōng. | 现在很多外国 ~ 来中国发展。Xiànzài hěn duō wàiguó ~ lái Zhōngguó fāzhǎn. | 他们通过办 ~，提高了收入。Tāmen tōngguò bàn ~, tígāole shōurù. | ~ 多了，政府的收入也就多了。~ duō le, zhèngfǔ de shōurù yě jiù duō le. | ~ 的发展，离不开好的管理方法。~ de fāzhǎn, lí bu kāi hǎo de guǎnlǐ fāngfǎ.

qǐfā 启发[1]（啓發）[动]

你讲个故事 ~ 他一下儿，他就会明白的。Nǐ jiǎng ge gùshi ~ tā yíxiàr, tā jiù huì míngbai de. → 他会从故事的道理中想明白这个问

题的。Tā huì cóng gùshi de dàoli zhōng xiǎng míngbai zhèige wèntí de. 例这些玩具会～孩子们思考。Zhèixiē wánjù huì～háizimen sīkǎo. |你不断地～他，他就会明白这个道理的。Nǐ búduàn de～tā, tā jiù huì míngbai zhèige dàoli de. |你举个例子，～～他吧。Nǐ jǔ ge lìzi, ～～tā ba. |他的一句话～了我，我终于弄懂了。Tā de yí jù huà～le wǒ, wǒ zhōngyú nòngdǒng le.

qǐfā 启发[2] （啓發）［名］

这件交通事故对我很有～，那就是开车不能太快。Zhèi jiàn jiāotōng shìgù duì wǒ hěn yǒu～, nà jiùshì kāi chē bù néng tài kuài. →我从这件事故中明白了一个道理，那就是开车不能太快。Wǒ cóng zhèi jiàn shìgù zhōng míngbaile yí ge dàoli, nà jiùshì kāi chē bù néng tài kuài. 例从他的错误中，我也得到了～。Cóng tā de cuòwù zhōng, wǒ yě dédàole～. |因为有老师的～，所以我们才明白得这么快。Yīnwèi yǒu lǎoshī de～, suǒyǐ wǒmen cái míngbai de zhème kuài. |经过大家的～，大卫终于想明白了。Jīngguò dàjiā de～, Dàwèi zhōngyú xiǎng míngbai le.

qǐ 起[1] ［动］

他今天～得很早。Tā jīntiān qǐ de hěn zǎo. →他早上四点多钟就不睡了。Tā zǎoshang sì diǎn duō zhōng jiù bú shuì le. 例我有早睡早～的习惯。Wǒ yǒu zǎo shuì zǎo～de xíguàn. |快～吧，都九点了。Kuài～ba, dōu jiǔ diǎn le. |你～那么早干什么？Nǐ～nàme zǎo gàn shénme? |你明天几点钟～？Nǐ míngtiān jǐ diǎnzhōng qǐ? |他早醒了，可就是不～。Tā zǎo xǐng le, kě jiùshì bù～. |你～的时候，请叫我一声。Nǐ～de shíhou, qǐng jiào wǒ yì shēng. |我昨天睡得晚，所以今天～晚了。Wǒ zuótiān shuì de wǎn, suǒyǐ jīntiān～wǎn le.

qǐ chuáng 起床

我每天早上6点钟～。Wǒ měi tiān zǎoshang liù diǎnzhōng～. →我6点钟就不睡觉了。Wǒ liù diǎnzhōng jiù bú shuìjiào le. 例～吧，都9点了。～ba, dōu jiǔ diǎn le. |他有点儿不舒服，不愿意～。Tā yǒudiǎnr bù shūfu, bú yuànyì～. |他～以后第一件事儿是照镜子。Tā～yǐhòu dì yī jiàn shìr shì zhào jìngzi. |他的病很重，起不了床。Tā de bìng hěn zhòng, qǐ bu liǎo chuáng. |我是7点钟～的。Wǒ shì qī diǎnzhōng～de. |他早就醒了，就是不愿意～。Tā zǎo jiù xǐng le, jiùshì bú yuànyì～. |你明天什么时候～，别忘了叫我。Nǐ

Q

míngtiān shénme shíhou ~, bié wàngle jiào wǒ.

qǐ lai 起来[1] (起來)

他~后饭也没吃，就去上班了。Tā ~ hòu fàn yě méi chī, jiù qù shàngbān le. →他起床后没吃饭就去上班了。Tā qǐ chuáng hòu méi chīfàn jiù qù shàngbān le. 例我明天有事儿，得早点儿~。Wǒ míngtiān yǒu shìr, děi zǎo diǎnr ~. | 你什么时候~的？我怎么不知道? Nǐ shénme shíhou ~ de? Wǒ zěnme bù zhīdào? | 我~好半天了。Wǒ ~ hǎo bàntiān le. | 你8点钟上班，7点~就可以了。Nǐ bā diǎnzhōng shàngbān, qī diǎn ~ jiù kěyǐ le. | 早上7点我肯定能~。Zǎoshang qī diǎn wǒ kěndìng néng ~. | 晚上睡得太晚，早晨就不可能那么早~了。Wǎnshang shuì de tài wǎn, zǎochen jiù bù kěnéng nàme zǎo qǐlai le.

qǐ lai 起来[2] (起來)

他一坐下就不愿意~了。Tā yí zuòxia jiù bú yuànyì ~ le. →他坐着的时候，就不愿意直起身子站着。Tā zuòzhe dè shíhou, jiù bú yuànyì zhí qi shēnzi zhànzhe. 例你~，让老人坐一会儿吧。Nǐ ~, ràng lǎorén zuò yíhuìr ba. | 他光想躺着，不愿意~。Tā guāng xiǎng tǎngzhe, bú yuànyì ~. | 你都躺了一下午了，~走走吧。Nǐ dōu tǎngle yí xiàwǔ le, ~ zǒuzou ba. | 他坐在地上，就是不~。Tā zuò zài dìshang, jiùshì bù ~. | 别坐着了，快~吧，我们到站了。Bié zuòzhe le, kuài ~ ba, wǒmen dào zhàn le.

Q qi lai 起来[3] (起來)

他们一见面，就聊~了。Tāmen yí jiànmiàn jiù liáo ~ le. →他们一见面就开始不停地说话。Tāmen yí jiàn miàn jiù kāishǐ bù tíng de shuōhuà. 例他说完就笑了~。Tā shuōwán jiù xiàole ~. | 天黑了，路边的灯也亮~了。Tiān hēi le, lù biān de dēng yě liàng ~ le. | 他一吃完饭，就写起作业来。Tā yì chīwán fàn, jiù xiě qi zuòyè lai. | 不管我怎么说，他就是高兴不~。Bùguǎn wǒ zěnme shuō, tā jiùshì gāoxìng bù qǐlái.

qǐ 起[2] [动]

~风了，关上窗户吧。~ fēng le, guānshang chuānghu ba. →外面开始刮风了，关上窗户吧。Wàimian kāishǐ guā fēng le, guānshang chuānghu ba. 例~雾了，什么也看不见。~ wù le, shénme yě kàn bu jiàn. | 从明天~，我要好好儿学习了。Cóng míngtiān ~, wǒ yào hǎohāor xuéxí le. |从现在 ~ , 你就是公司经理了。Cóng xiànzài ~ , nǐ jiù shì gōngsī jīnglǐ le. |由这儿 ~ , 往南走200米, 就是邮局。Yóu zhèr ~ , wǎng nán zǒu èrbǎi mǐ, jiù shì yóujú. |从那时候 ~ , 我俩就成了好朋友。Cóng nà shíhou ~ , wǒ liǎ jiù chéngle hǎopéngyou.

qǐfēi 起飞(起飛) [动]

飞机7点钟 ~ 。Fēijī qī diǎnzhōng ~ . →飞机7点钟就离开地面, 到空中了。Fēijī qī diǎnzhōng jiù líkāi dìmiàn, dào kōngzhōng le. 例飞机快 ~ 了, 请大家做好准备。Fēijī kuài ~ le, qǐng dàjiā zuòhǎo zhǔnbèi. |去香港的飞机几点 ~ ? Qù Xiānggǎng de fēijī jǐ diǎn ~ ? |离飞机 ~ 的时间只有30分了。Lí fēijī ~ de shíjiān zhǐyǒu sānshí fēn le. |飞机刚一 ~ , 他就觉得有点儿不舒服。Fēijī gāng yì ~ , tā jiù juéde yǒudiǎnr bù shūfu. |你能告诉我飞机什么时候 ~ 吗? Nǐ néng gàosu wǒ fēijī shénme shíhou ~ ma?

qǐ 起³ [动]

这张画儿太贵, 我买不 ~ 。Zhèi zhāng huàr tài guì, wǒ mǎi bu ~ . →这张画太贵, 我没那么多钱买。Zhèi zhāng huà tài guì, wǒ méi nàme duō qián mǎi. 例这种东西不贵, 谁都买得 ~ 。Zhèi zhǒng dōngxi bú guì, shéi dōu mǎi de ~ . |他有点儿看不 ~ 别人。Tā yǒudiǎnr kàn bu ~ biéren. |大家请你去, 是看得 ~ 你。Dàjiā qǐng nǐ qù, shì kàn de ~ nǐ. |他不讲道理, 我惹不 ~ 。Tā bù jiǎng dàoli, wǒ rě bu ~ . |这种不讲道理的人, 谁惹得 ~ 呀? Zhèi zhǒng bù jiǎng dàoli de rén, shéi rě de ~ ya?

qì 气(氣) [动]

他丢了钱包, ~ 极了。Tā diūle qiánbāo, ~ jí le. →他丢了钱包, 非常生气。Tā diūle qiánbāo fēicháng shēngqì. 例大家都不理他, 他 ~ 得不得了。Dàjiā dōu bù lǐ tā, tā ~ de bù déliǎo. |那天, 我 ~ 得一句话也说不出来了。Nà tiān, wǒ ~ de yí jù huà yě shuō bu chūlái le. |他们故意 ~ 我, 说我考试不及格。Tāmen gùyì ~ wǒ, shuō wǒ kǎoshì bù jígé. |屋里这么多老鼠, ~ 死我了。Wū li zhème duō lǎoshǔ, ~ sǐ wǒ le. |我们去 ~ ~ 他, 看他说什么。Wǒmen qù ~ ~ tā, kàn tā shuō shénme.

qìhòu 气候(氣候) [名]

我觉得这里的 ~ 很好。Wǒ juéde zhèlǐ de ~ hěn hǎo. →我觉得这里

的天气情况很好。Wǒ juéde zhèlǐ de tiānqì qíngkuàng hěn hǎo. 例南方的 ~ 是下雨多，比较热。Nánfāng de ~ shì xià yǔ duō, bǐjiào rè. | 这里冬天 ~ 寒冷，下雪很少。Zhèlǐ dōngtiān ~ hánlěng, xià xuě hěn shǎo. | 我不太习惯北京的 ~，觉得太干。Wǒ bú tài xíguàn Běijīng de ~, juéde tài gān. | 这里一年四季 ~ 温暖，是旅游的好地方。Zhèlǐ yì nián sìjì ~ wēnnuǎn, shì lǚyóu de hǎo dìfang.

qìwēn 气温（氣溫）[名]

这里冬天的气温很低，夏天的气温很高。Zhèlǐ dōngtiān de ~ hěn dī, xiàtiān de ~ hěn gāo. → 人们冬天会感到很冷，夏天会感到很热。Rénmen dōngtiān huì gǎndào hěn lěng, xiàtiān huì gǎndào hěn rè. 例这两天的 ~ 又升高了，不那么冷了。Zhèi liǎng tiān de ~ yòu shēnggāo le, bú nàme lěng le. | 今天的 ~ 是三十八度，很热。Jīntiān de ~ shì sānshíbā dù, hěn rè. | 这些天 ~ 有时高，有时低。Zhèixiē tiān ~ yǒushí gāo, yǒushí dī. | 明天有大风，~ 要下降。Míngtiān yǒu dàfēng, ~ yào xiàjiàng.

qìxiàng 气象¹（氣象）[名]

他知道很多 ~ 知识。Tā zhīdao hěn duō ~ zhīshi. → 他有很多关于天气、空气等方面的知识。Tā yǒu hěn duō guānyú tiānqì, kōngqì děng fāngmiàn de zhīshi. 例大卫在 ~ 站工作。Dàwèi zài ~ zhàn gōngzuò. | 这是一颗 ~ 卫星，帮助我们预报天气情况。Zhè shì yī kē ~ wèixīng, bāngzhù wǒmen yùbào tiānqì qíngkuàng. | 他是一位 ~ 工作者，懂得很多自然知识。Tā shì yí wèi ~ gōngzuòzhě, dǒngde hěn duō zìrán zhīshi.

qìxiàng 气象²（氣象）[名]

这个国家的经济出现了新 ~。Zhèige guójiā de jīngjì chūxiànle xīn ~. → 这个国家的经济情况正在变好。Zhèige guójiā de jīngjì qíngkuàng zhèngzài biàn hǎo. 例市场上东西很多，一片繁荣 ~。Shìchǎng shang dōngxi hěn duō, yí piàn fánróng ~. | 这里山好水好，~ 万千。Zhèlǐ shān hǎo shuǐ hǎo, ~ wànqiān. | 我看到了农村的好 ~，人们边种田，边办工厂。Wǒ kàndàole nóngcūn de hǎo ~, rénmen biān zhòng tián, biān bàn gōngchǎng.

qìchē 汽车（汽車）[名]

例这辆 ~ 一小时能跑两百公里。Zhèi liàng ~ yì xiǎoshí néng pǎo liǎngbǎi gōnglǐ. | 我是坐出租 ~ 来的。Wǒ shì zuò chūzū ~ lái de. |

这里的公共 ~ 每三分钟一趟。Zhèlǐ de gōnggòng ~ měi sān fēnzhōng yí tàng. I我的 ~ 灯坏了，得换新的了。Wǒ de ~ dēng huài le, děi huàn xīn de le. I那辆 ~ 开得很快。Nèi liàng ~ kāi de hěn kuài. I前边出事故了，两辆 ~ 撞在一起了。Qiánbian chū shìgù le, liǎng liàng ~ zhuàng zài yìqǐ le.

汽车

qìshuǐ 汽水 [名]

orange juice **例**天太热了，咱们喝瓶 ~ ₙ 吧。Tiān tài rè le, zánmen hē píng ~ r ba. I你喝 ~ ₙ 还是喝啤酒? Nǐ hē ~ r háishi hē píjiǔ? I在这么多种 ~ ₙ 里，大卫最喜欢喝可口可乐。Zài zhème duō zhǒng ~ r li, Dàwèi zuì xǐhuan hē kěkǒukělè. I我肚子不好，不想喝 ~ ₙ 了。Wǒ dùzi bù hǎo, bù xiǎng hē ~ r le. I这是冰 ~ ₙ，很好喝。Zhè shì bīng ~ r, hěn hǎohē. I你买了这么多 ~ ₙ，我们喝不完的。Nǐ mǎile zhème duō ~ r, wǒmen hē bu wán de.

qìyóu 汽油 [名]

petrol **例** 有 ~ 的地方要注意防火。Yǒu ~ de dìfang yào zhùyì fáng huǒ. I这辆汽车没 ~ 了，开不动了。Zhèi liàng qìchē méi ~ le, kāi bu dòng le. I这ₙ 的 ~ 很好，我的车经常来这ₙ 加油。Zhèr de ~ hěn hǎo, wǒ de chē jīngcháng lái zhèr jiā yóu. I现在 ~ 的价格又升了。Xiànzài ~ de jiàgé yòu shēng le. I车里有 ~ 味ₙ，可能是车坏了。Chē li yǒu ~ wèir, kěnéng shì chē huài le. I ~ 有很多用处。~ yǒu hěn duō yòngchu.

Q

qian

qiān 千 [数]

一千 = 1000。Yìqiān děngyú yìqiān. **例**我认识两 ~ 多个汉字。Wǒ rènshi liǎng ~ duō ge Hànzì. I这个大学有五 ~ 多名学生。Zhèige dàxué yǒu wǔ ~ duō míng xuésheng. I我们公司有一 ~ 多名职工。Wǒmen gōngsī yǒu yì ~ duō míng zhígōng. I这种电视机大约一 ~ 元钱一台。Zhèi zhǒng diànshìjī dàyuē yì ~ yuán qián yì tái. I这件衣服要三 ~ 四百元。Zhèi jiàn yīfu yào sān ~ sìbǎi yuán.

qiānwàn 千万(千萬) [副]

你喝了酒，~ 不能再开车了。Nǐ hēle jiǔ, ~ bù néng zài kāi chē le.

→你喝了酒，再开车容易出事儿，一定不要开了。Nǐ hēle jiǔ, zài kāi chē róngyì chū shìr, yídìng búyào kāi le. 例你 ~ 别去偷人家的钱包。Nǐ ~ bié qù tōu rénjia de qiánbāo. | 你们可 ~ 不要吃不干净的东西。Nǐmen kě ~ búyào chī bù gānjìng de dōngxi. | 你一个人在外地，~要注意身体。Nǐ yí ge rén zài wàidì, ~ yào zhùyì shēntǐ. | 这件事你 ~ 别忘了。Zhèi jiàn shì nǐ ~ bié wàng le.

qiān 仟 [数]

"千" 的大写形式。"Qiān" de dàxiě xíngshì.

qiān 牵 (牽) [动]

这孩子总是 ~ 着妈妈的衣服。Zhè háizi zǒngshi ~ zhe māma de yīfu. →这孩子总是用手拉着妈妈的衣服。Zhè háizi zǒngshi yòng shǒu lāzhe māma de yīfu. 例他们手 ~ 着手，一起往前走。Tāmen shǒu ~ zhe shǒu, yìqǐ wǎng qián zǒu. | 大卫 ~ 来了一匹马。Dàwèi ~ lái le yì pǐ mǎ. | 那头牛不走，谁也 ~ 不动。Nèi tóu niú bù zǒu, shéi yě ~ bu dòng. | 我想把这几只羊 ~ 到市场上去卖。Wǒ xiǎng bǎ zhèi jǐ zhī yáng ~ dào shìchǎng shang qù mài. | 那个女人 ~ 着一只小狗。Nèige nǚrén ~ zhe yì zhī xiǎogǒu.

qiānbǐ 铅笔 (鉛筆) [名]

例这是用 ~ 写的，可以擦掉。Zhè shì yòng ~ xiě de, kěyǐ cādiào. | 我想买带橡皮的 ~。Wǒ xiǎng mǎi dài xiàngpí de ~. | 这根 ~ 有点儿粗了，该削了。Zhèi gēn ~ yǒudiǎnr cū le, gāi xiāo le. | 这是自动 ~，一按就能用。Zhè shì zìdòng ~, yí àn jiù néng yòng. | 他很会画 ~ 画儿。Tā hěn huì huà ~ huàr. | 我需要两根

铅笔

黑 ~，一根红 ~。Wǒ xūyào liǎng gēn hēi ~, yì gēn hóng ~.

qiāndìng 签订 (簽訂) [动]

我们两家公司刚 ~ 了一份买卖合同。Wǒmen liǎng jiā gōngsī gāng ~ le yí fèn mǎimài hétong. →两家公司同意做一笔买卖，买卖合同的内容要写在纸上。Liǎng jiā gōngsī tóngyì zuò yì bǐ mǎimai, mǎimài hétong de nèiróng yào xiě zài zhǐ shang. 例我们是 ~ 过合同的，不能随便改。Wǒmen shì ~ guo hétong de, bù néng suíbiàn gǎi. | 学校和公司 ~ 了一个合作协议。Xuéxiào hé gōngsī ~ le yí ge hézuò xiéyì. | 这份合同 ~ 三年了，没有改过。Zhèi fèn hétong ~ sān nián le, méiyǒu gǎiguo.

qián 钱¹（錢）[名]

money **例**这本书五元～。Zhèi běn shū wǔ yuán ～. | 这种电视机两千元～一台。Zhèi zhǒng diànshìjī liǎngqiān yuán ～ yì tái. | 我没带～，什么也买不了。Wǒ méi dài ～, shénme yě mǎi bu liǎo. | 我昨天借了大卫二十块～。Wǒ zuótiān jièle Dàwèi èrshí kuài ～. | 苹果多少～一斤？Píngguǒ duōshao ～ yì jīn? | 他一个月收入多少～? Tā yí ge yuè shōurù duōshao ～? | 我每月的零花～一千块。Wǒ měi yuè de línghuā ～ yìqiān kuài.

qián 钱²（錢）[名]

cost **例**这是我买房子的～，不能动。Zhè shì wǒ mǎi fángzi de ～, bù néng dòng. | 我每个月光饭～就得五百块。Wǒ měi ge yuè guāng fàn ～ jiù děi wǔbǎi kuài. | 那笔～是我买车用的。Nèi bǐ ～ shì wǒ mǎi chē yòng de. | 你上个月的房～还没交。Nǐ shàng ge yuè de fáng ～ hái méi jiāo. | 这顿饭我来付～吧。Zhèi dùn fàn wǒ lái fù ～ ba. | 他每年用来上学的～就是一万元。Tā měi nián yònglái shàng xué de ～ jiù shì yíwàn yuán.

qián 前 [名]

他的位置靠～，我的位置靠后。Tā de wèizhi kào ～, wǒ de wèizhi kào hòu. →他在第三排，我在第八排。Tā zài dì sān pái, wǒ zài dì bā pái. **例**我家房～是个小花园儿。Wǒ jiā fáng ～ shì ge xiǎo huāyuánr. | 看电影时，他喜欢坐～排。Kàn diànyǐng shí, tā xǐhuan zuò ～ pái. | 他每天趴在桌子～写文章。Tā měi tiān pā zài zhuōzi ～ xiě wénzhāng. | 一直往～走，就是我们学校。Yìzhí wǎng ～ zǒu, jiù shì wǒmen xuéxiào. | 你往～看，就会看见玛丽。Nǐ wǎng ～ kàn, jiù huì kànjiàn Mǎlì.

qiánbian 前边¹（前邊）[名]

大卫坐在我的～儿。Dàwèi zuò zài wǒ de ～r. →我坐在第三排，大卫坐在第一排。Wǒ zuò zài dì sān pái, Dàwèi zuò zài dì yī pái. **例**她就在～儿，你快点儿走就能追上。Tā jiù zài ～r, nǐ kuài diǎnr zǒu jiù néng zhuīshang. | ～儿就是饭馆儿了，我们进去吃饭吧。～r jiù shì fànguǎnr le, wǒmen jìnqu chīfàn ba. | 我走在队伍～儿，他走在后边儿。Wǒ zǒu zài duìwu ～r, tā zǒu zài hòubianr. | 银行就在那座楼

Q

~ ⼉。Yínháng jiù zài nèi zuò lóu ~ r.

qiánbian 前边² (前邊) [名]

你来得晚了，~⼉说的没听到。Nǐ lái de wǎn le, ~ r shuō de méi tīngdào. → 你没来的时候，我们的话你没听到。Nǐ méi lái de shíhou, wǒmen de huà nǐ méi tīngdào. 例这个问题 ~ 已经讨论过了。Zhèige wèntí ~ r yǐjing tǎolùnguo le. | ~⼉说了三个问题，现在我说第四个。~ r shuōle sān ge wèntí, xiànzài wǒ shuō dì sì ge. | ~⼉说过的话我就不说了。~ r shuōguo de huà wǒ jiù bù shuō le. | 他~⼉讲的跟后边⼉讲的不一样。Tā ~ r jiǎng de gēn hòubianr jiǎng de bù yíyàng.

qiánjìn 前进 (前進) [动]

他们又冷又饿，每 ~ 一公里都很困难。Tāmen yòu lěng yòu è, měi ~ yì gōnglǐ dōu hěn kùnnan. → 他们没有力气了，往前走很困难。Tāmen méiyǒu lìqi le, wǎng qián zǒu hěn kùnan. 例队伍在快速地 ~，没有一个人喊累。Duìwu zài kuàisù de ~, méiyǒu yí ge rén hǎn lèi. | 这只小船遇到了大风，~ 起来十分困难。Zhèi zhī xiǎochuán yùdàole dàfēng, ~ qilai shífēn kùnnan. | 我们的社会在发展，在 ~。Wǒmen de shèhuì zài fāzhǎn, zài ~.

qiánmiàn 前面¹ [名]

他们在房子 ~ 种了一棵松树。Tāmen zài fángzi ~ zhòngle yì kē sōngshù. → 他们在进门的地方种了棵松树。Tāmen zài jìn mén de dìfang zhòngle kē sōngshù. 例我们楼 ~ 停满了汽车。Wǒmen lóu ~ tíngmǎnle qìchē. | 大卫坐在 ~，在第二排。Dàwèi zuò zài ~, zài dì èr pái. | 邮局 ~ 就是商店。Yóujú ~ jiù shì shāngdiàn. | 我是司机，当然要坐 ~，要不怎么开车呀。Wǒ shì sījī, dāngrán yào zuò ~, yào bù zěnme kāi chē ya. | 坐在我 ~ 的是安娜。Zuò zài wǒ ~ de shì Ānnà.

qiánmiàn 前面² [名]

我来晚了，~ 讲的内容没听到。Wǒ láiwǎn le, ~ jiǎng de nèiróng méi tīngdào. → 我没来的时候讲的什么我不知道。Wǒ méi lái de shíhou jiǎng de shénme wǒ bù zhīdào. 例交通问题，~ 已经说过了。Jiāotōng wèntí, ~ yǐjing shuōguo le. | 这本小说 ~ 写得很好，后面不太好。Zhèi běn xiǎoshuō ~ xiě de hěn hǎo, hòumian bú tài hǎo. | 我在文章 ~ 又加了一段话。Wǒ zài wénzhāng ~ yòu jiāle yí duàn huà. | 你 ~ 说的和后面说的不太一样。Nǐ ~ shuō de hé hòumian shuō de bú tài yíyàng.

qiánnián 前年 [名]

今年是 2004 年，我 ~ 去的中国。Jīnnián shì èr líng líng sì nián, wǒ ~ qù de Zhōngguó. → 我是 2002 年去的中国。Wǒ shì èr líng líng èr nián qù de Zhōngguó. 例 我这辆车是 ~ 买的，两年了。Wǒ zhèi liàng chē shì ~ mǎi de, liǎng nián le. | 我 ~ 过了 50 岁生日，今年 52 岁了。Wǒ ~ guòle wǔshí suì shēngri, jīnnián wǔshí'èr suì le. | 公司的情况去年比 ~ 好。Gōngsī de qíngkuàng qùnián bǐ ~ hǎo. | ~ 我来的时候，这儿 还是平房，现在都盖成大楼了。~ wǒ lái de shíhou, zhèr hái shì píngfáng, xiànzài dōu gàichéng dà lóu le.

qiántiān 前天 [名]

我 ~ 去的长城。Wǒ ~ qù de Chángchéng. → 今天是星期五，我是 星期三去的长城。Jīntiān shì Xīngqīwǔ, wǒ shì Xīngqīsān qù de Chángchéng. 例 ~ 25 号，今天 27 号，没错儿呀。~ èrshíwǔ hào, jīntiān èrshíqī hào, méicuòr ya. | 我 ~ 找过你，可你不在家。Wǒ ~ zhǎoguo nǐ, kě nǐ bú zài jiā. | 这事儿是 ~ 发生的。Zhè shìr shì ~ fāshēng de. | ~ 晚上我们开舞会了，你怎么没来？~ wǎnshang wǒmen kāi wǔhuì le, nǐ zěnme méi lái? | ~ 晚上的课我没上。~ wǎnshang de kè wǒ méi shàng.

qiántú 前途 [名]

你们都很年轻，~ 是美好的。Nǐmen dōu hěn niánqīng, ~ shì měihǎo de. → 你们的年龄都不大，将来的情况一定很好。Nǐmen de niánlíng dōu bú dà, jiānglái de qíngkuàng yídìng hěn hǎo. 例 公司 刚刚成立，发展 ~ 很光明。Gōngsī gānggāng chénglì, fāzhǎn ~ hěn guāngmíng. | 他们总是关心着国家的命运和 ~。Tāmen zǒngshi guānxīnzhe guójiā de mìngyùn hé ~. | 这些人年轻能干，~ 远大。Zhèixiē rén niánqīng nénggàn, ~ yuǎndà. | 你不努力学习，会影响 你的 ~。Nǐ bù nǔlì xuéxí, huì yǐngxiǎng nǐ de ~.

Q

qiǎn 浅¹ (淺) [形]

河水很 ~，我们下去玩儿吧。Héshuǐ hěn ~, wǒmen xiàqu wánr ba. → 河水从水的表面到水底刚五十多厘米。Héshuǐ cóng shuǐ de biǎomiàn dào shuǐ dǐ gāng wǔshí duō límǐ. 例 那个游泳池特别 ~，小 孩儿学游泳正合适。Nèige yóuyǒngchí tèbié ~, xiǎoháir xué yóuyǒng

zhèng héshì. | 这个盆儿太 ~ ，放不了多少水。Zhèige pénr tài ~,
fàng bu liǎo duōshao shuǐ. | 这种盘子太 ~ ，放不下多少菜。Zhèi
zhǒng pánzi tài ~, fàng bu xià duōshao cài. | 这是 ~ 底儿盘子，放
水果用的。Zhè shì ~ dǐr pánzi, fàng shuǐguǒ yòng de.

qiǎn 浅² （淺）［形］

这本书写得比较 ~ ，一看就懂。Zhèi běn shū xiě de bǐjiào ~, yí kàn
jiù dǒng. →这本书内容比较简单，容易看懂。Zhèi běn shū nèiróng
bǐjiào jiǎndān, róngyì kàndǒng. 例我们的汉语水平很 ~ ，还不能回
答这些问题。Wǒmen de Hànyǔ shuǐpíng hěn ~, hái bù néng huídá
zhèixiē wèntí. | 这本教材有点儿 ~ ，我想买难一点儿的。Zhèi běn
jiàocái yǒudiǎnr ~, wǒ xiǎng mǎi nán yìdiǎnr de. | 这么 ~ 的书，是
给小孩子写的吧？Zhème ~ de shū, shì gěi xiǎoháizi xiě de ba? | 这
些内容太 ~ 了，还是深一点儿好。Zhèixiē nèiróng tài ~ le, háishi
shēn yìdiǎnr hǎo.

qiǎn 浅³ （淺）［形］

这种红色有点儿 ~ ，不好看。Zhèi zhǒng hóngsè yǒudiǎnr ~, bù
hǎokàn. →这种红色不很红，不好看。Zhèi zhǒng hóngsè bù hěn
hóng, bù hǎokàn. 例这件黄衣服时间长了，颜色变 ~ 了。Zhèi jiàn
huáng yīfu shíjiān cháng le, yánsè biàn ~ le. | 夏天穿 ~ 色的衣服比
较好。Xiàtiān chuān ~ sè de yīfu bǐjiào hǎo. | 我觉得你穿 ~ 颜色的
衣服好看。Wǒ juéde nǐ chuān ~ yánsè de yīfu hǎokàn. | 这件毛衣太
红了，有 ~ 一点儿的没有？Zhèi jiàn máoyī tài hóng le, yǒu ~ yìdiǎnr
de méiyǒu? | 你穿这颜色，一点儿也不 ~ 。Nǐ chuān zhè yánsè,
yìdiǎnr yě bù ~.

qiàn 欠 ［动］

我去年借了大卫一千块钱，现在还 ~ 着他呢。Wǒ qùnián jièle
Dàwèi yìqiān kuài qián, xiànzài hái ~ zhe tā ne. →我去年借了大卫
一千块钱，现在还没给他呢。Wǒ qùnián jièle Dàwèi yìqiān kuài
qián, xiànzài hái méi gěi tā ne. 例我 ~ 你的钱明天就给你。Wǒ ~ nǐ
de qián míngtiān jiù gěi nǐ. | 我现在没钱，先 ~ 着你吧。Wǒ xiànzài
méi qián, xiān ~ zhe nǐ ba. | 我们都 ~ 人家两年了，该还了。
Wǒmen dōu ~ rénjia liǎng nián le, gāi huán le. | 你们说请我吃饭，
可到现在还 ~ 着呢。Nǐmen shuō qǐng wǒ chīfàn, kě dào xiànzài hái
~ zhe ne.

qiang

qiāng 枪（槍）[名]

例这支～里没有子弹。Zhèi zhī ～ li méiyǒu zǐdàn. ｜这些孩子就喜欢玩具～。Zhèixiē háizi jiù xǐhuan wánjù ～. ｜警察开～打死了那个罪犯。Jǐngchá kāi ～ dǎsǐle nèi ge zuìfàn. ｜这些警察的身上都没带～。Zhèixiē jǐngchá de shēnshang dōu méi dài ～. ｜他一～就

枪

打中了目标。Tā yì ～ jiù dǎzhòngle mùbiāo. ｜听见～响，人们一下子就乱了。Tīngjiàn ～ xiǎng, rénmen yíxiàzi jiù luàn le. ｜别开～，都是自己人。Bié kāi ～, dōu shì zìjǐrén. ｜在中国，买～卖～都是法律不允许的。Zài Zhōngguó, mǎi ～ mài ～ dōu shì fǎlǜ bù yǔnxǔ de.

qiáng 强¹ [形]

这三支球队都很～，都有希望拿冠军。Zhèi sān zhī qiúduì dōu hěn ～, dōu yǒu xīwàng ná guànjūn. →这三支球队的力量都不一般，都有可能拿冠军。Zhèi sān zhī qiúduì de lìliang dōu bú yìbān, dōu yǒu kěnéng ná guànjūn. 例我们碰到了～队，但没有害怕。Wǒmen pèngdàole ～ duì, dàn méiyǒu hàipà. ｜就他俩的力气来说，大卫可能～一些。Jiù tā liǎ de lìqi lái shuō, Dàwèi kěnéng ～ yìxiē. ｜在乒乓球上我们～一点儿，足球弱一点儿。Zài pīngpāngqiú shang wǒmen ～ yìdiǎnr, zúqiú ruò yìdiǎnr. ｜这些～国总是帮助比较贫穷的国家。Zhèixiē ～ guó zǒngshi bāngzhù bǐjiào pínqióng de guójiā.

qiángdà 强大 [形]

支持我们的力量非常～。Zhīchí wǒmen de lìliang fēicháng ～. →有很多人支持我们。Yǒu hěn duō rén zhīchí wǒmen. 例最近，反对派的力量越来越～。Zuìjìn, fǎnduìpài de lìliang yuèláiyuè ～. ｜国家无论～还是弱小都是平等的。Guójiā wúlùn ～ háishi ruòxiǎo dōu shì píngděng de. ｜这个足球队很～，有很多球星。Zhèige zúqiúduì hěn ～, yǒu hěn duō qiúxīng. ｜他们的军事力量很～，别的国家都比不了。Tāmen de jūnshì lìliang hěn ～, biéde guójiā dōu bǐ bu liǎo.

Q

qiáng 强² [形]

这种树生命力很～。Zhèi zhǒng shù shēngmìnglì hěn qiáng. →这种树在哪儿都能活。Zhèi zhǒng shù zài nǎr dōu néng huó. 例我的适应力非常～，没什么不习惯的。Wǒ de shìyìnglì fēicháng ～, méi shénme bù xíguàn de. |大卫有很～的工作能力，这事儿一定能做好。Dàwèi yǒu hěn ～ de gōngzuò nénglì, zhè shìr yídìng néng zuòhǎo. |老师们的责任心非常～，教得很认真。Lǎoshīmen de zérènxīn fēicháng ～, jiāo de hěn rènzhēn. |今天的天气比昨天～。Jīntiān de tiānqì bǐ zuótiān ～. |他的汉语比我～。Tā de Hànyǔ bǐ wǒ ～.

qiángdào 强盗 [名]

我遇上了一伙～，他们把我的钱抢走了。Wǒ yùshangle yì huǒ ～, tāmen bǎ wǒ de qián qiǎngzǒu le. →我碰见的那伙人专门抢别人的钱财。Wǒ pèngjiàn de nèi huǒ rén zhuānmén qiǎng biéren de qiáncái. 例那个人前几年当了～，警察正抓他呢。Nèige rén qián jǐ nián dāngle ～, jǐngchá zhèng zhuā tā ne. |他们就像一群～，根本不讲道理。Tāmen jiù xiàng yì qún ～, gēnběn bù jiǎng dàoli. |你们这样做，跟～有什么不同? Nǐmen zhèiyàng zuò, gēn ～ yǒu shénme bùtóng?

qiángdù 强度 [名]

灯光～太大，我的眼睛受不了。Dēngguāng ～ tài dà, wǒ de yǎnjing shòu bu liǎo. →灯光太亮，我的眼睛感到非常难受。Dēngguāng tài liàng, wǒ de yǎnjing gǎndào fēicháng nánshòu. 例夏天阳光～很大，会把皮肤晒坏的。Xiàtiān yángguāng ～ hěn dà, huì bǎ pífū shàihuài de. |这里太暗，增加一点儿光线～。Zhèlǐ tài àn, zēngjiā yìdiǎnr guāngxiàn ～. |工人们要求减轻一点儿工作～。Gōngrénmen yāoqiú jiǎnqīng yìdiǎnr gōngzuò ～. |这种工作劳动～不大，挺适合我做。Zhèi zhǒng gōngzuò láodòng ～ bú dà, tǐng shìhé wǒ zuò.

qiángdiào 强调（强調）[动]

这次旅行，我们特别～了安全问题。Zhèi cì lǚxíng, wǒmen tèbié ～ le ānquán wèntí. →我们提出一定要特别注意安全。Wǒmen tíchū yídìng yào tèbié zhùyì ānquán. 例关于语法问题，我们～了多次。Guānyú yǔfǎ wèntí, wǒmen ～ le duō cì. |文章～指出，保护环境是很重要的。Wénzhāng ～ zhǐchū, bǎohù huánjìng shì hěn zhòngyào de. I 经理反复~，不来上班要请假。Jīnglǐ fǎnfù ~, bù lái shàngbān yào qǐngjià. I 我想再~一句，开车一定要注意安全。Wǒ xiǎng zài ~ yí jù, kāi chē yídìng yào zhùyì ānquán.

qiángliè 强烈[1] [形]

昨天下午，那儿发生了~的地震。Zuótiān xiàwǔ, nàr fāshēngle qiángliè de dìzhèn. →那儿的地震很厉害。Nàr de dìzhèn hěn lìhai. **例**他觉得有一股~的力量在推他。Tā juéde yǒu yì gǔ ~ de lìliang zài tuī tā. I 一阵~的大风把大树刮倒了。Yí zhèn ~ de dàfēng bǎ dàshù guādǎo le. I 这儿的阳光很~，我受不了。Zhèr de yángguāng hěn ~, wǒ shòu bu liǎo. I 在~的阳光下看书，对眼睛不好。Zài ~ de yángguāng xià kàn shū, duì yǎnjing bù hǎo.

qiángliè 强烈[2] [形]

人们要求和平的声音很~。Rénmen yāoqiú hépíng de shēngyīn hěn ~. →人们非常希望和平。Rénmen fēicháng xīwàng hépíng. **例**他学习的愿望很~，这是好事。Tā xuéxí de yuànwàng hěn ~, zhè shì hǎo shì. I 他们有~的爱国心。Tāmen yǒu ~ de àiguóxīn. I 公司职员~要求提高工资。Gōngsī zhíyuán ~ yāoqiú tígāo gōngzī. I 他们一再~要求不要放跑了那个偷东西的人。Tāmen yízài ~ yāoqiú búyào fàngpǎole nèige tōu dōngxi de rén. I 没想到，人们对这件事的反应这么~。Méi xiǎngdào, rénmen duì zhèi jiàn shì de fǎnyìng zhème ~.

qiáng 墙(墙) [名]

wall **例**在他的屋子里，四面~上挂满了中国画儿。Zài tā de wūzi li, sì miàn ~ shang guàmǎnle Zhōngguóhuàr. I 这张结婚照就挂在西面~上吧。Zhèi zhāng jiéhūnzhào jiù guà zài xīmian ~ shang ba. I 这两座房子中间是一面~，表明是两家的。Zhèi liǎng zuò fángzi zhōngjiān shì yí miàn ~, biǎomíng shì liǎng jiā de. I 大~下面摆了许多花儿。Dà ~ xiàmian bǎile xǔduō huār. I 大门锁了，这些孩子就从~上爬过去了。Dàmén suǒ le, zhèxiē háizi jiù cóng ~ shang pá guoqu le. I 他从小就爱爬~、上树。Tā cóngxiǎo jiù ài pá ~、shàng shù.

Q

qiǎng 抢[1] (搶) [动]

那人~了我的包。Nà rén ~ le wǒ de bāo. →那人夺了我手里的包。Nà rén duóle wǒ shǒu li de bāo. **例**那三个~银行的人被抓往了。

Nèi sān ge ~ yínháng de rén bèi zhuāzhù le. |这只羊总是 ~ 着吃那只羊的东西。 Zhèi zhī yáng zǒngshi ~ zhe chī nèi zhī yáng de dōngxi. |买东西的人很多，跟 ~ 似的。 Mǎi dōngxi de rén hěn duō, gēn ~ shìde. |这俩孩子见了糖就 ~。 Zhèi liǎ háizi jiànle táng jiù ~. |我让人 ~ 过钱包，所以有点儿害怕。 Wǒ ràng rén ~ guo qiánbāo, suǒyǐ yǒudiǎnr hàipà.

qiǎng 抢²（搶）［动］

我们讨论的时候，大家都 ~ 着发言。 Wǒmen tǎolùn de shíhou, dàjiā dōu ~ zhe fāyán. →大家都积极地发言。 Dàjiā dōu jījí de fāyán. 例公司有什么活儿，大家都是 ~ 着干。 Gōngsī yǒu shénme huór, dàjiā dōu shì ~ zhe gàn. |这些公司都在研究新产品，我们得 ~ 在前头。 Zhèixiē gōngsī dōu zài yánjiū xīn chǎnpǐn, wǒmen děi ~ zài qiántou. |他有困难的时候，我们都 ~ 着帮助他。 Tā yǒu kùnnan de shíhou, wǒmen dōu ~ zhe bāngzhù tā. |你们得 ~ 时间，保证下个月盖好这座大楼。 Nǐmen děi ~ shíjiān, bǎozhèng xià ge yuè gàihǎo zhèi zuò dà lóu.

qiao

qiāoqiāo 悄悄 ［副］

大卫 ~ 地对玛丽说：“我爱你。” Dàwèi ~ de duì Mǎlì shuō: "Wǒ ài nǐ." →大卫的声音很低，只有玛丽能听见。 Dàwèi de shēngyīn hěn dī, zhǐyǒu Mǎlì néng tīngjiàn. 例大卫 ~ 地问我：“新来的经理姓什么？” Dàwèi ~ de wèn wǒ: "Xīn lái de jīnglǐ xìng shénme?" |电影开始了，安娜 ~ 走了进去。 Diànyǐng kāishǐ le, Ānnà ~ zǒule jinqu. |你别说话，找个座位 ~ 坐下吧。 Nǐ bié shuōhuà, zhǎo ge zuòwèi ~ zuòxia ba. |他 ~ 地进来，又 ~ 地走了。 Tā ~ de jìnlai, yòu ~ de zǒu le.

qiāo 敲 ［动］

我 ~ 了半天门也没人答应。 Wǒ ~ le bàntiān mén yě méi rén dāyìng. →我用手在门上拍了半天。 Wǒ yòng shǒu zài mén shang pāile bàntiān. 例外边 ~ 鼓的声音很大。 Wàibian ~ gǔ de shēngyīn hěn dà. |我好像听见有人 ~ 门。 Wǒ hǎoxiàng tīngjiàn yǒu rén ~ mén. |他轻轻地 ~ 了一下儿桌子，意思是时间到了。 Tā qīngqīng de ~ le yí xiàr zhuōzi, yìsi shì shíjiān dào le. |这杯子一 ~ 就碎了。 Zhè bēizi yì

~ jiù suì le. |他只要拿起西瓜一~，就知道熟不熟。Tā zhǐyào náqi xīguā yì ~, jiù zhīdao shóu bu shóu.

qiáo 桥（橋）[名]

有了这座~，人们过河方便多了。Yǒule zhèi zuò ~, rénmen guòhé fāngbiàn duō le. →人们可以通过它从河的这一边到那一边。Rénmen kěyǐ tōngguò tā cóng hé de zhèi yì biān dào nèi yì biān. 例这条大河上正在修一座桥。Zhèi tiáo dà hé shang zhèngzài xiū yí zuò ~. |这条马路上又新建了两个过街~。Zhèi tiáo mǎlù shang yòu xīnjiànle liǎng ge guò jiē ~. |这个木~有二百多年了。Zhèige mù ~ yǒu èrbǎi duō nián le. |这座~坏了，正在修呢。Zhèi zuò ~ huài le, zhèngzài xiū ne.

qiáoliáng 桥梁[1]（橋梁）[名]

我们准备在这条河上建一座现代化~。Wǒmen zhǔnbèi zài zhèi tiáo hé shang jiàn yí zuò xiàndàihuà ~. →建成以后汽车和行人过河就更方便了。Jiànchéng yǐhòu qìchē hé xíngrén guòhé jiù gèng fāngbiàn le. 例这座有名的~是大卫设计的。Zhèi zuò yǒumíng de ~ shì Dàwèi shèjì de. |他们在修建~方面有很多经验。Tāmen zài xiūjiàn ~ fāngmiàn yǒuhěn duō jīngyàn. |这条江上的~至少有二十多座。Zhèi tiáo jiāng shang de ~ zhìshǎo yǒu èrshí duō zuò.

桥梁

qiáoliáng 桥梁[2]（橋梁）[名]

足球是两国友谊的~。Zúqiú shì liǎng guó yǒuyì de ~. →两个国家通过踢足球加强了友谊。Liǎng ge guójiā tōngguò tī zúqiú jiāqiángle yǒuyì. 例留学生是两国友好交往的~。Liúxuéshēng shì liǎng guó yǒu hǎo jiāowǎng de ~. |小说是我和女朋友爱情的~。Xiǎoshuō shì wǒ hé nǚpéngyou àiqíng de qiáoliáng. |我在他们中间起着~的作用。Wǒ zài tāmen zhōngjiān qǐzhe ~ de zuòyòng. |学习汉语是了解中国的一种~。Xuéxí Hànyǔ shì liǎojiě Zhōngguó de yì zhǒng ~.

qiáo 瞧 [动]

你去~一下儿，看那边发生了什么事。Nǐ qù ~ yíxiàr, kàn nàbiān fāshēngle shénme shì. →你到那边去看看发生了什么事。Nǐ dào nàbiān qù kànkan fāshēngle shénme shì. 例大卫~了我一眼，什么

Q

也没说。Dàwèi ~ le wǒ yì yǎn, shénme yě méi shuō. ｜你有病就赶紧 ~ 大夫去。Nǐ yǒu bìng jiù gǎnjǐn ~ dàifu qu. ｜这些人 ~ 得我有点儿不好意思了。Zhèixiē rén ~ de wǒ yǒudiǎnr bù hǎo yìsi le. ｜这病我 ~ 过好几次了。Zhè bìng wǒ ~ guo hǎojǐ cì le.

qiǎo 巧[1] [形]

你来得真 ~，我们正找你呢。Nǐ lái de zhēn ~, wǒmen zhèng zhǎo nǐ ne. →我们正在找你，你就来了。Wǒmen zhèngzài zhǎo nǐ, nǐ jiù lái le. 例很 ~，我在路上碰见了他。Hěn ~, wǒ zài lù shang pèngjiànle tā. ｜~ 得很，他俩的名字一样。~ de hěn, tā liǎ de míngzi yíyàng. ｜说来也 ~，我们三个的想法一样。Shuōlái yě ~, wǒmen sān ge de xiǎngfa yíyàng. ｜我正想买一个录音机，哥哥就送来了，真是太 ~ 了。Wǒ zhèng xiǎng mǎi yí ge lùyīnjī, gēge jiù sònglái le, zhēnshì tài ~ le. ｜你来得不 ~，大卫刚出去。Nǐ lái de bù ~, Dàwèi gāng chūqu.

qiǎo 巧[2] [形]

她的手很 ~，做什么像什么。Tā de shǒu hěn ~, zuò shénme xiàng shénme. →她用手做出来的手工艺品很好看。Tā yòng shǒu zuò chulai de shǒugōngyìpǐn hěn hǎokàn. 例她有一双 ~ 手，织的毛衣很漂亮。Tā yǒu yì shuāng ~ shǒu, zhī de máoyī hěn piàoliang. ｜这孩子的手不大，可非常 ~。Zhè háizi de shǒu bú da, kě fēicháng ~. ｜他的嘴可 ~ 啦，见什么人说什么话。Tā de zuǐ kě ~ la, jiàn shénme rén shuōshénme huà. ｜安娜是个 ~ 嘴，可会说话呢。Ānnà shì ge ~ zuǐ, kě huì shuō huà ne.

qiǎomiào 巧妙 [形]

这个录音机做得很 ~，像一辆小汽车。Zhèige lùyīnjī zuò de hěn ~, xiàng yíliàng xiǎoqìchē. →这个录音机样子独特，跟一般的不一样。Zhèige lùyīnjī yàngzi dútè, gēn yìbān de bù yíyàng. 例这座大楼设计得很 ~，也很好看。Zhèi zuò dà lóu shèjì de hěn ~, yě hěn hǎokàn. ｜大卫 ~ 地说出了自己的想法。Dàwèi ~ de shuōchūle zìjǐ de xiǎngfa. ｜这本小说用 ~ 的写作方法来表现人物。Zhèi běn xiǎoshuō yòng ~ de xiězuò fāngfǎ biǎoxiàn rénwù. ｜他把两个故事 ~ 地连在一起了。Tā bǎ liǎng ge gùshi ~ de lián zài yìqǐ le.

qie

qiē 切 [动]

这个西瓜我来 ~ 吧。Zhèige xīguā wǒ lái ~ ba. →用刀把西瓜分成很

多块儿。Yòng dāo bǎ xīguā fēnchéng hěn duō kuàir. **例**这块儿肉太大，～成两块儿吧。Zhèi kuàir ròu tài dà, ～ chéng liǎng kuàir bà. | 你把菜洗干净，～好就可以了。Nǐ bǎ cài xǐ gānjìng、～ hǎo jiù kěyǐ le. | 大卫没做过饭，也不会～菜。Dàwèi méi zuòguo fàn, yě bú huì ～ cài. | 小心，别把手～了。Xiǎoxīn, bié bǎ shǒu ～ le. | 你把那根黄瓜～～，我有用。Nǐ bǎ nà gēn huánggua ～ ～, wǒ yǒu yòng.

qiě 且[1] [副]

你～在家养病，别的事先不要想。Nǐ ～ zài jiā yǎngbìng, bié de shì xiān búyào xiǎng. →你现在要做的事就是养病，其他的事不要想。Nǐ xiànzài yào zuò de shì jiùshì yǎngbìng, qítā de shì búyào xiǎng. **例**我们～在这儿等候，不要离开。Wǒmen ～ zài zhèr děnghòu, búyào líkāi. | 你别着急，～听我说。Nǐ bié zháojí, ～ tīng wǒ shuō. | ～不说这件事对不对，你这种态度就不好。～ bù shuō zhèi jiàn shì duì bu duì, nǐ zhèi zhǒng tàidu jiù bù hǎo. | 我们～听他说什么，然后再行动。Wǒmen ～ tīng tā shuō shénme, ránhòu zài xíngdòng.

qiě 且[2] [连]

这些苹果既大～甜，真好吃。Zhèixiē píngguǒ jì dà ～ tián, zhēn hǎochī. →这些苹果又大又甜，真好吃。Zhèixiē píngguǒ yòu dà yòu tián, zhēn hǎochī. **例**他是个既不吸烟～不喝酒的人。Tā shì ge jì bù xīyān ～ bù hē jiǔ de rén. | 他的房间既干净～明亮。Tā de fángjiān jì gānjìng ～ míngliàng. | 坐飞机安全～快。Zuò fēijī ānquán ～ kuài. | 他办事既认真～负责。Tā bànshì jì rènzhēn ～ fùzé.

qīn

qīnlüè 侵略 [动]

我们主张和平，反对～。Wǒmen zhǔzhāng hépíng, fǎnduì ～. →我们反对侵犯别国主权和领土的行为。Wǒmen fǎnduì qīnfàn bié guó zhǔquán hé lǐngtǔ de xíngwéi. **例**在历史上，我们受到过大国的～。Zài lìshǐ shang, wǒmen shòudàoguo dà guó de ～. | 我们反对大国～小国。Wǒmen fǎnduì dà guó ～ xiǎo guó. | 他们多次～邻国，抢夺财富。Tāmen duō cì ～ línguó, qiǎngduó cáifù. | 他们纷纷拿起武器，跟～者战斗。Tāmen fēnfēn náqǐ wǔqì, gēn ～ zhě zhàndòu.

qīn'ài 亲爱 (親愛) [形]

老师和同学就是我最～的人。Lǎoshī hé tóngxué jiù shì wǒ zuì ～ de

rén.→老师和同学跟我关系最好、感情最深。Lǎoshī hé tóngxué gēn wǒ guānxì zuì hǎo、gǎnqíng zuì shēn.例 ~ 的爸爸、妈妈,你们好吗? ~ de bàba、māma,nǐmen hǎo ma? |他无论走到哪儿,都忘不了自己 ~ 的妹妹。Tā wúlùn zǒudào nǎr, dōu wàng bu liǎo zìjǐ ~ de mèimei. | ~ 的朋友们,大家晚上好。~ de péngyoumen, dàjiā wǎnshang hǎo. | ~ 的大卫,我们很久不见了。~ de Dàwèi, wǒmen hěn jiǔ bú jiàn le.

qīnbǐ 亲笔(親筆) [副]

总统 ~ 给我写了回信。Zǒngtǒng ~ gěi wǒ xiěle huíxìn.→回信是总统自己写的。Huíxìn shì zǒngtǒng zìjǐ xiě de.例市长为这个小学 ~ 写下了五个大字。Shìzhǎng wèi zhèige xiǎoxué ~ xiěxiàle wǔ ge dà zì. |这几个字是皇帝 ~ 写的。Zhèi jǐ ge zì shì huángdì ~ xiě de. |不管多忙,他总是 ~ 给朋友写回信。Bùguǎn duō máng, tā zǒngshi ~ gěi péngyou xiě huíxìn. |市长很忙,不可能每个讲话都 ~ 写。Shìzhǎng hěn máng, bù kěnéng měi ge jiǎnghuà dōu ~ xiě.

qīn'ěr 亲耳(親耳) [副]

我 ~ 听见他说这句话的。Wǒ ~ tīngjiàn tā shuō zhèi jù huà de.→他说这句话时我在那儿。Tā shuō zhèi jù huà shí wǒ zài nàr.例我 ~ 听见他说不去的。Wǒ ~ tīngjiàn tā shuō bú qù de. |我 ~ 听见的消息,怎么会是假的? Wǒ ~ tīngjiàn de xiāoxi, zěnme huì shì jiǎ de? |只有我自己 ~ 听到的事,我才会相信。Zhǐyǒu wǒ zìjǐ ~ tīngdào de shì, wǒ cái huì xiāngxìn.

qīnkǒu 亲口(親口) [副]

这事儿是大卫 ~ 告诉我的。Zhè shìr shì Dàwèi ~ gàosu wǒ de.→这事是大卫面对面跟我说的。Zhè shì shì Dàwèi miàn duì miàn gēn wǒ shuō de.例玛丽 ~ 说过她不想结婚。Mǎlì ~ shuōguo tā bù xiǎng jiéhūn. |你 ~ 答应的事儿,怎么又不算了? Nǐ ~ dāying de shìr, zěnme yòu bú suàn le? |那天安娜 ~ 对我说,她爱我。Nà tiān Ānnà ~ duì wǒ shuō, tā ài wǒ. |这件事儿是我 ~ 告诉他的,他怎么会不知道? Zhèi jiàn shìr shì wǒ ~ gàosu tā de, tā zěnme huì bù zhīdào?

qīnqi 亲戚(親戚) [名]

他跟我是 ~ 。Tā gēn wǒ shì ~ .→他是我舅舅家或姨家的人。Tā shì wǒ jiùjiu jiā huò yí jiā de rén.例我家 ~ 很多,经常有人来。Wǒ jiā ~ hěn duō, jīngcháng yǒu rén lái. |我小时候特别喜欢到 ~ 家去

玩儿。Wǒ xiǎoshíhou tèbié xǐhuan dào ~ jiā qù wánr. |我们虽然是~，可没见过面。Wǒmen suīrán shì ~, kě méi jiànguo miàn. |我家来了几个~，很热闹。Wǒ jiā láile jǐ ge ~, hěn rènao. |他有好多乡下的~。Tā yǒu hǎoduō xiāngxià de ~.

qīnqiè 亲切[1]（親切）［形］

老师对我们很~。Lǎoshī duì wǒmen hěn ~. →老师对我们非常热情。Lǎoshī duì wǒmen fēicháng rèqíng. 例老人喜欢聊天儿，看起来非常~。Lǎorén xǐhuan liáotiānr, kàn qilai fēicháng ~. |他对我说了很多~的话，我很感动。Tā duì wǒ shuōle hěn duō ~ de huà, wǒ hěn gǎndòng. |她~地叫了我一声"哥哥"。Tā ~ de jiàole wǒ yì shēng "gēge". |他~地握着我的手安慰我。Tā ~ de wòzhe wǒ de shǒu ānwèi wǒ.

qīnqiè 亲切[2]（親切）［形］

我来到中国，觉得很~。Wǒ láidào Zhōngguó, juéde hěn ~. →我好像来到一个很熟悉的地方。Wǒ hǎoxiàng láidào yí ge hěn shúxi de dìfang. 例这里的一切，让我感觉到十分~。Zhèlǐ de yíqiè, ràng wǒ gǎnjué dào shífēn ~. |来到这里，就像回到家里一样~。Láidào zhèlǐ, jiù xiàng huídào jiālǐ yíyàng ~. |我想起了那些~的老朋友。Wǒ xiǎngqǐle nèixiē ~ de lǎopéngyou. |这一切是那么~，这使我想起了自己的童年。Zhè yíqiè shì nàme ~, zhè shǐ wǒ xiǎngqǐle zìjǐ de tóngnián.

qīnshēn 亲身（親身）［副］

这件事是我的~经历，永远也忘不了。Zhèi jiàn shì shì wǒ de ~ jīnglì, yǒngyuǎn yě wàng bu liǎo. →这件事就发生在我身上。Zhèi jiàn shì jiù fāshēng zài wǒ shēnshang. 例我~经历过那场战争，太可怕了。Wǒ ~ jīnglìguo nèi cháng zhànzhēng, tài kěpà le. |他~参加过那家公司的活动。Tā ~ cānjiāguo nèi jiā gōngsī de huódòng. |大卫~经历了那场地震。Dàwèi ~ jīnglìle nèi cháng dìzhèn.

Q

qīnshǒu 亲手（親手）［副］

这些树是我~种的。Zhèixiē shù shì wǒ ~ zhòng de. →这些树是我用自己的手种的。Zhèixiē shù shì wǒ yòng zìjǐ de shǒu zhòng de. 例这件衣服是妈妈~为我做的。Zhèi jiàn yīfu shì māma ~ wèi wǒ zuò de. |打扫卫生的事儿我喜欢~做。Dǎsǎo wèishēng de shìr wǒ xǐhuan ~ zuò. |大卫~安装了一辆自行车。Dàwèi ~ ānzhuāngle yí liàng zìxíngchē. |那封信是我～交给玛丽的，不会有错。Nèi fēng xìn shì wǒ ～ jiāo gěi Mǎlì de, bú huì yǒu cuò.

qīnyǎn 亲眼（親眼）[副]

我～看见他下车了。Wǒ ～ kànjiàn tā xià chē le. →他下车的时候我在那儿。Tā xià chē de shíhou wǒ zài nàr. 例我～看见大卫来了，怎么又不见了？Wǒ ～ kànjiàn Dàwèi lái le, zěnme yòu bú jiàn le? |玛丽是我～看着长大的。Mǎlì shì wǒ ～ kànzhe zhǎngdà de. |他只有～看见儿子才放心。Tā zhǐyǒu ～ kànjiàn érzi cái fàngxīn. |你说大卫在这儿，你～看见了吗？Nǐ shuō Dàwèi zài zhèr, nǐ ～ kànjiànle ma?

qīnzì 亲自（親自）[副]

客人来了，我要～做菜给他们吃。Kèren lái le, wǒ yào ～ zuò cài gěi tāmen chī. →客人很重要，我自己去做菜。Kèren hěn zhòngyào, wǒ zìjǐ qù zuò cài. 例市长～去宾馆，看望了科学家们。Shìzhǎng ～ qù bīnguǎn, kànwàngle kēxuéjiāmen. |总统～到飞机场去接运动员了。Zǒngtǒng ～ dào fēijīchǎng qù jiē yùndòngyuán le. |你要是不相信，可以～去问他。Nǐ yàoshi bù xiāngxìn, kěyǐ ～ qù wèn tā. |总经理～陪我们参观了他的公司。Zǒngjīnglǐ ～ péi wómen cānguānle tā de gōngsī.

qing

Q

qīng 青 [形]

春天来了，小草也～了。Chūntiān lái le, xiǎocǎo yě ～ le. →小草的颜色变绿了。Xiǎocǎo de yánsè biàn lǜ le. 例天气暖和了，树也开始发～了。Tiānqì nuǎnhuo le, shù yě kāishǐ fā ～ le. |房子前头是一片～草地。Fángzi qiántou shì yí piàn ～ cǎodì. |树木～～的，天蓝蓝的。Shùmù ～ ～ de, tiān lánlán de. |他买了一堆～苹果，不好吃。Tā mǎile yì duī ～ píngguǒ, bù hǎochī.

qīngnián 青年 [名]

今天来开会的都是～人。Jīntiān lái kāihuì de dōu shì ～ rén. →来开会的人年龄都在十五到三十岁左右。Lái kāihuì de rén niánlíng dōu zài shíwǔ dào sānshí suì zuǒyòu. 例他现在正是～时期，精力旺盛。Tā xiànzài zhèng shì ～ shíqī, jīnglì wàngshèng. |体育比赛主要是～人的事。Tǐyù bǐsài zhǔyào shì ～ rén de shì. |这次比赛分成～组和老年组。Zhèi cì bǐsài fēnchéng ～ zǔ hé lǎoniánzǔ. |他是一位勇敢的

~ . Tā shì yí wèi yǒnggǎn de ~ .

qīng 轻¹（輕）［形］

大卫比我 ~ 10公斤。Dàwèi bǐ wǒ ~ shí gōngjīn . →我的体重是70公斤，大卫的体重是60公斤。Wǒ de tǐzhòng shì qīshí gōngjīn, Dàwèi de tǐzhòng shì liùshí gōngjīn . 例这张桌子很 ~，我能搬动。Zhèi zhāng zhuōzi hěn ~, wǒ néng bāndòng . | 他胖我瘦，我比他 ~ 多了。Tā pàng wǒ shòu, wǒ bǐ tā ~ duō le . | 这么 ~ 的包我可以拿三个。Zhème ~ de bāo wǒ kěyǐ ná sān ge . | 我的行李特别 ~，一个人拿就可以了。Wǒ de xíngli tèbié ~, yí ge rén ná jiù kěyǐ le .

qīngsōng 轻松（輕鬆）［形］

放假了，我可以 ~ 几天了。Fàngjià le, wǒ kěyǐ ~ jǐ tiān le . →放假的时候我就不那么忙了。Fàngjià de shíhou wǒ jiù bú nàme máng le . 例你太累了，出去 ~ 一下儿吧。Nǐ tài lèi le, chūqu ~ yíxiàr ba . | 大卫现在的工作很 ~。Dàwèi xiànzài de gōngzuò hěn ~ . | 他觉得工作太 ~ 了，没有意思。Tā juéde gōngzuò tài ~ le, méiyǒu yìsi . | 我们的谈话很 ~，也很愉快。Wǒmen de tánhuà hěn ~, yě hěn yúkuài .

qīng 轻²（輕）［形］

他年纪 ~，力气大。Tā niánjì ~, lìqi dà . →他刚二十多岁，很有力气。Tā gāng èrshí duō suì, hěn yǒu lìqi . 例我们经理年纪很 ~，才二十四岁。Wǒmen jīnglǐ niánjì hěn ~, cái èrshísì suì . | 我的伤很 ~，没关系的。Wǒ de shāng hěn ~, méi guānxi de . | 他只是受了点儿 ~ 伤，过几天就会好的。Tā zhǐshì shòule diǎnr ~ shāng, guò jǐ tiān jiù huì hǎo de . | 你不舒服，就干点儿 ~ 活儿吧。Nǐ bù shūfu, jiù gàn diǎnr ~ huór ba .

qīng 轻³（輕）［形］

大卫走路很 ~。Dàwèi zǒu lù hěn ~ . →大卫走路时没什么声音。Dàwèi zǒu lù shí méi shénme shēngyīn . 例你动作太 ~ 了，推不动他。Nǐ dòngzuò tài ~ le, tuī bu dòng tā . | 他 ~ ~ 地把门关上了。Tā ~ ~ de bǎ mén guānshang le . | 她 ~ ~ 地走过我身边，一句话也没说。Tā ~ ~ de zǒuguo wǒ shēnbiān, yí jù huà yě méi shuō . | 收音机要 ~ 拿 ~ 放，别摔坏了。Shōuyīnjī yào ~ ná ~ fàng, bié shuāihuài le . | 他 ~ ~ 一跳，就跳了三米远。Tā ~ ~ yí tiào, jiù tiàole sān mǐ yuǎn .

Q

qīng 清[1] ［形］

这条河里的水很~，能看见底。Zhèi tiáo hé li de shuǐ hěn ~, néng kànjiàn dǐ. →这条河里的水透明，可以看见河底。Zhèi tiáo hé li de shuǐ tòumíng, kěyǐ kànjiàn hé dǐ. 例他打了一盆~水，准备洗脸。Tā dǎle yì pén ~ shuǐ, zhǔnbèi xǐ liǎn. ∣到了秋天，这湖里的水就更~了。Dàole qiūtiān, zhè hú li de shuǐ jiù gèng~ le. ∣河水没有原来~了。Héshuǐ méiyǒu yuánlái ~ le. ∣这水不~，可能不卫生。Zhè shuǐ bù ~, kěnéng bú wèishēng.

qīng 清[2] ［形］

我没听~你说的话。Wǒ méi tīng ~ nǐ shuō de huà. →你说的话我不太明白。Nǐ shuō de huà wǒ bú tài míngbai. 例黑板上的字，我有点儿看不~。Hēibǎn shang de zì, wǒ yǒudiǎnr kàn bu ~. ∣这个问题我讲~了吗？Zhèige wèntí wǒ jiǎng ~ le ma? ∣我已经说得很~了，你怎么还不明白？Wǒ yǐjīng shuō de hěn ~ le, nǐ zěnme hái bù míng bai? ∣这件事他怎么也说不~。Zhèi jiàn shì tā zěnme yě shuō bu ~. ∣我说话你们听得~吗？Wǒ shuōhuà nǐmen tīng de ~ ma?

qīngchu 清楚[1] ［形］

他写得字很~。Tā xiě de zì hěn ~. →他是一笔一笔写的，很容易看懂。Tā shì yì bǐ yì bǐ xiě de, hěn róngyì kàndǒng. 例这台电视特别~。Zhèi tái diànshì tèbié ~. ∣那人走近了，我才看~，原来是大卫。Nà rén zǒujìn le, wǒ cái kàn ~, yuánlái shì Dàwèi. ∣那句话我没听~。Nà jù huà wǒ méi tīng ~. ∣他每次的作业都是清清楚楚的。Tā měi cì de zuòyè dōu shì qīngqīngchǔchǔ de.

qīngchu 清楚[2] ［动］

他很~这样做是不对的。Tā hěn ~ zhèiyàng zuò shì bú duì de. →他心里知道这样做是不对的。Tā xīnli zhīdao zhèiyàng zuò shì bú duì de. 例我~你们的意思，你们是怕我不高兴。Wǒ ~ nǐmen de yìsi, nǐmen shì pà wǒ bù gāoxìng. ∣你们的想法我~，不用多说了。Nǐmen de xiǎngfa wǒ ~, búyòng duō shuō le. ∣这个问题我已经~了。Zhèige wèntí wǒ yǐjīng ~ le. ∣我不~你在说些什么。Wǒ bù ~ nǐ zài shuō xiē shénme.

qíngjǐng 情景 ［名］

我还记得小时候过圣诞节的~。Wǒ hái jìde xiǎoshíhou guò

Shèngdànjié de ~. →我还记得小时候是怎么过圣诞节的。Wǒ hái jìde xiǎoshíhou shì zěnme guò Shèngdànjié de. 例我想起了我们在一起工作时的 ~，很愉快的。Wǒ xiǎngqǐle wǒmen zài yìqǐ gōngzuò shí de ~. ｜当时的 ~ 是，他拉住我，不让我走。Dāngshí de ~ shì, tā lāzhù wǒ, bú ràng wǒ zǒu. ｜想起我上中学时的 ~，觉得很有意思。Xiǎngqǐ wǒ shàng zhōngxué shí de ~, juéde hěn yǒu yìsi.

qíngkuàng 情况 ［名］

明天天气 ~ 怎么样？Míngtiān tiānqì ~ zěnmeyàng? →明天的天气会是什么样子的？Míngtiān de tiānqì huì shì shénme yàngzi de? 例他的 ~ 我一点儿也不知道。Tā de ~ wǒ yìdiǎnr yě bù zhīdào. ｜~ 变了，我的想法也变了。~ biàn le, wǒ de xiǎngfǎ yě biàn le. ｜我对这里的 ~ 不太熟悉。wǒ duì zhèlǐ de ~ bú tài shúxi. ｜这是一些新 ~，我们要注意。Zhè shì yìxiē xīn ~, wǒmen yào zhùyì. ｜你最近的具体 ~ 怎么样？Nǐ zuìjìn de jùtǐ ~ zěnmeyàng?

qíngxíng 情形 ［名］

这张照片是我比赛的时的 ~。Zhèi zhāng zhàopiàn shì wǒ bǐsài shí de ~. →这张照片是在我比赛时候照的。Zhèi zhāng zhàopiàn shì zài wǒ bǐsài de shíhou zhào de. 例我还记得在中国上课时的 ~。Wǒ hái jìde zài Zhōngguó shàngkè shí de ~. ｜电视机没声音了，这种 ~ 以前没有过。Diànshìjī méi shēngyīn le, zhèi zhǒng ~ yǐqián méi yǒu guo. ｜你还记得当时他打你的 ~ 吗？Nǐ hái jìde dāngshí tā dǎ nǐ de ~ ma? ｜你走以后，这里的 ~ 发生了变化。Nǐ zǒu yǐhòu, zhèlǐ de ~ fāshēngle biànhuà.

qíngxù 情绪（情緒）［名］

他一句话也不说，看来 ~ 不太好。Tā yí jù huà yě bù shuō, kànlái ~ bú tài hǎo. →他一句话也不说，可能有点儿不高兴。Tā yí jù huà yě bù shuō, kěnéng yǒudiǎnr bù gāoxìng. 例大卫又说又笑，~ 很好。Dàwèi yòu shuō yòu xiào, ~ hěn hǎo. ｜玛丽 ~ 变化太快了，一会儿哭，一会儿笑。Mǎlì ~ biànhuà tài kuài le, yíhuìr kū, yíhuìr xiào. ｜运动员的 ~ 都很高，对比赛很有信心。Yùndòngyuán de ~ dōu hěn gāo, duì bǐsài hěn yǒu xìnxīn.

qíng 晴 ［形］

今天 ~，很暖和。Jīntiān ~, hěn nuǎnhuo. →今天没有云，能看到太阳，天气很暖和。Jīntiān méiyǒu yún, néng kàndào tàiyang,

Q

tiānqì hěn nuǎnhuo. 例刚才阴天，现在 ~ 了。Gāngcái yīn tiān, xiànzài ~ le. | 明天白天 ~，风力不大。Míngtiān báitiān ~, fēnglì bú dà. | 刚 ~ 了两天，又开始下雨了。Gāng ~ le liǎng tiān, yòu kāishǐ xià yǔ le. | 下午天变 ~ 了。Xiàwǔ tiān biàn ~ le. | 天气还没 ~，还有点儿冷。Tiānqì hái méi ~, hái yǒudiǎnr lěng.

qǐng 请[1]（請）[动]

~ 你到办公室来一下儿。~ nǐ dào bàngōngshì lái yíxiàr. →你到办公室来一下儿，好吗？Nǐ dào bàngōngshì lái yíxiàr, hǎo ma? 例~ 你帮帮我，好吗？~ nǐ bāngbang wǒ, hǎo ma? | ~ 大家不要说话了。~ dàjiā búyào shuōhuà le. | 你可以 ~ 他们帮忙。Nǐ kěyǐ ~ tāmen bāngmáng. | ~ 帮我拿一下儿东西。~ bāng wǒ ná yíxiàr dōngxi. | ~ 大家往里走。~ dàjiā wǎng lǐ zǒu.

qǐngqiú 请求（請求）[动]

他 ~ 经理给他两天假。Tā ~ jīnglǐ gěi tā liǎng tiān jià. →他很礼貌地跟经理提出要求，希望能休息两天。Tā hěn lǐmào de gēn jīnglǐ tíchū yāoqiú, xīwàng néng xiūxi liǎng tiān. 例我们 ~ 校长答应我们的要求。Wǒmen ~ xiàozhǎng dāying wǒmen de yāoqiú. | 我向经理 ~ 过多次，希望派我去美国。Wǒ xiàng jīnglǐ ~ guo duō cì, xīwàng pài wǒ qù Měiguó. | 我 ~ 你们留下来，明天再走。Wǒ ~ nǐmen liú xialai, míngtiān zài zǒu.

qǐng jià 请假（請假）

大卫今天 ~ 不来上班了。Dàwèi jīntiān ~ bù lái shàngbān le. →大卫有病了，跟领导说今天不来上班了。Dàwèi yǒu bìng le, gēn lǐngdǎo shuō jīngtiān bù lái shàngbān le. 例你不来上课，最好向老师 ~。Nǐ bù lái shàngkè, zuìhǎo xiàng lǎoshī ~. | 玛丽 ~ 带孩子看病去了。Mǎlì ~ dài háizi kàn bìng qù le. | 他请病假了，今天不来了。Tā qǐng bìngjià le, jīntiān bù lái le. | 他请了一个月假，回国了。Tā qǐngle yí ge yuè jià, huíguó le.

qǐng 请[2]（請）[动]

咱们这顿饭我 ~ 了。Zánmen zhèi dùn fàn wǒ ~ le. →咱们一起吃的这顿饭我付钱。Zánmen yìqǐ chī de zhèi dùn fàn wǒ fù qián. 例中午去饭店吃吧，我 ~ 大家。Zhōngwǔ qù fàndiàn chī ba, wǒ ~ dàjiā. | 结婚那天，我 ~ 大家吃饭。Jiéhūn nà tiān, wǒ ~ dàjiā chīfàn. | 这顿饭是公司 ~ 我们的。Zhèi dùn fàn shì gōngsī ~ wǒmen de. | 你总

是～我们，我们不好意思呀。Nǐ zǒngshi ～ wǒmen，wǒmen bù hǎoyìsi ya.

qǐng kè 请客（請客）

咱们一起去吃饭吧，我～。Zánmen yìqǐ qù chīfàn ba, wǒ ～. →大家吃饭的钱由我来付。Dàjiā chīfàn de qián yóu wǒ lái fù. 例今天大卫～，大家都去吧。Jīntiān Dàwèi ～，dàjiā dōu qù ba. | 每次都是经理～，这次我付钱吧。Měi cì dōu shì jīnglǐ ～，zhèi cì wǒ fù qián ba. | 我们三个人去听音乐会，玛丽～。Wǒmen sān ge rén qù tīng yīnyuèhuì，Mǎlì ～. | 今天公司～，到饭店吃烤鸭。Jīntiān gōngsī ～，dào fàndiàn chī kǎoyā. | 大卫已经请了两次客，下次该我了。Dàwèi yǐjing qǐngle liǎng cì kè，xià cì gāi wǒ le.

qǐng 请³（請）［动］

我～了一位汉语家庭教师。Wǒ ～ le yí wèi Hànyǔ jiātíng jiàoshī. →我每个小时给他一百元，他教我汉语。Wǒ měi ge xiǎoshí gěi tā yìbǎi yuán，tā jiāo wǒ Hànyǔ. 例法律上的事要～律师问一问。Fǎlù shang de shì yào ～ lùshī wèn yi wèn. | 学校～了一位有名的教授上这门课。Xuéxiào ～ le yí wèi yǒumíng de jiàoshòu shàng zhèi mén kè. | 这三位客人是我们～来的。Zhèi sān wèi kèren shì wǒmen ～ lái de. | 这次会议，经理特别～你参加。Zhèi cì huìyì，jīnglǐ tèbié ～ nǐ cānjiā.

qǐng 请⁴（請）［动］

～您到前边来。～ nín dào qiánbian lái. →很客气地希望您到前边来。Hěn kèqi de xīwàng nín dào qiánbian lái. 例～里边坐。～ lǐbian zuò. | 您～坐，我马上就来。Nín ～ zuò，wǒ mǎshàng jiù lái. | 我们五点钟开会，～大家准时来。Wǒmen wǔ diǎnzhōng kāihuì，～ dàjiā zhǔnshí lái. | ～您不要在这儿吸烟。～ nín búyào zài zhèr xīyān. | 快～进，会议马上就要开始了。Kuài ～ jìn，huìyì mǎshàng jiù yào kāishǐ le.

qǐngwèn 请问（請問）［动］

～，邮局在哪儿？～，yóujú zài nǎr? →问别人问题时的客气话。Wèn biéren wèntí shí de kèqihuà. 例～，8路汽车站在哪儿？～，bā lù qìchēzhàn zài nǎr? | ～，去火车站怎么坐车？～，qù huǒchēzhàn zěnme zuò chē? | ～，老先生，您今年多大年纪了？～，lǎo xiānsheng，nín jīnnián duō dà niánjì le? | ～，现在几点了？～，

Q

xiànzài jǐ diǎn le? | ~，这个词是什么意思？~，zhèige cí shì shénme yìsi?

qìngzhù 庆祝（慶祝）［动］

我们的足球队得了冠军，全国都在 ~ 这次胜利。Wǒmen de zúqiúduì déle guànjūn, quánguó dōu zài ~ zhèi cì shènglì. → 人们又唱又跳，得了冠军后非常高兴。Rénmen yòu chàng yòu tiào, dele guànjūn hòu fēicháng gāoxìng. 例今年是建国 55 周年，要好好ﾚ ~ 一下ﾚ。Jīnnián shì jiànguó wǔshíwǔ zhōunián, yào hǎohāor ~ yíxiàr. | 明天是我们结婚 10 周年，我们怎么 ~ 呀？Míngtiān shì wǒmen jiéhūn shí zhōunián, wǒmen zěnme ~ ya? | 为了 ~ 这次胜利，全国放假一天。Wèile ~ zhèi cì shènglì, quánguó fàngjià yì tiān.

qiong

qióng 穷（窮）［形］

过去我很穷，什么也买不起。Guòqù wǒ hěn qióng, shénme yě mǎi bu qǐ. → 我过去没钱，什么也不能买。Wǒ guòqù méi qián, shénme yě bù néng mǎi. 例以前他家 ~ 极了，现在富了。Yǐqián tā jiā ~ jí le, xiànzài fù le. | 十年前，这个村子还非常 ~。Shí nián qián, zhèige cūnzi hái fēicháng ~. | 那是个 ~ 地方，要什么没什么。Nà shì ge ~ dìfang, yào shénme méi shénme. | 我们是 ~ 学生，没那么多钱买电脑。Wǒmen shì ~ xuésheng, méi nàme duō qián mǎi diànnǎo.

qiu

qiū 秋 ［名］

autumn 例 这里一年春、夏、~、冬四个季节很明显。Zhèlǐ yì nián chūn、xià、~、dōng sì ge jìjié hěn míngxiǎn. | 1992 年 ~，我到了美国。Yī jiǔ jiǔ èr nián ~, wǒ dàole Měiguó. | 现在已是深 ~ 了，天气很凉。Xiànzài yǐ shì shēn ~ le, tiānqì hěn liáng. | 我们准备明年 ~ 结婚。Wǒmen zhǔnbèi míngnián ~ jiéhūn. | ~ 雨一连下了两天两夜。~ yǔ yìlián xiàle liǎng tiān liǎng yè.

qiūtiān 秋天 ［名］

北京 ~ 的天气非常好。Běijīng ~ de tiānqì fēicháng hǎo. → 夏天之后、冬天之前的这段时间，北京的天气非常好。Xiàtiān zhīhòu、 dōngtiān zhīqián de zhèi duàn shíjiān, Běijīng de tiānqì fēicháng hǎo. 例我们这儿一年四季很明显：春天、夏天、～、冬天。Wǒmen zhèr yì nián sìjì hěn míngxiǎn：chūntiān、xiàtiān、～、dōngtiān. | 十月份正是北京的～，你来旅游吧。Shí yuèfèn zhèng shì Běijīng de ～, nǐ lái lǚyóu ba. | 这里～一般就不下大雨了。Zhèlǐ ～ yìbān jiù bú xià dà yǔ le. | 苹果到～才能熟。Píngguǒ dào～ cái néng shóu. | ～到了，天气渐渐凉了。～ dào le, tiānqì jiànjiàn liáng le.

qiú 求 ［动］

我～你别抽烟了。Wǒ～nǐ bié chōuyān le. →我特别希望你不要抽烟了。Wǒ tèbié xīwàng nǐ búyào chōuyān le. 例 你跟我一起去吧，我～你了。Nǐ gēn wǒ yìqǐ qù ba, wǒ～nǐ le. | 我们去～经理，请他答应这件事。Wǒmen qù ～ jīnglǐ, qǐng tā dāyìng zhèi jiàn shì. | 我～过他好几次了，他就是不借给我车。Wǒ～guo tā hǎojǐ cì le, tā jiùshì bú jiè gěi wǒ chē. | 你们别～了，校长不会答应的。Nǐmen bié ～ le, xiàozhǎng bú huì dāyìng de. | ～～你，别再大声说话了。～～nǐ, bié zài dàshēng shuōhuà le.

qiú 球 ［名］

例不管比赛什么～，我都喜欢看。Bùguǎn bǐsài shénme ～, wǒ dōu xǐhuan kàn. | 孩子们在踢～玩儿。Háizimen zài tī ～ wánr. | 小狗儿站在～上往前走，很好玩儿。Xiǎogǒur zhàn zài ～ shang wǎng qián zǒu, hěn hǎowánr. | 他每天打两小时～。Tā měi tiān dǎ liǎng xiǎoshí ～. | 我想借你的～玩儿一会儿。Wǒ xiǎng jiè nǐ de ～ wánr yíhuìr.

球

qiúchǎng 球场（球場）［名］

他们去～踢球了。Tāmen qù ～ tī qiú le. →那个地方是专门用来踢球的。Nèige dìfang shì zhuānmén yònglái tī qiú de. 例我们学校有三个～，踢球很方便的。Wǒmen xuéxiào yǒu sān ge ～, tī qiú hěn fāngbiàn de. | 每天下午，～上锻炼的人很多。Měi tiān xiàwǔ, ～ shang duànliàn de rén hěn duō. | 这个～很标准，可以用来比赛。Zhèige ～ hěn biāozhǔn, kěyǐ yònglái bǐsài. | 我们大学又建了两个～。Wǒmen dàxué yòu jiànle liǎng ge ～.

Q

qiúmí 球迷 [名]

这场足球赛吸引了八万多名 ~。Zhèi chǎng zúqiúsài xīyǐnle bāwàn duō míng ~. →八万多非常喜欢看足球比赛的人来到了这里。Bāwàn duō fēicháng xǐhuan kàn zúqiú bǐsài de rén láidàole zhèlǐ. 例 大卫是个 ~，为了看球可以不吃饭不睡觉。Dàwèi shì ge ~, wèile kàn qiú kěyǐ bù chīfàn bú shuìjiào. | 他现在成了个小 ~，睡觉时都 梦见打球。Tā xiànzài chéngle ge xiǎo ~, shuìjiào shí dōu mèngjiàn dǎ qiú. | 警察最怕 ~ 制造麻烦。Jǐngchá zuì pà ~ zhìzào máfan.

qiúsài 球赛（球賽）[名]

我喜欢看 ~。Wǒ xǐhuan kàn ~. →我喜欢看足球、篮球、网球等比 赛。Wǒ xǐhuan kàn zúqiú、lánqiú、wǎngqiú děng bǐsài. 例 今天晚 上有 ~。Jīntiān wǎnshang yǒu ~. | 这场 ~ 十分精彩。Zhèi chǎng ~ shífēn jīngcǎi. | 日本队跟美国队的 ~ 什么时候开始？Rìběnduì gēn Měiguóduì de ~ shénme shíhou kāishǐ? | 最近国家队要进行两场 ~。Zuìjìn guójiāduì yào jìnxíng liǎng chǎng ~.

qu

qū 区（區）[名]

北京市城里分成八个 ~。Běijīngshì chéng li fēnchéng bā ge ~. →北 京城里分成八个比市小一级的单位。Běijīng chéng li fēnchéng bā ge bǐ shì xiǎo yì jí de dānwèi. 例 中国有二十三个省，五个自治 ~。Zhōngguó yǒu èrshísān ge shěng, wǔ ge zìzhì ~. | 市里把工作交给 了 ~ 里。Shì li bǎ gōngzuò jiāo gěi le ~ li. | ~ 政府正在考虑治理当地 环境。~ zhèngfǔ zhèngzài kǎolǜ zhìlǐ dāngdì huánjìng. | 这个会议一 个 ~ 派一个代表参加。Zhèige huìyì yí ge ~ pài yí ge dàibiǎo cānjiā.

qūbié 区别（區別）[动]

你能 ~ 中国人和日本人吗？Nǐ néng ~ Zhōngguórén hé Rìběnrén ma? →你能分清哪些是中国人，哪些是日本人吗？Nǐ néng fēnqīng něixiē shì Zhōngguórén, něixiē shì Rìběnrén ma? 例 你们能 ~ 这两个字的 不同吗？Nǐmen néng ~ zhèi liǎng ge zì de bùtóng ma? | 我 ~ 不清他 俩谁是哥哥，谁是弟弟。Wǒ ~ bu qīng tā liǎ shéi shì gēge, shéi shì dìdi. | 红色和绿色很容易 ~。Hóngsè hé lǜsè hěn róngyì ~. | 我们 来 ~ 一下儿这两个句子有什么不同。Wǒmen lái ~ yíxiàr zhèi liǎng ge jùzi yǒu shénme bùtóng.

qú 渠 [名]

ditch 例 这条水 ~ 全长 20 多公里。Zhèi tiáo shuǐ ~ quán cháng èrshí

duō gōnglǐ. |他们挖了一条~，把水从很远的地方引过来。Tāmen wāle yì tiáo ~, bǎ shuǐ cóng hěn yuǎn de dìfang yǐn guolai. |自从修了这条~，他们用水方便多了。Zìcóng xiūle zhèi tiáo ~, tāmen yòng shuǐ fāngbiàn duō le. |附近有河、有~，农田用水很方便。Fùjìn yǒu hé, yǒu ~, nóngtián yòng shuǐ hěn fāngbiàn. |那条~的深度是2.5米，Nèi tiáo ~ de shēndù shì èrdiǎnwǔ mǐ.

qǔ 取 [动]

下午我要到车站去~行李。Xiàwǔ wǒ yào dào chēzhàn qu ~ xíngli. →我要到车站把行李拿回来。Wǒ yào dào chēzhàn bǎ xíngli ná huilai. |你没带伞吧? 我回家去~。Nǐ méi dài sǎn ba? wǒ huíjiā qù ~. |我的车去修了，后天才能~。Wǒ de chē qù xiū le, hòutiān cái néng ~. |我把钥匙忘在家里了，只好~一趟了。Wǒ bǎ yàoshi wàng zài jiāli le, zhǐhǎo ~ yí tàng le. |你的钱已经被别人~走了。Nǐ de qián yǐjing bèi biéren ~ zǒu le. |这钱寄来一个月了，我没去~。Zhè qián jì lai yí ge yuè le, wǒ méi qù ~.

qǔdé 取得 [动]

昨天的足球赛 A 队~了胜利。Zuótiān de zúqiúsài A duì ~ le shènglì. →昨天的足球赛 A 队赢了。Zuótiān de zúqiúsài A duì yíng le. 例八百米跑他~过第一名。Bābǎi mǐ pǎo tā ~ guo dì yī míng. |他的汉语考试~了很好的成绩。Tā de Hànyǔ kǎoshì ~ le hěn hǎo de chéngjì. |大卫从来没~过一百分。Dàwèi cónglái méi ~ guo yìbǎi fēn. |你们到那儿以后，先要跟大使馆~联系。Nǐmen dào nàr yǐhòu, xiān yào gēn dàshǐguǎn ~ liánxì.

qǔxiāo 取消 [动]

今天下午的会~了。Jīntiān xiàwǔ de huì ~ le. →原来说今天下午开会，现在不开了。Yuánlái shuō jīntiān xiàwǔ kāihuì, xiànzài bù kāi le. 例 他们~了去美国的计划。Tāmen ~ le qù Měiguó de jìhuà. |那个规定早就~了，你可以参加比赛。Nèige guīdìng zǎo jiù ~ le, nǐ kěyǐ cānjiā bǐsài. |这是大家讨论的办法，我不能一个人~。Zhè shì dàjiā tǎolùn de bànfǎ, wǒ bù néng yí ge rén ~. |明天的比赛没有~，你一定要来呀。Míngtiān de bǐsài méiyǒu ~, nǐ yídìng yào lái ya.

qù 去[1] [动]

我明天~美国。Wǒ míngtiān ~ Měiguó. →我现在在中国，明天要到美国。Wǒ xiànzài zài Zhōngguó, míngtiān yào dào Měiguó. **例**大
卫 ~ 过日本。Dàwèi ~ guo Rìběn. | 下午我 ~ 你家，你就不用来了。
Xiàwǔ wǒ ~ nǐ jiā, nǐ jiù búyòng lái le. | 我今天有事儿，哪儿也 ~
了。Wǒ jīntiān yǒu shìr, nǎr yě ~ bu liǎo. | 那个地方很可怕，你不
能 ~。Nèige dìfang hěn kěpà, nǐ bù néng ~. | 我 ~ 过的地方很多。
Wǒ ~ guo de dìfang hěn duō. | 英国我 ~ 过三次。Yīngguó wǒ ~ guo
sān cì.

qù 去² ［动］

我昨天晚上 ~ 看电影了。Wǒ zuótiān wǎnshang ~ kàn diànyǐng le.
→ 我昨天晚上不在家，在电影院看电影。Wǒ zuótiān wǎnshang bú
zài jiā, zài diànyǐngyuàn kàn diànyǐng. **例** 我 ~ 打个电话，一会儿就
回来。Wǒ ~ dǎ ge diànhuà, yíhuìr jiù huílai. | 大卫遇到点儿麻烦，
我们 ~ 帮帮他吧。Dàwèi yùdào diǎnr máfan, wǒmen ~ bāngbang tā
ba. | 我 ~ 看看那儿出什么事儿了。Wǒ ~ kànkan nàr chū shénme shìr
le. | 这个电话是你的，快 ~ 接吧。Zhèige diànhuà shì nǐ de, kuài ~
jiē ba.

qu 去³ ［动］

大卫不在家，他买东西 ~ 了。Dàwèi bú zài jiā, tā mǎi dōngxi ~ le.
→ 大卫不在家，他现在在商场买东西。Dàwèi bú zài jiā, tā xiànzài
zài shāngchǎng mǎi dōngxi. **例** 他上个月到美国 ~ 了。Tā shàng ge
yuè dào Měiguó ~ le. | 我现在打网球 ~。Wǒ xiànzài dǎ wǎngqiú ~. |
玛丽打电话 ~ 了，一会儿就回来。Mǎlì dǎ diànhuà ~ le, yíhuìr jiù
huílai. | 大卫快走，我们吃饭 ~。Dàwèi kuài zǒu, wǒmen chīfàn
~. | 经理到邮局 ~ 了，中午才能回来。Jīnglǐ dào yóujú ~ le,
zhōngwǔ cái néng huílai.

qùnián 去年 ［名］

我是 ~ 这时候来的中国。Wǒ shì ~ zhè shíhou lái de Zhōngguó. →
我来中国一年了。Wǒ lái Zhōngguó yì nián le. **例** 他 ~ 20 岁，今年
21 岁。Tā ~ èrshí suì, jīnnián èrshíyī suì. | ~ 9 月我在美国。~
Jiǔyuè wǒ zài Měiguó. | ~ 他还没这么高，今年一下子长高了。~
tā hái méi zhème gāo, jīnnián yíxiàzi zhǎnggāo le. | 我一想起 ~ 的那
场大火，就感到害怕。Wǒ yì xiǎngqǐ ~ de nèi cháng dàhuǒ, jiù
gǎndào hàipà.

Q

quan

quān 圈 ［名］

他们围成了一个～儿。Tāmen wéichéngle yí ge ~ r. →很多人站成了圆形。Hěn duō rén zhànchéngle yuánxíng. 例他在纸上画了两个～儿。Tā zài zhǐshang huàle liǎng ge ~ r. | 你们围的～儿太大了，请小一点儿。Nǐmen wéi de ~ r tài dà le, qǐng xiǎo yìdiǎnr. | 他围着足球场跑了三～儿了。Tā wéizhe zúqiúchǎng pǎole sān ~ r le. | 他用铁丝做成了个～儿。Tā yòng tiěsī zuòchéngle ge ~ r. | 你要是同意就在这儿画个～儿。Nǐ yàoshi tóngyì jiù zài zhèr huà ge ~ r.

quán 全¹ ［形］

人都～了，我们开始吧。Rén dōu ~ le, wǒmen kāishǐ ba. →应该来的人都来了，我们开始吧。Yīnggāi lái de rén dōu lái le, wǒmen kāishǐ ba. 例这位作家写的书，我都买～了。Zhèi wèi zuòjiā xiě de shū, wǒ dōu mǎi ~ le. | 这个商店里的东西非常～。Zhèige shāngdiàn li de dōngxi fēicháng ~. | 你看看人～了没有。Nǐ kànkan rén ~ le méiyǒu. | 关于这个问题，校长已经说得很～了。Guānyú zhèige wèntí, xiàozhǎng yǐjing shuō de hěn ~ le. | 这方面的书我买得不～。Zhè fāngmiàn de shū wǒ mǎi de bù ~.

quánmiàn 全面 ［形］

大卫的知识很～。Dàwèi de zhīshi hěn ~. →大卫各个方面的知识都有。Dàwèi gègè fāngmiàn de zhīshi dōu yǒu. 例你们的看法比较～，我都同意。Nǐmen de kànfǎ bǐjiào ~, wǒ dōu tóngyì. | 对这些问题我已经做了～的考虑。Duì zhèixiē wèntí wǒ yǐjing zuòle ~ de kǎolù. | 他的学习有了～的进步。Tā de xuéxí yǒule ~ de jìnbù. | 我想什么都学一点儿，～发展自己。Wǒ xiǎng shénme dōu xué yìdiǎnr, ~ fāzhǎn zìjǐ. | 你想得不太～。Nǐ xiǎng de bú tài ~.

quán 全² ［形］

这个小学～校有十个班，共三百多人。Zhèige xiǎoxué ~ xiào yǒu shí ge bān, gòng sānbǎi duō rén. →整个小学一共有十个班，三百多人。Zhěnggè xiǎoxué yígòng yǒu shí ge bān, sānbǎi duō rén. 例足球比赛胜了，～场球迷都很高兴。Zúqiú bǐsài shèng le, ~ chǎng qiúmí dōu hěn gāoxìng. | ～社会的人都很关心老年人问题。~ shèhuì de rén dōu hěn guānxīn lǎoniánrén de wèntí. | 他们的公司虽

然很小，可～公司的人都很努力。Tāmen de gōngsī suīrán hěn xiǎo, kě ～ gōngsī de rén dōu hěn nǔlì.

quánjiā 全家 [名]

他们～都爱吃这个菜。Tāmen ～ dōu ài chī zhèige cài. →他们家里的每一个人都爱吃这个菜。Tāmen jiāli de měi yí ge rén dōu ài chī zhèige cài. 例大卫～都去旅行了。Dàwèi ～ dōu qù lǔxíng le. |今天是爸爸的生日，我们～照个相吧。Jīntiān shì bàba de shēngri, wǒmen ～ zhào ge xiàng ba. |这顿饭～人在一起吃吧。Zhèi dùn fàn ～ rén zài yìqǐ chī ba. |我看见他们～都在收拾房间。Wǒ kànjiàn tāmen ～ dōu zài shōushi fángjiān.

quánqiú 全球 [名]

气候变暖是个～问题。Qìhòu biàn nuǎn shì ge ～ wèntí. →整个地球都有气候变暖的问题。Zhěnge dìqiú dōu yǒu qìhòu biàn nuǎn de wèntí. 例现在～的经济状况都不太好。Xiànzài ～ de jīngjì zhuàngkuàng dōu bú tài hǎo. |空气污染成了～的人都很关心的问题。Kōngqì wūrǎn chéngle ～ de rén dōu hěn guānxīn de wèntí. |～都在关心这场比赛。～ dōu zài guānxīn zhèi chǎng bǐsài. |他用二十多年的时间，走遍了～。Tā yòng èrshí duō nián de shíjiān, zǒubiànle ～.

quánshēn 全身 [名]

他～都湿了。Tā ～ dōu shī le. →他从头到脚身上都是水。Tā cóng tóu dào jiǎo shēnshang dōu shì shuǐ. 例他～都是土。Tā ～ dōu shì tǔ. |我想照一个～相。Wǒ xiǎng zhào yí ge ～ xiàng. |他～都是名牌儿，得花不少钱呢。Tā ～ dōu shì míngpáir, děi huā bùshǎo qián ne. |我只能看见他的头，看不到他的～。Wǒ zhǐnéng kànjiàn tā de tóu, kàn bu dào tā de ～. |你想照～的，还是半身的？Nǐ xiǎng zhào ～ de, háishì bànshēn de?

quántǐ 全体（全體）[名]

今天下午～老师开会。Jīntiān xiàwǔ ～ lǎoshī kāihuì. →今天下午所有的老师开会。Jīntiān xiàwǔ suǒyǒu de lǎoshī kāihuì. 例公司的～人员都参加了这个比赛。Gōngsī de ～ rényuán dōu cānjiāle zhèige bǐsài. |明天的舞会，我们～都去吧。Míngtiān de wǔhuì, wǒmen ～dōu qù ba. |这个队的～都要求换教练。Zhèige duì de ～ dōu yāoqiú huàn jiàoliàn. |他批评的不是某个人，而是～。Tā pīpíng de bú shì mǒu ge rén, érshì ~ .

quánbù 全部 [名]

我看过他写的 ~ 小说。Wǒ kànguo tā xiě de ~ xiǎosuō. →他写的每一本小说我都看了。Tā xiě de měi yì běn xiǎoshuō wǒ dōu kàn le. **例**我会用自己的 ~ 力量帮助你。Wǒ huì yòng zìjǐ de ~ lìliang bāngzhù nǐ. | 这本书的 ~ 生词都在这里。Zhèi běn shū de ~ shēngcí dōu zài zhèlǐ. | 刚才是我的 ~ 想法，你觉得怎么样？Gāngcái shì wǒ de ~ xiǎngfa, nǐ juéde zěnmeyàng? | 我 ~ 时间都花在学汉语上了。Wǒ ~ shíjiān dōu huā zài xué Hànyǔ shang le.

quán 全³ [副]

我说的话，他 ~ 忘了。Wǒ shuō de huà, tā ~ wàng le. →我说的话，他一句也不记得了。Wǒ shuō de huà, tā yí jù yě bú jìde le. **例**我们班的人 ~ 来了。Wǒmen bān de rén ~ lái le. | 他的哥哥、姐姐 ~ 是大学生。Tā de gēge、jiějie ~ shì dàxuéshēng. | 他们 ~ 去看电影了，家里一个人也没有。Tāmen ~ qù kàn diànyǐng le, jiāli yí ge rén yě méiyǒu. | 他的样子 ~ 变了，我都认不出来了。Tā de yàngzi ~ biàn le, wǒ dōu rèn bu chūlái le. | 我们 ~ 会唱这首歌。Wǒmen ~ huì chàng zhèi shǒu gē.

quándōu 全都 [副]

他们 ~ 爱吃中国菜。Tāmen ~ ài chī Zhōngguó cài. →他们每个人都爱吃中国菜。Tāmen měi ge rén dōu ài chī Zhōngguó cài. **例**我们 ~ 同意你的看法。Wǒmen ~ tóngyì nǐ de kànfǎ. | 今天的工作我 ~ 完成了。Jīntiān de gōngzuò wǒ ~ wánchéng le. | 地上、房上、树上 ~ 是雪。Dì shang、fáng shang、shù shang ~ shì xuě. | 不管我说什么，他 ~ 不相信。Bùguǎn wǒ suō shénme, tā ~ bù xiāngxìn. | 这事儿不 ~ 是他一个人的错儿，我们也有责任。Zhè shìr bù ~ shì tā yí ge rén de cuòr, wǒmen yě yǒu zérèn.

quàn 劝（勸）[动]

你太累了，我 ~ 你最好休息一会儿。Nǐ tài lèi le, wǒ ~ nǐ zuì hǎo xiūxi yíhuìr. →我希望你听我的话，去休息一会儿。Wǒ xīwàng nǐ tīng wǒ de huà, qù xiūxi yíhuìr. **例**那里不安全，我 ~ 你们别去了。Nàli bù ānquán, wǒ ~ nǐmen bié qù le. | 大卫有点儿不高兴，我们去 ~ ~ 吧。Dàwèi yǒudiǎnr bù gāoxìng, wǒmen qù ~ ~ ba. | 我 ~ 了她半天，可她还是哭个不停。Wǒ ~ le tā bàntiān, kě tā háishi kū ge bù tíng. | 我 ~ 过他好几次。Wǒ ~ guo tā hǎojǐ cì.

que

quē 缺 [动]

我最近 ~ 钱花。Wǒ zuìjìn ~ qián huā. →我最近钱不多，想买的东西不能买。Wǒ zuìjìn qián bù duō, xiǎng mǎi de dōngxi bù néng mǎi. **例**我们这儿 ~ 个会唱歌儿的。Wǒmen zhèr ~ ge huì chànggēr de. | 这里的翻译人员很 ~，没人懂外语。Zhèlǐ de fānyì rényuán hěn ~, méi rén dǒng wàiyǔ. | 公司 ~ 懂技术的人，很着急。Gōngsī ~ dǒng jìshù de rén, hěn zháojí. | ~ 了大卫，我们没法比赛。~ le Dàwèi, wǒmen méi fǎ bǐsài. | 人都来齐了，一个也不 ~。Rén dōu láiqí le, yí ge yě bù ~.

quēdiǎn 缺点（缺點）[名]

大卫有优点，也有 ~。Dàwèi yǒu yōudiǎn, yě yǒu ~. →大卫有好的地方，也有不太好的地方。Dàwèi yǒu hǎo de dìfang, yě yǒu bú tài hǎo de dìfang. **例**他改正了身上的 ~，有了很大进步。Tā gǎizhèngle shēnshang de ~, yǒule hěn dà jìnbù. | 弟弟的优点是聪明，~ 是有点儿懒。Dìdi de yōudiǎn shì cōngming, quēdiǎn shì yǒudiǎnr lǎn. | 这件衣服很好看，但 ~ 是穿起来不太舒服。Zhèi jiàn yīfu hěn hǎokàn, dàn ~ shì chuān qilai bú tài shūfu. | 老师指出了我的 ~。Lǎoshī zhǐchūle wǒ de ~.

quēfá 缺乏 [动]

他刚学会开车，还 ~ 经验。Tā gāng xuéhuì kāi chē, hái ~ jīngyàn. →他开车的经验还很少。Tā kāi chē de jīngyàn hái hěn shǎo. **例**他对自己 ~ 信心。Tā duì zìjǐ ~ xìnxīn. | 他不是 ~ 能力的问题，而是工作态度问题。Tā bú shì ~ nénglì de wèntí, érshì gōngzuò tàidu wèntí. | 他打球的技术不太好是因为 ~ 指导。Tā dǎ qiú de jìshù bú tài hǎo shì yīnwèi ~ zhǐdǎo. | 我的口语不好，主要是因为 ~ 练习。Wǒ de kǒuyǔ bù hǎo, zhǔyào shì yīnwèi ~ liànxí.

quēshǎo 缺少 [动]

我最近 ~ 运动，有点儿胖了。wǒ zuìjìn ~ yùndòng, yǒudiǎnr pàng le. →我最近没怎么运动，有点儿胖了。Wǒ zuìjìn méi zěnme yùndòng, yǒudiǎnr pàng le. **例**我们 ~ 管理方面的人才。Wǒmen ~ guǎnlǐ fāngmiàn de réncái. | 这屋里还 ~ 一些家具。Zhè wū li hái ~ yìxiē jiājù. | 水和空气是人类不可 ~ 的两样东西。Shuǐ hé kōngqì shì rénlèi bù kě ~ de liǎng yàng dōngxi. | 我们 ~ 设备，没法进行这项研究。Wǒmen ~ shèbèi, méi fǎ jìnxíng zhèi xiàng yánjiū.

què 却 [副]

我爱了她八年，她 ~ 一点儿也不知道。Wǒ àile tā bā nián, tā ~ yìdiǎnr yě bù zhīdào. →我爱了她八年，可她一点儿也不知道。Wǒ àile tā bā nián, kě tā yìdiǎnr yě bù zhīdào. **例**我很想买这张画儿，~ 没有那么多钱。Wǒ hěn xiǎng mǎi zhèi zhāng huàr, ~ méiyǒu nàme duō qián. | 我很想见她，~ 又有点儿怕见她。Wǒ hěn xiǎng jiàn tā, ~ yòu yǒudiǎnr pà jiàn tā. | 她不太漂亮，~ 很会打扮。Tā bú tài piàoliang, ~ hěn huì dǎban. | 我来了，可他 ~ 走了。Wǒ lái le, kě tā ~ zǒu le.

quèdìng 确定（確定）[动]

比赛的日期已经 ~，在 3 月 20 号。Bǐsài de rìqī yǐjing ~, zài Sānyuè èrshí hào. →比赛日期定在 3 月 20 号。Bǐsài rìqī dìng zài Sānyuè èrshí hào. **例**他们结婚的时间 ~ 了，在 10 月 1 号。Tāmen jiéhūn de shíjiān ~ le, zài Shíyuè yī hào. | 你们准备来多少人，最好先 ~ 下来。Nǐmen zhǔnbèi lái duōshao rén, zuì hǎo xiān ~ xialai. | 我们 ~ 一下儿参加演出的人数。Wǒmen ~ yíxiàr cānjiā yǎnchū de rénshù. | 我去日本的时间还没 ~。Wǒ qù Rìběn de shíjiān hái méi ~.

quèshí 确实[1]（確實）[形]

这个消息很 ~。Zhèige xiāoxi hěn ~. →这个消息是真的。zhèige xiāoxi shì zhēn de. **例**他说的话 ~ 吗？Tā shuō de huà ~ ma? | 她说大卫骗了她，我相信是 ~ 的。Tā shuō Dàwèi piànle tā, wǒ xiāngxìn shì ~ de. | 他们国家有 72 条河，这是个 ~ 的数字。Tāmen guójiā yǒu qīshí'èr tiáo hé, zhè shì ge ~ de shùzì. | 他说的情况不 ~。Tā shuō de qíngkuàng bú ~.

quèshí 确实[2]（確實）[副]

能在这儿见到您，我 ~ 很高兴。Néng zài zhèr jiàndào nín, wǒ ~ hěn gāoxìng. →能在这儿见到您，我真的很高兴。Néng zài zhèr jiàndào nín, wǒ zhēn de hěn gāoxìng. **例**你说得对，这个字 ~ 是写错了。Nǐ shuō de duì, zhèige zì ~ shì xiěcuò le. | 这两年，我的家乡 ~ 发生

了很大的变化。Zhèi liǎng nián, wǒ de jiāxiāng ~ fāshēngle hěn dà de biànhuà. | 我 ~ 不知道那件事情的真相。Wǒ ~ bù zhīdào nèi jiàn shìqing de zhēnxiàng. | 那部电影 ~ 好看, ~ 很有意思。Nèi bù diànyǐng ~ hǎokàn, ~ hěn yǒuyìsi. | 这个问题 ~ 重要, 得快点儿解决。Zhèige wèntí ~ zhòngyào, děi kuài diǎnr jiějié. | ~, 生命在于运动。~, shēngmìng zài yú yùndòng.

qun

qúnzi 裙子 [名]

skirt 例 夏天来了, 女孩子们都穿上了花 ~。Xiàtiān lái le, nǚháizimen dōu chuānshangle huā ~. | 今年夏天, 玛丽想买两条 ~。Jīnnián xiàtiān, Mǎlì xiǎng mǎi liǎng tiáo ~. | 这条短 ~ 很好看, 适合矮一点儿的姑娘穿。Zhèi tiáo duǎn ~ hěn hǎokàn, shìhé ǎi yìdiǎnr de gūniang chuān. | 她喜欢穿 ~, 一年四季都穿。Tā xǐhuan chuān ~, yì nián sìjì dōu chuān. | 这儿卖的 ~ 多种多样, 随便挑。Zhèr mài de ~ duōzhǒng duōyàng, suíbiàn tiāo. | 她穿上 ~ 显得更漂亮了。Tā chuānshang ~ xiǎnde gèng piàoliang le.

qún 群 [量]

用于很多在一起的人或动物。Yòngyú hěn duō zài yìqǐ de rén huò dòngwù. 例 那边站着一 ~ 人, 不知道在做什么。Nà biān zhànzhe yì ~ rén, bù zhīdào zài zuò shénme. | 一 ~ 学生往东边去了。Yì ~ xuésheng wǎng dōngbian qù le. | 这 ~ 羊大概有六十只。Zhèi ~ yáng dàgài yǒu liùshí zhī. | 他家养了一 ~ 狗。Tā jiā yǎngle yì ~ gǒu. | 湖里的鱼一 ~ 一 ~ 的, 多着呢。Hú li de yú yì ~ yì ~ de, duōzhe ne.

qúnzhòng 群众 (群衆) [名]

~ 喜欢看的电影就是好电影。~ xǐhuan kàn de diànyǐng jiù shì hǎo diànyǐng. → 大家都喜欢看的电影就是好电影。Dàjiā dōu xǐhuan kàn de diànyǐng jiù shì hǎo diànyǐng. 例 ~ 喜欢哪项运动, 哪项运动就搞得好。~ xǐhuan něi xiàng yùndòng, něi xiàng yùndòng jiù gǎo de hǎo. | 游泳是一项 ~ 很喜欢的运动。Yóuyǒng shì yí xiàng ~ hěn xǐhuan de yùndòng. | ~ 的意见往往是对的。~ de yìjiàn wǎngwǎng shì duì de. | 很多 ~ 参加了昨天的种树活动。Hěn duō ~ cānjiāle zuótián de zhòng shù huódòng.

R

ran

rán' ér 然而[1] [连]

试验失败了，～他们并没有失去信心。Shìyàn shībài le, ～ tāmen bìng méiyǒu shīqù xìnxīn. →试验失败了，但是他们并没有失去信心。Shìyàn shībài le, dànshì tāmen bìng méiyǒu shīqù xìnxīn. 例这件衣服不贵，～很漂亮。Zhèi jiàn yīfu bú guì, ～ hěn piàoliang. I 听说去那儿找工作比较容易，～并不是每个人都能找到适合自己的工作的。Tīngshuō qù nàr zhǎo gōngzuò bǐjiào róngyì, ～ bìng bú shì měi ge rén dōu néng zhǎodào shìhé zìjǐ de gōngzuò de. I 在这个问题上，我认为他没有错儿，～别人不一定也这么看。Zài zhèige wèntí shang, wǒ rènwéi tā méiyǒu cuòr, ～ biéren bù yídìng yě zhème kàn.

rán' ér 然而[2] [连]

他喜欢唱歌儿，～更喜欢画画儿。Tā xǐhuan chànggēr, ～ gèng xǐhuan huà huàr. →他除了喜欢唱歌儿以外，也特别喜欢画画儿。Tā chúle xǐhuan chànggēr yǐwài, yě tèbié xǐhuan huà huàr. 例她们三姐妹都很漂亮，～最漂亮的是小妹妹。Tāmen sān jiěmèi dōu hěn piàoliang, ～ zuì piàoliang de shì xiǎo mèimei. I 这是一座历史很悠久的城市，～人们最不能忘记它的美丽。Zhè shì yí zuò lìshǐ hěn yōujiǔ de chéngshì, ～ rénmen zuì bù néng wàngjì tā de měilì. I 我喜欢这儿的山、这儿的水，～更喜欢这儿热爱劳动的人。Wǒ xǐhuan zhèr de shān、zhèr de shuǐ, ～ gèng xǐhuan zhèr rè'ài láodòng de rén.

ránhòu 然后（然後）[副]

我们先去北京，～去上海。Wǒmen xiān qù Běijīng, ～ qù Shànghǎi. →我们先去北京，去了北京以后接着去上海。Wǒmen xiān qù Běijīng, qùle Běijīng yǐhòu jiēzhe qù Shànghǎi. 例你们先看看产品，～再决定买不买。Nǐmen xiān kànkan chǎnpǐn, ～ zài juédìng mǎi bu mǎi. I 他唱了一首中国歌曲，～又唱了一首外国歌曲。Tā chàngle yì shǒu Zhōngguó gēqǔ, ～ yòu chàngle yì shǒu wàiguó gēqǔ. |星期天，我洗了几件衣服，看了一会儿电视，～还上街买了一些东西。Xīngqītiān, wǒ xǐle jǐ jiàn yīfu, kànle yíhuìr diànshì, ～ hái shàng jiē mǎile yìxiē dōngxi.

ránshāo 燃烧（燃燒）[动]

burn 例煤在炉子里～着。Méi zài lúzi li ～ zhe. |这些木头太湿，没法儿～。Zhèixiē mùtou tài shī, méi fǎr ～. |那场森林大火～了二十多天。Nèi cháng sēnlín dà huǒ ～ le èrshí duō tiān. |他的心里正在～着爱情的烈火。Tā de xīnli zhèngzài ～ zhe àiqíng de lièhuǒ. |天边儿的太阳像一团正在～的大火球。Tiānbiānr de tàiyáng xiàng yì tuán zhèngzài ～ de dà huǒqiú.

rǎn 染 [动]

她把黑头发～成了黄头发。Tā bǎ hēi tóufa ～ chéngle huáng tóufa. →她把黄色的东西涂在黑色的头发上，使黑色的头发变成了黄色的头发。Tā bǎ huángsè de dōngxi tú zài hēisè de tóufa shang, shǐ hēisè de tóufa biànchéngle huángsè de tóufa. 例他～了头发以后显得年轻了。Tā ～ le tóufa yǐhòu xiǎnde niánqīng le. |他的腿出了许多血，把裤子都～红了。Tā de tuǐ chūle xǔduō xiě, bǎ kùzi dōu ～ hóng le. |我的头发只～过一次。Wǒ de tóufa zhǐ ～ guo yí cì. |这块布～得太深了。Zhèi kuài bù ～ de tài shēn le. |妈妈把～好的线收了起来。Māma bǎ ～ hǎo de xiàn shōule qilai.

rang

rǎng 嚷 [动]

孩子们～着要去看电影。Háizimen ～ zhe yào qù kàn diànyǐng. →孩子们大声喊叫着，想去看电影。Háizimen dàshēng hǎnjiàozhe, xiǎng qù kàn diǎnyǐng. 例有话好好儿说，你别～。Yǒu huà hǎohāor shuō, nǐ bié ～. |他～了几嗓子，会场上立刻安静了下来。Tā ～ le jǐ sǎngzi, huìchǎng shang lìkè ānjìngle xialai. |谁再～，我就让他出去。Shéi zài ～, wǒ jiù ràng tā chūqu. |她脾气不好，你听，她又跟孩子～起来了。Tā píqi bù hǎo, nǐ tīng, tā yòu gēn háizi ～ qilai le. |他～了半天，什么问题也没解决。Tā ～ le bàntiān, shénme wèntí yě méi jiějué.

ràng 让[1]（讓）[动]

奶奶～安娜去给她买眼镜儿。Nǎinai ～ Ānnà qù gěi tā mǎi yǎnjìngr.

→奶奶对安娜说："安娜，你去给我买一副眼镜ﾙ。" Nǎinai duì Ānnà shuō: "Ānnà, nǐ qù gěi wǒ mǎi yí fù yǎnjìngr." **例**弟弟 ~ 我带他去公园玩ﾙ。Dìdi ~ wǒ dài tā qù gōngyuán wánr. |妈妈 ~ 我来找你，她 ~ 你快回家。Māma ~ wǒ lái zhǎo nǐ, tā ~ nǐ kuài huíjiā. |关于这件事，~ 我再想想。Guānyú zhèi jiàn shì, ~ wǒ zài xiǎngxiang.

ràng 让² （讓）[动]

公共汽车上不 ~ 抽烟。Gōnggòng qìchē shang bú ~ chōuyān. →公共汽车上不许抽烟。Gōnggòng qìchē shang bùxǔ chōuyān. **例**那些地方不 ~ 照相。Nèixiē dìfang bú ~ zhàoxiàng. |医生不 ~ 爸爸马上出院。Yīshēng bú ~ bàba mǎshàng chūyuàn. |图书馆里不 ~ 大声说话。Túshūguǎn li bú ~ dàshēng shuōhuà. |太贵了，我妈不 ~ 买。Tài guì le, wǒ mā bú ~ mǎi.

ràng 让³ （讓）[动]

哥哥把座位 ~ 给了一位老人。Gēge bǎ zuòwèi ~ gěi le yí wèi lǎorén. →哥哥站起来，请老人坐在自己的座位上。Gēge zhàn qilai, qǐng lǎorén zuò zài zìjǐ de zuòwèi shang. **例**你结婚的时候，我把这间屋子 ~ 给你。Nǐ jiéhūn de shíhou, wǒ bǎ zhèi jiān wūzi ~ gěi nǐ. |比赛的时候，他们谁也不 ~ 谁。Bǐsài de shíhou, tāmen shéi yě bú ~ shéi. |他比你小，你再 ~ 他一次吧。Tā bǐ nǐ xiǎo, nǐ zài ~ tā yí cì ba. |请 ~ 一下ﾙ，我要过去。Qǐng ~ yíxiàr, wǒ yào guòqu.

ràng 让⁴ （讓）[介]

小树 ~ 风刮倒了。Xiǎoshù ~ fēng guādǎo le. →小树被风刮倒了。Xiǎoshù bèi fēng guādǎo le. **例**米口袋 ~ 老鼠咬了个洞。Mǐ kǒudai ~ lǎoshǔ yǎole ge dòng. |那张画ﾙ ~ 人买走了。Nèi zhāng huàr ~ rén mǎizǒu le. |那块手表 ~ 我给丢了。Nèi kuài shǒubiǎo ~ wǒ gěi diū le. |他的病 ~ 医生给治好了。Tā de bìng ~ yīshēng gěi zhìhǎo le. |锅里的饭全 ~ 我们吃光了。Guō li de fàn quán ~ wǒmen chī guāng le.

rao

rào 绕¹ （繞）[动]

她的腰上 ~ 着一条红丝带。Tā de yāo shang ~ zhe yì tiáo hóng sīdài.

R

→一条红丝带一圈儿一圈儿地围在她的腰上。Yì tiáo hóng sīdài yì quānr yì quānr de wéi zài tā de yāo shang. 例我在箱子外面~了两道绳子。Wǒ zài xiāngzi wàimian ~ le liǎng dào shéngzi. ｜女儿正在帮助妈妈~毛线。Nǚ'ér zhèngzài bāngzhù māma ~ máoxiàn. ｜你把那些不用的绳子~起来吧。Nǐ bǎ nèixiē búyòng de shéngzi ~ qilai ba. ｜捆行李的绳子~得太紧了。Kǔn xíngli de shéngzi ~ de tài jǐn le. ｜他把毛线~成了一个团儿。Tā bǎ máoxiàn ~ chéngle yí ge tuánr.

ráo 绕² （繞）[动]

每天早晨他都~着操场跑半个小时。Měi tiān zǎochen tā dōu ~ zhe cāochǎng pǎo bàn ge xiǎoshí. →每天早晨他都围着操场跑半个小时。Měi tiān zǎochen tā dōu wéizhe cāochǎng pǎo bàn ge xiǎoshí. 例运动员进场的时候，先~场一周。Yùndòngyuán jìnchǎng de shíhou, xiān ~ chǎng yì zhōu. ｜地球~着太阳转，月亮~着地球转。Dìqiú ~ zhe tàiyáng zhuàn, yuèliang ~ zhe dìqiú zhuàn. ｜吃完晚饭，咱们去小湖边儿~一圈儿吧！Chīwán wǎnfàn, zánmen qù xiǎohú biānr ~ yì quānr ba!

ráo 绕³ （繞）[动]

~过这座山，就能看见我们学校了。~ guo zhèi zuò shān, jiù néng kànjiàn wǒmen xuéxiào le. →从这座山旁边儿的路走到山后边儿去，就能看见我们学校了。Cóng zhèi zuò shān pángbiānr de lù zǒudào shān hòubiānr qù, jiù néng kànjiàn wǒmen xuéxiào le. 例我们~了许多路，浪费了许多时间。Wǒmen ~ le xǔduō lù, làngfèile xǔduō shíjiān. ｜~了半天，我们才找到了你们家。~ le bàntiān, wǒmen cái zhǎodàole nǐmen jiā. ｜那条路不通，你们只能~着走。Nèi tiáo lù bù tōng, nǐmen zhǐ néng ~ zhe zǒu.

re

rě 惹 [动]

这孩子很老实，从不~麻烦。Zhè háizi hěn lǎoshi, cóng bù ~ máfan. →这孩子很老实，从来不给别人带来麻烦。Zhè háizi hěn lǎoshi, cónglái bù gěi biéren dàilái máfan. 例你在单位要好好儿工

作，千万别～事。Nǐ zài dānwèi yào hǎohāor gōngzuò, qiānwàn bié ～shì.｜事情没办成，却～出了一大堆意见。Shìqing méi bànchéng, què～chūle yí dà duī yìjian.｜他～的麻烦还少吗？Tā～de máfan hái shǎo ma?｜你要小心，事情～大了就不好办了。Nǐ yào xiǎoxīn, shìqing～dàle jiù bù hǎo bàn le.

rè 热¹（熱）[形]

今天天气特别～，有三十八度。Jīntiān tiānqì tèbié～, yǒu sānshíbā dù. →今天气温特别高。Jīntiān qìwēn tèbié gāo. 例屋子里太～了，开一会儿窗户吧。Wūzi li tài～le, kāi yíhuìr chuānghu ba.｜已经进入秋天了，～不了几天了。Yǐjīng jìnrù qiūtiān le, ～buliǎo jǐ tiān le.｜上半夜我～得睡不着觉。Shàngbànyè wǒ～de shuì bu zháo jiào.｜锅已经烧～了，往里放菜吧。Guō yǐjīng shāo～le, wǎng lǐ fàng cài ba.｜一般胖人怕～，瘦人怕冷。Yìbān pàng rén pà～, shòu rén pà lěng.

rè 热²（熱）[动]

炉子上正～着饭呢。Lúzi shang zhèng～zhe fàn ne. →把凉了的饭放在火上烧几分钟。Bǎ liángle de fàn fàng zài huǒ shang shāo jǐ fēnzhōng. 例妈妈已经把牛奶～好了。Māma yǐjīng bǎ niúnǎi～hǎo le.｜这碗汤已经凉了，再～一下儿吧。Zhèi wǎn tāng yǐjīng liáng le, zài～yíxiàr ba.｜打开火，～两分钟就行了。Dǎkāi huǒ, ～liǎng fēnzhōng jiù xíng le.｜这饭太凉，～～再吃吧。Zhè fàn tài liáng, ～～zài chī ba.｜饭和菜都～了两回了，你爸怎么还不回来？Fàn hé cài dōu～le liǎng huí le, nǐ bà zěnme hái bù huílai?

rè'ài 热爱（熱愛）[动]

我父亲是医生，他～自己的工作。Wǒ fùqin shì yīshēng, tā～zìjǐ de gōngzuò. →他特别爱自己的工作。Tā tèbié ài zìjǐ de gōngzuò. 例他从小就～劳动。Tā cóngxiǎo jiù～láodòng.｜我们都～和平。Wǒmen dōu～hépíng.｜他～那片土地，也～那儿的人民。Tā～nèi piàn tǔdì, yě～nàr de rénmín.｜这是我所～的专业。Zhè shì wǒ suǒ～de zhuānyè.｜千山万水隔不断他对祖国的～。Qiānshān wànshuǐ gé bu duàn tā duì zǔguó de～.

R

rèliè 热烈（熱烈）[形]

小组会上，大家发言很～。Xiǎozǔhuì shang, dàjiā fāyán hěn～. →发言的人很多，而且发言时很激动。Fāyán de rén hěn duō, érqiě fāyán shí hěn jīdòng. 例广场上响起了~的欢呼声。Guǎngchǎng shang xiǎngqǐle ~ de huānhū shēng. I代表团受到了~的欢迎。Dàibiǎotuán shòudàole ~ de huānyíng. I下午的讨论比上午~。Xiàwǔ de tǎolùn bǐ shàngwǔ ~. I演出结束时，观众们~地鼓掌。Yǎnchū jiéshù shí, guānzhòngmen ~ de gǔzhǎng. I今天的讨论会开得十分~。Jīntiān de tǎolùnhuì kāi de shífēn ~.

rènao 热闹[1]（熱鬧）[形]

昨天的联欢会很~。Zuótiān de liánhuānhuì hěn ~. →昨天来参加联欢会的人很多，大家又唱歌儿，又跳舞，特别活跃。Zuótiān lái cānjiā liánhuānhuì de rén hěn duō, dàjiā yòu chànggēr, yòu tiàowǔ, tèbié huóyuè. 例我们大学校庆那天，校园里十分~。Wǒmen dàxué xiàoqìng nèi tiān, xiàoyuán li shífēn ~. I我们来到了全市最~的那条街上。Wǒmen láidàole quán shì zuì ~ de nèi tiáo jiē shang. I过去这个地方~极了。Guòqù zhèige dìfang ~ jí le.

rènao 热闹[2]（熱鬧）[动]

今年春节咱们约老同学在一起~一下儿。Jīnnián Chūnjié zánmen yuē lǎo tóngxué zài yìqǐ ~ yíxiàr. →今年春节咱们把老同学都请来，大家坐在一起又说又笑痛痛快快儿地玩一下儿。Jīnnián Chūnjié zánmen bǎ lǎo tóngxué dōu qǐng lái, dàjiā zuò zài yìqǐ yòu shuō yòu xiào tòngtongkuàikuàir de wán yíxiàr. 例我要请亲戚们星期天来我的新房子里~~。Wǒ yào qǐng qīnqimen Xīngqītiān lái wǒ de xīn fángzi li ~ ~. I老人们在一起~起来也跟年轻人一样。Lǎorénmen zài yìqǐ ~ qǐlai yě gēn niánqīngrén yíyàng. I人少了，~不起来。Rén shǎo le, ~ bù qǐlái. I我们约定，以后每年在一起~一回。Wǒmen yuēdìng, yǐhòu měi nián zài yìqǐ ~ yì huí.

rènao 热闹[3]（熱鬧）[名]

走，我陪你上街去看看~儿。Zǒu, wǒ péi nǐ shàngjiē qù kànkan ~ r. →我陪你上街去看看热闹的事情和热闹的地方。Wǒ péi nǐ shàng jiē qù kànkan rènao de shìqing hé rènao de dìfang. 例你们这地方的~儿真不少。Nǐmen zhè dìfang de ~ r zhēn bù shǎo. I岁数大的人就喜欢~儿。Suìshu dà de rén jiù xǐhuan ~ r. I他呀，哪儿有~儿就去哪儿。Tā ya, nǎr yǒu ~ r jiù qù nǎr. I你把看到的~儿跟我说说。Nǐ bǎ kàndào de ~ r gēn wǒ shuōshuo.

rèqíng 热情[1]（熱情）[形]

商店的服务员对顾客很~。Shāngdiàn de fúwùyuán duì gùkè hěn ~.

→商店的服务员对顾客的态度非常好。Shāngdiàn de fúwùyuán duì gùkè de tàidu fēicháng hǎo. **例**安娜待人特别~。Ānnà dài rén tèbié ~. | ~的主人留我们在那儿吃饭。~ de zhǔrén liú wǒmen zài nàr chīfàn. |他每次见到我都~地向我打招呼。Tā měi cì jiàndào wǒ dōu ~ de xiàng wǒ dǎ zhāohu. |他们对人~极了。Tāmen duì rén ~ jí le. |这几封信写得真~。Zhèi jǐ fēng xìn xiě de zhēn ~. |那些~的话语打动了同学们的心。Nèixiē ~ de huàyǔ dǎdòngle tóngxuémen de xīn.

rèqíng 热情[2] （熱情）［名］

他的爱国~深深感动了我。Tā de àiguó ~ shēnshēn gǎndòngle wǒ. →他那爱国的兴奋激动的感情深深感动了我。Tā nà àiguó de xīngfèn jīdòng de gǎnqíng shēnshēn gǎndòngle wǒ. **例**群众的~一直很高。Qúnzhòng de ~ yìzhí hěn gāo. |他一直保持着创作的~。Tā yìzhí bǎochízhe chuàngzuò de ~. |家长对孩子的学习~要加以鼓励。Jiāzhǎng duì háizi de xuéxí ~ yào jiāyǐ gǔlì. |他很有工作~。Tā hěn yǒu gōngzuò ~.

rèshuǐpíng 热水瓶（熱水瓶）［名］

例这个~装满了开水。Zhèige ~ zhuāngmǎnle kāishuǐ. |我们家买了一个电~。Wǒmen jiā mǎile yí ge diàn ~. |小王不小心，把~碰倒了。Xiǎo Wáng bù xiǎoxīn, bǎ ~ pèngdǎo le. |再烧一壶水吧，~里的水已经用光了。Zài shāo yì hú shuǐ ba, ~ li de shuǐ yǐjīng yòngguāng le.

热水瓶

R

rèxīn 热心（熱心）［形］

姐姐对集体的事情特别~。Jiějie duì jítǐ de shìqing tèbié ~. →姐姐对集体的事特别有热情，有兴趣，肯出力气。Jiějie duì jítǐ de shì tèbié yǒu rèqíng, yǒu xìngqù, kěn chū lìqi. **例**妈妈是个爱帮助别人的~人。Māma shì ge ài bāngzhù biéren de ~ rén. |病人在护士的~照顾下，很快恢复了健康。Bìngrén zài hùshì de ~ zhàogù xià, hěn kuài huīfùle jiànkāng. |他突然对这些小事儿~起来。Tā tūrán duì zhèixiē xiǎoshìr ~ qilai. |这几天，他对工作显得很~。Zhèi jǐ tiān, tā duì gōngzuò xiǎnde hěn ~.

ren

rén 人 [名]

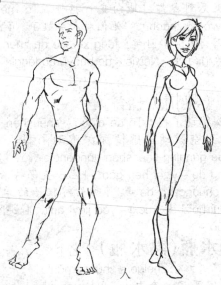

例 ~不能离开空气和水。~ bù néng líkāi kōngqì hé shuǐ. | 这个 ~ 非常聪明。Zhèige ~ fēicháng cōngming. | 这种水果，~ ~ 都喜欢吃。Zhèi zhǒng shuǐguǒ, ~ ~ dōu xǐhuan chī. | 我是中国 ~，他是美国 ~。Wǒ shì Zhōngguó ~, tā shì Měiguó ~. | 我没把这件事告诉别的 ~。Wǒ méi bǎ zhèi jiàn shì gàosu bié de ~. | 为这件事，我问过三个 ~。Wèi zhèi jiàn shì, wǒ wènguo sān ge ~. | ~ 的感情很丰富。~ de gǎnqíng hěn fēngfù.

réncái 人才 [名]

我们公司需要一批 ~。Wǒmen gōngsī xūyào yì pī ~. →我们公司需要一批具有高新技术，能为公司的发展做出较大贡献的人。Wǒmen gōngsī xūyào yì pī jùyǒu gāoxīn jìshù, néng wèi gōngsī de fāzhǎn zuòchū jiào dà gòngxiàn de rén. 例这样的 ~ 很难得。Zhèiyàng de ~ hěn nándé. | 这所大学为国家培养了大批 ~。Zhèi suǒ dàxué wèi guójiā péiyǎngle dàpī ~. | 这个新的企业吸收了各个方面的 ~。Zhèige xīn de qǐyè xīshōule gègè fāngmiàn de ~. | ~ 流动是很有必要的。~ liúdòng shì hěn yǒu bìyào de. | 他们很重视 ~ 的培养工作。

Tāmen hěn zhòngshì ~ de péiyǎng gōngzuò.

réngōng 人工[1] ［形］

这个公园里的湖是个 ~ 湖。Zhèige gōngyuán li de hú shì ge ~ hú. →这个公园里的湖是人造的，不是天然的。Zhèige gōngyuán li de hú shì rénzào de, bú shì tiānrán de. 例这两座小山都是 ~ 修的，我们叫它们假山。Zhèi liǎng zuò xiǎoshān dōu shì ~ xiū de, wǒmen jiào tāmen jiǎshān. | 医生正在给病人做 ~ 呼吸。Yīshēng zhèngzài gěi bìngrén zuò ~ hūxī. | 很长时间没下雨了，明天或者后天我们准备 ~ 降雨。Hěn cháng shíjiān méi xià yǔ le, míngtiān huòzhě hòutiān wǒmen zhǔnbèi ~ jiàngyǔ.

réngōng 人工[2] ［形］

~ 饺子比机器做的饺子好吃。~ jiǎozi bǐ jīqì zuò de jiǎozi hǎochī. → 人亲手做的饺子比机器做的饺子好吃。Rén qīnshǒu zuò de jiǎozi bǐ jīqì zuò de jiǎozi hǎochī. 例电脑制图代替了 ~ 制图。Diànnǎo zhìtú dàitìle ~ zhìtú. | 机器印刷比 ~ 印刷快多了。Jīqì yìnshuā bǐ ~ yìnshuā kuài duō le. | 农村有的地方仍然用 ~ 抽水浇地。Nóngcūn yǒude dìfang réngrán yòng ~ chōu shuǐ jiāo dì. | 有些工作只能靠 ~ 来做。Yǒu xiē gōngzuò zhǐ néng kào ~ lái zuò.

rénjia 人家[1] ［代］

~ 都不怕，你怕什么？~ dōu bú pà, nǐ pà shénme? →别人都不怕，你怕什么？Biéren dōu bú pà, nǐ pà shénme? 例你总是说 ~，不说自己。Nǐ zǒngshi shuō ~, bù shuō zìjǐ. | 你对 ~ 怎么看，我看得很清楚。Nǐ duì ~ zěnme kàn, wǒ kàn de hěn qīngchu. | 他觉得 ~ 的办法比自己的办法好。Tā juéde ~ de bànfǎ bǐ zìjǐ de bànfǎ hǎo. | 这本书不是我买的，是 ~ 送的。Zhèi běn shū bú shì wǒ mǎi de, shì ~ sòng de.

rénjia 人家[2] ［代］

大卫帮你做了那么多事情，你真应该好好儿谢谢 ~。Dàwèi bāng nǐ zuòle nàme duō shìqing, nǐ zhēn yīnggāi hǎohāor xièxie ~. →你真应该好好儿谢谢大卫。Nǐ zhēn yīnggāi hǎohāor xièxie Dàwèi. 例我问过王医生，~ 说你爸爸很快就可以出院了。Wǒ wènguo Wáng yīshēng, ~ shuō nǐ bàba hěn kuài jiù kěyǐ chūyuàn le. | ~ 张大爷的儿子都大学毕业了。~ Zhāng dàye de érzi dōu dàxué bìyè le. | 你应该赶快把借来的自行车给 ~ 送回去。Nǐ yīnggāi gǎnkuài bǎ jièlái de

R

zìxíngchē gěi ~ sòng huíqu. |听说 ~ 小刘的论文发表了。Tīngshuō ~
Xiǎo Liú de lùnwén fābiǎo le.

rénjia 人家³ [代]

快跟我说说吧，~ 都等了半天了。Kuài gēn wǒ shuōshuo ba, ~
dōu děngle bàntiān le. →快跟我说说吧，我都等了半天了。Kuài
gēn wǒ shuōshuo ba, wǒ dōu děngle bàntiān le. 例你明明知道 ~
不会唱歌儿，怎么还非让我唱呢? Nǐ míngmíng zhīdao ~ bú huì
chànggēr, zěnme hái fēi ràng wǒ chàng ne? |妈，您别给我面包
了，~ 已经吃饱了。Mā, nín bié gěi wǒ miànbāo le, ~ yǐjīng chī
bǎo le. |我都快急死了，你还跟 ~ 开玩笑，真不够朋友。Wǒ dōu
kuài jísǐ le, nǐ hái gēn ~ kāiwánxiào, zhēn bú gòu péngyou.

rénkǒu 人口 [名]

中国的 ~ 已经超过了十二亿。Zhōngguó de ~ yǐjīng chāoguòle shí'èr
yì. →中国的人数已经超过了十二亿。Zhōngguó de rénshù yǐjīng
chāoguòle shí'èr yì. 例这个城市是世界上 ~ 最多的一个城市。
Zhèige chéngshì shì shìjiè shang ~ zuì duō de yí ge chéngshì. |这个
地区有大量的流动 ~。Zhèige dìqū yǒu dàliàng de liúdòng ~. |我国
的农村 ~ 比城市 ~ 多得多。Wǒguó de nóngcūn ~ bǐ chéngshì ~ duō
de duō. |人类必须重视 ~ 问题。Rénlèi bìxū zhòngshì ~ wèntí.

rénlèi 人类（人類）[名]

~ 要爱护动物。~ yào àihù dòngwù. →全世界的人都要爱护动物。
Quán shìjiè de rén dōu yào àihù dòngwù. 例~ 在不断地认识自然，
改造自然。~ zài búduàn de rènshi zìrán, gǎizào zìrán. |劳动创造了
~。Láodòng chuàngzàole ~. |~ 社会在不断地发展。~ shèhuì zài
búduàn de fāzhǎn. |科学促进了 ~ 的进步。Kēxué cùjìnle ~ de
jìnbù. |破坏大自然将会给 ~ 带来自然灾害。Pòhuài dàzìrán jiāng huì
gěi ~ dàilái zìrán zāihài.

rénmen 人们（人們）[名]

这几年，~ 的生活水平有了很大提高。Zhèi jǐ nián, ~ de shēnghuó
shuǐpíng yǒule hěn dà tígāo. →这几年，许多人的生活水平有了很
大提高。Zhèi jǐ nián, xǔduō rén de shēnghuó shuǐpíng yǒule hěn dà
tígāo. 例春节这一天，~ 都穿上了节日的服装。Chūnjié zhèi yì
tiān, ~ dōu chuānshangle jiérì de fúzhuāng. |到过北京的 ~ 都说北
京很漂亮。Dàoguo Běijīng de ~ dōu shuō Běijīng hěn piàoliang. |离

开农村后，我一直想念着那里的 ~。Líkāi nóngcūn hòu, wǒ yìzhí xiǎngniànzhe nàli de ~. | 保护环境问题越来越受到了 ~ 的重视。Bǎohù huánjìng wèntí yuèláiyuè shòudàole ~ de zhòngshì.

rénmín 人民 [名]

他常常去农村了解当地 ~ 的生活。Tā chángcháng qù nóngcūn liǎojiě dāngdì ~ de shēnghuó. →他常去农村了解那儿的人们的生活。Tā cháng qù nóngcūn liǎojiě nàr de rénmen de shēnghuó. 例各民族 ~ 紧紧地团结在一起。Gè mínzú ~ jǐnjǐn de tuánjié zài yìqǐ. | 各国 ~ 都热爱和平，反对战争。Gè guó ~ dōu rè'ài hépíng, fǎnduì zhànzhēng. | 全世界 ~ 都在欢庆新千年的到来。Quán shìjiè ~ dōu zài huānqìng xīn qiānnián de dàolái. | 我们应该相信和依靠 ~ 群众。Wǒmen yīnggāi xiāngxìn hé yīkào ~ qúnzhòng. | ~ 的利益高于一切。~ de lìyì gāoyú yíqiè.

rénmínbì 人民币（人民幣）[名]

到中国以后，我得去银行把我带的美元换成 ~。Dào Zhōngguó yǐhòu, wǒ děi qù yínháng bǎ wǒ dài de měiyuán huànchéng ~. →我得去银行把我带的美元换成中国人用的钱。Wǒ děi qù yínháng bǎ wǒ dài de měiyuán huànchéng Zhōngguórén yòng de qián. 例这一百元 ~ 是谁的？Zhèi yìbǎi yuán ~ shì shéi de? | 把这些 ~ 存到银行去。Bǎ zhèixiē ~ cúndào yínháng qù. | 在这家商店里买东西可以使用 ~，也可以用美元、日元等。Zài zhèi jiā shāngdiàn li mǎi dōngxi kěyǐ shǐyòng ~, yě kěyǐ yòng měiyuán、rìyuán děng. | 你需要多少 ~? Nǐ xūyào duōshǎo ~? | 我想把港币换成 ~。Wǒ xiǎng bǎ gǎngbì huànchéng ~. | 我给了他六百元 ~。Wǒ gěile tā liùbǎi yuán ~.

rénwù 人物[1] [名]

在中国历史上，他是一位了不起的英雄 ~。Zài Zhōngguó lìshǐ shang, tā shì yí wèi liǎobuqǐ de yīngxióng ~. →在中国历史上，这个人是一位了不起的英雄。Zài Zhōngguó lìshǐ shang, zhèi gè rén shì yí wèi liǎobuqǐ de yīngxióng. 例这个地方出了好几位知名 ~。Zhèige dìfang chūle hǎojǐ wèi zhīmíng ~. | 最近他已经成了新闻 ~。Zuìjìn tā yǐjing chéngle xīnwén ~. | 人们对这个历史 ~ 有不同的看法。Rénmen duì zhèige lìshǐ ~ yǒu bùtóng de kànfǎ.

rénwù 人物[2] [名]

这部小说中的 ~ 语言写得非常真实感人。Zhèi bù xiǎoshuō zhōng de ~ yǔyán xiě de fēicháng zhēnshí gǎnrén. →作者把小说中的那些人

R

的语言写得非常真实感人。Zuòzhě bǎ xiǎoshuō zhōng de nèixiē rén de yǔyán xiě de fēicháng zhēnshí gǎnrén. 例这个 ~ 形象很有代表性。Zhèige ~ xíngxiàng hěn yǒu dàibiǎoxìng. |他描写了三种不同性格的 ~ 。Tā miáoxiěle sān zhǒng bùtóng xìnggé de ~. |这里的女主角是他描写的主要 ~ 。Zhèlǐ de nǚ zhǔjué shì tā miáoxiě de zhǔyào ~. |他对这个反面 ~ 描写得非常成功。Tā duì zhèige fǎnmiàn ~ miáoxiě de fēicháng chénggōng.

rényuán 人员（人員）[名]

这项政策调动了科技 ~ 的积极性。Zhèi xiàng zhèngcè diàodòngle kējì ~ de jījíxìng. →这项政策调动了担任科技职务的人的积极性。Zhèi xiàng zhèngcè diàodòngle dānrèn kējì zhíwù de rén de jījíxìng. 例全校的教学 ~ 都参加了会议。Quán xiào de jiàoxué ~ dōu cānjiāle huìyì. |这所大学培养了大批优秀的经济管理 ~ 。Zhèi suǒ dàxué péiyǎngle dàpī yōuxiù de jīngjì guǎnlǐ ~. |他们对研究 ~ 要求十分严格。Tāmen duì yánjiū ~ yāoqiú shífēn yángé. |他的意见得到了大多数公安 ~ 的支持。Tā de yìjiàn dédàole dàduōshù gōng'ān ~ de zhīchí.

rénzào 人造 [形]

我国又有一颗 ~ 卫星飞上了天。Wǒguó yòu yǒu yì kē ~ wèixīng fēishàngle tiān. →我国又有一颗人工制造的卫星飞上了天。Wǒguó yòu yǒu yì kē réngōng zhìzào de wèixīng fēishàngle tiān. 例这个书包是用 ~ 的皮革做的。Zhèige shūbāo shì yòng ~ de pígé zuò de. |这是一条 ~ 毛的毯子，不是羊毛毯子。Zhè shì yì tiáo ~ máo de tǎnzi, bú shì yángmáo tǎnzi. | ~ 石头又漂亮又便宜。 ~ shítou yòu piàoliang yòu piányi. |这种地板也是 ~ 的。Zhèi zhǒng dìbǎn yě shì ~ de.

rěn 忍 [动]

他 ~ 着眼泪告别了母亲。Tā ~ zhe yǎnlèi gàobiéle mǔqin. →他跟母亲告别的时候真想哭，但他没让眼泪流出来。Tā gēn mǔqin gàobié de shíhou zhēn xiǎng kū, dàn tā méi ràng yǎnlèi liú chulai. 例王老师 ~ 着头痛给我们上完了最后一节课。Wáng lǎoshī ~ zhe tóutòng gěi wǒmen shàngwánle zuìhòu yì jié kè. |你 ~ 一下儿，过一会儿就不疼了。Nǐ ~ yíxiàr, guò yíhuìr jiù bù téng le. |他 ~ 不住说出了事情的经过。Tā ~ bu zhù shuōchūle shìqing de jīngguò. |我已经 ~ 了两年了，实在 ~ 不下去了。Wǒ yǐjing ~ le liǎng nián le, shízài ~ bú xiàqù le. |

你再~一~，千万别发火儿。Nǐ zài ~ yi ~ , qiānwàn bié fāhuǒr.

rèn 认[1] （認）[动]

他三岁的时候，就能~二百多个汉字了。Tā sān suì de shíhou, jiù néng ~ èrbǎi duō ge Hànzì le. →他三岁的时候，就能念出二百多个汉字了。Tā sān suì de shíhou, jiù néng niànchū èrbǎi duō ge Hànzì le. 例他刚上学，汉字~得还不多。Tā gāng shàngxué, Hànzì ~ de hái bù duō. | 这几个字写得太乱了，我~了半天，也没~出来。Zhèi jǐ ge zì xiě de tài luàn le, wǒ ~ le bàntiān, yě méi ~ chūlái. | 两年没见，我都快~不出你了。Liǎng nián méi jiàn, wǒ dōu kuài ~ bu chū nǐ le. | 明天我带你去~~路。Míngtiān wǒ dài nǐ qù ~ ~ lù.

rènde 认得（認得）[动]

比尔，你~他是谁吗？Bǐ'ěr, nǐ ~ tā shì shéi ma? →比尔，你能说出来他是谁吗？Bǐ'ěr, nǐ néng shuō chulai tā shì shéi ma? 例安娜、大卫，你们俩早就~了？Ānnà、Dàwèi, nǐmen liǎ zǎo jiù ~ le? | 你是谁呀？我不~你。Nǐ shì shéi ya? Wǒ bú ~ nǐ. | 我~那个地方。Wǒ ~ nèige dìfang. | 你~这个字念什么吗？Nǐ ~ zhèige zì niàn shénme ma? | 我是你的中学同学，你怎么连我都不~了？Wǒ shì nǐ de zhōngxué tóngxué, nǐ zěnme lián wǒ dōu bú ~ le?

rènshi 认识（認識）[动]

我~你爸爸。Wǒ ~ nǐ bàba. →我见过你爸爸，知道你爸爸是什么样子。Wǒ jiànguo nǐ bàba, zhīdao nǐ bàba shì shénme yàngzi. 例那几个人我不~。Nèi jǐ ge rén wǒ bú ~. | 他们俩早就~了。Tāmen liǎ zǎo jiù ~ le. | 我跟他~两年了。Wǒ gēn tā ~ liǎng nián le. | 你~的那位先生是我的朋友。Nǐ ~ de nèi wèi xiānsheng shì wǒ de péngyou. | 我来介绍你们~~好吗？Wǒ lái jièshào nǐmen ~ ~ hǎo ma? | 这个字你~不~？Zhèige zì nǐ ~ bu ~?

rèn 认[2] （認）[动]

我~了两位师傅。Wǒ ~ le liǎng wèi shīfu. →我请了两个人当我的师傅。Wǒ qǐngle liǎng ge rén dāng wǒ de shīfu. 例我儿子~他作了美术老师。Wǒ érzi ~ tā zuòle měishù lǎoshī. | 我妈妈~了一个干女儿。Wǒ māma ~ le yí ge gān nǚ'ér. | 师父和师母他都~过了。Shīfu hé shīmǔ tā dōu ~ guo le. | 这是你的师兄和师姐，你来~一下儿。Zhè shì nǐ de shīxiōng hé shījiě, nǐ lái ~ yíxiàr. | 你就把我这个学生~下来吧。Nǐ jiù bǎ wǒ zhèige xuésheng ~ xialai ba.

R

rèn 认³（認）［动］

考试的时候，他偷看了书，后来他向老师～了错。Kǎoshì de shíhou, tā tōukànle shū, hòulái tā xiàng lǎoshī ～ le cuò. →他向老师承认了错误。Tā xiàng lǎoshī chéngrènle cuòwù. **例**你在爸爸面前～个错吧。Nǐ zài bàba miànqián ～ ge cuò ba. |你借了别人的钱，怎么能不～账呢? Nǐ jièle biérén de qián, zěnme néng bú ～ zhàng ne? |我赢了，你～输吧。Wǒ yíng le, nǐ ～ shū ba.

rènshí 认识²（認識）［动］

经过同学的帮助，他～了错误。Jīngguò tóngxué de bāngzhù, tā ～ le cuòwù. →他明白了自己做的事是错误的。Tā míngbaile zìjǐ zuò de shì shì cuòwù de. **例**每个人都要～到自己身上的责任。Měi ge rén dōu yào ～ dào zìjǐ shēnshang de zérèn. |人们还没有～到这些东西的价值。Rénmen hái méiyǒu ～ dào zhèixiē dōngxi de jiàzhí. |他对目前的形势～得还不够清楚。Tā duì mùqián de xíngshì ～ de hái búgòu qīngchu. |等你～清楚了再来找我。Děng nǐ ～ qīngchule zài lái zhǎo wǒ.

rènwéi 认为（認爲）［动］

我～环境保护这件事很重要。Wǒ ～ huánjìng bǎohù zhèi jiàn shì hěn zhòngyào. →我一直觉得环境保护这件事很重要。Wǒ yīzhí juéde huánjìng bǎohù zhèi jiàn shì hěn zhòngyào. **例**这件事，我～他做得很对。Zhèi jiàn shì, wǒ ～ tā zuò de hěn duì. |那个电影大家都说好，可他～没意思。Nèige diànyǐng dàjiā dōu shuō hǎo, kě tā ～ méi yìsi. |我们都这样～，只有他不这样～。Wǒmen dōu zhèiyàng ～, zhǐyǒu tā bú zhèiyàng ～. |中国的黄河被～是母亲河。Zhōngguó de Huáng Hé bèi ～ shì mǔqinhé.

rènzhēn 认真（認真）［形］

王老师改作业很～。Wáng lǎoshī gǎi zuòyè hěn ～. →王老师改作业的时候很细心，把作业中的错误都指出来。Wáng lǎoshī gǎi zuòyè de shíhou hěn xìxīn, bǎ zuòyè zhōng de cuòwù dōu zhǐ chulai. **例**他的～精神值得大家学习。Tā de ～ jīngshén zhíde dàjiā xuéxí. |哥哥工作的时候特别～。Gēge gōngzuò de shíhou tèbié ～. |你放心，他这个人办事～得很。Nǐ fàngxīn, tā zhèige rén bàn shì ～ de hěn. |他们～地听了我们的意见。Tāmen ～ de tīngle wǒmen de yìjian. |大家讨论得非常～。Dàjiā tǎolùn de fēicháng ～. |他们正在认认真真

地听老师讲课。Tāmen zhèngzài rènrenzhēnzhēn de tīng lǎoshī jiǎngkè.

rènhé 任何 [代]

~人都要遵守纪律。~ rén dōu yào zūnshǒu jìlù. →无论什么人都要遵守纪律。Wúlùn shénme rén dōu yào zūnshǒu jìlù. **例** ~困难也吓不倒他们。~ kùnnan yě xià bu dǎo tāmen. l现在我不想吃~东西。Xiànzài wǒ bù xiǎng chī ~ dōngxi. l那里没有~危险。Nàli méiyǒu ~ wēixiǎn. l对于这件事，他没作~解释。Duìyú zhèi jiàn shì, tā méi zuò ~ jiěshì. l在学习上，他比班里的~同学都努力。Zài xuéxí shang, tā bǐ bān li de ~ tóngxué dōu nǔlì.

rènwu 任务（任務） [名]

他们完成了修路的~。Tāmen wánchéngle xiūlù de ~. →他们完成了上级交给他们的修路的工作。Tāmen wánchéngle shàngjí jiāo gěi tāmen de xiūlù de gōngzuò. **例**修改文章的~交给你了。Xiūgǎi wénzhāng de ~ jiāo gěi nǐ le. l我知道你的~最重要。Wǒ zhīdao nǐ de ~ zuì zhòngyào. l今天我们说一下儿今后的~。Jīntiān wǒmen shuō yíxiàr jīnhòu de ~. l会议又增加了两项~。Huìyì yòu zēngjiāle liǎng xiàng ~. l学校把种树的~分到了各个班。Xuéxiào bǎ zhòng shù de ~ fēndàole gègè bān.

reng

rēng 扔¹ [动]

用点儿劲儿，把你手里的球~给我。Yòng diǎnr jìnr, bǎ nǐ shǒu li de qiú ~ gěi wǒ. →用点儿劲儿，让你手里的球到我这里来。Yòng diǎnr jìnr, ràng nǐ shǒu li de qiú dào wǒ zhèlǐ lái. **例**咱们比赛~球，看谁~得远。Zánmen bǐsài ~ qiú, kàn shéi ~ de yuǎn. l你把那顶帽子~过来。Nǐ bǎ nèi dǐng màozi ~ guolai. l他~给我一个苹果，让我吃。Tā ~ gěi wǒ yí ge píngguǒ, ràng wǒ chī. l请帮我把桌子上的那个钱包从窗口~出来。Qǐng bāng wǒ bǎ zhuōzi shang de nèige qiánbāor cóng chuāngkǒu ~ chulai.

rēng 扔² [动]

这两双鞋不能穿了，~了吧。Zhèi liǎng shuāng xié bù néng chuān

R

le，～le ba．→这两双鞋没有用了，放到垃圾桶里去吧。Zhèi liǎng shuāng xié méiyǒu yòng le，fàngdào lājītǒng li qù ba．例这件破衣服早该～了。Zhèi jiàn pò yīfu zǎo gāi ～ le．丨不要往地上乱～果皮。Búyào wǎng dìshang luàn ～ guǒpí．丨别～，这张桌子还能用呢。Bié ～，zhèi zhāng zhuōzi hái néng yòng ne．丨我把该～的东西都～了。Wǒ bǎ gāi ～ de dōngxi dōu ～ le．丨那里太脏了，垃圾～得满地都是。Nàli tài zāng le，lājī ～ de mǎndì dōu shì．

réng 仍[1] ［副］

他中学时学习很优秀，上大学后～很优秀。Tā zhōngxué shí xuéxí hěn yōuxiù，shàng dàxué hòu ～ hěn yōuxiù．→他上大学后，学习还跟在中学时一样优秀。Tā shàng dàxué hòu，xuéxí hái gēn zài zhōngxué shí yíyàng yōuxiù．例五年没见了，她～那么年轻漂亮。Wǔ nián méi jiàn le，tā ～ nàme niánqīng piàoliang．丨已经深夜两点多了，爸爸～在灯下工作。Yǐjing shēnyè liǎng diǎn duō le，bàba ～ zài dēng xià gōngzuò．丨在艰苦的条件下，工人们～保持乐观的态度。Zài jiānkǔ de tiáojiàn xià，gōngrénmen ～ bǎochí lèguān de tàidu．丨这篇文章已经修改好多次了，可他～不太满意。Zhèi piān wénzhāng yǐjing xiūgǎi hǎoduō cì le，kě tā ～ bú tài mǎnyì．

réngrán 仍然[1] ［副］

过去我们是朋友，现在～是朋友。Guòqù wǒmen shì péngyou，xiànzài ～ shì péngyou．→过去和现在我们之间的朋友关系一直没有变。Guòqù hé xiànzài wǒmen zhījiān de péngyou guānxì yìzhí méiyǒu biàn．例他～像过去一样爱开玩笑。Tā ～ xiàng guòqù yíyàng ài kāiwánxiào．丨我跟母亲说了好几次，母亲～不赞成。Wǒ gēn mǔqin shuōle hǎojǐ cì，mǔqin ～ bú zànchéng．丨如今我的父母们～住在农村。Rújīn wǒ de fùmǔmen ～ zhù zài nóngcūn．丨他中学毕业的时候是一米七二高，现在～是一米七二。Tā zhōngxué bìyè de shíhou shì yì mǐ qī'èr gāo，xiànzài ～ shì yì mǐ qī'èr．丨发烧的时候，我盖两床被子～觉得冷。Fāshāo de shíhou，wǒ gài liǎng chuáng bèizi ～ juéde lěng．

réng 仍[2] ［副］

大学毕业以后，他～回原单位工作。Dàxué bìyè yǐhòu，tā ～ huí yuán dānwèi gōngzuò．→他又回到了上大学前工作的单位继续工作。Tā yòu huídàole shàng dàxué qián gōngzuò de dānwèi jìxù gōngzuò. **例**那本书看完以后，～放回原地方。Nèi běn shū kànwán yǐhòu，～fàng huí yuán dìfang. ｜送走了客人，他～写他的文章。Sòngzǒule kèren，tā～xiě tā de wénzhāng. ｜过了冬天，他～想骑自行车上班。Guòle dōngtiān，tā～xiǎng qí zìxíngchē shàngbān.

réngrán 仍然[2] ［副］

出国留学两年后，他～回母校当了老师。Chūguó liúxué liǎng nián hòu，tā～huí mǔxiào dāngle lǎoshī. →他出国留学两年后，又回到了出国前当老师的那个学校当了老师。Tā chūguó liúxué liǎng nián hòu，yòu huídàole chūguó qián dāng lǎoshī de nèige xuéxiào dāngle lǎoshī. **例**从写字台上拿的报纸，看完以后～放到写字台上。Cóng xiězìtái shang ná de bàozhǐ，kànwán yǐhòu～fàngdào xiězìtái shang. ｜上小学的时候我俩在一个班，上了中学我俩～在一个班。Shàng xiǎoxué de shíhou wǒ liǎ zài yí ge bān，shàngle zhōngxué wǒ liǎ～zài yí ge bān. ｜这次他～住在上次住过的那家医院里。Zhèi cì tā～zhù zài shàng cì zhùguo de nèi jiā yīyuàn li. ｜他起来，接完了电话，～睡他的觉去了。Tā qǐlai，jiēwánle diànhuà，～shuì tā de jiào qu le.

ri

rì 日 ［名］

他每～都锻炼身体。Tā měi～dōu duànliàn shēntǐ. →他每一天都锻炼身体。Tā měi yì tiān dōu duànliàn shēntǐ. **例**从北京坐火车，次～就可到达上海。Cóng Běijīng zuò huǒchē，cì～jiù kě dàodá Shànghǎi. ｜多～不见了，你的论文写完了吗？Duō～bú jiàn le，nǐ de lùnwén xiěwánle ma? ｜今～由北京飞往上海的飞机票已经卖完了。Jīn～yóu Běijīng fēi wǎng Shànghǎi de fēijīpiào yǐjing màiwán le.

rìcháng 日常 ［形］

这个商店只卖一些～用品。Zhèige shāngdiàn zhǐ mài yìxiē～yòngpǐn. →这个商店只卖一些平时生活用的东西。Zhèige shāngdiàn zhǐ mài yìxiē píngshí shēnghuó yòng de dōngxi. **例**学校的～工作由一位副校长负责。Xuéxiào de～gōngzuò yóu yí wèi fù xiàozhǎng fùzé. ｜奶奶的～生活很有规律。Nǎinai de～shēnghuó hěn yǒu guīlù. ｜他只带了几件～穿的衣服，就走了。Tā zhǐ dàile jǐ jiàn～chuān de yīfu，jiù zǒu le.

rìchéng 日程 [名]

参观的 ~已经确定了。Cānguān de ~ yǐjing quèdìng le. →按日子的先后安排的参观时间已经确定了。Àn rìzi de xiānhòu ānpái de cānguān shíjiān yǐjing quèdìng le. 例会议的 ~ 安排得很紧。Huìyì de ~ ānpái de hěn jǐn. ︱主席团讨论通过了大会的 ~。Zhǔxítuán tǎolùn tōngguòle dàhuì de ~. ︱由于情况发生了变化，我们对原来的 ~ 作了一些调整。Yóuyú qíngkuàng fāshēngle biànhuà, wǒmen duì yuánlái de ~ zuòle yìxiē tiáozhěng. ︱这次活动的 ~ 表已经发给大家了。Zhèi cì huódòng de ~ biǎo yǐjing fā gěi dàjiā le.

rìjì 日记（日記） [名]

他每天都记 ~。Tā měi tiān dōu jì ~. →他每天都把自己做的或遇到的事记在本子上。Tā měi tiān dōu bǎ zìjǐ zuò de huò yùdào de shì jì zài běnzi shang. 例我的工作 ~ 放在办公室里。Wǒ de gōngzuò ~ fàng zài bàngōngshì li. ︱他把五十多年的 ~ 都保存下来了。Tā bǎ wǔshí duō nián de ~ dōu bǎocún xialai le. ︱多年来，他一直坚持写 ~。Duō nián lái, tā yìzhí jiānchí xiě ~. ︱我把那一天的情况写进了 ~。Wǒ bǎ nèi yì tiān de qíngkuàng xiějìnle ~.

rìqī 日期 [名]

离开学的 ~ 还有十天。Lí kāixué de ~ hái yǒu shí tiān. →十天以后就开学了。Shí tiān yǐhòu jiù kāixué le. 例弟弟结婚的 ~ 是下个月的八号。Dìdi jiéhūn de ~ shì xià ge yuè de bā hào. ︱我们厂的产品包装上都写着这个产品出厂的 ~。Wǒmen chǎng de chǎnpǐn bāozhuāng shang dōu xiězhe zhèige chǎnpǐn chūchǎng de ~. ︱他把出国的 ~ 告诉了几个朋友。Tā bǎ chūguó de ~ gàosule jǐ ge péngyou. ︱必须在规定的 ~ 里完成任务。Bìxū zài guīdìng de ~ li wánchéng rènwu.

rìzi 日子[1] [名]

九月一日是开学的 ~。Jiǔyuè yī rì shì kāixué de ~. →九月一日这一天开学。Jiǔyuè yī rì zhèi yì tiān kāixué. 例这是一个十分难忘的 ~。Zhè shì yí ge shífēn nánwàng de ~. ︱结婚是一件大事，要选一个好 ~。Jiéhūn shì yí jiàn dà shì, yào xuǎn yí ge hǎo ~. ︱下一次见面，我们定在什么 ~？Xià yí cì jiànmiàn, wǒmen dìng zài shénme ~? ︱我出国的 ~ 已经确定了。Wǒ chūguó de ~ yǐjing quèdìng le.

rìzi 日子² [名]

你在北京住了多少 ~ ？——住了一个月。Nǐ zài Běijīng zhùle duōshao ~ ? ——Zhùle yí ge yuè. →你在北京住了多少天? Nǐ zài Běijīng zhùle duōshao tiān? **例**那是一段不平凡的 ~ 。Nà shì yí duàn bù píngfán de ~ . |这些 ~ ，妈妈特别高兴。Zhèixiē ~ , māma tèbié gāoxìng. | ~ 一长，妈妈就把这件事忘了。~ yì cháng, māma jiù bǎ zhèi jiàn shì wàng le. |这部电影已经放了好些 ~ 了。Zhèi bù diànyǐng yǐjing fàngle hǎoxiē ~ le.

rìzi 日子³ [名]

他们家的 ~ 越过越好。Tāmen jiā de ~ yuè guò yuè hǎo. →他们家的生活越来越好。Tāmen jiā de shēnghuó yuèláiyuè hǎo. **例**那年月，吃不饱，穿不暖，真不是人过的 ~ 。Nèi niányuè, chī bu bǎo, chuān bu nuǎn, zhēn bú shì rén guò de ~ . |什么样的苦 ~ 他都过过。Shénmeyàng de kǔ ~ tā dōu guòguo. |幸福的 ~ 要靠我们的双手去创造。Xìngfú de ~ yào kào wǒmen de shuāngshǒu qù chuàngzào. |我希望他们能过上好 ~ 。Wǒ xīwàng tāmen néng guò shang hǎo ~ .

Rìběn 日本 [名]

Japan **例**你去过 ~ 吗? Nǐ qùguo ~ ma? |我是英国人，他是 ~ 人。Wǒ shì Yīngguórén, tā shì ~ rén. |你是从 ~ 来的吧? Nǐ shì cóng ~ lái de ba? |这架飞机飞往 ~ 。Zhèi jià fēijī fēiwǎng ~ . |他在 ~ 留过两年学。Tā zài ~ liúguo liǎng nián xué.

Rìwén 日文 [名]

谁懂 ~ ，请帮我看看这则 ~ 广告里说的是什么。Shéi dǒng ~ , qǐng bāng wǒ kànkan zhèi zé ~ guǎnggào li shuō de shì shénme. →谁懂日本国的文字，请帮我看看这则用日本国的文字写的广告。Shéi dǒng Rìběnguó de wénzì, qǐng bāng wǒ kànkan zhèi zé yòng Rìběnguó de wénzì xiě de guǎnggào. **例**在中国也能买到 ~ 报纸。Zài Zhōngguó yě néng mǎidào ~ bàozhǐ. |这个图书室里全是 ~ 书。Zhèige túshūshì li quán shì ~ shū. |我看过这本 ~ 小说。Wǒ kànguo zhèi běn ~ xiǎoshuō.

Rìyǔ 日语（日語）[名]

他去日本学习了三年 ~ 。Tā qù Rìběn xuéxíle sān nián ~ . →他去日本用了三年时间学习日本人使用的语言。Tā qù Rìběn yòngle sān

R

nián shíjiān xuéxí Rìběnrén shǐyòng de yǔyán. 例我哥哥会说～。Wǒ gēge huì shuō～. | ～是一种挺难学的语言。～ shì yì zhǒng tǐng nán xué de yǔyán. | 我的～是跟日本留学生学的。Wǒ de ～ shì gēn Rìběn liúxuéshēng xué de. | 这是一部用～写的小说。Zhè shì yí bù yòng ～ xiě de xiǎoshuō. | 今天我们有两节～课。Jīntiān wǒmen yǒu liǎng jié ～ kè.

rìyuán 日元 ［名］

～可以换成人民币。～ kěyǐ huànchéng rénmínbì. →日本国的钱可以换成人民币。Rìběnguó de qián kěyǐ huànchéng rénmínbì. 例这家商店只收～。Zhèi jiā shāngdiàn zhǐ shōu ～. | 他有两千多万～。Tā yǒu liǎngqiān duō wàn ～. | 他用～买了一架日本产的照相机。Tā yòng ～ mǎile yí jià Rìběn chǎn de zhàoxiàngjī. | 我把～换成了欧元。Wǒ bǎ ～ huànchéngle ōuyuán. | 你给我～，我给你美元。Nǐ gěi wǒ ～, wǒ gěi nǐ měiyuán.

rong

róngyì 容易¹ ［形］

这道数学题很～。Zhèi dào shùxuétí hěn ～. →这道数学题做起来一点儿也不难。Zhèi dào shùxuétí zuò qilai yìdiǎnr yě bù nán. 例考试的时候，应该先做～的题，后做难的题。Kǎoshì de shíhou, yīnggāi xiān zuò ～ de tí, hòu zuò nán de tí. | 他把两个孩子都培养成了大学生，很不～。Tā bǎ liǎng ge háizi dōu péiyǎng chéngle dàxuéshēng, hěn bù ～. | 第一个问题比第二个问题～一点儿。Dì yī ge wèntí bǐ dì èr ge wèntí ～ yìdiǎnr. | 这件事儿说起来～，做起来难。Zhèi jiàn shìr shuō qilai ～, zuò qilai nán. | 他的意见不～被大家接受。Tā de yìjiàn bù ～ bèi dàjiā jiēshòu. | 他遇到了一个不～解决的问题。Tā yùdàole yí ge bù ～ jiějué de wèntí.

róngyì 容易² ［形］

路太滑，～摔跟头。Lù tài huá, ～ shuāi gēntou. →路太滑，不注意有摔跟头的可能。Lù tài huá, bú zhùyì yǒu shuāi gēntou de kěnéng. 例天气太热了，～出汗。Tiānqì tài rè le, ～ chū hàn. | 吸烟的人～得肺病。Xīyān de rén ～ dé fèibìng. | ～碰碎的东西要轻轻地拿，轻轻地放。～ pèngsuì de dōngxi yào qīngqīng de ná, qīngqīng de fàng.

rou

ròu 肉[1] [名]

meat; flesh 例他爱吃~，不爱吃菜。Tā ài chī ~, bú ài chī cài. | 我买了一公斤~。Wǒ mǎile yì gōngjīn ~. | 你应该少吃~，特别是要少吃肥的~。Nǐ yīnggāi shǎo chī ~, tèbié shì yào shǎo chī féi de ~. | 你把~切成丝吧。Nǐ bǎ ~ qiēchéng sī ba. | 这块~多少钱？Zhèi kuài ~ duōshao qián? | 他买的~很新鲜。Tā mǎi de ~ hěn xīnxian. | 这块~的重量是多少？Zhèi kuài ~ de zhòngliàng shì duōshao? | 我把~放到锅里了。Wǒ bǎ ~ fàngdào guō li le.

ròu 肉[2] [名]

那个地方出产的冬瓜个儿大~厚。Nèige dìfang chūchǎn de dōngguā gèr dà ~ hòu. →那个地方出产的冬瓜个儿大，可以吃的部分多。Nèige dìfang chūchǎn de dōngguā gèr dà, kěyǐ chī de bùfen duō. 例这种水果的~特别甜。Zhèi zhǒng shuǐguǒ de ~ tèbié tián. | 苹果~可以做苹果罐头。Píngguǒ ~ kěyǐ zuò píngguǒ guàntou. | 这种瓜成熟以后，~是黄色的。Zhèi zhǒng guā chéngshú yǐhòu, ~ shì huángsè de.

ru

rú 如[1] [动]

哥哥的学习成绩不~弟弟。Gēge de xuéxí chéngjì bù ~ dìdi. →哥哥的学习成绩没有弟弟好。Gēge de xuéxí chéngjì méiyǒu dìdi hǎo. 例他老人家的身体一年不~一年。Tā lǎorénjiā de shēntǐ yì nián bù ~ yì nián. | 坐火车不~坐飞机快。Zuò huǒchē bù ~ zuò fēijī kuài. | 这种面包不~那种面包好吃。Zhèi zhǒng miànbāo bù ~ nèi zhǒng miànbāo hǎochī. | 岁数大了，记忆力也不~以前好了。Suìshu dà le, jìyìlì yě bù ~ yǐqián hǎo le.

rú 如[2] [连]

新栽的树苗儿~不及时浇水，就可能干死。Xīn zāi de shùmiáor ~ bù jíshí jiāo shuǐ, jiù kěnéng gānsǐ. →新栽的树苗儿要是不及时浇水，就有可能干死。Xīn zāi de shùmiáor yàoshi bù jíshí jiāo shuǐ, jiù yǒu kěnéng gānsǐ. 例下个月我~不去北京，就去一趟上海。Xià ge yuè wǒ ~ bú qù Běijīng, jiù qù yí tàng Shànghǎi. | 你~对我有意见，就

R

直接跟我说。Nǐ ~ duì wǒ yǒu yìjiàn, jiù zhíjiē gēn wǒ shuō. | 他来看你，你就把这件东西交给他。Tā ~ lái kàn nǐ, nǐ jiù bǎ zhèi jiàn dōngxi jiāo gěi tā. | 你们先回去吧，~ 有困难，再打电话给我。Nǐmen xiān huíqu ba, ~ yǒu kùnnan, zài dǎ diànhuà gěi wǒ.

rúguǒ 如果 [连]

~ 明天下雨，你就别来了。~ míngtiān xià yǔ, nǐ jiù bié lái le. → 要是明天下雨的话，你就不要来了。Yàoshi míngtiān xià yǔ dehuà, nǐ jiù búyào lái le. 例 你 ~ 知道这个消息，也一定会高兴的。Nǐ ~ zhīdao zhèige xiāoxi, yě yídìng huì gāoxìng de. | ~ 人人都充满了爱，社会将变得更加美好。~ rénrén dōu chōngmǎnle ài, shèhuì jiāng biàn de gèngjiā měihǎo. | 你们厂 ~ 想买这种设备，我可以帮忙。Nǐmen chǎng ~ xiǎng mǎi zhèi zhǒng shèbèi, wǒ kěyǐ bāngmáng. | 你 ~ 不能参加，一定跟办公室说一下儿。Nǐ ~ bù néng cānjiā, yídìng gēn bàngōngshì shuō yíxiàr.

rúhé 如何 [代]

吃了药以后，你的感觉 ~？Chīle yào yǐhòu, nǐ de gǎnjué ~? → 吃了药以后，你的感觉怎么样？Chīle yào yǐhòu, nǐ de gǎnjué zěnmeyàng? 例 最近你们的工作开展得 ~？Zuìjìn nǐmen de gōngzuò kāizhǎn de ~? | 这条河流治理得 ~？Zhèi tiáo héliú zhìlǐ de ~? | 无论困难 ~ 大，我们也能克服。Wúlùn kùnnan ~ dà, wǒmen yě néng kèfú. | 人家是 ~ 想的，我们不知道。Rénjia shì ~ xiǎng de, wǒmen bù zhīdào. | 他常常写信来说，他的大学同学对他 ~ ~ 好。Tā chángcháng xiě xìn lái shuō, tā de dàxué tóngxué duì tā ~ ~ hǎo.

rújīn 如今 [名]

去年他还没有女朋友，~ 他已经结婚了。Qùnián tā hái méiyǒu nǚpéngyou, ~ tā yǐjing jiéhūn le. → 现在他已经结婚了。Xiànzài tā yǐjing jié hūn le. 例 事到 ~，我只好告诉你了。Shì dào ~, wǒ zhǐhǎo gàosu nǐ le. | ~ 的孩子们更幸福了。~ de háizimen gèng xìngfú le. | ~ 家乡的变化太大了。~ jiāxiāng de biànhuà tài dà le. | 几年前他还是个不懂事的孩子，~ 当上工程师了。Jǐ nián qián tā hái shì ge bù dǒngshì de háizi, ~ dāngshang gōngchéngshī le.

rù 入 [动]

最近他 ~ 了国家足球队。Zuìjìn tā ~ le guójiā zúqiúduì. → 他进了国家足球队，成了国家足球队的运动员了。Tā jìnle guójiā zúqiúduì,

chéngle guójiā zúqiúduì de yùndòngyuán le. 例孩子已经到了～小学
的年龄了。Háizi yǐjing dàole ～ xiǎoxué de niánlíng le. ｜职工可以～
工会组织。Zhígōng kěyǐ ～ gōnghuì zǔzhī. ｜从这儿～，从那儿出。
Cóng zhèr ～，cóng nàr chū. ｜他考～了那所著名的大学。Tā kǎo ～
le nèi suǒ zhùmíng de dàxué. ｜他把钱存～银行了。Tā bǎ qián cún
～ yínháng le.

rùkǒu 入口 [名]

北海公园有好几处～。Běihǎi Gōngyuán yǒu hǎojǐ chù ～. →北海公
园的好几个地方都有进入北海公园的门。Běihǎi Gōngyuán de hǎojǐ
ge dìfang dōu yǒu jìnrù Běihǎi Gōngyuán de mén. 例每个～都有服
务员。Měi ge ～ dōu yǒu fúwùyuán. ｜电影院的～在东边儿。
Diànyǐngyuàn de ～ zài dōngbianr. ｜在～的地方立了块牌子。Zài ～ de
dìfang lìle kuài páizi. ｜我们约定在地铁的～处见面。Wǒmen
yuēdìng zài dìtiě de ～ chù jiànmiàn. ｜只要挡住～，他们就进不来。
Zhǐyào dǎngzhù ～，tāmen jiù jìn bu lái.

ruan

ruǎn 软(軟) [形]

这种面包真～，奶奶特别爱吃。Zhèi zhǒng miànbāo zhēn ～，nǎinai
tèbié ài chī. →这种面包两个手指一拿就扁了。Zhèi zhǒng miànbāo
liǎng ge shǒuzhǐ yì ná jiù biǎn le. 例这条被子很～，盖在身上舒服极
了。Zhèi tiáo bèizi hěn ～，gài zài shēnshang shūfu jí le. ｜杂技演员
的身体能硬，也能～。Zájì yǎnyuán de shēntǐ néng yìng, yě néng
～. ｜面条儿煮得太～了，不好吃。Miàntiáor zhǔ de tài ～ le, bù
hǎochī. ｜最近他身体不太好，只能吃一些比较～的食物。Zuìjìn tā
shēntǐ bú tài hǎo, zhǐ néng chī yìxiē bǐjiào ～ de shíwù.

ruo

ruò 弱 [形]

你刚出院，身体还很～。Nǐ gāng chūyuàn, shēntǐ hái hěn ～. →他
现在不能马上去上班，因为身体没有力气。Tā xiànzài bù néng
mǎshàng qù shàngbān, yīnwèi shēntǐ méiyǒu lìqì. 例奶奶现在年老
体～，不能出远门了。Nǎinai xiànzài nián lǎo tǐ ～，bù néng chū
yuǎnmén le. ｜这个球队的力量现在还比较～。Zhèige qiúduì de
lìliang xiànzài hái bǐjiào ～. ｜只要团结努力，我们一定能由～变强。

R

Zhǐyào tuánjié nǔlì, wǒmen yídìng néng yóu ~ biàn qiáng. I 在历史上, 有的强国变成了 ~ 国, 有的 ~ 国变成了强国。Zài lìshǐ shang, yǒude qiáng guó biànchéngle ~ guó, yǒude ~ guó biànchéngle qiáng guó.

ruòdiǎn 弱点(弱點) [名]

体育比赛中, 双方都会找对方的 ~ , 进攻对方的 ~ 。Tǐyù bǐsài zhōng, shuāngfāng dū huì zhǎo duìfāng de ~ , jìngōng duìfāng de ~ . →找对方力量比较差的地方, 并进攻那儿。Zhǎo duìfāng lìliang bǐjiào chà de dìfang, bìng jìngōng nàr. 例这姑娘有个 ~ 就是爱哭。Zhè gūniang yǒu ge ~ jiù shì ài kū. I 你要注意克服自己的 ~ 。Nǐ yào zhùyì kèfú zìjǐ de ~ . I 通过这件事, 我们看到了他们的 ~ 。Tōngguò zhèi jiàn shì, wǒmen kàndàole tāmen de ~ . I 任何人都有 ~ , 只是表现形式不同。Rènhé rén dōu yǒu ~ , zhǐshì biǎoxiàn xíngshì bùtóng. I 我们很快就摸清了对方的 ~ 。Wǒmen hěn kuài jiù mōqīngle duìfāng de ~ . I 对于他们的 ~ , 我们很了解。Duìyú tāmen de ~ , wǒmen hěn liǎojiě.

S

sa

sā 撒 [动]

我一~开手，它就飞走了。Wǒ yì ~ kāi shǒu, tā jiù fēizǒu le. →我一放开手，它就飞走了。Wǒ yí fàngkāi shǒu, tā jiù fēizǒu le. 例他看见了一条蛇，~腿就往回跑。Tā kànjiànle yì tiáo shé, ~ tuǐ jiù wǎng huí pǎo. | 早上打开门把鸡鸭~出去，晚上它们自己就回来了。Zǎoshang dǎkāi mén bǎ jī yā ~ chuqu, wǎnshang tāmen zìjǐ jiù huílai le. | 今天~了三次网，打上来好多鱼。Jīntiān ~ le sān cì wǎng, dǎ shanglai hǎoduō yú.

sǎ 洒¹（灑）[动]

天气太干燥了，往地上~点儿水吧。Tiānqì tài gānzào le, wǎng dì shang ~ diǎnr shuǐ ba. →天气太干燥了，往地上分散地浇点儿水吧。Tiānqì tài gānzào le, wǎng dì shang fēnsàn de jiāo diǎnr shuǐ ba. 例那块田里发生了虫害，赶快~点儿农药吧。Nèi kuài tián li fāshēngle chónghài, gǎnkuài ~ diǎnr nóngyào ba. | 张大爷经常给门前的那片花儿~水。Zhāng dàye jīngcháng gěi mén qián de nèi piàn huār ~ shuǐ. | 这片土地~满了父辈们的汗水。Zhèi piàn tǔdì ~ mǎnle fùbèimen de hànshuǐ.

sǎ 洒²（灑）[动]

弟弟把杯子里的牛奶~了。Dìdi bǎ bēizi li de niúnǎi ~ le. →弟弟不小心，把杯子弄倒了，牛奶流到桌子上和地上了。Dìdi bù xiǎoxīn, bǎ bēizi nòngdǎo le, niúnǎi liúdào zhuōzi shang hé dì shang le. 例你赶快把~在地上的茶水擦干净了！Nǐ gǎnkuài bǎ ~ zài dì shang de cháshuǐ cā gānjìng le! | 小心，别把碗里的油~了。Xiǎoxīn, bié bǎ wǎn li de yóu ~ le. | 刚放在这儿的一碗汤都被他~光了。Gāng fàng zài zhèr de yì wǎn tāng dōu bèi tā ~ guāng le. | 地上的粮食是谁~的？Dìshang de liángshi shì shéi ~ de?

sai

sài 赛（賽）[动]

小时候，我们常在一起~跳远儿。Xiǎoshíhou, wǒmen cháng zài yìqǐ

S

~ tiàoyuǎnr. → 小时候，我们常在一起比，看谁跳得远。Xiǎoshíhou, wǒmen cháng zài yìqǐ bǐ, kàn shéi tiào de yuǎn. 例你想 ~ 什么，请提前告诉我。Nǐ xiǎng ~ shénme, qǐng tíqián gàosu wǒ. ｜我们一定要 ~ 出水平，~ 出风格。Wǒmen yídìng yào ~ chū shuǐpíng, ~ chū fēnggé. ｜过去我们曾 ~ 过几次，双方各有输赢。Guòqù wǒmen céng ~ guo jǐ cì, shuāngfāng gè yǒu shū yíng. ｜~ 前，我们做了充分准备。~ qián, wǒmen zuòle chōngfèn zhǔnbèi. ｜今天咱们怎么 ~？你说。Jīntiān zánmen zěnme ~? Nǐ shuō.

san

sān 三 [数]

一加二等于 ~。Yī jiā èr děngyú ~. → 1 + 2 = 3 例他们 ~ 个人都是大学生。Tāmen ~ ge rén dōu shì dàxuéshēng. ｜~ 天以后，他回到了北京。~ tiān yǐhòu, tā huídàole Běijīng. ｜他用 ~ 年的时间学完了大学的课程。Tā yòng ~ nián de shíjiān xuéwánle dàxué de kèchéng. ｜我要去开 ~ 天会。Wǒ yào qù kāi ~ tiān huì. ｜这次比赛他得了第一名。Zhèi cì bǐsài tā déle dì ~ míng.

sān 叁 [数]

"三" 的大写形式。"Sān" de dàxiě xíngshì.

sǎn 伞（傘）[名]

例我买了一把 ~。Wǒ mǎile yì bǎ ~. ｜我家有好几把 ~，你拿一把吧。Wǒ jiā yǒu hǎojǐ bǎ ~, nǐ ná yì bǎ ba. ｜外面的雨很大，你打着 ~ 去吧。Wàimian de yǔ hěn dà, nǐ dǎzhe ~ qù ba. ｜眼看要下雨了，你把 ~ 带上吧。Yǎnkàn yào xià yǔ le, nǐ bǎ ~ dàishang ba. ｜这把 ~ 是谁的？Zhèi bǎ ~ shì shéi de? ｜绿色的那把 ~ 是我的。Lùsè de nèi bǎ ~ shì wǒ de. ｜你的那把 ~ 的颜色很漂亮。Nǐ de nèi bǎ ~ de yánsè hěn piàoliang.

伞

sàn bù 散步

爸爸经常到河边儿 ~。Bàba jīngcháng dào hé biānr ~. → 爸爸经常到河边儿随便走一走。Bàba jīngcháng dào hé biānr suíbiàn zǒu yi zǒu. 例他们到公园里 ~ 去了。Tāmen dào gōngyuán li ~ qù le. ｜我

们俩一边儿 ~ ，一边儿 讨论问题。Wǒmen liǎ yìbiānr ~ ，yìbiānr tǎolùn wèntí. |经常 ~ 对身体有好处。Jīngcháng ~ duì shēntǐ yǒu hǎochu. |天冷了，早晨 ~ 的人比过去少了。Tiān lěng le, zǎochen ~ de rén bǐ guòqù shǎo le.

sang

sǎngzi 嗓子[1]　[名]

throat 例张开嘴，让我看看你的 ~。Zhāngkāi zuǐ, ràng wǒ kànkan nǐ de ~. |今天我 ~ 疼。Jīntiān wǒ ~ téng. |你的 ~ 有点儿 红，赶快去看医生吧。Nǐ de ~ yǒudiǎnr hóng, gǎnkuài qù kàn yīshēng ba. |有一根儿 鱼骨头卡在孩子的 ~ 里了。Yǒu yì gēnr yú gǔtou qiǎ zài háizi de ~ li le.

sǎngzi 嗓子[2]　[名]

voice 例大家唱歌儿 时要放开 ~。Dàjiā chànggēr shí yào fàngkāi ~. |歌唱家都很注意保护自己的 ~。Gēchàngjiā dōu hěn zhùyì bǎohù zìjǐ de ~. |我姐姐有个好 ~。Wǒ jiějie yǒu ge hǎo ~. |别喊了，小心喊坏了 ~。Bié hǎn le, xiǎoxīn hǎnhuàile ~. |他 ~ 好，唱歌儿 特别好听。Tā ~ hǎo, chànggēr tèbié hǎotīng.

sao

sǎo 扫(掃)　[动]

sweep 例我 ~ 地，你擦桌子。Wǒ ~ dì, nǐ cā zhuōzi. |他正在 ~ 院子，你等一会儿 再叫他。Tā zhèngzài ~ yuànzi, nǐ děng yíhuìr zài jiào tā. |各单位都要把门前的雪 ~ 干净。Gè dānwèi dōu yào bǎ mén qián de xuě ~ gānjìng. |这条街每天至少 ~ 一次。Zhèi tiáo jiē měi tiān zhìshǎo ~ yí cì. |这地方太脏，请你们 ~ 一 ~。Zhè dìfang tài zāng, qǐng nǐmen ~ yi ~.

sǎozi 嫂子　[名]

我 ~ 是个医生。Wǒ ~ shì ge yīshēng. →我哥哥的妻子是医生。Wǒ gēge de qīzi shì yīshēng. 例我们村里的人都说我有一个好 ~。Wǒmen cūn li de rén dōu shuō wó yǒu yí ge hǎo ~. | ~ 为哥哥织了一件毛衣。 ~ wèi gēge zhīle yí jiàn máoyī. |我 ~ 的个子特别高。Wǒ ~ de gèzi tèbié gāo. | ~ ，有人找你。 ~ ，yǒu rén zhǎo nǐ.

S

se

sè 色 [名]

今天画完这张画儿，明天开始上绿 ~ 。Jīntiān huàwán zhèi zhāng huàr, míngtiān kāishǐ shàng lǜ ~ . →明天开始给画儿上绿颜色。Míngtiān kāishǐ gěi huàr shàng lǜ yánsè. 例你别戴有 ~ 眼镜看人。Nǐ bié dài yǒu ~ yǎnjìng kàn rén. |他们是属于有 ~ 人种。Tāmen shì shǔyú yǒu ~ rénzhǒng. |今天你的脸 ~ 很黄，你是不是病了？Jīntiān nǐ de liǎn ~ hěn huáng, nǐ shì bu shì bìng le?

sècǎi 色彩 [名]

这条头巾 ~ 鲜艳。Zhèi tiáo tóujīn ~ xiānyàn. →这条头巾的颜色明亮美丽。Zhèi tiáo tóujīn de yánsè míngliàng měilì. 例大部分人都喜欢这种 ~ 。Dà bùfen rén dōu xǐhuan zhèi zhǒng ~ . |这件上衣的 ~ 有点儿暗。Zhèi jiàn shàngyī de ~ yǒudiǎnr àn. | ~ 的搭配要合适。~ de dāpèi yào héshì. | ~ 的深浅由你来画。~ de shēnqiǎn yóu nǐ lái huà. |草绿了，花开了，这是一片春天的 ~ 。Cǎo lǜ le, huā kāi le, zhè shì yí piàn chūntiān de ~ .

sen

sēnlín 森林 [名]

forest 例考察队进入了原始 ~ 。Kǎocháduì jìnrùle yuánshǐ ~ . |人类必须保护 ~ 。Rénlèi bìxū bǎohù ~ . | ~ 能够调节气候。~ nénggòu tiáojié qìhòu. |这场 ~ 大火很快给扑灭了。Zhèi cháng ~ dà huǒ hěn kuài gěi pūmiè le. |他们在 ~ 里又发现了一些新的植物。Tāmen zài ~ li yòu fāxiànle yìxiē xīn de zhíwù. |这是从热带 ~ 里带回来的植物。Zhè shì cóng rèdài ~ li dài huílai de zhíwù.

sha

shā 杀（殺）[动]

kill 例村里的人 ~ 鸡 ~ 羊，招待我们这些远方来的客人。Cūn li de rén ~ jī ~ yáng, zhāodài wǒmen zhèixiē yuǎnfāng lái de kèren. |他胆子小，连只鸡都不敢 ~ 。Tā dǎnzi xiǎo, lián zhī jī dōu bùgǎn ~ . | ~ 人的凶手被警察抓到了。~ rén de xiōngshǒu bèi jǐngchá zhuādào le. |张大伯 ~ 了一辈子猪。Zhāng dàbó ~ le yíbèizi zhū.

shāfā 沙发（沙發）［名］

例我家买了一个双人 ~。Wǒ jiā mǎile yí ge shuāngrén ~. |我喜欢这种式样的红木 ~。Wǒ xǐhuan zhèi zhǒng shìyàng de hóngmù ~. |请你们把 ~ 抬到屋里去。Qǐng nǐmen bǎ ~ táidào wū li qù. |~ 的式样很多。~ de shìyàng hěn duō. |真皮 ~ 价格比较高。Zhēnpí ~ jiàgé bǐjiào gāo. |你们先坐在 ~ 上休息一下儿。Nǐmen xiān zuò zài ~ shang xiūxi yíxiàr.

沙发

shātān 沙滩（沙灘）［名］

他们在 ~ 上打排球。Tāmen zài ~ shang dǎ páiqiú. →他们在海边儿的沙子地上打排球。Tāmen zài hǎi biānr de shāzi dìshang dǎ páiqiú. 例太阳岛的 ~ 又平又宽。Tàiyáng Dǎo de ~ yòu píng yòu kuān. |海水淹没了 ~。Hǎishuǐ yānmòle ~. |他们朝着 ~ 游过去。Tāmen cháozhe ~ yóu guoqu. |他们在 ~ 上搭了一个小木房子。Tāmen zài ~ shang dāle yí ge xiǎo mù fángzi. |~ 上的沙子被太阳晒得烫人。~ shang de shāzi bèi tàiyáng shài de tàng rén.

shāzi 沙子 ［名］

sand 例工地上堆了很多 ~。Gōngdì shang duīle hěn duō ~. |他运来了一车 ~。Tā yùnláile yì chē ~. |你往水泥里加点儿 ~。Nǐ wǎng shuǐní li jiā diǎnr ~. |孩子们喜欢玩儿 ~。Háizimen xǐhuan wánr ~.

shǎ 傻 ［形］

stupid 例他一点儿也不 ~。Tā yìdiǎnr yě bù ~. |这个人 ~ 极了。Zhèige rén ~ jí le. |他有个 ~ 弟弟。Tā yǒu ge ~ dìdi. |别吓唬孩子，小心把孩子吓 ~ 了。Bié xiàhu háizi, xiǎoxīn bǎ háizi xià ~ le. |他假装什么也不知道，他是在装 ~。Tā jiǎzhuāng shénme yě bù zhīdào, tā shì zài zhuāng ~.

shai

shǎi 色 ［名］

这件衣服的 ~ 儿真漂亮。Zhèi jiàn yīfu de ~ r zhēn piàoliang. →这件衣服的颜色真漂亮。Zhèi jiàn yīfu de yánsè zhēn piàoliang. 例这块头巾的 ~ 儿真红。Zhèi kuài tóujīn de ~ r zhēn hóng. |衣服旧了，衣服上的 ~ 儿也退了。Yīfu jiù le, yīfu shang de ~ r yě tuì le. |我不太

S

喜欢这种~儿。Wǒ bú tài xǐhuan zhèi zhǒng ~ r. ｜这两种~儿的裤子我有好几条。Zhèi liǎng zhǒng ~ r de kùzi wǒ yǒu hǎojǐ tiáo. ｜咱们再看看别的~儿的帽子吧。Zánmen zài kànkan biéde ~ r de màozi ba. ｜他想给这块白布染一下儿~儿，但是还没想好染什么~儿。Tā xiǎng gěi zhèi kuài bái bù rǎn yíxiàr ~ r, dànshì hái méi xiǎng hǎo rǎn shénme ~ r.

shài 晒（曬）[动]

大家躺在沙滩上~太阳。Dàjiā tǎng zài shātān shang ~ tàiyáng. → 大家在沙滩上躺着，让太阳光照着自己的身体。Dàjiā zài shātān shang tǎngzhe, ràng tàiyángguāng zhàozhe zìjǐ de shēntǐ. 例妈妈正在院子里~衣服。Māma zhèngzài yuànzi li ~ yīfu. ｜我的被子昨天~过了。Wǒ de bèizi zuótiān ~ guo le. ｜在海边儿住了几天，你的脸都~黑了。Zài hǎi biānr zhùle jǐ tiān, nǐ de liǎn dōu ~ hēi le. ｜这些衣服再~一会儿就可以收起来了。Zhèixiē yīfu zài ~ yíhuìr jiù kěyǐ shōu qilai le.

shan

shān 山 [名]

例这座~很高。Zhèi zuò ~ hěn gāo. ｜我们全家人都喜欢爬~。Wǒmen quán jiā rén dōu xǐhuan pá ~. ｜~上的风景美极了。~ shang de fēngjǐng měijí le. ｜这座~的名字叫"鬼见愁"。Zhèi zuò ~ de míngzi jiào "Guǐjiànchóu". ｜人们常说，上~容易，下~难。Rénmen cháng shuō, shàng ~ róngyi, xià ~ nán.

山

shāndǐng 山顶（山頂）[名]

我第一个爬到了~。Wǒ dì yī ge pádàole ~. →我第一个爬到了山的最高的地方。Wǒ dì yī ge pádàole shān de zuì gāo de dìfang. 例~有块大石碑。~ yǒu kuài dà shíbēi. ｜登山队把红旗插上了~。Dēngshānduì bǎ hóngqí chāshàngle ~. ｜我们在~看见了日出。Wǒmen zài ~ kànjiànle rìchū. ｜~的风特别大。~ de fēng tèbié dà. ｜从~上下来，天就黑了。Cóng ~ shang xiàlai, tiān jiù hēi le.

shānqū 山区（山區）[名]

我的家在~。Wǒ de jiā zài ~. →我的家在有很多山的地方。Wǒ de

jiā zài yǒu hěn duō shān de dìfang. 例姐姐在 ~ 工作过三年。Jiějie zài ~ gōngzuòguo sān nián. | 我们班里有两名同学来自 ~ 。Wǒmen bān li yǒu liǎng míng tóngxué láizì ~ . | ~ 的面貌发生了很大变化。~ de miànmào fāshēngle hěn dà biànhuà.

shǎn 闪（閃）[动]

汽车来了，大家快 ~ 开！Qìchē lái le, dàjiā kuài ~ kāi. →汽车来了，大家赶快躲开，别让汽车碰着。Qìchē lái le, dàjiā gǎnkuài duǒkāi, bié ràng qìchē pèngzhao. 例他往旁边一 ~ ，躲开了从山上滚下来的一块大石头。Tā wǎng pángbiān yì ~ , duǒkāile cóng shān shang gǔn xialai de yí kuài dà shítou. | 请往两边儿 ~ 一下儿，让客人们先过去。Qǐng wǎng liǎngbiānr ~ yíxiàr, ràng kèrenmen xiān guòqu. | 他 ~ 在一旁，让我们先上车。Tā ~ zài yìpáng, ràng wǒmen xiān shàng chē. | 多亏他 ~ 得快，车才没碰着他。Duōkuī tā ~ de kuài, chē cái méi pèngzhao tā.

shànyú 善于 [动]

妹妹 ~ 唱歌儿、跳舞。Mèimei ~ chànggēr、tiàowǔ. →妹妹在唱歌儿、跳舞方面比一般的人好。Mèimei zài chànggēr、tiàowǔ fāngmiàn bǐ yìbān de rén hǎo. 例他 ~ 拉小提琴，不 ~ 吹小号。Tā ~ lā xiǎotíqín, bú ~ chuī xiǎohào. | 遇到困难的时候，要 ~ 动脑子。Yùdào kùnnan de shíhou, yào ~ dòng nǎozi. | 他特别 ~ 跟别人交往。Tā tèbié ~ gēn biérén jiāowǎng.

shànzi 扇子 [名]

例中国的 ~ 很有名。Zhōngguó de ~ hěn yǒumíng. | 我买了一把 ~ 。Wǒ mǎile yì bǎ ~ . | 墙上挂的这把 ~ 真大呀！Qiáng shang guà de zhèi bǎ ~ zhēn dà ya! | 我送给外国朋友一把 ~ 。Wǒ sòng gěi wàiguó péngyou yì bǎ ~ . | 我在 ~ 上写了一首诗。Wǒ zài ~ shang xiěle yì shǒu shī. | ~ 的种类很多。~ de zhǒnglèi hěn duō. | 这种 ~ 的颜色是黑的。Zhèi zhǒng ~ de yánsè shì hēi de.

扇子

shang

shāng 伤[1]（傷）[动]

吸烟 ~ 身体。Xīyān ~ shēntǐ. →吸烟对身体有坏处。Xīyān duì

shēntǐ yǒu huàichu. **例**你们有话好好儿说，不要~了和气。Nǐmen yǒu huà hǎohāor shuō, bú yào ~ le héqi. I你的手流血了，~得厉害吗？Nǐ de shǒu liú xiě le, ~ de lìhai ma? I没关系，他只~了点皮儿。Méi guānxi, tā zhǐ ~ le diǎnr pír. I一块儿碎玻璃把我的手弄了。Yí kuàir suì bōli bǎ wǒ de shǒu nòng ~ le.

shāng 伤² （傷）[名]

wound **例**他的~很重。Tā de ~ hěn zhòng. I别担心，他只受了一点儿轻~。Bié dānxīn, tā zhǐ shòule yìdiǎnr qīng ~. I小张在比赛中曾经受过三次~。Xiǎo Zhāng zài bǐsài zhōng céngjīng shòuguo sān cì ~. I他带着~参加比赛。Tā dàizhe ~ cānjiā bǐsài. I你把~养好了再来参加训练吧。Nǐ bǎ ~ yǎnghǎole zài lái cānjiā xùnliàn ba.

shāng xīn 伤心（傷心）

听说儿子摔断了腿，母亲很~。Tīngshuō érzi shuāiduànle tuǐ, mǔqin hěn ~. →母亲因为儿子摔断了腿，心里很难受，很痛苦。Mǔqin yīnwèi érzi shuāiduànle tuǐ, xīnli hěn nánshòu, hěn tòngkǔ. **例**别~，你父亲的病会治好的。Bié ~, nǐ fùqin de bìng huì zhìhǎo de. I知道这个不幸的消息后，他也~起来。Zhīdào zhèige búxìng de xiāoxi hòu, tā yě ~ qilai. I谁都有~的时候。Shéi dōu yǒu ~ de shíhou. I她哭得很~，你去劝劝她吧。Tā kū de hěn ~, nǐ qù quànquan tā ba. I儿子不听父母的话，让父母伤透了心。Érzi bù tīng fùmǔ de huà, ràng fùmǔ shāngtòule xīn.

shāngchǎng 商场（商場）[名]

这家百货大楼是我们这儿最大的~。Zhèi jiā bǎihuò dàlóu shì wǒmen zhèr zuì dà de ~. →百货大楼里面卖各种各样的商品。Bǎihuò dàlóu lǐmiàn mài gèzhǒng gèyàng de shāngpǐn. **例**这家~很有名气。Zhèi jiā ~ hěn yǒu míngqì. I来这个~买东西的顾客很多。Lái zhèige ~ mǎi dōngxi de gùkè hěn duō. I这条街又新建了一个大~。Zhèi tiáo jiē yòu xīnjiànle yí ge dà ~. I这双皮鞋是在附近的~买的。Zhèi shuāng píxié shì zài fùjìn de ~ mǎi de. I妈妈在~逛了半天，什么也没买。Māma zài ~ guàngle bàntiān, shénme yě méi mǎi.

shāngdiàn 商店 [名]

这是一家食品~，我常到这儿来买牛奶、面包什么的。Zhè shì yì jiā shípǐn ~, wǒ cháng dào zhèr lái mǎi niúnǎi、miànbāo shénmede. →这里面卖各种各样的食品。Zhè lǐmiàn mài gèzhǒng gèyàng de shípǐn. **例**北京王府井大街的～很多。Běijīng Wángfǔjǐng Dàjiē de ～ hěn duō. ｜她喜欢逛～。Tā xǐhuan guàng ～. ｜这家～的一层楼卖食品。Zhèi jiā ～ de yī céng lóu mài shípǐn. ｜那家～的经理很年轻。Nèi jiā ～ de jīnglǐ hěn niánqīng. ｜这家～二十四小时都开门儿营业。Zhèi jiā ～ èrshísì xiǎoshí dōu kāiménr yíngyè.

shāngliang 商量 [动]

关于报考哪所大学的事，我得跟爸爸妈妈～一下儿。Guānyú bàokǎo něi suǒ dàxué de shì, wǒ děi gēn bàba māma ～ yíxiàr. →我得跟爸爸妈妈交换一下儿意见。Wǒ děi gēn bàba māma jiāohuàn yíxiàr yìjiàn. **例**王师傅，我跟您～一件事儿。Wáng shīfu, wǒ gēn nín ～ yí jiàn shìr. ｜大家～了半天，也没～出个结果来。Dàjiā ～ le bàntiān, yě méi ～ chū ge jiéguǒ lai. ｜～的结果，还是按老办法办。～ de jiéguǒ, háishi àn lǎo bànfǎ bàn. ｜～来～去，他就是不同意。～ lái ～ qù, tā jiùshì bù tóngyì.

shāngpǐn 商品 [名]

现在市场上的～很丰富。Xiànzài shìchǎng shang de ～ hěn fēngfù. →现在市场上供人买、卖的东西种类很齐全。Xiànzài shìchǎng shang gōng rén mǎi、mài de dōngxi zhǒnglèi hěn qíquán. **例**最近电视机、洗衣机等～的价格比过去便宜了。Zuìjìn diànshìjī、xǐyījī děng ～ de jiàgé bǐ guòqù piányi le. ｜这个商店里只卖日用小～。Zhèige shāngdiàn li zhǐ mài rìyòng xiǎo ～. ｜这种～的价格很低。Zhèi zhǒng ～ de jiàgé hěn dī. ｜～的质量很重要。～ de zhìliàng hěn zhòngyào.

shāngyè 商业（商業）[名]

commerce **例**我们两国的～往来很多。Wǒmen liǎng guó de ～ wǎnglái hěn duō. ｜那位管～的副市长是我的同学。Nèi wèi guǎn ～ de fù shìzhǎng shì wǒ de tóngxué. ｜商店经理应有较多的～知识。Shāngdiàn jīnglǐ yīng yǒu jiào duō de ～ zhīshi. ｜这是～部门应该做的事。Zhè shì ～ bùmén yīnggāi zuò de shì. ｜过去这儿很安静，现在成了热闹的～区。Guòqù zhèr hěn ānjìng, xiànzài chéngle rènao de ～ qū. ｜这儿已经成了全国的～中心。Zhèr yǐjing chéngle quánguó de ～ zhōngxīn.

S

shàng 上¹ [名]

你抬头往～看，他们快爬到山顶了。Nǐ táitóu wǎng ～ kàn, tāmen kuài pádào shāndǐng le. →你抬头往山的高处看，他们快爬到山顶了。Nǐ táitóu wǎng shān de gāochù kàn, tāmen kuài pádào shāndǐng le. **例**那个 ~ 穿白衣服、下穿花裙子的人是我的同学。Nèige ~ chuān bái yīfu、xià chuān huā qúnzi de rén shì wǒ de tóngxué. ｜你把气球再往 ~ 升一升，这样远处的人也能看见。Nǐ bǎ qìqiú zài wǎng ~ shēng yi shēng, zhèiyàng yuǎnchù de rén yě néng kànjiàn. ｜老人从 ~ 到下地看了我好几遍。Lǎorén cóng ~ dào xià de kànle wǒ hǎojǐ biàn.

shàngbian 上边[1]（上邊）[名]

书柜的 ~ 儿放书，下边儿放杂志。Shūguì de ~ r fàng shū, xiàbianr fàng zázhì. →书柜的上半部分放书，下半部分放杂志。Shūguì de shàng bàn bùfen fàng shū, xià bàn bùfen fàng zázhì. **例**我和安娜睡上下床，我睡 ~ 儿，安娜睡下边儿。Wǒ hé Ānnà shuì shàng xià chuáng, wǒ shuì ~ r, Ānnà shuì xiàbianr. ｜长江的 ~ 又架了一座桥。Cháng Jiāng de ~ yòu jiàle yí zuò qiáo. ｜他开着汽车从黄河 ~ 飞了过去。Tā kāizhe qìchē cóng Huáng Hé ~ fēile guoqu. ｜我衣服 ~ 儿的口袋里有钱，你去拿吧！Wǒ yīfu ~ r de kǒudai li yǒu qián, nǐ qù ná ba!

shàngmiàn 上面[1] [名]

这座楼一共是五层，我家住在最 ~ 一层。Zhèi zuò lóu yígòng shì wǔ céng, wǒ jiā zhù zài zuì ~ yì céng. →我家住在这座楼的最高的一层。Wǒ jiā zhù zài zhèi zuò lóu de zuì gāo de yì céng. **例**这种冰箱的冷藏室在 ~，冷冻室在下面。Zhèi zhǒng bīngxiāng de lěngcángshì zài ~, lěngdòngshì zài xiàmiàn. ｜小河的 ~ 新架了一座桥。Xiǎohé de ~ xīn jiàle yí zuò qiáo. ｜你的衣服放在柜子最 ~ 的那格儿里。Nǐ de yīfu fàng zài guìzi zuì ~ de nèi gér li.

shàngbian 上边[2]（上邊）[名]

~ 我已经讲了两个问题，下边我来讲第三个问题。~ wǒ yǐjing jiǎngle liǎng ge wèntí, xiàbian wǒ lái jiǎng dì sān ge wèntí. →前边我已经讲了两个问题，现在我开始讲第三个问题。Qiánbian wǒ yǐjing jiǎngle liǎng ge wèntí, xiànzài wǒ kāishǐ jiǎng dì sān ge wèntí. **例**我 ~ 有一个哥哥和一个姐姐，下边有一个妹妹。Wǒ ~ yǒu yí ge gēge hé yí ge jiějie, xiàbian yǒu yí ge mèimei. ｜名单按姓的笔画排列，笔画少的排在 ~。Míngdān àn xìng de bǐhuà páiliè, bǐhuà shǎo de pái zài ~. ｜这三道数学题中，~ 的两道比较难。Zhèi sān dào shùxuétí zhōng, ~ de liǎng dào bǐjiào nán.

shàngmiàn 上面² [名]

她的 ~ 有一个姐姐，下面有一个弟弟。Tā de ~ yǒu yí ge jiějie, xiàmian yǒu yí ge dìdi. →母亲有三个孩子，她是第二个孩子。Mǔqin yǒu sān ge háizi, tā shì dì èr ge háizi. 例我们家里呀，~ 有爸爸妈妈，还有爷爷奶奶呢！Wǒmen jiāli ya, ~ yǒu bàba māma, háiyǒu yéye nǎinai ne! | ~ 我回答了你们的提问，下面请你们回答我的问题。~ wǒ huídále nǐmen de tíwèn, xiàmiàn qǐng nǐmen huídá wǒ de wèntí. | ~ 我们听了他的讲解，现在我们来讨论讨论。~ wǒmen tīngle tā de jiǎngjiě, xiànzài wǒmen lái tǎolùn tǎolùn.

shàngbian 上边³ （上邊） [名]

桌子 ~ 儿有两本儿书。Zhuōzi ~ r yǒu liǎng běnr shū. →有两本儿书在桌子的表面。Yǒu liǎng běnr shū zài zhuōzi de biǎomiàn. 例墙 ~ 挂着一幅画儿。Qiáng ~ guàzhe yì fú huàr. | 家具 ~ 儿有一层土。Jiājù ~ r yǒu yì céng tǔ. | 玩具扔在地板 ~ 儿。Wánjù rēng zài dìbǎn ~ r. | 请把椅子 ~ 儿的东西收拾起来。Qǐng bǎ yǐzi ~ r de dōngxi shōushi qilai.

shàngmiàn 上面³ [名]

你擦一擦桌子 ~ 的水吧。Nǐ cā yi cā zhuōzi ~ de shuǐ ba. →你擦一擦桌子表面的水吧。nǐ cā yi cā zhuōzi biǎomiàn de shuǐ ba. 例窗台 ~ 摆着三盆儿花儿。Chuāngtái ~ bǎizhe sān pénr huār. | 你的鞋放在暖气 ~ 了。Nǐ de xié fàng zài nuǎnqì ~ le. | 衣架 ~ 挂着衣服和书包。Yījià ~ guàzhe yīfu hé shūbāo. | 房顶 ~ 晒着许多玉米。Fángdǐng ~ shàizhe xǔduō yùmǐ. | 我们在这件衣服 ~ 写上自己的名字作纪念吧。Wǒmen zài zhèi jiàn yīfu ~ xiěshang zìjǐ de míngzi zuò jìniàn ba. | 名片儿 ~ 写着我的地址和电话号码。Míngpiànr ~ xiězhe wǒ de dìzhǐ hé diànhuà hàomǎ.

S

shàngbian 上边⁴ （上邊） [名]

~ 对我们的要求很明确。~ duì wǒmen de yāoqiú hěn míngquè. →等级比我们高的组织对我们的指示很明确。Děngjí bǐ wǒmen gāo de zǔzhī duì wǒmen de yāoqiú hěn míngquè. 例 ~ 派人来了。~ pài rén lái le. | 这件事已经报告 ~ 了。Zhèi jiàn shì yǐjing bàogào ~ le. | 这个情况一定要向 ~ 反映。Zhèige qíngkuàng yídìng yào xiàng ~ fǎnyìng. | ~ 的文件刚发下来。~ de wénjiàn gāng fā xialai. | 我是按 ~ 的精神办的。Wǒ shì àn ~ de jīngshén bàn de.

shàngmiàn 上面⁴ [名]

这样吧，~怎么说，咱们就怎么做。Zhèiyàng ba, ~ zěnme shuō, zánmen jiù zěnme zuò. →上一级组织或领导怎么说，咱们就怎么做。Shàng yì jí zǔzhī huò lǐngdǎo zěnme shuō, zánmen jiù zěnme zuò. 例怎么向群众宣传，我们向~请示一下儿吧。Zěnme xiàng qúnzhòng xuānchuán, wǒmen xiàng ~ qǐngshì yí xiàr ba. |这是从~发下来的文件。Zhè shì cóng ~ fā xialai de wénjiàn. |这是~制定的方案。Zhè shì ~ zhìdìng de fāng'àn.

shàngjí 上级（上級）[名]

这几所大学的~是国家教育部。Zhèi jǐ suǒ dàxué de ~ shì guójiā Jiàoyù Bù. →国家教育部指导这几所大学的工作。Guójiā Jiàoyù Bù zhǐdǎo zhèi jǐ suǒ dàxué de gōngzuò. 例~交给我们的任务已经完成了。~ jiāo gěi wǒmen de rènwu yǐjing wánchéng le. |下级应该服从~。Xiàjí yīnggāi fúcóng ~. |这件事还得请示一下儿~。Zhèi jiàn shì hái děi qǐngshì yíxiàr ~. |~的文件已经传达了。~ de wénjiàn yǐjing chuándá le. |我们应该及时向~反映情况。Wǒmen yīnggāi jíshí xiàng ~ fǎnyìng qíngkuàng. |这几位是我的老~。Zhèi jǐ wèi shì wǒ de lǎo ~.

shàngbian 上边⁵（上邊）[名]

学生要把精力放在学习~。Xuésheng yào bǎ jīnglì fàng zài xuéxí ~. →学生要把精力放在学习方面。Xuésheng yào bǎ jīnglì fàng zài xuéxí fāngmiàn. 例质量~千万不能出问题。Zhìliàng ~ qiānwàn bù néng chū wèntí. |你要在数学~多下功夫。Nǐ yào zài shùxué ~ duō xià gōngfu. |除了工作，你也应在教育子女~多花些时间。Chúle gōngzuò, nǐ yě yīng zài jiàoyù zǐnǔ ~ duō huā xiē shíjiān.

shàngmiàn 上面⁵ [名]

你得在自学~多下点儿功夫。Nǐ děi zài zìxué ~ duō xià diǎnr gōngfu. →你得在自学方面多下点儿功夫。Nǐ děi zài zìxué fāngmiàn duō xià diǎnr gōngfu. 例他在计算~得了很多分儿。Tā zài jìsuàn ~ déle hěn duō fēnr. |他在语法~丢了不少分儿。Tā zài yǔfǎ ~ diūle bù shǎo fēnr. |你可以在科学研究~多下点儿功夫。Nǐ kěyǐ zài kēxué yánjiū ~ duō xià diǎnr gōngfu. |他在医学~做出过很大的贡献。Tā zài yīxué ~ zuòchūguo hěn dà de gòngxiàn.

shàng 上² ［动］

我们明天 ~ 山。Wǒmen míngtiān ~ shān. →我们明天从山下往山顶的方向走。Wǒmen míngtiān cóng shān xià wǎng shāndǐng de fāngxiàng zǒu. 例你怎么不 ~ 车？Nǐ zěnme bú ~ chē? ｜请 ~ 楼吧。Qǐng ~ lóu ba. ｜你先 ~，我后 ~，中午咱们在山顶上见面。Nǐ xiān ~，wǒ hòu ~，zhōngwǔ zánmen zài shāndǐng shang jiànmiàn. ｜这山太高，一般人 ~ 不去。Zhè shān tài gāo, yìbānrén ~ bu qù. ｜岁数大了，刚 ~ 到三楼，就觉得很累。Suìshu dàn le, gāng ~ dào sān lóu, jiù juéde hěn lèi.

shàng lai 上来¹（上來）

山上的人对山下的人喊："你们快 ~ !" Shān shàng de rén duì shān xià de rén hǎn: "Nǐmen kuài ~ !" →山上的人对山下的人喊："你们快从山下到山上来。" Shān shàng de rén duì shān xià de rén hǎn: "Nǐmen kuài cóng shān xià dào shān shàng lai." 例你们快 ~，车马上要开了。Nǐmen kuài ~，chē mǎshàng yào kāi le. ｜这座塔真高啊，我以前没 ~ 过。Zhèi zuò tǎ zhēn gāo a, wǒ yǐqián méi ~ guo. ｜从山下 ~ 了几个人。Cóng shān xià ~ le jǐ ge rén. ｜你们几个是谁先 ~ 的? Nǐmen jǐ ge shì shéi xiān ~ de? ｜你去叫楼下的人上三层会议室来吧。Nǐ qù jiào lóu xià de rén shàng sān céng huìyìshì lái ba.

shàng qu 上去¹

这座山太高，我不 ~ 了。Zhèi zuò shān tài gāo, wǒ bú ~ le. →这座山太高，我不从山下往山顶走了。Zhèi zuò shān tài gāo, wǒ bù cóng shān xià wǎng shāndǐng zǒu le. 例上海的电视塔我 ~ 过两次。Shànghǎi de diànshìtǎ wǒ ~ guo liǎng cì. ｜你从这条路 ~，我从那条路 ~，咱们在山顶上见面。Nǐ cóng zhèi tiáo lù ~，wǒ cóng nèi tiáo lù ~，zánmen zài shāndǐng shang jiànmiàn. ｜ ~ 的人都说山上的风景很美。~ de rén dōu shuō shān shang de fēngjǐng hěn měi. ｜你 ~ 看看，三楼的王大爷在家吗? Nǐ ~ kànkan, sān lóu de Wáng dàye zài jiā ma? ｜他家在 12 楼，你从电梯 ~ 吧。Tā jiā zài shí'èr lóu, nǐ cóng diàntī ~ ba. ｜这台子这么高，我上不去。Zhè táizi zhème gāo, wǒ shàng bu qù.

shang lai 上来²（上來）

我从河里捞 ~ 一条大鱼。Wǒ cóng hé li lāo ~ yì tiáo dà yú. →我从

河里边捞出来一条大鱼。Wǒ cóng hé lǐbiān lāo chulai yì tiáo dà yú. **例**他们从山背后爬了 ~。Tāmen cóng shān bèihòu pále ~. | 不一会儿，他就追 ~ 了。Bù yíhuìr, tā jiù zhuī ~ le. | 你们的计划还没报 ~。Nǐmen de jìhuà hái méi bào ~. | 他们选 ~ 的材料我都看了。Tāmen xuǎn ~ de cáiliào wǒ dōu kàn le. | 只有一道题我没答 ~。Zhǐyǒu yí dào tí wǒ méi dá ~. | 他跳舞的动作我学不 ~。Tā tiàowǔ de dòngzuò wǒ xué bu ~. | 这些花儿有的我叫不上名字来。Zhèixiē huār yǒude wǒ jiào bu shàng míngzi lái.

shang qu 上去[2]

车来了，快把东西搬 ~。Chē lái le, kuài bǎ dōngxi bān ~. →快把东西从车下搬到车上去。Kuài bǎ dōngxi cóng chē xià bān dào chē shàng qu. **例**客人一下车，我们就迎了 ~。Kèrén yí xià chē, wǒmen jiù yíngle ~. | 这么高的坡儿，汽车开得 ~ 吗? Zhème gāo de pōr, qìchē kāi de ~ ma? | 爬不 ~ 的人可以坐电梯。Pá bu ~ de rén kěyǐ zuò diàntī. | 各班的名单已经报 ~ 了。Gè bān de míngdān yǐjīng bào ~ le. | 我一定把大家的意见反映 ~。Wǒ yídìng bǎ dàjiā de yìjiàn fǎnyìng ~. | 这是你的报名表，请你把你的照片儿贴 ~。Zhè shì nǐ de bàomíngbiǎo, qǐng nǐ bǎ nǐ de zhàopiānr tiē ~. | 看 ~，你比他年轻。Kàn ~, nǐ bǐ tā niánqīng.

shàng 上[3]　[动]

他 ~ 火车站了。Tā ~ huǒchēzhàn le. →他去火车站了。Tā qù huǒchēzhàn le. **例**暑假里你想 ~ 哪儿? Shǔjià li nǐ xiǎng ~ nǎr? | 有空儿你 ~ 我们家来玩儿吧。Yǒu kòngr nǐ ~ wǒmen jiā lái wánr ba. | 妈妈 ~ 街买菜去了。Māma ~ jiē mǎi cài qù le. | 星期天你 ~ 不 ~ 街? Xīngqītiān nǐ ~ bu ~ jiē? | 姐姐 ~ 国外留学的时候只有十八岁。Jiějie ~ guówài liúxué de shíhou zhǐ yǒu shíbā suì. | 今天一天我们 ~ 了两个公园。Jīntiān yì tiān wǒmen ~ le liǎng ge gōngyuán. | 只要是旅行，~ 哪儿我都愿意。Zhǐyào shì lǚxíng, ~ nǎr wǒ dōu yuànyì.

shàng 上[4]　[动]

上午的两节中文课由王老师 ~。Shàngwǔ de liǎng jié Zhōngwén kè yóu Wáng lǎoshī ~. →上午的两节中文课由王老师讲。Shàngwǔ de liǎng jié Zhōngwén kè yóu Wáng lǎoshī jiǎng. **例**你哪天 ~ 夜班儿? Nǐ nǎ tiān ~ yèbānr? | 他正在 ~ 英语课。Tā zhèngzài ~ Yīngyǔ kè. | 这个星期我只 ~ 了三天班。Zhèige xīngqī wǒ zhǐ ~ le sān tiān bān. | 这

堂课由谁～? Zhèi táng kè yóu shéi ～? | 今天的课就～到这儿吧。
Jīntiān de kè jiù ～ dào zhèr ba. | 这堂课～得真有意思。Zhèi táng kè
～ de zhēn yǒu yìsi. | 我们特别喜欢～张老师的课。Wǒmen tèbié
xǐhuan ～ Zhāng lǎoshī de kè.

shàng bān 上班

我们八点～。Wǒmen bā diǎn ～. →我们八点钟到工作的地方开始
工作。Wǒmen bā diǎnzhōng dào gōngzuò de dìfang kāishǐ gōngzuò.
例今天爸爸妈妈都不～。Jīntiān bàba māma dōu bú ～. | ～不能迟
到。～ bù néng chídào. | ～的时间别给我打电话。～ de shíjiān bié
gěi wǒ dǎ diànhuà. | 这个节日我们放假三天，三天以后～。Zhèige
jiérì wǒmen fàngjià sān tiān, sān tiān yǐhòu ～. | 上了班以后，我学
习了很多知识。Shàngle bān yǐhòu, wǒ xuéxíle hěn duō zhīshi.

shàng dàng 上当(上當)

他说的话全是假话，你别～。Tā shuō de huà quán shì jiǎhuà, nǐ
bié ～. →你别受骗，别相信他说的话。Nǐ bié shòupiàn, bié
xiāngxìn tā shuō de huà. 例你放心，我不会～。Nǐ fàngxīn, wǒ bú
huì ～. | 你已经多次～了，怎么还不接受教训呢! Nǐ yǐjing duō cì ～
le, zěnme hái bù jiēshòu jiàoxùn ne? | 过去我也上过他的当。
Guòqù wǒ yě shàngguo tā de dàng. | 自从上了一次当，我再也不那
么相信他了。Zìcóng shàngle yí cì dàng, wǒ zài yě bú nàme xiāngxìn
tā le.

shàng kè 上课(上課)

我们学校八点～。Wǒmen xuéxiào bā diǎn ～. →八点，我们学校的
老师开始讲课，学生开始听课。Bā diǎn, wǒmen xuéxiào de lǎoshī
kāishǐ jiǎngkè, xuéshēng kāishǐ tīngkè. 例同学们正在～。
Tóngxuémen zhèngzài ～. | ～要注意听讲。～ yào zhùyì tīngjiǎng. |
明天你们两个班的同学在大教室里～。Míngtiān nǐmen liǎng ge bān
de tóngxué zài dà jiàoshì li ～. | ～的铃响了，大家快进教室。～ de
líng xiǎng le, dàjiā kuài jìn jiàoshì. | 他不在家，～去了。Tā bú zài
jiā, ～ qù le. | 你一个星期上几节课? Nǐ yí ge xīngqī shàng jǐ jié
kè? | 昨天，我头疼得上不了课。Zuótiān, wǒ tóu téng de shàng bu
liǎo kè.

shàng xué 上学(上學)

今天是星期一，你为什么不去～? Jīntiān shì Xīngqīyī, nǐ

S

wèishénme bú qù ~? →今天是星期一，你为什么不到学校学习? Jīntiān shì Xīngqīyī, nǐ wèishénme bú dào xuéxiào xuéxí? 例小明，快起床，该去 ~ 了。Xiǎo Míng, kuài qǐchuáng, gāi qù ~ le. | 孩子们都 ~ 去了，只有我一个人在家里。Háizimen dōu ~ qù le, zhǐyǒu wǒ yí ge rén zài jiāli. | 天要下雨，你 ~ 的时候别忘了带雨伞。Tiān yào xià yǔ, nǐ ~ de shíhou bié wàngle dài yǔsǎn. | 小时候，我在农村上过几年学。Xiǎo shíhou, wǒ zài nóngcūn shàngguo jǐ nián xué. | 你家孩子 ~ 上得怎么样? Nǐ jiā háizi ~ shàng de zěnmeyàng?

shàngwǔ 上午 [名]

明天 ~ 有雨。Míngtiān ~ yǒu yǔ. →明天中午十二点以前要下雨。Míngtiān zhōngwǔ shí'èr diǎn yǐqián yào xià yǔ. 例今天 ~ 的会议很重要。Jīntiān ~ de huìyì hěn zhòngyào. | 星期天 ~ 你有空儿吗? Xīngqītiān ~ nǐ yǒu kòngr ma? | 我排队排了一 ~ 才买到这套邮票。Wǒ páiduì páile yí ~ cái mǎi dào zhèi tào yóupiào. | 我在家等了你一 ~，你怎么才来呀? Wǒ zài jiā děngle nǐ yí ~, nǐ zěnme cái lái ya? | 现在我把今天 ~ 听说的事告诉你吧。Xiànzài wǒ bǎ jīntiān ~ tīngshuō de shì gàosu nǐ ba.

shàngyī 上衣 [名]

我买了一件 ~。Wǒ mǎile yí jiàn ~. →我买了一件上身穿的衣服。Wǒ mǎile yí jiàn shàngshēn chuān de yīfu. 例你的这件 ~ 是什么时候买的? Nǐ de zhèi jiàn ~ shì shénme shíhou mǎi de? | 他把钱放在了 ~ 的口袋里。Tā bǎ qián fàngzàile ~ de kǒudai li. | 一件 ~ 和一条裤子一共二百八十块钱。Yí jiàn ~ hé yì tiáo kùzi yígòng èrbǎi bāshí kuài qián. | 那位穿花 ~ 的中年女人是我们老师。Nèi wèi chuān huā ~ de zhōngnián nǚrén shì wǒmen lǎoshī. | 你把 ~ 脱下来，我给你洗洗。Nǐ bǎ ~ tuō xialai, wǒ gěi nǐ xǐxi.

shao

shāo 烧[1] （燒）[动]

那些信我已经 ~ 了。Nèixiē xìn wǒ yǐjing ~ le. →我用火点着了那些信，现在信已经没有了。Wǒ yòng huǒ diǎnzháole nèixiē xìn, xiànxài xìn yǐjing méiyǒu le. 例冬天，你们 ~ 什么取暖? Dōngtiān, nǐmen ~ shénme qǔnuǎn? | 院子里的煤快 ~ 光了。Yuànzi li de méi kuài ~ guāng le. | 炉子里的火越 ~ 越大。Lúzi li de huǒ yuè ~ yuè dà. | 这些煤还能 ~ 一个星期。Zhèixiē méi hái néng ~ yí ge xīngqī. |那场大火 ~ 了一大片树林。Nèi cháng dàhuǒ ~ le yí dà piàn shùlín. |全村人都 ~ 上了天然气。Quán cūn rén dōu ~ shàngle tiānránqì. |我 ~ 掉的那些东西都是没有用的东西。Wǒ ~ diào de nèixiē dōngxi dōu shì méiyǒu yòng de dōngxi.

shāo 烧² （烧）[动]

锅已经 ~ 热了。Guō yǐjing ~ rè le. →锅放在火上面，过了一会儿，由冷的变成了热的。Guō fàng zài huǒ shàngmian, guòle yíhuir, yóu lěng de biànchéngle rè de. **例**我认识那位 ~ 锅炉的工人。Wǒ rènshi nèi wèi ~ guōlú de gōngrén. |我正在 ~ 开水。Wǒ zhèngzài ~ kāishuǐ. |他们 ~ 的砖都运走了。Tāmen ~ de zhuān dōu yùnzǒu le. |妈妈把屋子 ~ 得热乎乎的。Māma bǎ wūzi ~ de rèhūhū de.

shāo 烧³ （烧）[动]

孩子正在发 ~。Háizi zhèngzài fā ~. →孩子身体的温度比正常人高。Háizi shēntǐ de wēndù bǐ zhèngchángrén gāo. **例**病人 ~ 得很厉害。Bìngrén ~ de hěn lìhai. |孩子的 ~ 退了没有？Háizi de ~ tuìle méiyǒu? |要赶快想办法使病人退 ~。Yào gǎnkuài xiǎng bànfǎ shǐ bìngrén tuì ~. |他已经 ~ 了三天三夜了。Tā yǐjing ~ le sān tiān sān yè le.

shāo 稍 [副]

她正在接电话，请您 ~ 等一会儿。Tā zhèngzài jiē diànhuà, qǐng nín ~ děng yíhuìr. →请您等很短的几分钟。Qǐng nín děng hěn duǎn de jǐ fēnzhōng. **例**只要 ~ 加一点儿盐，这个菜就好吃了。Zhǐyào ~ jiā yìdiǎnr yán, zhèige cài jiù hǎochī le. |您给我的稿子只要 ~ 改一改就能发表。Nín gěi wǒ de gǎozi zhǐyào ~ gǎi yi gǎi jiù néng fābiǎo. |地很滑，~ 不小心就会摔倒。Dì hěn huá, ~ bù xiǎoxīn jiù huì shuāidǎo. |我的个子比他 ~ 高一点儿。Wǒ de gèzi bǐ tā ~ gāo yìdiǎnr. |请把车开得 ~ 慢一点儿。Qǐng bǎ chē kāi de ~ màn yìdiǎnr.

shāowēi 稍微 [副]

姐姐比妹妹 ~ 高一点儿。Jiějie bǐ mèimei ~ gāo yìdiǎnr. →姐姐跟妹妹相比，只高了一点点儿。Jiějie gēn mèimei xiāngbǐ, zhǐ gāole yìdiǎndiǎnr. **例**你 ~ 等一下儿，我马上就到。Nǐ ~ děng yíxiàr, wǒ mǎshàng jiù dào. |大家 ~ 休息休息再干吧。Dàjiā ~ xiūxi xiūxi zài gàn ba. |最近他们两个人的关系 ~ 好了一些。Zuìjìn tāmen liǎng ge

S

rén de guānxi ~ hǎole yìxiē. | 这两天 ~ 暖和了一点ﾞ。Zhèi liǎng tiān
~ nuǎnhuole yìdiǎnr. | 我去得 ~ 晚了一点ﾞ，没有看见他的精彩表
演。Wǒ qù de ~ wǎnle yìdiǎnr, méiyǒu kànjiàn tā de jīngcǎi biǎoyǎn.

shǎozi 勹子 [名]

例 我买了一把 ~。Wǒ mǎile yì bǎ ~. | 这把 ~
是银的。Zhèi bǎ ~ shì yín de. | ~ 的把ﾞ弯了。
~ de bàr wān le. | 你把 ~ 给我。Ní bǎ ~ gěi
wǒ. | 小姐，这个座位上少一把 ~。Xiǎojie,
zhèige zuòwèi shang shǎo yì bǎ ~. | 你用 ~ 喝
汤吧。Ní yòng ~ hē tāng ba.

勹子

shǎo 少¹ [形]

你要 ~ 喝酒。Ní yào ~ hē jiǔ. →你喝酒的量不能多。Ní hē jiǔ de
liàng bùnéng duō. **例** 他说得多，做得 ~。Tā shuō de duō, zuò de
~. | 街上很冷，你穿的衣服太 ~。Jiē shang hěn lěng, ní chuān de
yīfu tài ~. | 油放 ~ 了，烧出的菜不香。Yóu fàng ~ le, shāochū de
cài bù xiāng. | 那个国家的人口越来越 ~。Nèige guójiā de rénkǒu
yuèláiyuè ~.

shǎo 少² [动]

他们俩都是主力队员，~ 了谁也不行。Tāmen liǎ dōushì zhǔlì
duìyuán, ~ le shéi yě bùxíng. →两个人中没有谁都不行。Liǎng ge
rén zhōng méiyǒu shéi dōu bùxíng. **例** 今天的报纸 ~ 来了两份。
Jīntiān de bàozhǐ ~ láile liǎng fèn. | 屋子里的东西一件也没 ~。Wūzi
li de dōngxi yí jiàn yě méi ~. | 现在还 ~ 一个人，我们再等一会ﾞ。
Xiànzài hái ~ yí ge rén, wǒmen zài děng yíhuìr. | 请你把钱数一数，
看看 ~ 不 ~。Qǐng ní bǎ qián shǔ yi shǔ, kànkan ~ bu ~.

shǎoshù 少数（少數）[名]

~ 人家买了汽车。~ rénjiā mǎile qìchē. →只有一小部分的家庭买了
汽车。Zhǐyǒu yì xiǎo bùfen de jiātíng mǎile qìchē. **例** 班里 ~ 同学考
上了国家重点大学。Bān li ~ tóngxué kǎoshangle guójiā zhòngdiǎn
dàxué. | 真理有时在 ~ 人手里。Zhēnlǐ yǒushí zài ~ rén shǒu li. | ~
必须服从多数。~ bìxū fúcóng duōshù.

shàonián 少年¹ [名]

我的 ~ 时代是在农村度过的。Wǒ de ~ shídài shì zài nóngcūn dùguò

de．→在十岁到十五岁这段时间内，我生活在农村。Zài shí suì dào shíwǔ suì zhèi duàn shíjiān nèi, wǒ shēnghuó zài nóngcūn. **例**~ 时期的生活是让人难忘的。~ shíqī de shēnghuó shì ràng rén nánwàng de. | 在 ~ 时代，他们俩是好朋友。Zài ~ shídài, tāmen liǎ shì hǎo péngyou. | 他把自己 ~ 时期的生活写成了小说。Tā bǎ zìjǐ ~ shíqī de shēnghuó xiěchéngle xiǎoshuō.

shàonián 少年² [名]

前面来了一位 ~ 。Qiánmian láile yí wèi ~ . →一位年龄在十岁到十五岁之间的人从前面走过来。Yí wèi niánlíng zài shí suì dào shíwǔ suì zhījiān de rén cóng qiánmian zǒu guolai. **例**~ 要好好学习。~ yào hǎohǎo xuéxí. | 全社会都要关心青 ~ 。Quán shèhuì dōu yào guānxīn qīng ~ . | 中小学教育要适合 ~ 的特点。Zhōngxiǎoxué jiàoyù yào shìhé ~ de tèdiǎn. | 这本书不适合 ~ 儿童看。Zhèi běn shū bú shìhé ~ értóng kàn.

she

shétou 舌头（舌頭）[名]

tongue **例** 你的 ~ 破了。Nǐ de ~ pò le. | 他吃东西时不小心咬了自己的 ~ 。Tā chī dōngxi shí bù xiǎoxīn yǎole zìjǐ de ~ . | 医生仔细看了看我的 ~ 的颜色。Yīshēng zǐxì kànle kàn wǒ de ~ de yánsè. | 你把 ~ 伸出来！Nǐ bǎ ~ shēn chulai! | 请你用 ~ 尝一尝。Qǐng nǐ yòng ~ cháng yi cháng. | 发这个音时，要把 ~ 往上抬一下儿。Fā zhèige yīn shí, yào bǎ ~ wǎng shàng tái yí xiàr.

shé 蛇 [名]

例 我上山的时候看见了一条 ~ 。Wǒ shàng shān de shíhou kànjiànle yì tiáo ~ . | 这种叫眼镜儿 ~ 。Zhèizhǒng jiào yǎnjìngr ~ . | ~ 的身子又圆又长。~ de shēnzi yòu yuán yòu cháng. | 小心，别被 ~ 咬着。Xiǎoxīn, bié bèi ~ yǎozhao. | 你听说过画 ~ 添足的故事吗？Nǐ tīngshuōguo huà ~ tiānzú de gùshi ma?

蛇

shèbèi 设备（設備）[名]

我们厂的 ~ 很先进。Wǒmen chǎng de ~ hěn xiānjìn. →我们厂里的

厂房和机器等都很先进。Wǒmen chǎng li de chǎngfáng hé jīqì děng dōu hěn xiānjìn. 例我们学校又买了一批新的教学 ~。Wǒmen xuéxiào yòu mǎile yì pī xīn de jiàoxué ~. | 这套 ~ 的价格很高。Zhèi tào shèbèi de jiàgé hěn gāo. | 进口 ~ 的安装正在进行。Jìnkǒu ~ de ānzhuāng zhèngzài jìnxíng. | 工人们正在用新 ~ 进行生产。Gōngrénmen zhèngzài yòng xīn ~ jìnxíng shēngchǎn. | 我们必须对旧 ~ 进行更新和改造。Wǒmen bìxū duì jiù ~ jìnxíng gēnxīn hé gǎizào.

shèjì 设计¹（設計）[动]

这套服装是玛丽 ~ 的。Zhèi tào fúzhuāng shì Mǎlì ~ de. →这套服装是按玛丽的想法和她画的图样做的。Zhèi tào fúzhuāng shì àn Mǎlì de xiǎngfa hé tā huà de túyàng zuò de. 例他 ~ 了许多桥梁。Tā shèjìle xǔduō qiáoliáng. | 他们正在 ~ 一种新式的飞机。Tāmen zhèngzài ~ yì zhǒng xīn shì de fēijī. | 这套邮票 ~ 得很漂亮。Zhèi tào yóupiào ~ de hěn piàoliang. | ~ 人员来了。 ~ rényuán lái le. | 我喜欢他 ~ 的服装。Wǒ xǐhuan tā ~ de fúzhuāng. | 这台机器人是我们研究所的全体人员共同 ~ 制造的。Zhèi tái jīqìrén shì wǒmen yánjiūsuǒ de quántǐ rényuán gòngtóng ~ zhìzào de.

shèjì 设计²（設計）[名]

明年他们就要毕业了，现在正在做毕业论文的 ~。Míngnián tāmen jiùyào bìyè le, xiànzài zhèngzài zuò bìyè lùnwén de ~. →他们正在做毕业论文的方案。Tāmen zhèngzài zuò bìyè lùnwén de fāng'àn. 例这种 ~ 非常少见。Zhèi zhǒng ~ fēicháng shǎojiàn. | 你的 ~ 教授已经看过了。Nǐ de ~ jiàoshòu yǐjing kànguo le. | 他想去学习服装 ~。Tā xiǎng qù xuéxí fúzhuāng ~. | 他专门搞广告 ~。Tā zhuānmén gǎo guǎnggào ~.

shèhuì 社会（社會）[名]

society 例 ~ 在发展。 ~ zài fāzhǎn. | 中国经历的封建 ~ 的历史很长。Zhōngguó jīnglì de fēngjiàn ~ de lìshǐ hěn cháng. | 中国和美国的 ~ 制度不同。Zhōngguó hé Měiguó de ~ zhìdù bùtóng. | 这儿的 ~ 风气很好。Zhèr de ~ fēngqì hěn hǎo. | 他俩对当前 ~ 上发生的事情有不同的看法。Tā liǎ duì dāngqián ~ shang fāshēng de shìqing yǒu bùtóng de kànfǎ.

shè 射 [动]

shoot 例他 ~ 中了目标。Tā ~ zhòngle mùbiāo. | 他会 ~ 箭。Tā huì ~

jiàn. | 一箭 ~ 在他骑的马身上。Yí jiàn shè zài tā qí de mǎ shēnshang. | 这个球 ~ 得真准。Zhèige qiú ~ de zhēn zhǔn. | 一脚就把球 ~ 进了大门。Yì jiǎo jiù bǎ qiú ~ jìnle dàmén. | 他 ~ 了三次，一个球也没进。Tā ~ le sān cì, yí ge qiú yě méi jìn. | 你来 ~ ~ 看。Nǐ lái ~ ~ kàn.

shèshì 摄氏（攝氏）[名]

人身体的正常温度是 ~ 三十七度左右。Rén shēntǐ de zhèngcháng wēndù shì ~ sānshíqī dù zuǒyòu. →人身体的正常温度是 37℃左右。Rén shēntǐ de zhèngcháng wēndù shì shèshì sānshíqī dù zuǒyòu. 例 现在是 ~ 零下二度，水都变成冰了。Xiànzài shì ~ língxià èr dù, shuǐ dōu biànchéng bīng le. | 今天的气温是 ~ 多少度? Jīntiān de qìwēn shì ~ duōshao dù? | 室内的温度达到了 ~ 二十度。Shìnèi de wēndù dádàole ~ èrshí dù. | 今天冷极了，室外的温度降到了 ~ 零下三十度。Jīntiān lěngjí le, shìwài de wēndù jiàngdàole ~ língxià sānshí dù.

shei

shéi / shuí 谁¹（誰）[代]

who 例 ~ 来了? ~ lái le? | ~ 是你们的汉语老师? ~ shì nǐmen de Hànyǔ lǎoshī? | ~ 有问题? ~ yǒu wèntí? | 你找 ~? Nǐ zhǎo ~? | 他是 ~? Tā shì ~? | ~ 的作业写完了? ~ de zuòyè xiěwán le? | ~ 的个子最高? ~ de gèzi zuì gāo? | 这是 ~ 的书? Zhè shì ~ de shū? | ~ 让你到这儿来找我的? ~ ràng nǐ dào zhèr lái zhǎo wǒ de?

shéi / shuí 谁²（誰）[代]

anyone 例 ~ 也不知道大卫去哪儿了。~ yě bù zhīdào Dàwèi qù nǎr le. | ~ 不希望全家人平平安安? ~ bù xīwàng quán jiā rén píngping'ān'ān? | ~ 有困难，我们就帮 ~。~ yǒu kùnnan, wǒmen jiù bāng ~. | 他们俩 ~ 也不认识 ~。Tāmen liǎ ~ yě bú rènshi ~. | 无论是 ~ 都应该遵守法律。Wúlùn shì ~ dōu yīnggāi zūnshǒu fǎlǜ. | 现在你找 ~ 也没有用。Xiànzài nǐ zhǎo ~ yě méiyǒu yòng.

shéi / shuí 谁³（誰）[代]

someone; sb. 例 刚才，好像 ~ 找过你。Gāngcái, hǎoxiàng ~ zhǎoguo nǐ. | 看他那高兴的样子，可能是 ~ 给他介绍了女朋友。Kàn tā nà gāoxìng de yàngzi, kěnéng shì ~ gěi tā jièshàole

S

nǚpéngyou. |夜里我好像听见～在哭。Yèli wǒ hǎoxiàng tīngjiàn ～ zài kū. |地上有脚印，肯定有～来过这个地方。Dìshang yǒu jiǎoyìn, kěndìng yǒu ～ láiguo zhèige dìfang. |我的那本小说不知道被～拿走了。Wǒ de nèi běn xiǎoshuō bù zhīdào bèi ～ názǒu le.

shen

shēn 伸 [动]

你～一下儿舌头。Nǐ ～ yí xiàr shétou. →你让舌头从嘴里往外露一下儿。Nǐ ràng shétou cóng zuǐ li wǎng wài lòu yí xiàr. 例别～手，危险！Bié ～ shǒu, wēixiǎn! |你的手使劲往上～，准能碰着屋顶。Nǐ de shǒu shǐ jìn wǎng shàng ～, zhǔn néng pèngzhao wūdǐng. |这种人的手～得太长了。Zhèi zhǒng rén de shǒu ～ de tài cháng le. |你把腿一直，让我看看你有多高。Nǐ bǎ tuǐ ～ zhí, ràng wǒ kànkan nǐ yǒu duō gāo.

shēn 身 [量]

我买了一～西服。Wǒ mǎile yì ～ xīfú. →我买了一套西服。Wǒ mǎile yí tào xīfú. 例这～衣服很漂亮。Zhèi ～ yīfu hěn piàoliang. |这样的衣服我买了好几～。Zhèiyàng de yīfu wǒ mǎile hǎojǐ ～. |你把这～衣服脱下来。Nǐ bǎ zhèi ～ yīfu tuō xialai. |这两～衣服送到洗衣店里去洗吧。Zhèi liǎng ～ yīfu sòngdào xǐyīdiàn li qù xǐ ba.

shēnbiān 身边（身邊）[名]

王老师的～只有一个女儿。Wáng lǎoshī de ～ zhǐ yǒu yí ge nǚ' ér. →只有一个女儿住的地方离王老师很近。Zhǐ yǒu yí ge nǚ' ér zhù de dìfang lí Wáng lǎoshī hěn jìn. 例他～的人都知道这件事。Tā ～ de rén dōu zhīdao zhèi jiàn shì. |他只相信～的人。Tā zhǐ xiāngxìn ～ de rén. |连～的人都离开了他。Lián ～ de rén dōu líkāile tā. |这个故事就发生在我们的～。Zhèige gùshi jiù fāshēng zài wǒmen de ～.

shēngāo 身高 [名]

我～一米八。Wǒ ～ yì mǐ bā. →我身体的高度是 180 厘米。Wǒ shēntǐ de gāodù shì yìbǎi bāshí límǐ. 例你的～没达到规定的标准。Nǐ de ～ méi dádào guīdìng de biāozhǔn. |我们足球队～一米八以上的队员只有两位。Wǒmen zúqiúduì ～ yì mǐ bā yǐshàng de duìyuán zhǐ yǒu liǎng wèi. |咱俩比一比～。Zán liǎ bǐ yi bǐ ～. |请把你的～告诉我。Qǐng bǎ nǐ de ～ gàosu wǒ.

shēntǐ 身体（身體）［名］

妈妈的 ~ 很健康。Māma de ~ hěn jiànkāng. →妈妈没有一点儿病。
Māma méiyǒu yìdiǎnr bìng. 例 ~ 有病应该马上去医院，让医生看
看。~ yǒu bìng yīnggāi mǎshàng qù yīyuàn, ràng yīshēng kànkan. |
每个人都应该爱护自己的 ~。Měi ge rén dōu yīnggāi àihù zìjǐ
de ~. | ~ 的好坏跟环境有很大关系。~ de hǎohuài gēn huánjìng
yǒu hěn dà guānxi. |抽烟对 ~ 没好处。Chōuyān duì ~ méi hǎochù. |
适当的运动有利于 ~ 健康。Shìdàng de yùndòng yǒulì yú ~ jiànkāng.

shēn 深[1]［形］

山洞很 ~，谁也不敢进去。Shāndòng hěn ~, shéi yě bù gǎn jìnqu.
→从山洞的洞口到洞的最里面距离很远，谁也不敢往里走。Cóng
shāndòng de dòngkǒu dào dòng de zuì lǐmian jùlí hěn yuǎn, shéi yě
bù gǎn wǎng lǐ zǒu. 例这条河，~ 的地方有十米多。Zhèi tiáo hé,
~ de dìfang yǒu shí mǐ duō. |我们往下挖了两米多 ~，就出水了。
Wǒmen wǎng xià wāle liǎng mǐ duō ~, jiù chū shuǐ le. |你往水里走
走，试试里面 ~ 不 ~。Nǐ wǎng shuǐ li zǒuzou, shìshi lǐmian ~ bu ~.

shēn 深[2]［形］

我对中文老师的印象很 ~。Wǒ duì Zhōngwén lǎoshī de yìnxiàng hěn
~. →我的中文老师的形象一直留在我的脑子里。Wǒ de
Zhōngwén lǎoshī de xíngxiàng yìzhí liú zài wǒ de nǎozi li. 例我没敢 ~
说，怕他受不了。Wǒ méi gǎn ~ shuō, pà tā shòu bu liǎo. |他对中
国书法作过比较 ~ 的研究。Tā duì Zhōngguó shūfǎ zuòguo bǐjiào ~ de
yánjiū. |关于教育问题他讲得很 ~。Guānyú jiàoyù wèntí tā jiǎng de
hěn ~. |这些话 ~ ~ 打动了我。Zhèi xiē huà ~ ~ dǎdòngle wǒ.

S

shēnkè 深刻[1]［形］

我国农村发生了 ~ 变化。Wǒguó nóngcūn fāshēngle ~ biànhuà. →
我国农村的面貌从根本上有了改变。Wǒguó nóngcūn de miànmào
cóng gēnběn shang yǒule gǎibiàn. 例违反纪律的人要做 ~ 的检查。
Wéifǎn jìlǜ de rén yào zuò ~ de jiǎnchá. |他们 ~ 地分析了事故的原
因。Tāmen ~ de fēnxīle shìgù de yuányīn. |这部小说对农民的生活
反映得很 ~。Zhèi bù xiǎoshuō duì nóngmín de shēnghuó fǎnyìng de
hěn ~. |他们对自己的错误认识得 ~ 不 ~？Tāmen duì zìjǐ de cuòwù
rènshi de ~ bu ~?

shēnkè 深刻[2] [形]

这件事对我的教育很~。Zhèi jiàn shì duì wǒ de jiàoyù hěn~. →这件事使我从思想上受到很大的教育。Zhèi jiàn shì shǐ wǒ cóng sīxiǎng shang shòudào hěn dà de jiàoyù. 例大家都应该从这件事上吸取~的教训。Dàjiā dōu yīnggāi cóng zhèi jiàn shì shang xīqǔ~ de jiàoxùn. |这次失败的教训，对每一个人都是十分~的。Zhèi cì shībài de jiàoxùn, duì měi yí ge rén dōu shì shífēn~ de. |他~地体会到，集体的力量是多么大。Tā~ de tǐhuì dào, jítǐ de lìliang shì duōme dà.

shēn 深[3] [形]

我们俩交情很~。Wǒmen liǎ jiāoqing hěn~. →我们俩是好朋友，感情特别好。Wǒmen liǎ shì hǎo péngyou, gǎnqíng tèbié hǎo. 例他对祖国有很~的感情。Tā duì zǔguó yǒu hěn~ de gǎnqíng. |我永远也不会忘记儿女对母亲的~~的爱。Wǒ yǒngyuǎn yě bú huì wàngjì érnǚ duì mǔqin de~~ de ài. |因为感情~，他们大学毕业后一同去了外地。Yīnwèi gǎnqíng~, tāmen dàxué bìyè hòu yìtóng qùle wàidì.

shēnhòu 深厚 [形]

两国人民结下了~的友谊。Liǎng guó rénmín jiéxiàle~ de yǒuyì. →两国人民建立了特别友好的关系。Liǎng guó rénmín jiànlìle tèbié yǒuhǎo de guānxì. 例他对祖国的感情特别~。Tā duì zǔguó de gǎnqíng tèbié~. |他对故乡有~的感情。Tā duì gùxiāng yǒu~ de gǎnqíng. |我们之间的感情是~的。Wǒmen zhījiān de gǎnqíng shì~ de. |这一年，我们一块儿学习，一块儿生活，同学之间~的情谊会永远记在心里。Zhèi yì nián, wǒmen yíkuàir xuéxí, yíkuàir shēnghuó, tóngxué zhījiān~ de qíngyì huì yǒngyuǎn jì zài xīn li.

shēn 深[4] [形]

夏天穿~色衣服不凉快。Xiàtiān chuān~ sè yīfu bù liángkuai. →夏天穿黑的或者蓝的等颜色的衣服不凉快。Xiàtiān chuān hēide huòzhě lánde děng yánsè de yīfu bù liángkuai. 例姐姐买了一条~红色的头巾。Jiějie mǎile yì tiáo~ hóng sè de tóujīn. |屋子里家具的颜色太~了。Wūzi li jiājù de yánsè tài shēn le. |你的嘴唇涂的口红太~了。Nǐ de zuǐchún tú de kǒuhóng tài~ le. |你把树的颜色画得~一点儿。Nǐ bǎ shù de yánsè huà de~ yìdiǎnr.

shēnrù 深入[1] [动]

这位县长经常～农村了解农民的生活情况。Zhèi wèi xiànzhǎng jīngcháng ～ nóngcūn liǎojiě nóngmín de shēnghuó qíngkuàng. →这位县长经常到农村去了解农民的情况。Zhèi wèi xiànzhǎng jīngcháng dào nóngcūn qù liǎojiě nóngmín de qíngkuàng. 例只有～实际，才能了解真实的情况。Zhǐyǒu ～ shíjì, cáinéng liǎojiě zhēnshí de qíngkuàng. |保护环境的口号已经～城市和农村。Bǎohù huánjìng de kǒuhào yǐjing ～ chéngshì hé nóngcūn. |他一到工厂，就～到车间去了。Tā yí dào gōngchǎng, jiù ～ dào chējiān qù le. |你应该～到教学中去，～得越早越好。Nǐ yīnggāi ～ dào jiàoxué zhōng qù, ～ de yuè zǎo yuè hǎo.

shēnrù 深入[2] [形]

老师～地分析了学生的思想情况。Lǎoshī ～ de fēnxīle xuésheng de sīxiǎng qíngkuàng. →老师深刻地分析了学生的思想情况。Lǎoshī shēnkè de fēnxīle xuésheng de sīxiǎng qíngkuàng. 例这次的调查很～。Zhèi cì de diàochá hěn ～. |他的认识比别人～。Tā de rènshi bǐ biérén ～. |对于这个问题，他做了～的分析。Duìyú zhèige wèntí, tā zuòle ～ de fēnxī. |他们正在广泛～地发动群众。Tāmen zhèngzài guǎngfàn ～ de fādòng qúnzhòng. |对于那里的情况，我们需要～地调查了解。Duìyú nàli de qíngkuàng, wǒmen xūyào ～ de diàochá liǎojiě.

shēnyè 深夜 [名]

我～才到家。Wǒ ～ cái dào jiā. →我到家的时间是夜里十二点左右。Wǒ dào jiā de shíjiān shì yèli shí' èr diǎn zuǒyòu. 例故乡的～十分安静。Gùxiāng de ～ shífēn ānjìng. |爸爸常常工作到～才休息。Bàba chángcháng gōngzuò dào ～ cái xiūxi. |那是一个难忘的～。Nà shì yí ge nánwàng de ～. |昨天～有人敲我家的门，我没开。Zuótiān ～ yǒu rén qiāo wǒ jiā de mén, wǒ méi kāi.

shénme 什么[1] （什麽）[代]

你说～? Nǐ shuō ～? →问对方说话的内容。Wèn duìfāng shuōhuà de nèiróng. 例这是～? Zhè shì ～? |你找～东西? Nǐ zhǎo ～ dōngxi? |你们～时候来北京? Nǐmen ～ shíhou lái Běijīng? |你爱看～书? Nǐ ài kàn ～ shū? |你把～丢了? Nǐ bǎ shénme diū le? |那个人是干～的? Nèige rén shì gàn ～ de? |你想买～礼物? Nǐ xiǎng mǎi

S

~ lǐwù? |你有~话要告诉我，快说。Nǐ yǒu ~ huà yào gàosu wǒ, kuài shuō. |我的书包里有~，你猜猜？Wǒ de shūbāo li yǒu ~ , nǐ cāicai?

shénme 什么² (什麽) [代]

他~也不吃。Tā ~ yě bù chī. →任何东西他都不吃。Rènhé dōngxi tā dōu bù chī. 例树林里~鸟都有。Shùlín li ~ niǎo dōu yǒu. |~样的困难我们都不怕。~ yàng de kùnnan wǒmen dōu bú pà. |你想吃~，我就去给你买~。Nǐ xiǎng chī ~ , wǒ jiù qù gěi nǐ mǎi ~ . |他见~拿~，你要注意他。Tā jiàn ~ ná ~ , nǐ yào zhùyì tā. |在商店里，他看~就买~，花了好多钱。Zài shāngdiàn li, tā kàn ~ jiù mǎi ~ , huāle hǎo duō qián.

shénmede 什么的 (什麽的) [代]

他就爱看电影，听音乐~。Tā jiù ài kàn diànyǐng, tīng yīnyuè ~ . →他只喜欢看电影，听音乐一类活动，不喜欢别的活动。Tā zhǐ xǐhuan kàn diànyǐng, tīng yīnyuè yí lèi huódòng, bù xǐhuan bié de huódòng. 例比如养花养鱼~，他都干过。Bǐrú yǎng huā yǎng yú ~ , tā dōu gànguo. |唱唱歌，跳跳舞~，他都会。Chàngchang gē, tiàotiao wǔ ~ , tā dōu huì. |买菜，做饭，洗衣服~，他干得都很好。Mǎi cài, zuò fàn, xǐ yīfu ~ , tā gàn de dōu hěn hǎo. |门口写着"冲印"、"彩扩"、"放大"~。Ménkǒu xiězhe "chōngyìn"、"cǎikuò"、"fàngdà" ~ .

shén 神¹ [名]

god 例他是人，不是~。Tā shì rén, bú shì ~ . |他们是人们传说中的~。Tāmen shì rénmen chuánshuō zhōng de ~ . |天地间真的有~吗？Tiāndì jiān zhēn de yǒu ~ ma? |谁见过~呢？Shéi jiànguo ~ ne? |你们相信不相信~？Nǐmen xiāngxìn bu xiāngxìn ~ ? |愿~保佑你！Yuàn ~ bǎoyòu nǐ!

shén 神² [形]

这药真~，刚才她快死了，吃了这种药，她慢慢ル地活过来了。Zhè yào zhēn ~ , gāngcái tā kuài sǐ le, chīle zhèi zhǒng yào, tā mànmānr de huó guolai le. →这种药的作用大得让人吃惊。Zhèi zhǒng yào de zuòyòng dà de ràng rén chījīng. 例这个人真~，他可以用嘴把一辆卡车拉走。Zhèige rén zhēn ~ , tā kěyǐ yòng zuǐ bǎ yí liàng kǎchē lā zǒu. |听说，中国的功夫特别~。Tīngshuō,

Zhōngguó de gōngfu tèbié ~ . |他跑得快极了，真可以叫做 ~ 速。
Tā pǎo de kuàijí le, zhēn kěyǐ jiàozuò ~ sù.

shénjīng 神经（神經）[名]

nerve 例比赛的时候，运动员们的 ~ 高度紧张。Bǐsài de shíhou,
yùndòngyuánmen de ~ gāodù jǐnzhāng. |疲劳的时候喝一杯咖啡，
~ 就会兴奋起来。Píláo de shíhou hē yì bēi kāfēi, ~ jiù huì xīngfèn
qilai. |进入考场的时候，你要让 ~ 尽量放松。Jìnrù kǎochǎng de
shíhou, nǐ yào ràng ~ jǐnliàng fàngsōng. |他的 ~ 系统出了问题。Tā
de ~ xìtǒng chūle wèntí. |医生说，这是 ~ 性头疼。Yīshēng shuō,
zhè shì ~ xìng tóuténg.

sheng

shēng 升 [动]

天安门广场上正在 ~ 国旗。Tiān'ān Mén Guǎngchǎng shang
zhèngzài ~ guóqí. →在天安门广场上，有人正在把国旗从低的地方
移向高的地方。Zài Tiān'ān Mén Guǎngchǎng shang, yǒu rén
zhèngzài bǎ guóqí cóng dī de dìfang yí xiàng gāo de dìfang. 例太阳
从东方慢慢 ~ 起来了。Tàiyáng cóng dōngfāng mànmàn ~ qilai le. |
屋子里的温度 ~ 得很快。Wūzi li de wēndù ~ de hěn kuài. |天安门
广场每天都 ~ 一次国旗。Tiān'ānmén Guǎngchǎng měi tiān dōu ~ yí
cì guóqí.

shēng 生¹ [动]

在我们国家一对夫妻只能 ~ 一个孩子。Zài wǒmen guójiā yí duì fūqī
zhǐnéng ~ yí ge háizi. → 一对夫妻只能有一个孩子。Yí duì fūqī
zhǐnéng yǒu yí ge háizi. 例姐姐 ~ 了一个男孩ㄦ。Jiějie ~ le yí ge
nánháir. |那头母牛快 ~ 了。Nèi tóu mǔ niú kuài ~ le. |我 ~ 于1984
年8月8日。Wǒ shēng yú yī jiǔ bā sì nián Bāyuè bā rì. |孩子 ~ 得
很顺利。Háizi ~ de hěn shùnlì. |我家那只母鸡 ~ 的蛋个ㄦ都很大。
Wǒ jiā nèi zhī mǔjī ~ de dàn gèr dōu hěn dà.

shēngri 生日 [名]

今天是我爸爸的五十岁 ~ 。Jīntiān shì wǒ bàba de wǔshí suì ~ . →
五十年前的今天我爸爸出生了。Wǔshí nián qián de jīntiān wǒ bàba
chūshēng le. 例您的 ~ 是哪一天？Nín de ~ shì něi yì tiān? |我们祝
你 ~ 快乐。Wǒmen zhù nǐ ~ kuàilè. |在我 ~ 的前一天，我收到了你

S

的礼物。Zài wǒ ~ de qián yì tiān, wǒ shōudàole nǐ de lǐwù. | 我记不清你的 ~ 是哪一天了。Wǒ jì bu qīng nǐ de ~ shì něi yì tiān le. | 全家人都来给妈妈过 ~。Quánjiārén dōu lái gěi māma guò ~.

shēng 生² ［动］

黄豆 ~ 芽了,可以吃了。Huángdòu ~ yá le, kěyǐ chī le. →黄豆长出了芽,成了豆芽菜。Huángdòu zhǎngchūle yá, chéngle dòuyácài. 例我们插的柳树条全 ~ 根了。Wǒmen chā de liǔshùtiáo quán ~ gēn le. | 这批大学毕业生是我们厂的新 ~ 力量。Zhèi pī dàxué bìyèshēng shì wǒmen chǎng de xīn ~ lìliang. | 这种树只能 ~ 在热带地区。Zhèi zhǒng shù zhǐnéng ~ zài rèdài dìqū. | 土豆一到春天就 ~ 芽。Tǔdòu yí dào chūntiān jiù ~ yá.

shēngzhǎng 生长（生長）［动］

沙土地适合 ~ 花生。Shātǔdì shìhé ~ huāshēng. →花生适合在沙土地长大、开花、结果。Huāshēng shìhé zài shātǔdì zhǎngdà, kāihuā, jiēguǒ. 例这种菜在我国东北地区也能 ~。Zhèi zhǒng cài zài wǒguó Dōngběi dìqū yě néng ~. | 杨树 ~ 得比较快,松树 ~ 得比较慢。Yángshù ~ de bǐjiào kuài, sōngshù ~ de bǐjiào màn. | 这棵树已经 ~ 了二百多年了。Zhèi kē shù yǐjing ~ le èrbǎi duō nián le. | 长江以南适合水稻 ~。Cháng Jiāng yǐ nán shìhé shuǐdào ~. | 这种花到哪儿都能 ~。Zhèi zhǒng huā dào nǎr dōu néng ~.

shēng 生³ ［动］

大米 ~ 虫子了。Dàmǐ ~ chóngzi le. →大米里出现了虫子。Dàmǐ li chūxiànle chóngzi. 例孩子 ~ 病了。Háizi ~ bìng le. | 他去年 ~ 过一场大病。Tā qùnián ~ guo yì cháng dà bìng. | 菜刀 ~ 了一点儿锈。Càidāo ~ le yìdiǎnr xiù. | 他的话 ~ 出了许多是非。Tā de huà ~ chule xǔduō shìfēi. | 你还在 ~ 我的气呀? Nǐ hái zài ~ wǒ de qì ya?

shēngchǎn 生产¹（生産）［动］

农民们愿意把 ~ 的粮食卖给国家。Nóngmínmen yuànyì bǎ ~ de liángshi mài gěi guójiā. →农民们愿意把种田收获的粮食卖给国家。Nóngmínmen yuànyì bǎ zhòngtián shōuhuò de liángshi mài gěi guójiā. 例我们厂 ~ 电视机。Wǒmen chǎng ~ diànshìjī. | 我们厂很快就 ~ 出了这种产品。Wǒmen chǎng hěn kuài jiù ~ chūle zhèi zhǒng chǎnpǐn. | 这种手表我们已经不 ~ 了。Zhèi zhǒng shǒubiǎo wǒmen yǐjing bù ~ le. | 上个月只 ~ 了二十台洗衣机。Shàng ge yuè zhǐ ~ le èrshí tái xǐyījī.

shēngchǎn 生产² （生產）[名]

我们一定要把 ~ 搞上去。Wǒmen yídìng yào bǎ ~ gǎo shangqu. → 保证抓好工作，多出快出好产品。Bǎozhèng zhuāhǎo gōngzuò, duō chū kuài chū hǎo chǎnpǐn. 例今年的 ~ 任务很重。Jīnnián de ~ rènwu hěn zhòng. | ~ 上不去，厂长很着急。~ shàng bu qù, chǎngzhǎng hěn zháojí. | 抓 ~ 的厂长姓王。Zhuā ~ de chǎngzhǎng xìng Wáng. | 市长很重视这个厂的 ~。Shìzhǎng hěn zhòngshì zhèige chǎng de ~.

shēng 生⁴ [形]

萝卜可以 ~ 吃。Luóbo kěyǐ ~ chī. →萝卜洗干净了不用烧，马上就可以吃。Luóbo xǐ gānjìngle búyòng shāo, mǎshàng jiù kěyǐ chī. 例这个西瓜太 ~，再换一个。Zhèige xīguā tài ~, zài huàn yí ge. | ~ 瓜不好吃。~ guā bù hǎochī. | 我喜欢 ~ 吃西红柿。Wǒ xǐhuan ~ chī xīhóngshì. | 这锅米饭有点儿 ~。Zhèi guō mǐfàn yǒudiǎnr ~. | 树上的苹果现在还是 ~ 的，秋天才能成熟。Shù shang de píngguǒ xiànzài háishi ~ de, qiūtiān cáinéng chéngshú.

shēngcí 生词（生詞）[名]

今天学的每个 ~ 都要记住。Jīntiān xué de měi ge ~ dōu yào jìzhù. →要记住今天学的新词。Yào jìzhù jīntiān xué de xīn cí. 例这篇课文的 ~ 不多。Zhèi piān kèwén de ~ bù duō. | 要知道 ~ 的用法。Yào zhīdao ~ de yòngfǎ. | 大家把这篇文章里的 ~ 都挑出来。Dàjiā bǎ zhèi piān wénzhāng li de ~ dōu tiāo chulai. | 记那么多 ~，真不是一件容易的事。Jì nàme duō ~, zhēn bú shì yí jiàn róngyì de shì. | 同学们跟着我念一遍 ~。Tóngxuémen gēnzhe wǒ niàn yí biàn ~.

shēngdòng 生动（生動）[形]

这部小说的语言很 ~。Zhèi bù xiǎoshuō de yǔyán hěn ~. →小说的语言活泼，很能打动人。Xiǎoshuō de yǔyán huópo, hěn néng dǎdòng rén. 例他作了一场 ~ 的报告。Tā zuòle yì cháng ~ de bàogào. | 故事的情节 ~ 极了。Gùshi de qíngjié ~ jí le. | 文章 ~ 地描写了我国农村发生的巨大变化。Wénzhāng ~ de miáoxiěle wǒguó nóngcūn fāshēng de jùdà biànhuà. | 他说话 ~ 不 ~？Tā shuōhuà ~ bu ~？

shēnghuó 生活 [动]

我们的祖辈一直 ~ 在这块土地上。Wǒmen de zǔbèi yìzhí ~ zài zhèi

kuài tǔdì shang. → 祖辈们一直在这块土地上生存和劳动。Zǔbèimen yìzhí zài zhèi kuài tǔdì shang shēngcún hé láodòng. **例**我从小就跟奶奶、爷爷～在这ル。Wǒ cóngxiǎo jiù gēn nǎinai、yéye ～ zài zhèr. | 我俩一起～了好多年。Wǒ liǎ yìqǐ ～ le hǎo duō nián. | 孩子大学毕业后开始独立～了。Háizi dàxué bìyè hòu kāishǐ dúlì ～ le. | 农村是我～的第二故乡。Nóngcūn shì wǒ ～ de dì èr gùxiāng.

shēngmìng 生命 [名]

life **例**～十分宝贵。～ shífēn bǎoguì. | 病人有～危险。Bìngrén yǒu ～ wēixiǎn. | 他为祖国献出了年轻的～。Tā wèi zǔguó xiànchūle niánqīng de ～. | 他把～献给了人民。Tā bǎ ～ xiàngěile rénmín. | 你知道月球上有～吗? Nǐ zhīdao yuèqiú shang yǒu ～ ma?

shēng qì 生气 (生氣)

他说了假话,大家很～。Tā shuōle jiǎhuà, dājiā hěn ～. → 他说了假话,大家不满意,因而很不高兴。Tā shuōle jiǎhuà, dājiā bù mǎnyì, yīn'ér hěn bù gāoxìng. **例**他～地走出去了。Tā ～ de zǒu chuqu le. | 他～的时候脸色都白了。Tā ～ de shíhou liǎnsè dōu bái le. | 他～的样子真吓人。Tā ～ de yàngzi zhēn xiàrén. | 爸爸是个容易～的人。Bàba shì ge róngyì ～ de rén. | 她正在生我的气呢。Tā zhèngzài shēng wǒ de qì ne. | 您千万别为这么点ル小事生这么大的气。Nín qiānwàn bié wèi zhème diǎnr xiǎo shì shēng zhème dà de qì. | 血压高的人生不得气。Xuèyā gāo de rén shēng bù dé qì. | 因为生了一肚子气,饭也不想吃了。Yīnwèi shēngle yí dùzi de qì, fàn yě bù xiǎng chī le.

shēngwù 生物 [名]

大约五十万年前,～才在地球上出现。Dàyuē wǔshí wàn nián qián, ～ cái zài dìqiú shang chūxiàn. → 大约在五十万年前,地球上才有动物、植物等有生命的物体。Dàyuē zài wǔshí wàn nián qián, dìqiú shang cái yǒu dòngwù、zhíwù děng yǒu shēngmìng de wùtǐ. **例**～的种类很多。～ de zhǒnglèi hěn duō. | 他们采集了许多～化石。Tāmen cǎijíle xǔduō ～ huàshí. | 他对古代～很有研究。Tā duì gǔdài ～ hěn yǒu yánjiū. | 保护～是人类应尽的责任。Bǎohù ～ shì rénlèi yīng jìn de zérèn.

shēngyi 生意 [名]

他是做服装～的。Tā shì zuò fúzhuāng ～ de. → 他做服装买卖的工

作。Tā zuò fúzhuāng mǎi mài de gōngzuò. **例**这几年服装～不那么好做了。Zhèi jǐ nián fúzhuāng ～ bú nàme hǎo zuò le. | ～上的事你不明白。～ shang de shì nǐ bù míngbai. | 来这儿吃饭的人真不少，这儿的～一定不错。Lái zhèr, chīfàn de rén zhēn bù shǎo, zhèr de ～ yídìng bú cuò. | 上个月我们做了一大笔～。Shàng ge yuè wǒmen zuòle yí dà bǐ ～. | 老板对这笔～很重视。Lǎobǎn duì zhèi bǐ ～ hěn zhòngshì. | 你得把～做活了。Nǐ děi bǎ ～ zuòhuó le.

shēng 声（聲）[名]

我听到了孩子的哭～。Wǒ tīngdàole háizi de kū ～. →我通过耳朵感觉到了孩子在哭。Wǒ tōngguò ěrduo gǎnjué dào le háizi zài kū. **例**你～大一点儿，我听不见。Nǐ ～ dà yìdiǎnr, wǒ tīng bu jiàn. | 你听，这是什么～? Nǐ tīng, zhè shì shénme ～? | 我们的叫～，你没听见吗? Wǒmen de jiào ～, nǐ méi tīngjiàn ma? | 阅览室里不许大～说话。Yuèlǎnshì li bùxǔ dà ～ shuōhuà.

shēngdiào 声调（聲調）[名]

“买”和“卖”的～不一样。“Mǎi” hé “mài” de ～ bù yíyàng. →“买”和“卖”发音的高低不一样。Mǎi hé mài fāyīn de gāodī bù yíyàng. **例**～是外国人学习汉语的一个难点。～ shì wàiguórén xuéxí Hànyǔ de yí ge nándiǎn. | 要注意区别字的～。Yào zhùyì qūbié zì de ～. | 你把这个字的～读错了。Nǐ bǎ zhèige zì de ～ dúcuò le. | 汉语的～不同，词义就不同。Hànyǔ de ～ bùtóng, cíyì jiù bùtóng.

shēngyīn 声音（聲音）[名]

我听见了他们说话的～。Wǒ tīngjiànle tāmen shuōhuà de ～. →我通过耳朵感觉到了他们在说话。Wǒ tōngguò ěrduo gǎnjué dào le tāmen zài shuōhuà. **例**她说话的～很好听。Tā shuōhuà de ～ hěn hǎotīng. | 会场上响起了《国际歌》的～。Huìchǎng shang xiǎngqǐle《Guójìgē》de ～. | 屋子里很静，一点儿～也没有。Wūzi li hěn jìng, yìdiǎnr ～ yě méiyǒu. | 请把收音机的～开小点儿。Qǐng bǎ shōuyīnjī de ～ kāi xiǎo diǎnr. | 听，这是什么～? Tīng, zhè shì shénme ～?

shéngzi 绳子（繩子）[名]

cord; rope; string **例**草可以编～。Cǎo kěyǐ biān ～. | ～断了。～ duàn le. | 这根～太短了。Zhèi gēn ～ tài duǎn le. | 你抓住～的这

头儿，我抓住~的那头儿。Nǐ zhuāzhù ~ de zhèi tóur, wǒ zhuāzhù ~ de nèi tóur. |我买了一根~。Wǒ mǎile yì gēn ~. |你用~把书捆起来。Nǐ yòng ~ bǎ shū kǔn qilai. |你别把~拉断了。Nǐ bié bǎ ~ lāduàn le.

shěng 省¹ ［动］

今天我没坐车，~了两元钱车费。Jīntiān wǒ méi zuò chē, ~ le liǎng yuán qián chēfèi. →如果今天坐车，就需要花两元钱车费；今天没坐车，所以少花了两元钱。Rúguǒ jīntiān zuò chē, jiù xūyào huā liǎng yuán qián chēfèi; jīntiān méi zuò chē, suǒyǐ shǎo huāle liǎng yuán qián. 例从北京到上海，坐飞机比坐火车~时间。Cóng Běijīng dào Shànghǎi, zuò fēijī bǐ zuò huǒchē ~ shíjiān. |为了供儿子上大学，他~吃~穿。Wèile gōng érzi shàng dàxué, tā ~ chī ~ chuān. |~电的冰箱比较受欢迎。~ diàn de bīngxiāng bǐjiào shòu huānyíng. |我把~下来的零花钱全买了书。Wǒ bǎ ~ xialai de línghuāqián quán mǎile shū.

shěng 省² ［动］

这个句子里的逗号很重要，不能~。Zhèige jùzi li de dòuhào hěn zhòngyào, bù néng ~. →句子里的逗号不能不写。Jùzi li de dòuhào bù néng bù xiě. 例按照他的办法，这道题~了好几步。Ànzhào tā de bànfǎ, zhèi dào tí ~ le hǎojǐ bù. |他去办这件事，~了很多麻烦。Tā qù bàn zhèi jiàn shì, ~ le hěn duō máfan. |这孩子一点儿也不让大人~心。Zhè háizi yìdiǎnr yě bú ràng dàrén ~ xīn. |你要经常给家里写信，~得父母不放心。Nǐ yào jīngcháng gěi jiāli xiě xìn, ~ de fùmǔ bú fàngxīn.

shěng 省³ ［名］

province 例四川是中国人口最多的~。Sìchuān shì Zhōngguó rénkǒu zuì duō de ~. |那两个~是最大的。Nèi liǎng ge ~ shì zuì dà de. |泰山在山东~。Tài Shān zài Shāndōng ~. |我在~政府工作。Wǒ zài ~ zhèngfǔ gōngzuò. |你是哪个~的人？Nǐ shì něige ~ de rén? |我去过那个~。Wǒ qùguo nèige ~.

Shèngdànjié 圣诞节（聖誕節）［名］

Christmas Day 例~是12月25日。~ shì Shí'èryuè èrshíwǔ rì. |今年的~，他们是在北京过的。Jīnnián de ~, tāmen shì zài Běijīng guò de. |还有十天就到~了。Hái yǒu shí tiān jiù dào ~ le. |~这一天，

我参加了学校举行的宴会。~ zhèi yì tiān, wǒ cānjiāle xuéxiào jǔxíng de yànhuì. | ~ 的前一天，我收到了爸爸寄给我的 ~ 礼物。~ de qián yì tiān, wǒ shōudàole bàba jì gěi wǒ de ~ lǐwù.

shènglì 胜利（勝利）［动］

这场足球比赛，甲队 ~ 了，乙队失败了。Zhèi chǎng zúqiú bǐsài, jiǎ duì ~ le, yǐ duì shībài le. →甲队赢了乙队。Jiǎ duì yíngle yǐ duì. 例我们比赛过好几次，我从来没有 ~ 过。Wǒmen bǐsàiguo hǎojǐ cì, wǒ cónglái měiyǒu ~ guo. | 赛场上传来了 ~ 的消息。Sàichǎng shang chuánláile ~ de xiāoxi. | ~ 了的队员们高兴得跳起来。~ le de duìyuánmen gāoxìng de tiào qilai. | 你快把 ~ 的消息告诉你的亲友。Nǐ kuài bǎ ~ de xiāoxi gàosu nǐ de qīnyǒu.

shèng 剩［动］

我出国以后，家里只 ~ 父亲和母亲了。Wǒ chūguó yǐhòu, jiāli zhǐ ~ fùqin hé mǔqin le. →我出国前，家里是三口人；我出国后，家里只有父亲和母亲两口人了。Wǒ chūguó qián, jiāli shì sān kǒu rén; wǒ chūguó hòu, jiāli zhǐ yǒu fùqin hé mǔqin liǎng kǒu rén le. 例这个月还~ 两天。Zhèige yuè hái ~ liǎng tiān. | 今天的饭 ~ 得太多了。Jīntiān de fàn ~ de tài duō le. | ~ 的菜都放进了冰箱里。~ de cài dōu fàngjìnle bīngxiāng li. | 教室里只 ~ 下他一个人在写作业。Jiàoshì li zhǐ ~ xià tā yí ge rén zài xiě zuòyè. | 钱包里只 ~ 六十块钱了。Qiánbāo li zhǐ ~ liùshí kuài qián le.

shi

shībài 失败（失敗）［动］

比赛的结果是甲队胜利了，乙队 ~ 了。Bǐsài de jiéguǒ shì jiǎ duì shènglì le, yǐ duì ~ le. →甲队赢了乙队。Jiǎ duì yíngle yǐ duì. 例乙队发动了多次进攻，都 ~ 了。Yǐ duì fādòngle duō cì jìngōng, dōu ~ le. | 再这样 ~ 下去，我们就进不了前八名了。Zài zhèiyàng ~ xiàqu, wǒmen jiù jìn bu liǎo qián bā míng le. | 由于指挥的错误，造成了全军的 ~。Yóuyú zhǐhuī de cuòwù, zàochéngle quán jūn de ~. | 我们一定要记取 ~ 的教训。Wǒmen yídìng yào jìqǔ ~ de jiàoxùn. | 俗话说：~ 是成功之母。Súhuà shuō: ~ shì chénggōng zhī mǔ.

shīqù 失去［动］

lose 例她死了，她的母亲 ~ 了一个女儿，我 ~ 了一个好朋友。Tā sǐ le, tā de mǔqin ~ le yí ge nǚ'ér, wǒ ~ yí ge hǎopéngyou. | 我们一定不能 ~ 信心，我们一定要努力。Wǒmen yídìng bù néng ~ xìnxīn,

S

wǒmen yídìng yào nǔlì. ㅣ他因为生病，~了今年考大学的机会。Tā yīnwèi shēngbìng，~ le jīnnián kǎo dàxué de jīhuì. ㅣ~妈妈的孩子很可怜。~ māma de háizi hěn kělián. ㅣ我们 ~ 的东西太多了。Wǒmen ~ de dōngxi tài duō le.

shīwàng 失望 ［形］

他没有考上大学，他很 ~。Tā méiyǒu kǎoshang dàxué, tā hěn ~. →他感到没有希望，失去了信心。Tā gǎndào méiyǒu xīwàng, shīqùle xìnxīn. 例我也有过 ~ 的时候。Wǒ yě yǒuguo ~ de shíhou. ㅣ她从来没有 ~ 过。Tā cónglái méiyǒu ~ guo. ㅣ大家 ~ 地走了。Dàjiā ~ de zǒu le. ㅣ这一次考试再也不能让家长 ~ 了。Zhèi yí cì kǎoshì zài yě bùnéng ràng jiāzhǎng ~ le. ㅣ对他我已经 ~ 了。Duì tā wǒ yǐjing ~ le.

shī yè 失业（失業）

这几年 ~ 的人越来越多。Zhèi jǐ nián ~ de rén yuèláiyuè duō. →这几年找不到工作的人越来越多。Zhèi jǐ nián zhǎo bu dào gōngzuò de rén yuèláiyuè duō. 例工厂关门，我们都得 ~。Gōngchǎng guān mén, wǒmen dōu děi ~. ㅣ许多人都有 ~ 的危险。Xǔduō rén dōu yǒu ~ de wēixiǎn. ㅣ~ 以后怎么办呢？~ yǐhòu zěnme bàn ne? ㅣ我已经 ~ 两年了。Wǒ yǐjing ~ liǎng nián le. ㅣ我也失过业，可后来又找到了这个工作。Wǒ yě shīguo yè, kě hòulái yòu zhǎodàole zhèige gōngzuò.

shīfu 师傅（師傅）［名］

他是我 ~。Tā shì wǒ ~. →他教我技术和本领，我是他的徒弟。Tā jiāo wǒ jìshù hé běnlǐng, wǒ shì tā de túdì. 例~ 特别关心我。~ tèbié guānxīn wǒ. ㅣ厂长表扬了王 ~。Chǎngzhǎng biǎoyángle Wáng ~. ㅣ我有两位好 ~。Wǒ yǒu liǎng wèi hǎo ~. ㅣ~ 的家在北京。~ de jiā zài Běijīng. ㅣ我把 ~ 送上了火车。Wǒ bǎ ~ sòngshangle huǒchē. ㅣ我送 ~ 一件礼物。Wǒ sòng ~ yí jiàn lǐwù.

shī 诗（詩）［名］

poetry, poem 例这首 ~ 很有名。Zhèi shǒu ~ hěn yǒumíng. ㅣ我会背好多李白的 ~。Wǒ huì bèi hǎoduō Lǐ Bái de ~. ㅣ这首 ~ 的语言真美。Zhèi shǒu ~ de yǔyán zhēn měi. ㅣ我很喜欢念古代的 ~。Wǒ hěn xǐhuan niàn gǔdài de ~. ㅣ我也写过几首 ~。Wǒ yě xiěguo jǐ shǒu ~. ㅣ请把你的 ~ 念一念。Qǐng bǎ nǐ de ~ niàn yi niàn.

shīrén 诗人（詩人）［名］

他是一位 ~ 。Tā shì yí wèi ~ . →他是写诗的作家。Tā shì xiě shī de zuòjiā. 例~ 李白到过许多地方。~ Lǐ Bái dàoguo xǔduō dìfang. | 这位 ~ 写了许多好诗。Zhèi wèi ~ xiěle xǔduō hǎo shī. | 唐朝出了许多有名的 ~ 。Táng Cháo chūle xǔduō yǒumíng de ~ . | ~ 的感情很丰富。~ de gǎnqíng hěn fēngfù. | 我去过 ~ 李白的故乡。Wǒ qùguo ~ Lǐ Bái de gùxiāng.

shīzi 狮子（獅子）［名］

例有人说 ~ 是动物之王。Yǒu rén shuō ~ shì dòngwù zhī wáng. | 公园的大门口摆着一对石头 ~ 。Gōngyuán de dàménkǒu bǎizhe yí duì shítou ~ . | 动物园的 ~ 是从非洲运来的。Dòngwùyuán de ~ shì cóng Fēizhōu yùnlai de. | 人类要保护 ~ 。Rénlèi yào bǎohù ~ . | ~ 的生存环境受到了破坏。~ de shēngcún huánjìng shòudàole pòhuài.

狮子

shīgōng 施工 ［动］

这条铁路正在 ~ 。Zhèi tiáo tiělù zhèngzài ~ . →这条铁路正在按照设计的要求进行建筑。Zhèi tiáo tiělù zhèngzài ànzhào shèjì de yāoqiú jìnxíng jiànzhù. 例你们打算什么时间 ~ ? Nǐmen dǎsuan shénme shíjiān ~ ? | ~ 的方案已经制订好了。~ de fāng'àn yǐjing zhìdìng hǎo le. | 那里的 ~ 条件很差。Nàli de ~ tiáojiàn hěn chà. | 你们要保证 ~ 的质量。Nǐmen yào bǎozhèng ~ de zhìliàng. | 他们把 ~ 的时间提前了十天。Tāmen bǎ ~ de shíjiān tíqiánle shí tiān.

shī 湿（濕）［形］

刚洗的衣服是 ~ 的。Gāng xǐ de yīfu shì ~ de. →刚洗的衣服上有水。Gāng xǐ de yīfu shang yǒu shuǐ. 例~ 的衣服不能穿。~ de yīfu bù néng chuān. | 大雨过后，地上特别 ~ 。Dàyǔ guò hòu, dìshang tèbié ~ . | 刚洗完头，头发很 ~ 。Gāng xǐwán tóu, tóufa hěn ~ . | 雨水打 ~ 了我的衣服。Yǔshuǐ dǎ ~ le wǒ de yīfu. | 把桌子上 ~ 的地方擦干了。Bǎ zhuōzi shang ~ de dìfang cāgān le.

shí 十 ［数］

九加一等于 ~ 。Jiǔ jiā yī děngyú ~ . →9 + 1 = 10 例正常人有 ~ 个手

S

指。Zhèngchángrén yǒu ~ ge shǒuzhǐ. | ~ 个手指不一样长。~ ge shǒuzhǐ bù yíyàng cháng. | 他今年 ~ 岁了。Tā jīnnián ~ suì le. | 书里第一页共出现了 ~ 个生词。Shū li dì ~ yè gòng chūxiànle ~ ge shēngcí. | 晚上 ~ 点钟以后我来叫你。Wǎnshang ~ diǎnzhōng yǐhòu wǒ lái jiào nǐ. | 请你借给我 ~ 块钱。Qǐng nǐ jiè gěi wǒ ~ kuài qián. | 我们一共去了 ~ 个人。Wǒmen yígòng qùle ~ ge rén.

shí 拾[1]　[数]

"十" 的大写形式。"Shí" de dàxiě xíngshì.

shífēn 十分　[副]

时间 ~ 宝贵。Shíjiān ~ bǎoguì. →时间是宝贵的，而且宝贵的程度很高。Shíjiān shì bǎoguì de, érqiě bǎoguì de chéngdù hěn gāo. 例锻炼身体 ~ 重要。Duànliàn shēntǐ ~ zhòngyào. | 我 ~ 热爱自己的工作。Wǒ ~ rè'ài zìjǐ de gōngzuò. | 主人对客人 ~ 热情。Zhǔrén duì kèrén ~ rèqíng. | 她今天打扮得 ~ 漂亮。Tā jīntiān dǎbàn de ~ piàoliang. | 苏州是个 ~ 美丽的城市。Sūzhōu shì ge ~ měilì de chéngshì. | 这是一个 ~ 难回答的问题。Zhè shì yí ge ~ nán huídá de wèntí.

shí 拾[2]　[动]

你把掉在桌子上的米饭 ~ 起来。Nǐ bǎ diào zài zhuōzi shang de mǐfàn ~ qilai. →把桌子上的米饭拿起来。Bǎ zhuōzi shang de mǐfàn ná qilai. 例把地上的笔 ~ 起来给我。Bǎ dìshang de bǐ ~ qilai gěi wǒ. | 他在教室里 ~ 到一块手表。Tā zài jiàoshì li ~ dào yí kuài shǒubiǎo. | ~ 到钱包的那个孩子是我的学生。~ dào qiánbāo de nèige háizi shì wǒ de xuésheng. | 她把 ~ 到的钱交给了老师。Tā bǎ ~ dào de qián jiāo gěi le lǎoshī.

shítou 石头（石頭）　[名]

stone 例这座塔是用 ~ 建造的。Zhèi zuò tǎ shì yòng ~ jiànzào de. | 山上滚下来了几块大 ~。Shān shang gǔn xialaile jǐ kuài dà ~. | 门口的 ~ 是谁搬走的？Ménkǒu de ~ shì shéi bānzǒu de? | 这是一座 ~ 的桥。Zhè shì yí zuò ~ de qiáo. | ~ 的房子很结实。~ de fángzi hěn jiēshi. | 这种 ~ 可以刻字。Zhèi zhǒng ~ kěyǐ kè zì. | 他收集了很多漂亮的小 ~。Tā shōujíle hěn duō piàoliang de xiǎo ~.

shíyóu 石油　[名]

petroleum 例 ~ 的用处很多。~ de yòngchu hěn duō. | 那个地区的 ~

十分丰富。Nèige dìqū de ~ shífēn fēngfù. | ~ 的产品很多。~ de
chǎnpǐn hěn duō. | 他们都是 ~ 工人。Tāmen dōu shì ~ gōngrén. |
六十年代，中国在北方发现了 ~。Liùshí niándài, Zhōngguó zài
běifāng fāxiànle ~. | 我国每年都进口一部分 ~。Wǒguó měi nián
dōu jìnkǒu yí bùfen ~.

shídài 时代¹（時代）［名］

我国进入了一个新 ~。Wǒguó jìnrùle yí ge xīn ~. →我国发展到了
一个新的历史时期。Wǒguó fāzhǎn dàole yí ge xīn de lìshǐ shíqī. 例
现在这个 ~ 生男孩子还是女孩子都一样。Xiànzài zhèige ~ shēng nán
háizi háishi nǚ háizi dōu yíyàng. | ~ 在发展，社会在进步。~ zài
fāzhǎn, shèhuì zài jìnbù. | 这部小说很有 ~ 感。Zhèi bù xiǎoshuō
hěn yǒu ~ gǎn. | 这是封建 ~ 的东西。Zhè shì fēngjiàn ~ de dōngxi.

shídài 时代²（時代）［名］

我的儿童 ~ 是在农村度过的。Wǒ de értóng ~ shì zài nóngcūn dùguò
de. →我在儿童年龄阶段生活在农村。Wǒ zài értóng niánlíng
jiēduàn shēnghuó zài nóngcūn. 例 我们俩是少年 ~ 的好朋友。
Wǒmen liǎ shì shàonián ~ de hǎo péngyou. | 他在青年 ~ 曾经发表过
好几部长篇小说。Tā zài qīngnián ~ céngjīng fābiǎoguo hǎojǐ bù
chángpiān xiǎoshuō. | 我有一个美好的童年 ~。Wǒ yǒu yí ge
měihǎo de tóngnián ~. | 他把少年 ~ 的生活写进了小说。Tā bǎ
shàonián ~ de shēnghuó xiějìnle xiǎoshuō.

shíhou 时候¹（時候）［名］

看书的 ~ 别躺着。Kàn shū de ~ bié tǎngzhe. →看书的这段时间内
不要躺着。Kàn shū de zhèi duàn shíjiān nèi bú yào tǎngzhe. 例 上中
学的 ~ 我演过话剧。Shàng zhōngxué de ~ wǒ yǎnguo huàjù. | 我在
北京的 ~ 见过这个人。Wǒ zài Běijīng de ~ jiànguo zhèige rén. | 他在
节假日里很少有休息的 ~。Tā zài jiéjiàrì li hěn shǎo yǒu xiūxi de ~.

shíhou 时候²（時候）［名］

这列火车明天什么 ~ 到达北京？Zhèi liè huǒchē míngtiān shénme ~
dàodá Běijīng? →这列火车到达北京的时间是明天的几点几分？
Zhèi liè huǒchē dàodá Běijīng de shíjiān shì míngtiān de jǐ diǎn jǐ fēn?
例 ~ 不早了，快起来吧。~ bù zǎo le, kuài qǐlai ba. | 火车进站的 ~
他迎了上去。Huǒchē jìn zhàn de ~ tā yíngle shàngqu. | 现在是什么
~ 了，怎么他还没来？Xiànzài shì shénme ~ le, zěnme tā hái méi

S

lái? l他在最危险的 ~ 冲了上去。Tā zài zuì wēixiǎn de ~ chōngle shàngqu. l你什么 ~ 叫我，我就什么 ~ 来看你。Nǐ shénme ~ jiào wǒ, wǒ jiù shénme ~ lái kàn nǐ.

shíjiān 时间[1]（時間）[名]

17次列车发车的 ~ 是十八点二十。Shíqī cì lièchē fāchē de ~ shì shíbā diǎn èrshí. →十八点二十是17次列车从起点站开出的时刻。Shíbā diǎn èrshí shì shíqī cì lièchē cóng qǐdiǎn zhàn kāichū de shíkè. 例我们见面的 ~ 改在明天下午两点。Wǒmen jiànmiàn de ~ gǎi zài míngtiān xiàwǔ liǎng diǎn. l ~ 很晚了，我们明天再谈吧。~ hěn wǎn le, wǒmen míngtiān zài tán ba. l我们明天什么 ~ 见面？Wǒmen míngtiān shénme ~ jiànmiàn? l请你把开会的 ~ 和地点告诉我。Qǐng nǐ bǎ kāihuì de ~ hé dìdiǎn gàosu wǒ.

shíjiān 时间[2]（時間）[名]

~ 很宝贵。~ hěn bǎoguì. →每时每刻每分每秒都是很宝贵的。Měi shí měi kè měi fēn měi miǎo dōu shì hěn bǎoguì de. 例每个人都应该珍惜自己的 ~。Měi ge rén dōu yīnggāi zhēnxī zìjǐ de ~. l我们一定要把浪费的 ~ 夺回来。Wǒmen yídìng yào bǎ làngfèi de ~ duó huilai. l两国人民的友谊经受了 ~ 的考验。Liǎng guó rénmín de yǒuyì jīngshòule ~ de kǎoyàn. l ~ 的价值是无法计算的。~ de jiàzhí shì wúfǎ jìsuàn de.

shíjiān 时间[3]（時間）[名]

从家里到学校需要走多长 ~？Cóng jiāli dào xuéxiào xūyào zǒu duō cháng ~? →从家里走到学校需要多少小时多少分钟？Cóng jiāli zǒudào xuéxiào xūyào duōshao xiǎoshí duōshao fēnzhōng? 例每星期休息的 ~ 是两天。Měi xīngqī xiūxi de ~ shì liǎng tiān. l你寒假的 ~ 打算到哪儿去？Nǐ hánjià de ~ dǎsuan dào nǎr qù? l我们俩好长 ~ 没见面了。Wǒmen liǎ hǎo cháng ~ méi jiànmiàn le. l长 ~ 不休息是很累的。Cháng ~ bù xiūxi shì hěn lèi de. l离开学还有十天的 ~。Lí kāixué háiyǒu shí tiān de ~.

shíkè 时刻[1]（時刻）[名]

危险的 ~ 别慌。Wēixiǎn de ~ bié huāng. →在发生危险的短时间里不要慌。Zài fāshēng wēixiǎn de duǎn shíjiān li bú yào huāng. 例在紧急的 ~，他冲了上去。Zài jǐnjí de ~, tā chōngle shangqu. l在生命的最后 ~，他仍想着他的工作。Zài shēngmìng de zuìhòu ~, tā réng xiǎngzhe tā de gōngzuò. ｜我们永远也忘不了那幸福的～。Wǒmen yǒngyuǎn yě wàng bu liǎo nà xìngfú de ～. ｜我永远也忘不了第一次离开父母时火车开动的那个～。Wǒ yǒngyuǎn yě wàng bu liǎo dì yī cì líkāi fùmǔ shí huǒchē kāidòng de nèige ～.

shíkè 时刻² （時刻）［副］

这个病人～都有生命危险。Zhèige bìngrén ～ dōu yǒu shēngmìng wēixiǎn. →这个病人每时每刻都可能失去生命。Zhèige bìngrén měi shí měi kè dōu kěnéng shīqù shēngmìng. **例**他时时刻刻都在想念着祖国和亲人。Tā shíshíkèkè dōu zài xiǎngniànzhe zǔguó hé qīnrén. ｜母亲～关心着孩子的成长。Mǔqin ～ guānxīnzhe háizi de chéngzhǎng. ｜我们～牢记自己的责任。Wǒmen ～ láojì zìjǐ de zérèn. ｜我们～听从你们的指挥。Wǒmen ～ tīngcóng nǐmen de zhǐhuī.

shíqī 时期（時期）［名］

学生～，我很喜欢爬山和游泳。Xuésheng ～, wǒ hěn xǐhuan páshān hé yóuyǒng. →我当学生的那段时间，喜欢爬山和游泳。Wǒ dāng xuésheng de nèi duàn shíjiān, xǐhuan páshān hé yóuyǒng. **例**我的儿童～是最快乐的。Wǒ de értóng ～ shì zuì kuàilè de. ｜中学～是孩子们长身体最快的～。Zhōngxué ～ shì háizimen zhǎng shēntǐ zuì kuài de ～. ｜他在医生的帮助下，度过了危险～。Tā zài yīshēng de bāngzhù xià, dùguole wēixiǎn ～. ｜那段时间是我最困难的～。Nèi duàn shíjiān shì wǒ zuì kùnnan de ～.

shíjì 实际¹ （實際）［名］

reality **例**～变化了，人的思想也得变。～ biànhuà le, rén de sīxiǎng yě děi biàn. ｜理论必须结合～。Lǐlùn bìxū jiéhé ～. ｜你的办法不符合我们单位的～。Nǐ de bànfǎ bù fúhé wǒmen dānwèi de ～. ｜我们办事情要从～出发。Wǒmen bàn shìqing yào cóng ～ chūfā. ｜这件事～上他们并不知道。Zhèi jiàn shì ～ shang tāmen bìng bù zhīdào.

shíjì 实际² （實際）［形］

practical **例**你的想法很～。Nǐ de xiǎngfa hěn ～. ｜她的～体重只有四十八公斤。Tā de ～ tǐzhòng zhǐyǒu sìshíbā gōngjīn. ｜我刚刚参加工作，没有～经验。Wǒ gānggāng cānjiā gōngzuò, méiyǒu ～ jīngyàn. ｜他的想法特别～。Tā de xiǎngfa tèbié ～. ｜家长应该帮孩子解决一些～问题。Jiāzhǎng yīnggāi bāng háizi jiějué yìxiē ～

S

wèntí. |这个计划我觉得不太 ~ 。Zhèige jìhuà wǒ juéde bú tài ~ .

shíjiàn 实践¹（實踐）[动]

经过多次 ~ ，证明他的主张是对的。Jīngguò duō cì ~ , zhèngmíng tā de zhǔzhāng shì duì de. →按照他的主张做了很多次，证明他的主张是对的。Ànzhào tā de zhǔzhāng zuòle hěn duō cì, zhèngmíng tā de zhǔzhāng shì duì de. 例他 ~ 了自己的主张。Tā ~ le zìjǐ de zhǔzhāng. |这种事不容易 ~ 。Zhèi zhǒng shì bù róngyì ~ . |我 ~ 了几次，都失败了。Wǒ ~ le jǐ cì, dōu shībài le. |我比他早 ~ 了几个月。Wǒ bǐ tā zǎo ~ le jǐ ge yuè. |我们必须大胆地去 ~ 。Wǒmen bìxū dàdǎn de qù ~ .

shíjiàn 实践²（實踐）[名]

医学院的学生除了在教室里学习以外，还得去医院里 ~ 。Yīxuéyuàn de xuésheng chúle zài jiàoshì li xuéxí yǐwài, hái děi qù yīyuàn li ~ . →医学院的学生还得去医院里亲自动手操作。Yīxuéyuàn de xuésheng hái děi qù yīyuàn li qīnzì dòngshǒu cāozuò. 例做实验是一种 ~ 活动。Zuò shíyàn shì yì zhǒng ~ huódòng. | ~ 是检验理论的一个标准。 ~ shì jiǎnyàn lǐlùn de yí ge biāozhǔn. | ~ 证明，这个改革是成功的。 ~ zhèngmíng, zhèige gǎigé shì chénggōng de. |不重视 ~ 是不对的。Bú zhòngshì ~ shì bú duì de. |我们正在等待 ~ 的结果。Wǒmen zhèngzài děngdài ~ de jiéguǒ. |这位老工人有丰富的 ~ 经验。Zhèi wèi lǎo gōngrén yǒu fēngfù de ~ jīngyàn. |他提出的理论还没有经过 ~ 的检验。Tā tíchū de lǐlùn hái méiyǒu jīngguò ~ de jiǎnyàn.

shíshìqiúshì 实事求是（實事求是）

应该 ~ 地反映情况。Yīnggāi ~ de fǎnyìng qíngkuàng. →应该真实地反映情况，不能把问题扩大，也不能缩小。Yīnggāi zhēnshí de fǎnyìng qíngkuàng, bùnéng bǎ wèntí kuòdà, yě bùnéng suōxiǎo. 例总结工作要 ~ 。Zǒngjié gōngzuò yào ~ . |我 ~ 地指出了他的优点和缺点。Wǒ ~ de zhǐchūle tā de yōudiǎn hé quēdiǎn. |这篇文章写得 ~ 。Zhèi piān wénzhāng xiě de ~ . | ~ 是我们的办事原则。 ~ shì wǒmen de bàn shì yuánzé. |我们必须坚持 ~ 。Wǒmen bìxū jiānchí ~ . |我们要把 ~ 的工作作风坚持下去。Wǒmen yào bǎ ~ de gōngzuò zuòfēng jiānchí xiaqu.

shíxiàn 实现（實現）[动]

他 ~ 了自己的理想——考入了北京大学。Tā ~ le zìjǐ de lǐxiǎng——

kǎorùle Běijīng Dàxué. →他想考入北京大学的理想变成了事实。Tā xiǎng kǎorù Běijīng Dàxué de lǐxiǎng biànchéngle shìshí. **例**我的愿望 ~ 了。Wǒ de yuànwàng ~ le. I 今年的目标一定能 ~。Jīnnián de mùbiāo yídìng néng ~. I 全年的计划正在顺利地 ~。Quán nián de jìhuà zhèngzài shùnlì de ~. I 你们的生产指标订得太高，~ 不了。Nǐmen de shēngchǎn zhǐbiāo dìng de tài gāo, ~ bù liǎo. I 这是一个无法 ~ 的想法。Zhè shì yí ge wúfǎ ~ de xiǎngfa.

shíxíng 实行（實行）[动]

今年九月 ~ 这些新规定。Jīnnián Jiǔyuè ~ zhèixiē xīn guīdìng. →今年九月开始按这些新规定办。Jīnnián Jiǔyuè kāishǐ àn zhèixiē xīn guīdìng bàn. **例**我们 ~ 了新的分配制度。Wǒmen ~ le xīn de fēnpèi zhìdù. I 这个计划将在下个月 ~。Zhèige jìhuà jiāng zài xià ge yuè ~. I 职工代表大会制度早就在我们厂 ~ 了。Zhígōng dàibiǎo dàhuì zhìdù zǎo jiù zài wǒmen chǎng ~ le. I 这些政策在我们县 ~ 得很好。Zhèixiē zhèngcè zài wǒmen xiàn ~ de hěn hǎo. I 这个条例已经 ~ 了好几年了。Zhèige tiáolì yǐjing ~ le hǎojǐ nián le. I 过去 ~ 的住房制度正在慢慢地改变。Guòqù ~ de zhùfáng zhìdù zhèngzài mànmàn de gǎibiàn.

shíyàn 实验[1]（實驗）[动]

try out **例**经过 ~，我们知道这种中药可以治感冒。Jīngguò ~, wǒmen zhīdao zhèi zhǒng zhōngyào kěyǐ zhì gǎnmào. I 这种药已经在小动物身上 ~ 过了。Zhèi zhǒng yào yǐjing zài xiǎo dòngwù shēnshang ~ guo le. I 他们曾经 ~ 了几百次。Tāmen céngjīng ~ le jǐ bǎi cì. I 你们应该再 ~ 一下儿。Nǐmen yīnggāi zài ~ yíxiàr. I 他们昨天又进行了一次 ~。Tāmen zuótiān yòu jìnxíngle yí cì ~. I 他在 ~ 时发现了一个新问题。Tā zài ~ shí fāxiànle yí ge xīn wèntí.

S

shíyàn 实验[2]（實驗）[名]

experiment; test **例**这次化学 ~ 失败了。Zhèi cì huàxué ~ shībài le. I 明天我们做物理 ~。Míngtiān wǒmen zuò wùlǐ ~. I ~ 的方法必须正确。~ de fāngfǎ bìxū zhèngquè. I 这项 ~ 只能在北京医院做。Zhèi xiàng ~ zhǐ néng zài Běijīng Yīyuàn zuò. I ~ 报告写得很好。~ bàogào xiě de hěn hǎo. I 这里是我们曾经做 ~ 的地方。Zhèlǐ shì wǒmen céngjīng zuò ~ de dìfang.

shíyòng 实用（實用）[形]

他设计的家具又漂亮又 ~ 。Tā shèjì de jiājù yòu piàoliang yòu ~ . → 他设计的家具又漂亮又好用。Tā shèjì de jiājù yòu piàoliang yòu hǎoyòng. 例这种书包不太 ~ 。Zhèi zhǒng shūbāo bú tài ~ . | 这个书架对我来说很 ~ 。Zhèige shūjià duì wǒ láishuō hěn ~ . | 这些东西已经没有 ~ 价值了，把它们扔了吧。Zhèixiē dōngxi yǐjīng méiyǒu jiàzhí le, bǎ tāmen rēng le ba. | 买东西的时候，不能光图便宜，还要考虑 ~ 。Mǎi dōngxi de shíhou, bù néng guāng tú piányi, hái yào kǎolǜ ~ .

shízài 实在¹（實在）[形]

他经常帮助别人，对人特别 ~ 。Tā jīngcháng bāngzhù biérén, duì rén tèbié ~ . → 他经常帮助别人，对人真心实意。Tā jīngcháng bāngzhù biérén, duì rén zhēnxīn shíyì. 例你认识她吗？她对人 ~ 极了。Nǐ rènshi tā ma? Tā duì rén ~ jí le. | 他呀，只是嘴上说得好听，对人并不 ~ 。Tā ya, zhǐshì zuǐ shang shuō de hǎotīng, duì rén bìng bù ~ . | 比较起来，还是小张 ~ 一点儿。Bǐjiào qilai, háishi Xiǎo Zhāng ~ yìdiǎnr. | 他是一个 ~ 人。Tā shì yí ge ~ rén. | 说 ~ 话，我真对你没意见。Shuō ~ huà, wǒ zhēn duì nǐ méi yìjiàn. | 我喜欢实实在在的人。Wǒ xǐhuan shíshízàizài de rén.

shízài 实在²（實在）[副]

我不是不想去，~ 是因为没时间。Wǒ búshì bù xiǎng qù, ~ shì yīnwèi méi shíjiān. → 我真是因为没时间去。Wǒ zhēnshi yīnwèi méi shíjiān qù. 例我 ~ 是没钱了，要是有钱，我一定买。Wǒ ~ shì méi qián le, yàoshi yǒu qián, wǒ yídìng mǎi. | 今天我 ~ 是太累了。Jīntiān wǒ ~ shì tài lèi le. | 你 ~ 没办法，就算了。Nǐ ~ méi bànfǎ, jiù suàn le. | 我把你的书丢了，~ 对不起。Wǒ bǎ nǐ de shū diū le, ~ duìbuqǐ. | 这道题你 ~ 做不出来，就问问同学。Zhèi dào tí nǐ ~ zuò bu chūlái, jiù wènwen tóngxué.

shípǐn 食品 [名]

这种 ~ 很好吃。Zhèi zhǒng ~ hěn hǎochī. → 这种吃的东西味道很好，人们很喜欢吃。Zhèi zhǒng chī de dōngxi wèidao hěn hǎo, rénmen hěn xǐhuan chī. 例 ~ 的品种多极了。~ de pǐnzhǒng duōjí le. | 我喜欢吃这种 ~ 。Wǒ xǐhuan chī zhèi zhǒng ~ . | 我买了许多你爱吃的 ~ 。Wǒ mǎile xǔduō nǐ àichī de ~ . | 请把这些 ~ 包起来。

Qǐng bǎ zhèixiē ~ bāo qilai.│这些 ~ 放得时间太长，已经不能再吃了。Zhèixiē ~ fàng de shíjiān tài cháng, yǐjing bù néng zài chī le.

shítáng 食堂 ［名］

我们大学里学生 ~ 有三个。Wǒmen dàxué li xuésheng ~ yǒu sān ge. →我们大学里供学生吃饭的地方有三个。Wǒmen dàxué li gōng xuésheng chīfàn de dìfang yǒu sān ge. 例中午我在公司的 ~ 里吃午饭。Zhōngwǔ wǒ zài gōngsī de ~ li chī wǔfàn.│~ 在东边儿。~ zài dōngbiānr.│他们去 ~ 了。Tāmen qù ~ le.│~ 的饭菜品种比较多，而且都很好吃。~ de fàncài pǐnzhǒng bǐjiào duō, érqiě dōu hěn hǎochī.│你们要努力把 ~ 办好。Nǐmen yào nǔlì bǎ ~ bànhǎo.│这个 ~ 很大。Zhèige ~ hěn dà.│到 ~ 来吃饭的人很多。Dào ~ lái chī fàn de rén hěn duō.

shíwù 食物 ［名］

我中午没吃饭，现在得马上找点儿 ~ 来吃。Wǒ zhōngwǔ méi chī fàn, xiànzài děi mǎshàng zhǎo diǎnr ~ lái chī. →现在得马上找点儿吃的东西来吃。Xiànzài děi mǎshàng zhǎo diǎnr chī de dōngxi lái chī. 例冰箱里的 ~ 你都可以吃。Bīngxiāng li de ~ nǐ dōu kěyǐ chī.│这些 ~ 是从国外进口的。Zhèixiē ~ shì cóng guówài jìnkǒu de.│过期的 ~ 你可别吃了。Guòqī de ~ nǐ kě bié chī le.│今天是儿童节，把这些 ~ 送给孩子们吧。Jīntiān shì Értóngjié, bǎ zhèixiē ~ sòng gěi háizimen ba.

shǐ 使 ［动］

他不会 ~ 筷子。Tā bú huì ~ kuàizi. →他不会用筷子吃东西。Tā bú huì yòng kuàizi chī dōngxi. 例我喜欢 ~ 钢笔，不喜欢 ~ 圆珠笔。Wǒ xǐhuan ~ gāngbǐ, bù xǐhuan ~ yuánzhūbǐ.│这把刀子不好 ~ 。Zhèi bǎ dāozi bù hǎo ~ .│对不起，我把你的计算器 ~ 坏了。Duìbuqǐ, wǒ bǎ nǐ de jìsuànqì ~ huài le.│这支笔没 ~ 几天就 ~ 坏了。Zhèi zhī bǐ méi ~ jǐ tiān jiù ~ huài le.│我 ~ 出了全身的力气才把那块大石头搬开。Wǒ ~ chūle quánshēn de lìqi cái bǎ nèi kuài dà shítou bānkai.│他 ~ 的字典是我送给他的。Tā ~ de zìdiǎn shì wǒ sòng gěi tā de.│请把自行车借我 ~ ~ 。Qǐng bǎ zìxíngchē jiè wǒ ~ ~ .

shǐyòng 使用 ［动］

飞机上禁止 ~ 手机。Fēijī shang jìnzhǐ ~ shǒujī. →在飞机上不允许用手机打电话。Zài fēijī shang bù yǔnxǔ yòng shǒujī dǎ diànhuà. 例你会 ~ 电脑吗？Nǐ huì ~ diànnǎo ma?│这些钱要合理地 ~ 。Zhèixiē qián yào hélǐ de ~ .│你的计算器能不能让我 ~ 一下儿？Nǐ de

S

jìsuànqì néng bu néng ràng wǒ ~ yíxiàr? |这支钢笔我已经 ~ 了十年了。Zhèi zhī gāngbǐ wǒ yǐjīng ~ le shí nián le. |电梯已经坏了，禁止~ 。Diàntī yǐjīng huài le, jìnzhǐ ~ .

shǐzhōng 始终 [副]

他 ~ 是我的好朋友。Tā ~ shì wǒ de hǎo péngyou. →从我们认识到现在他一直是我的好朋友。Cóng wǒmen rènshi dào xiànzài tā yìzhí shì wǒ de hǎo péngyou. 例他 ~ 坚持自己的意见。Tā ~ jiānchí zìjǐ de yìjiàn. |他 ~ 不告诉我，他住在什么地方。Tā ~ bú gàosu wǒ, tā zhù zài shénme dìfang. |他们俩为什么离婚，我 ~ 不明白。Tāmen liǎ wèishénme líhūn, wǒ ~ bù míngbai. |他这个爱哭的毛病 ~ 没改。Tā zhèige ài kū de máobing ~ méi gǎi. |昨天一天，这孩子 ~ 跟我在一起。Zuótiān yì tiān, zhè háizi ~ gēn wǒ zài yìqǐ.

shìjì 世纪（世紀）[名]

人类已进入 21 ~ 。Rénlèi yǐ jìnrù èrshíyī ~ . →一个 ~ 等于一百年。Yí ge ~ děngyú yìbǎi nián. 例他是二十 ~ 九十年代出生的。Tā shì èrshí ~ jiǔshí niándài chūshēng de. |我们已经迎来了一个新 ~ 。Wǒmen yǐjīng yíngláile yí ge xīn ~ . |这是一项跨 ~ 的工程。Zhè shì yí xiàng kuà ~ de gōngchéng. |这种动物能活半个多 ~ 。Zhèi zhǒng dòngwù néng huó bàn ge duō ~ .

shìjiè 世界[1] [名]

world 例 ~ 在不断地发生着变化。 ~ zài búduàn de fāshēngzhe biànhuà. |~ 上的事情很复杂，也很精彩。 ~ shang de shìqing hěn fùzá, yě hěn jīngcǎi. |将来我要到 ~ 各国去旅行。Jiānglái wǒ yào dào ~ gè guó qù lǚxíng. |人类不但要认识 ~ ，而且要改造 ~ 。Rénlèi búdàn yào rènshi ~ , érqiě yào gǎizào ~ . |~ 上的生物有多少种，谁也不清楚。 ~ shang de shēngwù yǒu duōshao zhǒng, shéi yě bù qīngchu. |人类对 ~ 的认识永远也不会结束。Rénlèi duì ~ de rènshi yǒngyuǎn yě bú huì jiéshù.

shìjiè 世界[2] [名]

这位诗人的感情 ~ 特别丰富。Zhèi wèi shīrén de gǎnqíng ~ tèbié fēngfù. →诗人的感情富于变化。Shīrén de gǎnqíng fùyú biànhuà. 例他好像走进了童话的 ~ 。Tā hǎoxiàng zǒujìnle tónghuà de ~ . |他虽然很穷，但精神 ~ 却很丰富。Tā suīrán hěn qióng, dàn jīngshén ~ què hěn fēngfù. |感情 ~ 的事有时说不清楚。Gǎnqíng ~ de shì yǒushí shuō bu qīngchu. |家长和学校应该给孩子们提供一个适合

他们成长的儿童 ~ 。Jiāzhǎng hé xuéxiào yīnggāi gěi háizimen tígōng yí ge shìhé tāmen chéngzhǎng de értóng ~ .

shì 事¹ [名]

matter 例我们要多为大家办好 ~ 儿。Wǒmen yào duō wèi dàjiā bàn hǎo ~ r. | 这件 ~ 儿不怎么好办。Zhèi jiàn ~ r bù zěnme hǎo bàn. | 公司每年都要为职工办几件好 ~ 儿。Gōngsī měi nián dōu yào wèi zhígōng bàn jǐ jiàn hǎo ~ r. | 你去外边儿 ~ ~ 都要小心。Nǐ qù wàibiānr ~ ~ dōu yào xiǎoxīn.

shì 事² [名]

accident 例火车出 ~ 儿了? 晚点了两个多小时。Huǒchē chū ~ r le? wǎndiǎnle liǎng ge duō xiǎoshí. | 你们单位出什么 ~ 儿了? 快告诉我。Nǐmen dānwèi chū shénme ~ r le? Kuài gàosu wǒ. | 家里平平安安的, 什么 ~ 儿也没有。Jiāli píngpíng'ān'ān de, shénme ~ r yě méiyǒu. | 出 ~ 儿的时候他没在现场。Chū ~ r de shíhou tā méi zài xiànchǎng. | 只要不出 ~ 儿, 就没关系。Zhǐyào bù chū ~ r, jiù méi guānxi. | 要是出了 ~ 儿, 就来不及了。Yàoshi chūle ~ r, jiù láibují le.

shìjiàn 事件 [名]

"五四运动" 是一起有名的历史 ~ 。"Wǔ Sì Yùndòng" shì yì qǐ yǒumíng de lìshǐ ~ . → "五四运动" 是历史上有名的不平常的事。"Wǔ Sì Yùndòng" shì lìshǐ shang yǒumíng de bù píngcháng de shì. 例那个 ~ 是他一手制造的。Nèige ~ shì tā yìshǒu zhìzào de. | 那里又发生了流血 ~ 。Nàli yòu fāshēngle liúxuè ~ . | 这起 ~ 的原因还没查出来。Zhèi qǐ ~ de yuányīn hái méi chá chūlái. | 我们应该说明 ~ 的真相。Wǒmen yīnggāi shuōmíng ~ de zhēnxiàng. | 政府对这一 ~ 十分重视。Zhèngfǔ duì zhèi yí ~ shífēn zhòngshì.

shìqing 事情 [名]

matter 例他的 ~ 不用你管。Tā de ~ bú yòng nǐ guǎn. | ~ 并不像你说的那么简单。~ bìng bú xiàng nǐ shuō de nàme jiǎndān. | 这件 ~ 办得很漂亮。Zhèi jiàn ~ bàn de hěn piàoliang. | 咱俩好好儿谈谈昨天的那件 ~ 。Zán liǎ hǎohāor tántan zuótiān de nèi jiàn ~ . | 我们正在干一件重要的 ~ 。Wǒmen zhèngzài gàn yí jiàn zhòngyào de ~ . | ~ 的经过很复杂。~ de jīngguò hěn fùzá. | 我知道了 ~ 的结果。Wǒ

S

zhīdaole ~ de jiéguǒ . |不要把这件 ~ 告诉别人。Búyào bǎ zhèi jiàn ~ gàosu biérén .

shìshí 事实（事實）[名]

我的故乡发生了很大的变化，这是 ~ 。Wǒ de gùxiāng fāshēngle hěn dà de biànhuà, zhè shì ~ . →我的故乡发生了很大的变化，这是真实的。Wǒ de gùxiāng fāshēngle hěn dà de biànhuà, zhè shì zhēnshí de. 例 ~ 最有说服力。~ zuì yǒu shuōfúlì . |你说的话不符合 ~ 。Nǐ shuō de huà bù fúhé ~ . |我们必须尊重 ~ 。Wǒmen bìxū zūnzhòng ~ . |他说出了 ~ 的真相。Tā shuōchule ~ de zhēnxiàng . |你有 ~ 根据吗？Nǐ yǒu ~ gēnjù ma? | ~ 上，他没说过那句话。~ shang, tā méi shuōguo nèi jù huà .

shìwù 事物 [名]

我们要支持新生 ~ 。Wǒmen yào zhīchí xīnshēng ~ . →我们要支持新的事和新的现象。Wǒmen yào zhīchí xīn de shì hé xīn de xiànxiàng. 例我们都热爱美好的 ~ 。Wǒmen dōu rè'ài měihǎo de ~ . | ~ 的性质发生了变化。~ de xìngzhì fāshēngle biànhuà . |要掌握 ~ 发展变化的规律。Yào zhǎngwò ~ fāzhǎn biànhuà de guīlǜ . |人们对这个 ~ 有了进一步的认识。Rénmen duì zhèige ~ yǒule jìn yí bù de rènshi .

shìxiān 事先 [副]

他们俩结婚的事，我 ~ 不知道。Tāmen liǎ jiéhūn de shì, wǒ ~ bù zhīdào . →在他们俩结婚之前，我不知道他们俩要结婚。Zài tāmen liǎ jiéhūn zhīqián, wǒ bù zhīdào tāmen liǎ yào jiéhūn. 例 ~ 我们做了充分的准备。~ wǒmen zuòle chōngfèn de zhǔnbèi . |会议的主要文件，~ 我们已经打印出来了。Huìyì de zhǔyào wénjiàn, ~ wǒmen yǐjing dǎyìn chulai le . |我们 ~ 跟他说过我们的意见。Wǒmen ~ gēn tā shuōguo wǒmen de yìjiàn . |大家 ~ 都没有准备。Dàjiā ~ dōu méiyǒu zhǔnbèi .

shìyè 事业（事業）[名]

cause; undertaking 例他的一生都献给了教育 ~ 。Tā de yìshēng dōu xiàngěile jiàoyù ~ . |我们的 ~ 是正义的。Wǒmen de ~ shì zhèngyì de . |他十分关心祖国的航空 ~ 。Tā shífēn guānxīn zǔguó de hángkōng ~ . | ~ 的成功给他带来了欢乐。~ de chénggōng gěi tā dàiláile huānlè . |我们对改革 ~ 充满了信心。Wǒmen duì gǎigé ~ chōngmǎnle xìnxīn .

S

shìchǎng 市场（市場）［名］

marketplace; market 例北京的 ~ 很多。Běijīng de ~ hěn duō. ｜我住的地方新建了一处菜 ~。Wǒ zhù de dìfang xīnjiànle yí chù cài ~. ｜农村是个很大的 ~。Nóngcūn shì ge hěn dà de ~. ｜不健康的文艺作品不能进入文化 ~。Bú jiànkāng de wényì zuòpǐn bù néng jìnrù wénhuà ~. ｜~ 管理要搞得更好。~ guǎnlǐ yào gǎo de gèng hǎo. ｜要充分发挥 ~ 的作用。Yào chōngfèn fāhuī ~ de zuòyòng.

shì 试（試）［动］

她正在 ~ 衣服。Tā zhèngzài ~ yīfu. →把衣服穿在身上看看合身不合身。Bǎ yīfu chuān zài shēnshang kànkan hé shēn bù hé shēn. 例这双鞋我 ~ 过了，很合适。Zhèi shuāng xié wǒ ~ guo le, hěn héshì. ｜你到那儿 ~ 一下儿，看看这件大衣合适不合适。Nǐ dào nàr ~ yíxiàr, kànkan zhèi jiàn dàyì héshì bù héshì. ｜这工作我没做过，先让我 ~ 一 ~ 吧。Zhè gōngzuò wǒ méi zuòguo, xiān ràng wǒ ~ yi ~ ba. ｜这件衣服我已经 ~ 好了，给我包起来吧。Zhèi jiàn yīfu wǒ yǐjing ~ hǎo le, gěi wǒ bāo qilai ba. ｜我 ~ 了好几次，都不满意。Wǒ ~ le hǎojǐ cì, dōu bù mǎnyì. ｜我 ~ 过的几件衣服都太肥了。Wǒ ~ guo de jǐ jiàn yīfu dōu tài féi le.

shìyàn 试验¹（試驗）［动］

try; test 例我们正在 ~ 一种治感冒的新药。Wǒmen zhèngzài ~ yì zhǒng zhì gǎnmào de xīn yào. ｜许多新的方法都 ~ 过了，还是不行。Xǔduō xīn de fāngfǎ dōu ~ guo le, háishi bùxíng. ｜你们再 ~ 一下儿，看看结果怎么样。Nǐmen zài ~ yíxiàr, kànkan jiéguǒ zěnmeyàng. ｜他们一共 ~ 了六百多次，才成功了。Tāmen yígòng ~ le liùbǎi duō cì, cái chénggōng le.

shìyàn 试验²（試驗）［名］

trial; experiment 例昨天他们又做了一次 ~。Zuótiān tāmen yòu zuòle yí cì ~. ｜这次 ~ 一共进行了一个多月。Zhèi cì ~ yígòng jìnxíngle yí ge duō yuè. ｜第一次 ~ 失败了。Dì yī cì ~ shībài le. ｜他对这个 ~ 很重视。Tā duì zhèige ~ hěn zhòngshì. ｜~ 的结果不太理想。~ de jiéguǒ bú tài lǐxiǎng. ｜~ 的费用由我们出。~ de fèiyong yóu wǒmen chū.

shìjuàn 试卷（試卷）［名］

英语 ~ 都准备好了。Yīngyǔ ~ dōu zhǔnbèi hǎo le. →英语考试的卷子都准备好了。Yīngyǔ kǎoshì de juànzi dōu zhǔnbèi hǎo le. 例老师

S

正在发 ~ 。Lǎoshī zhèngzài fā ~ . | 他第一个交了 ~ 。Tā dì yī ge jiāole ~ . | 听力 ~ 一个人两张。Tīnglì ~ yí ge rén liǎng zhāng. | 老师把 ~ 放在办公桌儿上。Lǎoshī bǎ ~ fàng zài bàngōngzhuōr shang. | ~ 上的前几道题比较容易。~ shang de qián jǐ dào tí bǐjiào róngyì.

shì 是¹ [动]

你是大卫吗？~ ，~ ，我就是。Nǐ shì Dàwèi ma? ~ , ~ , wǒ jiù shì. →大卫答应着对方。Dàwèi dāyìngzhe duìfāng. 例 ~ 的，我是中国人。~ de, wǒ shì Zhōngguórén. | ~ 啊，你来吧，咱们一起去。~ a, nǐ lái ba, zánmen yìqǐ qù. | 不 ~ ，你敲错门了。Bú ~ , nǐ qiāocuò mén le.

shì 是² [动]

他 ~ 我爸爸。Tā ~ wǒ bàba. →我叫他爸爸。Wǒ jiào tā bàba. 例她 ~ 我们班的口语老师。Tā ~ wǒmen bān de kǒuyǔ lǎoshī. | 这 ~ 西瓜。Zhè ~ xīguā. | 八月十六号 ~ 我的生日。Bāyuè shíliù hào ~ wǒ de shēngri. | 北京最冷的时候 ~ 一月份。Běijīng zuì lěng de shíhou ~ Yīyuèfèn.

shì 是³ [动]

这支笔 ~ 谁的？Zhèi zhī bǐ ~ shéi de? →"是…的"一起用。"Shì…de" yìqǐ yòng. 例我新买的书包 ~ 蓝色的。Wǒ xīn mǎi de shūbāo ~ lánsè de. | 她 ~ 很聪明的。Tā ~ hěn cōngming de. | 他 ~ 昨天刚回来的。Tā ~ zuótiān gāng huílai de. | 这些书 ~ 从图书馆里借来的。Zhèixiē shū ~ cóng túshūguǎn li jièlái de. | 这个电视剧 ~ 中央电视台播放的。Zhèige diànshìjù ~ Zhōngyāng Diànshìtái bōfàng de. | 他们都 ~ 来开会的。Tāmen dōu ~ lái kāihuì de.

shì 是⁴ [动]

星期天，商店里全 ~ 人。Xīngqītiān, shāngdiàn li quán ~ rén. →商店里有很多来买东西的人。Shāngdiàn li yǒu hěn duō lái mǎi dōngxi de rén. 例早晨校园里锻炼身体的人到处都 ~ 。Zǎochen xiàoyuán li duànliàn shēntǐ de rén dàochù dōu ~ . | 你看，你的衣服上全 ~ 土。Nǐ kàn, nǐ de yīfu shang quán ~ tǔ. | 孩子的头上都 ~ 汗。Háizi de tóushang dōu ~ hàn. | 墙上全 ~ 画儿，桌子上都 ~ 书。Qiáng shang quán ~ huàr, zhuōzi shang dōu ~ shū. | 箱子里都 ~ 衣服。Xiāngzi li dōu ~ yīfu.

shì 是⁵ [动]

他特别爱喝酒，~ 酒他就喝。Tā tèbié ài hē jiǔ, ~ jiǔ tā jiù hē. →

只要是酒，不论好不好喝他都爱喝。Zhǐyào shì jiǔ, búlùn hǎo bu hǎohē tā dōu ài hē. 例~书他都爱看。~ shū tā dōu ài kàn. | ~朋友他都帮助。~ péngyou tā dōu bāngzhù. | ~玩儿的活动，他全参加。~ wánr de huódòng, tā quán cānjiā. | ~球他都会玩儿。~ qiú tā dōu huì wánr.

shì 是⁶[动]

你~去还是不去？Nǐ ~ qù háishì bú qù? →你去不去？Nǐ qù bu qù? 例你~买还是不买？快告诉我。Nǐ ~ mǎi háishì bù mǎi? Kuài gàosu wǒ. | 刚才拍你一下儿的~他还是我？你猜猜。Gāngcái pāi nǐ yí xiàr de ~ tā háishì wǒ? Nǐ cāicai. | ~好~坏，你们自己去分析吧。~ hǎo ~ huài, nǐmen zìjǐ qù fēnxī ba. | 她不~已经结婚了吗？Tā bú ~ yǐjing jiéhūn le ma? | 你~从美国回来的吗？Nǐ ~ cóng Měiguó huílai de ma? | 难道~他没听见吗？Nándào ~ tā méi tīngjiàn ma?

shìdàng 适当（適當）[形]

你用打骂的方法教育孩子，太不~。Nǐ yòng dǎ mà de fāngfǎ jiàoyù háizi, tài bú ~. →用这种方法教育孩子不合适也不好。Yòng zhèi zhǒng fāngfǎ jiàoyù háizi bù héshì yě bù hǎo. 例让他当我们的班长再~不过了。Ràng tā dāng wǒmen de bānzhǎng zài ~ búguò le. | 找个~的时候，我们见见面。Zhǎo ge ~ de shíhou, wǒmen jiànjian miàn. | 昨天的活动安排得很不~。Zuótiān de huódòng ānpái de hěn bú ~. | 她的话不多，说得却很~。Tā de huà bù duō, shuō de què hěn ~. | 这两天你们太累了，明天~地休息一下儿吧。Zhèi liǎng tiān nǐmen tài lèi le, míngtiān ~ de xiūxi yíxiàr ba.

shìhé 适合（適合）[动]

这些饭菜很~我的口味。Zhèixiē fàncài hěn ~ wǒ de kǒuwèi. →我觉得这些饭菜的味道都是我很喜欢吃的味道。Wǒ juéde zhèixiē fàncài de wèidao dōu shì wǒ hěn xǐhuan chī de wèidao. 例种什么样的树，要~那个地方的环境和气候。Zhòng shénmeyàng de shù, yào ~ nèige dìfang de huánjìng hé qìhòu. | 你说的话很~他们的想法。Nǐ shuō de huà hěn ~ tāmen de xiǎngfa. | 这样做正~我们的要求。Zhèiyàng zuò zhèng ~ wǒmen de yāoqiú. | 老年人不~穿这种颜色的衣服。Lǎoniánrén bú ~ chuān zhèi zhǒng yánsè de yīfu.

shìyìng 适应（適應）[动]

到一个新地方应该马上~新环境。Dào yí ge xīn dìfang yīnggāi

mǎshàng~ xīn huánjìng. →应该马上习惯那儿的新环境。Yīnggāi mǎshàng xíguàn nàr de xīn huánjìng. 例要使自己~新的形势，就要不断地学习。Yào shǐ zìjǐ ~ xīn de xíngshì, jiù yào búduàn de xuéxí. I对这里的天气变化，他开始很不~。Duì zhèlǐ de tiānqì biànhuà, tā kāishǐ hěn bú ~. I他慢慢地~了这里的生活。Tā mànmānr de ~ le zhèlǐ de shēnghuó. I时间一长，什么都能~了。Shíjiān yì cháng, shénme dōu néng ~ le. I你的~能力还挺强。Nǐ de ~ nénglì hái tǐng qiáng.

shìyòng 适用（適用）[形]

这台电视机太大了，对这个小房间不~。Zhèi tái diànshìjī tài dà le, duì zhèige xiǎo fángjiān bú ~. →电视机太大，放在小小的房间里不好用。Diànshìjī tài dà, fàng zài xiǎoxiǎo de fángjiān li bù hǎo yòng. 例这个东西又贵又不~，我不买。Zhèige dōngxi yòu guì yòu bú ~, wǒ bù mǎi. I一种好的方法不一定~于解决所有的问题。Yì zhǒng hǎo de fāngfǎ bù yídìng ~ yú jiějué suǒyǒu de wèntí. I应该根据实际情况，制定出~于本单位的规章制度。Yīnggāi gēnjù shíjì qíngkuàng, zhìdìng chū ~ yú běn dānwèi de guīzhāng zhìdù. I把那些不~了的规定改一下儿。Bǎ nèixiē bú ~ le de guīdìng gǎi yíxiàr.

shou

shōu 收¹ [动]

院子里的衣服还没干，你过一会儿再去~。Yuànzi li de yīfu hái méi gān, nǐ guò yíhuìr zài qù ~. →你过一会儿再去把院子里的衣服拿回家来。Nǐ guò yíhuìr zài qù bǎ yuànzi li de yīfu náhuí jiā lai. 例要下雨了，你快去~被子。Yào xià yǔ le, nǐ kuài qù ~ bèizi. I这些东西我都不要，你还是~起来吧。Zhèixiē dōngxi wǒ dōu búyào, nǐ háishi ~ qilai ba. I妈妈把洗干净的衣服都~进了柜子里。Māma bǎ xǐ gānjìng de yīfu dōu ~ jìnle guìzi li.

shōu 收² [动]

我~完钱后，你付货。Wǒ ~ wán qián hòu, nǐ fù huò. →买东西的人把钱交到我的手里以后，你给他们东西。Mǎi dōngxi de rén bǎ qián jiāodào wǒ de shǒu li yǐhòu, nǐ gěi tāmen dōngxi. 例电信局~电话费的日子是每月的十号到二十号。Diànxìnjú ~ diànhuàfèi de rìzi shì měi yuè de shí hào dào èrshí hào. I ~税的人来了。 ~ shuì de

rén lái le. |老师让班长 ~ 作业。Lǎoshī ràng bānzhǎng ~ zuòyè. |图
书馆把借出去的书都 ~ 了回来。Túshūguǎn bǎ jiè chuqu de shū dōu
~ le huilai.

shōu **收**³ ［动］

秋天，农民们忙着 ~ 庄稼了。Qiūtiān, nóngmínmen mángzhe ~
zhuāngjia le. →秋天农民们忙着把庄稼割下来拿回家。Qiūtiān
nóngmínmen mángzhe bǎ zhuāngjia gē xialai náhuí jiā. 例这块地~
了八千多斤玉米。Zhèi kuài dì ~ le bāqiān duō jīn yùmǐ. |今年的苹
果 ~ 得特别多。Jīnnián de píngguǒ ~ de tèbié duō. |地里的麦子都
~ 完了。Dì li de màizi dōu ~ wán le. |我们这里一年能 ~ 两次水稻。
Wǒmen zhèlǐ yì nián néng ~ liǎng cì shuǐdào. |这一大片玉米得 ~ 一
个星期才能 ~ 完。Zhèi yí dà piàn yùmǐ děi ~ yí ge xīngqī cáinéng ~
wán.

shōuhuò **收获**¹ （收穫）［动］

农民们正在 ~ 小麦。Nóngmínmen zhèngzài ~ xiǎomài. →农民们正
在割小麦。Nóngmínmen zhèngzài gē xiǎomài. 例他家一年 ~ 了两万
多斤粮食。Tā jiā yì nián ~ le liǎngwàn duō jīn liángshi. |地里的玉米
很快就要 ~ 了。Dì li de yùmǐ hěn kuài jiù yào ~ le. |水稻已经 ~ 完
了。Shuǐdào yǐjing ~ wán le. |这地方的庄稼一年只能 ~ 一次。Zhè
dìfang de zhuāngjia yì nián zhǐ néng ~ yí cì. |秋天是 ~ 的季节。
Qiūtiān shì ~ de jìjié.

shōuhuò **收获**² （收穫）［名］

这次参观，他们的 ~ 特别多。Zhèi cì cānguān, tāmen de ~ tèbié
duō. →他们学到的知识特别多。Tāmen xuédào de zhīshi tèbié
duō. 例这一年我的 ~ 很大。Zhèi yì nián wǒ de ~ hěn dà. |大家谈
了谈学习的 ~。Dàjiā tán le tán xuéxí de ~. |学会了太极拳是他在
中国留学的又一个 ~。Xuéhuìle tàijíquán shì tā zài Zhōngguó liúxué
de yòu yí ge ~. |~ 的大小跟个人的努力程度有关。~ de dàxiǎo
gēn gèrén de nǔlì chéngdù yǒuguān. |他觉得一点儿 ~ 也没有。Tā
juéde yìdiǎnr ~ yě méiyǒu.

shōu **收**⁴ ［动］

我过生日那天 ~ 了很多礼物。Wǒ guò shēngri nà tiān ~ le hěn duō
lǐwù. →我过生日那天接受了很多礼物。Wǒ guò shēngri nà tiān
jiēshòule hěn duō lǐwù. 例昨天我 ~ 到了三封信。Zuótiān wǒ ~ dàole

S

sān fēng xìn. | 今年我们大学 ~ 了两千多名新生。Jīnnián wǒmen dàxué ~ le liǎngqiān duō míng xīnshēng. | 张教授每年只 ~ 两名博士生。Zhāng jiàoshòu měi nián zhǐ ~ liǎng míng bóshìshēng. | 我帮助你是应该的，这些钱我不能 ~。Wǒ bāngzhù nǐ shì yīnggāi de, zhèixiē qián wǒ bù néng ~. | 我们工厂 ~ 不了那么多新工人。Wǒmen gōngchǎng ~ bu liǎo nàme duō xīn gōngrén.

shōudào 收到 [动]

我 ~ 了你给我的生日礼物。Wǒ ~ le nǐ gěi wǒ de shēngri lǐwù. →你给我的生日礼物，已经到了我的手里。Nǐ gěi wǒ de shēngri lǐwù, yǐjing dàole wǒ de shǒu li. 例你的来信，我刚刚 ~。Nǐ de láixìn, wǒ gānggāng ~. | 这封信你是什么时候 ~ 的？Zhèi fēng xìn nǐ shì shénme shíhou ~ de? | 当她 ~ 大学录取通知书的时候，激动得流出了眼泪。Dāng tā ~ dàxué lùqǔ tōngzhīshū de shíhou, jīdòng de liúchūle yǎnlèi. | 他把几年来 ~ 的信全部保存了下来。Tā bǎ jǐ nián lái ~ de xìn quánbù bǎocúnle xialai. | 他把 ~ 的钱全买了书。Tā bǎ ~ de qián quán mǎile shū.

shōurù 收入[1] [动]

他今年卖水果 ~ 了六千多元。Tā jīnnián mài shuǐguǒ ~ le liùqiān duō yuán. →他今年卖水果得到了六千多元钱。Tā jīnnián mài shuǐguǒ dédàole liùqiān duō yuán qián. 例今年能比去年多 ~ 一些粮食。Jīnnián néng bǐ qùnián duō ~ yìxiē liángshi. | 每天 ~ 的现金都得存进银行。Měi tiān ~ de xiànjīn dōu děi cúnjìn yínháng. | ~ 得越多越好。~ de yuè duō yuè hǎo.

shōurù 收入[2] [名]

他是老教授，他的 ~ 比我多。Tā shì lǎo jiàoshòu, tā de ~ bǐ wǒ duō. →他得到的钱比我多。Tā dédào de qián bǐ wǒ duō. 例今年我们的 ~ 比去年多。Jīnnián wǒmen de ~ bǐ qùnián duō. | 如果成功，这笔 ~ 是很大的。Rúguǒ chénggōng, zhèi bǐ ~ shì hěn dà de. | 全家的生活靠父亲的 ~。Quán jiā de shēnghuó kào fùqin de ~. | 希望明年能增加更多的 ~。Xīwàng míngnián néng zēngjiā gèng duō de ~.

shōurù 收入[3] [动]

这篇文章已经 ~ 了论文集。Zhèi piān wénzhāng yǐjing ~ le lùnwénjí. →这篇文章已经收进了论文集。Zhèi piān wénzhāng yǐjing shōujìnle lùnwénjí. **例** 这本画册 ~ 了许多画家的作品。Zhèi běn huàcè ~ le xǔduō huàjiā de zuòpǐn. ｜~ 到这本书里的小说都是得过奖的。~ dào zhèi běn shū li de xiǎoshuō dōu shì déguò jiǎng de. ｜什么样的照片儿才能 ~ 这本相册呢？Shénmeyàng de zhàopiānr cáinéng ~ zhèi běn xiàngcè ne?

shōu 收⁵ [动]

下班的时间到了，咱们 ~ 工吧。Xiàbān de shíjiān dào le, zánmen ~ gōng ba. →下班的时间到了，我们停止工作吧。Xiàbān de shíjiān dào le, wǒmen tíngzhǐ gōngzuò ba. **例** 这件事怎么 ~ 场呢？Zhèi jiàn shì zěnme ~ chǎng ne? ｜今天不卖了，~ 了关门吧。Jīntiān bú mài le, ~ le guānmén ba. ｜今天 ~ 工 ~ 晚了，明天早点儿 ~ 吧。Jīntiān ~ gōng ~ wǎn le, míngtiān zǎo diǎnr ~ ba. ｜跑得太快了，一时 ~ 不住脚。Pǎo de tài kuài le, yìshí ~ bu zhù jiǎo.

shōushi 收拾 [动]

你 ~ 厨房，我 ~ 客厅。Nǐ ~ chúfáng, wǒ ~ kètīng. →你整理厨房，我整理客厅。Nǐ zhěnglǐ chúfáng, wǒ zhěnglǐ kètīng. **例** 你们赶快 ~ 一下儿屋子，一会儿客人就到了。Nǐmen gǎnkuài ~ yíxiàr wūzi, yíhuìr kèrén jiù dào le. ｜桌子上的东西已经 ~ 好了。Zhuōzi shang de dōngxi yǐjing ~ hǎo le. ｜办公室不大，可是我们整整 ~ 了一下午。Bàngōngshì bú dà, kěshì wǒmen zhěngzhěng ~ le yí xiàwǔ. ｜~ 书包的那个姑娘是我女儿。~ shūbāo de nèige gūniang shì wǒ nǚ'ér. ｜你把地下的东西先 ~ 起来，别影响别人走路。Nǐ bǎ dìxia de dōngxi xiān ~ qilai, bié yǐngxiǎng biérén zǒulù. ｜房间里太乱了，你得 ~ ~ 。Fángjiān li tài luàn le, nǐ děi ~ ~ .

shōuyīnjī 收音机（收音機）[名]

例 这台 ~ 是十年以前买的。Zhèi tái ~ shì shí nián yǐqián mǎi de. ｜我的 ~ 坏了，不响了。Wǒ de ~ huài le, bù xiǎng le. ｜我想再买一台新的 ~ 。Wǒ xiǎng zài mǎi yì tái xīn de . ｜打开 ~ 听听音乐吧。Dǎkāi ~ tīngting yīnyuè ba. ｜~ 里正在广播新闻。~ li zhèngzài guǎngbō xīnwén. ｜~ 的声音太小了，开大点儿声儿。~ de shēngyīn tài xiǎo le, kāi dà diǎnr shēngr.

收音机

S

shóu / shú 熟¹ ［形］

果园里的苹果再过一个月就～了。Guǒyuán li de píngguǒ zài guò yí ge yuè jiù ～ le. →果园里的苹果再过一个月就长成了，能吃了。Guǒyuán li de píngguǒ zài guò yí ge yuè jiù zhǎng chéng le, néng chī le. **例**我们这块地的西瓜，七月份才能～。Wǒmen zhèi kuài dì de xīguā, Qīyuèfèn cái néng ～. ｜他拍两下儿就知道这个瓜～不～。Tā pāi liǎng xiàr jiù zhīdao zhèige guā ～ bu ～. ｜我觉得现在那儿的葡萄还没～。Wǒ juéde xiànzài nàr de pútao hái méi ～. ｜西红柿长红了就～了。Xīhóngshì zhǎnghóngle jiù ～ le.

shóu / shú 熟² ［形］

锅里的肉～了。Guō li de ròu ～ le. →锅里的肉烧好了，可以吃了。Guō li de ròu shāohǎo le, kěyǐ chī le. **例**菜烧～了，饭还没～。Cài shāo ～ le, fàn hái méi ～. ｜面条儿煮～了吗？Miàntiáor zhǔ ～ le ma? ｜这些东西做～了才能吃。Zhèixiē dōngxi zuò ～ le cái néng chī. ｜鸡蛋煮五分钟就～了。Jīdàn zhǔ wǔ fēnzhōng jiù ～ le. ｜这种豆儿一烧开就～。Zhèi zhǒng dòur yì shāokāi jiù ～. ｜生米已经做成了～饭。Shēng mǐ yǐjing zuòchéngle ～ fàn.

shóu / shú 熟³ ［形］

他技术～，一定能完成任务。Tā jìshù ～, yídìng néng wánchéng rènwu. →他对技术了解和掌握得好，而且有经验。Tā duì jìshù liǎojiě hé zhǎngwò de hǎo, érqiě yǒu jīngyàn. **例**对这台机器的操作方法，我还不太～。Duì zhèi tái jīqì de cāozuò fāngfǎ, wǒ hái bú tài ～. ｜我们需要业务～的人。Wǒmen xūyào yèwù ～ de rén. ｜这首诗我已经背～了。Zhèi shǒu shī wǒ yǐjing bèi ～ le. ｜这篇课文你要记～了。Zhèi piān kèwén nǐ yào jì ～ le. ｜他开这种车的技术比我～。Tā kāi zhèi zhǒng chē de jìshù bǐ wǒ ～.

shóu / shú 熟⁴ ［形］

我跟王先生很～。Wǒ gēn Wáng xiānsheng hěn ～. →我跟王先生认识很长时间了，很清楚他的情况。Wǒ gēn Wáng xiānsheng rènshi hěn cháng shíjiān le, hěn qīngchu tā de qíngkuàng. **例**你们学校的校长、副校长我都～。Nǐmen xuéxiào de xiàozhǎng、fùxiàozhǎng wǒ dōu ～. ｜村里的情况他～得很。Cūn li de qíngkuàng tā ～ de hěn. ｜在北京我有好几个～人。Zài Běijīng wǒ yǒu hǎojǐ ge ～ rén. ｜我唱一首大家都～的歌吧。Wǒ chàng yì shǒu dàjiā dōu ～ de gē ba.

S

shǒu 手[1] ［名］

例爸爸的～又大又有劲儿。Bàba de ～ yòu dà yòu yǒujìnr. ｜你的～太脏了，快去洗洗。Nǐ de ～ tài zāng le, kuài qù xǐxi. ｜人人都有一双～。Rénrén dōu yǒu yì shuāng ～. ｜我们的习惯是见面的时候握握～。Wǒmen de xíguàn shì jiànmiàn de shíhou wòwo ～.

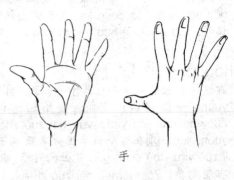

手

｜孩子们～拉着～在跳舞。Háizimen ～ lāzhe ～ zài tiàowǔ. ｜同意的人把～举起来。Tóngyì de rén bǎ ～ jǔ qilai. ｜这个姑娘的～特别巧。Zhèige gūniang de ～ tèbié qiǎo. ｜你～里拿那么多钱去买什么? Nǐ ～ li ná nàme duō qián qù mǎi shénme?

shǒu 手[2] ［量］

用于技能、本领等。Yòngyú jìnéng、běnlǐng děng. 例你能做这么一～好菜，真了不起。Nǐ néng zuò zhème yì ～ hǎo cài, zhēn liǎobuqǐ. ｜小张能写一～好字，你让他帮你写吧。Xiǎo Zhāng néng xiě yì ～ hǎo zì, nǐ ràng tā bāng nǐ xiě ba. ｜你有什么特长，给大家露两～。Nǐ yǒu shénme tècháng, gěi dàjiā lòu liǎng ～. ｜你不愿意告诉我们，是不是想留一～? Nǐ bú yuànyì gàosu wǒmen, shì bu shì xiǎng liú yì ～.

shǒubiǎo 手表（手錶）［名］

例这块儿童～真漂亮。Zhèi kuài értóng ～ zhēn piàoliang. ｜我的～走得非常准。Wǒ de ～ zǒu de fēicháng zhǔn. ｜这是一块名牌儿～。Zhè shì yí kuài míngpáir ～. ｜我喜欢电子～。Wǒ xǐhuan diànzǐ ～. ｜洗澡的时候，别戴～。Xǐzǎo de shíhou, bié dài ～.

手表

S

shǒugōng 手工[1] ［名］

我喜欢吃母亲做的～饺子。Wǒ xǐhuan chī mǔqin zuò de ～ jiǎozi. → 我喜欢吃母亲用手做的饺子。Wǒ xǐhuan chī mǔqin yòng shǒu zuò de jiǎozi. 例用机器做比用～做快得多。Yòng jīqì zuò bǐ yòng ～ zuò

kuài de duō. I我的毛衣都是用～织的。Wǒ de máoyī dōu shì yòng
～zhī de. I学生们每周都有一次～劳动课。Xuéshengmen měi zhōu
dōu yǒu yí cì～láodòng kè. I干这些活过去都靠～，现在全换成了
机器。Gàn zhèixiē huó guòqù dōu kào～，xiànzài quán huànchéngle
jīqì.

shǒugōng 手工² [名]

做这件衣服的～是一百八十元。Zuò zhèi jiàn yīfu de～shì yìbǎi bāshí
yuán. →做完这件衣服，要给做这件衣服的人一百八十元钱。
Zuòwán zhèi jiàn yīfu, yào gěi zuò zhèi jiàn yīfu de rén yìbǎi bāshí
yuán qián. 例在这个商店里做衣服～不算贵。Zài zhèige shāngdiàn
li zuò yīfu～bú suàn guì. I在我们那～做这样一件漂亮的衣服，～比
布还要贵。Zài wǒmen nàr zuò zhèiyàng yí jiàn piàoliang de yīfu，～
bǐ bù hái yào guì. I做这些东西我不收～钱，只收材料钱。Zuò
zhèixiē dōngxi wǒ bù shōu～qián, zhǐ shōu cáiliào qián.

shǒujuàn 手绢（手絹）[名]

例这两块～儿漂亮吗？Zhèi liǎng kuài～r
piàoliang ma? I我也有一块这样的～儿。Wǒ
yě yǒu yí kuài zhèiyàng de～r. I孩子们喜欢
玩丢～儿的游戏。Háizimen xǐhuan wánr diū
～r de yóuxì. I你用～儿把这几块儿糖包起来
吧。Nǐ yòng～r bǎ zhèi jǐ kuàir táng bāo qilai
ba. I她哭得很伤心，眼泪把～儿都湿透了。Tā kū de hěn shāngxīn,
yǎnlèi bǎ～r dōu shītòu le.

手绢

shǒushù 手术（手術）[名]

医生说他要马上给病人动～。Yīshēng shuō tā yào mǎshàng gěi
bìngrén dòng～. →医生说他要马上给病人开刀，切掉身体里有毛
病的地方。Yīshēng shuō tā yào mǎshàng gěi bìngrén kāidāo,
qiēdiào shēntǐ li yǒu máobìng de dìfang. 例这次～很成功。Zhèi cì～
hěn chénggōng. I王医生正在做～。Wáng yīshēng zhèngzài zuò
～. I～的时间是明天上午九点。～de shíjiān shì míngtiān shàngwǔ
jiǔ diǎn. I你把～的结果告诉我。Nǐ bǎ～de jiéguǒ gàosu wǒ.

shǒutào 手套 [名]

例这副～儿太小，我戴不进去。Zhèi fù～r tài xiǎo, wǒ dài bu jìnqù. I
天太冷，出门要戴～儿。Tiān tài lěng, chūmén yào dài～r. I我买了
一副皮～儿。Wǒ mǎile yí fù pí～r. I这副～儿的式样和颜色我都喜

欢。Zhèi fù ~ r de shìyàng hé yánsè wǒ dōu xǐhuan. | 这是我自己织的毛线 ~ 儿，漂亮不漂亮？Zhè shì wǒ zìjǐ zhī de máoxiàn ~ r, piàoliang bu piàoliang? | 请给孩子戴上那双 ~ 儿。Qǐng gěi háizi dàishang nèi shuāng ~ r.

手套

shǒuxù 手续（手續）[名]

出国留学的 ~ 办好了。Chūguó liúxué de ~ bànhǎo le. →按规定需要办理的批准出国的事情都办好了。Àn guīdìng xūyào bànlǐ de pīzhǔn chūguó de shìqing dōu bànhǎo le. 例他们两人已经办了结婚 ~ 。Tāmen liǎng rén yǐjing bànle jiéhūn ~ . | 下午开会，上午办理报到 ~ 。Xiàwǔ kāihuì, shàngwǔ bànlǐ bàodào ~ . | 调动工作的 ~ 刚办完。Diàodòng gōngzuò de ~ gāng bàn wán. | 所有的 ~ 都是他亲自去办的。Suǒyǒu de ~ dōu shì tā qīnzì qù bàn de. | 你认识那位办 ~ 的人吗？Nǐ rènshi nèi wèi bàn ~ de rén ma? | 病人住院的 ~ 费已经交了。Bìngrén zhùyuàn de ~ fèi yǐjing jiāo le.

shǒuzhǐ 手指 [名]

例一个人有十个 ~ 。Yí ge rén yǒu shí ge ~ . | 大家活动一下儿 ~ . | 十个 ~ 不一样长。Shí ge ~ bù yíyàng cháng. | 不小心，我的一个 ~ 被刀子划破了。Bù xiǎoxīn, wǒ de yí ge ~ bèi dāozi huápò le. | 她的 ~ 又细又长。Tā de ~ yòu xì yòu cháng. | 只要用 ~ 在开关上轻轻一按，灯就亮了。Zhǐyào yòng ~ zài kāiguān shang qīngqīng yí àn, dēng jiù liàng le.

手指

shǒu 首 [量]

用于诗和歌等。Yòngyú shī hé gē děng. 例我喜欢唱这 ~ 歌。Wǒ xǐhuan chàng zhèi ~ gē. | 他写过许多 ~ 诗。Tā xiěguo xǔduō ~ shī. | 联欢会上，她唱了两 ~ 中国歌曲。Liánhuānhuì shang, tā chàngle liǎng ~ Zhōngguó gēqǔ. | 他演唱的每一 ~ 歌曲都很好听。Tā yǎnchàng de měi yì ~ gēqǔ dōu hěn hǎotīng. | 这些流行歌曲我刚刚学会了三 ~ 。Zhèixiē liúxíng gēqǔ wǒ gānggāng xuéhuìle sān ~ . | 我现在给大家朗诵一 ~ 诗。Wǒ xiànzài gěi dàjiā lǎngsòng yì ~ shī.

shǒudū 首都 [名]

中国的 ~ 是北京。Zhōngguó de ~ shì Běijīng. →中国的中央政府在

S

北京。Zhōngguó de Zhōngyāng Zhèngfǔ zài Běijīng. **例**英国的 ~ 是伦敦。Yīngguó de ~ shì Lúndūn. | 他是第一次来 ~ 北京。Tā shì dì yī cì lái ~ Běijīng. | ~ 的人很热情。~ de rén hěn rèqíng. | ~ 的春天很美丽。~ de chūntiān hěn měilì. | 我们要把 ~ 建设成世界一流的城市。Wǒmen yào bǎ ~ jiànshèchéng shìjiè yīliú de chéngshì.

shǒuxiān 首先 [副]

这次登山比赛，~ 到达山顶的是我们学校的运动员。Zhèi cì dēngshān bǐsài, ~ dàodá shāndǐng de shì wǒmen xuéxiào de yùndòngyuán. →最先到山顶的是我们学校的运动员。Zuì xiān dào shāndǐng de shì wǒmen xuéxiào de yùndòngyuán. **例**大会发言的次序是：~ 是领队讲话，然后运动员代表讲话。Dàhuì fāyán de cìxù shì: ~ shì lǐngduì jiǎnghuà, ránhòu yùndòngyuán dàibiǎo jiǎnghuà. | 我们打算 ~ 到北京，然后去西安，最后到昆明。Wǒmen dǎsuan ~ dào Běijīng, ránhòu qù Xī'ān, zuìhòu dào Kūnmíng.

shòu 受[1] [动]

他 ~ 过大学教育。Tā ~ guo dàxué jiàoyù. →他在大学里学习过。Tā zài dàxué li xuéxí guo. **例**全公司职工 ~ 总经理的领导。Quán gōngsī zhígōng ~ zǒngjīnglǐ de lǐngdǎo. | ~ 了表扬不应该骄傲。~ le biǎoyáng bù yīnggāi jiāo'ào. | 我 ~ 大家的委托，向您表示感谢。Wǒ ~ dàjiā de wěituō, xiàng nín biǎoshì gǎnxiè. | 他的事迹使我很 ~ 感动。Tā de shìjì shǐ wǒ hěn ~ gǎndòng. | 她 ~ 过的奖励比我多。Tā ~ guo de jiǎnglì bǐ wǒ duō.

shòu 受[2] [动]

去年许多地区 ~ 了水灾。Qùnián xǔduō dìqū ~ le shuǐzāi. →去年许多地区遇到了水灾。Qùnián xǔduō dìqū yùdàole shuǐzāi. **例**灾区的人民 ~ 了很大损失。Zāiqū de rénmín ~ le hěn dà sǔnshī. | ~ 批评的同学很快都改正了错误。~ pīpíng de tóngxué hěn kuài dōu gǎizhèngle cuòwù. | 天冷了，小心别 ~ 凉。Tiān lěng le, xiǎoxīn bié ~ liáng. | 许多家长为了孩子生活得幸福，愿意自己 ~ 苦 ~ 累。Xǔduō jiāzhǎng wèile háizi shēnghuó de xìngfú, yuànyì zìjǐ ~ kǔ ~ lèi.

shòu 受[3] [动]

天气太热了，许多人 ~ 不了，生了病。Tiānqì tài rè le, xǔduō rén ~ buliǎo, shēngle bìng. →许多人适应不了那么热的天气，生了病了。Xǔduō rén shìyìng buliǎo nàme rè de tiānqì, shēngle bìng le. **例**宿舍外面太吵了，我 ~ 不了了。Sùshè wàimian tài chǎo le, wǒ ~ buliǎo le.｜要是你头疼得~不了，我就送你去医院。Yàoshi nǐ tóuténg de ~buliǎo, wǒ jiù sòng nǐ qù yīyuàn.｜过去那么多的困难我们都~了，眼前的困难算得了什么？Guòqù nàme duō de kùnnan wǒmen dōu ~ le, yǎnqián de kùnnan suàn de liǎo shénme?

shòu 瘦[1] [形]

thin 例 ~的人不一定不健康。~ de rén bù yídìng bú jiànkāng.｜父亲虽然很~，但什么病也没有。Fùqin suīrán hěn ~, dàn shénme bìng yě méiyǒu.｜哥哥比弟弟~。Gēge bǐ dìdi ~.｜现在他比过去~多了。Xiànzài tā bǐ guòqù ~ duō le.｜这几个月你很少有休息的时候，都累~了。Zhèi jǐ ge yuè nǐ hěn shǎo yǒu xiūxi de shíhou, dōu lèi ~ le.｜那个小伙子~~的，个子有一米八高。Nèige xiǎohuǒzi ~ ~ de, gèzi yǒu yì mǐ bā gāo.

shòu 瘦[2] [形]

lean 例 现在大多数人喜欢吃~肉。Xiànzài dàduōshù rén xǐhuan chī ~ ròu.｜我买了二斤~肉。Wǒ mǎile èr jīn ~ ròu.｜锅里的肉全是~的，你吃吧。Guō li de ròu quán shì ~ de, nǐ chī ba.｜这块肉太肥了，换一块~一点儿的。Zhèi kuài ròu tài féi le, huàn yí kuài ~ yìdiǎnr de.

shòu 瘦[3] [形]

tight 例 这件衣服太~了，我穿不进去。Zhèi jiàn yīfu tài ~ le, wǒ chuān bu jìnqù.｜这双鞋比较~，你穿着合适。Zhèi shuāng xié bǐjiào ~, nǐ chuānzhe héshì.｜她适合穿~的衣服。Tā shìhé chuān ~ de yīfu.｜你把裤腿裁~一点儿。Nǐ bǎ kùtuǐr cái ~ yìdiǎnr.｜这件上衣和裤子都太~了。Zhèi jiàn shàngyī hé kùzi dōu tài ~ le.｜这身衣服又~又长。Zhèi shēn yīfu yòu ~ yòu cháng.

shu

shū 书(書) [名]

例 我买了一本儿~。Wǒ mǎile yì běnr ~.｜图书馆里的~很多。Túshūguǎn lǐ de ~ hěn duō.｜他正在读那本~。Tā zhèngzài dú nèi běn ~.｜~里都说了些什么？~ li dōu shuōle xiē shénme?｜大家把~合上。Dàjiā bǎ ~ héshang.｜他送给我一本儿他写的~。Tā

书

sòng gěi wǒ yì běnr tā xiě de ~ . | 这些全是关于历史方面的 ~ .
Zhèixiē quán shì guānyú lìshǐ fāngmiàn de ~ .

shūbāo 书包（書包）[名]

你的书都放 ~ 里了吗？Nǐ de shū dōu fàng ~ li le ma? →你的书都放
进装书和东西的袋子里了吗？Nǐ de shū dōu fàngjìn zhuāng shū hé
dōngxi de dàizi li le ma? 例这个 ~ 真大。Zhèige ~ zhēn dà. | 放在我
桌子上的 ~ 是谁的？Fàng zài wǒ zhuōzi shang de ~ shì shéi de? | 他
背着一个黑 ~ 。Tā bēizhe yí ge hēi ~ . | 孩子不喜欢爸爸买来的这
个小 ~ 儿。Háizi bù xǐhuan bàba mǎilai de zhèige xiǎo ~ r. | 钱包也放
在 ~ 里了。Qiánbāo yě fàng zài ~ li le. | 把我要拿的东西跟 ~ 放在一
起吧。Bǎ wǒ yào ná de dōngxi gēn ~ fàng zài yìqǐ ba.

shūdiàn 书店（書店）[名]

他在 ~ 买了一本儿英语词典。Tā zài ~ mǎile yì běnr Yīngyǔ cídiǎn. →
他在卖书和杂志的商店里买了一本英语词典。Tā zài mài shū hé
zázhì de shāngdiàn li mǎile yì běn Yīngyǔ cídiǎn. 例这个 ~ 很大。
Zhèige ~ hěn dà. | 我常去 ~ 。Wǒ cháng qù ~ . | 我们学校的旁边有
一个 ~ 。Wǒmen xuéxiào de pángbiān yǒu yí ge ~ . | 这儿又新开了
一个儿童 ~ 。Zhèr yòu xīn kāile yí ge értóng ~ . | 那个 ~ 的楼下卖小
说。Nèige ~ de lóu xià mài xiǎoshuō. | 同学们经常去这个 ~ 里买书。
Tóngxuémen jīngcháng qù zhèige ~ li mǎi shū.

shūjià 书架（書架）[名]

我家新买了两个 ~ 。Wǒ jiā xīn mǎile liǎng ge ~ . →我家新买了两个
放书的架子。Wǒ jiā xīn mǎile liǎng ge fàng shū de jiàzi. 例图书室里
立着一排排的 ~ 。Túshūshì li lìzhe yì pái pái de ~ . | 第一排 ~ 放中
国小说，第二排 ~ 放外国小说。Dì yī pái ~ fàng Zhōngguó xiǎoshuō,
dì èr pái ~ fàng wàiguó xiǎoshuō. | ~ 上已经放满了书。~ shang
yǐjing fàngmǎnle shū. | 那本书可能在 ~ 的第一层。Nèi běn shū
kěnéng zài ~ de dì yī céng. | 他们把那个旧 ~ 搬走了。Tāmen bǎ
nèige jiù ~ bānzǒu le.

shūshu 叔叔 [名]

我 ~ 是大学老师。Wǒ ~ shì dàxué lǎoshī. →我爸爸的弟弟是大学老
师。Wǒ bàba de dìdi shì dàxué lǎoshī. 例 ~ 来信了。~ láixìn le. |
我在北京见到了 ~ 。Wǒ zài Běijīng jiàndàole ~ . | 我有两个 ~ 。Wǒ
yǒu liǎng ge ~ . | ~ 写的小说发表了。~ xiě de xiǎoshuō fābiǎo

le.│我去过~的大学。Wǒ qùguo ~ de dàxué.│爸爸对~很关心。
Bàba duì ~ hěn guānxīn.

shūfu 舒服 [形]

吃饭后散散步，我觉得很~。Chīfàn hòu sànsan bù, wǒ juéde hěn
~.　→我觉得身体轻松，精神快乐。Wǒ juéde shēntǐ qīngsōng,
jīngshén kuàilè.　例你哪儿不~? Nǐ nǎr bù~?│游完泳，晒一会儿太
阳，~极了。Yóuwán yǒng, shài yíhuìr tàiyáng, ~ jí le.│孩子在妈
妈的怀里睡得很~。Háizi zài māma de huái li shuì de hěn ~.│孩子
参加工作后，老两口儿过上了~的日子。Háizi cānjiā gōngzuò hòu,
lǎo liǎngkǒur guòshangle ~ de rìzi.│他工作很忙，很少和家里人舒舒
服服地过一个星期天。Tā gōngzuò hěn máng, hěn shǎo hé jiāli rén
shūshufufu de guò yí ge Xīngqītiān.

shūshì 舒适(舒適) [形]

她有一个~的家。Tā yǒu yí ge ~ de jiā.　→她有一个住着舒服满意
的家。Tā yǒu yí ge zhùzhe shūfu mǎnyì de jiā.　例那里的环境很~。
Nàli de huánjìng hěn ~.│这个饭店的房间布置得很~。Zhèige
fàndiàn de fángjiān bùzhì de hěn ~.│我觉得这里的环境比那儿的环
境~。Wǒ juéde zhèlǐ de huánjìng bǐ nàr de huánjìng ~.│睡在这儿比
睡在那儿~多了。Shuì zài zhèr bǐ shuì zài nàr ~ duō le.│多年来他一
直过着~的日子。Duō nián lái tā yìzhí guòzhe ~ de rìzi.

shū 输(輸) [动]

昨天那场足球我们~了。Zuótiān nèi chǎng zúqiú wǒmen ~ le.　→昨
天那场足球比赛我们失败了。Zuótiān nèi chǎng zúqiú bǐsài wǒmen
shībài le.　例山东队~了一个球。Shāndōng duì ~ le yí ge qiú.│他们
队一场也没~过。Tāmen duì yì chǎng yě méi ~ guo.│手里的钱全
~光了。Shǒu li de qián quán ~ guāng le.│三年来他们队只~过一
次。Sān nián lái tāmen duì zhǐ ~ guo yí cì.│这盘棋~得太不应该了。
Zhèi pán qí ~ de tài bù yīnggāi le.│上海队~给了北京队。Shànghǎi
duì ~ gěi le Běijīng duì.│我们也有~的时候，这很正常。Wǒmen yě
yǒu ~ de shíhou, zhè hěn zhèngcháng.

shūcài 蔬菜 [名]

我昨天买的~全吃完了。Wǒ zuótiān mǎi de ~ quán chīwán le.　→我
昨天买的白菜、黄瓜、西红柿等全吃完了。Wǒ zuótiān mǎi de
báicài、huánggguā、xīhóngshì děng quán chīwán le.　例市场上的~

S

很丰富。Shìchǎng shang de ~ hěn fēngfù. | 老年人应该多吃 ~ 和水果。Lǎoniánrén yīnggāi duō chī ~ hé shuǐguǒ. | 这个季节市场上的 ~ 品种很多。Zhèige jìjié shìchǎng shang de ~ pǐnzhǒng hěn duō. | 城里的 ~ 价格一般比城外的高。Chéng lǐ de ~ jiàgé yìbān bǐ chéng wài de gāo. | 新鲜的 ~ 比较受人欢迎。Xīnxiān de ~ bǐjiào shòu rén huānyíng.

shú / shóu 熟 [形]

见第 804 页 熟 shóu。

shúliàn 熟练(熟練) [形]

他打字的技术很 ~ 。Tā dǎzì de jìshù hěn ~ . → 他对打字的技术了解和掌握得好，打字打得又好又快。Tā duì dǎzì de jìshù liǎojiě hé zhǎngwò de hǎo, dǎzì dǎ de yòu hǎo yòu kuài. 例他开车的动作很 ~ 。Tā kāi chē de dòngzuò hěn ~ . | 他的技术已经达到了 ~ 的程度。Tā de jìshù yǐjing dádàole ~ de chéngdù. | 大卫能 ~ 地用英语写文章。Dàwèi néng ~ de yòng Yīngyǔ xiě wénzhāng. | 那个人的毛笔字写得很 ~ 。Nèige rén de máobǐzì xiě de hěn ~ . | 等这个动作练 ~ 了才能练别的动作。Děng zhèige dòngzuò liàn ~ le cáinéng liàn biéde dòngzuò.

shúxī 熟悉 [动]

他在这儿十年了，这儿的情况他很 ~ 。Tā zài zhèr shí nián le, zhèr de qíngkuàng tā hěn ~ . → 对这儿的情况他知道和了解得很清楚。Duì zhèr de qíngkuàng tā zhīdao hé liǎojiě de hěn qīngchu. 例他昨天刚来，这儿的人他一个也不 ~ 。Tā zuótiān gāng lái, zhèr de rén tā yí ge yě bù ~ . | 你先 ~ 一下儿周围的环境。Nǐ xiān ~ yíxiàr zhōuwéi de huánjìng. | 这个村子里的人我比你 ~ 多了。Zhèige cūnzi li de rén wǒ bǐ nǐ ~ duō le. | 没过几天他就跟大家 ~ 起来了。Méi guò jǐ tiān tā jiù gēn dàjiā ~ qilai le. | 一听到这 ~ 的歌声，就知道是谁来了。Yì tīngdào zhè ~ de gēshēng, jiù zhīdao shì shéi lái le.

shǔyú 属于(屬于) [动]

这么多东西，一样也不 ~ 我。Zhème duō dōngxi, yí yàng yě bù ~ wǒ. → 这么多东西，没有一样是我的东西。Zhème duō dōngxi, méiyǒu yí yàng shì wǒ de dōngxi. 例宿舍的电视机是我同屋买的，它 ~ 我的同屋。Sùshè de diànshìjī shì wǒ tóngwū mǎi de, tā ~ wǒ de tóngwū. | 山的北边儿就不 ~ 我们国家了。Shān de běibianr jiù bù

~ wǒmen guójiā le. | 这个房子是 ~ 我父亲的。Zhèige fángzi shì ~ wǒ fùqin de. | 不 ~ 你的东西，你别拿。Bù ~ nǐ de dōngxi, nǐ bié ná. | 这辆自行车是 ~ 我的。Zhèi liàng zìxíngchē shì ~ wǒ de.

shǔjià 暑假 [名]

还有三天，~ 就过完了。Háiyǒu sān tiān, ~ jiù guòwán le. →夏天放的假快过完了。Xiàtiān fàng de jià kuài guòwán le. 例我们学校明天开始放 ~。Wǒmen xuéxiào míngtiān kāishǐ fàng ~. | ~ 里你干了些什么？~ li nǐ gànle xiē shénme? | ~ 的活动很多。~ de huódòng hěn duō. | 明年的 ~ 我们再见面。Míngnián de ~ wǒmen zài jiànmiàn. | 学生们对 ~ 的安排很满意。Xuéshengmen duì ~ de ānpái hěn mǎnyì. | ~ 的时候，天气很热。~ de shíhou, tiānqì hěn rè.

shǔ 数¹（數）[动]

你 ~ 桌子，我 ~ 椅子。Nǐ ~ zhuōzi, wǒ ~ yǐzi. →你点一点桌子有多少张，我点一点椅子有多少把。Nǐ diǎn yi diǎn zhuōzi yǒu duōshǎo zhāng, wǒ diǎn yi diǎn yǐzi yǒu duōshǎo bǎ. 例桌子上的钱我全 ~ 过了，一分钱也不少。Zhuōzi shang de qián wǒ quán ~ guo le, yì fēn qián yě bù shǎo. | 他做的好事 ~ 不清。Tā zuò de hǎoshì ~ bu qīng. | 山坡上的羊太多，不容易 ~。Shānpō shang de yáng tài duō, bù róngyì ~. | 请你把车上的人 ~ 一 ~。Qǐng nǐ bǎ chē shang de rén ~ yi ~. | 从一 ~ 到一百。Cóng yī ~ dào yìbǎi.

shǔ 数²（數）[动]

全班的同学 ~ 他年龄小。Quán bān de tóngxué ~ tā niánlíng xiǎo. →全班同学比较一下儿年龄大小，他的年龄最小。Quán bān tóngxué bǐjiào yíxiàr niánlíng dàxiǎo, tā de niánlíng zuì xiǎo. 例我们班的同学中，~ 他个儿高。Wǒmen bān de tóngxué zhōng, ~ tā gèr gāo. | 我们班的数学考试成绩在全校 ~ 第一。Wǒmen bān de shùxué kǎoshì chéngjì zài quán xiào ~ dì yī. | 全世界的人口 ~ 中国最多。Quán shìjiè de rénkǒu ~ Zhōngguó zuì duō. | 他是我们省里 ~ 得着的歌星。Tā shì wǒmen shěngli ~ de zháo de gēxīng.

shù 树（樹）[名]

例路两旁种了许多 ~。Lù liǎngpáng zhòngle xǔduō ~. | 我家门前有一棵 ~。Wǒ jiā mén qián yǒu yì kē ~. | 我们种的 ~ 都活了。Wǒmen zhòng de ~ dōu huó le. | 春天，~ 开始长新叶子了。Chūntiān, ~ kāishǐ zhǎng xīn

树

yèzi le. |这棵 ~ 活了五百多年了。Zhèi kē ~ huóle wǔbǎi duō nián le. |~ 上的鸟儿快乐地叫着。 ~ shang de niǎor kuàilè de jiàozhe.

shùlín 树林（樹林）[名]

他常去 ~ 散步。Tā cháng qù ~ sànbù. →他常去生长了许多树的地方散步。Tā cháng qù shēngzhǎngle xǔduō shù de dìfang sànbù. **例** ~ 里空气特别好。 ~ li kōngqì tèbié hǎo. |这片 ~ 的面积很大。Zhèi piàn ~ de miànjī hěn dà. |天黑的时候我们走出了 ~。Tiān hēi de shíhou wǒmen zǒuchūle ~. |他们在 ~ 里迷路了。Tāmen zài ~ li mílù le.

shù 数（數）[名]

妈妈教孩子认 ~ 儿。Māma jiāo háizi rèn ~ r. →妈妈教孩子认一、二、三…… Māma jiāo háizi rèn yī、èr、sān…… **例** 明天你们去多少人，请先报个 ~ 儿。Míngtiān nǐmen qù duōshǎo rén, qǐng xiān bào ge ~ r. |我的电话号码儿是八位 ~ 儿。Wǒ de diànhuà hàomǎr shì bā wèi ~ r. |这么大的 ~ 儿我记不住。Zhème dà de ~ r wǒ jì bu zhù. | ~ 儿太大计算起来比较困难。 ~ r tài dà jìsuàn qilai bǐjiào kùnnan.

shùliàng 数量（數量）[名]

今年我们学校招收高中生的 ~ 是四百人。Jīnnián wǒmen xuéxiào zhāoshōu gāozhōngshēng de ~ shì sìbǎi rén. →招收高中生的人数是四百人。Zhāoshōu gāozhōngshēng de rénshù shì sìbǎi rén. **例** 中国人口的 ~ 占世界第一位。Zhōngguó rénkǒu de ~ zhàn shìjiè dì yī wèi. |这个国家需要的粮食 ~ 很大。Zhèige guójiā xūyào de liángshi ~ hěn dà. |你们必须要保证产品的 ~ 和质量。Nǐmen bìxū yào bǎozhèng chǎnpǐn de ~ hé zhìliàng. |今年全国各大学都扩大了招生的 ~。Jīnnián quán guó gè dàxué dōu kuòdàle zhāoshēng de ~.

shùxué 数学（數學）[名]

mathematics **例** 我从小喜欢学 ~。Wǒ cóngxiǎo xǐhuan xué ~. | ~ 是一门重要的课程。 ~ shì yì mén zhòngyào de kèchéng. |他的 ~ 成绩很好。Tā de ~ chéngjì hěn hǎo. |你要努力把 ~ 学好。Nǐ yào nǔlì bǎ ~ xué hǎo. |做 ~ 题要细心。Zuò ~ tí yào xìxīn. |这次考试，大卫的 ~ 成绩全班第一。Zhèi cì kǎoshì, Dàwèi de ~ chéngjì quán bān dì yī. |老师留了很多 ~ 作业。Lǎoshī liúle hěn duō ~ zuòyè.

shùzì 数字[1]（數字）[名]

numeral **例** ~ 1、2、3、4、5、6，写成汉字是一、二、三、四、五、六。 ~ 1、2、3、4、5、6, xiěchéng Hànzì shì yī、èr、sān、sì、 wǔ、liù. |汉字的 ~ 有大写和小写两种。Hànzì de ~ yǒu dàxiě hé xiǎoxiě liǎng zhǒng. |汉字小写的 ~ "五"，写成大写是 "伍"。Hànzì xiǎoxiě de ~ "wǔ", xiěchéng dàxiě shì "wǔ". |汉字的大写 ~ 常在写借条儿或寄钱时用。Hànzì de dàxiě ~ cháng zài xiě jiètiáor huò jì qián shí yòng. |他的学生证号码的最后三个 ~ 是518。Tā de xuéshēngzhèng hàomǎ de zuìhòu sān ge ~ shì wǔ yāo bā.

shùzì 数字[2]（數字）[名]

· quantity, amount 例 你需要的这笔钱，~ 太大了，我解决不了。Nǐ xūyào de zhèi bǐ qián, ~ tài dà le, wǒ jiějué bù liǎo. |什么时候公布今年高校招生的 ~? Shénme shíhou gōngbù jīnnián gāoxiào zhāoshēng de ~? |这是我们去年完成的 ~. Zhè shì wǒmen qùnián wánchéng de ~. |这是我们应该向国家上交粮食的 ~. Zhè shì wǒmen yīnggāi xiàng guójiā shàngjiāo liángshi de ~. |这是刚统计上来的 ~. Zhè shì gāng tǒngjì shanglai de ~.

shua

shuā 刷[1] [动]

brush; clean 例 我早晨和晚上各 ~ 一次牙。Wǒ zǎochen hé wǎnshang gè ~ yí cì yá. |一会儿我去 ~ 鞋。Yíhuìr wǒ qù ~ xié. |他正在 ~ 碗。Tā zhèngzài ~ wǎn. |锅 ~ 干净了吗? Guō ~ gānjìng le ma? |你把杯子 ~ 一下儿。Nǐ bǎ bēizi ~ yíxiàr. |这么多碗得 ~ 到什么时候哇! Zhème duō wǎn děi ~ dào shénme shíhou wa! |你帮助妈妈 ~ ~ 锅吧。Nǐ bāngzhù māma ~ ~ guō ba.

shuā 刷[2] [动]

paint; brush 例 工人们正在 ~ 墙。Gōngrénmen zhèngzài ~ qiáng. |你什么时候给桌子 ~ 油漆? Nǐ shénme shíhou gěi zhuōzi ~ yóuqī? |他把门 ~ 成了绿色。Tā bǎ mén ~ chéngle lǜsè. |再 ~ 几遍油，这些家具就漂亮了。Zài ~ jǐ biàn yóu, zhèxiē jiājù jiù piàoliang le. |墙 ~ 得真白。Qiáng ~ de zhēn bái.

shuāzi 刷子 [名]

例 这把 ~ 是刷皮鞋的。Zhèi bǎ ~ shì shuā píxié de. |那把 ~ 已经用坏了。Nèi bǎ ~ yǐjing yònghuài le. |再去买一把 ~ 吧。Zài qù mǎi yì bǎ ~ ba. |~ 的毛都掉了。~ de máo dōu diào

刷子

le.丨你想用大 ~ , 还是用小 ~ ? Nǐ xiǎng yòng dà ~ , háishi yòng xiǎo ~ ?

shuai

shuāi 摔[1] [动]

刚下过雪，走路要小心，别 ~ 着。Gāng xiàguo xuě, zǒulù yào xiǎoxīn, bié ~ zháo. →在雪地上走路要小心，别滑倒了。Zài xuědì shang zǒulù yào xiǎoxīn, bié huádǎo le. 例他去滑冰的时候，刚进冰场就 ~ 倒了。Tā qù huábīng de shíhou, gāng jìn bīngchǎng jiù ~ dǎo le.丨你 ~ 疼了吗? Nǐ ~ téngle ma?丨他把腿 ~ 伤了。Tā bǎ tuǐ ~ shāng le.丨你放心吧，~ 不着我。Nǐ fàngxīn ba, ~ bu zháo wǒ.丨我身体好，~ 两下儿没关系。Wǒ shēntǐhǎo, ~ liǎng xiàr méi guānxi.

shuāi 摔[2] [动]

花瓶儿从窗台上 ~ 下去，碎了。Huāpíngr cóng chuāngtái shang ~ xiaqu, suì le. →花瓶儿从窗台上掉下去，落到地上，碎了。Huāpíngr cóng chuāngtái shang diào xiaqu, luòdào dìshang, suì le. 例那个爬树的孩子从树上 ~ 了下来。Nèige pá shù de háizi cóng shù shang ~ le xialai.丨他要是从房顶上 ~ 下来就糟糕了。Tā yàoshi cóng fángdǐng shang ~ xialai jiù zāogāo le.丨桥突然断了，桥上的人一下子 ~ 到河里去了。Qiáo tūrán duàn le, qiáo shang de rén yíxiàzi ~ dào hé li qù le.丨奶奶的眼镜从桌子上 ~ 到地上，~ 坏了。Nǎinai de yǎnjìng cóng zhuōzi shang ~ dào dìshang, ~ huài le.

shuāi 摔[3] [动]

无论怎样生气，也不能 ~ 东西。Wúlùn zěnyàng shēngqì, yě bù néng ~ dōngxi. →无论怎样生气，也不能故意用力扔东西。Wúlùn zěnyàng shēngqì, yě bù néng gùyì yònglì rēng dōngxi. 例这种箱子很结实，你从五层楼上往下 ~ ，也 ~ 不坏。Zhèi zhǒng xiāngzi hěn jiēshi, nǐ cóng wǔ céng lóu shang wǎng xià ~ , yě ~ bu huài.丨他把门一 ~ ，气呼呼地走了。Tā bǎ mén yì ~ , qìhūhū de zǒu le.丨她生气地把酒瓶子和酒杯子 ~ 在了地上。Tā shēngqì de bǎ jiǔ píngzi hé jiǔ bēizi ~ zài le dìshang.

shuǎi 甩[1] [动]

走路的时候，两只胳膊要 ~ 起来。Zǒulù de shíhou, liǎng zhī gēbo

yào ~ qilai. →两只胳膊要一前一后摆动起来。Liǎng zhī gēbo yào yì
qián yí hòu bǎidòng qilai. **例**你 ~ 开两条腿大胆地往前走吧。Nǐ ~ kāi
liǎng tiáo tuǐ dàdǎn de wǎng qián zǒu ba. |向右看齐的时候要 ~ 头。
Xiàng yòu kànqí de shíhou yào ~ tóu. |她跳舞的时候，两条小辫子
~ 来 ~ 去的，很好看。Tā tiàowǔ de shíhou, liǎng tiáo xiǎo biànzi ~
lái ~ qù de, hěn hǎokàn. |大家的胳膊要 ~ 得一样齐。Dàjiā de
gēbo yào ~ de yíyàng qí. |他把鞭子在空中 ~ 了几下，马飞快地跑起
来了。Tā bǎ biānzi zài kōngzhōng ~ le jǐ xià, mǎ fēikuài de pǎo qilai
le.

shuǎi 甩² [动]

你们走得那么快，想把我 ~ 掉啊。Nǐmen zǒu de nàme kuài, xiǎng
bǎ wǒ ~ diào a. →想把我丢在后边儿啊。Xiǎng bǎ wǒ diū zài
hòubianr a. **例**他被女朋友 ~ 了。Tā bèi nǚpéngyou ~ le. |在这次长
跑比赛中，他把其他运动员远远地 ~ 在了后边儿。Zài zhèi cì
chángpǎo bǐsài zhōng, tā bǎ qítā yùndòngyuán yuǎnyuǎn de ~ zàile
hòubianr. |要走，我们就一起走，~ 下谁都不好。Yào zǒu,
wǒmen jiù yìqǐ zǒu, ~ xià shéi dōu bù hǎo. |他老是跟着我们，怎
么 ~ 也 ~ 不掉。Tā lǎoshì gēnzhe wǒmen, zěnme ~ yě ~ bu diào.

shuàilǐng 率领（率領）[动]

他 ~ 代表团访问了中国。Tā ~ dàibiǎotuán fǎngwènle Zhōngguó. →
他带领代表团访问了中国。Tā dàilǐng dàibiǎotuán fǎngwènle
Zhōngguó. **例**你 ~ 他们往东走，我们往西走。Nǐ ~ tāmen wǎng
dōng zǒu, wǒmen wǎng xī zǒu. |他曾经 ~ 过我们这支球队。Tā
céngjīng ~ guo wǒmen zhèi zhī qiúduì. |这支足球队由他 ~ 。Zhèi zhī
zúqiúduì yóu tā ~ . |他 ~ 的队伍经常打胜仗。Tā ~ de duìwu
jīngcháng dǎ shèngzhàng. |即使有成千上万人的队伍他也 ~ 得了。
Jíshǐ yǒu chéngqiān shàngwàn rén de duìwu tā yě ~ de liǎo.

shuang

shuāng 双（雙）[量]

用于鞋、袜子、筷子、手套等。Yòngyú xié、wàzi、kuàizi、shǒutào
děng. **例**我买了一 ~ 鞋。Wǒ mǎile yì ~ xié. |桌子上摆了五 ~ 筷子。
Zhuōzi shang bǎile wǔ ~ kuàizi. |这 ~ 袜子多少钱？Zhèi ~ wàzi
duōshao qián? |我给了他两 ~ 手套。Wǒ gěile tā liǎng ~ shǒutào. |

S

他的这～手特别巧，什么都会做。Tā de zhèi ~ shǒu tèbié qiǎo, shénme dōu huì zuò.

shuāngfāng 双方（雙方）[名]

～正在谈判。～ zhèngzài tánpàn. →甲方和乙方的人员正在谈判。Jiǎfāng hé yǐfāng de rényuán zhèngzài tánpàn. 例男女～都很高兴。Nán nǚ ~ dōu hěn gāoxìng. | ～的意见相同。~ de yìjiàn xiāngtóng. | ～的矛盾解决了。~ de máodùn jiějué le. |这件事对～都有利。Zhèi jiàn shì duì ~ dōu yǒulì. |我把～请到了我的家里。Wǒ bǎ ~ qǐngdàole wǒ de jiāli. |我们要安排～见一次面。Wǒmen yào ānpái ~ jiàn yí cì miàn.

shui

shuí / shéi 谁（誰）[代]

见第 771 页 谁 shéi。

shuǐ 水 [名]

water 例我要喝～。Wǒ yào hē ~. |上午停电又停～。Shàngwǔ tíng diàn yòu tíng ~. |这儿的～能喝吗？Zhèr de ~ néng hē ma? |黄河的～是黄色的。Huáng Hé de ~ shì huángsè de. |这是从山上流下来的～。Zhè shì cóng shān shang liú xialai de ~. |昨天晚上下雨了，你看外面的地上全是～。Zuótiān wǎnshang xià yǔ le, nǐ kàn wàimian de dìshang quán shì ~. |要节约用～。Yào jiéyuē yòng ~. |请给这些树和花儿浇些～。Qǐng gěi zhèixiē shù hé huār jiāo xiē ~. |他往杯子的～里放了糖。Tā wǎng bēizi de ~ li fàngle táng. | ～的用处很多。~ de yòngchu hěn duō.

shuǐdào 水稻 [名]

现在我们这儿也能种～了，这样就能出产大米了。Xiànzài wǒmen zhèr yě néng zhòng ~ le, zhèiyàng jiù néng chūchǎn dàmǐ le. →种在水田里的一种庄稼，成熟后，子实去皮儿后就是大米。Zhòng zài shuǐtián li de yì zhǒng zhuāngjia, chéngshú hòu, zǐshí qù pír hòu jiù shì dàmǐ. 例中国的南方适合种～。Zhōngguó de nánfāng shìhé zhòng ~. |这块田里的～快要成熟了。Zhèi kuài tián li de ~ kuài yào chéngshú le. |这一片～长得真好。Zhèi yí piàn ~ zhǎng de zhēn hǎo. |下星期开始收割～。Xiàxīngqī kāishǐ shōugē ~. |我家也种了十亩～。Wǒ jiā yě zhòngle shí mǔ ~. |这种～的产量比较高。Zhèi zhǒng ~ de chǎnliàng bǐjiào gāo. | 北方的 ~ 生长期长。Běifāng de ~ shēngzhǎngqī cháng. | 各家对 ~ 的管理都很细心。Gè jiā duì ~ de guǎnlǐ dōu hěn xìxīn.

shuǐguǒ 水果 ［名］

例 我喜欢吃桃、苹果、梨等 ~。Wǒ xǐhuan chī táo、píngguǒ、lí děng ~. | 刚摘的 ~ 很新鲜。Gāng zhāi de ~ hěn xīnxian. | 有的 ~ 是从南方运来的。Yǒude ~ shì cóng nánfāng yùnlai de. | 市场上的 ~ 很多。Shìchǎng shang de ~ hěn duō. | 我买了一公斤 ~。Wǒ mǎile yì gōngjīn ~. | 多吃 ~ 有好处。Duō chī ~ yǒu hǎochu. | ~ 的品种很多。~ de pǐnzhǒng hěn

水果

duō. | ~ 的价格有高有低。~ de jiàgé yǒu gāo yǒu dī. | 他对保存 ~ 很有研究。Tā duì bǎocún ~ hěn yǒu yánjiū.

shuǐní 水泥 ［名］

cement 例 这项工程需要多少 ~？Zhèi xiàng gōngchéng xūyào duōshao ~? | 我们厂生产的 ~ 在市场上很受欢迎。Wǒmen chǎng shēngchǎn de ~ zài shìchǎng shang hěn shòu huānyíng. | 现在还缺少 20 吨 ~。Xiànzài hái quēshǎo èrshí dūn ~. | ~ 的用处很多。~ de yòngchu hěn duō. | ~ 的质量必须达到国家标准。~ de zhìliàng bìxū dádào guójiā biāozhǔn. | 这条路是用 ~ 铺的。Zhèi tiáo lù shì yòng ~ pū de.

shuǐpíng 水平 ［名］

王老师的英语 ~ 很高。Wáng lǎoshī de Yīngyǔ ~ hěn gāo. →王老师掌握的英语程度能跟英国人相比。Wáng lǎoshī zhǎngwò de Yīngyǔ chéngdù néng gēn Yīngguórén xiāngbǐ. 例 我们要不断提高自己的文化 ~。Wǒmen yào búduàn tígāo zìjǐ de wénhuà ~. | 这项技术已经达到了世界先进 ~。Zhèi xiàng jìshù yǐjing dádàole shìjiè xiānjìn ~. | 中国需要许多高 ~ 的专家。Zhōngguó xūyào xǔduō gāo ~ de zhuānjiā. | 写不写是态度问题，写得好不好是 ~ 问题。Xiě bu xiě shì tàidu wèntí, xiě de hǎo bu hǎo shì ~ wèntí. | 我对他们的管理 ~ 很了解。Wǒ duì tāmen de guǎnlǐ ~ hěn liǎojiě.

shuì 睡 ［动］

sleep 例 这张床只能 ~ 一个人。Zhèi zhāng chuáng zhǐ néng ~ yí ge

S

rén. |孩子已经 ~ 了。Háizi yǐjing ~ le. |我在地板上 ~ 过。Wǒ zài dìbǎn shang ~ guo. |床上 ~ 着一个小伙子。Chuáng shang ~ zhe yí ge xiǎohuǒzi. |他 ~ 得正香呢，别叫他。Tā ~ de zhèng xiāng ne, bié jiào tā. |我一觉 ~ 到了天亮。Wǒ yí jiào ~ dàole tiān liàng. |他整整 ~ 了一天一夜。Tā zhěngzhěng ~ le yì tiān yí yè. |我刚才 ~ 了一觉。Wǒ gāngcái ~ le yí jiào. |我早上五点就 ~ 醒了。Wǒ zǎoshang wǔ diǎn jiù ~ xǐng le.

shuì jiào 睡觉（睡覺）

sleep **例**孩子正在 ~，我们说话小点儿声儿。Háizi zhèngzài ~, wǒmen shuōhuà xiǎo diǎnr shēngr. |天已经很晚了，该 ~ 了。Tiān yǐjing hěn wǎn le, gāi ~ le. |晚上 ~ 要盖好被子。Wǎnshang ~ yào gàihǎo bèizi. |大家 ~ 的时候别忘了关灯。Dàjiā ~ de shíhou bié wàngle guān dēng. |现在大家去 ~，有话明天再说。Xiànzài dàjiā qù ~, yǒu huà míngtiān zài shuō. |天特别热的时候，我在地板上睡过觉。Tiān tèbié rè de shíhou, wǒ zài dìbǎn shang shuìguo jiào. |我一天睡了三觉。Wǒ yì tiān shuìle sān jiào.

shun

shùn 顺（順）［介］

汗水 ~ 着脖子往下流。Hànshuǐ ~ zhe bózi wǎng xià liú. →头上的汗水流到脖子上，再从脖子上往下流。Tóushang de hànshuǐ liú dào bózi shang, zài cóng bózi shang wǎng xià liú. **例** ~ 着这条胡同儿往前走一百米就是理发店。~ zhe zhèi tiáo hútòngr wǎng qián zǒu yìbǎi mǐ jiù shì lǐfàdiàn. |他 ~ 着绳子爬上了二楼。Tā ~ zhe shéngzi páshangle èr lóu. |他 ~ 着小路边跑边喊。Tā ~ zhe xiǎolù biān pǎo biān hǎn. |~ 着他指的方向，我们看到前边儿的路中间站着一个人。~ zhe tā zhǐ de fāngxiàng, wǒmen kàndào qiánbianr de lù zhōngjiān zhànzhe yí ge rén.

shùnbiàn 顺便（順便）［副］

你去邮局寄信的时候，~ 帮我买两张邮票。Nǐ qù yóujú jì xìn de shíhou, ~ bāng wǒ mǎi liǎng zhāng yóupiào. →趁你去邮局寄信的时候，请帮我买两张邮票。Chèn nǐ qù yóujú jì xìn de shíhou, qǐng bāng wǒ mǎi liǎng zhāng yóupiào. **例**你下班经过菜市场时，~ 买些菜回家。Nǐ xiàbān jīngguò càishìchǎng shí, ~ mǎi xiē cài huí jiā. |你到北京开会的时候，~ 到我妹妹家去看看 Nǐ dào Běijīng kāi huì de shíhou, ~ dào wǒ mèimei jiā qù kànkan. |你见到大卫后，~ 把这封信交给他。Nǐ jiàndào Dàwèi hòu, ~ bǎ zhèi fēng xìn jiāo gěi tā. |你 ~ 问问，他什么时候回国。Nǐ ~ wènwen, tā shénme shíhou huíguó.

shùnlì 顺利（顺利）[形]

我们今年暑假的旅行很 ~。Wǒmen jīnnián shǔjià de lǚxíng hěn ~. →我们的旅行一点儿困难也没遇到。Wǒmen de lǚxíng yìdiǎnr kùnnan yě méi yùdào. 例工作中我也有不 ~ 的时候。Gōngzuò zhōng wǒ yě yǒu bú ~ de shíhou. |谁都会遇到不 ~ 的事。Shéi dōu huì yùdào bú ~ de shì. |参加工作以来我还算 ~。Cānjiā gōngzuò yǐlái wǒ hái suàn ~. |我们俩都 ~ 地通过了第一天的考试。Wǒmen liǎ dōu ~ de tōngguòle dì yī tiān de kǎoshì. |这次实验 ~ 得很。Zhèi cì shíyàn ~ de hěn. |那项工程进展得不够 ~。Nèi xiàng gōngchéng jìnzhǎn de búgòu ~. |我顺顺利利地拿到了博士学位。Wǒ shùnshùnlìlì de nádàole bóshì xuéwèi.

shùnxù 顺序[1]（顺序）[名]

发言的 ~ 已经确定了。Fāyán de ~ yǐjing quèdìng le. →谁先发言，谁后发言已经确定了。Shéi xiān fāyán, shéi hòu fāyán yǐjing quèdìng le. 例同学们要记住汉语拼音字母排列的 ~。Tóngxuémen yào jìzhù Hànyǔ pīnyīn zìmǔ páiliè de ~. |我说一说入场的 ~。Wǒ shuō yi shuō rù chǎng de ~. |这份名单是按照姓名的笔画 ~ 排列的。Zhèi fèn míngdān shì ànzhào xìngmíng de bǐhuà ~ páiliè de. |他把原来的 ~ 打乱了。Tā bǎ yuánlái de ~ dǎluàn le.

shùnxù 顺序[2]（顺序）[副]

请大家排好队，~ 入场。Qǐng dàjiā páihǎo duì, ~ rù chǎng. →按照排列好的位置的先后入场。Ànzhào páiliè hǎo de wèizhi de xiānhòu rù chǎng. 例大家正在 ~ 进入教室。Dàjiā zhèngzài ~ jìnrù jiàoshì. |一辆一辆汽车 ~ 出发了。Yí liàng yí liàng qìchē ~ chūfā le. |请同学们 ~ 发言。Qǐng tóngxuémen ~ fāyán. |请大家排好队，~ 上车。Qǐng dàjiā páihǎo duì, ~ shàng chē.

shuo

shuō 说[1]（説）[动]

他常常 ~ 笑话给孩子们听。Tā chángcháng ~ xiàohua gěi háizimen

S

tīng. →他常常讲笑话给孩子们听。Tā chángcháng jiǎng xiàohua gěi háizimen tīng. 例这件事我已经~过了。Zhèi jiàn shì wǒ yǐjing ~ guo le. |你有什么困难，跟我~~。Nǐ yǒu shénme kùnnan, gēn wǒ ~. |他的英语~得很流利。Tā de Yīngyǔ ~ de hěn liúlì. |~起来，话就长了。~ qilai, huà jiù cháng le. |~到伤心的地方，她哭了起来。~ dào shāngxīn de dìfang, tā kūle qilai. |我跟他~了一会儿话就回家了。Wǒ gēn tā ~ le yíhuìr huà jiù huíjiā le. |话一~出口就收不回来了。Huà yì ~ chū kǒu jiù shōu bu huílái le. |我~的都是真事儿。Wǒ ~ de dōu shì zhēn shìr.

shuō 说² （説） [动]

不管你怎么~，我都不相信这事儿是真的。Bùguǎn nǐ zěnme ~, wǒ dōu bù xiāngxìn zhè shìr shì zhēnde. →不管你怎么解释，我都不相信这事儿是真的。Bùguǎn nǐ zěnme jiěshì, wǒ dōu bù xiāngxìn zhè shìr shì zhēnde. 例他~了不同意的理由。Tā ~ le bù tóngyì de lǐyóu. |你~~为什么不喜欢学地理课？Nǐ ~ ~ wèishénme bù xǐhuan xué dìlǐ kè? |你得把话~明白，我到底错在哪儿？Nǐ děi bǎ huà ~ míngbai, wǒ dàodǐ cuò zài nǎr? |老师已经~了三遍，可是他还是不懂。Lǎoshī yǐjing ~ le sān biàn, kěshì tā háishi bù dǒng.

shuō 说³ （説） [动]

你改了，爸爸就不~你了。Nǐ gǎi le, bàba jiù bù ~ nǐ le. →爸爸就不批评你了。Bàba jiù bù pīpíng nǐ le. 例老师从来没有这么严厉地~过我。Lǎoshī cónglái méiyǒu zhème yánlì de ~ guo wǒ. |这孩子太淘气，你得常~着他点儿。Zhè háizi tài táoqì, nǐ děi cháng ~ zhe tā diǎnr. |我~了他几次以后，他现在好多了。Wǒ ~ le tā jǐ cì yǐhòu, tā xiànzài hǎo duō le. |她被我~得满脸通红。Tā bèi wǒ ~ de mǎn liǎn tōnghóng. |我们快回去吧，回家太晚，妈妈该~咱们了。Wǒmen kuài huíqu ba, huíjiā tài wǎn, māma gāi ~ zánmen le.

shuōmíng 说明¹ （説明） [动]

为什么不同意，你要~理由。Wèishénme bù tóngyì, nǐ yào ~ lǐyóu. →你要解释不同意的理由。Nǐ yào jiěshì bù tóngyì de lǐyóu. 例现在我来向大家~事情的经过。Xiànzài wǒ lái xiàng dàjiā ~ shìqing de jīngguò. |我向大家~一下儿，他是为了帮助一个小孩儿才来晚的。Wǒ xiàng dàjiā ~ yíxiàr, tā shì wèile bāngzhù yí ge xiǎoháir cái lái wǎn de. |这一事实很能~问题。Zhèi yí shìshí hěn néng ~ wèntí. |本来用两分钟就能~的问题，他却用了十分钟。Běnlái yòng liǎng fēnzhōng jiù néng ~ de wèntí, tā què yòngle shí fēnzhōng.

shuōmíng 说明² （說明）［动］

事实 ~，他说的话是对的。Shìshí ~，tā shuō de huà shì duì de. → 事实证明，他说的话是对的。Shìshí zhèngmíng, tā shuō de huà shì duì de. **例** 闹钟响了，~ 你该起床了。Nàozhōng xiǎng le, ~ nǐ gāi qǐchuáng le. ｜孩子要喝水，~ 他渴了。Háizi yào hē shuǐ, ~ tā kě le. ｜这一切都 ~ 这个问题很重要。Zhè yíqiè dōu ~ zhèige wèntí hěn zhòngyào. ｜只靠这张照片儿 ~ 不了什么问题。Zhǐ kào zhèi zhāng zhàopiānr ~ bù liǎo shénme wèntí.

shuōmíng 说明³ （說明）［名］

药瓶子上的 ~ 很简单。Yào píngzi shang de ~ hěn jiǎndān. → 药瓶子上写的使用这种药的方法的文字很简单。Yào píngzi shang xiě de shǐyòng zhèi zhǒng yào de fāngfǎ de wénzì hěn jiǎndān. **例** 这份 ~ 是谁写的? Zhèi fèn ~ shì shéi xiě de? ｜这一本儿是电视机的使用 ~。Zhèi yì běnr shì diànshìjī de shǐyòng ~. ｜他在照片儿下面加了两句 ~。Tā zài zhàopiānr xiàmian jiāle liǎng jù ~. ｜我把 ~ 写好了。Wǒ bǎ ~ xiěhǎo le. ｜你怎么不先看看 ~ 书呢? Nǐ zěnme bù xiān kànkan ~ shū ne?

si

sījī 司机（司機）［名］

我哥哥是出租汽车 ~。Wǒ gēge shì chūzū qìchē ~. → 我哥哥是开出租汽车的。Wǒ gēge shì kāi chūzū qìchē de. **例** 这位 ~ 开车开得特别快。Zhèi wèi ~ kāi chē kāi de tèbié kuài. ｜~ 师傅，请往右拐。~ shīfu, qǐng wǎng yòu guǎi. ｜~ 喝了酒以后开车很容易出危险。~ hēle jiǔ yǐhòu kāi chē hěn róngyì chū wēixiǎn. ｜我父亲当了三十年的火车 ~。Wǒ fùqin dāngle sānshí nián de huǒchē ~. ｜他是一位经验很丰富的 ~。Tā shì yí wèi jīngyàn hěn fēngfù de ~.

sī 丝¹ （絲）［名］

silk **例** 这种 ~ 产于杭州。Zhèi zhǒng ~ chǎn yú Hángzhōu. ｜这些是从哪儿买来的? Zhèixiē ~ shì cóng nǎr mǎi lai de? ｜这条领带是 ~ 的。Zhèi tiáo lǐngdài shì ~ de. ｜你摸摸这件衣服是 ~ 的吗? Nǐ mōmo zhèi jiàn yīfu shì ~ de ma? ｜春天和秋天我带 ~ 的头巾。Chūntiān hé qiūtiān wǒ dài ~ de tóujīn.

S

sī 丝² （絲）[名]

妈妈把土豆儿切成了~儿。Māma bǎ tǔdòur qiēchéngle ~ r. →妈妈把土豆儿切成一些又细又长的条儿。Māma bǎ tǔdòur qiēchéng yìxiē yòu xì yòu cháng de tiáor. **例**这哪里是~儿，应该叫块儿。Zhè nǎlǐ shì~ r, yīnggāi jiào kuàir. | 安娜的头发~儿又细又软。Ānnà de tóufa ~ r yòu xì yòu ruǎn. |这种线比头发~儿还细。Zhèi zhǒng xiàn bǐ tóufa ~ hái xì.

sīrén 私人¹ [名]

~ 可以办学校。~ kěyǐ bàn xuéxiào. →个人可以办学校。Gèrén kěyǐ bàn xuéxiào. **例**~的财产受国家法律保护。~ de cáichǎn shòu guójiā fǎlǜ bǎohù. |他带来了一封 ~ 信件。Tā dàiláile yì fēng ~ xìnjiàn. |不能随便拿~的东西。Bù néng suíbiàn ná~ de dōngxi. | ~ 的汽车越来越多了。~ de qìchē yuèláiyuè duō le.

sīrén 私人² [名]

我们俩的 ~关系很好。Wǒmen liǎ de ~ guānxi hěn hǎo. →我们两个人之间的关系很好。Wǒmen liǎng ge rén zhījiān de guānxi hěn hǎo. **例**他们两人的 ~ 感情很深。Tāmen liǎng rén de ~ gǎnqíng hěn shēn. |办公事不能讲~感情。Bàn gōngshì bùnéng jiǎng ~ gǎnqíng. | 他们很早就建立了~关系。Tāmen hěn zǎo jiù jiànlìle ~ guānxi. |不能用~感情去处理工作中的事情。Bù néng yòng ~ gǎnqíng qù chǔlǐ gōngzuò zhōng de shìqing.

sīkǎo 思考 [动]

不要抄别人的作业，要自己 ~。Búyào chāo biérén de zuòyè, yào zìjǐ ~. →不要抄别人的，要自己动脑子想。Búyào chāo biérén de, yào zìjǐ dòng nǎozi xiǎng. **例**他正在 ~ 解决困难的办法。Tā zhèngzài ~ jiějué kùnnan de bànfǎ. |大家都在认真 ~. Dàjiā dōu zài rènzhēn ~. |他已经 ~ 了好几天了。Tā yǐjing ~ le hǎojǐ tiān le. |现在我给大家两分钟的 ~ 时间。Xiànzài wǒ gěi dàjiā liǎng fēnzhōng de ~ shíjiān. |经过反复~，我决定去工厂工作。Jīngguò fǎnfù ~, wǒ juédìng qù gōngchǎng gōngzuò.

sīniàn 思念 [动]

他很 ~ 故乡的亲人。Tā hěn ~ gùxiāng de qīnrén. →他很想念故乡的亲人。Tā hěn xiǎngniàn gùxiāng de qīnrén. **例**每当过节的时候，他

S

就～起家乡的父母来。Měi dāng guò jié de shíhou, tā jiù ~ qǐ jiāxiāng de fùmǔ lai. | 那个时候，我那种～亲人的感情越来越强烈。Nèige shíhou, wǒ nèi zhǒng ~ qīnrén de gǎnqíng yuèláiyuè qiángliè. | 对孩子的～常常使她睡不着觉。Duì háizi de ~ chángcháng shǐ tā shuì bu zháo jiào. | 这首诗表达了他对祖国的～。Zhèi shǒu shī biǎodále tā duì zǔguó de ~.

sīxiǎng 思想 [名]

thought 例 我们俩经常交流～。Wǒmen liǎ jīngcháng jiāoliú ~. | 青年人的～十分活跃。Qīngniánrén de ~ shífēn huóyuè. | 王老师很了解同学们的～情况。Wáng lǎoshī hěn liǎojiě tóngxuémen de ~ qíngkuàng. | 要做好毕业生的～工作。Yào zuòhǎo bìyèshēng de ~ gōngzuò. | 我们商量一下儿怎么解决大家的～问题。Wǒmen shāngliang yíxiàr zěnme jiějué dàjiā de ~ wèntí.

sī 撕 [动]

tear; rip 例 你为什么要～这张照片儿？Nǐ wèishénme yào ~ zhèi zhāng zhàopiānr? | 你的衣服怎么～了一个大口子？Nǐ de yīfu zěnme ~ le yí ge dà kǒuzi? | 看完了以后，他就把信～了。Kànwánle yǐhòu, tā jiù bǎ xìn ~ le. | 我从本子上～下一张纸给他。Wǒ cóng běnzi shang ~ xià yì zhāng zhǐ gěi tā. | 放在桌子上的电影票差一点儿被小孩儿～破了。Fàng zài zhuōzi shang de diànyǐngpiào chà yìdiǎnr bèi xiǎoháir ~ pò le.

sǐ 死[1] [动]

die 例 河水污染以后，河里的鱼～了很多。Hé shuǐ wūrǎn yǐhòu, hé li de yú ~ le hěn duō. | 第二次世界大战时～了很多人。Dì èr cì Shìjiè Dàzhàn shí ~ le hěn duō rén. | 那棵树～不了。Nèi kē shù ~ bu liǎo. | 那个人～在医院里了。Nèige rén ~ zài yīyuàn li le. | 我踩～了一条虫子。Wǒ cǎi ~ le yì tiáo chóngzi. | 他们有不怕苦，不怕～的那种精神。Tāmen yǒu bú pà kǔ, bú pà ~ de nèi zhǒng jīngshén. | 他的～使我们失去了一位好朋友。Tā de ~ shǐ wǒmen shīqùle yí wèi hǎo péngyou.

sǐ 死[2] [副]

渴～我了，快给我点儿水喝吧。Kě ~ wǒ le, kuài gěi wǒ diǎnr shuǐ hē ba. →我渴极了。Wǒ kějí le. 例 这个人讨厌～了。Zhèige rén tǎoyàn ~ le. | 这孩子不好好学习，气～我了。Zhè háizi bù hǎohǎo

S

xuéxí, qì ~ wǒ le. ǀ 走了一天路，一会儿也没休息，真是累~人了。Zǒule yì tiān lù, yíhuìr yě méi xiūxi, zhēnshi lèi ~ rén le. ǀ他那个怪样子真是笑~人了。Tā nèige guài yàngzi zhēnshi xiào ~ rén le.

sì 四 [数]

三加一等于~。Sān jiā yī děngyú ~. →3＋1＝4 **例**我们家有~口人。Wǒmen jiā yǒu ~ kǒu rén. ǀ我有三个哥哥，我是老~。Wǒ yǒu sān ge gēge, wǒ shì lǎo ~. ǀ我买了~本书。Wǒ mǎile ~ běn shū. ǀ我们在下周~见面。Wǒmen zài xià zhōu ~ jiànmiàn. ǀ我买了~块钱的白糖。Wǒ mǎile ~ kuài qián de báitáng. ǀ我坐在第~排的~号座位上。Wǒ zuò zài dì ~ pái de ~ hào zuòwèi shang.

sì 肆 [数]

"四"的大写形式。"Sì" de dàxiě xíngshì.

sìshēng 四声（四聲）[名]

学汉语的人要掌握汉字的~。Xué Hànyǔ de rén yào zhǎngwò Hànzì de ~. →学汉语的人要掌握汉字的四个声调。Xué Hànyǔ de rén yào zhǎngwò Hànzì de sì ge shēngdiào. **例**~是外国人学习汉语的一个难点。~ shì wàiguórén xuéxí Hànyǔ de yí ge nándiǎn. ǀ~的第一声是平声。~ de dì yī shēng shì píngshēng. ǀ汉字的声调除~以外，还有轻声。Hànzì de shēngdiào chú ~ yǐwài, háiyǒu qīngshēng.

sìjì 四季 [名]

昆明市~都像春天一样。Kūnmíng Shì ~ dōu xiàng chūntiān yíyàng. →昆明市春夏秋冬四个季节的天气都像春天一样。Kūnmíng Shì chūn xià qiū dōng sì ge jìjié de tiānqì dōu xiàng chūntiān yíyàng. **例**一年~一共是多少天？Yì nián ~ yígòng shì duōshao tiān? ǀ这里~的温度变化不很大。Zhèlǐ ~ de wēndù biànhuà bù hěn dà. ǀ我们~都能吃到新鲜瓜果。Wǒmen ~ dōu néng chīdào xīnxiān guāguǒ. ǀ春季是~之中最美丽的季节。Chūnjì shì ~ zhīzhōng zuì měilì de jìjié.

sìhū 似乎 [副]

随着交通和通讯事业的发展，世界~变小了。Suízhe jiāotōng hé tōngxùn shìyè de fāzhǎn, shìjiè ~ biàn xiǎo le. →世界好像变小了，事实上没变小。Shìjiè hǎoxiàng biànxiǎo le, shìshí shàng méi biànxiǎo. **例**他一句话也没说，~是对这件事不太满意。Tā yí jù huà yě méi shuō, ~ shì duì zhèi jiàn shì bú tài mǎnyì. ǀ他把那种药说得很神，~能治百病。Tā bǎ nèi zhǒng yào shuō de hěn shén, ~ néng zhì bǎibìng. | 她打扮起来，～只有三十来岁，其实她已经快五十了。Tā dǎban qilai, ～ zhǐyǒu sānshí lái suì, qíshí tā yǐjing kuài wǔshí le. | 结婚以后他～变成了另外一个人。Jiéhūn yǐhòu tā ～ biànchéngle lìngwài yí ge rén.

song

sōng 松¹（鬆）[形]

loose 例 鞋带太～了，快紧一紧吧。Xiédài tài ～ le, kuài jǐn yi jǐn ba. | 这包书是谁捆的，怎么这么～? Zhèi bāo shū shì shéi kǔn de, zěnme zhème ～? | 大衣上的扣子太～了，你给我缝一缝吧。Dàyī shang de kòuzi tài ～ le, nǐ gěi wǒ féng yi féng ba. | 这行李是我捆的，～不～? Zhè xíngli shì wǒ kǔn de, ～ bu ～? | 汽车的中间～得很，请大家往里走一走。Qìchē de zhōngjiān ～ de hěn, qǐng dàjiā wǎng lǐ zǒu yi zǒu.

sōng 松²（鬆）[动]

loosen 例 你～一下儿绳子。Nǐ ～ yíxiàr shéngzi. | 书包带儿太短，再～一～。Shūbāodàir tài duǎn, zài ～ yi ～. | 她正在给花～土。Tā zhèngzài gěi huā ～ tǔ. | 你赶快～开手。Nǐ gǎnkuài ～ kāi shǒu.

sòng 送¹[动]

邮局的人～信和报纸来了。Yóujú de rén ～ xìn hé bàozhǐ lái le. →邮局的人正在把信和报纸放到各家的信箱里。Yóujú de rén zhèngzài bǎ xìn hé bàozhǐ fàngdào gè jiā de xìnxiāng li. 例 他一天要～两次开水。Tā yì tiān yào ～ liǎng cì kāishuǐ. | ～货的汽车来了。～ huò de qìchē lái le. | 他每天都往城里～菜。Tā měi tiān dōu wǎng chéngli ～ cài. | 报纸已经～完了。Bàozhǐ yǐjing ～ wán le. | 今年的暖气～得很及时。Jīnnián de nuǎnqì ～ de hěn jíshí. | 你把这封信～到厂长办公室去。Nǐ bǎ zhèi fēng xìn ～ dào chǎngzhǎng bàngōngshì qù.

sòng 送²[动]

我～你一本儿书。Wǒ ～ nǐ yì běnr shū. →我给你这本儿书，你不用给我书钱。Wǒ gěi nǐ zhèi běnr shū, nǐ búyòng gěi wǒ shū qián. 例 我把照相机～给朋友了。Wǒ bǎ zhàoxiàngjī ～ gěi péngyou le. | 他～了一套茶杯给我。Tā ～ le yítào chábēi gěi wǒ. | 这些玩具是～给孩子的。Zhèixiē wánjù shì ～ gěi háizi de. | 这件生日礼物～得很及时。Zhèi jiàn shēngri lǐwù ～ de hěn jíshí. | 太贵重的礼物，我们～不起

S

Tài guìzhòng de lǐwù, wǒmen ~ bu qǐ. |我们 ~ 的东西不多，请收下。Wǒmen ~ de dōngxi bù duō, qǐng shōuxià.

sòng 送[3] [动]

我 ~ 孩子上幼儿园。Wǒ ~ háizi shàng yòu'éryuán. →我带着孩子去幼儿园，把孩子放在幼儿园里。Wǒ dàizhe háizi qù yòu'éryuán, bǎ háizi fàng zài yòu'éryuán li. 例你 ~ 一下ₙ客人。Nǐ ~ yíxiàr kèren. |她一个人回家的时候，我 ~ 过她几次。Tā yí ge rén huíjiā de shíhou, wǒ ~ guo tā jǐ cì. |病人正在 ~ 往医院的路上。Bìngrén zhèngzài ~ wǎng yīyuàn de lùshang. |我 ~ 完了客人回到家里，已经晚上十点多了。Wǒ ~ wánle kèrén huídào jiāli, yǐjing wǎnshang shí diǎn duō le. |我把老人 ~ 上了火车。Wǒ bǎ lǎorén ~ shàngle huǒchē. |你去 ~ ~ 他吧。Nǐ qù ~ ~ tā ba. |我 ~ 了他几步，他就让我回来了。Wǒ ~ le tā jǐ bù, tā jiù ràng wǒ huílái le.

sòngxíng 送行 [动]

明天我去给你 ~。Míngtiān wǒ qù gěi nǐ ~. →明天我到你住的地方和你告别，看着你离开。Míngtiān wǒ dào nǐ zhù de dìfang hé nǐ gàobié, kànzhe nǐ líkāi. 例这一天，许多朋友来为我 ~。Zhèi yì tiān, xǔduō péngyou lái wèi wǒ ~. |明天我们在火车站为你 ~。Míngtiān wǒmen zài huǒchēzhàn wèi nǐ ~. |~ 的人大多数是我的朋友。~ de rén dàduōshù shì wǒ de péngyou. |家里给我准备了 ~ 的饭。Jiāli gěi wǒ zhǔnbèile ~ de fàn.

su

sùdù 速度[1] [名]

现在我们这辆车的 ~ 是每小时一百二十公里。Xiànzài wǒmen zhèi liàng chē de ~ shì měi xiǎoshí yìbǎi èrshí gōnglǐ. →现在我们这辆车每小时向前开一百二十公里的路程。Xiànzài wǒmen zhèi liàng chē měi xiǎoshí xiàng qián kāi yìbǎi èrshí gōnglǐ de lùchéng. 例你这辆汽车的最快 ~ 是多少？Nǐ zhèi liàng qìchē de zuì kuài ~ shì duōshao? |你用什么样的 ~ 跑完八百米的？Nǐ yòng shénmeyàng de ~ pǎowán bābǎi mǐ de? |这种飞机的 ~ 超过声音的传播 ~。Zhèi zhǒng fēijī de ~ chāoguò shēngyīn de chuánbō ~.

sùdù 速度[2] [名]

孩子的进步 ~ 很快。Háizi de jìnbù ~ hěn kuài. →孩子进步的程度很快。Háizi jìnbù de chéngdù hěn kuài. 例他看书的 ~ 比较慢。Tā kàn shū de ~ bǐjiào màn. | 大家要努力加快学习外语的 ~。Dàjiā yào nǔlì jiā kuài xuéxí wàiyǔ de ~. | 我们必须保持一定的发展 ~。Wǒmen bìxū bǎochí yídìng de fāzhǎn ~. | 大家对这样的 ~ 十分满意。Dàjiā duì zhèiyàng de ~ shífēn mǎnyì. | 这种树的生长 ~ 比那种树的生长 ~ 慢。Zhèi zhǒng shù de shēngzhǎng ~ bǐ nèi zhǒng shù de shēngzhǎng ~ màn. | 经济发展的 ~ 问题是一个重要问题。Jīngjì fāzhǎn de ~ wèntí shì yí ge zhòngyào wèntí.

sùshè 宿舍 [名]

我们大学新建了两栋学生 ~。Wǒmen dàxué xīnjiànle liǎng dòng xuéshēng ~. → 我们学校新建了两栋供学生住的房屋。Wǒmen xuéxiào xīnjiànle liǎng dòng gōng xuéshēng zhù de fángwū. 例我们的 ~ 很干净。Wǒmen de ~ hěn gānjìng. | 他回 ~ 了。Tā huí ~ le. | 我们俩住在一个 ~。Wǒmen liǎ zhù zài yí ge ~. | 他正在 ~ 里收拾东西。Tā zhèngzài ~ li shōushi dōngxi. | 玛丽跟我住在同一个 ~ 楼里。Mǎlì gēn wǒ zhù zài tóng yí ge ~ lóu li.

sùliào 塑料 [名]

plastics 例食品袋是用 ~ 制成的。Shípǐndài shì yòng ~ zhìchéng de. | ~ 的产品特别多。~ de chǎnpǐn tèbié duō. | 我买了两个 ~ 杯子。Wǒ mǎile liǎng ge ~ bēizi. | 现在人们的生活离不开 ~ 制品。Xiànzài rénmen de shēnghuó lí bu kāi ~ zhìpǐn. | 他对 ~ 很有研究。Tā duì ~ hěn yǒu yánjiū.

suan

suān 酸 [形]

你买的橘子太 ~ 了。Nǐ mǎi de júzi tài ~ le. → 你买的橘子不甜，有点儿像醋的味道。Nǐ mǎi de júzi bù tián, yǒudiǎnr xiàng cù de wèidao. 例 ~ 的东西可以帮助消化。~ de dōngxi kěyǐ bāngzhù xiāohuà. | 我不爱吃 ~ 的水果。Wǒ bú ài chī ~ de shuǐguǒ. | 这种水果 ~ 极了。Zhèi zhǒng shuǐguǒ ~ jí le. | 太 ~ 了，把我的牙都 ~ 倒了。Tài ~ le, bǎ wǒ de yá dōu ~ dǎo le. | 这袋牛奶已经变 ~ 了，不能喝了。Zhèi dài niúnǎi yǐjing biàn ~ le, bù néng hē le. | 你把 ~ 的水果收起来吧。Nǐ bǎ ~ de shuǐguǒ shōu qilai ba. | 这种苹果很好吃，一点儿也不 ~。Zhèi zhǒng píngguǒ hěn hǎochī, yìdiǎnr yě bù ~.

suàn 算[1] [动]

你 ~ 一下儿，我该交多少钱？Nǐ ~ yíxiàr, wǒ gāi jiāo duōshao qián?

S

→你计算一下儿，我该交多少钱？Nǐ jìsuàn yíxiàr, wǒ gāi jiāo duōshao qián? **例**他正在～账。Tā zhèngzài ~ zhàng. |请大家～～这两道题。Qǐng dàjiā ~ ~ zhèi liǎng dào tí. |饭钱已经～清了。Fànqián yǐjing ~ qīng le. |他～得特别快。Tā ~ de tèbié kuài. |他从早晨一直～到中午。Tā cóng zǎochen yìzhí ~ dào zhōngwǔ. |这笔学费～下来得三万多块钱。Zhèi bǐ xuéfèi ~ xialai děi sān wàn duō kuài qián. |他～了好几遍。Tā ~ le hǎojǐ biàn. |他早就～出结果了。Tā zǎo jiù ~ chū jiéguǒ le.

suàn 算² [动]

不～小孩儿，光大人就一百多位。Bú ~ xiǎoháir, guāng dàrén jiù yìbǎi duō wèi. →除了小孩儿以外，光大人就一百多位。Chúle xiǎoháir yǐwài, guāng dàrén jiù yìbǎi duō wèi. **例**明天去种树～我一个。Míngtiān qù zhòng shù ~ wǒ yí ge. |你把老师也～在里边了。Nǐ bǎ lǎoshī yě ~ zài lǐbiān le. |～新来的大学毕业生，我们公司一共一百八十人。~ xīn lái de dàxué bìyèshēng, wǒmen gōngsī yígòng yìbǎi bāshí rén. |你应该把比尔～进去。Nǐ yīnggāi bǎ Bǐ'ěr ~ jinqu.

suàn 算³ [动]

我～着你今天可能有喜事儿。Wǒ ~ zhe nǐ jīntiān kěnéng yǒu xǐshìr. →我估计着你今天可能有喜事儿。Wǒ gūjìzhe nǐ jīntiān kěnéng yǒu xǐshìr. **例**我～着这个月底安娜该回来了。Wǒ ~ zhe zhèige yuèdǐ Ānnà gāi huílai le. |我～过，你丢的东西准能找回来。Wǒ ~ guo, nǐ diū de dōngxi zhǔn néng zhǎo huilai. |你给他们～一下儿，哪个月哪一天结婚好。Nǐ gěi tāmen ~ yíxiàr, něige yuè něi yì tiān jiéhūn hǎo. |你～错了，她不是我妹妹。Nǐ ~ cuò le, tā búshi wǒ mèimei. |他给你～过，你今年有好运。Tā gěi nǐ ~ guo, nǐ jīnnián yǒu hǎoyùn.

suàn 算⁴ [动]

这句话就～我没说。Zhèi jù huà jiù ~ wǒ méi shuō. →这句话就当做我没说过。Zhèi jù huà jiù dàngzuò wǒ méi shuōguo. **例**这堆儿黄瓜就～二斤吧。Zhèi duīr huánggua jiù ~ èr jīn ba. |这只能～半斤。Zhè zhǐ néng ~ bàn jīn. |这种人～什么英雄？Zhèi zhǒng rén ~ shénme yīngxióng? |这件衣服五十块，还不～便宜？Zhèi jiàn yīfu wǔshí kuài, hái bú ~ piányi? |今天的这件事～我做得不对。Jīntiān de zhèi jiàn shì ~ wǒ zuò de bú duì. |～你运气好，遇上了一个好天

气。~ nǐ yùnqì hǎo, yùshangle yí ge hǎo tiānqì.

suàn 算[5] [动]

他说的那些话不 ~。Tā shuō de nèixiē huà bú ~. →他说的那些话没有用。Tā shuō de nèixiē huà méiyǒu yòng. **例**别听他的,他说了也不 ~。Bié tīng tā de, tā shuōle yě bú ~. | 这件事谁说了 ~? Zhèi jiàn shì shéi shuōle ~? | 我是认真的, 说话 ~ 话。Wǒ shì rènzhēn de, shuōhuà ~ huà. | 不能什么事都由他一个人说了 ~。Bù néng shénme shì dōu yóu tā yí ge rén shuōle ~.

suàn le 算了

别坐车了, 我们走着去 ~。Bié zuò chē le, wǒmen zǒuzhe qù ~. →我们走着去就可以了。Wǒmen zǒuzhe qù jiù kěyǐ le. **例**我们批评批评他 ~, 别给他处分了。Wǒmen pīpíng pīpíng tā ~, bié gěi tā chǔfèn le. | 你不去就 ~, 反正我通知你了。Nǐ bú qù jiù ~, fǎnzhèng wǒ tōngzhī nǐ le. | 你一个人去吧, 我们几个人就 ~。Nǐ yí ge rén qù ba, wǒmen jǐ ge rén jiù ~. | ~, 你们不说, 我说。~, nǐmen bù shuō, wǒ shuō. | ~, 它的事我不再管了。~, tā de shì wǒ bú zài guǎn le. | ~ ~, 今天的会就开到这儿吧。~ ~, jīntiān de huì jiù kāidào zhèr ba.

sui

suīrán 虽然(雖然) [连]

though; although **例** ~ 天气很冷, 但是屋子里很暖和。~ tiānqì hěn lěng, dànshì wūzi li hěn nuǎnhuo. | 他 ~ 很努力, 可是学习成绩一般。Tā ~ hěn nǔlì, kěshì xuéxí chéngjì yìbān. | 他 ~ 住在北京, 对北京的街道却不太熟悉。Tā ~ zhù zài Běijīng, duì Běijīng de jiēdào què bú tài shúxī. | 他没有留在母亲身边, ~ 那里的生活条件比较好。Tā méiyǒu liú zài mǔqīn shēnbiān, ~ nàli de shēnghuó tiáojiàn bǐjiào hǎo. | ~ 我没见过您, 我知道您是个好人。~ wǒ méi jiànguo nín, wǒ zhīdao nín shì ge hǎorén.

suí 随[1] (隨) [介]

我 ~ 父母调进了北京。Wǒ ~ fùmǔ diàojìnle Běijīng. →父母调进了北京, 我跟着他们也进了北京。Fùmǔ diàojìnle Běijīng, wǒ gēnzhe tāmen yě jìnle Běijīng. **例** ~ 着经济的发展, 人民的生活不断提高。~ zhe jīngjì de fāzhǎn, rénmín de shēnghuó búduàn tígāo. | ~ 着冬

S

天的到来，天气慢慢儿冷了起来。~ zhe dōngtiān de dàolái, tiānqì mànmānr lěngle qilai. |广场上的彩旗 ~ 风飘扬。Guǎngchǎng shang de cǎiqí ~ fēng piāoyáng. |掉进河里的树叶 ~ 水流走了。Diàojìn hé li de shùyè ~ shuǐ liúzǒu le. |人的思想要 ~ 着情况的变化而变化。Rén de sīxiǎng yào ~ zhe qíngkuàng de biànhuà ér biànhuà.

suí 随[2] （隨）［动］

这件衣服买不买 ~ 你。Zhèi jiàn yīfu mǎi bu mǎi ~ nǐ. →买不买这件衣服由你决定。Mǎi bu mǎi zhèi jiàn yīfu yóu nǐ juédìng. 例他想去哪儿就去哪儿, ~ 他吧。Tā xiǎng qù nǎr jiù qù nǎr, ~ tā ba. |有了月票, 市区的公共汽车、电车 ~ 你坐。Yǒule yuèpiào, shìqū de gōnggòng qìchē、diànchē ~ nǐ zuò. |这几样东西 ~ 你挑选。Zhèi jǐ yàng dōngxi ~ nǐ tiāoxuǎn. |~ 他说去, 我们只当没听见。~ tā shuō qu, wǒmen zhǐ dàng méi tīngjiàn.

suíbiàn 随便[1] （隨便）［副］

你有空的话, 我们 ~ 谈谈。Nǐ yǒu kòng dehuà, wǒmen ~ tántan. →我们愿意谈什么就谈什么。Wǒmen yuànyì tán shénme jiù tán shénme. 例我的自行车你可以 ~ 骑。Wǒ de zìxíngchē nǐ kěyǐ ~ qí. |公共场所不能 ~ 停放汽车。Gōnggòng chǎngsuǒ bù néng ~ tíngfàng qìchē. |大家要爱护环境, 不要 ~ 往地下扔东西。Dàjiā yào àihù huánjìng, búyào ~ wǎng dìxia rēng dōngxi. |不知道的事不能 ~ 说。Bù zhīdào de shì bù néng ~ shuō. |他从来不 ~ 跟人开玩笑。Tā cónglái bù ~ gēn rén kāiwánxiào.

suíbiàn 随便[2] （隨便）［形］

他说话很 ~ 。Tā shuōhuà hěn ~ . →他说话不太注意思考, 自己想怎么说就怎么说。Tā shuōhuà bú tài zhùyì sīkǎo, zìjǐ xiǎng zěnme shuō jiù zěnme shuō. 例孩子在自己家里很 ~ 。Háizi zài zìjǐ jiāli hěn ~ . |他常常打扮得很 ~ 。Tā chángcháng dǎbàn de hěn ~ . |他这个人干什么都随随便便的。Tā zhèige rén gàn shénme dōu suísuíbiànbiàn de. |在家里衣服可以穿得 ~ 一点儿。Zài jiā li yīfu kěyǐ chuān de ~ yìdiǎnr.

suíbiàn 随便[3] （隨便）［连］

这里是实验室, 不是 ~ 什么人都可以进的。Zhèlǐ shì shíyànshì, bú shì ~ shénme rén dōu kěyǐ jìn de. →不是任何人都可以进的。Bú shì rènhé rén dōu kěyǐ jìn de. **例**小说也好，诗歌也好，～什么文学作品，我都喜欢看。Xiǎoshuō yěhǎo, shīgē yěhǎo, ～ shénme wénxué zuòpǐn, wǒ dōu xǐhuan kàn. | ～你怎么说，他就是不相信。～ nǐ zěnme shuō, tā jiùshì bù xiāngxìn. | 只要我在家，你～什么时候找我都可以。Zhǐyào wǒ zài jiā, nǐ ～ shénme shíhou zhǎo wǒ dōu kěyǐ.

suíshí 随时（隨時）[副]

你有事可以～给我打电话。Nǐ yǒu shì kěyǐ ～ gěi wǒ dǎ diànhuà. → 你如果有事，就给我打电话，不论什么时候打都可以。Nǐ rúguǒ yǒu shì, jiù gěi wǒ dǎ diànhuà, búlùn shénme shíhou dǎ dōu kěyǐ. **例**这个病人～都有生命危险。Zhèige bìngrén ～ dōu yǒu shēngmìng wēixiǎn. | 你要是有问题，～都可以问我。Nǐ yàoshi yǒu wèntí, ～ dōu kěyǐ wèn wǒ. | 他～都在注意着温度的变化。Tā ～ dōu zài zhùyìzhe wēndù de biànhuà. | 我们～等待着你们的好消息。Wǒmen ～ děngdàizhe nǐmen de hǎo xiāoxi.

suì 岁（歲）[量]

我今年五十～了。Wǒ jīnnián wǔshí ～ le. → 我从出生到现在已经五十年了。Wǒ cóng chūshēng dào xiànzài yǐjing wǔshí nián le. **例**他六～上的小学。Tā liù ～ shàng de xiǎoxué. | 他们有一个十～的儿子，一个五～的女儿。Tāmen yǒu yí ge shí ～ de érzi, yí ge wǔ ～ de nǚ'ér. | 我比你大两～。Wǒ bǐ nǐ dà liǎng ～. | 希望您能活一百～。Xīwàng nín néng huó yìbǎi ～.

suìshu 岁数（歲數）[名]

老大爷，您多大～了? Lǎodàye, nín duō dà ～ le? → 老大爷，您多大年纪了? Lǎodàye, nín duō dà niánjì le? **例**我奶奶的～已经八十八了。Wǒ nǎinai de ～ yǐjing bāshíbā le. | 我们都是上～的人了，记忆力越来越差了。Wǒmen dōu shì shàng ～ de rén le, jìyìlì yuèláiyuè chà le. | 这么大～还能爬到山顶，真不简单。Zhème dà ～ háinéng pádào shāndǐng, zhēn bù jiǎndān. | 这么小的～就上大学了，真了不起。Zhème xiǎo de ～ jiù shàng dàxué le, zhēn liǎobuqǐ. | ～大的人都知道这段历史。～ dà de rén dōu zhīdao zhèi duàn lìshǐ.

suì 碎 [形]

鸡蛋容易～，要轻拿轻放。Jīdàn róngyì ～, yào qīng ná qīng fàng.

S

→鸡蛋容易被碰破了皮儿，流出蛋黄儿来。Jīdàn róngyì bèi pèngpòle pír, liúchū dànhuángr lai. 例工人们把工地上的～砖头都运走了。Gōngrénmen bǎ gōngdì shang de～zhuāntóu dōu yùnzǒu le. |他们发现了一些古代器物的～片。Tāmen fāxiànle yìxiē gǔdài qìwù de～piàn. |刚才我不小心，把一个饭碗打～了。Gāngcái wǒ bù xiǎoxīn, bǎ yí ge fànwǎn dǎ～le. |教室的窗户有块玻璃～了。Jiàoshì de chuānghu yǒu kuài bōli～le.

sun

sǔnshī 损失[1] （损失）[名]

这次水灾，他家的～很大。Zhèi cì shuǐzāi, tā jiā de～hěn dà. →这次水灾，他家的东西被弄坏得很严重，失去的很多。Zhèi cì shuǐzāi, tā jiā de dōngxi bèi nònghuài de hěn yánzhòng, shīqù de hěn duō. 例去年的水灾给这个地区的人民的生命和财产造成了巨大～。Qùnián de shuǐzāi gěi zhèige dìqū de rénmín de shēngmìng hé cáichǎn zàochéngle jùdà～. |这样做对于双方都没有～。Zhèiyàng zuò duìyú shuāngfāng dōu méiyǒu～. |你们要努力减少～。Nǐmen yào nǔlì jiǎnshǎo～. |不能让大家受～。Bù néng ràng dàjiā shòu～.

sǔnshī 损失[2] （损失）[动]

lose 例这笔买卖他一下儿～了两万块。Zhèi bǐ mǎimai tā yíxiàr～le liǎngwàn kuài. |除了钱还～了很多东西。Chúle qián hái～le hěn duō dōngxi. |由于天气不好，庄稼收不回来，～了很多粮食。Yóuyú tiānqì bù hǎo, zhuāngjia shōu bu huílái,～le hěn duō liángshi. |上次～得太多了。Shàng cì～de tài duō le. |这回只～了一点儿，没关系。Zhèi huí zhǐ～le yìdiǎnr, méi guānxi. |你要好好儿保存这些原件，一点儿也不能让它～。Nǐ yào hǎohāor bǎocún zhèixiē yuánjiàn, yìdiǎnr yě bù néng ràng tā～.

suo

suō 缩[1] （缩）[动]

这条裤子洗了以后～了半寸。Zhèi tiáo kùzi xǐle yǐhòu～le bàn cùn. →这条裤子洗过了以后比原来短了半寸。Zhèi tiáo kùzi xǐguole yǐhòu bǐ yuánlái duǎnle bàn cùn. 例你买的那块儿布下过水后～没～？Nǐ mǎi de nèi kuàir bù xiàguo shuǐ hòu ~ méi ~? ｜这些东西遇冷就 ~ 。 Zhèixiē dōngxi yù lěng jiù ~. ｜这件毛衣怎么 ~ 得这么厉害？ Zhèi jiàn máoyī zěnme ~ de zhème lìhai?

suō 缩² （缩）[动]

我一进屋，他赶快把身子 ~ 进被子里去了。Wǒ yí jìn wū, tā gǎnkuài bǎ shēnzi ~ jìn bèizi li qù le. →他赶快把露在被子外面的身子收回到被子里。Tā gǎnkuài bǎ lòu zài bèizi wàimian de shēnzi shōuhuí dào bèizi li. 例你 ~ 什么脖子？Nǐ ~ shénme bózi? ｜吓得孩子 ~ 成一团儿，不敢说话。Xià de háizi ~ chéng yì tuánr, bùgǎn shuōhuà. ｜他刚要伸手，看见有人来了，又把手 ~ 了回去。Tā gāng yào shēn shǒu, kànjiàn yǒu rén lái le, yòu bǎ shǒu ~ le huíqu. ｜天气很冷，他们只好把手 ~ 在袖子里。Tiānqì hěn lěng, tāmen zhǐhǎo bǎ shǒu ~ zài xiùzi li.

suǒ 所 [量]

用于学校、医院、房屋等建筑物。Yòngyú xuéxiào、yīyuàn、fángwū děng jiànzhùwù. →北京有很多 ~ 大学。Běijīng yǒu hěn duō ~ dàxué. 例那里正在兴建一 ~ 儿童医院。Nàli zhèngzài xīngjiàn yì ~ értóng yīyuàn. ｜我们家买了一 ~ 新房子。Wǒmen jiā mǎile yì ~ xīn fángzi. ｜这 ~ 幼儿园离我家很近。Zhèi ~ yòu'éryuán lí wǒ jiā hěn jìn. ｜我对那 ~ 大楼很熟悉。Wǒ duì nèi ~ dà lóu hěn shúxī.

suǒyǐ 所以 [连]

因为这首歌很好听，~ 许多人都喜欢唱。Yīnwèi zhèi shǒu gē hěn hǎotīng, ~ xǔduō rén dōu xǐhuan chàng. →许多人都喜欢唱这首歌是因为这首歌很好听。Xǔduō rén dōu xǐhuan chàng zhèi shǒu gē shì yīnwèi zhèi shǒu gē hěn hǎotīng. 例由于他经常锻炼身体，~ 他很少生病。Yóuyú tā jīngcháng duànliàn shēntǐ, ~ tā hěn shǎo shēngbìng. ｜去年由于这个地方没有修公路，~ 不通公共汽车。Qùnián yóuyú zhèige dìfang méiyǒu xiū gōnglù, ~ bù tōng gōnggòng qìchē. ｜今天天气很冷，~ 你出门要多穿衣服。Jīntiān tiānqì hěn lěng, ~ nǐ chūmén yào duō chuān yīfu. ｜他 ~ 要回国，是因为他很想念妻子和女儿。Tā ~ yào huíguó, shì yīnwèi tā hěn xiǎngniàn qīzi hé nǚ'ér.

S

suǒyǒu 所有 [形]

我们班 ～ 的同学都考上了大学。Wǒmen bān ~ de tóngxué dōu kǎoshangle dàxué. →我们班全班的同学都考上了大学。Wǒmen bān quán bān de tóngxué dōu kǎoshangle dàxué. 例 这屋里 ～ 的家具都是新买的。Zhè wūli ~ de jiājù dōu shì xīn mǎi de. I 我们种的 ～ 的树都活了。Wǒmen zhòng de ~ de shù dōu huó le. I 他把文件发给了 ～ 到会的人。Tā bǎ wénjiàn fā gěi le ~ dàohuì de rén. I 他把自己 ～ 的财产都分给了孩子。Tā bǎ zìjǐ ~ de cáichǎn dōu fēn gěi le háizi.

T

ta

tā 他 [代]

he 例咱们三个人中，要么你去，要么我去，要么 ~ 去。Zánmen sān ge rén zhōng, yàome nǐ qù, yàome wǒ qù, yàome ~ qù. | 你来了，~ 也来了。Nǐ lái le, ~ yě lái le. | ~ 写了一首诗。~ xiěle yì shǒu shī. | ~ 是美国人。~ shì Měiguórén. | 我认识 ~。Wǒ rènshi ~. | 大家都很关心 ~。Dàjiā dōu hěn guānxīn ~. | 我喜欢看 ~ 的小说。Wǒ xǐhuan kàn ~ de xiǎoshuō. | 我对 ~ 的情况很了解。Wǒ duì ~ de qíngkuàng hěn liǎojiě. | 我把 ~ 送上了火车。Wǒ bǎ ~ sòngshàngle huǒchē. | 我们请 ~ 作报告。Wǒmen qǐng ~ zuò bàogào.

tāmen 他们（他們）[代]

they 例我们两个去北京，你们三个去上海，~ 四个去广州。Wǒmen liǎng ge qù Běijīng, nǐmen sān ge qù Shànghǎi, ~ sì ge qù Guǎngzhōu. | ~ 是中学生。~ shì zhōngxuéshēng. | ~ 都在中国学汉语。~ dōu zài Zhōngguó xué Hànyǔ. | 学校表扬 ~ 了。Xuéxiào biǎoyáng ~ le. | ~ 的学习成绩很好。~ de xuéxí chéngjì hěn hǎo. | 我去过 ~ 的宿舍。Wǒ qùguo ~ de sùshè. | 我们经常跟 ~ 踢足球。Wǒmen jīngcháng gēn ~ tī zúqiú. | 我们把 ~ 当成了真正的好朋友。Wǒmen bǎ ~ dàngchéngle zhēnzhèng de hǎo péngyou. | 你通知 ~ 下个星期一早晨八点半到学校报到。Nǐ tōngzhī ~ xià ge Xīngqīyī zǎochen bā diǎn bàn dào xuéxiào bàodào.

tā 她 [代]

she 例我的妹妹已经 18 岁了，~ 正在读大学。Wǒ de mèimei yǐjing shíbā suì le, ~ zhèngzài dú dàxué. | ~ 生了一个男孩儿。~ shēngle yí ge nánháir. | 我的母亲住在农村，我每年都去看 ~。Wǒ de mǔqin zhù zài nóngcūn, wǒ měi nián dōu qù kàn ~. | ~ 的丈夫出国了。~ de zhàngfu chūguó le. | 我的同学是 ~ 的男朋友。Wǒ de tóngxué shì ~ de nánpéngyou. | 我和 ~ 的丈夫一起吃过饭。Wǒ hé ~ de zhàngfu yìqǐ chīguo fàn. | 我送给 ~ 一张照片儿。Wǒ sòng gěi ~ yì zhāng zhàopiānr.

T

tāmen 她们（她們）[代]

they 例我有一个姐姐一个妹妹，~ 都在北京工作。Wǒ yǒu yí ge jiějie yí ge mèimei, ~ dōu zài Běijīng gōngzuò. | 晚会上，~ 表演了一个女声小合唱。Wǎnhuì shang, ~ biǎoyǎnle yí ge nǚshēng xiǎo héchàng. | 这八个女工很能干，领导经常表扬 ~。Zhèi bā ge nǚgōng hěn nénggàn, lǐngdǎo jīngcháng biǎoyáng ~. | ~ 的衣服很漂亮。~ de yīfu hěn piàoliang. | 我们要充分发挥 ~ 的作用。Wǒmen yào chōngfèn fāhuī ~ de zuòyòng.

tā 它 [代]

it 例水是宝贵的，人类应该节约 ~。Shuǐ shì bǎoguì de, rénlèi yīnggāi jiéyuē ~. | 这是一所中国有名的大学，~ 已经有一百多年的历史了。Zhè shì yì suǒ Zhōngguó yǒumíng de dàxué, ~ yǐjīng yǒu yìbǎi duō nián de lìshǐ le. | 这个苹果已经烂了，扔了 ~ 吧。Zhèige píngguǒ yǐjīng làn le, rēngle ~ ba. | 我家的那只猫很漂亮，~ 全身的毛都是白色的。Wǒ jiā de nèi zhī māo hěn piàoliang, ~ quánshēn de máo dōu shì báisè de. | 这是一部神话小说，~ 的情节很生动。Zhè shì yí bù shénhuà xiǎoshuō, ~ de qíngjié hěn shēngdòng. | 这辆自行车我不要了，把 ~ 送给你吧。Zhèi liàng zìxíngchē wǒ bú yào le, bǎ ~ sòng gěi nǐ ba.

tāmen 它们（它們）[代]

they 例张大娘买了五只小鸡，~ 都是母鸡。Zhāng dàniáng mǎile wǔ zhī xiǎojī, ~ dōu shì mǔjī. | 大厅里摆着各种牌子的自行车，~ 都是我们厂生产的。Dàtīng li bǎizhe gèzhǒng páizi de zìxíngchē, ~ dōu shì wǒmen chǎng shēngchǎn de. | 院子里的花儿都开了，大家应该爱护 ~。Yuànzi li de huār dōu kāi le, dàjiā yīnggāi àihù ~. | 我在北京买了三件衣服，~ 的式样都很漂亮。Wǒ zài Běijīng mǎile sān jiàn yīfu, ~ de shìyàng dōu hěn piàoliang. | 这些文物都很珍贵，你们要把 ~ 保护好。Zhèixiē wénwù dōu hěn zhēnguì, nǐmen yào bǎ ~ bǎohù hǎo.

tǎ 塔 [名]

例这座 ~ 是白色的。Zhèizuò ~ shì báisè de. | 那座 ~ 很高。Nèi zuò ~ hěn gāo. | 西安市有很多 ~。Xī'ān Shì yǒu hěn duō ~. | 他已经爬到 ~ 的第三层了。Tā yǐjīng pádào ~ de dì sān céng le. | 那座 ~ 已经斜了，不知道会不会

塔

倒。Nèi zuò ~ yǐjing xié le, bù zhīdào huì bu huì dǎo. ｜这是一座有五百年历史的砖~。Zhè shì yí zuò yǒu wǔbǎi nián lìshǐ de zhuān ~.

tai

tái 台(臺) ［量］

用于机器或演出的节目等。Yòngyú jīqì huò yǎnchū de jiémù děng. **例**我们家买了一~电视。Wǒmen jiā mǎile yì ~ diànshì. ｜公司新进口了几~机器。Gōngsī xīn jìnkǒule jǐ ~ jīqì. ｜他们编了一~节目。Tāmen biānle yì ~ jiémù. ｜这~戏很精彩。Zhèi ~ xì hěn jīngcǎi. ｜车间里的电脑~~都很先进。Chējiān li de diànnǎo ~ ~ dōu hěn xiānjìn.

tái 抬¹ ［动］

他一~脚就迈过了栏杆。Tā yì tái jiǎo jiù màiguòle lángān. →他往上提了一下儿脚就迈过了栏杆。Tā wǎng shàng tíle yí xiàr jiǎo jiù màiguòle lángān. **例**大家先~左脚, 后~右脚。Dàjiā xiān ~ zuǒjiǎo, hòu ~ yòujiǎo. ｜你把头~起来。Nǐ bǎ tóu ~ qilai. ｜腿不要~得太高。Tuǐ bú yào ~ de tài gāo. ｜腿肿得~不起来。Tuǐ zhǒng de ~ bu qǐlái. ｜他病得连~眼皮的力气都没有了。Tā bìng de lián ~ yǎnpí de lìqi dōu méiyǒu le. ｜请你~~腿, 我擦一擦地。Qǐng nǐ ~ ~ tuǐ, wǒ cā yi cā dì.

tái 抬² ［动］

咱俩把这张桌子从屋里~出去。Zán liǎ bǎ zhèi zhāng zhuōzi cóng wū li ~ chuqu. →咱俩共同用手或肩膀把这张桌子从屋里搬出去。Zán liǎ gòngtóng yòng shǒu huò jiānbǎng bǎ zhèi zhāng zhuōzi cóng wū li bān chuqu. **例**两个人~一根木头。Liǎng ge rén ~ yì gēn mùtou. ｜这东西太重了, 两个人~不动。Zhè dōngxi tài zhòng le, liǎng ge rén ~ bu dòng. ｜你帮我~一下儿床。Nǐ bāng wǒ ~ yíxiàr chuáng. ｜快把病人~过来。Kuài bǎ bìngrén ~ guolai. ｜昨天我们~了一下午石头。Zuótiān wǒmen ~ le yí xiàwǔ shítou.

tài 太¹ ［副］

桂林的山水~美了。Guìlín de shānshuǐ ~ měi le. →桂林的山水美极了。Guìlín de shānshuǐ měijí le. **例**你说得~对了! Nǐ shuō de ~ duì le! ｜这首曲子~好听了。Zhèi shǒu qǔzi ~ hǎotīng le. ｜你救了我, 我~感谢你了。Nǐ jiùle wǒ, wǒ ~ gǎnxiè nǐ le. ｜小说的情节~吸引人了。Xiǎoshuō de qíngjié ~ xīyǐn rén le. ｜这个结果~让人高兴了。

Zhèige jiéguǒ ~ ràng rén gāoxìng le.

tài 太² ［副］

他的学习成绩不 ~ 好。Tā de xuéxí chéngjì bú ~ hǎo. →他的学习成绩不怎么好。Tā de xuéxí chéngjì bù zěnme hǎo. 例他住的房子不 ~ 大。Tā zhù de fángzi bú ~ dà. | 我对那里不 ~ 熟悉。Wǒ duì nàli bú ~ shúxi. | 这么说不 ~ 合适。Zhème shuō bú ~ héshì. | 这次比赛成绩不 ~ 理想。Zhèi cì bǐsài chéngjì bú ~ lǐxiǎng.

tàitai 太太¹ ［名］

王 ~ 很漂亮。Wáng ~ hěn piàoliang. →王先生的妻子很漂亮。Wáng xiānsheng de qīzi hěn piàoliang. 例张先生，您 ~ 几点下班？Zhāng xiānsheng, nín ~ jǐ diǎn xiàbān? | 他很爱自己的 ~。Tā hěn ài zìjǐ de ~. | 这件事你去问问王 ~。Zhèi jiàn shì nǐ qù wènwen wáng ~. | 我 ~ 的年龄比我小三岁。Wǒ ~ de niánlíng bǐ wǒ xiǎo sān suì. | 张 ~ 的儿子在北京工作。Zhāng ~ de érzi zài Běijīng gōngzuò. | 客人们都爱吃李 ~ 做的菜。Kèrenmen dōu ài chī Lǐ ~ zuò de cài. | 我把刘 ~ 送上了火车。Wǒ bǎ Liú ~ sòngshàngle huǒchē.

tàitai 太太² ［名］

~ 今天不在家，你明天再来吧。~ jīntiān bú zài jiā, nǐ míngtiān zài lái ba. →我的女主人今天没在家里。Wǒ de nǚzhǔrén jīntiān méi zài jiāli. 例我家的 ~ 生了个儿子。Wǒ jiā de ~ shēngle ge érzi. | ~，先生回来了。~, xiānsheng huílai le. | ~ 的房间里摆了好几盆儿鲜花。~ de fángjiān li bǎile hǎojǐ pénr xiānhuā. | 你把 ~ 找来，我有话要跟他说。Nǐ bǎ ~ zhǎolai, wǒ yǒu huà yào gēn tā shuō.

tàiyáng 太阳¹ （太陽）［名］

例~ 像个大火球。~ xiàng ge dà huǒqiú. | ~ 从东方升起来了。~ cóng dōngfāng shēng qilai le. | 孩子在纸上画了个 ~。Háizi zài zhǐ shang huàle ge ~. | 中国神话故事里说，古时候，天上有九个 ~。Zhōngguó shénhuà gùshi li shuō, gǔshíhou, tiānshang yǒu jiǔ ge ~. | ~ 的温度很高。~ de wēndù hěn gāo. | ~ 升起的地方叫东方。~ shēngqǐ de dìfang jiào dōngfāng.

太阳

tàiyáng 太阳² （太陽）[名]

~照得人身上暖洋洋的。~ zhào de rén shēnshang nuǎnyángyáng de. →太阳的光线照得人身上暖洋洋的。Tàiyáng de guāngxiàn zhào de rén shēnshang nuǎnyángyáng de. **例** 我们在海里游了一会儿，就躺到海滩上晒 ~。Wǒmen zài hǎi li yóule yíhuìr, jiù tǎngdào hǎitān shang shài ~. | 中午的 ~ 特别晃眼。Zhōngwǔ de ~ tèbié huǎng yǎn. | 把花盆儿放到 ~ 能晒得着的地方。Bǎ huāpénr fàngdào ~ néng shài de zháo de dìfang.

tàidu 态度¹ （態度）[名]

三号列车员的服务 ~ 好。Sān hào lièchēyuán de fúwù ~ hǎo. →三号列车员对旅客说话面带笑容，有礼貌，服务周到。Sān hào lièchēyuán duì lǚkè shuōhuà miàn dài xiàoróng, yǒu lǐmào, fúwù zhōudào. **例** 小姑娘的 ~ 十分认真。Xiǎogūniang de ~ shífēn rènzhēn. | 客人来了，你不理人家，你这是什么 ~！Kèren lái le, nǐ bù lǐ rénjia, nǐ zhè shì shénme ~! | 有话好好儿说，不能耍 ~。Yǒu huà hǎohāor shuō, bù néng shuǎ ~. | 对群众的 ~ 问题是个很重要的问题。Duì qúnzhòng de ~ wèntí shì ge hěn zhòngyào de wèntí.

tàidu 态度² （態度）[名]

对这个问题，我已经表明了自己的 ~。Duì zhèige wèntí, wǒ yǐjing biǎomíngle zìjǐ de ~. →对于这个问题，我已经表明了自己的看法。Duìyú zhèige wèntí, wǒ yǐjing biǎomíngle zìjǐ de kànfǎ. **例** 知道了事实真相后，许多人转变了 ~。Zhīdaole shìshí zhēnxiàng hòu, xǔduō rén zhuǎnbiànle ~. | 批评别人应该抱着治病救人的 ~。Pīpíng biéren yīnggāi bàozhe zhìbìng jiùrén de ~. | 每个人都应该用正确的 ~ 对待别人的批评。Měi ge rén dōu yīnggāi yòng zhèngquè de ~ duìdài biéren de pīpíng. | 会上只有少数人 ~ 不鲜明。Huì shang zhǐyǒu shǎoshù rén ~ bù xiānmíng. | 他的 ~ 十分坚决。Tā de ~ shífēn jiānjué. | 对于这件事，大家的 ~ 是认真严肃的。Duìyú zhèi jiàn shì, dàjiā de ~ shì rènzhēn yánsù de.

tan

tán 谈（談）[动]

他们两个人 ~ 了很长时间。Tāmen liǎng ge rén ~ le hěn cháng shíjiān. →两个人在一起说话，说了很长时间。liǎng ge rén zài yìqǐ

T

shuōhuà, shuōle hěn cháng shíjiān。 例他们正在 ~ 事情，你现在别
进去。Tāmen zhèngzài ~ shìqing, nǐ xiànzài bié jìnqu。｜他刚才跟我
~，他要到北京去。Tā gāngcái gēn wǒ ~, tā yào dào Běijīng
qù。｜你找他俩 ~ 一下儿。Nǐ zhǎo tā liǎ ~ yíxiàr。｜我们曾经 ~ 过
几次了。Wǒmen céngjīng ~ guo hǎojǐ cì le。｜我们 ~ 成了好几笔生
意。Wǒmen ~ chéngle hǎojǐ bǐ shēngyi。｜大家 ~ 了 ~ 保护环境的问
题。Dàjiā ~ le ~ bǎohù huánjìng de wèntí。｜我们 ~ 的都是工作上的
问题。Wǒmen ~ de dōu shì gōngzuò shang de wèntí。

tán huà 谈话[1] （談話）

张老师和学生们正在 ~。Zhāng lǎoshī hé xuéshēngmen zhèngzài ~。
→张老师和学生们正在一起说话。Zhāng lǎoshī hé xuéshēngmen
zhèngzài yìqǐ shuōhuà。 例有的人在看书，有的人在 ~。Yǒude rén
zài kàn shū, yǒu de rén zài ~。｜昨天他们 ~ 谈了三个多小时。
Zuótiān tāmen ~ tánle sān ge duō xiǎoshí。｜好朋友之间可以谈谈心
里话。Hǎopéngyou zhījiān kěyǐ tántan xīnli huà。｜他们从来没跟我谈
过话。Tāmen cónglái méi gēn wǒ tánguo huà。｜他们还没谈完话
呢。Tāmen hái méi tánwán huà ne。

tánhuà 谈话[2] （談話） [名]

他们昨天的 ~，全登在报纸上了。Tāmen zuótiān de ~, quán dēng
zài bàozhǐ shang le。 →他们之间对话的内容，全登在报纸上了。
Tāmen zhījiān duìhuà de nèiróng, quán dēng zài bàozhǐ shang le。 例
我国领导人在电视上发表了 ~。Wǒ guó lǐngdǎorén zài diànshì shang
fābiǎole ~。｜这篇 ~ 代表了我国政府的立场和观点。Zhèi piān ~
dàibiǎole wǒ guó zhèngfǔ de lìchǎng hé guāndiǎn。｜对这篇 ~，许多
国外报纸都作了报道。Duì zhèi piān ~, xǔduō guówài bàozhǐ dōu
zuòle bàodào。｜这篇 ~ 的影响很大。Zhèi piān ~ de yǐngxiǎng hěn
dà。

tánpàn 谈判（談判）[动]

两国正在进行边界 ~。Liǎng guó zhèngzài jìnxíng biānjiè ~。→两国
正为解决边界问题在一起商量。Liǎng guó zhèng wèi jiějué biānjiè
wèntí zài yìqǐ shāngliang。 例为了这个问题，双方 ~ 了好几次。
Wèile zhèige wèntí, shuāngfāng ~ le hǎojǐ cì。｜~ 的结果双方都很满
意。~ de jiéguǒ shuāngfāng dōu hěn mǎnyì。｜这次 ~ 很成功。Zhèi
cì ~ hěn chénggōng。｜两国对这次 ~ 都很重视。Liǎng guó duì zhèi cì

~ dōu hěn zhòngshì.

tán 弹[1] （彈）[动]

shoot (as with a catapult) **例**他拿起一个西瓜，只要 ~ 几下儿，就知道它是生的还是熟的。Tā náqi yí ge xīguā, zhǐyào ~ jǐ xiàr, jiù zhīdao tā shì shēng de háishi shóu de. |他 ~ 去了书上面的灰尘。Tā ~ qùle shū shàngmian de huīchén. |他在我头上轻轻 ~ 了两下儿。Tā zài wǒ tóu shang qīngqīng ~ le liǎng xiàr. |小时候，我们经常在一起玩儿 ~ 玻璃球儿的游戏。Xiǎoshíhou, wǒmen jīngcháng zài yìqǐ wánr ~ bōliqiúr de yóuxì.

tán 弹[2] （彈）[动]

他喜欢 ~ 钢琴。Tā xǐhuan ~ gāngqín. →他喜欢通过敲打钢琴的音键使钢琴发出声音。Tā xǐhuan tōngguò qiāodǎ gāngqín de yīnjiàn shǐ gāngqín fāchū shēngyīn. **例**她每天都要 ~ 两个小时钢琴。Tā měi tiān dōu yào ~ liǎng ge xiǎoshí gāngqín. |正在 ~ 琴的那个女孩儿是我女儿。Zhèngzài ~ qín de nèige nǚháir shì wǒ nǚ'ér. |你 ~ 的曲子很好听。Nǐ ~ de qǔzi hěn hǎotīng. |请你给大家再 ~ 几首曲子。Qǐng nǐ gěi dàjiā zài ~ jǐ shǒu qǔzi.

tǎnzi 毯子 [名]

blanket **例**冬天，我晚上睡觉的时候，除了盖被子，还要盖 ~。Dōngtiān, wǒ wǎnshang shuìjiào de shíhou, chúle gài bèizi, hái yào gài ~. |这条 ~ 不是我的。Zhèi tiáo ~ bú shì wǒ de. |我买了一条红 ~。Wǒ mǎile yì tiáo hóng ~. |妈妈把 ~ 收了起来。Māma bǎ ~ shōule qilai. |我朋友送给我一条 ~。Wǒ péngyou sòng gěi wǒ yì tiáo ~. |这条 ~ 是毛的。Zhèi tiáo ~ shì máo de.

tàn 探[1] [动]

你用竹竿儿 ~ 一下儿，河里的水有多深。Nǐ yòng zhúgānr ~ yíxiàr, hé li de shuǐ yǒu duō shēn. →你把竹竿插到河水里量一下儿，看看水有多深。Nǐ bǎ zhúgān chādào héshuǐ li liáng yíxiàr, kànkan shuǐ yǒu duō shēn. **例**他到处 ~ 消息。Tā dàochù ~ xiāoxi. |他这样说，是想 ~ ~ 我的态度。Tā zhèiyàng shuō, shì xiǎng ~ ~ wǒ de tàidu.

tàn 探[2] [动]

火车开动的时候，旅客不要往车窗外 ~ 头。Huǒchē kāidòng de shíhou, lǚkè búyào wǎng chēchuāng wài ~ tóu. →旅客不要把头往

车窗外伸。Lǚkè búyào bǎ tóu wǎng chēchuāng wài shēn. **例**他的头往门外一~，就被我发现了。Tā de tóu wǎng mén wài yí~，jiù bèi wǒ fāxiàn le.｜你千万别把身子~出去。Nǐ qiānwàn bié bǎ shēnzi ~ chuqu.｜他的身子从门外~了进来。Tā de shēnzi cóng mén wài ~ jinlai.｜他的半个身子都~到外边儿去了。Tā de bàn ge shēnzi dōu ~ dào wàibianr qu le.

tang

tāng 汤(湯) [名]

这锅里是鸡蛋~，你喝吧！Zhè guō li shì jīdàn ~，nǐ hē ba. →这锅里的东西主要是用水和一些鸡蛋烧成的。Zhè guō li de dōngxi zhǔyào shì yòng shuǐ hé yìxiē jīdàn shāochéng de. **例**我喜欢喝鸡~。Wǒ xǐhuan hē jī ~.｜凉米饭里放点儿热~吧。Liáng mǐfàn li fàng diǎnr rè ~ ba.｜她做的鱼~味道好极了。Tā zuò de yú ~ wèidao hǎojí le.｜你再喝一碗~吧！Nǐ zài hē yì wǎn ~ ba!｜我把菜~烧好了。Wǒ bǎ cài ~ shāohǎo le.

táng 糖 [名]

这杯牛奶里放~了，那杯牛奶里没放~。Zhèi bēi niúnǎi li fàng ~ le, nèi bēi niúnǎi li méi fàng ~. →这杯牛奶是甜的，那杯牛奶不甜。Zhèi bēi niúnǎi shì tián de, nèi bēi niúnǎi bù tián. **例**家里的~快吃光了，再买点儿吧。Jiāli de ~ kuài chīguāng le, zài mǎi diǎnr ba.｜这孩子特别爱吃~。Zhè háizi tèbié ài chī ~.｜我买了二斤~。Wǒ mǎile èr jīn ~.｜我喜欢喝放~的咖啡。Wǒ xǐhuan hē fàng ~ de kāfēi.

tǎng 躺 [动]

lie **例**那张床上~着一个人。Nèi zhāng chuáng shang ~ zhe yí ge rén.｜她病得很厉害，整天~着。Tā bìng de hěn lìhai, zhěngtiān ~ zhe.｜我刚~下，就听见有人敲门。Wǒ gāng ~ xia, jiù tīngjiàn yǒu rén qiāo mén.｜你~一会儿吧，现在不会有人来找你。Nǐ ~ yíhuìr ba, xiànzài bú huì yǒu rén lái zhǎo nǐ.｜我~在床上睡了十多个小时。Wǒ ~ zài chuáng shang shuìle shí duō gè xiǎoshí.｜他~的那个地方正对着门口。Tā ~ de nèige dìfang zhèng duìzhe ménkǒu.

tàng 烫¹(燙) [动]

别摸，这杯水~手。Bié mō, zhèi bēi shuǐ ~ shǒu. →别摸，这杯子

里的水温度很高，摸了，手会感觉疼痛。Bié mō, zhè bēizi li de shuǐ wēndù hěn gāo, mō le, shǒu huì gǎnjué téngtòng. **例**孩子的腿被开水～了个泡。Háizi de tuǐ bèi kāishuǐ ~ le ge pào. |小心，别～着她。Xiǎoxīn, bié ~ zhe tā. |他被～伤了。Tā bèi ~ shāng le. |他被～的手上起了好几个大泡。Tā bèi ~ de shǒu shang qǐle hǎojǐ gè dà pào. |～过两次了，你怎么还不注意。~ guo liǎng cì le, nǐ zěnme hái bú zhùyì. |孩子的手～了两个星期了，还躺在医院里呢。Háizi de shǒu ~ le liǎng ge xīngqī le, hái tǎng zài yīyuàn li ne.

tàng 烫[2]（燙）[动]

这些杯子全用开水～过了，你就放心地用吧。Zhèixiē bēizi quán yòng kāishuǐ ~ guo le, nǐ jiù fàngxīn de yòng ba. →这些杯子全放在开水里泡过了。Zhèixiē bēizi quán fàng zài kāishuǐ li pào guo le. **例**睡觉以前用热水～一会儿脚特别舒服。Shuìjiào yǐqián yòng rèshuǐ ~ yíhuìr jiǎo tèbié shūfu. |妈妈把我的衣服～得平平的。Māma bǎ wǒ de yīfu ~ de píngpíng de. |姐姐每个月到理发店～一次头发。Jiějie měi ge yuè dào lǐfàdiàn ~ yí cì tóufa. |～过的衣服都收起来了。~ guo de yīfu dōu shōu qilai le. |这杯酒太凉，～～再喝吧。Zhèi bēi jiǔ tài liáng, ~ ~ zài hē ba.

tàng 烫[3]（燙）[形]

这杯水太～了，过一会儿才能喝。Zhèi bēi shuǐ tài ~ le, guò yíhuìr cái néng hē. →这杯水的温度太高了。Zhèi bēi shuǐ de wēndù tài gāo le. **例**你摸摸这暖气管儿，～得很。Nǐ mōmo zhè nuǎnqì guǎnr, ~ de hěn. |我从来不喝这么～的茶。Wǒ cónglái bù hē zhème ~ de chá. |这么～的牛奶我可不敢喝。Zhème ~ de niúnǎi wǒ kě bù gǎn hē.

tàng 趟[1][量]

用于一个来回的动作。Yòngyú yí ge láihuí de dòngzuò. **例**上午他来了一～，我们谈了两个多小时。Shàngwǔ tā láile yí ~, wǒmen tánle liǎng ge duō xiǎoshí. |昨天他去了一～火车站。Zuótiān tā qùle yí ~ huǒchēzhàn. |我往书店跑了好几～，才买到这本书。Wǒ wǎng shūdiàn pǎole hǎojǐ ~, cái mǎidào zhèi běn shū. |放假的时候我回了一～老家。Fàngjià de shíhou wǒ huíle yí ~ lǎojiā. |开完了会，你到我这儿来一～。Kāiwánle huì, nǐ dào wǒ zhèr lái yí ~. |他们左一～右一～地来看我，对我太好了。Tāmen zuǒ yí ~ yòu yí ~ de lái kàn wǒ, duì wǒ tài hǎo le.

tàng 趟² [量]

用于来和去的列车。Yòngyú lái hé qù de lièchē. 例这~火车马上就要进站了。Zhèi ~ huǒchē mǎshàng jiù yào jìn zhàn le. | 他已经上了那~火车。Tā yǐjing shàngle nèi ~ huǒchē. | 这~火车的服务质量特别好。Zhèi ~ huǒchē de fúwù zhìliàng tèbié hǎo. | 每天从北京开到这儿的火车只有一~。Měi tiān cóng Běijīng kāidào zhèr de huǒchē zhǐyǒu yí ~. | 每隔五分钟就有一~地铁经过这里。Měi gé wǔ fēnzhōng jiù yǒu yí~ dìtiě jīngguò zhèlǐ.

tao

tāo 掏 [动]

我~出了工作证。Wǒ ~ chūle gōngzuòzhèng. →我从口袋儿里把工作证拿了出来。Wǒ cóng kǒudair li bǎ gōngzuòzhèng nále chulai. 例他把书包里的东西全~出来了。Tā bǎ shūbāo li de dōngxi quán ~ chulai le. | 他在口袋里~了半天，什么也没~出来。Tā zài kǒudai li ~ le bàntiān, shénme yě méi ~ chūlái. | 小时候，我上树~过鸟蛋。Xiǎoshíhou, wǒ shàng shù ~ guo niǎo dàn. | 我上学的时候，家里每年都要~出几千元钱给我付学费。Wǒ shàngxué de shíhou, jiā li měi nián dōu yào~ chū jǐ qiān yuán qián gěi wǒ fù xuéfèi.

táo 逃 [动]

老鼠看见了猫就~。Lǎoshǔ kànjiànle māo jiù ~. →老鼠看见了猫，就马上跑开，躲藏起来。Lǎoshǔ kànjiànle māo, jiù mǎshàng pǎokāi, duǒcáng qilai. 例警察没注意，她就~走了。Jǐngchá méi zhùyì, tā jiù ~ zǒu le. | 他是小偷儿，别让他~掉啊！Tā shì xiǎotōur, bié ràng tā~ diào a! | 洪水到来前，村里人都~到山上去了。Hóngshuǐ dàolái qián, cūnli rén dōu ~ dào shān shang qù le. | 他~过三次，都被抓了回来。Tā ~ guo sān cì, dōu bèi zhuāle huilai.

tǎolùn 讨论¹ （討論）[动]

大家~了怎样保护好环境的问题。Dàjiā ~ le zěnyàng bǎohù hǎo huánjìng de wèntí. →大家对怎样保护好环境的问题谈了看法，互相交换了意见。Dàjiā duì zěnyàng bǎohù hǎo huánjìng de wèntí tánle kànfǎ, hùxiāng jiāohuànle yìjiàn. 例代表们~了大会主席的工作报

告。Dàibiǎomen ~ le dàhuì zhǔxí de gōngzuò bàogào . | 我们上午开
会，下午 ~ 。Wǒmen shàngwǔ kāihuì, xiàwǔ ~ . | 这个文件已经 ~
过了。Zhèige wénjiàn yǐjing ~ guo le . | 大家 ~ 得十分热烈。Dàjiā ~
de shífēn rèliè . | 我们一共 ~ 了三个多小时。Wǒmen yígòng ~ le sān
ge duō xiǎoshí . | 会上 ~ 的问题很重要。Huì shang ~ de wèntí hěn
zhòngyào .

tǎolùn 讨论[2] （討論）［名］

今天的 ~ 就到这儿结束。Jīntiān de ~ jiù dào zhèr jiéshù . →今天请大
家谈看法，交换意见的会就开到这儿。Jīntiān qǐng dàjiā tán kànfǎ,
jiāohuàn yìjiàn de huì jiù kāi dào zhèr . 例这次 ~ ，用了两天的时间。
Zhèi cì ~ , yòngle liǎng tiān de shíjiān . | 这样的 ~ ，以后还可以再
搞。Zhèiyàng de ~ , yǐhòu hái kěyǐ zài gǎo . | 已经进行了三个多小
时的 ~ ，休息一会儿吧。Yǐjing jìnxíngle sān ge duō xiǎoshí de ~ ,
xiūxi yíhuìr ba . | 下次再组织 ~ ，一定请你也来参加。Xià cì zài zǔzhī
~ , yídìng qǐng nǐ yě lái cānjiā .

tǎoyàn 讨厌[1] （討厭）［动］

我 ~ 往地上乱扔东西的人。Wǒ ~ wǎng dìshang luàn rēng dōngxi de
rén . →我不喜欢往地上乱扔东西的人。Wǒ bù xǐhuan wǎng dìshang
luàn rēng dōngxi de rén . 例他 ~ 那些在公共场所抽烟的人。Tā ~
nèixiē zài gōnggòng chǎngsuǒ chōuyān de rén . | 我 ~ 那个地方的大
风沙。Wǒ ~ nèige dìfang de dà fēngshā . | 我 ~ 那条只会睡觉的狗。
Wǒ ~ nèi tiáo zhǐ huì shuìjiào de gǒu . | 我 ~ 你跟老人说话这么没礼
貌。Wǒ ~ nǐ gēn lǎorén shuōhuà zhème méi lǐmào . | 你什么时候也
~ 起烟来了。Nǐ shénme shíhou yě ~ qi yān lai le .

tǎoyàn 讨厌[2] （討厭）［形］

这里的环境太 ~ 了，到处是垃圾和尘土。Zhèlǐ de huánjìng tài ~ le,
dàochù shì lājī hé chéntǔ . →这里的环境太脏，使人的心情不好。
Zhèlǐ de huánjìng tài zāng, shǐ rén de xīnqíng bù hǎo . 例这个人老是
说假话，~ 极了。Zhèige rén lǎoshì shuō jiǎhuà, ~ jí le . | 真 ~ ，谁
把一只死鸟儿扔在街上。Zhēn ~ , shéi bǎ yì zhī sǐ niǎor rēng zài jiē
shang . | 他今天说这个人不好，明天说那个人不好，我觉得他很
~ 。Tā jīntiān shuō zhèige rén bù hǎo, míngtiān shuō nèige rén bù
hǎo, wǒ juéde tā hěn ~ . | 这几件 ~ 的事都让他碰上了。Zhèi jǐ jiàn
~ de shì dōu ràng tā pèngshang le . | 这孩子不学好，越来越 ~ 了。

T

Zhè háizi bù xué hǎo, yuèláiyuè ~ le.

tào 套 [量]

用于配合的事物，如衣服、邮票、书、家具、机构、制度等。Yòngyú pèihé de shìwù, rú yīfu, yóupiào, shū, jiājù, jīgòu, zhìdù děng. 例这 ~ 衣服真漂亮，我买这 ~ 了。Zhèi ~ yīfu zhēn piàoliang, wǒ mǎi zhèi ~ le. | 我买了一 ~ 纪念邮票。Wǒ mǎile yí ~ jìniàn yóupiào. | 我有好几 ~ 西服。Wǒ yǒu hǎojǐ ~ xīfú. | 他们的这 ~ 管理制度很好。Tāmen de zhèi ~ guǎnlǐ zhìdù hěn hǎo. | 请客送礼那一 ~ 在这里行不通。Qǐng kè sòng lǐ nèi yí ~ zài zhèlǐ xíng bu tōng. | 你这一 ~ 是什么时候学的？Nǐ zhèi yí ~ shì shénme shíhou xué de?

te

tèbié 特别¹ [形]

他今天走路的样子很 ~ 。Tā jīntiān zǒulù de yàngzi hěn ~ . →他今天走路的样子跟平时不一样。Tā jīntiān zǒulù de yàngzi gēn píngshí bù yíyàng. 例他说话的声音 ~ 得很。Tā shuōhuà de shēngyīn ~ de hěn. | 这茶有一种 ~ 的香味儿。Zhè chá yǒu yì zhǒng ~ de xiāngwèir. | 我看这儿没有什么 ~ 的地方。Wǒ kàn zhèr méiyǒu shénme ~ de dìfang. | 今天晚上将有一个 ~ 的节目跟观众见面。Jīntiān wǎnshang jiāng yǒu yí ge ~ de jiémù gēn guānzhòng jiànmiàn.

tèbié 特别² [副]

中国的长城 ~ 雄伟。Zhōngguó de Chángchéng ~ xióngwěi. →中国的长城非常雄伟。Zhōngguó de Chángchéng fēicháng xióngwěi. 例我 ~ 爱喝茶。Wǒ ~ ài hē chá. | 那里很危险，你要 ~ 小心。Nàli hěn wēixiǎn, nǐ yào ~ xiǎoxīn. | 弟弟 ~ 聪明。Dìdi ~ cōngming. | 今天的天气 ~ 冷。Jīntiān de tiānqì ~ lěng. | 你写的这首诗 ~ 生动。Nǐ xiě de zhèi shǒu shī ~ shēngdòng.

tèbié 特别³ [副]

儿子 ~ 买了礼物，祝贺妈妈的生日。Érzi ~ mǎile lǐwù, zhùhè māma de shēngri. →儿子为了祝贺妈妈的生日，专门去买了礼物。Érzi wèile zhùhè māma de shēngri, zhuānmén qù mǎile lǐwù. 例听说你病了，我 ~ 请了一天假来看你。Tīngshuō nǐ bìngle, wǒ ~ qǐngle yì tiān jià lái kàn nǐ. | 国家 ~ 划出一片地方作为野生动物保护区。Guójiā ~ huàchū yí piàn dìfang zuòwéi yěshēng dòngwù bǎohùqū. |

他们 ～ 排练了一台节目准备春节时演出。Tāmen ~ páiliànle yì tái jiémù zhǔnbèi Chūnjié shí yǎnchū.

tèbié 特别[4] ［副］

他喜欢喝茶，～ 是绿茶。Tā xǐhuan hē chá, ~ shì lǜchá. →在他喜欢喝的茶中，绿茶是他最喜欢喝的茶。Zài tā xǐhuan hē de chá zhōng, lǜchá shì tā zuì xǐhuan hē de chá. 例我喜欢画画儿，～ 喜欢画油画儿。Wǒ xǐhuan huà huàr, ~ xǐhuan huà yóuhuàr. | 这几天一直很冷，～ 是昨天，零下十多度。Zhèi jǐ tiān yìzhí hěn lěng, ~ shì zuótiān, língxià shí duō dù. | 他想上大学，～ 是想上有名的大学。Tā xiǎng shàng dàxué, ~ shì xiǎng shàng yǒumíng de dàxué.

tècǐ 特此 ［副］

1 月 24 日放寒假，3 月 1 日开学，～ 通知。Yīyuè èrshísì rì fàng hánjià, Sānyuè yī rì kāixué, ~ tōngzhī. →现在专门把 1 月 24 日放寒假，3 月 1 日开学这件事告诉大家。Xiànzài zhuānmén bǎ Yīyuè èrshísì rì fàng hánjià, Sānyuè yī rì kāixué zhèi jiàn shì gàosu dàjiā. 例前方道路正在施工，一切车辆禁止通行，～ 通告。Qiánfāng dàolù zhèngzài shīgōng, yíqiè chēliàng jìnzhǐ tōngxíng, ~ tōnggào. | 为了避免误会，～ 说明。Wèile bìmiǎn wùhuì, ~ shuōmíng.

tèdì 特地 ［副］

为了祝贺女儿的生日，妈妈 ～ 买了一个大蛋糕。Wèile zhùhè nǚ'ér de shēngri, māma ~ mǎile yí ge dà dàngāo. →妈妈专门为了祝贺女儿的生日买了一个大蛋糕。Māma zhuānmén wèile zhùhè nǚ'ér de shēngri mǎile yí ge dà dàngāo. 例为了参加弟弟的婚礼，姐姐 ～ 去了一趟北京。Wèile cānjiā dìdi de hūnlǐ, jiějie ~ qùle yí tàng Běijīng. | 这是妻子 ～ 为丈夫织的毛衣。Zhè shì qīzi ~ wèi zhàngfu zhī de máoyī. | 出发前，我们 ～ 赶到车站为他们送行。Chūfā qián, wǒmen ~ gǎndào chēzhàn wèi tāmen sòngxíng. | 会后，我们 ～ 组织他们进行了座谈。Huìhòu, wǒmen ~ zǔzhī tāmen jìnxíngle zuòtán.

tèdiǎn 特点（特點）［名］

北京有一个 ～，明清时代的建筑很多。Běijīng yǒu yí ge ~, Míng Qīng shídài de jiànzhù hěn duō. →明清时代的建筑多是北京跟别的城市相比不一样的地方。Míng Qīng shídài de jiànzhù duō shì Běijīng gēn biéde chéngshì xiāngbǐ bù yíyàng de dìfang. 例那个人的 ～ 是嘴唇比较厚。Nèige rén de ~ shì zuǐchún bǐjiào hòu. | 他说话的 ～ 很像

T

东北人。Tā shuōhuà de ~ hěn xiàng Dōngběirén. |他创作的歌曲很有民族 ~。Tā chuàngzuò de gēqǔ hěn yǒu mínzú ~. |同学们要掌握这篇文章的写作 ~。Tóngxuémen yào zhǎngwò zhèi piān wénzhāng de xiězuò ~. |请你说说北京烤鸭的 ~。Qǐng nǐ shuōshuo Běijīng kǎoyā de ~.

tèshū 特殊 [形]

他的生活习惯比较 ~。Tā de shēnghuó xíguàn bǐjiào ~. →他的生活习惯跟一般人的生活习惯不一样。Tā de shēnghuó xíguàn gēn yìbān rén de shēnghuó xíguàn bù yíyàng. 例他的情况比别人 ~。Tā de qíngkuàng bǐ biérén ~. |这个皇帝吃的饭 ~ 得很。Zhèige huángdì chī de fàn ~ de hěn. |他 ~，主要 ~ 在哪些方面？Tā ~, zhǔyào zài něixiē fāngmiàn? |领导交给了他一个 ~ 任务。Lǐngdǎo jiāo gěi le tā yí ge ~ rènwu. |国家对老人有 ~ 照顾。Guójiā duì lǎorén yǒu zhàogù. |对这个问题，我们进行了 ~ 处理。Duì zhèige wèntí, wǒmen jìnxíngle ~ chǔlǐ.

tèyì 特意 [副]

妈妈 ~ 为女儿买了生日礼物。Māma ~ wèi nǚ'ér mǎile shēngri lǐwù. →妈妈主动专门为女儿买了生日礼物。Māma zhǔdòng zhuānmén wèi nǚ'ér mǎile shēngri lǐwù. 例妻子 ~ 为丈夫织了一件毛衣。Qīzi ~ wèi zhàngfu zhīle yí jiàn máoyī. |这些话是他 ~ 说给你听的。Zhèixiē huà shì tā ~ shuō gěi nǐ tīng de. |他 ~ 赶到北京参加朋友的婚礼。Tā ~ gǎndào Běijīng cānjiā péngyou de hūnlǐ. |他只是顺便来看看我，不是 ~ 的。Tā zhǐshì shùnbiàn lái kànkan wǒ, búshì ~ de.

teng

téng 疼 [动]

我的腿受过伤，现在一下雨，就有点儿 ~。Wǒ de tuǐ shòuguo shāng, xiànzài yí xià yǔ, jiù yǒudiǎnr ~. →一下雨，腿就有难受的感觉。Yí xià yǔ, tuǐ jiù yǒu nánshòu de gǎnjué. 例我肚子 ~ 得厉害。Wǒ dùzi ~ de lìhai. |我的牙又 ~ 起来了。Wǒ de yá yòu ~ qilai le. |我的腰 ~ 了好长时间了。Wǒ de yāo ~ le hǎo cháng shíjiān le. |我的腿 ~ 的时候都不敢走路。Wǒ de tuǐ ~ de shíhou dōu bù gǎn zǒulù. |吃了这种药以后，我一点儿 ~ 的感觉都没有了。Chīle zhèi zhǒng yào yǐhòu, wǒ yìdiǎnr ~ de gǎnjué dōu méiyǒu le.

tí

tīxù T恤 [名]

T-shirt 例夏天到了，我想买几件 ~ 。Xiàtiān dào le, wǒ xiǎng mǎi jǐ jiàn ~ . l你的这件 ~ 真好看。Nǐ de zhèi jiàn ~ zhēn hǎokàn. l我喜欢这件 ~ 的样式，可是价钱贵了点儿。Wǒ xǐhuan zhèi jiàn ~ de yàngshì, kěshi jiàqian guìle diǎnr. l那个穿黄 ~ 的，就是我哥哥。Nèige chuān huáng ~ de jiù shì wǒ gēge. l他上午去商场买了三件 ~ 。Tā shàngwǔ qù shāngchǎng mǎile sān jiàn ~ . l这件 ~ 衫是你的吗？Zhèi jiàn ~ shān shì nǐ de ma?

tī 踢 [动]

小心，别让马 ~ 着你。Xiǎoxīn, bié ràng mǎ ~ zhao nǐ. →小心，马抬腿的时候，别让马的脚碰到你身上。Xiǎoxīn, mǎ tái tuǐ de shíhou, bié ràng mǎ de jiǎo pèngdào nǐ shēnshang. 例几个孩子正在 ~ 足球。Jǐ ge háizi zhèngzài ~ zúqiú. l他足球 ~ 得特别好。Tā zúqiú ~ de tèbié hǎo. l我们在一起 ~ 过几次，他们从来没赢过。Wǒmen zài yìqǐ ~ guo jǐ cì, tāmen cónglái méi yíngguo. l你把球 ~ 过来！Nǐ bǎ qiú ~ guolai! l他 ~ 了二十多分钟，一个球也没 ~ 进去。Tā ~ le èrshí duō fēnzhōng, yí ge qiú yě méi ~ jìnqù.

tí 提¹ [动]

他 ~ 着一桶水走过来。Tā ~ zhe yì tǒng shuǐ zǒu guolai. →他的手抓着水桶的把儿，朝上用力。Tā de shǒu zhuāzhe shuǐtǒng de bàr, cháo shàng yòng lì. 例他 ~ 着一条鱼回家了。Tā ~ zhe yì tiáo yú huíjiā le. l王大妈手里 ~ 了个菜篮子。Wáng dàmā shǒu li ~ le ge càilánzi. l你把灯 ~ 得高一点儿！Nǐ bǎ dēng ~ de gāo yìdiǎnr! l我帮你把行李 ~ 上飞机吧！Wǒ bāng nǐ bǎ xíngli ~ shàng fēijī ba! l我已经 ~ 了好长时间了。Wǒ yǐjing ~ le hǎo cháng shíjiān le. l你手里 ~ 的皮箱是谁的？Nǐ shǒu li ~ de píxiāng shì shéi de?

tí 提² [动]

不要再 ~ 那些伤心的事了。Búyào zài ~ nèixiē shāngxīn de shì le. →不要再说起或说出来那些伤心的事了。Búyào zài shuō qi huò shuō chulai nèixiē shāngxīn de shì le. 例大家 ~ 了很多建议。Dàjiā ~ le hěn duō jiànyì. |大家有什么意见都可以~。Dàjiā yǒu shénme yìjiàn dōu kěyǐ~. |你们的建议~得很好。Nǐmen de jiànyì ~ de hěn hǎo. |你们还有什么意见，都~出来吧。Nǐmen háiyǒu shénme yìjiàn, dōu ~ chulai ba. |他~出了很多好的办法。Tā ~ chūle hěn duō hǎo de bànfǎ. |你~的意见，我们都接受，Nǐ ~ de yìjiàn, wǒmen dōu jiēshòu.

tíchàng 提倡 [动]

我国~一对夫妇只生一个孩子。Wǒguó ~ yí duì fūfù zhǐ shēng yí ge háizi. →我国政府号召和鼓励一对夫妇只生一个孩子。Wǒguó zhèngfǔ hàozhào hé gǔlì yí duì fūfù zhǐ shēng yí ge háizi. 例我们~爱护环境。Wǒmen ~ àihù huánjìng. |学校~同学们要互相帮助。Xuéxiào ~ tóngxuémen yào hùxiāng bāngzhù. |这种精神应该大力~。Zhèi zhǒng jīngshén yīnggāi dàlì ~. |语言学家们多次~过，要大力推广普通话。Yǔyánxuéjiāmen duōcì ~ guo, yào dàlì tuīguǎng pǔtōnghuà. |关于这个问题，他们已经~过多次。Guānyú zhèige wèntí, tāmen yǐjing ~ guo duōcì. |这就是我们~的民族精神。Zhè jiù shì wǒmen ~ de mínzú jīngshén.

tígāo 提高 [动]

这几个留学生的汉语水平都~了。Zhèi jǐ ge liúxuéshēng de Hànyǔ shuǐpíng dōu ~ le. →这几个留学生的汉语水平都比以前上升了。Zhèi jǐ ge liúxuéshēng de Hànyǔ shuǐpíng dōu bǐ yǐqián shàngshēng le. 例最近这种食品~了价格。Zuìjìn zhèi zhǒng shípǐn ~ le jiàgé. |我们要进一步~产品的质量。Wǒmen yào jìn yí bù ~ chǎnpǐn de zhìliàng. |这几天，长江的水位在不断~。Zhèi jǐ tiān, Cháng Jiāng de shuǐwèi zài búduàn ~. |小王的工作能力~得很快。Xiǎo Wáng de gōngzuò nénglì ~ de hěn kuài. |你应该努力把英语考试成绩~到90分。Nǐ yīnggāi nǔlì bǎ Yīngyǔ kǎoshì chéngjì ~ dào jiǔshí fēn. |我们家的生活水平比过去有了很大的~。Wǒmen jiā de shēnghuó shuǐpíng bǐ guòqù yǒule hěn dà de ~.

tígōng 提供 [动]

我们公司向灾区~了二十多万元的食品。Wǒmen gōngsī xiàng zāiqū ~ le èrshí duō wàn yuán de shípǐn. →我们公司给了灾区二十多万元的食品。Wǒmen gōngsī gěile zāiqū èrshí duō wàn yuán de shípǐn.

例他们给我们～了许多有用的消息。Tāmen gěi wǒmen ～ le xǔduō yǒuyòng de xiāoxi. | 宾馆向客人们～了热情、周到的服务。Bīnguǎn xiàng kèrénmen ～ le rèqíng、zhōudào de fúwù. | 你可以把这些建议～给领导。Nǐ kěyǐ bǎ zhèixiē jiànyì ～ gěi lǐngdǎo. | 你们需要的东西我们现在～不了。Nǐmen xūyào de dōngxi wǒmen xiànzài ～ bu liǎo. | 这个情报是谁～的? Zhèige qíngbào shì shéi ～ de?

tíqián 提前 [动]

他原来打算二月份回国，后来～了。Tā yuánlái dǎsuan Èryuèfèn huíguó, hòulái ～ le. →后来他一月份就回国了。Hòulái tā Yīyuèfèn jiù huíguó le. **例**考试的时间～了。Kǎoshì de shíjiān ～ le. | 开会的时间可以～。Kāihuì de shíjiān kěyǐ ～. | 出发的时间～了十分钟。Chūfā de shíjiān ～ le shí fēnzhōng. | 路不好走，你们～出发吧。Lù bù hǎo zǒu, nǐmen ～ chūfā ba. | 一车间～完成了任务。Yī chējiān ～ wánchéngle rènwu. | 谁不去长城，要～告诉我。Shéi bú qù Chángchéng, yào ～ gàosu wǒ.

tí 题 (題) [名]

这道数学～很难。Zhèi dào shùxué ～ hěn nán. →这道数学题目解答起来很难。Zhèi dào shùxué tímù jiědá qilai hěn nán. **例**书后的练习～都要做。Shū hòu de liànxí ～ dōu yào zuò. | 老师留了两道思考～。Lǎoshī liúle liǎng dào sīkǎo ～. | 做作文千万别跑了～。Zuò zuòwén qiānwàn bié pǎole ～. | 这道～的答案有两个。Zhèi dào ～ de dá'àn yǒu liǎng ge. | 考试时要把～的要求看清楚。Kǎoshì shí yào bǎ ～ de yāoqiú kàn qīngchu. | 我对这样的～很熟悉。Wǒ duì zhèiyàng de ～ hěn shúxī. | 请大家把这些～再做一遍。Qǐng dàjiā bǎ zhèixiē ～ zài zuò yí biàn.

tímù 题目 (題目) [名]

他写的文章登在报纸上了，～是《吸烟影响身体健康》。Tā xiě de wénzhāng dēng zài bàozhǐ shang le, ～ shì 《xīyān yǐngxiǎng shēntǐ jiànkāng》. →他写的文章的标题是《吸烟影响身体健康》。Tā xiě de wénzhāng de biāotí shì 《xīyān yǐngxiǎng shēntǐ jiànkāng》. **例**这篇文章的～很好。Zhèi piān wénzhāng de ～ hěn hǎo. | 你演讲的～想好了吗? Nǐ yǎnjiǎng de ～ xiǎnghǎo le ma? | 老师出了两个作文～。Lǎoshī chūle liǎng ge zuòwén ～. | 我把这几本书的～抄在一张纸上

了。Wǒ bǎ zhèi jǐ běn shū de ~ chāo zài yì zhāng zhǐ shang le.

tǐhuì 体会[1] (體會) [动]

妈妈能 ~ 孩子现在的心情。Māma néng ~ háizi xiànzài de xīnqíng. →妈妈能理解孩子现在的心情。Māma néng lǐjiě háizi xiànzài de xīnqíng. 例你还没有 ~ 出这句话的意思。Nǐ hái méiyǒu ~ chū zhèi jù huà de yìsi. | 他对农村的艰苦生活 ~ 得很深刻。Tā duì nóngcūn de jiānkǔ shēnghuó ~ de hěn shēnkè. | 你把我的话 ~ 错了。Nǐ bǎ wǒ de huà ~ cuò le. | 当时他还 ~ 不到这篇小说的现实意义。Dāngshí tā hái ~ bú dào zhèi piān xiǎoshuō de xiànshí yìyì.

tǐhuì 体会[2] (體會) [名]

读了这篇文章，我有三点 ~。Dúle zhèi piān wénzhāng, wǒ yǒu sān diǎn ~. →读了这篇文章以后，我对这篇文章有三点看法。Dúle zhèi piān wénzhāng yǐhòu, wǒ duì zhèi piān wénzhāng yǒu sān diǎn kànfǎ. 例你的 ~ 很全面。Nǐ de ~ hěn quánmiàn. | 每个人都要交一篇学习 ~。Měi ge rén dōu yào jiāo yì piān xuéxí ~. | 现在我谈一下儿参加这次活动的 ~。Xiànzài wǒ tán yíxiàr cānjiā zhèi cì huódòng de ~. | 看完这部电影，谁都会有一些 ~。Kànwán zhèi bù diànyǐng, shéi dōu huì yǒu yìxiē ~.

tǐjī 体积 (體積) [名]

这堆土的 ~ 是多少立方米？Zhèi duī tǔ de ~ shì duōshao lìfāngmǐ? →这堆土占的空间是多少立方米？Zhèi duī tǔ zhàn de kōngjiān shì duōshao lìfāngmǐ? 例上飞机时带的箱子，~ 不能太大。Shàng fēijī shí dài de xiāngzi, ~ bù néng tài dà. | 这件大衣占了箱子 ~ 的一半儿。Zhèi jiàn dàyī zhànle xiāngzi ~ de yíbànr. | 衣柜的 ~ 比箱子的 ~ 大多了。Yīguì de ~ bǐ xiāngzi de ~ dà duō le.

tǐxì 体系 (體系) [名]

system; setup 例我们正在建立新的教育 ~。Wǒmen zhèngzài jiànlì xīn de jiàoyù ~. | 这是传统的语法 ~。Zhè shì chuántǒng de yǔfǎ ~. | 哲学有一套完整的思想 ~。Zhéxué yǒu yí tào wánzhěng de sīxiǎng ~. | 我们需要改革旧的 ~。Wǒmen xūyào gǎigé jiù de ~. | 他对这个 ~ 做过分析。Tā duì zhèige ~ zuòguo fēnxī.

tǐyù 体育 (體育) [名]

他是 ~ 老师。Tā shì ~ lǎoshī. →他是给学生上运动课的老师，这个

课常常在操场上进行。Tā shì gěi xuéshēng shàng yùndòng kè de lǎoshī, zhèige kè chángcháng zài cāochǎng shang jìnxíng. 例今天我们有～课。Jīntiān wǒmen yǒu ～ kè. | 我经常参加学校组织的～活动。Wǒ jīngcháng cānjiā xuéxiào zǔzhī de ～ huódòng. | 三十多年来，他一直坚持～锻炼。Sānshí duō nián lái, tā yìzhí jiānchí ～ duànliàn. | 他很少参加这项～运动。Tā hěn shǎo cānjiā zhèi xiàng ～ yùndòng.

tǐyùchǎng 体育场(體育場) [名]

这里新建了一个～。Zhèlǐ xīnjiànle yí ge ～. →这里新建了一个用来进行体育锻炼或体育比赛的室外场所。Zhèlǐ xīn jiànle yí ge yònglái jìnxíng tǐyù duànliàn huò tǐyù bǐsài de shìwài chǎngsuǒ. 例工人～在北京的东边儿。Gōngrén ～ zài Běijīng de dōngbianr. | 主席台在～的西边儿。Zhǔxítái zài ～ de xībianr. | 这个～的设备很先进。Zhèige ～ de shèbèi hěn xiānjìn. | 今晚的足球比赛在我们学校的～举行。Jīnwǎn de zúqiú bǐsài zài wǒmen xuéxiào de ～ jǔxíng.

tǐyùguǎn 体育馆(體育館) [名]

北京有好几个～。Běijīng yǒu hǎojǐ gè ～. →北京有好几个专门用来进行体育锻炼或体育比赛的室内场所。Běijīng yǒu hǎojǐ gè zhuānmén yònglái jìnxíng tǐyù duànliàn huò tǐyù bǐsài de shìnèi chǎngsuǒ. 例海淀区的～在我们大学的西边儿。Hǎidiàn Qū de ～ zài wǒmen dàxué de xībianr. | 他在～工作。Tā zài ～ gōngzuò. | 这座～的面积很大。Zhèi zuò ～ de miànjī hěn dà. | 今晚我们去～看篮球比赛。Jīnwǎn wǒmen qù ～ kàn lánqiú bǐsài.

tì 替[1] [动]

现在8号队员～下了5号队员。Xiànzài bā hào duìyuán ～ xiàle wǔ hào duìyuán. →8号队员上场参加比赛，5号队员从场上下来。Bā hào duìyuán shàng chǎng cānjiā bǐsài, wǔ hào duìyuán cóng chǎng shàng xiàlai. 例你去休息一会儿，我来～你。Nǐ qù xiūxi yíhuìr, wǒ lái ～ nǐ. | 他的作用谁也～不了。Tā de zuòyòng shéi yě ～ bu liǎo. | 我～了他一个月。Wǒ ～ le tā yí ge yuè. | 你去干一会儿，把老李～下来。Nǐ qù gàn yíhuìr, bǎ Lǎo Lǐ ～ xialai.

tì 替[2] [介]

你去书店时，～我买本书。Nǐ qù shūdiàn shí, ～ wǒ mǎi běn shū. →我想买本书，你去书店时为我买吧。Wǒ xiǎng mǎi běn shū, nǐ

T

qù shūdiàn shí wèi wǒ mǎi ba. 例你不说，我～你说。Nǐ bù shuō, wǒ～nǐ shuō. ｜他帮了我许多忙，你～我谢谢他。Tā bāngle wǒ xǔduō máng, nǐ～wǒ xièxie tā. ｜你～我打听一下儿，他住在哪里。Nǐ～wǒ dǎtīng yíxiàr, tā zhù zài nǎli. ｜你考上了著名的大学，我真～你高兴。Nǐ kǎoshangle zhùmíng de dàxué, wǒ zhēn～nǐ gāoxìng. ｜你父亲的身体很好，不用～他担心。Nǐ fùqin de shēntǐ hěn hǎo, bú yòng～tā dānxīn.

tian

tiān 天¹ [名]

一群小鸟儿在蓝～上飞来飞去。Yì qún xiǎoniǎor zài lán～shang fēilái fēiqù. →一群小鸟儿在蓝色的天空中飞来飞去。Yì qún xiǎoniǎor zài lánsè de tiānkōng zhōng fēilái fēiqù. 例～上的星星真多。～shang de xīngxing zhēn duō. ｜太阳落下去了，～渐渐黑了起来。Tàiyáng luò xiaqu le, ～jiànjiàn hēile qilai. ｜飞机渐渐地在～边消失了。Fēijī jiànjiàn de zài～biān xiāoshī le. ｜我爱蓝色的～，我爱白色的云。Wǒ ài lánsè de～, wǒ ài báisè de yún.

tiānkōng 天空 [名]

蓝蓝的～飘着几朵白云。Lán lán de～piāozhe jǐ duǒ báiyún. →蓝蓝的天上飘着几朵白云。Lán lán de tiānshang piāozhe jǐ duǒ bái yún. 例草原上的～特别明亮干净。Cǎoyuán shang de～tèbié míngliàng gānjìng. ｜远处的～传来了雷声。Yuǎnchù de～chuánláile léishēng. ｜无数气球升上了～。Wúshù qìqiú shēngshàngle～. ｜鸟儿在～自由自在地飞。Niǎo'ér zài～zìyóu zìzài de fēi. ｜一轮明月挂在～。Yì lún míngyuè guà zài～.

tiānshang 天上 [名]

夜晚～的星星很多很亮。Yèwǎn～de xīngxing hěn duō hěn liàng. →夜晚天空的星星很多很亮。Yèwǎn tiānkōng de xīngxing hěn duō hěn liàng. 例～有个太阳。～yǒu ge tàiyáng. ｜～挂着一轮明月。～guàzhe yì lún míngyuè. ｜鸟儿在～自由地飞来飞去。Niǎo'ér zài～zìyóu de fēilái fēiqù. ｜他真想变成一只小鸟儿飞到～去。Tā zhēn xiǎng biànchéng yì zhī xiǎoniǎor fēidào～qù.

tiān 天² [量]

一个星期有七～。Yí ge xīngqī yǒu qī～. →从星期一到星期日。

Cóng Xīngqīyī dào Xīngqīrì. **例**这个星期我只休息了一~。Zhèige xīngqī wǒ zhǐ xiūxile yì~。|开学的前一~，我们把教室打扫得干干净净。Kāixué de qián yì ~，wǒmen bǎ jiàoshì dǎsǎo de gāngānjìngjìng。|我每~都起得很早。Wǒ měi ~ dōu qǐ de hěn zǎo。| 再过三~，我就该走了。Zài guò sān ~，wǒ jiù gāi zǒu le。

tiāntiān 天天

我 ~ 锻炼身体。Wǒ ~ duànliàn shēntǐ. →我每一天都锻炼身体。Wǒ měi yì tiān dōu duànliàn shēntǐ. **例**他 ~ 早晨都用凉水洗脸。Tā ~ zǎochen dōu yòng liáng shuǐ xǐ liǎn。|我 ~ 都听音乐。Wǒ ~ dōu tīng yīnyuè。|这条街道 ~ 都很热闹。Zhèi tiáo jiēdào ~ dōu hěn rènao。| 孩子的作业我 ~ 都要检查。Háizi de zuòyè wǒ ~ dōu yào jiǎnchá。| 我家的生活一 ~ 好起来。Wǒ jiā de shēnghuó yì ~ hǎo qilai。|要养成 ~ 早起的好习惯。Yào yǎngchéng ~ zǎo qǐ de hǎo xíguàn.

tiān 天³ [名]

~冷的时候要多穿衣服。~ lěng de shíhou yào duō chuān yīfu. →天气冷的时候要多穿衣服。Tiānqì lěng de shíhou yào duō chuān yīfu. **例**大热的 ~ 儿，你去哪儿呀？Dà rè de ~ r，nǐ qù nǎr ya？| ~ 晴了，我们走吧。~ qíng le，wǒmen zǒu ba。|下雨 ~，路上特别滑。Xià yǔ ~，lù shang tèbié huá。|外边 儿起风了，要变 ~ 儿了。Wàibianr qǐ fēng le，yào biàn ~ r le。|碰上好 ~ 儿，早晨可以看见日出。Pèng shang hǎo ~ r，zǎochen kěyǐ kànjiàn rìchū.

tiānqì 天气（天氣）[名]

今年春天北京的 ~ 特别好。Jīnnián chūntiān Běijīng de ~ tèbié hǎo. →今年春天北京的气候特别好，人们觉得很舒服。Jīnnián chūntiān Běijīng de qìhòu tèbié hǎo，rénmen juéde hěn shūfu. **例**冬天，南方 的 ~ 和北方的 ~ 大不一样。Dōngtiān，nánfāng de ~ hé běifāng de ~ dà bù yíyàng。|你听广播了吗，明天的 ~ 怎么样？Nǐ tīng guǎngbō le ma，míngtiān de ~ zěnmeyàng？|南方的 ~ 适合水稻生长。Nánfāng de ~ shìhé shuǐdào shēngzhǎng。|碰上下雨的 ~，我们就 不出去玩儿了。Pèngshang xià yǔ de ~，wǒmen jiù bù chūqu wánr le。|你们要注意 ~ 的变化。Nǐmen yào zhùyì ~ de biànhuà。

tiānzhēn 天真¹ [形]

这些孩子 ~ 可爱。Zhèixiē háizi ~ kě'ài. →这些孩子很单纯，心里怎

么想就怎么说、怎么做，很可爱。Zhèixiē háizi hěn dānchún, xīnli zěnme xiǎng jiù zěnme shuō、zěnme zuò, hěn kě'ài. **例**他的儿子～活泼，特别让人喜欢。Tā de érzi ~ huópo, tèbié ràng rén xǐhuan. | 他们有一个～的女儿。Tāmen yǒu yí ge ~ de nǚ'ér. | 她整天跟～的孩子们在一起，自己好像也变年轻了。Tā zhěngtiān gēn ~ de háizimen zài yìqǐ, zìjǐ hǎoxiàng yě biàn niánqīng le. | 听了这些话，孩子们～地笑了。Tīngle zhèixiē huà, háizimen ~ de xiào le.

tiānzhēn 天真[2] [形]

人家说这种东西能治病，你就相信，你也太～了。Rénjia shuō zhèi zhǒng dōngxi néng zhì bìng, nǐ jiù xiāngxìn, nǐ yě tài ~ le. →你把事情想得太简单了。Nǐ bǎ shìqing xiǎng de tài jiǎndān le. **例**你都快二十岁的人了，可是有时处理问题～得很。Nǐ dōu kuài èrshí suì de rén le, kěshì yǒushí chǔlǐ wèntí ~ de hěn. | 事情并不那么简单，我觉得你的想法很～。Shìqing bìng bú nàme jiǎndān, wǒ juéde nǐ de xiǎngfa hěn ~. | 我不能同意你的这种～的想法。Wǒ bù néng tóngyì nǐ de zhèi zhǒng ~ de xiǎngfa.

tiān 添 [动]

"大"字～一笔就是"天"字。"Dà" zì ~ yì bǐ jiù shì "tiān" zì. →在"大"字上边加一横就成"天"字了。Zài "dà" zì shàngbian jiā yì héng jiù chéng "tiān" zì le. **例**最近我们家～了几件家具。Zuìjìn wǒmen jiā ~ le jǐ jiàn jiājù. | 锅里的水太少，你再～一点儿。Guō li de shuǐ tài shǎo, nǐ zài ~ yìdiǎnr. | 我把酒给您～满了，咱们干一杯。Wǒ bǎ jiǔ gěi nín ~ mǎn le, zánmen gān yì bēi. | 我往菜里～了两次盐，可是这菜还有点儿淡。Wǒ wǎng cài li ~ le liǎng cì yán, kěshì zhè cài hái yǒudiǎnr dàn. | 搬家后我～的用具都是很漂亮的。Bān jiā hòu wǒ ~ de yòngjù dōu shì hěn piàoliang de.

tián 田 [名]

这个村子不大，一共只有八百亩～。Zhèige cūnzi bú dà, yígòng zhǐ yǒu bābǎi mǔ ~. →这个村子只有八百亩能种庄稼、蔬菜、水果等等的土地。Zhèige cūnzi zhǐ yǒu bābǎi mǔ néng zhòng zhuāngjia、shūcài、shuǐguǒ děngděng de tǔdì. **例**村前的麦～一片金黄。Cūn qián de mài ~ yípiàn jīnhuáng. | 稻～里可以养鱼。Dào ~ li kěyǐ yǎng yú. | 那里的荒地正在变成良～。Nàli de huāngdì zhèngzài biànchéng liáng ~. | 我爷爷在农村种了一辈子～。Wǒ yéye zài nóngcūn zhòngle yíbèizi ~ . |他一早就下 ~ 干活儿去了。Tā yìzǎo jiù xià~ gàn huór qu le. |昨天他很晚才从 ~ 里回来。Zuótiān tā hěn wǎn cái cóng ~ li huílai.

tiányě 田野 [名]

绿色的 ~ 一眼望不到边儿。Lǜsè de ~ yì yǎn wàng bu dào biānr. → 农村种着庄稼的绿色土地，一眼望不到边儿。Nóngcūn zhòngzhe zhuāngjia de lǜsè tǔdì, yì yǎn wàng bu dào biānr. 例美丽的 ~ 上静悄悄的。Měilì de ~ shang jìngqiāoqiāo de. |山下是一片开满鲜花的 ~ 。Shān xià shì yí piàn kāimǎn xiānhuā de ~ . |火红的太阳照在 ~ 上。Huǒhóng de tàiyáng zhào zài ~ shang. |早晨，~ 的空气特别新鲜。Zǎochen, ~ de kōngqì tèbié xīnxiān. |我们经常在 ~ 的小路上散步。Wǒmen jīngcháng zài ~ de xiǎolù shang sànbù.

tián 甜[1] [形]

这个西瓜很 ~ 。Zhèige xīguā hěn ~ . →这个西瓜的味道跟糖的味道一样。Zhèige xīguā de wèidao gēn táng de wèidao yíyàng. 例老人要少吃 ~ 的东西。Lǎorén yào shǎo chī~ de dōngxi. |我买了两个面包。Wǒ mǎile liǎng ge ~ miànbāo. |这种水果特别 ~ 。Zhèi zhǒng shuǐguǒ tèbié ~ . |这个橘子比那个橘子 ~ . Zhèige júzi bǐ nèige júzi ~ . |我吃了一口，觉得~ 极了。Wǒ chīle yì kǒu, juéde ~ jí le.

tián 甜[2] [形]

她的歌声特别 ~ 。Tā de gēshēng tèbié ~ . →听了她的歌声特别舒服，特别愉快。Tīngle tā de gēshēng tèbié shūfu, tèbié yúkuài. 例女儿见到妈妈，露出了 ~ ~ 的笑脸。Nǚ'ér jiàndào māma, lòuchūle ~ ~ de xiàoliǎn. |小男孩儿跑到警察面前，~ ~ 地叫了一声叔叔。Xiǎo nánháir pǎodào jǐngchá miànqián, ~ ~ de jiàole yì shēng shūshu. |这孩子一口一个大哥哥，叫得比谁都 ~ 。Zhè háizi yìkǒu yí ge dà gēge, jiào de bǐ shéi dōu ~ .

tián 填 [动]

请在这张表上 ~ 上你的姓名。Qǐng zài zhèi zhāng biǎo shang ~ shang nǐ de xìngmíng. →请在这张表的空格里写上你的姓名。Qǐng zài zhèi zhāng biǎo de kònggé li xiěshang nǐ de xìngmíng. 例到银行换钱的时候要先 ~ 单子。Dào yínháng huànqián de shíhou yào xiān ~ dānzi. |这儿由你 ~ 。Zhèr yóu nǐ ~ . |我已经 ~ 好了。Wǒ yǐjing ~ hǎo le. |每个空儿都得 ~ 。Měi ge kòngr dōu děi ~ . |她 ~ 得很详

细。Tā ~ de hěn xiángxì. | 这种表我已经 ~ 了三回了。Zhèi zhǒng
biǎo wǒ yǐjing ~ le sān huí le. | ~ 表的时候要仔细，千万别 ~ 错了。
~ biǎo de shíhou yào zǐxì, qiānwàn bié ~ cuò le.

tiao

tiāo 挑¹ ［动］

他 ~ 的西瓜个个儿都很甜。Tā ~ de xīguā gègèr dōu hěn tián. →他
从很多西瓜里选出来的西瓜，个个儿是甜的。Tā cóng hěn duō xīguā
li xuǎn chulai de xīguā, gègèr shì tián de. 例我 ~ 了两双皮鞋，式样
都很漂亮。Wǒ ~ le liǎng shuāng píxié, shìyàng dōu hěn piàoliang. |
他们正在 ~ 电影演员，你也去试试吧。Tāmen zhèngzài ~ diànyǐng
yǎnyuán, nǐ yě qù shìshi ba. | 这儿的东西你们可以随便 ~ , ~ 好
了，赶快告诉我们。Zhèr de dōngxi nǐmen kěyǐ suíbiàn ~ , ~ hǎo le,
gǎnkuài gàosu wǒmen. | 她 ~ 了二十多分钟，才 ~ 到一件满意的衣
服。Tā ~ le èrshí duō fēnzhōng, cái ~ dào yí jiàn mǎnyì de yīfu. | 我
们公司 ~ 的两名大学毕业生都是学计算机的。Wǒmen gōngsī ~ de
liǎng míng dàxué bìyèshēng dōu shì xué jìsuànjī de.

tiāo 挑² ［动］

carry (tote) on the shoulder with a pole 例他 ~ 着两桶水回家了。Tā ~
zhe liǎng tǒng shuǐ huíjiā le. | 山上吃的用的全靠肩 ~ 。Shān shang
chī de yòng de quán kào jiān ~ . | 你往哪儿 ~ ? Nǐ wǎng nǎr ~ ? | 这
东西太重，我 ~ 不动。Zhè dōngxi tài zhòng, wǒ ~ bu dòng. | 你 ~
的行李是谁的? Nǐ ~ de xíngli shì shéi de? | 你帮我 ~ 回家去吧。Nǐ
bāng wǒ ~ huí jiā qù ba.

tiáo 条¹ （條） ［量］

用于细长的东西，如：河、街道、路、裤子、绳子、鱼、腿、毛
巾、烟等。Yòngyú xìcháng de dōngxi, rú: hé, jiēdào, lù, kùzi,
shéngzi, yú, tuǐ, máojīn, yān děng. 例我买了一 ~ 鱼。Wǒ mǎile
yì ~ yú. | 桌子坏了一 ~ 腿。Zhuōzi huàile yì ~ tuǐr. | 他穿的那 ~ 裤
子很漂亮。Tā chuān de nèi ~ kùzi hěn piàoliang. | 两 ~ 绳子都很长。
Liǎng ~ shéngzi dōu hěn cháng. | 你沿着那 ~ 大街往前走吧。Nǐ
yánzhe nèi ~ dàjiē wǎng qián zǒu ba. | ~ ~ 大路通北京。~ ~ dàlù
tōng Běijīng.

tiáo 条² （條） ［量］

用于分项的法律、规定、新闻报道以及经验、消息、路线、意见

等。Yòngyú fēn xiàng de fǎlǜ、guīdìng、xīnwén bàodào yǐjí jīngyàn、xiāoxi、lùxiàn、yìjiàn děng．**例**这样做符合《劳动法》的第十～。Zhèiyàng zuò fúhé《láodòngfǎ》de dì shí～．|这～消息是今天我在报纸上看到的。Zhèi～xiāoxi shì jīntiān wǒ zài bàozhǐ shang kàndào de．|最后的一～是怎么说的？Zuìhòu de yì～shì zěnme shuō de？|他们提的三～意见都很好。Tāmen tí de sān～yìjiàn dōu hěn hǎo．

tiáojiàn 条件[1]（條件）[名]

东北的气候和土地～适合甜菜生长。Dōngběi de qìhòu hé tǔdì～shìhé tiáncài shēngzhǎng．→东北的气候和土地的情况适合甜菜生长。Dōngběi de qìhòu hé tǔdì de qíngkuàng shìhé tiáncài shēngzhǎng．**例**他们家的生活～很好。Tāmen jiā de shēnghuó～hěn hǎo．|学校为学生提供了良好的学习～。Xuéxiào wèi xuésheng tígōngle liánghǎo de xuéxí～．|他对群众的住房～很关心。Tā duì qúnzhòng de zhùfáng～hěn guānxīn．|这个地区家庭经济～好的占多数。Zhèige dìqū jiātíng jīngjì～hǎo de zhàn duōshù．

tiáojiàn 条件[2]（條件）[名]

我可以原谅你，～是你必须向我承认错误。Wǒ kěyǐ yuánliàng nǐ，～shì nǐ bìxū xiàng wǒ chéngrèn cuòwù．→你必须先承认错误，我才能原谅你。Nǐ bìxū xiān chéngrèn cuòwù，wǒ cáinéng yuánliàng nǐ．**例**每一所大学招生的～不一样。Měi yì suǒ dàxué zhāoshēng de～bù yíyàng．|对方提的～不高，我们可以答应。Duìfāng tí de～bù gāo，wǒmen kěyǐ dāying．|她找对象的～太高了，因此都三十岁了，还没有男朋友。Tā zhǎo duìxiàng de～tài gāo le，yīncǐ dōu sānshí suì le，hái méiyǒu nánpéngyou．|你的～不能满足我们的要求。Nǐ de～bù néng mǎnzú wǒmen de yāoqiú．

tiáoyuē 条约（條約）[名]

最近中国又跟一些国家签订了新的经济～。Zuìjìn Zhōngguó yòu gēn yìxiē guójiā qiāndìngle xīn de jīngjì～．→最近中国又跟一些国家签订了新的关于经济方面的文书。Zuìjìn Zhōngguó yòu gēn yìxiē guójiā qiāndìngle xīn de guānyú jīngjì fāngmiàn de wénshū．**例**这个～是去年在北京签订的。Zhèige～shì qùnián zài Běijīng qiāndìng de．|～上的规定很明确。～shang de guīdìng hěn míngquè．|双方对～的内容做了补充。Shuāngfāng duì～de nèiróng zuòle bǔchōng．|两国对这个～都很重视。Liǎng guó duì zhèige～dōu hěn zhòngshì．|下一次会谈打算修改这个～。Xià yí cì huìtán dǎsuan xiūgǎi zhèige～．

T

tiáozhěng 调整（調整）[动]

我们工厂 ~ 了上班和下班的时间。Wǒmen gōngchǎng ~ le shàngbān hé xiàbān de shíjiān. →我们工厂改变了原来上班和下班的时间，使上下班的时间更合理了。Wǒmen gōngchǎng gǎibiànie yuánlái shàngbān hé xiàbān de shíjiān, shǐ shàng xià bān de shíjiān gèng hélǐ le. 例最近商场又 ~ 了一些商品的价格。Zuìjìn shāngchǎng yòu ~ le yìxiē shāngpǐn de jiàgé. ǀ房租的标准已经 ~ 了多次了。Fángzū de biāozhǔn yǐjing ~ le duōcì le. ǀ这次 ~ 得很及时。Zhèi cì ~ de hěn jíshí. ǀ这个领导班子应该 ~。Zhèige lǐngdǎo bānzi yīnggāi ~. ǀ我们学校对教师队伍作了 ~。Wǒmen xuéxiào duì jiàoshī duìwu zuòle ~. ǀ我们坚持了 ~ 后的方针。Wǒmen jiānchíle ~ hòu de fāngzhēn.

tiào 跳 [动]

他能 ~ 两米多高。Tā néng ~ liǎng mǐ duō gāo. →他的两腿用力，能使身体突然离开地面两米多高。Tā de liǎng tuǐ yònglì, néng shǐ shēntǐ tūrán líkāi dìmiàn liǎng mǐ duō gāo. 例孩子们又跑又 ~，高兴极了。Háizimen yòu pǎo yòu ~, gāoxìng jí le. ǀ咱俩往前 ~，看谁 ~ 得远。Zán liǎ wǎng qián ~, kàn shéi ~ de yuǎn. ǀ我只 ~ 了一百多下，就 ~ 不动了。Wǒ zhǐ ~ le yìbǎi duō xià, jiù ~ bu dòng le. ǀ你 ~ 的时候要用力。Nǐ ~ de shíhou yào yònglì. ǀ每天 ~ ~ 绳、跑跑步，对身体有好处。Měi tiān ~ ~ shéng、pǎopao bù, duì shēntǐ yǒu hǎochu.

tiào wǔ 跳舞

dance 例妹妹喜欢 ~。Mèimei xǐhuan ~. ǀ她正在舞台上 ~。Tā zhèngzài wǔtái shang ~. ǀ他经常和女朋友去 ~。Tā jīngcháng hé nǚpéngyou qù ~. ǀ她 ~ 跳得特别好看。Tā ~ tiào de tèbié hǎokàn. ǀ今天晚上我们去 ~ 吧。Jīntiān wǎnshang wǒmen qù ~ ba. ǀ我跟他们俩跳过几次舞。Wǒ gēn tāmen liǎ tiàoguo jǐ cì wǔ.

tie

tiē 贴[1]（貼）[动]

他买了一张邮票 ~ 在信封上。Tā mǎile yì zhāng yóupiào ~ zài xìnfēng shang. →寄信的时候，信封上一定粘上邮票。Jì xìn de shíhou, xìnfēng shang yídìng zhānshang yóupiào. 例墙上 ~ 了一幅画儿。Qiáng shang ~ le yì fú huàr. ǀ门上 ~ 了一张纸条儿。Mén shang ~ le

yì zhāng zhǐtiáor. | 他把"福"字 ~ 在了窗户上。Tā bǎ "fú" zì ~ zài
le chuānghu shang. | 照片 ~ 歪了。Zhàopiàn ~ wāi le. | 这张广告已
经 ~ 了好几个星期了。Zhèi zhāng guǎnggào yǐjīng ~ le hǎojǐ gè xīngqī
le. | 分班的名单早就 ~ 出去了。Fēn bān de míngdān zǎo jiù ~ chuqu
le.

tiē 贴² （贴）［动］

工人们 ~ 着新修的马路种了一排小树。Gōngrénmen ~ zhe xīn xiū de
mǎlù zhòngle yì pái xiǎoshù. → 工人们紧靠着新修的马路种了一排
小树。Gōngrénmen jǐn kàozhe xīn xiū de mǎlù zhòngle yì pái
xiǎoshù. **例** 车上很挤，大家一个 ~ 着一个。Chē shang hěn jǐ, dàjiā
yí ge ~ zhe yí ge. | 汽车 ~ 着我的身子开了过去。Qìchē ~ zhe wǒ de
shēnzi kāile guoqu. | 母女俩的脸紧紧 ~ 在了一起。Mǔnǚ liǎ de liǎn
jǐnjǐn ~ zài le yìqǐ. | 孩子 ~ 在妈妈的怀里睡着了。Háizi ~ zài māma
de huái li shuìzháo le.

tiě 铁（鐵）［名］

iron **例** ~ 可以用来炼钢。~ kěyǐ yòng lái liàngāng. | 这扇门是 ~ 的。
Zhèi shàn mén shì ~ de. | ~ 的东西比较硬，而且比较结实。~ de
dōngxi bǐjiào yìng, érqiě bǐjiào jiēshi. | 人的身体不能缺 ~。Rén de
shēntǐ bù néng quē ~. | 这把刀子不是用 ~ 做的。Zhèi bǎ dāozi bú
shì yòng ~ zuò de.

tiělù 铁路（鐵路）［名］

这条 ~ 修好以后，我们就可以坐火车出去旅行了。Zhèi tiáo ~
xiūhǎo yǐhòu, wǒmen jiù kěyǐ zuò huǒchē chūqu lǚxíng le. → 这条让
火车行驶的道路修好了以后我们就能坐火车了。Zhèi tiáo ràng
huǒchē xíngshǐ de dàolù xiūhǎole yǐhòu wǒmen jiù néng zuò huǒchē
le. **例** 这几年，我国又修了好几条 ~。Zhèi jǐ nián, wǒguó yòu xiūle
hǎojǐ tiáo ~. | 如果把 ~ 修到我们家乡就方便多了。Rúguǒ bǎ ~
xiūdào wǒmen jiāxiāng jiù fāngbiàn duō le. | 我爷爷、爸爸都在 ~ 部
门工作，所以我对 ~ 特别有感情。Wǒ yéye、bàba dōu zài ~ bùmén
gōngzuò, suǒyǐ wǒ duì ~ tèbié yǒu gǎnqíng. | 东边儿那条 ~ 上的火
车马上就要开了。Dōngbianr nèi tiáo ~ shang de huǒchē mǎshàng jiù
yào kāi le.

T

ting

tīng 听¹（聽）[动]

打开收音机，我们～音乐吧。Dǎkāi shōuyīnjī, wǒmen～yīnyuè ba. →我们用耳朵感受音乐的声音吧。Wǒmen yòng ěrduo gǎnshòu yīnyuè de shēngyīn ba. 例我喜欢～安娜唱歌儿。Wǒ xǐhuan～Ānnà chànggēr. ｜我们上午～报告，下午讨论。Wǒmen shàngwǔ～bàogào, xiàwǔ tǎolùn. ｜你～，好像有人敲门。Nǐ～, hǎoxiàng yǒu rén qiāo mén. ｜这么好的歌，你不～，我～。Zhème hǎo de gē, nǐ bù～, wǒ～. ｜我～了好几遍，也没～懂。Wǒ～le hǎojǐ biàn, yě méi～dǒng. ｜他说的是反话，你还～不出来吗？Tā shuō de shì fǎnhuà, nǐ hái～bu chūlái ma?

tīng 听²（聽）[动]

谁的办法好，我就～谁的。Shéi de bànfǎ hǎo, wǒ jiù～shéi de. →谁的办法好，我就按谁说的办法去做。Shéi de bànfǎ hǎo, wǒ jiù àn shéi shuō de bànfǎ qù zuò. 例孩子，～妈妈的话，别哭了。Háizi,～māma de huà, bié kū le. ｜军人要服从命令～指挥。Jūnrén yào fúcóng mìnglìng～zhǐhuī. ｜我多次劝他别抽烟了，可他就是不～。Wǒ duōcì quàn tā bié chōuyān le, kě tā jiùshì bù～. ｜我跟她说了半天，她一句也没～进去。Wǒ gēn tā shuōle bàntiān, tā yí jù yě méi～jìnqù.

tīng jiàn 听见（聽見）

我～教室里的同学们在唱歌儿。Wǒ～jiàoshì li de tóngxuémen zài chànggēr. →教室里同学们的歌声传到了我的耳朵里。Jiàoshì li tóngxuémen de gēshēng chuándàole wǒ de ěrduo li. 例我～了狗叫的声音。Wǒ～le gǒu jiào de shēngyīn. ｜他什么也没～。Tā shénme yě méi～. ｜我叫你过来，你～了没有？Wǒ jiào nǐ guòlai, nǐ～le méiyǒu? ｜这话要是让他～了，准会生气。Zhè huà yàoshi ràng tā～le, zhǔn huì shēngqì. ｜你大点儿声儿，我听不见。Nǐ dà diǎnr shēngr, wǒ tīng bu jiàn.

tīng jiǎng 听讲（聽講）

上课的时候，同学们要认真～。Shàngkè de shíhou, tóngxuémen yào rènzhēn～. →上课的时候，同学们要认真听老师讲课。Shàngkè de shíhou, tóngxuémen yào rènzhēn tīng lǎoshī jiǎngkè. 例

因为生病，昨天的报告会我没去～。Yīnwèi shēngbìng, zuótiān de bàogàohuì wǒ méi qù ~. | 来～的人大多数是孩子的家长。Lái ~ de rén dàduōshù shì háizi de jiāzhǎng. | ～的时候要认真做笔记。~ de shíhou yào rènzhēn zuò bǐjì. | 没有听课证的人，不准来～。Méiyǒu tīngkèzhèng de rén, bùzhǔn lái ~.

tīnglì 听力（聽力）[名]

我的汉语～比口语好。Wǒ de Hànyǔ ~ bǐ kǒuyǔ hǎo. →汉语我能听懂很多，但不太会说。Hànyǔ wǒ néng tīngdǒng hěn duō, dàn bú tài huì shuō. 例你要努力提高汉语的～水平。Nǐ yào nǔlì tígāo Hànyǔ de ~ shuǐpíng. | 老师很重视训练学生的～。Lǎoshī hěn zhòngshì xùnliàn xuésheng de ~. | 今天我们有两节～课。Jīntiān wǒmen yǒu liǎng jié ~ kè. | 你应该在英语的～方面多下些功夫。Nǐ yīnggāi zài Yīngyǔ de ~ fāngmiàn duō xià xiē gōngfu.

tīng shuō 听说（聽說）

～她生了个儿子，现在还在医院里。~ tā shēngle ge érzi, xiànzài hái zài yīyuàn li. →听别人说，她生了一个儿子。Tīng biérén shuō, tā shēngle yí ge érzi. 例我～那座小城市比以前更美了。Wǒ ~ nèi zuò xiǎo chéngshì bǐ yǐqián gèng měi le. | 你说的这件事我从来没～过。Nǐ shuō de zhèi jiàn shì wǒ cónglái méi ~ guo. | ～的事不一定都是真的。~ de shì bù yídìng dōu shì zhēn de. | 我听朋友说，你很快就要回国了，是吗？Wǒ tīng péngyou shuō, nǐ hěn kuài jiùyào huíguó le, shì ma? | 关于他们俩结婚的消息你是从哪儿～的？Guānyú tāmen liǎ jiéhūn de xiāoxi nǐ shì cóng nǎr ~ de?

tīngxiě 听写[1]（聽寫）[动]

我去教室里看了看，同学们正在～生词。Wǒ qù jiàoshì li kànle kan, tóngxuémen zhèngzài ~ shēngcí. →同学们正在把老师念的生词用笔写下来。Tóngxuémen zhèngzài bǎ lǎoshī niàn de shēngcí yòng bǐ xiě xialai. 例现在我们来～生词。Xiànzài wǒmen lái ~ shēngcí. | 前面的五课我们已经～过了。Qiánmian de wǔ kè wǒmen yǐjing ~ guo le. | 有些生词我～了好几遍。Yǒuxiē shēngcí wǒ ~ le hǎojǐ biàn. | 这次～的内容都是这学期新学的。Zhèi cì ~ de nèiróng dōu shì zhèi xuéqí xīn xué de.

tīngxiě 听写[2]（聽寫）[名]

上小学的时候，我们经常做～练习。Shàng xiǎoxué de shíhou,

T

wǒmen jīngcháng zuò ~ liànxí. →上小学的时候，我们经常做老师念学生用笔写这样的练习。Shàng xiǎoxué de shíhou, wǒmen jīngcháng zuò lǎoshī niàn xuéshēng yòng bǐ xiě zhèiyàng de liànxí. **例**上课时，我最怕 ~。Shàngkè shí, wǒ zuì pà ~. | 王老师把 ~ 当做一种重要的教学方法。Wáng lǎoshī bǎ ~ dàngzuò yì zhǒng zhòngyào de jiàoxué fāngfǎ. | 这次 ~ 我得了一百分。Zhèi cì ~ wǒ déle yìbǎi fēn. | 他的英语 ~ 成绩有了很大提高。Tā de Yīngyǔ ~ chéngjì yǒule hěn dà tígāo.

tíng 停[1] ［动］

车 ~ 了，大家下车吧。Chē ~ le, dàjiā xià chē ba. →车不再往前走了，大家下车吧。Chē bú zài wǎng qián zǒu le, dàjiā xià chē ba. **例**明天上午 ~ 电。Míngtiān shàngwǔ ~ diàn. | 请 ~ 车，我要下车。Qǐng ~ chē, wǒ yào xià chē. | 雨 ~ 了，我们走吧！Yǔ ~ le, wǒmen zǒu ba! | 我一招手，那辆车马上 ~ 在了我面前。Wǒ yì zhāoshǒu, nèi liàng chē mǎshàng ~ zài le wǒ miànqián. | 这辆车开得飞快，一路上只 ~ 过三次。Zhèi liàng chē kāi de fēikuài, yílùshang zhǐ ~ guo sān cì. | 天快黑了，雪还在不 ~ 地下着。Tiān kuài hēi le, xuě hái zài bù ~ de xiàzhe. | 雨"哗哗"地下个不 ~，街上到处是水。Yǔ "huāhuā" de xià ge bù ~, jiē shang dàochù shì shuǐ.

tíngzhǐ 停止 ［动］

病人已经 ~ 了呼吸。Bìngrén yǐjīng ~ le hūxī. →病人已经不再继续呼吸了。Bìngrén yǐjīng bú zài jìxù hūxī le. **例**他的心脏 ~ 了跳动。Tā de xīnzàng ~ le tiàodòng. | 队伍 ~ 前进，在路边ㄦ休息15分钟。Duìwu ~ qiánjìn, zài lù biānr xiūxi shíwǔ fēnzhōng. | 天黑以前，双方的战斗 ~ 了。Tiān hēi yǐqián, shuāngfāng de zhàndòu ~ le. | 我每天都要做体操，从来没有 ~ 过。Wǒ měi tiān dōu yào zuò tǐcāo, cónglái méiyǒu ~ guo. | 当演出 ~ 的时候，他走下了舞台。Dāng yǎnchū ~ de shíhou, tā zǒuxiàle wǔtái.

tíng 停[2] ［动］

这列九点五十到达的火车在这一站 ~ 十分钟。Zhèi liè jiǔ diǎn wǔshí dàodá de huǒchē zài zhèi yí zhàn ~ shí fēnzhōng. →这列火车九点五十到达这一站，十点从这里开出。Zhèi liè huǒchē jiǔ diǎn wǔshí dàodá zhèi yí zhàn, shí diǎn cóng zhèlǐ kāichū. **例**他在北京 ~ 了三

天后去了上海。Tā zài Běijīng ~ le sān tiān hòu qùle Shànghǎi. | 现在正好放假，你在这儿多 ~ 几天吧。Xiànzài zhènghǎo fàngjià, nǐ zài zhèr duō ~ jǐ tiān ba. | 咱们去那个茶馆儿里 ~ 一下儿，聊聊天儿吧。Zánmen qù nèige cháguǎnr li ~ yíxiàir, liáoliao tiānr ba. | 外面正在下雨，我们 ~ 一 ~ 再走吧。Wàimian zhèngzài xià yǔ, wǒmen ~ yi ~ zài zǒu ba.

tíng 停³ ［动］

饭店门前 ~ 了三辆汽车。Fàndiàn mén qián ~ le sān liàng qìchē. → 有三辆汽车，存放在饭店门前。Yǒu sān liàng qìchē, cúnfàng zài fàndiàn mén qián. 例门口 ~ zhe 一辆出租汽车。Ménkǒu ~ zhe yí liàng chūzū qìchē. | 这个码头可以 ~ 很多船。Zhèige mǎtou kěyǐ ~ hěn duō chuán. | 这种车不能往院子里 ~。Zhèi zhǒng chē bù néng wǎng yuànzi li ~. | 喂！这儿不能 ~ 车，请把车 ~ 到停车场去。Wèi! Zhèr bù néng ~ chē, qǐng bǎ chē ~ dào tíngchēchǎng qu. | 这辆车 ~ 得太往外了。Zhèi liàng chē ~ de tài wǎng wài le.

tǐng 挺 ［副］

我们班大卫的个子最高，比尔也 ~ 高的。Wǒmen bān Dàwèi de gèzi zuì gāo, Bǐ'ěr yě ~ gāo de. →大卫的个子是一米八八，比尔是一米八五。Dàwèi de gèzi shì yì mǐ bā bā, Bǐ'ěr shì yì mǐ bā wǔ. 例我 ~ 喜欢这件衣服。Wǒ ~ xǐhuan zhèi jiàn yīfu. | 他对孩子的学习 ~ 关心。Tā duì háizi de xuéxí ~ guānxīn. | 她打扮得 ~ 漂亮。Tā dǎban de ~ piàoliang. | 今天的天气 ~ 好的。Jīntiān de tiānqì ~ hǎo de. | 他 ~ 敢说的。Tā ~ gǎn shuō de. | 这次旅行 ~ 顺利。Zhèi cì lǚxíng ~ shùnlì. | 她 ~ 不客气地拒绝了我的要求。Tā ~ bú kèqi de jùjuéle wǒ de yāoqiú. | 我俩的关系 ~ 不错。Wǒ liǎ de guānxi ~ búcuò.

tong

tōng 通¹ ［动］

这条公路从北京 ~ 到天津。Zhèi tiáo gōnglù cóng Běijīng ~ dào Tiānjīn. →汽车走这条公路可以从北京开到天津。Qìchē zǒu zhèi tiáo gōnglù kěyǐ cóng Běijīng kāidào Tiānjīn. 例人们常说，条条大路 ~ 北京。Rénmen cháng shuō, tiáotiáo dàlù ~ Běijīng. | 昨天我得了感冒，鼻子不 ~ 气。Zuótiān wǒ déle gǎnmào, bízi bù ~ qì. | 这条铁

T

路提前~车了。Zhèi tiáo tiělù tíqián ~ chē le. I这座新楼的水和电早
就~了。Zhèi zuò xīn lóu de shuǐ hé diàn zǎo jiù ~ le. I快把门和窗
户打开，~一~风。Kuài bǎ mén hé chuānghu dǎkāi, ~ yi ~ fēng.

tōng 通[2] [动]

昨天我跟小王~过一次电话。Zuótiān wǒ gēn Xiǎo Wáng ~ guo yí cì
diànhuà. →昨天我用电话跟小王说过一次话。Zuótiān wǒ yòng
diànhuà gēn Xiǎo Wáng shuōguo yí cì huà. 例我们俩~过两年信。
Wǒmen liǎ ~ guo liǎng nián xìn. I今后我们之间要多~气。Jīnhòu
wǒmen zhījiān yào duō ~ qì. I现在我们又~起信来了。Xiànzài
wǒmen yòu ~ qi xìn lai le. I因为忙，我有两个月没跟家里~信了。
Yīnwèi máng, wǒ yǒu liǎng ge yuè méi gēn jiāli ~ xìn le.

tōng 通[3] [动]

昨天你谈的那个问题，现在我想~了。Zuótiān nǐ tán de nèige
wèntí, xiànzài wǒ xiǎng ~ le. →对于昨天你谈的那个问题，我懂
了，也想明白了。Duìyú zuótiān nǐ tán de nèige wèntí, wǒ dǒng le,
yě xiǎng míngbai le. 例他~三门儿外语。Tā ~ sān ménr wàiyǔ. I这
条小狗也有点儿~人情。Zhèi tiáo xiǎogǒu yě yǒudiǎnr ~ rénqíng. I
他为什么这么说，我一直想不~。Tā wèishénme zhème shuō, wǒ
yìzhí xiǎng bu ~.

tōng 通[4] [形]

这个句子不~，得改一下儿。Zhèige jùzi bù ~, děi gǎi yíxiàr. →这
个句子不合语法，有毛病，得改一下儿。Zhèige jùzi bù hé yǔfǎ,
yǒu máobìng, děi gǎi yíxiàr. 例这篇文章有好几个不~的句子。
Zhèi piān wénzhāng yǒu hǎojǐ gè bù ~ de jùzi. I请你把不~的地方改
一下儿。Qǐng nǐ bǎ bù ~ de dìfang gǎi yíxiàr. I这句话我已经改~了。
Zhèi jù huà wǒ yǐjing gǎi ~ le.

tōngguò 通过[1] （通過） [动]

火车安全地~了大桥。Huǒchē ānquán de ~ le dà qiáo. →火车安全
地从大桥的这头到了那头。Huǒchē ānquán de cóng dà qiáo de zhè
tóu dàole nà tóu. 例运动员的队伍正在~主席台。Yùndòngyuán de
duìwu zhèngzài ~ zhǔxítái. I前边儿的路上有个大坑，汽车不能~。
Qiánbianr de lùshang yǒu ge dà kēng, qìchē bù néng ~. I十五分钟
后，旅游团的汽车将从这里~。Shíwǔ fēnzhōng hòu, lǚyóutuán de

qìchē jiāng cóng zhèlǐ ~. |我们厂的那辆大客车每天至少从这座桥上 ~ 两次。Wǒmen chǎng de nèi liàng dà kèchē měi tiān zhìshǎo cóng zhèi zuò qiáo shang ~ liǎng cì.

tōngguò 通过² （通過）[动]

我的英语口语考试 ~ 了。Wǒ de Yīngyǔ kǒuyǔ kǎoshì ~ le. →我的英语口语考试成绩达到了规定的标准。Wǒ de Yīngyǔ kǒuyǔ kǎoshì chéngjì dádàole guīdìng de biāozhǔn. 例这次期末考试我只有一门儿没 ~。Zhèi cì qīmò kǎoshì wǒ zhǐyǒu yì ménr méi ~. |你的身体检查 ~ 了吗？Nǐ de shēntǐ jiǎnchá ~ le ma? |我的论文已经在教授会上 ~ 了。Wǒ de lùnwén yǐjīng zài jiàoshòuhuì shang ~ le. |只要有一科考试没 ~，就不能毕业。Zhǐyào yǒu yì kē kǎoshì méi ~，jiù bù néng bìyè.

tōngguò 通过³ （通過）[介]

我每天 ~ 电话跟他们保持联系。Wǒ měi tiān ~ diànhuà gēn tāmen bǎochí liánxì. →我每天用打电话的方式跟他们保持联系。Wǒ měi tiān yòng dǎ diànhuà de fāngshì gēn tāmen bǎochí liánxì. 例 ~ 这次活动，我认识了许多朋友。~ zhèi cì huódòng, wǒ rènshile xǔduō péngyou. | ~ 大家的帮助，他改正了错误。~ dàjiā de bāngzhù, tā gǎizhèngle cuòwù. |他 ~ 调查了解了事故发生的原因。Tā ~ diàochá liǎojiěle shìgù fāshēng de yuányīn. | ~ 朋友介绍，他找到了一份很好的工作。~ péngyou jièshào, tā zhǎodàole yí fèn hěn hǎo de gōngzuò.

tōngxùn 通讯（通訊）[名]

报纸上的这篇 ~ 很有意思。Bàozhǐ shang de zhèi piān ~ hěn yǒu yìsi. →报纸上的这篇报道文章很有意思。Bàozhǐ shang de zhèi piān bàodào wénzhāng hěn yǒu yìsi. 例这几篇 ~ 都是一个记者写的。Zhèi jǐ piān ~ dōu shì yí ge jìzhě xiě de. |这篇 ~ 写得不太真实。Zhèi piān ~ xiě de bú tài zhēnshí. |广播电台正在广播新华社的 ~。Guǎngbō diàntái zhèngzài guǎngbō Xīnhuá Shè de ~. |记者们经常给报社写 ~。Jìzhěmen jīngcháng gěi bàoshè xiě ~. |他对这篇 ~ 提出了一些疑问。Tā duì zhèi piān ~ tíchūle yìxiē yíwèn.

tōngzhī 通知¹ [动]

学校 ~ 9月1日开学。Xuéxiào ~ Jiǔyuè yī rì kāixué. →学校告诉全体老师和学生9月1日开学。Xuéxiào gàosu quántǐ lǎoshī hé xuésheng Jiǔyuè yī rì kāixué. 例我已经~他父亲了。Wǒ yǐjing ~ tā fùqin le. | 厂长办公室~他明天去北京开会。Chǎngzhǎng bàngōngshì~ tā míngtiān qù Běijīng kāihuì. | 你快去~他，客人到了。Nǐ kuài qù ~ tā, kèren dào le. | 我们~得很及时。Wǒmen ~ de hěn jíshí. | 这件事已经~了好长时间了，你怎么还不知道? Zhèi jiàn shì yǐjing ~ le hǎo cháng shíjiān le, nǐ zěnme hái bù zhīdào? | 医院应该把他的病情~他的夫人。Yīyuàn yīnggāi bǎ tā de bìngqíng ~ tā de fūren. | 你让我~的人都~到了。Nǐ ràng wǒ ~ de rén dōu ~ dào le.

tōngzhī 通知² [名]

~已经发出去了。~ yǐjing fā chuqu le. →告诉人事情的文件已经发出去了。Gàosu rén shìqing de wénjiàn yǐjing fā chuqu le. 例政府的~说得很清楚。Zhèngfǔ de ~ shuō de hěn qīngchu. | 我们刚刚接到这个~。Wǒmen gānggāng jiēdào zhèige ~ . | 他已经把~贴在门口了。Tā yǐjing bǎ ~ tiē zài ménkǒu le. | 这个~的内容我已经知道了。Zhèige ~ de nèiróng wǒ yǐjing zhīdao le.

tóng 同¹ [形]

大卫 20 岁，安娜和大卫~岁。Dàwèi èrshí suì, Ānnà hé Dàwèi ~ suì. →安娜跟大卫一样大，今年也是 20 岁。Ānnà gēn Dàwèi yíyàng dà, jīnnián yě shì èrshí suì. 例他们俩在~一个班里学习。Tāmen liǎ zài ~ yí ge bān li xuéxí. | 比尔和大卫在~一天举行了婚礼。Bǐ'ěr hé Dàwèi zài ~ yì tiān jǔxíngle hūnlǐ. | 中国人和英国人的生活习惯，有些相同，有些不~。Zhōngguórén hé Yīngguórén de shēnghuó xíguàn, yǒuxiē xiāngtóng, yǒuxiē bù ~ . | 我们都是~一个时代的人。Wǒmen dōu shì ~ yí ge shídài de rén. | 中国人~姓的很多。Zhōngguórén ~ xìng de hěn duō.

tóngyàng 同样¹ （同樣）[形]

汉语考试，我和安娜得了~的分数。Hànyǔ kǎoshì, wǒ hé Ānnà déle~ de fēnshù. →汉语考试，我得的分数是九十八，安娜得的分数也是九十八。Hànyǔ kǎoshì, wǒ dé de fēnshù shì jiǔshíbā, Ānnà dé de fēnshù yě shì jiǔshíbā. 例~的衣服，有的人穿着很漂亮，有的人穿着却不漂亮。~ de yīfu, yǒude rén chuānzhe hěn piàoliang, yǒude rén chuānzhe què bú piàoliang. | 我们那儿的夏天和这儿的夏天~热。Wǒmen nàr de xiàtiān hé zhèr de xiàtiān ~ rè. | 她的汉语和

英语说得 ~ 好。Tā de Hànyǔ hé Yīngyǔ shuō de ~ hǎo. | 用了 ~ 的方法，但是却得出了不同的结果。Yòngle ~ de fāngfǎ, dànshì què déchūle bùtóng de jiéguǒ.

tóng 同² ［连］

她丈夫 ~ 我都在这个公司工作。Tā zhàngfu ~ wǒ dōu zài zhèige gōngsī gōngzuò. →她丈夫和我都在这个公司工作。Tā zhàngfu hé wǒ dōu zài zhèige gōngsī gōngzuò. 例我 ~ 他都考上了北京大学。Wǒ ~ tā dōu kǎoshangle Běijīng Dàxué. | 开会的时间 ~ 地点已经定下来了。Kāihuì de shíjiān ~ dìdiǎn yǐjing dìng xialai le. | 他大儿子 ~ 二儿子都出国留学去了。Tā dà érzi ~ èr érzi dōu chūguó liúxué qu le.

tóng 同³ ［介］

这个问题，我还没去 ~ 他谈呢。Zhèige wèntí, wǒ hái méi qù ~ tā tán ne. →这个问题，我还没去跟他说呢。Zhèige wèntí, wǒ hái méi qù gēn tā shuō ne. 例他回国以后，一直没有 ~ 我们联系。Tā huíguó yǐhòu yìzhí méiyǒu ~ wǒmen liánxì. | 我想 ~ 安娜住在一起。Wǒ xiǎng ~ Ānnà zhù zài yìqǐ. | 这个问题，我 ~ 大家商量过了。Zhèige wèntí, wǒ ~ dàjiā shāngliangguo le. | 今年 ~ 去年相比，他们的生活条件好了很多。Jīnnián ~ qùnián xiāng bǐ, tāmen de shēnghuó tiáojiàn hǎole hěn duō. | 学汉语 ~ 学其他语言一样，要多听，多说。Xué Hànyǔ ~ xué qítā yǔyán yíyàng, yào duō tīng, duō shuō.

tóngqíng 同情 ［动］

他哭着说了他遇到的伤心事，我很 ~ 他。Tā kūzhe shuōle tā yùdào de shāngxīn shì, wǒ hěn ~ tā. →听了他的话以后，我的心情跟他的心情差不多，也很难过。Tīngle tā de huà yǐhòu, wǒ de xīnqíng gēn tā de xīnqíng chàbuduō, yě hěn nánguò. 例他 ~ 那里的穷人。Tā ~ nàli de qióngrén. | 我对他的困难很 ~ 。Wǒ duì tā de kùnnan hěn ~ . | 听了他的介绍，我们都 ~ qi tā lai le. | 老人们流出了 ~ 的眼泪。Lǎorénmen liúchūle ~ de yǎnlèi. | 他对我说了许多 ~ 的话。Tā duì wǒ shuōle xǔduō ~ de huà. | 大家对他表示 ~ 。Dàjiā duì tā biǎoshì ~ . | 他 ~ 地点了点头说："我支持你。" Tā ~ de diǎnle diǎn tóu shuō: "Wǒ zhīchí nǐ."

T

tóngshí 同时[1]（同時）[名]

我们在参观的 ~ 还照了许多照片。Wǒmen zài cānguān de ~ hái zhàole xǔduō zhàopiàn. →参观和照照片是同一个时候。Cānguān hé zhào zhàopiàn shì tóng yí ge shíhou. 例我们来到会场的 ~，他们也来了。Wǒmen láidào huìchǎng de ~，tāmen yě lái le. | 今年粮食获得了大丰收，与此 ~，果品也获得了大丰收。Jīnnián liángshi huòdéle dà fēngshōu，yǔ cǐ~，guǒpǐn yě huòdéle dà fēngshōu. | 在提高产量的 ~，也要提高质量。Zài tígāo chǎnliàng de ~，yě yào tígāo zhìliàng.

tóngshí 同时[2]（同時）[副]

我和小王 ~ 考上了北京大学。Wǒ hé Xiǎo Wáng ~ kǎoshangle Běijīng Dàxué. →我和小王，考上北京大学的时间是同一年。Wǒ hé Xiǎo Wáng，kǎoshang Běijīng Dàxué de shíjiān shì tóng yì nián. 例主席进来的时候，屋子里的人 ~ 站了起来。Zhǔxí jìnlai de shíhou，wūzi li de rén ~ zhànle qilai. | 新年前一天，我 ~ 收到了八封信。Xīnnián qián yì tiān，wǒ ~ shōudàole bā fēng xìn. | 我们俩打算 ~ 回国。Wǒmen liǎ dǎsuan ~ huí guó. | 他们是 ~ 到中国来的。Tāmen shì ~ dào Zhōngguó lái de.

tóngshí 同时[3]（同時）[连]

他是个好丈夫，~ 是个好爸爸。Tā shì ge hǎo zhàngfu，~ shì ge hǎo bàba. →他不但是个好丈夫，而且是个好爸爸。Tā búdàn shì ge hǎo zhàngfu，érqiě shì ge hǎo bàba. 例他是个语言学家，~ 又是个画家。Tā shì ge yǔyánxuéjiā，~ yòu shì ge huàjiā. | 这种水果不但好吃，~ 也比较便宜。Zhèi zhǒng shuǐguǒ búdàn hǎochī，~ yě bǐjiào piányi. | 每天早晨坚持跑步，不但能锻炼身体，~ 还能锻炼意志。Měi tiān zǎochen jiānchí pǎobù，búdàn néng duànliàn shēntǐ，~ hái néng duànliàn yìzhì.

tóngwū 同屋[名]

我的 ~ 是个英国人。Wǒ de ~ shì ge Yīngguórén. →那个和我住在同一个宿舍里的人是英国人。Nèige hé wǒ zhù zài tóng yí ge sùshè li de rén shì Yīngguórén. 例我的两个 ~ 都搬走了。Wǒ de liǎng ge ~ dōu bānzǒu le. | 昨天我去你们宿舍的时候，只有你的 ~ 在那儿。Zuótiān wǒ qù nǐmen sùshè de shíhou，zhǐyǒu nǐ de ~ zài nàr. | 现在安娜是我的 ~。Xiànzài Ānnà shì wǒ de ~. | 这件事我告诉了你的

~。Zhèi jiàn shì wǒ gàosule nǐ de ~.｜我 ~ 的姐姐从美国来了。Wǒ ~ de jiějie cóng Měiguó lá le.

tóngxué 同学[1] （同學）［名］

那位姑娘是我的 ~。Nèi wèi gūniang shì wǒ de ~. →那位姑娘是跟我在同一个学校学习的人。Nèi wèi gūniang shì gēn wǒ zài tóng yí ge xuéxiào xuéxí de rén. 例大学毕业后，许多 ~ 做出了突出的成绩。Dàxué bìyè hòu, xǔduō ~ zuòchūle tūchū de chéngjì.｜在火车上我遇见了一位小学时的 ~。Zài huǒchē shang wǒ yùjiànle yí wèi xiǎoxué shí de ~.｜他跟好多 ~ 都有联系。Tā gēn hǎo duō ~ dōu yǒu liánxì.｜我经常给 ~ 写信。Wǒ jīngcháng gěi ~ xiě xìn.｜~ 之间的感情特别真诚。~ zhījiān de gǎnqíng tèbié zhēnchéng.｜我可以请 ~ 来帮助你。Wǒ kěyǐ qǐng ~ lái bāngzhù nǐ.

tóngxué 同学[2] （同學）［名］

男 ~ 站左边儿，女 ~ 站右边儿。Nán ~ zhàn zuǒbianr, nǚ ~ zhàn yòubianr. →男学生站左边儿，女学生站右边儿。Nán xuésheng zhàn zuǒbianr, nǚ xuésheng zhàn yòubianr. 例一班的 ~ 特别遵守纪律。Yī bān de ~ tèbié zūnshǒu jìlǜ.｜~ 们，我们现在开始上课。~ men, wǒmen xiànzài kāishǐ shàngkè.｜刚才发言的是三班的 ~。Gāngcái fāyán de shì sān bān de ~.｜老师把全班的 ~ 分成了四个小组。Lǎoshī bǎ quán bān de ~ fēnchéngle sì ge xiǎozǔ.｜学校给毕业班 ~ 的家长开了会。Xuéxiào gěi bìyèbān ~ de jiāzhǎng kāile huì.

tóngyàng 同样[2] （同樣）［连］

城市需要有知识的人，~，农村也需要有知识的人。Chéngshì xūyào yǒu zhīshi de rén, ~, nóngcūn yě xūyào yǒu zhīshi de rén. →城市需要有知识的人，跟这个道理一样，农村也需要有知识的人。Chéngshì xūyào yǒu zhīshi de rén, gēn zhèige dàoli yíyàng, nóngcūn yě xūyào yǒu zhīshi de rén. 例丈夫要关心妻子，~，妻子也要关心丈夫。Zhàngfu yào guānxīn qīzi, ~, qīzi yě yào guānxīn zhàngfu.｜天气太冷了，人不好受，~ 的，天气太热了，人也不好受。Tiānqì tài lěng le, rén bù hǎoshòu, ~ de, tiānqì tài rè le, rén yě bù hǎoshòu.

tóngyì 同意 ［动］

大家 ~ 安娜提出来的办法。Dàjiā ~ Ānnà tí chulai de bànfǎ. →大家对安娜提出来的办法表示赞成。Dàjiā duì Ānnà tí chulai de bànfǎ

T

biǎoshì zànchéng. **例**大卫 ~ 跟玛丽结婚。Dàwèi ~ gēn Mǎlì jiéhūn. |我不 ~ 他当我们班的班长。Wǒ bù ~ tā dāng wǒmen bān de bānzhǎng. |我们的计划厂长已经 ~ 了。Wǒmen de jìhuà chǎngzhǎng yǐjing ~ le. |这样做，大多数代表都 ~。Zhèiyàng zuò, dàduōshù dàibiǎo dōu ~. |领导也表示 ~。Lǐngdǎo yě biǎoshì ~. | 你让他去，我坚决不 ~。Nǐ ràng tā qù, wǒ jiānjué bù ~. | ~ 的人 请举手！~ de rén qǐng jǔshǒu!

tóngzhì 同志 [名]

用于中国人互相称呼。Yòngyú Zhōngguórén hùxiāng chēnghu. **例**哪 位 ~ 给这位抱小孩儿的女 ~ 让个座儿？Něi wèi ~ gěi zhèi wèi bào xiǎoháir de nǚ ~ ràng ge zuòr? |年轻的 ~ 要尊重老 ~。Niánqīng de ~ yào zūnzhòng lǎo ~. |总经理对新来的 ~ 很关心。Zǒngjīnglǐ duì xīn lái de ~ hěn guānxīn. |他的意见得到了大多数 ~ 的支持。Tā de yìjiàn dédàole dàduōshù ~ de zhīchí. | ~ 们的要求是合理的。~ men de yāoqiú shì hélǐ de. | ~，您叫什么名字？~, nín jiào shénme míngzi?

tóng 铜（銅）[名]

copper **例** ~ 有很多用处。~ yǒu hěn duō yòngchu. |造这个 ~ 像用了 很多 ~。Zào zhèige ~ xiàng yòngle hěn duō ~. | ~ 的电线比较贵。 ~ de diànxiàn bǐjiào guì. |这张床是 ~ 的。Zhèi zhāng chuáng shì ~ de. |这是一个 ~ 脸盆儿。Zhè shì yí ge ~ liǎnpénr. |这个公园的湖 边儿有一头 ~ 牛。Zhèige gōngyuán de hú biānr yǒu yì tóu ~ niú.

tǒngyī 统一¹（統一）[动]

中国在两千多年以前 ~ 了文字。Zhōngguó zài liǎngqiān duō nián yǐqián ~ le wénzì. →中国在两千多年以前把多种文字变成了一种文字。Zhōngguó zài liǎngqiān duō nián yǐqián bǎ duō zhǒng wénzì biànchéngle yì zhǒng wénzì. **例**经过讨论，大家 ~ 了认识。Jīngguò tǎolùn, dàjiā ~ le rènshi. |要做好这项工作，首先要 ~ 大家的思想。 Yào zuòhǎo zhèi xiàng gōngzuò, shǒuxiān yào ~ dàjiā de sīxiǎng. | 东部和西部终于 ~ 成了一个国家。Dōngbù hé xībù zhōngyú ~ chéngle yí ge guójiā. |这个国家 ~ 得比较早。Zhèige guójiā ~ de bǐjiào zǎo. |国家要 ~，民族要团结。Guójiā yào ~, mínzú yào tuánjié.

tǒngyī 统一²（統一）[形]

以前，全国的小学生使用 ~ 的课本。Yǐqián, quán guó de

xiǎoxuéshēng shǐyòng ~ de kèběn. →全国的小学生使用一样的课本。Quán guó de xiǎoxuéshēng shǐyòng yíyàng de kèbié. 例参加表演的学生要穿 ~ 的服装。Cānjiā biǎoyǎn de xuésheng yào chuān ~ de fúzhuāng. | 我们的意见特别 ~。Wǒmen de yìjiàn tèbié ~. | 每年元旦这一天全国 ~ 放假。Měi nián yuándàn zhèi yì tiān quán guó ~ fàng jià. | 全国 ~ 实行五天工作制。Quán guó ~ shíxíng wǔ tiān gōngzuòzhì. | 这次活动由他 ~ 指挥。Zhèi cì huódòng yóu tā ~ zhǐhuī.

tǒngzhì 统治（統治）[动]

从前外国人曾经 ~ 过那个国家。Cóngqián wàiguórén céngjīng ~ guo nèige guójiā. →从前那个国家曾经受外国人控制和管理。Cóngqián nèige guójiā céngjīng shòu wàiguórén kòngzhì hé guǎnlǐ. 例那些人想 ~ 这个国家，但没有成功。Nèixiē rén xiǎng ~ zhèige guójiā, dàn méiyǒu chénggōng. | 这个地方被外国人 ~ 了好多年。Zhèige dìfang bèi wàiguórén ~ le hǎoduō nián. | 这种思想在封建社会一直占 ~ 地位。Zhèi zhǒng sīxiǎng zài fēngjiàn shèhuì yìzhí zhàn ~ dìwèi. | 那里的人民不断地反抗侵略者的 ~。Nàli de rénmín búduàn de fǎnkàng qīnlüèzhě de ~.

tǒng 桶[1] [名]

例我家的两只盛水的 ~ 全是铁的。Wǒ jiā de liǎng zhī chéng shuǐ de ~ quán shì tiě de. | 这只 ~ 很大，能装三十多公斤水。Zhèi zhī ~ hěn dà, néng zhuāng sānshí duō gōngjīn shuǐ. | 院子里放了好多装豆油的 ~。Yuànzi li fàngle hǎoduō zhuāng dòuyóu de ~. | 你把那只 ~ 提过来。Nǐ bǎ nèi zhī ~ tí guolai. | ~ 里的水全洒了。~ li de shuǐ quán sǎ le. | 那只 ~ 的底儿漏了。Nèi zhī ~ de dǐr lòu le.

桶

tǒng 桶[2] [量]

用于桶装的东西。Yòngyú tǒng zhuāng de dōngxi. 例他给树浇了两 ~ 水。Tā gěi shù jiāole liǎng ~ shuǐ. | 这 ~ 油有多少公斤？Zhèi ~ yóu yǒu duōshao gōngjīn? | 他们用的每 ~ 石油都是进口的。Tāmen yòng de měi ~ shíyóu dōu shì jìnkǒu de.

tòng 痛 [形]

他的腿摔断了，现在一动就 ~。Tā de tuǐ shuāiduàn le, xiànzài yí

dòng jiù ~．→一动就感觉非常难受。Yí dòng jiù gǎnjué fēicháng nánshòu.　例大夫，我的头特别~。Dàifu, wǒ de tóu tèbié ~.　|我的牙~得很厉害。Wǒ de yá ~ de hěn lìhai.　|嗓子~了好几天了。Sǎngzi ~ le hǎojǐ tiān le.　|这孩子怕~，不愿意打针。Zhè háizi pà ~, bú yuànyì dǎ zhēn.　|别哭了，过一会儿就不~了。Bié kū le, guò yíhuìr jiù bú ~ le.

tòngkǔ 痛苦[1] ［形］

知道儿子牺牲的消息后，母亲十分~。Zhīdao érzi xīshēng de xiāoxi hòu, mǔqin shífēn ~.　→母亲在精神上感到特别难受。Mǔqin zài jīngshen shang gǎndào tèbié nánshòu.　例她哭得那么~，那么悲伤。Tā kū de nàme ~, nàme bēishāng.　|她表面上装得很高兴，实际上心里很~。Tā biǎomiàn shang zhuāng de hěn gāoxìng, shíjì shang xīnli hěn ~.　|人有欢乐的时候，也有~的时候。Rén yǒu huānlè de shíhou, yě yǒu ~ de shíhou.　|她~地躺在床上流眼泪。Tā ~ de tǎng zài chuáng shang liú yǎnlèi.

tòngkǔ 痛苦[2] ［名］

我知道她的~，我一定要帮助她。Wǒ zhīdao tā de ~, wǒ yídìng yào bāngzhù tā.　→我知道她的心里非常难过，我要帮助她。Wǒ zhīdao tā de xīnli fēicháng nánguò, wǒ yào bāngzhù tā.　例他忍着巨大的~跟妈妈告别。Tā rěnzhe jùdà de ~ gēn māma gàobié.　|几年来，只有妻子才理解他的~。Jǐ nián lái, zhǐyǒu qīzi cái lǐjiě tā de ~.　|他不愿意让别人知道他的~。Tā bú yuànyì ràng biérén zhīdao tā de ~.　|她不肯把自己的~说出来。Tā bù kěn bǎ zìjǐ de ~ shuō chulai.

tòngkuai 痛快[1] ［形］

昨天我们在香山玩儿得真~。Zuótiān wǒmen zài Xiāng Shān wánr de zhēn ~.　→玩儿得十分高兴。Wánr de shífēn gāoxìng.　例夏天跳到河里游会儿泳真~。Xiàtiān tiàodào hé li yóu huìr yǒng zhēn ~.　|这个问题不解决，谁也别想~。Zhèige wèntí bù jiějué, shéi yě bié xiǎng ~.　|大家都很高兴，只有他有点儿不~。Dàjiā dōu hěn gāoxìng, zhǐyǒu tā yǒudiǎnr bú ~.　|跟老朋友一起聊天儿，~极了。Gēn lǎopéngyou yìqǐ liáotiānr, ~ jí le.　|昨天他们又跳舞又唱歌儿，玩儿得可~了。Zuótiān tāmen yòu tiàowǔ yòu chànggēr, wánr de kě ~ le.　|全家人痛痛快快地在一起过了一个圣诞节。Quán jiā rén tòngtongkuāikuāi de zài yìqǐ guòle yí ge Shèngdànjié.

tòngkuai 痛快² [形]

你去还是不去，~点儿说。Nǐ qù háishi bú qù, ~ diǎnr shuō. →你去还是不去，赶快直接说出来。Nǐ qù háishi bú qù, gǎnkuài zhíjiē shuō chulai. 例这个人办事真~。Zhèige rén bànshì zhēn ~. ｜他说话~极了。Tā shuōhuà ~ jí le. ｜行还是不行，你给我个~话儿。Xíng háishi bùxíng, nǐ gěi wǒ ge ~ huàr. ｜总经理很~地答应了我的要求。Zǒngjīnglǐ hěn ~ de dāyingle wǒ de yāoqiú. ｜他们虽然答应把东西还给我们，但是答应得不太~。Tāmen suīrán dāying bǎ dōngxi huán gěi wǒmen, dànshì dāying de bú tài ~.

tou

tōu 偷 [动]

我新买的自行车被人~走了。Wǒ xīn mǎi de zìxíngchē bèi rén ~ zǒu le. →有人趁我不注意的时候拿走了我新买的一辆自行车。Yǒu rén chèn wǒ bú zhùyì de shíhou názǒule wǒ xīn mǎi de yí liàng zìxíngchē. 例他没~东西，你们抓错人了。Tā méi ~ dōngxi, nǐmen zhuācuò rén le. ｜他~了三次，都没~成。Tā ~ le sān cì, dōu méi ~ chéng. ｜他把家里的照相机~出去卖了。Tā bǎ jiāli de zhàoxiàngjī ~ chuqu mài le. ｜这孩子怎么~起东西来了？Zhè háizi zěnme ~ qi dōngxi lai le? ｜他把~来的东西都交了出来。Tā bǎ ~ lái de dōngxi dōu jiāole chulai. ｜他说，以后再也不去~了。Tā shuō, yǐhòu zài yě bú qù ~ le.

tōutōu 偷偷 [副]

弟弟住院的时候，妈妈急得~流眼泪。Dìdi zhùyuàn de shíhou, māma jí de ~ liú yǎnlèi. →妈妈急得躲在别人看不见的地方流眼泪。Māma jí de duǒ zài biéren kàn bu jiàn de dìfang liú yǎnlèi. 例他们俩正在~谈恋爱。Tāmen liǎ zhèngzài ~ tán liàn'ài. ｜我~看了她一眼，觉得她很漂亮。Wǒ ~ kànle tā yì yǎn, juéde tā hěn piàoliang. ｜她看完信以后~地把信撕了。Tā kànwán xìn yǐhòu ~ de bǎ xìn sī le. ｜她转过身去，~地笑了起来。Tā zhuǎnguo shēn qu, ~ de xiàole qilai.

tóu 头¹（頭）[名]

head 例你的~还疼吗？Nǐ de ~ hái téng ma? ｜听了我的话，他直点~。Tīngle wǒ de huà, tā zhí diǎn ~. ｜请你把~抬起来。Qǐng nǐ bǎ ~ tái qilai. ｜你的~怎么破了？Nǐ de ~ zěnme pò le? ｜你~上戴的帽

子真漂亮。Nǐ ~ shang dài de màozi zhēn piàoliang. |刚生出来的孩子，~ 比较大。Gāng shēng chulai de háizi, ~ bǐjiào dà.

tóufa 头发（頭髮）[名]

例我爷爷的 ~ 全白了。Wǒ yéye de ~ quán bái le. |你的 ~ 太长了，应该剪一剪了。Nǐ de ~ tài cháng le, yīnggāi jiǎn yi jiǎn le. |他虽然五十多岁了，但是头上没有一根白 ~。Tā suīrán wǔshí duō suì le, dànshì tóu shang méiyǒu yì gēn bái ~. |他把 ~ 染黑了。Tā bǎ ~ rǎnhēi le. |那位留着长长的 ~ 的姑娘是我妹妹。Nèi wèi liúzhe chángcháng de ~ de gūniang shì wǒ mèimei. |用这种洗发水洗 ~，~ 会变得更漂亮。Yòng zhèi zhǒng xǐfàshuǐ xǐ ~, ~ huì biàn de gèng piàoliang.

头发

tóutòng 头痛[1]（頭痛）[动]

喝了一杯白酒之后，我感觉 ~ 得厉害。Hēle yì bēi báijiǔ zhīhòu, wǒ gǎnjué ~ de lìhai. →我感觉头部难受得厉害。Wǒ gǎnjué tóubù nánshòu de lìhai. 例我一睡不好觉就 ~。Wǒ yí shuì bu hǎo jiào jiù ~. |他 ~ 的时候又喊又叫。Tā ~ de shíhou yòu hǎn yòu jiào. |我的 ~ 病已经治好了。Wǒ de ~ bìng yǐjing zhìhǎo le. |我从昨天开始就有点儿 ~。Wǒ cóng zuótiān kāishǐ jiù yǒudiǎnr ~.

tóutòng 头痛[2]（頭痛）[形]

一提起儿子不好好儿学习的事，我就 ~。Yì tíqi érzi bù hǎohāor xuéxí de shì, wǒ jiù ~. →一提起儿子学习的问题，我就不知道该怎么才好。Yì tíqi érzi xuéxí de wèntí, wǒ jiù bù zhīdào gāi zěnme bàn cái hǎo. 例这件 ~ 的事只有你才能办得了。Zhèi jiàn ~ de shì zhǐyǒu nǐ cái néng bàn de liǎo. |眼看要考大学了，这孩子还那么不努力学习，真让我 ~。Yǎnkàn yào kǎo dàxué le, zhè háizi hái nàme bù nǔlì xuéxí, zhēn ràng wǒ ~. |父亲的病越来越严重了，这些日子他正为这事 ~ 得睡不着觉呢。Fùqin de bìng yuèláiyuè yánzhòng le, zhèixiē rìzi tā zhèng wèi zhè shì ~ de shuì bu zháo jiào ne.

tóu 头[2]（頭）[形]

这次比赛我得了个 ~ 等奖。Zhèi cì bǐsài wǒ déle ge ~ děng jiǎng. →我得了一等奖。Wǒ déle yī děng jiǎng. 例他在这个村子里可以算是 ~ 号有钱的人了。Tā zài zhèige cūnzi li kěyǐ suàn shì ~ hào yǒu qián de rén le. ｜我们坐的是～班车。Wǒmen zuò de shì ～ bān chē. ｜我到北京的～一天就去了长城。Wǒ dào Běijīng de ～ yì tiān jiù qùle Chángchéng. ｜我买了一张～等座位的票。Wǒ mǎile yì zhāng ～ děng zuòwèi de piào. ｜他～一个交了考试卷子。Tā ～ yí ge jiāole kǎoshì juànzi. ｜他们是～一次出国。Tāmen shì ～ yí cì chūguó. ｜我个子不高，常常站在～一个。Wǒ gèzi bù gāo, chángcháng zhàn zài ～ yí gè.

tóu 头³（頭）[量]

用于某些动物等。Yòngyú mǒu xiē dòngwù děng. 例那～黄牛刚两岁。Nèi ～ huángniú gāng liǎng suì. ｜我们家养的那～母猪昨天晚上又生了五～小猪。Wǒmen jiā yǎng de nèi ～ mǔzhū zuótiān wǎnshang yòu shēngle wǔ ～ xiǎozhū. ｜动物园的那～大象会表演节目。Dòngwùyuán de nèi ～ dàxiàng huì biǎoyǎn jiémù.

tóu 投 [动]

我们篮球队里八号队员～球～得最好。Wǒmen lánqiúduì li bā hào duìyuán ～ qiú ～ de zuì hǎo. →八号队员扔进的球最多。Bā hào duìyuán rēngjìn de qiú zuì duō. 例他～得又准又远。Tā ～ de yòu zhǔn yòu yuǎn. ｜我～了几次，都没～中。Wǒ ～le jǐ cì, dōu méi ～ zhòng. ｜离得太远了，这个球你不应该～。Lí de tài yuǎn le, zhèige qiú nǐ bù yīnggāi ～. ｜刚才进的这个球是谁～的？Gāngcái jìn de zhèige qiú shì shéi ～ de? ｜他～了十个球，进了十个球。Tā ～ le shí ge qiú, jìnle shí ge qiú.

tóurù 投入¹ [动]

这种新式汽车已经～市场了。Zhèi zhǒng xīnshì qìchē yǐjīng ～ shìchǎng le. →这种新式汽车已经进入市场开始卖了。Zhèi zhǒng xīnshì qìchē yǐjīng jìnrù shìchǎng kāishǐ mài le. 例全村老百姓都～了秋收。Quán cūn lǎobǎixìng dōu ～ le qiūshōu. ｜这场比赛双方都～了主力队员。Zhèi chǎng bǐsài shuāngfāng dōu ～ le zhǔlì duìyuán. ｜为了教育子女，他～了大量的精力。Wèile jiàoyù zǐnǚ, tā ～ le dàliàng de jīnglì. ｜这种机器已经正式～使用了。Zhèi zhǒng jīqì yǐjīng zhèngshì ～ shǐyòng le. ｜他～的多，收获的也多。Tā ～ de duō, shōuhuò de yě duō.

tóurù 投入² [名]

这几年教育事业的～比较多。Zhèi jǐ nián jiàoyù shìyè de ～ bǐjiào

duō. → 这几年用到教育事业上的钱和物比较多。Zhèi jǐ nián yòngdào jiàoyù shìyè shang de qián hé wù bǐjiào duō. **例**这项工程需要大量的～。Zhèi xiàng gōngchéng xūyào dàliàng de～. |要增加农业的～。Yào zēngjiā nóngyè de～. |你们要把环境保护的～列入计划。Nǐmen yào bǎ huánjìng bǎohù de～lièrù jìhuà.

tóu zī 投资[1] （投资）

我们同意给你们～。Wǒmen tóngyì gěi nǐmen～. →我们同意把我们的钱放到你们那儿用来搞建设。Wǒmen tóngyì bǎ wǒmen de qián fàngdào nǐmen nàr yònglái gǎo jiànshè. **例**我们已经～六千五百万了。Wǒmen yǐjing～liùqiān wǔbǎi wàn le. |跟他们谈了两次，他们还是不肯给我们～。Gēn tāmen tánle liǎng cì, tāmen háishi bù kěn gěi wǒmen～. |我们还会继续～。Wǒmen hái huì jìxù～. |那里的～条件比较好。Nàli de～tiáojiàn bǐjiào hǎo. |我们也打算去那儿～。Wǒmen yě dǎsuan qù nàr～.

tóuzī 投资[2] （投资）[名]

我们用这笔银行的～买了新的设备。Wǒmen yòng zhèi bǐ yínháng de～mǎile xīn de shèbèi. →我们用这笔银行的钱买了新设备。Wǒmen yòng zhèi bǐ yínháng de qián mǎile xīn shèbèi. **例**国外的～马上就到。Guówài de～mǎshàng jiù dào. |我们厂需要大量的～。Wǒmen chǎng xūyào dàliàng de～. |下半年的～比上半年的～增加了。Xiàbànnián de～bǐ shàngbànnián de～zēngjiā le. |你们一定要把这笔～用好。Nǐmen yídìng yào bǎ zhèi bǐ～yòng hǎo. |～的去向很清楚。～de qùxiàng hěn qīngchu.

tòu 透[1] [动]

从门边儿～出了一点儿亮光。Cóng mén biānr～chūle yìdiǎnr liàngguāng. →一点儿亮光从没关紧的门边儿露了出来。Yìdiǎnr liàngguāng cóng méi guānjǐn de mén biānr lòule chulai. **例**我～过窗户看到他一个人在院子里吸烟。Wǒ～guo chuānghu kàndào tā yí ge rén zài yuànzi li xīyān. |请打开窗户～～空气。Qǐng dǎkāi chuānghu～～kōngqì. |这扇门很严，一点儿风都不～。Zhèi shàn mén hěn yán, yìdiǎnr fēng dōu bú～. |这种纸不～水。Zhèi zhǒng zhǐ bú～shuǐ. |你写字太用力了，写的字都～到下一张纸上了。Nǐ xiězì tài yònglì le, xiě de zì dōu～dào xià yì zhāng zhǐ shang le.

tòu 透[2] [形]

稍不满意，她就跟人家吵，她的脾气坏～了。Shāo bù mǎnyì, tā jiù gēn rénjiā chǎo, tā jiù gēn rénjia chǎo，tā de píqi huài ~ le。→她的脾气坏极了。Tā de píqi huàijí le。|到电影院门口儿才发觉没带电影票，糟糕 ~ 了。Dào diànyǐngyuàn ménkǒur cái fājué méi dài diànyǐngpiào，zāogāo ~ le。|你千万别去，那儿危险 ~ 了。Nǐ qiānwàn bié qù，nàr wēixiǎn ~ le。

tu

tūchū 突出[1] ［形］

这次比赛，大卫的成绩很 ~ 。Zhèi cì bǐsài，Dàwèi de chéngjì hěn ~ . →大卫的成绩比别人好得多。Dàwèi de chéngjì bǐ biéren hǎo de duō。例在我们公司里，今年王工程师的成果很 ~ 。Zài wǒmen gōngsī li，jīnnián Wáng gōngchéngshī de chéngguǒ hěn ~ . |这种产品的优点很 ~ 。Zhèi zhǒng chǎnpǐn de yōudiǎn hěn ~ . |昨天的晚会上，安娜打扮得十分 ~ 。Zuótiān de wǎnhuì shang，Ānnà dǎban de shífēn ~ . |他为医学事业做出了 ~ 的贡献。Tā wèi yīxué shìyè zuòchūle ~ de gòngxiàn．

tūchū 突出[2] ［动］

这则广告 ~ 了产品的质量。Zhèi zé guǎnggào ~ le chǎnpǐn de zhìliàng。→这则广告把对产品质量的宣传放在显著的位置上。Zhèi zé guǎnggào bǎ duì chǎnpǐn zhìliàng de xuānchuán fàng zài xiǎnzhù de wèizhì shang．例这些语言 ~ 了人物的性格。Zhèixiē yǔyán ~ le rénwù de xìnggé．|讲话的时候要 ~ 重点。Jiǎng huà de shíhou yào ~ zhòngdiǎn．|这部电影 ~ 了爱情这个主题。Zhèi bù diànyǐng ~ le àiqíng zhèige zhǔtí．|他们的个性还应该再 ~ 一下儿。Tāmen de gèxìng hái yīnggāi zài ~ yíxiàr．

tūjī 突击（突擊）［动］

这个假期我打算 ~ 一下儿外语。Zhèige jiàqī wǒ dǎsuan ~ yíxiàr wàiyǔ。→这个假期我打算集中力量快速地学习一下儿外语。Zhèige jiàqī wǒ dǎsuan jízhōng lìliang kuàisù de xuéxí yíxiàr wàiyǔ．例他们正在 ~ 安装电梯。Tāmen zhèngzài ~ ānzhuāng diàntī．|今天咱们 ~ 完这些工作再下班。Jīntiān zánmen ~ wán zhèixiē gōngzuò zài xià bān．|明天再 ~ 一个小时，这项工程就能完成了。Míngtiān zài ~ yí ge xiǎoshí，zhèi xiàng gōngchéng jiù néng wánchéng le．|你们实在有困难，我派人帮你们去 ~ 。Nǐmen shízài yǒu kùnnan，wǒ pài rén bāng nǐmen qù ~ . |平时不努力学习，光靠考试之前搞 ~ 可不成。

T

Píngshí bù nǔlì xuéxí, guāng kào kǎoshì zhīqián gǎo ~ kě bù chéng.

tūrán 突然 [形]

我们正在看电视的时候，～停电了。Wǒmen zhèngzài kàn diànshì de shíhou, ~ tíng diàn le. →我们看电视的时候没想到会那么快停电了。Wǒmen kàn diànshì de shíhou méi xiǎngdào huì nàme kuài tíng diàn le. 例这个消息太～了，我们一点儿思想准备都没有。Zhèige xiāoxi tài ~ le, wǒmen yìdiǎnr sīxiǎng zhǔnbèi dōu méiyǒu. |听到这个～的消息，大家都着急得不得了。Tīngdào zhèige ~ de xiāoxi, dàjiā dōu zháojí de bùdéliǎo. |他～决定不参加运动会了。Tā ~ juédìng bù cānjiā yùndònghuì le. |~他的心脏病犯了，我们赶快把他送进了医院。~ tā de xīnzàngbìng fàn le, wǒmen gǎnkuài bǎ tā sòngjìnle yīyuàn. |上次出国～得很，所以我没来得及告诉你。Shàng cì chūguó ~ de hěn, suǒyǐ wǒ méi láidejí gàosu nǐ.

tú 图 (圖) [名]

～上的五角星代表北京。~ shang de wǔjiǎoxīng dàibiǎo Běijīng. →画儿上的五角星代表北京。Huàr shang de wǔjiǎoxīng dàibiǎo Běijīng. 例每张～都是彩色的。Měi zhāng ~ dōu shì cǎisè de. |大家看～的时候要注意～下的说明。Dàjiā kàn ~ de shíhou yào zhùyì ~ xià de shuōmíng. |他把每个动作都画成～来表示。Tā bǎ měi ge dòngzuò dōu huàchéng ~ lái biǎoshì. |这座房子的结构怎么样，你一看～就知道了。Zhèi zuò fángzi de jiégòu zěnmeyàng, nǐ yí kàn ~ jiù zhīdao le.

túshūguǎn 图书馆 (圖書館) [名]

library 例我们大学的～很大。Wǒmen dàxué de ~ hěn dà. |我想去～办一个借书证。Wǒ xiǎng qù ~ bàn yí ge jièshūzhèng. |来这个～里看书的人很多。Lái zhèige ~ li kàn shū de rén hěn duō. |这是国家～。Zhè shì Guójiā ~ . |这个～里藏书最多。Zhèige ~ li cáng shū zuì duō. |这几本书都是从～借来的。Zhè jǐ běn shū dōu shì cóng ~ jièlai de. |安娜在～看书，你去那儿找她吧。Ānnà zài ~ kàn shū, nǐ qù nàr zhǎo tā ba.

tú 涂¹ (塗) [动]

姑娘们的嘴上都～了口红。Gūniangmen de zuǐ shang dōu ~ le kǒuhóng. →姑娘们的嘴上都抹上了红色的化妆品。Gūniangmen de zuǐ shang dōu mǒshangle hóngsè de huàzhuāngpǐn. 例你先用铅笔画

一朵花儿，然后用彩笔 ~ 上颜色。Nǐ xiān yòng qiānbǐ huà yì duǒ huār, ránhòu yòng cǎibǐ ~ shang yánsè. |演员们的脸上 ~ 了各种颜色的油彩。Yǎnyuánmen de liǎn shang ~ le gèzhǒng yánsè de yóucǎi. |我给你往伤口上 ~ 点儿药就不疼了。Wǒ gěi nǐ wǎng shāngkǒu shang ~ diǎnr yào jiù bù téng le. |不许在墙上乱 ~ 乱画。Bùxǔ zài qiáng shang luàn ~ luàn huà.

tú 涂² （塗）［动］

这个字写得太难看，~ 掉重写。Zhèige zì xiě de tài nánkàn, ~ diào chóng xiě. →这个字写得太难看，擦掉重写。Zhèige zì xiě de tài nánkàn, cādiào chóng xiě. 例你写错了，~ 干净再写一遍。Nǐ xiěcuò le, ~ gānjìng zài xiě yí biàn. |把这儿 ~ 了，别的地方都不用 ~ 。Bǎ zhèr ~ le, biéde dìfang dōu búyòng ~ . |就 ~ 这一行行吗？Jiù ~ zhèi yì háng xíng ma? |用钢笔写的字不容易 ~ 掉。Yòng gāngbǐ xiě de zì bù róngyì ~ diào.

tǔ 土 ［名］

dust; earth; soil 例一个星期没擦桌子，桌子上有一层 ~ 。Yí ge xīngqī méi cā zhuōzi, zhuōzi shang yǒu yì céng ~ . |你去哪儿了？衣服上弄了那么多 ~ 。Nǐ qù nǎr le? Yīfu shang nòngle nàme duō ~ . |屋里的 ~ 是从窗户外面吹进来的。Wū li de ~ shì cóng chuānghu wàimian chuī jinlai de. |这一大堆 ~ 明天一定要运走。Zhèi yí dà duī ~ míngtiān yídìng yào yùnzǒu. |移这棵树的时候，树根上一定要多带一些 ~ 。Yí zhèi kē shù de shíhou, shùgēn shang yídìng yào duō dài yìxiē ~ . |花盆儿里得添点儿新 ~ 。Huāpénr li děi tiān diǎnr xīn ~ .

tǔdì 土地 ［名］

东边儿这片 ~ 我打算种西瓜。Dōngbianr zhèi piàn ~ wǒ dǎsuan zhòng xīguā. →东边儿这片田地我想种西瓜。Dōngbianr zhèi piàn tiándì wǒ xiǎng zhòng xīguā. 例这些 ~ 都是我们村子的。Zhèixiē ~ dōu shì wǒmen cūnzi de. |那儿的 ~ 特别肥。Nàr de ~ tèbié féi. |我家有三亩 ~ 。Wǒ jiā yǒu sān mǔ ~ . |他在山坡的 ~ 上种了果树。Tā zài shānpō de ~ shang zhòngle guǒshù. |这块 ~ 的庄稼长得真好。Zhèi kuài ~ de zhuāngjia zhǎng de zhēn hǎo. |他们一直生活在这片 ~ 上。Tāmen yìzhí shēnghuó zài zhèi piàn ~ shang.

tǔdòu 土豆 [名]

例 这儿的 ~ 很好吃。Zhèr de ~ hěn hǎochī. | ~ 多少钱一斤？~ duōshao qián yì jīn? | 锅里的 ~ 煮熟了。Guō li de ~ zhǔshóu le. | 我家的人都爱吃 ~。Wǒ jiā de rén dōu ài chī ~. | 你把 ~ 洗干净了吗？Nǐ bǎ ~ xǐ gānjìng le ma? | ~ 的营养很丰富。~ de yíngyǎng hěn fēngfù. | 这个 ~ 的个儿真大。Zhèige ~ de gèr zhēn dà.

土豆

tǔ 吐 [动]

这东西不能吃，快 ~ 出来。Zhè dōngxi bù néng chī, kuài ~ chulai. →这东西不能吃，快让它从嘴里出来。Zhè dōngxi bù néng chī, kuài ràng tā cóng zuǐ li chūlai. **例** 一块儿糖咽下去 ~ 不出来了。Yí kuàir táng yàn xiaqu ~ bu chūlái le. | 你把西瓜子儿 ~ 在盆里吧。Nǐ bǎ xīguāzǐr ~ zài pénr li ba. | 别把鱼骨头 ~ 在地上。Bié bǎ yú gǔtou ~ zài dìshang. | 这孩子把瓜子儿皮儿 ~ 得满地都是。Zhè háizi bǎ guāzǐr pír ~ de mǎn dì dōu shì. | 快把你 ~ 出来的东西收拾干净。Kuài bǎ nǐ ~ chulai de dōngxi shōushi gānjìng.

tù 吐 [动]

他病得很厉害，刚才 ~ 了一些血。Tā bìng de hěn lìhai, gāngcái ~ le yìxiē xiě. →刚才从他的嘴里出来了一些血。Gāngcái cóng tā de zuǐ li chūlaile yìxiē xiě. **例** 我一闻这味儿，差一点儿 ~ 了。Wǒ yì wén zhè wèir, chàyìdiǎnr ~ le. | 这孩子又 ~ 奶了。Zhè háizi yòu ~ nǎi le. | 他大口大口地 ~ 着，直到肚子里的东西都 ~ 干净后才停下来。Tā dàkǒu dàkǒu de ~ zhe, zhídào dùzi li de dōngxi dōu ~ gānjìng hòu cái tíng xialai. | 他一坐车就 ~，在车上 ~ 了好几次了。Tā yí zuò chē jiù ~, zài chē shang ~ le hǎojǐ cì le.

tùzi 兔子 [名]

例 ~ 爱吃萝卜、白菜等等。~ ài chī luóbo、báicài děngděng. | 我的女儿特别喜欢 ~。Wǒ de nǚ'ér tèbié xǐhuan ~. | 我们在街上买了一只小 ~。Wǒmen zài jiē shang mǎile yì zhī xiǎo ~. | ~ 的耳朵长，尾巴短。~ de ěrduo cháng, wěiba duǎn. | 这只 ~ 的毛是白色的，眼睛是红色的。Zhèi zhī ~ de máo shì báisè

兔子

de, yǎnjing shì hóngsè de.

tuan

tuán 团（團）[量]

用于像圆形或球形的东西。Yòngyú xiàng yuánxíng huò qiúxíng de dōngxi. 例我要去买几～毛线织毛衣。Wǒ yào qù mǎi jǐ ～ máoxiàn zhī máoyī. |面板儿上的这～面我一会儿做面条。Miànbǎnr shang de zhèi ～ miàn wǒ yíhuìr zuò miàntiáor. |往饺子皮儿里放一～肉，再包起来，就成饺子了。Wǎng jiǎozipír li fàng yì ～ ròu, zài bāo qilai, jiù chéng jiǎozi le. |房间里没有人，只见地上扔着一～一～的纸。Fángjiān li méiyǒu rén, zhǐ jiàn dì shang rēngzhe yì ～ yì ～ de zhǐ.

tuánjié 团结[1]（團結）[动]

只要咱们～起来，就一定能够克服眼前的困难。Zhǐyào zánmen ～ qilai, jiù yídìng nénggòu kèfú yǎnqián de kùnnan. →只要我们联合起来，就一定能够克服眼前的困难。Zhǐyào wǒmen liánhé qilai, jiù yídìng nénggòu kèfú yǎnqián de kùnnan. 例 你们要善于～群众。Nǐmen yào shànyú ～ qúnzhòng. |我们～得像一个人一样。Wǒmen ～ de xiàng yí ge rén yíyàng. |大家～起来，共同前进。Dàjiā ～ qilai, gòngtóng qiánjìn. |～起来，才有力量。～ qilai, cái yǒu lìliang.

tuánjié 团结[2]（團結）[形]

我们虽然来自不同的国家，但是我们很～。Wǒmen suīrán lái zì bù tóng de guójiā, dànshì wǒmen hěn ～. →我们之间的关系很友好。Wǒmen zhījiān de guānxi hěn yǒuhǎo. 例听说她跟她的同屋非常～。Tīngshuō tā gēn tā de tóngwū fēicháng ～. |这个班是一个十分～的集体。Zhèige bān shì yí ge shífēn ～ de jítǐ. |现在公司里的人越来越～了。Xiànzài gōngsī li de rén yuèláiyuè ～ le.

tui

tuī 推 [动]

我用手轻轻一～，门就开了。Wǒ yòng shǒu qīngqīng yì ～, mén jiù kāile. →我的手放在门上往前用了一点儿点儿力，门就打开了。Wǒ de shǒu fàng zài mén shang wǎng qián yòngle yidiǎnrdiǎnr lì, mén jiù dǎkāi le. 例我们～开窗户，呼吸一下儿新鲜空气。Wǒmen ～ kāi chuānghu, hūxī yíxiàr xīnxiān kōngqì. |护士～着病人在院子里晒太

T

阳。Hùshì ~ zhe bìngrén zài yuànzi li shài tàiyáng. I 他 ~ 着自行车出去了。Tā ~ zhe zìxíngchē chūqu le. I 这辆车太重，我们 ~ 不动。Zhèi liàng chē tài zhòng, wǒmen ~ bu dòng. I ~ 了几下儿，没 ~ 开。~ le jǐ xiàr, méi ~ kāi. I 最后终于把那段破墙 ~ 倒了。Zuìhòu zhōngyú bǎ nèi duàn pò qiáng ~ dǎo le.

tuīdòng 推动（推動）[动]

劳动竞赛 ~ 了我们厂的工作。Láodòng jìngsài ~ le wǒmen chǎng de gōngzuò. →劳动竞赛使我们厂的工作有了发展。Láodòng jìngsài shǐ wǒmen chǎng de gōngzuò yǒule fāzhǎn. 例教育制度的改革 ~ 了教学质量的提高。Jiàoyù zhìdù de gǎigé ~ le jiàoxué zhìliàng de tígāo. I 人民 ~ 历史向前发展。Rénmín ~ lìshǐ xiàng qián fāzhǎn. I 你们的支持一定能 ~ 我们的文艺活动开展起来。Nǐmen de zhīchí yídìng néng ~ wǒmen de wényì huódòng kāizhǎn qilai. I 他的讲话起了很大的 ~ 作用。Tā de jiǎnghuà qǐle hěn dà de ~ zuòyòng. I 这次评选先进活动对我们的工作是一个有力的 ~。Zhèi cì píngxuǎn xiānjìn huódòng duì wǒmen de gōngzuò shì yí ge yǒulì de ~.

tuīguǎng 推广（推廣）[动]

我们要在全县 ~ 这种优良的棉花品种。Wǒmen yào zài quán xiàn ~ zhèi zhǒng yōuliáng de miánhua pǐnzhǒng. →我们要在全县扩大面积种这种优良的品种。Wǒmen yào zài quán xiàn kuòdà miànjī zhòng zhèi zhǒng yōuliáng de pǐnzhǒng. 例各地正在 ~ 他们的经验。Gè dì zhèngzài ~ tāmen de jīngyàn. I 你们要把这种技术 ~ 一下儿。Nǐmen yào bǎ zhèi zhǒng jìshù ~ yíxiàr. I 他们的做法在我们这里已经 ~ 了半年，效果很好。Tāmen de zuòfǎ zài wǒmen zhèlǐ yǐjing ~ le bànnián, xiàoguǒ hěn hǎo. I 这种新品种的 ~，将大大提高全县的粮食产量。Zhèi zhǒng xīn pǐnzhǒng de ~, jiāng dàdà tígāo quán xiàn de liángshi chǎnliàng.

tuǐ 腿[1] [名]

例我的右 ~ 受伤了。Wǒ de yòu ~ shòushāng le. I 她的 ~ 很长。Tā de ~ hěn cháng. I 医生治好了他的 ~。Yīshēng zhìhǎole tā de ~. I 许多动物都有四条 ~。Xǔduō dòngwù dōu yǒu sì tiáo ~. I 你把 ~

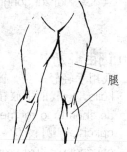

腿

抬高一点儿。Nǐ bǎ ~ táigāo yìdiǎnr. | 她的腿上粘了好多泥。Tā de tuǐ shang zhānle hǎoduō ní. | 一只小狗坐在他的 ~ 上。Yì zhī xiǎogǒu zuò zài tā de ~ shang.

tuǐ 腿² [名]

例 一张桌子有四条 ~ 儿。Yì zhāng zhuōzi yǒu sì tiáo ~ r. | 椅子也有 ~ 儿。Yǐzi yě yǒu ~ r. | 小床的 ~ 儿不太高。Xiǎo chuáng de ~ r bú tài gāo. | 这个柜子的 ~ 儿坏了。Zhèige guìzi de ~ r huài le. | 这些家具没有 ~ 儿。Zhèixiē jiājù méiyǒu ~ r.

腿儿

tuì 退¹ [动]

听见狗叫，吓得他往后 ~ 了几步。Tīngjiàn gǒu jiào, xià de tā wǎng hòu ~ le jǐ bù. →因为害怕，他倒着向后走了几步。Yīnwèi hàipà, tā dàozhe xiàng hòu zǒule jǐ bù. **例** 两个队的队员都向后 ~ 三步。Liǎng ge duì de duìyuán dōu xiàng hòu ~ sān bù. | 请你们往后 ~ 一下儿，让我过去。Qǐng nǐmen wǎng hòu ~ yíxiàr, ràng wǒ guòqu. | 前面没有路了，我们的汽车只好 ~ 了回来。Qiánmiàn méiyǒu lù le, wǒmen de qìchē zhǐhǎo ~ le huilai. | 他们已经没有向后 ~ 的路了。Tāmen yǐjīng méiyǒu xiàng hòu ~ de lù le. | 他们一直 ~ 到河边儿才停。Tāmen yìzhí ~ dào hé biānr cái tíng.

tuìbù 退步 [动]

我的学习成绩 ~ 了。Wǒ de xuéxí chéngjì ~ le. →我的学习成绩比以前差了。Wǒ de xuéxí chéngjì bǐ yǐqián chà le. **例** 上课时不注意听老师讲课，学习就会 ~。Shàngkè shí bú zhùyì tīng lǎoshī jiǎng kè, xuéxí jiù huì ~. | 最近他的工作 ~ 了，你得帮帮他。Zuìjìn tā de gōngzuò ~ le, nǐ děi bāngbang tā. | 你要好好儿找一找 ~ 的原因。Nǐ yào hǎohāor zhǎo yi zhǎo ~ de yuányīn. | 技术上的 ~ 不是一个小问题。Jìshù shang de ~ bú shì yí ge xiǎo wèntí.

tuì 退² [动]

你买的这件衣服如果质量有问题，可以 ~。Nǐ mǎi de zhèi jiàn yīfu rúguǒ zhìliàng yǒu wèntí, kěyǐ ~. →你可以把质量有问题的衣服送回来，我把你买衣服的钱还给你。Nǐ kěyǐ bǎ zhìliàng yǒu wèntí de yīfu sòng huilai, wǒ bǎ nǐ mǎi yīfu de qián huán gěi nǐ. **例** 刚才我 ~

T

了两张飞机票。Gāngcái wǒ ~ le liǎng zhāng fēijīpiào. |学校把多收的书钱 ~ 给了学生。Xuéxiào bǎ duō shōu de shū qián ~ gěi le xuésheng. |那本书缺了一页，所以我把它 ~ 了。Nèi běn shū quēle yí yè, suǒyǐ wǒ bǎ tā ~ le. |我拿着这双鞋去 ~ 过一次，因为那天商店休息，没 ~ 成。Wǒ názhe zhèi shuāng xié qù ~ guo yí cì, yīnwèi nà tiān shāngdiàn xiūxi, méi ~ chéng.

tun

tūn 吞 [动]

他一笑，嘴里的糖一下儿 ~ 进去了。Tā yí xiào, zuǐ li de táng yíxiàr ~ jinqu le. →嘴里的一块糖整个儿咽进去了。Zuǐ li de yí kuài táng zhěng gèr yàn jinqu le. 例你喝一口水，把药 ~ 下去。Nǐ hē yì kǒu shuǐ, bǎ yào ~ xiaqu. |这条大鱼 ~ 了很多小鱼儿。Zhèi tiáo dà yú ~ le hěn duō xiǎoyúr. |这点儿东西，他一口就 ~ 掉了。Zhèi diǎnr dōngxi, tā yì kǒu jiù ~ diào le. |多喝几口水就能 ~ 下去。Duō hē jǐ kǒu shuǐ jiù néng ~ xiaqu. |别怕，放进嘴里往下 ~。Bié pà, fàngjìn zuǐli wǎng xià ~.

tuo

tuō 托[1] [动]

饭馆儿服务员一只手能 ~ 好几个盘子。Fànguǎnr fúwùyuán yì zhī shǒu néng ~ hǎojǐ gè pánzi. →饭馆儿服务员一只手的手心向上，手心上能放着好几个盘子往前走。Fànguǎnr fúwùyuán yì zhī shǒu de shǒuxīn xiàng shàng, shǒuxīn shang néng fàngzhe hǎojǐ gè pánzi wǎng qián zǒu. 例他 ~ 着几杯茶水走了进来。Tā ~ zhe jǐ bēi cháshuǐ zǒule jinlai. |她用一只手 ~ 着盘子给客人们倒酒。Tā yòng yì zhī shǒu ~ zhe pánzi gěi kèrenmen dào jiǔ. |快来帮一下儿忙，我快 ~ 不住了。Kuài lái bāng yíxiàr máng, wǒ kuài ~ bu zhù le. |我得把这个箱子 ~ 起来放到柜子上去。Wǒ děi bǎ zhèige xiāngzi ~ qilai fàngdào guìzi shang qu. |我还看不见，再把我往上 ~ 一 ~。Wǒ hái kàn bú jiàn, zài bǎ wǒ wǎng shàng ~ yi ~.

tuō 托[2] (託) [动]

我 ~ 朋友买了一张电影票。Wǒ ~ péngyou mǎile yì zhāng diànyǐngpiào. →我请朋友帮我买了一张电影票。Wǒ qǐng péngyou

bāng wǒ mǎile yì zhāng diànyǐngpiào. 例我的孩子~邻居照顾着。
Wǒ de háizi ~ línjū zhàogùzhe. | 我想~你给我办一件事。Wǒ xiǎng
~ nǐ gěi wǒ bàn yí jiàn shì. | 我不在家，家里的事全~给您了。Wǒ
bú zài jiā, jiāli de shì quán ~ gěi nín le. | 我~他办的事都办成了。
Wǒ ~ tā bàn de shì dōu bànchéng le. | 我已经~过他两次了，别再
麻烦人家了。Wǒ yǐjīng ~ guo tā liǎng cì le, bié zài máfan rénjia le.

tuō 拖 [动]

撞坏的汽车被 ~ 到了路边儿。Zhuànghuài de qìchē bèi ~ dàole lù
biānr. →撞坏的汽车被拉到了路边儿。Zhuànghuài de qìchē bèi
lādàole lù biānr. 例火车头~着十五节车厢进站了。Huǒchētóu ~ zhe
shíwǔ jié chēxiāng jìn zhàn le. | 轮船后边儿 ~ 着一条小船。
Lúnchuán hòubianr ~ zhe yì tiáo xiǎochuán. | 我得把床下的箱子~出
来。Wǒ děi bǎ chuáng xià de xiāngzi ~ chulai. | 他把那条破船~上
了岸。Tā bǎ nèi tiáo pò chuán ~ shàngle àn. | 我 ~ 了几下儿，没有
~动。Wǒ ~ le jǐ xiàr, méiyǒu ~ dòng.

tuōxié 拖鞋 [名]

例我的 ~ 是新买的。Wǒ de ~ shì xīn mǎi
de. | 这种 ~ 穿着很舒服。Zhèi zhǒng ~
chuānzhe hěn shūfu. | 她们一进屋就换上了
~ 。Tāmen yí jìn wū jiù huànshangle ~ . | 屋
子的门口儿放了几双 ~ 。Wūzi de ménkǒur
fàngle jǐ shuāng ~ . | 请把 ~ 给我拿来！Qǐng
bǎ ~ gěi wǒ nálai! | 这双 ~ 的鞋底儿比较厚。Zhèi shuāng ~ de xiédǐr
bǐjiào hòu.

拖鞋

tuō 脱[1] [动]

晚上睡觉的时候，要 ~ 鞋，~ 衣服。Wǎnshang shuìjiào de shíhou,
yào ~ xié, ~ yīfu. →晚上睡觉的时候，要把穿在脚上的鞋和身上的
衣服拿掉。Wǎnshang shuìjiào de shíhou, yào bǎ chuān zài jiǎo
shang de xié hé shēnshang de yīfu nádiào. 例屋里不冷，你把大衣
~ 了吧。Wū li bù lěng, nǐ bǎ dàyī ~ le ba. | 你把袜子 ~ 下来，我给
你洗洗。Nǐ bǎ wàzi ~ xialai, wǒ gěi nǐ xǐxi. | 他把全家人 ~ 下来的
衣服都洗了。Tā bǎ quán jiā rén ~ xialai de yīfu dōu xǐ le. | 你呀，太
脏了，快 ~ 光了衣服去洗澡。Nǐ ya, tài zāng le, kuài ~ guāngle yīfu

T

qù xǐzǎo. | 别急，一件一件地 ~。Bié jí, yí jiàn yí jiàn de ~.

tuō 脱² [动]

他生病的时候，~ 了好多头发。Tā shēngbìng de shíhou, ~ le hǎo duō tóufa. → 他生病的时候，掉了好多头发。Tā shēngbìng de shíhou, diàole hǎo duō tóufa. **例**这些动物每年 ~ 一次毛。Zhèixiē dòngwù měi nián ~ yí cì máo. | 它们 ~ 掉身上的旧毛，长出新毛。Tāmen ~ diào shēnshang de jiù máo, zhǎngchū xīn máo. | 夏天，我被太阳晒得 ~ 了一层皮。Xiàtiān, wǒ bèi tàiyáng shài de ~ le yì céng pí. | 他还不到五十岁就开始 ~ 发了，还 ~ 得挺厉害。Tā hái bú dào wǔshí suì jiù kāishǐ ~ fà le, hái ~ de tǐng lìhai.

tuōlí 脱离 (脱離) [动]

人不能 ~ 社会。Rén bù néng ~ shèhuì. → 人不能离开社会。Rén bù néng líkāi shèhuì. **例**你的这种想法 ~ 实际。Nǐ de zhèi zhǒng xiǎngfa ~ shíjì. | 昨天那位病人已经 ~ 了危险。Zuótiān nèi wèi bìngrén yǐjīng ~ le wēixiǎn. | 他热爱教育事业，不愿意 ~ 教师队伍。Tā rè'ài jiàoyù shìyè, bú yuànyì ~ jiàoshī duìwu. | 一个人 ~ 了集体就像鱼儿 ~ 了大海。Yí ge rén ~ le jítǐ jiù xiàng yú'ér ~ le dàhǎi. | 最近我不能休假，因为工作 ~ 不开。Zuìjìn wǒ bù néng xiūjià, yīnwèi gōngzuò ~ bù kāi.

T

W

wa

wā 挖 ［动］

孩子们在地上 ~ 了一个洞。Háizimen zài dìshang ~ le yí ge dòng. →
他们用手或工具把地里的土弄出来。Tāmen yòng shǒu huò gōngjù
bǎ dì li de tǔ nòng chulai. 例工人们正在用机器 ~ 土。Gōngrénmen
zhèngzài yòng jīqì ~ tǔ. | 我们村里新 ~ 了好几口井。Wǒmen cūn li
xīn ~ le hǎojǐ kǒu jǐng. | 这块地很硬，根本 ~ 不动。Zhèi kuài dì hěn
yìng, gēnběn ~ bu dòng. | 别乱 ~ 了，都快把墙 ~ 坏了。Bié luàn ~
le, dōu kuài bǎ qiáng ~ huài le. | 河里的泥 ~ 出一些来了，再往下
~ ~ 吧。Héli de ní ~ chu yìxiē lai le, zài wǎng xià ~ ~ ba.

wàzi 袜子（襪子）［名］

例这双 ~ 穿在脚上正合适。Zhèi shuāng ~
chuān zài jiǎo shang zhèng héshì. | 这个商店
里的 ~ 很多，我们进去看看吧。Zhèige
shāngdiàn li de ~ hěn duō, wǒmen jìnqu
kànkan ba. | 要早一点儿训练孩子自己穿 ~,
脱 ~。Yào zǎo yìdiǎnr xùnliàn háizi zìjǐ chuān
~, tuō ~. | 天气冷了，你穿上厚 ~ 吧。
Tiānqì lěng le, nǐ chuān shang hòu ~ ba. | 这
里的 ~ 种类多着呢，你喜欢哪双就选哪双。
Zhèlǐ de ~ zhǒnglèi duō zhene, nǐ xǐhuan něi
shuāng jiù xuǎn něi shuāng.

袜子

wa 哇 ［助］

同语气助词"啊"，当"啊（a）"出现在尾音是"u、ao"的字后面
时读成"哇"。Tóng yǔqì zhùcí "a", dāng "a" chūxiàn zài wěiyīn
shì "u、ao" de zì hòumian shí dúchéng "wa". 例你买什么书 ~？
Nǐ mǎi shénme shū ~? | 这小伙子长得多高 ~！大概一米八还多吧？
Zhè xiǎohuǒzi zhǎng de duō gāo ~！Dàgài yì mǐ bā hái duō ba? | 兔
~、猫 ~，这些小动物我都喜欢。Tù ~、māo ~, zhèixiē xiǎo
dòngwù wǒ dōu xǐhuan. | 好 ~，就按你说的办吧。Hǎo ~, jiù àn nǐ

shuō de bàn ba.

wai

wāi 歪 [形]

墙上这幅画儿 ~ 了。Qiáng shang zhèi fú huàr ~ le. →这幅画儿没有挂正，向一边斜了。Zhèi fú huàr méiyǒu guà zhèng, xiàng yì biān xié le. 例这个字写得正，那个字有点儿 ~ 。Zhèige zì xiě de zhèng, nèige zì yǒudiǎnr ~ . |她 ~ 戴着小帽，更显得活泼了。Tā ~ dàizhe xiǎomào, gèng xiǎnde huópo le. |这条线画 ~ 了，需要再画一下儿。Zhèi tiáo xiàn huà ~ le, xūyào zài huà yíxiàr. |你看这镜子挂得 ~ 不 ~？Nǐ kàn zhè jìngzi guà de ~ bu ~? |这鱼的嘴怎么是 ~ 的啊？Zhè yú de zuǐ zěnme shì ~ de a?

wài 外¹ [名]

村 ~ 有一片树林。Cūn ~ yǒu yí piàn shùlín. →走出村子，你在那里看到的是一片树林。Zǒu chu cūnzi, nǐ zài nàli kàndào de shì yí piàn shùlín. 例屋 ~ 有两棵树。Wū ~ yǒu liǎng kē shù. |我先出去，在大门 ~ 等你。Wǒ xiān chūqu, zài dàmén ~ děng nǐ. |这个院子，里 ~ 都这么干净。Zhèige yuànzi, lǐ ~ dōu zhème gānjìng. |你向 ~ 看，看谁来了？Nǐ xiàng ~ kàn, kàn shéi lái le? |我刚要往 ~ 走，你就进来了，真巧！Wǒ gāng yào wǎng ~ zǒu, nǐ jiù jìnlai le, zhēn qiǎo! |你下去看看吧，里里 ~ ~ 都是人。Nǐ xiàqu kànkan ba, lǐlǐ ~ ~ dōu shì rén.

wàibian 外边(外邊) [名]

屋子 ~ 太冷，还是屋子里面暖和。Wūzi ~ tài lěng, háishi wūzi lǐmian nuǎnhuo. →出了屋子，觉得那里太冷。Chūle wūzi, juéde nàli tài lěng. 例早上，~ 空气新鲜，应该出来活动活动。Zǎoshang, ~ kōngqì xīnxiān, yīnggāi chūlai huódòng huódòng. |球场 ~，观众们热情地为运动员们加油儿。Qiúchǎng ~, guānzhòngmen rèqíng de wèi yùndòngyuánmen jiāyóur. |我不小心把球踢到墙 ~ 去了。Wǒ bù xiǎoxīn bǎ qiú tīdào qiáng ~ qu le. |她就在 ~，你去找她吧。Tā jiù zài ~, nǐ qù zhǎo tā ba. |我刚从 ~ 进来，电话铃儿就响了。Wǒ gāng cóng ~ jìnlai, diànhuàlíngr jiù xiǎng le.

wàimiàn 外面 [名]

大门 ~ 有一棵大树。Dàmén ~ yǒu yì kē dà shù. →跨出大门的地方

有一棵树。Kuà chu dàmén de dìfang yǒu yì kē shù. **例**院子 ~ 长满了竹子。Yuànzi ~ zhǎngmǎnle zhúzi. | ~ 下雨了，快到屋子里来吧。~ xià yǔ le, kuài dào wūzi li lai ba. | ~ 的世界很精彩，还是出来走一走好。~ de shìjiè hěn jīngcǎi, háishi chūlai zǒu yi zǒu hǎo. | 看看 ~，天蓝、草绿、花红，真是太美了! Kànkan ~, tiān lán、cǎo lǜ、huā hóng, zhēnshi tài měi le! | 里面空气不好，我们到 ~ 来好不好? Lǐmian kōngqì bù hǎo, wǒmen dào ~ lái hǎo bu hǎo?

wàitou 外头（外頭）[名]

屋子 ~ 有许多花草。Wūzi ~ yǒu xǔduō huācǎo. →出了屋子，你会看到很多花草。Chūle wūzi, nǐ huì kàndào hěn duō huācǎo. **例** ~ 有人喊你，你快出去看看。~ yǒu rén hǎn nǐ, nǐ kuài chūqu kànkan. | 我穿得够多的了，里头是毛衣，~ 是大衣。Wǒ chuān de gòu duō de le, lǐtou shì máoyī, ~ shì dàyī. | 食品盒子 ~ 都写着生产日期。Shípǐn hézi ~ dōu xiězhe shēngchǎn rìqī. | 别在 ~ 玩儿了，快回家吧。Bié zài ~ wánr le, kuài huí jiā ba. | 咱俩一块儿扫地，你扫里头，我扫 ~。Zán liǎ yíkuàir sǎodì, nǐ sǎo lǐtou, wǒ sǎo ~. | 你找大卫吗？他在教室 ~ 看书呢。Nǐ zhǎo Dàwèi ma? Tā zài jiàoshì ~ kàn shū ne.

wài 外² [名]

八小时 ~ 的时间完全由自己来安排。Bā xiǎoshí ~ de shíjiān wánquán yóu zìjǐ lái ānpái. →一天除了工作八个小时，其余的十六小时可以自己安排。Yì tiān chúle gōngzuò bā ge xiǎoshí, qíyú de shíliù xiǎoshí kěyǐ zhìjǐ ānpái. **例**计划 ~ 的活动大家可以随便参加。Jìhuà ~ de huódòng dàjiā kěyǐ suíbiàn cānjiā. | 会场内、会场 ~，大家都在讨论这个问题。Huìchǎng nèi、huìchǎng ~, dàjiā dōu zài tǎolùn zhèige wèntí. | 不论课内还是课 ~，我觉得都能学到很多东西。Búlùn kè nèi háishi kè ~, wǒ juéde dōu néng xuédào hěn duō dōngxi. | 每到周末，有不少校 ~ 的青年来这里学习。Měi dào zhōumò, yǒu bùshǎo xiào ~ de qīngnián lái zhèlǐ xuéxí.

wàidì 外地 [名]

明天我要到 ~ 去。Míngtiān wǒ yào dào ~ qù. →明天我要离开这个地方到别的地方去。Míngtiān wǒ yào líkāi zhèige dìfang dào biéde dìfang qù. **例**他昨天刚从 ~ 回来。Tā zuótiān gāng cóng ~ huílai. | 我的姐姐要去 ~ 工作了，下星期三就走。Wǒ de jiějie yào qù ~ gōngzuò le, xià Xīngqīsān jiù zǒu. | 你觉得本地好还是 ~ 好？Nǐ juéde běndì hǎo háishi ~ hǎo? | 他刚到 ~ 就打电话来了。Tā gāng dào ~ jiù dǎ diànhuà lai le. | 这个商店里卖的全是 ~ 的产品。Zhèige shāngdiàn li mài de quán shì ~ de chǎnpǐn.

wàiguó 外国(外國) [名]

每年都有许多中国青年到 ~ 去留学。Měi nián dōu yǒu xǔduō Zhōngguó qīngnián dào ~ qù liúxué. →离开自己的国家到别的国家去学习的中国青年很多。Líkāi zìjǐ de guójiā dào biéde guójiā qù xuéxí de Zhōngguó qīngnián hěn duō. 例明年我到 ~ 去旅游，可能先去欧洲。Míngnián wǒ dào ~ qù lǚyóu, kěnéng xiān qù Ōuzhōu. | 我是美国人，我有许多 ~ 朋友。Wǒ shì Měiguórén, wǒ yǒu xǔduō ~ péngyou. | 王老师告诉我们，~ 原来没有瓷器，瓷器是中国古代的一大发明。Wáng lǎoshī gàosu wǒmen, ~ yuánlái méiyǒu cíqì, cíqì shì Zhōngguó gǔdài de yí dà fāmíng. | 到了 ~ ，你一定要保存好自己的护照。Dàole ~ , nǐ yídìng yào bǎocún hǎo zìjǐ de hùzhào. | 不管是自己国家的还是 ~ 的先进技术，我们都要好好儿学习。Bùguǎn shì zìjǐ guójiā de háishi ~ de xiānjìn jìshù, wǒmen dōu yào hǎohāor xuéxí.

wàijiāo 外交 [名]

最近，我们国家的 ~ 活动比较多。Zuìjìn, wǒmen guójiā de ~ huódòng bǐjiào duō. →最近，我国在国际关系方面的活动比较多。Zuìjìn, wǒguó zài guójì guānxi fāngmiàn de huódòng bǐjiào duō. 例这两个国家的 ~ 关系已经正式建立了。Zhèi liǎng ge guójiā de ~ guānxi yǐjing zhèngshì jiànlì le. | 一个国家要培养 ~ 人才，充分发挥他们的 ~ 才能。Yí ge guójiā yào péiyǎng ~ réncái, chōngfèn fāhuī tāmen de ~ cáinéng. | 最好通过 ~ 来解决国际上的问题。Zuìhǎo tōngguò ~ lái jiějué guójì shang de wèntí. | 在这一事件中，和平 ~ 取得了最后的胜利。Zài zhèi yí shìjiàn zhōng, hépíng ~ qǔdéle zuìhòu de shènglì. | 对于一个国家来说，~ 是非常重要的。Duìyú yí ge guójiā lái shuō, ~ shì fēicháng zhòngyào de.

wàiwén 外文 [名]

我经常到 ~ 书店去买书。Wǒ jīngcháng dào ~ shūdiàn qù mǎi shū. →这个书店里的书都是用外国的语言文字写成的。Zhèige shūdiàn li de shū dōu shì yòng wàiguó de yǔyán wénzì xiěchéng de. 例近几年她翻译了好几本 ~ 书。Jìn jǐ nián tā fānyìle hǎojǐ běn ~ shū. | 我是学中文的，我爱人是学 ~ 的。Wǒ shì xué Zhōngwén de, wǒ àiren shì xué ~ de. | 懂 ~ ，使我能够学习更多的东西。Dǒng ~ , shǐ wǒ nénggòu xuéxí gèng duō de dōngxi. |他的～很棒，一直做外交工作。Tā de ～ hěn bàng, yìzhí zuò wàijiāo gōngzuò.

wàiyī 外衣 [名]

饭后他穿上～就出去了。Fàn hòu tā chuān shang ～ jiù chūqu le. → 他出门之前，又加了一件穿在外面的衣服。Tā chūmén zhīqián, yòu jiāle yí jiàn chuān zài wàimian de yīfu. 例你穿着这件～真好看。Nǐ chuānzhe zhèi jiàn ～ zhēn hǎokàn. |这件～穿在身上特别暖和。Zhèi jiàn ～ chuān zài shēnshang tèbié nuǎnhuo. |秋天来了，我想买一件～。Qiūtiān lái le, wǒ xiǎng mǎi yí jiàn ～. |我爱穿蓝色的～，你呢？Wǒ ài chuān lánsè de ～, nǐ ne? |我很喜欢这种～的颜色。Wǒ hěn xǐhuan zhèi zhǒng ～ de yánsè. |进了屋子，就把～脱掉吧。Jìnle wūzi, jiù bǎ ～ tuōdiào ba.

wàiyǔ 外语（外語）[名]

他懂好几种～。Tā dǒng hǎojǐ zhǒng ～. →除了本国语言之外，他还懂好多种外国的语言。Chúle běnguó yǔyán zhīwài, tā hái dǒng hǎoduō zhǒng wàiguó de yǔyán. 例大卫会三种～呢！Dàwèi huì sān zhǒng ～ ne! |这个学校要求每个学生至少要掌握两门儿～。Zhèige xuéxiào yāoqiú měi ge xuésheng zhìshǎo yào zhǎngwò liǎng ménr ～. |只要用心学，多练习，～并不难学。Zhǐyào yòngxīn xué, duō liànxí, ～ bìng bù nán xué. |姐姐是大学的～教师。Jiějie shì dàxué de ～ jiàoshī. |我们想了解一下儿他的～水平。Wǒmen xiǎng liǎojiě yíxiàr tā de ～ shuǐpíng. |在各门儿课程中，我对～最感兴趣。Zài gè ménr kèchéng zhōng, wǒ duì ～ zuì gǎn xìngqù.

wan

wān 弯[1]（彎）[形]

这条～～的小路通到山下边。Zhèi tiáo ～ ～ de xiǎolù tōngdào shān xiàbian. →这条通到山下边的小路不是直的。Zhèi tiáo tōngdào shān xiàbian de xiǎolù bú shì zhí de. 例天上，那～～的月亮引起了我的回忆。Tiānshang, nà ～ ～ de yuèliang yǐnqǐle wǒ de huíyì. |你看，这椅子是用～木条做的。Nǐ kàn, zhè yǐzi shì yòng ～ mùtiáo zuò de. |他的腰有点儿～，是怎么造成的呀？Tā de yāo yǒudiǎnr ～, shì zěnme zàochéng de ya? |工人们把竹子弄～，能做成好多东西呢。Gōngrénmen bǎ zhúzi nòng ～, néng zuòchéng hǎoduō dōngxi ne.

wān 弯² (彎) [动]

他~着腰在拔草。Tā ~ zhe yāo zài bá cǎo. →他的头和上身都对着地面，双手在拔地上的草。Tā de tóu hé shàngshēn dōu duìzhe dìmiàn, shuāngshǒu zài bá dìshang de cǎo. 例他~着胳膊，胳膊上挂了一个包ㄦ。Tā ~ zhe gēbo, gēbo shang guàle yí ge bāor. | 我每天早上都要~~胳膊伸伸腿，活动活动身体。Wǒ měi tiān zǎoshang dōu yào ~ ~ gēbo shēnshen tuǐ, huódòng huódòng shēntǐ. | 他感觉腰疼，腰总~不下去。Tā gǎnjué yāo téng, yāo zǒng ~ bu xiàqù. | 你能把竹子~成这种样子吗？Nǐ néng bǎ zhúzi ~ chéng zhèi zhǒng yàngzi ma?

wán 完¹ [动]

这项工作今天能~。Zhèi xiàng gōngzuò jīntiān néng ~. →这项工作今天可以结束。Zhèi xiàng gōngzuò jīntiān kěyǐ jiéshù. 例这工程明年才能~。Zhè gōngchéng míngnián cái néng ~. | 这件事还没~，那件事又来了。Zhèi jiàn shì hái méi ~, nèi jiàn shì yòu lái le. | 看来，这事ㄦ下星期就可以办~。Kànlái, zhè shìr xià xīngqī jiù kěyǐ bàn ~. | 他说~，就下楼去了。Tā shuō ~, jiù xià lóu qu le. | 再过三天你的文章写得~写不~？Zài guò sān tiān nǐ de wénzhāng xiě de ~ xiě bu ~?

wánchéng 完成 [动]

建设文化广场的工程~了。Jiànshè wénhuà guǎngchǎng de gōngchéng ~ le. →文化广场建设好了，是按照原来的计划做完了这项工程的。Wénhuà guǎngchǎng jiànshè hǎo le, shì ànzhào yuánlái de jìhuà zuòwánle zhèi xiàng gōngchéng de. 例篮球队的训练计划按时~了。Lánqiúduì de xùnliàn jìhuà ànshí ~ le. | 玛丽提前~了作业，心里很高兴。Mǎlì tíqián ~ le zuòyè, xīnli hěn gāoxìng. | 今年的种树任务~得很好，我们还得了奖。Jīnnián de zhòng shù rènwu ~ de hěn hǎo, wǒmen hái déle jiǎng. | 离交货的时间还有五天，我们还得抓紧~呢。Lí jiāohuò de shíjiān háiyǒu wǔ tiān, wǒmen hái děi zhuājǐn ~ ne. | 九月份要卖出三万台电脑，你说完得成完不成？Jiǔyuèfèn yào màichu sānwàn tái diànnǎo, nǐ shuō wán de chéng wán bu chéng?

wán 完² [动]

钱用~了再到银行去取。Qián yòng ~ le zài dào yínháng qù qǔ. →

要是把钱全花光了，就再到银行去取出一些来。Yàoshi bǎ qián quán huāguāng le, jiù zài dào yínháng qù qǔchu yìxiē lai. **例**两碗饭他全吃~了，一点儿都没剩。Liǎng wǎn fàn tā quán chī~ le, yìdiǎnr dōu méi shèng. | 烧~了这些煤，咱们再买质量好一点儿的。Shāo ~ le zhèixiē méi, zánmen zài mǎi zhìliàng hǎo yìdiǎnr de. | 请等一会儿，我喝~这杯水和你一块儿去找他。Qǐng děng yíhuìr, wǒ hē ~ zhèi bēi shuǐ hé nǐ yíkuàir qù zhǎo tā. | 我想，把这瓶药全吃~病就会好了。Wǒ xiǎng, bǎ zhèi píng yào quán chī~ bìng jiù huì hǎo le.

wánquán 完全[1] ［形］

他讲的内容很~。Tā jiǎng de nèiróng hěn ~. →他讲的话内容很全，该讲的都讲到了。Tā jiǎng de huà nèiróng hěn quán, gāi jiǎng de dōu jiǎngdào le. **例**会议记录不~，还有一些内容没记下来。Huìyì jìlù bù ~, hái yǒu yìxiē nèiróng méi jì xiàlái. | 你的意思表达得还不够~，再补充补充就可以了。Nǐ de yìsi biǎodá de hái búgòu ~, zài bǔchōng bǔchōng jiù kěyǐ le. | 请放心吧，这几件事儿我能说~，不会漏掉什么。Qǐng fàngxīn ba, zhèi jǐ jiàn shìr wǒ néng shuō~, bú huì lòudiào shénme. | 材料都准备~了，什么都不缺了。Cáiliào dōu zhǔnbèi ~ le, shénme dōu bù quē le.

wánquán 完全[2] ［副］

我~同意你的意见。Wǒ ~ tóngyì nǐ de yìjiàn. →你的意见我全都同意。Nǐ de yìjiàn wǒ quándōu tóngyì. **例**我~了解事情的经过。Wǒ ~ liǎojiě shìqing de jīngguò. | 这里的工作~结束了，我们可以休息一个星期。Zhèlǐ de gōngzuò ~ jiéshù le, wǒmen kěyǐ xiūxi yí ge xīngqī. | 你说得不对，事实~不是这样的。Nǐ shuō de bú duì, shìshí ~ bú shì zhèiyàng de. | 歌声把大家~吸引住了。Gēshēng bǎ dàjiā ~ xīyǐn zhù le. | 我觉得这种做法~没有必要。Wǒ juéde zhèi zhǒng zuòfǎ ~ méiyǒu bìyào. | 我们的要求~合理，你没有理由不答应。Wǒmen de yāoqiú ~ hélǐ, nǐ méiyǒu lǐyóu bù dāying.

wánzhěng 完整 ［形］

这套资料十分~。Zhèi tào zīliào shífēn ~. →这套资料的各部分都很全，什么内容都不缺。Zhèi tào zīliào de gè bùfen dōu hěn quán, shénme nèiróng dōu bù quē. **例**这本记录最~，你看了就能了解会议的全部情况。Zhèi běn jìlù zuì ~, nǐ kànle jiù néng liǎojiě huìyì de quánbù qíngkuàng. | 对于少年时代的生活，我还有比较~的记忆。

Duìyú shàonián shídài de shēnghuó, wǒ hái yǒu bǐjiào ~ de jìyì. | 古书保存得这么 ~ ，真不容易啊！Gǔshū bǎocún de zhème ~ , zhēn bù róngyi a! | 他的讲话 ~ 地回答了大家的问题。Tā de jiǎnghuà ~ de huídále dàjiā de wèntí. | 我们把这套照片完完整整地保存下来了。Wǒmen bǎ zhèi tào zhàopiàn wánwánzhěngzhěng de bǎocún xialai le.

wánr 玩儿（玩兒）[动]

孩子们正在院子里 ~ 。Háizimen zhèngzài yuànzi li ~ . →他们正高高兴兴地做各种活动。Tāmen zhèng gāogāoxìngxìng de zuò gèzhǒng huódòng. **例** 我爱 ~ 球，爷爷喜欢 ~ 鸟。Wǒ ài ~ qiú, yéye xǐhuan ~ niǎo. | 我们正 ~ 得高兴，忽然下起雨来了。Wǒmen zhèng ~ de gāoxìng, hūrán xià qi yǔ lai le. | 我们再 ~ 一会儿好不好？Wǒmen zài ~ yíhuìr hǎo bu hǎo? | 到公园去，我们就随便走走，随便 ~ ~ 吧。Dào gōngyuán qù, wǒmen jiù suíbiàn zǒuzou, suíbiàn ~ ~ ba.

wǎn 晚 [形]

电影 8 点才开演，现在时间还不 ~ 。Diànyǐng bā diǎn cái kāiyǎn, xiànzài shíjiān hái bù ~ . →现在的时间是 7 点，离电影开演时间还早着呢。Xiànzài de shíjiān shì qī diǎn, lí diànyǐng kāiyǎn shíjiān hái zǎo zhene. **例** 早上 8 点上班，再不快走就 ~ 了。Zǎoshang bā diǎn shàngbān, zài bú kuài zǒu jiù ~ le. | 时间太 ~ 了，你就住在这儿吧。Shíjiān tài ~ le, nǐ jiù zhù zài zhèr ba. | 火车现在才到，整整 ~ 了十分钟。Huǒchē xiànzài cái dào, zhěngzhěng ~ le shí fēnzhōng. | 街上总是堵车，不知道参加宴会 ~ 得了 ~ 不了？Jiē shang zǒngshì dǔchē, bù zhīdào cānjiā yànhuì ~ deliǎo ~ buliǎo? | 明天下午我有点儿事，可能 ~ 到一会儿。Míngtiān xiàwǔ wǒ yǒu diǎnr shì, kěnéng ~ dào yíhuìr.

wǎnfàn 晚饭（晚飯）[名]

人们一般每天吃三顿饭：早饭、午饭和 ~ 。Rénmen yìbān měi tiān chī sān dùn fàn: zǎofàn、wǔfàn hé ~ . →除了早饭、午饭外，人们在晚上还要吃一顿饭。Chúle zǎofàn、wǔfàn wài, rénmen zài wǎnshang hái yào chī yí dùn fàn. **例** 我每天晚上六点半吃 ~ 。Wǒ měi tiān wǎnshang liù diǎn bàn chī ~ . | 太阳快落山了，该准备 ~ 了。Tàiyáng kuài luò shān le, gāi zhǔnbèi ~ le. | 天都这么晚了， ~ 我还没吃呢。Tiān dōu zhème wǎn le, ~ wǒ hái méi chī ne. | 今天

的 ～ 是在饭馆儿里吃的。Jīntiān de ～ shì zài fànguǎnr li chī de. | ～ 时间到了，我们去餐厅吧。～ shíjiān dào le, wǒmen qù cāntīng ba.

wǎnhuì 晚会（晚會）[名]

evening party 例文艺 ～ 就要开始了。Wényì ～ jiù yào kāishǐ le. | 这次的圣诞节 ～ 精彩极了。Zhèi cì de Shèngdànjié ～ jīngcǎi jí le. | 走，我们参加联欢 ～ 去。Zǒu, wǒmen cānjiā liánhuān ～ qu. | 我们正准备新年 ～ 呢。Wǒmen zhèng zhǔnbèi xīnnián ～ ne. | 在 ～ 上，大家都表演了节目。Zài ～ shang, dàjiā dōu biǎoyǎnle jiémù. | ～ 结束的时候，全场观众热烈鼓掌。～ jiéshù de shíhou, quán chǎng guānzhòng rèliè gǔzhǎng.

wǎnshang 晚上 [名]

(in the) evening; (at) night 例每天 ～ 我都要在灯下读一会儿书。Měi tiān ～ wǒ dōu yào zài dēng xià dú yíhuìr shū. | 在这里，～ 比较安静。Zài zhèlǐ, ～ bǐjiào ānjìng. | 虽然是夏天，可 ～ 的风十分凉爽。Suīrán shì xiàtiān, kě ～ de fēng shífēn liángshuǎng. | 昨天他俩在一起聊天儿，聊了一个 ～. Zuótiān tā liǎ zài yìqǐ liáotiānr, liáole yí ge ～. | 现在时间是 ～ 8 点钟。Xiànzài shíjiān shì ～ bā diǎnzhōng. | 他工作很忙，～ 经常很晚才回家。Tā gōngzuò hěn máng, ～ jīngcháng hěn wǎn cái huí jiā.

wǎn 碗 [名]

例服务员手里端着两个 ～，是送面条儿来了。Fúwùyuán shǒu li duānzhe liǎng ge ～, shì sòng miàntiáor lai le. | 这些 ～ 很好看，我想买几个。Zhèixiē ～ hěn hǎokàn, wǒ xiǎng mǎi jǐ ge. | 大 ～ 和小 ～，随便你用好了。Dà ～ hé xiǎo ～, suíbiàn nǐ yòng hǎo le. | ～ 里有饭，请随便吃吧。～ li yǒu fàn, qǐng suíbiàn chī ba. | 请等一下儿，我把 ～ 洗干净就来。Qǐng děng yíxiàr, wǒ bǎ ～ xǐ gānjìng jiù lái. | ～ 的颜色有好几种，你喜欢哪一种？～ de yánsè yǒu hǎojǐ zhǒng, nǐ xǐhuan něi yì zhǒng?

碗

wàn 万（萬）[数]

一万 = 10000。Yí wàn děngyú yíwàn. 例我们公司有两 ～ 多职工。Wǒmen gōngsī yǒu liǎng ～ duō zhígōng. | 那天，有好几 ～ 人来看足球比赛。Nà tiān, yǒu hǎojǐ ～ rén lái kàn zúqiú bǐsài. | 这里存的上 ～

袋大米明天都要运走。Zhèlǐ cún de shàng ~ dài dàmǐ, míngtiān dōu yào yùnzǒu. |我们把这三 ~ 四千八百元钱存到银行里吧。Wǒmen bǎ zhèi sān ~ sìqiān bābǎi yuán qián cún dào yínháng li ba. |一亿就是一 ~ ~。Yí yì jiù shì yí ~ ~. |那时这个厂每年生产的汽车还不到一 ~ 辆。Nàshí zhèi ge chǎng měi nián shēngchǎn de qìchē hái bú dào yí ~ liàng.

wànyī 万一[1] （萬一）[副]

这些药是准备病人 ~ 有危险时用的。Zhèixiē yào shì zhǔnbèi bìngrén ~ yǒu wēixiǎn shí yòng de. →事实上，病人不大可能有危险。Shìshí shang, bìngrén bú dà kěnéng yǒu wēixiǎn. 例把沙袋堆在河边儿，河水 ~ 涨上来马上就可以用。Bǎ shādài duī zài hé biānr, héshuǐ ~ zhǎng shanglai mǎshàng jiù kěyǐ yòng. |我带了药，~ 得了感冒也不怕了。Wǒ dàile yào, ~ déle gǎnmào yě bú pà le. |我就怕 ~ 情况有变化，那就难办了。Wǒ jiù pà ~ qíngkuàng yǒu biànhuà, nà jiù nán bàn le. |这种事情 ~ 传出去多不好啊！Zhèi zhǒng shìqing ~ chuán chuqu duō bù hǎo a! |我担心他 ~ 生起气来不顾自己的身体。Wǒ dānxīn tā ~ shēng qi qì lai búgù zìjǐ de shēntǐ.

wànyī 万一[2] （萬一）[连]

~ 赶不上车，你就再回来好了。~ gǎnbushàng chē, nǐ jiù zài huílai hǎo le. →估计赶不上车的可能极小。Gūjì gǎnbushàng chē de kěnéng jí xiǎo. 例他会回来的，~ 他不回来，你就打电话给我。Tā huì huílai de, ~ tā bù huílai, nǐ jiù dǎ diànhuà gěi wǒ. |~ 有点儿什么事儿，两个人在一起还可以互相照顾照顾。~ yǒudiǎnr shénme shìr, liǎng ge rén zài yìqǐ hái kěyǐ hùxiāng zhàogu zhàogu. |孩子考不好，也不要过分地批评他。Háizi ~ kǎo bu hǎo, yě búyào guòfèn de pīpíng tā. |要注意自己的身体，不过 ~ 有病，也不要惊慌。Yào zhùyì zìjǐ de shēntǐ, búguò ~ yǒu bìng, yě búyào jīnghuāng. |还是小心一点儿好，~ 出了危险那就晚了。Háishi xiǎoxīn yìdiǎnr hǎo, ~ chūle wēixiǎn nà jiù wǎn le.

wang

wǎngbā 网吧（網吧）[名]

这附近有 ~ 吗？我想发个电子邮件。Zhè fùjìn yǒu ~ ma? Wǒ xiǎng fā ge diànzǐ yóujiàn. →这里有没有收费上网的地方？Zhèlǐ yǒu

méiyǒu shōu fèi shàngwǎng de dìfang? 例我们一般都是去附近的～
上网。Wǒmen yìbān dōu shì qù fùjìn de ～ shàngwǎng. |上海有的～
24 小时都开门，很方便。Shànghǎi yǒude ～ èrshísì xiǎoshí dōu
kāimén, hěn fāngbiàn. |我们去～一般不会太长时间，主要是收发
电子邮件。Wǒmen qù ～ yìbān búhuì tài cháng shíjiān, zhǔyào shì
shōu fā diànzǐ yóujiàn. |在～上网很方便，也很便宜。Zài ～
shàngwǎng hěn fāngbiàn, yě hěn piányi.

wǎngqiú 网球（網球）[名]

tennis; tennisball 例我喜欢打～，他喜欢打篮球。Wǒ xǐhuan dǎ ～,
tā xǐhuan dǎ lánqiú. |今天下午4点，我们一起去打～好吗？Jīntiān
xiàwǔ sì diǎn, wǒmen yìqǐ qù dǎ ～ hǎo ma? |～在我的生活中太重
要了。～ zài wǒ de shēnghuó zhōng tài zhòngyào le. |这个新的～比
原来的那个好。Zhèige xīn de ～ bǐ yuánlái de nèige hǎo. |昨天的～
比赛你去看了没有？Zuótiān de ～ bǐsài nǐ qù kànle méiyǒu? |安娜是
国家队的～运动员。Ānnà shì guójiāduì de ～ yùndòngyuán.

wǎng 往 [介]

这架飞机从北京飞～上海。Zhèi jià fēijī cóng Běijīng fēi ～ Shànghǎi.
→飞机飞的方向是向上海去的。Fēijī fēi de fāngxiàng shì xiàng
Shànghǎi qù de. 例T65 次火车开～南京，T13 次火车开～上海。Tī
liùshíwǔ cì huǒchē kāi ～ Nánjīng, Tī shísān cì huǒchē kāi ～
Shànghǎi. |这条公路是通～山区的。Zhèi tiáo gōnglù shì tōng ～
shānqū de. |先把这封寄～国外的信发走吧。Xiān bǎ zhèi fēng jì ～
guówài de xìn fā zǒu ba. |我正骑着自行车～前走，忽然听到有人
在后面叫我。Wǒ zhèng qízhe zìxíngchē ～ qián zǒu, hūrán tīngdào
yǒu rén zài hòumian jiào wǒ. |～下跳，不要害怕，有我保护你呢。
～ xià tiào, búyào hàipà, yǒu wǒ bǎohù nǐ ne.

wǎngwǎng 往往 [副]

他～学习到很晚才休息。Tā ～ xuéxí dào hěn wǎn cái xiūxi. →晚上
他学习到很晚的情况经常出现。Wǎnshang tā xuéxí dào hěn wǎn de
qíngkuàng jīngcháng chūxiàn. 例这里的冬天～刮大风。Zhèlǐ de
dōngtiān ～ guā dàfēng. |人们～不注意身边的小事情。Rénmen ～
bú zhùyì shēnbiān de xiǎo shìqing. |他写信～写得很长。Tā xiě xìn
～ xiě de hěn cháng. |这些大学生～喜欢到书店里去看书。Zhèixiē
dàxuéshēng ～ xǐhuan dào shūdiàn li qù kàn shū. |情况经常是这样
的：你越想得到的东西～越不容易得到。Qíngkuàng jīngcháng shì

W

zhèiyàng de：nǐ yuè xiǎng dédào de dōngxi ~ yuè bù róngyì dédào.

wàng 忘 [动]

我 ~ 了他的电话号码儿了。Wǒ ~ le tā de diànhuà hàomǎr le. →他的电话号码儿我不记得了。Tā de diànhuà hàomǎr wǒ bú jìde le. **例** 出门儿的时候，别 ~ 了关灯。Chūménr de shíhou, bié ~ le guān dēng. | 我 ~ 了这本儿书是谁送给我的了。Wǒ ~ le zhèi běnr shū shì shéi sòng gěi wǒ de le. | 我把那时候的事儿 ~ 得干干净净，一点儿都想不起来了。Wǒ bǎ nà shíhou de shìr ~ de gāngānjìngjìng, yìdiǎnr dōu xiǎng bu qǐlái le. | 母亲给我的爱，我是永远也 ~ 不了的。Mǔqin gěi wǒ de ài, wǒ shì yǒngyuǎn yě ~ buliǎo de. | 别人托他办什么事儿，他绝对不会 ~ 。Biéren tuō tā bàn shénme shìr, tā juéduì bú huì ~ . | 唉，这么重要的事儿我怎么会忙得 ~ 了呢。Ài, zhème zhòngyào de shìr wǒ zěnme huì máng de ~ le ne.

wàngjì 忘记（忘記）[动]

过去的事儿我不会 ~ ，别人托我办的事儿我也不会 ~ 。Guòqù de shìr wǒ bú huì ~ , biéren tuō wǒ bàn de shìr wǒ yě bú huì ~ . →以前经历过的事儿，我都记得，别人托我办的事儿，我都能记得住。Yǐqián jīnglìguo de shìr, wǒ dōu jìde, biéren tuō wǒ bàn de shìr, wǒ dōu néng jì de zhù. **例** 你告诉我的三件事儿我都记住了，不会 ~ 的。Nǐ gàosu wǒ de sān jiàn shìr wǒ dōu jìzhù le, bú huì ~ de. | 这么多年没见面了，他都没 ~ 老朋友。Zhème duō nián méi jiànmiàn le, tā dōu méi ~ lǎo péngyou. | 我 ~ 带钢笔来了，只好向别人借了。Wǒ ~ dài gāngbǐ lai le, zhǐhǎo xiàng biéren jiè le. | 我差一点儿 ~ 你约我去看电影的事儿了，真不好意思！Wǒ chàyìdiǎnr ~ nǐ yuē wǒ qù kàn diànyǐng de shìr le, zhēn bù hǎoyìsi! | 他从没有 ~ 过小时候那段快乐的日子。Tā cóng méiyǒu ~ guo xiǎoshíhou nèi duàn kuàilè de rìzi.

wàng 望 [动]

他 ~ 着东方红红的太阳，觉得美极了。Tā ~ zhe dōngfāng hóng hóng de tàiyáng, juéde měijí le. →他看着远处那刚刚升起的红太阳觉得很美。Tā kànzhe yuǎnchù nà gānggāng shēngqǐ de hóng tàiyáng juéde hěn měi. **例** 他 ~ 着山下那一片新楼房，想到了许多。Tā ~ zhe shān xià nèi yí piàn xīn lóufáng, xiǎngdàole xǔduō. | 他向远处 ~ 去，只见天连着水，水连着天。Tā xiàng yuǎnchù ~ qù, zhǐ jiàn tiān liánzhe shuǐ, shuǐ liánzhe tiān. | 街上的汽车排得长长的，一眼

~不到头儿。Jiē shang de qìchē pái de chángcháng de, yì yǎn ~ bu dào tóur. |她站在窗前 ~ 了又 ~，终于把大夫盼来了。Tā zhàn zài chuāng qián ~ le yòu ~，zhōngyú bǎ dàifu pàn lai le. |老人远远儿地 ~ 着儿子上了汽车。Lǎorén yuǎnyuānr de ~ zhe érzi shàngle qìchē.

wei

wēihài 危害[1] ［动］

空气污染会 ~ 人的生活环境。Kōngqì wūrǎn huì ~ rén de shēnghuó huánjìng. →空气污染会使人的生活环境变坏。Kōngqì wūrǎn huì shǐ rén de shēnghuó huánjìng biànhuài. 例你应该知道，这种做法是 ~ 公共道德的。Nǐ yīnggāi zhīdao, zhèi zhǒng zuòfǎ shì ~ gōnggòng dàodé de. |这场水灾 ~ 着灾区人民的生命安全。Zhèi cháng shuǐzāi ~ zhe zāiqū rénmín de shēngmìng ānquán. |病菌时刻 ~ 着人的身体健康。Bìngjūn shíkè ~ zhe rén de shēntǐ jiànkāng. | ~ 大家利益的事，我怎么可能去做呢？~ dàjiā lìyì de shì, wǒ zěnme kěnéng qù zuò ne?

wēihài 危害[2] ［名］

病菌对人的身体有很大的 ~。Bìngjūn duì rén de shēntǐ yǒu hěn dà de ~. →病菌进入人的身体，人就会生病，它对人的健康破坏作用是很大的。Bìngjūn jìnrù rén de shēntǐ, rén jiù huì shēngbìng, tā duì rén de jiànkāng pòhuài zuòyòng shì hěn dà de. 例他们的做法对集体造成了极大的 ~。Tāmen de zuòfǎ duì jítǐ zàochéngle jí dà de ~. |环境污染对人的 ~ 我们不能不看到。Huánjìng wūrǎn duì rén de ~ wǒmen bù néng bú kàndào. |乱砍树的 ~ 有多大，你们知道不知道？Luàn kǎn shù de ~ yǒu duō dà, nǐmen zhīdao bù zhīdào? |动物们总是会想办法保护自己，使自己不会受到各种 ~。Dòngwùmen zǒngshì huì xiǎng bànfǎ bǎohù zìjǐ, shǐ zìjǐ bú huì shòudào gè zhǒng ~.

wēijī 危机（危機）［名］

这个企业管理很差，存在着 ~。Zhèige qǐyè guǎnlǐ hěn chà, cúnzàizhe ~. →这个企业几乎要办不下去了。Zhèige qǐyè jīhū yào bàn bu xiàqù le. 例这个学校的问题太多，出现了 ~。Zhèige xuéxiào de wèntí tài duō, chūxiànle ~. |近几十年这些国家可能不会产生经济 ~。Jìn jǐshí nián zhèixiē guójiā kěnéng bú huì chǎnshēng

jīngjì ~ . ┃人才方面的～，我们完全可以解决。Réncái fāngmiàn de
~ , wǒmen wánquán kěyǐ jiějué . ┃对于家庭～问题，我们不必害
怕。Duìyú jiātíng ~ wèntí, wǒmen búbì hàipà.

wēixiǎn 危险[1] （危險）[形]

这墙～，请绕道儿走。Zhè qiáng ~ , qǐng rào dàor zǒu . →这墙快倒
了，很有伤人的可能。Zhè qiáng kuài dǎo le, hěn yǒu shāng rén de
kěnéng . 例这山路太滑，很～。Zhè shānlù tài huá, hěn ~ . ┃这个
病人有点儿～，他的呼吸已经很困难了。Zhèige bìngrén yǒudiǎnr ~ ,
tā de hūxī yǐjing hěn kùnnan le . ┃爬那座高山～得很，还是别去爬
吧。Pá nèi zuò gāo shān ~ de hěn, háishi bié qù pá ba . ┃车到～的
地方，可千万要小心啊！Chē dào ~ de dìfang, kě qiānwàn yào
xiǎoxīn a! ┃不管多么～的工作他都抢着去做，而且想办法保证安
全。Bùguǎn duōme ~ de gōngzuò tā dōu qiǎngzhe qù zuò, érqiě
xiǎng bànfǎ bǎozhèng ānquán.

wēixiǎn 危险[2] （危險）[名]

从这么高的地方跳下去，会有生命～。Cóng zhème gāo de dìfang
tiào xiaqu, huì yǒu shēngmìng ~ . →从这么高的地方跳下去，会有
伤亡的可能性。Cóng zhème gāo de dìfang tiào xiaqu, huì yǒu
shāngwáng de kěnéngxìng . 例他们的伤很重，要赶快送他们去医
院，否则会有死亡的～。Tāmen de shāng hěn zhòng, yào gǎnkuài
sòng tāmen qù yīyuàn, fǒuzé huì yǒu sǐwáng de ~ . ┃这么点儿～，
我才不怕呢。Zhème diǎnr ~ , wǒ cái bú pà ne . ┃这不算～，～的
事在后头呢。Zhè bú suàn ~ , ~ de shì zài hòutou ne . ┃哪里有～，
他就出现在哪里。Nǎli yǒu ~ , tā jiù chūxiàn zài nǎli.

wēixiào 微笑 [动]

小女孩儿正在向我～。Xiǎo nǚháir zhèngzài xiàng wǒ ~ . →她面对着
我，脸上带着笑意。Tā miànduìzhe wǒ, liǎn shang dàizhe xiàoyì .
例妈妈对我～着，我感到无限温暖。Māma duì wǒ ~ zhe, wǒ
gǎndào wúxiàn wēnnuǎn . ┃饭店的服务员脸上带着～向顾客打招
呼。Fàndiàn de fúwùyuán liǎn shang dàizhe ~ xiàng gùkè dǎ zhāohu . ┃
安娜～着走到台上开始发言。Ānnà ~ zhe zǒudào tái shang kāishǐ
fāyán . ┃看着她那～的脸我觉得她更可爱了。Kànzhe tā nà ~ de liǎn
wǒ juéde tā gèng kě ài le . ┃想着明天就要去上大学了，她脸上露出
了～。Xiǎngzhe míngtiān jiù yào qù shàng dàxué le, tā liǎn shang

lòuchūle ~ .

wéi 为¹（爲）[动]

他被选 ~ 班长。Tā bèi xuǎn ~ bānzhǎng. →大家选他当班长。Dàjiā xuǎn tā dāng bānzhǎng. 例9 月 10 日定 ~ 中国教师节。Jiǔyuè shí rì dìng ~ Zhōngguó Jiàoshījié. ｜我们都亲切地称他 ~ 大哥。Wǒmen dōu qīnqiè de chēng tā ~ dàgē. ｜考试的答案以这一份 ~ 标准。Kǎoshì de dá'àn yǐ zhèi yí fèn ~ biāozhǔn. ｜我觉得满园中的花ㄦ以这种花ㄦ ~ 最美。Wǒ juéde mǎn yuán zhōng de huār yǐ zhèi zhǒng huār ~ zuì měi.

wéi 为²（爲）[介]

这种新技术已 ~ 大多数工人掌握。Zhèi zhǒng xīn jìshù yǐ ~ dàduōshù gōngrén zhǎngwò. →这种新技术已被大多数工人掌握了。Zhèi zhǒng xīn jìshù yǐ bèi dàduōshù gōngrén zhǎngwò le. 例这些情况还不 ~ 人们所了解。Zhèixiē qíngkuàng hái bù ~ rénmen suǒ liǎojiě. ｜台下的人都 ~ 演员的精彩表演感动了。Tái xià de rén dōu ~ yǎnyuán de jīngcǎi biǎoyǎn gǎndòng le. ｜这已是 ~ 事实证明了的理论。Zhè yǐ shì ~ shìshí zhèngmíngle de lǐlùn. ｜ ~ 歌声所感动的人们久久不愿意离去。~ gēshēng suǒ gǎndòng de rénmen jiǔjiǔ bú yuànyì líqù.

wéifǎn 违反（違反）[动]

开车不要 ~ 交通规则。Kāi chē búyào ~ jiāotōng guīzé. →开车一定要遵守交通规则才行。Kāi chē yídìng yào zūnshǒu jiāotōng guīzé cái xíng. 例你们这样做 ~ 了政策。Nǐmen zhèiyàng zuò ~ le zhèngcè. ｜从进公司那一天起，他从来没有 ~ 过纪律。Cóng jìn gōngsī nèi yì tiān qǐ, tā cónglái méiyǒu ~ guo jìlǜ. ｜学校的规定他已经 ~ 过两次了。Xuéxiào de guīdìng tā yǐjīng ~ guo liǎng cì le. ｜任何人 ~ 法律都是不允许的。Rènhérén ~ fǎlǜ dōu shì bù yǔnxǔ de.

wéi 围（圍）[动]

这个院子的周围 ~ 了一圈ㄦ竹子。Zhèige yuànzi de zhōuwéi ~ le yì quānr zhúzi. →院子的四边都是竹子。Yuànzi de sì biān dōu shì zhúzi. 例老师的身边 ~ 着一群孩子。Lǎoshī de shēnbiān ~ zhe yì qún háizi. ｜看表演的人 ~ 了一圈ㄦ又一圈ㄦ。Kàn biǎoyǎn de rén ~ le yì quānr yòu yì quānr. ｜足球比赛一结束，人们就把运动员 ~ 起来了。Zúqiú bǐsài yì jiéshù, rénmen jiù bǎ yùndòngyuán ~ qilai le. ｜我们俩天天 ~ 着操场跑步。Wǒmen liǎ tiāntiān ~ zhe cāochǎng pǎobù. |那个被许多人~着的年轻人，你认识吗？Nèige bèi xǔduō rén ~ zhe de niánqīngrén, nǐ rènshi ma?

wéirào 围绕¹ （圍繞） [动]

一条小河~着这个村子。Yì tiáo xiǎo hé ~ zhe zhèige cūnzi. →这个村子的周围是一条小河，河水围着小村不停地向前流动着。Zhèige cūnzi de zhōuwéi shì yì tiáo xiǎohé, héshuǐ wéizhe xiǎocūn bù tíng de xiàng qián liúdòngzhe. 例楼的周围~着绿树红花。Lóu de zhōuwéi ~ zhe lǜ shù hóng huā. |卫星~着地球不停地转。Wèixīng ~ zhe dìqiú bù tíng de zhuàn. |小时候，我们几个孩子总喜欢~在母亲的身旁。Xiǎoshíhou, wǒmen jǐ ge háizi zǒng xǐhuan ~ zài mǔqin de shēn páng. |太阳被白云~着，慢慢的，白云把太阳挡住了。Tàiyáng bèi báiyún ~ zhe, mànmàn de, báiyún bǎ tàiyáng dǎngzhù le.

wéirào 围绕² （圍繞）. [动]

每个人的发言都要~着改善环境来谈。Měi ge rén de fāyán dōu yào ~ zhe gǎishàn huánjìng lái tán. →改善环境是大家谈话的中心问题。Gǎishàn huánjìng shì dàjiā tánhuà de zhōngxīn wèntí. 例所有的文章都要~着提高外语水平来议论。Suǒyǒu de wénzhāng dōu yào ~ zhe tígāo wàiyǔ shuǐpíng lái yìlùn. |~这场球赛谁赢谁输的问题大家争论起来。~ zhèi chǎng qiúsài shéi yíng shéi shū de wèntí dàjiā zhēnglùn qilai. |本公司紧紧~"顾客第一"的思想开展了各种活动。Běn gōngsī jǐnjǐn ~ "gùkè dì yī" de sīxiǎng kāizhǎnle gè zhǒng huódòng. |这次讨论还是~了中心问题的，可是还不够集中。Zhèi cì tǎolùn háishi ~ le zhōngxīn wèntí de, kěshì hái búgòu jízhōng.

wéihù 维护 （維護） [动]

~世界和平是我们共同的责任。~ shìjiè hépíng shì wǒmen gòngtóng de zérèn. →我们共同的责任是不让战争破坏了和平。Wǒmen gòngtóng de zérèn shì bú ràng zhànzhēng pòhuàile hépíng. 例~社会道德不是几个人的事情。~ shèhuì dàodé bú shì jǐ ge rén de shìqing. |要是人人都积极~交通秩序，该多好啊。Yàoshi rénrén dōu jíjí ~ jiāotōng zhìxù, gāi duō hǎo a. |请问，像现在这样，企业职工的利益能~得了吗？Qǐngwèn, xiàng xiànzài zhèiyàng, qǐyè zhígōng de lìyì néng ~ deliǎo ma? |大家想办法共同努力，大多数人的利益得到了~。Dàjiā xiǎng bànfǎ gòngtóng nǔlì, dàduōshù rén de lìyì dédàole ~.

wěidà 伟大（偉大）[形]

自古以来，世界上出现了不少 ~ 的人物。Zìgǔ yǐlái, shìjiè shang chūxiànle bùshǎo ~ de rénwù. →这是一些对人类的贡献非常大而受到普遍尊敬的人。Zhè shì yìxiē duì rénlèi de gòngxiàn fēicháng dà ér shòudào pǔbiàn zūnjìng de rén. 例20 世纪，人类在科学事业上取得了 ~ 的成就。Èrshí shìjì, rénlèi zài kēxué shìyè shang qǔdéle ~ de chéngjiù. | 鲁迅是中国的一位 ~ 的文学家。Lǔ Xùn shì Zhōngguó de yí wèi ~ de wénxuéjiā. | 在国外，谁不想念自己的 ~ 祖国呢？Zài guówài, shéi bù xiǎngniàn zìjǐ de ~ zǔguó ne? | 凡到过长城的人都会称赞："长城多么 ~ 啊!" Fán dàoguo Chángchéng de rén dōu huì chēngzàn: "Chángchéng duōme ~ a!" | 母亲的爱是 ~ 的。Mǔqin de ài shì ~ de.

wěiba 尾巴 [名]

例猫的 ~ 长，兔子的 ~ 短。Māo de ~ cháng, tùzi de ~ duǎn. | 老虎和狮子都有一条长长的 ~。Lǎohǔ hé shīzi dōu yǒu yì tiáo chángcháng de ~. | 鱼儿在水中摇着 ~ 游来游去。Yú'ér zài shuǐ zhōng yáozhe ~ yóu lái yóu qù. | 有一些鸟儿，~ 上的毛很漂亮。Yǒu yìxiē niǎor, ~ shang de máo hěn piàoliang.

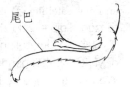

尾巴

wèishēng 卫生[1]（衛生）[形]

这个房间很 ~。Zhèige fángjiān hěn ~. →房间里到处都非常干净，这对人的健康很有好处。Fángjiān li dàochù dōu fēicháng gānjìng, zhè duì rén de jiànkāng hěn yǒu hǎochu. 例二楼的餐厅很 ~，大家都愿意来这里吃饭。Èr lóu de cāntīng hěn ~, dàjiā dōu yuànyì lái zhèlǐ chīfàn. | 这里做的食品很不 ~，千万不要买。Zhèlǐ zuò de shípǐn hěn bú ~, qiānwàn búyào mǎi. | 他们很少生病，因为他们有很好的 ~ 习惯。Tāmen hěn shǎo shēngbìng, yīnwèi tāmen yǒu hěn hǎo de ~ xíguàn. | 这个小区的 ~ 情况不错，空气新鲜，到处干干净净。Zhèige xiǎoqū de ~ qíngkuàng búcuò, kōngqì xīnxiān, dàochù gāngānjìngjìng. | 这个饭店里的饭菜做得很 ~，所以生意很好。Zhèige fàndiàn li de fàncài zuò de hěn ~, suǒyǐ shēngyi hěn hǎo.

wèishēng 卫生[2]（衛生）[名]

人人都讲 ~，疾病就会减少了。Rénrén dōu jiǎng ~, jíbìng jiù huì

W

jiǎnshǎo le . →每个人都注意清洁，就会减少疾病。Měi ge rén dōu zhùyì qīngjié, jiù huì jiǎnshǎo jíbìng. 例大家都注意～，环境就能好起来。Dàjiā dōu zhùyì～, huánjìng jiù néng hǎo qilai. |个人～重要，环境～也重要。Gèrén～ zhòngyào, huánjìng～ yě zhòngyào. |这座～城市的确很美。Zhèi zuò～ chéngshì díquè hěn měi. |在我们这个小区里，大家都把保持环境～当做一件重要的事。Zài wǒmen zhèi ge xiǎoqū li, dàjiā dōu bǎ bǎochí huánjìng～ dàngzuò yí jiàn zhòngyào de shì.

wèixīng 卫星¹ （衞星）[名]
satellite 例月亮是地球的～。Yuèliang shì dìqiú de～. |～自己不能发光。～ zìjǐ bù néng fā guāng. |地球～的特点是绕着地球不停地转。Dìqiú～ de tèdiǎn shì ràozhe dìqiú bù tíng de zhuàn. |你知道地球有几个～吗？Nǐ zhīdao dìqiú yǒu jǐ ge～ ma?

wèixīng 卫星² （衞星）[名]
artificial satellite 例你看，那就是人造地球～。Nǐ kàn, nà jiù shì rénzào dìqiú～. |1970 年 4 月 24 日，中国研究制造的第一颗～升上了天空。Yī jiǔ qī líng nián Sìyuè èrshísì rì, Zhōngguó yánjiū zhìzào de dì yī kē～ shēngshangle tiānkōng. |我们准确地把～送上了天。Wǒmen zhǔnquè de bǎ～ sòngshangle tiān. |这些电视节目通过～送到世界各地。Zhèixiē diànshì jiémù tōngguò～ sòngdào shìjiè gè dì. |人们利用气象～了解天气变化情况。Rénmen lìyòng qìxiàng～ liǎojiě tiānqì biànhuà qíngkuàng.

wèi 为¹ （爲）[介]
我～安娜介绍了一个新朋友。Wǒ～ Ānnà jièshàole yí ge xīn péngyou. →我给安娜介绍了一位新朋友。Wǒ gěi Ānnà jièshàole yí wèi xīn péngyou. 例他～大家带来了好消息。Tā～ dàjiā dàiláile hǎo xiāoxi. |感谢您～我们准备这么丰富的晚餐。Gǎnxiè nín～ wǒmen zhǔnbèi zhème fēngfù de wǎncān. |他～顺利演出做了不少工作。Tā～ shùnlì yǎnchū zuòle bù shǎo gōngzuò. |公司～职工学习创造了良好的条件。Gōngsī～ zhígōng xuéxí chuàngzàole liánghǎo de tiáojiàn.

wèi 为² （爲）[介]
我们都～他的好成绩高兴。Wǒmen dōu～ tā de hǎo chéngjì gāoxìng. →他得到了好成绩，我们都很高兴。Tā dédàole hǎo

chéngjì, wǒmen dōu hěn gāoxìng. **例** 来, 大家 ~ 我们的胜利干杯! Lái, dàjiā ~ wǒmen de shènglì gānbēi! | ~ 安全, 我们还是再检查一遍吧。 ~ ānquán, wǒmen háishi zài jiǎnchá yí biàn ba. | ~ 准备这次音乐会他们几乎天天练习。 ~ zhǔnbèi zhèi cì yīnyuèhuì tāmen jīhū tiāntiān liànxí. | ~ 大家买东西更方便, 楼下设了一个小卖部儿。 ~ dàjiā mǎi dōngxi gèng fāngbiàn, lóu xià shèle yí ge xiǎomàibùr. | ~ 着孩子的前途, 她和丈夫处处节省, 好让孩子上大学。 ~ zhe háizi de qiántú, tā hé zhàngfu chùchù jiéshěng, hǎo ràng háizi shàng dàxué.

wèile 为了（爲了）［介］

~ 明年能到中国去留学, 她非常努力地学习汉语。 ~ míngnián néng dào Zhōngguó qù liúxué, tā fēicháng nǔlì de xuéxí Hànyǔ. → 她努力学习汉语的目的是明年能去中国留学。 Tā nǔlì xuéxí Hànyǔ de mùdì shì míngnián néng qù Zhōngguó liúxué. **例** ~ 以后能过上好日子, 夫妻俩拼命地干活儿。 ~ yǐhòu néng guò shàng hǎo rìzi, fūqī liǎ pīnmìng de gànhuór. | ~ 实现自己的奋斗目标, 吃点儿苦算什么! ~ shíxiàn zìjǐ de fèndòu mùbiāo, chī diǎnr kǔ suàn shénme! | 他转到那个公司去工作是 ~ 更好地发挥自己的才能。 Tā zhuǎn dào nèige gōngsī qù gōngzuò shì ~ gèng hǎo de fāhuī zìjǐ de cáinéng. | 学校 ~ 学生们的健康, 开展了各种体育活动。 Xuéxiào ~ xuéshengmen de jiànkāng, kāizhǎnle gè zhǒng tǐyù huódòng.

wèishénme 为什么（爲什麼）

大卫 ~ 今天没有来上班? Dàwèi ~ jīntiān méiyǒu lái shàngbān? → 大家都不知道大卫今天没来上班的原因。 Dàjiā dōu bù zhīdào Dàwèi jīntiān méi lái shàngbān de yuányīn. **例** 她们 ~ 这么高兴啊? Tāmen ~ zhème gāoxìng a? | 天空 ~ 是蓝色的? Tiānkōng ~ shì lánsè de? | ~ 足球运动是世界第一运动? ~ zúqiú yùndòng shì shìjiè dì yī yùngòng? | 猫的眼睛在一天中会发生很大变化, 这是 ~ 呢? Māo de yǎnjing zài yì tiān zhōng huì fāshēng hěn dà biànhuà, zhè shì ~ ne? | 我们很难看到竹子开花儿, ~? Wǒmen hěn nán kàndào zhúzi kāihuār, ~? | 这几天我有点儿脾气不太好, 你问我 ~, 我也不知道。 Zhèi jǐ tiān wǒ yǒudiǎnr píqi bú tài hǎo, nǐ wèn wǒ ~, wǒ yě bù zhīdào.

W

wèi 未 [副]

经过检查，～发现什么问题。Jīngguò jiǎnchá, ～ fāxiàn shénme wèntí. →检查后没发现什么问题。Jiǎnchá hòu méi fāxiàn shénme wèntí. 例我们提出问题后现在还～得到回答。Wǒmen tíchū wèntí hòu xiànzài hái ～ dédào huídá. |我们原来订的制度并～取消。Wǒmen yuánlái dìng de zhìdù bìng ～ qǔxiāo. |那本书我还～来得及看呢。Nèi běn shū wǒ hái ～ láidejí kàn ne. |～经允许，请不要进。～ jīng yǔnxǔ, qǐng búyào jìn. |人还～老，怎么头发都白了啊？Rén hái ～ lǎo, zěnme tóufa dōu bái le a?

wèilái 未来（未來）[名]

我相信～是美好的。Wǒ xiāngxìn ～ shì měihǎo de. →我相信还没来到的那些日子一定是非常美好的。Wǒ xiāngxìn hái méi láidào de nèixiē rìzi yídìng shì fēicháng měihǎo de. 例我真不知道～会是怎样的。Wǒ zhēn bù zhīdào ～ huì shì zěnyàng de. |我们青年人天天都在创造着自己的～。Wǒmen qīngniánrén tiāntiān dōu zài chuàngzàozhe zìjǐ de ～. |对于～我充满了信心。Duìyú ～ wǒ chōngmǎnle xìnxīn. |在～的日子里，她将成为一个幸福的母亲。Zài ～ de rìzi li, tā jiāng chéngwéi yí ge xìngfú de mǔqin.

wèi 位 [量]

用于人，多含尊敬的意思。Yòngyú rén, duō hán zūnjìng de yìsi. 例大厅里坐着两～先生和三～女士。Dàtīng li zuòzhe liǎng ～ xiānsheng hé sān ～ nǚshì. |今天一～客人到我家来了。Jīntiān yí ～ kèren dào wǒ jiā lái le. |各～朋友，欢迎你们！Gè ～ péngyou, huānyíng nǐmen! |坐一号儿车的有几～？Zuò yī hàor chē de yǒu jǐ ～? |二～，请这边儿坐。Èr ～, qǐng zhè biānr zuò. |请把汽水儿发给每一～参加会议的人。Qǐng bǎ qìshuǐr fā gěi měi yí ～ cānjiā huìyì de rén.

wèizhi 位置 [名]

我们的～太靠后了。Wǒmen de ～ tài kào hòu le. →我们站或坐的地方应该再靠前边儿一点儿。Wǒmen zhàn huò zuò de dìfang yīnggāi zài kào qiánbianr yìdiǎnr. 例她们坐的～有点儿偏了。Tāmen zuò de ～ yǒudiǎnr piān le. |请大家按号儿找到自己的～。Qǐng dàjiā àn hàor zhǎodào zìjǐ de ～. |请看北京地图，天安门就在这个～。Qǐng kàn Běijīng dìtú, Tiān'ān Mén jiù zài zhèige ～. |要是把这两座房子的～

换一换就好了。Yàoshi bǎ zhèi liǎng zuò fángzi de ~ huàn yi huàn jiù hǎo le.

wèidao 味道 [名]

这个菜的 ~ 好极了。Zhèige cài de ~ hǎojí le. →把菜放到嘴里尝一尝，觉得非常好吃。Bǎ cài fàngdào zuǐ li cháng yi cháng, juéde fēicháng hǎochī. 例这种酒的 ~ 真不错。Zhèi zhǒng jiǔ de ~ zhēn búcuò. |请尝一尝这盒子里的糖，各种 ~ 的都有。Qǐng cháng yi cháng zhè hézi li de táng, gèzhǒng ~ de dōu yǒu. |这种苹果吃起来有香蕉的 ~。Zhèi zhǒng píngguǒ chī qilai yǒu xiāngjiāo de ~. |来，尝尝这鱼汤的 ~ 香不香。Lái, chángchang zhè yútāng de ~ xiāng bu xiāng.

wèi 胃 [名]

stomach 例在人的身体内，~ 是负责消化食物的。Zài rén de shēntǐ nèi, ~ shì fùzé xiāohuà shíwù de. |晚饭后我觉得 ~ 有点儿不舒服。Wǎnfàn hòu wǒ juéde ~ yǒudiǎnr bù shūfu. |她吃了东西消化不太好，可能是 ~ 的毛病。Tā chīle dōngxi xiāohuà bú tài hǎo, kěnéng shì ~ de máobìng. |你摸摸，这里是 ~ 部。Nǐ mōmo, zhèlǐ shì ~ bù.

wèi 喂[1] [动]

她正在 ~ 小鸡。Tā zhèngzài ~ xiǎojī. →她正拿着鸡的食物给鸡吃。Tā zhèng názhe jī de shíwù gěi jī chī. 例孩子还不会自己吃东西，妈妈正在 ~ 他。Háizi hái bú huì zìjǐ chī dōngxi, māma zhèngzài ~ tā. |把小猫儿 ~ 饱，它就会跟你玩儿了。Bǎ xiǎomāor ~ bǎo, tā jiù huì gēn nǐ wánr le. |你家的小孩儿 ~ 得这么胖啊！Nǐ jiā de xiǎoháir ~ de zhème pàng a! |他不张嘴，这药 ~ 不进去怎么办？Tā bù zhāng zuǐ, zhè yào ~ bu jìnqù zěnme bàn? |小猫儿还没 ~ 呢，你 ~ ~ 它吧。Xiǎomāor hái méi ~ ne, nǐ ~ ~ tā ba. |孩子才一岁，还需要 ~ 才能吃饱。Háizi cái yí suì, hái xūyào ~ cái néng chī bǎo.

wèi 喂[2] [叹]

~，你是李小姐吗？~, nǐ shì Lǐ xiǎojie ma? →见面或打电话时他先说了一声"喂"来打招呼。Jiànmiàn huò dǎ diànhuà shí tā xiān shuōle yì shēng "wèi" lái dǎ zhāohu. 例~，你去哪儿？可以告诉我吗？~, nǐ qù nǎr? Kěyǐ gàosu wǒ ma? |~，我想请你来一下儿。~, wǒ xiǎng qǐng nǐ lái yíxiàr. |~，你是哪一位？你找谁？~, nǐ

W

shì nǎ yí wèi? Nǐ zhǎo shéi? | ~，有好节目，快过来看啊！~，
yǒu hǎo jiémù, kuài guòlai kàn a! | ~，明天你来我家玩儿吗? ~，
míngtiān nǐ lái wǒ jiā wánr ma?

wen

wēndù 温度 [名]

今天的 ~ 可能升高了好几度。Jīntiān de ~ kěnéng shēnggāole hǎojǐ
dù. →大家都觉得今天比昨天热。Dàjiā dōu juéde jīntiān bǐ zuótiān
rè. 例今天的 ~ 是 5 摄氏度到 15 摄氏度。Jīntiān de ~ shì wǔ
shèshìdù dào shíwǔ shèshìdù. | 夜里的 ~ 比白天要低得多。Yèli de
~ bǐ báitiān yào dī de duō. | 他好像有点儿发烧了，量一量身体的 ~
吧！Tā hǎoxiàng yǒudiǎnr fāshāo le, liáng yi liáng shēntǐ de ~ ba! |
春天和秋天有时 ~ 的变化很大。Chūntiān hé qiūtiān yǒushí ~ de
biànhuà hěn dà. | 虽然外面很冷，可屋子里的 ~ 却不低。Suīrán
wàimian hěn lěng, kě wūzi li de ~ què bù dī.

wēnnuǎn 温暖 [形]

外面下着大雪，可房间里十分 ~。Wàimiàn xiàzhe dàxuě, kě
fángjiān li shífēn ~. →房间里有摄氏二十多度，一点儿也不冷。
Fángjiān li yǒu shèshì èrshí duō dù, yìdiǎnr yě bù lěng. 例穿上这件
大衣，我觉得特别 ~。Chuān shang zhèi jiàn dàyī, wǒ juéde tèbié
~. | 我的家乡在南方，那里的冬天 ~ 得很。Wǒ de jiāxiāng zài
nánfāng, nàli de dōngtiān ~ de hěn. | ~ 的春风吹在脸上，舒服极
了。~ de chūnfēng chuī zài liǎn shang, shūfu jí le. | 一群小朋友正
在 ~ 的阳光下做游戏。Yì qún xiǎopéngyou zhèngzài ~ de yángguāng
xià zuò yóuxì. | 在这个集体里，我感到非常 ~。Zài zhèige jítǐ li, wǒ
gǎndào fēicháng ~.

wénhuà 文化¹ [名]

civilization; culture 例人类创造了 ~。Rénlèi chuàngzàole ~. | 各个
民族的 ~ 都是互相影响的。Gè ge mínzú de ~ dōu shì hùxiāng
yǐngxiǎng de. | 在我们公司里，~ 生活非常丰富。Zài wǒmen
gōngsī li, ~ shēnghuó fēicháng fēngfù. | 公司优秀的企业 ~ 在每个
职工的心中生了根。Gōngsī yōuxiù de qǐyè ~ zài měi ge zhígōng de
xīnzhōng shēng le gēn.

wénhuà 文化² [名]

我们这里的每个人都学 ~。Wǒmen zhèlǐ de měi ge rén dōu xué ~. |

W

→大家都读书，学习各种知识。Dàjiā dōu dúshū, xuéxí gè zhǒng zhīshi. 例所有的儿童都要学习～。Suǒyǒu de értóng dōu yào xuéxí ～. |他的～程度不高，只有小学毕业。Tā de ～ chéngdù bù gāo, zhǐyǒu xiǎoxué bìyè. |我比他的～程度低一些。Wǒ bǐ tā de ～ chéngdù dī yìxiē. |你想提高自己的～水平吗？那就要好好儿学习。Nǐ xiǎng tígāo zìjǐ de ～ shuǐpíng ma? Nà jiù yào hǎohāor xuéxí.

wénjiàn 文件 [名]

他正在读～。Tā zhèngzài dú ～. →他读的是办公或学习的材料、文章、信等等。Tā dú de shì bàngōng huò xuéxí de cáiliào, wénzhāng, xìn děngděng. 例今天他收到一份重要～。Jīntiān tā shōudào yí fèn zhòngyào ～. |这个学习～不太长，你来读，大家听。Zhèige xuéxí ～ bú tài cháng, nǐ lái dú, dàjiā tīng. |请在～上写上你的名字。Qǐng zài ～ shang xiě shang nǐ de míngzi. |我把这些～的内容都输进了电脑里。Wǒ bǎ zhèixiē ～ de nèiróng dōu shūjìnle diànnǎo li.

wénmíng 文明[1] [名]

civilization 例人类的～经过了几千年的发展历史。Rénlèi de ～ jīngguòle jǐ qiān nián de fāzhǎn lìshǐ. |世界各个民族都在创造着自己的～。Shìjiè gè ge mínzú dōu zài chuàngzàozhe zìjǐ de ～. |这些文物说明中国古代的～已经发展到了相当高的水平。Zhèixiē wénwù shuōmíng Zhōngguó gǔdài de ～ yǐjing fāzhǎn dàole xiāngdāng gāo de shuǐpíng. |到了现代，世界的物质～发展得非常快。Dàole xiàndài, shìjiè de wùzhì ～ fāzhǎn de fēicháng kuài.

wénmíng 文明[2] [形]

这些青年说话、做事显得很～。Zhèixiē qīngnián shuōhuà, zuòshì xiǎnde hěn ～. →看得出来，他们是有文化、受过教育的人。Kàn de chūlái, tāmen shì yǒu wénhuà, shòuguo jiàoyù de rén. 例他们这样乱扔垃圾，我认为太不～。Tāmen zhèiyàng luàn rēng lājī, wǒ rènwéi tài bù ～. |在这个学校里，孩子们说话做事都变得很～。Zài zhèige xuéxiào li, háizimen shuōhuà zuòshì dōu biàn de hěn ～. |待人和气、有礼貌是～的表现。Dàirén héqi, yǒu lǐmào shì ～ de biǎoxiàn. |我喜爱这个美丽～的城市。Wǒ xǐ'ài zhèige měilì ～ de chéngshì.

wénwù 文物 [名]

cultural relicy; hislorical relic 例这些～是受国家保护的。Zhèixiē ～ shì

W

shòu guójiā bǎohù de. ｜去年在西部地区，挖出了一些古代的～。Qùnián zài xībù dìqū, wāchule yìxiē gǔdài de～. ｜大卫，你去看～展览吗？Dàwèi, nǐ qù kàn～zhǎnlǎn ma? ｜对于宝贵的～，一定要好好儿保存，好好儿爱护。Duìyú bǎoguì de～, yídìng yào hǎohāor bǎocún, hǎohāor àihù.

wénxué 文学（文學）［名］

literature 例我们俩都喜欢～。Wǒmen liǎ dōu xǐhuan～. ｜安娜读过很多世界著名的～作品。Ānnà dúguo hěn duō shìjiè zhùmíng de～zuòpǐn. ｜～是我们俩共同的爱好。～shì wǒmen liǎ gòngtóng de àihào. ｜今天比尔在图书馆读了好几本儿～书。Jīntiān Bǐ'ěr zài túshūguǎn dúle hǎojǐ běnr～shū. ｜我对～很感兴趣，你呢？Wǒ duì～hěn gǎn xìngqu, nǐ ne?

wénxuéjiā 文学家（文學家）［名］

writer; men of letters 例世界著名的～给人类带来了文明。Shìjiè zhùmíng de～gěi rénlèi dàiláile wénmíng. ｜鲁迅是中国伟大的～。Lǔ Xùn shì Zhōngguó wěidà de～. ｜从古到今，世界各国出现了许多～。Cóng gǔ dào jīn, shìjiè gè guó chūxiànle xǔduō～. ｜我希望自己将来能成为一个～。Wǒ xīwàng zìjǐ jiānglái néng chéngwéi yí ge～. ｜你能说出几个中国现代～的名字吗？Nǐ néng shuōchū jǐ ge Zhōngguó xiàndài～de míngzi ma?

wényì 文艺（文藝）［名］

他很喜爱～。Tā hěn xǐ'ài～. →各种形式的文学和艺术他都很喜欢。Gè zhǒng xíngshì de wénxué hé yìshù tā dōu hěn xǐhuan. 例我们都是学文学的，我们都热爱～。Wǒmen dōu shì xué wénxué de, wǒmen dōu rè'ài～. ｜比尔是专门研究外国～的。Bǐ'ěr shì zhuānmén yánjiū wàiguó～de. ｜他把这本儿～作品译成了中文。Tā bǎ zhèi běnr～zuòpǐn yìchéngle Zhōngwén. ｜近几年来～创作十分繁荣。Jìn jǐ nián lái～chuàngzuò shífēn fánróng.

wénzhāng 文章［名］

他的那篇～发表了。Tā de nèi piān～fābiǎo le. →他写的两千多字的作品在报纸或刊物上登出来了。Tā xiě de liǎng qiān duō zì de zuòpǐn zài bàozhǐ huò kānwù shang dēng chulai le. 例玛丽这篇～写得很不错。Mǎlì zhèi piān～xiě de hěn búcuò. ｜近几年，他给报纸写了好多篇～。Jìn jǐ nián, tā gěi bàozhǐ xiěle hǎoduō piān～. ｜这

篇~的语言十分生动，很吸引人。Zhèi piān ~ de yǔyán shífēn shēngdòng, hěn xīyǐn rén. | 他已经把~写完了，可题目还没想好呢。Tā yǐjing bǎ ~ xiěwán le, kě tímù hái méi xiǎnghǎo ne. | 写~可不是一件容易的事儿，非下苦功夫不可。Xiě ~ kě bú shì yí jiàn róngyì de shìr, fēi xià kǔ gōngfu bùkě.

wénzì 文字 [名]

characters; script; writing **例** 中国在四千多年前就有~了。Zhōngguó zài sìqiān duō nián qián jiù yǒu ~ le. | 这部作品已被翻译成十几种~。Zhèi bù zuòpǐn yǐ bèi fānyìchéng shí jǐ zhǒng ~. | 各民族的~都是记录本民族语言的。Gè mínzú de ~ dōu shì jìlù běn mínzú yǔyán de. | 人们把~刻在石头上，古代的~就保存下来了。Rénmen bǎ ~ kè zài shítou shang, gǔdài de ~ jiù bǎocún xialai le. | 除了看录像外，我们还需要看一些~材料。Chúle kàn lùxiàng wài, wǒmen hái xūyào kàn yìxiē ~ cáiliào.

wén 闻 (聞) [动]

一进门，我就~着很香。Yí jìnmén, wǒ jiù ~ zhe hěn xiāng. → 我的鼻子起了作用，刚进门，就感觉到了屋子里的香气。Wǒ de bízi qǐle zuòyòng, gāng jìnmén, jiù gǎnjué dàole wūzi li de xiāngqì. **例** 四月的公园儿里到处都能~到花香。Sìyuè de gōngyuánr li dàochù dōu néng~ dào huā xiāng. | 这瓶香水儿怎么样？让我好好儿~一~。Zhèi píng xiāngshuǐr zěnmeyàng? Ràng wǒ hǎohāor ~ yi ~. | "这花不香。"他一边儿用鼻子~着一边儿说。"Zhè huā bù xiāng." Tā yìbiānr yòng bízi ~ zhe yìbiānr shuō. | 你说刚才洒了汽油，我怎么没~出来啊？Nǐ shuō gāngcái sǎle qìyóu, wǒ zěnme méi ~ chulai a?

wénzi 蚊子 [名]

mosquito **例** ~在我胳膊上咬了个包。~ zài wǒ gēbo shang yǎole ge bāo. | 讨厌的~，总在我的耳边叫。Tǎoyàn de ~, zǒng zài wǒ de ěr biān jiào. | 来，拍死这只~。Lái, pāisǐ zhèi zhī ~. | 天刚热的时候就得把~消灭净。Tiān gāng rè de shíhou jiù děi bǎ ~ xiāomiè jìng. | 听，~的声音，我们赶快离开这儿吧。Tīng, ~ de shēngyīn, wǒmen gǎnkuài líkāi zhèr ba. | 屋子里有几只~，弄得我一夜都没睡好觉。Wūzi li yǒu jǐ zhī ~, nòng de wǒ yí yè dōu méi shuìhǎo jiào.

wěn 吻 [动]

妈妈轻轻地~了孩子一下儿。Māma qīngqīng de ~ le háizi yí xiàr. →

W

妈妈把嘴唇在孩子的脸上轻轻地接触了一下儿，表示她对孩子的爱。
Māma bǎ zuǐchún zài háizi de liǎn shang qīngqīng de jiēchùle yí xiàr，
biǎoshì tā duì háizi de ài. **例**丈夫热烈地~着妻子，她感到幸福极
了。Zhàngfu rèliè de ~ zhe qīzi，tā gǎndào xìngfú jí le. |他~了~妻
子，又~了~孩子，向他们告别。Tā ~ le ~ qīzi，yòu ~ le ~ háizi，
xiàng tāmen gàobié. |他兴奋地~着女朋友送给他的生日礼物。Tā
xīngfèn de ~ zhe nǚpéngyǒu sòng gěi tā de shēngri lǐwù. |请伸出你
的手，让我~一~吧。Qǐng shēnchū nǐ de shǒu，ràng wǒ ~ yi ~ ba.

wěn 稳（穩）[形]

这船摇得很厉害，一点儿都不~。Zhè chuán yáo de hěn lìhai，
yìdiǎnr dōu bù ~. →船在水中前进时，一会儿向右歪，一会儿向左
歪。Chuán zài shuǐ zhōng qiánjìn shí，yíhuìr xiàng yòu wāi，yíhuìr
xiàng zuǒ wāi. **例**我坐的车很~，一路上觉得很舒服。Wǒ zuò de
chē hěn ~，yí lù shang juéde hěn shūfu. |他跳下车，~~地站在
地上。Tā tiàoxià chē，~ ~ de zhàn zài dìshang. |地不平，把桌子
放~了不那么容易。Dì bù píng，bǎ zhuōzi fàng ~ le bú nàme róngyì.

wěndìng 稳定（穩定）[形]

这几年，我的生活很~。Zhèi jǐ nián，wǒ de shēnghuó hěn ~. →近
几年，我的生活很平静、正常，没有什么变化。Jìn jǐ nián，wǒ de
shēnghuó hěn píngjìng、zhèngcháng，méiyǒu shénme biànhuà. **例**
平时，我的情绪比较~。Píngshí，wǒ de qíngxù bǐjiào ~. |最近，
物价~下来了。Zuìjìn，wùjià ~ xialai le. |他们俩的关系相当~，你
根本不必担心。Tāmen liǎ de guānxì xiāngdāng ~，nǐ gēnběn búbì
dānxīn. |我们多么盼望有一个~的家啊！Wǒmen duōme pànwàng
yǒu yí ge ~ de jiā a! |你就放心地买吧，这个公司的产品质量是非
常~的。Nǐ jiù fàngxīn de mǎi ba，zhèige gōngsī de chǎnpǐn zhìliàng
shì fēicháng ~ de.

W wèn 问（問）[动]

如果有问题你们可以去~老师。Rúguǒ yǒu wèntí nǐmen kěyǐ qù ~
lǎoshī. →你们不了解或不明白的地方可以跟老师说，请老师解答。
Nǐmen bù liǎojiě huò bù míngbai de dìfang kěyǐ gēn lǎoshī shuō，qǐng
lǎoshī jiědá. **例**我有事情不明白就去~爸爸。Wǒ yǒu shìqing bù
míngbai jiù qù ~ bàba. |李先生，我想~你一个问题。Lǐ xiānsheng，
wǒ xiǎng ~ nǐ yí ge wèntí. |大家都~开不开会，你来回答他们吧。

Dàjiā dōu ~ kāi bu kāi huì, nǐ lái huídá tāmen ba. I 这事儿我～过比尔两次，他都说不知道，你再～～大卫吧。Zhè shìr wǒ ~ guo Bǐ'ěr liǎng cì, tā dōu shuō bù zhīdào, nǐ zài ~ ~ Dàwèi ba. I 他总是～起来没个完，非要～清楚不可。Tā zǒngshi ~ qilai méi ge wán, fēi yào ~ qīngchu bùkě.

wèn hǎo 问好（問好）

他下了飞机就向大家～。Tā xiàle fēijī jiù xiàng dàjiā ~. →他刚下飞机就关心地问："大家都好吗？" Tā gāng xià fēijī jiù guānxīn de wèn: "Dàjiā dōu hǎo ma?" 例他回到家，第一件事儿就是向父母～。Tā huídào jiā, dì yī jiàn shìr jiù shì xiàng fùmǔ ~. I 他见了朋友总是先～。Tā jiànle péngyou zǒngshì xiān ~. I 请代我向老朋友问个好儿。Qǐng dài wǒ xiàng lǎopéngyou wèn ge hǎor. I 见面互相问一声好，已成为我们的习惯。Jiànmiàn hùxiāng wèn yì shēng hǎo, yǐ chéngwéi wǒmen de xíguàn. I ~是一种礼貌，你怎么没向你的同学～呢？ ~ shì yì zhǒng lǐmào, nǐ zěnme méi xiàng nǐ de tóngxué ~ ne?

wènhòu 问候（問候）［动］

节日到了，大卫打电话向朋友～。Jiérì dào le, Dàwèi dǎ diànhuà xiàng péngyou ~. →大卫向朋友们问好，表示对朋友的关心。Dàwèi xiàng péngyoumen wèn hǎo, biǎoshì duì péngyou de guānxīn. 例他在信中向父母表示～。Tā zài xìn zhōng xiàng fùmǔ biǎoshì ~. I 请代我～老大爷、老大妈，祝他们身体健康。Qǐng dài wǒ~ lǎo dàye、lǎo dàmā, zhù tāmen shēntǐ jiànkāng. I 他们见了面，互相亲切地～着。Tāmen jiànle miàn, hùxiāng qīnqiè de ~ zhe. I 好久没给父母写信了，我想写信～～。Hǎojiǔ méi gěi fùmǔ xiě xìn le, wǒ xiǎng xiě xìn ~ ~.

wèntí 问题（問題）［名］

他向专家问了几个～。Tā xiàng zhuānjiā wènle jǐ ge ~. →他提出了几个题目请求专家解答。Tā tíchūle jǐ ge tímù qǐngqiú zhuānjiā jiědá. 例他站起来回答了老师提出的～。Tā zhàn qilai huídále lǎoshī tíchū de ~. I 这个～不难回答，稍微动一下儿脑子就可以了。Zhèige ~ bù nán huídá, shāowēi dòng yíxiàr nǎozi jiù kěyǐ le. I 大家还有没有～？不管什么～都可以问。Dàjiā hái yǒu méiyǒu ~? Bùguǎn shénme ~ dōu kěyǐ wèn. I 对于这个理论～，我还要查一查资料才能回答你们。Duìyú zhèige lǐlùn ~, wǒ háiyào chá yi chá zīliào cái néng huídá nǐmen.

WO

wǒ 我 [代]

I **例** ~今年19岁，还在上大学。~ jīnnián shíjiǔ suì, hái zài shàng dàxué. I~是英国人，~觉得汉语不太难。~ shì Yīngguórén, ~ juéde Hànyǔ bú tài nán. I你要是想~，就打个电话来。Nǐ yàoshi xiǎng ~, jiù dǎ ge diànhuà lai. I~的朋友送给~一本儿书。~ de péngyou sòng gěi ~ yì běnr shū. I不要客气，你就把~当成你的姐妹吧。Búyào kèqi, nǐ jiù bǎ ~ dàngchéng nǐ de jiěmèi ba. I~的书很多，你借去看好了。~ de shū hěn duō, nǐ jièqu kàn hǎole. I这支笔是大卫的，不是~的。Zhèi zhī bǐ shì Dàwèi de, bú shì ~ de.

wǒmen 我们 (我們) [代]

we **例** 明天 ~ 去参观历史博物馆。Míngtiān ~ qù cānguān lìshǐ bówùguǎn. I~是工人，他们是学生。~ shì gōngrén, tāmen shì xuésheng. I~一起来做这件事。~ yìqǐ lái zuò zhèi jiàn shì. I~虽然没有什么经验，可是很爱学习。~ suīrán méiyǒu shénme jīngyàn, kěshì hěn ài xuéxí. I爸爸妈妈都很爱~。Bàba māma dōu hěn ài ~. I你请求~帮忙，~当然愿意啦。Nǐ qǐngqiú ~ bāngmáng, ~ dāngrán yuànyì la. I听到这个消息，把~都吓坏了。Tīngdào zhèi ge xiāoxi, bǎ ~ dōu xiàhuài le.

wò 握 [动]

他~着笔准备写信。Tā ~ zhe bǐ zhǔnbèi xiě xìn. →他用手拿着笔准备写信。Tā yòng shǒu ná zhe bǐ zhǔnbèi xiě xìn. **例** 他左手~着刀子，右手~着叉子，正在吃饭。Tā zuǒ shǒu ~ zhe dāozi, yòu shǒu ~ zhe chāzi, zhèngzài chīfàn. I战士把枪紧紧地~在手中。Zhànshì bǎ qiāng jǐnjǐn de ~ zài shǒu zhōng. I~住这根棍子，别撒手。~ zhù zhèi gēn gùnzi, bié sā shǒu. I他把信~在手里，好像在想什么。Tā bǎ xìn ~ zài shǒu li, hǎoxiàng zài xiǎng shénme.

wò shǒu 握手

他向来访问的客人一一 ~。Tā xiàng lái fǎngwèn de kèren yīyī ~. →他一个一个地握住客人的手，表示欢迎。Tā yí ge yí ge de wòzhù kèren de shǒu, biǎoshì huānyíng. **例** 他与送行的人们 ~ 之后登上了飞机。Tā yǔ sòngxíng de rénmen ~ zhīhòu dēngshangle fēijī. I大家在一起互相 ~ 问好。Dàjiā zài yìqǐ hùxiāng ~ wènhǎo. I要再见了，来，我们握握手。Yào zàijiàn le, lái, wǒmen wòwo shǒu. I俩人正

在~的时候，一张照片拍下来了。Liǎ rén zhèngzài ~ de shíhou, yì zhāng zhàopiàn pāi xialai le.

wu

wūrǎn 污染 ［动］

工厂里流出来的脏水 ~ 了这条河。Gōngchǎng li liú chulai de zāng shuǐ ~ le zhèi tiáo hé. →脏水流到河里，使河水变得又黑又脏又臭。Zāngshuǐ liúdào hé li, shǐ héshuǐ biàn de yòu hēi yòu zāng yòu chòu. 例这个地区大多数人用煤烧饭，~ 了周围的空气。Zhèi ge dìqū dàduōshù rén yòng méi shāo fàn, ~ le zhōuwéi de kōngqì. ｜我们这里重视城市环境保护，没有受到 ~。Wǒmen zhèlǐ zhòngshì chéngshì huánjìng bǎohù, méiyǒu shòudào ~. ｜过去这里 ~ 严重，现在成了水清天蓝的美丽城市。Guòqù zhèlǐ ~ yánzhòng, xiànzài chéngle shuǐ qīng tiān lán de měilì chéngshì. ｜曾经被 ~ 过的水，经过处理，现在变清洁了。Céngjīng bèi ~ guo de shuǐ, jīngguò chǔlǐ, xiànzài biàn qīngjié le.

wū 屋 ［名］

house; room 例我喜欢在 ~ 前种花草。Wǒ xǐhuan zài ~ qián zhòng huācǎo. ｜~ 里摆着一些新家具。~ li bǎizhe yìxiē xīn jiājù. ｜~ 里 ~ 外都非常清洁。~ lǐ ~ wài dōu fēicháng qīngjié. ｜我们家有三间 ~，一间大的，两间小的。Wǒmen jiā yǒu sān jiān ~, yì jiān dà de, liǎng jiān xiǎo de. ｜他们非常高兴，一结婚就住进了新 ~。Tāmen fēicháng gāoxìng, yì jiéhūn jiù zhùjìnle xīn ~.

wūzi 屋子 ［名］

room 例这间 ~ 比那间大一点儿。Zhèi jiān ~ bǐ nèi jiān dà yìdiǎnr. ｜~ 里放几盆花儿该多好啊！~ li fàng jǐ pén huār gāi duō hǎo a! ｜我去他家的时候他正在收拾 ~。Wǒ qù tā jiā de shíhou tā zhèngzài shōushi ~. ｜从 ~ 里摆的东西就可以知道 ~ 的主人一定很爱音乐。Cóng ~ li bǎi de dōngxi jiù kěyǐ zhīdao ~ de zhǔrén yídìng hěn ài yīnyuè. ｜我每天上班以前，总是把 ~ 打扫得干干净净。Wǒ měi tiān shàngbān yǐqián, zǒng shì bǎ ~ dǎsǎo de gāngānjìngjìng.

wú 无（無）［动］

不要信 ~ 根据的话。Búyào xìn ~ gēnjù de huà. →这些没有根据的话，别去信它。Zhèixiē méiyǒu gēnjù de huà, bié qù xìn tā. 例今晚

万里~云，圆圆的月亮挂在天空格外明亮。Jīnwǎn wàn lǐ ~ yún, yuányuán de yuèliang guà zài tiānkōng géwài míngliàng. |这个房间里~人，那个房间里有人，灯还亮着呢。Zhèige fángjiān li ~ rén, nèige fángjiān li yǒu rén, dēng hái liàng zhene. |这几年他的家庭并~明显的变化。Zhèi jǐ nián tā de jiātíng bìng ~ míngxiǎn de biànhuà.

wúlùn 无论（無論）［连］

~夏天还是冬天他都坚持游泳。~ xiàtiān háishi dōngtiān tā dōu jiānchí yóuyǒng. →不管是夏天，也不管是寒冷的冬天，他都坚持游泳。Bùguǎn shì xiàtiān, yě bùguǎn shì hánlěng de dōngtiān, tā dōu jiānchí yóuyǒng. 例~大事还是小事，她都来和我商量。~ dà shì háishi xiǎo shì, tā dōu lái hé wǒ shāngliang. |~怎么样，他都不会改变主意的。~ zěnmeyàng, tā dōu bú huì gǎibiàn zhǔyi de. |能有机会学习，~对于你还是我都是一件好事。Néng yǒu jīhuì xuéxí, ~ duìyú nǐ háishi wǒ dōu shì yí jiàn hǎo shì. |玛丽~做什么事都那么认真。Mǎlì ~ zuò shénme shì dōu nàme rènzhēn. |~坐火车去，还是坐轮船去，我都没有意见。~ zuò huǒchē qù, háishi zuò lúnchuán qù, wǒ dōu méiyǒu yìjiàn.

wúshù 无数（無數）［形］

~的鲜花摆满了大街两旁。~ de xiānhuā bǎimǎnle dàjiē liǎngpáng. →大街两旁的鲜花极多，数也数不清。Dàjiē liǎngpáng de xiānhuā jí duō, shǔ yě shǔ bu qīng. 例~的树把山变成了一片绿色。~ de shù bǎ shān biànchéngle yí piàn lǜsè. |晚上，天上~颗星星一闪一闪的。Wǎnshang, tiānshang ~ kē xīngxing yì shǎn yì shǎn de. |他经历了~痛苦，现在过上了幸福的生活。Tā jīnglìle ~ tòngkǔ, xiànzài guòshangle xìngfú de shēnghuó. |他是个爱交际的人，他的朋友~。Tā shì ge ài jiāojì de rén, tā de péngyou ~. |他用来买书的钱真是~啊。Tā yònglái mǎi shū de qián zhēnshi ~ a.

wúxiàn 无限（無限）［形］

他对读书有~的兴趣。Tā duì dúshū yǒu ~ de xìngqù. →他读书的兴趣很高，几乎超过了最高的程度。Tā dúshū de xìngqù hěn gāo, jīhū chāoguòle zuì gāo de chéngdù. 例和他在一起，我感到~幸福。Hé tā zài yìqǐ, wǒ gǎndào ~ xìngfú. |他觉得自己的未来是~美好的。Tā juéde zìjǐ de wèilái shì ~ měihǎo de. |一眼望去，前面是一片~广阔的田野。Yì yǎn wàng qù, qiánmian shì yí piàn ~ guǎngkuò de tiányě. |我的~感激的心情是很难用语言来表达的。Wǒ de ~ gǎnjī de xīnqíng shì hěn nán yòng yǔyán lái biǎodá de.

wǔ 五 [数]

三加二等于五。Sān jiā èr děngyú wǔ. →3 + 2 = 5 例十减去 ~ 等于
~。Shí jiǎnqù ~ děngyú ~. l ~ 是单数，六是双数。~ shì dānshù,
liù shì shuāngshù. l 刚来了十 ~ 个人，还有 ~ 个人没来。Gāng láile
shí ~ ge rén, háiyǒu ~ ge rén méi lái. l 一个星期有 ~ 天工作日，两
天休息日。Yí ge xīngqī yǒu ~ tiān gōngzuòrì, liǎng tiān xiūxirì. l 这
是 ~ 万四千三百八十 ~ 元，请数一数。Zhè shì ~ wàn sìqiān sānbǎi
bāshí ~ yuán, qǐng shǔ yi shǔ. l 昨天的比赛结果是 ~ 比零，我们赢
了。Zuótiān de bǐsài jiéguǒ shì ~ bǐ líng, wǒmen yíng le.

wǔ 伍 [数]

"五" 的大写形式。"Wǔ" de dàxiě xíngshì.

wǔfàn 午饭（午飯）[名]

12 点了，该吃 ~ 了。Shí'èr diǎn le, gāi chī ~ le. →我们每天中午吃
一顿饭。Wǒmen měi tiān zhōngwǔ chī yí dùn fàn. 例今天我请你一
块儿吃 ~，怎么样？Jīntiān wǒ qǐng nǐ yíkuàir chī ~, zěnmeyàng? l
我们的 ~ 非常简单，只要吃饱就可以了。Wǒmen de ~ fēicháng
jiǎndān, zhǐyào chībǎo jiù kěyǐ le. l 每天 ~ 以后你都做什么？Měi
tiān ~ yǐhòu nǐ dōu zuò shénme? l 都过了 ~ 时间了，你怎么还在工
作啊？Dōu guòle ~ shíjiān le, nǐ zěnme hái zài gōngzuò a? l 在我们
餐厅里，~ 的菜特别好吃。Zài wǒmen cāntīng li, ~ de cài tèbié
hǎochī.

wǔqì 武器 [名]

这些都是最新式的 ~。Zhèixiē dōu shì zuì xīnshì de ~. →这些枪、
炮、导弹等在战争中使用的东西都是最近研究制造出来的。Zhèixiē
qiāng、pào、dǎodàn děng zài zhànzhēng zhōng shǐyòng de dōngxi
dōu shì zuìjìn yánjiū zhìzào chulai de. 例 ~ 有很多种。~ yǒu hěn duō
zhǒng. l 当敌人侵略我们国家的时候，我们就拿起 ~ 把他们赶走。
Dāng dírén qīnlüè wǒmen guójiā de shíhou, wǒmen jiù náqǐ ~ bǎ
tāmen gǎnzǒu. l 你知道化学 ~ 有多么厉害吗？Nǐ zhīdao huàxué ~
yǒu duōme lìhai ma? l 这个展览馆里展出了各种 ~ 近八百件。Zhèi
ge zhǎnlǎnguǎn li zhǎnchūle gè zhǒng ~ jìn bābǎi jiàn. l 听说那种
的破坏作用很大。Tīngshuō nèi zhǒng ~ de pòhuài zuòyòng hěn dà.

wǔshù 武术（武術）[名]

比尔很喜欢中国的 ~。Bǐ'ěr hěn xǐhuan Zhōngguó de ~. →比尔很

喜欢中国的一种传统的体育活动。Bǐ'ěr hěn xǐhuan Zhōngguó de yì zhǒng chuántǒng de tǐyù huódòng. 在中国的许多城市里，每天早上都有很多人练～。Zài Zhōngguó de xǔduō chéngshì li, měi tiān zǎoshang dōu yǒu hěn duō rén liàn～. | ～这项体育活动很受老年人的欢迎。～ zhèi xiàng tǐyù huódòng hěn shòu lǎoniánrén de huānyíng. | 这次运动会上有～比赛，你去不去看？Zhèi cì yùndònghuì shang yǒu ～ bǐsài, nǐ qù bu qù kàn? | 李老师是一位～教练。Lǐ lǎoshī shì yí wèi ～ jiàoliàn.

wùjià 物价（物價）[名]

最近两年～比较稳定。Zuìjìn liǎng nián ～ bǐjiào wěndìng. →市场上各种商品的价格差不多没有提高，也没有降低。Shìchǎng shang gè zhǒng shāngpǐn de jiàgé chàbuduō méiyǒu tígāo, yě méiyǒu jiàngdī. 这个城市的～太贵，不要在这里买东西。Zhèi ge chéngshì de ～ tài guì, búyào zài zhèlǐ mǎi dōngxi. | "今天～又涨了。"大家纷纷议论着。"Jīntiān ～ yòu zhǎng le." Dàjiā fēnfēn yìlùnzhe. | 降低～，老百姓可高兴啦。Jiàngdī ～, lǎobǎixìng kě gāoxìng la. | 人们都十分关心～问题。Rénmen dōu shífēn guānxīn ～ wèntí. | 把～调整好了，大家都会得到好处。Bǎ ～ tiáozhěnghǎo le, dàjiā dōu huì dédào hǎochu.

wùlǐ 物理 [名]

physics 我们在同一所大学，他学的是～，我学的是化学。Wǒmen zài tóng yì suǒ dàxué, tā xué de shì ～, wǒ xué de shì huàxué. | 黄教授一生都在研究～。Huáng jiàoshòu yìshēng dōu zài yánjiū ～. | ～这门儿学问很有意思，我真羡慕那些～学家。～ zhèi ménr xuéwen hěn yǒuyìsi, wǒ zhēn xiànmù nèixiē ～ xuéjiā. | 这种金属遇热以后会起～变化。Zhèi zhǒng jīnshǔ yù rè yǐhòu huì qǐ ～ biànhuà. | 他喜欢动脑子，对～特别感兴趣。Tā xǐhuan dòng nǎozi, duì ～ tèbié gǎn xìngqù.

W

wùzhì 物质（物質）[名]

material 我们的～生活和精神生活都需要再丰富一些。Wǒmen de ～ shēnghuó hé jīngshén shēnghuó dōu xūyào zài fēngfù yìxiē. | 这里的～条件还不错。Zhèlǐ de ～ tiáojiàn hái búcuò. | 这些～利益是我们应该得到的。Zhèixiē ～ lìyì shì wǒmen yīnggāi dédào de. | 我觉得，～享受对我来讲不是最主要的。Wǒ juéde, ～ xiǎngshòu duì wǒ lái jiǎng bú shì zuì zhǔyào de.

wùhuì 误会(誤會) [动]

本来他是给我帮忙，我却 ~ 了他。Běnlái tā shì gěi wǒ bāngmáng, wǒ què ~ le tā. →我没明白他的意思，人家是对我好，我却以为他对我有意见。Wǒ méi míngbai tā de yìsi, rénjia shì duì wǒ hǎo, wǒ què yǐwéi tā duì wǒ yǒu yìjiàn. 例我没把意思说明白，结果你 ~ 了。Wǒ méi bǎ yìsi shuō míngbai, jiéguǒ nǐ ~ le. I别 ~，我不是那个意思。Bié ~, wǒ bú shì nèige yìsi. I你 ~ 他的意思了，赶快找他好好儿谈谈吧。Nǐ ~ tā de yìsi le, gǎnkuài zhǎo tā hǎohāor tántan ba. I不能这样 ~ 下去，其实两人说清楚就什么问题都没有了。Bù néng zhèiyàng ~ xiaqu, qíshí liǎng rén shuō qīngchu jiù shénme wèntí dōu méiyǒu le.

wù 雾(霧) [名]

fog 例今天早上的 ~ 很大，对面都看不清人。Jīntiān zǎoshang de ~ hěn dà, duìmiàn dōu kàn bu qīng rén. I下 ~ 了，开车要慢一点儿。Xià ~ le, kāichē yào màn yìdiǎnr. I明早有大 ~，请注意行车安全。Míng zǎo yǒu dà ~, qǐng zhùyì xíngchē ānquán. I刚才还有 ~，这么一会儿天就晴了。Gāngcái hái yǒu ~, zhème yíhuìr tiān jiù qíng le. I ~ 里看花你会觉得花更美。~ li kàn huā nǐ huì juéde huā gèng měi.

X

xi

xī 西 [名]

路~有个商店，我们进去看看吧。Lù ~ yǒu ge shāngdiàn, wǒmen jìnqu kànkan ba. →商店在东边对着的方向。Shāngdiàn zài dōngbian duìzhe de fāngxiàng. 例刚到这个城市，我还不知道哪边是东，哪边是~呢。Gāng dào zhèige chéngshì, wǒ hái bù zhīdiào něi biān shì dōng, něi biān shì ~ ne. |一直往~走，就到电影院了。Yìzhí wǎng ~ zǒu, jiù dào diànyǐngyuàn le. |到前面十字路口儿，车再向~拐弯儿就到了。Dào qiánmian shízì lùkǒur, chē zài xiàng ~ guǎiwānr jiù dào le. |太阳~斜，时间已经是下午了。Tàiyáng ~ xié, shíjiān yǐjing shì xiàwǔ le.

xīběi 西北 [名]

火车朝~方向开去了。Huǒchē cháo ~ fāngxiàng kāiqù le. →火车是从东南方向开过来的。Huǒchē shì cóng dōngnán fāngxiàng kāi guolai de. 例冬天从中国~部刮来的风又干燥又寒冷。Dōngtiān cóng Zhōngguó ~ bù guālái de fēng yòu gānzào yòu hánlěng. |飞机从香港起飞，一直向~飞去。Fēijī cóng Xiānggǎng qǐfēi, yìzhí xiàng ~ fēi qù. |中国~地区的气候非常干燥，一年之中下不了几场雨。Zhōngguó ~ dìqū de qìhòu fēicháng gānzào, yì nián zhīzhōng xià bu liǎo jǐ cháng yǔ. |在院子的~角有棵松树。Zài yuànzi de ~ jiǎo yǒu kē sōngshù. |这条路从城东南一直通到城~。Zhèi tiáo lù cóng chéng dōngnan yìzhí tōng dào chéng ~.

xībian 西边（西邊）[名]

~的太阳快要落山了。~ de tàiyáng kuàiyào luòshān le. →和东边对着的那一边，太阳快要落下去了。Hé dōngbian duìzhe de nèi yì biān, tài yáng kuàiyào luò xiaqu le. 例~的房间比东边的更漂亮。~ de fángjiān bǐ dōngbian de gèng piàoliang. |那家商店在马路的~。Nèi jiā shāngdiàn zài mǎlù de ~. |这座山的~是一片树林。Zhèi zuò shān de ~ shì yí piàn shùlín. |你看，东边还出着太阳，~就下起雨来了。Nǐ kàn, dōngbian hái chūzhe tàiyáng, ~ jiù xià qǐ yǔ lai le. |往~走不远就到邮局了。Wǎng ~ zǒu bù yuǎn jiù dào yóujú le.

xībù 西部 [名]

北京的 ~ 有很多山。Běijīng de ~ yǒu hěn duō shān. →北京靠西边的地区山很多。Běijīng kào xībian de dìqū shān hěn duō. 例中国的 ~ 有一大片沙漠。Zhōngguó de ~ yǒu yí dà piàn shāmò. | 中国 ~ 地区的经济不如东部发达。Zhōngguó ~ dìqū de jīngjì bùrú dōngbù fādá. | 我们打算去 ~ 旅行。Wǒmen dǎsuan qù ~ lǚxíng. | 这个城市的文化区在 ~。Zhèige chéngshì de wénhuàqū zài ~. | 在美国，从 ~ 到东部我去过很多地方。Zài Měiguó, cóng ~ dào dōngbù wǒ qùguo hěn duō dìfang.

xīfāng 西方[1] [名]

你看，火红的太阳从 ~ 落下去了。Nǐ kàn, huǒhóng de tàiyáng cóng ~ luò xiaqu le. →你看，在太阳落下的方向，我看到了火红的太阳。Nǐ kàn, zài tàiyáng luò xià de fāngxiàng, wǒ kàndàole huǒhóng de tàiyáng. 例火车出了站台，向 ~ 开去了。Huǒchē chūle zhàntái, xiàng ~ kāiqu le. | 他站在小山上，看着 ~，他的学校就在那边。Tā zhàn zài xiǎoshān shang, kànzhe ~, tā de xuéxiào jiù zài nèibian. | 安娜指着 ~，给大家讲了她家乡的故事。Ānnà zhǐzhe ~, gěi dàjiā jiǎngle tā jiāxiāng de gùshi. | ~ 的天边儿有一片黑云，可能要下雨了。~ de tiānbiānr yǒu yí piàn hēi yún, kěnéng yào xià yǔ le. | 天暗下来了，只有 ~ 还有一点儿暗红色。Tiān àn xialai le, zhǐyǒu ~ hái yǒu yìdiǎnr ànhóngsè.

xīmiàn 西面 [名]

他家的 ~ 是一个大商场。Tā jiā de ~ shì yí ge dà shāngchǎng. →他家的位置在大商场的东面。Tā jiā de wèizhi zài dà shāngchǎng de dōngmiàn. 例这座桥的 ~ 有一个公园儿。Zhèi zuò qiáo de ~ yǒu yí ge gōngyuánr. | 大操场就在学校的 ~，很容易找到。Dà cāochǎng jiù zài xuéxiào de ~, hěn róngyì zhǎodào. | ~ 墙上挂的这幅画儿真好看。~ qiáng shang guà de zhèi fú huàr zhēn hǎokàn. | 靠 ~ 的那几座高楼是今年新建的。Kào ~ de nèi jǐ zuò gāolóu shì jīnnián xīn jiàn de. | 这是一个东面靠海，~ 靠山的小村庄。Zhè shì yí ge dōngmiàn kào hǎi, ~ kào shān de xiǎo cūnzhuāng.

xīnán 西南 [名]

一辆汽车从 ~ 方向开过来。Yí liàng qìchē cóng ~ fāngxiàng kāi guolai. →一辆汽车向东北方向开过去。Yí liàng qìchē xiàng dōngběi

X

fāngxiàng kāi guoqu. 例他看着一列火车离开车站，向～方开去了。 Tā kànzhe yí liè huǒchē líkāi chēzhàn, xiàng ～ fāng kāiqu le. | 在城的 ～有一座小山。Zài chéng de ～ yǒu yí zuò xiǎoshān. | 这条小河穿过 小城，从城 ～ 一直流向城东北。Zhèi tiáo xiǎohé chuānguo xiǎochéng, cóng chéng ～ yìzhí liú xiàng chéng dōngběi. | 中国的～地 区河流很多。Zhōngguó de ～ dìqū héliú hěn duō.

xīcān 西餐 [名]

这是一家专门做 ～ 的饭店。Zhè shì yì jiā zhuānmén zuò ～ de fàndiàn. →这家饭店专做西方人吃的饭菜。Zhèi jiā fàndiàn zhuān zuò Xīfāngrén chī de fàncài. 例友谊餐厅的～很有名。Yǒuyì Cāntīng de ～ hěn yǒumíng. | 我很喜欢 ～ 的味道。Wǒ hěn xǐhuan ～ de wèidao. | 吃中餐要用筷子，吃 ～要用刀子、勺子和叉子。Chī zhōngcān yào yòng kuàizi, chī ～ yào yòng dāozi, sháozi hé chāzi. | 去年我去法国，学会了做 ～。Qùnián wǒ qù Fǎguó, xuéhuìle zuò ～. | 你喜欢中餐还是～？ Nǐ xǐhuan zhōngcān háishi ～?

xīfāng 西方² [名]

～国家的经济比较发达。～ guójiā de jīngjì bǐjiào fādá. →美、英、 德、法等国的经济比较发达。Měi、Yīng、Dé、Fǎ děng guó de jīngjì bǐjiào fādá. 例～文化和东方文化有很大差别。～ wénhuà hé Dōngfāng wénhuà yǒu hěn dà chābié. | ～的建筑很有特点。～ de jiànzhù hěn yǒu tèdiǎn. | 许多 ～人喜欢吃中餐。Xǔduō ～ rén xǐhuan chī zhōngcān. | ～有许多值得东方人学习的地方。～ yǒu xǔduō zhíde Dōngfāngrén xuéxí de dìfang. | 安娜在中国留学以后，又去了 ～。Ānnà zài Zhōngguó liúxué yǐhòu, yòu qùle ～.

xīguā 西瓜 [名]

例这 ～ 又大又甜，你尝尝。Zhè ～ yòu dà yòu tián, nǐ chángchang. | 夏天，人们最爱吃的 就是 ～ 了。Xiàtiān, rénmen zuì ài chī de jiù shì ～ le. | 这么热的天，快吃块 ～凉快凉快。 Zhème rè de tiān, kuài chī kuài ～ liángkuai liángkuai. | 他很会挑 ～，买的 ～ 个儿个儿甜。Tā hěn huì tiāo ～, mǎi de ～ gèrgèr tián. | 一到夏天，在北京到处都能买到 ～。Yí dào xiàtiān, zài Běijīng dàochù dōu néng mǎidào ～. | 用 ～ 的皮做菜也很

西瓜

好吃，你知道吗？ Yòng ~ de pí zuò cài yě hěn hǎochī, nǐ zhīdao ma?

xīhóngshì 西红柿（西紅柿）[名]

tomato 例~有点儿酸又有点儿甜，味道真不错。 ~ yǒudiǎnr suān yòu yǒudiǎnr tián, wěidao zhēn búcuò. | 许多人都喜欢吃 ~。 Xǔduō rén dōu xǐhuan chī ~. | 多吃 ~ 对身体很有好处。 Duō chī ~ duì shēntǐ hěn yǒu hǎochu. | ~ 的吃法很多，可以当水果吃，也可以做菜。 ~ de chīfǎ hěn duō, kěyǐ dàng shuǐguǒ chī, yě kěyǐ zuò cài. | 他家种的 ~ 长得真好，个儿个儿又大又红。 Tā jiā zhòng de ~ zhǎng de zhēn hǎo, gèrgèr yòu dà yòu hóng. | 这些天，~ 的价格非常便宜，妈妈天天买给我们吃。 Zhèixiē tiān, ~ de jiàgé fēicháng piányi, māma tiāntiān mǎi gěi wǒmen chī.

xī 吸 [动]

他 ~ 了口新鲜空气，觉得非常舒服。 Tā ~ le kǒu xīnxiān kōngqì, juéde fēicháng shūfu. →他用鼻子使新鲜空气进入身体里。 Tā yòng bízi shǐ xīnxiān kōngqì jìnrù shēntǐ li. 例我不会游泳，一下去就 ~ 了几口水。 Wǒ bú huì yóuyǒng, yí xiàqu jiù ~ le jǐ kǒu shuǐ. | 他用塑料管儿一会儿就把瓶子里的水 ~ 没了。 Tā yòng sùliàoguǎnr yíhuìr jiù bǎ píngzi li de shuǐ ~ méi le. | 她把花儿放在鼻子上 ~ 了 ~，觉得很香。 Tā bǎ huār fàng zài bízi shang ~ le ~, juéde hěn xiāng. | 他使劲儿 ~ 了口气，就又在水里游了起来。 Tā shǐjìnr ~ le kǒu qì, jiù yòu zài shuǐ li yóule qǐlai. | 杯子里的水洒了，快用纸来 ~ 一下儿。 Bēizi li de shuǐ sǎ le, kuài yòng zhǐ lái ~ yíxiàr.

xīshōu 吸收[1] [动]

小树的根 ~ 了水以后，长得非常快。 Xiǎoshù de gēn ~ le shuǐ yǐhòu, zhǎng de fēicháng kuài. →小树的根把水从地下吸到树身里的各个部分以后，长得非常快。 Xiǎoshù de gēn bǎ shuǐ cóng dìxià xīdào shùshēn li de gègè bùfen yǐhòu, zhǎng de fēicháng kuài. 例等药被身体 ~，你的病就会好了。 Děng yào bèi shēntǐ ~, nǐ de bìng jiù huì hǎo le. | 海绵把盆里的水都 ~ 进去了。 Hǎimián bǎ pén li de shuǐ dōu ~ jìnqu le.

xīshōu 吸收[2] [动]

今年我们学校又 ~ 了许多新同学。 Jīnnián wǒmen xuéxiào yòu ~ le xǔduō xīn tóngxué. →今年我们学校又招收了许多新同学。 Jīnnián wǒmen xuéxiào yòu zhāoshōule xǔduō xīn tóngxué. 例明年，我们公

司将~更多的大学生来工作。Míngnián, wǒmen gōngsī jiāng ~ gèng duō de dàxuéshēng lái gōngzuò. | 他们~我为俱乐部会员。Tāmen ~ wǒ wéi jùlèbù huìyuán. | 我是刚被~进来的新会员，请多关照。Wǒ shì gāng bèi ~ jinlai de xīn huìyuán, qǐng duō guānzhào.

xī yān 吸烟

smoking ~ 对人的身体是没有好处的。~ duì rén de shēntǐ shì méiyǒu hǎochu de. | ~ 是个不好的习惯。~ shì ge bù hǎo de xíguàn. | 让吸了十年烟的人不再~是很难的。Ràng xīle shí nián yān de rén bú zài ~ shì hěn nán de. | 许多人知道~是不好的，但却改不了。Xǔduō rén zhīdao ~ shì bù hǎo de, dàn què gǎi bu liǎo. | 在商店、电影院等地方是不准~的。Zài shāngdiàn、diànyǐngyuàn děng dìfang shì bù zhǔn ~ de.

xīyǐn 吸引　[动]

他讲的故事~了每一个人。Tā jiǎng de gùshi ~ le měi yí ge rén. → 他讲的故事太有意思了，把每个人的注意力都引到了故事里。Tā jiǎng de gùshi tài yǒu yìsi le, bǎ měi ge rén de zhùyìlì dōu yǐndàole gùshi li. 例 演员精彩的表演~了每个观众。Yǎnyuán jīngcǎi de biǎoyǎn ~ le měi ge guānzhòng. | 这部电影非常~人，我看了很多遍。Zhèi bù diànyǐng fēicháng ~ rén, wǒ kànle hěn duō biàn. | 张老师的课很~人，我们都喜欢上他的课。Zhāng lǎoshī de kè hěn ~ rén, wǒmen dōu xǐhuan shàng tā de kè. | 听众被他的讲话~住了，每个人都非常认真地听讲。Tīngzhòng bèi tā de jiǎnghuà ~ zhù le, měi ge rén dōu fēicháng rènzhēn de tīngjiǎng.

xīwàng 希望¹　[动]

玛丽从小就~自己长大当一名演员。Mǎlì cóngxiǎo jiù ~ zìjǐ zhǎngdà dāng yì míng yǎnyuán. →玛丽从小就非常想自己将来当一名演员。Mǎlì cóngxiǎo jiù fēicháng xiǎng zìjǐ jiānglái dāng yì míng yǎnyuán. 例 我很~明年到中国学习汉语。Wǒ hěn ~ míngnián dào Zhōngguó xuéxí Hànyǔ. | 这是我送你的生日礼物，~你喜欢。Zhè shì wǒ sòng nǐ de shēngri lǐwù, ~ nǐ xǐhuan. | 我~你能来我家和我们一起过新年。~ nǐ néng lái wǒ jiā hé wǒmen yìqǐ guò xīnnián. | 天气这么好，真~出去玩儿玩儿。Tiānqì zhème hǎo, zhēn ~ chūqu wánr wánr.

xīwàng 希望²　[名]

他的~就是要当一名画家。Tā de ~ jiù shì yào dāng yì míng huàjiā.

X

→他对以后要做的事情的想法是当一名画家。Tā duì yǐhòu yào zuò de shìqing de xiǎngfa shì dāng yì míng huàjiā. 例老师的 ~ 也是我对自己的要求。Lǎoshī de ~ yě shì wǒ duì zìjǐ deyāoqiú. | 获得第一名是我们球队全体队员的 ~。Huòdé dì yī míng shì wǒmen qiúduì quántǐ duìyuán de ~. | 他有一个 ~，就是要自己当老板。Tā yǒu yí ge ~，jiù shì yào zìjǐ dāng lǎobǎn. | 我真高兴，我的 ~ 变成真的了。Wǒ zhēn gāoxìng, wǒ de ~ biànchéng zhēn de le. | 她是一个很有 ~ 的演员。Tā shì yí ge hěn yǒu ~ de yǎnyuán.

xīshēng 牺牲[1] （犧牲）[动]

他是为救那个掉进水里的孩子而 ~ 的。Tā shì wèi jiù nèige diàojìn shuǐ li de háizi ér ~ de. →他是为救那个落水的孩子而死的。Tā shì wèi jiù nèige luòshuǐ de háizi ér sǐ de. 例我们把为人民的事业而 ~ 的人看作英雄。Wǒmen bǎ wèi rénmín de shìyè ér ~ de rén kànzuò yīngxióng. | 他 ~ 了自己的生命，却保住了大家的生命财产安全。Tā ~ le zìjǐ de shēngmìng, què bǎozhùle dàjiā de shēngmìng cáichǎn ānquán. | 我们永远不会忘记那些为祖国而 ~ 的人们。Wǒmen yǒngyuǎn bú huì wàngjì nèixiē wèi zǔguó ér ~ de rénmen.

xīshēng 牺牲[2] （犧牲）[动]

他 ~ 了许多休息时间来学习。Tā ~ le xǔduō xiūxi shíjiān lái xuéxí. →他用了许多应该休息的时间来学习。Tā yòngle xǔduō yīnggāi xiūxi de shíjiān lái xuéxí. 例许多人为了工作而 ~ 了休息时间。Xǔduō rén wèile gōngzuò ér ~ le xiūxi shíjiān. | 为了办好这次活动，老师和同学 ~ 了不少时间和精力。Wèile bànhǎo zhèi cì huódòng, lǎoshī hé tóngxué ~ le bù shǎo shíjiān hé jīnglì. | 不能为自己得到好处而 ~ 别人的利益。Bù néng wèi zìjǐ dédào hǎochu ér ~ biérén de lìyì. | 只要大家满意，我愿意作出一些 ~。Zhǐyào dàjiā mǎnyì, wǒ yuànyì zuòchū yìxiē ~.

xíguàn 习惯[1] （習慣）[动]

我已经 ~ 了这里的生活和工作。Wǒ yǐjing ~ le zhèlǐ de shēnghuó hé gōngzuò. →我已经适应了这里的生活和工作。Wǒ yǐjing shìyìngle zhèlǐ de shēnghuó hé gōngzuò. 例我们公司里的人已经 ~ 这种紧张的生活了。Wǒmen gōngsī li de rén yǐjing ~ zhèi zhǒng jǐnzhāng de shēnghuó le. | 吃中餐，我早就 ~ 了。Chī zhōngcān, wǒ zǎo jiù ~ le. | 请不必担心，我会 ~ 这里的环境的。Qǐng búbì dānxīn, wǒ huì

X

~ zhèlǐ de huánjìng de. |你刚来这里，不 ~ 没关系，慢慢儿就会 ~
的。Nǐ gāng lái zhèlǐ, bù ~ méi guānxi, mànmānr jiù huì ~ de. |我很
~ 这里的生活。Wǒ hěn ~ zhèlǐ de shēnghuó.

xíguàn 习惯² （習慣）[名]

她有早晨起来做早操的好 ~ 。Tā yǒu zǎochen qǐlai zuò zǎocāo de
hǎo ~ . →她早晨起来做早操，已经好几年了，慢慢儿地成了她天天
做的事了。Tā zǎochen qǐlai zuò zǎocāo, yǐjing hǎojǐ nián le,
mànmānr de chéngle tā tiāntiān zuò de shì le. 例早晨起来喝一杯
水，已成了他的 ~ 。Zǎochen qǐlai hē yì bēi shuǐ, yǐ chéngle tā de
~ . |早睡早起是一种良好的 ~ 。Zǎo shuì zǎo qǐ shì yì zhǒng
liánghǎo de ~ . |爱清洁的 ~ 要从小慢慢儿形成。Ài qīngjié de ~ yào
cóngxiǎo mànmānr xíngchéng. |改掉坏 ~ 是不容易的，非下决心不
可。Gǎidiào huài ~ shì bù róngyì de, fēi xià juéxīn bùkě. |这是他多
年的 ~ ，看来很难改了。Zhè shì tā duō nián de ~ , kànlái hěn nán
gǎi le.

xǐ 洗¹ [动]

衣服脏了，我去 ~ ~ 。Yīfu zāng le, wǒ qù ~ ~ . →我把脏衣服和
水、洗衣粉一起放进洗衣机里，让洗衣机工作。Wǒ bǎ zāng yīfu hé
shuǐ, xǐyīfěn yìqǐ fàng jìn xǐyījī li, ràng xǐyījī gōngzuò. 例这水果是刚
买来的，快去 ~
~ . |吃饭之前要 ~ 手。Chīfàn zhīqián yào ~ shǒu. |他找我时，我
刚吃完饭，正在 ~ 碗。Tā zhǎo wǒ shí, wǒ gāng chīwán fàn,
zhèngzài ~ wǎn. |这衣服 ~ 得真干净。Zhè yīfu ~ de zhēn gānjìng. |
苹果 ~ 一 ~ 才能吃。Píngguǒ ~ yi ~ cái néng chī.

xǐyījī 洗衣机（洗衣機）[名]

这 ~ 真好用，洗得又快又干净。Zhè ~ zhēn hǎo yòng, xǐ de yòu
kuài yòu gānjìng. →这用来洗衣服的机器真好用。Zhè yònglái xǐ yīfu
de jīqì zhēn hǎo yòng. 例用 ~ 洗衣服可真方便。Yòng ~ xǐ yīfu kě
zhēn fāngbiàn. |这家商店有这么多种 ~ ，不知哪种最好。Zhèi jiā
shāngdiàn yǒu zhème duō zhǒng ~ , bù zhī něi zhǒng zuì hǎo. |这种
牌子的 ~ 洗衣服洗得最干净。Zhèi zhǒng páizi de ~ xǐ yīfu xǐ de zuì
gānjìng. |我想买一台 ~ ，请问哪种好？Wǒ xiǎng mǎi yì tái ~ ,
qǐngwèn něi zhǒng hǎo? |你知道哪儿有修 ~ 的地方吗？Nǐ zhīdao nǎr
yǒu xiū ~ de dìfang ma?

X

xǐ zǎo 洗澡

她正在给孩子～。Tā zhèngzài gěi háizi ～. →她正在用水把孩子的身体冲洗干净。Tā zhèngzài yòng shuǐ bǎ háizi de shēntǐ chōngxǐ gānjìng. 例她是个爱干净的人，每天都～。Tā shì ge ài gānjìng de rén, měi tiān dōu ～. | 用冷水～身体好。Yòng lěngshuǐ ～ shēntǐ hǎo. | 出了一身汗，让我洗洗澡舒服舒服。Chūle yì shēn hàn, ràng wǒ xǐxi zǎo shūfu shūfu. | 他每天晚上总是洗完澡才睡觉。Tā měi tiān wǎnshang zǒngshì xǐwán zǎo cái shuìjiào. | 外面太冷了，我想先洗个热水澡暖和暖和。Wàimian tài lěng le, wǒ xiǎng xiān xǐ ge rèshuǐzǎo nuǎnhuo nuǎnhuo.

xǐ 洗² [动]

照片儿～出来了，你快来看吧。Zhàopiānr ～ chulai le, nǐ kuài lái kàn ba. →你照了相之后，已经把照片儿做出来了，快来看吧。Nǐ zhàole xiàng zhīhòu, yǐjing bǎ zhàopiānr zuò chulai le, kuài lái kàn ba. 例相片儿一会儿就～好，请等一下儿。Xiàngpiānr yíhuìr jiù ～ hǎo, qǐng děng yíxiàr. | 那儿是专门～照片儿的商店，我们进去看看。Nàr shì zhuānmén ～ zhàopiānr de shāngdiàn, wǒmen jìnqu kànkan. | 不用去照相馆～相片儿，我自己就会～。Búyòng qù zhàoxiàngguǎn ～ xiàngpiānr, wǒ zìjǐ jiù huì ～. | ～照片儿要有一定的技术。～ zhàopiānr yào yǒu yídìng de jìshù. | 这个商店～出来的照片儿特别清楚。Zhèige shāngdiàn ～ chulai de zhàopiānr tèbié qīngchu.

xǐhuan 喜欢（喜歡）[动]

许多人～看足球比赛。Xǔduō rén ～ kàn zúqiú bǐsài. →许多人对足球比赛感兴趣，只要有比赛，他们就要看。Xǔduō rén duì zúqiú bǐsài gǎn xìngqu, zhǐyào yǒu bǐsài, tāmen jiù yào kàn. 例她～唱歌儿，而且唱得很好听。Tā ～ chànggēr, érqiě chàng de hěn hǎotīng. | 我非常～你送给我的礼物，谢谢你。Wǒ fēicháng ～ nǐ sòng gěi wǒ de lǐwù, xièxie nǐ. | 这小姑娘非常可爱，大家都～她。Zhè xiǎogūniang fēicháng kě'ài, dàjiā dōu ～ tā. | 这衣服的颜色我很～。Zhè yīfu de yánsè wǒ hěn ～. | 打篮球是他最～的运动。Dǎ lánqiú shì tā zuì ～ de yùndòng.

xì 戏（戲）[名]

我非常爱看～，不太喜欢看电影。Wǒ fēicháng ài kàn ～, bú tài xǐhuan kàn diànyǐng. →和电影相比，我更喜欢舞台上演的京剧、话剧等。Hé diànyǐng xiāngbǐ, wǒ gèng xǐhuan wǔtái shang yǎn de jīngjù、huàjù děng. **例**他很喜欢演～，而且演得相当好。Tā hěn xǐhuan yǎn ～, érqiě yǎn de xiāngdāng hǎo. ┃昨天晚上那场～真好看。Zuótiān wǎnshang nèi chǎng ～ zhēn hǎokàn. ┃这是一出关于爱情的～，演员表演得好极了。Zhè shì yì chū guānyú àiqíng de ～, yǎnyuán biǎoyǎn de hǎojí le. ┃他不但喜欢看～，而且喜欢唱～。Tā búdàn xǐhuan kàn ～, érqiě xǐhuan chàng ～.

xì 系 [名]

department **例**他是北京大学中文～二年级的学生。Tā shì Běijīng Dàxué Zhōngwén ～ èr niánjí de xuésheng. ┃我在外语学院英语～读书。Wǒ zài Wàiyǔ Xuéyuàn Yīngyǔ ～ dúshū. ┃我们学校的数学～是最有名的。Wǒmen xuéxiào de shùxué ～ shì zuì yǒumíng de. ┃你应当先学习汉语，然后再到～里学习专业课。Nǐ yīngdāng xiān xuéxí Hànyǔ, ránhòu zài dào ～ li xuéxí zhuānyèkè. ┃这个～有许多有名的教授。Zhèige ～ yǒu xǔduō yǒumíng de jiàoshòu. ┃他是经济～毕业的。Tā shì jīngjì ～ bìyè de.

xìtǒng 系统（系統）[名]

system **例**我的消化～很好，吃东西特别香。Wǒ de xiāohuà ～ hěn hǎo, chī dōngxi tèbié xiāng. ┃最近我们建立了一套新的计算机管理～。Zuìjìn wǒmen jiànlìle yí tào xīn de jìsuànjī guǎnlǐ ～. ┃妈妈在中学，爸爸在大学，他们都在教育～工作。Māma zài zhōngxué, bàba zài dàxué, tāmen dōu zài jiàoyù ～ gōngzuò. ┃教育是一项～工程。Jiàoyù shì yí xiàng ～ gōngchéng.

xì 细（細）[形]

这木棒太～了，一折就断。Zhè mùbàng tài ～ le, yì zhé jiù duàn. → 这木棒还不如一根绳子粗，很容易折断。Zhè mùbàng hái bùrú yì gēn shéngzi cū, hěn róngyì zhéduàn. **例**这根绳子比那根～一点儿，可是很结实。Zhèi gēn shéngzi bǐ nèi gēn ～ yìdiǎnr, kěshì hěn jiēshi. ┃这是李师傅做的面条儿，～得很。Zhè shì Lǐ shīfu zuò de miàntiáor, ～ de hěn. ┃～线织的毛衣穿起来很舒服。～ xiàn zhī de máoyī chuān qilai hěn shūfu. ┃你看那个女孩儿，～～的眉毛，大大的眼睛，多漂亮！Nǐ kàn nèige nǚháir, ～ ～ de méimao, dàdà de yǎnjing, duō piàoliang! ┃这里各种管儿都有，你要粗的还是要～的？Zhèlǐ gè zhǒng guǎnr dōu yǒu, nǐ yào cū de háishi yào ～ de?

xìjūn 细菌(細菌) [名]

bacterium 例有些～对人类是有利的，有些～是有害的。Yǒuxiē ～ duì rénlèi shì yǒulì de, yǒuxiē ～ shì yǒuhài de. ｜有害～进入人的身体，人就会生病。Yǒuhài ～ jìnrù rén de shēntǐ, rén jiù huì shēngbìng. ｜我们虽然看不到～，但它们时时处处都存在。Wǒmen suīrán kàn bu dào ～, dàn tāmen shíshí chùchù dōu cúnzài. ｜这种药能杀死各种有害～。Zhèi zhǒng yào néng shāsǐ gè zhǒng yǒuhài ～. ｜我还不知道～的危害这么大呢! Wǒ hái bù zhīdào ～ de wēihài zhème dà ne!

xìxīn 细心(細心) [形]

她做事非常～，总让人非常满意。Tā zuòshì fēicháng ～, zǒng ràng rén fēicháng mǎnyì. →她做事又用心，又仔细。Tā zuòshì yòu yòngxīn, yòu zǐxì. 例做事～一点儿，就不会出错儿。Zuòshì ～ yìdiǎnr, jiù bú huì chūcuòr. ｜哥哥原来做事很粗心，现在比以前～多了。Gēge yuánlái zuòshì hěn cūxīn, xiànzài bǐ yǐqián ～ duō le. ｜她是一个～的人，做什么事都不马马虎虎。Tā shì yí ge ～ de rén, zuò shénme shì dōu bù mǎmahūhū. ｜老师要求每个学生都要～听讲。Lǎoshī yāoqiú měi ge xuésheng dōu yào ～ tīngjiǎng. ｜只要你～，就能把事情做好。Zhǐyào nǐ ～, jiù néng bǎ shìqing zuòhǎo.

xiā

xiā 虾(蝦) [名]

例这些～真鲜，刚从海里打上来。Zhèixiē ～ zhēn xiān, gāng cóng hǎi li dǎ shanglai. ｜这～是红颜色的，真好看。Zhè ～ shì hóng yánsè de, zhēn hǎokàn. ｜海里的～比河里的～大。Hǎi li de ～ bǐ hé li de ～ dà. ｜很多人都喜欢吃～。Hěn duō rén dōu xǐhuan chī ～. ｜那个商店里卖活鱼活～。Nèige shāngdiàn li mài huó yú huó ～. ｜你看，这河里还有～在游来游去呢。Nǐ kàn, zhè hé li hái yǒu ～ zài yóu lái yóu qù ne. ｜这是什么～，这么大? ——这叫龙虾。Zhè shì shénme ～, zhème dà? ——Zhè jiào lóngxiā.

虾

xiā 瞎 [动]

他虽然眼睛～了，可是耳朵挺好。Tā suīrán yǎnjing ～ le, kěshì

ěrduo tǐng hǎo. →他的眼睛什么也看不到了，但耳朵能听到各种声音。Tā de yǎnjing shénme yě kàn bu dào le, dàn ěrduo néng tīngdào gè zhǒng shēngyīn. 例他五岁时眼睛～了，妈妈对他照顾得更周到了。Tā wǔ suì shí yǎnjing ～ le, māma duì tā zhàogù de gèng zhōudào le. ∣眼睛～了，就像生活在黑暗里，我多么希望重见光明啊！Yǎnjing ～ le, jiù xiàng shēnghuó zài hēi'àn li, wǒ duōme xīwàng chóng jiàn guāngmíng a! ∣今天真高兴，我的一双～眼被治好了。Jīntiān zhēn gāoxìng, wǒ de yì shuāng ～ yǎn bèi zhìhǎo le. ∣听说，眼睛会哭～的，我真不敢相信。Tīngshuō, yǎnjing huì kū ～ de, wǒ zhēn bù gǎn xiāngxìn.

xià 下¹ ［名］

我们俩住在同一座楼里，他住楼上，我住楼～。Wǒmen liǎ zhù zài tóng yí zuò lóu li, tā zhù lóu shàng, wǒ zhù lóu ～. →他住这楼的二层，我住在一层。Tā zhù zhè lóu de èr céng, wǒ zhù zài yī céng. 例楼～一层有个小卖部，买东西很方便。Lóu ～ yī céng yǒu ge xiǎomàibù, mǎi dōngxi hěn fāngbiàn. ∣这座小山～有一条小河。Zhèi zuò xiǎoshān ～ yǒu yì tiáo xiǎohé. ∣剧场里，台～的观众被精彩的表演感动了。Jùchǎng li, tái ～ de guānzhòng bèi jīngcǎi de biǎoyǎn gǎndòng le. ∣月光～，地上一片银白色。Yuèguāng ～, dìshang yí piàn yínbáisè. ∣这架飞机正在作表演，一会儿向～飞，一会儿向上飞。Zhèi jià fēijī zhèngzài zuò biǎoyǎn, yíhuìr xiàng ～ fēi, yíhuìr xiàng shàng fēi.

xiàbian 下边（下邊）［名］

山～儿有许多车。→Shān ～ r yǒu xǔduō chē. →从山上下来，只见平地上有许多车。Cóng shān shang xiàlai, zhǐ jiàn píngdì shang yǒu xǔduō chē. 例桥的～儿有几条小船划过去了。Qiáo de ～ r yǒu jǐ tiáo xiǎochuán huá guoqu le. ∣我们刚走到山～，就下起雨来了。Wǒmen gāng zǒu dào shān ～, jiù xià qi yǔ lai le. ∣我们到树～儿凉快凉快吧。Wǒmen dào shù ～ r liángkuai liángkuai ba. ∣这是双层床，你睡～儿，我睡上边儿。Zhè shì shuāngcéngchuáng, nǐ shuì ～ r, wǒ shuì shàngbianr. ∣你从上边儿走，我从～儿走，看谁先到。Nǐ cóng shàngbianr zǒu, wǒ cóng ～ r zǒu, kàn shéi xiān dào.

xiàmiàn 下面 ［名］

玛丽就住在我们～。Mǎlì jiù zhù zài wǒmen ～. →我们住四层，在

402 房间，她住三层，在 302 房间。Wǒmen zhù sì céng, zài sì líng
èr fángjiān, tā zhù sān céng, zài sān líng èr fángjiān. **例**我家就住在
这座山的 ～，门前有条小河，景色可美了。Wǒ jiā jiù zhù zài zhèi
zuò shān de ～, mén qián yǒu tiáo xiǎohé, jǐngsè kě měi le. | 在屋
子里呆了一天了，我想到楼 ～ 走走。Zài wūzi li dāile yì tiān le, wǒ
xiǎng dào lóu ～ zǒuzou. | 天太热了，让我们到大树 ～ 凉快凉快吧。
Tiān tài rè le, ràng wǒmen dào dà shù ～ liángkuai liángkuai ba.

xià 下² ［动］

他刚 ～ 楼，就看到一位朋友正找他。Tā gāng ～ lóu, jiù kàndào yí
wèi péngyou zhèng zhǎo tā. →他从楼上五层到一层，看见了他的
朋友。Tā cóng lóu shàng wǔ céng dào yī céng, kànjiànle tā de
péngyou. **例**他 ～ 了汽车，就向火车站跑去。Tā ～ le qìchē, jiù xiàng
huǒchēzhàn pǎoqù. | 他们 ～ 山的时候，太阳已经落山了。Tāmen ～
shān de shíhou, tàiyáng yǐjīng luòshān le. | 那天，我刚 ～ 到三层楼
时，碰到了李先生。Nèi tiān, wǒ gāng ～ dào sān céng lóu shí,
pèngdàole Lǐ xiānshēng.

xià chē 下车（下車）

他刚 ～，就看到了来接他的人。Tā gāng ～, jiù kàndàole lái jiē tā de
rén. →一从车上下来，他就看到了来接他的人。Yì cóng chē shang
xiàlai, tā jiù kàndàole lái jiē tā de rén. **例**车还没停稳呢，先别忙着
～。Chē hái méi tíngwěn ne, xiān bié mángzhe ～. | 你应当在北京
西站 ～。Nǐ yīngdāng zài Běijīng Xīzhàn ～. | 车到站了，快 ～。Chē
dào zhàn le, kuài ～. | 要 ～ 的人请到门口儿来。Yào ～ de rén qǐng
dào ménkǒur lái. | 请问，去天安门在哪儿 ～？Qǐngwèn, qù
Tiān'ān Mén zài nǎr ～? | 下了车往西走就是邮电大楼了。Xiàle chē
wǎng xī zǒu jiùshì yóudiàn dàlóu le.

xià lai 下来¹（下來）

一看到爸爸从飞机上 ～，女儿马上跑了过去。Yí kàn dào bàba cóng
fēijī shang ～, nǚ'ér mǎshàng pǎole guoqu. →看到爸爸从飞机上沿
着梯子来到地面上，女儿急忙跑过去。Kàndào bàba cóng fēijī
shang yánzhe tīzi láidào dìmiàn shang, nǚ'ér jímáng pǎo guoqu. **例**
听到我在楼下叫他，他马上就 ～ 了。Tīngdào wǒ zài lóu xià jiào tā,
tā mǎshàng jiù ～ le. | 妈妈冲着在树上玩儿的孩子叫道：“～，危
险！”Māma chòngzhe zài shù shang wánr de háizi jiào dào: “～,

wēixiǎn!"｜我爬上去下不来了。Wǒ pá shangqu xià bu lái le.

xià lai 下来² （下來） ［动］

去年他刚来中国时，一句汉语也不会说，一年～，他已经说得非常好了。Qùnián tā gāng lái Zhōngguó shí, yí jù Hànyǔ yě bú huì shuō, yì nián ～, tā yǐjing shuō de fēicháng hǎo le. →他学习汉语已经一年了，现在说得非常好。Tā xuéxí Hànyǔ yǐjing yì nián le, xiànzài shuō de fēicháng hǎo. 例他天天坚持锻炼身体，几年～，他的身体非常棒。Tā tiāntiān jiānchí duànliàn shēntǐ, jǐ nián ～, tā de shēntǐ fēicháng bàng. ｜他从早上就忙，一天～，可累坏了。Tā cóng zǎoshang jiù máng, yì tiān ～, kě lèihuài le. ｜如果你现在就开始学习用电脑，几个月～，你就可以学会了。Rúguǒ nǐ xiànzài jiù kāishǐ xuéxí yòng diànnǎo, jǐ ge yuè ～, nǐ jiù kěyǐ xuéhuì le.

xia lai 下来³ （下來）

看到爸爸回来了，孩子立刻从楼上跑～。Kàndào bàba huílai le, háizi lìkè cóng lóu shang pǎo ～. →孩子从楼上四层跑到楼下，来迎接爸爸。Háizi cóng lóu shang sì céng pǎo dào lóu xià, lái yíngjiē bàba. 例我从书架上拿～一本书，一看正是我想要的。Wǒ cóng shūjià shang ná ～ yì běn shū, yí kàn zhèng shì wǒ xiǎng yào de. ｜他对站在台阶上的孩子说："别跳～，危险!"Tā duì zhàn zài táijiē shang de háizi shuō: "Bié tiào ～, wēixiǎn!"｜演员走下台来，热情地和观众握手。Yǎnyuán zǒu xia tái lai, rèqíng de hé guānzhòng wòshǒu.

xia lai 下来⁴ （下來）

请把您的姓名写～。Qǐng bǎ nín de xìngmíng xiě ～. →请把您的姓名写在纸上。Qǐng bǎ nín de xìngmíng xiě zài zhǐ shang. 例这些句子非常有用，请记～。Zhèixiē jùzi fēicháng yǒuyòng, qǐng jì ～. ｜等公共汽车停～以后，再上车。Děng gōnggòng qìchē tíng ～ yǐhòu, zài shàng chē. ｜老师讲得太快了，我记不～。Lǎoshī jiǎng de tài kuài le, wǒ jì bu ～. ｜我想抄下这一段来。Wǒ xiǎng chāo xia zhèi yí duàn lái.

xià qu 下去¹

有人叫你，快～看看谁在楼下。Yǒu rén jiào nǐ, kuài ～ kànkan shéi zài lóu xià. →快到楼下面去，看看谁在叫你。Kuài dào lóu xiàmian qu, kànkan shéi zài jiào nǐ. 例山上太冷了，咱们还是～吧。Shān

shang tài lěng le, zánmen háishi ~ ba. |妻子对站在楼梯上的丈夫
说:"你先 ~,我一会儿就来。" Qīzi duì zhàn zài lóutī shang de zhàngfu
shuō: "Nǐ xiān ~, wǒ yíhuìr jiù lái." |你在车上等着,我 ~ 买点儿东
西。 Nǐ zài chē shang děng zhe, wǒ ~ mǎi diǎnr dōngxi. |从那儿下
得去下不去? Cóng nàr xià de qu xià bu qù?

xia qu 下去[2]

这儿太高了,跳 ~ 会摔伤的。 Zhèr tài gāo le, tiào ~ huì shuāishāng
de. →这儿太高了,从上面跳到下面会受伤的。 Zhèr tài gāo le,
cóng shàngmian tiàodào xiàmian huì shòushāng de. **例**下楼时,请
把垃圾袋儿带 ~。 Xià lóu shí, qǐng bǎ lājīdàir dài ~. |这条山路太危
险,我们还是另找一条路走 ~ 吧。 Zhèi tiáo shānlù tài wēixiǎn,
wǒmen háishi lìng zhǎo yì tiáo lù zǒu ~ ba. |只听"咕咚"一声,原
来是一只木瓜掉 ~ 了。 Zhǐ tīng "gūdōng" yì shēng, yuánlái shì yì zhī
mùguā diào ~ le. |天黑了,我们把你送下山去吧。 Tiān hēi le,
wǒmen bǎ nǐ sòng xia shān qu ba.

xiaqu 下去[3] [动]

晚会上,他先唱了一首歌,接 ~ 又讲了一个故事。 Wǎnhuì shang,
tā xiān chàngle yì shǒu gē, jiē ~ yòu jiǎngle yí ge gùshi. →他唱了一
首歌以后,又讲了一个故事。 Tā chàngle yì shǒu gē yǐhòu, yòu
jiǎngle yí ge gùshi. **例**你说得很好,请继续讲 ~。 Nǐ shuō de hěn
hǎo, qǐng jìxù jiǎng ~. |这件事做起来虽然很困难,但只要干 ~,
就一定能成功。 Zhèi jiàn shì zuò qilai suīrán hěn kùnnan, dàn zhǐyào
gàn ~, jiù yídìng néng chénggōng. |这本书太没意思了,我看不 ~
了。 Zhèi běn shū tài méi yìsi le, wǒ kàn bu ~ le.

xiaqu 下去[4] [动]

天气再冷 ~ 的话,小树苗就要冻死了。 Tiānqì zài lěng ~ dehuà, xiǎo
shùmiáo jiù yào dòngsǐ le. →在今后的几天里,如果天气还这么冷,
小树苗就要冻死了。 Zài jīnhòu de jǐ tiān li, rúguǒ tiānqì hái zhème
lěng, xiǎo shùmiáo jiù yào dòngsǐ le. **例**今天的气温是38℃,再这
样热 ~,人就要生病了。 Jīntiān de qìwēn shì sānshíbā shèshìdù,
zài zhèiyàng rè ~, rén jiù yào shēngbìng le. |像这样一天天胖 ~,
我可真的要吃减肥药了。 Xiàng zhèiyàng yìtiāntiān pàng ~, wǒ kě
zhēn de yào chī jiǎnféiyào le. |我真希望我们能永远友好 ~。 Wǒ
zhēn xīwàng wǒmen néng yǒngyuǎn yǒuhǎo ~.

xià 下³ [动]

~雪了，屋外一片白色。~ xuě le, wū wài yí piàn báisè. →雪从天上落下来，地上一片白色。Xuě cóng tiān shang luò xialai, dìshang yí piàn báisè. **例**午后，~了一场大雨，天不那么热了。Wǔhòu, ~ le yì cháng dà yǔ, tiān bú nàme rè le. | 外面正~着雨，还是拿把伞出去吧。Wàimian zhèng ~ zhe yǔ, háishi ná bǎ sǎn chūqu ba. | 今年冬天还没~过雪呢。Jīnnián dōngtiān hái méi ~ guo xuě ne. | 雨越~越大，雷声也越来越响。Yǔ yuè ~ yuè dà, léishēng yě yuèláiyuè xiǎng. | 晚上，~起雨来了，一直~了一夜。Wǎnshang, ~ qi yǔ lai le, yìzhí ~ le yí yè.

xià bān 下班

我们每天早上八点上班，下午五点~。Wǒmen měi tiān zàoshang bā diǎn shàngbān, xiàwǔ wǔ diǎn ~. →我们每天早上八点开始工作，下午五点结束工作。Wǒmen měi tiān zǎoshang bā diǎn kāishǐ gōngzuò, xiàwǔ wǔ diǎn jiéshù gōngzuò. **例**~了，咱们准备回家吧。~ le, zánmen zhǔnbèi huíjiā ba. | 比尔，~以后一起去酒吧，怎么样？Bǐ'ěr, ~ yǐhòu yìqǐ qù jiǔbā, zěnmeyàng? | 到~时间了，快收拾一下儿东西吧。Dào ~ shíjiān le, kuài shōushi yíxiàr dōngxi ba. | 我刚~回来，你找我有事吗？Wǒ gāng ~ huílai, nǐ zhǎo wǒ yǒu shì ma? | 已经六点了，他早就下了班了。Yǐjing liù diǎn le, tā zǎo jiù xiàle bān le.

xià kè 下课（下課）

我们的第一节课八点上课，九点三十分~。Wǒmen de dì yī jié kè bā diǎn shàngkè, jiǔ diǎn sānshí fēn ~. →我们的第一节课九点三十分结束。Wǒmen de dì yī jié kè jiǔ diǎn sānshí fēn jiéshù. **例**老师刚布置完作业，就~了。Lǎoshī gāng bùzhì wán zuòyè, jiù ~ le. | 铃声响了，老师宣布~。Língshēng xiǎng le, lǎoshī xuānbù ~. | ~后，许多同学到教室外边活动。~ hòu, xǔduō tóngxué dào jiàoshì wàibian huódóng. | 一~，同学们就去小卖部了。Yí ~, tóngxuémen jiù qù xiǎomàibù le. | 下了第二节课，你去图书馆吗？Xiàle dì èr jié kè, nǐ qù túshūguǎn ma?

xià qí 下棋

play chess **例**~是一种非常有意义的活动。~ shì yì zhǒng fēicháng yǒu yìyì de huódòng. | 他非常喜欢~，特别是国际象棋。Tā fēicháng xǐhuan ~ , tèbiéshì guójì xiàngqí. | 他 ~ 下得特别好，总是能胜过对方。Tā ~ xià de tèbié hǎo, zǒngshì néng shèngguò duìfāng. | 我哥哥一有时间就找人 ~ 。Wǒ gēge yì yǒu shíjiān jiù zhǎo rén ~ . | 来，跟我下一盘儿棋，好吗？Lái, gēn wǒ xià yì pánr qí, hǎo ma?

xiàwǔ 下午 [名]

~ 我常常去图书馆看书。~ wǒ chángcháng qù túshūguǎn kàn shū. → 吃完中午饭以后，我常常去图书馆看几小时书。Chīwán zhōngwǔfàn yǐhòu, wǒ chángcháng qù túshūguǎn kàn jǐ xiǎoshí shū. 例我们中午十二点下班，~ 一点上班。Wǒmen zhōngwǔ shí'èr diǎn xiàbān, ~ yì diǎn shàngbān. | 每天 ~ , 他都要去打一会儿球。Měi tiān ~ , tā dōu yào qù dǎ yíhuìr qiú. | ~ 上课的时间是两点到三点三十分。~ shàngkè de shíjiān shì liǎng diǎn dào sān diǎn sānshí fēn. | 他们约好明天 ~ 四点一起上街。Tāmen yuēhǎo míngtiān ~ sì diǎn yìqǐ shàngjiē. | 昨天我等了他一个 ~ , 他也没来。Zuótiān wǒ děngle tā yí ge ~ , tā yě méi lái.

xià 下⁴ [量]

用于动作的次数，一般用于短时间的动作。Yòngyú dòngzuò de cìshù, yìbān yòngyú duǎn shíjiān de dòngzuò. 例我碰了他一 ~ 儿，要他注意时间。Wǒ pèngle tā yí ~ r, yào tā zhùyì shíjiān. | 小弟弟一 ~ 儿一 ~ 儿地拍球，能连着拍八十多 ~ 儿呢。Xiǎo dìdi yí ~ r yí ~ r de pāi qiú, néng liánzhe pāi bāshí duō ~ r ne. | 她在门上轻轻敲了两 ~ 儿，门就开了。Tā zài mén shang qīngqīng qiāole liǎng ~ r, mén jiù kāi le. | 他摇了几 ~ 儿旗，表示已经做好了准备。Tā yáole jǐ ~ r qí, biǎoshì yǐjing zuòhǎole zhǔnbèi. | 我看了一 ~ 儿表，都十二点半了。Wǒ kànle yí ~ r biǎo, dōu shí'èr diǎn bàn le. | 这位先生是谁，请介绍一 ~ 儿好吗？Zhèi wèi xiānsheng shì shéi, qǐng jièshào yí ~ r hǎo ma?

xià 吓（嚇）[动]

雷声很大，把孩子们 ~ 坏了。Léishēng hěn dà, bǎ háizimen ~ huài le. → 雷声使孩子们害怕极了。Léishēng shǐ háizimen hàipà jí le. 例这个消息把我 ~ 呆了。Zhèige xiāoxi bǎ wǒ ~ dāi le. | 他一进来 ~ 了我一跳。Tā yí jìnlai ~ le wǒ yí tiào. | 孩子太小了，别 ~ 着他。Háizi tài xiǎo le, bié ~ zhe tā. | 我想 ~ ~ 他，跟他开个玩笑。Wǒ xiǎng ~ ~ tā, gēn tā kāi ge wánxiào. | 爸爸真的生气了，~ 得我一句话也

不敢说。Bàba zhēn de shēngqì le, ~ de wǒ yí jù huà yě bù gǎn shuō. |这个画面真~人。Zhèige huàmiàn zhēn ~ rén.

xià 夏 [名]

1998 年 ~, 我第一次到海边度假。Yī jiǔ jiǔ bā nián ~, wǒ dì yī cì dào hǎi biān dùjià. →1998 年这一年中最热的季节里, 我来到了海边的城市。Yī jiǔ jiǔ bā nián zhèi yì nián zhōng zuì rè de jìjié li, wǒ láidàole hǎibiān de chéngshì. 例 2002 年 ~, 我第一次离开家去了美国。Èr líng líng èr nián ~, wǒ dì yī cì líkāi jiā qùle Měiguó. |一年四季春 ~ 秋冬, 夏天是我最喜欢的季节。Yì nián sìjì chūn ~ qiū dōng, xiàtiān shì wǒ zuì xǐhuan de jìjié. |望着这美丽的 ~ 夜星空, 我常常想起小时候奶奶给我讲的那些美丽的童话故事。Wàngzhe zhè měilì de ~ yè xīngkōng, wǒ chángcháng xiǎng qi xiǎoshíhou nǎinai gěi wǒ jiǎng de nèixiē měilì de tónghuà gùshi.

xiàjì 夏季 [名]

~ 是一年中最热的季节。~ shì yì nián zhōng zuì rè de jìjié. →我们这儿六、七、八三个月最热。Wǒmen zhèr liù、qī、bā sān ge yuè zuì rè. 例 ~, 正是游泳的好时候。~, zhèng shì yóuyǒng de hǎo shíhou. |今年 ~ 的雨水比较多。Jīnnián ~ de yǔshuǐ bǐjiào duō. |北半球的 ~ 正是南半球的冬季。Běibànqiú de ~ zhèngshì nánbànqiú de dōngjì. |~, 许多地方的学校都放假。~, xǔduō dìfang de xuéxiào dōu fàngjià. |~ 里, 人们最爱吃西瓜、冰淇淋什么的。~ li, rénmen zuì ài chī xīguā、bīngqílín shénmede.

xiàtiān 夏天 [名]

春天过去就快要到 ~ 了。Chūntiān guòqu jiù kuàiyào dào ~ le. →春天以后, 秋天以前, 气候最热的一段时间就快要来到了。Chūntiān yǐhòu, qiūtiān yǐqián, qìhòu zuì rè de yí duàn shíjiān jiù kuàiyào láidào le. 例 去年, 他在中国东北地区过了一个 ~。Qùnián, tā zài Zhōngguó Dōngběi dìqū guòle yí ge ~. |到了 ~, 我们可以去海边儿游泳了。Dàole ~, wǒmen kěyǐ qù hǎi biānr yóuyǒng le. |~ 一下雨就凉快一些。~ yí xià yǔ jiù liángkuai yìxiē. |在 ~, 北京的水果特别多。Zài ~, Běijīng de shuǐguǒ tèbié duō. |从 ~ 到冬天, 他一直坚持锻炼。Cóng ~ dào dōngtiān, tā yìzhí jiānchí duànliàn.

xian

xiān 先 ［副］

他比我～到十分钟。Tā bǐ wǒ ~ dào shí fēnzhōng. →他七点五十分到这儿，我八点才到。Tā qī diǎn wǔshí fēn dào zhèr, wǒ bā diǎn cái dào. **例**你～回家，我一会儿就来。Nǐ ~ huíjiā, wǒ yíhuìr jiù lái. |早上起床后，我总是～喝一杯白开水，然后才吃早饭。Zǎoshang qǐchuáng hòu, wǒ zǒngshì ~ hē yì bēi báikāishuǐ, ránhòu cái chī zǎofàn. |请排好队，～来的人～买。Qǐng páihǎo duì, ~ lái de rén ~ mǎi. |你别说出来，～让我猜一猜。Nǐ bié shuō chulai, ~ ràng wǒ cāi yi cāi.

xiānhòu 先后¹（先後）［名］

做什么事情都要有个～，这样才能做好。Zuò shénme shìqing dōu yào yǒu ge ~, zhèiyàng cái néng zuòhǎo. →做什么事情都应该有个先做什么后做什么的安排。Zuò shénme shìqing dōu yīnggāi yǒu ge xiān zuò shénme hòu zuò shénme de ānpái. **例**做事要分～，不能乱。Zuò shì yào fēn ~, bù néng luàn. |请你按时间～把材料整理好。Qǐng nǐ àn shíjiān ~ bǎ cáiliào zhěnglǐ hǎo. |请按～顺序排队。Qǐng àn ~ shùnxù páiduì. |不管报名～，只要你来参加活动就行。Bùguǎn bàomíng ~, zhǐyào nǐ lái cānjiā huódòng jiù xíng.

xiānhòu 先后²（先後）［副］

在运动会上，他～得了两块金牌。Zài yùndònghuì shang, tā ~ déle liǎng kuài jīnpái. →在运动会上，他先得了一块金牌，后来又得了一块金牌。Zài yùndònghuì shang, tā xiān déle yí kuài jīnpái, hòulái yòu déle yí kuài jīnpái. **例**去年，他～去了两个国家。Qùnián, tā ~ qùle liǎng ge guójiā. |在下棋比赛中，玛丽～三次得了冠军。Zài xiàqí bǐsài zhōng, Mǎlì ~ sān cì déle guànjūn. |会上，有四个人～讲了话。Huì shang, yǒu sì ge rén ~ jiǎngle huà. |她和妹妹～去了美国。Tā hé mèimei ~ qùle Měiguó.

xiānjìn 先进（先進）［形］

这种机器非常～。Zhèi zhǒng jīqì fēicháng ~. →这是现在最新最好的机器。Zhè shì xiànzài zuì xīn zuì hǎo de jīqì. **例**这种产品是国内最～的。Zhèi zhǒng chǎnpǐn shì guónèi zuì ~ de. |这项研究成果已经达到了世界～水平。Zhèi xiàng yánjiū chéngguǒ yǐjing dádàole shìjiè ~ shuǐpíng. |他们公司有不少～的技术，我们的技术都落后了。

Tāmen gōngsī yǒu bùshǎo ~ de jìshù, wǒmen de jìshù dōu luòhòu le. | 她是全市的 ~ 教师。Tā shì quán shì de ~ jiàoshī.

xiānsheng 先生[1] ［名］

Mister（Mr.）例 ~，您要买点儿什么？ ~，nín yào mǎi diǎnr shénme? | 女士们，~ 们，请安静，现在开会。Nǚshìmen, ~ men, qǐng ānjìng, xiànzài kāihuì. | ~，欢迎下次再来。~，huānyíng xià cì zài lái. | 老 ~，请走好。Lǎo ~, qǐng zǒuhǎo. | 我来介绍一下儿，这位是张 ~，这位是李小姐。Wǒ lái jièshào yíxiàr, zhèi wèi shì Zhāng ~, zhèi wèi shì Lǐ xiǎojiě.

xiānsheng 先生[2] ［名］

王 ~，我可以问您一个问题吗？Wáng ~, wǒ kěyǐ wèn nín yí ge wèntí ma? →王老师，我可以问您一个问题吗？Wáng lǎoshī, wǒ kěyǐ wèn nín yí ge wèntí ma? 例 ~，可以下课了吗？ ~, kěyǐ xiàkè le ma? | 这是李 ~ 的课程表。Zhè shì Lǐ ~ de kèchéngbiǎo. | 我去问问张 ~ 这个题怎么解答。Wǒ qù wènwen Zhāng ~ zhèige tí zěnme jiědá.

xiānsheng 先生[3] ［名］

我 ~ 在大学教书。Wǒ ~ zài dàxué jiāoshū. →我丈夫是一位大学教师。Wǒ zhàngfu shì yí wèi dàxué jiàoshī. 例她的 ~ 是一位律师。Tā de ~ shì yí wèi lǜshī. | 我和我 ~ 毕业于同一所大学。Wǒ hé wǒ ~ bìyè yú tóng yì suǒ dàxué. | 我认识你的 ~，他非常能干。Wǒ rènshi nǐ de ~, tā fēicháng nénggàn. | 我来给你们介绍一下儿：这位是华新公司的于经理，这位是我 ~. Wǒ lái gěi nǐmen jièshào yíxiàr: zhèi wèi shì Huáxīn Gōngsī de Yú jīnglǐ, zhèi wèi shì wǒ ~.

xiānwéi 纤维（纖維）［名］

fibre, staple 例这件衣服是用人造 ~ 制成的。Zhèi jiàn yīfu shì yòng rénzào ~ zhìchéng de. | 任何植物都有 ~，是吗？Rènhé zhíwù dōu yǒu ~, shì ma? | 多吃粗 ~ 的蔬菜对身体有好处。Duō chī cū ~ de shūcài duì shēntǐ yǒu hǎochu. | 无论是植物 ~，还是人造 ~，都是非常有用的。Wúlùn shì zhíwù ~, háishi rénzào ~, dōu shì fēicháng yǒuyòng de.

xiān 掀 ［动］

大家 ~ 开书，翻到第 13 页。Dàjiā ~ kai shū, fāndào dì shísān yè. →

大家把书打开，翻到第 13 页。Dàjiā bǎ shū dǎkāi, fāndào dì shísān yè. 例起床铃声一响，他 ~ 开被子，一下子从床上跳下来。Qǐchuáng língshēng yì xiǎng, tā ~ kai bèizi, yíxiàzi cóng chuáng shang tiào xialai. l 我轻轻地 ~ 起窗帘儿，啊，外面下雪了。Wǒ qīngqīng de ~ qi chuāngliánr, à, wàimiàn xià xuě le. l 他拿起那本书，~ 了 ~，又放下了。Tā ná qi nèi běn shū, ~ le ~, yòu fàngxia le. l 风太大了，有的屋顶都被 ~ 下来了。Fēng tài dà le, yǒude wūdǐng dōu bèi ~ xialai le.

xiān 鲜[1]（鲜）［形］

这里卖的蔬菜都很 ~。Zhèlǐ mài de shūcài dōu hěn ~. →这些蔬菜都是刚从地里采摘来的。Zhèixiē shūcài dōu shì gāng cóng dì li cǎizhāi lai de. 例你看，这些水果可 ~ 啦，一定很好吃。Nǐ kàn, zhèixiē shuǐguǒ kě ~ la, yídìng hěn hǎochī. l 不太 ~ 的猪肉千万别买。Bú tài ~ de zhūròu qiānwàn bié mǎi. l 你喜欢喝 ~ 啤酒吗？Nǐ xǐhuan hē ~ píjiǔ ma? l 住在海边儿的人天天能吃到 ~ 鱼 ~ 虾什么的。Zhù zài hǎi biānr de rén tiāntiān néng chīdào ~ yú ~ xiā shénmede.

xiān 鲜[2]（鲜）［形］

这鱼汤很 ~，真好喝。Zhè yútāng hěn ~, zhēn hǎohē. →这鱼汤味儿很美。Zhè yútāng wèir hěn měi. 例这道菜又 ~ 又香，好吃极了。Zhèi dào cài yòu ~ yòu xiāng, hǎochī jí le. l 我喜欢喝这种汤，味道 ~ 得很。Wǒ xǐhuan hē zhèi zhǒng tāng, wèidao ~ de hěn. l 你尝尝，这味道真够 ~ 的。Nǐ chángchang, zhè wèidao zhēn gòu ~ de.

xiānhuā 鲜花（鲜花）［名］

一束 ~ 送给你，祝你生日快乐。Yí shù ~ sòng gěi nǐ, zhù nǐ shēngri kuàilè. →新鲜的花儿是送给你的生日礼物。Xīnxian de huār shì sòng gěi nǐ de shēngri lǐwù. 例春天，满园的 ~ 美极了。Chūntiān, mǎn yuán de ~ měijí le. l 花瓶里插着各种颜色的 ~。Huāpíng li chāzhe gè zhǒng yánsè de ~. l 小姑娘头上戴着 ~，显得更可爱了。Xiǎo gūniang tóu shang dàizhe ~, xiǎnde gèng kě'ài le. l 在这个城市，到处是 ~ 的香味儿。Zài zhèige chéngshì, dàochù shì ~ de xiāngwèir. l 这是刚采来的 ~，上面还有水珠呢。Zhè shì gāng cǎi lai de ~, shàngmian hái hǒu shuǐzhū ne.

xiānyàn 鲜艳（鲜艳）［形］

这满树的花儿真 ~。Zhè mǎn shù de huār zhēn ~. →花儿的颜色又

明亮、又美丽，真好看。Huār de yánsè yòu míngliàng、yòu měilì, zhēn hǎokàn. 例她今天穿了一件又～又漂亮的衣服。Tā jīntiān chuānle yí jiàn yòu～yòu piàoliang de yīfu. |春天，到处是～的花儿。Chūntiān, dàochù shì～de huār. |节日的夜晚，满街都是色彩～的灯。Jiérì de yèwǎn, mǎn jiē dōu shì sècǎi～de dēng. |晚会上，她打扮得那么～。Wǎnhuì shang, tā dǎban de nàme～. |这块布，我觉得太～了。Zhèi kuài bù, wǒ juéde tài～le.

xián 闲(閑) [动]

妈妈对孩子说：“别～着，快来帮我做点儿事。”Māma duì háizi shuō: "Bié～zhe, kuài lái bāng wǒ zuò diǎnr shì.". →妈妈说：“别在那里什么也不做。”Māma shuō: "Bié zài nàli shénme yě bú zuò." 例他总是那么忙，从不～着。Tā zǒngshì nàme máng, cóng bù～zhe. |忙了一段时间，现在可以～下来休息休息了。Mángle yí duàn shíjiān, xiànzài kěyǐ～xialai xiūxi xiūxi le. |～了一个月了，真想找点儿事做。～le yí ge yuè le, zhēn xiǎng zhǎo diǎnr shì zuò. |最近很少有～的时候，实在太累了。Zuìjìn hěn shǎo yǒu～de shíhou, shízài tài lèi le.

xián 咸(鹹) [形]

汤太～了，加点儿水就好了。Tāng tài～le, jiā diǎnr shuǐ jiù hǎo le. →汤里放的盐太多了，盐味儿很浓，加点儿水，盐味儿就可以淡一些了。Tāng li fàng de yán tài duō le, yán wèir hěn nóng, jiā diǎnr shuǐ, yán wèir jiù kěyǐ dàn yìxiē le. 例这菜不～，快放点儿盐吧。Zhè cài bù～, kuài fàng diǎnr yán ba. |这道菜又～、又酸、又甜，不太好吃。Zhèi dào cài yòu～、yòu suān、yòu tián, bú tài hǎochī. |这个食品店有各种口味的饼干，有甜味儿的，也有～味儿的。Zhèige shípǐndiàn yǒu gè zhǒng kǒuwèi de bǐnggān, yǒu tiánwèir de, yě yǒu～wèir de.

xiǎnde 显得(顯得) [动]

今天是他的生日，他～特别高兴。Jīntiān shì tā de shēngri, tā～tèbié gāoxìng. →他生日这天，人们可以看出来他非常高兴。Tā shēngri zhè tiān, rénmen kěyǐ kàn chulai tā fēicháng gāoxìng. 例他今天又说又笑，～很兴奋。Tā jīntiān yòu shuō yòu xiào, ～hěn xīngfèn. |他～很着急，不知遇到什么麻烦事了。Tā～hěn zháojí, bù zhī yùdào shénme máfan shì le. |也许因为窗户太小了，这个房

间～有点儿暗。Yěxǔ yīnwèi chuānghu tài xiǎo le, zhèige fángjiān ～ yǒudiǎnr àn. |周围都是小树，这棵大树更～高大了。Zhōuwéi dōu shì xiǎoshù, zhèi kē dà shù gèng ～ gāodà le.

xiǎnrán 显然（顯然）[形]

窗户非常干净，～有人擦过了。Chuānghu fēicháng gānjìng, ～ yǒu rén cāguo le. →窗户上的玻璃非常干净，很容易看得出来已经有人擦过了。Chuānghu shang de bōli fēicháng gānjìng, hěn róngyì kàn de chūlái yǐjing yǒu rén cāguo le. 例还有五分钟就上课了，他还没起床呢，～要迟到了。Hái yǒu wǔ fēnzhōng jiù shàngkè le, tā hái méi qǐchuáng ne, ～ yào chídào le. |他的房间总是干干净净的，～他是一个爱清洁的人。Tā de fángjiān zǒng shì gāngānjìngjìng de, ～ tā shì yí ge ài qīngjié de rén. |你的手表不走了，～是坏了。Nǐ de shǒubiǎo bù zǒu le, ～ shì huài le. |这道题的答案～错了，快改过来吧。Zhèi dào tí de dá'àn ～ cuò le, kuài gǎi guolai ba.

xiǎnzhù 显著（顯著）[形]

这份报纸的特点很～。Zhèi fèn bàozhǐ de tèdiǎn hěn ～. →这份报纸的特点极明显。Zhèi fèn bàozhǐ de tèdiǎn jí míngxiǎn. 例这种药治疗胃病效果十分～。Zhèi zhǒng yào zhìliáo wèibìng xiàoguǒ shífēn ～. |这一年我们的工作取得了～的成绩。Zhèi yì nián wǒmen de gōngzuò qǔdéle ～ de chéngjì. |由于大家共同努力，这里的环境得到了～的改善。Yóuyú dàjiā gòngtóng nǔlì, zhèlǐ de huánjìng dédàole ～ de gǎishàn. |到中国学习汉语刚半年，她的汉语水平就有了～提高。Dào Zhōngguó xuéxí Hànyǔ gāng bànnián, tā de Hànyǔ shuǐpíng jiù yǒule ～ tígāo.

xiàn 县（縣）[名]

延庆是北京郊区的一个～。Yánqìng shì Běijīng jiāoqū de yí ge ～. →延庆在北京的郊区，由北京市政府领导。Yánqìng zài Běijīng de jiāoqū, yóu Běijīng Shì zhèngfǔ lǐngdǎo. 例我们～近几年发展很快。Wǒmen ～ jìn jǐ nián fāzhǎn hěn kuài. |我的家乡在广东省梅～。Wǒ de jiāxiāng zài Guǎngdōng Shěng Méi ～. |这个～的人口有八十多万。Zhèige ～ de rénkǒu yǒu bāshí duō wàn. |我们俩是同一个～的。Wǒmen liǎ shì tóng yí ge ～ de.

xiàndài 现代（現代）[名]

modern times 例历史已经进入了～社会。Lìshǐ yǐjing jìnrùle ～ shèhuì. |

X

电视是 ~ 人们生活中不可缺少的东西。Diànshì shì ~ rénmen shēnghuó zhōng bùkě quēshǎo de dōngxi. | ~人的生活比过去丰富多了。~ rén de shēnghuó bǐ guòqù fēngfù duō le. | 在 ~，电子计算机成为人们工作和生活中最好的工具。Zài ~, diànzǐ jìsuànjī chéngwéi rénmen gōngzuò hé shēnghuó zhōng zuì hǎo de gōngjù.

xiàndàihuà 现代化¹（現代化）[动]

mondernize 工业和农业都要 ~ 。Gōngyè hé nóngyè dōu yào ~ . | 这个厂的生产过程已经 ~ 了。Zhèige chǎng de shēngchǎn guòchéng yǐjīng ~ le. | 他家早就 ~ 了，什么电器都有，用起来可方便了。Tā jiā zǎo jiù ~ le, shénme diànqì dōu yǒu, yòng qilai kě fāngbiàn le. | ~的管理制度已经在大多数企业中建立起来。~ de guǎnlǐ zhìdù yǐjīng zài dàduōshù qǐyè zhōng jiànlì qilai.

xiàndàihuà 现代化²（現代化）[名]

modernization 例实现四个 ~ 是现在中国人奋斗的目标。Shíxiàn sì ge ~ shì xiànzài Zhōngguórén fèndòu de mùbiāo. | 科学技术达到 ~ 最重要的。Kēxué jìshù dádào ~ shì zuì zhòngyào de. | 经过十几年的努力，这个地方很快变成了一座 ~ 的城市。Jīngguò shíjǐ nián de nǔlì, zhèige dìfang hěn kuài biànchéngle yí zuò ~ de chéngshì. | ~要靠我们的努力工作才能实现。~ yào kào wǒmen de nǔlì gōngzuò cái néng shíxiàn.

xiànshí 现实（現實）[名]

从小我就想要做一名教师，现在变成了 ~ 。Cóngxiǎo wǒ jiù xiǎng yào zuò yì míng jiàoshī, xiànzài biànchéngle ~ . →我从小就想做一名教师，现在的事实是我真的做了教师。Wǒ cóngxiǎo jiù xiǎng zuò yì míng jiàoshī, xiànzài de shìshí shì wǒ zhēn de zuòle jiàoshī. 例这个计划脱离 ~ ，需要改一改。Zhèige jìhuà tuōlí ~ , xūyào gǎi yi gǎi. | ~就是这样的，我们只能承认它。~ jiùshì zhèiyàng de, wǒmen zhǐ néng chéngrèn tā. | 你还是回到 ~ 中来，实实在在地干事业吧。Nǐ háishi huídào ~ zhōng lai, shíshízàizài de gàn shìyè ba. | 摆在面前的 ~ 困难，我怎么去解决呢？Bǎi zài miànqián de ~ kùnnan, wǒ zěnme qù jiějué ne?

xiànxiàng 现象（現象）[名]

一年分四季是一种自然 ~ 。Yì nián fēn sìjì shì yì zhǒng zìrán ~ . →春夏秋冬四季是人们能看到的一种自然变化。Chūn xià qiū dōng sìjì shì rénmen néng kàndào de yì zhǒng zìrán biànhuà. **例** 上课乱说话是不好的 ~ 。Shàngkè luàn shuōhuà shì bù hǎo de ~ . ｜最近，公司里出现了许多好 ~ 。Zuìjìn, gōngsī li chūxiànle xǔduō hǎo ~ . ｜迟到的 ~ 以后不要再发生了。Chídào de ~ yǐhòu búyào zài fāshēng le. ｜这种浪费 ~ ，还没有引起人们的注意。Zhèi zhǒng làngfèi ~ , hái méiyǒu yǐnqǐ rénmen de zhùyì.

xiànzài 现在[1]（现在）[名]

~ 十点了，我们就谈到这儿吧。~ shí diǎn le, wǒmen jiù tándào zhèr ba. →这个时候是十点，我们的谈话该结束了。Zhèige shíhou shì shí diǎn, wǒmen de tánhuà gāi jiéshù le. **例** ~ 的时间是七点三十分，我们该走了。~ de shíjiān shì qī diǎn sānshí fēn, wǒmen gāi zǒu le. ｜我 ~ 正在读书，请不要打扰我。Wǒ ~ zhèngzài dúshū, qǐng búyào dǎrǎo wǒ. ｜~ 你在干什么？请马上下来好吗？~ nǐ zài gàn shénme? Qǐng mǎshàng xiàlai hǎo ma? ｜~ 到了吃午饭的时间了。~ dàole chī wǔfàn de shíjiān le. ｜他早上就出去了，到 ~ 还没回来呢。Tā zǎoshang jiù chūqu le, dào ~ hái méi huílai ne.

xiànzài 现在[2]（现在）[名]

我 ~ 正准备考试呢。Wǒ ~ zhèng zhǔnbèi kǎoshì ne. →我这段时间在为下星期的考试作准备。Wǒ zhèi duàn shíjiān zài wèi xià xīngqī de kǎoshì zuò zhǔnbèi. **例** 我 ~ 正在学汉语，明年回国。Wǒ ~ zhèngzài xué Hànyǔ, míngnián huíguó. ｜~ 是一年中最热的季节。~ shì yì nián zhōng zuì rè de jìjié. 他不光了解中国的 ~ ，也了解中国的历史。Tā bùguāng liǎojiě Zhōngguó de ~ , yě liǎojiě Zhōngguó de lìshǐ. ｜多年不见，你 ~ 怎么样？Duō nián bújiàn, nǐ ~ zěnmeyàng? ｜去年我找到了一份很好的工作，~ 生活非常好。Qùnián wǒ zhǎodàole yí fèn hěn hǎo de gōngzuò, ~ shēnghuó fēicháng hǎo.

xiànzhì 限制 [动]

考试时间 ~ 在两小时之内。Kǎoshì shíjiān ~ zài liǎng xiǎoshí zhīnèi. →按规定，考试时间从八点开始，十点结束，不能超过两个小时。Àn guīdìng, kǎoshì shíjiān cóng bā diǎn kāishǐ, shí diǎn jiéshù, bù néng chāoguò liǎng ge xiǎoshí. **例** 开会 ~ 时间，两个小时内结束。Kāihuì ~ shíjiān, liǎng ge xiǎoshí nèi jiéshù. ｜各班人数应 ~ 在二十人以内。Gè bān rénshù yīng ~ zài èrshí rén yǐnèi. ｜因为他刚开始学习汉语，所以用汉语与别人谈话时受到了 ~ 。Yīnwèi tā gāng kāishǐ

xuéxí Hànyǔ, suǒyǐ yòng Hànyǔ yǔ biéren tánhuà shí shòudàole
~ . |他的病还没好，应当 ~ 他活动。Tā de bìng hái méi hǎo,
yīngdāng ~ tā huódòng.

xiàn 线（綫）[名]

thread **例** 这根 ~ 太细了，换一根粗点儿的吧。Zhèi gēn ~ tài xì le,
huàn yì gēn cū diǎnr de ba. | ~ 松了，衣服上的扣子要掉下来了。
~ sōng le, yīfu shang de kòuzi yào diào xialai le. |快一点儿拿 ~ 来，
我马上要用。Kuài yìdiǎnr ná ~ lai, wǒ màshàng yào yòng. |做这件
衣服要用红 ~ 才行。Zuò zhèi jiàn yīfu yào yòng hóng ~ cái xíng. |这
些 ~ 的颜色太深了，我想要颜色浅一点儿的。Zhèixiē ~ de yánsè tài
shēn le, wǒ xiǎng yào yánsè qiǎn yìdiǎnr de.

xiànmù 羡慕 [动]

在比赛中，他得了第一，我真 ~ 他。Zài bǐsài zhōng, tā déle dì yī,
wǒ zhēn ~ tā. →看到他在比赛中获得胜利，我真希望自己也能像
他那样。Kàndào tā zài bǐsài zhōng huòdé shènglì, wǒ zhēn xīwàng
zìjǐ yě néng xiàng tā nèiyàng. **例** 她有一个幸福的家庭，我真 ~ 她。
Tā yǒu yí ge xìngfú de jiātíng, wǒ zhēn ~ tā. |他刚买了一辆漂亮的
车，大家都很 ~ 。Tā gāng mǎile yí liàng piàoliang de chē, dàjiā dōu
hěn ~ . |朋友们都 ~ 他有一位好妻子。Péngyoumen dōu ~ tā yǒu yí
wèi hǎo qīzi. |他会好几种外语，多么让人 ~ 啊！Tā huì hǎojǐ zhǒng
wàiyǔ, duōme ràng rén ~ a! |看了比尔的开车技术，我 ~ 得不得
了。Kànle Bǐ'ěr de kāi chē jìshù, wǒ ~ de bùdéliǎo.

xiàn 献（獻）[动]

演出结束，观众向演员 ~ 上了鲜花。Yǎnchū jiéshù, guānzhòng
xiàng yǎnyuán ~ shangle xiānhuā. →观众的代表很有礼貌地向演员
送上鲜花。Guānzhòng de dàibiǎo hěn yǒu lǐmào de xiàng yǎnyuán
sòngshang xiānhuā. **例** 宴会上，主人向客人 ~ 上一杯酒。Yànhuì
shang, zhǔrén xiàng kèren ~ shang yì bēi jiǔ. |每到元旦，学生们总
是把最美好的礼物 ~ 给老师。Měi dào Yuándàn, xuéshengmen
zǒngshì bǎ zuì měihǎo de lǐwù ~ gěi lǎoshī. |母亲节，孩子们为妈妈
~ 上一首歌，祝妈妈节日快乐。Mǔqīnjié, háizimen wèi māma ~
shang yì shǒu gē, zhù māma jiérì kuàilè. |他曾 ~ 过三次血，对身体
没什么影响。Tā céng ~ guo sān cì xiě, duì shēntǐ méi shénme
yǐngxiǎng. |为了帮助没有钱的人读书，他把自己的书 ~ 了出来。
Wèile bāngzhù méiyǒu qián de rén dúshū, tā bǎ zìjǐ de shū ~ le
chulai.

xiang

xiāngxià 乡下（鄉下）[名]

我家在～，我天天在田里劳动。Wǒ jiā zài ～, wǒ tiāntiān zài tián li láodòng. →我是农民，我家住在农村。Wǒ shì nóngmín, wǒ jiā zhù zài nóngcūn. 例昨天我去～了，我的祖母住在那儿。Zuótiān wǒ qù ～ le, wǒ de zǔmǔ zhù zài nàr. | 与城市相比，我更喜欢～。Yǔ chéngshì xiāng bǐ, wǒ gèng xǐhuan ～. | 我们～有山有水，到处是一片绿色。Wǒmen ～ yǒu shān yǒu shuǐ, dàochù shì yí piàn lǜsè. | ～的风景美极了，我真不愿意离开那里。～ de fēngjǐng měijí le, wǒ zhēn bú yuànyì líkāi nàli. | 在～生活，你会感到比城市生活更美更好。Zài ～ shēnghuó, nǐ huì gǎndào bǐ chéngshì shēnghuó gèng měi gèng hǎo.

xiāng 相 [副]

我俩～爱已经三年了。Wǒ liǎ ～ ài yǐjing sān nián le. →我们俩，他爱我，我爱他，已经有三年了。Wǒmen liǎ, tā ài wǒ, wǒ ài tā, yǐjing yǒu sān nián le. 例他们～约，秋天一起去香港旅游。Tāmen ～ yuē, qiūtiān yìqǐ qù Xiānggǎng lǚyóu. | 我们的校门正与大商场～对。Wǒmen de xiàomén zhèng yǔ dà shāngchǎng ～ duì. | 我们俩年龄～近。Wǒmen liǎ niánlíng ～ jìn. | 现在大家都回到各地，希望我们明年再～会。Xiànzài dàjiā dōu huídào gèdì, xīwàng wǒmen míngnián zài ～ huì. | 你现在就走? 我们～见的日子太少了。Nǐ xiànzài jiù zǒu? Wǒmen ～ jiàn de rìzi tài shǎo le.

xiāngdāng 相当¹（相當）[形]

他用了一个～的词儿来表达他感谢的意思。Tā yòngle yí ge ～ de círlái biǎodá tā gǎnxiè de yìsi. →他用了一个最合适的词儿来表达感谢的意思。Tā yòngle yí ge zuì héshì de círlái biǎodá gǎnxiè de yìsi. 例他想找一个～的工作，可到现在还没找到。Tā xiǎng zhǎo yí ge ～ de gōngzuò, kě dào xiànzài hái méi zhǎodào. | 由他来做节目主持人是最～的。Yóu tā lái zuò jiémù zhǔchírén shì zuì ～ de. | 我们可以找一个～的时间来谈谈。Wǒmen kěyǐ zhǎo yí ge ～ de shíjiān lái tántan. | 他总是能用一个～的办法来解决难题。Tā zǒng shì néng yòng yí ge ～ de bànfǎ lái jiějué nántí.

xiāngdāng 相当² （相當）[副]

这部电影～好看。Zhèi bù diànyǐng ～ hǎokàn. →这部电影很不错，非常好看。Zhèi bù diànyǐng hěn búcuò, fēicháng hǎokàn. 例这个菜～好吃。Zhèige cài ～ hǎochī. | 这个问题～容易，不用想就能答出来。Zhèige wèntí ～ róngyì, búyòng xiǎng jiù néng dá chulai. | 她长得～漂亮，谁见了都会喜欢她。Tā zhǎng de ～ piàoliang, shéi jiànle dōu huì xǐhuan tā. | 这件衣服～不错，你就买了吧。Zhèi jiàn yīfu ～ búcuò, nǐ jiù mǎile ba. | 今天感到～累，幸好明天是星期日。Jīntiān gǎndào ～ lèi, xìnghǎo míngtiān shì Xīngqīrì.

xiāngfǎn 相反 [形]

你认为这篇文章好，我和你的看法正～。Nǐ rènwéi zhèi piān wénzhāng hǎo, wǒ hé nǐ de kànfǎ zhèng ～. →我的看法是，这篇文章不好。Wǒ de kànfǎ shì, zhèi piān wénzhāng bù hǎo. 例我对这人的印象和你的～。Wǒ duì zhè rén de yìnxiàng hé nǐ de ～. | 红车向东，白车向西，两辆车的方向是～的。Hóng chē xiàng dōng, bái chē xiàng xī, liǎng liàng chē de fāngxiàng shì ～ de. | 对于这个问题，我听到了两种完全～的意见。Duìyú zhèige wèntí, wǒ tīngdàole liǎng zhǒng wánquán ～ de yìjiàn. | 这样做是不是会起到～的作用呢? Zhèiyàng zuò shì bu shì huì qǐdào ～ de zuòyòng ne?

xiānghù 相互 [副]

大卫和他的中国朋友经常在一起～学习外语。Dàwèi hé tā de Zhōngguó péngyou jīngcháng zài yìqǐ ～ xuéxí wàiyǔ. →大卫教中国朋友英语，中国朋友教他汉语。Dàwèi jiāo Zhōngguó péngyou Yīngyǔ, Zhōngguó péngyou jiāo tā Hànyǔ. 例他俩～帮助，汉语水平都提高得很快。Tā liǎ ～ bāngzhù, Hànyǔ shuǐpíng dōu tígāo de hěn kuài. | 不必介绍了，我们俩早就～认识了。Búbì jièshào le, wǒmen liǎ zǎo jiù ～ rènshi le. | 他们俩不但～了解，而且～理解，一定会成为好朋友的。Tāmen liǎ búdàn ～ liǎojiě, érqiě ～ lǐjiě, yídìng huì chéngwéi hǎo péngyou de. | 我们两人原来～不认识，上个月才第一次见面。Wǒmen liǎng rén yuánlái ～ bú rènshi, shàng ge yuè cái dì yī cì jiànmiàn.

X

xiāngsì 相似 [形]

这两种颜色很～。Zhèi liǎng zhǒng yánsè hěn ～. →这两种颜色差不多，它们的区别不明显。Zhèi liǎng zhǒng yánsè chàbuduō, tāmen de qūbié bù míngxiǎn. **例**这把椅子和那把椅子的形状有些 ~。Zhèi bǎ yǐzi hé nèi bǎ yǐzi de xíngzhuàng yǒuxiē ~. | 他说 "四" 和 "十" 时，发音很 ~，常常让别人听错。Tā shuō "sì" hé "shí" shí, fā yīn hěn ~, chángcháng ràng biéren tīngcuò. | 哥哥和弟弟有 ~ 的爱好，都喜欢打球。Gēge hé dìdi yǒu ~ de àihào, dōu xǐhuan dǎ qiú. | 他和他的爸爸长得十分 ~。Tā hé tā de bàba zhǎng de shífēn ~.

xiāngtóng 相同 [形]

我们俩年龄 ~。Wǒmen liǎ niánlíng ~. →他 18 岁，我也 18 岁。Tā shíbā suì, wǒ yě shíbā suì. **例**这个班和那个班的人数儿 ~，都是 20 人。Zhèige bān hé nèige bān de rénshùr ~, dōu shì èrshí rén. | 这两个词的意思是 ~ 的，都表示 "好" 的意思。Zhèi liǎng ge cí de yìsi shì ~ de, dōu biǎoshì "hǎo" de yìsi. | ~ 的性格和爱好使她们成了好朋友。~ de xìnggé hé àihào shǐ tāmen chéngle hǎo péngyou. | 对于这部电影，我和他有 ~ 的看法。Duìyú zhèi bù diànyǐng, wǒ hé tā yǒu ~ de kànfǎ. | 兄弟俩虽然长得很像，但性格却很不 ~。Xiōngdì liǎ suīrán zhǎng de hěn xiàng, dàn xìnggé què hěn bù ~.

xiāngxìn 相信 [动]

我们 ~ 他的话是对的。Wǒmen ~ tā de huà shì duì de. →我们认为他的话有道理，是真的，是可靠的。Wǒmen rènwéi tā de huà yǒu dàoli, shì zhēn de, shì kěkào de. **例**我们应该 ~ 自己能做好这个实验。Wǒmen yīnggāi ~ zìjǐ néng zuòhǎo zhèige shíyàn. | 我 ~ 了他的话，我想他不会骗人的。Wǒ ~ le tā de huà, wǒ xiǎng tā bú huì piàn rén de. | 你 ~ 问题会得到解决吗？Nǐ ~ wèntí huì dédào jiějué ma? | 他不 ~ 我能成功，我一定要让他知道我行。Tā bù ~ wǒ néng chénggōng, wǒ yídìng yào ràng tā zhīdao wǒ xíng.

xiāng 香¹ [形]

这种花儿很 ~。Zhèi zhǒng huār hěn ~. →这花儿的味儿非常好闻。Zhè huār de wèir fēicháng hǎowén. **例**这香水儿 ~ 极了。Zhè xiāngshuǐr ~ jí le. **例**走进花园，到处都那么 ~。Zǒujìn huāyuán, dàochù dōu nàme ~. | 这么 ~ 的瓜，吃起来一定味道不错。Zhème ~ de guā, chī qilai yídìng wèidao búcuò. | 这 ~ ~ 的领带一定是洒上香水儿了。Zhè ~ ~ de lǐngdài yídìng shì sǎshang xiāngshuǐr le. | 她脸上抹得这么 ~，你闻到了没有？Tā liǎn shang mǒ de zhème ~, nǐ wéndàole méiyǒu?

xiāngjiāo 香蕉 [名]

例 ~是我最喜欢吃的水果。~ shì wǒ zuì xǐhuan chī de shuǐguǒ. | ~生长在比较热的地区。~ shēngzhǎng zài bǐjiào rè de dìqū. | 我想买这把儿 ~，多少钱? Wǒ xiǎng mǎi zhèi bǎr ~, duōshao qián? | 联欢会上，大家一边唱歌儿，一边吃着 ~、橘子和糖果。Liánhuānhuì shang, dàjiā yìbiān chànggēr, yìbiān chīzhe ~、júzi hé tángguǒ. | 这里 ~ 的价格很贵。Zhèlǐ ~ de jiàgé hěn guì. | 这 ~ 的味道真不错，又甜又香。Zhè ~ de wèidao zhēn búcuò, yòu tián yòu xiāng.

香蕉

xiāngshuǐ 香水 [名]

perfume 例 法国的 ~儿 全世界有名。Fǎguó de ~ r quán shìjiè yǒumíng. | 这种 ~儿 特别好闻。Zhèi zhǒng ~ r tèbié hǎowén. | 这是一种非常贵的 ~儿，你想买吗? Zhè shì yì zhǒng fēicháng guì de ~ r, nǐ xiǎng mǎi ma? | 她身上的 ~儿味儿很浓。Tā shēnshang de ~ r wèir hěn nóng. | 你闻一闻，房间里是不是洒了 ~儿 啦? Nǐ wén yi wén, fángjiān li shì bu shì sǎle ~ r la? | 各种形状的 ~儿 瓶多好看啊。Gè zhǒng xíngzhuàng de ~ r píng duō hǎokàn a.

xiāngyān 香烟 [名]

例 ~是一种对人的身体很有害处的东西，许多人却离不了它。~ shì yì zhǒng duì rén de shēntǐ hěn yǒu hàichu de dōngxi, xǔduō rén què lí bu liǎo tā. | 他从来不抽 ~，也不喜欢别人抽烟。Tā cónglái bù chōu ~, yě bù xǐhuan biéren chōuyān. | 我这儿有好 ~，抽一支吧。Wǒ zhèr yǒu hǎo ~, chōu yì zhī ba. | 先生，买 ~ 吗? Xiānsheng, mǎi ~ ma? | 这个商店里 ~ 的种类很多。Zhèige shāngdiàn li ~ de zhǒnglèi hěn duō.

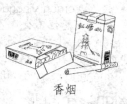
香烟

xiāngzào 香皂 [名]

~是人们用来洗脸的。~ shì rénmen yònglái xǐ liǎn de. → 人们洗脸时用它可以洗得更干净，而且闻起来很香。Rénmen xǐ liǎn shí yòng tā kěyǐ xǐ de gèng gānjìng, érqiě wén qilai hěn xiāng. 例 这种 ~ 既能

保护皮肤，又有杀死细菌的作用。Zhèi zhǒng ~ jì néng bǎohù pífū, yòu yǒu shāsǐ xìjūn de zuòyòng. | 请你帮我买一块儿 ~ 好吗？我想要好一点儿的。Qǐng nǐ bāng wǒ mǎi yí kuàir ~ hǎo ma? Wǒ xiǎng yào hǎo yìdiǎnr de. | ~ 盒就放在盆的旁边，你用吧。~ hé jiù fàng zài pén de pángbiān, nǐ yòng ba. | 这 ~ 的质量真不错。Zhè ~ de zhìliàng zhēn búcuò.

xiāng 香² ［形］

这是我第一次吃饺子，真 ~ 。Zhè shì wǒ dì yī cì chī jiǎozi, zhēn ~ . → 饺子吃起来味道特别好。Jiǎozi chī qilai wèidao tèbié hǎo. 例你尝尝，这菜的味道 ~ 极了。Nǐ chángchang, zhè cài de wèidao ~ jí le. | 他一边吃一边说："这么 ~ 的面条儿，是谁做的啊？" Tā yìbiān chī yìbiān shuō: "Zhème ~ de miàntiáor, shì shéi zuò de a?" | 看，他俩吃得多 ~ 啊！Kàn, tā liǎ chī de duō ~ a! | 我非常喜欢吃中餐，觉得 ~ 着呢。Wǒ fēicháng xǐhuan chī zhōngcān, juéde ~ zhene.

xiāngcháng 香肠（香腸）［名］

sausage 例这种 ~ 儿非常好吃，你也一定喜欢吃。Zhèi zhǒng ~ r fēicháng hǎochī, nǐ yě yídìng xǐhuan chī. | "热狗" 就是面包里面夹一根 ~ 儿。"Règǒu" jiùshì miànbāo lǐmian jiā yì gēn ~ r. | 我的早餐常常是一片面包、一根 ~ 儿和一杯牛奶。Wǒ de zǎocān chángcháng shì yí piànr miànbāo、yì gēn ~ r hé yì bēi niúnǎi. | 这种 ~ 儿的味道很好。Zhèi zhǒng ~ r de wèidao hěn hǎo. | 这里 ~ 儿的种类真多，我都不知道买哪一种了。Zhèlǐ ~ r de zhǒnglèi zhēn duō, wǒ dōu bù zhīdào mǎi něi yì zhǒng le.

xiāng 香³ ［形］

我生病了，吃什么都不 ~ 。Wǒ shēngbìng le, chī shénme dōu bù ~ . → 生病时，什么东西都不想吃。Shēngbìng shí, shénme dōngxi dōu bù xiǎng chī. 例他身体好，吃起饭来总是那么 ~ 。Tā shēntǐ hǎo, chī qi fàn lai zǒng shì nàme ~ . | 这两天，他不高兴，所以吃饭也不 ~ 。Zhèi liǎng tiān, tā bù gāoxìng, suǒyǐ chīfàn yě bù ~ . | 打完球回来，吃什么都觉得 ~ 。Dǎwán qiú huílai, chī shénme dōu juéde ~ . | 饿了大半天，吃东西可 ~ 了。Èle dàbàntiān, chī dōngxi kě ~ le.

xiāng 香⁴ ［形］

我昨天夜里睡得很 ~ ，一觉睡到天亮。Wǒ zuótiān yèli shuì de hěn ~ , yí jiào shuì dào tiān liàng. → 昨天夜里我睡觉睡得很好，一夜都没有醒。Zuótiān yèli wǒ shuìjiào shuì de hěn hǎo, yí yè dōu méiyǒu xǐng. **例**看她睡得多～啊，一定是白天玩儿累了。Kàn tā shuì de duō ～ a, yídìng shì báitiān wánrlèi le. | 我最不喜欢睡得正～时，被人叫醒。Wǒ zuì bù xǐhuan shuì de zhèng ～ shí, bèi rén jiàoxǐng. | 他睡觉总是那么～，从不做梦。Tā shuìjiào zǒngshì nàme ～, cóng bú zuòmèng. | 我真羡慕他睡觉这么～，打雷都听不见。Wǒ zhēn xiànmù tā shuìjiào zhème ～, dǎléi dōu tīng bu jiàn.

xiāngzi 箱子 [名]

例这～是用牛皮做的。Zhè ～ shì yòng niúpí zuò de. | 这个～太重了，幸亏可以拉着走。Zhèige ～ tài zhòng le, xìngkuī kěyǐ lāzhe zǒu. | ～里面装了各式各样的衣服。～ lǐmian zhuāngle gèshì gèyàng de yīfu. | 我提这个大～，你提那个小的。Wǒ tí zhèige dà ～, nǐ tí nèige xiǎo de. | 这～的主人是谁？请告诉他快拿走。Zhè ～ de zhǔrén shì shéi? Qǐng gàosu tā kuài názǒu. | 我把装书的～带来了，你需要什么书就选吧。Wǒ bǎ zhuāng shū de ～ dài lai le, nǐ xūyào shénme shū jiù xuǎn ba.

箱子

xiángxì 详细（詳細）[形]

这份会议记录很～。Zhèi fèn huìyì jìlù hěn ～. →这份记录该记的都记下来了，内容很丰富。Zhèi fèn jìlù gāi jì de dōu jì xialai le, nèiróng hěn fēngfù. **例**产品说明的内容十分～。Chǎnpǐn shuōmíng de nèiróng shífēn ～. | 这是试卷的～答案，你可以看看。Zhè shì shìjuàn de ～ dá'àn, nǐ kěyǐ kànkan. | 经理～介绍了公司发展的历史。Jīnglǐ ～ jièshàole gōngsī fāzhǎn de lìshǐ. | 老师把课文详详细细地讲了一遍。Lǎoshī bǎ kèwén xiángxiángxìxì de jiǎngle yí biàn. | 这件事情的经过应该写得再～一点儿。Zhèi jiàn shìqing de jīngguò yīnggāi xiě de zài ～ yìdiǎnr.

xiǎngshòu 享受[1] [动]

成绩好的学生可以～奖学金。Chéngjì hǎode xuésheng kěyǐ ～ jiǎngxuéjīn. →得到奖学金可以满足物质和精神的需要。Dédào jiǎngxuéjīn kěyǐ mǎnzú wùzhì hé jīngshén de xūyào. **例**我们应该～国家法律给我们的民主自由。Wǒmen yīnggāi ～ guójiā fǎlǜ gěi wǒmen de mínzhǔ zìyóu. | 这些财产够他们～一生的了。Zhèixiē cáichǎn gòu tāmen ～ yìshēng de le. | 父亲母亲辛苦了几十年，现在也该～了。Fùqin mǔqin xīnkǔle jǐshí nián, xiànzài yě gāi ～ ～ le. | 这位～

特别保护的病人可以出院了。Zhèi wèi ~ tèbié bǎohù de bìngrén kěyǐ chūyuàn le.

xiǎngshòu 享受² ［名］

来这儿旅游真是一种 ~ 。Lái zhèr lǚyóu zhēn shì yì zhǒng ~ . →在这里，有一种物质和精神上得到满足的感觉。Zài zhèlǐ, yǒu yì zhǒng wùzhì hé jīngshen shang dédào mǎnzú de gǎnjué. 例他更喜欢精神上的 ~ 。Tā gèng xǐhuan jīngshen shang de ~ . |这位同学总是吃苦在前，~ 在后，受到大家的尊敬。Zhèi wèi tóngxué zǒngshì chīkǔ zài qián, ~ zài hòu, shòudào dàjiā de zūnjìng. |听音乐对每个人来说都是一种艺术 ~ 。Tīng yīnyuè duì měi ge rén lái shuō dōu shì yì zhǒng yìshù ~ .

xiǎng 响¹ （響）［动］

闹钟 ~ 了，我该起床了。Nàozhōng ~ le, wǒ gāi qǐchuáng le. →闹钟发出声音，把我从梦中叫醒。Nàozhōng fāchū shēngyīn, bǎ wǒ cóng mèng zhōng jiàoxǐng. 例铃声 ~ 了，下课的时间到了。Língshēng ~ le, xiàkè de shíjiān dào le. |窗外 ~ 起了汽车喇叭声。Chuāng wài ~ qǐle qìchē lǎba shēng. |演出结束，台下的掌声 ~ 成一片。Yǎnchū jiéshù, táixià de zhǎngshēng ~ chéng yí piàn. |这鼓怎么敲不 ~ 啊？Zhè gǔ zěnme qiāo bu ~ a?

xiǎng 响² （響）［形］

外边声音太 ~ 了，你说什么我听不清。Wàibian shēngyīn tài ~ le, nǐ shuō shénme wǒ tīng bu qīng. →外边的声音太大了，使我不能听清你说的话。Wàibian de shēngyīn tài dà le, shǐ wǒ bù néng tīng qīng nǐ shuō de huà. 例雷声 ~ 极了，看来大雨马上就要来了。Léishēng ~ jí le, kànlái dàyǔ mǎshàng jiù yào lái le. |这门铃儿坏了，不那么 ~ 了。Zhè ménlíngr huài le, bú nàme ~ le. |汽车喇叭声 ~ 得很，我真有点儿不习惯。Qìchē lǎba shēng ~ de hěn, wǒ zhēn yǒudiǎnr bù xíguàn. |请不要敲得太 ~ ，别人正在休息呢。Qǐng búyào qiāo de tài ~ , biéren zhèngzài xiūxi ne.

xiǎngliàng 响亮（響亮）［形］

他唱歌儿非常 ~ 。Tā chànggēr fēicháng ~ . →他唱歌儿时的声音很大。Tā chànggēr shí de shēngyīn hěn dà. 例他讲话时，声音特别 ~ 。Tā jiǎnghuà shí, shēngyīn tèbié ~ . |他 ~ 的歌声打动了每一个人。Tā ~ de gēshēng dǎdòngle měi yí ge rén. |外边响起了 ~ 的雷

声。Wàibian xiǎngqǐle ~ de léishēng. | 她读文章读得 ~ 而且带感情。Tā dú wénzhāng dú de ~ érqiě dài gǎnqíng.

xiǎngshēng 响声（響聲）[名]

我听到了风吹树叶发出的 ~。Wǒ tīngdàole fēng chuī shùyè fāchū de ~. →风吹树叶，发出沙沙沙的声音。Fēng chuī shùyè, fāchū shā shā shā de shēngyīn. 例教室里非常安静，没有一点儿 ~。Jiàoshì li fēicháng ānjìng, méiyǒu yìdiǎnr ~. | 听到 ~，他打开门，原来客人来了。Tīngdào ~, tā dǎkai mén, yuánlái kèren lái le. | 外面的 ~ 太大，我都没有办法看书了。Wàimiàn de ~ tài dà, wǒ dōu méiyǒu bànfǎ kàn shū le. | 汽车的 ~ 使我不能睡觉。Qìchē de ~ shǐ wǒ bù néng shuìjiào.

xiǎng 想¹ [动]

他 ~ 出了一个解决问题的好方法。Tā ~ chūle yí ge jiějué wèntí de hǎo fāngfǎ. →他动了动脑子，找到了解决问题的好方法。Tā dòngle dòng nǎozi, zhǎodàole jiějué wèntí de hǎo fāngfǎ. 例我们好好儿 ~ 一 ~，一定有好办法的。Wǒmen hǎohāor ~ yì ~, yídìng yǒu hǎo bànfǎ de. | 他 ~ 着 ~ 着就睡着了。Tā ~ zhe ~ zhe jiù shuìzháo le. | 让我 ~ ~ 这些家具怎么摆。Ràng wǒ ~ ~ zhèixiē jiājù zěnme bǎi. | 关于这个问题，你 ~ 明白了吗？Guānyú zhèige wèntí, nǐ ~ míngbai le ma? | 这事儿，我 ~ 了好几天都没 ~ 好。Zhè shìr, wǒ ~ le hǎojǐ tiān dōu méi ~ hǎo.

xiǎngfa 想法 [名]

对于这件事，请说说你的 ~。Duìyú zhèi jiàn shì, qǐng shuōshuo nǐ de ~. →你想了半天想出什么结果来了，请说一说。Nǐ xiǎngle bàntiān xiǎngchū shénme jiéguǒ lai le, qǐng shuō yi shuō. 例你的讲话不会改变我的 ~。Nǐ de jiǎnghuà bú huì gǎibiàn wǒ de ~. | 这个 ~ 很好，我很同意。Zhèige ~ hěn hǎo, wǒ hěn tóngyì. | 我的 ~ 是先做后说。Wǒ de ~ shì xiān zuò hòu shuō. | 这是一个大胆的 ~，可以试一试。Zhè shì yí ge dàdǎn de ~, kěyǐ shì yi shì. | 他这个 ~ 的好处是大家容易接受。Tā zhèige ~ de hǎochu shì dàjiā róngyì jiēshòu.

xiǎngxiàng 想像 [动]

他 ~ 着和家人在一起过圣诞节的情形。Tā ~ zhe hé jiārén zài yìqǐ guò Shèngdànjié de qíngxing. →他脑子里出现了和家人一起过圣诞节的

情形。Tā nǎozi li chūxiànle hé jiārén yìqǐ guò Shèngdànjié de qíngxing. **例**他~着海边儿的夏天会是什么样子的。Tā ~ zhe hǎi biānr de xiàtiān huì shì shénme yàngzi de. | 我能~出来，回到自己的国家我会多么高兴。Wǒ néng ~ chulai, huídào zìjǐ de guójiā wǒ huì duōme gāoxing. | 我真~不到，小小年纪，能画出这么好的图画。Wǒ zhēn ~ bú dào, xiǎoxiǎo niánjì, néng huàchū zhème hǎo de túhuà. | 这是他~出来的故事，他真会~。Zhè shì tā ~ chulai de gùshi, tā zhēn huì ~.

xiǎng 想² [动]

我~你会来的。Wǒ ~ nǐ huì lái de. →你没告诉我你来不来，但我估计你会来的。Nǐ méi gàosu wǒ nǐ lái bu lái, dàn wǒ gūjì nǐ huì lái de. **例**这次比赛，我~我是能够成功的。Zhèi cì bǐsài, wǒ ~ wǒ shì nénggòu chénggōng de. | 我们今天就到北京来了，你没~到吧？Wǒmen jīntiān jiù dào Běijīng lái le, nǐ méi ~ dào ba? | 你~，十分钟能到电影院吗？Nǐ ~, shí fēnzhōng néng dào diànyǐngyuàn ma? | 我完全~错了，这事并不那么难办。Wǒ wánquán ~ cuò le, zhè shì bìng bú nàme nán bàn.

xiǎng 想³ [动]

圣诞节时，我非常~家。Shèngdànjié shí, wǒ fēicháng ~ jiā. →圣诞节那天，我特别希望见到家里的人，和他们一起过节。Shèngdànjié nà tiān, wǒ tèbié xīwàng jiàndào jiāli de rén, hé tāmen yìqǐ guòjié. **例**你这么长时间没回家，大家都很~你。Nǐ zhème cháng shíjiān méi huíjiā, dàjiā dōu hěn ~ nǐ. | 我~我妈妈了，因为已有好久没见到她了。Wǒ ~ wǒ māma le, yīnwèi yǐ yǒu hǎojiǔ méi jiàndào tā le. | 老母亲~你~得厉害，快回家看看她吧。Lǎo mǔqin ~ nǐ ~ de lìhai, kuài huíjiā kànkan tā ba. | 好多年没回家乡了，真是~得很啊！Hǎoduō nián méi huí jiāxiāng le, zhēn shì ~ de hěn a!

xiǎngniàn 想念 [动]

离开家已经一年多了，我非常~我的妈妈。Líkāi jiā yǐjing yì nián duō le, wǒ fēicháng ~ wǒ de māma. →已经一年多没回家了，很希望见到我的妈妈。Yǐjing yì nián duō méi huí jiā le, hěn xīwàng jiàndào wǒ de māma. **例**好久没见到我的老师了，我一直很~她。Hǎojiǔ méi jiàndào wǒ de lǎoshī le, wǒ yìzhí hěn ~ tā. | 朋友来信说很~我，让我非常感动。Péngyou láixìn shuō hěn ~ wǒ, ràng wǒ fēicháng gǎndòng. |在国外这么多年了，我最~的是我的母亲。Zài guówài zhème duō nián le, wǒ zuì ~ de shì wǒ de mǔqin. |来到这个小城才半年，他就~起家乡来了。Láidào zhèige xiǎo chéng cái bàn nián, tā jiù ~ qi jiāxiāng lai le.

xiǎng 想⁴ [动]

今年假期我 ~ 去旅游。Jīnnián jiàqī wǒ ~ qù lǚyóu. →我打算假期出去旅游。Wǒ dǎsuan jiàqī chūqu lǚyóu. 例明年我~用一年的时间学汉语。Míngnián wǒ ~ yòng yì nián de shíjiān xué Hànyǔ. |我~帮助你，你看我能做点儿什么呢? Wǒ ~ bāngzhù nǐ, nǐ kàn wǒ néng zuò diǎnr shénme ne? |姑娘们都爱打扮，谁不 ~ 漂亮呢? Gūniangmen dōu ài dǎban, shéi bù ~ piàoliang ne? |我很 ~ 到国外去学习。Wǒ hěn ~ dào guówài qù xuéxí. | ~ 买房子已经 ~ 了好几年了，现在终于实现了。~ mǎi fángzi yǐjing ~ le hǎojǐ nián le, xiànzài zhōngyú shíxiàn le.

xiàng 向¹ [动]

我每天早上 ~ 着东方做深呼吸运动。Wǒ měi tiān zǎoshang ~ zhe dōngfāng zuò shēn hūxī yùndòng. →我每天早上脸对着东方做深呼吸运动。Wǒ měi tiān zǎoshang liǎn duìzhe dōngfāng zuò shēn hūxī yùndòng. 例请你~着西面，我们做个游戏。Qǐng nǐ ~ zhe xīmian, wǒmen zuò ge yóuxì. |我进门时，只见她正 ~ 着我微笑。Wǒ jìnmén shí, zhǐ jiàn tā zhèng ~ zhe wǒ wēixiào. |他 ~ 着大家敬了一个礼，然后开始讲故事。Tā ~ zhe dàjiā jìngle yí ge lǐ, ránhòu kāishǐ jiǎng gùshi. |这间房子朝南， ~ 着太阳，冬天暖和，夏天凉快。Zhèi jiān fángzi cháo nán, ~ zhe tàiyáng, dōngtiān nuǎnhuo, xiàtiān liángkuai.

xiàng 向² [介]

请 ~ 前走，前面不远就是邮局了。Qǐng ~ qián zǒu, qiánmian bù yuǎn jiù shì yóujú le. →朝着前面的方向走就是邮局。Cháozhe qiánmian de fāngxiàng zǒu jiù shì yóujú. 例快上课了，他 ~ 教室跑去。Kuài shàngkè le, tā ~ jiàoshì pǎoqù. |火车是 ~ 西南方向开的。Huǒchē shì ~ xīnán fāngxiàng kāi de. |这条路通 ~ 房子后面的小山。Zhèi tiáo lù tōng ~ fángzi hòumian de xiǎoshān. |江水日夜不停地流 ~ 大海。Jiāngshuǐ rìyè bù tíng de liú ~ dàhǎi.

xiàng 向³ [介]

会上，我们 ~ 专家们提了一些问题。Huì shang, wǒmen ~

zhuānjiāmen tíle yìxiē wèntí. → 我们提了一些问题要专家回答。Wǒmen tíle yìxiē wèntí yào zhuānjiā huídá. 例下班后，我 ~ 经理谈了我的想法。Xiàbān hòu, wǒ ~ jīnglǐ tánle wǒ de xiǎngfa. | 我 ~ 他表示感谢，谢谢他对我的帮助。Wǒ ~ tā biǎoshì gǎnxiè, xièxie tā duì wǒ de bāngzhù. | 他 ~ 大卫借书，大卫愉快地答应了。Tā ~ Dàwèi jiè shū, Dàwèi yúkuài de dāying le. | 谁来问，你就 ~ 谁解释清楚。Shéi lái wèn, nǐ jiù ~ shéi jiěshì qīngchu.

xiàng 项（項）[量]

用于分项目的事物，如：文件、任务、措施、体育活动等。Yòngyú fēn xiàngmù de shìwù, rú: wénjiàn、rènwu、cuòshī、tǐyù huódòng děng. 例现在我有两 ~ 任务：读书和打球。Xiànzài wǒ yǒu liǎng ~ rènwu: dúshū hé dǎqiú. | 报名表上的每一 ~ 都要认真填写好。Bàomíngbiǎo shang de měi yí ~ dōu yào rènzhēn tiánxiě hǎo. | 他能做好这~ 工作。Tā néng zuò hǎo zhèi ~ gōngzuò. | 今年要买什么，先一 ~ 一 ~ 地写出来。Jīnnián yào mǎi shénme, xiān yí ~ yí ~ de xiě chulai. | 这两 ~ 收入有多少钱？Zhèi liǎng ~ shōurù yǒu duōshao qián?

xiàngmù 项目（項目）[名]

project 例这一科研 ~ 将在明年完成。Zhèi yì kēyán ~ jiāng zài míngnián wánchéng. | 这个 ~ 意义重大，将对农业产生很大影响。Zhèige ~ yìyì zhòngdà, jiāng duì nóngyè chǎnshēng hěn dà yǐngxiǎng. | 我们正在进行一个重大的 ~ 。Wǒmen zhèngzài jìnxíng yí ge zhòngdà de ~ . | 听说要取消这个 ~ ，为什么？Tīngshuō yào qǔxiāo zhèige ~ , wèishénme? | 他们制定了一个三年的 ~ 计划。Tāmen zhìdìngle yí ge sān nián de ~ jìhuà.

xiànglliàn 项链（項鏈）[名]

necklace 例这条 ~ 是用珍珠做的，真好看。Zhèi tiáo ~ shì yòng zhēnzhū zuò de, zhēn hǎokàn. | 明天要参加晚会，我选什么样儿的 ~ 好呢？Míngtiān yào cānjiā wǎnhuì, wǒ xuǎn shénmeyàngr de ~ hǎo ne? | 她戴上那条金 ~ ，显得更漂亮了。Tā dàishang nèi tiáo jīn ~ , xiǎnde gèng piàoliang le. | 这个商店里有各种样子的 ~ ，我们进去看看有没有我们喜欢的。Zhèige shāngdiàn li yǒu gè zhǒng yàngzi de ~ , wǒmen jìnqu kànkan yǒu méiyǒu wǒmen xǐhuan de.

xiàngpiānr 相片儿（相片兒）[名]

photo 例这张 ~ 是我和哥哥小时候照的。Zhèi zhāng ~ shì wǒ hé gēge xiǎoshíhou zhào de. | 这些 ~ 全是我在中国旅游时照的。Zhèixiē ~

quán shì wǒ zài Zhōngguó lǚyóu shí zhào de. | 这 ~ 上的古老建筑是在北京拍的。Zhè ~ shang de gǔlǎo jiànzhù shì zài Běijīng pāi de. | 我想要你照得最好的这张 ~ 可以吗？Wǒ xiǎng yào nǐ zhào de zuì hǎo de zhèi zhāng ~ kěyǐ ma? | 填好表儿后，请将您的 ~ 贴在表儿上。Tiánhǎo biǎor hòu, qǐng jiāng nín de ~ tiē zài biǎor shang. | ~ 的背面，写着照相的时间和地点。~ de bèimiàn, xiězhe zhàoxiàng de shíjiān hé dìdiǎn.

xiàng 象 [名]

例 ~ 是生长在陆地上最大的动物。~ shì shēngzhǎng zài lùdì shang zuì dà de dòngwù. | 夏天，~ 经常要洗澡。Xiàtiān, ~ jīngcháng yào xǐzǎo. | 动物园里有很多 ~. Dòngwùyuán li yǒu hěn duō ~. | 人们都喜欢长鼻子的大 ~. Rénmen dōu xǐhuan cháng bízi de dà ~. | ~ 的鼻子是 ~ 身上最灵活的部分。~ de bízi shì ~ shēnshang zuì línghuó de bùfen.

象

xiàng 像[1] [动]

他画的小鸟儿真 ~. Tā huà de xiǎoniǎor zhēn ~. → 他画出来的小鸟儿跟真的差不多。Tā huà chulai de xiǎoniǎor gēn zhēn de chàbuduō. 例 这种花很 ~ 桃花。Zhèi zhǒng huā hěn ~ táohuā. | 他这个动作 ~ 鸟儿飞。Tā zhèige dòngzuò ~ niǎor fēi. | 姑娘们真漂亮，个个都 ~ 花儿一样。Gūniangmen zhēn piàoliang, gègè dōu ~ huār yíyàng. | 他俩长得很 ~. Tā liǎ zhǎng de hěn ~. | 他学鸡叫学得可 ~ 啦。Tā xué jī jiào xué de kě ~ la.

xiàng 像[2] [动]

北京有许多旅游的好地方，~ 故宫、长城等。Běijīng yǒu xǔduō lǚyóu de hǎo dìfang, ~ Gùgōng, Chángchéng děng. → 北京有许多旅游的好地方，比如故宫、长城等。Běijīng yǒu xǔduō lǚyóu de hǎo dìfang, bǐrú Gùgōng, Chángchéng děng. 例 北京有许多著名的大学，~ 北京大学、清华大学等。Běijīng yǒu xǔduō zhùmíng de dàxué, ~ Běijīng Dàxué, Qīnghuá Dàxué děng. | 在这里，老年人的体育活动多种多样，~ 散步、游泳、爬山等。Zài zhèlǐ, lǎoniánrén de tǐyù huódòng duō zhǒng duō yàng, ~ sànbù, yóuyǒng, páshān děng. | 我喜欢读文学作品，~ 小说、诗歌等，

都是我爱读的。Wǒ xǐhuan dú wénxué zuòpǐn, ~ xiǎoshuō、shīgē děng, dōu shì wǒ ài dú de.

xiàng 像³ [名]

博物馆挂着孔夫子的 ~ 。Bówùguǎn guàzhe Kǒng Fūzǐ de ~ . →博物馆挂着画师画的孔夫子。Bówùguǎn guàzhe huàshī huà de Kǒng Fūzǐ. 例你爷爷的这幅 ~ 是谁画的？Nǐ yéye de zhèi fú ~ shì shéi huà de? | 你给我画一张 ~ 吧！Nǐ gěi wǒ huà yì zhāng ~ ba! | 艺术家为英雄们塑了 ~ 。Yìshùjiā wèi yīngxióngmen sùle ~ . | 那个姑娘为我绣过 ~ 。Nèige gūniang wèi wǒ xiùguo ~ . | 那里摆着很多佛的 ~ 。Nàli bǎizhe hěn duō fó de ~ .

xiàngpí 橡皮 [名]

这个字写错了，请拿 ~ 来。Zhèige zì xiěcuò le, qǐng ná ~ lai. →用它可以擦掉铅笔写的东西。Yòng tā kěyǐ cādiào qiānbǐ xiě de dōngxi. 例我喜欢用铅笔写字，因为用 ~ 可以擦掉。Wǒ xǐhuan yòng qiānbǐ xiě zì, yīnwèi yòng ~ kěyǐ cā diào. | 请借给我 ~ 用一下儿好吗？Qǐng jiè gěi wǒ ~ yòng yíxiàr hǎo ma? | 这块 ~ 很好用，在纸上一擦就擦掉了。Zhèi kuài ~ hěn hǎoyòng, zài zhǐ shang yì cā jiù cādiào le. | 考试时请准备好铅笔和 ~ 。Kǎoshì shí qǐng zhǔnbèi hǎo qiānbǐ hé ~ . | 现在 ~ 的种类很多，有各种颜色和形状的。Xiànzài ~ de zhǒnglèi hěn duō, yǒu gè zhǒng yánsè hé xíngzhuàng de.

xiao

xiāo 削 [动]

吃苹果要先 ~ 皮。Chī píngguǒ yào xiān ~ pí. →吃苹果要先用刀子把苹果皮弄下来。Chī píngguǒ yào xiān yòng dāozi bǎ píngguǒpí nòng xialai. 例 ~ 皮时要小心，别 ~ 了手。~ pí shí yào xiǎoxīn, bié ~ le shǒu. | 大家快来吃水果，我来 ~ 。Dàjiā kuài lái chī shuǐguǒ, wǒ lái ~ . | 这铅笔太粗了，用刀子 ~ 一下儿。Zhè qiānbǐ tài cū le, yòng dāozi ~ yíxià. | 这小刀儿真好用，~ 皮 ~ 得可快啦。Zhè xiǎodāor zhēn hǎo yòng, ~ pí ~ de kě kuài la. | 用刀 ~ 的面条儿你吃过没有？Yòng dāo ~ de miàntiáor nǐ chīguo méiyǒu?

xiāofèi 消费（消費）[动]

有了钱还要会 ~ 。Yǒule qián hái yào huì ~ . →有了钱还要根据需要花钱，根据需要买东西。Yǒule qián hái yào gēnjù xūyào huāqián, gēnjù xūyào mǎi dōngxi. 例这个商场用质量好价格低的商品吸引人们 ~ 。Zhèige shāngchǎng yòng zhìliàng hǎo jiàgé dī de shāngpǐn xīyǐn rénmen ~ . I近几年大家的 ~ 水平普遍提高了。Jìn jǐ nián dàjiā de ~ shuǐpíng pǔbiàn tígāo le. I你的 ~ 观念应该改变一下儿了。Nǐ de ~ guānniàn yīnggāi gǎibiàn yíxiàr le. I现在高收入高 ~ 的人还不算多。Xiànzài gāo shōurù gāo ~ de rén hái bú suàn duō.

xiāohuà 消化 [动]

digest 例食物吃进去以后，要慢慢儿 ~ 。Shíwù chī jinqu yǐhòu, yào mànmānr ~ . I吃饭时要慢一点儿吃，这样才好 ~ 。Chī fàn shí yào màn yìdiǎnr chī, zhèiyàng cái hǎo ~ . I他今天吃得太多了，所以 ~ 不好。Tā jīntiān chī de tài duō le, suǒyǐ ~ bù hǎo. I这些食品不容易 ~ ，还是少吃一点儿。Zhèixiē shípǐn bù róngyì ~ , háishi shǎo chī yìdiǎnr. I人身体内的 ~ 系统出了毛病就会吃不下饭。Rén shēntǐ nèi de ~ xìtǒng chūle máobìng jiù huì chī bu xià fàn.

xiāomiè 消灭（消滅） [动]

这种虫子吃庄稼，一定要 ~ 。Zhèi zhǒng chóngzi chī zhuāngjia, yídìng yào ~ . →这种虫子对庄稼有害，必须彻底除掉。Zhèi zhǒng chóngzi duì zhuāngjia yǒu hài, bìxū chèdǐ chúdiào. 例对树木造成危害的虫子，在我们这里全 ~ 光了。Duì shùmù zàochéng wēihài de chóngzi, zài wǒmen zhèlǐ quán ~ guāng le. I为了使环境变得更优美，必须下大力气 ~ 污染。Wèile shǐ huánjìng biàn de gèng yōuměi, bìxū xià dà lìqì ~ wūrǎn. I这个公司 ~ 了职工迟到的现象。Zhèige gōngsī ~ le zhígōng chídào de xiànxiàng. I在这个地区，已经 ~ 了这种传染病。Zài zhèige dìqū, yǐjing ~ le zhèi zhǒng chuánrǎnbìng.

xiāoshī 消失 [动]

他走远了，慢慢 ~ 在雾中。Tā zǒuyuǎn le, mànmàn ~ zài wù zhōng. →他走远了，慢慢地在雾中看不见了。Tā zǒuyuǎn le, mànmàn de zài wù zhōng kàn bu jiàn le. 例我看着他的身影 ~ 在黑暗中。Wǒ kànzhe tā de shēnyǐng ~ zài hēi'àn zhōng. I听到这个消息，笑容在他脸上 ~ 了。Tīngdào zhèige xiāoxi, xiàoróng zài tā liǎn shang ~ le. I她已是七十多岁的人了，眼睛 ~ 了过去的光亮。Tā yǐ shì qīshí duō suì de rén le, yǎnjing ~ le guòqù de guāngliàng. I他身上那种永不 ~ 的热情让我感动了。Tā shēn shang nèi zhǒng yǒng bù ~ de rèqíng ràng wǒ gǎndòng le. I我望着逐渐 ~ 的阳光，觉得天渐渐暗

下来了。Wǒ wàngzhe zhújiàn ~ de yángguāng, juéde tiān jiànjiàn àn xialai le.

xiāoxi 消息 [名]

比尔，告诉你一个好 ~，我妈妈就要来了。Bǐ'ěr, gàosu nǐ yí ge hǎo ~, wǒ māma jiù yào lái le. →我高兴地把妈妈要来这件事告诉了比尔。Wǒ gāoxìng de bǎ māma yào lái zhèi jiàn shì gàosule Bǐ'ěr. 例听到家乡的 ~，我非常高兴。Tīngdào jiāxiāng de ~, wǒ fēicháng gāoxìng. | 这个重要 ~ 应该让大家都知道。Zhèige zhòngyào ~ yīnggāi ràng dàjiā dōu zhīdao. | 这 ~ 可靠不可靠? 再打听一下儿吧。Zhè ~ kěkào bù kěkào? Zài dǎtīng yíxiàr ba. | 她要结婚的 ~ 传遍了全公司，大家都来向她祝贺。Tā yào jiéhūn de ~ chuánbiànle quán gōngsī, dàjiā dōu lái xiàng tā zhùhè. | 这是从哪儿得到的 ~? 快把情况说清楚。Zhè shì cóng nǎr dédào de ~? Kuài bǎ qíngkuàng shuō qīngchu.

xiǎo 小¹ [形]

这洗手间太 ~ 了。Zhè xǐshǒujiān tài ~ le. →洗手间的面积不大，还不到三平方米。Xǐshǒujiān de miànjī bú dà, hái bú dào sān píngfāng mǐ. 例我们的教室很 ~，只能放十几张桌子。Wǒmen de jiàoshì hěn ~, zhǐ néng fàng shíjǐ zhāng zhuōzi. | 我买的这顶帽子太 ~ 了，戴不上。Wǒ mǎi de zhèi dǐng màozi tài ~ le, dài bu shàng. | 东边的操场比西边的操场 ~ 一点儿。Dōngbian de cāochǎng bǐ xībian de cāochǎng ~ yìdiǎnr. | 东西太多，这个 ~ 的包放不下，换一个大的好吗? Dōngxi tài duō, zhèige ~ de bāo fàng bu xià, huàn yí ge dà de hǎo ma? | 我们在一 ~ 块地里种了好几种菜。Wǒmen zài yì ~ kuài dì li zhòngle hǎojǐ zhǒng cài.

xiǎomài 小麦(小麥) [名]

例今年的 ~ 长得真好。Jīnnián de ~ zhǎng de zhēn hǎo. | 这八百多斤 ~ 准备运往外地。Zhèi bābǎi duō jīn ~ zhǔnbèi yùnwǎng wàidi. | 这个地方不种 ~，只种玉米。Zhèige dìfang bú zhòng ~, zhǐ zhòng yùmǐ. | 这种 ~ 种子是科技新品种，能打出更多的粮食。Zhèi zhǒng ~ zhǒngzi shì kējì xīn pǐnzhǒng, néng dǎchū gèng duō de liángshi. | 六月是 ~ 的收获季节。

小麦

Liùyuè shì ~ de shōuhuò jìjié.

xiǎo 小² ［形］

他个子不高，劲儿可不～。Tā gèzi bù gāo, jìnr kě bù ~. →他虽然长得矮，可力气很大。Tā suīrán zhǎng de ǎi, kě lìqi hěn dà. 例他的力气太～了，连一个箱子都拿不动。Tā de lìqi tài ~ le, lián yí ge xiāngzi dōu ná bu dòng. I你讲话的声音太～了，请大一点儿声好吗？Nǐ jiǎnghuà de shēngyīn tài ~ le, qǐng dà yìdiǎnr shēng hǎo ma? I一个人的力量～，人多了力量就大了。Yí ge rén de lìliang ~, rén duōle lìliang jiù dà le. I在我们商场的发展过程中，他出了不～的力。Zài wǒmen shāngchǎng de fāzhǎn guòchéng zhōng, tā chūle bù ~ de lì. I这么～的声音谁能听得见？Zhème ~ de shēngyīn shéi néng tīng de jiàn?

xiǎo 小³ ［形］

他年纪这么～，却得了第一名。Tā niánjì zhème ~, què déle dì yī míng. →他的年龄不大，可成绩非常好。Tā de niánlíng bú dà, kě chéngjì fēicháng hǎo. 例他年龄还～，不可以像大人那样要求他。Tā niánlíng hái ~, bù kěyǐ xiàng dàren nèiyàng yāoqiú tā. I他今年15岁，在大学生中就算～的了。Tā jīnnián shíwǔ suì, zài dàxuéshēng zhōng jiù suàn ~ de le. I这个学生～～的年纪知识这么丰富，可真不简单啊。Zhèige xuésheng ~ ~ de niánjì zhīshi zhème fēngfù, kě zhēn bù jiǎndān a. I弟弟比我～，我当然应该让着他啦。Dìdi bǐ wǒ ~, wǒ dāngrán yīnggāi ràngzhe tā la.

xiǎoháir 小孩儿（小孩儿）［名］

在公园儿里，很多～在做游戏。Zài gōngyuánr li, hěn duō ~ zài zuò yóuxì. →在那里做游戏的都是不到十岁的儿童。Zài nàli zuò yóuxì de dōu shì bú dào shí suì de értóng. 例幼儿园的～，常被称做小朋友。Yòu'éryuán de ~, cháng bèi chēng zuò xiǎopéngyǒu. I～们都很喜欢画画儿，画得可有意思啦。~ men dōu hěn xǐhuan huà huàr, huà de kě yǒuyìsi la. I我最喜欢～了，他们是那么可爱。Wǒ zuì xǐhuan ~ le, tāmen shì nàme kě'ài. I他家有三个～，都在上小学。Tā jiā yǒu sān ge ~, dōu zài shàng xiǎoxué. I～的话一般都是真实的。~ de huà yìbān dōu shì zhēnshí de.

xiǎohuǒzi 小伙子 ［名］

这～身体真棒。Zhè ~ shēntǐ zhēn bàng. →这个男青年的身体真好。

Zhèige nán qīngnián de shēntǐ zhēn hǎo. **例**我们公司的 ~ 个个聪明
能干。Wǒmen gōngsī de ~ gègè cōngming nénggàn. | 你看, ~ 们、
姑娘们，在一起玩儿得多高兴啊。Nǐ kàn, ~ men、gūniangmen, zài
yìqǐ wánr de duō gāoxìng a. | 多么好的 ~ 啊，真叫人喜欢。Duōme
hǎo de ~ a, zhēn jiào rén xǐhuan. | 美丽的姑娘爱上了这个 ~，这真
是幸福的一对儿！Měilì de gūniang àishangle zhèige ~, zhè zhēn shì
xìngfú de yí duìr!

xiǎopéngyǒu 小朋友 [名]

在公园里，有许多 ~ 在一起玩儿。Zài gōngyuán li, yǒu xǔduō ~ zài
yìqǐ wánr. →有一些小孩儿在公园里一起玩儿。Yǒu yìxiē xiǎoháir zài
gōngyuán li yìqǐ wánr. **例**这里的 ~ 真多，个个都那么可爱。Zhèlǐ de
~ zhēn duō, gègè dōu nàme kě'ài. | ~，你们喜欢不喜欢唱歌儿啊？
~, nǐmen xǐhuan bù xǐhuan chànggēr a? | 老师教育 ~ 们要爱劳动，
还要互相帮助。Lǎoshī jiàoyù ~ men yào ài láodòng, hái yào hùxiāng
bāngzhù. | 孩子们都喜欢去儿童公园，因为那里有许多 ~。
Háizimen dōu xǐhuan qù értóng gōngyuán, yīnwèi nàli yǒu xǔduō
~. | ~ 们的爱好很多，唱歌儿、打球、跳绳……他们都喜欢。~
men de àihào hěn duō, chànggēr、dǎqiú、tiàoshéng……tāmen dōu
xǐhuan.

xiǎo 小⁴ [形]

我们开个 ~ 会。Wǒmen kāi ge ~ huì. →这个会，参加的人限制在
一定的范围内，人数不多。Zhèige huì, cānjiā de rén xiànzhì zài
yídìng de fànwéi nèi, rénshù bù duō. **例**这个班是个 ~ 班，才十几个
人。Zhèige bān shì ge ~ bān, cái shíjǐ ge rén. | 调查的范围 ~ 一些比
较好。Diàochá de fànwéi ~ yìxiē bǐjiào hǎo. | 在大商场旁边还有一
些 ~ 商店。Zài dà shāngchǎng pángbiān hái yǒu yìxiē ~ shāngdiàn. |
现在在中国，两三口人的 ~ 家庭越来越多。Xiànzài zài Zhōngguó,
liǎng sān kǒu rén de ~ jiātíng yuèláiyuè duō.

xiǎomàibù 小卖部（小賣部）[名]

宿舍楼下有个 ~，买东西真方便。Sùshèlóu xià yǒu ge ~, mǎi
dōngxi zhēn fāngbiàn. →在公共场所里开设的小小的商店，卖一些
糖果、点心、饮料、烟酒之类的东西，使大家买东西更方便。Zài
gōnggòng chǎngsuǒ li kāishè de xiǎoxiǎo de shāngdiàn, mài yìxiē
tángguǒ、diǎnxin、yǐnliào、yānjiǔ zhīlèi de dōngxi, shǐ dàjiā mǎi

·dōngxi gèng fāngbiàn. 剧场里那个~卖的东西很贵。Jùchǎng li nèige ~ mài de dōngxi hěn guì. | 你早上没吃饭，到~买个面包吃吧。Nǐ zǎoshang méi chīfàn, dào ~ mǎi ge miànbāo chī ba. | 这儿有 ~ 吗？——有，向前走 50 米就到了。Zhèr yǒu ~ ma? ——Yǒu, xiàng qián zǒu wǔshí mǐ jiù dào le. | 课间，许多同学向~跑去。Kèjiān, xǔduō tóngxué xiàng ~ pǎoqù.

xiǎoxué 小学（小學）[名]

他今年八岁，正在上~。Tā jīnnián bā suì, zhèngzài shàng ~. →小学是六到十二岁的孩子上学的地方。Xiǎoxué shì liù dào shí'èr suì de háizi shàngxué de dìfang. 例这是我们这里最好的一所~。Zhè shì wǒmen zhèlǐ zuì hǎo de yì suǒ ~. | 李老师是这所~里最受欢迎的老师。Lǐ lǎoshī shì zhèi suǒ ~ li zuì shòu huānyíng de lǎoshī. | ~时期是孩子成长的一个重要阶段。~ shíqī shì háizi chéngzhǎng de yí ge zhòngyào jiēduàn. | 女儿六岁了，到了上~的年龄了。Nǚ'ér liù suì le, dàole shàng ~ de niánlíng le. | 他今年十二岁，已经上六年级了，马上就要~毕业了。Tā jīnnián shí'èr suì, yǐjing shàng liù niánjí le, mǎshàng jiù yào ~ bìyè le.

xiǎojie 小姐 [名]

young lady; Miss 例~，请问去动物园怎么走？~, qǐngwèn qù dòngwùyuán zěnme zǒu? | ~，请来一杯咖啡。~, qǐng lái yì bēi kāfēi. | 这位~，您要买点儿什么？Zhèi wèi ~, nín yào mǎi diǎnr shénme? | 我来介绍一下儿，这位是李~，这位是林~。Wǒ lái jièshào yíxiàr, zhèi wèi shì Lǐ ~, zhèi wèi shì Lín ~. | 一般见了年轻的姑娘要称~，见了年龄大一点儿的要称女士。Yìbān jiànle niánqīng de gūniang yào chēng ~, jiànle niánlíng dà yìdiǎnr de yào chēng nǚshì.

xiǎoshí 小时（小時）[名]

这些题非常容易，只用了半个~我就做完了。Zhèixiē tí fēicháng róngyì, zhǐ yòngle bàn ge ~ wǒ jiù zuòwán le. →我三十分钟就做完了这些题。Wǒ sānshí fēnzhōng jiù zuòwánle zhèixiē tí. 例一~有六十分钟。Yì ~ yǒu liùshí fēnzhōng. | 昨天晚上我看书看到很晚，只睡了五个~。Zuótiān wǎnshang wǒ kàn shū kàndào hěn wǎn, zhǐ shuìle wǔ ge ~. | 从这里乘车到城里大约需要一~二十分钟。Cóng zhèlǐ chéngchē dào chénglǐ dàyuē xūyào yì ~ èrshí fēnzhōng. | 我们每

天工作八个～。Wǒmen měi tiān gōngzuò bā ge ～. | 从这里到火车站，要一个～才能到。Cóng zhèlǐ dào huǒchēzhàn, yào yí ge ～ cái néng dào.

xiǎoshuō 小说(小説) [名]

novel 例 十九世纪世界著名的～，我几乎都读过了。Shíjiǔ shìjì shìjiè zhùmíng de ～, wǒ jīhū dōu dúguo le. | 这部～真吸引人。Zhèi bù ～ zhēn xīyǐn rén. | 许多人都喜欢看～。Xǔduō rén dōu xǐhuan kàn ～. | 她正在写一部表现爱情的～。Tā zhèngzài xiě yí bù biǎoxiàn àiqíng de ～. | 许多世界著名的～被拍成了电影。Xǔduō shìjiè zhùmíng de ～ bèi pāichéngle diànyǐng. | 这本～中的几个主要人物写得好极了。Zhèi běn ～ zhōng de jǐ ge zhǔyào rénwù xiě de hǎojí le.

xiǎoxīn 小心¹ [动]

～前边的汽车。～ qiánbian de qìchē. → 注意前面开过来的汽车，别出危险。Zhùyì qiánmian kāi guolai de qìchē, bié chū wēixiǎn. 例 ～刀子，别把手弄破。～ dāozi, bié bǎ shǒu nòngpò. | 下雪了，～路滑。Xià xuě le, ～ lù huá. | 外边很冷，多穿点儿衣服，～感冒。Wàibian hěn lěng, duō chuān diǎnr yīfu, ～ gǎnmào.

xiǎoxīn 小心² [形]

在山路上开车要特别～。Zài shān lù shang kāi chē yào tèbié ～. → 在山路上开车注意力要特别集中，不能大意。Zài shān lù shang kāi chē zhùyìlì yào tèbié jízhōng, bù néng dàyì. 例 他一不～，把杯子摔破了。Tā yí bù ～, bǎ bēizi shuāipò le. | 做事～一点儿好，千万别出问题。Zuòshì ～ yìdiǎnr hǎo, qiānwàn bié chū wèntí. | 爸爸已经睡了，他非常～地把门关好。Bàba yǐjīng shuì le, tā fēicháng ～ de bǎ mén guānhǎo.

xiàoyuán 校园(校園) [名]

这所大学的～真漂亮。Zhèi suǒ dàxué de ～ zhēn piàoliang. → 这所大学所在的地方像花园一样美。Zhèi suǒ dàxué suǒ zài de dìfang xiàng huāyuán yíyàng měi. 例 这～真大，真美! Zhè ～ zhēn dà, zhēn měi! | 我喜欢我们的～，它是读书的好地方。Wǒ xǐhuan wǒmen de ～, tā shì dúshū de hǎo dìfang. | 早晨在～里，到处都能看到读书的学生。Zǎochen zài ～ li, dàochù dōu néng kàn dào dú shū de xuésheng. | 这所中学的～环境特别好。Zhèi suǒ zhōngxué de ～

huánjìng tèbié hǎo. |晚饭后，我喜欢在～散步。Wǎnfàn hòu, wǒ xǐhuan zài ～ sànbù.

xiàozhǎng 校长（校長）[名]

这是我们的～。Zhè shì wǒmen de ～. →这是我们学校的最高领导人。Zhè shì wǒmen xuéxiào de zuì gāo lǐngdǎorén. 例我们的～是一个非常有能力的人，大家都很喜欢他。Wǒmen de ～ shì yí ge fēicháng yǒu nénglì de rén, dàjiā dōu hěn xǐhuan tā. |这个学校有一个～，好几个副～。Zhèige xuéxiào yǒu yí ge ～, hǎojǐ ge fù ～. |～关心我们，我们也关心～。～ guānxīn wǒmen, wǒmen yě guānxīn ～. |小学～、中学～、大学～在一起共同讨论教育改革的问题。Xiǎoxué ～、zhōngxué ～、dàxué ～ zài yìqǐ gòngtóng tǎolùn jiàoyù gǎigé de wèntí. |大家都为～的发言热烈鼓掌。Dàjiā dōu wèi ～ de fāyán rèliè gǔzhǎng.

xiào 笑[1] [动]

听了这个故事，孩子们大～起来。Tīngle zhèige gùshi, háizimen dà ～ qilai. →孩子们听着故事，脸上露出高兴的样子，发出快乐的声音。Háizimen tīngzhe gùshi, liǎn shang lòuchū gāoxìng de yàngzi, fāchū kuàilè de shēngyīn. 例看到朋友们都来为她祝贺生日，她～了。Kàndào péngyǒumen dōu lái wèi tā zhùhè shēngri, tā ～ le. |儿童的节日到了，孩子们高兴地～着、跳着跑到妈妈身边。Értóng de jiérì dào le, háizimen gāoxìng de ～ zhe、tiàozhe pǎodào māma shēnbiān. |想着就要见到女朋友了，他～在脸上，喜在心里。Xiǎngzhe jiùyào jiàndào nǚpéngyou le, tā ～ zài liǎn shang, xǐ zài xīnli. |她～得眼泪都流出来了。Tā ～ de yǎnlèi dōu liú chulai le. |大家被他的话逗～了。Dàjiā bèi tā de huà dòu ～ le.

xiàohuar 笑话儿（笑話兒）[名]

这个～引得人们哈哈大笑起来。Zhèige ～ yǐn de rénmen hāhā dà xiào qilai. →这个可笑的故事引得大家大笑起来。Zhèige kěxiào de gùshi yǐn de dàjiā dà xiào qilai. 例一个～让大家忘记了疲劳。Yí ge ～ ràng dàjiā wàngjile píláo. |这个～有趣极了，大家都笑弯了腰。Zhèige ～ yǒuqù jí le, dàjiā dōu xiàowānle yāo. |我讲一个～给大家听。Wǒ jiǎng yí ge ～ gěi dàjiā tīng. |他很会说～，走到哪里就把笑声带到哪里。Tā hěn huì shuō ～, zǒudào nǎli jiù bǎ xiàoshēng dàidào nǎli. |我就喜欢听～，多叫人高兴啊。Wǒ jiù xǐhuan tīng ～, duō jiào rén gāoxìng a.

xiào 笑² [动]

她做不好这个动作，我们不应该 ~ 她，而应该鼓励她。Tā zuò bu hǎo zhèige dòngzuò, wǒmen bù yīnggāi ~ tā, ér yīnggāi gǔlì tā. →我们不应该因为她做不好就说一些看不起她的话，而应该鼓励她。Wǒmen bù yīnggāi yīnwèi tā zuò bu hǎo jiù shuō yìxiē kàn bu qǐ tā de huà, ér yīnggāi gǔlì tā. **例**我的汉语说得不好，请不要 ~ 我。Wǒ de Hànyǔ shuō de bù hǎo, qǐng búyào ~ wǒ. | 谁也别 ~ 谁，每个人都有不会做的时候。Shéi yě bié ~ shéi, měi ge rén dōu yǒu bú huì zuò de shíhou. | 真没想到，连你也 ~ 我。Zhēn méi xiǎngdào, lián nǐ yě ~ wǒ. | 我多下工夫学，不怕别人 ~ 我笨。Wǒ duō xià gōngfu xué, bú pà biéren ~ wǒ bèn.

xiàohua 笑话（笑話）[动]

他学不好外语，不要 ~ 他，要帮助他。Tā xué bu hǎo wàiyǔ, bú yào ~ tā, yào bāngzhù tā. →不要因为他学不好外语就看不起他。Búyào yīnwèi tā xué bu hǎo wàiyǔ jiù kàn bu qǐ tā. **例**比尔对别人特别热情，从不 ~ 别人。Bǐ'ěr duì biéren tèbié rèqíng, cóng bù ~ biéren. | 这么简单的事都不会做，真叫人 ~ 。Zhème jiǎndān de shì dōu bú huì zuò, zhēn jiào rén ~. | 别 ~ 他个子矮，他可是个有学问的人呢。Bié ~ tā gèzi ǎi, tā kě shì ge yǒu xuéwen de rén ne. | 她总是怕别人 ~ ，所以上课从不发言。Tā zǒngshì pà biéren ~, suǒyǐ shàngkè cóng bù fāyán. | 你总爱 ~ 人，大家怎么会喜欢你呢? Nǐ zǒng ài ~ rén, dàjiā zěnme huì xǐhuan nǐ ne?

xiàoguǒ 效果 [名]

这位教师教学 ~ 很好。Zhèi wèi jiàoshī jiàoxué ~ hěn hǎo. →这位教师用新的教学方法讲课，取得了很好的结果，学生的水平都提高很快。Zhèi wèi jiàoshī yòng xīn de jiàoxué fāngfǎ jiǎngkè, qǔdéle hěn hǎo de jiéguó, xuésheng de shuǐpíng dōu tígāo hěn kuài. **例**这种药治感冒 ~ 不错。Zhèi zhǒng yào zhì gǎnmào ~ búcuò. | 由于改进了技术，经济 ~ 马上就表现出来了。Yóuyú gǎijìnle jìshù, jīngjì ~ mǎshàng jiù biǎoxiàn chulai le. | 办事要注意 ~ 。Bànshì yào zhùyì ~. | 这个公司改革管理制度，取得了良好的 ~ 。Zhèige gōngsī gǎigé guǎnlǐ zhìdù, qǔdéle liánghǎo de ~.

xiàolǜ 效率 [名]

好的学习方法能提高学习 ~ 。Hǎo de xuéxí fāngfǎ néng tígāo xuéxí

~ . →采取了好的学习方法以后，现在一小时能记住一百个单词，原来只能记五十个。Cǎiqǔle hǎo de xuéxí fāngfǎ yǐhòu, xiànzài yì xiǎoshí néng jìzhù yìbǎi ge dāncí, yuánlái zhǐ néng jì wǔshí ge. **例**由于采用了新技术，大大提高了生产 ~ 。Yóuyú cǎiyòngle xīn jìshù, dàdà tígāole shēngchǎn ~ . | 做什么事都要讲 ~ 。Zuò shénme shì dōu yào jiǎng ~ . | 做事要快，时间就是 ~ 。Zuò shì yào kuài, shíjiān jiù shì ~ . | 他很能干，工作 ~ 很高。Tā hěn nénggàn, gōngzuò ~ hěn gāo. | 现在我们工厂的劳动 ~ 比较高，工资也提高了。Xiànzài wǒmen gōngchǎng de láodòng ~ bǐjiào gāo, gōngzī yě tígāo le.

xie

xiē 些 [量]

表示不定的数量，用于人和各种东西。Biǎoshì bú dìng de shùliàng, yòngyú rén hé gè zhǒng dōngxi. **例**我到商店买了 ~ 水果。Wǒ dào shāngdiàn mǎile ~ shuǐguǒ. | 我还有 ~ 纸，你拿去用吧。Wǒ hái yǒu ~ zhǐ, nǐ náqu yòng ba. | 你在想 ~ 什么呢？Nǐ zài xiǎng ~ shénme ne? | 我家还有不少大米，给你 ~ 吧。Wǒ jiā hái yǒu bù shǎo dàmǐ, gěi nǐ ~ ba. | 他的那 ~ 话打动了我。Tā de nèi ~ huà dǎdòngle wǒ. | 树上有 ~ 小鸟儿，你看到没有？Shù shang yǒu ~ xiǎoniǎor, nǐ kàndào méiyǒu?

xiē 歇 [动]

他 ~ 了一会儿，又干了起来。Tā ~ le yíhuìr, yòu gànle qilai. →他累了，休息了一会儿，就又干起来。Tā lèi le, xiūxile yíhuìr, jiù yòu gàn qilai. **例**我们先 ~ 一下儿，然后把这件事干完。Wǒmen xiān ~ yí xiàr, ránhòu bǎ zhèi jiàn shì gànwán. | 他病了，在家 ~ 了一天。Tā bìng le, zài jiā ~ le yì tiān. | 干了这么长时间了，快 ~ ~ 吧。Gànle zhème cháng shíjiān le, kuài ~ ~ ba. | 天太热了，大家先 ~ 一 ~ 再说。Tiān tài rè le, dàjiā xiān ~ yi ~ zài shuō. | 今天我觉得太累了，真想 ~ 着。Jīntiān wǒ juéde tài lèi le, zhēn xiǎng ~ zhe.

xié 斜 [形]

这条线画 ~ 了。Zhèi tiáo xiàn huà ~ le. →这条线画得不正，歪了。Zhèi tiáo xiàn huà de bú zhèng, wāi le. **例**那幅画儿挂 ~ 了，再往东一点儿就正了。Nèi fú huàr guà ~ le, zài wǎng dōng yìdiǎnr jiù zhèng le. | 你来看，墙上的表有点儿 ~ 。Nǐ lái kàn, qiáng shang de biǎo yǒudiǎnr ~ . | 这儿是个 ~ 坡，开车小心点儿。Zhèr shì ge ~ pō, kāi chē xiǎoxīn diǎnr. | 写字时 ~ 着身子就写不好。Xiě zì shí ~ zhe shēnzi jiù xiě bu hǎo. | 月亮刚升起来，~ 挂在天上。Yuèliang gāng shēng qilai, ~ guà zài tiān shang.

xié 鞋 [名]

例这么热的天，他脚上却穿了一双旅游 ~。Zhème rè de tiān, tā jiǎo shang què chuānle yì shuāng lǚyóu ~ . | 我要买一双 24 号儿的 ~。Wǒ yào mǎi yì shuāng èrshísì hàor de ~ . | 这双 ~ 他穿着正合适。Zhèi shuāng ~ tā chuānzhe zhèng héshì. | 她脚上穿的这双 ~ 真好

鞋

看。Tā jiǎo shang chuān de zhèi shuāng ~ zhēn hǎokàn. | 这个商店里的 ~ 价格比较贵，可是质量有保证。Zhèige shāngdiàn li de ~ jiàgé bǐjiào guì, kěshì zhìliàng yǒu bǎozhèng.

xiě 写（寫）[动]

他正在用钢笔练习 ~ 字。Tā zhèngzài yòng gāngbǐ liànxí ~ zì. →他拿着笔在纸上画，纸上出现了字。Tā ná zhe bǐ zài zhǐ shang huà, zhǐ shang chūxiànle zì. 例他的字 ~ 得很漂亮。Tā de zì ~ de hěn piàoliang. | 考试结束，老师把答案 ~ 在黑板上。Kǎoshì jiéshù, lǎoshī bǎ dá'àn ~ zài hēibǎn shang. | 这个字 ~ 错了，不应该那么 ~。Zhèige zì ~ cuò le, bù yīnggāi nàme ~ . | 你照着这些字 ~ 下来，~ 三遍。Nǐ zhàozhe zhèixiē zì ~ xialai, ~ sān biàn. | 这是你 ~ 的字吗？真不错。Zhè shì nǐ ~ de zì ma? Zhēn búcuò.

xiě / xuè 血 [名]

blood 例孩子的手破了，流了许多 ~。Háizi de shǒu pò le, liúle xǔduō ~ . | 他鼻子出 ~ 了，快想办法止住。Tā bízi chū ~ le, kuài xiǎng bànfǎ zhǐ zhù. | 你的手指还有 ~ 呢，疼不疼？Nǐ de shǒuzhǐ hái yǒu ~ ne, téng bu téng? | 地上的 ~ 是怎么回事？Dìshang de ~ shì zěnme huí shì? | 护士把他脸上的 ~ 擦得干干净净。Hùshi bǎ tā liǎn shang de ~ cā de gāngānjìngjìng. | 你看，太阳要落山时红得像 ~ 一样。Nǐ kàn, tàiyáng yào luòshān shí hóng de xiàng ~ yíyàng.

xièxie 谢谢（謝謝）[动]

~ 您对我的帮助。~ nín duì wǒ de bāngzhù. →您帮助了我，我向

您表示我对您的感谢。Nín bāngzhùle wǒ, wǒ xiàng nín biǎoshì wǒ duì nín de gǎnxiè. **例** ～您的热情服务。～ nín de rèqíng fúwù. | 你对我母亲照顾得这么好，～你。Nǐ duì wǒ mǔqin zhàogu de zhème hǎo, ～ nǐ. | 你这么热心地帮我，～你的好意。Nǐ zhème rèxīn de bāng wǒ, ～ nǐ de hǎoyì. | 这是送你的礼物，请收下。——～！Zhè shì sòng nǐ de lǐwù, qǐng shōuxià. ——～!

xin

xīn 心¹ [名]

heart **例** 如果～停止了跳动，生命就结束了，Rúguǒ ～ tíngzhǐle tiàodòng, shēngmìng jiù jiéshù le. | 我非常害怕，～跳得很厉害。Wǒ fēicháng hàipà, ～ tiào de hěn lìhai. | 让我听听，你一分钟～跳多少下儿。Ràng wǒ tīngting, nǐ yì fēnzhōng ～ tiào duōshao xiàr. | ～的形状像一个桃子。～ de xíngzhuàng xiàng yí ge táozi.

xīnzàng 心脏（心臟）[名]

heart **例** ～是人的身体中最重要的部分，在胸的内部。～ shì rén de shēntǐ zhōng zuì zhòngyào de bùfen, zài xiōng de nèibù. | 你可能～有点儿毛病，应该找医生。Nǐ kěnéng ～ yǒudiǎnr máobing, yīnggāi zhǎo yīshēng. | 我怎么也不能相信，他的～已停止了跳动。Wǒ zěnme yě bù néng xiāngxìn, tā de ～ yǐ tíngzhǐle tiàodòng. | 明天医院将给他做一个～手术。Míngtiān yīyuàn jiāng gěi tā zuò yí ge shǒushù.

xīn 心² [名]

我很明白他的～。Wǒ hěn míngbai tā de ～. →我很了解他的思想和感情。Wǒ hěn liǎojiě tā de sīxiǎng hé gǎnqíng. **例** 她非常理解老人的～。Tā fēicháng lǐjiě lǎorén de ～. | 他这个人喜欢帮助别人，～可好啦！Tā zhèige rén xǐhuan bāngzhù biéren, ～ kě hǎo la! | 她的～很细，总是想得那么周到。Tā de ～ hěn xì, zǒngshì xiǎng de nàme zhōudào. | 她～想，我应该理解他。Tā ～ xiǎng, wǒ yīnggāi lǐjiě tā. | 他总是～和口不一致，想的是一样，说的又是一样。Tā zǒngshì ～ hé kǒu bù yízhì, xiǎng de shì yí yàng, shuō de yòushì yí yàng.

xīndé 心得 [名]

这次活动他有许多～。Zhèi cì huódòng tā yǒu xǔduō ～. →这次活动使他得到许多收获和经验。Zhèi cì huódòng shǐ tā dédào xǔduō shōuhuò hé jīngyàn. **例** 参观展览后，我们都写了自己的～。Cānguān zhǎnlǎn hòu, wǒmen dōu xiěle zìjǐ de ～. ｜大家都在谈参加这次读书活动的～。Dàjiā dōu zài tán cānjiā zhèi cì dúshū huódòng de ～. ｜他的～很深刻，现在请他给大家讲一讲。Tā de ～ hěn shēnkè, xiànzài qǐng tā gěi dàjiā jiǎng yi jiǎng. ｜他写的这篇学习～内容很丰富。Tā xiě de zhèi piān xuéxí ～ nèiróng hěn fēngfù. ｜每次参加活动回来，她都要把～记下来。Měi cì cānjiā huódòng huílai, tā dōu yào bǎ ～ jì xialai.

xīnli 心里（心裏）[名]

她总是～想什么就说什么。Tā zǒngshì ～ xiǎng shénme jiù shuō shénme. → 她总是想到什么说什么，是个痛快人。Tā zǒngshì xiǎngdào shénme shuō shénme, shì ge tòngkuai rén. **例** 你～喜欢什么样的人，快说出来。Nǐ ～ xǐhuan shénmeyàng de rén, kuài shuō chulai. ｜～有话就说出来，别不好意思。～ yǒu huà jiù shuō chulai, bié bù hǎoyìsi. ｜我说的话有不合适的地方，请别往～去。Wǒ shuō de huà yǒu bù héshì de dìfang, qǐng bié wǎng ～ qù. ｜说句～话，我真想成为一个有学问的人。Shuō jù ～ huà, wǒ zhēn xiǎng chéngwéi yí ge yǒu xuéwen de rén. ｜听了这件高兴的事，几天来～的不高兴一下子就消失了。Tīngle zhèi jiàn gāoxìng de shì, jǐ tiān lái ～ de bù gāoxìng yíxiàzi jiù xiāoshī le.

xīnqíng 心情 [名]

这两天他的～不好。Zhèi liǎng tiān tā de ～ bù hǎo. → 这两天他心里不高兴。Zhèi liǎng tiān tā xīnli bù gāoxìng. **例** 她想起这件事，～仍不能平静。Tā xiǎngqi zhèi jiàn shì, ～ réng bù néng píngjìng. ｜听到这个好消息，我的～特别激动。Tīngdào zhèige hǎo xiāoxi, wǒ de ～ tèbié jīdòng. ｜他怀着兴奋的～参加了表演。Tā huáizhe xīngfèn de ～ cānjiāle biǎoyǎn. ｜你理解我的～，使我感到心里很温暖。Nǐ lǐjiě wǒ de ～, shǐ wǒ gǎndào xīnli hěn wēnnuǎn.

xīnkǔ 辛苦 [形]

你干了一天，太～了。Nǐ gànle yì tiān, tài ～ le. → 你干了一天的活儿，一定很累，该休息一下儿了。Nǐ gànle yì tiān de huór, yídìng hěn lèi, gāi xiūxi yíxiàr le. **例** 爸爸工作非常～，每天都很晚才回家。Bàba gōngzuò fēicháng ～, měi tiān dōu hěn wǎn cái huíjiā. ｜李大夫工作很忙，天天那么～。Lǐ dàifu gōngzuò hěn máng, tiāntiān nàme ～. ｜他们每天工作十个小时，真～！Tāmen měi tiān gōngzuò shí ge xiǎoshí, zhēn ~！｜学习能得到知识，但却是一件非常 ~ 的事。Xuéxí néng dédào zhīshi, dàn què shì yí jiàn fēicháng ~ de shì.｜建筑工人每天都那么 ~ 地劳动着。Jiànzhù gōngrén měi tiān dōu nàme ~ de láodòngzhe.

xīn 新[1] ［形］

这是我们的 ~ 产品。Zhè shì wǒmen de ~ chǎnpǐn. →｜这是我们刚设计出来的产品，第一次在市场上出现。Zhè shì wǒmen gāng shèjì chulai de chǎnpǐn, dì yī cì zài shìchǎng shang chūxiàn. 例明天我就要离开家，开始 ~ 的生活了。Míngtiān wǒ jiù yào líkāi jiā, kāishǐ ~ de shēnghuó le.｜电视里正在播放国际最 ~ 消息。Diànshì li zhèngzài bōfàng guójì zuì ~ xiāoxi.｜社会不断发展，~ 的总要代替旧的。Shèhuì búduàn fāzhǎn, ~ de zǒng yào dàitì jiù de.｜这套衣服是最 ~ 流行的，你穿上非常好看。Zhèi tào yīfu shì zuì ~ liúxíng de, nǐ chuān shang fēicháng hǎokàn.

xīnnián 新年 ［名］

~ 快要到了。~ kuàiyào dào le. →今天是 12 月 31 日，明天就是 1 月 1 日，新的一年就开始了。Jīntiān shì Shí'èryuè sānshíyī rì, míngtiān jiù shì Yīyuè yī rì, xīn de yì nián jiù kāishǐ le. 例~ 给孩子们带来了欢乐，他们最盼望过 ~ 了。~ gěi háizimen dàiláile huānlè, tāmen zuì pànwàng guò ~ le.｜祝你 ~ 快乐、幸福！Zhù nǐ ~ kuàilè, xìngfú!｜~ 的钟声刚刚敲过，大家都互相祝贺 ~ 好。~ de zhōngshēng gānggāng qiāoguò, dàjiā dōu hùxiāng zhùhè ~ hǎo.｜晚上我们都去参加 ~ 晚会，你也去吧。Wǎnshang wǒmen dōu qù cānjiā ~ wǎnhuì, nǐ yě qù ba.｜大家都在忙着迎接 ~ 的到来。Dàjiā dōu zài mángzhe yíngjiē ~ de dàolái.

xīnwén 新闻[1] （新聞）［名］

每晚七点，我们都要看电视里的 ~。Měi wǎn qī diǎn, wǒmen dōu yào kàn diànshì li de ~. →每晚七点，我们都要看电视台播放的国内外最新消息。Měi wǎn qī diǎn, wǒmen dōu yào kàn diànshìtái bōfàng de guónèiwài zuì xīn xiāoxi. 例那位记者总能找到好的 ~。Nèi wèi jìzhě zǒng néng zhǎodào hǎo de ~.｜这条 ~ 在全国各大报纸上都登了。Zhèi tiáo ~ zài quánguó gè dà bàozhǐ shang dōu dēng le.｜都八点了，早间 ~ 早已播完了。Dōu bā diǎn le, zǎo jiān ~ zǎoyǐ bōwán le.｜今天早上的 ~ 节目里报道了一条重要的消息。Jīntiān zǎoshang de ~ jiémù li bàodàole yì tiáo zhòngyào de xiāoxi.

xīnwén 新闻² (新聞) [名]

近来，学校里的 ～ 可多了。Jìnlái, xuéxiào li de ～ kě duō le. →最近，学校里发生的新鲜事真不少。Zuìjìn, xuéxiào li fāshēng de xīnxiān shì zhēn bù shǎo. 例这些社会上的 ～ 不可靠，还是不信为好。Zhèixiē shèhuì shang de ～ bù kěkào, háishi bú xìn wéi hǎo. |这件事已成了 ～，被大家传来传去。Zhèi jiàn shì yǐ chéngle ～, bèi dàjiā chuán lái chuán qù. |你又有什么 ～ 要告诉我们呀？Nǐ yòu yǒu shénme ～ yào gàosu wǒmen ya? |这算什么 ～，人们早就知道了。Zhè suàn shénme ～, rénmen zǎo jiù zhīdao le.

xīnxiān 新鲜¹ (新鮮) [形]

要多吃 ～ 水果，对身体有好处。Yào duō chī ～ shuǐguǒ, duì shēntǐ yǒu hǎochu. →要多吃刚摘下来的水果才好。Yào duō chī gāng zhāi xialai de shuǐguǒ cái hǎo. 例他天天喝 ～ 牛奶，特别有营养。Tā tiāntiān hē ～ niúnǎi, tèbié yǒu yíngyǎng. |刚做出来的蛋糕，真 ～！Gāng zuò chulai de dàngāo, zhēn ～! |这肉好像有点儿不太 ～，别吃了。Zhè ròu hǎoxiàng yǒudiǎnr bú tài ～, bié chī le. |早上买来的蔬菜是最 ～ 的。Zǎoshang mǎilai de shūcài shì zuì ～ de. |食物放在冰箱里能保持 ～。Shíwù fàng zài bīngxiāng li néng bǎochí ～.

xīnxiān 新鲜² (新鮮) [形]

起床后要打开窗户，呼吸一下儿 ～ 空气。Qǐchuáng hòu yào dǎkai chuānghu, hūxī yíxiàr ～ kōngqì. →早上屋里的空气不太好，打开窗户，呼吸一下儿从外面流进来的空气。Zǎoshang wūli de kōngqì bú tài hǎo, dǎkai chuānghu, hūxī yíxiàr cóng wàimiàn liú jinlai de kōngqì. 例这里是郊区，到处可以呼吸到 ～ 空气。Zhèlǐ shì jiāoqū, dàochù kěyǐ hūxī dào ～ kōngqì. |还是常在有 ～ 空气的地方活动比较好。Háishi cháng zài yǒu ～ kōngqì de dìfang huódòng bǐjiào hǎo. |早晨的空气最 ～。Zǎochen de kōngqì zuì ～. |山里的空气就是比城里的空气 ～。Shān li de kōngqì jiùshì bǐ chénglǐ de kōngqì ～. |刚下过雨，空气真 ～。Gāng xiàguo yǔ, kōngqì zhēn ～.

xīnxiān 新鲜³ (新鮮) [形]

几十年前，电脑还是件 ～ 东西，现在早已不 ～ 了。Jǐshí nián qián, diànnǎo hái shì jiàn ～ dōngxi, xiànzài zǎoyǐ bù ～ le. →那时候，电脑刚出现，还很少见，现在几乎家家都有了，非常普遍了。Nà shíhou, diànnǎo gāng chūxiàn, hái hěn shǎojiàn, xiànzài jīhū jiājiā dōu yǒu le, fēicháng pǔbiàn le. **例** 他总有～事儿讲给大家听。Tā zǒng yǒu ～ shìr jiǎng gěi dàjiā tīng. | 这玩具的玩儿法倒是挺～的。Zhè wánjù de wánrfǎ dàoshi tǐng ～ de. | 这事儿，我从没听说过，真～！Zhè shìr, wǒ cóng méi tīngshuōguo, zhēn ～! | 他从没去过农村，所以见到什么都觉得～。Tā cóng méi qùguo nóngcūn, suǒyǐ jiàndào shénme dōu juéde ～. | 你的这套办法没什么～的，一学就会。Nǐ de zhèi tào bànfǎ méi shénme ～ de, yì xué jiù huì.

xīn 新² [形]

我买了一辆～自行车，刚骑了几天。Wǒ mǎile yí liàng ～ zìxíngchē gāng qíle jǐ tiān. → 我的自行车刚买来时是没用过的，现在也才用了不长的时间。Wǒ de zìxíngchē gāng mǎi lái shí shì méi yòngguo de, xiànzài yě cái yòngle bù cháng de shíjiān. **例** 这辆～车很好用，开起来又轻又快。Zhèi liàng ～ chē hěn hǎo yòng, kāi qilai yòu qīng yòu kuài. | 他们刚结婚，住进了一套～房子，里面的家具也全是～的。Tāmen gāng jiéhūn, zhùjìnle yí tào ～ fángzi, lǐmiàn de jiājù yě quán shì ～ de. | 这收音机还很～，怎么就不响了呢? Zhè shōuyīn-jī hái hěn ～, zěnme jiù bù xiǎng le ne? | 他们把旧冰箱卖了，又买了一台～的。Tāmen bǎ jiù bīngxiāng mài le, yòu mǎile yì tái ～ de. | 这件～衣服比那件旧的漂亮多了。Zhèi jiàn ～ yīfu bǐ nèi jiàn jiù de piàoliang duō le.

xīn 新³ [副]

他～买的洗衣机非常好用。Tā ～ mǎi de xǐyījī fēicháng hǎo yòng. 他们最近从商店里刚买来的洗衣机很好用。Tāmen zuìjìn cóng shāngdiàn li gāng mǎi lái de xǐyījī hěn hǎo yòng. **例** 这儿～开了一家商店，我们去看看。Zhèr ～ kāile yì jiā shāngdiàn, wǒmen qù kànkan. | 她～做的这件衣服，你看怎么样? Tā ～ zuò de zhèi jiàn yīfu, nǐ kàn zěnmeyàng? | 这本书是～出版的。Zhèi běn shū shì ～ chūbǎn de. | 这些树是～种上的，大家可要好好儿爱护啊! Zhèixiē shù shì ～ zhòngshang de, dàjiā kě yào hǎohāor àihù a!

xìn 信¹ [名]

我正在给妈妈写～。Wǒ zhèngzài gěi māma xiě ～. → 我正在把这里的情况写下来，寄给妈妈。Wǒ zhèngzài bǎ zhèlǐ de qíngkuàng xiě xialai, jì gěi māma. **例** 她终于收到了家里来的～。Tā zhōngyú shōudàole jiā li lái de ～. | ～已经寄出去了，可还没盼来回～。

yǐjing jì chuqu le, kě hái méi pànlai huí ~. ｜这封邀请~是寄给你的，你一定很高兴吧？ Zhèi fēng yāoqǐng ~ shì jì gěi nǐ de, nǐ yídìng hěn gāoxìng ba? ｜大卫在~中告诉了我许多有趣的事ㄦ。Dàwèi zài ~ zhōng gàosule wǒ xǔduō yǒuqù de shìr. ｜他最喜欢用发短~的方式与朋友交流。Tā zuì xǐhuan yòng fā duǎn ~ de fāngshì yǔ péngyou jiāoliú.

xìnfēng 信封 ［名］

他把信放在~里，寄走了。Tā bǎ xìn fàng zài ~ li, jìzǒu le. →他把信放在专门放信的纸袋里，写上姓名、地址，贴上邮票寄走了。Tā bǎ xìn fàng zài zhuānmén fàng xìn de zhǐdài li, xiě shang xìngmíng、dìzhǐ, tiēshang yóupiào jìzǒu le. 例请你把邮票贴在~的右上角。Qǐng nǐ bǎ yóupiào tiē zài ~ de yòu shàng jiǎo. ｜这种~已经不能用了，要用统一的~。Zhèi zhǒng ~ yǐjing bù néng yòng le, yào yòng tǒngyī de ~. ｜寄信要用标准~。Jì xìn yào yòng biāozhǔn ~. ｜~上的地址不清楚，所以邮局给退回来了。~ shang de dìzhǐ bù qīngchu, suǒyǐ yóujú gěi tuì huilai le. ｜寄信时~上的字要写清楚。Jì xìn shí ~ shang de zì yào xiě qīngchu.

xìn 信² ［动］

他从不说假话，所以大家都~他。Tā cóng bù shuō jiǎ huà, suǒyǐ dàjiā dōu ~ tā. →大家都相信他说的每一句话都是真话。Dàjiā dōu xiāngxìn tā shuō de měi yí jù huà dōu shì zhēn huà. 例如果没有真的见到，不要随便地~别人的话。Rúguǒ méiyǒu zhēnde jiàndào, búyào suíbiàn de ~ biéren de huà. ｜我只~事实，~科学，他说的那些我才不~呢！Wǒ zhǐ ~ shìshí, ~ kēxué, tā shuō de nèixiē wǒ cái bú ~ ne! ｜他是一个诚实的人，我不~他会骗人。Tā shì yí ge chéngshí de rén, wǒ bú ~ tā huì piàn rén. ｜你一定能做好，我~得过你，好好ㄦ干吧。Nǐ yídìng néng zuòhǎo, wǒ ~ de guò nǐ, hǎohāor gàn ba. ｜我已经拿到了明天晚会的票，你~不~？ Wǒ yǐjing nádàole míngtiān wǎnhuì de piào, nǐ ~ bu ~?

xìnxīn 信心 ［名］

他对学好汉语很有~。Tā duì xuéhǎo Hànyǔ hěn yǒu ~. →他相信自己能够把汉语学好。Tā xiāngxìn zìjǐ nénggòu bǎ Hànyǔ xuéhǎo. 例对做好这次实验，我还是有~的。Duì zuòhǎo zhèi cì shíyàn, wǒ háishi yǒu ~ de. ｜大家的鼓励增加了他克服困难的~。Dàjiā de gǔlì zēngjiāle tā kèfú kùnnan de ~. ｜~是一个人成功的必要条件。~ shì yí ge rén chénggōng de bìyào tiáojiàn. I他的脸上表现出很有~的样子。Tā de liǎnshang biǎoxiàn chū hěn yǒu ~ de yàngzi. I她~百倍地迎接新的生活。Tā ~ bǎibèi de yíngjiē xīn de shēnghuó.

xing

xīngfèn 兴奋（興奮）[形]

听到这个好消息，她~极了，一夜都没睡着觉。Tīngdào zhèige hǎo xiāoxi, tā ~ jí le, yí yè dōu méi shuìzháo jiào. →听到这个好消息，她心情特别不平静，高兴得一夜都没睡着觉。Tīngdào zhèige hǎo xiāoxi, tā xīnqíng tèbié bù píngjìng, gāoxìng de yí yè dōu méi shuìzháo jiào. **例**他太~了，连话都说不出来了。Tā tài ~ le, liàn huà dōu shuō bu chūlái le. I多年的愿望实现了，她~得又唱又跳。Duō nián de yuànwàng shíxiàn le, tā ~ de yòu chàng yòu tiào. I到北京了，他带着~的心情下了火车。Dào Běijīng le, tā dàizhe ~ de xīnqíng xiàle huǒchē. I看他那~的样子，不知遇到了什么高兴的事了。Kàn tā nà ~ de yàngzi, bù zhī yùdàole shénme gāoxìng de shì le. I她~地说："我得了第一，真没想到。" Tā ~ de shuō: "Wǒ déle dì yī, zhēn méi xiǎngdào." I我看到他时，他显得非常~。Wǒ kàndào tā shí, tā xiǎnde fēicháng ~.

xīngqī 星期 [名]

week **例**他一个~没来上班了。Tā yí ge ~ méi lái shàngbān le. I一个~的工作，他三天就干完了。Yí ge ~ de gōngzuò, tā sān tiān jiù gànwán le. I下个~，我们要去旅行。Xià ge ~, wǒmen yào qù lǚxíng. I上个~刚回来，怎么明天又要走啊？Shàng ge ~ gāng huílai, zěnme míngtiān yòu yào zǒu a? I学校放暑假一般有七个或八个~。Xuéxiào fàng shǔjià yìbān yǒu qī ge huò bā ge ~. I他病了，在家休息了一个~。Tā bìng le, zài jiā xiūxile yí ge ~.

Xīngqīrì 星期日 [名]

今天是星期六，明天是~。Jīntiān shì Xīngqīliù, míngtiān shì ~. →过了星期六，明天就是第二个休息日了。Guòle Xīngqīliù, míngtiān jiùshì dì èr ge xiūxirì le. **例**紧张了一个星期，~一定要好好儿休息休息。Jǐnzhāngle yí ge xīngqī, ~ yídìng yào hǎohāor xiūxi xiūxi. I~快过完了，这一天过得真丰富。~ kuài guòwán le, zhèi yì tiān guò de zhēn fēngfù. I过了星期六，就是~，我们平常也说是星期天。Guòle Xīngqīliù, jiù shì ~, wǒmen píngcháng yě shuō shì

Xīngqītiān. | 今天是 ~，天气那么好，我们出去玩儿玩儿吧。Jīntiān shì ~, tiānqì nàme hǎo, wǒmen chūqu wánrwanr ba. | 上个 ~，我遇到了多年不见的好朋友，太叫人高兴了。Shàng ge ~, wǒ yùdàole duō nián bú jiàn de hǎo péngyou, tài jiào rén gāoxìng le.

xīngxing 星星 [名]

天上的 ~ 太多了，数也数不清。Tiānshang de ~ tài duō le, shǔ yě shǔ bu qīng. →晚上，你可以看到天空中有许多发亮的小点儿，数也数不清。Wǎnshang, nǐ kěyǐ kàndào tiānkōng zhōng yǒu xǔduō fā liàng de xiǎodiǎnr, shǔ yě shǔ bu qīng. 例你看，天边那一颗 ~ 最亮。Nǐ kàn, tiānbiān nèi yì kē ~ zuì liàng. | 今天的月亮又圆又亮，而 ~ 却显得少多了。Jīntiān de yuèliang yòu yuán yòu liàng, ér ~ què xiǎnde shǎo duō le. | 每到夜晚，就会看到天上有无数颗发光的 ~。Měi dào yěwǎn, jiù huì kàndào tiānshang yǒu wúshù kē fā guāng de ~. | 今天天气不好，乌云把 ~ 都遮住了。Jīntiān tiānqì bù hǎo, wūyún bǎ ~ dōu zhēzhù le.

xíng 行[1] [形]

这篇文章不用写那么多，写六百字就 ~ 了。Zhèi piān wénzhāng búyòng xiě nàme duō, xiě liùbǎi zì jiù ~ le. →这篇文章写六百字就可以了。Zhèi piān wénzhāng xiě liùbǎi zì jiù kěyǐ le. 例学习一定要努力才 ~。Xuéxí yídìng yào nǔlì cái ~. | 开车闯红灯可不 ~，要罚钱的。Kāi chē chuǎng hóngdēng kě bù ~, yào fá qián de. | ~，我同意你的办法。~, wǒ tóngyì nǐ de bànfǎ. | 你就答应吧，~ 不 ~？Nǐ jiù dāying ba, ~ bu ~? | 这样写 ~ 吗？——不 ~，还得再改改。Zhèiyàng xiě ~ ma? ——Bù ~, hái děi zài gǎigai.

xíng 行[2] [形]

他真 ~，一个人干两个人的活儿。Tā zhēn ~, yí ge rén gàn liǎng ge rén de huór. →他真能干，干起活儿来一个人顶两个人用。Tā zhēn nénggàn, gàn qi huór lái yí ge rén dǐng liǎng ge rén yòng. 例她就是 ~，在班里总考第一名。Tā jiùshì ~, zài bān li zǒng kǎo dì yī míng. | 要说唱歌儿跳舞，你比我 ~。Yào shuō chànggēr tiàowǔ, nǐ bǐ wǒ ~. | 我 ~ 什么呀！外语单词老记不住。Wǒ ~ shénme ya! Wàiyǔ dāncí lǎo jì bu zhù. | 在学习上他很 ~，干起活儿来就不怎么 ~ 了。Zài xuéxí shang tā hěn ~, gàn qi huór lai jiù bù zěnme ~ le.

xíngdòng 行动[1]（行動）[名]

他的 ~ 感动了大家。Tā de ~ gǎndòngle dàjiā. →他做的一些事，让

X

大家很受感动。Tā zuò de yìxiē shì, ràng dàjiā hěn shòu gǎndòng. 他最近的 ~ 让人觉得很奇怪。Tā zuìjìn de ~ ràng rén juéde hěn qíguài. | 千万小心，我们的秘密 ~ 决不能被发现。Qiānwàn xiǎoxīn, wǒmen de mìmì ~ jué bù néng bèi fāxiàn. | 我们不听你说的，我们要看你的 ~。Wǒmen bù tīng nǐ shuō de, wǒmen yào kàn nǐ de ~. | 我们会采取 ~，防止灾害的发生。Wǒmen huì cǎiqǔ ~, fángzhǐ zāihài de fāshēng. | 他用 ~ 告诉我们，他能够当好经理。Tā yòng ~ gàosu wǒmen, tā nénggòu dānghǎo jīnglǐ. | 你想去中国旅游，可以把 ~ 计划告诉我们吗？Nǐ xiǎng qù Zhōngguó lǚyóu, kěyǐ bǎ ~ jìhuà gàosu wǒmen ma?

xíngdòng 行动² （行動）[动]

我们还是先把计划制定好，然后再 ~。Wǒmen háishi xiān bǎ jìhuà zhìdìng hǎo, ránhòu zài ~. →先制定计划，然后采取措施进行活动。Xiān zhìdìng jìhuà, ránhòu cǎiqǔ cuòshī jìnxíng huódòng. 他们先起来了，我们也应赶上。Tāmen xiān ~ qilai le, wǒmen yě yīng gǎnshang. | 我们得 ~ 快一点儿，不然就来不及了。Wǒmen děi ~ kuài yìdiǎnr, bùrán jiù lái bu jí le. | 同学们注意，我们按原来的计划 ~。Tóngxuémen zhùyì, wǒmen àn yuánlái de jìhuà ~. | 出发的时间到了，现在大家开始 ~。Chūfā de shíjiān dào le, xiànzài dàjiā kāishǐ ~.

xíngli 行李 [名]

他的 ~ 可真多，一辆车都装不下。Tā de ~ kě zhēn duō, yí liàng chē dōu zhuāng bu xià. →他去外地带了好多东西，有好几个大箱子。Tā qù wàidì dàile hǎoduō dōngxi, yǒu hǎojǐ gè dà xiāngzi. 他到这儿两天了，可他的 ~ 还没有到。Tā dào zhèr liǎng tiān le, kě tā de ~ hái méiyǒu dào. | 他出国旅游，只带了一件 ~。Tā chūguó lǚyóu, zhǐ dàile yí jiàn ~. | 请大家拿好自己的 ~，准备下车。Qǐng dàjiā náhǎo zìjǐ de ~, zhǔnbèi xiàchē. | 上飞机前一个多小时，我就把运 ~ 的手续办好了。Shàng fēijī qián yí ge duō xiǎoshí, wǒ jiù bǎ yùn ~ de shǒuxù bànhǎo le. | 这些 ~ 的重量不会超过标准吧？Zhèixiē ~ de zhòngliàng bú huì chāoguò biāozhǔn ba?

xíngchéng 形成 [动]

多年来，他已经 ~ 了早睡早起的好习惯。Duōnián lái, tā yǐjing ~ le zǎo shuì zǎo qǐ de hǎo xíguàn. →多年以来，每天他都早睡早起，慢慢就成习惯了。Duō nián yǐlái, měi tiān tā dōu zǎo shuì zǎo qǐ,

mànmàn jiù chéng xíguàn le. **例**良好的家庭环境~了她活泼的性格。
Liánghǎo de jiātíng huánjìng ~ le tā huópo de xìnggé. |他想了好几
天，一种新的想法在他脑子里~了。Tā xiǎngle hǎojǐ tiān, yì zhǒng
xīn de xiǎngfa zài tā nǎozi li ~ le. |这个小岛是经过多年逐渐~的。
Zhèige xiǎodǎo shì jīngguò duō nián zhújiàn ~ de. |长期~的生活习
惯不是一下子就能改的。Chángqī ~ de shēnghuó xíguàn bú shì yíxiàzi
jiù néng gǎi de.

xíngróng 形容 [动]

我很难 ~ 我当时的感觉。Wǒ hěn nán ~ wǒ dāngshí de gǎnjué. →
我当时那种特别的感觉实在没有办法描写出来。Wǒ dāngshí nèi
zhǒng tèbié de gǎnjué shízài méiyǒu bànfǎ miáoxiě chulai. **例**我没有
办法用语言来~我那时激动的心情。Wǒ méiyǒu bànfǎ yòng yǔyán
lái ~ wǒ nà shí jīdòng de xīnqíng. |你给大家 ~ ~ 他长得什么样儿。
Nǐ gěi dàjiā ~ ~ tā zhǎng de shénme yàngr. |在文章里，他对母亲的
性格~得很真实。Zài wénzhāng li, tā duì mǔqin de xìnggé ~ de hěn
zhēnshí. |那里的风景很美，你再加以~，就更能吸引人了。Nàli
de fēngjǐng hěn měi, nǐ zài jiāyǐ ~, jiù gèng néng xīyǐn rén le.

xíngshì 形式 [名]

这座桥，~ 很美。Zhèi zuò qiáo, ~ hěn měi. →这座桥，形状看上
去很美。Zhèi zuò qiáo, xíngzhuàng kàn shangqu hěn měi. **例**文学作
品的 ~ 多种多样，如小说、诗歌等等。Wénxué zuòpǐn de ~ duō
zhǒng duō yàng, rú xiǎoshuō, shīgē děngděng. |这种新的艺术 ~ 受
到了大家的欢迎。Zhèi zhǒng xīn de yìshù ~ shòudàole dàjiā de
huānyíng. |~ 和内容是统一的。~ hé nèiróng shì tǒngyī de. |我们
写文章，既要注意内容，也要注意 ~。Wǒmen xiě wénzhāng, jì
yào zhùyì nèiróng, yě yào zhùyì ~. |西方人对中国民族 ~ 的东西很
感兴趣。Xīfāngrén duì Zhōngguó mínzú ~ de dōngxi hěn gǎn xìngqu.

xíngshì 形势（形勢）[名]

比赛场上 ~ 非常好。Bǐsàichǎng shang ~ fēicháng hǎo. →比赛场上
出现的发展状况对我们很有利。Bǐsàichǎng shang chūxiàn de fāzhǎn
zhuàngkuàng duì wǒmen hěn yǒulì. **例**目前的经济 ~ 比较稳定。
Mùqián de jīngjì ~ bǐjiào wěndìng. |许多人都关心国际国内的 ~。
Xǔduō rén dōu guānxīn guójì guónèi de ~. |请谈谈你对当前 ~ 的看
法。Qǐng tántan nǐ duì dāngqián ~ de kànfǎ. |我们要了解 ~ 的发展，
学会适应 ~。Wǒmen yào liǎojiě ~ de fāzhǎn, xuéhuì shìyìng ~ . |你

认为～的发展将会是什么样的呢？Nǐ rènwéi ～ de fāzhǎn jiāng huì shì shénme yàng de ne?

xíngxiàng 形象[1] [名]

我们从照片儿上看到了她年轻时的～。Wǒmen cóng zhàopiānr shang kàndàole tā niánqīng shí de ～. →从照片儿上我们看到了她年轻时长的样子。Cóng zhàopiānr shang wǒmen kàndàole tā niánqīng shí zhǎng de yàngzi. 例他非常注意自己的～。Tā fēicháng zhùyì zìjǐ de ～. |教师的～会给学生带来影响。Jiàoshī de ～ huì gěi xuésheng dàilái yǐngxiǎng. |他永远不会回来了，但他的～永远留在我的心中。Tā yǒngyuǎn bú huì huílai le, dàn tā de ～ yǒngyuǎn liú zài wǒ de xīnzhōng. |把老虎的～画下来，而且画得像，的确很不容易。Bǎ lǎohǔ de ～ huà xialai, érqiě huà de xiàng, díquè hěn bù róngyì.

xíngxiàng 形象[2] [形]

这篇文章的语言很～，让人很爱读。Zhèi piān wénzhāng de yǔyán hěn ～, ràng rén hěn ài dú. →文章用语言具体描写人和事物，让人读了，好像看得见听得着一样。Wénzhāng yòng yǔyán jùtǐ miáoxiě rén hé shìwu, ràng rén dú le, hǎoxiàng kàn de jiàn tīng de zháo yíyàng. 例这一部分对山水的描写非常～。Zhèi yí bùfen duì shānshuǐ de miáoxiě fēicháng ～. |这段历史写得多么～动人啊！Zhèi duàn lìshǐ xiě de duōme ～ dòngrén a! |写这种严肃的题目，他却用了～的表达方法。Xiě zhèi zhǒng yánsù de tímù, tā què yòngle ～ de biǎodá fāngfǎ. |在文章里，作者～地说明了深刻的道理。Zài wénzhāng li, zuòzhě ～ de shuōmíngle shēnkè de dàoli.

xíngzhuàng 形状（形狀）[名]

各种～的花瓶摆在桌子上，很好看。Gè zhǒng ～ de huāpíng bǎi zài zhuōzi shang, hěn hǎokàn. →人们看到，桌子上摆着各种样子的花瓶，很好看。Rénmen kàndào, zhuōzi shang bǎizhe gè zhǒng yàngzi de huāpíng, hěn hǎokàn. 例这种～的小收音机看上去像苹果。Zhèi zhǒng ～ de xiǎo shōuyīnjī kàn shangqu xiàng píngguǒ. |你知道雪花儿的～是什么样的吗？Nǐ zhīdao xuěhuār de ～ shì shénme yàng de ma? |这种产品有各种～的，你可以随便选。Zhèi zhǒng chǎnpǐn yǒu gè zhǒng ～ de, nǐ kěyǐ suíbiàn xuǎn. |他把那个～很奇怪的小盒子拿走了。Tā bǎ neige ～ hěn qíguài de xiǎo hézi ná zǒu le.

xǐng 醒[1] [动]

早上，铃儿一响，她就～了。Zǎoshang, língr yì xiǎng, tā jiù ～ le.

→早上铃一响，她就不再睡了。Zǎoshang líng yì xiǎng, tā jiù bú zài shuì le. 例我躺在床上，一直~着，直到夜里两点才睡着。Wǒ tǎng zài chuáng shang, yìzhí ~ zhe, zhídào yèli liǎng diǎn cái shuìzháo. | 他累了一天了，别叫~他。Tā lèile yì tiān le, bié jiào ~ tā. | 这一夜她~了好几次。Zhèi yí yè tā ~ le hǎojǐ cì. | 明天应该早点儿~，我要赶公共汽车。Míngtiān yīnggāi zǎo diǎnr ~, wǒ yào gǎn gōnggòng qìchē. | 快~~，都七点了，该去上学了。Kuài ~ ~, dōu qī diǎn le, gāi qù shàngxué le. | 他刚睡着，就被电话铃儿叫~了。Tā gāng shuìzháo, jiù bèi diànhuà língr jiào ~ le.

xǐng 醒² [动]

他昏迷了两天，现在终于~了。Tā hūnmíle liǎng tiān, xiànzài zhōngyú ~ le. →他昏迷了两天，什么事儿都不知道了，现在睁开眼说话了。Tā hūnmíle liǎng tiān, shénme shìr dōu bù zhīdào le, xiànzài zhēngkāi yǎn shuōhuà le. 例酒喝多了，他醉了一天才~过来。Jiǔ hēduō le, tā zuìle yì tiān cái ~ guolai. | 他刚做完手术，六点之前还~不了。Tā gāng zuò wán shǒushù, liù diǎn zhīqián hái ~ bu liǎo. | 你先躺一会儿，~~酒。Nǐ xiān tǎng yíhuìr. ~ ~ jiǔ.

xìngqù 兴趣（興趣）[名]

许多人对足球比赛特别有~。Xǔduō rén duì zúqiú bǐsài tèbié yǒu ~. →许多人特别关心足球比赛，而且喜欢看足球比赛。Xǔduō rén tèbié guānxīn zúqiú bǐsài, érqiě xǐhuan kàn zúqiú bǐsài. 例最近，他对文学产生了极大的~。Zuìjìn, tā duì wénxué chǎnshēngle jídà de ~. | 咱们去打网球怎么样？感不感~？Zánmen qù dǎ wǎngqiú zěnmeyàng? Gǎn bu gǎn ~? | 科学家的报告引起了大家的~。Kēxuéjiā de bàogào yǐnqǐle dàjiā de ~. | 他的~很广泛，体育、音乐他都爱好。Tā de ~ hěn guǎngfàn, tǐyù、yīnyuè tā dōu àihào. | 他对数学的~是从小培养起来的。Tā duì shùxué de ~ shì cóngxiǎo péiyǎng qilai de.

xìngfú 幸福¹ [形]

她有一个~的家。Tā yǒu yí ge ~ de jiā. →他家里的人都感到这个家特别温暖，心情很愉快。Tā jiāli de rén dōu gǎndào zhèige jiā tèbié wēnnuǎn, xīnqíng hěn yúkuài. 例他越想越高兴，脸上现出~的微笑。Tā yuè xiǎng yuè gāoxìng, liǎn shang xiànchū ~ de wēixiào. | 新年到了，祝你全家~、快乐！Xīnnián dào le, zhù nǐ quán jiā ~、

X

kuàilè！｜谁不希望生活得更～一些呢。Shéi bù xīwàng shēnghuó de gèng ～yìxiē ne.｜他和他的爱人～地度过了一生。Tā hé tā de àiren ～ de dùguole yìshēng.

xìngfú 幸福² [名]

大卫有一个好妻子，是他最大的～。Dàwèi yǒu yí ge hǎo qīzi, shì tā zuì dà de ～. →他的好妻子使他过着心情愉快的生活。Tā de hǎo qīzi shǐ tā guòzhe xīnqíng yúkuài de shēnghuó. 例我要努力找到自己的～。Wǒ yào nǔlì zhǎodào zìjǐ de ～.｜～不会从天上掉下来。～ bú huì cóng tiānshang diào xialai.｜我的～是这个家给我的。Wǒ de ～ shì zhèige jiā gěi wǒ de.｜～在哪里？～在自己创造新生活的劳动里啊！～ zài nǎlǐ? ～ zài zìjǐ chuàngzào xīn shēnghuó de láodòng lǐ a!

xìnghǎo 幸好 [副]

早上～你叫醒我，我才没迟到。Zǎoshang ～ nǐ jiàoxǐng wǒ, wǒ cái méi chídào. →如果不是你早上把我叫起来，我就要迟到了。Rúguǒ bú shì nǐ zǎoshang bǎ wǒ jiào qilai, wǒ jiù yào chídào le. 例～你来了，不然我就得在外面等半天。～ nǐ lái le, bùrán wǒ jiù děi zài wàimian děng bàntiān.｜昨天的活动～你没来，人太多了，什么也看不到。Zuótiān de huódòng ～ nǐ méi lái, rén tài duō le, shénme yě kàn bu dào.｜我差点儿被车撞上，～我躲得快。Wǒ chàdiǎnr bèi chē zhuàng shang, ～ wǒ duǒ de kuài.｜一块大石头滚下来了，真危险，～我们离得比较远。Yí kuài dà shítou gǔn xialai le, zhēn wēixiǎn, ～ wǒmen lí de bǐjiào yuǎn.

xìngkuī 幸亏 (幸虧) [副]

～你提醒我，才没误火车。～ nǐ tíxǐng wǒ, cái méi wù huǒchē. →如果不是你告诉我时间，我就赶不上火车了。Rúguǒ bú shì nǐ gàosu wǒ shíjiān, wǒ jiù gǎn bu shàng huǒchē le. 例～带了雨衣，我们俩的衣服才没湿。～ dàile yǔyī, wǒmen liǎ de yīfu cái méi shī.｜～服务员捡到我的包还给了我，否则会把我急坏的。～ fúwùyuán jiǎndào wǒ de bāo huán gěi le wǒ, fǒuzé huì bǎ wǒ jíhuài de.｜～我们打电话联系过一次，否则差点儿就找不到你了。～ wǒmen dǎ diànhuà liánxìguò yí cì, fǒuzé chàdiǎnr jiù zhǎo bu dào nǐ le.｜这次事故没造成很大的损失，～问题发现得早啊！Zhèi cì shìgù méi zàochéng hěn dà de sǔnshī, ～ wèntí fāxiàn de zǎo a!

xìngyùn 幸运 (幸運) [形]

你真～，一找就找到了自己满意的好工作。Nǐ zhēn ～, yì zhǎo jiù

zhǎodào le zìjǐ mǎnyì de hǎo gōngzuò. →你的命运真好，很容易地就找到了好工作。Nǐ de mìngyùn zhēn hǎo, hěn róngyì de jiù zhǎodàole hǎo gōngzuò. 例他今年很～，刚过新年就中了个大奖。Tā jīnnián hěn ～, gāng guò xīnnián jiù zhòngle ge dàjiǎng. I 我非常～地遇到了一位好老师。Wǒ fēicháng ～ de yùdàole yí wèi hǎo lǎoshī. I 我被选为～观众，真没想到。Wǒ bèi xuǎnwéi ～ guānzhòng, zhēn méi xiǎngdào. I 这次事故大家还算～，车翻了，人没受伤。Zhèi cì shìgù dàjiā hái suàn ～, chē fān le, rén méi shòu shāng.

xìngbié 性别 ［名］

填表时，～是一定要填的。Tián biǎo shí, ～ shì yídìng yào tián de. →填表时，你是男的还是女的一定要填好。Tián biǎo shí, nǐ shì nán de háishi nǚ de yídìng yào tiánhǎo. 例在个人登记表上，姓名是第一项，～是第二项。Zài gèrén dēngjìbiǎo shang, xìngmíng shì dì yī xiàng, ～ shì dì èr xiàng. I 这项活动不分～，男女都可以参加。Zhèi xiàng huódòng bù fēn ～, nán nǚ dōu kěyǐ cānjiā. I 对于报名的人，公司并没有～的要求。Duìyú bàomíng de rén, gōngsī bìng méiyǒu ～ de yāoqiú.

xìnggé 性格 ［名］

他的～好，大家都愿意和他交朋友。Tā de ～ hǎo, dàjiā dōu yuànyi hé tā jiāo péngyou. →他对人对事的态度好，大家都愿意做他的朋友。Tā duì rén duì shì de tàidu hǎo, dàjiā dōu yuànyi zuò tā de péngyou. 例这个人的～很怪，总喜欢一个人行动。Zhèi ge rén de ～ hěn guài, zǒng xǐhuan yí ge rén xíngdòng. I 她活泼的～很叫人喜欢。Tā huópo de ～ hěn jiào rén xǐhuan. I 不同的～会带来不同的命运。Bù tóng de ～ huì dàilái bù tóng de mìngyùn. I 我们长期在一起，我十分了解他的～。Wǒmen chángqī zài yìqǐ, wǒ shífēn liǎojiě tā de ～. I 孩子的～特点是什么，父母亲应该是最清楚的。Háizi de ～ tèdiǎn shì shénme, fùmǔqīn yīnggāi shì zuì qīngchu de.

xìngzhì 性质（性質）［名］

这两个问题的～不同，解决的方法也不一样。Zhèi liǎng ge wèntí de ～ bù tóng, jiějué de fāngfǎ yě bù yíyàng. →这两个问题是有根本区别的，当然解决的方法就会不同。Zhèi liǎng ge wèntí shì yǒu gēnběn qūbié de, dāngrán jiějué de fāngfǎ jiù huì bù tóng. 例这件事的～并不严重，批评一下儿就可以了。Zhèi jiàn shì de ～ bìng bù yánzhòng, pīpíng yíxiàr jiù kěyǐ le. l课上，老师给我们讲了水的化学 ~。 Kè shang, lǎoshī gěi wómen jiǎngle shuǐ de huàxué ~. l首先要 弄清事物的 ~，然后再下结论。Shǒuxiān yào nòngqīng shìwù de ~, ránhòu zài xià jiélùn. l他们两个人的问题在根本 ~上有区别，怎么 能同样对待呢？ Tāmen liǎng ge rén de wèntí zài gēnběn ~ shang yǒu qūbié, zěnme néng tóngyàng duìdài ne?

xìng 姓¹ [名]

她叫李小红，李是她的 ~ 儿，小红是她的名儿。Tā jiào Lǐ Xiǎohóng, Lǐ shì tā de ~ r, Xiǎohóng shì tā de míngr. →中国人的名字一般由两 部分组成，前面是姓，后面是名。Zhōngguórén de míngzi yìbān yóu liǎng bùfen zǔchéng, qiánmiàn shì xìng, hòumiàn shì míng. 例每个 人都有自己的 ~ 儿。Měi ge rén dōu yǒu zìjǐ de ~ r. l中国人常说中 国有四大 ~ 儿：张、王、李、赵。Zhōngguórén cháng shuō Zhōngguó yǒu sì dà ~ r: Zhāng、Wáng、Lǐ、Zhào. l我们俩同 ~ 儿， 都姓张。Wómen liǎ tóng ~ r, dōu xìng Zhāng. l中国人的 ~ 儿绝大 多数是一个字，也有两个字的，如"欧阳"等。Zhōngguórén de ~ r jué dàduōshù shì yí ge zì, yě yǒu liǎng ge zì de, rú "Ōuyáng" děng. l请 把你的 ~ 和名都写下来。Qǐng bǎ nǐ de ~ hé míng dōu xiě xialai.

xìngmíng 姓名 [名]

请写上您的 ~。Qǐng xiěshang nín de ~. →您姓什么，名字是什么， 请写在这张纸上。Nín xìng shénme, míngzi shì shénme, qǐng xiě zài zhèi zhāng zhǐ shang. 例先生，请留下您的 ~。Xiānsheng, qǐng liúxia nín de ~. l他俩的 ~ 完全相同，都叫"李小林"。Tā liǎ de ~ wánquán xiāngtóng, dōu jiào "Lǐ Xiǎolín". l填表时，一定要把 ~ 写 清楚，不要写错。Tián biǎo shí, yídìng yào bǎ ~ xiě qīngchu, bú yào xiěcuò. l听到有人叫他的 ~，他马上站住了。Tīngdào yǒurén jiào tā de ~, tā mǎshàng zhànzhu le. l人人都希望有一个好听的 ~。 Rénrén dōu xīwàng yǒu yí ge hǎotīng de ~. l我很喜欢那本书，但 作者的 ~ 记不清了。Wǒ hěn xǐhuan nèi běn shū, dàn zuòzhě de ~ jì bu qīng le.

xìng 姓² [动]

你们 ~ 什么？——我 ~ 李，他 ~ 王。Nǐmen ~ shénme? —— Wǒ ~ Lǐ, tā ~ Wáng. →我家的姓儿是李，他家的姓儿是王。Wǒ jiā de xìngr shì Lǐ, tā jiā de xìngr shì Wáng. 例我们全村的人都 ~ 一个

姓儿。Wǒmen quán cūn de rén dōu ~ yí gè xìngr. |我爸爸~田，我
妈妈~方，他们给我起的名字叫田方。Wǒ bàba ~ Tián, wǒ māma
~ Fāng, tāmen gěi wǒ qǐ de míngzi jiào Tián Fāng. |我们是一个大
家庭的，都~张。Wǒmen shì yí ge dàjiātíng de, dōu ~ Zhāng. |在
中国，~王、~李、~张的人最多。Zài Zhōngguó, ~ Wáng、~
Lǐ、~ Zhāng de rén zuì duō.

xiong

xiōngdì 兄弟 [名]
我们俩是~。Wǒmen liǎ shì ~. →他是我的哥哥，我是他的弟弟。
Tā shì wǒ de gēge, wǒ shì tā de dìdi. 例他俩长得差不多，像~一
样。Tā liǎ zhǎng de chàbuduō, xiàng ~ yíyàng. |他们~两人的感情
非常好。Tāmen ~ liǎng rén de gǎnqíng fēicháng hǎo. |我们~四个
的性格完全不同。Wǒmen ~ sì ge de xìnggé wánquán bù tóng. |父
母为有我们~二人而感到骄傲。Fùmǔ wèi yǒu wǒmen ~ èr rén ér
gǎndào jiāo'ào. |我们是朋友，可两人的感情比~还深。Wǒmen shì
péngyou, kě liǎng rén de gǎnqíng bǐ~ hái shēn.

xiōng 胸 [名]
chest 例走路要挺起~来。Zǒulù yào tǐng qi ~ lai. |他准备到医院检
查一下儿~部。Tā zhǔnbèi dào yīyuàn jiǎnchá yíxiàr ~ bù. |近几天，
他觉得~有点儿疼，不知什么原因。Jìn jǐ tiān, tā juéde ~ yǒudiǎnr
téng, bù zhī shénme yuányīn. |老年人经常拍拍~和肩对身体有好
处。Lǎoniánrén jīngcháng pāipai ~ hé jiān duì shēntǐ yǒu hǎochu. |摸
着~前的世界冠军奖牌，她幸福地笑了。Mōzhe ~ qián de shìjiè
guànjūn jiǎngpái, tā xìngfú de xiào le.

xióngwěi 雄伟(雄偉) [形]
中国的长城非常~。Zhōngguó de Chángchéng fēicháng ~. →中国
的长城看上去给人一种非常崇高、非常伟大的感觉。Zhōngguó de
Chángchéng kàn shangqu gěi rén yì zhǒng fēicháng chónggāo、
fēicháng wěidà de gǎnjué. 例这座纪念塔多么~啊。Zhèi zuò
jìniàntǎ duōme ~ a. |这里~的建筑群保护得非常完整。Zhèli ~ de
jiànzhùqún bǎohù de fēicháng wánzhěng. |这~的高山吸引了不少
旅游者。Zhè ~ de gāoshān xīyǐnle bù shǎo lǚyóuzhě. |在早晨的阳
光中，大桥显得更加~了。Zài zǎochen de yángguāng zhōng, dà
qiáo xiǎnde gèngjiā ~ le.

xióngmāo 熊猫 [名]

例 ~是人们最喜爱的动物之一，是中国的国宝。~ shì rénmen zuì xǐ'ài de dòngwù zhī yī, shì Zhōngguó de guóbǎo. | ~一般不伤人，但是发起脾气来也很可怕。~ yìbān bù shāngrén, dànshì fāqi píqi lai yě hěn kěpà. | ~只生活在中国的四川、陕西等少数地区。~ zhǐ shēnghuó zài Zhōngguó de Sìchuān、Shǎnxī děng shǎoshù dìqū. | 孩子们特别喜欢看~吃竹子。Háizimen tèbié xǐhuan kàn ~ chī zhúzi. | 你看，~的样子多可爱啊! Nǐ kàn, ~ de yàngzi duō kě'ài a!

熊猫

xiu

xiūxi 休息 [动]

大家干了一天了，~一会儿吧。Dàjiā gànle yì tiān le, ~ yíhuìr ba. →大家一定感到很累了，请停下来坐一会儿，歇一歇。Dàjiā yídìng gǎndào hěn lèi le, qǐng tíng xialai zuò yíhuìr, xiē yi xiē. **例** 他有点儿不舒服，在家~了一天。Tā yǒudiǎnr bù shūfu, zài jiā ~ le yì tiān. | 他正在~，别打扰他。Tā zhèngzài ~, bié dǎrǎo tā. | 他累了，让他好好儿~~。Tā lèi le, ràng tā hǎohāor ~ ~. | ~是为了更好地工作，你说是吗? ~ shì wèile gèng hǎo de gōngzuò, nǐ shuō shì ma? | 昨晚~得怎么样? Zuówǎn ~ de zěnmeyàng?

xiū 修¹ [动]

汽车坏了，该~了。Qìchē huài le, gāi ~ le. →要把汽车出现的问题解决了，才能使用。Yào bǎ qìchē chūxiàn de wèntí jiějué le, cái néng shǐyòng. **例** 这台电视机~好了，可以用了。Zhèi tái diànshìjī ~ hǎo le, kěyǐ yòng le. | 师傅，我想~一~这块表。Shīfu, wǒ xiǎng ~ yi ~ zhèi kuài biǎo. | 这机器我们~不了，请你再到别处看看吧。Zhè jīqì wǒmen ~ bu liǎo, qǐng nǐ zài dào biéchù kànkan ba. | 这车到下午五点还没~完呢。Zhè chē ~ dào xiàwǔ wǔ diǎn hái méi wán ne. | 我找他时，他正~着录音机呢。Wǒ zhǎo tā shí, tā zhèng ~ zhe lùyīnjī ne. | 这位师傅~自行车的技术很好，我找他~过好几次了。Zhèi wèi shīfu ~ zìxíngchē de jìshù hěn hǎo, wǒ zhǎo tā ~ guo hǎojǐ cì le.

xiūlǐ 修理 ［动］

他把收音机 ~ 好了。Tā bǎ shōuyīnjī ~ hǎo le. →收音机不响了，他把问题找出来并且动手解决了，收音机又响了。Shōuyīnjī bù xiǎng le, tā bǎ wèntí zhǎo chulai bìngqiě dòngshǒu jiějué le, shōuyīnjī yòu xiǎng le. 例电视机坏了，找人 ~ 一下儿吧。Diànshìjī huài le, zhǎo rén ~ yíxiàr ba. | 你会 ~ 电灯，请帮一下儿忙好吗？Nǐ huì ~ diàndēng, qǐng bāng yíxiàr máng hǎo ma? | 我进门时，他正在 ~ 录音机呢。Wǒ jìnmén shí, tā zhèngzài ~ lùyīnjī ne. | 自行车该 ~ ~ 了。Zìxíngchē gāi ~ ~ le. | 他正在学习汽车 ~ 技术。Tā zhèngzài xuéxí qìchē ~ jìshù.

xiū 修² ［动］

我们村前要 ~ 公路了，以后汽车可以开到村口儿了。Wǒmen cūn qián yào ~ gōnglù le, yǐhòu qìchē kěyǐ kāidào cūnkǒur le. →我们村前要建公路了，以后乘车可方便了。Wǒmen cūn qián yào jiàn gōnglù le, yǐhòu chéngchē kě fāngbiàn le. 例听说要在这河上 ~ 一座桥，是真的吗？Tīngshuō yào zài zhè hé shang ~ yí zuò qiáo, shì zhēn de ma? | 飞机场要在明年才能 ~ 好。Fēijīchǎng yào zài míngnián cáinéng ~ hǎo. | 大路一直 ~ 到我家门口儿。Dàlù yìzhí ~ dào wǒ jiā ménkǒur. | 这条街把土路 ~ 成大马路了。Zhèi tiáo jiē bǎ tǔ lù ~ chéng dà mǎlù le.

xiūgǎi 修改 ［动］

我在文章里 ~ 了许多地方。Wǒ zài wénzhāng li ~ le xǔduō dìfang. →我的文章里有一些缺点和错误的地方，我把它改过来了。Wǒ de wénzhāng li yǒu yìxiē quēdiǎn hé cuòwù de dìfang, wǒ bǎ tā gǎi guolai le. 例老师每个星期都给我们 ~ 作文。Lǎoshī měi ge xīngqī dōu gěi wǒmen ~ zuòwén. | 好文章都是 ~ 出来的。Hǎo wénzhāng dōu shì ~ chulai de. | 他的这部小说 ~ 了好几遍。Tā de zhèi bù xiǎoshuō ~ le hǎojǐ biàn. | 这个计划还需要 ~ 一下儿，~ 好了再给你。Zhèige jìhuà hái xūyào ~ yíxiàr, ~ hǎole zài gěi nǐ. | 这个设计经过专家一 ~，水平提高了很多。Zhèige shèjì jīngguò zhuānjiā yì ~, shuǐpíng tígāole hěn duō. | 我觉得他 ~ 的几个地方改得都很有道理。Wǒ juéde tā ~ de jǐ ge dìfang gǎi de dōu hěn yǒu dàoli.

xiùzi 袖子 [名]

例这件衣服的 ~ 太长了。Zhèi jiàn yīfu de ~ tài cháng le. I 这件衬衫的 ~ 还不太脏，不过还是洗一洗吧。Zhèi jiàn chènshān de ~ hái bú tài zāng, búguò háishi xǐ yi xǐ ba. I 他卷起 ~ 就干起来。Tā juǎnqi ~ jiù gàn qilai. I 夏天，人们很少穿长 ~ 的衣服。Xiàtiān, rénmen hěn shǎo chuān cháng ~ de yīfu. I 把 ~ 剪短一些，这件衣服就好看了。Bǎ ~ jiǎnduǎn yìxiē, zhèi jiàn yīfu jiù hǎokàn le.

袖子

xu

xūxīn 虚心 [形]

他非常 ~，所以人们都愿意和他接近。Tā fēicháng ~, suǒyǐ rénmen dōu yuànyì hé tā jiējìn. →他很愿意接受别人的意见，从不骄傲。Tā hěn yuànyì jiēshòu biéren de yìjiàn, cóng bù jiāo'ào. 例他要是 ~ 一点儿，就不会犯这样的错误了。Tā yàoshi ~ yìdiǎnr, jiù bú huì fàn zhèiyàng de cuòwù le. I 他是一个十分 ~ 的人，所以进步很快。Tā shì yí ge shífēn ~ de rén, suǒyǐ jìnbù hěn kuài. I 你还是 ~ 听听大家的意见，然后再决定。Nǐ háishi ~ tīngting dàjiā de yìjiàn, ránhòu zài juédìng. I 朋友们给我提的意见，我 ~ 接受。Péngyoumen gěi wǒ tí de yìjiàn, wǒ ~ jiēshòu. I 你看人家比你 ~ 多了，你最好把不 ~ 的毛病改一改。Nǐ kàn rénjia bǐ nǐ ~ duō le, nǐ zuìhǎo bǎ bù ~ de máobing gǎi yi gǎi.

xūyào 需要[1] [动]

我很 ~ 一本英汉词典。Wǒ hěn ~ yì běn Yīng Hàn cídiǎn. →我学习汉语真希望有一本英汉词典，我非常想要得到它。Wǒ xuéxí Hànyǔ zhēn xīwàng yǒu yì běn Yīng Hàn cídiǎn, wǒ fēicháng xiǎng yào dédào tā. 例他们公司 ~ 几个电脑方面的专家。Tāmen gōngsī ~ jǐ ge diànnǎo fāngmiàn de zhuānjiā. I 我什么都不 ~，就 ~ 书。Wǒ shénme dōu bù ~, jiù ~ shū. I 他们 ~ 鼓励，而不是批评。Tāmen ~ gǔlì, ér bú shì pīpíng. I 她什么都有了，只是 ~ 有一个人来陪她。Tā shénme dōu yǒu le, zhǐshì ~ yǒu yí ge rén lái péi tā. I 我们最 ~ 的是人才，而不是人。Wǒmen zuì ~ de shì réncái, ér bú shì rén.

xūyào 需要[2] ［名］

学好外语是时代的 ~。Xuéhǎo wàiyǔ shì shídài de ~. →学好外语是时代对人们的要求。Xuéhǎo wàiyǔ shì shídài duì rénmen de yāoqiú. **例**培养人才，是社会的 ~。Péiyǎng réncái, shì shèhuì de ~. | 我们工厂的产品应当尽量满足人们的 ~。Wǒmen gōngchǎng de chǎnpǐn yīngdāng jǐnliàng mǎnzú rénmen de ~. | 不同的人，他们的 ~ 也不相同。Bù tóng de rén, tāmen de ~ yě bù xiāngtóng. | 市场的 ~，我们必须了解清楚。Shìchǎng de ~, wǒmen bìxū liǎojiě qīngchu. | 为了国家的 ~，他离开亲人，到国外学习。Wèile guójiā de ~, tā líkāi qīnrén, dào guówài xuéxí.

xǔ 许（許）［动］

公园里的花不 ~ 乱采。Gōngyuán li de huā bù ~ luàn cǎi. →要爱护公园里的花，不能乱采。Yào àihù gōngyuán li de huā, bù néng luàn cǎi. **例**不 ~ 随便扔垃圾。Bù ~ suíbiàn rēng lājī. | 我这样要求自己：这次试验只 ~ 成功，不能失败。Wǒ zhèiyàng yāoqiú zìjǐ: zhèi cì shìyàn zhǐ ~ chénggōng, bù néng shībài. | 这几天医生不 ~ 我下床活动。Zhèi jǐ tiān yīshēng bù ~ wǒ xià chuáng huódòng. | 在讨论过程中 ~ 不 ~ 我们发表意见？Zài tǎolùn guòchéng zhōng ~ bu ~ wǒmen fābiǎo yìjiàn?

xǔduō 许多（許多）［形］

书架上有 ~ 书。Shūjià shang yǒu ~ shū. →书架上摆着很多的书。Shūjià shang bǎizhe hěn duō de shū. **例**街道两旁摆着 ~ 鲜花。Jiēdào liǎngpáng bǎizhe ~ xiānhuā. | 来中国半年，他认识了许许多多的中国朋友。Lái Zhōngguó bàn nián, tā rènshile xǔxǔduōduō de Zhōngguó péngyou. | 这部电影，我已经看过 ~ 遍了。Zhèi bù diànyǐng, wǒ yǐjing kànguo ~ biàn le. | 几年不见，他老了 ~。Jǐ nián bújiàn, tā lǎole ~. | 你说的这些事儿，~ 是我不了解的。Nǐ shuō de zhèixiē shìr, ~ shì wǒ bù liǎojiě de. | 这类书，我家有 ~。Zhèi lèi shū, wǒ jiā yǒu ~.

xuan

xuānbù 宣布 ［动］

老师 ~ 考试开始。Lǎoshī ~ kǎoshì kāishǐ. →铃声响过，老师正式告诉大家考试开始。Língshēng xiǎngguò, lǎoshī zhèngshì gàosu dàjiā kǎoshì kāishǐ. 例在大会上，总经理~公司正式成立。Zài dàhuì shang, zǒngjīnglǐ ~ gōngsī zhèngshì chénglì. | 请大家注意，我现在~考试规则。Qǐng dàjiā zhùyì, wǒ xiànzài ~ kǎoshì guīzé. | 班长把讨论结果~了一下儿。Bānzhǎng bǎ tǎolùn jiéguǒ ~ le yíxiàr. | 这个规定~得很及时。Zhèige guīdìng ~ de hěn jíshí. | 刚才~的决定，你听到没有？Gāngcái ~ de juédìng, nǐ tīngdào méiyǒu?

xuānchuán 宣传 (宣傳) [动]

星期天，一些学生在中心广场~科学知识。Xīngqītiān, yìxiē xuésheng zài zhōngxīn guǎngchǎng ~ kēxué zhīshi. →一些学生在向大家介绍和说明科学知识，让大家相信科学。Yìxiē xuésheng zài xiàng dàjiā jièshào hé shuōmíng kēxué zhīshi, ràng dàjiā xiāngxìn kēxué. 例我们要~食品卫生法，让大家注意食品卫生。Wǒmen yào ~ shípǐn wèishēng fǎ, ràng dàjiā zhùyì shípǐn wèishēng. | 他们经常~节约用水，果然很起作用。Tāmen jīngcháng ~ jiéyuē yòng shuǐ, guǒrán hěn qǐ zuòyòng. | 经他们一~，这种商品很快就卖完了。Jīng tāmen yì ~, zhèi zhǒng shāngpǐn hěn kuài jiù màiwán le. | ~的方法有多种，哪种~效果好就用哪种。~ de fāngfǎ yǒu duō zhǒng, něi zhǒng ~ xiàoguǒ hǎo jiù yòng něi zhǒng. | 新的规定出来，一定要及时~。Xīn de guīdìng chūlai, yídìng yào jíshí ~.

xuǎn 选¹ (選) [动]

他看了半天，才~出一张好画儿。Tā kànle bàntiān, cái ~ chū yì zhāng hǎo huàr. →他在许多画儿中挑出了一张好画儿。Tā zài xǔduō huàr zhōng tiāochūle yì zhāng hǎo huàr. 例她在商场里看来看去，最后才~了一件满意的衣服。Tā zài shāngchǎng li kàn lái kàn qù, zuìhòu cái ~ le yí jiàn mǎnyì de yīfu. | 我早已~好了给朋友的生日礼物。Wǒ zǎoyǐ ~ hǎole gěi péngyou de shēngri lǐwù. | 校游泳队在全校~游泳运动员，在我们班里~了两个。Xiào yóuyǒngduì zài quán xiào ~ yóuyǒng yùndòngyuán, zài wǒmen bān li ~ le liǎng ge. | 这些种子得~一~，把好的~出来。Zhèixiē zhǒngzi děi ~ yi ~, bǎ hǎo de ~ chulai. | 他的文章被~上了，在报纸上登出来了。Tā de wénzhāng bèi ~ shang le, zài bàozhǐ shang dēng chulai le.

xuǎnzé 选择¹ (選擇) [动]

他~了自己最喜爱的职业。Tā ~ le zìjǐ zuì xǐ'ài de zhíyè. →在多种职业中，他找到了一种最适合自己，最让他喜爱的职业。Zài duō zhǒng zhíyè zhōng, tā zhǎodàole yì zhǒng zuì shìhé zìjǐ, zuì ràng zìjǐ xǐ'ài de zhíyè。 **例** 我已经 ~ 好了要做的题目。Wǒ yǐjing ~ hǎole yào zuò de tímù。 l 他 ~ 了汉语作为他的第一外语。Tā ~ le Hànyǔ zuòwéi tā de dì yī wàiyǔ。 l 我们提出了多种方案供大家 ~。Wǒmen tíchūle duō zhǒng fāng'àn gōng dàjiā ~。 l 这次集体旅游的路线一定要好好儿 ~ ~。Zhèi cì jítǐ lǚyóu de lùxiàn yídìng yào hǎohāor ~ ~。 l 这个活动，我们 ~ 的时间和地点都是很合适的。Zhèige huódòng, wǒmen ~ de shíjiān hé dìdiǎn dōu shì hěn héshì de。

xuǎnzé 选择² （選擇）[名]

做一名科学技术人员是我自己的 ~。Zuò yì míng kēxué jìshù rényuán shì wǒ zìjǐ de ~。 → 我挑来挑去，最后有了结果，我要做一名科学技术人员。Wǒ tiāo lái tiāo qù, zuìhòu yǒule jiéguǒ, wǒ yào zuò yì míng kēxué jìshù rényuán。 **例** 他的人生 ~ 是做一名医生。Tā de rénshēng ~ shì zuò yì míng yīshēng。 l 请相信，我的 ~ 不会错。Qǐng xiāngxìn, wǒ de ~ bú huì cuò。 l 在这道选择题的答案中可以有多种 ~。Zài zhèi dào xuǎnzétí de dá'àn zhōng kěyǐ yǒu duō zhǒng ~。 l 他决定离开，我觉得这个 ~ 是很聪明的。Tā juédìng líkāi, wǒ juéde zhèige ~ shì hěn cōngming de。

xuǎn 选² （選）[动]

大家都 ~ 他当班长。Dàjiā dōu ~ tā dāng bānzhǎng。 → 大家都同意让他当班长。Dàjiā dōu tóngyì ràng tā dāng bānzhǎng。 **例** 我们 ~ 他做学生代表。Wǒmen ~ tā zuò xuéshēng dàibiǎo。 l 下午要 ~ 班长了，我知道 ~ 谁最好。Xiàwǔ yào ~ bānzhǎng le, wǒ zhīdao ~ shéi zuì hǎo。 l 副主席要 ~ 三位。Fù zhǔxí yào ~ sān wèi。 l 他被 ~ 为优秀学生，获得了一等奖。Tā bèi ~ wéi yōuxiù xuéshēng, huòdéle yī děng jiǎng。 l 班委会委员已经 ~ 出来了，一共七名。Bānwěihuì wěiyuán yǐjing ~ chulai le, yígòng qī míng。

xuǎnjǔ 选举（選舉）[动]

班长要全体同学来 ~。Bānzhǎng yào quántǐ tóngxué lái ~。 → 谁当班长要由全体同学发表意见，并根据大多数人的意见决定。Shéi dāng bānzhǎng yào yóu quántǐ tóngxué fābiǎo yìjiàn, bìng gēnjù dàduōshù rén de yìjiàn juédìng。 **例** 代表不用 ~，一个组出一个就可以了。Dàibiǎo bú yòng ~, yí ge zǔ chū yí gè jiù kěyǐ le。 l 下个月 ~ 工会主席，我们都要参加。Xià ge yuè ~ gōnghuì zhǔxí, wǒmen dōu yào cānjiā. |学生会主席，我们班已经~完了。Xuéshēnghuì zhǔxí, wǒmen bān yǐjing ~ wán le. |他不到十八岁，还不能参加~。Tā bú dào shíbā suì, hái bù néng cānjiā ~. |~的结果现在还不知道。~ de jiéguǒ xiànzài hái bù zhīdào.

xue

xué 学[1]（學）[动]

他正在中国~汉语。Tā zhèngzài Zhōngguó ~ Hànyǔ. →他通过听讲、阅读、写汉字和说话练习等使自己会说汉语。Tā tōngguò tīngjiǎng、yuèdú、xiě Hànzì hé shuōhuà liànxí děng shǐ zìjǐ huì shuō Hànyǔ. 例她先~汉语，然后再~法语。Tā xiān ~ Hànyǔ, ránhòu zài ~ Fǎyǔ. |他~过修汽车，先让他看看车出了什么毛病。Tā ~ guo xiū qìchē, xiān ràng tā kànkan chē chūle shénme máobìng. |我~过一年历史。Wǒ ~ guo yì nián lìshǐ. |在我们班里，玛丽~得最好。Zài wǒmen bān li, Mǎlì ~ de zuì hǎo. |我想~~舞蹈，也不知道~得会~不会。Wǒ xiǎng ~ ~ wǔdǎo, yě bù zhīdào ~ de huì ~ bu huì. |这小孩儿特别聪明，一~就会。Zhè xiǎoháir tèbié cōngming, yì ~ jiù huì.

xuéfèi 学费（學費）[名]

学生每年要交一次~。Xuéshēng měi nián yào jiāo yí cì ~. →学校里规定，学生在校学习，一年要向学校交一次钱。Xuéxiào li guīdìng, xuéshēng zài xiào xuéxí, yì nián yào xiàng xuéxiào jiāo yí cì qián. 例两个学期的~是一万元，明天就交。Liǎng ge xuéqī de ~ shì yí wàn yuán, míngtiān jiù jiāo. |你准备好~了没有？Nǐ zhǔnbèi hǎo ~ le méiyǒu? |我替你把该交的~都交了。Wǒ tì nǐ bǎ gāi jiāo de ~ dōu jiāo le. |有的学生拿不出~怎么办？得想办法解决。Yǒude xuésheng ná bu chū ~ zěnme bàn? Děi xiǎng bànfǎ jiějué. |对于家庭经济特别困难的学生，学校不收他们的~。Duìyú jiātíng jīngjì tèbié kùnnan de xuésheng, xuéxiào bù shōu tāmen de ~.

xuéqī 学期（學期）[名]

这个~共有十九周，下个~二十一周。Zhèige ~ gòng yǒu shíjiǔ zhōu, xià ge ~ èrshíyī zhōu. →中国的学校一学年分两个学习阶段，第一阶段从秋季开学到放寒假，第二阶段从春季开学到放暑假。Zhōngguó de xuéxiào yì xuénián fēn liǎng ge xuéxí jiēduàn, dì yī jiēduàn cóng qiūjì kāixué dào fàng hánjià, dì èr jiēduàn cóng chūnjì

X

kāixué dào fàng shǔjià. **例**这～特别累，课太多了。Zhè ～ tèbié lèi, kè tài duō le. |新～开始了，同学和老师都特别高兴。Xīn ～ kāishǐ le, tóngxué hé lǎoshī dōu tèbié gāoxìng. |一般我们一～上四门ル课，本～只有三门ル。Yìbān wǒmen yì ～ shàng sì ménr kè, běn ～ zhǐ yǒu sān ménr. |上～我的学习成绩不错，下～我还得努力。Shàng ～ wǒ de xuéxí chéngjì búcuò, xià ～ wǒ hái děi nǔlì. |一年级第一～的课程快结束了，考完试就放假了。Yì niánjí dì yī ～ de kèchéng kuài jiéshù le, kǎowán shì jiù fàngjià le.

xuésheng 学生（學生）[名]

我是中学的～，哥哥是大学的～。Wǒ shì zhōngxué de ～, gēge shì dàxué de ～. →我正在中学读书，哥哥正在大学读书。Wǒ zhèngzài zhōngxué dúshū, gēge zhèngzài dàxué dúshū. **例**他是我们班学习最好的～。Tā shì wǒmen bān xuéxí zuì hǎo de ～. |这个班有二十多个～。Zhèige bān yǒu èrshí duō ge ～. |早上七点多钟，～们都到学校来了。Zǎoshang qī diǎn duō zhōng, ～ men dōu dào xuéxiào lái le. |李老师教的～个个都很优秀。Lǐ lǎoshī jiāo de ～ gège dōu hěn yōuxiù. |教室里贴了一张表ル，上面写着得奖～的名字。Jiàoshì li tiēle yì zhāng biǎor, shàngmian xiězhe dé jiǎng ～ de míngzi.

xuéshù 学术（學術）[名]

science **例**他的～观点得到了广泛的重视。Tā de ～ guāndiǎn dédàole guǎngfàn de zhòngshì. |他们碰到一起就讨论～问题。Tāmen pèngdào yìqǐ jiù tǎolùn ～ wèntí. |今天晚上七点大教室有～报告，你去不去听？Jīntiān wǎnshang qī diǎn dà jiàoshì yǒu ～ bàogào, nǐ qù bu qù tīng? |王教授一直进行～研究，有不少～成果。Wáng jiàoshòu yìzhí jìnxíng ～ yánjiū, yǒu bù shǎo ～ chéngguǒ.

xuéwen 学问（學問）[名]

这位老教授很有～，学生们都很尊敬他。Zhèi wèi lǎo jiàoshòu hěn yǒu ～, xuéshengmen dōu hěn zūnjìng tā. →这位教授知识很丰富，有很多研究成果，受到学生的尊敬。Zhèi wèi jiàoshòu zhīshi hěn fēngfù, yǒu hěn duō yánjiū chéngguǒ, shòudào xuésheng de zūnjìng. **例**生活中处处都是～。Shēnghuó zhōng chùchù dōu shì ～. |不怕没有～，就怕不学习。Bú pà méiyǒu ～, jiù pà bù xuéxí. |我的老师很会做～，他很重视研究方法。Wǒ de lǎoshī hěn huì zuò ～, tā hěn zhòngshì yánjiū fāngfǎ. |～是经过几十年的刻苦学习和研究而获得的。～ shì jīngguò jǐshí nián de kèkǔ xuéxí hé yánjiū ér huòdé de. I 我见过很多有～的人，我觉得他们都比较谦虚。Wǒ jiànguo hěn duō yǒu ～ de rén, wǒ juéde tāmen dōu bǐjiào qiānxū.

xuéxí 学习[1] （學習）［动］

大卫正在教室里～。Dàwèi zhèngzài jiàoshì li ～. →大卫正在教室里看书，写作业。Dàwèi zhèngzài jiàoshì li kàn shū, xiě zuòyè. 例 这个公司有不少管理企业的好经验，我们得好好儿～。Zhèige gōngsī yǒu bù shǎo guǎnlǐ qǐyè de hǎo jīngyàn, wǒmen děi hǎohāor ～. I 安娜下了班以后还要去～外语。Ānnà xiàle bān yǐhòu háiyào qù wàiyǔ. I 他是个聪明的孩子，各门儿功课都～得不错。Tā shì ge cōngming de háizi, gè ménr gōngkè dōu ～ de búcuò. I 比尔在中国～过两年，他的汉语说得很好。Bǐ'ěr zài Zhōngguó ～ guo liǎng nián, tā de Hànyǔ shuō de hěn hǎo.

xuéxí 学习[2] （學習）［名］

夫妻俩都很关心孩子的～。Fūqī liǎ dōu hěn guānxīn háizi de ～. → 他俩都很关心孩子增长知识的各种活动。Tā liǎ dōu hěn guānxīn háizi zēngzhǎng zhīshi de gè zhǒng huódòng. 例 这个学校很重视学生各个方面的～。Zhèige xuéxiào hěn zhòngshì xuésheng gè gè fāngmiàn de ～. I 我们公司平时注意抓职工的～，所以职工们的水平提高很快。Wǒmen gōngsī píngshí zhùyì zhuā zhígōng de ～, suǒyǐ zhígōngmen de shuǐpíng tígāo hěn kuài. I 他从上学就养成了很好的～习惯。Tā cóng shàngxué jiù yǎngchéngle hěn hǎo de ～ xíguàn. I 对～不感兴趣怎么行呢！Duì ～ bù gǎn xìngqù zěnme xíng ne!

xuéxiào 学校（學校）［名］

这个城市里有几百所～，包括大学、中学和小学。Zhèige chéngshì li yǒu jǐbǎi suǒ ～, bāokuò dàxué、zhōngxué hé xiǎoxué. →学生们都在这里学习，接受教育。Xuéshengmen dōu zài zhèli xuéxí, jiēshòu jiàoyù. 例这是一所很有名的～。Zhè shì yì suǒ hěn yǒumíng de ～. I ～离家很远，我每天坐汽车去上学。～ lí jiā hěn yuǎn, wǒ měi tiān zuò qìchē qù shàngxué. I 他今年考上了外语职业～。Tā jīnnián kǎoshangle wàiyǔ zhíyè ～. I 学生们都自觉地遵守～的纪律。Xuéshengmen dōu zìjué de zūnshǒu ～ de jìlǜ. I 老师们爱～就像爱自己的家。Lǎoshīmen ài ～ jiù xiàng ài zìjǐ de jiā.

xuéyuàn 学院（學院）［名］

college 例这所大学包括五个～。Zhèi suǒ dàxué bāokuò wǔ ge ～. I

X

许多人喜欢报考电影~。Xǔduō rén xǐhuan bàokǎo diànyǐng ~. ｜那所大学的法律~很有名。Nèi suǒ dàxué de fǎlǜ ~ hěn yǒumíng. ｜林先生是外语~的教授。Lín xiānsheng shì wàiyǔ ~ de jiàoshòu. ｜在我们~，教师的学术水平提高很快。Zài wǒmen ~, jiàoshī de xuéshù shuǐpíng tígāo hěn kuài.

xué 学² （學）[动]

他~鸟叫的声音特别像。Tā ~ niǎo jiào de shēngyīn tèbié xiàng. → 他照着鸟叫发出的声音像真的一样。Tā zhàozhe niǎo jiào fāchū de shēngyīn xiàng zhēn de yíyàng. 例他正在~狗叫，逗孩子玩儿呢。Tā zhèngzài ~ gǒu jiào, dòu háizi wánr ne. ｜我给大家~~老人说话，看看像不像。Wǒ gěi dàjiā ~ ~ lǎorén shuōhuà, kànkan xiàng bu xiàng. ｜我来~一~演员唱歌儿，你猜我~的是谁？Wǒ lái ~ yi ~ yǎnyuán chànggēr, nǐ cāi wǒ ~ de shì shéi? ｜他~着老师的声音说："现在开始上课。"Tā ~ zhe lǎoshī de shēngyīn shuō: "Xiànzài kāishǐ shàngkè."

xuě 雪 [名]

snow 例刚进入 11 月，就下了一场~。Gāng jìnrù Shíyīyuè, jiù xiàle yì cháng ~. ｜这里一到冬天就到处是~，成了~的世界。Zhèlǐ yí dào dōngtiān jiù dàochù shì ~, chéngle ~ de shìjiè. ｜~下大了，孩子们高兴地欢呼起来，他们可以堆雪人儿了。~ xià dà le, háizimen gāoxìng de huānhū qilai, tāmen kěyǐ duī xuěrénr le. ｜~把房屋、道路、树木都变成白色的了。~ bǎ fángwū、dàolù、shùmù dōu biànchéng báisè de le.

xuěbái 雪白 [形]

她穿着~的裙子，真漂亮。Tā chuānzhe ~ de qúnzi, zhēn piàoliang. →她的裙子白得像雪的颜色一样，穿在身上非常漂亮。Tā de qúnzi bái de xiàng xuě de yánsè yíyàng, chuān zài shēnshang fēicháng piàoliang. 例~的花儿开遍了田野，美极了，~ de huār kāibiànle tiányě, měijí le. ｜新房子的墙壁被刷得~。Xīn fángzi de qiángbì bèi shuā de ~. ｜她的两排牙齿~~的，谁见了都说好看。Tā de liǎng pái yáchǐ ~ ~ de, shéi jiànle dōu shuō hǎokàn. ｜你瞧这两只小鸟儿全身长着~的毛，多可爱啊。Nǐ qiáo zhèi liǎng zhī xiǎoniǎor quán shēn zhǎngzhe ~ de máo, duō kě'ài a.

xuèyè 血液 [名]

blood 例人的身体中的 ~ 是红色的。Rén de shēntǐ zhōng de ~ shì hóngsè de. l我们每年都要进行 ~ 检查。Wǒmen měi nián dōu yào jìnxíng ~ jiǎnchá. l为了治病救人，他把自己的 ~ 献了出来。Wèile zhì bìng jiù rén, tā bǎ zìjǐ de ~ xiànle chulai. l鲜红的 ~ 流进病人的身体里，病人得救了。Xiānhóng de ~ liújìn bìngrén de shēntǐ li, bìngrén déjiù le.

xúnzhǎo 寻找（尋找）[动]

他的书包丢了，正在到处 ~。Tā de shūbāo diū le, zhèngzài dàochù ~. →他到处走，到处看，想重新得到丢了的书包。Tā dàochù zǒu, dàochù kàn, xiǎng chóngxīn dédào diūle de shūbāo. 例我们迷路了，正在 ~ 回家的方向。Wǒmen mílù le, zhèngzài ~ huíjiā de fāngxiàng. l他为写文章到处 ~ 资料。Tā wèi xiě wénzhāng dàochù ~ zīliào. l走出森林，他们好容易才 ~ 到了道路。Zǒuchū sēnlín, tāmen hǎoróngyì cái ~ dàole dàolù. l他 ~ 了三年，才找到当年救他的那个人。Tā ~ le sān nián, cái zhǎodào dāngnián jiù tā de nèige rén.

xun

xùnliàn 训练（訓練）[动]

就要参加世界杯比赛了，运动员正在加紧 ~。Jiù yào cānjiā shìjièbēi bǐsài le, yùndòngyuán zhèngzài jiājǐn ~. →他们正在抓紧时间在教练指导下不断地为提高比赛技术而练习。Tāmen zhèngzài zhuājǐn shíjiān zài jiàoliàn zhǐdǎo xià búduàn de wèi tígāo bǐsài jìshù ér liànxí. 例足球运动员每天都要 ~。Zúqiú yùndòngyuán měi tiān dōu yào ~. l天还不亮，他们就开始 ~ 爬山了。Tiān hái bú liàng, tāmen jiù kāishǐ ~ páshān le. l她打篮球的技术不错，再 ~ ~，水平能很快上去。Tā dǎ lánqiú de jìshù búcuò, zài ~ ~, shuǐpíng néng hěn kuài shàngqu. l为了准备参加比赛，运动员们在南方专门 ~ 了一个月。Wèile zhǔnbèi cānjiā bǐsài, yùndòngyuánmen zài nánfāng zhuānmén ~ le yí ge yuè. l这只经过 ~ 的狗，能帮助警察抓坏人。Zhèi zhī jīngguò ~ de gǒu, néng bāngzhù jǐngchá zhuā huàirén.

xùnsù 迅速 [形]

听到上课铃声，学生们～跑进教室。Tīngdào shàngkè língshēng, xuéshengmen ～ pǎojìn jiàoshì. →上课了，学生们以最快的速度跑进教室。Shàngkè le, xuéshengmen yǐ zuì kuài de sùdù pǎojìn jiàoshì. 例在游泳比赛中，他动作～，第一个游到终点。Zài yóuyǒng bǐsài zhōng, tā dòngzuò ～, dì yī ge yóudào zhōngdiǎn. | 他聪明能干，办事～。Tā cōngming nénggàn, bànshì ～. | 近几年，这个城市发展非常～。Jìn jǐ nián, zhèige chéngshì fāzhǎn fēicháng ～. | 老师刚把问题说完，他就～地说出了答案。Lǎoshī gāng bǎ wèntí shuōwán, tā jiù ～ de shuōchūle dá'àn.

X

Y

ya

yā 压 (壓) [动]

你的手~住了我的书。Nǐ de shǒu ~ zhùle wǒ de shū. →你的手按在我的书上了。Nǐ de shǒu àn zài wǒ de shū shang le. 例他把我的眼镜儿~碎了。Tā bǎ wǒ de yǎnjìngr ~ suì le. l这盒子里有点心，不能~。Zhè hézi li yǒu diǎnxin, bù néng ~. l房子倒了，他被~在了下面。Fángzi dǎo le, tā bèi ~ zàile xiàmiàn. l树上的桃子把树枝~弯了。Shù shang de táozi bǎ shùzhī ~ wān le. l这块纸板~~就平了。Zhèi kuài zhǐbǎn ~ ~ jiù píng le.

yālì 压力¹ (壓力) [名]

自来水的~太小，到不了40楼。Zìláishuǐ de ~ tài xiǎo, dào bu liǎo sìshí lóu. →自来水不能从一楼上到四十楼。Zìláishuǐ bù néng cóng yī lóu shàngdao sìshí lóu. 例东西太沉，汽车受不了这么重的~。Dōngxi tài chén, qìchē shòu bu liǎo zhème zhòng de ~. l这根棍儿太细，~一大就断了。Zhèi gēn gùnr tài xì, ~ yí dà jiù duàn le. l东西少一点儿，~就小一点儿。Dōngxi shǎo yìdiǎnr, ~ jiù xiǎo yìdiǎnr. l那么大的~，电视机受不住的。Nàme dà de ~, diànshìjī shòu bu zhù de.

yālì 压力² (壓力) [名]

孩子的学习~很大。Háizi de xuéxí ~ hěn dà. →孩子的作业很多，老师、家长要求很高。Háizi de zuòyè hěn duō, lǎoshī、jiāzhǎng yāoqiú hěn gāo. 例人们都希望比赛能胜，队员们有很大~。Rénmen dōu xīwàng bǐsài néng shèng, duìyuánmen yǒu hěn dà~. l这么大，他有点儿受不了了。~ zhème dà, tā yǒudiǎnr shòu bu liǎo le. l他最近没有什么~，很轻松。Tā zuìjìn méiyǒu shénme ~, hěn qīngsōng. l他精神上有一些~，所以总是很紧张。Tā jīngshén shang yǒu yìxiē ~, suǒyǐ zǒngshì hěn jǐnzhāng.

yā 呀¹ [叹]

~，这儿有一条蛇！→~，zhèr yǒu yì tiáo shé! →我没想到这儿有一条蛇。Wǒ méi xiǎngdào zhèr yǒu yì tiáo shé. 例~，外面下雪了。

~, wàimiàn xià xuě le. | ~, 原来是你。~, yuánlái shì nǐ. | 我
走近一看, ~, 太可怕了。Wǒ zǒujìn yí kàn, ~, tài kěpà le. | ~,
我真没想到, 她这么漂亮! ~, wǒ zhēn méi xiǎngdào, tā zhème
piàoliang! | ~, 你吓了我一跳。~, nǐ xiàle wǒ yí tiào. | ~, 你的
字太漂亮了! ~, nǐ de zì tài piàoliang le!

ya 呀² [助]
同语气助词"啊", 当"啊（a）"出现在尾音是"a、e、i、o、ü"
的字后面时读成"呀"。Tóng yǔqì zhùcí "a", dāng "a" chūxiàn zài
wěiyīn shì "a、e、i、o、ü" de zì hòumian shí dúchéng "ya". 例谁
~? 请进来。Shéi ~? Qǐng jìnlai. | 你快说~, 我都着急了。Nǐ kuài
shuō ~, wǒ dōu zháojí le. | 这地方多美~! Zhè dìfang duō měi ~! |
这件事是谁告诉你的~? Zhèi jiàn shì shì shéi gàosu nǐ de ~? | 你快
点去~, 她等着你呢。Nǐ kuài diǎnr qù ~, tā děngzhe nǐ ne. | 你怎
么那么怕她~? Nǐ zěnme nàme pà tā ~?

yá 牙 [名]
例他六岁了, 开始换~了。Tā
liù suì le, kāishǐ huàn ~ le. |
我有一个~坏了, 得去医院
补。Wǒ yǒu yí ge ~ huài le,
děi qù yīyuàn bǔ. | 大卫~
疼, 不来上课了。Dàwèi ~
téng, bù lái shàngkè le. | 我
~不太好, 不敢吃硬东西。
Wǒ ~ bú tài hǎo, bù gǎn chī
yìng dōngxi.

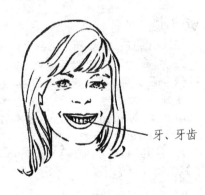

牙、牙齿

yáchǐ 牙齿（牙齒）[名]
例他有一排白白的~。Tā yǒu yì pái báibái de ~. | 我有一颗~活动
了, 得去医院。Wǒ yǒu yì kē ~ huódòng le, děi qù yīyuàn. | 他的两
排~长得很整齐。Tā de liǎng pái ~ zhǎngde hěn zhěngqí. | 野猪的
~很厉害, 能咬断一棵大树。Yězhū de ~ hěn lìhai, néng yǎoduàn yì
kē dà shù. | 他太老了, ~都掉光了。Tā tài lǎo le, ~ dōu
diàoguāng le.

yáshuā 牙刷 [名]
例这种~的毛儿太硬了, 我用不习惯。Zhèi
zhǒng ~ de máor tài yìng le, wǒ yòng bu

牙刷

Y

xíguàn. | 小孩儿可以用儿童~。Xiǎoháir kěyǐ yòng értóng ~. | ~应放在比较干的地方。~ yīng fàng zài bǐjiào gān de dìfang. | 我昨天一次买了10支~。Wǒ zuótiān yí cì mǎile shí zhī ~. | 我一个月换一把~。Wǒ yí ge yuè huàn yì bǎ ~.

yàjūn 亚军（亞軍）[名]

昨天的足球赛甲队得了第一名，我们是~。Zuótiān de zúqiúsài jiǎ duì déle dì yī míng, wǒmen shì ~. →我们得了第二名。Wǒmen déle dì èr míng. 例大卫是乒乓球冠军，我是~。Dàwèi shì pīngpāngqiú guànjūn, wǒ shì ~. | 这场比赛将决定谁是冠军，谁是~。Zhèi chǎng bǐsài jiāng juédìng shéi shì guànjūn, shéi shì ~. | 我网球的最好成绩是获得过一次全校~。Wǒ wǎngqiú de zuì hǎo chéngjì shì huòdéguo yí cì quánxiào ~.

yan

yān 烟[1] [名]

smoke 例那儿着火了，~很大。Nàr zháohuǒ le, ~ hěn dà. | 他们在烧东西，屋子里都是~。Tāmen zài shāo dōngxi, wūzili dōu shì ~. | 这~是从哪儿冒出来的？Zhè ~ shì cóng nǎr mào chulai de? | 这个城市到处都在冒~，污染很厉害。zhèige chéngshì dàochù dōu zài mào~, wūrǎn hěn lìhai. | 他们想建设的是一个无~城市。Tāmen xiǎng jiànshè de shì yí ge wú ~ chéngshì. | 这里看不见~，空气很好。zhèlǐ kàn bu jiàn ~, kōngqì hěn hǎo.

yān 烟[2] [名]

例我的~抽完了。Wǒ de ~ chōuwán le. | 他不抽~，不喝酒。Tā bù chōu ~, bù hē jiǔ. | 对不起，这儿不能吸~。Duìbuqǐ, zhèr bù néng xī~. | 你一天抽多少根儿~？Nǐ yì tiān chōu duōshao gēnr ~? | 他点上了一支~，

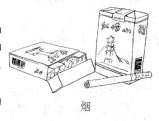

烟

一边说，一边抽。Tā diǎnshangle yì zhī ~, yìbiān shuō, yìbiān chōu. | 这个商店卖的~有很多种。Zhèige shāngdiàn mài de ~ yǒu hěn duō zhǒng. | 吸~对健康有很大害处。Xī~ duì jiànkāng yǒu hěn dà hàichu. | ~对人的身体一点儿好处也没有。~ duì rén de shēntǐ yìdiǎnr hǎochu yě méiyǒu.

yáncháng 延长（延長）[动]

我在中国的时间要 ~ 一个月。Wǒ zài Zhōngguó de shíjiān yào ~ yí ge yuè. →我原来想在中国住三个月，现在要住四个月。Wǒ yuánlái xiǎng zài Zhōngguó zhù sān ge yuè, xiànzài yào zhù sì ge yuè. **例**会议到12点开不完，要 ~ 几分钟。Huìyì dào shí'èr diǎn kāi bu wán, yào ~ jǐ fēnzhōng. | 这条公路又向北 ~ 了100公里。Zhèi tiáo gōnglù yòu xiàng běi ~ le yìbǎi gōnglǐ. | 我正在申请 ~ 我的留学时间。Wǒ zhèngzài shēnqǐng ~ wǒ de liúxué shíjiān.

yán 严（嚴）[形]

他对孩子要求特别 ~。Tā duì háizi yāoqiú tèbié ~. →他要求孩子不能有一点儿错误。Tā yāoqiú háizi bù néng yǒu yìdiǎnr cuòwù. **例**公司的制度很 ~，我有点儿受不了。Gōngsī de zhìdù hěn ~, wǒ yǒudiǎnr shòu bu liǎo. | 足球队对队员们管得 ~ 着呢。Zúqiúduì duì duìyuánmen guǎn de ~ zhe ne. | 他对学生不太 ~。Tā duì xuésheng bú tài ~. | 我总觉得她对我们太 ~ 了点儿。Wǒ zǒng juéde tā duì wǒmen tài ~ le diǎnr.

yánsù 严肃（嚴肅）[形]

这是一个 ~ 的问题，不能开玩笑。Zhè shì yí ge ~ de wèntí, bù néng kāiwánxiào. →这个问题需要认真对待。Zhèige wèntí xūyào rènzhēn duìdài. **例**婚姻是个 ~ 的社会问题。Hūnyīn shì ge ~ de shèhuì wèntí. | 他总是开玩笑，我 ~ 不起来。Tā zǒngshì kāiwánxiào, wǒ ~ bù qǐlái. | 开会的时候，你最好 ~ 一点儿。kāihuì de shíhou, nǐ zuìhǎo ~ yìdiǎnr. | 他做什么事都很 ~ 认真。Tā zuò shénme shì dōu hěn ~ rènzhēn. | 经理 ~ 地批评了一些人的错误做法。Jīnglǐ ~ de pīpíngle yìxiē rén de cuòwù zuòfǎ.

yánzhòng 严重（嚴重）[形]

这是一次 ~ 的交通事故。Zhè shì yí cì ~ de jiāotōng shìgù. →这次交通事故死了很多人，影响很大。Zhèi cì jiāotōng shìgù sǐle hěn duō rén, yǐngxiǎng hěn dà. **例**大卫犯了一个 ~ 的错误。Dàwèi fànle yí ge ~ de cuòwù. | 他的病越来越 ~ 了。Tā de bìng yuèláiyuè ~ le. | 这里 ~ 缺水，人们生活很困难。Zhèlǐ ~ quē shuǐ, rénmen shēnghuó hěn kùnnan. | 这个地区空气不好，~ 影响了人们的健康。Zhèige dìqū kōngqì bù hǎo, ~ yǐngxiǎngle rénmen de jiànkāng.

Y

yán 沿 [介]

你 ~ 着这条路走，就能到邮局。Nǐ ~ zhe zhèi tiáo lù zǒu, jiù néng

dào yóujú. →这条路往哪儿去，你就往哪儿去。Zhèi tiáo lù wǎng nǎr qù, nǐ jiù wǎng nǎr qù. **例**他每天~着河边儿散步。Tā měi tiān ~ zhe hé biānr sànbù. |~这条公路往东开，就到东京了。~ zhèi tiáo gōnglù wǎng dōng kāi, jiù dào Dōngjīng le. |你~这条街再走5分钟就到了。Nǐ ~ zhèi tiáo jiē zài zǒu wǔ fēnzhōng jiù dào le. |你~着我指的方向看，那就是公园。Nǐ ~ zhe wǒ zhǐ de fāngxiàng kàn, nà jiù shì gōngyuán.

yánjiū 研究[1] [动]

这种病现在还治不好，科学家们正在~。Zhèi zhǒng bìng xiànzài hái zhì bu hǎo, kēxuéjiāmen zhèngzài ~. →科学家们正在想办法治这种病。Kēxuéjiāmen zhèngzài xiǎng bànfǎ zhì zhèi zhǒng bìng. **例**三十年来，他一直~数学。Sānshí nián lái, tā yìzhí ~ shùxué. |中国文学我刚~了一年。Zhōngguó wénxué wǒ gāng ~ le yì nián. |他对语法问题~得很深。Tā duì yǔfǎ wèntí ~ de hěn shēn. |我想在这方面一直~下去。Wǒ xiǎng zài zhè fāngmiàn yìzhí ~ xiaqu. |我没~过历史，所以知道得很少。Wǒ méi ~ guo lìshǐ, suǒyǐ zhīdào de hěn shǎo. |他的~成果很有价值。Tā de ~ chéngguǒ hěn yǒu jiàzhí.

yánjiū 研究[2] [名]

他是搞数学~的。Tā shì gǎo shùxué ~ de. →他的工作主要是解决数学方面的问题。Tā de gōngzuò zhǔyào shì jiějué shùxué fāngmiàn de wèntí. **例**我们的科学~取得了一定成绩。Wǒmen de kēxué ~ qǔdéle yídìng chéngjì. |这种~很有用，它能帮助我们认识自然。Zhèi zhǒng ~ hěn yǒu yòng, tā néng bāngzhù wǒmen rènshi zìrán. |他的不少~都发表在这个杂志上。Tā de bù shǎo ~ dōu fābiǎo zài zhèige zázhì shang. |他们的~得到了政府的支持。Tāmen de ~ dédàole zhèngfǔ de zhīchí. |他对这项~很感兴趣。Tā duì zhèi xiàng ~ hěn gǎn xìngqù.

yánjiūshēng 研究生 [名]

post graduate; graduate student **例**我大学毕业后，想考~。Wǒ dàxué bìyè hòu, xiǎng kǎo ~. |我们学校有两千多名~。Wǒmen xuéxiào yǒu liǎngqiān duō míng ~. |我哥哥现在是硕士~，以后他还想考博士~。Wǒ gēge xiànzài shì shuòshì ~, yǐhòu tā hái xiǎng kǎo bóshì ~. |她通过了~考试，今年9月入学。Tā tōngguòle ~ kǎoshì, jīnnián Jiǔyuè rùxué. |我们国家的博士~要读三年。Wǒmen guójiā de bóshì ~ yào dú sān nián. | 他是张教授的 ~ , 明年毕业。Tā shì Zhāng jiàoshòu de ~ , míngnián bìyè.

yánjiūsuǒ 研究所 [名]

我在语言 ~ 工作, 主要进行汉语研究。Wǒ zài yǔyán ~ gōngzuò, zhǔyào jìnxíng Hànyǔ yánjiū. →我在一个专门研究语言的部门工作。Wǒ zài yí ge zhuānmén yánjiū yǔyán de bùmén gōngzuò. 例他们的 ~ 力量很强, 有很多著名科学家。Tāmen de ~ lìliang hěn qiáng, yǒu hěn duō zhùmíng kēxuéjiā. | 这所大学有近二十个 ~ 。Zhèi suǒ dàxué yǒu jìn èrshí ge ~ . | 这项发明是数学 ~ 搞的。Zhèi xiàng fāmíng shì shùxué ~ gǎo de. | 他们成立了人口 ~ , 研究人口与社会的问题。Tāmen chénglìle rénkǒu ~ , yánjiū rénkǒu yǔ shèhuì de wèntí.

yán 盐 (鹽) [名]

salt 例 ~ 放得太多了, 菜很咸。~ fàng de tài duō le, cài hěn xián. | 人们的生活离不开 ~ 。Rénmen de shēnghuó lí bu kāi ~ . | 人如果不吃 ~ , 就会生病的。Rén rúguǒ bù chī ~ , jiù huì shēngbìng de. | 海水中 ~ 很多, 所以才那么咸。Hǎishuǐ zhōng ~ hěn duō, suǒyǐ cái nàme xián. | 做这个菜, 要先放上一些 ~ 。Zuò zhèige cài, yào xiān fàngshang yìxiē ~ . | 没 ~ 了, 你去买一袋儿吧。Méi ~ le, nǐ qù mǎi yí dàir ba.

yánsè 颜色 (顏色) [名]

colour 例花儿开了, 红的、黄的、白的, 各种 ~ 都有。Huār kāi le, hóng de、huáng de、bái de, gè zhǒng ~ dōu yǒu. | 这件衣服的 ~ 很好看。Zhèi jiàn yīfu de ~ hěn hǎokàn. | 她喜欢穿白 ~ 的衣服。Tā xǐhuan chuān bái ~ de yīfu. | 我画这幅画儿用了八种 ~ 。Wǒ huà zhèi fú huàr yòngle bā zhǒng ~ . | 我这件衣服洗得没 ~ 了。Wǒ zhèi jiàn yīfu xǐ de méi ~ le. | 电视画面的 ~ 太深了, 看起来眼睛会很累的。Diànshì huàmiàn de ~ tài shēn le, kàn qilai yǎnjing huì hěn lèi de.

yǎn 眼 [名]

例我左 ~ 好, 右 ~ 不太好。Wǒ zuǒ ~ hǎo, yòu ~ bú tài hǎo. | 他昨天去医院看 ~ 了。Tā zuótiān qù yīyuàn kàn ~ le. | 大卫昨天没睡觉, ~ 有点儿红。Dàwèi zuótiān méi shuìjiào, ~ yǒudiǎnr hóng. | 那么多人里头, 我一 ~ 就看见了她。Nàme duō rén lǐtou, wǒ yì ~ jiù kànjianle tā. | 开车的时候, ~ 要往前看。Kāi chē de shíhou, ~ yào

Y

wǎng qián kàn. I 我的 ~ 里进了沙子，很难受。Wǒ de ~ li jìnle shāzi, hěn nánshòu.

yǎnjing 眼睛 ［名］

例她的 ~ 又大又亮。Tā de ~ yòu dà yòu liàng. I 画人最重要的是画 ~ 。Huà rén zuì zhòngyào de shì huà ~. I 我的 ~ 不太好，看不清远处的东西。Wǒ de ~ bú tài hǎo, kàn bu qīng yuǎnchù de dōngxi. I 她有一双美丽的大 ~ 。Tā yǒu yì shuāng měilì de dà ~. I 我一只 ~ 好，一只 ~ 不太好。Wǒ yì zhī ~ hǎo, yì zhī ~ bú tài hǎo. I 你的 ~ 怎么了？看起来有点儿红。Nǐ de ~ zěnme le? Kàn qilai yǒudiǎnr hóng. I 通过她的 ~ ，我知道她在想什么。Tōngguò tā de ~ , wǒ zhīdao tā zài xiǎng shénme.

眼、眼睛

yǎnjìng 眼镜（眼鏡）［名］

例 ~ 儿掉在地上，摔坏了。~ r diào zài dìshang, shuāihuài le. I 他很小就戴上了 ~ 儿。Tā hěn xiǎo jiù dàishangle ~ r. I 我这副 ~ 儿花了 800 元钱。Wǒ zhèi fù ~ r huāle bābǎi yuán qián. I 他戴着 ~ 儿，很像个读书人。Tā dàizhe ~ r, hěn xiàng ge dúshūrén. I ~ 店离这儿不远。~ diàn lí zhèr bù yuǎn. I 他摘下 ~ 儿，准备睡觉了。Tā zhāixiàle ~ r, zhǔnbèi shuìjiào le. I 我今天没戴 ~ 儿，看不太清楚。Wǒ jīntiān méi dài ~ r, kàn bu tài qīngchu.

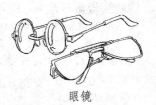

眼镜

yǎnlèi 眼泪（眼淚）［名］

比赛输了，队员们流下了 ~ 。Bǐsài shū le, duìyuánmen liúxiàle ~. →比赛输了，队员们哭了。Bǐsài shū le, duìyuánmen kū le. 例 ~ 顺着他的脸流到了脖子里。~ shùnzhe tā de liǎn liúdàole bózi li. I 说到难过的地方，她的 ~ 止不住流了下来。Shuōdào nánguò de dìfang, tā de ~ zhǐ bu zhù liúle xialai. I 儿子死了，大卫的 ~ 都哭干了。Érzi sǐ le, Dàwèi de ~ dōu kūgān le. I 他笑得 ~ 都流出来了。Tā xiào de ~ dōu liú chulai le. I 尽管他疼得厉害，可他一滴 ~ 也没流。Jǐnguǎn tā téng de lìhai, kě tā yì dī ~ yě méi liú.

yǎnqián 眼前[1] ［名］

铅笔就在你 ~ 。Qiānbǐ jiù zài nǐ ~. →铅笔就在你眼睛前面。Qiānbǐ

Y

jiù zài nǐ yǎnjing qiánmiàn. **例** ～这个人，我好像在哪儿见过。～ zhèige rén, wǒ hǎoxiàng zài nǎr jiànguo. ｜你～的那个照相机就挺好。Nǐ～de nèige zhàoxiàngjī jiù tǐng hǎo. ｜来到这里，～是一片草原。Láidào zhèlǐ, ～shì yí piàn cǎoyuán. ｜～出现了一座座高山。～chūxiànle yí zuò zuò gāoshān. ｜他怎么总在我～走来走去? Tā zěnme zǒng zài wǒ～zǒulái zǒuqù?

yǎnqián 眼前[2] ［名］

～我还没那么多钱买车。～wǒ hái méi nàme duō qián mǎi chē. →我现在还没那么多钱。Wǒ xiànzài hái méi nàme duō qián. **例**～最重要的事儿是买一台计算机。～zuì zhòngyào de shìr shì mǎi yì tái jìsuànjī. ｜～这些事儿就够我干两个月了。～zhèixiē shìr jiù gòu wǒ gàn liǎng ge yuè le. ｜你不能只看～，还要想想以后。Nǐ bù néng zhǐ kàn～, hái yào xiǎngxiang yǐhòu. ｜你先把～的事儿做好，再考虑以后的事儿。Nǐ xiān bǎ～de shìr zuòhǎo, zài kǎolǜ yǐhòu de shìr.

yǎn 演 ［动］

她今年 30 岁，在这部电影里～一个老太太。Tā jīnnián sānshí suì, zài zhèibù diànyǐng li～yí ge lǎotàitai. →在这部电影里她当一个老太太。Zài zhèi bù diànyǐng li tā dāng yí ge lǎotàitai. **例**他俩～一对夫妻，看起来很像。Tā liǎ～yí duì fūqī, kàn qilai hěn xiàng. ｜我～了 30 年电影了。Wǒ～le sānshí nián diànyǐng le. ｜他～警察～得很好。Tā～jǐngchá～de hěn hǎo. ｜他一～起戏来，就像换了一个人。Tā yì～qǐ xì lai, jiù xiàng huànle yí ge rén. ｜他～谁就像谁。Tā～shéi jiù xiàng shéi.

yǎnchū 演出 ［动］

这个杂技团经常到各国去～。zhèige zájìtuán jīngcháng dào gè guó qù～. →杂技团常到各国表演杂技。Zájìtuán jīngcháng dào gè guó biǎoyǎn zájì. **例**这台音乐会～了将近三个小时。zhèi tái yīnyuèhuì～le jiāngjìn sān ge xiǎoshí. ｜他们～了鲁迅的作品。Tāmen～le Lǔ Xùn de zuòpǐn. ｜演员们～非常成功。Yǎnyuánmen～fēicháng chénggōng. ｜我这三十年～过三百多场戏。Wǒ zhèi sānshí nián～guo sānbǎi duō chǎng xì.

yǎnyuán 演员（演員） ［名］

比尔是个电影～。Bǐ'ěr shì ge diànyǐng～. →比尔的职业是演电影。Bǐ'ěr de zhíyè shì yǎn diànyǐng. **例**他长大后想当一名电影～。Tā

zhǎngdà hòu xiǎng dāng yì míng diànyǐng ~. |这部电影有很多著名
~参加演出。Zhèi bù diànyǐng yǒu hěn duō zhùmíng ~ cānjiā
yǎnchū. |他毕业后，终于成了一名歌唱~。Tā bìyè hòu, zhōngyú
chéngle yì míng gēchàng ~. |最近很多~都来这里表演。Zuìjìn hěn
duō ~ dōu lái zhèlǐ biǎoyǎn. |我最喜欢的女~是安娜。Wǒ zuì
xǐhuan de nǚ ~ shì Ānnà. |这些青年~跟老~的关系很好。Zhèixiē
qīngnián ~ gēn lǎo ~ de guānxì hěn hǎo.

yàn 咽 [动]

他没喝水就把药~下去了。Tā méi hē shuǐ jiù bǎ yào ~ xiaqu le. →
他没喝水就把药吃到肚子里了。Tā méi hē shuǐ jiù bǎ yào chī dào
dùzi li le. 例面包有点儿干，他~得很慢。Miànbāo yǒudiǎnr gān, tā
~ de hěn màn. |我嗓子疼，所以~东西有点儿困难。Wǒ sǎngzi
téng, suǒyǐ ~ dōngxi yǒudiǎnr kùnnan. |药片儿太大，他~了好几次
才~下去。Yàopiànr tài dà, tā ~ le hǎojǐ cì cái ~ xiaqu. |她吃饭很
慢，一口饭半天才~。Tā chīfàn hěn màn, yì kǒu fàn bàntiān cái ~.

yànhuì 宴会（宴會）[名]

晚上他要参加市长举行的欢迎~。Wǎnshang tā yào cānjiā shìzhǎng
jǔxíng de huānyíng ~. →市长为了欢迎他，请客人们一起喝酒吃饭。
Shìzhǎng wèile huānyíng tā, qǐng kèrenmen yìqǐ hē jiǔ chīfàn. 例这
个~有二百多人参加。Zhèige ~ yǒu èrbǎi duō rén cānjiā. |这么大的
~，我还没见过。Zhème dà de ~, wǒ hái méi jiànguo. |~上，他
向客人介绍了这里的一些情况。~ shang, tā xiàng kèren jièshào le
zhèlǐ de yìxiē qíngkuàng. |~一直到晚上九点才结束。~ yìzhí dào
wǎnshang jiǔ diǎn cái jiéshù.

yang

yáng 羊 [名]

例这只~多可爱啊！Zhèi zhī ~ duō kě'ài a! |这户农民家里养了很多
~。Zhèi hù nóngmín jiāli yǎngle hěn duō ~. |~
喜欢吃草、树叶等。~ xǐhuan chī cǎo、shùyè
děng. |这群~大概有五百多只。Zhèi qún ~
dàgài yǒu wǔbǎi duō zhī. |他最喜欢吃~肉。
Tā zuì xǐhuan chī ~ ròu. |他小时候在农村，放
过~，养过鸡。Tā xiǎoshíhou zài nóngcūn,

羊

fàngguo ~、yǎngguo jī. |这孩子喜欢喂~。Zhè háizi xǐhuan wèi ~.

yángguāng 阳光（陽光）[名]

sunlight 例今天 ~ 很好，可以晒衣服。Jīntiān ~ hěn hǎo, kěyǐ shài yīfu. |早晨，~ 从窗外照进来，我才醒了。Zǎochen, ~ cóng chuāngwài zhào jinlai, wǒ cái xǐng le. |你该带孩子出去见见~。Nǐ gāi dài háizi chūqu jiànjian ~. |~多好啊，我们出去走走吧。~ duō hǎo a, wǒmen chūqu zǒuzou ba. |没有 ~，什么也不能生长。Méiyǒu ~, shénme yě bù néng shēngzhǎng. |~很强，照得我睁不开眼睛。~ hěn qiáng, zhào de wǒ zhēng bu kāi yǎnjing.

yǎng 仰 [动]

他正 ~ 着头看天上的星星。Tā zhèng ~ zhe tóu kàn tiānshang de xīngxing. →他脸朝上，看着天上的星星。Tā liǎn cháo shàng, kànzhe tiānshang de xīngxing. 例他往后 ~ 了一下儿，差点儿倒下。Tā wǎng hòu ~ le yí xiàr, chàdiǎnr dǎoxia. |请你 ~ 起头来，往上看。Qǐng nǐ ~ qǐ tóu lai, wǎng shàng kàn. |那孩子一直 ~ 着脸看我。Nà háizi yìzhí ~ zhe liǎn kàn wǒ. |他没坐好，往后 ~ 倒了。Tā méi zuòhǎo, wǎng hòu ~ dǎo le.

yǎng 养¹（養）[动]

他一个人要 ~ 五个孩子，非常辛苦。Tā yí ge rén yào ~ wǔ ge háizi, fēicháng xīnkǔ. →他一个人工作，要给五个孩子提供吃的、穿的、用的。Tá yí ge rén gōngzuò, yào gěi wǔ ge háizi tígōng chī de、chuān de、yòng de. 例我十八岁时，就自己 ~ 自己了。wǒ shíbā suì shí, jiù zìjǐ ~ zìjǐ le. |他是爷爷、奶奶 ~ 大的。Tā shì yéye、nǎinai ~ dà de. |父母把他 ~ 到十八岁，让他出国了。Fùmǔ bǎ tā ~ dào shíbā suì, ràng tā chūguó le. |我不能再 ~ 着你了，你自己出去工作吧。Wǒ bù néng zài ~ zhe nǐ le, nǐ zìjǐ chūqu gōngzuò ba.

yǎng 养²（養）[动]

他 ~ 了三只小狗儿。Tā ~ le sān zhī xiǎogǒur. →他每天给小狗儿吃的，带它们出去散步。Tā měi tiān gěi xiǎogǒur chī de, dài tāmen chūqu sànbù. 例他家 ~ 着三只羊，一头牛。Tā jiā ~ zhe sān zhī yáng, yì tóu niú. |老大爷喜欢 ~ 鸟。Lǎodàye xǐhuan ~ niǎo. |没事儿的时候，他喜欢 ~ 鱼、种花儿。Méi shìr de shíhou, tā xǐhuan ~ yú、zhòng huār. |小鸡已经 ~ 大了。Xiǎojī yǐngjing ~ dà le. |这只猫我 ~ 了两年了。Zhèi zhī māo wǒ ~ le liǎng nián le. |这匹马 ~ 得

Y

够壮的。Zhèi pǐ mǎ ~ de gòu zhuàng de.

yǎng 痒（癢）[形]

我身上很~。Wǒ shēnshang hěn ~. →我有几天没洗澡，身上不舒服，老用手抓。Wǒ yǒu jǐ tiān méi xǐzǎo, shēnshang bù shūfu, lǎo yòng shǒu zhuā. 例他这两天没洗头，头有点儿~。Tā zhèi liǎng tiān méi xǐ tóu, tóu yǒudiǎnr ~. | 他觉得身上有只蚂蚁在爬，可~啦。Tā juéde shēnshang yǒu zhī mǎyǐ zài pá, kě ~ la. | 你觉得~，就擦一点儿药。Nǐ juéde ~, jiù cā yìdiǎnr yào. | 擦上一点儿药，就不~了。Cāshang yìdiǎnr yào, jiù bù ~ le.

yàng 样（樣）[量]

表示事物的种类。Biǎoshì shìwù de zhǒnglèi. 例面包有好多~儿。Miànbāo yǒu hǎo duō ~ r. | 一~儿买一个吧。Yí ~ r mǎi yí ge ba. | 我买了两~儿水果。Wǒ mǎile liǎng ~ r shuǐguǒ. | 我给你看一~儿东西。Wǒ gěi nǐ kàn yí ~ r dōngxi. | 屋子里就两三~儿家具。Wūzi li jiù liǎng sān ~ r jiājù. | 足球、篮球、网球，他~儿~儿都玩儿得很好。Zúqiú, lánqiú, wǎngqiú, tā ~ r ~ r dōu wánr de hěn hǎo. | 你喜欢什么~儿的自行车？Nǐ xǐhuan shénme ~ r de zìxíngchē?

yàngzi 样子（樣子）[名]

这种汽车，~很漂亮。Zhèi zhǒng qìchē, ~ hěn piàoliang. →这种汽车看起来很漂亮。Zhèi zhǒng qìchē kàn qilai hěn piàoliang. 例这件衣服颜色不错，可~不太好看。Zhèi jiàn yīfu yánsè búcuò, kě ~ bú tài hǎokàn. | 这种~的大衣卖完了。Zhèi zhǒng ~ de dàyī màiwán le. | 他们穿的衣服都是一个~的。Tāmen chuān de yīfu dōu shì yí ge ~ de. | 他们生产的电视机有好多种~。Tāmen shēngchǎn de diànshìjī yǒu hǎo duō zhǒng ~. | 请问，这种裙子还有别的~的吗？Qǐngwèn, zhèi zhǒng qúnzi hái yǒu bié de ~ de ma?

yao

yāoqiú 要求[1] [动]

他~孩子每天六点起床。Tā ~ háizi měi tiān liù diǎn qǐchuáng. →他让孩子每天六点起床。Tā ràng háizi měi tiān liù diǎn qǐchuáng. 例教练~我一天最少打三个小时球。Jiàoliàn ~ wǒ yì tiān zuì shǎo dǎ sān ge xiǎoshí qiú. | 他多次~去农村看一看。Tā duō cì ~ qù nóngcūn kàn yi kàn. | 爸爸对自己~很严格。Bàba duì zìjǐ ~ hěn yángé. | 他

Y

总是～我们不能出一点儿错儿。Tā zǒngshì ~ wǒmen bù néng chū yìdiǎnr cuòr. | 我跟经理～过三次了，他就是不同意。Wǒ gēn jīnglǐ ~ guo sān cì le, tā jiùshì bù tóngyì.

yāoqiú 要求[2] [名]

我的～是，早晨八点钟吃饭。Wǒ de ~ shì, zǎochen bā diǎnzhōng chīfàn. →我的希望是每天早上八点钟吃早饭。Wǒ de xīwàng shì měi tiān zǎoshang bā diǎnzhōng chī zǎofàn. 例我对住房的～不高，只要干净卫生就可以。Wǒ duì zhùfáng de ~ bù gāo, zhǐyào gānjìng wèishēng jiù kěyǐ. | 经理批准我们的～了，我们可以去度假了。Jīnglǐ pīzhǔn wǒmen de ~ le, wǒmen kěyǐ qù dùjià le. | 你有什么～，都提出来好了。Nǐ yǒu shénme ~, dōu tí chulai hǎo le. | 这个～是合理的，可以考虑。Zhèige ~ shì hélǐ de, kěyǐ kǎolǜ.

yāo 腰 [名]

例昨天打球的时候，他的～扭伤了。Zuótiān dǎqiú de shíhou, tā de ~ niǔshāng le. | 我的～有点儿疼，什么活儿也干不了。Wǒ de ~ yǒudiǎnr téng, shénme huór yě gàn bu liǎo. | 他弯下～，拾起了一个钱包。Tā wānxia ~, shíqǐle yí ge qiánbāo. | 他抱住了我的～，我动不了了。Tā bàozhùle wǒ de ~, wǒ dòng bu liǎo le. | 他的～上有一根红绳子。Tā de ~ shang yǒu yì gēn hóng shéngzi. | 他～里别了一把刀。Tā ~ li biéle yì bǎ dāo. | 我的～越来越粗。Wǒ de ~ yuèláiyuè cū.

腰

yāoqǐng 邀请[1] （邀請）[动]

我的朋友在美国，他～我去。Wǒ de péngyou zài Měiguó, tā ~ wǒ qù. →我的朋友写信或打电话请我去美国。Wǒ de péngyou xiěxìn huò dǎ diànhuà qǐng wǒ qù Měiguó. 例我～了几位客人一起吃饭。Wǒ ~ le jǐ wèi kéren yìqǐ chīfàn. | 我们～到了几位电影演员，他们将和我们一起演出。Wǒmen ~ dàole jǐ wèi diànyǐng yǎnyuán, tāmen jiāng hé wǒmen yìqǐ yǎnchū. | 我们～过她三次，可她总是没空儿。Wǒmen ~ guo tā sān cì, kě tā zǒngshì méi kòngr. | 我没～记者，记者怎么来了？Wǒ méi ~ jìzhě, jìzhě zěnme lái le?

Y

yāoqǐng 邀请[2] （邀請）[名]

我答应了大卫的～，明天去他家。Wǒ dāyìngle Dàwèi de ~,

míngtiān qù tā jiā. →大卫请我到他家去，我答应了。Dàwèi qǐng wǒ dào tā jiā qu, wǒ dāyìng le. **例**我非常感谢你们的 ~。Wǒ fēicháng gǎnxiè nǐmen de ~. | 我们的 ~他已经知道了，他下个月就来北京。Wǒmen de ~ tā yǐjing zhīdao le, tā xià ge yuè jiù lái Běijīng. | 对于你们的 ~，我表示非常感谢。Duìyú nǐmen de ~, wǒ biǎoshì fēicháng gǎnxiè. | 他拒绝过我们的一次 ~，这次可能会答应。Tā jùjuéguo wǒmen de yí cì ~, zhèi cì kěnéng huì dāyìng.

yáo 摇 [动]

在中国，~头表示不同意。Zài Zhōngguó, ~ tóu biǎoshì bù tóngyì. →头左右不停地动，表示不同意。Tóu zuǒ yòu bùtíng de dòng, biǎoshì bù tóngyì. **例**他 ~了~头，表示不去。Tā ~ le ~ tóu, biǎoshì bú qù. | 他坐在椅子上，来回 ~着。Tā zuò zài yǐzi shang, lái huí ~ zhe. | 风一吹，电灯 ~个不停。Fēng yì chuī, diàndēng ~ ge bù tíng. | 他走路一 ~一 ~的，像是喝醉了酒。Tā zǒulù yì ~ yì ~ de, xiàng shì hēzuìle jiǔ. | 风很大，吹得人直 ~。Fēng hěn dà, chuī de rén zhí ~.

yǎo 咬 [动]

bite **例**那条狗 ~人，你小心一点儿。Nèi tiáo gǒu ~ rén, nǐ xiǎoxīn yìdiǎnr. | 他 ~了一口苹果，说不好吃。Tā ~ le yì kǒu píngguǒ, shuō bù hǎochī. | 虫子把树叶儿都 ~光了。Chóngzi bǎ shùyèr dōu ~ guāng le. | 昨天晚上蚊子 ~得我睡不着觉。Zuótiān wǎnshang wénzi ~ de wǒ shuì bu zháo jiào. | 他用力一 ~，绳子就断了。Tā yònglì yì ~, shéngzi jiù duàn le. | 我的牙不好，硬东西 ~不动了。Wǒ de yá bù hǎo, yìng dōngxi ~ bú dòng le.

yào 药(藥) [名]

drug **例**你的病不重，吃点儿 ~就好了。Nǐ de bìng bú zhòng, chī diǎnr ~ jiù hǎo le. | 我吃了两天 ~，感冒就好了。Wǒ chīle liǎng tiān ~, gǎnmào jiù hǎo le. | 大卫喜欢吃 ~，不喜欢打针。Dàwèi xǐhuan chī ~, bù xǐhuan dǎzhēn. | 这种 ~吃起来很苦，不过很有效。Zhèi zhǒng ~ chī qilai hěn kǔ, búguò hěn yǒuxiào. | ~放得时间太长了，就不能吃了。~ fàng de shíjiān tài cháng le, jiù bù néng chī le. | 他 ~吃了不少，可病就是不好。Tā ~ chīle bù shǎo, kě bìng jiùshì bù hǎo.

yào 要[1] [动]

这些书我 ~了。Zhèixiē shū wǒ ~ le. →我希望这些书给我。Wǒ

xīwàng zhèixiē shū gěi wǒ. **例**我们 ~ 三个菜就可以了。Wǒmen ~ sān ge cài jiù kěyǐ le. | 他想 ~ 一台我这样的电脑。Tā xiǎng ~ yì tái wǒ zhèiyàng de diànnǎo. | 你还 ~ 不 ~ 今天晚上的电影票? Nǐ hái ~ bu ~ jīntiān wǎnshang de diànyǐngpiào? | 这支笔我不 ~ 了。Zhèi zhī bǐ wǒ bú ~ le. | 他给我的东西, 我没 ~。Tā gěi wǒ de dōngxi, wǒ méi ~.

yào 要² [动]

她昨天向妈妈 ~ 了一百块钱。Tā zuótiān xiàng māma ~ le yìbǎi kuài qián. →她让妈妈给她一百块钱。Tā ràng māma gěi tā yìbǎi kuài qián. **例**他 ~ 走了我的电话号码。Tā ~ zǒule wǒ de diànhuà hàomǎ. | 我向办公室 ~ 了一张表。Wǒ xiàng bàngōngshì ~ le yì zhāng biǎo. | 借出去的书都 ~ 回来了。Jiè chuqu de shū dōu ~ huilai le. | 我向他 ~ 过三次, 他一次也没给。Wǒ xiàng tā ~ guo sān cì, tā yí cì yě méi gěi. | 我 ~ 回了我那本词典。Wǒ ~ huíle wǒ nèi běn cídiǎn.

yào 要³ [动]

他 ~ 我现在就去。Tā ~ wǒ xiànzài jiù qù. →他让我现在就去。Tā ràng wǒ xiànzài jiù qù. **例**妈妈 ~ 她去日本读书。Māma ~ tā qù Rìběn dúshū. | 是经理 ~ 我来这儿的。Shì jīnglǐ ~ wǒ lái zhèr de. | 弟弟 ~ 我陪他去图书馆。Dìdi ~ wǒ péi tā qù túshūguǎn. | 父亲 ~ 我学文学, 可我喜欢经济学。Fùqin ~ wǒ xué wénxué, kě wǒ xǐhuan jīngjìxué. | 这本书是老师 ~ 我们读的。Zhèi běn shū shì lǎoshī ~ wǒmen dú de.

yào 要⁴ [助动]

我今年夏天 ~ 学游泳。Wǒ jīnnián xiàtiān ~ xué yóuyǒng. →今年夏天我想学游泳。Jīnnián xiàtiān wǒ xiǎng xué yóuyǒng. **例**明年我 ~ 去美国学习英语。Míngnián wǒ ~ qù Měiguó xuéxí Yīngyǔ. | 你 ~ 参加我们的舞会吗? Nǐ ~ cānjiā wǒmen de wǔhuì ma? | 我有事儿 ~ 和你商量。Wǒ yǒu shìr ~ hé nǐ shāngliang. | 请问, 你 ~ 找谁? Qǐngwèn, nǐ ~ zhǎo shéi? | 下午我 ~ 去医院看他。Xiàwǔ wǒ ~ qù yīyuàn kàn tā.

yào 要⁵ [助动]

你开车的时候, 一定 ~ 小心。Nǐ kāi chē de shíhou, yídìng ~ xiǎoxīn. →你开车的时候应该小心。Nǐ kāi chē de shíhou yīnggāi xiǎoxīn. **例**晚上你 ~ 早点儿回来。Wǎnshang nǐ ~ zǎo diǎnr huílai. | 你们一定 ~

Y

记住这些生词。Nǐmen yídìng ~ jìzhù zhèixiē shēngcí. |这些地方容易出错儿，你们 ~ 注意。Zhèixiē dìfang róngyì chūcuòr, nǐmen ~ zhùyì. |你们不 ~ 告诉他这件事。Nǐmen bú ~ gàosu tā zhèi jiàn shì.

yào 要[6] [助动]

天阴了，看样子 ~ 下雨了。Tiān yīn le, kàn yàngzi ~ xià yǔ le. →天阴了，看样子可能会下雨。Tiān yīn le, kàn yàngzi kěnéng huì xià yǔ. 例这件事他知道了 ~ 生气的。Zhèi jiàn shì tā zhīdaole ~ shēngqì de. |他可能 ~ 到 20 号才能回来。Tā kěnéng ~ dào èrshí hào cái néng huílai. |你们这样做是 ~ 犯错误的。Nǐmen zhèiyàng zuò shì ~ fàn cuòwù de. |我大概 ~ 在那儿住一个月。Wǒ dàgài ~ zài nàr zhù yí ge yuè.

yào 要[7] [助动]

他 ~ 结婚了。Tā ~ jiéhūn le. →他这几天就会结婚。Tā zhèi jǐ tiān jiù huì jiéhūn. 例 ~ 放假了，学生们正忙着考试呢。~ fàngjià le, xuéshengmen zhèng mángzhe kǎoshì ne. |她快 ~ 做妈妈了，所以很高兴。Tā kuài ~ zuò māma le, suǒyǐ hěn gāoxìng. |大卫明天就 ~ 回来了。Dàwèi míngtiān jiù ~ huílai le. |天就 ~ 亮了，我们起床吧。Tiān jiù ~ liàng le, wǒmen qǐchuáng ba. |这场比赛眼看就 ~ 结束了。Zhèi chǎng bǐsài yǎnkàn jiù ~ jiéshù le.

yào 要[8] [助动]

你的英语 ~ 比他好一些。Nǐ de Yīngyǔ ~ bǐ tā hǎo yìxiē. →你的英语大概比他好一些。Nǐde Yīngyǔ dàgài bǐ tā hǎo yìxiē. 例他 ~ 比我高二十厘米。Tā ~ bǐ wǒ gāo èrshí límǐ. |那儿 ~ 比这儿热得多。Nàr ~ bǐ zhèr rè de duō. |他比我 ~ 跑得快得多。Tā bǐ wǒ ~ pǎo de kuài de duō. |我住的房子比这里 ~ 大多了。Wǒ zhù de fángzi bǐ zhèlǐ ~ dà duō le.

yào 要[9] [连]

你 ~ 喜欢她，就去对她说。Nǐ ~ xǐhuan tā, jiù qù duì tā shuō. →如果你喜欢她，就去对她说。Rúguǒ nǐ xǐhuan tā, jiù qù duì tā shuō. 例你 ~ 有事儿，明天就别来了。Nǐ ~ yǒu shìr, míngtiān jiù bié lái le. |他 ~ 能来，那可太好了。Tā ~ néng lái, nà kě tài hǎo le. | ~ 不是我有事儿，我早就来了。~ bú shì wǒ yǒu shìr, wǒ zǎo jiù lái le. | ~ 我是你，就不会答应这件事儿。~ wǒ shì nǐ, jiù bú huì dāyìng zhèi jiàn shìr. | 他 ~ 还是没精神，可能就是病了。Tā ~ háishi méi jīngshen, kěnéng jiùshì bìng le.

yàoshì 要是 [连]

~ 明天下雨，我们就不出去了。~ míngtiān xià yǔ, wǒmen jiù bù chūqu le. →如果明天下雨，我们就不出去了。Rúguǒ míngtiān xià yǔ, wǒmen jiù bù chūqu le. 例~ 我女朋友不同意，我就不参加这个舞会。~ wǒ nǚpéngyou bù tóngyì, wǒ jiù bù cānjiā zhèige wǔhuì. | ~ 你去书店，帮我买本书吧。~ nǐ qù shūdiàn, bāng wǒ mǎi běn shū ba. | 大家 ~ 同意的话，就写上自己的名字。Dàjiā ~ tóngyì de huà, jiù xiěshang zìjǐ de míngzi. | ~ 我是你的话，就不会那样做。~ wǒ shì nǐ de huà, jiù bú huì nèiyàng zuò.

yàobu 要不[1] [连]

开快点儿，~ 赶不上火车了。Kāi kuài diǎnr, ~ gǎn bu shàng huǒchē le. →如果不快点儿开，就赶不上火车了。Rúguǒ bú kuài diǎnr kāi, jiù gǎn bu shàng huǒchē le. 例他应该马上去医院，~ 很危险。Tā yīnggāi mǎshàng qù yīyuàn, ~ hěn wēixiǎn. | 他一定是不高兴，~ 怎么跟谁都不说话？Tā yídìng shì bù gāoxìng, ~ zěnme gēn shéi dōu bù shuōhuà? | 我要学习汉语，~ 去了中国怎么办？Wǒ yào xuéxí Hànyǔ, ~ qùle Zhōngguó zěnme bàn? | 他一定是爱她，~ 怎么老给她送花儿？Tā yídìng shì ài tā, ~ zěnme lǎo gěi tā sòng huār?

yàobu 要不[2] [连]

咱们出去散散步吧，~ 就去喝咖啡。Zánmen chūqu sànsan bù ba, ~ jiù qù hē kāfēi. →咱们或者出去散步，或者去喝咖啡。Zánmen huòzhě chūqu sànbù, huòzhě qù hē kāfēi. 例你喝杯茶吧，~ 就喝可口可乐。Nǐ hē bēi chá ba, ~ jiù hē kěkǒukělè. | 他可能不太高兴，~ 就是身体不舒服。Tā kěnéng bú tài gāoxìng, ~ jiùshì shēntǐ bù shūfu. | 我们坐飞机吧，~ 坐火车也行。Wǒmen zuò fēijī ba, ~ zuò huǒchē yě xíng. | 你去请他吧，~ 我去。Nǐ qù qǐng tā ba, ~ wǒ qù.

yàojǐn 要紧[1] （要緊）[形]

现在最 ~ 的是送他去医院。Xiànzài zuì ~ de shì sòng tā qù yīyuàn. →送他去医院，是现在我们最应该做的事。Sòng tā qù yīyuàn, shì xiànzài wǒmen zuì yīnggāi zuò de shì. 例我有件 ~ 的事，想跟你商

Y

量。Wǒ yǒu jiàn ~ de shì, xiǎng gēn nǐ shāngliang. |他记住了最~ 的一句话。Tā jìzhùle zuì ~ de yí jù huà. |这么 ~ 的事你怎么不早 点儿说? Zhème ~ de shì nǐ zěnme bù zǎo diǎnr shuō? |这问题不是 太~, 下次注意就行了。Zhè wèntí bú shì tài ~, xià cì zhùyì jiù xíng le.

yàojǐn 要紧² (要緊) [形]

你的病不~, 很快就会好的。Nǐ de bìng bú ~, hěn kuài jiù huì hǎo de. →你的病不太严重, 很快就会好。Nǐ de bìng bú tài yánzhòng, hěn kuài jiù huì hǎo. 例你说吧, 说错了也不~。Nǐ shuō ba, shuōcuòle yě bú ~. |钱丢了不~, 护照没丢就行。Qián diūle bú ~, hùzhào méi diū jiù xíng. |我的伤不~, 多谢你们的关心。Wǒ de shāng bú ~, duō xiè nǐmen de guānxīn. |大家不会说英语不~, 我们有翻译。Dàjiā bú huì shuō Yīngyǔ bú ~, wǒmen yǒu fānyì.

yàoshi 钥匙 (鑰匙) [名]

例我没带~, 进不了屋。Wǒ méi dài ~, jìn bu liǎo wū. |这把锁有三把 ~。Zhèi bǎ suǒ yǒu sān bǎ ~. |我忘了带门 ~。Wǒ wàngle dài mén ~. |你的 ~ 错了, 当然开不开这锁。Nǐ de ~ cuò le, dāngrán kāi bu kāi zhè suǒ. | 大家都有这间屋子的 ~。Dàjiā dōu yǒu zhèi jiān wūzi de ~. |这是车 ~, 这是门 ~, 别用 错了。Zhè shì chē ~, zhè shì mén ~, bié yòngcuò le.

钥匙

ye

yéye 爷爷¹ (爺爺) [名]

他前几天当上~了。Tā qián jǐ tiān dāngshang ~ le. →他的儿子有儿 子或女儿了。Tā de érzi yǒu érzi huò nǚ'ér le. 例我 ~ 三年前就去世 了。Wǒ ~ sān nián qián jiù qùshì le. |我小时候, 经常住在~、奶奶 家。Wǒ xiǎoshíhou, jīngcháng zhù zài ~、nǎinai jiā. |我 ~ 有三个 儿子, 我爸爸是老大。Wǒ ~ yǒu sān ge érzi, wǒ bàba shì lǎodà. | 他从来没见过他 ~。Tā cónglái méi jiànguo tā ~. |他 ~ 是大学教 授。Tā ~ shì dàxué jiàoshòu.

Y

yéye 爷爷² （爺爺）[名]

他经常帮助老～过马路。Tā jīngcháng bāngzhù lǎo～ guò mǎlù. → 他经常帮助男性老人过马路。Tā jīngcháng bāngzhù nánxìng lǎorén guò mǎlù. 例他的年龄那么大，我叫他～可以吗？ Tā de niánlíng nàme dà, wǒ jiào tā～ kěyǐ ma? | 一位～告诉我，你们这儿的饭很好吃。Yí wèi～ gàosu wǒ, nǐmen zhèr de fàn hěn hǎochī. | 好多老～在公园里锻炼身体。Hǎoduō lǎo～ zài gōngyuán li duànliàn shēntǐ.

yě 也¹ [副]

他会说英语，我～会说英语。Tā huì shuō Yīngyǔ, Wǒ～ huì shuō Yīngyǔ. →我和他一样，都会说英语。Wǒ hé tā yíyàng, dōu huì shuō Yīngyǔ. 例大卫来了，玛丽～来了。Dàwèi lái le, Mǎlì～ lái le. | 我喜欢喝茶，～喜欢喝啤酒。Wǒ xǐhuan hē chá,～ xǐhuan hē píjiǔ. | 风不刮了，雨～不下了。Fēng bù guā le, yǔ～ bú xià le. | 这些人中，有南方人，～有北方人。Zhèixiē rén zhōng, yǒu nánfāngrén,～ yǒu běifāngrén. | 我上大学了，我弟弟～上大学了。Wǒ shàng dàxué le, wǒ dìdi～ shàng dàxué le. | 我吃饭的时候，～喝酒，～喝茶。Wǒ chīfàn de shíhou,～ hē jiǔ,～ hē chá.

yě 也² [副]

你不说我～知道。Nǐ bù shuō wǒ～ zhīdao. →你说或不说都没关系，我已经知道了。Nǐ shuō huò bù shuō dōu méi guānxi, wǒ yǐjing zhīdao le. 例你不去，我～要去。Nǐ bú qù, wǒ～ yào qù. | 即使大家都反对，我～坚持这个意见。Jíshǐ dàjiā dōu fǎnduì, wǒ～ jiānchí zhèige yìjiàn. | 我怎么劝他，他～不听。Wǒ zěnme quàn tā, tā～ bù tīng. | 即使下雨，我们～要进行这场比赛。Jíshǐ xià yǔ, wǒmen～ yào jìnxíng zhèi chǎng bǐsài.

yě 也³ [副]

这首歌儿连小孩子～会唱。Zhèi shǒu gēr lián xiǎoháizi～ huì chàng. →这首歌儿小孩子都会唱，大人就更会唱了。Zhèi shǒu gēr xiǎoháizi dōu huì chàng, dàrén jiù gèng huì chàng le. 例他忙得饭～忘记吃了。Tā máng de fàn～ wàngjì chī le. | 我什么外语～不会。Wǒ shénme wàiyǔ～ bú huì. | 他从小儿在农村，哪儿～没去过。Tā cóngxiǎor zài nóngcūn, nǎr～ méi qùguo. | 这些人我谁～不认识。Zhèixiē rén wǒ shéi～ bú rènshi. | 这些话我一句～不相信。Zhèixiē huà wǒ yí jù～ bù xiāngxìn. | 我一分钱～没带，怎么买东西？ Wǒ yì fēn qián ~ méi dài, zěnme mǎi dōngxi?

yěxǔ 也许(也許) [副]

他 ~ 来, ~ 不来。Tā ~ lái, ~ bù lái. →他没有说定来不来。Tā méiyǒu shuōdìng lái bu lái. 例我 ~ 坐火车, ~ 坐飞机。Wǒ ~ zuò huǒchē, ~ zuò fēijī. |大卫会同意我的看法。~ Dàwèi huì tóngyì wǒ de kànfǎ. |~我们会赢这场比赛。~ wǒmen huì yíng zhèi chǎng bǐsài. |他 ~ 有五十岁了。Tā ~ yǒu wǔshí suì le. |你再想想, ~ 能想出个好办法来。Nǐ zài xiǎngxiang, ~ néng xiǎngchū ge hǎo bànfǎ lai.

yèwù 业务(業務) [名]

食品进出口是我们公司的主要 ~。Shípǐn jìn chū kǒu shì wǒmen gōngsī de zhǔyào ~. →我们公司的主要工作是进行食品进出口贸易。Wǒmen gōngsī de zhǔyào gōngzuò shì jìnxíng shípǐn jìn chū kǒu màoyì. 例我们公司的 ~ 在金属加工方面。Wǒmen gōngsī de ~ zài jīnshǔ jiāgōng fāngmiàn. |他们公司准备到国外发展 ~。Tāmen gōngsī zhǔnbèi dào guówài fāzhǎn ~. |这些买卖超出了我们公司的 ~ 范围。Zhèixiē mǎimai chāochūle wǒmen gōngsī de ~ fànwéi. |哥哥的 ~ 能力非常强。Gēge de ~ nénglì fēicháng qiáng. |他懂 ~, 会管理。Tā dǒng ~, huì guǎnlǐ.

yèyú 业余¹ (業餘) [形]

我的 ~ 爱好是看电影。Wǒ de ~ àihào shì kàn diànyǐng. →我不工作的时候喜欢看电影。Wǒ bù gōngzuò de shíhou xǐhuan kàn diànyǐng. 例大卫 ~ 时间喜欢打网球。Dàwèi ~ shíjiān xǐhuan dǎ wǎngqiú. |工人们的 ~ 生活很丰富。Gōngrénmen de ~ shēnghuó hěn fēngfù. |我们经常参加各种 ~ 活动。Wǒmen jīngcháng cānjiā gè zhǒng ~ huódòng. |他把 ~ 时间都利用起来学外语。Tā bǎ ~ shíjiān dōu lìyòng qilai xué wàiyǔ.

yèyú 业余² (業餘) [形]

我们的足球队只是 ~ 水平。Wǒmen de zúqiúduì zhǐ shì ~ shuǐpíng. →我们的足球队达不到专业水平。Wǒmen de zúqiúduì dá bu dào zhuānyè shuǐpíng. 例他是搞经济学研究的, 但是个 ~ 画家。Tā shì gǎo jīngjìxué yánjiū de, dàn shì ge ~ huàjiā. |学生们成立了 ~ 演唱团, 放假的时候就去演出。Xuéshengmen chénglìle ~ yǎnchàngtuán, fàngjià de shíhou jiù qù yǎnchū. |这些 ~ 歌手的水平都不低。

Zhēixiē ~ gēshǒu de shuǐpíng dōu bù dī.

yèzi 叶子（葉子）［名］

例 树上的 ~ 都没有了。Shù shang de ~ dōu méiyǒu le.｜虫子把树上的 ~ 吃光了。Chóngzi bǎ shù shang de ~ chīguāng le.｜这两种树的 ~ 差不多。Zhèi liǎng zhǒng shù de ~ chà bu duō.｜这棵树上只有几片 ~ 了。Zhèi kē shù shang zhǐyǒu jǐ piàn ~ le.｜草 ~ 上有水珠儿，阳光一照很好看。Cǎo ~ shang yǒu shuǐzhūr, yángguāng yí zhào hěn hǎokàn.

叶子

yè 页（頁）［量］

用于纸、书等。Yòngyú zhǐ、shū děng. 例 请给我一 ~ 纸。Qǐng gěi wǒ yí ~ zhǐ.｜这本书有五百 ~。Zhèi běn shū yǒu wǔbǎi ~.｜这句话在书的第三 ~。Zhèi jù huà zài shū de dì sān ~.｜你的文章我一 ~ 一 ~ 地都看了。Nǐ de wénzhāng wǒ yí ~ yí ~ de dōu kàn le.｜他看了几 ~ 书，就睡着了。Tā kànle jǐ ~ shū, jiù shuìzháo le.｜这本书好像少了两 ~。Zhèi běn shū hǎoxiàng shǎole liǎng ~.

yè 夜［名］

他一天一 ~ 没睡觉了。Tā yì tiān yí ~ méi shuìjiào le. →他白天和晚上都没睡觉。Tā báitiān hé wǎngshang dōu méi shuìjiào. 例 昨天，他跳了一 ~ 的舞。Zuótiān, tā tiàole yí ~ de wǔ.｜他坐了两天两 ~ 的火车，太累了。Tā zuòle liǎng tiān liǎng ~ de huǒchē, tài lèi le.｜三月四日 ~，那儿发生了一场地震。Sānyuè sì rì ~, nàr fāshēngle yì cháng dìzhèn.｜夏天 ~ 很短。Xiàtiān ~ hěn duǎn.

yèli 夜里（夜裏）［名］

昨天 ~ 我去跳舞了，没睡觉。Zuótiān ~ wǒ qù tiàowǔ le, méi shuìjiào. →我从天黑一直跳到天亮。Wǒ cóng tiān hēi yìzhí tiào dào tiān liàng. 例 ~ 的气温比白天低。~ de qìwēn bǐ báitiān dī.｜他是昨天 ~ 回来的。Tā shì zuótiān ~ huílai de.｜在这个地方，~ 常常能听到狗的叫声。Zài zhèige dìfang, ~ chángcháng néng tīngdào gǒu de jiàoshēng.｜这个商店 ~ 也开门。Zhèige shāngdiàn ~ yě kāimén.｜有些动物喜欢在 ~ 活动。Yǒu xiē dòngwù xǐhuan zài ~ huódòng.

yèwǎn 夜晚［名］

他每天 ~ 都来这儿。Tā měi tiān ~ dōu lái zhèr. →他每天来这儿的时

Y

间是天黑以后。Tā měi tiān lái zhèr de shíjiān shì tiān hēi yǐhòu. **例**
他白天上课，~ 还要写文章。Tā báitiān shàngkè, ~ hái yào xiě
wénzhāng. | 我们度过了一个愉快的 ~。Wǒmen dùguòle yí ge
yúkuài de ~. | 城市的 ~ 是非常漂亮的。Chéngshì de ~ shì fēicháng
piàoliang de. | 他生病的那个 ~，我没在家。Tā shēngbìng de nèige
~, wǒ méi zài jiā. | 想起那个 ~，他就忍不住要哭。Xiǎngqǐ nèige
~, tā jiù rěn bu zhù yào kū.

yi

yī 一 [数]

一加一等于二。Yī jiā yī děngyú èr. →1 + 1 = 2 **例**我们只有 ~ 个地
球。Wǒmen zhǐyǒu ~ ge dìqiú. | ~ 年有三百六十五天。~ nián yǒu
sānbǎi liùshíwǔ tiān. | 我想出了 ~ 个好办法。Wǒ xiǎngchūle ~ ge
hǎo bànfǎ. | 我买了 ~ 张电影票。Wǒ mǎile ~ zhāng diànyǐngpiào. |
北京我 ~ 次也没去过。Běijīng wǒ ~ cì yě méi qùguo.

yī 壹 [数]

"一"的大写形式。"Yī" de dàxiě xíngshì.

yī…jiù… 一……就……

我刚 ~ 出门 ~ 下起雨来了。Wǒ gāng ~ chūmén ~ xià qǐ yǔ lai le. →
下雨的时候，我刚刚出门。Xià yǔ de shíhou, wǒ gānggāng
chūmén. **例**我 ~ 喝酒 ~ 头疼。Wǒ ~ hē jiǔ ~ tóuténg. | 他 ~ 看见我
~ 跑了。Tā ~ kànjiàn wǒ ~ pǎo le. | 我们 ~ 见面 ~ 高兴地抱在了一
起。Wǒmen ~ jiànmiàn ~ gāoxìng de bàozàile yìqǐ. | ~ 说出去玩儿，
同学们 ~ 坐不住了。~ shuō chūqu wánr, tóngxuémen ~ zuò bu zhù
le. | 经理 ~ 来，大家 ~ 都不说话了。Jīnglǐ ~ lái, dàjiā ~ dōu bù
shuōhuà le.

yī…yě… 一……也……

我们公司的人 ~ 个 ~ 不少。Wǒmen gōngsī de rén ~ ge ~ bù shǎo.
→我们公司的人都来了。Wǒmen gōngsī de rén dōu lái le. **例**他总
是不停地工作，~ 刻 ~ 不休息。Tā zǒngshì bù tíng de gōngzuò, ~
kè ~ bù xiūxi. | 那座大楼里 ~ 个人 ~ 没有。Nèi zuò dàlóu li ~ ge rén
~ méiyǒu. | 今天的作业，我 ~ 道题 ~ 没做。Jīntiān de zuòyè, wǒ
~ dào tí ~ méi zuò. | 我最近忙得很，~ 点儿休息的时间 ~ 没有。
Wǒ zuìjìn máng de hěn, ~ diǎnr xiūxi de shíjiān ~ méiyǒu.

Y

yīyī 一一

他进屋以后，跟大家 ~ 握手。Tā jìn wū yǐhòu, gēn dàjiā ~ wòshǒu.
→他进屋以后，分别跟每个人握手。Tā jìn wū yǐhòu, fēnbié gēn měi ge rén wòshǒu. 例公司向顾客 ~ 介绍了他们的产品。Gōngsī xiàng gùkè ~ jièshàole tāmen de chǎnpǐn. ｜大卫上车之前跟人们 ~ 告别。Dàwèi shàng chē zhī qián gēn rénmen ~ gàobié. ｜我不能 ~ 去看这些朋友，非常遗憾。Wǒ bù néng ~ qù kàn zhèixiē péngyou, fēicháng yíhàn.

yīfu 衣服 [名]

clothes 例这些 ~ 脏了，该洗了。Zhèixiē ~ zāng le, gāi xǐ le. ｜他今天穿了件新 ~。Tā jīntiān chuānle jiàn xīn ~. ｜我不喜欢红颜色的 ~。Wǒ bù xǐhuan hóng yánsè de ~. ｜这件 ~ 的袖子破了。Zhèi jiàn ~ de xiùzi pò le. ｜他穿的 ~ 都是名牌儿。Tā chuān de ~ dōu shì míngpáir. ｜这么多 ~，他都不知道穿哪一件了。Zhème duō ~, tā dōu bù zhīdào chuān něi yí jiàn le. ｜他早就脱 ~ 睡了。Tā zǎo jiù tuō ~ shuì le.

yīshēng 医生（醫生）[名]

他是一位 ~。Tā shì yí wèi ~. →他是一位专门给病人看病的人。Tā shì yí wèi zhuānmén gěi bìngrén kànbìng de rén. 例这个医院有三百多名 ~。Zhèige yīyuàn yǒu sānbǎi duō míng ~. ｜他病得这么重，~ 怎么说？Tā bìng de zhème zhòng, ~ zěnme shuō? ｜他长大了想当一名 ~。Tā zhǎngdàle xiǎng dāng yì míng ~. ｜你感冒两天了，看 ~ 了没有？Nǐ gǎnmào liǎng tiān le, kàn ~ le méiyǒu? ｜ ~ 的工作很辛苦。~ de gōngzuò hěn xīnkǔ.

yīwùshì 医务室（醫務室）[名]

我们学校没有医院，只有一个 ~。Wǒmen xuéxiào méiyǒu yīyuàn, zhǐyǒu yí ge ~. →我们学校只有一个治常见病的工作间。Wǒmen xuéxiào zhǐyǒu yí ge zhì chángjiànbìng de gōngzuòjiān. 例这病 ~ 治不了，需要到医院。Zhè bìng ~ zhì bu liǎo, xūyào dào yīyuàn. ｜我们工厂的 ~ 只有两个医生。Wǒmen gōngchǎng de ~ zhǐyǒu liǎng ge yīshēng. ｜你要是觉得不舒服，可以到火车上的 ~ 去看看。Nǐ yàoshi juéde bù shūfu, kěyǐ dào huǒchē shang de ~ qù kànkan.

yīxué 医学（醫學）[名]

他爸爸是搞 ~ 的，对很多疾病都有研究。Tā bàba shì gǎo ~ de,

Y

duì hěn duō jíbìng dōu yǒu yánjiū. →他爸爸是研究怎么治病的。Tā bàba shì yánjiū zěnme zhì bìng de. 例中国的 ~ 有很长的历史了。Zhōngguó de ~ yǒu hěn cháng de lìshǐ le. |现代 ~ 虽然很发达，但有些病还是治不了。Xiàndài ~ suīrán hěn fādá, dàn yǒuxiē bìng háishi zhì bu liǎo. |他读过很多 ~ 著作，懂得怎么治这种病。Tā dúguo hěn duō ~ zhùzuò, dǒngdé zěnme zhì zhèi zhǒng bìng.

yīyuàn 医院（醫院）[名]

大卫生病了，去 ~ 了。Dàwèi shēngbìng le, qù ~ le. →大卫去了给病人看病的地方。Dàwèi qùle gěi bìngrén kàn bìng de dìfang. 例这附近就有三家大 ~。Zhè fùjìn jiù yǒu sān jiā dà ~. |你的病是在哪个 ~ 看好的？Nǐ de bìng shì zài něige ~ kànhǎo de? |这家 ~ 的条件很好。Zhèi jiā ~ de tiáojiàn hěn hǎo. |他妹妹在 ~ 工作，是个护士。Tā mèimei zài ~ gōngzuò, shì ge hùshì.

yīkào 依靠¹ [动]

她什么事都 ~ 父母。Tā shénme shì dōu ~ fùmǔ. →她什么事都要父母帮助。Tā shénme shì dōu yào fùmǔ bāngzhù. 例这个公司要 ~ 大家才能搞好。Zhèige gōngsī yào ~ dàjiā cái néng gǎohǎo. |我 ~ 朋友的帮助，找到了工作。Wǒ ~ péngyou de bāngzhù, zhǎodàole gōngzuò. |他一家四口人都 ~ 爸爸生活。Tā yì jiā sì kǒu rén dōu ~ bàba shēnghuó. |我主要 ~ 电脑完成这些工作。Wǒ zhǔyào ~ diànnǎo wánchéng zhèixiē gōngzuò. |大卫 ~ 自己的努力，得了第一名。Dàwèi ~ zìjǐ de nǔlì, déle dì yī míng.

yīkào 依靠² [名]

爸爸妈妈是孩子们的 ~。Bàba māma shì háizimen de ~. →孩子们什么事都找爸爸妈妈帮忙。Háizimen shénme shì dōu zhǎo bàba māma bāngmáng. 例父母去世后，孩子们没有了 ~。Fùmǔ qùshì hòu, háizimen méiyǒule ~. |他找到了工作，觉得生活上有了 ~。Tā zhǎodàole gōngzuò, juéde shēnghuó shang yǒule ~. |朋友是我的 ~，有什么困难都是他们帮忙。Péngyou shì wǒ de ~, yǒu shénme kùnnan dōu shì tāmen bāngmáng.

Y

yíbàn 一半 [名]

我们公司的人只来了 ~。Wǒmen gōngsī de rén zhǐ láile ~. →我们公司有一百人，来了五十人。Wǒmen gōngsī yǒu yìbǎi rén, láile wǔshí rén. 例这儿有 ~ 的人会说英语。Zhèr yǒu ~ de rén huì shuō

Yīngyǔ. | 这些书 ~ 是买的，~ 是别人送的。Zhèixiē shū ~ shì mǎi de, ~ shì biéren sòng de. | 这个商店的东西 ~ 以上是进口的。Zhèige shāngdiàn de dōngxi ~ yǐshàng shì jìnkǒu de. | 我的话刚说了 ~，他就打断了我。Wǒ de huà gāng shuōle ~, tā jiù dǎduànle wǒ. | 这些人中，~ 支持他，~ 反对他。Zhèixiē rén zhōng, ~ zhīchí tā, ~ fǎnduì tā.

yídào 一道 [副]

我们 ~ 去邮局吧。Wǒmen ~ qù yóujú ba. →你想去，我也想去，我们可以一起去。Nǐ xiǎng qù, wǒ yě xiǎng qù, wǒmen kěyǐ yìqǐ qù. 例我也是8点的电影，我们 ~ 去吧。Wǒ yě shì bā diǎn de diànyǐng, wǒmen ~ qù ba. | 我们 ~ 学习、工作了十年。Wǒmen ~ xuéxí、gōngzuòle shí nián. | 他俩住得很近，每天都 ~ 去上班。Tā liǎ zhù de hěn jìn, měi tiān dōu ~ qù shàngbān. | 咱们几个 ~ 去上学吧。Zánmen jǐ ge ~ qù shàngxué ba.

yídìng 一定¹ [形]

他每天睡觉的时间是 ~ 的。Tā měi tiān shuìjiào de shíjiān shì ~ de. →他每天都是晚上十二点整睡觉。Tā měi tiān dōu shì wǎnshang shí'èr diǎn zhěng shuìjiào. 例文章的好坏跟长短没有 ~ 的关系。Wénzhāng de hǎo huài gēn cháng duǎn méiyǒu ~ de guānxi. | 他什么时候回来还不 ~。Tā shénme shíhou huílai hái bù ~. | 我看这场比赛他们不 ~ 能赢。Wǒ kàn zhèi chǎng bǐsài tāmen bù ~ néng yíng. | 汽车有 ~ 的站，不会乱停的。Qìchē yǒu ~ de zhàn, bú huì luàn tíng de.

yídìng 一定² [形]

他的汉语达到了 ~ 的水平。Tā de Hànyǔ dádàole ~ de shuǐpíng. →他的汉语水平比较高了。Tā de Hànyǔ shuǐpíng bǐjiào gāo le. 例他们的工厂有了 ~ 的发展。Tāmen de gōngchǎng yǒule ~ de fāzhǎn. | 植物的生长需要 ~ 的条件。Zhíwù de shēngzhǎng xūyào ~ de tiáojiàn. | 我们的口语水平有了 ~ 的提高。Wǒmen de kǒuyǔ shuǐpíng yǒule ~ de tígāo. | 我要是有了 ~ 的英语基础，就去英国留学。Wǒ yàoshi yǒule ~ de Yīngyǔ jīchǔ, jiù qù Yīngguó liúxué.

yídìng 一定³ [副]

这儿 ~ 有人来过。Zhèr ~ yǒu rén láiguo. →我相信这儿有人来过。Wǒ xiāngxìn zhèr yǒu rén láiguo. 例我觉得那个人就是大卫，~ 错不了。Wǒ juéde nèige rén jiù shì Dàwèi, ~ cuò bu liǎo. | 他到现在

还没来，～是忘了。Tā dào xiànzài hái méi lái，～ shì wàng le.｜经理～会同意我们的做法。Jīnglǐ ～ huì tóngyì wǒmen de zuòfǎ.｜贵的东西不～就好。Guì de dōngxi bù ～ jiù hǎo.｜我们不～非得去爬山，也可以划船嘛。Wǒmen bù ～ fēiděi qù pá shān，yě kěyǐ qù huá chán ma.

yídìng 一定[4] [副]

我明天～来。Wǒ míngtiān ～ lái. →不管发生什么情况，我明天都会来的。Bùguǎn fāshēng shénme qíngkuàng，wǒ míngtiān dōu huì lái de. 例我们～要在四月完成这项工作。Wǒmen ～ yào zài Sìyuè wánchéng zhèi xiàng gōngzuò.｜下午两点开会，你～要准时。Xiàwǔ liǎng diǎn kāihuì，nǐ ～ yào zhǔnshí.｜他～要去爬山，谁反对也没用。Tā ～ yào qù pá shān，shéi fǎnduì yě méiyòng.｜我～要学好计算机。Wǒ ～ yào xuéhǎo jìsuànjī.｜他喜欢足球，说以后～会进球队踢球的。Tā xǐhuan zúqiú，shuō yǐhòu ～ huì jìn qiúduì tī qiú de.

yígòng 一共 [副]

我～会四种语言。Wǒ ～ huì sì zhǒng yǔyán. →我会英语、汉语、法语、德语这几种语言。Wǒ huì Yīngyǔ、Hànyǔ、Fǎyǔ、Déyǔ zhèi jǐ zhǒng yǔyán. 例这个饭店～有三百个房间。Zhèige fàndiàn ～ yǒu sānbǎi ge fángjiān.｜我们学校～有一百五十名教授。Wǒmen xuéxiào ～ yǒu yìbǎi wǔshí míng jiàoshòu.｜他～去过三十个国家。Tā ～ qùguo sānshí ge guójiā.｜看比赛的人～不到两百人。Kàn bǐsài de rén ～ bú dào liǎngbǎi rén.｜这个会议我们～准备了一年多。Zhèige huìyì wǒmen ～ zhǔnbèile yì nián duō.

yíhuìr 一会儿[1]（一會兒）[名]

我们休息～吧。Wǒmen xiūxi ～ ba. →我们休息的时间不长。Wǒmen xiūxi de shíjiān bùcháng. 例这个电影他只看了～就走了。Zhèige diànyǐng tā zhǐ kànle ～ jiù zǒu le.｜～的时间，雨就停了。～ de shíjiān，yǔ jiù tíng le.｜～的功夫，我就看不见他了。～ de gōngfu，wǒ jiù kàn bu jiàn tā le.｜我们多玩儿～吧，挺有意思的。Wǒmen duō wánr ～ ba，tǐng yǒu yìsi de.｜他说出去～，可半天也没回来。Tā shuō chūqu ～，kě bàntiān yě méi huílai.

yíhuìr 一会儿[2]（一會兒）[副]

你在这儿等我吧，我～就回来。Nǐ zài zhèr děng wǒ ba，wǒ ～ jiù huílai. →我很短时间就可以回来。Wǒ hěn duǎn shíjiān jiù kěyǐ huílai. **例** 天 ~ 就黑了，你别走了。Tiān ~ jiù hēi le, nǐ bié zǒu le. | 他越喝越多，~ 就醉了。Tā yuè hē yuè duō, ~ jiù zuì le. | ~ 有人来找我，你让他等一下儿。~ yǒu rén lái zhǎo wǒ, nǐ ràng tā děng yíxiàr.

yíkuàir 一块儿（一塊兒）[副]

这三本书的钱我 ~ 给吧。Zhèi sān běn shū de qián wǒ ~ gěi ba. → 我一次给三本书的钱。Wǒ yí cì gěi sān běn shū de qián. **例** 这些东西你 ~ 拿走吧。Zhèixiē dōngxi nǐ ~ názǒu ba. | 我们是 ~ 来的。Wǒmen shì ~ lái de. | 他们常在 ~ 吃饭、打球。Tāmen cháng zài ~ chīfàn、dǎqiú. | 我们 ~ 商量商量这件事。Wǒmen ~ shāngliang shāngliang zhèi jiàn shì. | 我们 ~ 来的，还 ~ 走吧。Wǒmen ~ lái de, hái ~ zǒu ba. | 他们打算 ~ 去日本留学。Tāmen dǎsuan ~ qù Rìběn liúxué.

yíqiè 一切[1] [代]

他的 ~ 说法都是不正确的。Tā de ~ shuōfa dōu shì bú zhèngquè de. → 他的各种说法都是不正确的。Tā de gè zhǒng shuōfa dōu shì bú zhèngquè de. **例** 我 ~ 东西都准备好了，可以出发了。Wǒ ~ dōngxi dōu zhǔnbèi hǎo le, kěyǐ chūfā le. | 出国的 ~ 手续都办好了。Chūguó de ~ shǒuxù dōu bànhǎo le. | 我们不怕 ~ 困难。Wǒmen bú pà ~ kùnnan. | ~ 爱好和平的人都反对战争。~ àihào hépíng de rén dōu fǎnduì zhànzhēng. | 他完成了公司给他的 ~ 工作。Tā wánchéngle gōngsī gěi tā de ~ gōngzuò.

yíqiè 一切[2] [代]

我这里 ~ 都好，请你们放心。Wǒ zhèlǐ ~ dōu hǎo, qǐng nǐmen fàngxīn. → 我这里各个方面都好。Wǒ zhèlǐ gè gè fāngmiàn dōu hǎo. **例** 我的 ~ 都是爸爸、妈妈给的。Wǒ de ~ dōu shì bàba、māma gěi de. | 他准备用自己的 ~ 去救她。Tā zhǔnbèi yòng zìjǐ de ~ qù jiù tā. | 大卫最近 ~ 都很顺利。Dàwèi zuìjìn ~ dōu hěn shùnlì. | 这 ~ 说明，我们的做法是对的。Zhè ~ shuōmíng, wǒmen de zuòfǎ shì duì de.

yíxiàr 一下儿[1]（一下兒）[副]

他 ~ 就把这瓶啤酒喝完了。Tā ~ jiù bǎ zhèi píng píjiǔ hēwán le. → 他喝得非常快。Tā hē de fēicháng kuài. **例** 他饿了，一个面包 ~ 就吃光了。Tā è le, yí ge miànbāo ~ jiù chīguāng le. | 气温 ~ 低了好几度。Qìwēn ~ dīle hǎojǐ dù. | 你这么一说，我 ~ 就想到了玛丽。Nǐ zhème yì shuō, wǒ ~ jiù xiǎngdàole Mǎlì. | 你等 ~ ，我马上就回来。Nǐ děng ~ , wǒ mǎshàng jiù huílai.

yí xiàr 一下儿² （一下儿）

这双鞋你穿 ~ ，看是不是合适。Zhèi shuāng xié nǐ chuān ~ , kàn shì bu shì héshì. →这双鞋你穿一穿，看是不是合适。Zhèi shuāng xié nǐ chuān yi chuān, kàn shì bu shì héshì. 例这件衣服我能试 ~ 吗？Zhèi jiàn yīfu wǒ néng shì ~ ma? | 我们开会研究 ~ 这个问题。Wǒmen kāihuì yánjiū ~ zhèige wèntí. | 我问 ~ ，这儿是办公室吗？Wǒ wèn ~ , zhèr shì bàngōngshì ma? | 这篇文章你再改 ~ 吧。Zhèi piān wénzhāng nǐ zài gǎi ~ ba.

yíxiàzi 一下子 ［副］

雨 ~ 就下大了。Yǔ ~ jiù xià dà le. →雨很快就下大了。Yǔ hěn kuài jiù xià dà le. 例我刚下飞机，他 ~ 就把我抱住了。Wǒ gāng xià fēijī, tā ~ jiù bǎ wǒ bàozhù le. | 他一解释，我 ~ 就明白了。Tā yì jiěshì, wǒ ~ jiù míngbai le. | 汽车 ~ 就开出去二十多公里。Qìchē ~ jiù kāi chuqu èrshí duō gōnglǐ. | 我 ~ 拿不出那么多钱。Wǒ ~ ná bu chū nàme duō qián. | 天气 ~ 冷了很多。Tiānqì ~ lěngle hěn duō.

yíyàng 一样（一樣）［形］

我们俩喝的 ~ 。Wǒmen liǎ hē de ~ . →我们俩喝的都是可口可乐。Wǒmen liǎ hē de dōu shì kěkǒukělè. 例他俩穿的衣服 ~ . Tā liǎ chuān de yīfu ~ . | 你的汉语说得跟中国人 ~ 。Nǐ de Hànyǔ shuō de gēn Zhōngguórén ~ . | 飞机跟火车 ~ 安全。Fēijī gēn huǒchē ~ ānquán. | 他俩长得 ~ ，我分不出来。Tā liǎ zhǎng de ~ , wǒ fēn bu chūlái. | 我跟你不 ~ ，你有钱，我没钱。Wǒ gēn nǐ bù ~ , nǐ yǒu qián, wǒ méi qián. | 两国的情况不太 ~ 。Liǎng guó de qíngkuàng bú tài ~ .

yízhì 一致［形］

我和大卫的看法非常 ~ 。Wǒ hé Dàwèi de kànfǎ fēicháng ~ . →我和大卫的看法相同。Wǒ hé Dàwèi de kànfǎ xiāngtóng. 例这次讨论会，大家取得了 ~ 的意见。Zhèi cì tǎolùnhuì, dàjiā qǔdéle ~ de yìjiàn. | 他们 ~ 认为，你不该那么做。Tāmen ~ rènwéi, nǐ bù gāi nàme zuò. | 我们太累了，~ 要求休息一会儿。Wǒmen tài lèi le, ~ yāoqiú xiūxi yíhuìr. | 他说的和做的不太 ~ 。Tā shuō de hé zuò de bú tài ~ .

Y

yíqì 仪器（儀器）[名]

instrument; aparatus 这台~是用来作 CT 检查的。Zhèi tái ~ shì yònglái zuò CT jiǎnchá de. | 这个医院最近进口了三台 X 光~。Zhèige yīyuàn zuìjìn jìnkǒule sān tái X guāng ~. | 这种病需要用~来检查。Zhèi zhǒng bìng xūyào yòng ~ lái jiǎnchá. | 实验室的~有点儿旧了，总是出毛病。Shíyànshì de ~ yǒudiǎnr jiù le, zǒngshì chū máobing. | 这个结果是用~做出来的。Zhèige jiéguǒ shì yòng ~ zuò chulai de. | 这些~都是世界上最先进的。Zhèixiē ~ dōu shì shìjiè shang zuì xiānjìn de.

yíshì 仪式（儀式）[名]

这家商场今天举行开业~。Zhèi jiā shāngchǎng jīntiān jǔxíng kāiyè ~. →这家商场为今天开业举行了重大活动。Zhèi jiā shāngchǎng wèi jīntiān kāiyè jǔxíngle zhòngdà huódòng. 例我很喜欢美国人的结婚~。Wǒ hěn xǐhuan Měiguórén de jiéhūn ~. | 新同学来了，我们举行了欢迎~。Xīn tóngxué lái le, wǒmen jǔxíngle huānyíng ~. | 电影演员的发奖~马上就要开始了。Diànyǐng yǎnyuán de fājiǎng ~ mǎshàng jiù yào kāishǐ le.

yí 移 [动]

你往左~一个座位好吗？ Nǐ wǎng zuǒ ~ yí ge zuòwèi hǎo ma? →请你动一下儿，坐到你左边的那个座位上。Qǐng nǐ dòng yíxiàr, zuòdào nǐ zuǒbiān de nèige zuòwèi shang. 例你身体往前~一下儿，就看见了。Nǐ shēntǐ wǎng qián ~ yíxiàr, jiù kànjiàn le. | 我想把沙发~到外面的屋子里去。Wǒ xiǎng bǎ shāfā ~ dào wàimiàn de wūzi li qu. | 桌子已经顶到墙了，一点儿也~不动了。Zhuōzi yǐjing dǐngdao qiáng le, yìdiǎnr yě ~ bu dòng le. | 他想~到美国去住。Tā xiǎng ~ dào Měiguó qù zhù. | 电视机再往右~~，就正了。Diànshìjī zài wǎng yòu ~ ~, jiù zhèng le.

yídòng 移动（移動）[动]

我想~一下儿这张桌子。Wǒ xiǎng ~ yíxiàr zhèi zhāng zhuōzi. →我想把这张桌子的位置改变一下儿。Wǒ xiǎng bǎ zhèi zhāng zhuōzi de wèizhi gǎibiàn yíxiàr. 例冷空气开始向南~了。Lěng kōngqì kāishǐ xiàng nán ~ le. | 人们一点儿一点儿地向前~。Rénmen yìdiǎnr yìdiǎnr de xiàng qián ~. | 这台电视机好像被人~过。Zhèi tái diànshìjī hǎoxiàng bèi rén ~ guo. | 天上的白云总在不停地~。Tiānshang de

Y

báiyún zǒng zài bùtíng de ~ . l我们把这些东西~ ~ 好吗? Wǒmen
bǎ zhèixiē dōngxi ~ ~ hǎo ma?

yíwèn 疑问 (疑問) [名]

大家有什么 ~ 就提出来。Dàjiā yǒu shénme ~ jiù tí chulai. →大家有
什么不明白的地方就提出来。Dàjiā yǒu shénme bù míngbai de
dìfang jiù tí chulai. 例老师讲完了，但是我还有不少 ~ 。Lǎoshī
jiǎngwán le, dànshì wǒ hái yǒu bùshǎo ~ . l他用 ~ 的目光看了我半
天。Tā yòng ~ de mùguāng kànle wǒ bàn tiān. l他用 ~ 的语气说：
"我看不一定。" Tā yòng~ de yǔqì shuō: "Wǒ kàn bù yídìng." l你们
还有什么 ~ 吗? Nǐmen hái yǒu shénme ~ ma? l如果大家都没有 ~ 的
话，我们就下课。Rúguǒ dàjiā dōu méiyǒu ~ dehuà, wǒmen jiù xiàkè.

yǐ 乙 [名]

我的考试成绩得了 ~ 等。Wǒ de kǎoshì chéngjì déle ~ děng. →我的
考试成绩得了第二等。Wǒ de kǎoshì chéngjì déle dì èr děng. 例足
球队分为甲级队和 ~ 级队。Zúqiúduì fēnwéi jiǎ jí duì hé ~ jí duì. l我
们队的成绩不太好，降成了 ~ 级队。Wǒmen duì de chéngjì bú tài
hǎo, jiàngchéngle ~ jí duì. l按中国的习惯，第二也叫 ~ 。Àn
Zhōngguó de xíguàn, dì èr yě jiào ~ .

yǐ 已 [副]

他 ~ 结婚多年，但还没有孩子。Tā ~ jiéhūn duō nián, dàn hái
méiyǒu háizi. →他结婚已经很多年了，但还没有孩子。Tā jiéhūn
yǐjing hěn duō nián le, dàn hái méiyǒu háizi. 例我大学毕业 ~ 有两
年，可还没找到工作。Wǒ dàxué bìyè ~ yǒu liǎng nián, kě hái méi
zhǎodào gōngzuò. l他 ~ 是三十多岁的人了，但笑起来还像个孩子。
Tā ~ shì sānshí duō suì de rén le, dàn xiào qilai hái xiàng ge háizi. l
他生病了，~ 三天没吃东西了。Tā shēngbìng le, ~ sān tiān méi chī
dōngxi le. l现在 ~ 是春天了，可还是很冷。Xiànzài ~ shì chūntiān
le, kě háishì hěn lěng.

yǐjing 已经 (已經) [副]

他们结婚 ~ 二十年了，夫妻关系很好。Tāmen jiéhūn ~ èrshí nián le,
fūqī guānxi hěn hǎo. →他们从结婚到现在有二十年了。Tāmen
cóng jiéhūn dào xiànzài yǒu èrshí nián le. 例他两个小时前就 ~ 走
了。Tā liǎng ge xiǎoshí qián jiù ~ zǒu le. l父亲的病 ~ 完全好了。
Fùqin de bìng ~ wánquán hǎo le. l我 ~ 明白了，你不用再说了。Wǒ

~ míngbai le, nǐ búyòng zài shuō le. |他们 ~ 长大了，知道该怎么办。Tāmen ~ zhǎngdà le, zhīdao gāi zěnme bàn. |我 ~ 一年多没看电影了。Wǒ ~ yì nián duō méi kàn diànyǐng le.

yǐ 以 [介]

他总是 ~ 很高的标准要求自己。Tā zǒngshì yǐ hěn gāo de biāozhǔn yāoqiú zìjǐ. →他总是用很高的标准要求自己。Tā zǒngshì yòng hěn gāo de biāozhǔn yāoqiú zìjǐ. **例** 他 ~ 十分认真的态度完成了这项工作。Tā ~ shífēn rènzhēn de tàidu wánchéngle zhèi xiàng gōngzuò. |市长 ~ 个人的名义请他吃饭。Shìzhǎng ~ gèrén de míngyì qǐng tā chīfàn. |参加这次活动的 ~ 二年级学生为主。Cānjiā zhèi cì huódòng de ~ èr niánjí xuésheng wéizhǔ. |一个班 ~ 二十个人计算，六个班就是一百二十人。Yí ge bān ~ èrshí ge rén jìsuàn, liù ge bān jiù shì yìbǎi èrshí rén. |~ 我的意见，你最好不要去。~ wǒ de yìjiàn, nǐ zuìhǎo bú yào qù.

yǐ…ér… 以…而… [连]

这里 ~ 古代建筑 ~ 著名。Zhèlǐ ~ gǔdài jiànzhù ~ zhùmíng. →这里有名是因为有很多古代建筑。Zhèlǐ yǒumíng shì yīnwèi yǒu hěn duō gǔdài jiànzhù. **例** 我们公司 ~ 制造电视机 ~ 被人们熟悉。Wǒmen gōngsī ~ zhìzào diànshìjī ~ bèi rénmen shúxī. |比赛 ~ 我们的胜利 ~ 结束。Bǐsài ~ wǒmen de shènglì ~ jiéshù. |那个小城市的人 ~ 当地出过两个总统 ~ 自豪。Nèige xiǎo chéngshì de rén ~ dāngdì chūguo liǎng ge zǒngtǒng ~ zìháo. |南方 ~ 生产大米 ~ 著名。Nánfāng ~ shēngchǎn dàmǐ ~ zhùmíng.

yǐhòu 以后（以後）[名]

1990 年 ~，我没去过日本。Yī jiǔ jiǔ líng nián ~, wǒ méi qùguo Rìběn. →从 1990 年到现在，我没去过日本。Cóng yī jiǔ jiǔ líng nián dào xiànzài, wǒ méi qùguo Rìběn. **例** 他结婚 ~，胖了很多。Tā jiéhūn ~, pàngle hěn duō. |这个问题 ~ 再讨论吧。Zhèige wèntí ~ zài tǎolùn ba. |我想听听你 ~ 的打算。Wǒ xiǎng tīngting nǐ ~ de dǎsuan. |我们 ~ 还会见面的。Wǒmen ~ hái huì jiànmiàn de. |从今 ~，我们就是朋友了。Cóngjīn ~, wǒmen jiù shì péngyou le.

yǐjí 以及 [连]

这里卖牛奶、面包 ~ 其他吃的东西。Zhèlǐ mài niúnǎi、miànbāo ~ qítā chī de dōngxi. →这里卖牛奶、面包和别的食品。Zhèlǐ mài niúnǎi、miànbāo hé biéde shípǐn. 我喜欢看历史、文学、哲学～经济学方面的书。Wǒ xǐhuan kàn lìshǐ、wénxué、zhéxué ～ jīngjìxué fāngmiàn de shū. |我的兴趣是看电影、看电视～打球。Wǒ de xìngqù shì kàn diànyǐng、kàn diànshì ～ dǎqiú. |他去过纽约、北京～一些小城市。Tā qùguo Niǔyuē、Běijīng ～ yìxiē xiǎo chéngshì. |这些动物主要吃草、树叶～水果。Zhèixiē dòngwù zhǔyào chī cǎo、shùyè ～ shuǐguǒ.

yǐlái 以来（以來）[助]

1992 年～，他一直住在日本。Yī jiǔ jiǔ èr nián ～，tā yìzhí zhù zài Rìběn. →从 1992 年到现在，他一直住在日本。Cóng yī jiǔ jiǔ èr nián dào xiànzài，tā yìzhí zhù zài Rìběn. 去年春天～，我的身体总是不太好。Qùnián chūntiān ～，wǒ de shēntǐ zǒngshì bú tài hǎo. |大卫从参加足球队～，很少回家。Dàwèi cóng cānjiā zúqiúduì ～，hěn shǎo huí jiā. |哥哥自从当上经理～，非常忙。Gēge zìcóng dāngshang jīnglǐ ～，fēicháng máng. |这本小说出版～，很受欢迎。Zhèi běn xiǎoshuō chūbǎn ～，hěn shòu huānyíng. |长期～，这里很少下雨。Chángqī ～，zhèlǐ hěn shǎo xià yǔ.

yǐnèi 以内 [名]

我这个月～结婚。Wǒ zhèige yuè ～ jiéhūn. →我在这个月里结婚。Wǒ zài zhèige yuè li jiéhūn. 3 年～我要考上研究生。Sān nián ～ wǒ yào kǎoshang yánjiūshēng. |这篇文章应该写 5000 字～。Zhèi piān wénzhāng yīnggāi xiě wǔqiān zì ～. |你最好三天～告诉校长你的决定。Nǐ zuì hǎo sān tiān ～ gàosu xiàozhǎng nǐ de juédìng. |我这个星期～应该做完这件事。Wǒ zhèige xīngqī ～ yīnggāi zuòwán zhèi jiàn shì.

yǐqián 以前 [名]

我们俩～就认识。Wǒmen liǎ ～ jiù rènshi. →我们俩很早的时候就认识。Wǒmen liǎ hěn zǎo de shíhou jiù rènshi. 我～见过你。Wǒ ～ jiànguo nǐ. |这个地方～我没来过。Zhèige dìfang ～ wǒ méi láiguo. |我 8 点～到你家，可以吗？Wǒ bā diǎn ～ dào nǐ jiā，kěyǐ ma? |他现在的汉语水平比～高多了。Tā xiànzài de Hànyǔ shuǐpíng bǐ ～ gāo duō le. |我们俩第一次见面，是十多年～的事了。Wǒmen liǎ dì yī cì jiànmiàn，shì shí duō nián ～ de shì le. |不久～，她刚去过美国。Bùjiǔ ～，tā gāng qùguo Měiguó.

Y

yǐshàng 以上¹ [名]

考试 60 分 ~ 就算及格。Kǎoshì liùshí fēn ~ jiù suàn jígé. →及格的分数是高于 60 分。Jígé de fēnshù shì gāo yú liùshí fēn. **例**他的个子在一米八 ~。Tā de gèzi zài yìmǐ bā ~. |4000 米 ~ 的东西我们就看不见了。Sìqiān mǐ ~ de dōngxi wǒmen jiù kàn bu jiàn le. |飞机现在的高度在 8000 米 ~。Fēijī xiànzài de gāodù zài bāqiān mǐ ~. |我每天工作 10 小时 ~。Wǒ měi tiān gōngzuò shí xiǎoshí ~. |我们很少见到 10 公斤 ~ 的西瓜。Wǒmen hěn shǎo jiàndào shí gōngjīn ~ de xīguā.

yǐshàng 以上² [名]

我 ~ 说的话不一定正确。Wǒ ~ shōu de huà bù yídìng zhèngquè. →我前面说的那些话不一定正确。Wǒ qiánmiàn shuō de nèixiē huà bù yídìng zhèngquè. **例**~我谈了个人的看法，下面请大家发言。~ wǒ tánle gèrén de kànfǎ, xiàmian qǐng dàjiā fāyán. |~ 的情况说明，现在的空气情况很不好。~ de qíngkuàng shuōmíng, xiànzài de kōngqì qíngkuàng hěn bù hǎo. |~ 是我一年来的工作情况。~ shì wǒ yì nián lái de gōngzuò qíngkuàng.

yǐwài 以外 [名]

工作 ~ 的时间，我喜欢看电视。Gōngzuò ~ de shíjiān, wǒ xǐhuan kàn diànshì. →不工作的时候，我喜欢看电视。Bù gōngzuò de shíhou, wǒ xǐhuan kàn diànshì. **例**这些钱是他工资 ~ 的收入。Zhèixiē qián shì tā gōngzī ~ de shōurù. |我们住在城市 ~ 的郊区。Wǒmen zhù zài chéngshì ~ de jiāoqū. |今天雾很大，10 米 ~ 看不见人。Jīntiān wù hěn dà, shí mǐ ~ kàn bu jiàn rén. |除了英语 ~，我还会日语和汉语。Chúle Yīngyǔ ~, wǒ hái huì Rìyǔ hé Hànyǔ.

yǐwéi 以为（以爲）[动]

我 ~ 你不在家。Wǒ ~ nǐ bú zài jiā. →我想你不在家，可你却在家。Wǒ xiǎng nǐ bú zài jiā, kě nǐ què zài jiā. **例**他汉语说得那么好，我们都 ~ 他是中国人。Tā Hànyǔ shuō de nàme hǎo, wǒmen dōu ~ tā shì Zhōngguórén. |他总是 ~ 别人不如他。Tā zǒngshì ~ biérén bù rú tā. |错了这么多，我还 ~ 没错呢。Cuòle zhème duō, wǒ hái ~ méi cuò ne. |我原来 ~ 甲队能赢，没想到输了。Wǒ yuánlái ~ jiǎ duì néng yíng, méi xiǎngdào shū le.

Y

yǐxià 以下¹ ［名］

考试 60 分 ~ 算不及格。Kǎoshì liùshí fēn ~ suàn bù jígé. →不及格的分数是零到 59 分。Bù jígé de fēnshù shì líng dào wǔshíjiǔ fēn. |水在 0℃ ~ 就冻成冰了。Shuǐ zài líng shèshìdù ~ jiù dòngchéng bīng le. |这里 6 层 ~ 的楼都没有电梯。Zhèlǐ liù céng ~ de lóu dōu méiyǒu diàntī. |我的体重要能降到 70 公斤 ~ 就好了。Wǒ de tǐzhòng yào néng jiàngdào qīshí gōngjīn ~ jiù hǎo le. |个子在一米八 ~ 的，我们不要。Gèzi zài yì mǐ bā ~ de, wǒmen bú yào.

yǐxià 以下² ［名］

~ 我想说说安全的问题。~ wǒ xiǎng shuōshuo ānquán de wèntí. →下面我要说的话是关于安全的问题。Xiàmian wǒ yào shuō de huà shì guānyú ānquán de wèntí. 例我说完了，~ 请大家讨论讨论吧。Wǒ shuōwán le, ~ qǐng dàjiā tǎolùn tǎolùn ba. |~ 的时间我们商量一下儿旅行的事。~ de shíjiān wǒmen shāngliang yíxiàr lǚxíng de shì. |他刚才介绍了这个城市的交通，~ 我将要介绍这个城市的文化。Tā gāngcái jièshàole zhèige chéngshì de jiāotōng, ~ wǒ jiāng yào jièshào zhèige chéngshì de wénhuà. |他们表演完了，~ 就该我们了。Tāmen biǎoyǎn wán le, ~ jiù gāi wǒmen le.

yǐzi 椅子 ［名］

例屋里有一张床、一张沙发和两把 ~。Wū li yǒu yì zhāng chuáng、yì zhāng shāfā hé liǎng bǎ ~. |你找一把 ~ 坐吧。Nǐ zhǎo yì bǎ ~ zuò ba. |一张桌子配四把 ~。Yì zhāng zhuōzi pèi sì bǎ ~. |你坐沙发，我坐 ~。Nǐ zuò shāfā, wǒ zuò ~. |~ 上放着很多衣服。~ shang fàngzhe hěn duō yīfu.

椅子

yìbān 一般¹ ［形］

他的汉语水平 ~。Tā de Hànyǔ shuǐpíng ~. →他的汉语水平不太高。Tā de Hànyǔ shuǐpíng bú tài gāo. 例和其他同事比起来，我的收入 ~。Hé qítā tóngshì bǐ qilai, wǒ de shōurù ~. |我觉得这部电影很 ~. Wǒ juéde zhèi bù diànyǐng hěn ~. |我们的足球队也就是 ~ 水平。Wǒmen de zúqiúduì yě jiù shì ~ shuǐpíng. |他歌儿唱得 ~，舞跳得还不错。Tā gēr chàng de ~, wǔ tiào de hái búcuò. |他长得不算好看，但也不丑，~ 人吧。Tā zhǎng de bú suàn hǎokàn, dàn yě

Y

bù chǒu, ~ rén ba.

yìbān 一般² ［形］

我 ~ 白天不在家。Wǒ ~ báitiān bú zài jiā. →大多数情况下，我白天不在家。Dàduōshù qíngkuàng xià, wǒ báitiān bú zài jiā. 例我们周末 ~ 出去旅行。Wǒmen zhōumò ~ chūqu lǚxíng. | 他早晨出去， ~ 要到晚上才回来。Tā zǎochen chūqu, ~ yào dào wǎnshang cái huílai. | 我 ~ 不喝这种酒。Wǒ ~ bù hē zhèi zhǒng jiǔ. | ~ 地说，发生这种事情的可能性不大。~ de shuō, fāshēng zhèi zhǒng shìqing de kěnéngxìng bú dà. | ~ 来说，大卫不会这么做。~ lái shuō, Dàwèi bú huì zhème zuò.

yìbiān 一边¹ （一邊）［名］

这张桌子 ~ 高， ~ 低。Zhèi zhāng zhuōzi ~ gāo, ~ dī. →这张桌子是斜的。Zhèi zhāng zhuōzi shì xié de. 例这支笔 ~ 粗、 ~ 细。Zhèi zhī bǐ ~ cū, ~ xì. | 我家住在河的这 ~，他家住在河的那 ~。Wǒ jiā zhù zài hé de zhè ~, tā jiā zhù zài hé de nà ~. | 这是大卫住的楼，我住的楼在那 ~。Zhè shì Dàwèi zhù de lóu, wǒ zhù de lóu zài nà ~. | 你把画儿挂在这 ~ 的墙上好看。Nǐ bǎ huàr guà zài zhè ~ de qiáng shang hǎokàn.

yìbiān 一边² （一邊）［名］

他把汽车开到 ~ 休息了一会儿。Tā bǎ qìchē kāi dào ~ xiūxile yíhuìr. →他把汽车开到马路旁边儿，休息了一会儿。Tā bǎ qìchē kāidào mǎlù pángbiānr, xiūxile yíhuìr. 例你别过来，先在 ~ 等着。Nǐ bié guòlai, xiān zài ~ děngzhe. | 先生们站在这 ~，小姐们站在那 ~。Xiānshengmen zhàn zài zhè ~, xiǎojiemen zhàn zài nà ~. | 我们看电视的时候，大卫在 ~ 看书。Wǒmen kàn diànshì de shíhou, Dàwèi zài ~ kàn shū. | 他们玩儿的时候，我在 ~ 看着。Tāmen wánr de shíhou, wǒ zài ~ kànzhe.

yìbiān…yìbiān… 一边…一边…（一邊…一邊…）

他 ~ 吃饭， ~ 听音乐。Tā ~ chīfàn, ~ tīng yīnyuè. →他在吃饭的时候，听着音乐。Tā zài chīfàn de shíhou, tīngzhe yīnyuè. 例他们 ~ 喝茶， ~ 聊天儿。Tāmen ~ hē chā, ~ liáotiānr. | 这些孩子 ~ 唱， ~ 跳。Zhèixiē háizi ~ chàng, ~ tiào. | 他 ~ 写， ~ 念。Tā ~ xiě, ~ niàn. | 大卫 ~ 等车， ~ 看书。Dàwèi ~ děng chē, ~ kànshū. | 她 ~ 洗衣服， ~ 听音乐，还 ~ 看孩子。Tā ~ xǐ yīfu, ~ tīng yīnyuè, hái ~ kān háizi.

Y

yìdiǎnr 一点儿（一點儿）[名]

辣椒只要放～就够了。Làjiāo zhǐyào fàng ～ jiù gòu le. →辣椒放很少就可以了。Làjiāo fàng hěn shǎo jiù kěyǐ le. 例她一顿饭只吃～东西。Tā yí dùn fàn zhǐ chī ～ dōngxi. |请给我～水喝。Qǐng gěi wǒ ～ shuǐ hē. |哥哥学过～英语。Gēge xuéguo ～ Yīngyǔ. |法语我只会～。Fǎyǔ wǒ zhǐ huì ～. |他总是为～小事就生气。Tā zǒngshì wèi xiǎoshì jiù shēngqì. |天气冷～，热～，他都怕。Tiānqì lěng ～, rè ～, tā dōu pà. |等天气暖和～了，我们就去旅行。Děng tiānqì nuǎnhuo ～ le, wǒmen jiù qù lǚxíng.

yìfāngmiàn…, yìfāngmiàn… 一方面…，一方面…

我来到中国，～感到新鲜，～又有点儿想家。Wǒ láidào Zhōngguó, ～ gǎndào xīnxiān, ～ yòu yǒudiǎnr xiǎng jiā. →我在感到新鲜的同时，又有点儿想家。Wǒ zài gǎndào xīnxiān de tóngshí, yòu yǒudiǎnr xiǎng jiā. 例他的错误～怪他自己，～怪我没说清楚。Tā de cuòwù ～ guài tā zìjǐ, ～ guài wǒ méi shuō qīngchu. |他～想结婚，～又有点儿怕结婚。Tā ～ xiǎng jiéhūn, ～ yòu yǒudiǎnr pà jiéhūn. |他们～想上学，～又想挣钱。Tāmen ～ xiǎng shàngxué, ～ yòu xiǎng zhèng qián.

yìqí 一齐（一齊）[副]

大家～说吧。Dàjiā ～ shuō ba. →大家不分先后同时说。Dàjiā bù fēn xiānhòu tóngshí shuō. 例我们～动手，布置房间。Wǒmen ～ dòngshǒu, bùzhì fángjiān. |广场上的灯～亮了起来。Guǎngchǎng shang de dēng ～ liàngle qilai. |这么多人～反对他，他只好同意大家的意见。Zhème duō rén ～ fǎnduì tā, tā zhǐhǎo tóngyì dàjiā de yìjiàn. |你可以把问题～提出来。Nǐ kěyǐ bǎ wèntí ～ tí chulai. |我们几个人～唱，声音会更大。Wǒmen jǐ ge rén ～ chàng, shēngyīn huì gèng dà. |人和行李～到了。Rén hé xíngli ～ dào le.

yìqǐ 一起[1] [名]

我们俩在～工作了 10 年。Wǒmen liǎ zài ～ gōngzuòle shí nián. →我们俩在同一个公司工作了 10 年。Wǒmen liǎ zài tóng yí ge gōngsī gōngzuòle shí nián. 例他们从上学就在～，到现在有 16 年了。Tāmen cóng shàngxué jiù zài ～, dào xiànzài yǒu shíliù nián le. |我们想到～去了。Wǒmen xiǎngdào ～ qù le. |他俩说不到～，总是不

停地争论。Tā liǎ shuō bu dào ~，zǒngshì bùtíng de zhēnglùn. |大家都喜欢和大卫在 ~。Dàjiā dōu xǐhuan hé Dàwèi zài ~.

∕ìqǐ 一起² ［副］

昨天他们 ~ 去了美国。Zuótiān tāmen ~ qùle Měiguó. →他们乘坐同一架飞机去了美国。Tāmen chéngzuò tóng yí jià fēijī qùle Měiguó. 例我想请大家 ~ 吃饭。Wǒ xiǎng qǐng dàjiā ~ chīfàn. |我们 ~ 照个相吧。Wǒmen ~ zhào ge xiàng ba. |我把你的书和笔 ~ 带来了。Wǒ bǎ nǐ de shū he bǐ ~ dàilai le. |我们 ~ 走吧。Wǒmen ~ zǒu ba. |他们 ~ 学习、~ 玩ᵣ，关系可好啦。Tāmen ~ xuéxí、~ wánr, guānxi kě hǎo la.

∕ìshēng 一生 ［名］

我 ~ 只爱一个人。Wǒ ~ zhǐ ài yí ge rén. →我从生下来到死只爱一个人。Wǒ cóng shēng xialai dào sǐ zhǐ ài yí ge rén. 例他 ~ 结过三次婚。Tā ~ jiéguo sān cì hūn. |他到 80 岁的时候，走完了自己的 ~。Tā dào bāshí suì de shíhou, zǒuwánle zìjǐ de ~. |他 ~ 都在追求和平和幸福。Tā ~ dōu zài zhuīqiú hépíng hé xìngfú. |他的 ~ 是与科学联系在一起的。Tā de ~ shì yǔ kēxué liánxì zài yìqǐ de. |他就这样结束了自己的 ~。Tā jiù zhèiyàng jiéshùle zìjǐ de ~.

∕ìshí 一时¹ （一時）［名］

看样子电影 ~ 还完不了。Kàn yàngzi diànyǐng ~ hái wán bu liǎo. →电影在短时间内还结束不了。Diànyǐng zài duǎn shíjiān nèi hái jiéshù bu liǎo. 例这些问题我们 ~ 还解决不了。Zhèixiē wèntí wǒmen ~ hái jiějué bu liǎo. |这种现象只会存在 ~，不会太长久。Zhèi zhǒng xiànxiàng zhǐ huì cúnzài ~, bú huì tài chángjiǔ. |他对音乐的兴趣只是 ~ 的。Tā duì yīnyuè de xìngqù zhǐ shì ~ de. |我 ~ 没有那么多钱，房子过两年再买吧。Wǒ ~ méiyǒu nàme duō qián, fángzi guò liǎng nián zài mǎi ba.

∕ìshí 一时² （一時）［副］

我 ~ 想不起他的名字了。Wǒ ~ xiǎng bu qǐ tā de míngzi le. →我现在突然想不起他的名字了。Wǒ xiànzài tūrán xiǎng bu qǐ tā de míngzi le. 例我 ~ 高兴，多喝了几杯酒。Wǒ ~ gāoxìng, duō hēle jǐ bēi jiǔ. |我 ~ 没注意，就出错了。Wǒ ~ méi zhùyì, jiù chūcuò le. |我跟他说话，他 ~ 没反应过来。Wǒ gēn tā shuōhuà, tā ~ méi fǎnyìng guòlái. |我 ~ 不知道该怎样回答他了。Wǒ ~ bù zhīdào gāi zěnyàng huídá tā

le. I我 ~ 认错了人，以为你是大卫。Wǒ ~ rèncuòle rén, yǐwéi r
shì Dàwèi.

yìtóng 一同 [副]

大家 ~ 站了起来。Dàjiā ~ zhànle qǐlai. →大家在同一时间都站了起
来。Dàjiā zài tóng yì shíjiān dōu zhànle qǐlai. 例他们 ~ 举起了手。
Tāmen ~ jǔqǐle shǒu. I他们几个人 ~ 来到了中国。Tāmen jǐ ge rén
~ láidàole Zhōngguó. I我们 ~ 去爬山吧。Wǒmen ~ qù pá shān ba.
经理和我们 ~ 干活儿。Jīnglǐ hé wǒmen ~ gànhuór. I我还有别的事
不能和你们 ~ 去。Wǒ hái yǒu bié de shì, bù néng hé nǐmen ~ qù.

yìxiē 一些 [量]

我还有 ~ 工作没做完。Wǒ hái yǒu ~ gōngzuò méi zuòwán. →我没
做完的工作不太多了。Wǒ méi zuòwán de gōngzuò bú tài duō le.
例我还有 ~ 茶叶，你可以先用。Wǒ hái yǒu ~ cháyè, nǐ kěyǐ xiān
yòng. I ~ 年轻人喜欢这项运动。~ niánqīngrén xǐhuan zhèi xiàng
yùndòng. I我拿来了 ~ 照片，你看看哪张好。Wǒ nálaile ~
zhàopiàn, nǐ kànkan něi zhāng hǎo. I他总喜欢买 ~ 旧书。Tā zǒng
xǐhuan mǎi ~ jiù shū. I ~ 难写的字我还没记住。~ nán xiě de zì wǒ
hái méi jìzhù.

yìzhí 一直[1] [副]

你 ~ 往南，就会看见银行。Nǐ ~ wǎng nán, jiù huì kànjiàn yínháng.
→你往南走，不要拐弯儿，就会看见银行。Nǐ wǎng nán zǒu, búyào
guǎi wānr, jiù huì kànjiàn yínháng. 例向北 ~ 看去，那个红房子就
是我家。Xiàng běi ~ kànqu, nèige hóng fángzi jiù shì wǒ jiā. I顺着
这条路，~ 往前，就是邮局。Shùnzhe zhèi tiáo lù, ~ wǎng qián,
jiù shì yóujú. I这条路 ~ 通到市中心。Zhèi tiáo lù ~ tōngdào shì
zhōngxīn. I这条路 ~ 下去就是我家。Zhèi tiáo lù ~ xiàqu jiù shì wǒ
jiā.

yìzhí 一直[2] [副]

最近 3 天天气 ~ 不好。Zuìjìn sān tiān tiānqì ~ bù hǎo. →前天、昨天
和今天天气都不好。Qiántiān、zuótiān hé jīntiān tiānqì dōu bù hǎo.
例他这两个月 ~ 病着，没来上班。Tā zhèi liǎng ge yuè ~ bìngzhe,
méi lái shàngbān. I晚上我 ~ 在家看电视，哪儿也没去。Wǎnshang
wǒ ~ zài jiā kàn diànshì, nǎr yě méi qù. I大风从早到晚 ~ 刮个不
停。Dàfēng cóng zǎo dào wǎn ~ guā ge bù tíng. I我 ~ 喜欢踢足球

Y

从来没变过。Wǒ ~ xǐhuan tī zúqiú, cónglái méi biànguo. | 我怎么最近 ~ 没看见你? Wǒ zěnme zuìjìn ~ méi kànjiàn nǐ?

yìzhí 一直³ [副]

他 ~ 坐在那儿, 什么话也不说。Tā ~ zuò zài nàr, shénme huà yě bù shuō. →他在那儿坐了很长时间, 什么话也不说。Tā zài nàr zuòle hěn cháng shíjiān, shénme huà yě bù shuō. 例我 ~ 不知道他们在谈恋爱。Wǒ ~ bù zhīdào tāmen zài tán liàn' ài. | 我想在这儿 ~ 住到明年冬天。Wǒ xiǎng zài zhèr ~ zhùdào míngnián dōngtiān. | 我们俩的关系 ~ 很好, 从来没吵过架。Wǒmen liǎ de guānxi ~ hěn hǎo, cónglái méi chǎoguo jià. | 大雨 ~ 下了两天才停下来。Dàyǔ ~ xiàle liǎng tiān cái tíng xialai.

yì 亿 (億) [数]

一亿 = 100, 000, 000 Yíyì děngyú yíyì. 例我们国家有两 ~ 多人。Wǒmen guójiā yǒu liǎng ~ duō rén. | 市政府每年拿出五 ~ 美元, 进行公路建设。Shì zhèngfǔ měi nián náchū wǔ ~ měiyuán, jìnxíng gōnglù jiànshè. | 这张画儿值三 ~ 美元。Zhèi zhāng huàr zhí sān ~ měiyuán. | 国家花了十 ~ 元, 来搞这个试验。Guójiā huāle shí ~ yuán, lái gǎo zhèige shìyàn. | 他们今年赔了两个 ~ 。Tāmen jīnnián péile liǎng ge ~ .

yìshù 艺术 (藝術) [名]

art 例 ~ 包括文学、音乐、美术、电影等。~ bāokuò wénxué、yīnyuè、měishù、diànyǐng děng. | 书法是一门儿 ~ 。Shūfǎ shì yì ménr ~ . | 他爸爸是搞 ~ 的, 很有水平。Tā bàba shì gǎo ~ de, hěn yǒu shuǐpíng. | 这张画儿有很高的 ~ 水平。Zhèi zhāng huàr yǒu hěn gāo de ~ shuǐpíng. | 我从小儿就喜欢电影 ~ 。Wǒ cóngxiǎor jiù xǐhuan diànyǐng ~ . | 他不懂 ~ , 我们谈不到一起。Tā bù dǒng ~ , wǒmen tán bu dào yìqǐ. | ~ 是从生活中来的。~ shì cóng shēnghuó zhōng lái de.

yìlùn 议论¹ (議論) [动]

人们都在 ~ 这场比赛。Rénmen dōu zài ~ zhèi chǎng bǐsài. →人们都在谈对这场比赛的看法。Rénmen dōu zài tán duì zhèi chǎng bǐsài de kànfǎ. 例职工们在 ~ 经理的做法。Zhígōngmen zài ~ jīnglǐ de zuòfǎ. | 这个办法, 大家可以 ~ ~ 。Zhèige bànfǎ, dàjiā kěyǐ ~ ~ . | 我们 ~ 了很长时间, 觉得应该这么做。Wǒmen ~ le hěn cháng shíjiān, juéde yīnggāi zhème zuò. | 办法刚一公布，大家就~开了。Bànfǎ gāng yì gōngbù, dàjiā jiù ~ kāi le. | 我们最好不要背后~别人，有意见就当面提出来。Wǒmen zuìhǎo bú yào bèihòu ~ biéren, yǒu yìjiàn jiù dāngmiàn tí chulai.

yìlùn 议论² （議論）[名]

关于这件事，我听到了很多~。Guānyú zhèi jiàn shì, wǒ tīngdàole hěn duō ~. →关于这件事，我听到了很多不同的看法。Guānyú zhèi jiàn shì, wǒ tīngdàole hěn duō bùtóng de kànfǎ. 例不管别人有什么样的~，她还是按照自己想的去做。Bùguǎn biéren yǒu shénmeyàng de ~, tā háishi ànzhào zìjǐ xiǎng de qù zuò. | 他什么事儿都不和大家商量，大家的~很多。Tā shénme shìr dōu bù hé dàijiā shāngliang, dàjiā de ~ hěn duō. | 我没做对不起别人的事，所以不怕各种~。Wǒ méi zuò duìbuqǐ biéren de shì, suǒyǐ bú pà gè zhǒng ~. | 我觉得这些~有道理。Wǒ juéde zhèixiē ~ yǒu dàoli.

yìcháng 异常¹ （異常）[形]

汽车的声音有点儿~，可能出毛病了。Qìchē de shēngyīn yǒudiǎn ~, kěnéng chū máobing le. →汽车的声音跟正常时不一样。Qìchē de shēngyīn gēn zhèngcháng shí bù yíyàng. 例这几天天气~，一会儿冷一会儿热。Zhèi jǐ tiān tiānqì ~, yíhuìr lěng yíhuìr rè. | 这些~的情况说明她想自杀。Zhèixiē ~ de qíngkuàng shuōmíng tā xiǎng zìshā. | 地震到来前，常会发生一些~的现象。Dìzhèn dàolái qián, cháng huì fāshēng yìxiē ~ de xiànxiàng. | 他今天的做法很~，你应该注意。Tā jīntiān de zuòfǎ hěn ~, nǐ yīnggāi zhùyì.

yìcháng 异常² （異常）[副]

他快结婚了，这几天~高兴。Tā kuài jiéhūn le, zhèi jǐ tiān ~ gāoxìng. →这几天他非常高兴。Zhèi jǐ tiān tā fēicháng gāoxìng. 例比赛输了，队员们~难过。Bǐsài shū le, duìyuánmen ~ nánguò. | 他回到故乡，显得~兴奋。Tā huídào gùxiāng, xiǎnde ~ xīngfèn. | 看完电影，我的心情~激动。Kànwán diànyǐng, wǒ de xīnqíng ~ jīdòng. | 节日到了，孩子们~快乐。Jiérì dào le, háizimen ~ kuàilè.

Y

yìjiàn 意见¹ （意見）[名]

关于青少年的吸烟问题，请你谈点儿~。Guānyú qīngshàonián de xīyān wèntí, qǐng nǐ tán diǎnr ~. →请你谈谈对青少年吸烟问题的看法。Qǐng nǐ tántan duì qīngshàonián xīyān wèntí de kànfǎ. 例哪家旅行社

最好，请大家发表～。Nǐ jiā lǚxíngshè zuì hǎo, qǐng dàjiā fābiǎo ～. |我的～是四月份去旅行。Wǒ de ～ shì Sìyuèfèn qù lǚxíng. |他总是不听我的，买些没用的东西。Tā zǒngshì bù tīng wǒ de ～, mǎi xiē méi yòng de dōngxi. |谁的～对，我们就听谁的。Shéi de ～ duì, wǒmen jiù tīng shéi de.

yìjiàn 意见² （意見）[名]

爸爸在客厅吸烟，女儿有～。Bàba zài kètīng xīyān, nǚ'ér yǒu ～. →爸爸在客厅吸烟，女儿有不满意的想法。Bàba zài kètīng xīyān, nǚ'ér yǒu bù mǎnyì de xiǎngfa. 例大卫当经理，职员们～很大。Dàwèi dāng jīnglǐ, zhíyuánmen ～ hěn dà. |这件事儿大家提了不少反对～。Zhèi jiàn shìr dàjiā tíle bù shǎo fǎnduì ～. |既然大家～很多，我们就不去参观了。Jìrán dàjiā ～ hěn duō, wǒmen jiù bú qù cānguān le. |谁有～就提出来，我们会考虑的。Shéi yǒu ～ jiù tí chulai, wǒmen huì kǎolǜ de. |下星期考试我们都没～。Xià xīngqī kǎoshì wǒmen dōu méi ～.

yìsi 意思 [名]

我不明白这句话的～。Wǒ bù míngbai zhèi jù huà de ～. →我不明白这句话说的是什么。Wǒ bù míngbai zhèi jù huà shuō de shì shénme. 例我看懂了文章的主要～。Wǒ kàndǒngle wénzhāng de zhǔyào ～. |这个词的～很多，不容易记住。Zhèige cí de ～ hěn duō, bù róngyì jìzhù. |我还没搞清楚这两句话的～。Wǒ hái méi gǎo qīngchu zhèi liǎng jù huà de ～. |请问，这句话是什么～。Qǐngwèn, zhèi jù huà shì shénme ～? |我的～是我们再等他一会儿。Wǒ de ～ shì wǒmen zài děng tā yíhuìr.

yìwài 意外¹ [名]

大卫的太太发生了～，大卫今天没来上班。Dàwèi de tàitai fāshēngle ～, Dàwèi jīntian méi lái shàngbān. →大卫的太太突然受伤了。Dàwèi de tàitai tūrán shòushāng le. 例我们一定要注意安全，千万不能出现～。Wǒmen yídìng yào zhùyì ānquán, qiānwàn bù néng chūxiàn ～. |为了防止～，最好不让孩子在马路上玩儿。Wèile fángzhǐ ～, zuìhǎo bú ràng háizi zài mǎlù shang wánr. |发生了这么多～，他不知道怎么办才好。Fāshēngle zhème duō ～, tā bù zhīdào zěnme bàn cái hǎo. |她丈夫死于一次～。Tā zhàngfu sǐ yú yí cì ～.

yìwài 意外[2] [形]

在这儿碰见你，真是太～了。Zài zhèr pèngjiàn nǐ, zhēn shì tài ~ le. →完全没想到会在这儿碰见你。Wánquán méi xiǎngdào huì zài zhèr pèngjiàn nǐ. 例大卫得了第一名，我感到非常～。Dàwèi déle dì yī míng, wǒ gǎndào fēicháng ~. | 我昨天～地发现了她的秘密。Wǒ zuótiān ~ de fāxiànle tā de mìmì. | 这些钱是我～的收获，所以很高兴。Zhèixiē qián shì wǒ ~ de shōuhuò, suǒyǐ hěn gāoxìng. | 就是这么～，她嫁给了我。Jiùshì zhème ~, tā jiàgěile wǒ. | ～的事儿常常发生。~ de shìr chángcháng fāshēng.

yìyì 意义(意義) [名]

我这次旅行很有～。Wǒ zhèi cì lǚxíng hěn yǒu ~. →我这次旅行收获很多。Wǒ zhèi cì lǚxíng shōuhuò hěn duō. 例这个假期我过得特别有～。Zhèige jiàqī wǒ guò de tèbié yǒu ~. | 这次会议有重大的历史～。Zhèi cì huìyì yǒu zhòngdà de lìshǐ ~. | 帮助老人孩子，是对社会有～的事情。Bāngzhù lǎorén háizi, shì duì shèhuì yǒu ~ de shìqing. | 他们过了一个又快乐又有～的暑假。Tāmen guòle yí ge yòu kuàilè yòu yǒu ~ de shǔjià. | 有～的事儿我愿意去做。Yǒu ~ de shìr wǒ yuànyì qù zuò. | 我觉得上网聊天儿一点儿～也没有。Wǒ juéde shàngwǎng liáotiānr yìdiǎnr ~ yě méiyǒu.

yìzhì 意志 [名]

他的～非常坚强。Tā de ~ fēicháng jiānqiáng. →他想做什么就一定坚持到成功。Tā xiǎng zuò shénme jiù yídìng jiānchí dào chénggōng. 例大卫～坚定，战胜了那些困难。Dàwèi ~ jiāndìng, zhànshèngle nèixiē kùnnan. | 我哥哥是个很有～的人，他一定能当上全国冠军。Wǒ gēge shì ge hěn yǒu ~ de rén, tā yídìng néng dāngshang quán guó guànjūn. | 他一定要出国，谁也改变不了他的～。Tā yídìng yào chūguó, shéi yě gǎibiàn bu liǎo tā de ~. | 他戒烟的～不够坚强。Tā jièyān de ~ búgòu jiānqiáng.

yin

Y

yīncǐ 因此 [连]

他太爱抽烟、喝酒，～身体不太好。Tā tài ài chōuyān、hē jiǔ, ~ shēntǐ bú tài hǎo. →他身体不好的原因是太爱抽烟、喝酒。Tā shēntǐ bù hǎo de yuányīn shì tài ài chōuyān、hē jiǔ. 例我常常想妈

妈，～常常给她打电话。Wǒ chángcháng xiǎng māma, ～ chángcháng gěi tā dǎ diànhuà. | 我在这儿住了六年了，～很多人认识我。Wǒ zài zhèr zhùle liù nián le, ～ hěn duō rén rènshi wǒ. | 最近常常下雨，～你最好带上伞。Zuìjìn chángcháng xià yǔ, ～ nǐ zuìhǎo dàishang sǎn.

yīn' ér 因而 [连]

他吃得很多又不运动，～那么胖。Tā chī de hěn duō yòu bú yùndòng, ～ nàme pàng. →他那么胖是因为吃得多又不运动。Tā nàme pàng shì yīnwèi chī de duō yòu bú yùndòng. 例这里风景迷人，～成了旅游胜地。Zhèlǐ fēngjǐng mírén, ～ chéngle lǚyóu shèngdì. | 他俩爱得很深，～不愿意分开。Tā liǎ ài de hěn shēn, ～ bú yuànyì fēnkāi. | 他想成为一名作家，～学习写作非常努力。Tā xiǎng chéngwéi yì míng zuòjiā, ～ xuéxí xiězuò fēicháng nǔlì. | 他开车太快，～出了事故。Tā kāi chē tài kuài, ～ chūle shìgù.

yīnsù 因素 [名]

比赛失败了，～是多方面的。Bǐsài shībài le, ～ shì duō fāngmiàn de. →比赛失败有好几个原因。Bǐsài shībài yǒu hǎojǐ gè yuányīn. 例聪明只是他成功的一个～。Cōngming zhǐ shì tā chénggōng de yí ge ～. | 房子的价格可能有很多～起作用。Fángzi de jiàgé kěnéng yǒu hěn duō ～ qǐ zuòyòng. | 能不能坚持，是决定成功与失败的重要～。Néng bu néng jiānchí, shì juédìng chénggōng yǔ shībài de zhòngyào ～. | 我想至少有三个～影响了我们的成绩。Wǒ xiǎng zhìshǎo yǒu sān ge ～ yǐngxiǎngle wǒmen de chéngjì.

yīnwèi 因为[^1] （因爲）[连]

他～没钱，所以不去旅行。Tā ～ méi qián, suǒyǐ bú qù lǚxíng. →他不去旅行的原因是没钱。Tā bú qù lǚxíng de yuányīn shì méi qián. 例我～身体不好，所以在家休息。Wǒ ～ shēntǐ bù hǎo, suǒyǐ zài jiā xiūxi. | ～天气不好，我们没有外出。～ tiānqì bù hǎo, wǒmen méiyǒu wàichū. | 他这么说，是～喜欢你。Tā zhème shuō, shì ～ xǐhuan nǐ. | 我～不明白才来问你。Wǒ ～ bù míngbai cái lái wèn nǐ. | ～我不习惯那儿的天气，所以只住了一个月。～ wǒ bù xíguàn nàr de tiānqì, suǒyǐ zhǐ zhùle yí ge yuè.

yīnwèi 因为[^2] （因爲）[介]

～这件事儿，他和我关系不好了。～ zhèi jiàn shìr, tā hé wǒ guānxi

Y

bù hǎo le. 这件事是我们关系不好的原因。Zhèi jiàn shì shì wǒmen guānxi bù hǎo de yuányīn. 例~她得不到你的爱，才去了美国。~ tā dé bu dào nǐ de ài, cái qùle Měiguó. |我不能 ~ 汉语难就不学了。Wǒ bù néng ~ Hànyǔ nán jiù bù xué le. |就 ~ 他，我们多等了20分钟。Jiù ~ tā, wǒmen duō děngle èrshí fēnzhōng. |他们俩是你才认识的。Tāmen liǎ shì ~ nǐ cái rènshi de.

yīn 阴(陰) [名]

天 ~ 了，快下雨了。Tiān ~ le, kuài xià yǔ le. →天上的云很多，快下雨了。Tiānshang de yún hěn duō, kuài xià yǔ le. 例刚才还是晴天，现在又 ~ 了。Gāngcái hái shì qíngtiān, xiànzài yòu ~ le. |明天 ~ 天，没法晒衣服。Míngtiān ~ tiān, méi fǎ shài yīfu. |这几天一直 ~ 着，真让人难受。Zhèi jǐ tiān yìzhí ~ zhe, zhēn ràng rén nánshòu. |天又 ~ 起来了，看样子要下雨了。Tiān yòu ~ qilai le, kàn yàngzi yào xià yǔ le. |天 ~ 得厉害，一会儿可能有大雨。Tiān ~ de lìhai, yíhuìr kěnéng yǒu dàyǔ.

yīnyuè 音乐(音樂) [名]

music 例我喜欢听现代 ~. Wǒ xǐhuan tīng xiàndài ~. |她一听起 ~ 来，就什么都忘了。Tā yì tīng qǐ ~ lai, jiù shénme dōu wàng le. |这么好听的 ~，我还没听过呢。Zhème hǎotīng de ~, wǒ hái méi tīngguo ne. |昨天我买了两盘 ~ 磁带。Zuótiān wǒ mǎile liǎng pánr ~ cídài. |今晚我要去听一场 ~ 会。Jīn wǎn wǒ yào qù tīng yì chǎng ~ huì. |这孩子很有 ~ 天才。Zhè háizi hěn yǒu ~ tiāncái. |这些外国 ~ 非常好听，有很强的艺术性。Zhèixiē wàiguó ~ fēicháng hǎotīng, yǒu hěn qiáng de yìshùxìng.

yín 银(銀) [名]

silver 例这条项链儿是 ~ 的。Zhèi tiáo xiàngliànr shì ~ de. |他们用的餐具都是 ~ 做的。Tāmen yòng de cānjù dōu shì ~ zuò de. |我们那里出产金、~、铜等。Wǒmen nàli chūchǎn jīn、~、tóng děng. |她戴一条 ~ 项链儿，显得很美。Tā dài yì tiáo ~ xiàngliànr, xiǎnde hěn měi. |这些都是 ~ 制品，费用很高。Zhèixiē dōu shì ~ zhìpǐn, fèiyong hěn gāo.

yínháng 银行(銀行) [名]

bank 例下午我要去 ~ 取钱。Xiàwǔ wǒ yào qù ~ qǔ qián. |这些美元可以在 ~ 换成日元。Zhèixiē měiyuán kěyǐ zài ~ huànchéng rìyuán. |

学校附近有一家中国 ~，可以存钱。Xuéxiào fùjìn yǒu yì jiā Zhōngguó ~, kěyǐ cún qián. | 现在 ~ 的利息不太高。Xiànzài ~ de lìxi bú tài gāo. | 我弟弟是 ~ 的职员。Wǒ dìdi shì ~ de zhíyuán. | 他在 ~ 存着很多钱。Tā zài ~ cúnzhe hěn duō qián.

yǐnqǐ 引起 [动]

这场大火是一个烟头儿 ~ 的。Zhèi cháng dàhuǒ shì yí ge yāntóur ~ de. →因为一个烟头儿点着了其他东西而出现了大火，造成了灾害。Yīnwèi yí ge yāntóur diǎnzháole qítā dōngxi ér chūxiànle dàhuǒ, zàochéngle zāihài. 例他的病是由抽烟 ~ 的。Tā de bìng shì yóu chōuyān ~ de. | 他的话 ~ 了我的思考。Tā de huà ~ le wǒ de sīkǎo. | 这件事儿 ~ 了人们的注意。Zhèi jiàn shìr ~ le rénmen de zhùyì. | 我没想到会 ~ 这么严重的后果。Wǒ méi xiǎngdào huì ~ zhème yánzhòng de hòuguǒ. | 他的看法没有 ~ 什么争论。Tā de kànfǎ méiyǒu ~ shénme zhēnglùn.

yìn 印 [动]

print 例这画儿是 ~ 在衣服上的，洗不掉。Zhè huàr shì ~ zài yīfu shang de, xǐ bu diào. | 他的衣服上 ~ 着很多汉字。Tā de yīfu shang ~ zhe hěnduō Hànzì. | 那本小说 ~ 了三万册，早就卖完了。Nèi běn xiǎoshuō ~ le sānwàn cè, zǎo jiù màiwán le. | 这些图画 ~ 得非常清楚。Zhèixiē túhuà ~ de fēicháng qīngchu. | 今天的报纸已经 ~ 完了。Jīntiān de bàozhǐ yǐjing ~ wán le.

yìnshuā 印刷 [动]

这本书正在 ~，过几天就能买到了。Zhèi běn shū zhèngzài ~, guò jǐ tiān jiù néng mǎidào le. →这本书已经写完，正在工厂里印呢。Zhèi běn shū yǐjing xiěwán, zhèngzài gōngchǎng li yìn ne. 例电脑 ~ 出来的图画非常清楚。Diànnǎo ~ chulai de túhuà fēicháng qīngchu. | 他们开了个 ~ 公司，生意很好。Tāmen kāile ge ~ gōngsī, shēngyi hěn hǎo. | 现在的 ~ 技术很高，质量也很好。Xiànzài de ~ jìshù hěn gāo, zhìliàng yě hěn hǎo. | 我往日本寄了一些图片、书等 ~ 品。Wǒ wǎng Rìběn jìle yìxiē túpiàn、shū děng ~ pǐn.

yìnxiàng 印象 [名]

我见过大卫，但现在一点儿 ~ 也没有了。Wǒ jiànguo Dàwèi, dàn xiànzài yìdiǎnr ~ yě méiyǒu le. →现在我想不起来大卫长什么样儿了。Xiànzài wǒ xiǎng bu qǐlái Dàiwèi zhǎng shénme yàngr le. 例她

给人的 ~ 是热情、大方。Tā gěi rén de ~ shì rèqíng、dàfāng. | 那部电影你还有 ~ 吗？Nèi bù diànyǐng nǐ hái yǒu ~ ma? | 你对她的第一 ~ 怎么样？喜欢还是不喜欢？Nǐ duì tā de dì yī ~ zěnmeyàng? Xǐhuan háishi bù xǐhuan? | 在我的 ~ 中，他是个聪明的小伙子。Zài wǒ de ~ zhōng, tā shì ge cōngming de xiǎohuǒzi.

ying

yīng 应（應）[助动]

你 ~ 去英国学英语。Nǐ ~ qù Yīngguó xué Yīngyǔ. →你到英国学英语是最好的办法。Nǐ dào Yīngguó xué Yīngyǔ shì zuì hǎo de bànfǎ. 例结婚的事 ~ 早一点儿准备。Jiéhūn de shì ~ zǎo yìdiǎnr zhǔnbèi. | 你学了三年汉语，~ 去一次中国。Nǐ xuéle sān nián Hànyǔ, ~ qù yí cì Zhōngguó. | 关于工作的事，你 ~ 找经理谈谈。Guānyú gōngzuò de shì, nǐ ~ zhǎo jīnglǐ tántan. | 我晚上要看比赛，~ 八点以前回家。Wǒ wǎnshang yào kàn bǐsài, ~ bā diǎn yǐqián huíjiā. | 我想他不 ~ 这么懒。Wǒ xiǎng tā bù ~ zhème lǎn.

yīngdāng 应当（應當）[助动]

你生病了，~ 去医院。Nǐ shēngbìng le, ~ qù yīyuàn. →你生病了，就该去医院看病。Nǐ shēngbìng le, jiù gāi qù yīyuàn kànbìng. 例天气太冷，我们都 ~ 多穿点儿。Tiānqì tài lěng, wǒmen dōu ~ duō chuān diǎnr. | 这件事你们 ~ 早点儿告诉我。Zhèi jiàn shì nǐmen ~ zǎo diǎnr gàosu wǒ. | 我认为他 ~ 再努力一点儿。Wǒ rènwéi tā ~ zài nǔlì yìdiǎnr. | 你 ~ 先洗手，再吃饭。Nǐ ~ xiān xǐ shǒu, zài chīfàn. | 这不是他的错儿，你不 ~ 批评他。Zhè bú shì tā de cuòr, nǐ bù ~ pīpíng tā.

yīnggāi 应该（應該）[助动]

我们 ~ 爱护大自然，保护环境。Wǒmen ~ àihù dàzìrán, bǎohù huánjìng. →从道理上讲，我们必须这样做。Cóng dàoli shang jiǎng, wǒmen bìxū zhèiyàng zuò. 例这些事都是我 ~ 做的，不用谢。Zhèixiē shì dōu shì wǒ ~ zuò de, búyòng xiè. | 小动物 ~ 受到保护。Xiǎo dòngwù ~ shòudào bǎohù. | 你 ~ 抓住这个机会，学好汉语。Nǐ ~ zhuāzhù zhèige jīhuì, xuéhǎo Hànyǔ. | 三十岁 ~ 是结婚的年龄了。Sānshí suì ~ shì jiéhūn de niánlíng le. | 他那么相信你，你不 ~ 骗他。Tā nàme xiāngxìn nǐ, nǐ bù ~ piàn tā.

Yīngguó 英国（英國）［名］

British（The United Kingdom）例 ~ 的首都是伦敦。~ de shǒudū shì Lúndūn. | ~ 是一个岛国，它的东边儿是法国。~ shì yí ge dǎoguó, tā de dōngbiānr shì Fǎguó. | ~ 的主要语言是英语。~ de zhǔyào yǔyán shì Yīngyǔ. | 我住在 ~ 北部的一个小城市. Wǒ zhù zài ~ běibù de yí ge xiǎo chéngshì.

Yīngwén 英文［名］

English 例这是 ~ 报纸，我天天看。Zhè shì ~ bàozhǐ, wǒ tiāntiān kàn. | 他的 ~ 水平很高，可以翻译这本书。Tā de ~ shuǐpíng hěn gāo, kěyǐ fānyì zhèi běn shū. | 我学过三年 ~，现在都忘了。Wǒ xuéguo sān nián ~, xiànzài dōu wàng le. | 这上面的 ~ 你看得懂吗? Zhè shàngmian de ~ nǐ kàn de dǒng ma? | 这个产品有两种说明：一个是 ~ 的，一个是中文的。Zhèige chǎnpǐn yǒu liǎng zhǒng shuōmíng, yí ge shì ~ de, yí ge shì Zhōngwén de.

Yīngyǔ 英语（英語）［名］

English 例美国的 ~ 跟英国的 ~ 不太一样。Měiguó de ~ gēn Yīngguó de ~ bú tài yíyàng. | 我是到英国以后，才学的 ~。Wǒ shì dào Yīngguó yǐhòu, cái xué de ~. | 你的 ~ 发音不太好，所以美国人听不懂。Nǐ de ~ fāyīn bú tài hǎo, suǒyǐ Měiguórén tīng bu dǒng. | ~ 是全世界都用的语言。~ shì quán shìjiè dōu yòng de yǔyán. | 你的 ~ 是在哪儿学的? Nǐ de ~ shì zài nǎr xué de?

yīngxióng 英雄［名］

他是一位民族 ~，没人不知道。Tā shì yí wèi mínzú yīngxióng, méi rén bù zhīdào. →他是一位为民族利益而勇敢战斗的人。Tā shì yí wèi wèi mínzú lìyì ér yǒnggǎn zhàndòu de rén. 例他们是祖国的 ~，人们尊敬他们。Tāmen shì zǔguó de ~, rénmen zūnjìng tāmen. | 他在战斗中表现勇敢，成了一名 ~。Tā zài zhàndòu zhōng biǎoxiàn yǒnggǎn, chéngle yì míng ~. | ~ 们的事迹非常感人，我听了都哭了。~ men de shìjì fēicháng gǎnrén, wǒ tīngle dōu kū le. | ~ 们的血没有白流，我们终于胜利了。~ men de xiě méiyǒu bái liú, wǒmen zhōngyú shènglì le.

yīngyǒng 英勇［形］

战士们非常 ~，最终取得了胜利。Zhànshìmen fēicháng ~, zuìzhōng qǔdéle shènglì. →战士们特别勇敢，不怕牺牲，取得了最

后的胜利。Zhànshìmen tèbié yǒnggǎn, bú pà xīshēng, qǔdéle zuìhòu de shènglì. 例足球队员表现～，敢打敢拼。Zúqiú duìyuán biǎoxiàn～, gǎn dǎ gǎn pīn. |他们在战场上是～的战士，在家里是好丈夫、好爸爸。Tāmen zài zhànchǎng shang shì～de zhànshì, zài jiālí shì hǎo zhàngfu、hǎo bàba. |～的女兵一次次出色地完成了任务。～de nǚbīng yí cì cì chūsè de wánchéngle rènwu.

yíngjiē 迎接 [动]

明天厂长要在厂里～参观团。Míngtiān chǎngzhǎng yào zài chǎng li ～cānguāntuán. →明天厂长要在厂里欢迎参观团的到来。Míngtiān chǎngzhǎng yào zài chǎng li huānyíng cānguāntuán de dàolái. 例他去机场～客人了。Tā qù jīchǎng ～kèren le. |市长亲自～代表团的到来。Shìzhǎng qīnzì～dàibiǎotuán de dàolái. |你们快把客人～到公司来。Nǐmen kuài bǎ kèrén ～dào gōngsī lai. |女朋友从美国回来，他当然得去～啦。Nǚpéngyou cóng Měiguó huílai, tā dāngrán děi qù ～la. |大家正高兴地～着新年的到来。Dàjiā zhèng gāoxìng de ～zhe xīnnián de dàolái.

yíngyǎng 营养（營養）[名]

牛奶的～很丰富。Niúnǎi de ～hěn fēngfù. →牛奶中含有很多对人的生长和健康有好处的东西。Niúnǎi zhōng hányǒu hěn duō duì rén de shēngzhǎng hé jiànkāng yǒu hǎochu de dōngxi. 例水果、蔬菜的～价值很高。Shuǐguǒ、shūcài de ～jiàzhí hěn gāo. |你的身体不太好，要加强～。Nǐ de shēntǐ bú tài hǎo, yào jiāqiáng ～. |你最好多吃一些有～的食品。Nǐ zuì hǎo duō chī yìxiē yǒu ～de shípǐn.

yíngyè 营业（營業）[动]

这家银行八点钟开始～。Zhèi jiā yínháng bā diǎnzhōng kāishǐ ～. →银行八点钟开始办理业务，为顾客服务。Yínháng bā diǎnzhōng kāishǐ bànlǐ yèwù, wèi gùkè fúwù. 例餐厅正在～，我们去吃饭吧。Cāntīng zhèngzài ～, wǒmen qù chīfàn ba. |这家商店的～时间是早晨七点到晚上十点。Zhèi jiā shāngdiàn de ～shíjiān shì zǎochen qī diǎn dào wǎnshang shí diǎn. |这个饭馆只在晚上～，白天不～。Zhèige fànguǎn zhǐ zài wǎnshang ～, báitiān bù ～.

yíng 赢（贏）[动]

昨天的足球比赛我们～了。Zuótiān de zúqiú bǐsài wǒmen ～le. →昨天的足球比赛我们得的分数最多。Zuótiān de zúqiú bǐsài wǒmen dé

de fēnshù zuì duō. **例** 甲队 ~ 过乙队两次。Jiǎ duì ~ guo yǐ duì liǎng
cì. | 这场篮球比赛甲队 103:83 ~ 了乙队。Zhèi chǎng lánqiú bǐsài jiǎ
duì yìbǎi líng sān bǐ bāshísān ~ le yǐduì. | 我担心我们 ~ bu liǎo 这场比赛。
Wǒ dānxīn wǒmen ~ bu liǎo zhèi chǎng bǐsài. | 我觉得 ~ 的可能性不
大。Wǒ juéde ~ de kěnéngxìng bú dà. | 我们俩下棋，他从来没 ~
过。Wǒmen liǎ xià qí, tā cónglái méi ~ guo. | 我们 ~ 得很困难。
Wǒmen ~ de hěn kùnnan.

yǐngdié 影碟 ［名］

我有这部电影的 ~。Wǒ yǒu zhèi bù diànyǐng de ~. →我有一张
DVD，可以看这部电影。Wǒ yǒu yì zhāng DVD, kěyǐ kàn zhèi bù
diànyǐng. **例** 我很少去电影院，一般都是在家看 ~。Wǒ hěn shǎo qù
diànyǐngyuàn, yìbān dōu shì zài jiā kàn ~. | 他喜欢看 ~，一看就是一个
晚上。Tā xǐhuan kàn ~, yí kàn jiùshì yí ge wǎngshang. | 我买了很多
~，可就是没时间看。Wǒ mǎile hěn duō ~, kě jiùshì méi shíjiān kàn.

yǐngxiǎng 影响[1] （影響）［动］

外面的汽车声 ~ 了我休息。Wàimiàn de qìchē shēng ~ le wǒ xiūxi.
→汽车的声音太大，我不能休息。Qìchē de shēngyīn tài dà, wǒ bù
néng xiūxi. **例** 他的身体不好，~ 了学习。Tā de shēntǐ bù hǎo, ~ le
xuéxí. | 比尔没有因为家庭的事情 ~ 过工作。Bǐ'ěr méiyǒu yīnwèi
jiātíng de shìqing ~ guo gōngzuò. | 我学画画儿是父亲 ~ 我的。Wǒ
xué huà huàr shì fùqin ~ wǒ de. | 吸烟会 ~ 你的健康。Xīyān huì ~ nǐ
de jiànkāng. | 大卫觉得谈恋爱没有 ~ 他的工作和学习。Dàwèi
juéde tán liàn'ài méiyǒu ~ tā de gōngzuò hé xuéxí.

yǐngxiǎng 影响[2] （影響）［名］

抽烟对人的健康有很大 ~。Chōuyān duì rén de jiànkāng yǒu hěn dà
~. →抽烟对人的健康起不好的作用。Chōuyān duì rén de jiànkāng
qǐ bù hǎo de zuòyòng. **例** 他学汉语是受了我的 ~。Tā xué Hànyǔ shì
shòule wǒ de ~. | 这起事故在全国的 ~ 很大。Zhèi qǐ shìgù zài quán
guó de ~ hěn dà. | 在他父亲的 ~ 下，他也成了一名画家。Zài tā
fùqin de ~ xià, tā yě chéngle yì míng huàjiā. | 他是很有 ~ 的歌唱演
员。Tā shì hěn yǒu ~ de gēchàng yǎnyuán.

yǐngzi 影子[1] ［名］

他站在灯下，看着自己长长的 ~。Tā zhàn zài dēng xia, kànzhe zìjǐ
chángcháng de ~. →他站在灯下，看着被自己身体挡住灯光后出

现的黑色的体型。Tā zhàn zài dēng xia, kànzhe bèi zìjǐ shēnt
dǎngzhù dēngguāng hòu chūxiàn de hēisè de tǐxíng. **例** 你换一下儿位
置，~ 就没有了。Nǐ huàn yíxiàr wèizhi, ~ jiù méiyǒu le. | 他在灯
前写字，总有 ~ 挡着。Tā zài dēng qián xiě zì, zǒng yǒu ~ dǎngzhe. |
中午的时候，人的 ~ 很短。zhōngwǔ de shíhou, rén de ~ hěn duǎn. |
墙上是树的 ~，没什么可怕的。Qiáng shang shì shù de ~, mé
shénme kě pà de.

yǐngzi 影子[2] [名]

她看着水中的 ~，整理着头发。Tā kànzhe shuǐ zhōng de ~,
zhěnglǐzhe tóufa. → 他看着水中自己的形象，整理着头发。Tā
kànzhe shuǐ zhōng zìjǐ de xíngxiàng, zhěnglǐzhe tóufa. **例** 夜晚，水中
月亮的 ~ 很好看。Yèwǎn, shuǐ zhōng yuèliang de ~ hěn hǎokàn. |
他在湖边走，~ 在湖里走。Tā zài hú biān zǒu, ~ zài hú li zǒu. | 他
看着镜子里自己的 ~，觉得老了。Tā kànzhe jìngzi li zìjǐ de ~, juéde
lǎo le. | 窗户很亮，连 ~ 都能照出来。Chuānghu hěn liàng, lián ~
dōu néng zhào chulai.

yìngyòng 应用（應用）[动]

计算机已广泛 ~ 于各个行业。Jìsuànjī yǐ guǎngfàn ~ yú gè gè
hángyè. → 每个行业都在使用计算机。Měi ge hángyè dōu zài
shǐyòng jìsuànjī. **例** 我们 ~ 先进的科学技术，生产出了高质量的产
品。Wǒmen ~ xiānjìn de kēxué jìshù, shēngchǎn chūle gāo zhìliàng
de chǎnpǐn. | 这种方法我 ~ 得还不熟练。Zhèi zhǒng fāngfǎ wǒ ~
de hái bù shúliàn. | 这项技术我们已 ~ 很久了。Zhèi xiàng jìshù
wǒmen yǐ ~ hěn jiǔ le. | 我们还没 ~ 这些设备。Wǒmen hái méi ~
zhèixiē shèbèi.

yìng 硬 [形]

这个馒头在桌子上放了三天了，太 ~ 了。Zhèige mántou zài zhuōzi
shang fàngle sān tiān le, tài ~ le. → 这个馒头太干了，用牙都咬不
动了。Zhèige mántou tài gān le, yòng yá dōu yǎo bu dòng le. **例** 米
饭有点儿 ~，不好吃。Mǐfàn yǒudiǎnr ~, bù hǎochī. | 豆子还 ~ 呢，
再煮一会儿吧。Dòuzi hái ~ ne, zài zhǔ yíhuìr ba. | 这床太 ~ 了，
睡着不舒服。Zhè chuáng tài ~ le, shuìzhe bù shūfu. | 我的牙不好，
~ 东西咬不动。Wǒ de yá bù hǎo, ~ dōngxi yǎo bu dòng. | 这块冰
跟铁那么 ~。Zhèi kuài bīng gēn tiě nàme ~.

yong

yōngbào 拥抱（擁抱）［动］

他们一见面就 ~ 到了一起。Tāmen yí jiànmiàn jiù ~ dàole yìqǐ. →他们互相抱住对方，胸贴着胸。Tāmen hùxiāng bàozhù duìfāng, xiōng tiēzhe xiōng. 例夫妻俩紧紧 ~ 着，不愿意分开。Fūqī liǎ jǐnjǐn ~ zhe, bú yuànyì fēnkāi. | 妻子走上去，和丈夫 ~ 在一起。Qīzi zǒu shangqu, hé zhàngfu ~ zài yìqǐ. | 比赛得了冠军，队员们 ~ 了很长时间。Bǐsài déle guànjūn, duìyuánmen ~ le hěn cháng shíjiān.

yōnghù 拥护（擁護）［动］

对于新校长，大家都很 ~ 。Duìyú xīn xiàozhǎng, dàjiā dōu hěn ~. →大家对新校长很满意，并支持他的工作。Dàjiā duì xīn xiàozhǎng hěn mǎnyì, bìng zhīchí tā de gōngzuò. 例我们都十分 ~ 现在的领导，希望他能多干两年。Wǒmen dōu shífēn ~ xiànzài de lǐngdǎo, xīwàng tā néng duō gàn liǎn nián. | 我们非常 ~ 新办法。Wǒmen fēicháng ~ xīn bànfǎ. | 职员们都坚决 ~ 公司进行改革。Zhíyuánmen dōu jiānjué ~ gōngsī jìnxíng gǎigé.

yǒngyuǎn 永远（永遠）［副］

我们 ~ 是朋友。Wǒmen ~ shì péngyou. →不管时间多么久，我们都是朋友。Bùguǎn shíjiān duōme jiǔ, wǒmen dōu shì péngyou. 例我 ~ 也忘不了我的中学时代。Wǒ ~ yě wàng bu liǎo wǒ de zhōngxué shídài. | 祝你 ~ 年轻。Zhù nǐ ~ niánqīng. | 他们会 ~ 相爱的。Tāmen huì ~ xiāng'ài de. | 如果世界 ~ 和平，那该多好。Rúguǒ shìjiè ~ hépíng, nà gāi duō hǎo. | 我希望我们 ~ 友好下去。Wǒ xīwàng wǒmen ~ yǒuhǎo xiaqu. | 天气不会 ~ 这么热的。Tiānqì bú huì ~ zhème rè de.

yǒnggǎn 勇敢［形］

他一个人去过大森林，非常 ~ 。Tā yí ge rén qùguo dà sēnlín, fēicháng ~. →他很有胆量，不怕危险，敢一个人去大森林。Tā hěn yǒu dǎnliàng, bú pà wēixiǎn, gǎn yí ge rén qù dà sēnlín. 例登山运动员十分 ~ ，克服了许多困难。Dēngshān yùndòngyuán shífēn ~, kèfúle xǔduō kùnnan. | ~ 的战士们向敌人发起了进攻。~ de zhànshìmen xiàng dírén fāqǐle jìngōng. | ~ 点儿，别怕疼。~ diǎnr, bié pà téng. | 弟弟比哥哥还 ~ 。Dìdi bǐ gēge hái ~. | 她 ~ 地站出来

承认了错误。Tā ~ de zhàn chulai chéngrènle cuòwù.

yǒngqì 勇气(勇氣) [名]

我们有 ~ 战胜这些困难。Wǒmen yǒu ~ zhànshèng zhèixiē kùnnan. →我们有战胜这些困难的决心和胆量。Wǒmen yǒu zhànshèng zhèixiē kùnnan de juéxīn hé dǎnliàng. 例你只要有足够的 ~，就能爬到山顶。Nǐ zhǐyào yǒu zúgòu de ~，jiù néng pádào shāndǐng. |他的话给我们增加了不少 ~。Tā de huà gěi wǒmen zēngjiāle bùshǎo ~. |他失望过，但后来又鼓起了生活的 ~。Tā shīwàngguo, dàn hòulái yòu gǔqǐle shēnghuó de ~. |他没有 ~ 和我比赛，所以输了。Tā méiyǒu ~ hé wǒ bǐsài, suǒyǐ shū le.

yòng 用¹ [动]

我一般 ~ 电脑写文章。Wǒ yìbān ~ diànnǎo xiě wénzhāng. →我在电脑上打字写成文章。Wǒ zài diànnǎo shang dǎzì xiěchéng wénzhāng. 例这本词典我 ~ 了很多年。Zhèi běn cídiǎn wǒ ~ le hěn duō nián. |他们都是 ~ 电话联系，很少写信。Tāmen dōu shì ~ diànhuà liánxi, hěn shǎo xiě xìn. |我 ~ ~ 你的笔可以吗？Wǒ ~ ~ nǐ de bǐ kěyǐ ma? |我的钱都 ~ 完了。Wǒ de qián dōu ~ wán le. |我们 ~ 什么做菜？Wǒmen ~ shénme zuò cài? |这台冰箱没 ~ 多长时间就坏了。Zhèi tái bīngxiāng méi ~ duō cháng shíjiān jiù huài le.

yòng bu zháo 用不着

他把 ~ 的书都卖了。Tā bǎ ~ de shū dōu mài le. →他把那些自己不再用的书都卖了。Tā bǎ nèixiē zìjǐ bú zài yòng de shū dōu mài le. 例天冷了，~ 的衣服都收起来吧。Tiān lěng le, ~ de yīfu dōu shōu qilai ba. |天已经凉了，~ 吹电扇。Tiān yǐjing liáng le, ~ chuī diànshàn. |这些家具我 ~ 了，你用吧。Zhèixiē jiājù wǒ ~ le, nǐ yòng ba. |我这里一切都好，你们 ~ 担心。Wǒ zhèlǐ yíqiè dōu hǎo, nǐmen ~ dānxīn. |路很近，~ 坐车。Lù hěn jìn, ~ zuò chē.

yòngpǐn 用品 [名]

纸和笔都是学习 ~。Zhǐ hé bǐ dōu shì xuéxí ~. →纸、笔都是学习时要用的东西。Zhǐ、bǐ dōu shì xuéxí shí yào yòng de dōngxi. 例他去商店买了足球、篮球等体育 ~。Tā qù shāngdiàn mǎile zúqiú, lánqiú děng tǐyù ~. |这些办公 ~ 都是公司发的。Zhèixiē bàngōng ~ dōu shì gōngsī fā de. |他家里的很多生活 ~ 都很漂亮。Tā jiāli de hěn duō shēnghuó ~ dōu hěn piàoliang.

yòng 用² [动]

~我帮忙吗？ ~ wǒ bāng máng ma? →你需要我来帮助你吗？ Nǐ xūyào wǒ lái bāngzhù nǐ ma? 例做这个菜得~三个鸡蛋。Zuò zhèige cài děi ~ sān ge jīdàn. | 这张桌子得~四个人才可以抬动。Zhèi zhāng zhuōzi děi ~ sì ge rén cái kěyǐ táidòng. | 你不~说了，我都知道了。Nǐ bú ~ shuō le, wǒ dōu zhīdao le. | 我们都是自己人，不~客气。Wǒmen dōu shì zìjǐ rén, bú ~ kèqi. | 你不~太着急出发，时间还早。Nǐ bú ~ tài zháojí chūfā, shíjiān hái zǎo.

yòng 用³ [名]

这本书我还有~。Zhèi běn shū wǒ hái yǒu ~. →这本书我以后还要看。Zhèi běn shū wǒ yǐhòu hái yào kàn. 例这些本儿留着将来有~。Zhèixiē běnr liúzhe jiānglái yǒu ~. | 这张桌子一点儿~也没有了。Zhèi zhāng zhuōzi yìdiǎnr ~ yě méiyǒu le. | 我觉得这些袋子没~了。Wǒ juéde zhèixiē dàizi méi ~ le. | 你叫他来有什么~呢？Nǐ jiào tā lái yǒu shénme ~ ne?

yòngchu 用处（用處）[名]

电脑的~非常大，年轻人都离不开它。Diànnǎo de ~ fēicháng dà, Niánqīngrén dōu lí bu kāi tā. →电脑可以帮助我们做很多事情。Diànnǎo kěyǐ bāngzhù wǒmen zuò hěn duō shìqing. 例这台机器~很多，省了我们不少力气。Zhèi tái jīqì ~ hěn duō, shěngle wǒmen bùshǎo lìqi. | 这些书很有~，一定要保存好。Zhèixiē shū hěn yǒu ~, yídìng yào bǎocún hǎo. | 钢铁在工业上的~很大。Gāngtiě zài gōngyè shang de ~ hěn dà. | 这些笔都坏了，没有~了。Zhèixiē bǐ dōu huài le, méiyǒu ~ le.

yòng gōng 用功

大卫非常~，成绩也很好。Dàwèi fēicháng ~, chéngjì yě hěn hǎo. →大卫学习很努力。Dàwèi xuéxí hěn nǔlì. 例我们班他学习最~。Wǒmen bān tā xuéxí zuì ~. | 他以前爱玩儿，现在开始~了。Tā yǐqián ài wánr, xiànzài kāishǐ ~ le. | 他以前不太~，学习也不太好。Tā yǐqián bú tài ~, xuéxí yě bú tài hǎo. | 他在图书馆用了一个月的功，终于通过了考试。Tā zài túshūguǎn yòngle yí ge yuè de gōng, zhōngyú tōngguòle kǎoshì.

yòng lì 用力

他~一拉，绳子就断了。Tā ~ yì lā, shéngzi jiù duàn le. →他使出

Y

力气，绳子就被拉断了。Tā shǐchū lìqi, shéngzi jiù bèi lāduàn le. 例这个坡要～骑才能上去。Zhèige pō yào ～ qí cái néng shàngqu. | 我～太猛，结果手受伤了。Wǒ ～ tài měng, jiéguǒ shǒu shòushāng le. | 写字不用太～了，不然会累的。Xiězì búyòng tài ～ le, bùrán huì lèi de. | 他没怎么～，就举起了那块石头。Tā méi zěnme ～, jiù jǔqǐle nèi kuài shítou. | 你～一推，门就开了。Nǐ ～ yì tuī, mén jiù kāi le.

you

yōudiǎn 优点（優點）[名]

他的～是聪明，缺点是不努力。Tā de ～ shì cōngming, quēdiǎn shì bù nǔlì. →聪明是他好的一个方面。Cōngming shì tā hǎo de yí ge fāngmiàn. 例这台电视机的～是画面清楚，缺点是样子不好看。Zhèi tái diànshìjī de ～ shì huàmiàn qīngchu, quēdiǎn shì yàngzi bù hǎokàn. | 他很注意学习别人的～。Tā hěn zhùyì xuéxí biérén de ～. | 这个办法有两个～，一个缺点。Zhèige bànfǎ yǒu liǎng ge ～, yí ge quēdiǎn.

yōuliáng 优良（優良）[形]

大卫学习努力，成绩～。Dàwèi xuéxí nǔlì, chéngjì ～. →大卫的学习成绩不错。Dàwèi de xuéxí chéngjì búcuò. 例这种电视机质量～，不容易出毛病。Zhèi zhǒng diànshìjī zhìliàng ～, bù róngyì chū máobing. | 今年的考试他取得了～的成绩。Jīnnián de kǎoshì tā qǔdéle ～ de chéngjì. | 这种汽车有～的质量，不会出问题的。Zhèi zhǒng qìchē yǒu ～ de zhìliàng, bú huì chū wèntí de. | 他们有互相帮助的～传统。Tāmen yǒu hùxiāng bāngzhù de ～ chuántǒng.

yōuměi 优美（優美）[形]

她的舞蹈动作～，吸引了观众的目光。Tā de wǔdǎo dòngzuò ～, xīyǐnle guānzhòng de mùguāng. →她的舞蹈动作非常好看，观众都很欣赏。Tā de wǔdǎo dòngzuò fēicháng hǎokàn, guānzhòng dōu hěn xīnshǎng. 例这里风景～，游人很多。Zhèlǐ fēngjǐng ～, yóurén hěn duō. | 这篇文章的语言非常～。Zhèi piān wénzhāng de yǔyán fēicháng ～. | ～的歌声不断从远处传来。～ de gēshēng búduàn cóng yuǎnchù chuánlái. | 我喜欢这里～的工作环境。Wǒ xǐhuan zhèlǐ ～ de gōngzuò huánjìng.

Y

yōuxiù 优秀（優秀）［形］

他的学习成绩非常 ~。Tā de xuéxí chéngjì fēicháng ~. →他的学习成绩在前几名，超过了大多数人。Tā de xuéxí chéngjì zài qián jǐ míng, chāoguòle dàduōshù rén. 例他是一名很 ~ 的足球运动员。Tā shì yì míng hěn ~ de zúqiú yùndòngyuán. | 作家们写出了不少 ~ 的文学作品。Zuòjiāmen xiěchūle bùshǎo ~ de wénxué zuòpǐn. | 我们一共评选了五名 ~ 毕业生。Wǒmen yígòng píngxuǎnle wǔ míng ~ bìyèshēng. | 这所大学培养出了很多 ~ 人才。Zhèi suǒ dàxué péiyǎng chūle hěn duō ~ réncái.

yōujiǔ 悠久［形］

中国有着十分 ~ 的历史。Zhōngguó yǒuzhe shífēn ~ de lìshǐ. →中国的历史时间很长。Zhōngguó de lìshǐ shíjiān hěn cháng. 例那是一个有着 ~ 历史的文明古国。Nà shì yí ge yǒuzhe ~ lìshǐ de wénmíng gǔguó. | 我们了解了这里的 ~ 文化和风俗习惯。Wǒmen liǎojiěle zhèlǐ de ~ wénhuà hé fēngsú xíguàn. | 这座古建筑的历史十分 ~。Zhèi zuò gǔ jiànzhù de lìshǐ shífēn ~.

yóuqí 尤其［副］

我喜欢运动，~ 喜欢踢足球。Wǒ xǐhuan yùndòng, ~ xǐhuan tī zúqiú. →所有的运动形式我都喜欢，对于踢足球更喜欢。Suǒyǒu de yùndòng xíngshì wǒ dōu xǐhuan, duìyú tī zúqiú gèng xǐhuan. 例我爱她，~ 爱她那双大眼睛。Wǒ ài tā, ~ ài tā nèi shuāng dà yǎnjing. | 这篇文章不错，~ 是结尾写得最好。Zhèi piān wénzhāng búcuò, ~ shì jiéwěi xiě de zuì hǎo. | 每个人，~ 是孩子更喜欢过圣诞节。Měi ge rén, ~ shì háizi gèng xǐhuan guò Shèngdànjié. | 这两天很冷，~ 是今天特别冷。Zhèi liǎn tiān hěn lěng, ~ shì jīntiān tèbié lěng.

yóu 由¹［介］

今天的会 ~ 大卫主持。Jīntiān de huì ~ Dàwèi zhǔchí. →大卫负责主持今天的会。Dàwèi fùzé zhǔchí jīntiān de huì. 例你们的事儿 ~ 警察解决。Nǐmen de shìr ~ jǐngchá jiějué. | 你的宿舍问题 ~ 我管。Nǐ de sùshè wèntí ~ wǒ guǎn. | 去不去美国，~ 你自己决定。Qù bu qù Měiguó, ~ nǐ zìjǐ juédìng. | 这儿的情况 ~ 你来介绍一下儿吧。Zhèr de qíngkuàng ~ nǐ lái jièshào yíxiàr ba.

yóu 由² [介]

他的病是 ~ 抽烟引起的。Tā de bìng shì ~ chōuyān yǐnqǐ de. →他生病的原因是抽烟太多。Tā shēngbìng de yuányīn shì chōuyān tài duō. **例**他们离婚是 ~ 意见不合引起的。Tāmen líhūn shì ~ yìjiàn bù hé yǐnqǐ de. | 这个足球队是 ~ 大学生组成的。Zhèige zúqiúduì shì ~ dàxuéshēng zǔchéng de. | 这个办法 ~ 大家讨论后再决定。Zhèige bànfǎ ~ dàjiā tǎolùn hòu zài juédìng. | 代表是 ~ 选举产生的。Dàibiǎo shì ~ xuǎnjǔ chǎnshēng de.

yóuyú 由于 [介]

~ 身体原因，他退出了比赛。~ shēntǐ yuányīn, tā tuìchūle bǐsài. →因为身体不太好，他不参加比赛了。Yīnwèi shēntǐ bú tài hǎo, tā bù cānjiā bǐsài le. **例**~ 天气关系，我们改变了计划。~ tiānqì guānxi, wǒmen gǎibiànle jìhuà. | ~ 大卫的帮助，我才找到了这个地方。~ Dàwèi de bāngzhù, wǒ cái zhǎodàole zhèige dìfang. | ~ 情况比较复杂，我们不知道该怎么办。~ qíngkuàng bǐjiào fùzá, wǒmen bù zhīdào gāi zěnme bàn. | ~ 跑得太快，他摔倒了。~ pǎode tài kuài, tā shuāidǎo le.

yóujú 邮局 (郵局) [名]

post office **例**我去 ~ 寄一封信。Wǒ qù ~ jì yì fēng xìn. | 钱是通过 ~ 寄来的。Qián shì tōngguò ~ jìlai de. | ~ 通知我，有我的包裹。~ tōngzhī wǒ, yǒu wǒ de bāoguǒ. | 我寄东西都是在附近的这个小 ~ 。Wǒ jì dōngxi dōu shì zài fùjìn de zhèige xiǎo ~ . | ~ 的业务有很多：寄信、寄包裹、打电报等。~ de yèwù yǒu hěnduō: jì xìn, jì bāoguǒ, dǎ diànbào děng.

yóudiànjú 邮电局 (郵電局) [名]

post and telecom office **例**他去 ~ 拍电报了。Tā qù ~ pāi diànbào le. | 我们去 ~ 打个长途电话吧。Wǒmen qù ~ dǎ ge chángtú diànhuà ba. | 我的信送到 ~ 了，过几天他就能收到。Wǒ de xìn sòngdào ~ le, guò jǐ tiān tā jiù néng shōudào. | 这些明信片儿是在 ~ 买的。Zhèixiē míngxìnpiànr shì zài ~ mǎi de. | 前头就是一个 ~ 。Qiántou jiù shì yí ge ~ .

yóupiào 邮票 (郵票) [名]

例~ 要贴在信封的右上角。~ yào tiē zài xìnfēng de yòu shàng jiǎo. | 这封信要贴五块钱的 ~ 。Zhèi fēng xìn yào tiē wǔ kuài qián de ~ . |

那封信我忘了贴～，被退回来了。Nèi fēng xìn wǒ wàngle tiē ～，bèi tuì huilai le. | 这封信超重了，所以我贴了两张～。Zhèi fēng xìn chāozhòng le, suǒyǐ wǒ tiēle liǎng zhāng ～. | 我买了三张纪念～。Wǒ mǎile sān zhāng jìniàn ～.

邮票

yóu 油 [名]

oil 例 这个菜～太多了。Zhèige cài ～ tài duō le. | 他们做菜用的～是花生～。Tāmen zuò cài yòng de ～ shì huāshēng ～. | 他炒菜时喜欢放很多～。Tā chǎo cài shí xǐhuan fàng hěn duō ～. | ～ 吃多了，容易胖。～ chīduō le, róngyì pàng. | 这只鸡很肥，煮出了一锅～。Zhèi zhī jī hěn féi, zhǔchūle yì guō ～.

yóulǎn 游览 (游覽) [动]

我们～了中国很多地方。Wǒmen ～ le Zhōngguó hěn duō dìfang. → 我们到中国很多地方看了风景、名胜。Wǒmen dào Zhōngguó hěn duō dìfang kànle fēngjǐng、míngshèng. 例 明天我们去长城～。Míngtiān wǒmen qù Chángchéng ～. | 我们上午学习，下午出去～. Wǒmen shàngwǔ xuéxí, xiàwǔ chūqu ～. | 我～过这里几个公园，漂亮极了。Wǒ ～ guo zhèlǐ jǐge gōngyuán, piàoliang jí le. | 假期的时候，我去南方～了一个月。Jiàqī de shíhou, wǒ qù nánfāng ～ le yí ge yuè. | 我没～过的地方还有很多。Wǒ méi ～ guo de dìfang hái yǒu hěn duō.

yóurén 游人 [名]

这里风景优美，～很多。Zhèlǐ fēngjǐng yōuměi, ～ hěn duō. → 到这里旅游的人很多。Dào zhèlǐ lǚyóu de rén hěn duō. 例 春天到了，～也开始多了。Chūntiān dào le, ～ yě kāishǐ duō le. | 这个旅行社每天要接待大量的～。Zhèige lǚxíngshè měi tiān yào jiēdài dàliàng de ～. | 来这里参观的，有很多是外国～. Lái zhèlǐ cānguān de, yǒu hěn duō shì wàiguó ～. | 大批～来到这里，旅游、观光和购物。Dàpī ～ láidào zhèlǐ, lǚyóu、guānguāng hé gòu wù.

yóu yǒng 游泳

swim 例 我每个周末去～。Wǒ měi ge zhōumò qù ～. | 附近哪儿可以～？Fùjìn nǎr kěyǐ ～? | 他每天坚持～两个小时。Tā měi tiān jiānchí ～ liǎng ge xiǎoshí. | 玛丽不会～。Mǎlì bú huì ～. | 我今年只游过两

Y

次泳。Wǒ jīnnián zhǐ yóuguo liǎng cì yǒng. | 大卫是个～运动员。Dàwèi shì ge ～ yùndòngyuán. | ～是一项非常好的运动。～ shì yí xiàng fēicháng hǎo de yùndòng. | 他从四岁就开始学～。Tā cóng sì suì jiù kāishǐ xué ～. | 他～的姿势非常好看。Tā ～ de zīshì fēicháng hǎokàn.

yóuyǒngchí 游泳池 ［名］

swimming pool 例 我们学校有两个～，我们每天都可以游泳。Wǒmen xuéxiào yǒu liǎng ge ～, wǒmen měi tiān dōu kěyǐ yóuyǒng. | 公司准备建一个～，让职工们开展游泳活动。Gōngsī zhǔnbèi jiàn yí ge ～, ràng zhígōngmen kāizhǎn yóuyǒng huódòng. | 体育馆里有一个深～，还有一个浅～。Tǐyùguǎn li yǒu yí ge shēn ～, hái yǒu yí ge qiǎn ～. | 他的房子里有～、健身房等。Tā de fángzi li yǒu ～、jiànshēnfáng děng. | 他喜欢在酒店的～里游泳。Tā xǐhuan zài jiǔdiàn de ～ li yóuyǒng.

yǒuhǎo 友好 ［形］

他们对我十分～。Tāmen duì wǒ shífēn ～. →他们很热情，愿意帮助我。Tāmen hěn rèqíng, yuànyì bāngzhù wǒ. 例 他们的态度是～的，而且非常欢迎我们。Tāmen de tàidu shì ～ de, érqiě fēicháng huānyíng wǒmen. | 两国之间的关系非常～。Liǎng guó zhījiān de guānxi fēicháng ～. | 这两个城市是～城市。Zhèi liǎng ge chéngshì shì ～ chéngshì. | 两个国家的人民一直就非常～。Liǎng ge guójiā de rénmín yìzhí jiù fēicháng ～.

yǒuyì 友谊（友誼）［名］

他们建立了很深的～。Tāmen jiànlìle hěn shēn de ～. →朋友之间的感情很深。Péngyou zhījiān de gǎnqíng hěn shēn. 例 我们非常重视两国人民之间的～。Wǒmen fēicháng zhòngshì liǎng guó rénmín zhījiān de ～. | 我不会破坏我们之间的～。Wǒ bú huì pòhuài wǒmen zhījiān de ～. | 他把～看得比什么都重要。Tā bǎ ～ kàn de bǐ shénme dōu zhòngyào. | ～是金钱买不来的。～ shì jīnqián mǎi bu lái de.

yǒu 有[1] ［动］

大卫～两辆汽车。Dàwèi ～ liǎng liàng qìchē. →这两辆汽车是大卫自己的。Zhèi liǎng liàng qìchē shì Dàwèi zìjǐ de. 例 我有一个儿子、两个女儿。Wǒ yǒu yí ge érzi、liǎng ge nǚ'ér. | 他～女朋友了。Tā ～ nǚpéngyou le. | 这种衣服～红的、白的、黄的几种。Zhèi zhǒng yīfu ~ hóng de、bái de、huáng de jǐ zhǒng.

yǒudeshì 有的是

橘子还 ~，你多吃点儿。Júzi hái ~，nǐ duō chī diǎnr. →橘子还有很多，你吃吧。Júzi hái yǒu hěn duō, nǐ chī ba. 例铅笔我 ~，你拿去用吧。Qiānbǐ wǒ ~，nǐ náqù yòng ba. ┃我们 ~ 时间，不用着急。Wǒmen ~ shíjiān, búyòng zháojí. ┃这种书还 ~，一年也卖不完。Zhèi zhǒng shū hái ~，yì nián yě mài bu wán. ┃她 ~ 衣服，连她自己也数不清有多少件。Tā ~ yīfu, lián tā zìjǐ yě shǔ bu qīng yǒu duōshao jiàn.

yǒudiǎnr 有点儿（有點兒）[副]

今天 ~ 热。Jīntiān ~ rè. →今天不是很热，但比较热。Jīntiān bú shì hěn rè, dàn bǐjiào rè. 例我 ~ 习惯这里的天气了。Wǒ ~ xíguàn zhèlǐ de tiānqì le. ┃大卫 ~ 不太舒服，回去睡觉了。Dàwèi ~ bú tài shūfu, huíqù shuìjiào le. ┃这个问题对我来说 ~ 难。Zhèige wèntí duì wǒ lái shuō ~ nán. ┃你不给她打电话，~ 不合适吧？Nǐ bù gěi tā dǎ diànhuà, ~ bù héshì ba? ┃看他的样子，好像 ~ 不太高兴。Kàn tā de yàngzi, hǎoxiàng ~ bú tài gāoxìng.

yǒulì 有利 [形]

体育活动对健康 ~。Tǐyù huódòng duì jiànkāng ~. →常做体育活动对健康有好处。Cháng zuò tǐyù huódòng duì jiànkāng yǒu hǎochu. 例现在的情况对我们 ~。Xiànzài de qíngkuàng duì wǒmen ~. ┃比赛分组定下来了，结果对我们 ~ 极了。Bǐsài fēn zǔ dìng xialai le, jiéguǒ duì wǒmen ~ jí le. ┃我们现在处于 ~ 的地位，争取赢了这场比赛。Wǒmen xiànzài chǔyú ~ de dìwèi, zhēngqǔ yíngle zhèi chǎng bǐsài. ┃他们抓住 ~ 时机，发展了公司的业务。Tāmen zhuāzhù ~ shíjī, fāzhǎnle gōngsī de yèwù.

yǒulì 有力 [形]

他很 ~，一个人就能搬走这张桌子。Tā hěn ~，yí ge rén jiù néng bānzǒu zhèi zhāng zhuōzi. →他的力气很大，一个人可以搬一张桌子。Tā de lìqi hěn dà, yí ge rén kěyǐ bān yì zhāng zhuōzi. 例他真 ~，一下子就把我举了起来。Tā zhēn ~, yíxiàzi jiù bǎ wǒ jǔle qilai. ┃观众的支持是对我们工作的 ~ 推动。Guānzhòng de zhīchí shì duì wǒmen gōngzuò de ~ tuīdòng. ┃他的讲话简短 ~，听众都鼓起掌来。Tā de jiǎnghuà jiǎnduǎn ~, tīngzhòng dōu gǔ qǐ zhǎng lai. ┃警

察的这次行动～地打击了犯罪分子。Jǐngchá de zhèi cì xíngdòng ～ de dǎjīle fànzuì fènzǐ.

yǒumíng 有名 [形]

这位电影演员很～。Zhèi wèi diànyǐng yǎnyuán hěn ～. →人们都知道这位电影演员的名字。Rénmen dōu zhīdao zhèi wèi diànyǐng yǎnyuán de míngzi. 例居里夫人是世界上非常～的科学家。Jūlǐ fūren shì shìjiè shang fēicháng ～ de kēxuéjiā. | 纽约是～的大城市。Niǔyuē shì ～ de dà chéngshì. | 这种汽车越来越～了。Zhèi zhǒng qìchē yuèláiyuè ～ le. | 他请的都是很～的客人。Tā qǐng de dōu shì hěn ～ de kéren. | 他还不太～，不过他很有发展前途。Tā hái bú tài ～, búguò tā hěn yǒu fāzhǎn qiántú.

yǒuqù 有趣 [形]

他说话很～，逗得我们很开心。Tā shuōhuà hěn ～, dòu de wǒmen hěn kāixīn. →他说话幽默、逗笑。Tā shuōhuà yōumò、dòuxiào. 例他的表演非常～，我们都喜欢看。Tā de biǎoyǎn fēicháng ～, wǒmen dōu xǐhuan kàn. | 今天我看了一部特别～的电影。Jīntiān wǒ kànle yí bù tèbié ～ de diànyǐng. | 这本小说～极了，我一下子就看完了。Zhèi běn xiǎoshuō ～ jí le, wǒ yíxiàzi jiù kànwán le. | 跟孩子们在一起，多～啊！Gēn háizimen zài yìqǐ, duō ～ a!

yǒuxiào 有效 [形]

这种药治感冒很～。Zhèi zhǒng yào zhì gǎnmào hěn ～. →吃了这种药，感冒很快就好了。Chīle zhèi zhǒng yào, gǎnmào hěn kuài jiù hǎo le. 例用这种方法记生词特别～。Yòng zhèi zhǒng fāngfǎ jì shēngcí tèbié ～. | 我们采取了～的措施，保护环境。Wǒmen cǎiqǔle ～ de cuòshī, bǎohù huánjìng. | 这些规定五年内～，我们都按照它办。Zhèixiē guīdìng wǔ nián nèi ～, wǒmen dōu ànzhào tā bàn. | 学生们～地配合了老师的工作，课上得很好。Xuéshengmen ～ de pèihéle lǎoshī de gōngzuò, kè shàng de hěn hǎo.

yǒuxiē 有些¹ [代]

公司的电脑～是新的，～是旧的。Gōngsī de diànnǎo ～ shì xīn de, ～ shì jiù de. →公司的电脑一部分是新的，一部分是旧的。Gōngsī de diànnǎo yí bùfen shì xīn de, yí bùfen shì jiù de. 例屋子里的人～我认识，～我不认识。Wūzi li de rén ～ wǒ rènshi, ～ wǒ bú rènshi. | 我～事儿还没办完，要晚一点儿回家。Wǒ ～ shìr hái méi bànwán, yào wǎn yìdiǎnr huíjiā. | 书上 ~ 字我没学过。Shū shang ~ zì wǒ méi xuéguo. | ~ 东西我不想要了。~ dōngxi wǒ bù xiǎng yào le.

yǒuxiē 有些² [副]

他好像 ~ 不太高兴。Tā hǎoxiàng ~ bú tài gāoxìng. →他看起来不怎么高兴。Tā kàn qilai bù zěnme gāoxìng. 例这个句子我 ~ 不明白。Zhèige jùzi wǒ ~ bù míngbai. | 大卫讲话的时候 ~ 紧张。Dàwèi jiǎnghuà de shíhou ~ jǐnzhāng. | 玛丽 ~ 不愿意和他一起去。Mǎlì ~ bú yuànyì hé tā yìqǐ qù. | 干了一天活儿，我们都 ~ 累了。Gànle yì tiān huór, wǒmen dōu ~ lèi le. | 冬天快到了，天气 ~ 冷了。Dōngtiān kuài dào le, tiānqì ~ lěng le.

yǒu yìsi 有意思

大卫说话很 ~。Dàwèi shuōhuà hěn ~. →大卫说话爱开玩笑。Dàwèi shuōhuà ài kāiwánxiào. 例他讲的笑话儿真 ~，我都笑出眼泪来了。Tā jiǎng de xiàohuàr zhēn ~, wǒ dōu xiàochū yǎnlèi lai le. | 这部电影 ~ 极了，我看了两遍。Zhèi bù diànyǐng ~ jí le, wǒ kànle liǎng biàn. | 他讲了一个非常 ~ 的故事。Tā jiǎngle yí ge fēicháng ~ de gùshi. | 玛丽的表演最 ~，我们都喜欢看。Mǎlì de biǎoyǎn zuì ~, wǒmen dōu xǐhuan kàn.

yǒu yòng 有用

这篇文章我 ~，你别给扔了。Zhèi piān wénzhāng wǒ ~, nǐ bié gěi rēng le. →我需要这篇文章。Wǒ xūyào zhèi piān wénzhāng. 例这张桌子你 ~ 就搬走吧。Zhèi zhāng zhuōzi nǐ ~ jiù bānzǒu ba. | 这本词典对我非常 ~。Zhèi běn cídiǎn duì wǒ fēicháng ~. | 这把钥匙还 ~ 吗？Zhèi bǎ yàoshi hái ~ ma? | 那些旧书有什么用呀？Nèixiē jiù shū yǒu shénme yòng ya? | 谁对他 ~，他就和谁交朋友。Shéi duì tā ~, tā jiù hé shéi jiāo péngyou. | ~ 的东西留着，没用的东西扔掉吧。~ de dōngxi liúzhe, méi yòng de dōngxi rēngdiào ba.

yǒu 有² [动]

楼前 ~ 一片草地。Lóu qián ~ yí piàn cǎodì. →这片草地在楼的前面。Zhèi piàn cǎodì zài lóu de qiánmiàn. 例屋里 ~ 人，你进去吧。Wūli ~ rén, nǐ jìnqu ba. | 下午 ~ 一场足球比赛。Xiàwǔ ~ yì chǎng zúqiú bǐsài. | 天气预报说，明天 ~ 雨。Tiānqì yùbào shuō, míngtiān ~ yǔ. | 外面 ~ 人找你。Wàimian ~ rén zhǎo nǐ. | 我 ~ 件事儿想跟你谈谈。Wǒ ~ jiàn shìr xiǎng gēn nǐ tántan.

Y

yǒuguān 有关（有關）[动]

这件事情跟很多人～。Zhèi jiàn shìqing gēn hěn duō rén ～. →这件事情涉及到很多人，他们都参加了。Zhèi jiàn shìqing shèjí dào hěn duō rén, tāmen dōu cānjiā le. 例这个事件与那个单位的领导～。Zhèige shìjiàn yǔ nèige dānwèi de lǐngdǎo ～. | 他买了很多跟考试～的书。Tā mǎile hěn duō gēn kǎoshì ～ de shū. | 经济的发展～国家的命运。Jīngjì de fāzhǎn ～ guójiā de mìngyùn. | 根据～规定，我们可以这样做。Gēnjù ～ guīdìng, wǒmen kěyǐ zhèiyàng zuò.

yǒu 有³ [动]

这个菜～人爱吃，～人不爱吃。Zhèige cài ～ rén ài chī, ～ rén bú ài chī. →这个菜一些人爱吃，一些人不爱吃。Zhèige cài yìxiē rén ài chī, yìxiē rén bú ài chī. 例他们～去打球的，～去看电影的。Tāmen ～ qù dǎqiú de, ～ qù kàn diànyǐng de. | ～一次，他说想找个女朋友。～ yí cì, tā shuō xiǎng zhǎo ge nǚpéngyou. | 她的病～好几天了，可还没好。Tā de bìng ～ hǎojǐ tiān le, kě hái méi hǎo. | 我～好几个月没看见他了。Wǒ ～ hǎojǐ ge yuè méi kànjiàn tā le.

yǒude 有的 [代]

～人在这个公司工作五年了。～ rén zài zhèige gōngsī gōngzuò wǔ nián le. →一些人在这个公司工作五年了。Yìxiē rén zài zhèige gōngsī gōngzuò wǔ nián le. 例他们～在看书，～在听音乐。Tāmen ～ zài kàn shū, ～ zài tīng yīnyuè. | ～菜我爱吃，～菜不太爱吃。～ cài wǒ ài chī, ～ cài bú tài ài chī. | 我们同学～去美国了，～去英国了。Wǒmen tóngxué ～ qù Měiguó le, ～ qù Yīngguó le. | 这些字～我认识，～不认识。Zhèixiē zì ～ wǒ rènshi, ～ bú rènshi. | ～时候我自己做饭，～时候去饭馆吃。～ shíhou wǒ zìjǐ zuòfàn, ～ shíhou qù fànguǎn chī.

yǒushí 有时（有時）[副]

我常常去图书馆看书，～也在家看。Wǒ chángcháng qù túshūguǎn kàn shū, ～ yě zài jiā kàn. →我不经常在家看书。Wǒ bù jīngcháng zài jiā kàn shū. 例他一般晚上十点睡觉，～要到12点才睡。Tā yìbān wǎnshang shí diǎn shuìjiào, ～ yào dào shí'èr diǎn cái shuì. | 他～不太高兴。Tā ～ bú tài gāoxìng. | 我～有点儿想家。Wǒ ～ yǒudiǎnr xiǎng jiā. | 他～很厉害，～又很爱开玩笑。Tā ～ hěn lìhai, ～ yòu hěn ài kāiwánxiào. | ～我特别想学习，～又不太想学习。～

wǒ tèbié xiǎng xuéxí, ～ yòu bú tài xiǎng xuéxí.

yǒushíhou 有时候(有時候)

我平常自己做饭, ～也去饭馆儿。Wǒ píngcháng zìjǐ zuòfàn, ～ yě qù fànguǎnr. → 我不经常去饭馆儿吃饭。Wǒ bù jīngcháng qù fànguǎnr chī fàn. 例他一般开车上班, ～也坐公共汽车。Tā yìbān kāi chē shàngbān, ～ yě zuò gōnggòng qìchē. | 我一般跟朋友一起去旅行, ～也自己去。Wǒ yìbān gēn péngyou yìqǐ qù lǚxíng, ～ yě zìjǐ qù. | 我们三年没见了, 只是～打个电话。Wǒmen sān nián méi jiàn le, zhǐshì ～ dǎ ge diànhuà. | 周末我们～去跳舞, ～去听音乐。Zhōumò wǒmen ～ qù tiàowǔ, ～ qù tīng yīnyuè.

yòu 又[1] [副]

他有一辆车, 最近～买了一辆车。Tā yǒu yí liàng chē, zuìjìn ～ mǎile yí liàng chē. → 他现在有两辆车了。Tā xiànzài yǒu liǎng liàng chē le. 例大卫昨天来过一次, 今天～来了。Dàwèi zuótiān láiguo yí cì, jīntiān ～ lái le. | 晴了两天, ～开始下雨了。Qíngle liǎng tiān, ～ kāishǐ xià yǔ le. | 这些话他说了一遍～一遍。Zhèixiē huà tā shuōle yí biàn ～ yí biàn. | 他喝了一杯～一杯, 一会儿就醉了。Tā hēle yì bēi ～ yì bēi, yíhuìr jiù zuì le.

yòu 又[2] [副]

他吃完饭, ～吃了一个苹果。Tā chīwán fàn, ～ chīle yí ge píngguǒ. → 他吃完饭以后, 吃了一个苹果。Tā chīwán fàn yǐhòu, chīle yí ge píngguǒ. 例我去了商店、邮局、～去了银行。Wǒ qùle shāngdiàn、 yóujú、～ qùle yínháng. | 大卫收拾好房间, ～去洗衣服了。Dàwèi shōushi hǎo fángjiān, ～ qù xǐ yīfu le. | 下了课以后, 我～去图书馆看书了。Xiàle kè yǐhòu, wǒ ～ qù túshūguǎn kàn shū le.

yòu 又[3] [副]

她～聪明～漂亮。Tā ～ cōngming ～ piàoliang. → 她不但聪明, 也很漂亮。Tā búdàn cōngming, yě hěn piàoliang. 例这房子很大, ～很干净。Zhè fángzi hěn dà, ～ hěn gānjìng. | 他很年轻, ～非常能干。Tā hěn niánqīng, ～ fēicháng néng gàn. | 屋子～黑～小, 他不愿意住了。Wūzi ～ hēi ～ xiǎo, tā bú yuànyì zhù le. | 他是我们的老师, ～是我们的朋友。Tā shì wǒmen de lǎoshī, ～ shì wǒmen de péngyou.

Y

yòu 右 ［名］

right 例我用~手写字，大卫用左手写字。Wǒ yòng ~ shǒu xiězì, Dàwèi yòng zuǒ shǒu xiězì. |往前走500米，然后往~拐，就到了。Wǎng qián zǒu wǔbǎi mǐ, ránhòu wǎng ~ guǎi, jiù dào le. |我~眼视力好，左眼视力不太好。Wǒ ~ yǎn shìlì hǎo, zuǒ yǎn shìlì bú tài hǎo. |我们的书都是从左往~读。Wǒmen de shū dōu shì cóng zuǒ wǎng ~ dú.

yòubian 右边（右邊）［名］

~ 的建筑物有两百多年了。~ de jiànzhùwù yǒu liǎngbǎi duō nián le. →靠右的一边儿有座两百年前的建筑物。Kào yòu de yì biānr yǒu zuò liǎngbǎi nián qián de jiànzhùwù. 例坐在我~的是我爱人。Zuò zài wǒ ~ de shì wǒ àiren. |你往~看，就可以看到那座楼。Nǐ wǎng ~ kàn, jiù kěyǐ kàndào nèi zuò lóu. |银行就在邮局的~。Yínháng jiù zài yóujú de ~. |这条路上，行人和自行车都靠~走。Zhèi tiáo lù shang, xíngrén hé zìxíngchē dōu kào ~ zǒu.

yu

yú 于 ［介］

我出生~1964年。Wǒ chūshēng ~ yī jiǔ liù sì nián. →我出生在1964年。Wǒ chūshēng zài yī jiǔ liù sì nián. 例他出生~一个小山村。Tā chūshēng ~ yí ge xiǎo shāncūn. |这所大学建立~60年前。Zhèi suǒ dàxué jiànlì ~ liùshí nián qián. |他毕业~一所著名大学。Tā bìyè ~ yì suǒ zhùmíng dàxué. |运动员们已~昨天到达了我市。Yùndòngyuánmen yǐ ~ zuótiān dàodále wǒ shì. |这种水果产~美国。Zhèi zhǒng shuǐguǒ chǎn ~ Měiguó.

yúshì 于是 ［连］

我接到了你的电话，~就来了。Wǒ jiēdàole nǐ de diànhuà, ~ jiù lái le. →我接到电话以后，就来了。Wǒ jiēdào diànhuà yǐhòu, jiù lái le. 例他先走了，~我也走了。Tā xiān zǒu le, ~ wǒ yě zǒu le. |节目不太好，~他关了电视。Jiémù bú tài hǎo, ~ tā guānle diànshì. |他们请了个翻译，~问题解决了。Tāmen qǐngle ge fānyì, ~ wèntí jiějué le. |我按照你的方法做，~成功了。Wǒ ànzhào nǐ de fāngfǎ zuò, ~ chénggōng le.

yú 鱼(魚) [名]

例湖里养了很多～。Hú li yǎngle hěn duō ～. |
这条河里怎么有这么多～? Zhèi tiáo hé li
zěnme yǒu zhème duō ～? |他到水里抓了一
条大～。Tā dào shuǐ li zhuāle yì tiáo dà ～. |
我有一个月没吃鱼了。Wǒ yǒu yí ge yuè méi
chī~ le. |我爱吃～、虾等海产品。Wǒ ài chī
～、xiā děng hǎi chǎnpǐn.

鱼

yúkuài 愉快 [形]

他快结婚了，心情非常～。Tā kuài jiéhūn le, xīnqíng fēicháng ～.
→他感到心情舒畅，生活幸福。Tā gǎndào xīnqíng shūchàng,
shēnghuó xìngfú. 例这个假期我过得很～。Zhèige jiàqī wǒ guò de
hěn ～. |校长～地答应了学生们的要求。Xiàozhǎng ～ de dāyìngle
xuéshēngmen de yāoqiú. |在这～的节日里，大家又唱又跳。Zài
zhè ~ de jiérì li, dàjiā yòu chàng yòu tiào. |他脸上露出了～的微笑。
Tā liǎn shang lòuchūle ～ de wēixiào. |他工作出了错儿，这几天很不
～。Tā gōngzuò chūle cuòr, zhèi jǐ tiān hěn bù ～.

yǔ 与¹ (與) [介]

北京～香港的天气不一样。Běijīng ～ Xiānggǎng de tiānqì bù yíyàng.
→北京、香港两个地方的天气不一样。Běijīng、Xiānggǎng liǎng ge
dìfang de tiānqì bù yíyàng. 例他～妻子的关系非常好。Tā ～ qīzi de
guānxi fēicháng hǎo. |我～他们谈不到一起。Wǒ ～ tāmen tán bu
dào yìqǐ. |大卫想～我们一块儿去旅行。Dàwèi xiǎng ～ wǒmen
yíkuàir qù lǚxíng. |这件事～你没有关系。Zhèi jiàn shì ～ nǐ méiyǒu
guānxi. |我能～你谈谈吗? Wǒ néng ～ nǐ tántan ma?

yǔ 与² (與) [连]

我喜欢看电影～电视。Wǒ xǐhuan kàn diànyǐng ～ diànshì. →我喜欢
看电影和看电视。Wǒ xǐhuan kàn diànyǐng hé kàn diànshì. 例他的爱
好是唱歌儿～跳舞。Tā de àihào shì chànggēr ～ tiàowǔ. |爸爸～妈
妈都来了。Bàba ～ māma dōu lái le. |男人们一般喜欢喝酒～抽烟。
Nánrénmen yìbān xǐhuan hē jiǔ ～ chōuyān. |生～死是每个人都要经
历的事。Shēng ～ sǐ shì měi ge rén dōu yào jīnglì de shì.

yǔmáoqiú 羽毛球 [名]

例这个～坏了，不能用了。Zhèige ～ huài le, bù néng yòng le. |我去

Y

买两个 ~ 。Wǒ qù mǎi liǎng ge ~ . ┃我们用这个 ~ 打吧。Wǒmen yòng zhèige ~ dǎ ba. ┃我弟弟是 ~ 运动员。Wǒ dìdi shì ~ yùndòngyuán. ┃我的业余爱好是打 ~ 。Wǒ de yèyú àihào shì dǎ ~ .

羽毛球

yǔ 雨 [名]

rain **例**下 ~ 了，我们快走吧。Xià ~ le, wǒmen kuài zǒu ba. ┃大 ~ 一直下了两天两夜。Dà ~ yìzhí xiàle liǎng tiān liǎng yè. ┃天气预报说，明天有 ~ 。Tiānqì yùbào shuō, míngtiān yǒu ~ . ┃看样子快下 ~ 了，你带把伞吧。Kàn yàngzi kuài xià ~ le, nǐ dài bǎ sǎn ba. ┃这场 ~ 下得好，天气一下子就凉快了。Zhèi cháng ~ xià de hǎo, tiānqì yíxiàzi jiù liángkuai le.

yǔyī 雨衣 [名]

快下雨了，你带上 ~ 出去吧。Kuài xià yǔ le, nǐ dàishang ~ chūqu ba. →你带上这件防雨的外衣吧。Nǐ dàishang zhèi jiàn fáng yǔ de wàiyī ba. **例**下雨了，穿上这件 ~ 吧。Xià yǔ le, chuānshang zhèi jiàn ~ ba. ┃他一进屋，就脱下了 ~ 。Tā yí jìn wū, jiù tuōxiàle ~ . ┃ ~ 上有好多水，挂在那儿晾晾吧。~ shang yǒu hǎoduō shuǐ, guà zài nàr liàngliang ba.

yǔdiào 语调（語調）[名]

我说英语时， ~ 不太好。Wǒ shuō Yīngyǔ shí, ~ bú tài hǎo. →我说英语时，语音的高低变化不太好。Wǒ shuō Yīngyǔ shí, yǔyīn de gāo dī biànhuà bú tài hǎo. **例**汉语的 ~ 很难学。Hànyǔ de ~ hěn nán xué. ┃学习口语， ~ 是很重要的。Xuéxí kǒuyǔ, ~ shì hěn zhòngyào de. ┃我想多练练 ~ ，你看有什么办法吗？Wǒ xiǎng duō liànlian ~ , nǐ kàn yǒu shénme bànfǎ ma? ┃他的发音好， ~ 也好。Tā de fāyīn hǎo, ~ yě hǎo.

yǔfǎ 语法（語法）[名]

grammer **例**我觉得汉语的 ~ 很难。Wǒ juéde Hànyǔ de ~ hěn nán. ┃我买了两本 ~ 方面的书。Wǒ mǎile liǎng běn ~ fāngmiàn de shū. ┃这个句子的 ~ 错了。Zhèige jùzi de ~ cuò le. ┃这篇文章有几个 ~ 错误。Zhèi piān wénzhāng yǒu jǐ ge ~ cuòwù.

yǔqì 语气（語氣）[名]

听他的 ~ ，好像不愿意帮忙。Tīng tā de ~ , hǎoxiàng bú yuànyì

bāngmáng. →听他说话的口气，好像不愿意帮忙。Tīng tā shuō huà de kǒuqì, hǎoxiàng bú yuànyì bāngmáng. 例他的～里有鼓励，也有批评。Tā de ～ li yǒu gǔlì, yě yǒu pīpíng. |爸爸的～非常坚决，一定要我上大学。Bàba de ～ fēicháng jiānjué, yídìng yào wǒ shàng dàxué. |你怎么能用这么不客气的～对妈妈说话呢? Nǐ zěnme néng yòng zhème bú kèqì de ～ duì māma shuōhuà ne?

yǔyán 语言（語言）[名]

language 例他会四种～：英语、法语、汉语和德语。Tā huì sì zhǒng ～: Yīngyǔ、Fǎyǔ、Hànyǔ hé Déyǔ. |古代的～跟现在的～不一样。Gǔdài de ～ gēn xiànzài de ～ bù yíyàng. |她很有～才能，学～学得很快。Tā hěn yǒu ～ cáinéng, xué ～ xué de hěn kuài. |他研究过很多种～。Tā yánjiūguo hěn duō zhǒng ～.

yǔyīn 语音（語音）[名]

～不好，别人就不容易听懂。～ bù hǎo, biéren jiù bù róngyì tīngdǒng. →说话的时候，发音不好，别人就听不懂。Shuōhuà de shíhou, fāyīn bù hǎo, biéren jiù tīng bu dǒng. 例我一边学～，一边学语法。Wǒ yìbiān xué ～, yìbiān xué yǔfǎ. |我觉得汉语的～有点儿难。Wǒ juéde Hànyǔ de ～ yǒudiǎnr nán. |我学了五年汉语了，可～还是不太好。Wǒ xuéle wǔ nián Hànyǔ le, kě ～ háishi bú tài hǎo.

yùmǐ 玉米 [名]

例这里主要生产～和小麦。Zhèlǐ zhǔyào shēngchǎn ～ hé xiǎomài. |这一片～长得很好。Zhèi yí piàn ～ zhǎng de hěn hǎo. |他喜欢吃煮～。Tā xǐhuan chī zhǔ ～. |我们种了两亩～。Wǒmen zhòngle liǎng mǔ ～. |他爱喝～粥。Tā ài hē ～ zhōu.

玉米

yùbèi 预备（預備）[动]

他们正在～结婚用品。Tāmen zhèngzài ～ jiéhūn yòngpǐn. →他们要在结婚前买好结婚用的东西。Tāmen yào zài jiéhūn qián mǎihǎo jiéhūn yòng de dōngxi. 例我们已经～好了旅游带的东西。Wǒmen yǐjing ～ hǎole lǚyóu dài de dōngxi. |晚饭我已经～好了，大家就在这儿吃吧。Wǎnfàn wǒ yǐjing ～ hǎo le, dàjiā jiù zài zhèr chī ba. |我～了很多吃的，你带上吧。Wǒ ～ le hěn duō chī de, nǐ dàishang ba. |

你出国带的东西~好了吗? Nǐ chūguó dài de dōngxi ~ hǎo le ma?

yùxí 预习(預習)［动］

我~了第十五课。Wǒ ~ le dì shíwǔ kè. →老师还没讲第十五课, 我先看了一遍。Lǎoshī hái méi jiǎng dì shíwǔ kè, wǒ xiān kànle yí biàn. 例昨天晚上我一共~了三课书。Zuótiān wǎnshang wǒ yígòng ~ le sān kè shū. I明天讲新课, 请大家先~一下儿。Míngtiān jiǎng xīn kè, qǐng dàjiā xiān ~ yíxiàr. I我~了一个小时, 生词都记住了。Wǒ ~ le yí ge xiǎoshí, shēngcí dōu jìzhù le. I老师要求同学们~课文。Lǎoshī yāoqiú tóngxuémen ~ kèwén. I我没有~, 听起来有点儿吃力。Wǒ méiyǒu ~, tīng qilai yǒudiǎnr chīlì.

yù 遇 ［动］

我们俩正好在路上相~了。Wǒmen liǎ zhènghǎo zài lù shang xiāng ~ le. →我们正好在路上碰见了。Wǒmen zhènghǎo zài lù shang pèngjiàn le. 例我在公共汽车上~见了玛丽。Wǒ zài gōnggòng qìchē shang ~ jiànle Mǎlì. I出门~上雨, 在夏天是常有的事。Chūmén ~ shang yǔ, zài xiàtiān shì cháng yǒu de shì. I他~事一点儿也不慌。Tā ~ shì yìdiǎnr yě bù huāng. I以前我也~上过这种事。Yǐqián wǒ yě ~ shang guo zhèi zhǒng shì.

yù dào 遇到

路上, 我~一场大雨。Lù shang, wǒ ~ yì cháng dàyǔ. →我正在路上时, 下起了大雨。Wǒ zhèngzài lù shang shí, xiàqǐle dàyǔ. 例船要出发时, ~了大风。Chuán yào chūfā shí, ~ le dàfēng. I他今天~了一件开心事儿。Tā jīntiān ~ le yí jiàn kāixīnshìr. I我没想到会在这儿~你。Wǒ méi xiǎngdào huì zài zhèr ~ nǐ. I我在街上~了一位老朋友, 聊了半天。Wǒ zài jiē shang ~ le yí wèi lǎo péngyou, liáole bàntiān.

yù jiàn 遇见(遇見)

我在路上~了我的老师。Wǒ zài lù shang ~ le wǒ de lǎoshī. →我在路上跟老师见了面。Wǒ zài lù shang gēn lǎoshī jiànle miàn. 例我今天~过大卫, 可我忘了告诉他下午开会。Wǒ jīntiān ~ guo Dàwèi, kě wǒ wàngle gàosu tā xiàwǔ kāihuì. I我一天~了他们两次。Wǒ yì tiān ~ le tāmen liǎng cì. I你要是能~玛丽, 请把这件事告诉她。Nǐ yàoshi néng ~ Mǎlì, qǐng bǎ zhèi jiàn shì gàosu tā. I我~他时, 他正在修车。Wǒ ~ tā shí, tā zhèngzài xiū chē.

Y

yuan

yuán 元 ［量］

用于钱。Yòngyú qián. **例**人民币十角是一～。Rénmínbì shí jiǎo shì yì～. ｜这辆汽车的价钱是 15 万～. Zhèi liàng qìchē de jiàqian shì shíwǔ wàn～. ｜我这件衣服是 500～买的。Wǒ zhèi jiàn yīfu shì wǔbǎi～mǎi de. ｜他身上只有一～钱了。Tā shēnshang zhǐyǒu yì～qián le. ｜他一年收入 10 万～以上。Tā yì nián shōurù shíwàn～yǐshàng.

yuán 员（員）［名］

他是我们中的一～，我们应该关心他。Tā shì wǒmen zhōng de yì～, wǒmen yīnggāi guānxīn tā. →他是我们这个集体中的一个，我们应该关心他。Tā shì wǒmen zhèige jítǐ zhōng de yí ge, wǒmen yīnggāi guānxīn tā. **例**公司最近效益不好，正在减～。Gōngsī zuìjìn xiàoyì bù hǎo, zhèngzài jiǎn～. ｜我们单位的人数已经超～，不能再增加了。Wǒmen dānwèi de rénshù yǐjing chāo～, bù néng zài zēngjiā le. ｜电影院满～了，没有票了。Diànyǐngyuàn mǎn～ le, méiyǒu piào le.

yuánlái 原来[1]（原來）［副］

大卫～不抽烟，现在抽起来了。Dàwèi～bù chōuyān, xiànzài chōu qilai le. →大卫以前本来不抽烟，现在开始抽了。Dàwèi yǐqián běnlái bù chōu yān, xiànzài kāishǐ chōu le. **例**我记得你～不这么胖。Wǒ jìde nǐ～bú zhème pàng. ｜他～不喜欢看球赛，现在迷得不得了。Tā～bù xǐhuan kàn qiúsài, xiànzài mí de bù déliǎo. ｜～这儿什么都没有，现在是一片楼房了。～zhèr shénme dōu méiyǒu, xiànzài shì yí piàn lóufáng le. ｜我～在大学工作，后来去了公司。Wǒ～zài dàxué gōngzuò, hòulái qùle gōngsī.

yuánlái 原来[2]（原來）［形］

他还住在～的地方。Tā hái zhù zài～de dìfang. →他住的地方没有变。Tā zhù de dìfang méiyǒu biàn. **例**这还是我～的那辆车。Zhè háishi wǒ～de nèi liàng chē. ｜这些建筑还保留着～的样子。Zhèixiē jiànzhù hái bǎoliúzhe～de yàngzi. ｜我们仍按～的计划进行。Wǒmen réng àn～de jìhuà jìnxíng. ｜那是～的眼镜，这是新买的。Nà shì～de yǎnjìng, zhè shì xīn mǎi de.

yuánliàng 原谅（原諒）[动]

他撞了我，可我~了他。Tā zhuàngle wǒ, kě wǒ~ le tā. →我没有生气，也没有批评他。Wǒ méiyǒu shēngqì, yě méiyǒu pīpíng tā. 他第一次出这样的错儿，可以~。Tā dì yī cì chū zhèiyàng de cuòr, kěyǐ~. | 我很对不起你，请你~. Wǒ hěn duìbuqǐ nǐ, qǐng nǐ~. | 我~过他好多次了。Wǒ~ guo tā hǎo duō cì le. | 我没有~大卫，狠狠批评了他一顿。Wǒ méiyǒu~ Dàwèi, hěnhěn pīpíngle tā yī dùn. | 这是很严重的错误，不能~。Zhè shì hěn yánzhòng de cuòwù, bù néng~.

yuánliào 原料 [名]

羊毛是生产毛衣的~。Yángmáo shì shēngchǎn máoyī de~. →羊毛经过加工纺织就可以制出毛衣。Yángmáo jīngguò jiāgōng fǎngzhī jiù kěyǐ zhìchū máoyī. 这些木材都是做家具的~. Zhèixiē mùcái dōu shì zuò jiājù de~. | ~太贵，产品也便宜不了。~ tài guì, chǎnpǐn yě piányi bùliǎo. | 因为没有~，所以我们停止生产了。Yīnwèi méiyǒu~, suǒyǐ wǒmen tíngzhǐ shēngchǎn le. | 这些服装~都是从国外进口的。Zhèixiē fúzhuāng~ dōu shì cóng guówài jìnkǒu de. | 你们的~还够不够用? Nǐmen de~ hái gòu bu gòu yòng?

yuányīn 原因 [名]

我不知道他们离婚的~是什么。Wǒ bù zhīdào tāmen líhūn de~ shì shénme. →我不知道他们为什么离婚。Wǒ bù zhīdào tāmen wèi shénme líhūn. 他生病的~是吃了不卫生的东西。Tā shēng bìng de~ shì chīle bú wèishēng de dōngxi. | 他没来考试的~可能有两个。Tā méi lái kǎoshì de~ kěnéng yǒu liǎng ge. | 他们正在调查这次事故的~。Tāmen zhèngzài diàochá zhèi cì shìgù de~. | 他们不想读书的~是什么? Tāmen bù xiǎng dúshū de~ shì shénme?

yuánzé 原则（原則）[名]

我做买卖的~是公平和公正。Wǒ zuò mǎimai de~ shì gōngpíng hé gōngzhèng. →我做买卖坚持的标准是公平和公正。Wǒ zuò mǎimai jiānchí de biāozhǔn shì gōngpíng hé gōngzhèng. 他做人的基本~是诚实。Tā zuò rén de jīběn~ shì chéngshí. | 我们有自己处理问题的~。Wǒmen yǒu zìjǐ chǔlǐ wèntí de~. | 他办事坚持~，从不动摇。Tā bànshì jiānchí~, cóng bú dòngyáo. | 经理~上同意了这个办法，但还要做一些修改。Jīnglǐ~ shang tóngyìle zhèige bànfǎ, dàn hái yào zuò yìxiē xiūgǎi. |他做事没有～，想怎么样就怎么样。Tā zuò shì méiyǒu～, xiǎng zěnmeyàng jiù zěnmeyàng.

yuán 圆（圆）[形]

今天晚上的月亮很～。Jīntiān wǎnshang de yuèliang hěn～. →今天晚上的月亮像球一样。Jīntiān wǎnshang de yuèliang xiàng qiú yíyàng. 例他长得～脑袋，四方脸。Tā zhǎng de～nǎodai, sìfāng liǎn. |小狗站在～球上，滚来滚去。Xiǎogǒu zhàn zài～qiú shang, gǔn lái gǔn qù. |～～的月亮真好看。～～de yuèliang zhēn hǎokàn. |你喜欢买～盒子的还是方盒子的？Nǐ xǐhuan mǎi yuán hézi de háishi fāng hézi de?

yuánzhūbǐ 圆珠笔（圆珠笔）[名]

ball-pen 例我平时用～写字，不用铅笔和钢笔。Wǒ píngshí yòng～xiězì, búyòng qiānbǐ hé gāngbǐ. |这支～很好用。Zhèi zhī～hěn hǎo yòng. |我的～没油儿了，写不出字来了。Wǒ de～méi yóur le, xiě bu chū zì lai le. |我用一下儿你的～，好吗？Wǒ yòng yíxiàr nǐ de～, hǎo ma? |这样的～多少钱一支？Zhèiyàng de～duōshao qián yì zhī?

yuánzhuō 圆桌（圆桌）[名]

我们用～吃饭，可以多坐几个人。Wǒmen yòng～chīfàn, kěyǐ duō zuò jǐ ge rén. →桌子的面是圆形的，周围可以多坐几个人。Zhuōzi de miànr shì yuánxíng de, zhōuwéi kěyǐ duō zuò jǐ ge rén. 例这张～可以坐 12 个人。Zhèi zhāng～kěyǐ zuò shí'èr ge rén. |你们人多，坐这张大～吧。Nǐmen rén duō, zuò zhèi zhāng dà～ba. |我想买一张吃饭用的～。Wǒ xiǎng mǎi yì zhāng chīfàn yòng de～. |他在这张～上吃饭，也在上面看书。Tā zài zhèi zhāng～shang chīfàn, yě zài shàngmian kàn shū.

yuǎn 远（遠）[形]

日本离美国很～。Rìběn lí Měiguó hěn～. →从日本到美国的距离特别长。Cóng Rìběn dào Měiguó de jùlí tèbié cháng. 例路太～，我们坐车去吧。Lù tài～, wǒmen zuò chē qù ba. |我家离这儿～极了，坐火车要二十多个小时。Wǒ jiā lí zhèr～jí le, zuò huǒchē yào èrshí duō ge xiǎoshí. |邮局离我们学校不～，几分钟就可以走到。Yóujú lí wǒmen xuéxiào bù～, jǐ fēnzhōng jiù kěyǐ zǒu dào. |从这儿到商店没多～，一会儿就到。Cóng zhèr dào shāngdiàn méi duō～, yíhuìr jiù dào. |我～～地看见前面有个人。Wǒ～～de kànjian qiánmiàn yǒu ge rén.

yuàn 院 [名]

他家~儿里种了很多花儿。Tā jiā ~ r li zhòngle hěn duō huār. →他在
房前围了一块地方，种了很多花儿。Tā zài fáng qián wéile yí kuài
dìfang, zhòngle hěn duō huār. 例他的房子前后各有一个 ~ 儿。Tā
de fángzi qián hòu gè yǒu yí ge ~ r. |你家的这个小 ~ 儿不错，可以
种花儿、种菜。Nǐ jiā de zhèige xiǎo ~ r búcuò, kěyǐ zhòng huār、
zhòng cài. |他家前 ~ 儿种的菜，后 ~ 儿种的果树。Tā jiā qián ~ r
zhòng de cài, hòu ~ r zhòng de guǒshù.

yuànzhǎng 院长（院長）[名]

这个医院的 ~ 是著名的医学专家。Zhèige yīyuàn de ~ shì zhùmíng
de yīxué zhuānjiā. →这个医院的最高领导人是位医学专家。Zhèige
yīyuàn de zuì gāo lǐngdǎorén shì wèi yīxué zhuānjiā. 例这所学院的
~ 是位大约三十五岁的年轻博士。Zhèi suǒ xuéyuàn de ~ shì wèi
dàyuē sānshíwǔ suì de niánqīng bóshì. |各法院的 ~ 参加了这次会
议。Gè fǎyuàn de ~ cānjiāle zhèi cì huìyì. |今天给大家讲课的是经
济学院 ~ 。Jīntiān gěi dàjiā jiǎngkè de shì jīngjì xuéyuàn ~ .

yuànzi 院子 [名]

yard 例他在 ~ 里种了很多花儿。Tā zài ~ li zhòngle hěn duō huār. |他
家的 ~ 挺大的。Tā jiā de ~ tǐng dà de. |这座房子的前后各有一个
~ 。Zhèi zuò fángzi de qián hòu gè yǒu yí ge ~ . |夏天，他喜欢在
~ 里坐着。Xiàtiān, tā xǐhuan zài ~ li zuòzhe. |老李每天早晨扫 ~ ，
这成了他的习惯。Lǎo Lǐ měi tiān zǎochen sǎo ~ , zhè chéngle tā de
xíguàn. |一楼的前头有个小 ~ 。Yī lóu de qiántou yǒu ge xiǎo ~ .

yuànwàng 愿望（願望）[名]

我的 ~ 是当一名电影演员。Wǒ de ~ shì dāng yì míng diànyǐng
yǎnyuán. →我很早就有当一名电影演员的想法，总希望能实现。
Wǒ hěn zǎo jiù yǒu dāng yì míng diànyǐng yǎnyuán de xiǎngfa, zǒng
xīwàng néng shíxiàn. 例哥哥上大学的 ~ 终于实现了。Gēge shàng
dàxué de ~ zhōngyú shíxiàn le. |你的 ~ 是美好的，但还需要努力。
Nǐ de ~ shì měihǎo de, dàn hái xūyào nǔlì. |他终于实现了自己的美
好 ~ ，成了一名教练。Tā zhōngyú shíxiànle zìjǐ de měihǎo
~ , chéngle yì míng jiàoliàn. |拿到冠军，是我们球队共同的 ~ 。Nádào
guànjūn, shì wǒmen qiúduì gòngtóng de ~ .

yuànyì 愿意(願意) [动]

她 ~ 做我的妻子。Tā ~ zuò wǒ de qīzi. →她为能做我的妻子而感到高兴。Tā wèi néng zuò wǒ de qīzi ér gǎndào gāoxìng. 例我们都 ~ 去中国旅游。Wǒmen dōu ~ qù Zhōngguó lǚyóu. | 大家都 ~ 帮助这些老人和孩子。Dàjiā dōu ~ bāngzhù zhèixiē lǎorén hé háizi. | 谁都 ~ 赢，不 ~ 输。Shéi dōu ~ yíng, bú ~ shū. | 你 ~ 吃多少就吃多少吧。Nǐ ~ chī duōshao jiù chī duōshao ba. | 我不 ~ 每天那么早起床。Wǒ bú ~ měi tiān nàme zǎo qǐ chuáng. | 你 ~ 嫁给他吗? ——我 ~。Nǐ ~ jiàgěi tā ma? ——Wǒ ~. | 我 ~ 安静一点儿。Wǒ ~ ānjìng yìdiǎnr.

yue

yuē 约(約) [动]

今天晚上的舞会，我 ~ 了玛丽。Jīntiān wǎnshang de wǔhuì, wǒ ~ le Mǎlì. →我跟玛丽说好了，她也参加。Wǒ gēn Mǎlì shuōhǎo le, tā yě cānjiā. 例我 ~ 了几个朋友一起去喝酒。Wǒ ~ le jǐ ge péngyou yìqǐ qù hē jiǔ. | 我 ~ 过大卫好几次，可他总是没时间。Wǒ ~ guo Dàwèi hǎojǐ cì, kě tā zǒngshi méi shíjiān. | 我把老师 ~ 到家里，请他给我辅导。Wǒ bǎ lǎoshī ~ dào jiāli, qǐng tā gěi wǒ fǔdǎo. | 我们俩没 ~ 好时间，所以没见着面。Wǒmen liǎ méi ~ hǎo shíjiān, suǒyǐ méi jiàn zháo miàn.

yuēhuì 约会(約會) [名]

晚上八点，我跟女朋友有个 ~。Wǎnshang bā diǎn, wǒ gēn nǚpéngyou yǒu ge ~. →我跟女朋友商量好了，晚上八点见面。Wǒ gēn nǚpéngyou shāngliang hǎo le, wǎnshang bā diǎn jiànmiàn. 例我们的 ~ 地点是公园儿门口儿。Wǒmen de ~ dìdiǎn shì gōngyuánr ménkǒur. | 我的 ~ 时间是下午四点。Wǒ de ~ shíjiān shì xiàwǔ sì diǎn. | 明天的 ~ 取消了。Míngtiān de ~ qǔxiāo le. | 上次的 ~，你怎么没来? Shàng cì de ~, nǐ zěnme méi lái?

yuè 月 [名]

month 例我学过四个 ~ 的汉语，会说一点儿。Wǒ xuéguo sì ge ~ de Hànyǔ, huì shuō yìdiǎnr. | 三 ~ 有三十一天。Sān ~ yǒu sānshíyī tiān. | ~ 底我要去香港。~ dǐ wǒ yào qù Xiānggǎng. | 到下个 ~，我就满十八岁了。Dào xià ge ~, wǒ jiù mǎn shíbā suì le. | 上个 ~

Y

我去日本旅游了。Shàng ge ~ wǒ qù Rìběn lǚyóu le. | 你们怎么 ~
~ 都有考试？Nǐmen zěnme ~ ~ dōu yǒu kǎoshì?

yuèliang 月亮 [名]

例 ~ 本身不发光。~ běnshēn bù fā
guāng. | ~ 出来了，夜晚显得明亮
了很多。~ chūlai le, yèwǎn xiǎnde
míngliàngle hěn duō. | 今晚的 ~ 又
圆又亮。Jīn wǎn de ~ yòu yuán yòu
liàng. | 白天，我们一般看不见 ~。Báitiān, wǒmen yìbān kàn bu
jiàn ~. | 中国有很多关于 ~ 的传说。Zhōngguó yǒu hěn duō guānyú
~ de chuánshuō. | 今天晚上阴天，没有 ~。Jīntiān wǎnshang yīntiān,
yīntiān, méiyǒu ~.

yuèqiú 月球 [名]

人类已经登上了 ~。Rénlèi yǐjing dēngshangle ~. →人类已经到月
亮上去过了。Rénlèi yǐjing dào yuèliang shang qùguo le. 例 ~ 本身不
能发光。~ běnshēn bù néng fā guāng. | ~ 是绕地球转的。~ shì
rào dìqiú zhuàn de. | 科学家在 ~ 上发现了冰。Kēxuéjiā zài ~ shang
fāxiànle bīng. | 也许有一天，人类会去 ~ 上居住。Yěxǔ yǒu yì tiān,
rénlèi huì qù ~ shang jūzhù.

yuèpiào 月票 [名]

我有 ~，就不用每次上车买票了。Wǒ yǒu ~, jiù búyòng měi cì
shàngchē mǎi piào le. →我这张票可以使用一个月。Wǒ zhèi zhāng
piào kěyǐ shǐyòng yí ge yuè. 例 乘客们，请出示您的车票、~.
Chéngkèmen, qǐng chūshì nín de chēpiào、~. | 到月底了，我的 ~
该换了。Dào yuèdǐ le, wǒ de ~ gāi huàn le. | 今天是 8 月 30 号，我
该买九月的 ~ 了。Jīntiān shì Bāyuè sānshí hào, wǒ gāi mǎi Jiǔyuè
de ~ le. | ~ 上要贴上本人的照片儿。~ shang yào tiēshang běnrén
de zhàopiānr.

yuèdú 阅读（閱讀）[动]

他 ~ 过大量的小说。Tā ~ guo dàliàng de xiǎoshuō. →他看过很多的
小说。Tā kànguo hěn duō de xiǎoshuō. 例 他在很认真地 ~ 报纸上
的文章。Tā zài hěn rènzhēn de ~ bàozhǐ shang de wénzhāng. | 这本
历史书我 ~ 过三遍了。Zhèi běn lìshǐ shū wǒ ~ guo sān biàn le. | 我
刚学了一个月汉语，还 ~ 不了中文报纸。Wǒ gāng xuéle yí ge yuè

Hànyǔ, hái ~ bu liǎo Zhōngwén bàozhǐ. | 这本杂志我还没 ~ 完。 Zhèi běn zázhì wǒ hái méi ~ wán. | 这篇文章我们都该仔细 ~ ~. Zhèi piān wénzhāng wǒmen dōu gāi zǐxì ~ ~.

yuèlǎnshì 阅览室（閱覽室）[名]

图书馆新开了两个报纸 ~。Túshūguǎn xīn kāile liǎng ge bàozhǐ ~. →图书馆又多了两个让人看报纸的屋子。Túshūguǎn yòu duōle liǎng ge ràng rén kàn bàozhǐ de wūzi. 例我昨天晚上去 ~ 了，没在家。 Wǒ zuótiān wǎnshang qù ~ le, méi zài jiā. | 这篇文章是我在 ~ 里找 到的。Zhèi piān wénzhāng shì wǒ zài ~ li zhǎodào de. | 现在 ~ 有一 千多份报纸，五百多份杂志。Xiànzài ~ yǒu yìqiān duō fèn bàozhǐ, wǔbǎi duō fèn zázhì. | 学校的 ~ 每天都有很多人。Xuéxiào de ~ měi tiān dōu yǒu hěn duō rén.

yuèláiyuè… 越来越…（越來越…）

我丈夫 ~ 爱喝酒了。Wǒ zhàngfu ~ ài hē jiǔ le. →我丈夫一天比一 天爱喝酒了。Wǒ zhàngfu yì tiān bǐ yì tiān ài hē jiǔ le. 例天气 ~ 热 了。Tiānqì ~ rè le. | 现在，我 ~ 喜欢中国了。Xiànzài, wǒ ~ xǐhuan Zhōngguó le. | 他的汉语说得 ~ 好。Tā de Hànyǔ shuō de ~ hǎo. | 她长得 ~ 像她的妈妈了。Tā zhǎng de ~ xiàng tā māma le. | 我 ~ 习惯这里的生活了。Wǒ ~ xíguàn zhèlǐ de shēnghuó le.

yuè…yuè… 越…越…

雨 ~ 下 ~ 大。Yǔ ~ xià ~ dà. →雨开始下得不太大，随着时间加长， 雨不断变大。Yǔ kāishǐ xià de bú tài dà, suízhe shíjiān jiā cháng, yǔ búduàn biàn dà. 例你 ~ 批评他，他 ~ 不高兴。Nǐ ~ pīpíng tā, tā ~ bù gāoxìng. | 这件事我 ~ 想 ~ 不明白。Zhèi jiàn shì wǒ ~ xiǎng ~ bù míngbai. | 你 ~ 是求他，他 ~ 是看不起你。Nǐ ~ shì qiú tā, tā ~ shì kànbuqǐ nǐ. | 他 ~ 吃 ~ 胖，成了现在的样子。Tā ~ chī ~ pàng, chéngle xiànzài de yàngzi. | 我 ~ 想说， ~ 说不出来。Wǒ ~ xiǎng shuō, ~ shuō bu chūlái.

yun

yún 云（雲）[名]

cloud 例天上的 ~ 越来越多，可能要下雨。Tiānshang de ~ yuèláiyuè duō, kěnéng yào xià yǔ. | 天上飘着几片 ~。Tiānshang piāozhe jǐ piàn ~. | 一会儿，~ 就被风吹散了。Yíhuìr, ~ jiù bèi fēng chuīsàn le. |

明天的天气是多 ~ 。Míngtiān de tiānqì shì duō ~ . |飞机飞到 ~ 里去
了。Fēijī fēidào ~ li qù le. |今天阳光很好，天空中几乎没什么 ~ 。
Jīntiān yángguāng hěn hǎo, tiānkōng zhōng jīhū méi shénme ~ .

yǔnxǔ 允许（允許）［动］

学生们要求减少考试，校长 ~ 了。Xuéshengmen yāoqiú jiǎnshǎo
kǎoshì, xiàozhǎng ~ le. →校长答应了学生们的要求。Xiàozhǎng
dāyingle xuéshengmen de yāoqiú. 例家长 ~ 孩子一天看两个小时电
视。Jiāzhǎng ~ háizi yì tiān kàn liǎng ge xiǎoshí diànshì. |我 ~ 你喝
酒，但不要喝太多。Wǒ ~ nǐ hē jiǔ, dàn búyào hē tài duō. |学校不
~ 孩子们吸烟。Xuéxiào bù ~ háizimen xīyān. |如果时间 ~ ，我就去
医院看她。Rúguǒ shíjiān ~ , wǒ jiù qù yīyuàn kàn tā. |没有领导 ~ ，
我不能随便不去。Méiyǒu lǐngdǎo ~ , wǒ bù néng suíbiàn bú qù.

yùn 运（運）［动］

我们从南方 ~ 来了五车苹果。Wǒmen cóng nánfāng ~ láile wǔ chē
píngguǒ. →我们从南方用五辆车拉来了很多苹果。Wǒmen cóng
nánfāng yòng wǔ liàng chē lālaile hěn duō píngguǒ. 例行李都 ~ 走
了。Xíngli dōu ~ zǒu le. |我们的汽车都 ~ 蔬菜去了。Wǒmen de
qìchē dōu ~ shūcài qù le. |山里的水果 ~ 不出来。Shān li de shuǐguǒ
~ bu chūlái. |这些食品是用飞机 ~ 来的。Zhèixiē shípǐn shì yòng
fēijī ~ lai de. |这么多家具，一车 ~ 不完。Zhème duō jiājù, yì chē
bu wán.

yùnshū 运输[1]（運輸）［动］

这些水果要用飞机 ~ 到北方。Zhèixiē shuǐguǒ yào yòng fēijī ~ dào
běifāng. →这些水果要装到飞机上运到北方。Zhèixiē shuǐguǒ yào
zhuāngdào fēijī shang yùndào běifāng. 例这几辆车是专门 ~ 蔬菜用
的。Zhèi jǐ liàng chē shì zhuānmén ~ shūcài yòng de. |去年，我们
向灾区 ~ 了大量食品。Qùnián, wǒmen xiàng zāiqū ~ le dàliàng
shípǐn. |他们用船 ~ 生活用品。Tāmen yòng chuán ~ shēnghuó
yòngpǐn. |这些设备全是靠牛 ~ 过来的。Zhèixiē shèbèi quán shì kào
niú ~ guolai de.

yùnshū 运输[2]（運輸）［名］

我们有多种 ~ 方式，可以满足你们的需要。Wǒmen yǒu duō zhǒng
~ fāngshì, kěyǐ mǎnzú nǐmen de xūyào. →我们有很多种运东西的
业务。Wǒmen yǒu hěn duō zhǒng yùn dōngxi de yèwù. 例这里的交

通~十分发达。Zhèlǐ de jiāotōng ~ shífēn fādá. | 我们主要依靠公路
~和铁路~。Wǒmen zhǔyào yīkào gōnglù ~ hé tiělù ~. | 我是搞~
的，交通问题难不倒我。Wǒ shì gǎo ~ de, jiāotōng wèntí nán bu
dǎo wǒ. | 经过长途~，有些水果已经烂了。Jīngguò chángtú ~,
yǒuxiē shuǐguǒ yǐjing làn le.

yùndòng 运动¹（運動）[动]

大卫去球场上~了。Dàwèi qù qiúchǎng shang ~ le. →大卫去球场
上锻炼身体了。Dàwèi qù qiúchǎng shang duànliàn shēntǐ le. 例他
每天~两个小时。Tā měi tiān ~ liǎng ge xiǎoshí. | 他不停地~，希
望身体早点儿好起来。Tā bù tíng de ~, xīwàng shēntǐ zǎo diǎnr hǎo
qilai. | 我在办公桌前坐了一上午，现在要出去~~。Wǒ zài
bàngōngzhuō qián zuòle yí shàngwǔ, xiànzài yào chūqu ~ ~. | 我~
完以后，觉得浑身舒服多了。Wǒ ~ wán yǐhòu, juéde húnshēn
shūfu duō le. | 我喜欢~，像爬山啦，滑冰啦等等。Wǒ xǐhuan ~,
xiàng pá shān la, huábīng la děngděng.

yùndòng 运动²（運動）[名]

~能使人健康。~ néng shǐ rén jiànkāng. →体育活动可以让人健
康。Tǐyù huódòng kěyǐ ràng rén jiànkāng. 例我最喜欢参加体育~，
像打篮球、跑步、打网球等等。Wǒ zuì xǐhuan cānjiā tǐyù ~, xiàng
dǎ lánqiú、pǎobù、dǎ wǎngqiú děngděng. | 足球~受到了许多人的
欢迎。Zúqiú ~ shòudàole xǔduō rén de huānyíng. | 他的~成绩一直
是第一名。Tā de ~ chéngjì yìzhí shì dì yī míng. | 散步也是一种~。
Sànbù yě shì yì zhǒng ~.

yùndònghuì 运动会（運動會）[名]

最近，我们学校要举行一个~。Zuìjìn, wǒmen xuéxiào yào jǔxíng yí
ge ~. →我们要举行一次学生们参加的多项体育比赛的大会。
Wǒmen yào jǔxíng yí cì xuéshengmen cānjiā de duōxiàng tǐyù bǐsài de
dàhuì. 例奥林匹克~有很长的历史了。Àolínpǐkè ~ yǒu hěn cháng
de lìshǐ le. | 这个~要开十天。Zhèige ~ yào kāi shí tiān. | 明年四
月，我们要举办全国~。Míngnián Sìyuè, wǒmen yào jǔbàn quán
guó ~. | 他在这次~上取得了两个第一名。Tā zài zhèi cì ~ shang
qǔdéle liǎng ge dì yī míng.

yùndòngyuán 运动员（運動員）[名]

他是一名游泳~。Tā shì yì míng yóuyǒng ~. →他是参加游泳比赛

的人。Tā shì cānjiā yóuyǒng bǐsài de rén. **例**他想当一名足球～。Tā xiǎng dāng yì míng zúqiú ～. ｜这次比赛有一千多名～参加。Zhèi cì bǐsài yǒu yìqiān duō míng ～ cānjiā. ｜这些～分别来自不同的国家和地区。Zhèi xiē ～ fēnbié láizì bùtóng de guójiā hé dìqū. ｜～们每天要保证三个小时的训练时间。～ men měi tiān yào bǎozhèng sān ge xiǎoshí de xùnliàn shíjiān. ｜他有～一样的身体，非常健康。Tā yǒu ～ yíyàng de shēntǐ, fēicháng jiànkāng.

yùnyòng 运用（運用）［动］

这些生词只有～一遍，才能记住。Zhèixiē shēngcí zhǐyǒu ～ yí biàn, cái néng jìzhù. →这些生词只有在句子中正确使用一次，才不容易忘记。Zhèixiē shēngcí zhǐyǒu zài jùzi zhōng zhèngquè shǐyòng yí cì, cái bù róngyì wàngjì. **例**我们～计算机技术，解决了这个难题。Wǒmen ～ jìsuànjī jìshù, jiějuéle zhèige nántí. ｜他把学到的新知识～到了生产中，很有效果。Tā bǎ xuédào de xīn zhīshi ～ dàole shēngchǎn zhōng, hěn yǒu xiàoguǒ. ｜我～电脑十分熟练。Wǒ ～ diànnǎo shífēn shúliàn. ｜这种新方法我还不会～。Zhèi zhǒng xīn fāngfǎ wǒ hái bú huì ～.

Y

Z

za

zá 杂[1]（雜）[形]

商店里的人很～，什么样的人都有。Shāngdiàn li de rén hěn ～, shénme yàng de rén dōu yǒu. →商店里有各种各样的人。Shāngdiàn li yǒu gèzhǒng gèyàng de rén. 例酒吧里人挺～，应该小心点儿。Jiǔbā li rén tǐng ～, yīnggāi xiǎoxīn diǎnr. | 今天我的事儿特别～，有好几件不同的事儿要办。Jīntiān wǒ de shìr tèbié ～, yǒu hǎojǐ jiàn bùtóng de shìr yào bàn. | 我吃东西吃得太～，胃有点儿不舒服。Wǒ chī dōngxi chī de tài ～, wèi yǒudiǎnr bù shūfu.

zá 杂[2]（雜）[动]

这箱苹果里～着几个橘子。Zhèi xiāng píngguǒ li ～ zhe jǐ ge júzi. →苹果中间有不多的几个橘子。Píngguǒ zhōngjiān yǒu bù duō de jǐ ge júzi. 例他的黑头发里～着一些白头发。Tā de hēi tóufa li ～ zhe yìxiē bái tóufa. | 我的几本书和他的～在一起，很难找出来。Wǒ de jǐ běn shū hé tā de ～ zài yìqǐ, hěn nán zhǎo chulai. | 他的自行车～在很多的自行车里。Tā de zìxíngchē ～ zài hěn duō de zìxíngchē li.

zájì 杂技（雜技）[名]

acrobatics 例我昨天去看了～，表演的人做了很多很难的动作。Wǒ zuótiān qù kànle ～, biǎoyǎn de rén zuòle hěn duō hěn nán de dòngzuò. | 他们将为我们表演～。Tāmen jiāng wèi wǒmen biǎoyǎn ～. | 这场～表演真精彩。Zhèi chǎng ～ biǎoyǎn zhēn jīngcǎi. | 他们是最好的～演员。Tāmen shì zuì hǎo de ～ yǎnyuán.

zai

zāihài 灾害（災害）[名]

这个地区今年雨下得太多，发生了～。Zhèige dìqū jīnnián yǔ xià de tài duō, fāshēngle ～. →太多的雨给人带来了很大损失。Tài duō de yǔ gěi rén dàilaile hěn dà sǔnshī. 例风刮得非常大，住在这里的人遇到了严重的～。Fēng guā de fēicháng dà, zhù zài zhèlǐ de rén yùdàole yánzhòng de ～. | 自然～影响了人们的生活。Zìrán ～

yǐngxiǎngle rénmen de shēnghuó. l环境受到破坏，～也越来越多。
Huánjìng shòudào pòhuài, ～yě yuèláiyuè duō.

zài 再¹ [副]

我刚打了一个电话，还想～打一个。Wǒ gāng dǎle yí ge diànhuà, hái
xiǎng～dǎ yí ge. →我想打另一个电话。Wǒ xiǎng dǎ lìng yí ge
diànhuà. 例这件事还没做完，还得～花两天时间。Zhèi jiàn shì hái
méi zuòwán, hái děi～huā liǎng tiān shíjiān. l我没听清楚你的话，请
～说一遍。Wǒ méi tīng qīngchu nǐ de huà, qǐng～shuō yí biàn. l我
到银行的时候银行已经关门了，我只好明天～去。Wǒ dào yínháng
de shíhou yínháng yǐjing guānmén le, wǒ zhǐhǎo míngtiān～qù.

zài 再² [副]

我没睡够，想～睡一会儿。Wǒ méi shuìgòu, xiǎng～shuì yíhuìr. →
我还想接着睡一会儿。Wǒ hái xiǎng jiēzhe shuì yíhuìr. 例你要是还没
吃饱就～吃点儿东西。Nǐ yàoshi hái méi chībǎo jiù～chī diǎnr dōngxi. l
这本书没意思，我不想～看下去了。Zhèi běn shū méi yìsi, wǒ bù
xiǎng～kàn xiaqu le. l现在时间还早，我们～聊聊吧。Xiànzài
shíjiān hái zǎo, wǒmen～liáoliao ba. l你别～看电视了，明天还得
上班呢。Nǐ bié～kàn diànshì le, míngtiān hái děi shàngbān ne. l我
～等他十分钟就走。Wǒ～děng tā shí fēnzhōng jiù zǒu.

zài 再³ [副]

明天上午我先去银行，～去商店。Míngtiān shàngwǔ wǒ xiān qù
yínháng, ～qù shāngdiàn. →我去银行以后去商店。Wǒ qù yínháng
yǐhòu qù shāngdiàn. 例你最好先给他打个电话～去他家。Nǐ zuì hǎo
xiān gěi tā dǎ ge diànhuà～qù tā jiā. l我把信写完～去找你。Wǒ bǎ
xìn xiěwán～qù zhǎo nǐ. l你仔细考虑一下儿，然后～回答我的问题。
Nǐ zǐxì kǎolǜ yíxiàr, ránhòu～huídá wǒ de wèntí. l他打算找到工作以
后～找女朋友。Tā dǎsuan zhǎodào gōngzuò yǐhòu～zhǎo nǚpéngyou.

zàijiàn 再见(再见) [动]

我跟他说完"～"就走了。Wǒ gēn tā shuōwán "～" jiù zǒu le. →见
面结束时一般都要说再见。Jiànmiàn jiéshù shí yìbān dōu yào shuō
zàijiàn. 例我离开大卫家时对他说："～，大卫！"Wǒ líkāi Dàwèi jiā shí
duì tā shuō "～, Dàwèi!" l我们今天就聊到这儿，～了！Wǒmen
jīntiān jiù liáodào zhèr, ～le! l下次见面的时间是下星期五，我们下星
期～！Xià cì jiànmiàn de shíjiān shì xiàxīngqīwǔ, wǒmen xiàxīngqī～!

Z

zài 在¹ ［动］

他~自己的房间里，没出去。Tā ~ zìjǐ de fángjiān li, méi chūqu. →去他的房间就能找到他。Qù tā de fángjiān jiù néng zhǎodào tā. 例 他很爱看书，现在一定~图书馆里。Tā hěn ài kàn shū, xiànzài yídìng ~ túshūguǎn li. | 玛丽~哪儿？有人找她。Mǎlì ~ nǎr? yǒu rén zhǎo tā. | 安娜去旅游了，这几天都不~家。Ānnà qù lǚyóu le, zhèi jǐ tiān dōu bú ~ jiā. | 他的书都~书架上。Tā de shū dōu ~ shūjià shang. | 邮局~银行的北边。Yóujú ~ yínháng de běibian. | 我的词典没~书包里，可能丢了。Wǒ de cídiǎn méi ~ shūbāo li, kěnéng diū le.

zài 在² ［副］

他现在~写信，你别打扰他。Tā xiànzài ~ xiě xìn, nǐ bié dǎrǎo tā. →他现在正在做的事是写信。Tā xiànzài zhèngzài zuò de shì shì xiě xìn. 例 爸爸~看报纸。Bàba ~ kàn bàozhǐ. | 已经是半夜了，人们都~睡觉。Yǐjing shì bànyè le, rénmen dōu ~ shuìjiào. | 他没~跟你开玩笑，他说的都是真的。Tā méi ~ gēn nǐ kāiwánxiào, tā shuō de dōu shì zhēnde. | 大卫~给人照相呢。Dàwèi ~ gěi rén zhàoxiàng ne. | 他昨天晚上一直~学习。Tā zuótiān wǎnshang yìzhí ~ xuéxí.

zài 在³ ［介］

我~房间里听音乐。Wǒ ~ fángjiān li tīng yīnyuè. →我听音乐的地方是房间里。Wǒ tīng yīnyuè de dìfang shì fángjiān li. 例 她~图书馆里看书。Tā ~ túshūguǎn li kàn shū. | 我跟朋友约好~学校门口见面。Wǒ gēn péngyou yuēhǎo ~ xuéxiào ménkǒu jiànmiàn. | 大卫~中国学过一年汉语。Dàwèi ~ Zhōngguó xuéguo yì nián Hànyǔ. | 你的帽子~桌上放着呢。Nǐ de màozi ~ zhuō shang fàngzhe ne. | 我把打算送给她的礼物忘~家里了。Wǒ bǎ dǎsuan sòng gěi tā de lǐwù wàng ~ jiāli le. | 他一直站~电影院前边等我。Tā yìzhí zhàn ~ diànyǐngyuàn qiánbian děng wǒ.

zài 在⁴ ［介］

他早上一般~七点左右起床。Tā zǎoshang yìbān ~ qī diǎn zuǒyòu qǐchuáng. →他起床的时间是七点左右。Tā qǐchuáng de shíjiān shì qī diǎn zuǒyòu. 例 我~上个星期一见过他。Wǒ ~ shàng ge Xīngqīyī jiànguo tā. | 这个工作必须~这个月内完成。Zhèige gōngzuò bìxū ~ zhèige yuè nèi wánchéng. | 我得~下班以前赶回公司。Wǒ děi ~

xiàbān yǐqián gǎnhuí gōngsī. | 晚会开始的时间安排 ~ 晚上八点。
Wǎnhuì kāishǐ de shíjiān ānpái ~ wǎnshang bā diǎn. | 他们把见面的
时间改 ~ 明天了。Tāmen bǎ jiànmiàn de shíjiān gǎi ~ míngtiān le.

zan

zán 咱 [代]

哥，~ 骑着自行车去吧! Gē, ~ qízhe zìxíngchē qù ba. → 我建议哥
哥和我骑着自行车去。Wǒ jiànyì gēge hé wǒ qízhe zìxíngchē qù. 例
~ 去散散步吧。 ~ qù sànsan bù ba. | 大卫，~ 一块儿去看电影吧!
Dàwèi, ~ yíkuàir qù kàn diànyǐng ba! | 这两张票是一个朋友送 ~
的。Zhèi liǎng zhāng piào shì yí ge péngyou sòng ~ de. | 大卫，~ 的
房间太乱了，~ 俩一块儿收拾一下儿吧。Dàwèi, ~ de fángjiān tài
luàn le, ~ liǎ yíkuàir shōushi yíxiàr ba.

zánmen 咱们（咱們）[代]

~ 四个人一块儿去打球吧。 ~ sì ge rén yíkuàir qù dǎ qiú ba. → 你们
三个人和我一起去打球吧。Nǐmen sān ge rén hé wǒ yìqǐ qù dǎ qiú
ba. 例 ~ 俩一起去看电影吧。 ~ liǎ yìqǐ qù kàn diànyǐng ba. | ~ 都不
去，看他怎么办。 ~ dōu bú qù, kàn tā zěnme bàn. | 小王给了 ~ 两
张电影票。Xiǎo Wáng gěile ~ liǎng zhāng diànyǐngpiào. | 你别把
房间弄脏了。Nǐ bié bǎ ~ fángjiān nòngzāng le. | ~ 大家的意见一致，
都同意明天出发。 ~ dàjiā de yìjiàn yízhì, dōu tóngyì míngtiān chūfā.

zànshí 暂时[1]（暫時）[形]

这些困难是 ~ 的，很快就能解决。Zhèixiē kùnnan shì ~ de, hěn
kuài jiù néng jiějué. → 这些困难存在的时间不会很长。Zhèixiē
kùnnan cúnzài de shíjiān bú huì hěn cháng. 例 目前的情况是 ~ 的，
不久就会改变。Mùqián de qíngkuàng shì ~ de, bùjiǔ jiù huì gǎibiàn. |
他那么聪明，找不到工作只是 ~ 的。Tā nàme cōngming, zhǎo bu
dào gōngzuò zhǐshì ~ de. | 我们没必要为现在遇到的 ~ 的问题担心。
Wǒmen méi bìyào wèi xiànzài yùdào de ~ de wèntí dānxīn. | 这次汽
油涨价只是 ~ 现象，价格很快会降下来。Zhèi cì qìyóu zhǎngjià
zhǐshì ~ xiànxiàng, jiàgé hěn kuài huì jiàng xialai.

zànshí 暂时[2]（暫時）[副]

我 ~ 住在朋友家，过两天就搬走。Wǒ ~ zhù zài péngyou jiā, guò
liǎng tiān jiù bānzǒu. → 我不会在朋友家住很长时间。Wǒ bú huì zài

péngyou jiā zhù hěn cháng shíjiān. 他的电视机～放在我这儿，下星期就拿走。Tā de diànshìjī ～ fàng zài wǒ zhèr, xiàxīngqī jiù názǒu. | 雨～停了，等会儿还会下。Yǔ ～ tíng le, děng huìr hái huì xià. | 我现在～不用这本词典，你先用吧。Wǒ xiànzài ～ bú yòng zhèi běn cídiǎn, nǐ xiān yòng ba. | 他的身体～没有大问题，明天就很难说了。Tā de shēntǐ ～ méiyǒu dà wèntí, míngtiān jiù hěn nánshuō le. | 她～不知道这件事，不过很快就会知道的。Tā ～ bù zhīdào zhèi jiàn shì, búguò hěn kuài jiù huì zhīdao de.

zànchéng 赞成（贊成）[动]

他的意见是对的，我～。Tā de yìjiàn shì duì de, wǒ ～. →我同意他的意见。Wó tóngyì tā de yìjiàn. 她提了一个好建议，大家都～。Tā tíle yí ge hǎo jiànyì, dàjiā dōu ～. | 我不～他的错误看法。Wǒ bú ～ tā de cuòwù kànfǎ. | 现在去旅游太热了，我～改变计划。Xiànzài qù lǚyóu tài rè le, wǒ ～ gǎibiàn jìhuà. | 他很有能力，～他当市长的人很多。Tā hěn yǒu nénglì, ～ tā dāng shìzhǎng de rén hěn duō. | 我对他的合理想法表示～。Wǒ duì tā de hélǐ xiǎngfa biǎoshì ～.

zang

zāng 脏（臟）[形]

他的衣服很～。Tā de yīfu hěn ～. →他的衣服穿了很长时间一直没洗。Tā de yīfu chuānle hěn cháng shíjiān yìzhí méi xǐ. 我一天没洗手了，手很～。Wǒ yì tiān méi xǐ shǒu le, shǒu hěn ～. | 地上有一些～东西。Dìshang yǒu yìxiē ～ dōngxi. | 妈妈正在给孩子洗他那～～的小脸儿。Māma zhèngzài gěi háizi xǐ tā nà ～ ～ de xiǎoliǎnr. | 他把我的新帽子弄～了。Tā bǎ wǒ de xīn màozi nòng ～ le.

zao

zāodào 遭到 [动]

我的建议～了他的反对。Wǒ de jiànyì ～ le tā de fǎnduì. →我的建议受到了他的反对。Wǒ de jiànyì shòudàole tā de fǎnduì. 他的做法～了大家的批评。Tā de zuòfǎ ～ le dàjiā de pīpíng. | 他说出来的办法，没～反对。Tā shuō chulai de bànfǎ, méi ～ fǎnduì. | 地震使铁路～了破坏，大家只好去坐飞机。Dìzhèn shǐ tiělù ～ le pòhuài, dàjiā zhǐhǎo qù zuò fēijī.

Z

zāoshòu 遭受 [动]

他家最近 ~ 了火灾。Tā jiā zuìjìn ~ le huǒzāi. →他家发生火灾，这是件不幸的事情。Tā jiā fāshēng huǒzāi, zhè shì jiàn búxìng de shìqing. 例这个地区上个月 ~ 了严重的水灾。Zhèige dìqū shàng ge yuè ~ le yánzhòng de shuǐzāi. | 他的生活一直挺顺利，没 ~ 过什么不幸的事情。Tā de shēnghuó yìzhí tǐng shùnlì, méi ~ guo shénme búxìng de shìqing. | 昨晚的大风使这个地区 ~ 了很大的损失。Zuówǎn de dàfēng shǐ zhèige dìqū ~ le hěn dà de sǔnshī. | ~ 水灾的地区，人们生活很困难。~ shuǐzāi de dìqū, rénmen shēnghuó hěn kùnnan.

zāo 糟 [形]

他的身体很 ~ 。Tā de shēntǐ hěn ~ . →他的身体很不好，常常生病。Tā de shēntǐ hěn bù hǎo, chángcháng shēngbìng. 例他的汽车太 ~ 了，经常出毛病。Tā de qìchē tài ~ le, jīngcháng chū máobing. | 这几天天气 ~ 透了，不是刮大风就是下大雨。Zhèi jǐ tiān tiānqì ~ tòu le, bú shì guā dàfēng jiù shì xià dàyǔ. | 这么 ~ 的东西谁也不想买。Zhème ~ de dōngxi shéi yě bù xiǎng mǎi. | 他把这件事办 ~ 了，大家都很不满意。Tā bǎ zhèi jiàn shì bàn ~ le, dàjiā dōu hěn bù mǎnyì.

zāogāo 糟糕 [形]

今天的天气真 ~ 。Jīntiān de tiānqì zhēn ~ . →今天的天气很不好。Jīntiān de tiānqì hěn bù hǎo. 例这部电影很 ~ ，没几个人喜欢。Zhèi bù diànyǐng hěn ~ , méi jǐ ge rén xǐhuan. | 他今天碰到好几件 ~ 的事。Tā jīntiān pèngdào hǎojǐ jiàn ~ de shì. | 这么 ~ 的情况，他还是第一次遇到。Zhème ~ de qíngkuàng, tā háishi dì yī cì yùdào. | 这个菜做得 ~ 透了，真难吃。Zhèige cài zuò de ~ tòu le, zhēn nán chī. | 昨天的篮球比赛，他们打得太 ~ 了。Zuótiān de lánqiú bǐsài, tāmen dǎ de tài ~ le. | ~ ，我忘了带钱包了！~ , wǒ wàngle dài qiánbāo le.

zǎo 早[1] [形]

刚七点，离八点见面的时间还 ~ 呢。Gāng qī diǎn, lí bā diǎn jiànmiàn de shíjiān hái ~ ne. →现在离八点见面还有挺长的时间。Xiànzài lí bā diǎn jiànmiàn hái yǒu tǐng cháng de shíjiān. 例电影开演的时间还 ~ 着呢。Diànyǐng kāiyǎn de shíjiān hái ~ zhene. | 他上大学的时间比我 ~ 。Tā shàng dàxué de shíjiān bǐ wǒ ~ . | 他 ~ ~ 地起了

床跑步去了。Tā ~ ~ de qǐle chuáng pǎobù qù le. | 他是最 ~ 知道这个消息的人。Tā shì zuì ~ zhīdao zhèige xiāoxi de rén. | 您来 ~ 了，图书馆八点才开门呢。Nín lái ~ le, túshūguǎn bā diǎn cái kāimén ne. | 小王，~点儿睡吧，明天早上得起得 ~ 点儿。Xiǎo Wáng, ~ diǎnr shuì ba, míngtiān zǎoshang děi qǐ de ~ diǎnr.

zǎo 早² [形]

老师 ~！Lǎoshī ~! → 早上第一次见面时，人们常说 "早!" Zǎoshang dì yī cì jiànmiàn shí, rénmen cháng shuō "Zǎo!" 例您 ~。Nín ~. | 大家 ~。Dàjiā ~. | 大卫，你 ~ 啊。Dàwèi, nǐ ~ a. | ~，各位。~, gè wèi.

zǎo 早³ [副]

你不用说了，这件事我 ~ 知道了。Nǐ búyòng shuō le, zhèi jiàn shì wǒ ~ zhīdao le. → 这件事在你说话之前我已经知道了。Zhèi jiàn shì zài nǐ shuōhuà zhīqián wǒ yǐjing zhīdao le. 例你现在才来找他，他 ~ 走了。Nǐ xiànzài cái lái zhǎo tā, tā ~ zǒu le. | 您给我的钱 ~ 花完了。Nín gěi wǒ de qián ~ huāwán le. | 那件事我 ~ 忘了。Nèi jiàn shì wǒ ~ wàng le. | 你说的那条红裙子呀，我 ~ 把它送人了。Nǐ shuō de nèi tiáo hóng qúnzi ya, wǒ ~ bǎ tā sòng rén le.

zǎochen 早晨 [名]

他每天 ~ 都去跑步。Tā měi tiān ~ dōu qù pǎobù. → 他每天从天快亮的时候到上午八九点钟这段时间里都去跑一会儿步。Tā měi tiān cóng tiān kuài liàng de shíhou dào shàngwǔ bā jiǔ diǎnzhōng zhèi duàn shíjiān li dōu qù pǎo yíhuìr bù. 例他今天 ~ 六点就起床了。Tā jīntiān ~ liù diǎn jiù qǐchuáng le. | ~ 在公园里散步的人很多。~ zài gōngyuán li sànbù de rén hěn duō. | ~，树林里的空气很好。~, shùlín li de kōngqì hěn hǎo. | 我打算把跑步的时间从晚上改到 ~。Wǒ dǎsuan bǎ pǎobù de shíjiān cóng wǎnshang gǎidào ~.

zǎofàn 早饭（早飯）[名]

我今天没吃 ~。Wǒ jīntiān méi chī ~. → 我今天早上没吃东西。Wǒ jīntiān zǎoshang méi chī dōngxi. 例他天天都自己做 ~。Tā tiāntiān dōu zìjǐ zuò ~. | 这顿 ~ 是她做的。Zhèi dùn ~ shì tā zuò de. | ~ 的营养很重要。~ de yíngyǎng hěn zhòngyào. | 他的 ~ 很简单，就是一杯牛奶，两片儿面包。Tā de ~ hěn jiǎndān, jiù shì yì bēi niúnǎi, liǎng piànr miànbāo.

Z

zǎoshang 早上 [名]

从天快亮的时候到上午八九点钟都可以说是"~"。Cóng tiān kuài liàng de shíhou dào shàngwǔ bā jiǔ diǎnzhōng dōu kěyǐ shuō shì "~". →这是黑夜已过去，白天刚开始的一段时间。Zhè shì hēiyè yǐ guòqu, báitiān gāng kāishǐ de yí duàn shíjiān. **例**你今天~几点起床的？Nǐ jīntiān ~ jǐ diǎn qǐ chuáng de？| 我昨天晚上睡得太晚了，今天~没按时起床。Wǒ zuótiān wǎnshang shuì de tài wǎn le, jīntiān ~ méi ànshí qǐchuáng. | ~的新闻广播他天天都听。~ de xīnwén guǎngbō tā tiāntiān dōu tīng.

zào 造 [动]

这个工厂~过很多汽车。Zhèige gōngchǎng ~ guo hěn duō qìchē. →这个工厂以前生产过很多汽车。Zhèige gōngchǎng yǐqián shēngchǎnguo hěn duō qìchē. **例**他的公司主要~船。Tā de gōngsī zhǔyào ~ chuán. | 这家公司~出了世界上最好的飞机。Zhèi jiā gōngsī ~ chūle shìjiè shang zuì hǎo de fēijī. | 他们目前还~不了这么先进的电脑。Tāmen mùqián hái ~ bu liǎo zhème xiānjìn de diànnǎo. | 这家工厂是~纸的。Zhèi jiā gōngchǎng shì ~ zhǐ de. | 这个公司~的手表在全世界都很有名。Zhèige gōngsī ~ de shǒubiǎo zài quán shìjiè dōu hěn yǒumíng.

zào jù 造句

老师让学生用"马上"~。Lǎoshī ràng xuésheng yòng "mǎshàng" ~ . →老师让学生说一个有"马上"这个词在内的句子。Lǎoshī ràng xuésheng shuō yí ge yǒu "mǎshàng" zhèige cí zàinèi de jùzi. **例**大卫，请你用"可爱"~。Dàwèi, qǐng nǐ yòng "kě'ài" ~ . | ~练习对学习语言有很大的帮助。~ liànxí duì xuéxí yǔyán yǒu hěn dà de bāngzhù. | 今天老师让我们每人造三个句子。Jīntiān lǎoshī ràng wǒmen měi rén zào sān ge jùzi.

ze

zé 则（则）[连]

他哥哥喜欢喝酒，他~一点儿也不喜欢。Tā gēge xǐhuan hē jiǔ, tā ~ yìdiǎnr yě bù xǐhuan. →他跟他哥哥不一样，他一点儿也不喜欢喝酒。Tā gēn tā gēge bù yíyàng, tā yìdiǎnr yě bù xǐhuan hē jiǔ. **例**大卫喜欢打篮球，我~喜欢打网球。Dàwèi xǐhuan dǎ lánqiú, wǒ ~

xǐhuan dǎ wǎngqiú. |这个地方白天很热闹，晚上～非常安静。
Zhèige dìfang báitiān hěn rènao, wǎnshang ～ fēicháng ānjìng. |大家
都想去看电影，他～想回家去睡觉。Dàjiā dōu xiǎng qù kàn
diànyǐng, tā ～ xiǎng huíjiā qù shuìjiào.

zérèn 责任[1] （責任）[名]

照顾孩子是父母的～。Zhàogù háizi shì fùmǔ de ～. →那是父母应
该做的事情。Nà shì fùmǔ yīnggāi zuò de shìqing. 例治好病人是医
生的～。Zhìhǎo bìngrén shì yīshēng de ～. |商店的～就是让顾客满
意。Shāngdiàn de ～ jiù shì ràng gùkè mǎnyì. |他是个老师，一直把
教好学生作为自己的～。Tā shì ge lǎoshī, yìzhí bǎ jiāohǎo xuésheng
zuòwéi zìjǐ de ～. |我是他的好朋友，有～帮助他。Wǒ shì tā de hǎo
péngyou, yǒu ～ bāngzhù tā. |今天开晚会，他的～是准备饮料。
Jīntiān kāi wǎnhuì, tā de ～ shì zhǔnbèi yǐnliào.

zérèn 责任[2] （責任）[名]

这件事没办好，是我的～。Zhèi jiàn shì méi bànhǎo, shì wǒ de ～.
→这件事没办好，主要的原因是因为我。Zhèi jiàn shì méi bànhǎo,
zhǔyào de yuányīn shì yīnwèi wǒ. 例今天的活动大家不太满意，我
们有～。Jīntiān de huódòng dàjiā bú tài mǎnyì, wǒmen yǒu ～. |这
次交通事故他的～很大。Zhèi cì jiāotōng shìgù tā de ～ hěn dà. |他
应该对这次事故负主要～。Tā yīnggāi duì zhèi cì shìgù fù zhǔyào ～. |
公司遭受了很大损失，～在他，我们没什么～。Gōngsī zāoshòule
hěn dà sǔnshī, ～ zài tā, wǒmen méi shénme ～.

zen

zěnme 怎么[1] （怎麼）[代]

这个菜～做？Zhèige cài ～ zuò. →做这个菜用什么方法？Zuò zhèige
cài yòng shénme fāngfǎ? 例这个字～念？Zhèige zì ～ niàn? |你是～
找到那个地方的？Nǐ shì ～ zhǎodào nèige dìfang de? |他是～把这么
多东西拿回家的？Tā shì ～ bǎ zhème duō dōngxi náhuí jiā de? |我不
知道～才能帮他学好这门课。Wǒ bù zhīdào ～ cái néng bāng tā
xuéhǎo zhèi mén kè. |这辆汽车你是～修好的？Zhèi liàng qìchē nǐ
shì ～ xiūhǎo de? |这句话用英语～说？Zhèi jù huà yòng Yīngyǔ ～
shuō?

Z

zěnme 怎么² （怎麼） [代]

你~迟到了？Nǐ ~ chídào le? → 你为什么迟到了？Nǐ wèishénme chídào le? 例他今天 ~ 没来参加我们的晚会？Tā jīntiān ~ méi lái cānjiā wǒmen de wǎnhuì? | 你 ~ 这么说？Nǐ ~ zhème shuō? | 你 ~ 把这么重要的事给忘了？Nǐ ~ bǎ zhème zhòngyào de shì gěi wàng le? | ~ 小王也被老师批评了一顿？~ Xiǎo Wáng yě bèi lǎoshī pīpíngle yí dùn? | 这么好看的电影他 ~ 不去看看呢？Zhème hǎokàn de diànyǐng tā ~ bú qù kànkan ne?

zěnme 怎么³ （怎麼） [代]

你说我不知道这件事，我 ~ 会不知道呢！Nǐ shuō wǒ bù zhīdào zhèi jiàn shì, wǒ ~ huì bù zhīdào ne! → 我当然知道了，你说我不知道我觉得很奇怪。Wǒ dāngrán zhīdao le, nǐ shuō wǒ bù zhīdào wǒ juéde hěn qíguài. 例你昨天 ~ 没去？——我去了。Nǐ zuótiān ~ méi qù? ——Wǒ qù le. | 他是我的好朋友，他生病了我 ~ 不着急？Tā shì wǒ de hǎo péngyou, tā shēngbìngle wǒ ~ bù zháojí? | 这么好的姑娘，大家 ~ 能不喜欢？Zhème hǎo de gūniang, dàjiā ~ néng bù xǐhuan? | 他经常骗人，他的话让人 ~ 相信呢？Tā jīngcháng piàn rén, tā de huà ràng rén ~ xiāngxìn ne?

zěnme bàn 怎么办 （怎麼辦）

到了付钱的时候才发现忘了带钱包，~？Dàole fùqián de shíhou cái fāxiàn wàngle dài qiánbāo, ~? → 这个问题怎么解决？Zhèige wèntí zěnme jiějué? 例下雨了，我没带雨伞，~？Xià yǔ le, wǒ méi dài yǔsǎn, ~? | 火车马上要开了，他还没到，~？Huǒchē mǎshàng yào kāi le, tā hái méi dào, ~? | 他着急得不得了，不知 ~ 才好。Tā zháojí de bùdéliǎo, bù zhī ~ cái hǎo. | 对这种人，该 ~ 就 ~。Duì zhèi zhǒng rén, gāi ~ jiù ~.

zěnmele 怎么了 （怎麼了）

你脸色不太好，~？Nǐ liǎnsè bú tài hǎo, ~? → 你为什么脸色不太好，有什么问题吗？Nǐ wèishénme liǎnsè bú tài hǎo, yǒu shénme wèntí ma? 例你今天很少说话，~？Nǐ jīntiān hěn shǎo shuōhuà, ~? | 你 ~，看起来这么难过？Nǐ ~, kàn qilai zhème nánguò? | 大家 ~，为什么都没什么精神？Dàjiā ~, wèishénme dōu méi shénme jīngshen? | 你今天是 ~，老是发呆？Nǐ jīntiān shì ~, lǎo shì fā dāi? | 他也不知道自己是 ~，一见到那个姑娘就脸红。Tā yě bù zhīdào zì shì ~, yí jiàndào nèige gūniang jiù liǎnhóng.

zěnmeyàng 怎么样[1] （怎麼樣）[代]

你身体 ~? Nǐ shēntǐ ~? →你身体好不好? Nǐ shēntǐ hǎo bu hǎo?
例今天天气 ~? Jīntiān tiānqì ~? |这本书 ~? Zhèi běn shū ~? |你
觉得那个电影 ~? Nǐ juéde nèige diànyǐng ~? |昨天舞会上认识的那
个人，你认为 ~? Zuótiān wǔhuì shang rènshi de nèige rén, nǐ
rènwéi ~? |这个牌子的电视机质量 ~? Zhèige páizi de diànshìjī
zhìliàng ~? |这幅画儿画得 ~? Zhèi fú huàr huà de ~?

zěnmeyàng 怎么样[2] （怎麼樣）[代]

我们一起去吃中国菜，~? Wǒmen yìqǐ qù chī Zhōngguócài, ~?
→我提议去吃中国菜，你同意吗? Wǒ tíyì qù chī Zhōngguócài, nǐ
tóngyì ma? 例我们去看一场电影，~? Wǒmen qù kàn yì chǎng
diànyǐng, ~? |我们结婚吧，~? Wǒmen jiéhūn ba, ~? |放假的
时候我们去南方旅行，~? Fàngjià de shíhou wǒmen qù nánfāng
lǚxíng, ~? |我们先去把信寄了，然后去逛街，~? Wǒmen xiān
qù bǎ xìn jì le, ránhòu qù guàng jiē, ~?

zěnyàng 怎样（怎樣）[代]

他是一个 ~ 的人，你了解吗? Tā shì yí ge ~ de rén, nǐ liǎojiě ma?
→他是一个好人还是坏人，你了解吗? Tā shì yí ge hǎorén háishi
huàirén, nǐ liǎojiě ma? 例他最近生活得 ~，我不知道。Tā zuìjìn
shēnghuó de ~, wǒ bù zhīdào. |妈妈从小就教育我应该 ~ 做人。
Māma cóng xiǎo jiù jiàoyù wǒ yīnggāi ~ zuòrén. |我会做蛋糕，我教
你 ~ 做蛋糕好吗? Wǒ huì zuò dàngāo, wǒ jiāo nǐ ~ zuò dàngāo hǎo
ma? |衣服上的脏东西 ~ 洗也洗不掉。Yīfu shang de zāng dōngxi ~
xǐ yě xǐ bu diào.

zeng

zēngjiā 增加 [动]

我的工资 ~ 了。Wǒ de gōngzī ~ le. →我的工资比以前多了。Wǒ de
gōngzī bǐ yǐqián duō le. 例他的收入 ~ 了。Tā de shōurù ~ le. |今天的
观众比昨天 ~ 了不少。Jīntiān de guānzhòng bǐ zuótiān ~ le bùshǎo. |这
家公司的职员从一百人 ~ 到了二百人。Zhèi jiā gōngsī de zhíyuán
cóng yìbǎi rén ~ dàole èrbǎi rén. |最近人口 ~ 得很快。Zuìjìn rénkǒu
~ de hěn kuài. |我希望这篇文章再 ~ 一些内容。Wǒ xīwàng zhèi

Z

piān wénzhāng zài ~ yìxiē nèiróng.

zēngzhǎng 增长（增長）[动]

公司今年的收入比去年 ~ 了。Gōngsī jīnnián de shōurù bǐ qùnián ~ le. →公司今年的收入比去年多了。Gōngsī jīnnián de shōurù bǐ qùnián duō le. 例这几年我国的经济一直在 ~。Zhèi jǐ nián wǒ guó de jīngjì yìzhí zài ~. | 商店今年的收入比去年 ~ 了百分之二十。Shāngdiàn jīnnián de shōurù bǐ qùnián ~ le bǎi fēnzhī èrshí. | 跟十年前相比，这个地区的人口 ~ 了一倍。Gēn shí nián qián xiāngbǐ, zhèige dìqū de rénkǒu ~ le yí bèi. | 这几年这个国家的经济 ~ 得很快。Zhèi jǐ nián zhèige guójiā de jīngjì ~ de hěn kuài. | 去外国旅游可以 ~ 知识。Qù wàiguó lǚyóu kěyǐ ~ zhīshi.

zha

zhā 扎 [动]

妈妈的手被针 ~ 了一下儿，流血了。Māma de shǒu bèi zhēn ~ le yí xiàr, liú xiě le. →妈妈做衣服的时候不小心，缝衣服的针尖儿刺到手上了。Māma zuò yīfu de shíhou bù xiǎoxīn, féng yīfu de zhēnjiānr cìdào shǒu shang le. 例我的手被碎玻璃 ~ 破了。Wǒ de shǒu bèi suì bōli ~ pò le. | 他的手指上 ~ 了一根刺儿。Tā de shǒuzhǐ shang ~ le yì gēn cìr. | 汽车轮胎被什么东西 ~ 坏了。Qìchē lúntāi bèi shénme dōngxi ~ huài le. | 护士小姐给他打针，~ 了两次才 ~ 进去。Hùshi xiǎojie gěi tā dǎ zhēn, ~ le liǎng cì cái ~ jinqu.

zhai

zhāi 摘 [动]

他在 ~ 苹果。Tā zài ~ píngguǒ. →他正在用手把苹果从苹果树上弄下来。Tā zhèngzài yòng shǒu bǎ píngguǒ cóng píngguǒ shù shang nòng xialai. 例小王 ~ 了好几个橘子。Xiǎo Wáng ~ le hǎojǐ gè júzi. | 这里的水果可以随便 ~。Zhèlǐ de shuǐguǒ kěyǐ suíbiàn ~. | 他从树上 ~ 下来一片叶子。Tā cóng shù shang ~ xialai yí piàn yèzi. | 门上的牌子被人 ~ 走了。Mén shang de páizi bèi rén ~ zǒu le. | 他一 ~ 帽子放在桌子上。Tā ~ xia màozi fàng zài zhuōzi shang. | 你怎么连眼镜都没 ~ 就睡觉了？Nǐ zěnme lián yǎnjìng dōu méi ~ jiù shuìjiào le?

zhǎi 窄 [形]

这条胡同儿很 ~。Zhèi tiáo hútòngr hěn ~. →这条胡同儿只有一米

宽，不能走汽车。Zhèi tiáo hútòngr zhǐyǒu yì mǐ kuān, bù néng zǒu qìchē. **例**工厂的门不~，汽车开得进去。Gōngchǎng de mén bù~, qìchē kāi de jìnqù. | 村子旁边有一条~~的小河。Cūnzi pángbiān yǒu yì tiáo ~ ~ de xiǎohé. | 街两边停着很多汽车，所以街变~了。Jiē liǎng biān tíngzhe hěn duō qìchē, suǒyǐ jiē biàn ~ le. | 人一多，马路就显得~了很多。Rén yì duō, mǎlù jiù xiǎnde ~ le hěn duō.

zhan

zhān 粘 [动]

他把邮票 ~ 在信封上。Tā bǎ yóupiào ~ zài xìnfēng shang. →在邮票的反面抹一点儿胶水儿，然后放在信封上按一下儿。Zài yóupiào de fǎnmiàn mǒ yìdiǎnr jiāoshuǐr, ránhòu fàng zài xìnfēng shang àn yí xiàr. **例**他把照片儿 ~ 在墙上。Tā bǎ zhàopiānr ~ zài qiáng shang. | 大卫的房间门上 ~ 着一张挺好看的画儿。Dàwèi de fángjiān mén shang ~ zhe yì zhāng tǐng hǎokàn de huàr. | 这两页书 ~ 在一起了。Zhèi liǎng yè shū ~ zài yìqǐ le. | 邮票掉下来了，再 ~ 一次吧。Yóupiào diào xialai le, zài ~ yí cì ba. | 墙上有土，~ 不住画儿。Qiáng shang yǒu tǔ, ~ bu zhù huàr. | 口香糖~在地上，特别难扫。Kǒuxiāngtáng ~ zài dìshang, tèbié nán sǎo.

zhǎnchū 展出 [动]

这次展览会 ~ 了许多漂亮的瓷器。Zhèi cì zhǎnlǎnhuì ~ le xǔduō piàoliang de cíqì. →展览会上摆出了许多漂亮的瓷器给大家看。Zhǎnlǎnhuì shang bǎichūle xǔduō piàoliang de cíqì gěi dàjiā kàn. **例**展览馆 ~ 了几位年轻画家的画儿。Zhǎnlǎnguǎn ~ le jǐ wèi niánqīng huàjiā de huàr. | 这些花儿将 ~ 一个星期。Zhèixiē huār jiāng ~ yí ge xīngqī. | 很多新式的汽车将在下个月的展览中 ~。Hěn duō xīnshì de qìchē jiāng zài xià ge yuè de zhǎnlǎn zhōng ~. | 这次 ~ 的古代家具有很多的品种。Zhèi cì ~ de gǔdài jiājù yǒu hěn duō de pǐnzhǒng.

zhǎn kāi 展开[1] （展開）

他把一卷画儿放到桌上，然后慢慢儿 ~。Tā bǎ yì juǎn huàr fàngdào zhuō shang, ránhòu mànmānr ~. →他把一卷画儿放到桌上，然后慢慢儿打开。Tā bǎ yì juǎn huàr fàngdào zhuō shang, ránhòu mànmānr dǎkāi. **例**他从书包里拿出地图 ~ 看起来。Tā cóng shūbāo li náchū dìtú ~ kàn qilai. | 树上的小鸟儿 ~ 翅膀飞走了。Shù shang

Z

de xiǎoniǎor ~ chìbǎng fēizǒu le. I 这两张画儿湿了，粘在一起展不开了。Zhèi liǎng zhāng huàr shī le, zhān zài yìqǐ zhǎn bu kāi le.

zhǎnkāi 展开[2] （展開）[动]

大学生运动会在五个体育场同时 ~ 。Dàxuéshēng yùndònghuì zài wǔ ge tǐyùchǎng tóngshí ~ . →大学生运动会在五个体育场大规模地进行。Dàxuéshēng yùndònghuì zài wǔ ge tǐyùchǎng dà guīmó de jìnxíng. **例**这个俱乐部将从明天起 ~ 书法大赛。Zhèige jùlèbù jiāng cóng míngtiān qǐ ~ shūfǎ dàsài. I 大家对这个问题 ~ 了激烈的争论。Dàjiā duì zhèige wèntí ~ le jīliè de zhēnglùn. I 这次电子产品展览会将在国际展览中心 ~ 。Zhèi cì diànzǐ chǎnpǐn zhǎnlǎnhuì jiāng zài guójì zhǎnlǎn zhōngxīn ~ .

zhǎnlǎn 展览[1] （展覽）[动]

这里正在 ~ 古代的艺术品。Zhèlǐ zhèngzài ~ gǔdài de yìshùpǐn. →这里摆了很多古代艺术品给大家看。Zhèlǐ bǎile hěn duō gǔdài yìshùpǐn gěi dàjiā kàn. **例**这些画儿以前在别的城市 ~ 过。Zhèixiē huàr yǐqián zài biéde chéngshì ~ guo. I 这些花儿已经 ~ 了三天，来参观的人很多。Zhèixiē huār yǐjīng ~ le sān tiān, lái cānguān de rén hěn duō. I 他把自己最好的邮票拿出来 ~ 。Tā bǎ zìjǐ zuì hǎo de yóupiào ná chulai ~ . I 这次 ~ 的东西大家都很感兴趣，所以看得很仔细。Zhèi cì ~ de dōngxi dàjiā dōu hěn gǎn xìngqù, suǒyǐ kàn de hěn zǐxì.

zhǎnlǎn 展览[2] （展覽）[名]

exhibition **例**这个 ~ 展出了很多最先进的手机。Zhèige ~ zhǎnchūle hěn duō zuì xiānjìn de shǒujī. I 这个大型 ~ 是由几个公司共同主办的。Zhèige dàxíng ~ shì yóu jǐ ge gōngsī gòngtóng zhǔbàn de. I 最近有一个邮票 ~ ，你去不去看看？Zuìjìn yǒu yí ge yóupiào ~ , nǐ qù bu qù kànkan? I 他对汽车很感兴趣，一定会去看那个汽车 ~ 的。Tā duì qìchē hěn gǎn xìngqù, yídìng huì qù kàn nèige qìchē ~ de. I 参加这次 ~ 的单位和参观的人数都超过了以前。Cānjiā zhèi cì ~ de dānwèi hé cānguān de rénshù dōu chāoguòle yǐqián. I ~ 的规模很大，一天的时间看不完。~ de guīmó hěn dà, yì tiān de shíjiān kàn bu wán.

zhǎnlǎnguǎn 展览馆（展覽館）[名]

exhibition center **例**那个 ~ 正在展览一位著名画家的作品。Nèige ~ zhèngzài zhǎnlǎn yí wèi zhùmíng huàjiā de zuòpǐn. I 这个 ~ 经常举办

各种展览。Zhèige ~ jīngcháng jǔbàn gè zhǒng zhǎnlǎn. |他有空ㄦ时最喜欢去 ~ 看展览。Tā yǒu kòngr shí zuì xǐhuan qù ~ kàn zhǎnlǎn. |这个 ~ 的面积很大，可以同时办几个大型展览。Zhèige ~ de miànjī hěn dà, kěyǐ tóngshí bàn jǐ ge dàxíng zhǎnlǎn. |一个古代艺术品展览将在这个 ~ 举行。Yí ge gǔdài yìshùpǐn zhǎnlǎn jiāng zài zhèige ~ jǔxíng.

zhǎnlǎnhuì 展览会（展覽會）[名]

exhibition 例这次 ~ 很受欢迎。Zhèi cì ~ hěn shòu huānyíng. |这个 ~ 是今年最大的一个。Zhèige ~ shì jīnnián zuì dà de yí ge. |他和几个朋友一起去邮票 ~ 了。Tā hé jǐ ge péngyou yìqǐ qù yóupiào ~ le. |这个 ~ 是由政府主办的。Zhèige ~ shì yóu zhèngfǔ zhǔbàn de. |很多公司参加了这次汽车 ~ 。Hěn duō gōngsī cānjiāle zhèi cì qìchē ~. |参观 ~ 的人都很满意。Cānguān ~ de rén dōu hěn mǎnyì. | ~ 上展出了一些最新式的电脑。 ~ shang zhǎnchūle yìxiē zuì xīnshì de diànnǎo. |这个 ~ 一共办三天。Zhèige ~ yígòng bàn sān tiān.

zhàn 占 [动]

他们班女学生 ~ 大多数。Tāmen bān nǔ xuésheng ~ dàduōshù. → 他们班大多数是女学生。Tāmen bān dàduōshù shì nǔ xuésheng. 例我们公司年轻人 ~ 多数。Wǒmen gōngsī niánqīngrén ~ duōshù. |医院里男女医生各 ~ 一半ㄦ。Yīyuàn li nán nǔ yīshēng gè ~ yíbànr. |他每个月用来租房子的钱 ~ 工资的三分之一。Tā měi ge yuè yònglái zū fángzi de qián ~ gōngzī de sān fēnzhī yī. |反对这个意见的人 ~ 了一半ㄦ。Fǎnduì zhèige yìjiàn de rén ~ le yíbànr.

zhàndòu 战斗¹（戰鬥）[动]

fight 例战士们勇敢地与敌人 ~ 着。Zhànshìmen yǒnggǎn de yǔ dírén ~ zhe. |虽然敌人比我们多得多，我们仍然在 ~ 着。Suīrán dírén bǐ wǒmen duō de duō, wǒmen réngrán zài ~ zhe. |这些战士一直 ~ 在最前线。Zhèixiē zhànshì yìzhí ~ zài zuì qiánxiàn. |他们跟敌人 ~ 了整整一天。Tāmen gēn dírén ~ le zhěngzhěng yì tiān. |战士们决心 ~ 到最后。Zhànshìmen juéxīn ~ dào zuìhòu.

zhàndòu 战斗²（戰鬥）[名]

battle 例这场 ~ 进行得很激烈。Zhèi cháng ~ jìnxíng de hěn jīliè. |这次 ~ 双方一共死伤了一千多人。Zhèi cì ~ shuāngfāng yígòng sǐshāngle yìqiān duō rén. | ~ 是在深夜开始的。 ~ shì zài shēnyè

Z

kāishǐ de . ｜到了下午，双方结束了～。Dàole xiàwǔ, shuāngfāng jiéshùle ～. ｜他父亲在一次～中受了伤。Tā fùqin zài yí cì ～ zhōng shòule shāng .

zhànshèng 战胜（戰勝）［动］

昨天晚上的足球比赛，甲队～了乙队。Zuótiān wǎnshang de zúqiú bǐsài, jiǎ duì ～ le yǐ duì . →昨天的比赛中甲队赢了，乙队输了。Zuótiān de bǐsài zhōng jiǎ duì yíng le, yǐ duì shū le . 例我们怎样才能～新的对手，得再研究一下儿。Wǒmen zěnyàng cáinéng ～ xīn de duìshǒu, děi zài yánjiū yíxiàr . ｜只要下决心，就没有～不了的困难。Zhǐyào xià juéxīn, jiù méiyǒu ～ bu liǎo de kùnnan . ｜算这次，我们已经～过他们三次了。Suàn zhèi cì, wǒmen yǐjing ～ guo tāmen sān cì le . ｜他们～过的困难已经数不清了。Tāmen ～ guo de kùnnan yǐjing shǔ bu qīng le .

zhànshì 战士（戰士）［名］

他是一名海军～。Tā shì yì míng hǎijūn ～ . →他是军队里最低一层组织的一名成员。Tā shì jūnduì li zuì dī yì céng zǔzhī de yì míng chéngyuán . 例他是一名好～。Tā shì yì míng hǎo ～ . ｜明天我们要欢迎新～。Míngtiān wǒmen yào huānyíng xīn ～ . ｜我们的～非常勇敢。Wǒmen de ～ fēicháng yǒnggǎn .

zhànzhēng 战争（戰争）［名］

war 例两国爆发了一场～。Liǎng guó bàofāle yì cháng ～ . ｜这个国家发动了这次～。Zhèige guójiā fādòngle zhèi cì ～ . ｜双方都不想发动，所以他们开始谈判。Shuāngfāng dōu bù xiǎng fādòng ～, suǒyǐ tāmen kāishǐ tánpàn . ｜～使人们遭受了痛苦。～ shǐ rénmen zāoshòule tòngkǔ . ｜～开始的时候，大家都以为会很快结束。～ kāishǐ de shíhou, dàjiā dōu yǐwéi huì hěn kuài jiéshù . ｜他出生在～时期，真是不幸。Tā chūshēng zài ～ shíqī, zhēnshi búxìng .

zhàn 站[1]［动］

stand 例他～在我旁边。Tā ～ zài wǒ pángbiān . ｜我～在安娜后面。Wǒ ～ zài Ānnà hòumian . ｜有个人在门口～着。Yǒu ge rén zài ménkǒu ～ zhe . ｜孩子太小，还不会～。Háizi tài xiǎo, hái bú huì ～ . ｜看见老师进来，大家都～了起来。Kànjiàn lǎoshī jìnlai, dàjiā dōu ～ le qilai . ｜我今天已经～了半天，快～不住了。Wǒ jīntiān yǐjing ～ le bàntiān, kuài ～ bu zhù le . ｜大家坐下吧，别～着说话。Dàjiā zuòxia ba, bié ~ zhe shuōhuà.

zhàn 站² [名]

火车马上就要进 ~ 了。Huǒchē mǎshàng jiù yào jìn ~ le. →火车马上就要开进停火车的地方了。Huǒchē mǎshàng jiù yào kāijìn tíng huǒchē de dìfang le. **例**到 ~ 的时候，请你告诉我一声儿。Dào ~ de shíhou, qǐng nǐ gàosu wǒ yì shēngr. |咱们在地铁 ~ 的入口处见面吧。Zánmen zài dìtiě ~ de rùkǒu chù jiànmiàn ba. |下一 ~ 是什么地方？Xià yí ~ shì shénme dìfang?

zhang

zhāng 张¹ （張）[量]

用于纸、桌子、嘴、床等东西。Yòngyú zhǐ、zhuōzi、zuǐ、chuáng děng dōngxi. **例**他在一 ~ 纸上写下了他的名字。Tā zài yì ~ zhǐ shang xiěxiale tā de míngzi. |我的房间有两 ~ 桌子。Wǒ de fángjiān yǒu liǎng ~ zhuōzi. |大家都说他那 ~ 嘴特别能说。Dàjiā dōu shuō tā nèi ~ zuǐ tèbié néng shuō. |乱七八糟的东西放了半 ~ 床。Luànqībāzāo de dōngxi fàngle bàn ~ chuáng. |这些画儿 ~ ~ 都很好。Zhèixiē huàr ~ ~ dōu hěn hǎo.

zhāng 张² （張）[动]

open **例**医生让我 ~ 嘴。Yīshēng ràng wǒ ~ zuǐ. |他吃惊地 ~ 着嘴。Tā chījīng de ~ zhe zuǐ. |他 ~ 开嘴让医生看牙齿。Tā ~ kāi zuǐ ràng yīshēng kàn yáchǐ. |请把嘴 ~ 大一点儿。Qǐng bǎ zuǐ ~ dà yìdiǎnr. |那只鸟儿的翅膀受伤了，~ 不开。Nèi zhī niǎor de chìbǎng shòushāng le, ~ bu kāi. |他 ~ 了 ~ 嘴，想说什么但又不敢说。Tā ~ le ~ zuǐ, xiǎng shuō shénme dàn yòu bù gǎn shuō.

zhāng 章 [量]

用于文章、音乐作品等。Yòngyú wénzhāng、yīnyuè zuòpǐn děng. **例**这本小说一共有二十 ~。Zhèi běn xiǎoshuō yígòng yǒu èrshí ~. |这本书分为十 ~，我现在只看到了第三 ~。Zhèi běn shū fēnwéi shí ~, wǒ xiànzài zhǐ kàndàole dì sān ~. |这本小说的最后几 ~ 是最有意思的部分。Zhèi běn xiǎoshuō de zuìhòu jǐ ~ shì zuì yǒu yìsi de bùfen. |这首音乐作品共分四 ~，现在听到的是第一 ~。Zhèi shǒu

Z

yīnyuè zuòpǐn gòng fēn sì ~, xiànzài tīngdào de shì dì yī ~.

zhǎng 长(長)[动]

这个孩子 ~ 高了。Zhèige háizi ~ gāo le. →孩子个子变高了。Háizi gèzi biàngāo le. 例这棵树两年前很小，现在 ~ 大了。Zhèi kē shù liǎng nián qián hěn xiǎo, xiànzài ~ dà le. | 春天来了，树叶都 ~ 出来了。Chūntiān lái le, shùyè dōu ~ chulai le. | 人到了二十多岁，个子一般就不会往上 ~ 了。Rén dàole èrshí duō suì, gèzi yìbān jiù bú huì wǎng shàng ~ le. | 我的小狗越 ~ 越大，越 ~ 越难看。Wǒ de xiǎogǒu yuè ~ yuè dà, yuè ~ yuè nánkàn. | 花园里 ~ 着很多花ᵣ。Huāyuán li ~ zhe hěn duō huār. | 小宝宝开始 ~ 牙了。Xiǎo bǎobao kāishǐ ~ yá le.

zhǎng 涨¹(漲)[动]

下了几天雨，河里的水 ~ 上来了。Xiàle jǐ tiān yǔ, héli de shuǐ ~ shanglai le. →河里的水位升高了不少。Hé li de shuǐwèi shēnggāole bù shǎo. 例每天下午四点多钟，海水就 ~ 上来了。Měi tiān xiàwǔ sì diǎn duō zhōng, hǎishuǐ jiù ~ shanglai le. | 今年雨水少的话，河水就 ~ 不起来了。Jīnnián yǔshuǐ shǎo dehuà, hé shuǐ jiù ~ bù qǐlái le. | 过去这条河年年 ~ 水。Guòqù zhèi tiáo hé niánnián ~ shuǐ. | 我们村里的那条河也 ~ 过几次水。Wǒmen cūn li de nèi tiáo hé yě ~ guo jǐ cì shuǐ.

zhǎng 涨²(漲)[动]

前几年这些东西很便宜，现在 ~ 了许多。Qián jǐ nián zhèixiē dōngxi hěn piányi, xiànzài ~ le xǔduō. →现在这些东西的价格比前几年提高了许多。Xiànzài zhèixiē dōngxi de jiàgé bǐ qián jǐ nián tígāole xǔduō. 例这几年的物价一直很平稳，基本上没 ~。Zhèi jǐ nián de wùjià yìzhí hěn píngwěn, jīběn shang méi ~. | 这种商品的价格比去年 ~ 了一倍。Zhèi zhǒng shāngpǐn de jiàgé bǐ qùnián ~ le yí bèi. | 最近有些东西 ~ 了，也有些东西的价格落了一些。Zuìjìn yǒuxiē dōngxi ~ le, yě yǒuxiē dōngxi de jiàgé làole yìxiē.

zhǎng jià 涨价(漲價)

火车票 ~ 了。Huǒchēpiào ~ le. →火车票比以前贵了。Huǒchēpiào bǐ yǐqián guì le. 例飞机票下个月要 ~。Fēijīpiào xià ge yuè yào ~. |

最近好多东西都在~。Zuìjìn hǎoduō dōngxi dōu zài ~. |大米今年已经涨了两次价，不会再涨了。Dàmǐ jīnnián yǐjing zhǎngle liǎng cì jià, bú huì zài zhǎng le. |由于~涨得太厉害，大家都有点儿担心。Yóuyú ~ zhǎng de tài lìhai, dàjiā dōu yǒudiǎnr dānxīn. |水果~的原因是今年水果比较少。Shuǐguǒ ~ de yuányīn shì jīnnián shuǐguǒ bǐjiào shǎo.

zhǎngwò 掌握 ［动］

他已经~了汉语。Tā yǐjing ~ le Hànyǔ. →他的汉语水平已经相当高，能很好地使用汉语了。Tā de Hànyǔ shuǐpíng yǐjing xiāngdāng gāo, néng hěn hǎo de shǐyòng Hànyǔ le. 例他还没~开汽车的技术。Tā hái méi ~ kāi qìchē de jìshù. |一下子学了这么多东西，我~不了。Yíxiàzi xuéle zhème duō dōngxi, wǒ ~ bùliǎo. |英语的语法他~得不太好。Yīngyǔ de yǔfǎ tā ~ de bú tài hǎo. |他们都~了发音的方法。Tāmen dōu ~ le fāyīn de fāngfǎ.

zhàng 丈 ［量］

中国使用的长度单位。Zhōngguó shǐyòng de chángdù dānwèi. 例三~等于十米。Sān ~ děngyú shí mǐ. |他买了一~布做窗帘。Tā mǎile yí ~ bù zuò chuānglián. |那棵树有三~高。Nèi kē shù yǒu sān ~ gāo. |这口井深两~。Zhèi kǒu jǐng shēn liǎng ~. |他拿来了一根一~多长的绳子准备捆行李。Tā nálaile yì gēn yí ~ duō cháng de shéngzi zhǔnbèi kǔn xíngli.

zhàngfu 丈夫 ［名］

他是小王的~。Tā shì Xiǎo Wáng de ~. →小王是他妻子。Xiǎo Wáng shì tā qīzi. 例她很爱她的~。Tā hěn ài tā de ~. |她~是开飞机的。Tā ~ shì kāi fēijī de. |她把~的衣服洗干净了。Tā bǎ ~ de yīfu xǐ gānjìng le. |她跟她以前的~因为性格不合，离婚了。Tā gēn tā yǐqián de ~ yīnwèi xìnggé bùhé, líhūn le. |当~的应该关心妻子。Dāng ~ de yīnggāi guānxīn qīzi.

zhàng 涨（漲）［动］

米里放些水，过一会儿米就~了。Mǐ li fàng xiē shuǐ, guò yíhuìr mǐ jiù ~ le. →放在水里的米过一会儿体积就变大了。Fàng zài shuǐ li de mǐ guò yíhuìr tǐjī jiù biàn dà le. 例喝完三杯水，我的肚子都~了。Hēwán sān bēi shuǐ, wǒ de dùzi dōu ~ le. |豆子被水一泡，全~开了。Dòuzi bèi shuǐ yí pào, quán ~ kāi le. |这种木头一受潮就容易

Z

~。Zhèi zhǒng mùtou yí shòucháo jiù róngyì ~.

zhao

zhāodài 招待 [动]

主人热情地~我们。Zhǔrén rèqíng de ~ wǒmen. →主人热情地欢迎我们，让我们坐下喝茶、吃东西什么的。Zhǔrén rèqíng de huānyíng wǒmen, ràng wǒmen zuòxià hē chá、chī dōngxi shénmede. **例** 我用水果~朋友。Wǒ yòng shuǐguǒ ~ péngyou. | 他来北京时，是我~的。Tā lái Běijīng shí, shì wǒ ~ de. | 我~客人们吃了一顿饭。Wǒ ~ kèrenmen chīle yí dùn fàn. | 这些客人都是我的老朋友，我得好好儿~~他们。Zhèixiē kèren dōu shì wǒ de lǎopéngyou, wǒ děi hǎohāor~ ~ tāmen. | 他把来参观的人~得非常满意。Tā bǎ lái cānguān de rén ~ de fēicháng mǎnyì.

zhāodàihuì 招待会（招待會）[名]

会谈后举行~。Huìtán hòu jǔxíng ~. →会谈结束后就请宾客们一起吃东西，或一起观看演出等。Huìtán jiéshù hòu jiù qǐng bīnkèmen yìqǐ chī dōngxi, huò yìqǐ guānkàn yǎnchū děng. **例** 今天的~开得很成功。Jīntiān de ~ kāi de hěn chénggōng. | 这样的~每年举行两次。Zhèiyàng de ~ měi nián jǔxíng liǎng cì. | 那儿正在开记者~。Nàr zhèngzài kāi jìzhě ~. | ~的规模不大，但是很起作用。~ de guīmó bú dà, dànshì hěn qǐ zuòyòng.

zhāohu 招呼[1] [动]

他在~客人。Tā zài ~ kèren. →他正在向客人问好，请他们坐下来，陪他们说话。Tā zhèngzài xiàng kèren wèn hǎo, qǐng tāmen zuò xialai, péi tāmen shuōhuà. **例** 你去~别的客人吧，不用~我。Nǐ qù ~ biéde kèren ba, búyòng ~ wǒ. | 他们来看我，我热情地~他们。Tāmen lái kàn wǒ, wǒ rèqíng de ~ tāmen. | 我不在家的时候来了个朋友，弟弟帮我~了半天。Wǒ bú zài jiā de shíhou láile ge péngyou, dìdi bāng wǒ ~ le bàntiān. | 一下子来了好多人，我都有点儿~不过来了。Yíxiàzi láile hǎoduō rén, wǒ dōu yǒudiǎnr ~ bú guòlái le.

zhāohu 招呼[2] [名]

你跟谁打~呢？Nǐ gēn shéi dǎ ~ ne? →你跟谁说客气话呢？Nǐ gēn shéi shuō kèqì huà ne? **例** 你等我一下儿，我去跟刚来的客人打个~。Nǐ děng wǒ yíxiàr, wǒ qù gēn gāng lái de kèren dǎ ge ~. | 她

怎么了，连个~也没打就走了？Tā zěnme le, lián ge ~ yě méi dǎ jiù zǒu le? | 你看见她以后，怎么~也不打一个？Nǐ kànjiàn tā yǐhòu, zěnme ~ yě bù dǎ yí ge?

zhāo shēng 招生

那个大学正在~。Nèige dàxué zhèngzài ~. →那个大学正在收新学生。Nèige dàxué zhèngzài shōu xīn xuésheng. 例你们学校什么时候~？Nǐmen xuéxiào shénme shíhou ~? | 这是那个大学第一次在外国~。Zhè shì nèige dàxué dì yī cì zài wàiguó ~. | 他们以前来这里招过生。Tāmen yǐqián lái zhèlǐ zhāoguo shēng. | 今年的~情况怎么样？Jīnnián de ~ qíngkuàng zěnmeyàng? | 他们大学的~工作完成了。Tāmen dàxué de ~ gōngzuò wánchéng le. | 他是负责~的老师之一。Tā shì fùzé ~ de lǎoshī zhī yī.

zháo 着¹ ［动］

burn 例炉子的火~了。Lúzi de huǒ ~ le. | 蜡烛没~，再用打火机点一次吧。Làzhú méi ~, zài yòng dǎhuǒjī diǎn yí cì ba. | 木头有点儿湿，用火柴点了半天才~起来。Mùtou yǒudiǎnr shī, yòng huǒchái diǎnle bàntiān cái ~ qilai. | 烟没点~，只好再点一回。Yān méi diǎn ~, zhǐhǎo zài diǎn yì huí. | 几个孩子在树林里玩儿火，结果把树烧~了。Jǐ ge háizi zài shùlín li wánr huǒ, jiéguǒ bǎ shù shāo ~ le.

zháo huǒ 着火

房子~了。Fángzi ~ le. →房子烧起来了。Fángzi shāo qilai le. 例昨天晚上一家商店~了。Zuótiān wǎnshang yì jiā shāngdiàn ~ le. | 这儿以前着过一次火。Zhèr yǐqián zháoguo yí cì huǒ. | 汽车撞在墙上，着起火来。Qìchē zhuàng zài qiáng shang, zháo qǐ huǒ lai. | 小孩子在树林里玩火儿，结果着了一场大火。Xiǎo háizi zài shùlín li wánr huǒ, jiéguǒ zháole yì cháng dàhuǒ. | ~的原因是什么？~ de yuányīn shì shénme? | ~的房子冒着很黑的烟。~ de fángzi màozhe hěn hēi de yān.

zháo 着² ［动］

我买~票了。Wǒ mǎi ~ piào le. →买票这件事成功了，我买到票了。Mǎi piào zhèi jiàn shì chénggōng le, wǒ mǎidào piào le. 例我找了半天，终于找~了那个小商店。Wǒ zhǎole bàntiān, zhōngyú zhǎo ~ le nèige xiǎo shāngdiàn. | 柜子很高，柜子里最上面的东西我拿不~。Guìzi hěn gāo, guìzi li zuì shàngmian de dōngxi wǒ ná bu

~ . |外面这么吵，他却睡得 ~ 。Wàimiàn zhème chǎo, tā què shuì de ~ . |天气虽然很冷，可她穿的衣服很多，冻不 ~ 。Tiānqì suīrán hěn lěng, kě tā chuān de yīfu hěn duō, dòng bu ~ .

zháo jí 着急

可能赶不上飞机了，他 ~ 了。Kěnéng gǎn bu shàng fēijī le, tā ~ le. →因为有可能赶不上飞机，他心里很不安。Yīnwèi yǒu kěnéng gǎn bu shàng fēijī, tā xīnli hěn bù'ān. 例我快迟到了，所以很 ~ 。Wǒ kuài chídào le, suǒyǐ hěn ~ . |他在为我 ~ ，担心我写不完作业。Tā zài wèi wǒ ~ , dānxīn wǒ xiě bu wán zuòyè. |父亲生病了，妈妈 ~ 得不得了。Fùqin shēngbìng le. māma ~ de bùdéliǎo. |时间还早，你着什么急呀？Shíjiān hái zǎo, nǐ zháo shénme jí ya? |马上就要考试了，他才 ~ 起来。Mǎshàng jiùyào kǎoshì le, tā cái ~ qilai. |他 ~ 地向汽车站跑去。Tā ~ de xiàng qìchēzhàn pǎo qù. |我理解他 ~ 的心情。Wǒ lǐjiě tā ~ de xīnqíng.

zháo liáng 着凉

昨天他 ~ 了。Zuótiān tā ~ le. →天气冷，他穿得太少，结果身体不舒服了。Tiānqì lěng, tā chuān de tài shǎo, jiéguǒ shēntǐ bù shūfu le. 例昨天晚上风太大，我出去的时候 ~ 了。Zuótiān wǎnshang fēng tài dà, wǒ chūqu de shíhou ~ le. |小王喝了酒以后着了凉，感到很恶心。Xiǎo Wáng hēle jiǔ yǐhòu zháole liáng, gǎndào hěn ěxin. |孩子有点儿 ~ ，得给他吃点儿药。Háizi yǒudiǎnr ~ , děi gěi tā chī diǎnr yào. |晚上挺凉的，你小心别 ~ 。Wǎnshang tǐng liáng de, nǐ xiǎoxīn bié ~ .

zhǎo 找¹ [动]

我 ~ 了半天也没 ~ 着我的钥匙。Wǒ ~ le bàntiān yě méi ~ zháo wǒ de yàoshi. →我在桌子上、书包里翻了很长时间也没看到我的钥匙。Wǒ zài zhuōzi shang、shūbāo li fānle hěn cháng shíjiān yě méi kàndào wǒ de yàoshi. 例父亲又在 ~ 他的眼镜儿。Fùqin yòu zài ~ tā de yǎnjìngr. |他的书不见了，大家一起 ~ ~ 吧。Tā de shū bújiàn le, dàjiā yìqǐ ~ ~ ba. |我的词典是他 ~ 出来的。Wǒ de cídiǎn shì tā ~ chulai de. |我怎么也 ~ 不到我的笔。Wǒ zěnme yě ~ bu dào wǒ de bǐ. |我 ~ 遍了整个房间也没 ~ 着我的钱包。Wǒ ~ biànle zhěnggè fángjiān yě méi ~ zháo wǒ de qiánbāo. |你帮我 ~ 一下儿我的帽子，好吗？Nǐ bāng wǒ ~ yíxiàr wǒ de màozi, hǎo ma?

Z

zhǎo 找² ［动］

我来~小王。Wǒ lái ~ Xiǎo Wáng. →我来是想看看小王在不在这儿。Wǒ lái shì xiǎng kànkan Xiǎo Wáng zài bu zài zhèr. 例您~谁？——我~大卫。Nín ~ shéi? ——Wǒ ~ Dàwèi. ｜他心里很烦，谁也不想~。Tā xīnli hěn fán, shéi yě bùxiǎng ~. ｜我想~他帮忙，但没~着。Wǒ xiǎng ~ tā bāngmáng, dàn méi ~ zháo. ｜你别老去~他，~多了他会不高兴的。Nǐ bié lǎo qù ~ tā, ~ duōle tā huì bù gāoxìng de. ｜我去他家~了他两趟，他都不在。Wǒ qù tā jiā ~ le tā liǎng tàng, tā dōu bú zài.

zhǎo 找³ ［动］

售货员说："我~你两块。"Shòuhuòyuán shuō："Wǒ ~ nǐ liǎng kuài." →这本儿书八块钱，你给了我十块，我退给你两块钱。Zhèi běnr shū bā kuài qián, nǐ gěile wǒ shí kuài, wó tuì gěi nǐ liǎng kuài qián. 例您应该~我十八块钱。Nín yīnggāi ~ wǒ shíbā kuài qián. ｜请等一下儿，我~你钱。Qǐng děng yíxiàr, wǒ ~ nǐ qián. ｜我给了售货员五十块钱，~回来二十块。Wǒ gěile shòuhuòyuán wǔshí kuài qián, ~ huilai èrshí kuài. ｜对不起，我没零钱了，一百块~得开吗？Duìbuqǐ, wǒ méi língqián le. yìbǎi kuài ~ de kāi ma? ｜您~错钱了。Nín ~ cuò qián le. ｜售货员~的钱不对。Shòuhuòyuán ~ de qián bú duì.

zhàokāi 召开（召開）［动］

convene; convoke 例明天将~一个重要会议。Míngtiān jiāng ~ yí ge zhòngyào huìyì. ｜下个月这里要~一个国际会议。Xià ge yuè zhèlǐ yào ~ yí ge guójì huìyì. ｜事故发生以后，市长马上~了一次紧急会议。Shìgù fāshēng yǐhòu, shìzhǎng mǎshàng ~ le yí cì jǐnjí huìyì. ｜公司的成立大会今天~。Gōngsī de chénglì dàhuì jīntiān ~. ｜在他们的努力下，这次会议终于顺利~了。Zài tāmen de nǔlì xià, zhèi cì huìyì zhōngyú shùnlì ~ le. ｜很多代表不在国内，参加不了这次临时~的代表大会。Hěn duō dàibiǎo bú zài guónèi, cānjiā bùliǎo zhèi cì línshí ~ de dàibiǎo dàhuì.

zhào 照¹ ［动］

shine 例阳光~着我。Yángguāng ~ zhe wǒ. ｜灯光~着桌子上的书。Dēngguāng ~ zhe zhuōzi shang de shū. ｜他用灯~了~床底下。Tā yòng dēng ~ le ~ chuáng dǐxia. ｜阳光~在身上，很暖和。Yángguāng ~ zài shēnshang, hěn nuǎnhuo.

Z

Yángguāng ~ zài shēnshang, hěn nuǎnhuo. | 太阳 ~ 不到这儿。
Tàiyáng ~ bú dào zhèr. | 灯光把房间 ~ 得很亮。Dēngguāng bǎ
fángjiān ~ de hěn liàng.

zhào 照² [动]

to take (photos) 例我给他 ~ 了一张相片儿。Wǒ gěi tā ~ le yì zhāng
xiàngpiānr. | 我们俩一起 ~ 张相吧。Wǒmen liǎ yìqǐ ~ zhāng xiàng
ba. | 他这次旅行 ~ 了很多照片儿。Tā zhèi cì lǚxíng ~ le hěn duō
zhàopiānr. | 我离大楼太近，所以不能把大楼全 ~ 下来。Wǒ lí dàlóu
tài jìn, suǒyǐ bù néng bǎ dàlóu quán ~ xialai. | 这张相片儿 ~ 得真棒，
风景看起来真美。Zhèi zhāng xiàngpiānr ~ de zhēn bàng, fēngjǐng
kàn qilai zhēn měi. | 这些相片儿都是去年 ~ 的。Zhèixiē xiàngpiānr
dōu shì qùnián ~ de. | 他 ~ 的照片儿都挺不错的。Tā ~ de zhàopiānr
dōu tǐng búcuò de. | 这是他 ~ 得最好的一张照片儿。Zhè shì tā ~ de
zuì hǎo de yì zhāng zhàopiānr.

zhàopiānr 照片儿（照片兒）[名]

photo 例这张 ~ 是去年照的。Zhèi zhāng ~ shì qùnián zhào de. | 这两
张 ~ 照得很好。Zhèi liǎng zhāng ~ zhào de hěn hǎo. | 他给我们拍了
张 ~ 。Tā gěi wǒmen pāile zhāng ~ . | 我们这次去旅游拍了好多 ~ 。
Wǒmen zhèi cì qù lǚyóu pāile hǎoduō ~ . | 我把我最喜欢的 ~ 送给他
了。Wǒ bǎ wǒ zuì xǐhuan de ~ sòng gěi tā le. | ~ 上的这个小孩儿就
是我。~ shang de zhèige xiǎoháir jiù shì wǒ.

zhào xiàng 照相

take a photo; take photos 例他跟朋友一块儿 ~ 去了。Tā gēn péngyou
yíkuàir ~ qù le. | 我们到公园去 ~ 吧。Wǒmen dào gōngyuán qù ~
ba. | 他喜欢给别人 ~ 。Tā xǐhuan gěi biérén ~ . | 他给我照了几张
相。Tā gěi wǒ zhàole jǐ zhāng xiàng. | 他 ~ 照得很不错。Tā ~ zhào
de hěn búcuò. | 他 ~ 的水平相当高。Tā ~ de shuǐpíng xiāngdāng
gāo.

zhàoxiàngjī 照相机（照相機）[名]

例这架 ~ 是玛丽的。Zhèi jià ~ shì Mǎlì de. | 他们
公司生产各种各样的 ~ 。Tāmen gōngsī
shēngchǎn gèzhǒng gèyàng de ~ . | 你想用 ~ 吗？
我可以借给你。Nǐ xiǎng yòng ~ ma? Wǒ kěyǐ jiè

照相机

gěi nǐ. | 这架 ~ 的闪光灯坏了。Zhèi jià ~ de shǎnguāngdēng huài le.

zhào 照³ [动]

她在 ~ 镜子。Tā zài ~ jìngzi. →她在看镜子里的自己。Tā zài kàn jìngzi li de zìjǐ. **例**她穿上一件衣服到镜子前 ~ 了 ~，觉得自己很美。 Tā chuānshang yí jiàn yīfu dào jìngzi qián ~ le ~, juéde zìjǐ hěn měi. | 她用镜子 ~ 了一下儿自己的头发。Tā yòng jìngzi ~ le yíxiàr zìjǐ de tóufa. | 她用镜子 ~ 着自己的脸开始化妆。Tā yòng jìngzi ~ zhe zìjǐ de liǎn kāishǐ huàzhuāng. | 湖边的景色 ~ 在水里，显得十分优美。 Hú biān de jǐngsè ~ zài shuǐ li, xiǎnde shífēn yōuměi.

zhào 照⁴ [介]

我 ~ 他的话做。Wǒ ~ tā de huà zuò. →他说怎么做，我就怎么做。 Tā shuō zěnme zuò, wǒ jiù zěnme zuò. **例**他 ~ 我说的试了一下儿。 Tā ~ wǒ shuō de shìle yíxiàr. | 我 ~ 计划工作。Wǒ ~ jìhuà gōngzuò. | 你要是不 ~ 规定办事肯定会有麻烦。Nǐ yàoshi bú ~ guīdìng bànshì kěndìng huì yǒu máfan.

zhàocháng 照常 [副]

他今天虽然有点儿不舒服，还是 ~ 去上班。Tā jīntiān suīrán yǒudiǎnr bù shūfu, háishi ~ qù shàngbān. →他不舒服可以请假，但他还是跟平时一样去上班了。Tā bù shūfu kěyǐ qǐngjià, dàn tā háishi gēn píngshí yíyàng qù shàngbān le. **例**星期天银行不休息，~ 开门。 Xīngqītiān yínháng bù xiūxi, ~ kāimén. | 他天天早上都去跑步，下雨天也 ~ 去。Tā tiāntiān zǎoshang dōu qù pǎobù, xià yǔ tiān yě ~ qù. | 公司决定明天放假，后天 ~ 上班。Gōngsī juédìng míngtiān fàngjià, hòutiān ~ shàngbān.

zhàogù 照顾 (照顧) [动]

妈妈在家里 ~ 孩子。Māma zài jiāli ~ háizi. →妈妈在家里看孩子，喂孩子吃东西，不让他出问题。Māma zài jiāli kān háizi, wèi háizi chī dōngxi, bú ràng tā chū wèntí. **例**她很细心地 ~ 着自己的孩子。 Tā hěn xìxīn de ~ zhe zìjǐ de háizi. | 我生病了，妈妈来 ~ 我。Wǒ shēngbìng le, māma lái ~ wǒ. | 父母工作太忙，所以请了个人来 ~ 奶奶。Fùmǔ gōngzuò tài máng, suǒyǐ qǐngle ge rén lái ~ nǎinai. | 护士把病人 ~ 得很好。Hùshì bǎ bìngrén ~ de hěn hǎo. | 他生病时，我 ~ 过他一个星期。Tā shēngbìng shí, wǒ ~ guo tā yí ge xīngqī.

Z

zhe

zhé 折[1] [动]

shap; break 例我不小心把铅笔～断了。Wǒ bù xiǎoxīn bǎ qiānbǐ ～ duàn le.｜那棵小树被小孩子～断了。Nèi kē xiǎo shù bèi xiǎoháizi ～ duàn le.｜粉笔轻轻一～就会断。Fěnbǐ qīngqīng yì ～ jiù huì duàn.｜筷子被他从中间～成了两半。Kuàizi bèi tā cóng zhōngjiān ～ chéngle liǎng bàn.

zhé 折[2] [动]

flod 例大卫用纸～了一只小鸟儿。Dàwèi yòng zhǐ ～ le yì zhī xiǎoniǎor.｜他会用纸～小船儿。Tā huì yòng zhǐ ～ xiǎochuánr.｜我把信～起来放进了信封里。Wǒ bǎ xìn ～ qilai fàngjìnle xìnfēng li.｜比尔把衣服～好后放进了箱子里。Bǐ'ěr bǎ yīfu ～ hǎo hòu fàngjìnle xiāngzi li.｜他的纸人儿～得很好。Tā de zhǐrénr ～ de hěn hǎo.｜这只鸟儿是纸～的。Zhèi zhī niǎor shì zhǐ ～ de.｜那只纸～的小狗真可爱。Nèi zhī zhǐ ～ de xiǎogǒu zhēnkě'ài.

zhéxué 哲学（哲學）[名]

philosophy 例他的专业是～。Tā de zhuānyè shì ～.｜他对中国古代～非常感兴趣。Tā duì Zhōngguó gǔdài ～ fēicháng gǎn xìngqù.｜这位教授专门研究～。Zhèi wèi jiàoshòu zhuānmén yánjiū ～.｜新的思想大大改变了人们的观念。Xīn de ～ sīxiǎng dàdà gǎibiànle rénmen de guānniàn.

zhè / zhèi 这（這）[代]

～支笔是我的，那支笔是你的。～ zhī bǐ shì wǒ de, nèi zhī bǐ shì nǐ de. →离我近一点儿的笔是我的。Lí wǒ jìn yìdiǎnr de bǐ shì wǒ de. 例～几本书是大卫的，我的书都被朋友拿走了。～ jǐ běn shū shì Dàwèi de, wǒ de shū dōu bèi péngyou názǒu le.｜我～辆汽车比那辆便宜多了。Wǒ ～ liàng qìchē bǐ tā nèi liàng piányi duō le.｜他现在住的～间房比他以前住的那间大一些。Tā xiànzài zhù de ～ jiān fáng bǐ tā yǐqián zhù de nèi jiān dà yìxiē.｜～是我的箱子，我的衣服都在～里面。～ shì wǒ de xiāngzi, wǒ de yīfu dōu zài ～ lǐmiàn.

zhèbiān 这边（這邊）[代]

街～有个银行。Jiē ～ yǒu ge yínháng. →离说话的人比较近的一边

或者是说话人所在的一边，有一个银行。Lí shuōhuà de rén bǐjiào jìn de yìbiān, huòzhě shì shuōhuà rén suǒzài de yìbiān, yǒu yí ge yínháng. 例马路～是公园，对面是学校。Mǎlù ～ shì gōngyuán, duìmiàn shì xuéxiào. | 一位老人从桥上走到河～来了。Yí wèi lǎorén cóng qiáo shang zǒudào hé ～ lái le. | 小路～的树很多，那边没什么树。Xiǎolù ～ de shù hěn duō, nàbiān méi shénme shù. | 我们～的人比他们那边多。Wǒmen ～ de rén bǐ tāmen nàbiān duō.

zhèr 这儿（這兒）[代]

～是我家。～ shì wǒ jiā. →这里是我家。Zhèlǐ shì wǒ jiā. 例～是我最喜欢来的地方。～ shì wǒ zuì xǐhuan lái de dìfang. | 我家～有很多树，环境很好。Wǒ jiā ～ yǒu hěn duō shù, huánjìng hěn hǎo. | 你别回家了，就住我～吧。Nǐ bié huíjiā le, jiù zhù wǒ ～ ba. | 他常常来～散步。Tā chángcháng lái ～ sànbù. | 大卫很喜欢～的环境。Dàwèi hěn xǐhuan ～ de huánjìng. | 从～到机场只需要半个小时，非常方便。Cóng ～ dào jīchǎng zhǐ xūyào bàn ge xiǎoshí, fēicháng fāngbiàn. | 我对～很熟悉。Wǒ duì ～ hěn shúxī. | ～的西瓜特别甜。～ de xīguā tèbié tián.

zhège / zhèige 这个（這個）[代]

this 例～孩子真聪明。～ háizi zhēn cōngming. | ～个子很高的小伙子是运动员。～ gèzi hěn gāo de xiǎohuǒzi shì yùndòngyuán. | 我手里的～橘子比他拿着的那个大多了。Wǒ shǒu li de ～ júzi bǐ tā názhe de nèige dà duō le. | ～地方最有名的水果是梨。～ dìfang zuì yǒumíng de shuǐguǒ shì lí. | 这两台电脑，新的～是我的，旧的那个是我同屋的。Zhèi liǎng tái diànnǎo, xīn de ～ shì wǒ de, jiù de nèige shì wǒ tóngwū de. | 请你尝尝～，这是我自己做的菜。Qǐng nǐ chángchang ～, zhè shì wǒ zìjǐ zuò de cài.

zhèlǐ 这里（這裏）[代]

～是医院。～ shì yīyuàn. →我站着的这个地方是医院。Wǒ zhànzhe de zhèige dìfang shì yīyuàn. 例～就是他的家。～ jiù shì tā de jiā. | ～有很多有意思的书。～ yǒu hěn duō yǒu yìsi de shū. | 他以前住在～。Tā yǐqián zhù zài ～. | 从我～开车到他家需要二十分钟。Cóng wǒ ～ kāi chē dào tā jiā xūyào èrshí fēnzhōng. | 你在～等我，我马上就回来。Nǐ zài ～ děng wǒ, wǒ mǎshàng jiù huílai. | ～的苹果比别的地方的都好吃。～ de píngguǒ bǐ biéde dìfang de dōu hǎochī. | ～的风景特别美，很多人从很远的地方来～观光。～ de fēngjǐng tèbié

Z

měi, hěn duō rén cóng hěn yuǎn de dìfang lái ~ guānguāng.

zhème 这么[1] （這麼）[代]

~ 漂亮的衣服，你是在哪儿买的？ ~ piàoliang de yīfu, nǐ shì zài nǎr mǎi de? → 像这样漂亮的衣服是在哪儿买的？Xiàng zhèiyàng piàoliang de yīfu shì zài nǎr mǎi de? 例你弟弟都长 ~ 高了。Nǐ dìdi dōu zhǎng ~ gāo le. |今天怎么 ~ 热呀！Jīntiān zěnme ~ rè ya! | ~ 难的题都难不住他。~ nán de tí dōu nán bu zhù tā. |这个小地方的人 ~ 好客。Zhèige xiǎo dìfang de rén ~ hàokè. |今天你怎么 ~ 不高兴？Jīntiān nǐ zěnme ~ bù gāoxìng? | 你为什么 ~ 生气？Nǐ wèishénme ~ shēngqì?

zhème 这么[2] （這麼）[代]

这道题应该 ~ 做。Zhèi dào tí yīnggāi ~ zuò. →他说出了做这道题的方法。Tā shuōchūle zuò zhèi dào tí de fāngfǎ. 例新年联欢会就 ~ 开吧。Xīnnián liánhuānhuì jiù ~ kāi ba. |这个字你写错了，应该 ~ 写才对。Zhèige zì nǐ xiěcuò le, yīnggāi ~ xiě cái duì. |这些花儿 ~ 摆比较好看。Zhèixiē huār ~ bǎi bǐjiào hǎokàn. |你看我 ~ 画，对不对？Nǐ kàn wǒ ~ huà, duì bu duì?

zhème 这么[3] （這麼）[代]

你发烧 ~ 多天了，怎么还不去医院？Nǐ fāshāo ~ duō tiān le, zěnme hái bú qù yīyuàn? →你发烧已经很长时间了，怎么还不去医院？Nǐ fāshāo yǐjing hěn cháng shíjiān le, zěnme hái bú qù yīyuàn? 例这封信我已经收到 ~ 多天了，还没写回信呢。Zhèi fēng xìn wǒ yǐjing shōudào ~ duō tiān le, hái méi xiě huíxìn ne. |你就给我 ~ 几天的时间哪儿行啊！Nǐ jiù gěi wǒ ~ jǐ tiān de shíjiān nǎr xíng a! |你就写了一会儿，作业就做完了？Nǐ jiù xiěle ~ yíhuìr, zuòyè jiù zuòwán le?

zhèxiē / zhèixiē 这些（這些）[代]

these 例~ 书是我刚买来的。~ shū shì wǒ gāng mǎilai de. | ~ 东西都是他送给我的。~ dōngxi dōu shì tā sòng gěi wǒ de. |跟我在一起的 ~ 人都是我的朋友。Gēn wǒ zài yìqǐ de ~ rén dōu shì wǒ de péngyou. | ~ 老人每天这个时候到这儿来聊天儿。~ lǎorén měi tiān zhèige shíhòu dào zhèir lái liáotiānr. | ~ 是大卫的东西，我帮他拿着。~ shì Dàwèi de dōngxi, wǒ bāng tā názhe. |我现在没带多少钱，先还给你 ~，行吗？Wǒ xiànzài méi dài duōshao qián, xiān huán gěi nǐ ~, xíng ma? |你说的 ~ 事我都知道了。Nǐ shuō de ~ sh wǒ dōu zhīdao le.

zhèyàng / zhèiyàng 这样[1]（這樣）[代]

such; like this 例他喜欢 ~ 的衣服。Tā xǐhuan ~ de yīfu. I 我见过 ~ 的汽车。Wǒ jiànguo ~ de qìchē. I ~ 的事情以前没发生过。~ de shìqing yǐqián méi fāshēngguo. I ~ 的颜色看起来很舒服。~ de yánsè kàn qilai hěn shūfu. I 我们公司有 ~ 几种产品，您需要哪一种？Wǒmen gōngsī yǒu ~ jǐ zhǒng chǎnpǐn, nín xūyào něi yì zhǒng? I 他就是 ~ 的一个人。Tā jiù shì ~ de yí ge rén.

zhèyàng / zhèiyàng 这样[2]（這樣）[代]

this way; so; like this 例他是 ~ 做的。Tā shì ~ zuò de. I "以后我再也不给你打电话了。"他就是 ~ 说的。"Yǐhòu wǒ zài yě bù gěi nǐ dǎ diànhuà le." Tā jiùshì ~ shuō de. I 他 ~ 想也是有道理的。Tā ~ xiǎng yěshì yǒu dàoli de.

zhen

zhēn 针（針）[名]

needle 例她手里拿着一根 ~，正在缝衣服。Tā shǒu li názhe yì gēn ~, zhèngzài féng yīfu. I 我帮她找掉在地上的一根 ~。Wǒ bāng tā zhǎo diào zài dìshang de yì gēn ~. I 他用 ~ 在纸上扎了一个小眼儿。Tā yòng ~ zài zhǐ shang zhāle yí ge xiǎoyǎnr. I 我的手被 ~ 扎了一下儿。Wǒ de shǒu bèi ~ zhāle yí xiàr. I 松树的叶子很像 ~。Sōngshù de yèzi hěn xiàng ~.

zhēnduì 针对（針對）[动]

to be directed; to be aimed at; counter 例我的话不是 ~ 你，你别在意。Wǒ de huà bú shì ~ nǐ, nǐ bié zàiyì. I 他的批评全是 ~ 大卫的。Tā de pīpíng quán shì ~ Dàwèi de. I 他 ~ 目前的问题谈了自己的看法。Tā ~ mùqián de wèntí tánle zìjǐ de kànfǎ. I 我们应该 ~ 现在的经济情况制定公司的发展计划。Wǒmen yīnggāi ~ xiànzài de jīngjì qíngkuàng zhìdìng gōngsī de fāzhǎn jìhuà. I ~ 年轻人的特点，学校安排了不少活动。~ niánqīngrén de tèdiǎn, xuéxiào ānpáile bùshǎo huódòng.

zhēn 真[1][形]

这朵花儿是 ~ 的。Zhèi duǒ huār shì ~ de. →这朵花儿不是用纸做成的。Zhèi duǒ huār bú shì yòng zhǐ zuòchéng de. 例他说的是 ~ 话，

没有骗你。Tā shuō de shì ~ huà, méiyǒu piàn nǐ. l 大卫刚才说的事儿是 ~ 事儿, 不是他自己编出来的。Dàwèi gāngcái shuō de shìr shì ~ shìr, bú shì tā zìjǐ biān chulai de. l 那个电影里有些动物不是 ~ 的动物, 是用电脑做出来的。Nèige diànyǐng li yǒu xiē dòngwù bú shì ~ de dòngwù, shì yòng diànnǎo zuò chulai de.

zhēn 真² [副]

今天 ~ 热。Jīntiān ~ rè. →今天很热。Jīntiān hěn rè. 例 今天的风大。Jīntiān de fēng ~ dà. l 这个孩子 ~ 聪明, 学东西学得特别快。Zhèige háizi ~ cōngming, xué dōngxi xué de tèbié kuài. l 我累死了, ~ 想马上回家睡觉。Wǒ lèisǐ le, ~ xiǎng mǎshàng huíjiā shuìjiào. l 这个电影 ~ 没意思, 我 ~ 后悔买票来看。Zhèige diànyǐng ~ méi yìsi, wǒ ~ hòuhuǐ mǎi piào lái kàn. l 他的汉语说得 ~ 好, 我 ~ 听不出来他不是中国人。Tā de Hànyǔ shuō de ~ hǎo, wǒ ~ tīng bu chūlái tā bú shì Zhōngguórén. l 这个饭馆儿的菜做得 ~ 好吃, 我 ~ 想天天来吃。Zhèige fànguǎnr de cài zuò de ~ hǎochī, wǒ ~ xiǎng tiāntiān lái chī.

zhēnlǐ 真理 [名]

truth 例 我们要坚持 ~ 。Wǒmen yào jiānchí ~ . l 无论是谁都应该服从 ~ 。Wúlùn shì shéi dōu yīnggāi fúcóng ~ . l 实践是检验 ~ 的惟一的标准。Shíjiàn shì jiǎnyàn ~ de wéiyī de biāozhǔn. l ~ 有时候在少数人手里。~ yǒushíhou zài shǎoshù rén shǒu li.

zhēnshí 真实(真實) [形]

请你说说发生这件事情的 ~ 情况。Qǐng nǐ shuōshuo fāshēng zhèi jiàn shìqing de ~ qíngkuàng. →请你把当时的情况说一说, 不能说假话。Qǐng nǐ bǎ dāngshí de qíngkuàng shuō yi shuō, bù néng shuō jiǎhuà. 例 现场直播使观众看到了 ~ 的场面。Xiànchǎng zhíbō shǐ guānzhòng kàndàole ~ de chǎngmiàn. l 这是一个 ~ 的故事。Zhè shì yí ge ~ de gùshi. l 我想试试自己的 ~ 水平有多高。Wǒ xiǎng shìshi zìjǐ de ~ shuǐpíng yǒu duō gāo. l 这话 ~ 地反映了年轻人的愿望。Zhè huà ~ de fǎnyìngle niánqīngrén de yuànwàng.

zhēnzhèng 真正 [形]

这才是 ~ 的中国菜。Zhè cái shì ~ de Zhōngguó cài. →我尝了尝, 觉得这个菜的味道和这个菜的名称是一致的。Wǒ chángle cháng, juéde zhèige cài de wèidao hé zhèige cài de míngchēng shì yízhì de. 例 你一定要给我买一把 ~ 的中国扇子。Nǐ yídìng yào gěi wǒ mǎi yì bǎ ~ de Zhōngguó shànzi . |你说了那么多，~ 的目的是什么呢？Nǐ shuōle nàme duō，~ de mùdì shì shénme ne？|现在我才 ~ 地了解了他。Xiànzài wǒ cái ~ de liǎojiěle tā . |在你困难的时候能帮助你的人才是 ~ 的朋友。Zài nǐ kùnnan de shíhou néng bāngzhù nǐ de rén cái shì ~ de péngyou .

zhèn 阵¹（陣）[名]

这一 ~ 儿他很忙。Zhèi yí ~ r tā hěn máng . →最近一段时间他很忙。Zuìjìn yí duàn shíjiān tā hěn máng . 例刚上大学那 ~ 儿，他对什么都有兴趣。Gāng shàng dàxué nèi ~ r , tā duì shénme dōu yǒu xìngqù . |他们俩好过一 ~ 儿，现在分手了。Tāmen liǎ hǎoguo yí ~ r , xiànzài fēnshǒu le . |大卫前一 ~ 儿病了。Dàwèi qián yí ~ r bìng le .

zhèn 阵²（陣）[量]

用于持续一段时间的风、雨、声音、气味儿、感觉等。Yòngyú chíxù yí duàn shíjiān de fēng、yǔ、shēngyīn、qìwèir、gǎnjué děng . 例一 ~ 小风儿迎面吹来。Yí ~ xiǎofēngr yíngmiàn chuīlái . |一 ~ 大雨把我的衣服全淋湿了。Yí ~ dàyǔ bǎ wǒ de yīfu quán línshī le . |从她的房间里传出一 ~ 笑声。Cóng tā de fángjiān li chuánchū yí ~ xiàoshēng . |他做饭的时候，一 ~ ~ 香味儿从厨房里飘出来。Tā zuòfàn de shíhou , yí ~ ~ xiāngwèir cóng chúfáng li piāo chulai . |我听了这个消息，心里不由得一 ~ 难过。Wǒ tīngle zhèige xiāoxi , xīnli bùyóude yí ~ nánguò .

zhèn 阵³（陣）[量]

用于持续一段时间的动作、情况。Yòngyú chíxù yí duàn shíjiān de dòngzuò、qíngkuàng . 例她哭了一 ~ 儿就不哭了。Tā kūle yí ~ r jiù bù kū le . |我走了一 ~ 儿，觉得有点儿累，就休息了一 ~ 儿。Wǒ zǒule yí ~ r , juéde yǒudiǎnr lèi , jiù xiūxile yí ~ r . |他听了一 ~ 儿音乐，然后又看了一 ~ 儿电视。Tā tīng le yí ~ r yīnyuè , ránhòu yòu kànle yí ~ r diànshì . |风刮了一 ~ 儿就停了。Fēng guāle yí ~ r jiù tíng le . |今天的天气好一 ~ 儿，坏一 ~ 儿，变化很大。Jīntiān de tiānqì hǎo yí ~ r , huài yí ~ r , biànhuà hěn dà .

zheng

zhēngqiú 征求（徵求）[动]

这个本子是我们商店 ~ 顾客的意见用的。Zhèige běnzi shì wǒmen

shāngdiàn ~ gùkè de yìjiàn yòng de. →我们希望顾客们在这个本子上写上他们对我们的意见或要求。Wǒmen xīwàng gùkèmen zài zhèige běnzi shang xiěshang tāmen duì wǒmen de yìjiàn huò yāoqiú. **例**做这件事，我一定得~我母亲的意见。Zuò zhèi jiàn shì, wǒ yídìng děi ~ wǒ mǔqin de yìjiàn. | 同学们的意见我们已经~过了。Tóngxuémen de yìjiàn wǒmen yǐjing ~ guo le. | 咱们开个会~一下儿大家的意见吧。Zánmen kāi ge huì ~ yíxiàr dàjiā de yìjiàn ba. | 我们向群众~过三次意见了。Wǒmen xiàng qúnzhòng ~ guo sān cì yìjiàn le.

zhēng 争¹ [动]

两只小鸟儿~着吃一条虫子。Liǎng zhī xiǎoniǎor ~ zhe chī yì tiáo chóngzi. →两只小鸟儿的嘴都咬着那条虫子，想自己多吃一些。Liǎng zhī xiǎo niǎor de zuǐ dōu yǎozhe nèi tiáo chóngzi, xiǎng zìjǐ duō chī yìxiē. **例**他总是把好东西让给弟弟，从来不跟他~。Tā zǒngshi bǎ hǎo dōngxi ràng gěi dìdi, cónglái bù gēn tā ~. | 这两支足球队将在今天~出第一名。Zhèi liǎng zhī zúqiúduì jiāng zài jīntiān ~ chū dì yī míng. | 他们俩~着帮朋友拿行李。Tāmen liǎ ~ zhe bāng péngyou ná xíngli. | 我和大卫都想看那本书，结果~了起来。Wǒ hé Dàwèi dōu xiǎng kàn nèi běn shū, jiéguǒ ~ le qilai. | 为这事儿，大家~得很厉害。Wèi zhè shìr, dàjiā ~ de hěn lìhai.

zhēng 争² [动]

他们俩正在~一个问题。Tāmen liǎ zhèngzài ~ yí ge wèntí. →他们两个人都在说自己是对的，对方是错的。Tāmen liǎng ge rén dōu zài shuō zìjǐ shì duì de, duìfāng shì cuò de. **例**他不同意我的话，所以跟我~了起来。Tā bù tóngyì wǒ de huà, suǒyǐ gēn wǒ ~ le qilai. | 他们几个人为送什么礼物给老师这件事儿，~了半天。Tāmen jǐ ge rén wèi sòng shénme lǐwù gěi lǎoshī zhèi jiàn shìr, ~ le bàntiān. | 他很会说话，我~不过他。Tā hěn huì shuōhuà, wǒ ~ bu guò tā. | 你们俩别~了，两个人的意见都有道理。Nǐmen liǎ bié ~ le, liǎng ge rén de yìjiàn dōu yǒu dàoli.

zhēnglùn 争论¹ （争論）[动]

他们大声地~起来了。Tāmen dàshēng de ~ qilai le. →他们的意见不同，双方正向对方说明自己的看法。Tāmen de yìjiàn bùtóng, shuāngfāng zhèng xiàng duìfāng shuōmíng zìjǐ de kànfǎ. **例**同学之间

常常 ~ 问题。Tóngxué zhījiān chángcháng ~ wèntí. | 他们正在 ~ 什么是幸福。Tāmen zhèngzài ~ shénme shì xìngfú. | 他们 ~ 得很激烈。Tāmen ~ de hěn jīliè. | 这个问题他们 ~ 了好长时间。Zhèige wèntí tāmen ~ le hǎo cháng shíjiān. | 这件事我已经跟他 ~ 过两次了。Zhèi jiàn shì wǒ yǐjīng gēn tā ~ guo liǎng cì le. | 暂时搞不清楚的事 ~ ~ 有好处。Zànshí gǎo bu qīngchu de shì ~ ~ yǒu hǎochu.

zhēnglùn 争论²（争論）［名］

他们之间的 ~ 结束了。Tāmen zhījiān de ~ jiéshù le. → 他们之间不同意见的讨论，现在结束了。Tāmen zhījiān bùtóng yìjiàn de tǎolùn, xiànzài jiéshù le. 例这场 ~ 还会继续下去。Zhèi cháng ~ hái huì jìxù xiaqu. | 下午我也去听听他们的 ~。Xiàwǔ wǒ yě qù tīngting tāmen de ~. | 我们反对无原则的 ~。Wǒmen fǎnduì wú yuánzé de ~. | 对这件事的 ~ 可以停止了。Duì zhèi jiàn shì de ~ kěyǐ tíngzhǐ le.

zhēngqǔ 争取 ［动］

我要 ~ 提前毕业。Wǒ yào ~ tíqián bìyè. → 我要努力学习，实现提前毕业的愿望。Wǒ yào nǔlì xuéxí, shíxiàn tíqián bìyè de yuànwàng. 例我们要 ~ 提前完成今年的任务。Wǒmen yào ~ tíqián wánchéng jīnnián de rènwu. | 你要安心养病，~ 早点儿出院。Nǐ yào ānxīn yǎngbìng, ~ zǎo diǎnr chūyuàn. | 你去 ~ 一下儿，~ 不到就算了。Nǐ qù ~ yíxiàr, ~ bú dào jiù suàn le. | 他一直在为我们 ~ 机会。Tā yìzhí zài wèi wǒmen ~ jīhuì.

zhēng 睁 ［动］

open (one's eyes) 例他睡不着，~ 着眼睛想问题。Tā shuì bu zháo, ~ zhe yǎnjing xiǎng wèntí. | 我躺在床上却一直 ~ 着眼。Wǒ tǎng zài chuáng shang què yìzhí ~ zhe yǎn. | 我实在太累了，听见闹铃也不想 ~ 开眼。Wǒ shízài tài lèi le, tīngjiàn nàolíng yě bùxiǎng ~ kāi yǎn. | 他 ~ 大双眼想看清楚点儿。Tā ~ dà shuāng yǎn xiǎng kàn qīngchu diǎnr. | 大风吹得我 ~ 不开眼。Dàfēng chuī de wǒ ~ bu kāi yǎn. | 他吃惊地 ~ 大了眼睛。Tā chījīng de ~ dàle yǎnjing. | 这只小狗儿真懒，听见有人进房间，它只是 ~ 了 ~ 眼又闭上了。Zhèi zhī xiǎogǒur zhēn lǎn, tīngjiàn yǒu rén jìn fángjiān, tā zhǐshi ~ le ~ yǎn yòu bìshang le.

zhěnggè 整个（整個）［形］

~ 晚上，他都在看书。~ wǎnshang, tā dōu zài kàn shū. → 晚上他一直在看书，没干别的事。Wǎnshang tā yìzhí zài kàn shū, méi gàn biéde shì. 例~星期天，他都呆在家里。~ Xīngqītiān, tā dōu dāi zài jiāli. |大卫~假期都在外国旅游。Dàwèi ~ jiàqī dōu zài wàiguó lǚyóu. |他把~周末都用在工作上了。Tā bǎ ~ zhōumò dōu yòng zài gōngzuò shang le. |~学校的人都在谈这件事。~ xuéxiào de rén dōu zài tán zhèi jiàn shì. |~国家的人都因为这次事故感到难过。~ guójiā de rén dōu yīnwèi zhèi cì shìgù gǎndào nánguò. |新产品很受欢迎，~公司都高兴得不得了。Xīn chǎnpǐn hěn shòu huānyíng, ~ gōngsī dōu gāoxìng de bùdéliǎo. |这个消息很快传遍了~城市。Zhèige xiāoxi hěn kuài chuánbiànle ~ chéngshì.

zhěnglǐ 整理 [动]

书架上的书太乱了，我们~一下儿吧。Shūjià shang de shū tài luàn le, wǒmen ~ yíxiàr ba. →我们用手把书架上的书放整齐。Wǒmen yòng shǒu bǎ shūjià shang de shū fàng zhěngqí. 例你的抽屉应该~一下儿了。Nǐ de chōuti yīnggāi ~ yíxiàr le. |今天他把屋子~得很干净。Jīntiān tā bǎ wūzi ~ de hěn gānjìng. |这么多图书，一天~不完。Zhème duō túshū, yì tiān ~ bù wán. |赶快~，~完了咱们一起去吃饭。Gǎnkuài ~, ~ wánle zánmen yìqǐ qù chīfàn.

zhěngqí 整齐（整齊）[形]

他的宿舍里真~。Tā de sùshè li zhēn ~. →他宿舍的床上、桌子上、书架上的东西摆放得都很有秩序，很有条理。Tā sùshè de chuáng shang、zhuōzi shang、shūjià shang de dōngxi bǎifàng de dōu hěn yǒu zhìxù, hěn yǒu tiáolǐ. 例这一行行~的小树是去年种的。Zhèi yì hángháng ~ de xiǎoshù shì qùnián zhòng de. |学生们穿上新的校服以后显得特别~。Xuéshengmen chuānshang xīn de xiàofú yǐhòu xiǎnde tèbié ~. |战士们的队伍排得整整齐齐。Zhànshìmen de duìwu pái de zhěngzhěngqíqí.

zhěngzhěng 整整 [副]

我等了他~一个小时。Wǒ děngle tā ~ yí ge xiǎoshí. →我等了他很久——有一个小时。Wǒ děngle tā hěn jiǔ——yǒu yí ge xiǎoshí. 例他睡了~十个小时。Tā shuìle ~ shí ge xiǎoshí. |我为了买到这两张电影票，~排了两个小时的队。Wǒ wèile mǎidào zhèi liǎng zhāng diànyǐngpiào, ~ páile liǎng ge xiǎoshí de duì. |我~花了一个下午来准备这顿晚饭。Wǒ ~ huāle yí ge xiàwǔ lái zhǔnbèi zhèi dùn wǎnfàn. |他~用了一年的时间才写完那部小说。Tā ~ yòngle yì nián de shíjiān cái xiěwán nèi bù xiǎoshuō.

Z

zhèng 正[1] ［形］

请你帮我看一下[儿]，画[儿]挂～了吗？Qǐng nǐ bāng wǒ kàn yíxiàr, huàr guà～le ma? →我挂的画[儿]左边[儿]和右边[儿]一样高，对吗？Wǒ guà de huàr zuǒbiānr hé yòubiānr yíyàng gāo, duì ma? 例每个人都站～了，队伍才能整齐。Měi ge rén dōu zhàn～le, duìwu cái néng zhěngqí. |上下两张纸的格[儿]没对～。Shàng xià liǎng zhāng zhǐ de gér méi duì～. |照相的时候你没坐～，所以照片[儿]上你的头是歪的。Zhàoxiàng de shíhou nǐ méi zuò～, suǒyǐ zhàopiānr shang nǐ de tóu shì wāi de.

zhèng 正[2] ［副］

我去安娜家的时候，他们家人～吃饭呢。Wǒ qù Ānnà jiā de shíhou, tāmen jiā rén～chīfàn ne. →安娜家的人已经开始吃饭，但是还没吃完。Ānnà jiā de rén yǐjing kāishǐ chīfàn, dànshì hái méi chīwán. 例我爸～睡觉呢，您过一会[儿]再来电话吧。Wǒ bà～shuìjiào ne, nín guò yíhuìr zài lái diànhuà ba. |妈妈～洗着衣服，孩子～看着电视。Māma～xǐzhe yīfu, háizi～kànzhe diànshì. |他～上着课，你现在不能找他。Tā～shàngzhe kè, nǐ xiànzài bù néng zhǎo tā.

zhèngcháng 正常 ［形］

前几天他一直发烧，吃了药后现在体温～了。Qián jǐ tiān tā yìzhí fāshāo, chīle yào hòu xiànzài tǐwēn～le. →他现在的体温是 37℃。Tā xiànzài de tǐwēn shì shèshì sānshí qī dù. 例你听，这些机器转动的声音都很～。Nǐ tīng, zhèixiē jīqì zhuàndòng de shēngyīn dōu hěn～. |你的心跳不太～，一分钟跳了一百零六下[儿]。Nǐ de xīntiào bú tài～, yì fēnzhōng tiàole yìbǎi líng liù xiàr. |请你们小点[儿]声，别影响人家的～休息。Qǐng nǐmen xiǎo diǎnr shēng, bié yǐngxiǎng rénjia de～xiūxi.

zhènghǎo 正好[1] ［形］

这双鞋他穿着很合适，大小～。Zhèi shuāng xié tā chuānzhe hěn héshì, dàxiǎo～. →这双鞋他穿着不大也不小。Zhèi shuāng xié tā chuānzhe bú dà yě bù xiǎo. 例这件衣服大小～，你穿很合身。Zhèi jiàn yīfu dàxiǎo～, nǐ chuān hěn héshēn. |这顶帽子你戴大不大？——～。Zhèi dǐng màozi nǐ dài dà bu dà? ——～. |房间的大小～，我一个人住很合适。Fángjiān de dàxiǎo～, wǒ yí ge rén zhù

Z

hěn héshì. I这个菜不咸也不淡，~。Zhèige cài bù xián yě bú dàn, ~. I他来得~，我们正想问他几个问题。Tā lái de ~, wǒmer zhèng xiǎng wèn tā jǐ ge wèntí.

zhènghǎo 正好[2] [副]

我想去买东西，~他也想去买东西。Wǒ xiǎng qù mǎi dōngxi, ~ tā yě xiǎng qù mǎi dōngxi. →他也想去买东西，我事先不知道。Tā yě xiǎng qù mǎi dōngxi, wǒ shìxiān bù zhīdào. 例我去商店的时候，大卫~在那儿买东西。Wǒ qù shāngdiàn de shíhou, Dàwèi ~ zài nàr mǎi dōngxi. I我想问他一个问题，~他来找我了。Wǒ xiǎng wèn tā yí ge wèntí, ~ tā lái zhǎo wǒ le. I我没买到电影票，~他多了一张。Wǒ méi mǎidào diànyǐngpiào, ~ tā duōle yì zhāng. I我们俩放假时想去的地方~一样。Wǒmen liǎ fàngjià shí xiǎng qù de dìfang ~ yíyàng. I我想了解这件事，~今天的报纸上有关于这件事的报道。Wǒ xiǎng liǎojiě zhèi jiàn shì, ~ jīntiān de bàozhǐ shang yǒu guānyú zhèi jiàn shì de bàodào.

zhèngquè 正确(正確) [形]

这三道数学题的答案两道是~的，一道不~。Zhèi sān dào shùxué tí de dá'àn liǎng dào shì ~ de, yídào bú ~. →两道数学题的答案是对的，一道是错的。Liǎng dào shùxué tí de dá'àn shì duì de, yí dào shì cuò de. 例你回答得很~。Nǐ huídá de hěn ~. I你的估计非常~。Nǐ de gūjì fēicháng ~. I每一个人都应该~地认识自己，~地对待别人。Měi yí ge rén dōu yīnggāi ~ de rènshi zìjǐ, ~ de duìdài biérén. I经过认真的调查和分析，得出了这个~的结论。Jīngguò rènzhēn de diàochá hé fēnxī, déchūle zhèige ~ de jiélùn.

zhèngshì 正式 [形]

这种药已经~生产了。Zhèi zhǒng yào yǐjing ~ shēngchǎn le. →这种药经过试验达到了标准，国家已经批准生产了。Zhèi zhǒng yào jīngguò shìyàn dádàole biāozhǔn, guójiā yǐjing pīzhǔn shēngchǎn le. 例大学毕业之前我在这儿实习，现在我是这儿的~职工了。Dàxué bìyè zhīqián wǒ zài zhèr shíxí, xiànzài wǒ shì zhèr de ~ zhígōng le. I上个月是试营业，从明天起就要~营业了。Shàng ge yuè shì shì yíngyè, cóng míngtiān qǐ jiù yào ~ yíngyè le. I这部电影快拍摄完了，准备"十一"的时候~上映。Zhèi bù diànyǐng kuài pāishè wán le, zhǔnbèi "Shí Yī" de shíhou ~ shàngyìng.

Z

zhèngzài 正在 [副]

孩子们~看电视。Háizimen ~ kàn diànshì. →现在孩子们看电视呢。Xiànzài háizimen kàn diànshì ne. 例爸爸~看报。Bàba ~ kàn bào. | 他们 ~ 做实验。Tāmen ~ zuò shíyàn. | 妈妈~为女儿织毛衣。Māma ~ wèi nǚ'ér zhī máoyī. | 他们 ~ 一起聊天儿。Tāmen ~ yìqǐ liáotiānr. | 孩子们的知识 ~ 一天一天地增长。Háizimen de zhīshi ~ yì tiān yì tiān de zēngzhǎng.

zhèngmíng 证明¹ (證明) [动]

你用什么 ~ 你是那所大学的学生? ——我可以给你看我的学生证。Nǐ yòng shénme ~ nǐ shì nèi suǒ dàxué de xuésheng? ——Wǒ kěyǐ gěi nǐ kàn wǒ de xuéshēngzhèng. →我的学生证上清楚、明白地写着我是那所大学的学生。Wǒ de xuéshēngzhèng shang qīngchu、míngbai de xiězhe wǒ shì nèi suǒ dàxué de xuésheng. 例谁能 ~ 你说的话是真的? Shéi néng ~ nǐ shuō de huà shì zhēnde? | 怎么 ~ 你当时不在现场? Zěnme ~ nǐ dāngshí bú zài xiànchǎng? | 你别怕,我可以去给你 ~ 。Nǐ bié pà, wǒ kěyǐ qù gěi nǐ ~ . | 这早已被历史 ~ 是正确的了。Zhè zǎoyǐ bèi lìshǐ ~ shì zhèngquè de le.

zhèngmíng 证明² (證明) [名]

昨天我病了,这是医生给我开的 ~ 。Zuótiān wǒ bìng le, zhè shì yīshēng gěi wǒ kāi de ~ . →昨天我病了,这是医生给我开的病假条儿。Zuótiān wǒ bìng le, zhè shì yīshēng gěi wǒ kāi de bìngjià tiáor. 例他拿出工作证说:"我是警察,这就是我的 ~ 。" Tā náchū gōngzuòzhèng shuō :"Wǒ shì jǐngchá, zhè jiù shì wǒ de ~ ." | 这份 ~ 是老师给我写的。Zhèi fèn ~ shì lǎoshī gěi wǒ xiě de. | 我已经把那张 ~ 交给留学生办公室了。Wǒ yǐjing bǎ nèi zhāng ~ jiāo gěi liúxuéshēng bàngōngshì le.

zhèngcè 政策 [名]

policy 例这项 ~ 是上个月公布的。Zhèi xiàng ~ shì shàng ge yuè gōngbù de. | 我们还应该制定一些新 ~ 。Wǒmen hái yīnggāi zhìdìng yìxiē xīn ~ . | 对他们,我们采取了团结的 ~ 。Duì tāmen, wǒmen cǎiqǔle tuánjié de ~ . | 这是我国的对外 ~ 。Zhè shì wǒguó de duìwài ~ . | 我们要把 ~ 的内容告诉群众。Wǒmen yào bǎ ~ de nèiróng gàosu qúnzhòng.

zhèngfǔ 政府 [名]

government 例我国 ~ 很重视教育。Wǒguó ~ hěn zhòngshì jiàoyù. |市 ~ 决定放假七天。Shì ~ juédìng fàngjià qī tiān. |两国 ~ 对这件事的 看法不同。Liǎng guó ~ duì zhèi jiàn shì de kànfǎ bùtóng. |他是 ~ 派 出去的留学生。Tā shì ~ pài chuqu de liúxuéshēng. |他们都是为 ~ 工作的。Tāmen dōu shì wèi ~ gōngzuò de. |这届 ~ 受到人民的支 持。Zhèi jiè ~ shòudào rénmín de zhīchí. |这是省 ~ 的决定。Zhè shì shěng ~ de juédìng.

zhèngzhì 政治 [名]

politics 例他很关心 ~，经常看有关 ~ 的书。Tā hěn guānxīn ~, jīngcháng kàn yǒuguān ~ de shū. |大卫对中国的 ~ 很感兴趣。 Dàwèi duì Zhōngguó de ~ hěn gǎn xìngqù. |他是研究 ~ 问题的。Tā shì yánjiū ~ wèntí de. |他很早就开始参加 ~ 活动了。Tā hěn zǎo jiù kāishǐ cānjiā ~ huódòng le. |我不了解他的 ~ 态度。Wǒ bù liǎojiě tā de ~ tàidu.

zhi

zhīhòu 之后（之後）

三天 ~ 你再给我打电话吧。Sān tiān ~ nǐ zài gěi wǒ dǎ diànhuà ba. →过三天以后你再给我打电话吧。Guò sān tiān yǐhòu nǐ zài gěi wǒ dǎ diànhuà ba. 例春节 ~ 我一直没见过他。Chūnjié ~ wǒ yìzhí méi jiànguo tā. |我们期末考试 ~，就放寒假了。Wǒmen qīmò kǎoshì ~, jiù fàng hánjià le. |大学毕业 ~，他一直在当记者。Dàxué bìyè ~, tā yìzhí zài dāng jìzhě. |~，他又给我写过两封信。~, tā yòu gěi wǒ xiěguo liǎng fēng xìn.

…zhījiān …之间[1]（…之間）

这两个城市 ~ 的距离有多少公里？Zhèi liǎng ge chéngshì ~ de jùlí yǒu duōshao gōnglǐ? →从这个城市到那个城市有多远？Cóng zhèige chéngshì dào nèige chéngshì yǒu duō yuǎn? 例坐火车从北京到广州 ~ 要停多少站？Zuò huǒchē cóng Běijīng dào Guǎngzhōu ~ yào tíng duōshao zhàn? |我们班各国同学 ~ 的关系很好。Wǒmen bān gè guó tóngxué ~ de guānxi hěn hǎo. |这件事情大概发生在九二、九 三年 ~ 。Zhèi jiàn shìqing dàgài fāshēng zài jiǔ'èr 、jiǔsān nián ~ .

Z

···zhījiān ···之间² (···之間)

我放在柜台上的钱包说话~不见了。Wǒ fàng zài guìtái shang de qiánbāo shuōhuà ~ bú jiàn le. →我只跟售货员说了几句话的时间,我的钱包不见了。Wǒ zhǐ gēn shòuhuòyuán shuōle jǐ jù huà de shíjiān, wǒ de qiánbāo bú jiàn le. 例刚才他就在这儿, 转眼~不知道跑到哪儿去了。Gāngcái tā jiù zài zhèr, zhuǎnyǎn ~ bù zhīdào pǎodào nǎr qù le. | 刚才他还好好儿的, 怎么突然~哭起来了呢? Gāngcái tā hái hǎohāor de, zěnme tūrán ~ kū qilai le ne? | 这个主意是我突然~想出来的。Zhèige zhúyi shì wǒ tūrán ~ xiǎng chulai de.

···zhīqián ···之前

我们八点上班, 大家一定要在八点~到办公室。Wǒmen bā diǎn shàngbān, dàjiā yídìng yào zài bā diǎn ~ dào bàngōngshì. →大家一定要在八点以前到办公室。Dàjiā yídìng yào zài bā diǎn yǐqián dào bàngōngshì. 例两天~我在商店见过安娜。Liǎng tiān ~ wǒ zài shāngdiàn jiànguo Ānnà. | 这张表一定要在星期五~填好交给老师。Zhèi zhāng biǎo yídìng yào zài Xīngqīwǔ ~ tiánhǎo jiāo gěi lǎoshī. | 我准备出国~去看你。Wǒ zhǔnbèi chūguó ~ qù kàn nǐ. | 开会~把讨论题目发给大家。Kāihuì ~ bǎ tǎolùn tímù fā gěi dàjiā.

···zhīshàng ···之上¹

站在香山~可以看到整个北京。Zhàn zài Xiāng Shān ~ kěyǐ kàndào zhěnggè Běijīng. →站在香山的上面可以看到整个北京。Zhàn zài Xiāng Shān de shàngmian kěyǐ kàndào zhěnggè Běijīng. 例在那座山的山顶~有一座小木屋。Zài nèi zuò shān de shāndǐng ~ yǒu yí zuò xiǎo mù wū. | 你爬到屋顶~去干什么? Nǐ pádào wūdǐng ~ qù gàn shénme? | 飞机飞到白云~了。Fēijī fēidào báiyún ~ le.

···zhīshàng ···之上²

他很聪明, 他的能力肯定在我~。Tā hěn cōngming, tā de nénglì kěndìng zài wǒ ~ . →他的能力肯定比我强。Tā de nénglì kěndìng bǐ wǒ qiáng. 例我了解他, 他的水平在你们三个人~。Wǒ liǎojiě tā, tā de shuǐpíng zài nǐmen sān ge rén ~ . | 小学的时候, 我各方面都比她差, 现在我各方面都在她~。Xiǎoxué de shíhou, wǒ gè fāngmiàn dōu bǐ tā chà, xiànzài wǒ gè fāngmiàn dōu zài tā ~ . | 我们班里学习成绩在我~的只有两个同学。Wǒmen bān li xuéxí chéngjì zài wǒ ~ de zhǐ yǒu liǎng ge tóngxué.

Z

··· zhīxià ··· 之下 [1]

这位老人腰部 ~ 不能活动了。Zhèi wèi lǎorén yāobù ~ bù néng huódòng le. →这位老人低于腰部的腿和脚不能活动了。Zhèi wèi lǎorén dīyú yāobù de tuǐ hé jiǎo bù néng huódòng le. 例在这个分数线 ~ 的学生不能上大学本科。Zài zhèige fēnshùxiàn ~ de xuésheng bù néng shàng dàxué běnkē. |总店 ~ 还开了三个分店。Zǒngdiàn ~ hái kāile sān ge fēndiàn. |在朋友们的鼓励 ~，我上了电视征婚节目。Zài péngyoumen de gǔlì ~，wǒ shàngle diànshì zhēnghūn jiémù.

··· zhīxià ··· 之下 [2]

你觉得他的能力怎么样？——他的能力不会在你 ~。Nǐ juéde tā de nénglì zěnmeyàng? ——Tā de nénglì bú huì zài nǐ ~. →他的能力不会比你低。Tā de nénglì bú huì bǐ nǐ dī. 例告诉你吧，他们的水平全在我 ~。Gàosu nǐ ba, tāmen de shuǐpíng quán zài wǒ ~. |他的地位在你之上，在我 ~。Tā de dìwèi zài nǐ zhīshàng, zài wǒ ~. |比尔的汉语水平在大卫 ~。Bǐ'ěr de Hànyǔ shuǐpíng zài Dàwèi ~.

··· zhīyī ··· 之一

在这部电影里，她是主要演员 ~。Zài zhèi bù diànyǐng li, tā shì zhǔyào yǎnyuán ~. →在这部电影里有三位主要演员，他是其中的一个。Zài zhèi bù diànyǐng li yǒu sān wèi zhǔyào yǎnyuán, tā shì qízhōng de yí ge. 例这次考试有两个人不及格，你是其中 ~。Zhèi cì kǎoshì yǒu liǎng ge rén bù jígé, nǐ shì qízhōng ~. |黄山是中国的名山 ~。Huáng Shān shì Zhōngguó de míng shān ~. |鱼香肉丝是我喜欢吃的中国菜 ~。Yúxiāng Ròusī shì wǒ xǐhuan chī de Zhōngguócài ~.

··· zhīzhōng ··· 之中

我的同学 ~，没有叫李大年的。Wǒ de tóngxué ~, méiyǒu jiào Lǐ Dànián de. →在我的同学的范围之内，没有一个同学的名字叫李大年。Zài wǒ de tóngxué de fànwéi zhīnèi, méiyǒu yí ge tóngxué de míngzi jiào Lǐ Dànián. 例这个消息已经在考生 ~ 传开了。Zhèige xiāoxi yǐjing zài kǎoshēng ~ chuánkāi le. |在这么好的集体 ~ 工作，我觉得非常愉快。Zài zhème hǎo de jítǐ ~ gōngzuò, wǒ juéde fēicháng yúkuài. |这件事的发生，早在我的预料 ~。Zhèi jiàn shì de fāshēng, zǎo zài wǒ de yùliào ~. |到底怎么做，他们还在商量 ~。Dàodǐ zěnme zuò, tāmen hái zài shāngliang ~.

zhī 支 [量]

用于笔、香烟，同"枝²"。Yòngyú bǐ、xiāngyān, tóng "zhī'èr". **例**我买了一～钢笔。Wǒ mǎile yì ～ gāngbǐ. | 借我一～铅笔好吗？Jiè wǒ yì ～ qiānbǐ hǎo ma? | 你想抽～香烟吗？Nǐ xiǎng chōu ～ xiāngyān ma? | 一包香烟有二十～。Yì bāo xiāngyān yǒu èrshí ～.

zhī 枝¹ [量]

用于树枝和带枝子的花ᵣ。Yòngyú shùzhī hé dài zhīzi de huār. **例**这一～树杈上长了十六个苹果。Zhèi yì ～ shùchà shang zhǎngle shíliù ge píngguǒ. | 她把几～柳条ᵣ插进河边ᵣ的泥土里。Tā bǎ jǐ ～ liǔtiáor chājìn hé biānr de nítǔ li. | 花瓶里插着三～梅花ᵣ。Huāpíng li chāzhe sān ～ méihuār. | 这几～玫瑰花ᵣ真香。Zhèi jǐ ～ méigui huār zhēn xiāng.

zhī 枝² [量]

用于细长或杆ᵣ状的东西，同"支"。Yòngyú xìcháng huò gǎnr zhuàng de dōngxi, tóng "zhī". **例**这里还少一～筷子。Zhèlǐ hái shǎo yì ～ kuàizi. | 我要买两～毛笔。Wǒ yào mǎi liǎng ～ máobǐ. | 他五岁了，我们给他点五～生日蜡烛。Tā wǔ suì le, wǒmen gěi tā diǎn wǔ ～ shēngri làzhú. | 这是一～笛子，是从中国买来的。Zhè shì yì ～ dízi, shì cóng Zhōngguó mǎilái de. | 你不要动那～枪。Nǐ búyào dòng nèi ～ qiāng.

zhīchí 支持 [动]

大卫想去参加比赛，大家都～他。Dàwèi xiǎng qù cānjiā bǐsài, dàjiā dōu ～ tā. →大家都赞成和鼓励他去参加。Dàjiā dōu zànchéng hé gǔlì tā qù cānjiā. **例**我不～你，你的想法不对。Wǒ bù ～ nǐ, nǐ de xiǎngfa bú duì. | 开始他～过我，后来不再～我了。Kāishǐ tā ～ guo wǒ, hòulái bù zài ～ wǒ le. | 我的父母非常～我学音乐。Wǒ de fùmǔ fēicháng ～ wǒ xué yīnyuè. | 公司给他很多钱，～他进行研究。Gōngsī gěi tā hěn duō qián, ～ tā jìnxíng yánjiū. | 这次展览得到了大家的～。Zhèi cì zhǎnlǎn dédàole dàjiā de ～.

zhīyuán 支援¹ [动]

我们一定派人去～你们。Wǒmen yídìng pài rén qù ～ nǐmen. →我们一定派人去帮助你们解决困难。Wǒmen yídìng pài rén qù bāngzhù nǐmen jiějué kùnnan. **例**他们派医疗队去～灾区。Tāmen pài yīliáoduì qù ～ zāiqū. | 这些粮食和药品是～山区的。Zhèixiē liángshi hé

Z

yàopǐn shì ~ shānqū de. |我们单位打算 ~ 他们一百万元。Wǒmen dānwèi dǎsuan ~ tāmen yìbǎi wàn yuán. |我们 ~ 过他们三次了。Wǒmen ~ guo tāmen sān cì le.

zhīyuán 支援[2] [名]

现在我们十分需要你们的 ~。Xiànzài wǒmen shífēn xūyào nǐmen de ~. →现在我们十分需要得到你们援助的人力、物力、财力等等。Xiànzài wǒmen shífēn xūyào dédào nǐmen yuánzhù de rénlì、wùlì、cáilì děngděng. 例你们的 ~ 非常及时。Nǐmen de ~ fēicháng jíshí. |感谢你们的大力 ~。Gǎnxiè nǐmen de dàlì ~. |对贫困地区的 ~ 是我们的责任。Duì pínkùn dìqū de ~ shì wǒmen de zérèn.

zhī 只[1] （隻） [量]

用于狗、猫、鸡、鸭等动物。Yòngyú gǒu、māo、jī、yā děng dòngwù. 例他家养了两 ~ 狗。Tā jiā yǎngle liǎng ~ gǒu. |我有一 ~ 小猫。Wǒ yǒu yì ~ xiǎomāo. |这 ~ 鸡是黑色的。Zhèi ~ jī shì hēisè de. |每天都有好多 ~ 鸟飞到这里来找东西吃。Měi tiān dōu yǒu hǎoduō ~ niǎo fēidào zhèlǐ lái zhǎo dōngxi chī.

zhī 只[2] （隻） [量]

用于一对中的一个。Yòngyú yí duì zhōng de yí ge. 例他的鞋子有一 ~ 破了。Tā de xiézi yǒu yì ~ pò le. |他的眼睛一 ~ 大，一 ~ 小。Tā de yǎnjing yì ~ dà, yì ~ xiǎo. |我两 ~ 手都拿着东西，这个箱子你帮我拿一下儿好吗？Wǒ liǎng ~ shǒu dōu názhe dōngxi, zhèige xiāngzi nǐ bāng wǒ ná yíxiàr hǎo ma? |这 ~ 手套还是新的，那 ~ 已经快破了。Zhèi ~ shǒutào háishi xīn de, nèi ~ yǐjing kuài pò le. |我的手套怎么少了一 ~？Wǒ de shǒutào zěnme shǎole yì ~?

zhī 只[3] （隻） [量]

用于船。Yòngyú chuán. 例一 ~ 小船停在河边。Yì ~ xiǎochuán tíng zài hé biān. |那 ~ 蓝色的船最快。Nèi ~ lánsè de chuán zuì kuài. |我们这 ~ 船比他们那 ~ 大得多。Wǒmen zhèi ~ chuán bǐ tāmen nèi ~ dà de duō. |你看那 ~ 小船朝我们划过来了。Nǐ kàn nèi ~ xiǎochuán cháo wǒmen huá guolai le.

zhīdào 知道 [动]

to know 例他 ~ 这件事，我已经告诉他了。Tā ~ zhèi jiàn shì, wǒ yǐjing gàosu tā le. |她唱歌儿唱得特别好，大家都 ~ 她。Tā chànggēr chàng de tèbié hǎo, dàjiā dōu ~ tā. |他 ~ 我的名字。Tā ~ wǒ de míngzi. |大卫 ~ 怎么做蛋糕，他妈妈教过他。Dàwèi ~

zěnme zuò dàngāo, tā māma jiāoguo tā. | 比尔一点儿也不～玛丽已经结婚了。Bǐ'er yìdiǎnr yě bù ～ Mǎlì yǐjing jiéhūn le. | 谁～安娜去哪儿了？Shéi ～ Ānnà qù nǎr le? | 我可不～他听了这件事会这么生气。Wǒ kě bù ～ tā tīngle zhèi jiàn shì huì zhème shēngqì. | 我怎么会～你喜欢什么？Wǒ zěnme huì ～ nǐ xǐhuan shénme? | 这个消息现在大家都～了。Zhèige xiāoxi xiànzài dàjiā dōu ～ le. | 这件事他～得最早，我～得最晚。Zhèi jiàn shì tā ～ de zuì zǎo, wǒ ～ de zuì wǎn.

zhīshi 知识（知識）［名］

他的～很丰富。Tā de ～ hěn fēngfù. →文科、理科的东西他都懂。Wénkē、lǐkē de dōngxi tā dōu dǒng. 例我的～太不够了，需要多学习。Wǒ de ～ tài búgòu le, xūyào duō xuéxí. | 我们从书里学到了很多～。Wǒmen cóng shū li xuédàole hěn duō ～. | 他不爱学习，没有多少～。Tā bú ài xuéxí, méiyǒu duōshǎo ～. | 他在音乐方面的～很丰富。Tā zài yīnyuè fāngmiàn de ～ hěn fēngfù. | 他是一个很有～的年轻人。Tā shì yí ge hěn yǒu ～ de niánqīngrén.

zhī 织（織）［动］

这是我妈妈～的毛衣。Zhè shì wǒ māma ～ de máoyī. →这是我妈妈用毛线做成的衣服。Zhè shì wǒ māma yòng máoxiàn zuòchéng de yīfu. 例我奶奶会～布。Wǒ nǎinai huì ～ bù. | 你给女儿～的帽子真漂亮。Nǐ gěi nǚ'ér ～ de màozi zhēn piàoliang. | 我给爸爸～的毛背心快～完了。Wǒ gěi bàba ～ de máo bèixīn kuài ～ wán le. | 我～过两双手套。Wǒ ～ guo liǎng shuāng shǒutào. | 用机器～比人工快多了。Yòng jīqì ～ bǐ réngōng kuài duō le.

zhíxíng 执行（執行）

我们要认真～国家政策。Wǒmen yào rènzhēn ～ guójiā zhèngcè. →我们要认真按照国家的政策去办事。Wǒmen yào rènzhēn ànzhào guójiā de zhèngcè qù bànshì. 例每个人都要～法律。Měi ge rén dōu yào ～ fǎlǜ. | 等我任务～完了，就回家。Děng wǒ rènwu ～ wán le, jiù huíjiā. | 这个计划我们～不了。Zhèige jìhuà wǒmen ～ bùliǎo. | 你个人的命令，我不～。Nǐ gèrén de mìnglìng, wǒ bù ～.

zhí 直[1] ［形］

这条大街从东到西很～。Zhèi tiáo dàjiē cóng dōng dào xī hěn ～. →这条大街没有一点儿弯儿。Zhèi tiáo dàjiē méiyǒu yìdiǎnr wānr. 例你画的这条线一点儿也不～。Nǐ huà de zhèi tiáo xiàn yìdiǎnr yě bù ～. |

Z

请你站~点儿。Qǐng nǐ zhàn ~ diǎnr. | 这些竹子长得真~。Zhèixiē zhúzi zhǎng de zhēn ~ . | 你的裤子的裤线烫得真~。Nǐ de kùzi de kùxiàn tàng de zhēn ~ .

zhí 直² [动]

你别弯着腰，~起来。Nǐ bié wānzhe yāo, ~ qilai. →你别弯着腰，把腰伸开。Nǐ bié wānzhe yāo, bǎ yāo shēnkāi. 例我来干吧，您站起来~~身子休息一会儿。Wǒ lái gàn ba, nín zhàn qilai ~ ~ shēnzi xiūxi yíhuìr. | 人老了，腰、背都~不了了。Rén lǎo le, yāo、bèi dōu ~ bùliǎo le. | 你帮我把这根儿铁丝~过来。Nǐ bāng wǒ bǎ zhèi gēnr tiěsī ~ guolai.

zhí 直³ [形]

你有什么事，~说吧！Nǐ yǒu shénme shì, ~ shuō ba. →不用说客气话了，你来的目的是什么就说出来吧。Búyòng shuō kèqì huà le, nǐ lái de mùdì shì shénme jiù shuō chulai ba. 例他这个人很~，心里有什么，就说什么。Tā zhèi ge rén hěn ~ , xīnli yǒu shénme, jiù shuō shénme. | 她呀，是个~性子，说完就完了，你别生气。Tā ya, shì ge ~ xìngzi, shuōwán jiù wán le, nǐ bié shēngqì. | 我喜欢跟~来~去的人交朋友。Wǒ xǐhuan gēn ~ lái ~ qù de rén jiāo péngyou.

zhí 直⁴ [副]

你怎么~咳嗽，感冒了吧？Nǐ zěnme ~ késou, gǎnmào le ba? →你怎么反复地不停地咳嗽，感冒了吧？Nǐ zěnme fǎnfù de bù tíng de késou, gǎnmào le ba? 例你看他们高兴得~跳。Nǐ kàn tāmen gāoxìng de ~ tiào. | 他唱完歌儿后，观众们~鼓掌。Tā chàngwán gēr hòu, guānzhòngmen ~ gǔzhǎng. | 昨天的京剧表演真精彩，大家~为演员们叫好。Zuótiān de jīngjù biǎoyǎn zhēn jīngcǎi, dàjiā ~ wèi yǎnyuánmen jiàohǎo.

zhí 直⁵ [副]

这次回国我打算~飞北京。Zhèi cì huíguó wǒ dǎsuan ~ fēi Běijīng. →我不在中途停留，一站就到北京。Wǒ bú zài zhōngtú tíngliú, yì zhàn jiù dào Běijīng. 例这条公路~通上海。Zhèi tiáo gōnglù ~ tōng Shànghǎi. | 从早到晚她~忙活。Cóng zǎo dào wǎn tā ~ mánghuo. | 他的口才真好，~听他说了三个钟头，大家还不想离去。Tā de kǒucái zhēn hǎo, ~ tīng tā shuōle sān ge zhōngtóu, dàjiā hái bù xiǎng líqù.

Z

zhídào 直到 [动]

你妈为了等你，~ 夜里十二点半才睡觉。Nǐ mā wèile děng nǐ, ~ yèli shí'èr diǎn bàn cái shuìjiào. →昨天她等你等到夜里十二点半才睡觉。Zuótiān tā děng nǐ děngdào yèli shí'èr diǎn bàn cái shuìjiào. 例我找了他好几天，~ 今天上午才找到他。Wǒ zhǎole tā hǎojǐ tiān, ~ jīntiān shàngwǔ cái zhǎodào tā. | 我明天结婚的消息 ~ 昨天才告诉朋友们。Wǒ míngtiān jiéhūn de xiāoxi ~ zuótiān cái gàosu péngyoumen. | 母亲已经去世十年了，父亲一直深深地爱着她，~ 他死为止。Mǔqin yǐjīng qùshì shí nián le, fùqin yìzhí shēnshēn de àizhe tā, ~ tā sǐ wéizhǐ.

zhíjiē 直接 [形]

这封信是我 ~ 交给安娜的。Zhèi fēng xìn shì wǒ ~ jiāo gěi Ānnà de. →这封信是我亲手交给安娜的。Zhèi fēng xìn shì wǒ qīnshǒu jiāo gěi Ānnà de. 例这件事你 ~ 告诉他吧。Zhèi jiàn shì nǐ~ gàosu tā ba. | 如果你有事可以 ~ 给我打电话。Rúguǒ nǐ yǒu shì kěyǐ ~ gěi wǒ dǎ diànhuà. | 下班后你 ~ 回家吧，不用去买菜了。Xiàbān hòu nǐ ~ huíjiā ba, búyòng qù mǎi cài le. | 酒后开车是造成这一事故的 ~ 原因。Jiǔ hòu kāi chē shì zàochéng zhèi yí shìgù de ~ yuányīn. | 听说这种药是 ~ 从草里提取出来的。Tīngshuō zhèi zhǒng yào shì ~ cóng cǎo li tíqǔ chulai de.

zhíxiáshì 直辖市（直轄市）[名]

北京市是 ~。Běijīng Shì shì ~. →北京市是直接由中央政府领导的市。Běijīng Shì shì zhíjiē yóu zhōngyāng zhèngfǔ lǐngdǎo de shì. 例中国有四个 ~。Zhōngguó yǒu sì ge ~. | 上海市是 ~ 之一。Shànghǎi Shì shì ~ zhīyī. | 这个 ~ 人口比较多。Zhèige ~ rénkǒu bǐjiào duō.

zhíde 值得[1] [动]

年轻的时候多学点儿东西很 ~。Niánqīng de shíhou duō xué diǎnr dōngxi hěn ~. →年轻的时候多学点儿东西对将来很有好处。Niánqīng de shíhou duō xué diǎnr dōngxi duì jiānglái hěn yǒu hǎochu. 例这次旅行很 ~，增长了很多知识。Zhèi cì lǚxíng hěn ~, zēngzhǎngle hěn duō zhīshi. | 那部电影真 ~ 一看。Nèi bù diànyǐng zhēn ~ yí kàn. | 这个问题挺 ~ 研究。Zhèige wèntí tǐng ~ yánjiū. | 历史的经验 ~ 注意。Lìshǐ de jīngyàn ~ zhùyì. | 他们的事迹 ~ 去写。Tāmen de shìjì ~ qù xiě.

Z

zhíde 值得² [动]

这么好的书十块钱一本儿，~。Zhème hǎo de shū shí kuài qián yì běnr, ~. →用的钱不多，但是买了一本儿好书。Yòng de qián bù duō, dànshì mǎile yì běnr hǎo shū. 例二十块钱买了这么多水果，~. Èrshí kuài qián mǎile zhème duō shuǐguǒ, ~. |这种电脑不贵，~买。Zhèi zhǒng diànnǎo bú guì, ~ mǎi. |花钱买这么旧的汽车不~。Huā qián mǎi zhème jiù de qìchē bù ~. |老板给你这么点儿钱，你不~去干。Lǎobǎn gěi nǐ zhème diǎnr qián, nǐ bù ~ qù gàn.

zhígōng 职工（職工）[名]

我们工厂一共有三千名~。Wǒmen gōngchǎng yígòng yǒu sānqiān míng ~. → 在我们工厂工作的一共有三千人。Zài wǒmen gōngchǎng gōngzuò de yígòng yǒu sānqiān rén. 例这个车间的~最多。Zhèige chējiān de ~ zuì duō. |今年又进了一批新~。Jīnnián yòu jìnle yì pī xīn ~. |我们厂男~人数比女~人数多。Wǒmen chǎng nán ~ rénshù bǐ nǚ ~ rénshù duō. |这些房子都是~宿舍。Zhèixiē fángzi dōu shì ~ sùshè. |我们公司每年开一次~代表大会。Wǒmen gōngsī měi nián kāi yí cì ~ dàibiǎo dàhuì.

zhíyè 职业（職業）[名]

我母亲的~是老师。Wǒ mǔqin de ~ shì lǎoshī. →我母亲的工作是老师。Wǒ mǔqin de gōngzuò shì lǎoshī. 例年轻人很喜欢记者这个~。Niánqīngrén hěn xǐhuan jìzhě zhèige ~. |大学毕业以后我得找个我喜欢的~。Dàxué bìyè yǐhòu wǒ děi zhǎo ge wǒ xǐhuan de ~. |这种~女孩子不爱干。Zhèi zhǒng ~ nǚháizi bú ài gàn. |他已经换过三次~。Tā yǐjing huànguo sān cì ~.

zhíwù 植物 [名]

plants 例树和草都是~。Shù hé cǎo dōu shì ~. |这种~在经常下雨的地方很常见。Zhèi zhǒng ~ zài jīngcháng xià yǔ de dìfang hěn chángjiàn. |没有水~就会死。Méiyǒu shuǐ ~ jiù huì sǐ. |公园里长着各种各样的~。Gōngyuán li zhǎngzhe gèzhǒng gèyàng de ~. |这种~的叶子到了秋天就会变成红色了。Zhèi zhǒng ~ de yèzi dàole qiūtiān jiù huì biànchéng hóngsè le.

zhǐ 止 [动]

大学生运动会从 4 月 20 日起至 4 月 28 日~。Dàxuéshēng

yùndònghuì cóng Sìyuè èrshí rì qǐ zhì Sìyuè èrshíbā rì ~ . →从 4 月 20 日起至 4 月 28 日结束。Cóng Sìyuè èrshí rì qǐ zhì Sìyuè èrshíbā rì jiéshù. 例这个画展从 8 月 10 日起至 9 月 9 日 ~ 。Zhèige huàzhǎn cóng Bāyuè shí rì qǐ zhì Jiǔyuè jiǔ rì ~. | 通知上写着："报名到本月 16 日 ~ 。"Tōngzhī shang xiězhe :"Bàomíng dào běnyuè shíliù rì ~ "| 这段历史始于 1912 年， ~ 于 1949 年。Zhèi duàn lìshǐ shǐ yú yī jiǔ yī èr nián， ~ yú yī jiǔ sì jiǔ nián.

zhǐ 只（祇）[副]

他们几个人里我 ~ 认识大卫。Tāmen jǐ ge rén li wǒ ~ rènshi Dàwèi. →除了大卫，别的人我都不认识。Chúle Dàwèi, biéde rén wǒ dōu bú rènshi. 例他 ~ 喜欢看书，没有别的爱好。Tā ~ xǐhuan kànshū, méiyǒu biéde àihào. | 我们今年 ~ 见过一次面。Wǒmen jīnnián ~ jiànguo yí cì miàn. | 他这次旅游~去了一个地方。Tā zhèi cì lǚyóu qùle yí ge dìfang. | 我 ~ 知道他今天来找过你，为什么找你我就不知道了。Wǒ ~ zhīdao tā jīntiān láizhǎoguo nǐ, wèishénme zhǎo nǐ wǒ jiù bù zhīdào le. | 别人都没去过那ㄦ， ~ 比尔一个人去过。Biérén dōu méi qùguo nàr, ~ Bǐ'er yí ge rén qùguo.

zhǐhǎo 只好（祇好）[副]

今天的机票卖完了，我 ~ 买明天的。Jīntiān de jīpiào màiwán le, wǒ ~ mǎi míngtiān de. →我没有别的办法，不满意也只能这样做。Wǒ méiyǒu biéde bànfǎ, bù mǎnyì yě zhǐ néng zhèiyàng zuò. 例大卫的汽车坏了， ~ 坐出租汽车回去。Dàwèi de qìchē huài le, ~ zuò chūzū qìchē huíqu. | 他今天没空ㄦ，我 ~ 让他明天再帮我的忙。Tā jīntiān méi kòngr, wǒ ~ ràng tā míngtiān zài bāng wǒ de máng. | 现在没别的办法， ~ 等待。Xiànzài méi biéde bànfǎ, ~ děngdài. | 没人陪我去，我 ~ 一个人去。Méi rén péi wǒ qù, wǒ ~ yí ge rén qù.

zhǐshì 只是[1]（祇是）[副]

他不说话， ~ 哭。Tā bù shuōhuà, ~ kū. →他不说话，光哭。Tā bù shuōhuà, guāng kū. 例我没去他家， ~ 给他打了个电话。Wǒ méi qù tā jiā, ~ gěi tā dǎle ge diànhuà. | 我 ~ 想问问你知道不知道。Wǒ ~ xiǎng wènwen nǐ zhīdào bu zhīdào. | 我 ~ 想帮帮他，没有别的目的。Wǒ ~ xiǎng bāngbang tā, méiyǒu biéde mùdì. | 这些 ~ 我个人的看法。Zhèixiē ~ wǒ gèrén de kànfǎ. | 我 ~ 随便问问的。Wǒ ~ suíbiàn wènwen de.

Z

zhǐshì 只是² (祇是) [连]

他心里全明白, ~ 不想说出来。Tā xīnli quán míngbai, ~ bù xiǎng shuō chulai. → 他心里全明白, 但是不想说出来。Tā xīnli quán míngbai, dànshì bù xiǎng shuō chulai. 我真想去旅行, ~ 现在缺少钱。Wǒ zhēn xiǎng qù lǚxíng, ~ xiànzài quēshǎo qián. | 这个院子真美, ~ 小了点儿。Zhèige yuànzi zhēn měi, ~ xiǎole diǎnr. | 我觉得她挺漂亮的, ~ 个儿矮了点儿。Wǒ juéde tā tǐng piàoliang de, ~ gèr ǎile diǎnr. | 三年不见, 你的变化不大, ~ 胖了。Sān nián bú jiàn, nǐ de biànhuà bú dà, ~ pàng le.

zhǐyào 只要 (祇要) [连]

~ 不下雨, 我们就去长城。~ bú xià yǔ, wǒmen jiù qù Chángchéng. → 去长城, 天气热或冷都不要紧, 但是有个最低的条件是不能下雨。Qù Chángchéng, tiānqì rè huò lěng dōu bú yàojǐn, dànshì yǒu ge zuì dī de tiáojiàn shì bù néng xià yǔ. 您 ~ 给他打个电话, 他就能来。Nín ~ gěi tā dǎ ge diànhuà, tā jiù néng lái. | ~ 你说的有道理, 大家是会同意的。~ nǐ shuō de yǒu dàoli, dàjiā shì huì tóngyì de. | ~ 你努力, 没有做不成的事。~ nǐ nǔlì, méiyǒu zuò bù chéng de shì. | 我随时都愿意帮助你, ~ 你需要。Wǒ suíshí dōu yuànyì bāngzhù nǐ, ~ nǐ xūyào.

zhǐyǒu 只有¹ (祇有) [副]

如果咱们想不出办法的话, ~ 听他的了。Rúguǒ zánmen xiǎng bu chū bànfǎ dehuà, ~ tīng tā de le. → 如果咱们想不出办法的话, 只好听他的了。Rúguǒ zánmen xiǎng bu chū bànfǎ dehuà, zhǐhǎo tīng tā de le. 今天走不了了, ~ 住在这儿了。Jīntiān zǒu bùliǎo le, ~ zhù zài zhèr le. | 钱包里的钱用完了, 现在 ~ 去银行里取了。Qiánbāo li de qián yòngwán le, xiànzài ~ qù yínháng li qǔ le. | 末班车已经过去了, ~ 走回家了。Mòbānchē yǐjing guòqu le, ~ zǒuhuí jiā le.

zhǐyǒu 只有² (祇有) [连]

~ 调查研究才能做出正确的结论。~ diàochá yánjiū cái néng zuòchū zhèngquè de jiélùn. → 调查研究是作出正确结论的惟一条件。Diàochá yánjiū shì zuòchū zhèngquè jiélùn de wéiyī tiáojiàn. ~ 我们一起努力, 才能把这项工作做好。~ wǒmen yìqǐ nǔlì, cái néng bǎ zhèi xiàng gōngzuò zuòhǎo. | 我听了听, ~ 他出的主意还不错。

Wǒ tīngle tīng, ~ tā chū de zhúyi hái búcuò. l 现在 ~ 你亲自去了，要不然这事儿就办不成了。Xiànzài ~ nǐ qīnzì qù le, yàobùrán zhè shìr jiù bàn bu chéng le. l 要想取得好成绩，~ 努力。Yào xiǎng qǔdé hǎo chéngjì, ~ nǔlì.

zhǐ 纸（纸）[名]

paper 例 这张 ~ 很厚。Zhèi zhāng ~ hěn hòu. l 那种 ~ 是画画儿用的。Nèi zhǒng ~ shì huà huàr yòng de. l 他给了我一张白 ~，让我画出大卫的样子。Tā gěile wǒ yì zhāng bái ~, ràng wǒ huàchū Dàwèi de yàngzi. l 办公室每天都要用大量的 ~。Bàngōngshì měi tiān dōu yào yòng dàliàng de ~. l 他用 ~ 折了一只小鸟。Tā yòng ~ zhéle yì zhī xiǎoniǎo. l 这朵花儿是 ~ 做的。Zhèi duǒ huār shì ~ zuò de. l 他在一张 ~ 上写下了自己的名字。Tā zài yì zhāng ~ shang xiěxiale zìjǐ de míngzi. l 这张 ~ 的两面看起来不一样光滑。Zhèi zhāng ~ de liǎng miàn kàn qilai bù yíyàng guānghuá.

zhǐ 指[1] [动]

to point 例 他 ~ 着桌子上的书对我说："这些是我刚买的。" Tā ~ zhe zhuōzi shang de shū duì wǒ shuō: "Zhèixiē shì wǒ gāng mǎi de." l 大卫 ~ 着一辆黑色的汽车说："这是我的车。" Dàwèi ~ zhe yí liàng hēisè de qìchē shuō: "Zhè shì wǒ de chē." l 我问他谁是大卫，他用手 ~ 了 ~ 站在门口的那个年轻人。Wǒ wèn tā shéi shì Dàwèi, tā yòng shǒu ~ le ~ zhàn zài ménkǒu de nèige niánqīngrén. l 你能不能 ~ 一下儿哪辆自行车是你的? Nǐ néng bu néng ~ yíxiàr něi liàng zìxíngchē shì nǐ de? l 我不喜欢别人用东西 ~ 着我。Wǒ bù xǐhuan biérén yòng dōngxi ~ zhe wǒ. l 我问他银行在哪儿，他用手一 ~，说："就在那儿。" Wǒ wèn tā yínháng zài nǎr, tā yòng shǒu yì ~, shuō: "Jiù zài nàr."

zhǐ 指[2] [动]

我批评这种行为的时候，不光 ~ 你，也 ~ 其他人。Wǒ pīpíng zhèi zhǒng xíngwéi de shíhou, bùguāng ~ nǐ, yě ~ qítā rén. →我的意思不光批评你的这种行为，也批评其他人的这种行为。Wǒ de yìsi bùguāng pīpíng nǐ de zhèi zhǒng xíngwéi, yě pīpíng qítā rén de zhèi zhǒng xíngwéi. 例 我的这句话不是 ~ 你说的，是 ~ 他的。Wǒ de zhèi jù huà bú shì ~ nǐ shuō de, shì ~ tā de. l 这次你不是 ~ 着我说的就算了。Zhèi cì nǐ bú shì ~ zhe wǒ shuō de jiù suàn le.

Z

zhǐchū 指出 [动]

老师经常～我的发音错误。Lǎoshī jīngcháng ～ wǒ de fāyīn cuòwù. →老师经常告诉我说："你的音发错了。" Lǎoshī jīngcháng gàosu wǒ shuō:"Nǐ de yīn fācuò le." 例他看完以后，～了三个问题。Tā kànwán yǐhòu, ～ le sān ge wèntí. I 大家帮助他并为他～了努力的方向。Dàjiā bāngzhù tā bìng wèi tā zhǐchūle nǔlì de fāngxiàng. I 许多文章～过吸烟的害处。Xǔduō wénzhāng ～ guo xīyān de hàichu. I 你们给我～的缺点，我一定立即改正。Nǐmen gěi wǒ ～ de quēdiǎn, wǒ yídìng lìjí gǎizhèng.

zhǐdǎo 指导（指導）[动]

这次实验是张教授～我们做的。Zhèi cì shíyàn shì Zhāng jiàoshòu ～ wǒmen zuò de. →这次实验是张教授带领着我们，教我们做的。Zhèi cì shíyàn shì Zhāng jiàoshòu dàilǐngzhe wǒmen, jiāo wǒmen zuò de. 例这学期我的工作是～学生的毕业论文。Zhè xuéqī wǒ de gōngzuò shì ～ xuéshēng de bìyè lùnwén. I 他～得很认真。Tā ～ de hěn rènzhēn. I 我也请他～过两次。Wǒ yě qǐng tā ～ guo liǎng cì. I 在老师的～下，同学们进步得很快。Zài lǎoshī de ～ xià, tóngxuémen jìnbù de hěn kuài.

zhǐhuī 指挥[1]（指揮）[动]

他正在～大家唱歌儿。Tā zhèngzài ～ dàjiā chànggēr. →他正在用口令和动作，让大家把歌儿唱好。Tā zhèngzài yòng kǒulìng hé dòngzuò, ràng dàjiā bǎ gēr chànghǎo. 例今天～大合唱的是我们班长。Jīntiān ～ dà héchàng de shì wǒmen bānzhǎng. I 交通警察在马路上～车辆。Jiāotōng jǐngchá zài mǎlù shang ～ chēliàng. I 他～得很认真。Tā ～ de hěn rènzhēn. I 这回咱们得找一个有经验的人来～。Zhèi huí zánmen děi zhǎo yí ge yǒu jīngyàn de rén lái ～.

zhǐhuī 指挥[2]（指揮）[名]

今天的大合唱，我们班长当～。Jīntiān de dà héchàng, wǒmen bānzhǎng dāng ～. →今天的大合唱，我们班长当打拍子的人。Jīntiān de dà héchàng, wǒmen bānzhǎng dāng dǎ pāizi de rén. 例这位～才二十岁。Zhèi wèi ～ cái èrshí suì. I 她是一位好～。Tā shì yí wèi hǎo ～. I 这么大的工地，只有一位总～。Zhème dà de gōngdì, zhǐ yǒu yí wèi zǒng ～. I 他是我们乐队的女～。Tā shì wǒmen yuèduì de nǚ ～. I 演出结束了，观众们向～献上了美丽的

花环。Yǎnchū jiéshù le，guānzhòngmen xiàng ~ xiànshangle měilì de huāhuán.

zhǐshì 指示[1] ［动］

中央 ~ 各级政府都要做好支援灾区的工作。Zhōngyāng ~ gè jí zhèngfǔ dōu yào zuòhǎo zhīyuán zāiqū de gōngzuò. →中央政府要求下级政府做好支援灾区的工作。Zhōngyāng zhèngfǔ yāoqiú xiàjí zhèngfǔ zuòhǎo zhīyuán zāiqū de gōngzuò. 例上级 ~ 我们必须在三天内把被水冲坏的路修好。Shàngjí ~ wǒmen bìxū zài sān tiān nèi bǎ bèi shuǐ chōnghuài de lù xiūhǎo. | 厂长 ~ 工人们要提前完成今年的任务。Chǎngzhǎng ~ gōngrénmen yào tíqián wánchéng jīnnián de rènwu. | 院长 ~ 医生们要救活这个孩子。Yuànzhǎng ~ yīshēngmen yào jiùhuó zhèige háizi.

zhǐshì 指示[2] ［名］

下午开会，传达上级的 ~。Xiàwǔ kāihuì, chuándá shàngjí de ~. →下午开会把上级的文件传达给大家。Xiàwǔ kāihuì bǎ shàngjí de wénjiàn chuándá gěi dàjiā. 例我们商量一下儿怎么贯彻上级的 ~。Wǒmen shāngliang yíxiàr zěnme guànchè shàngjí de ~. | 下一步怎么做，我们再等一等市里的 ~。Xià yí bù zěnme zuò, wǒmen zài děng yi děng shìli de ~. | 他们啊，谁的 ~ 也不听。Tāmen a, shéi de ~ yě bù tīng. | 他们正在学习讨论那个重要的 ~。Tāmen zhèngzài xuéxí tǎolùn nèige zhòngyào de ~

zhì 至 ［动］

北京 ~ 上海的火车已经开走了。Běijīng ~ Shànghǎi de huǒchē yǐjing kāizǒu le. →从北京到达上海的火车已经开走了。Cóng Běijīng dàodá Shànghǎi de huǒchē yǐjing kāizǒu le. 例他们的旅行路线，先是东京 ~ 北京，再从北京 ~ 广州。Tāmen de lǚxíng lùxiàn, xiānshì Dōngjīng ~ Běijīng, zài cóng Běijīng ~ Guǎngzhōu. | 今年的 6 月 ~ 8 月天气一直很热。Jīnnián de Liùyuè ~ Bāyuè tiānqì yìzhí hěn rè. | 这是一本介绍从 1949 年 ~ 1999 年历史的书。Zhè shì yì běn jièshào cóng yī jiǔ sì jiǔ nián ~ yī jiǔ jiǔ jiǔ nián lìshǐ de shū. | 这期学习班的时间：7 月 31 日 ~ 8 月 25 日。Zhèi qī xuéxíbān de shíjiān: Qīyuè sānshíyī rì ~ Bāyuè èrshíwǔ rì.

zhìjīn 至今 ［副］

我母亲 ~ 还住在农村。Wǒ mǔqin ~ hái zhù zài nóngcūn. →我母亲

一直到现在还住在农村。Wǒ mǔqin yìzhí dào xiànzài hái zhù zài nóngcūn. 例五十年前的照片，～还保存在他身边。Wǔshí nián qián de zhàopiàn, ～hái bǎocún zài tā shēnbiān. │这件事讨论过三次了，可是～也没有解决。Zhèi jiàn shì tǎolùnguo sān cì le, kěshì ～yě méiyǒu jiějué. │他从中学时就开始帮助那位老人，一直坚持～。Tā cóng zhōngxué shí jiù kāishǐ bāngzhù nèi wèi lǎorén, yìzhí jiānchí ～. │这么有名的人，～我们学校已出现过二十多个了。Zhème yǒumíng de rén, ～wǒmen xuéxiào yǐ chūxiànguo èrshí duō gè le.

zhìshǎo 至少 ［副］

我刚离开家的时候，每个星期～给妈妈打一次电话。Wǒ gāng líkāi jiā de shíhou, měi ge xīngqī ～gěi māma dǎ yí cì diànhuà. →每个星期最少给妈妈打一次电话，有的时候打两次或三次。Měi ge xīngqī zuì shǎo gěi māma dǎ yí cì diànhuà, yǒude shíhou dǎ liǎng cì huò sān cì. 例这篇文章～有两万字。Zhèi piān wénzhāng ～yǒu liǎngwàn zì. │我这次出差，～要十天以后才能回来。Wǒ zhèi cì chūchāi, ～yào shí tiān yǐhòu cái néng huílai. │从这儿到邮局～要走15分钟。Cóng zhèr dào yóujú ～yào zǒu shíwǔ fēnzhōng. │你写的字～你自己得认识啊！Nǐ xiě de zì ～nǐ zìjǐ děi rènshi a! │～，你应该找他谈一次。～, nǐ yīnggāi zhǎo tā tán yí cì.

zhìdìng 制定 ［动］

国家～了《劳动法》。Guójiā ～le《Láodòngfǎ》. →国家已经使《劳动法》确定了下来。Guójiā yǐjing shǐ《Láodòngfǎ》quèdìngle xialai. 例我们正在～明年的计划。Wǒmen zhèngzài ～míngnián de jìhuà. │这方面的制度还没～出来。Zhè fāngmiàn de zhìdù hái méi ～chūlái. │《婚姻法》～得比较早。《Hūnyīnfǎ》～de bǐjiào zǎo. │这些法律是什么时候～的？Zhèixiē fǎlǜ shì shénme shíhou ～de? │他们～的计划很符合实际。Tāmen ～de jìhuà hěn fúhé shíjì.

zhìdìng 制订（制訂）［动］

明年我们还要～一些新政策。Míngnián wǒmen háiyào ～yìxiē xīn zhèngcè. →明年我们还要经过研究确立一些新政策。Míngnián wǒmen háiyào jīngguò yánjiū quèlì yìxiē xīn zhèngcè. 例国家将要～一些保护环境的新措施。Guójiā jiāngyào ～yìxiē bǎohù huánjìng de xīn cuòshī. │奖励优秀学生的办法已经～出来了。Jiǎnglì yōuxiù xuésheng de bànfǎ yǐjing ～chulai le. │我了解这项制度的～过程。Wǒ liǎojiě zhèi xiàng zhìdù de ～guòchéng. │我参加了这个方案的

~ 。Wǒ cānjiāle zhèige fāng'àn de ~.

zhìdù 制度[1] [名]

我们实行一星期五天工作的 ~ 。Wǒmen shíxíng yì xīngqī wǔ tiān gōngzuò de ~. →我们实行一个星期五天工作两天休息的规定。Wǒmen shíxíng yí ge xīngqī wǔ tiān gōngzuò liǎng tiān xiūxi de guīdìng. 例这个奖励 ~ 很受欢迎。Zhèige jiǎnglì ~ hěn shòu huānyíng. | 领导应该带头遵守 ~ 。Lǐngdǎo yīnggāi dàitóu zūnshǒu ~ . | 谁也不能违反工作 ~ 。Shéi yě bù néng wéifǎn gōngzuò ~ . | 过时了的 ~ 需要修改。Guòshíle de ~ xūyào xiūgǎi, | 这项 ~ 写在纸上，然后贴到墙上去。Zhèi xiàng ~ xiě zài zhǐ shang, ránhòu tiēdào qiángshang qu.

zhìdù 制度[2] [名]

清朝实行的是封建主义 ~ 。Qīng Cháo shíxíng de shì fēngjiàn zhǔyì ~. →清朝实行的是封建社会形成的政治、经济、文化等方面的法律、规定 等。Qīng Cháo shíxíng de shì fēngjiàn shèhuì xíngchéng de zhèngzhì、jīngjì、wénhuà děng fāngmiàn de fǎlǜ、guīdìng děng. 例中国的内地与香港实行一个国家两种 ~ ：一种是社会主义 ~ ，一种是资本主义 ~ 。Zhōngguó de nèidì yǔ Xiānggǎng shíxíng yí ge guójiā liǎng zhǒng ~ ：yì zhǒng shì shèhuì zhǔyì ~ , yì zhǒng shì zīběn zhǔyì ~ . | 这两个国家的社会 ~ 不同。Zhèi liǎng ge guójiā de shèhuì ~ bùtóng.

zhìzào 制造（製造） [动]

这种汽车是中国 ~ 的。Zhèi zhǒng qìchē shì Zhōngguó ~ de . →这种汽车是中国做的。Zhèi zhǒng qìchē shì Zhōngguó zuò de. 例我们厂专门 ~ 飞机。Wǒmen chǎng zhuānmén ~ fēijī. | 他们厂以前 ~ 过自行车。Tāmen chǎng yǐqián ~ guo zìxíngchē. | 那种新的机器我们已经 ~ 出来了。Nèi zhǒng xīn de jīqì wǒmen yǐjing ~ chulai le. | 这种飞机他们只 ~ 出了十几架。Zhèi zhǒng fēijī tāmen zhǐ ~ chūle shíjǐ jià . | 中国 ~ 的一颗人造卫星飞上了天。Zhōngguó ~ de yì kē rénzào wèixīng fēishàngle tiān.

zhìliàng 质量（質量） [名]

这台电视机的 ~ 很好。Zhèi tái diànshìjī de ~ hěn hǎo . →这台电视机用起来很好，而且不容易坏。Zhèi tái diànshìjī yòng qilai hěn hǎo, érqiě bù róngyì huài. 例这种汽车的 ~ 非常好，开了十年还是很好用。Zhèi zhǒng qìchē de ~ fēicháng hǎo, kāile shí nián háishi hěn hǎo yòng . | 我最近买的鞋 ~ 不好，穿了一个月就坏了。Wǒ zuìjìn mǎi de xié ~ bù hǎo, chuānle yí ge yuè jiù huài le . | 这个酒店的服务 ~ 很高，客人们非常满意。Zhèige jiǔdiàn de fúwù ~ hěn gāo, kèrenmen fēicháng mǎnyì . | 这个公司制造的产品都保证 ~，如果有问题可以换。Zhèige gōngsī zhìzào de chǎnpǐn dōu bǎozhèng ~, rúguǒ yǒu wèntí kěyǐ huàn . | 公司不断提高产品 ~，让顾客满意。Gōngsī búduàn tígāo chǎnpǐn ~, ràng gùkè mǎnyì . | 你放心，这种电脑有 ~ 保证，有毛病公司免费给你修。Nǐ fàngxīn, zhèi zhǒng diànnǎo yǒu ~ bǎozhèng, yǒu máobìng gōngsī miǎnfèi gěi nǐ xiū.

zhì 治 [动]

你的病 ~ 好了，就能出院了。Nǐ de bìng ~ hǎo le, jiù néng chūyuàn le . →医生给你看病，给你打针吃药。你的病好了以后，就能出院了。Yīshēng gěi nǐ kànbìng, gěi nǐ dǎzhēn chīyào. Nǐ de bìng hǎole yǐhòu, jiù néng chūyuàn le . 例张医生 ~ 病 ~ 得真不错。Zhāng yīshēng ~ bìng ~ de zhēn búcuò . | 你的伤还没好，应该再继续 ~ 一段时间。Nǐ de shāng hái méi hǎo, yīnggāi zài jìxù ~ yí duàn shíjiān . | 这种病现在哪儿也 ~ 不了。Zhèi zhǒng bìng xiànzài nǎr yě ~ bu liǎo . | 有了病一定得及时 ~。Yǒule bìng yídìng děi jíshí ~.

zhì bìng 治病

医生的工作就是给病人 ~。Yīshēng de gōngzuò jiùshì gěi bìngrén ~ . →医生的工作是让病人身体好起来变成健康的人。Yīshēng de gōngzuò shì ràng bìngrén shēntǐ hǎo qilai biànchéng jiànkāng de rén. 例安娜的父亲是个大夫，天天为病人 ~。Ānnà de fùqin shì ge dàifu, tiāntiān wèi bìngrén ~ . | 你病了，应该赶快去医院治一治病。Nǐ bìng le, yīnggāi gǎnkuài qù yīyuàn zhì yí zhì bìng . | 他给我治过病。Tā gěi wǒ zhìguo bìng . | 那位大夫治好了我的病，我很感谢他。Nèi wèi dàifu zhìhǎole wǒ de bìng, wǒ hěn gǎnxiè tā.

zhìxù 秩序 [名]

上火车的人很多，但是 ~ 很好。Shàng huǒchē de rén hěn duō, dànshì ~ hěn hǎo . →上火车的人都排着队，按顺序上车，一点儿也不乱。Shàng huǒchē de rén dōu páizhe duì, àn shùnxù shàng chē, yìdiǎnr yě bú luàn . 例这个城市的交通 ~ 非常好。Zhèige chéngshì de jiāotōng ~ fēicháng hǎo . | 参观的时候请大家遵守 ~。Cānguān de shíhou qǐng dàjiā zūnshǒu ~ . | 小学生们很懂得维护公共 ~。Xiǎoxuéshēngmen hěn dǒngde wéihù gōnggòng ~ . | 不能破坏学校

的 ~ 。Bù néng pòhuài xuéxiào de ~ .

zhong

zhōng 中 [名]

河 ~ 有许多小鱼ㄦ。Hé ~ yǒu xǔduō xiǎoyúr. →河里有许多小鱼ㄦ。Hé li yǒu xǔduō xiǎoyúr. 例树林 ~ 有一座小房子。Shùlín ~ yǒu yí zuò xiǎo fángzi. | 他的眼 ~ 含着伤心的眼泪。Tā de yǎn ~ hánzhe shāngxīn de yǎnlèi. | 山 ~ 的天气跟外面不太一样。Shān ~ de tiānqì gēn wàimiàn bú tài yíyàng. | 从这本书 ~ 可以看到很多有趣的故事。Cóng zhèi běn shū ~ kěyǐ kàndào hěn duō yǒuqù de gùshi. | 他喜欢把糖放入茶 ~ 喝。Tā xǐhuan bǎ táng fàng rù chá ~ hē.

zhōngcān 中餐 [名]

他喜欢吃 ~ 。Tā xǐhuan chī ~ . →他喜欢吃中国的饭菜。Tā xǐhuan chī Zhōngguó de fàncài. 例大卫经常去吃 ~ 。Dàwèi jīngcháng qù chī ~ . | 那个饭馆做的 ~ 非常受欢迎。Nèige fànguǎn zuò de ~ fēicháng shòu huānyíng. | ~ 又香又好吃。~ yòu xiāng yòu hǎochī. | ~ 的味道有很多种。~ de wèidao yǒu hěn duō zhǒng. | 比尔从来没吃过 ~ ，很想尝尝。Bǐ'ěr cónglái méi chīguo ~ , hěn xiǎng chángchang.

zhōngfàn 中饭（中飯）[名]

他没吃 ~ 。Tā méi chī ~ . →他中午没吃东西。Tā zhōngwǔ méi chī dōngxi. 例我正在吃 ~ 。Wǒ zhèngzài chī ~ . | 这顿 ~ 是玛丽给我们做的。Zhèi dùn ~ shì Mǎlì gěi wǒmen zuò de. | 我今天的 ~ 吃得很饱。Wǒ jīntiān de ~ chī de hěn bǎo. | 大卫，吃 ~ 的时候，我去找你。Dàwèi, chī ~ de shíhou, wǒ qù zhǎo nǐ. | 我今天太忙了，连吃 ~ 的时间也没有。Wǒ jīntiān tài máng le, lián chī ~ de shíjiān yě méiyǒu. | 他请我吃了一顿 ~ 。Tā qǐng wǒ chīle yí dùn ~ .

Zhōngguó 中国（中國）[名]

China 例 ~ 欢迎各国朋友。~ huānyíng gè guó péngyou. | ~ 发展得真快。~ fāzhǎn de zhēn kuài. | 每年都有很多朋友到 ~ 旅游观光。Měi nián dōu yǒu hěn duō péngyou dào ~ lǚyóu guānguāng. | 大卫想去 ~ 留学。Dàwèi xiǎng qù ~ liúxué. | ~ 的历史很悠久。~ de lìshǐ hěn yōujiǔ. | ~ 的名胜古迹非常多。~ de míngshèng gǔjì fēicháng duō. | ~ 人很热情，愿意帮助别人。~ rén hěn rèqíng, yuànyì bāngzhù

Z

biérén.｜这几年他一直住在～. Zhèi jǐ nián tā yìzhí zhù zài ～.

zhōngjí 中级（中級）[名]

他的汉语水平是～水平。Tā de Hànyǔ shuǐpíng shì ～ shuǐpíng. →他的汉语水平不是很高，也不是很低。Tā de Hànyǔ shuǐpíng bú shì hěn gāo, yě bú shì hěn dī. 例他现在学习的课程是～课程。Tā xiànzài xuéxí de kèchéng shì ～ kèchéng.｜这几个班是～班，汉语水平还不太高。Zhèi jǐ ge bān shì ～ bān, Hànyǔ shuǐpíng hái bú tài gāo.

zhōngjiān 中间（中間）[名]

照片儿上有三个人站在一起，～那个人是大卫。Zhàopiānr shang yǒu sān ge rén zhàn zài yìqǐ, ～ nèi ge rén shì Dàwèi. →大卫的左边儿和右边儿都有人。Dàwèi de zuǒbiānr hé yòubiānr dōu yǒu rén. 例这三个房间，左边儿那个是玛丽的，右边儿那个是安娜的，～那个是我的。Zhèi sān ge fángjiān, zuǒbiānr nèige shì Mǎlì de, yòubiānr nèige shì Ānnà de, ～ nèige shì wǒ de.｜树林～有一座房子。Shùlín ～ yǒu yí zuò fángzi.｜花园的～种着一棵大树。Huāyuán de ～ zhòngzhe yì kē dà shù.｜比尔站在房间～。Bǐ'ěr zhàn zài fángjiān ～.｜你把～的那本书拿给我好吗? Nǐ bǎ ～ de nèi běn shū ná gěi wǒ hǎo ma?｜最～的那辆汽车是大卫的。Zuì ～ de nèi liàng qìchē shì Dàwèi de.

zhōngnián 中年 [名]

他们已经到了～。Tāmen yǐjing dàole ～. →他们有的四十多岁，有的五十多岁。Tāmen yǒude sìshí duō suì, yǒude wǔshí duō suì. 例人到～，工作、生活一般都不会再有太大的变化了。Rén dào ～, gōngzuò、shēnghuó yìbān dōu bú huì zài yǒu tài dà de biànhuà le.｜那个～人就是玛丽的爸爸。Nèige ～ rén jiùshì Mǎlì de bàba.｜一位～医生正在给比尔看病。Yí wèi ～ yīshēng zhèngzài gěi Bǐ'ěr kànbìng.｜给我们开车的是一位～司机。Gěi wǒmen kāi chē de shì yí wèi ～ sījī.

Zhōngqiūjié 中秋节（中秋節）[名]

今天是～。Jīntiān shì ～. →今天是中国的农历八月十五。Jīntiān shì Zhōngguó de nónglì Bāyuè shíwǔ. 例～是中国的传统节日。～ shì Zhōngguó de chuántǒng jiérì.｜我来中国留学的时候，过的第一个节日就是～。Wǒ lái Zhōngguó liúxué de shíhou, guò de dì yī ge

Z

jiérì jiù shì ~ . | ~ 的时候，中国人的习惯是吃圆圆的月饼。~ de shíhou, Zhōngguórén de xíguàn shì chī yuányuán de yuèbing. | ~ 的晚上，人们在院子里看天上圆圆的月亮。~ de wǎnshang, rénmen zài yuànzi li kàn tiānshang yuányuán de yuèliang.

Zhōngwén 中文 [名]

大卫学过 ~ ，能看 ~ 的报纸。Dàwèi xuéguo ~ , néng kàn ~ de bàozhǐ. → 大卫能看懂中国文字的报纸。Dàwèi néng kàndǒng Zhōngguó wénzì de bàozhǐ. 例玛丽觉得 ~ 并不难学。Mǎlì juéde ~ bìng bù nán xué. | 我想把这篇英文小说翻译成 ~ 的。Wǒ xiǎng bǎ zhèi piān Yīngwén xiǎoshuō fānyì chéng ~ de. | 大卫已经能用 ~ 写信了。Dàwèi yǐjing néng yòng ~ xiěxìn le. | ~ 广播他还听不懂。~ guǎngbō tā hái tīng bu dǒng.

zhōngwǔ 中午 [名]

我今天 ~ 去找你。Wǒ jīntiān ~ qù zhǎo nǐ. → 我今天白天十二点左右去找你。Wǒ jīntiān báitiān shí'èr diǎn zuǒyòu qù zhǎo nǐ. 例他 ~ 要跟朋友见面。Tā ~ yào gēn péngyou jiànmiàn. | 今天 ~ 有一场很重要的足球比赛。Jīntiān ~ yǒu yì chǎng hěn zhòngyào de zúqiú bǐsài. | 快到 ~ 了，我们去吃中饭吧。Kuài dào ~ le, wǒmen qù chī zhōngfàn ba. | 我们明天 ~ 十二点半一起去喝咖啡，怎么样? Wǒmen míngtiān ~ shí'èr diǎn bàn yìqǐ qù hē kāfēi, zěnmeyàng? | ~ 的气温比早上高得多。~ de qìwēn bǐ zǎoshang gāo de duō. | 这个会议从 ~ 一直开到晚上。Zhèige huìyì cóng ~ yìzhí kāidào wǎnshang.

zhōngxīn 中心 [名]

center 例城市 ~ 有一个广场。Chéngshì ~ yǒu yí ge guǎngchǎng. | 这个湖的 ~ 是一个小岛。Zhèige hú de ~ shì yí ge xiǎodǎo. | 这个地方是学校的 ~ 。Zhèige dìfang shì xuéxiào de ~ . | 他站在运动场的 ~ 。Tā zhàn zài yùndòngchǎng de ~ . | 他的家就在城市的 ~ 地区。Tā de jiā jiù zài chéngshì de ~ dìqū.

zhōngxué 中学（中學）[名]

中国的 ~ 一般要学习六年。Zhōngguó de ~ yìbān yào xuéxí liù nián. → 从十二三岁到十八九岁的青少年学习的地方。Cóng shí'èr sān suì dào shíbā jiǔ suì de qīngshàonián xuéxí de dìfang. 例他的孩子已经上 ~ 了。Tā de háizi yǐjing shàng ~ le. | 他们的 ~ 很有名。Tāmen de

Z

~ hěn yǒumíng. | 这个 ~ 是本地最好的 ~ 之一。Zhèige ~ shì běndì zuìhǎo de ~ zhīyī. | 他 ~ 毕业以后考上了大学。Tā ~ bìyè yǐhòu kǎoshangle dàxué. | 我们俩都是从这所 ~ 毕业的。Wǒmen liǎ dōu shì cóng zhèi suǒ ~ bìyè de. | 她在一所 ~ 当老师。Tā zài yì suǒ ~ dāng lǎoshī. | 他是我的 ~ 同学。Tā shì wǒ de ~ tóngxué. | 我是上 ~ 的时候跟他认识的。Wǒ shì shàng ~ de shíhou gēn tā rènshi de. | 他是我 ~ 时最好的朋友。Tā shì wǒ ~ shí zuì hǎo de péngyou.

zhōngyāng 中央 [名]

公园 ~ 有一座漂亮的小桥。Gōngyuán ~ yǒu yí zuò piàoliang de xiǎoqiáo. → 小桥在公园的中间。Xiǎoqiáo zài gōngyuán de zhōngjiān. 例广场 ~ 有一座很高的建筑。Guǎngchǎng ~ yǒu yí zuò hěn gāo de jiànzhù. | 他站在房间 ~ 对周围的人讲话。Tā zhàn zài fángjiān ~ duì zhōuwéi de rén jiǎnghuà. | 草地 ~ 的那棵大树已经长了几百年了。Cǎodì ~ de nèi kē dà shù yǐjing zhǎngle jǐbǎi nián le.

zhōngyào 中药(中藥) [名]

traditional Chinese medicine 例他吃了两天的 ~，病就好了。Tā chīle liǎng tiān de ~, bìng jiù hǎo le. | 朋友让我帮他买一种很有名的 ~。Péngyou ràng wǒ bāng tā mǎi yì zhǒng hěn yǒumíng de ~. | 这个商店里 ~ 的品种很全。Zhèige shāngdiàn li ~ de pǐnzhǒng hěn quán. | 这种 ~ 的味道很苦，为了治病，我只好喝了一碗。Zhèi zhǒng ~ de wèidao hěn kǔ, wèile zhì bìng, wǒ zhǐhǎo hēle yì wǎn.

zhōngyú 终于(終于) [副]

我等了他很长时间，他 ~ 来了。Wǒ děngle tā hěn cháng shíjiān, tā ~ lái le. → 过了很长时间，最后他到底来了。Guòle hěn cháng shíjiān, zuìhòu tā dàodǐ lái le. 例他找了半天，~ 找到了那个商店。Tā zhǎole bàntiān, ~ zhǎodàole nèige shāngdiàn. | 我花了三个月，~ 写完了这篇文章。Wǒ huāle sān ge yuè, ~ xiěwánle zhèi piān wénzhāng. | 玛丽去了好多个商店，~ 买到了满意的衣服。Mǎlì qùle hǎo duō ge shāngdiàn, ~ mǎidàole mǎnyì de yīfu. | 下了好几天雨以后，天 ~ 晴了。Xiàle hǎojǐ tiān yǔ yǐhòu, tiān ~ qíng le.

zhōng 钟(鐘) [名]

clock 例墙上挂着一个大 ~。Qiángshang guàzhe yí ge dà ~. | 他的桌子上有一个挺好看的 ~。Tā de zhuōzi shang yǒu yí ge tǐng hǎokàn de ~. | 办公室的 ~ 不准，慢了五分钟。Bàngōngshì de ~ bù zhǔn, mànle wǔ fēnzhōng. | 早上五点，他的 ～ 就响了。Zǎoshang wǔ diǎn, tā de ～ jiù xiǎng le.

zhōngtóu 钟头（鐘頭）[名]

我等了他一个 ～。Wǒ děngle tā yí ge ～. →我等了他一个小时。Wǒ děngle tā yí ge xiǎoshí. 例我照顾了她两个 ～。Wǒ zhàogùle tā liǎng ge ～. | 从他家坐公共汽车到学校得花半个 ～。Cóng tā jiā zuò gōnggòng qìchē dào xuéxiào děi huā bàn ge ～. | 他用了好几个 ～ 才找到了想找的资料。Tā yòngle hǎojǐ ge ～ cái zhǎodàole xiǎng zhǎo de zīliào. | 他每天睡七个 ～ 左右。Tā měi tiān shuì qī ge ～ zuǒyòu. | 你做完这些事需要几个 ～？Nǐ zuòwán zhèixiē shì xūyào jǐ ge ～?

zhòng 种（種）[量]

用于有共同特点的一组事物。Yòngyú yǒu gòngtóng tèdiǎn de yì zǔ shìwù. 例这 ～ 花ㄦ 一般只开一天。Zhèi ～ huār yìbān zhǐ kāi yì tiān. | 那 ～ 树冬天叶子还是绿的。Nèi ～ shù dōngtiān yèzi háishi lǜ de. | 这 ～ 食品不太甜，她很喜欢吃。Zhèi ～ shípǐn bú tài tián, tā hěn xǐhuan chī. | 那个姑娘眼睛很漂亮，是他比较喜欢的那 ～ 姑娘。Nèige gūniang yǎnjing hěn piàoliang, shì tā bǐjiào xǐhuan de nèi ～ gūniang. | 这两 ～ 酒，一 ～ 度数高，另一 ～ 度数低，你要哪 ～？Zhèi liǎng ～ jiǔ, yì ～ dùshù gāo, lìng yì ～ dùshù dī, nǐ yào něi ～? | 书店里有十几 ～ 辞典，哪一 ～ 最适合你们呢？Shūdiàn li yǒu shíjǐ ～ cídiǎn, něi yì ～ zuì shìhé nǐmen ne? | 关于这件事，大家有几 ～ 不同的看法。Guānyú zhèi jiàn shì, dàjiā yǒu jǐ ～ bùtóng de kànfǎ. | 有这 ～ 想法的人很多。Yǒu zhèi ～ xiǎngfa de rén hěn duō.

zhǒngzi 种子（種子）[名]

seed 例我父亲让我帮他去买小麦 ～。Wǒ fùqin ràng wǒ bāng tā qù mǎi xiǎomài ～. | 这是水稻的 ～。Zhè shì shuǐdào de ～. | 把 ～ 埋在土里，春天的时候 ～ 就发芽了。Bǎ ～ mái zài tǔ li, chūntiān de shíhou ～ jiù fāyá le. | 优良的 ～ 才能长出好庄稼。Yōuliáng de ～ cái néng zhǎngchū hǎo zhuāngjia.

zhòng 种（種）[动]

to plant 例他在院子里 ～ 了一棵树。Tā zài yuànzi li ～ le yì kē shù. | 苹果树他们没 ～ 过。Píngguǒshù tāmen méi ～ guo. | 我要把花ㄦ ～ 在院子里。Wǒ yào bǎ huār ～ zài yuànzi li. | 地里已经 ～ 上了小麦。Dì li yǐjing ～ shangle xiǎomài. | 树苗一会ㄦ就被他 ～ 完了。Shùmiáo yíhuìr jiù bèi tā ~ wán le. |公园里 ~ 满了花。Gōngyuán li ~ mǎnle huā. |这些草是我 ~ 的。Zhèixiē cǎo shì wǒ ~ de. |妈妈 ~ 的植物开花了。Māma ~ de zhíwù kāihuā le.

zhòng 重 [形]

我比他 ~。Wǒ bǐ tā ~. →我有七十五公斤，他只有七十公斤。Wǒ yǒu qīshíwǔ gōngjīn, tā zhǐ yǒu qīshí gōngjīn. 例他现在比以前 ~ 多了。Tā xiànzài bǐ yǐqián ~ duō le. |最 ~ 的那个箱子是我的。Zuì ~ de nèige xiāngzi shì wǒ de. |这个箱子太 ~ 了，我提不动。Zhèige xiāngzi tài ~ le, wǒ tí bu dòng. |书包里放了很多书，~ 得不得了。Shūbāo li fàngle hěn duō shū, ~ de bù déliǎo. |这包东西 ~ 不~？——不太 ~。Zhèi bāo dōngxi ~ bu ~? ——Bú tài ~. |这些苹果有多 ~? ——大概三斤 ~。Zhèixiē píngguǒ yǒu duō ~? —Dàgài sān jīn ~.

zhòngdà 重大¹ [形]

电视里正在播一个 ~ 新闻。Diànshì li zhèngzài bō yí ge ~ xīnwén. →那是一个很重要的大新闻。Nà shì yí ge hěn zhòngyào de dà xīnwén. 例大家都已经知道这个 ~ 消息了。Dàjiā dōu yǐjing zhīdao zhèige ~ xiāoxi le. |政府作出了一个 ~ 决定。Zhèngfǔ zuòchūle yí ge ~ juédìng. |这件事对他的一生有 ~ 的影响。Zhèi jiàn shì duì tā de yìshēng yǒu ~ de yǐngxiǎng. |这次考试对他来说意义十分 ~。Zhèi cì kǎoshì duì tā lái shuō yìyì shífēn ~. |在教育孩子的问题上，父母责任 ~。Zài jiàoyù háizi de wèntí shang, fùmǔ zérèn ~.

zhòngdà 重大² [形]

昨天这里发生了一次 ~ 交通事故。Zuótiān zhèlǐ fāshēngle yí cì ~ jiāotōng shìgù. →那是一次很严重的事故，死伤的人很多，损失很大。Nà shì yí cì hěn yánzhòng de shìgù, sǐshāng de rén hěn duō, sǔnshī hěn dà. 例去年这个地区发生了 ~ 灾害。Qùnián zhèige dìqū fāshēngle ~ zāihài. |火灾造成了 ~ 的损失。Huǒzāi zàochéngle ~ de sǔnshī. |在一次 ~ 事故中，他失去了双腿。Zài yí cì ~ shìgù zhōng, tā shīqùle shuāng tuǐ.

zhòngdiǎn 重点¹ [名]

这篇文章的 ~ 是说明保护环境的意义。Zhèi piān wénzhāng de ~ shì shuōmíng bǎohù huánjìng de yìyì. →文章的主要内容是说明保护环境的意义。Wénzhāng de zhǔyào nèiróng shì shuōmíng bǎohù huánjìng de yìyì. **例**他今天的谈话 ~ 是经济发展问题。Tā jīntiān de tánhuà ~ shì jīngjì fāzhǎn wèntí. |今天的课有两个 ~ 。Jīntiān de kè yǒu liǎng ge ~ . |他说了很多话，但是好像没什么 ~ 。Tā shuōle hěn duō huà, dànshì hǎoxiàng méi shénme ~ .

zhòngdiǎn 重点² ［形］

这项工作是政府今年的 ~ 工作。Zhèi xiàng gōngzuò shì zhèngfǔ jīnnián de ~ gōngzuò. →这是政府今年最重要的工作。Zhè shì zhèngfǔ jīnnián zuì zhòngyào de gōngzuò. **例**保护动物是他们的 ~ 工作。Bǎohù dòngwù shì tāmen de ~ gōngzuò. |这个城市今年要完成一个 ~ 工程，就是造一座新的大桥。Zhèige chéngshì jīnnián yào wánchéng yí ge ~ gōngchéng, jiù shì zào yí zuò xīn de dà qiáo. |他们的中学是当地的 ~ 中学。Tāmen de zhōngxué shì dāngdì de ~ zhōngxué. |这个城市名胜古迹很多，是国家的 ~ 旅游城市。Zhèige chéngshì míngshèng gǔjì hěn duō, shì guójiā de ~ lǚyóu chéngshì.

zhòngliàng 重量 ［名］

这些东西比那些 ~ 大。Zhèixiē dōngxi bǐ nèixiē ~ dà. →这些东西比那些重。Zhèixiē dōngxi bǐ nèixiē zhòng. **例**这个苹果比那个大多了，~ 也比那个大。Zhèige píngguǒ bǐ nèige dà duō le, ~ yě bǐ nèige dà. |这些水果的 ~ 是五公斤。Zhèixiē shuǐguǒ de ~ shì wǔ gōngjīn. |我不知道这个包裹的 ~ ，但它的确很重。Wǒ bù zhīdào zhèige bāoguǒ de ~ , dàn tā díquè hěn zhòng. |上飞机的时候每个人带的东西 ~ 不能超过二十公斤。Shàng fēijī de shíhou měi ge rén dài de dōngxi ~ bù néng chāoguò èrshí gōngjīn.

zhòngshì 重视（重視）［动］

他很 ~ 这件事。Tā hěn ~ zhèi jiàn shì. →他认为这件事很重要，应该认真对待。Tā rènwéi zhèi jiàn shì hěn zhòngyào, yīnggāi rènzhēn duìdài. **例**我很 ~ 这场比赛。Wǒ hěn ~ zhèi chǎng bǐsài. |他觉得这是件小事，所以不太 ~ 。Tā juéde zhè shì jiàn xiǎoshì, suǒyǐ bú tài ~ . |我哥哥年纪大了，对自己的身体也越来越 ~ 。Wǒ gēge niánjì dà le, duì zìjǐ de shēntǐ yě yuèláiyuè ~ . |他要是再不 ~ 孩子的想法，跟孩子的关系就会更糟糕。Tā yàoshi zài bú ~ háizi de xiǎngfa, gēn háizi de guānxi jiù huì gèng zāogāo.

zhòngyào 重要 ［形］

important **例**今天的会议是个很 ~ 的会议，我一定要参加。Jīntiān de

Z

huìyì shì ge hěn ~ de huìyì, wǒ yídìng yào cānjiā. |这件事是我这个月最~的事,我必须做好。Zhèi jiàn shì shì wǒ zhèige yuè zuì ~ de shì, wǒ bìxū zuòhǎo. |他很相信我,所以才把这么~的工作交给我。Tā hěn xiāngxìn wǒ, suǒyǐ cái bǎ zhème ~ de gōngzuò jiāo gěi wǒ. |这项工作很~,你千万别忘了。Zhèi xiàng gōngzuò hěn ~, nǐ qiānwàn bié wàng le. |这些钱对他来说太~了。Zhèixiē qián duì tā lái shuō tài ~ le. |这个消息十分~,你一定要马上告诉他。Zhèige xiāoxi shífēn ~, nǐ yídìng yào mǎshàng gàosu tā.

zhou

zhōu 周 [名]

这一~我一直很忙。Zhèi yì ~ wǒ yìzhí hěn máng. →这个星期我很忙。Zhèige xīngqī wǒ hěn máng. 例上~我跟他见过面。Shàng ~ wǒ gēn tā jiànguo miàn. |他下~回国。Tā xià ~ huíguó. |我每~都要游几次泳。Wǒ měi ~ dōu yào yóu jǐ cì yǒng. |大卫去中国旅行了两~。Dàwèi qù Zhōngguó lǚxíngle liǎng ~. |这学期过得真快,只剩下三~了。Zhèi xuéqī guò de zhēn kuài, zhǐ shèngxia sān ~ le. |他以前学过十~汉语。Tā yǐqián xuéguo shí ~ Hànyǔ. |一~的时间完成不了这个工作。Yì ~ de shíjiān wánchéng bu liǎo zhèige gōngzuò.

zhōudào 周到 [形]

他是个细心的人,考虑问题很~。Tā shì ge xìxīn de rén, kǎolǜ wèntí hěn ~. →他会仔细考虑问题的各个方面、各种可能发生的情况。Tā huì zǐxì kǎolǜ wèntí de gè ge fāngmiàn、gè zhǒng kěnéng fāshēng de qíngkuàng. 例妈妈对孩子的照顾很~。Māma duì háizi de zhàogù hěn ~. |酒店~的服务让客人们很满意。Jiǔdiàn ~ de fúwù ràng kèrenmen hěn mǎnyì. |这次旅行安排得十分~,我玩儿得很高兴。Zhèi cì lǚxíng ānpái de shífēn ~, wǒ wánr de hěr gāoxìng. |他想得真~,这么小的事情都想到了。Tā xiǎng de zhēr ~, zhème xiǎo de shìqing dōu xiǎngdào le.

zhōumò 周末 [名]

我们~开了个晚会。Wǒmen ~ kāile ge wǎnhuì. →星期五下班以后,或从这时到星期天都可以说是周末。Xīngqīwǔ xiàbān yǐhòu, huò cóng zhè shí dào Xīngqītiān dōu kěyǐ shuō shì zhōumò. 例他们一家人~常常去公园。Tāmen yì jiā rén ~ chángcháng qù gōngyuán. |

Z

今天是～，我们去酒吧喝酒吧。Jīntiān shì ～, wǒmen qù jiǔbā hē jiǔ ba. ｜一到～，人们就觉得轻松了很多。Yí dào ～, rénmen jiù juéde qīngsōngle hěn duō. ｜这个～你打算怎么过? Zhèige ～ nǐ dǎsuan zěnme guò? ｜～的电视节目很有意思。～ de diànshì jiémù hěn yǒu yìsi.

zhōunián 周年 [名]

今天是他们结婚十～。Jīntiān shì tāmen jiéhūn shí ～. →从他们结婚那天到今天正好过了十年。Cóng tāmen jiéhūn nà tiān dào jīntiān zhènghǎo guòle shí nián. 例明天是这个国家建立五十～。Míngtiān shì zhèige guójiā jiànlì wǔshí ～. ｜我和爱人打算好好儿吃一顿，纪念结婚一～。Wǒ hé àiren dǎsuan hǎohāor chī yi dùn, jìniàn jiéhūn yì ～. ｜公司成立五～的时候举行了一个晚会。Gōngsī chénglì wǔ ～ de shíhou jǔxíngle yí ge wǎnhuì. ｜人们热情地参加了国庆一百～的庆祝活动。Rénmen rèqíng de cānjiāle guóqìng yìbǎi ～ de qìngzhù huódòng.

zhōuwéi 周围 (周圍) [名]

这座楼～有一些树。Zhèi zuò lóu ～ yǒu yìxiē shù. →楼的前面、后面、旁边都有树。Lóu de qiánmian、hòumian、pángbiān dōu yǒu shù. 例学校～有不少商店。Xuéxiào ～ yǒu bù shǎo shāngdiàn. ｜我们这个小城市的～都是山。Wǒmen zhèige xiǎo chéngshì de ～ dōu shì shān. ｜很多人站在他～听他唱歌儿。Hěn duō rén zhàn zài tā ～ tīng tā chànggēr. ｜我家～的环境特别好，到处是花草树木。Wǒ jiā ～ de huánjìng tèbié hǎo, dàochù shì huācǎo shùmù. ｜我们说话的声音很小，不想打扰～的人。Wǒmen shuōhuà de shēngyīn hěn xiǎo, bù xiǎng dǎrǎo ～ de rén.

zhu

zhū 株 [量]

用于树、草、花儿等植物。Yòngyú shù、cǎo、huār děng zhíwù. 例他家门口种着几～树。Tā jiā ménkǒur zhòngzhe jǐ ～ shù. ｜公园里有一～大树。Gōngyuán li yǒu yì ～ dà shù. ｜爷爷在院子里种了几～花儿。Yéye zài yuànzi li zhòngle jǐ ～ huār. ｜旧房子的墙上长出了几～小草。Jiù fángzi de qiángshang zhǎngchūle jǐ ～ xiǎocǎo. ｜我去年种的树～～都长得很好。Wǒ qùnián zhòng de shù ～ ～ dōu zhǎng de hěn hǎo.

Z

zhū 猪 [名]

例那头 ~ 长得又大又肥。Nèi tóu ~ zhǎng de yòu dà yòu féi. | 这只 ~ 吃饱了就开始睡觉。Zhèi zhī ~ chībǎole jiù kāishǐ shuìjiào. | ~ 是一种长得很快的动物。~ shì yì zhǒng zhǎng de hěn kuài de dòngwù. | 这里的农民家家都养 ~。Zhèlǐ de nóngmín jiājiā dōu yǎng ~. | 他从来不吃 ~ 肉。Tā cónglái bù chī ~ ròu.

猪

zhúzi 竹子 [名]

例这一大片 ~ 是去年种的。Zhèi yí dà piàn ~ shì qùnián zhòng de. | 这棵 ~ 长得真高。Zhèi kē ~ zhǎng de zhēn gāo. | 我家的院子里也有一些 ~。Wǒ jiā de yuànzi li yě yǒu yìxiē ~. | 这些筷子都是用 ~ 做的，不是用木头做的。Zhèixiē kuàizi dōu shì yòng ~ zuò de, bú shì yòng mùtou zuò de. | ~ 的用处很广。~ de yòngchù hěn guǎng. | ~ 的

竹子

种类很多，这种 ~ 叫毛竹。~ de zhǒnglèi hěn duō, zhèi zhǒng ~ jiào máozhú.

zhúbù 逐步 [副]

我的收入一年比一年多了，我的生活水平 ~ 提高了。Wǒ de shōurù yì nián bǐ yì nián duō le, wǒ de shēnghuó shuǐpíng ~ tígāo le. →我的生活水平一步一步地提高了。Wǒ de shēnghuó shuǐpíng yí bù yí bù de tígāo le. 例他们的工作条件 ~ 改善了。Tāmen de gōngzuò tiáojiàn ~ gǎishàn le. | 近几年，城里人的住房面积 ~ 扩大了。Jìn jǐ nián, chénglǐrén de zhùfáng miànjī ~ kuòdà le. | 他们打算在三五年内 ~ 改变家乡的落后面貌。Tāmen dǎsuan zài sān wǔ nián nèi ~ gǎibiàn jiāxiāng de luòhòu miànmào. | 这些好的制度都是 ~ 建立起来的。Zhèixiē hǎo de zhìdù dōu shì ~ jiànlì qilai de.

zhújiàn 逐渐（逐漸）[副]

过了春节，天气就 ~ 暖和起来了。Guòle Chūnjié, tiānqì jiù ~ nuǎnhuo qilai le. →过了春节，天气就慢慢儿地自然地暖和起来了。Guòle Chūnjié, tiānqì jiù mànmānr de zìrán de nuǎnhuo qilai le. 例太阳慢慢儿地落了下去，天 ~ 地黑了起来。Tàiyáng mànmānr de luòle xiaqu, tiān ~ de hēile qilai. | 孩子的年龄大了，身体也 ~ 长高了。

Háizi de niánlíng dà le, shēntǐ yě ~ zhǎnggāo le. | 他的工作能力 ~ 提高了, 工作经验也 ~ 丰富了。Tā de gōngzuò nénglì ~ tígāo le, gōngzuò jīngyàn yě ~ fēngfù le.

zhǔdòng 主动(主動) [形]

你那么喜欢安娜, 就应该 ~ 地去对安娜说: "我爱你。" Nǐ nàme xǐhuan Ānnà, jiù yīnggāi ~ de qù duì Ānnà shuō: "Wǒ ài nǐ." →不 要等待, 不要别人提醒, 赶快去对安娜说: "我爱你。" Bú yào děngdài, bú yào biéren tíxǐng, gǎnkuài qù duì Ānnà shuō: "Wǒ ài nǐ." 例那个学生 ~ 地把座位让给了刚上车的老人。Nèige xuésheng ~ de bǎ zuòwèi ràng gěi le gāng shàng chē de lǎorén. | 新来的老师 做事很 ~, 从来不用别人提醒。Xīn lái de lǎoshī zuòshì hěn ~, cónglái búyòng biéren tíxǐng. | 谈恋爱的时候, 男孩子常常比女孩子 ~ 一些。Tán liàn'ài de shíhou, nánháizi chángcháng bǐ nǚháizi ~ yìxiē. | 最近, 他在工作上太不 ~。Zuìjìn, tā zài gōngzuò shang tài bù ~. | 他 ~ 地承认了自己的错误。Tā ~ de chéngrènle zìjǐ de cuòwù.

zhǔguān 主观[1] (主觀) [名]

他虽然不太聪明, 但他 ~ 很努力。Tā suīrán bú tài cōngming, dàn tā ~ hěn nǔlì. →他要求自己努力去做。Tā yāoqiú zìjǐ nǔlì qù zuò. 例 一个人如果 ~ 不努力, 条件再好也是没什么用的。Yí ge rén rúguǒ ~ bù nǔlì, tiáojiàn zài hǎo yě shì méi shénme yòng de. | 你们的 ~ 愿 望很好。Nǐmen de ~ yuànwàng hěn hǎo. | 他 ~ 上是想把事情办好, 但因为方法不对, 效果不太理想。Tā ~ shang shì xiǎng bǎ shìqing bànhǎo, dàn yīnwèi fāngfǎ bú duì, xiàoguǒ bú tài lǐxiǎng.

zhǔguān 主观[2] (主觀) [形]

你不听大家的意见就决定, 这样有点儿太 ~ 了。Nǐ bù tīng dàjiā de yìjiàn jiù juédìng, zhèiyàng yǒudiǎnr tài ~ le. →不听大家的意见, 只 按自己的想法决定事情。Bù tīng dàjiā de yìjiàn, zhǐ àn zìjǐ de xiǎngfa juédìng shìqing. 例你说他不会再进步了, 我觉得你的这种看法有些 ~。Nǐ shuō tā bú huì zài jìnbù le, wǒ juéde nǐ de zhèi zhǒng kànfǎ yǒuxiē ~. | 这个人的缺点嘛, 就是有时候有点儿太 ~。Zhèige rén de quēdiǎn ma, jiù shì yǒushíhou yǒudiǎnr tài ~. | 事情还没调查清 楚, 就不能 ~ 地下结论。Shìqing hái méi diàochá qīngchu, jiù bù néng ~ de xià jiélùn. | 希望你能改改办事 ~ 的毛病。Xīwàng nǐ néng gǎigai bànshì ~ de máobing.

zhǔrén 主人¹ [名]

我们一下汽车，就看见 ~ 已经在门口等我们了。Wǒmen yí xià qìchē, jiù kànjiàn ~ yǐjing zài ménkǒu děng wǒmen le. →接待客人的人已经在门口等我们了。Jiēdài kèrén de rén yǐjing zài ménkǒu děng wǒmen le. 例~ 对客人十分热情。~ duì kèrén shífēn rèqíng. | 女 ~ 笑着向客人打招呼。Nǚ ~ xiàozhe xiàng kèrén dǎ zhāohu. | 客人们对 ~ 的热情招待十分满意。Kèrénmen duì ~ de rèqíng zhāodài shífēn mǎnyì.

zhǔrén 主人² [名]

这房子是租的，房子的 ~ 叫大卫。Zhè fángzi shì zū de, fángzi de ~ jiào Dàwèi. →这房子不是我的，是大卫的。Zhè fángzi bú shì wǒ de, shì Dàwèi de. 例比尔，这是你新买的车? ——不是，这辆新车的 ~ 是我哥哥。Bǐ'ěr, zhè shì nǐ xīn mǎi de chē? ——Bú shì, zhèi liàng xīn chē de ~ shì wǒ gēge. | 回家时，小狗会高兴地跟在 ~ 后面叫几声。~ huíjiā shí, xiǎogǒu huì gāoxìng de gēn zài ~ hòumian jiào jǐ shēng. | 这条船的 ~ 呢? 我想坐船过河。Zhèi tiáo chuán de ~ ne? Wǒ xiǎng zuò chuán guò hé. | 他把捡到的钱包还给了 ~。Tā bǎ jiǎndào de qiánbāo huán gěi le ~.

zhǔrèn 主任 [名]

我们办公室有五个人，王先生是办公室 ~。Wǒmen bàngōngshì yǒu wǔ ge rén, Wáng xiānsheng shì bàngōngshì ~. →王先生是我们办公室的主要负责人。Wáng xiānsheng shì wǒmen bàngōngshì de zhǔyào fùzérén. 例那个实验室的 ~ 调走了。Nèige shíyànshì de ~ diàozǒu le. | 张 ~ 现在开会去了。Zhāng ~ xiànzài kāihuì qù le. | 她是我们的妇女 ~。Tā shì wǒmen de fùnǚ ~. | 比尔当上我们部门的 ~ 了。Bǐ'ěr dāngshang wǒmen bùmén de ~ le. | 他是我们这儿最年轻的 ~。Tā shì wǒmen zhèr zuì niánqīng de ~. | 张 ~ 的儿子在北京工作。Zhāng ~ de érzi zài Běijīng gōngzuò.

zhǔxí 主席 [名]

坐在中间的那位是我们的工会 ~。Zuò zài zhōngjiān de nèi wèi shì wǒmen de gōnghuì ~. →坐在中间的那位是我们工会的最高领导。Zuò zài zhōngjiān de nèi wèi shì wǒmen gōnghuì de zuì gāo lǐngdǎo. 例我们的团体有一位 ~，两位副 ~。Wǒmen de tuántǐ yǒu yí wèi

~, liǎng wèi fù ~. |国家 ~ 来过我们工厂。Guójiā ~ láiguo wǒmen gōngchǎng. |他常常陪他们的 ~ 出国访问。Tā chángcháng péi tāmen de ~ chūguó fǎngwèn. |这件事得向 ~ 请示一下儿。Zhèi jiàn shì děi xiàng ~ qǐngshì yíxiàr. |我认识那位 ~ 的夫人。Wǒ rènshi nèi wèi ~ de fūrén.

zhǔyào 主要 [形]

她是这部电影的 ~ 演员。Tā shì zhèi bù diànyǐng de ~ yǎnyuán. → 这部电影中有很多演员，她是最重要的一位演员。Zhèi bù diànyǐng zhōng yǒu hěn duō yǎnyuán, tā shì zuì zhòngyào de yí wèi yǎnyuán. 例这次考试考得不太好，~ 是复习得不够。Zhèi cì kǎoshì kǎo de bú tài hǎo, ~ shì fùxí de búgòu. |发生这样的事情，~ 责任在司机。Fāshēng zhèiyàng de shìqing, ~ zérèn zài sījī. |时间不多了，我把 ~ 的事情跟大家说一说。Shíjiān bù duō le, wǒ bǎ ~ de shìqing gēn dàjiā shuō yi shuō.

zhǔyi 主意 (口语中多读 zhúyi) [名]

遇到困难的时候，你可以请朋友帮你出些 ~。Yùdào kùnnan de shíhou, nǐ kěyǐ qǐng péngyou bāng nǐ chū xiē ~. → 可以请朋友帮你想一些办法。Kěyǐ qǐng péngyou bāng nǐ xiǎng yìxiē bànfǎ. 例你去问问他，他的 ~ 很多。Nǐ qù wènwen tā, tā de ~ hěn duō. |安娜的这个 ~ 不错。Ānnà de zhèige ~ búcuò. |这个 ~ 是大家想出来的。Zhèige ~ shì dàjiā xiǎng chulai de. |碰到这样的事情，他们你看看我，我看看你，谁也没了 ~。Pèngdào zhèiyàng de shìqing, tāmen nǐ kànkan wǒ, wǒ kànkan nǐ, shéi yě méile ~.

zhǔzhāng 主张[1] （主張）[动]

不要一个一个地去，我 ~ 联合起来一起去。Búyào yí ge yí ge de qù, wǒ ~ liánhé qilai yìqǐ qù. → 我认为一个一个地去不好，我提出联合起来一起去的主意。Wǒ rènwéi yí ge yí ge de qù bù hǎo, wǒ tíchū liánhé qilai yìqǐ qù de zhúyi. 例我们 ~ 男女平等。Wǒmen ~ nán nǚ píngděng. |他 ~ 改变试验的方法。Tā ~ gǎibiàn shìyàn de fāngfǎ. |同学们 ~ 新年开联欢会。Tóngxuémen ~ xīnnián kāi liánhuānhuì. |他们一致 ~ 星期天去划船。Tāmen yízhì ~ Xīngqītiān qù huáchuán.

zhǔzhāng 主张[2] （主張）[名]

画一张画儿送给老师，这是同学们共同的 ~。Huà yì zhāng huàr

sòng gěi lǎoshī, zhè shì tóngxuémen gòngtóng de ~. →这是同学们
共同想出来的主意。Zhè shì tóngxuémen gòngtóng xiǎng chulai de
zhúyì. 例这个 ~ 很好。Zhèige ~ hěn hǎo. | 他们又提出了新的 ~。
Tāmen yòu tíchūle xīn de ~. | 这是他的文学 ~。Zhè shì tā de
wénxué ~. | 我们不同意你的 ~。Wǒmen bù tóngyì nǐ de ~. | 我已
经改变了原来的 ~。Wǒ yǐjīng gǎibiànle yuánlái de ~. | 我把他们的
~ 告诉了大家。Wǒ bǎ tāmen de ~ gàosule dàjiā.

zhǔ 拄 ［动］

爷爷出去的时候，总 ~ 着这根棍儿。Yéye chūqu de shíhou, zǒng
zhe zhèi gēn gùnr. →爷爷出去的时候，都拿着这根棍儿顶住地走，
防止摔倒。Yéye chūqu de shíhou, dōu názhe zhèi gēn gùnr dǐngzhù
dì zǒu, fángzhǐ shuāidǎo. 例他的眼睛看不见，去哪儿都得 ~ 着棍儿。
Tā de yǎnjing kàn bu jiàn, qù nǎr dōu děi ~ zhe gùnr. | 上山的时候 ~
根棍儿，会走得更快。Shàng shān de shíhou ~ gēn gùnr, huì zǒu de
gèng kuài. | 他的腿摔坏的时候，~ 了三个月的拐棍儿。Tā de tuǐ
shuāihuài de shíhou, ~ le sān ge yuè de guǎigùnr. | 我师傅 ~ 的拐
棍儿是我送给他的。Wǒ shīfu ~ de guǎigùnr shì wǒ sòng gěi tā de.

zhǔ 煮 ［动］

面条 ~ 好了，吃吧。Miàntiáo ~ hǎo le, chī ba. →面条放在开水锅
里变熟了，吃吧。Miàntiáo fàng zài kāishuǐ guō li biàn shóu le, chī
ba. 例锅里 ~ 什么呢？Guō li ~ shénme ne? | 锅里正在 ~ 鸡蛋呢。
Guō li zhèngzài ~ jīdàn ne. | 你快去看看锅，别把饺子 ~ 破了。Nǐ
kuài qù kànkan guō, bié bǎ jiǎozi ~ pò le. | 玉米 ~ 了半个钟头了，
已经熟了吧？Yùmǐ ~ le bàn ge zhōngtóu le, yǐjīng shóu le ba? | 用
这个大锅 ~ 花生吧。Yòng zhèige dà guō ~ huāshēng ba. | 这么多花
生一锅 ~ 不下。Zhème duō huāshēng yì guō ~ bu xià. | 鸡蛋和土豆
一起 ~ 行吗？Jīdàn hé tǔdòu yìqǐ ~ xíng ma? | 肉还没熟，再 ~ 一 ~
吧。Ròu hái méi shóu, zài ~ yi ~ ba.

zhù 住¹ ［动］

我在北京上大学，我父母 ~ 在农村。Wǒ zài Běijīng shàng dàxué,
wǒ fùmǔ ~ zài nóngcūn. →我父母和父母的家在农村。Wǒ fùmǔ hé
fùmǔ de jiā zài nóngcūn. 例安娜 ~ 留学生楼。Ānnà ~ liúxuéshēng
lóu. | 爸爸妈妈 ~ 那间，我 ~ 这间。Bàba māma ~ nèi jiān, wǒ ~
zhèi jiān. | 这家饭店的房子太贵，我 ~ 不起。Zhèi jiā fàndiàn de
fángzi tài guì, wǒ ~ bu qǐ. | 我们在这里 ~ 了三十年了。Wǒmen zài

zhèlǐ ~ le sānshí nián le. | 前几天只有我一个人，昨天又 ~ 进来两个人。Qián jǐ tiān zhǐ yǒu wǒ yí ge rén, zuótiān yòu ~ jìnlai liǎng ge rén.

zhù 住² [动]

风停了，雨还没 ~ 。Fēng tíng le, yǔ hái méi ~ . →风停了，雨还没停。Fēng tíng le, yǔ hái méi tíng. **例**昨天夜里又刮风又下雨，到了早上风 ~ 了，雨也 ~ 了。Zuótiān yèli yòu guā fēng yòu xià yǔ, dàole zǎoshang fēng ~ le, yǔ yě ~ le. | 不许打人，~ 手！Bùxǔ dǎ rén, ~ shǒu! | 你 ~ 嘴吧，你说的话我们不相信。Nǐ ~ zuǐ ba, nǐ shuō de huà wǒmen bù xiāngxìn. | 天那么黑，这雨一时 ~ 不了。Tiān nàme hēi, zhè yǔ yìshí ~ bu liǎo. | 他不 ~ 地讲了两个小时。Tā bú ~ de jiǎngle liǎng ge xiǎoshí. | 雨一 ~ 我们就出发。Yǔ yí ~ wǒmen jiù chūfā.

zhù 住³ [动]

妈妈对你说的话，你一定要记 ~ 。Māma duì nǐ shuō de huà, nǐ yídìng yào jì ~ . →妈妈对你说的话，你一定要记在心里，不能忘记。Māma duì nǐ shuō de huà, nǐ yídìng yào jì zài xīnli, bù néng wàngjì. **例**我扔给你，你接 ~ 。Wǒ rēng gěi nǐ, nǐ jiē ~ . | 孩子一问，把大人都问 ~ 了。Háizi yí wèn, bǎ dàren dōu wèn ~ le. | 挡 ~ 他，别让他过去。Dǎng ~ tā, bié ràng tā guòqu. | 一动不动地站三个小时，谁也站不 ~ 。Yí dòng bú dòng de zhàn sān ge xiǎoshí, shéi yě zhàn bu ~ . | 你别听他的，他的话靠不 ~ 。Nǐ bié tīng tā de, tā de huà kào bu ~ . | 把门顶 ~ ，别让他们进来。Bǎ mén dǐng ~ , bié ràng tāmen jìnlai.

zhù yuàn 住院

父亲因心脏病 ~ 了。Fùqin yīn xīnzàngbìng ~ le. →父亲因心脏病留在医院里打针，吃药，不能回家。Fùqin yīn xīnzàngbìng liú zài yīyuàn li dǎzhēn, chīyào, bù néng huíjiā. **例**弟弟身体不好，去年一年 ~ 三次。Dìdi shēntǐ bù hǎo, qùnián yì nián ~ sān cì. | 玛丽发烧三天了，医生让她 ~ 了。Mǎlì fāshāo sān tiān le, yīshēng ràng tā ~ le. | 最近 ~ 的人很多，医院里没有空床位。Zuìjìn ~ de rén hěn duō, yīyuàn li méiyǒu kòng chuángwèi. | 我身体很好，从来没住过院。Wǒ shēntǐ hěn hǎo, cónglái méi zhùguo yuàn.

zhùyì 注意 [动]

爸爸，您不能只顾工作，不 ~ 身体健康。Bàba, nín bù néng zhǐ gù

Z

gōngzuò, bú ~ shēntǐ jiànkāng. →您不能不把身体健康放在心上。Nín bù néng bù bǎ shēntǐ jiànkāng fàng zài xīnshang. 例工作再忙也要~休息。Gōngzuò zài máng yě yào ~ xiūxi. |做什么工作都要~安全。Zuò shénme gōngzuò dōu yào ~ ānquán. |上课的时候，他特别~听讲。Shàngkè de shíhou, tā tèbié ~ tīngjiǎng. |我没~他是什么时候进来的。Wǒ méi ~ tā shì shénme shíhou jìnlai de. |这件事引起了大家的~。Zhèi jiàn shì yǐnqǐle dàjiā de ~.

zhù 祝 [动]

~妈妈生日快乐。~ māma shēngri kuàilè. →孩子们希望妈妈生日的时候快乐。Háizimen xīwàng māma shēngri de shíhou kuàilè. 例~你们身体健康！~ nǐmen shēntǐ jiànkāng! |~你们生活幸福。~ nǐmen shēnghuó xìngfú. |~您一路平安！~ nín yílù píng'ān! |~您一切顺利！~ nín yíqiè shùnlì! |~我们的友谊万古长青！~ wǒmen de yǒuyì wàngǔ chángqīng! |晚会上大家互相~酒。Wǎnhuì shang dàjiā hùxiāng ~ jiǔ. |主人向客人~了一遍酒。Zhǔrén xiàng kèren ~ le yí biàn jiǔ. |~完了酒才开始吃饭。~ wánle jiǔ cái kāishǐ chīfàn.

zhùhè 祝贺[1] （祝贺）[动]

大卫在国际比赛中得了第一，大家都来向他~。Dàwèi zài guójì bǐsài zhōng déle dì yī, dàjiā dōu lái xiàng tā ~. →大卫遇到了喜事，人们用语言或送礼物等向他表达高兴的心情。Dàwèi yùdàole xǐshì, rénmen yòng yǔyán huò sòng lǐwù děng xiàng tā biǎodá gāoxìng de xīnqíng. 例妹妹结婚的时候，亲友们都来~。Mèimei jiéhūn de shíhou, qīnyǒumen dōu lái ~. |~你考上了名牌儿大学。~ nǐ kǎoshangle míngpáir dàxué. |来~的人越来越多。Lái ~ de rén yuèláiyuè duō. |远方的朋友寄来了~信。Yuǎnfāng de péngyou jìlaile ~ xìn. |我们到他家里~过了。Wǒmen dào tā jiāli ~ guo le.

zhùhè 祝贺[2] （祝贺）[名]

我们商店开业的第一天，朋友们都来表示~。Wǒmen shāngdiàn kāiyè de dì yī tiān, péngyoumen dōu lái biǎoshì ~. →朋友们都来说一些庆贺的话，做些高兴的事。Péngyoumen dōu lái shuō yìxiē qìnghè de huà, zuò xiē gāoxìng de shì. 例他们送来了一个大花篮儿表示~。Tāmen sòngláile yí ge dà huālánr biǎoshì ~. |他们为大会题诗作画表示~。Tāmen wèi dàhuì tíshī zuòhuà biǎoshì ~. |请接受学生们发自心底的~。Qǐng jiēshòu xuéshengmen fā zì xīndǐ de ~. |

我们向你们表示最热烈的 ~。Wǒmen xiàng nǐmen biǎoshì zuì rèliè de ~.

zhùmíng 著名 [形]

他写过很多小说，是一位 ~ 的作家。Tā xiěguo hěn duō xiǎoshuō, shì yí wèi ~ de zuòjiā. →他是一位很有名的作家。Tā shì yí wèi hěn yǒumíng de zuòjiā. 例他们国家的葡萄酒在世界上很 ~。Tāmen guójiā de pútaojiǔ zài shìjiè shang hěn ~. | 中国的长城在世界上也非常 ~。Zhōngguó de Chángchéng zài shìjiè shang yě fēicháng ~. | 他是一位 ~ 的京剧演员。Tā shì yí wèi ~ de jīngjù yǎnyuán. | 他哥哥是一位 ~ 的数学家。Tā gēge shì yí wèi ~ de shùxuéjiā. | 世界上 ~ 的大学我都去访问过。Shìjiè shang ~ de dàxué wǒ dōu qù fǎngwènguo.

zhùzuò 著作 [名]

这个书架上放的是鲁迅先生的 ~。Zhèige shūjià shang fàng de shì Lǔ Xùn xiānsheng de ~. →这个书架上放的是鲁迅先生写的书。Zhèige shūjià shang fàng de shì Lǔ Xùn xiānsheng xiě de shū. 例您的 ~ 出版了。Nín de ~ chūbǎn le. | 这部 ~ 完成后，我还要写另外一部 ~。Zhèi bù ~ wánchéng hòu, wǒ háiyào xiě lìngwài yí bù ~. | 他写过许多重要的 ~。Tā xiěguo xǔduō zhòngyào de ~. | 这是一本法律 ~。Zhè shì yì běn fǎlǜ ~. | 这是他的最后一部 ~。Zhè shì tā de zuìhòu yí bù ~.

zhua

zhuā 抓[1] [动]

人们扔过去的食物，猴子 ~ 起来就吃。Rénmen rēng guoqu de shíwù, hóuzi ~ qilai jiù chī. →猴子拿起来就吃。Hóuzi ná qilai jiù chī. 例你先 ~ 一点儿茶叶放在杯子里，再倒开水。Nǐ xiān ~ yìdiǎnr cháyè fàng zài bēizi li, zài dào kāishuǐ. | 他 ~ 了一把花生给我。Tā ~ le yì bǎ huāshēng gěi wǒ. | 我放在桌子上的糖都让孩子 ~ 光了。Wǒ fàng zài zhuōzi shang de táng dōu ràng háizi ~ guāng le. | 你 ~ 得太多了，给弟弟一点儿。Nǐ ~ de tài duō le, gěi dìdi yìdiǎnr. | 他从口袋里 ~ 出一把零钱。Tā cóng kǒudai li ~ chū yì bǎ língqián.

zhuā 抓[2] [动]

你的脸怎么破了？是小明 ~ 的。Nǐ de liǎn zěnme pò le? Shì Xiǎo Míng ~ de. →是小明的手指把我的脸弄破了。Shì Xiǎo Míng de shǒuzhǐ bǎ wǒ de liǎn nòngpò le. 例小猴子坐在地上~耳朵。Xiǎo hóuzi zuò zài dìshang ~ ěrduo. |猫把这些皮沙发全~坏了。Māo bǎ zhèixiē pí shāfā quán ~ huài le. |我的手被猫~了一下儿，真疼。Wǒ de shǒu bèi māo ~ le yí xiàr, zhēn téng. |孩子被猫~哭了。Háizi bèi māo ~ kū le. |我的后背我自己~不着，你帮我~两下行吗？ Wǒ de hòubèi wǒ zìjǐ ~ bu zháo, nǐ bāng wǒ ~ liǎng xià xíng ma?

zhuā 抓[3] [动]

他在学校里~教学工作。Tā zài xuéxiào li ~ jiàoxué gōngzuò. →他在学校里主要负责领导教学工作。Tā zài xuéxiào li zhǔyào fùzé lǐngdǎo jiàoxué gōngzuò. 例他在我们厂里~产量，我在厂里~质量。Tā zài wǒmen chǎng li ~ chǎnliàng, wǒ zài chǎng li ~ zhìliàng. |产量和质量要同时~上去。Chǎnliàng hé zhìliàng yào tóngshí ~ shangqu. |他~生产~得很有成绩。Tā ~ shēngchǎn ~ de hěn yǒu chéngjì. |工作太多，一个人~不过来。Gōngzuò tài duō, yí ge rén ~ bu guòlái. |实验室的工作让谁~？Shíyànshì de gōngzuò ràng shéi ~ ? |这项工作要认真~一~了。Zhèi xiàng gōngzuò yào rènzhēn ~ yi ~ le.

zhuā 抓[4] [动]

警察~了三个偷东西的人。Jǐngchá ~ ie sān ge tōu dōngxi de rén. →三个偷东西的人落到了警察手中。Sān ge tōu dōngxi de rén luòdàole jǐngchá shǒu zhōng. 例你们~着偷自行车的人了没有？ Nǐmen ~ zháo tōu zìxíngchē de rén le méiyǒu? |这只猫今天~了两只老鼠。Zhèi zhī māo jīntiān ~ le liǎng zhī lǎoshǔ. |你们要看清楚，别~错了人。Nǐmen yào kàn qīngchu, bié ~ cuòle rén. |那两个坏人已经被~走了。Nèi liǎng ge huàirén yǐjing bèi ~ zǒu le. |那几个人没用多长时间就被我们~住了。Nèi jǐ ge rén méi yòng duō cháng shíjiān jiù bèi wǒmen ~ zhù le.

zhuā jǐn 抓紧[1] （抓紧）

安娜，~这根绳子，我把你拉上来。Ānnà, ~ zhèi gēn shéngzi, wǒ bǎ nǐ lā shanglai. →安娜，你拿到绳子后千万别松开手。Ānnà, nǐ nádào shéngzi hòu qiānwàn bié sōngkāi shǒu. 例~他，别让他跑了。~ tā, bié ràng tā pǎo le. |你递给我那个杯子，等我~以后你再松手。Nǐ dì gěi wǒ nèi ge bēizi, děng wǒ ~ yǐhòu nǐ zài sōng shǒu. |这根绳子太粗，我抓不紧。Zhèi gēn shéngzi tài cū, wǒ zhuā bu jǐn. ｜你抓得紧点儿，我开始拉你了。Nǐ zhuā de jǐn diǎnr, wǒ kāishǐ lā nǐ le.

zhuā jǐn 抓紧² （抓紧）

快考试了，我得 ~ 时间复习。Kuài kǎoshì le, wǒ děi ~ shíjiān fùxí. →我要减少玩儿的时间，用更多的时间复习功课。Wǒ yào jiǎnshǎo wánr de shíjiān, yòng gèng duō de shíjiān fùxí gōngkè. 例这个节目明天就要表演了，今天我们要 ~ 练习。Zhèige jiémù míngtiān jiù yào biǎoyǎn le, jīntiān wǒmen yào ~ liànxí. ｜我们都要 ~ 工作，不然任务就完不成了。Wǒmen dōu yào ~ gōngzuò, bùrán rènwu jiù wán bu chéng le. ｜你要是提醒他一下儿，他就抓得紧一点儿。Nǐ yàoshi tíxǐng tā yíxiàr, tā jiù zhuā de jǐn yìdiǎnr. ｜同样的任务，时间抓得紧的人已经完成了，抓得不紧的人还没完成。Tóngyàng de rènwu, shíjiān zhuā de jǐn de rén yǐjing wánchéng le, zhuā de bù jǐn de rén hái méi wánchéng.

zhuan

zhuānjiā 专家（專家）[名]

张博士是一位电脑 ~。Zhāng bóshì shì yí wèi diànnǎo ~. →张博士对电脑很有研究，而且是电脑方面的高级工程师。Zhāng bóshì duì diànnǎo hěn yǒu yánjiū, érqiě shì diànnǎo fāngmiàn de gāojí gōngchéngshī. 例要完成这项工程，我们还得再请两位 ~。Yào wánchéng zhèi xiàng gōngchéng, wǒmen hái děi zài qǐng liǎng wèi ~. ｜会上 ~ 们提出了许多宝贵的意见。Huì shang ~ men tíchūle xǔduō bǎoguì de yìjiàn. ｜这项医学试验得到过国内外 ~ 的帮助。Zhèi xiàng yīxué shìyàn dédàoguo guó nèi wài ~ de bāngzhù. ｜你要是有问题可以去向同行或向 ~ 请教。Nǐ yàoshi yǒu wèntí kěyǐ qù xiàng tóngháng huò xiàng ~ qǐngjiào.

zhuānmén 专门（專門）[形]

今天我不要别的菜，我是 ~ 来吃烤鸭的。Jīntiān wǒ bú yào biéde cài, wǒ shì ~ lái chī kǎoyā de. →今天我来的目的只为吃烤鸭，不为吃别的。Jīntiān wǒ lái de mùdì zhǐ wèi chī kǎoyā, bú wèi chī biéde. 例大伯，是我父亲 ~ 让我来接您的。Dàbó, shì wǒ fùqin ~ ràng wǒ lái jiē nín de. ｜大卫 ~ 研究机器人的耳朵。Dàwèi ~ yánjiū jīqìrén de ěrduo. ｜这是一所 ~ 培养工程师的学校。Zhè shì yì suǒ ~

péiyǎng gōngchéngshī de xuéxiào. |他们是～来参观咱们的养牛场
的。Tāmen shì ～ lái cānguān zánmen de yǎngniúchǎng de. |我们要
培养一批～的工商管理人才。Wǒmen yào péiyǎng yì pī ～ de
gōngshāng guǎnlǐ réncái.

zhuānxīn 专心（專心）[形]
上课的时候，要～听讲。Shàngkè de shíhou, yào ～ tīngjiǎng. →听
老师讲课时要集中精力，不能做别的事情。Tīng lǎoshī jiǎngkè shí
yào jízhōng jīnglì, bù néng zuò biéde shìqing. 例写作业要～，不能
一边儿看电视一边儿写。Xiě zuòyè yào ～, bù néng yìbiānr kàn
diànshì yìbiānr xiě. |你呀，做什么事情都太不～。Nǐ ya, zuò
shénme shìqing dōu tài bù ～. |做事不～的人，不能开汽车。Zuòshì
bù ～ de rén, bù néng kāi qìchē. |安娜做什么事情都很～。Ānnà
zuò shénme shìqing dōu hěn ～. |你别跟我说话了，我要～学习了。
Nǐ bié gēn wǒ shuōhuà le, wǒ yào ～ xuéxí le.

zhuānyè 专业（專業）[名]
special field of study 例我们大学有十八个系，四十六个～。Wǒmen
dàxué yǒu shíbā ge xì, sìshíliù ge ～. |最近几年，学生们很喜欢考
计算机～。Zuìjìn jǐ nián, xuéshengmen hěn xǐhuan kǎo jìsuànjī ～. |
我妹妹考上了经济～。Wǒ mèimei kǎoshangle jīngjì ～. |这个～是
热门～。Zhèige ～ shì rèmén ～. |那两个～从今年起合在一起了。
Nèi liǎng ge ～ cóng jīnnián qǐ hé zài yìqǐ le. |这个～的学生大部分是
男孩子。Zhèige ～ de xuésheng dà bùfen shì nán háizi. |下学期开始
有～课了。Xià xuéqī kāishǐ yǒu ～ kè le.

zhuǎn 转¹（轉）[动]
我爸爸昨天～院了。Wǒ bàba zuótiān ～ yuàn le. →爸爸开始在我家
附近的小医院住院，从昨天开始住到这家大医院里来了。Bàba
kāishǐ zài wǒ jiā fùjìn de xiǎo yīyuàn zhùyuàn, cóng zuótiān kāishǐ
zhùdào zhèi jiā dà yīyuàn li lái le. 例下学期有两个学生要～学校。
Xià xuéqī yǒu liǎng ge xuésheng yào ～ xuéxiào. |～飞机要等三个多
小时。～ fēijī yào děng sān ge duō xiǎoshí. |你回家时在哪儿～火
车？Nǐ huíjiā shí zài nǎr ～ huǒchē? |从我家到这儿得～两次车。Cóng
wǒ jiā dào zhèr děi ～ liǎng cì chē.

zhuǎn 转²（轉）[动]
你骑到路口向左～。Nǐ qídào lùkǒu xiàng zuǒ ～. →你骑到路口不要

再往前骑，应该向左手方向骑。Nǐ qídào lùkǒu bú yào zài wǎng qián qí, yīnggāi xiàng zuǒshǒu fāngxiàng qí. 例她~过脸对我笑了笑。Tā ~ guo liǎn duì wǒ xiàole xiào. | 这个地方太小，汽车~不了弯儿。Zhèige dìfang tài xiǎo, qìchē ~ bu liǎo wānr. | 你穿新衣服了，~过身来让大家看看。Nǐ chuān xīn yīfu le, ~ guo shēn lai ràng dàjiā kànkan. | 他一看见我就马上~过头去了。Tā yí kànjiàn wǒ jiù mǎshàng ~ guo tóu qù le.

zhuǎn 转³（轉）[动]

这是安娜的信，你把它~给安娜吧。Zhè shì Ānnà de xìn, nǐ bǎ tā ~ gěi Ānnà ba. →通过你把这封信交给安娜。Tōngguò nǐ bǎ zhèi fēng xìn jiāo gěi Ānnà. 例请帮我把这件礼物~给张老师。Qǐng bāng wǒ bǎ zhèi jiàn lǐwù ~ gěi zhāng lǎoshī. | 这是你哥哥留下来的东西，请~交给你的母亲。Zhè shì nǐ gēge liú xialai de dōngxi, qǐng ~ jiāo gěi nǐ de mǔqin. | 我已经收到你~来的信了。Wǒ yǐjing shōudào nǐ ~ lái de xìn le. | 东西昨天就~到我手里了，请放心。Dōngxi zuótiān jiù ~ dào wǒ shǒuli le, qǐng fàngxīn. | 喂，是总机吗？请~2588。Wèi, shì zǒngjī ma? Qǐng ~ èr wǔ bā bā.

zhuǎngào 转告（轉告）[动]

你回国的时候，请~我的妈妈，我在北京很好。Nǐ huíguó de shíhou, qǐng ~ wǒ de māma, wǒ zài Běijīng hěn hǎo. →请你把我的话告诉我的妈妈。Qǐng nǐ bǎ wǒ de huà gàosu wǒ de māma. 例请~安娜，让她回来以后给我来个电话。Qǐng ~ Ānnà, ràng tā huílai yǐhòu gěi wǒ lái ge diànhuà. | 昨天我没见到他，你的事还没~他呢。Zuótiān wǒ méi jiàndào tā, nǐ de shì hái méi ~ tā ne. | 我已经把你的话全部~给她了。Wǒ yǐjing bǎ nǐ de huà quánbù ~ gěi tā le. | 他让我~你的话，我已经~完了。Tā ràng wǒ ~ nǐ de huà, wǒ yǐjing ~ wán le.

zhuǎn 转⁴（轉）[动]

前两天，天气真冷，这几天~暖和了。Qián liǎng tiān, tiānqì zhēn lěng, zhèi jǐ tiān ~ nuǎnhuo le. →这几天天气慢慢儿地变暖和了。Zhèi jǐ tiān tiānqì mànmānr de biàn nuǎnhuo le. 例我们这个地方每年十一月份天气就开始~冷了。Wǒmen zhèige dìfang měi nián shíyī yuèfèn tiānqì jiù kāishǐ ~ lěng le. | 下了两天雨，今天~晴了。Xiàle liǎng tiān yǔ, jīntiān ~ qíng le. | 天气预报说，明天晴~多云，晚上

Z

有小雨。Tiānqì yùbào shuō, míngtiān qíng ~ duōyún, wǎngshang yǒu xiǎoyǔ. |今天下午南 ~ 北风，风力二三级。Jīntiān xiàwǔ nán ~ běifēng, fēnglì èr sān jí.

zhuǎnbiàn 转变（轉變）[动]

风向 ~ 了。Fēngxiàng ~ le. →早上是西南风，现在开始刮西北风了。Zǎoshang shì xīnánfēng, xiànzài kāishǐ guā xīběifēng le. **例**他的想法 ~ 了。Tā de xiǎngfa ~ le. |他的研究方向 ~ 了。Tā de yánjiū fāngxiàng~ le. |最近他 ~ 了对你的看法。Zuìjìn tā ~ le duì nǐ de kànfǎ. |希望你能赶快 ~ 你的工作态度。Xīwàng nǐ néng gǎnkuài ~ nǐ de gōngzuò tàidu. |思想的 ~ 是最关键的。Sīxiǎng de ~ shì zuì guānjiàn de. |这需要有个 ~ 的过程。Zhè xūyào yǒu ge ~ de guòchéng.

zhuàn 转[1]（轉）[动]

地球每时每刻都在 ~ 。Dìqiú měi shí měi kè dōu zài ~ . →这是一种物体运动的方式。Zhè shì yì zhǒng wùtǐ yùndòng de fāngshì. **例**机器人的眼睛会 ~ 。Jīqìrén de yǎnjing huì ~ . |自行车坏了，后轮子不能 ~ 了。Zìxíngchē huài le, hòu lúnzi bù néng ~ le. |音乐听完了，这录音机就不 ~ 了。Yīnyuè tīngwán le, zhèi lùyīnjī jiù bù ~ le. |按一下儿开关，机器就自动 ~ 起来了。Àn yí xiàr kāiguān, jīqì jiù zìdòng ~ qilai le. |向右 ~ 两圈儿，门就开了，向左 ~ 两圈儿，门就锁上了。Xiàng yòu ~ liǎng quānr, mén jiù kāi le, xiàng zuǒ ~ liǎng quānr, mén jiù suǒshang le.

zhuàn 转[2]（轉）[动]

昨天我 ~ 了两家书店，买了这本儿书。Zuótiān wǒ ~ le liǎng jiā shūdiàn, mǎile zhèi běnr shū. →昨天我走了两家书店买了这本儿书。Zuótiān wǒ zǒule liǎng jiā shūdiàn mǎile zhèi běnr shū. **例**他 ~ 了好几家服装店，也没买回衣服来。Tā ~ le hǎojǐ jiā fúzhuāngdiàn, yě méi mǎihuí yīfu lai. |星期天他常常带孩子去公园里 ~ 。Xīngqītiān tā chángcháng dài háizi qù gōngyuán li ~ . |吃完饭咱们出去 ~ ~ 吧。Chīwán fàn zánmen chūqu ~ ~ ba. |回家的时候 ~ 了一下儿菜市场，买了点儿菜。Huíjiā de shíhou ~ le yíxiàr càishìchǎng, mǎile diǎnr cài. |他 ~ 了一上午，~ 累了，现在在床上躺着呢。Tā ~ le yí shàngwǔ, ~ lèi le, xiànzài zài chuáng shang tǎngzhe ne.

zhuang

zhuāngjia 庄稼（莊稼）[名]

今年地里的 ~ 长得比去年好。Jīnnián dì li de ~ zhǎng de bǐ qùnián hǎo. →今年地里种的麦子、玉米、水稻等粮食作物长得比去年好。Jīnnián dì li zhòng de màizi、yùmǐ、shuǐdào děng liángshi zuòwù zhǎng de bǐ qùnián hǎo. **例**秋天是 ~ 成熟的季节。Qiūtiān shì ~ chéngshú de jìjié. | 这种 ~ 在北方不能种。Zhèi zhǒng ~ zài běifāng bù néng zhòng. | ~ 收获的时候，农民们很忙。~ shōuhuò de shíhou, nóngmínmen hěn máng. | 快出来，别踩坏了 ~。Kuài chūlai, bié cǎihuài le ~. | 是谁家的牛吃了这块地里的 ~？Shì shéi jiā de niú chīle zhèi kuài dì li de ~?

zhuāngyán 庄严（莊嚴）[形]

solemn; stately; imposing **例**今天的会场布置得又漂亮又 ~。Jīntiān de huìchǎng bùzhì de yòu piàoliang yòu ~. | 国旗在国歌声中升起来了，~ 的时刻来到了。Guóqí zài guógē shēng zhōng shēng qilai le, ~ de shíkè láidào le. | 雄伟 ~ 的人民英雄纪念碑立在天安门广场上。Xióngwěi ~ de Rénmín Yīngxióng Jìniànbēi lì zài Tiān'ān Mén Guǎngchǎng shang. | 1949 年 10 月 1 日，毛泽东在天安门城楼上 ~ 地宣布："中华人民共和国成立了！" Yī jiǔ sì jiǔ nián Shíyuè yī rì, Máo Zédōng zài Tiān'ān Mén chénglóu shang ~ de xuānbù:"Zhōnghuá Rénmín Gònghéguó chénglì le!"

zhuāng 装¹（裝）[动]

这些产品今天 ~ 箱，明天就运走了。Zhèixiē chǎnpǐn jīntiān ~ xiāng, míngtiān jiù yùnzǒu le. →这些产品今天要放到箱子里。Zhèixiē chǎnpǐn jīntiān yào fàngdào xiāngzi li. **例**这辆车坐人，这辆 ~ 行李。Zhèi liàng chē zuò rén, zhèi liàng ~ xíngli. | 书 ~ 书包里了吗？Shū ~ shūbāo li le ma? | 这个柜子已经 ~ 满了。Zhèige guìzi yǐjing ~ mǎn le. | 东西太多 ~ 不下了。Dōngxi tài duō ~ bu xià le. | 别 ~ 错了，要是 ~ 错了，还得重新 ~。Bié ~ cuò le, yàoshi ~ cuò le, hái děi chóngxīn ~. | 先 ~ ~ 看，要是 ~ 不进去就换个包儿。Xiān ~ ~ kàn, yàoshi ~ bu jìnqù jiù huàn ge bāor.

zhuāng 装²（裝）[动]

install; fit; assemble **例**大卫是工程师，他会 ~ 电脑。Dàwèi shì

Z

gōngchéngshī, tā huì ~ diànnǎo. |这台电视机是我哥哥~的。Zhèi tái diànshìjī shì wǒ gēge ~ de. |这些新房子还没有 ~ 电话。Zhèixiē xīn fángzi hái méiyǒu ~ diànhuà. |天气太热，你们赶快 ~ 空调吧。Tiānqì tài rè, nǐmen gǎnkuài ~ kōngtiáo ba. |这个车铃~到你的自行车上吧。Zhèige chēlíng ~ dào nǐ de zìxíngchē shang ba. |我看他自己 ~ 不了。Wǒ kàn tā zìjǐ ~ bu liǎo. |你请别人来 ~ 吧。Nǐ qǐng biérén lái ~ ba.

zhuāng 装³ （裝）[动]

比尔 ~ 老爷爷 ~ 得真像。Bǐ'ěr ~ lǎoyéye ~ de zhēn xiàng. →比尔表演的老爷爷真像。Bǐ'ěr biǎoyǎn de lǎoyéye zhēn xiàng. 例下次表演你 ~ 坏人吧。Xià cì biǎoyǎn nǐ ~ huàirén ba. |他 ~ 警察 ~ 得真好。Tā ~ jǐngchá ~ de zhēn hǎo. |我 ~ 谁也~不像，我不演了。Wǒ ~ shéi yě ~ bú xiàng, wǒ bù yǎn le. |在那个话剧里他~过一个卖假药的。Zài nèige huàjù li tā ~ guo yí ge mài jiǎ yào de.

zhuāng 装⁴ （裝）[动]

你昨天还说知道呢，今天你怎么 ~ 不知道了呢? Nǐ zuótiān hái shuō zhīdao ne, jīntiān nǐ zěnme ~ bù zhīdào le ne? →他说不知道是一句假话，因为他昨天说知道。Tā shuō bù zhīdào shì yí jù jiǎhuà, yīnwèi tā zuótiān shuō zhīdao. 例他叫了你三声，你怎么 ~ 没听见? Tā jiàole nǐ sān shēng, nǐ zěnme ~ méi tīngjiàn? |你别 ~ 穷。Nǐ bié ~ qióng. |他是在 ~ 傻。Tā shì zài ~ shǎ. |不懂不要 ~ 懂。Bù dǒng bú yào ~ dǒng. |他不想去上课，他就 ~ 病。Tā bù xiǎng qù shàngkè, tā jiù ~ bìng. |你看这孩子故意~哭。Nǐ kàn zhè háizi gùyì ~ kū. |心里不高兴~笑也不自然。Xīnli bù gāoxìng ~ xiào yě bú zìrán.

zhuàngkuàng 状况（狀況）[名]

你呀，今天感冒、明天发烧的，这种身体~怎么去工作呢? Nǐ ya, jīntiān gǎnmào, míngtiān fāshāo de, zhèi zhǒng shēntǐ ~ zěnme qù gōngzuò ne? →你的身体这个样子怎么去工作呢? Nǐ de shēntǐ zhèige yàngzi zěnme qù gōngzuò ne? 例他爷爷八十多了，可身体~还挺好。Tā yéye bāshí duō le, kě shēntǐ ~ hái tǐng hǎo. |那时候我家的经济~不太好。Nà shíhou wǒ jiā de jīngjì ~ bú tài hǎo. |近几年我们的生活 ~ 有了很大的变化。Jìn jǐ nián wǒmen de shēnghuó ~ yǒule hěn dà de biànhuà. |我们来研究一下ⱼ怎样改变目前的生产 ~ 。Wǒmen lái yánjiū yíxiàr zěnyàng gǎibiàn mùqián de shēngchǎn ~ .

zhuàngtài 状态（狀態）[名]

state of affairs; appearance 比赛之前一定要注意运动员的心理 ~ 。
Bǐsài zhīqián yídìng yào zhùyì yùndòngyuán de xīnlǐ ~ . | 应该调整一
下儿你的紧张 ~ 。Yīnggāi tiáozhěng yíxiàr nǐ de jǐnzhāng ~ . | 这种 ~
很快就会改变的。Zhèi zhǒng ~ hěn kuài jiù huì gǎibiàn de. | 人处在
运动 ~ 的时候，心跳得比较快。Rén chǔ zài yùndòng ~ de shíhou,
xīn tiào de bǐjiào kuài. | 在正常的 ~ 下是不会出现这种情况的。Zài
zhèngcháng de ~ xià shì bú huì chūxiàn zhèi zhǒng qíngkuàng de. |
他现在正处在危险的 ~ 中。Tā xiànzài zhèng chǔ zài wēixiǎn de ~
zhōng.

zhuàng 撞[1] [动]

汽车 ~ 了自行车，骑自行车的人已经送到医院去了。Qìchē ~ le
zìxíngchē, qí zìxíngchē de rén yǐjing sòngdào yīyuàn qù le. →出交通
事故了，汽车碰伤了骑自行车的人。Chū jiāotōng shìgù le, qìchē
pèngshangle qí zìxíngchē de rén. 刚才在这儿的两辆汽车 ~ 到一
块儿了。Gāngcái zài zhèr de liǎng liàng qìchē ~ dào yíkuàir le. | 这棵
树是汽车 ~ 倒的。Zhèi kē shù shì qìchē ~ dǎo de. | 大船把小船 ~ 翻
了。Dà chuán bǎ xiǎo chuán ~ fān le. | 他昨天过马路差一点儿被汽
车 ~ 上。Tā zuótiān guò mǎlù chà yìdiǎnr bèi qìchē ~ shang. | 我也被
自行车 ~ 过一次。Wǒ yě bèi zìxíngchē ~ guo yí cì.

zhuàng 撞[2] [动]

我不想让人知道我在这儿，可是被哥哥 ~ 上了。Wǒ bù xiǎng ràng
rén zhīdao wǒ zài zhèr, kěshì bèi gēge ~ shang le. →可是被哥哥无
意中遇到了。Kěshì bèi gēge wúyì zhōng yùdào le. 我不想再见到
他，可又 ~ 上了他。Wǒ bù xiǎng zài jiàndào tā, kě yòu ~ shangle
tā. | 他怕被别人 ~ 上，就把大门儿、小门儿全锁上了。Tā pà bèi
biérén ~ shang, jiù bǎ dàménr、xiǎoménr quán suǒshang le. | 这件
事被爸爸 ~ 着就糟糕了。Zhèi jiàn shì bèi bàba ~ zháo jiù zāogāo le.

zhuàng 撞[3] [动]

你也去考？——我去 ~ ~ 。Nǐ yě qù kǎo? ——Wǒ qù ~ ~ . →我去
试一试。Wǒ qù shì yi shì. 我也想去 ~ ~ 运气。Wǒ yě xiǎng qù ~
~ yùnqì. | 你要是考上了，就 ~ 上大运了。Nǐ yàoshi kǎoshang le,
jiù ~ shang dà yùn le. | 上次我还真 ~ 上运气了。Shàng cì wǒ hái

Z

zhēn ~ shang yùnqì le. | 先 ~ ~ 运气再说，~ 得上 ~ 不上没关系。
Xiān ~ ~ yùnqì zàishuō, ~ de shàng ~ bu shàng méi guānxi.

zhui

zhuī 追¹ [动]

快看！五号运动员 ~ 到二号、八号前面去了。Kuài kàn! Wǔ hào
yùndòngyuán ~ dào èr hào、bā hào qiánmiàn qù le. →五号运动员
跑得 越来越快，从后面跑到二号、八号运动员前面去了。Wǔ hào
yùndòngyuán pǎo de yuèláiyuè kuài, cóng hòumiàn pǎo dào èr hào、
bā hào yùndòngyuán qiánmiàn qù le. 例他跑了，你快去 ~ . Tā pǎo
le, nǐ kuài qù ~ . |我跑得比你快，你 ~ 不上我。Wǒ pǎo de bǐ nǐ
kuài, nǐ ~ bu shàng wǒ. |弟弟的个子长得真快，都快 ~ 上爸爸了。
Dìdi de gèzi zhǎng de zhēn kuài, dōu kuài ~ shang bàba le. |我是骑
着自行车把他 ~ 回来的。Wǒ shì qízhe zìxíngchē bǎ tā ~ huilai de. |
我们 ~ 了半天也没 ~ 着他。Wǒmen ~ le bàntiān yě méi ~ zháo tā.

zhuī 追² [动]

他在 ~ 那位姑娘。Tā zài ~ nèi wèi gūniang. →他爱上那位姑娘了。
Tā àishang nèi wèi gūniang le. 例结婚以前，你们俩是谁先 ~ 谁的？
Jiéhūn yǐqián, nǐmen liǎ shì shéi xiān ~ shéi de? |他先 ~ 了一个女同
学，没 ~ 上。Tā xiān ~ le yí ge nǚ tóngxué, méi ~ shàng. |他 ~ 那
个女孩儿，还真 ~ 成了。Tā ~ nèige nǚháir, hái zhēn ~ chéng le. |
过去常常男生 ~ 女生，现在有很多是女生 ~ 男生。Guòqù
chángcháng nánshēng ~ nǚshēng, xiànzài yǒu hěn duō shì nǚshēng
~ nánshēng.

zhun

zhǔn 准¹（準）[形]

这块手表走得很 ~ 。Zhèi kuài shǒubiǎo zǒu de hěn ~ . →这块手表
走得一点儿不快，一点儿不慢。Zhèi kuài shǒubiǎo zǒu de yìdiǎnr bú
kuài, yìdiǎnr bú màn. 例这个钟不 ~ 了，现在已经快十分钟了。
Zhèige zhōng bù ~ le, xiànzài yǐjīng kuài shí fēnzhōng le. |这个数字
~ 吗？再检查一遍吧。Zhèige shùzì ~ ma? Zài jiǎnchá yí biàn ba. |
他打篮球打得很好，进球特别 ~ 。Tā dǎ lánqiú dǎ de hěn hǎo, jìn
qiú tèbié ~ . |你还没对 ~ 呢，怎么就投了？Nǐ hái méi duì ~ ne,

zěnme jiù tóu le？I这架飞机到北京的时间非常～，从来没晚到或早到过。Zhèi jià fēijī dào Běijīng de shíjiān fēicháng ～, cónglái méi wǎn dào huò zǎo dào guo.

zhǔnquè 准确（準確）［形］

现在我的手表十一点半，～的时间是十一点二十五分。Xiànzài wǒ de shǒubiǎo shíyī diǎn bàn, ～ de shíjiān shì shíyī diǎn èrshíwǔ fēn. →我的手表快了五分钟。Wǒ de shǒubiǎo kuàile wǔ fēnzhōng. 例这个数儿你计算得不～。Zhèige shùr nǐ jìsuàn de bù ～. I安娜的汉语普通话发音很～。Ānnà de Hànyǔ pǔtōnghuà fāyīn hěn ～. I大卫什么时候回国，你知道～的日子吗？Dàwèi shénme shíhou huíguó, nǐ zhīdao ～ de rìzi ma? I究竟要多少钱，希望你给我一个～的答复。Jiūjìng yào duōshao qián, xīwàng nǐ gěi wǒ yí ge ～ de dáfù. I他～地指出了那篇文章中的错误。Tā ～ de zhǐchūle nèi piān wénzhāng zhōng de cuòwu.

zhǔnshí 准时（準時）［形］

飞机～起飞了。Fēijī ～ qǐfēi le. →飞机按规定的时间起飞了。Fēijī àn guīdìng de shíjiān qǐfēi le. 例校车每天早上七点～从这儿开出。Xiào chē měi tiān zǎoshang qī diǎn ～ cóng zhèr kāichū. I他每天来得都很～，今天怎么还没来？Tā měi tiān lái de dōu hěn ～, jīntiān zěnme hái méi lái? I不～来的同学受到了老师的批评。Bù ～ lái de tóngxué shòudàole lǎoshī de pīpíng. I他们～地到达了目的地。Tāmen ～ de dàodále mùdìdì.

zhǔn 准²（準）［副］

你明天来吗？我～来。Nǐ míngtiān lái ma? Wǒ ～ lái. →我明天一定来。Wǒ míngtiān yídìng lái. 例你先向大卫借一下儿，他～有。Nǐ xiān xiàng Dàwèi jiè yíxiàr, tā ～ yǒu. I放心吧，我们～能完成任务。Fàngxīn ba, wǒmen ～ néng wánchéng rènwu. I这件事～是他干的。Zhèi jiàn shì ～ shì tā gàn de. I你要是去，那么远，今天～赶不回来了。Nǐ yàoshi qù, nàme yuǎn, jīntiān ～ gǎn bu huílái le. I太晚了，别打电话给他了，他～睡觉了。Tài wǎn le, bié dǎ diànhuà gěi tā le, tā ～ shuìjiào le. I只要你问他，他～告诉你。Zhǐyào nǐ wèn tā, tā ～ gàosu nǐ.

zhǔnbèi 准备¹（準備）［动］

prepare; get ready 例老师让学生每人～一个本子。Lǎoshī ràng

xuésheng měi rén ~ yí ge běnzi. | 你去 ~ 吃的，我去 ~ 点儿钱。Nǐ
qù ~ chī de, wǒ qù ~ diǎnr qián. | 你要的文件已经 ~ 好了。Nǐ yàc
de wénjiàn yǐjīng ~ hǎo le. | 酒 ~ 得不太多，再去买一些。Jiǔ ~ de
bú tài duō, zài qù mǎi yìxiē. | 东西 ~ 得真齐全。Dōngxi ~ de zhēr
qíquán. | ~ 了半天，可是都没用上。~ le bàntiān, kěshì dōu mé
yòngshang. | 你们去 ~ ~ 吧，下午咱们就出发。Nǐmen qù ~ ~ ba,
xiàwǔ zánmen jiù chūfā.

zhǔnbèi 准备² (準備) [动]

intend; plan **例** 明年我 ~ 考研究生。Míngnián wǒ ~ kǎo yánjiūshēng . |
我 ~ 骑自行车去旅行。Wǒ ~ qí zìxíngchē qù lǚxíng. | 我不 ~ 带孩子
去。Wǒ bù ~ dài háizi qù. | 我 ~ 毕业以后当老师。Wǒ ~ bìyè yǐhòu
dāng lǎoshī. | 我 ~ 请个老师辅导我汉语。Wǒ ~ qǐng ge lǎoshī fǔdǎo
wǒ Hànyǔ. | 我 ~ 把这几张照片儿寄给她。Wǒ ~ bǎ zhèi jǐ zhāng
zhàopiānr jì gěi tā. | 我正 ~ 去看他的时候，他来了。Wǒ zhèng ~ qù
kàn tā de shíhou, tā lái le.

zhǔnbèi 准备³ (準備) [名]

preparation **例** 为这次实验，我们已经做好了各种 ~ 。Wèi zhèi c
shíyàn, wǒmen yǐjīng zuòhǎole gè zhǒng ~ . | 他们正在做出差的 ~ 。
Tāmen zhèngzài zuò chūchāi de ~ . | 搬家的 ~ 都做完了。Bānjiā de
~ dōu zuòwán le. | 让他们先有个思想 ~ 。Ràng tāmen xiān yǒu ge
sīxiǎng ~ . | 他们在精神上已经做好了充分的 ~ 。Tāmen zài
jīngshén shang yǐjīng zuòhǎole chōngfèn de ~ . | 他们正做游泳的 ~ 。
Tāmen zhèng zuò yóuyǒng de ~ .

zhǔnxǔ 准许 (准許) [动]

电影院里不 ~ 抽烟。Diànyǐngyuàn li bù ~ chōuyān. → 电影院里不可
以抽烟。Diànyǐngyuàn li bù kěyǐ chōuyān. **例** 医生 ~ 他明天出院。
Yīshēng ~ tā míngtiān chū yuàn. | 这里可以参观，但不 ~ 照相。
Zhèlǐ kěyǐ cānguān, dàn bù ~ zhàoxiàng. | 这个阅览室的书只 ~ 在图
书馆里看，不能借出去看。Zhèige yuèlǎnshì de shū zhǐ ~ zài
túshūguǎn li kàn, bù néng jiè chuqu kàn. | 这是我的工作 ~ 证明。
Zhè shì wǒ de gōngzuò ~ zhèngmíng. | 等学校 ~ 以后，才能给你发
入学通知书。Děng xuéxiào ~ yǐhòu, cáinéng gěi nǐ fā rùxué
tōngzhīshū.

Z

zhuo

zhuōzi 桌子 ［名］

例我的宿舍里有两张~。Wǒ de sùshè li yǒu liǎng zhāng ~. ｜这张~是新买的。Zhèi zhāng ~ shì xīn mǎi de. ｜~上有几本书。~ shang yǒu jǐ běn shū. ｜电影票放在里屋的~上了。Diànyǐngpiào fàng zài lǐwū de ~ shang le. ｜~下面有一只筷子。~ xiàmian yǒu yì zhī kuàizi. ｜我不喜欢这张~的颜色。Wǒ bù xǐhuan zhèi zhāng ~ de yánsè. ｜这张~的式样不错。Zhèi zhāng ~ de shìyàng búcuò.

桌子

zhuō 捉 ［动］

警察~了两个偷东西的人。Jǐngchá ~ le liǎng ge tōu dōngxi de rén. →两个偷东西的人落到了警察手中。Liǎng ge tōu dōngxi de rén luòdàole jǐngchá shǒu zhōng. 例他去河里 ~ 了两条鱼。Tā qù hé li ~ le liǎng tiáo yú. ｜小狗跑那么快，我 ~ 不住它。Xiǎogǒu pǎo nàme kuài, wǒ ~ bu zhù tā. ｜不许上树~小鸟。Bùxǔ shàng shù ~ xiǎoniǎo. ｜你以前 ~ 过蛇？Nǐ yǐqián ~ guo shé?

zi

zīliào 资料（資料）［名］

我正在收集写论文的 ~ 。Wǒ zhèngzài shōují xiě lùnwén de ~. →我正在收集写论文时要用的书、杂志等参考材料。Wǒ zhèngzài shōují xiě lùnwén shí yào yòng de shū、zázhì děng cānkǎo cáiliào. 例他去图书馆找 ~ 去了。Tā qù túshūguǎn zhǎo ~ qù le. ｜这些 ~ 是从国家图书馆复印回来的。Zhèixiē ~ shì cóng Guójiā Túshūguǎn fùyìn huílai de. ｜我手里的 ~ 不全。Wǒ shǒu li de ~ bù quán. ｜这份 ~ 很重要。Zhèi fèn ~ hěn zhòngyào. ｜您想知道这些 ~ 的来源吗？Nín xiǎng zhīdao zhèixiē ~ de láiyuán ma? ｜这些 ~ 的用处不太大。Zhèixiē ~ de yòngchu bú tài dà.

zīyuán 资源（資源）［名］

natural resources 例中国的自然 ~ 很丰富。Zhōngguó de zìrán ~ hěn

Z

fēngfù. | 这儿的许多自然 ~ 被破坏了。Zhèr de xǔduō zìrán ~ bèi pòhuài le. | 目前浪费 ~ 是个很严重的问题。Mùqián làngfèi ~ shì ge hěn yánzhòng de wèntí. | 我们应该利用好人力 ~ 。Wǒmen yīnggāi lìyòng hǎo rénlì ~ . | 那个地区有大量的水力 ~ 。Nèige dìqū yǒu dàliàng de shuǐlì ~ . | ~ 的开发和利用要有计划地进行。~ de kāifā hé lìyòng yào yǒu jìhuà de jìnxíng. | 有些地区 ~ 的保护工作做得很好。Yǒuxiē dìqū ~ de bǎohù gōngzuò zuò de hěn hǎo.

zǐxì 仔细（仔細）［形］

考试的时候，做完题以后要 ~ 检查。Kǎoshì de shíhou, zuòwán tí yǐhòu yào ~ jiǎnchá. →做完考试的题目以后要非常认真地检查，看有没有做错的地方。Zuòwán kǎoshì de tímù yǐhòu yào fēicháng rènzhēn de jiǎnchá, kàn yǒu méiyǒu zuòcuò de dìfang. 例我大女儿办事很 ~ 。Wǒ dà nǚ'ér bànshì hěn ~ . | 这事别让他去做，他太不 ~ 。Zhè shì bié ràng tā qù zuò, tā tài bù ~ . | 她是个 ~ 的人，让她做什么事都放心。Tā shì ge ~ de rén, ràng tā zuò shénme shì dōu fàngxīn. | ~ 听听他说的话，还是挺有道理的。~ tīngting tā shuō de huà, háishi tǐng yǒu dàoli de. | 这个老师讲得真 ~ 。Zhèige lǎoshī jiǎng de zhēn ~ .

zǐ 紫［形］

purple; violet 例她有一件 ~ 的毛衣。Tā yǒu yí jiàn ~ de máoyī. | 我有一双 ~ 的手套。Wǒ yǒu yì shuāng ~ de shǒutào. | 他不喜欢 ~ 的衣服。Tā bù xǐhuan ~ de yīfu. | 天气太冷，她的嘴唇都冻得发 ~ 了。Tiānqì tài lěng, tā de zuǐchún dōu dòng de fā ~ le. | 昨天摔了一下儿，腿上都摔 ~ 了。Zuótiān shuāile yí xiàr, tuǐ shang dōu shuāi ~ le. | 你的头上有一大块 ~ ，怎么弄的？Nǐ de tóu shang yǒu yí dà kuài ~ , zěnme nòng de?

zì 自¹［介］

她 ~ 五岁起就学弹钢琴。Tā ~ wǔ suì qǐ jiù xué tán gāngqín. →她学弹钢琴是五岁的时候开始的。Tā xué tán gāngqín shì wǔ suì de shíhou kāishǐ de. 例 ~ 大学毕业，他一直当记者。~ dàxué bìyè, tā yìzhí dāng jìzhě. | 他 ~ 小就爱画画儿，后来成了一位画家。Tā ~ xiǎo jiù ài huà huàr, hòulái chéngle yí wèi huàjiā. | 一九八二年以来，我就没有关于他的消息了。~ yī jiǔ bā èr nián yǐlái, wǒ jiù méiyǒu guānyú tā de xiāoxi le. | ~ 她来到这个班，班里的同学比过去活跃多了。~ tā láidào zhèige bān, bān li de tóngxué bǐ guòqù huóyuè duō le.

zìcóng 自从¹（自從）[介]

~一九九六年春天，我就住在这儿了。~ yī jiǔ jiǔ liù nián chūntiān, wǒ jiù zhù zài zhèr le. →从一九九六年春天开始，我就住在这儿了。Cóng yī jiǔ jiǔ liù nián chūntiān kāishǐ, wǒ jiù zhù zài zhèr le. 例~九月以来，已经好几个月没下雨了。~ Jiǔyuè yǐlái, yǐjing hǎojǐ ge yuè méi xià yǔ le. | ~春节以后，我没有收到过他的信。~ Chūnjié yǐhòu, wǒ méiyǒu shōudàoguo tā de xìn. | ~上星期三，他忙得每天只睡三个小时觉。~ shàngxīngqīsān, tā máng de měi tiān zhǐ shuì sān ge xiǎoshí jiào.

zìcóng 自从²（自從）[介]

~上大学以后，我就住到学生宿舍里来了。~ shàng dàxué yǐhòu, wǒ jiù zhùdào xuéshēng sùshè li lái le. →从我上了大学以后，我就住到学生宿舍里来了。Cóng wǒ shàngle dàxué yǐhòu, wǒ jiù zhùdào xuéshēng sùshè li lái le. 例~生了小孩儿以后，她就不上班了。~ shēngle xiǎoháir yǐhòu, tā jiù bú shàngbān le. | ~搬到城里以后，生活上比以前方便多了。~ bāndào chéng li yǐhòu, shēnghuó shang bǐ yǐqián fāngbiàn duō le. | ~买了汽车，我就不骑自行车上班了。~ mǎile qìchē, wǒ jiù bù qí zìxíngchē shàngbān le.

zì 自²[介]

~这条路往东，是属于我们村儿的地方了。~ zhèi tiáo lù wǎng dōng, shì shǔyú wǒmen cūnr de dìfang le. →从这条路开始往东，是属于我们村儿的地方了。Cóng zhèi tiáo lù kāishǐ wǎng dōng, shì shǔyú wǒmen cūnr de dìfang le. 例我看见一个穿红衣服的男人，~这个楼门口儿出来。Wǒ kànjiàn yí ge chuān hóng yīfu de nánrén, ~ zhèige lóu ménkǒur chūlai. | 这次列车是~北京开出来的。Zhèi cì lièchē shì ~ Běijīng kāi chulai de. | 我是~山东来的，他是~广州来的。Wǒ shì ~ Shāndōng lái de, tā shì ~ Guǎngzhōu lái de.

zì 自³[介]

我上班、下班都~这儿过。Wǒ shàngbān、xiàbān dōu ~ zhèr guò. →我上班、下班都从这儿经过。Wǒ shàngbān、xiàbān dōu cóng zhèr jīngguò. 例刚才我看见一个女孩儿哭着~你们家门口儿走过去了。Gāngcái wǒ kànjian yí ge nǚháir kūzhe ~ nǐmen jiā ménkǒur zǒu guoqu le. |这路公共汽车~我们大学的门口儿过。Zhèi lù gōnggòng qìchē~wǒmen dàxué de ménkǒur guò. |上次我坐着汽车~故宫门口儿路过，下次我一定要进去参观参观。Shàng cì wǒ zuòzhe qìchē~Gùgōng ménkǒur lùguò, xià cì wǒ yídìng yào jìnqu cānguān cānguān.

zì 自⁴ [介]

这篇文章选~《中国青年报》。Zhèi piān wénzhāng xuǎn~《Zhōngguó Qīngnián Bào》. →这篇文章是从《中国青年报》上选来的。Zhèi piān wénzhāng shì cóng《Zhōngguó Qīngnián Bào》shang xuǎn lái de. 例这些学生来~八个国家。Zhèixiē xuésheng lái~bā ge guójiā. |这幅画儿出~王先生之手。Zhèi fú huàr chū~Wáng xiānsheng zhī shǒu. |这首诗抄~《唐诗选集》。Zhèi shǒu shī chāo~《Tángshī Xuǎnjí》.

zìdòng 自动¹ (自動) [形]

他们是~地来帮助这些孩子的。Tāmen shì~de lái bāngzhù zhèixiē háizi de. →他们是自己愿意来帮助这些孩子的。Tāmen shì zìjǐ yuànyì lái bāngzhù zhèixiē háizi de. 例这次活动是他们~参加的。Zhèi cì huódòng shì tāmen~cānjiā de. |那件事情是他~告诉我的。Nèi jiàn shìqing shì tā~gàosu wǒ de. |他上小学以后每天早上都~地起来，再也不用别人叫他了。Tā shàng xiǎoxué yǐhòu měi tiān zǎoshang dōu~de qǐlai, zài yě búyòng biérén jiào tā le.

zìdòng 自动² (自動) [形]

录音听完了，录音机就~地停了。Lùyīn tīngwán le, lùyīnjī jiù~de tíng le. →录音听完了，录音机不用人按开关就能停。Lùyīn tīngwán le, lùyīnjī búyòng rén àn kāiguān jiù néng tíng. 例星期天我买了一台新的~洗衣机。Xīngqītiān wǒ mǎile yì tái xīn de~xǐyījī. |你在这儿等一会儿，我去~售货机里买两块儿巧克力。Nǐ zài zhèr děng yíhuìr, wǒ qù~shòuhuòjī li mǎi liǎng kuàir qiǎokèlì. |你走到门口儿，那门就会~地打开了。Nǐ zǒudào ménkǒur, nèi mén jiù huì~de dǎkāi le.

zìfèi 自费 (自費) [名]

这些留学生，大部分是~来学习的。Zhèixiē liúxuéshēng, dà bùfen shì~lái xuéxí de. →大部分留学生是自己出钱来学习的。Dà bùfen liúxuéshēng shì zìjǐ chū qián lái xuéxí de. 例这个班的同学一半儿是~

生，一半儿是公费生。Zhèige bān de tóngxué yíbànr shì ~ shēng, yíbànr shì gōngfèishēng. | 小学和初中是义务教育，高中和大学就是 ~ 了。Xiǎoxué hé chūzhōng shì yìwù jiàoyù, gāozhōng hé dàxué jiù shì ~ le. | 你们国家看病是 ~ 吗？Nǐmen guójiā kànbìng shì ~ ma?

zìjǐ 自己 [代]

这本儿书是朋友送给我的，不是我 ~ 买的。Zhèi běnr shū shì péngyou sòng gěi wǒ de, bú shì wǒ ~ mǎi de. →这本儿书是朋友送给我的，不是我买的。Zhèi běnr shū shì péngyou sòng gěi wǒ de, bú shì wǒ mǎi de. 例我没让他出去，是他 ~ 出去的。Wǒ méi ràng tā chūqu, shì tā ~ chūqu de. | 你别说了，他们 ~ 知道应该怎么办。Nǐ bié shuō le, tāmen ~ zhīdao yīnggāi zěnme bàn. | 这个花瓶儿是 ~ 掉到地上的吗？Zhèige huāpíngr shì ~ diàodào dìshang de ma? | 这个办法是工人们 ~ 想出来的。Zhèige bànfǎ shì gōngrénmen ~ xiǎng chulai de.

zìjué 自觉（自覺）[形]

主任在这儿时他干得那么努力，主任一走他就不干，这也太不 ~ 了。Zhǔrèn zài zhèr shí tā gàn de nàme nǔlì, zhǔrèn yì zǒu tā jiù bú gàn, zhè yě tài bú ~ le. →主任在和主任不在他表现得不一样好。Zhǔrèn zài hé zhǔrèn bú zài tā biǎoxiàn de bù yíyàng hǎo. 例小时候他学习很不 ~，老师常常批评他。Xiǎoshíhou tā xuéxí hěn bú ~, lǎoshī chángcháng pīpíng tā. | 这儿不许吸烟，请你 ~ 一点儿。Zhèr bùxǔ xīyān, qǐng nǐ ~ yìdiǎnr. | 他很 ~ 地完成了任务。Tā hěn ~ de wánchéngle rènwu.

zìrán 自然¹ [形]

你别问了，等你长大了 ~ 就明白了。Nǐ bié wèn le, děng nǐ zhǎngdà le ~ jiù míngbai le. →你别问了，等你长大了不用别人说你就明白了。Nǐ bié wèn le, děng nǐ zhǎngdà le búyòng biérén shuō nǐ jiù míngbai le. 例结果不好估计，只好听其 ~ 了。Jiéguǒ bù hǎo gūjì, zhǐhǎo tīng qí ~ le. | 那么小就谈恋爱可得管管，不能顺其 ~。Nàme xiǎo jiù tán liàn'ài kě děi guǎnguan, bù néng shùn qí ~. | 这病没打针，没吃药，休息了几天 ~ 地好了。Zhèi bìng méi dǎzhēn, méi chīyào, xiūxi le jǐ tiān ~ de hǎo le.

zìrán 自然² [形]

一个二十多岁的姑娘演一个老奶奶，演得挺 ~。Yí ge èrshí duō suì de gūniang yǎn yí ge lǎonǎinai, yǎn de tǐng ~. →她演得像真的老奶

Z

奶一样。Tā yǎn de xiàng zhēngde lǎonǎinai yíyàng. **例**他们心里很害怕，但装得很～。Tāmen xīnli hěn hàipà, dàn zhuāng de hěn ～. | 她今天不高兴，笑都笑得那么不～。Tā jīntiān bù gāoxìng, xiào dōu xiào de nàme bú ～. | 你有点儿太紧张了，再放松点儿，～点儿就好了。Nǐ yǒudiǎnr tài jǐnzhāng le, zài fàngsōng diǎnr, ～ diǎnr jiù hǎo le.

zìrán 自然[3] ［副］

你打了人，～是你错了。Nǐ dǎle rén, ～ shì nǐ cuò le. →打人是不对的，你打了人，你就错了。Dǎ rén shì bú duì de, nǐ dǎle rén, nǐ jiù cuò le. **例**你要是说得有道理，大家～会同意你的意见。Nǐ yàoshi shuō de yǒu dàoli, dàjiā ～ huì tóngyì nǐ de yìjiàn. | 多念几遍，～就记住了。Duō niàn jǐ biàn, ～ jiù jìzhù le. | 聪明的孩子，～谁都喜欢啦。Cōngming de háizi, ～ shéi dōu xǐhuan la. | 你想要多少钱？——让我说，那～是越多越好。Nǐ xiǎng yào duōshao qián? ——Ràng wǒ shuō, nà ～ shì yuè duō yuè hǎo.

zìwǒ 自我 ［代］

每个人先作一下儿～介绍吧！Měi ge rén xiān zuò yíxiàr ～ jièshào ba. →每个人先自己介绍一下儿自己。Měi ge rén xiān zìjǐ jièshào yíxiàr zìjǐ. **例**时间上，你也应该作出点儿～牺牲。Shíjiān shang, nǐ yě yīnggāi zuòchū diǎnr ～ xīshēng. | 今天的考试，我的～感觉不错。Jīntiān de kǎoshì, wǒ de ～ gǎnjué búcuò. | 上午发生的问题，我首先要作～批评。Shàngwǔ fāshēng de wèntí, wǒ shǒuxiān yào zuò ～ pīpíng. | 他已经作了深刻的～检查。Tā yǐjing zuòle shēnkè de ～ jiǎnchá.

zìxíngchē 自行车（自行車） ［名］

例这辆～真漂亮。Zhèi liàng ～ zhēn piàoliang. | 我们家每人有一辆～。Wǒmen jiā měi rén yǒu yí liàng ～. | 这辆～的价格是二百六十块，你买不买？Zhèi liàng ～ de jiàgé shì èrbǎi liùshí kuài, nǐ mǎi bu mǎi? | 这种是男人骑的～，我要买女式的～。Zhèi zhǒng shì nánrén qí de ～, wǒ yào mǎi nǚshì de ～. | 明天我们骑～去，还是做公共汽车去？Míngtiān wǒmen qí ～ qù, háishi zuò gōnggòng qìchē qù? | 把你的～借给我用用行吗？Bǎ nǐ de ～ jiè gěi wǒ yòngyong xíng ma?

自行车

zìxué 自学(自學) [动]

他大学毕业后, 一边儿工作, 一边儿 ~ 电脑。 Tā dàxué bìyè hòu, yìbiānr gōngzuò, yìbiānr ~ diànnǎo. →他没有老师, 自己学习电脑技术。 Tā méiyǒu lǎoshī, zìjǐ xuéxí diànnǎo jìshù. 例我 ~ 过广告设计。 Wǒ ~ guo guǎnggào shèjì. l我在学校学了英文和德文, 法文是我 ~ 的。 Wǒ zài xuéxiào xuéle Yīngwén hé Déwén, Fǎwén shì wǒ ~ de. l他的 ~ 能力很强, 半年就 ~ 了三门儿课程。 Tā de ~ nénglì hěn qiáng, bàn nián jiù ~ le sān ménr kèchéng. l ~ 是成年人学习的主要方法。 ~ shì chéngniánrén xuéxí de zhǔyào fāngfǎ. l参加工作以后, 许多东西我全靠 ~。 Cānjiā gōngzuò yǐhòu, xǔduō dōngxi wǒ quán kào ~.

zì 字 [名]

"大" 这个 ~ 有两个读音: 大小的 "大" 和大夫的 "大"。 "Dà" zhèige ~ yǒu liǎng ge dúyīn: dàxiǎo de "dà" hé dàifu de "dài". →我们看到的 "大" 有两个读音: "dà" 和 "dài"。 Wǒmen kàndào de "dà" yǒu liǎng ge dúyīn: "dà" hé "dài". 例老师说: "一个 ~ 写十遍。" Lǎoshī shuō: "Yí ge ~ xiě shí biàn." l听说中国 ~ 很难写。 Tīngshuō Zhōngguó ~ hěn nán xiě. l我们老师写的 ~ 真漂亮。 Wǒmen lǎoshī xiě de ~ zhēn piàoliang. l有人说中国 ~ 像图画一样好看。 Yǒu rén shuō Zhōngguó ~ xiàng túhuà yíyàng hǎokàn. l我不认识这个 ~。 Wǒ bú rènshi zhèige ~. l我们要教会一年级的学生三百多个 ~。 Wǒmen yào jiāohuì yì niánjí de xuésheng sānbǎi duō ge ~.

zìdiǎn 字典 [名]

dictionary 例这是一本儿小学生 ~。 Zhè shì yì běnr xiǎoxuéshēng ~. l这本儿 ~ 是我们出版社出版的。 Zhèi běnr ~ shì wǒmen chūbǎnshè chūbǎn de. l小学生们很喜欢这本 ~。 Xiǎoxuéshēngmen hěn xǐhuan zhèi běnr ~. l我的孩子也买了一本儿 ~。 Wǒ de háizi yě mǎile yì běnr ~. l老师教我们怎样查 ~。 Lǎoshī jiāo wǒmen zěnyàng chá ~. l这本儿 ~ 里的字, 我全认识。 Zhèi běnr ~ li de zì, wǒ quán rènshi.

zong

zōnghé 综合(綜合) [动]

synthesize; bring into a state of balance 例他 ~ 了大家的意见, 写了这

个报告。Tā ~ le dàjiā de yìjiàn, xiěle zhèige bàogào. |这孩子 ~ 了他父母的优点，漂亮像妈妈，聪明像爸爸。Zhè háizi ~ le tā fùmǔ de yōudiǎn, piàoliang xiàng māma, cōngming xiàng bàba. |会后我会把每个人的建议加以 ~。Huì hòu wǒ huì bǎ měi ge rén de jiànyì jiāyǐ ~. |这是一所 ~ 大学。Zhè shì yì suǒ ~ dàxué. |这是一本ㄦ ~ 性的杂志。Zhè shì yì běnr ~ xìng de zázhì. |下个月，我们要进行一次 ~ 训练。Xià ge yuè, wǒmen yào jìnxíng yí cì ~ xùnliàn.

zǒngjié 总结[1] （總結）[动]

sum up; summarize **例**今天开会，是 ~ 上半年的工作。Jīntiān kāihuì, shì ~ shàng bàn nián de gōngzuò. |希望你们能不断地 ~ 经验，不断地进步。Xīwàng nǐmen néng búduàn de ~ jīngyàn, búduàn de jìnbù. |对昨天发生的事故，要认真 ~ 教训。Duì zuótiān fāshēng de shìgù, yào rènzhēn ~ jiàoxùn. | ~ 的目的是为了今后的工作。~ de mùdì shì wèile jīnhòu de gōngzuò. |这是他写出来的 ~ 报告。Zhè shì tā xiě chulai de ~ bàogào.

zǒngjié 总结[2] （總結）[名]

summary **例**工作 ~ 写好了吗？Gōngzuò ~ xiěhǎo le ma? |他正在修改自己的学习 ~。Tā zhèngzài xiūgǎi zìjǐ de xuéxí ~. |下午得把 ~ 抄好交给老师。Xiàwǔ děi bǎ ~ chāohǎo jiāo gěi lǎoshī. |我已经把你们的个人 ~ 看完了。Wǒ yǐjīng bǎ nǐmen de gèrén ~ kànwán le. |这几份 ~ 的内容，各不相同。Zhèi jǐ fèn ~ de nèiróng, gè bù xiāngtóng. |认认真真地作 ~ 才能起到效果。Rènrenzhēnzhēn de zuò ~ cáinéng qǐdào xiàoguǒ.

zǒnglǐ 总理（總理）[名]

premier; prime minister **例**我国的 ~ 下个月要去访问美国。Wǒguó de ~ xià ge yuè yào qù fǎngwèn Měiguó. |这是 ~ 第二次去美国访问。Zhè shì ~ dì èr cì qù Měiguó fǎngwèn. | ~ 的这个报告我听过，讲得非常好。~ de zhèige bàogào wǒ tīngguo, jiǎng de fēicháng hǎo. |外交部长常常跟 ~ 出国访问。Wàijiāo bùzhǎng chángcháng gēn ~ chūguó fǎngwèn. |他是一位深受人们尊敬的好 ~。Tā shì yí wèi shēn shòu rénmen zūnjìng de hǎo ~.

zǒngtǒng 总统（總統）[名]

president (of a republic) **例**上个月你们国家的 ~ 访问了中国。Shàng ge yuè nǐmen guójiā de ~ fǎngwènle Zhōngguó. |两国的 ~ 进行了会

谈。Liǎng guó de ~ jìnxíngle huìtán. | 昨天上午 ~ 接见了五位著名的科学家。Zuótiān shàngwǔ ~ jiējiànle wǔ wèi zhùmíng de kēxuéjiā. | 这是 ~ 在电视上讲话的录像带。Zhè shì ~ zài diànshì shang jiǎnghuà de lùxiàngdài. | 他是世界上最年轻的一位 ~。Tā shì shìjiè shang zuì niánqīng de yí wèi ~. | 全国人民都尊敬这位好 ~。Quán guó rénmín dōu zūnjìng zhèi wèi hǎo ~.

ZOU

zǒu 走[1] ［动］

妈妈说我一周岁那天就会自己 ~ 了。Māma shuō wǒ yì zhōusuì nèi tiān jiù huì zìjǐ ~ le. →我一周岁那天就会自己迈步向前进了。Wǒ yì zhōusuì nèi tiān jiù huì màibù xiàng qián jìn le. 例小马一生下来就能 ~。Xiǎomǎ yì shēng xialai jiù néng ~. | 那么近，我 ~ 着去吧。Nàme jìn, wǒ ~ zhe qù ba. | 奶奶没 ~ 多远就累了。Nǎinai méi ~ duō yuǎn jiù lèi le. | 你下床试着 ~ ~ 吧。Nǐ xià chuáng shìzhe ~ ~ ba. | 他抽着烟，在院子里不停地 ~ 来 ~ 去。Tā chōuzhe yān, zài yuànzi li bù tíng de ~ lái ~ qù.

zǒudào 走道 ［名］

这是谁的行李？别放在 ~ 上。Zhè shì shéi de xíngli? Bié fàng zài ~ shang. →行李不要放在人们来回走的地方。Xíngli búyào fàng zài rénmen láihuí zǒu de dìfang. 例这条 ~ 太窄了。Zhèi tiáo ~ tài zhǎi le. | 火车上人真多，车厢的 ~ 上都坐满了人。Huǒchē shang rén zhēn duō, chēxiāng de ~ shang dōu zuòmǎnle rén. | 把东西往那儿搬一搬，留出一条 ~ 来。Bǎ dōngxi wǎng nàr bān yi bān, liúchū yì tiáo ~ lai.

zǒu 走[2] ［动］

火车怎么不往前 ~ 了？Huǒchē zěnme bù wǎng qián ~ le? →火车没有到站就停了下来。Huǒchē méiyǒu dào zhàn jiù tíngle xialai. 例船在大海里 ~。Chuán zài dàhǎi li ~. | 前边的路正在修，汽车得从另一条路 ~ 过去。Qiánbian de lù zhèngzài xiū, qìchē děi cóng lìng yì tiáo lù ~ guoqu. | 每天上下班的时候，汽车想 ~ 快也快不了。Měi tiān shàng xià bān de shíhou, qìchē xiǎng ~ kuài yě kuài buliǎo. | 五十公里的路，我开车 ~ 半个钟头就到了。Wǔshí gōnglǐ de lù, wǒ kāi chē ~ bàn ge zhōngtóu jiù dào le.

Z

zǒu 走³ ［动］

我的手表不 ~ 了。Wǒ de shǒubiǎo bù ~ le. →我的手表的三根针不动了。Wǒ de shǒubiǎo de sān gēn zhēn bú dòng le. **例**我来查你家的电表，这个月 ~ 了多少字。Wǒ lái chá nǐ jiā de diànbiǎo, zhèige yuè ~ le duōshao zì. |水表从 0 ~ 到 7 6 7 3 了。Shuǐbiǎo cóng líng ~ dào qī liù qī sān le. |分针 ~ 一圈ㄦ是一个小时。Fēnzhēn ~ yì quānr shì yí ge xiǎoshí. |这步棋 ~ 得真好。Zhèi bù qí ~ de zhēn hǎo. |太阳从东向西 ~。Tàiyáng cóng dōng xiàng xī ~ . |月亮在云中 ~。Yuèliang zài yún zhōng ~ .

zǒu 走⁴ ［动］

我去教室找安娜，安娜已经下课 ~ 了。Wǒ qù jiàoshì zhǎo Ānnà, Ānnà yǐjing xiàkè ~ le. →安娜已经离开教室了。Ānnà yǐjing líkāi jiàoshì le. **例**客人吃完饭就 ~ 了。Kèrén chīwán fàn jiù ~ le. |我真喜欢这ㄦ，都不愿意 ~ 了。Wǒ zhēn xǐhuan zhèr, dōu bú yuànyì ~ le. |今天谁让我 ~，我也不 ~。Jīntiān shéi ràng wǒ ~, wǒ yě bù ~ . |昨天你说不回国，今天怎么又突然要 ~ 了呢？Zuótiān nǐ shuō bù huíguó, jīntiān zěnme yòu tūrán yào ~ le ne? |你 ~ 的时候告诉我一声，我去送你。Nǐ ~ de shíhou gàosu wǒ yì shēng, wǒ qù sòng nǐ.

zu

zúqiú 足球¹ ［名］

例这个 ~ 是大卫的。Zhèige ~ shì Dàwèi de. |这个牌子的 ~ 很贵。Zhèige páizi de ~ hěn guì. |我弟弟也想去买一个 ~。Wǒ dìdi yě xiǎng qù mǎi yí ge ~ . |上星期天买的那个 ~ 已经被学生们踢坏了。Shàngxīngqītiān mǎi de nèige ~ yǐjing bèi xuéshengmen tīhuài le.

足球

zúqiú 足球² ［名］

哥哥和弟弟特别喜欢看 ~。Gēge hé dìdi tèbié xǐhuan kàn ~ . →哥哥和弟弟喜欢看用脚踢球的体育运动。Gēge hé dìdi xǐhuan kàn yòng jiǎo tī qiú de tǐyù yùndòng. **例** ~ 是一项青年人很喜欢的体育运动。~ shì yí xiàng qīngniánrén hěn xǐhuan de tǐyù yùndòng. |明天我们班跟三班要进行 ~ 比赛。Míngtiān wǒmen bān gēn sān bān yào

Z

jìnxíng ~ bǐsài. I 大卫是我们学校 ~ 队的队员。Dàwèi shì wǒmen xuéxiào~ duì de duìyuán. I 他从小就想当一名 ~ 运动员。Tā cóng xiǎo jiù xiǎng dāng yì míng ~ yùndòngyuán. I 最近我也对 ~ 产生了兴趣。Zuìjìn wǒ yě duì ~ chǎnshēngle xìngqù.

zǔ 组（組）［名］

group 例人太多了，分 ~ 讨论吧。Rén tài duō le, fēn ~ tǎolùn ba. I 我们班有五个 ~。Wǒmen bān yǒu wǔ ge ~. I 你们 ~ 先走，我们 ~ 后走。Nǐmen ~ xiān zǒu, wǒmen ~ hòu zǒu. I 我想换 ~，想换到第五 ~ 去。Wǒ xiǎng huàn ~, xiǎng huàndào dì wǔ ~ qù. I 这 ~ 人都去哪儿了？Zhèi ~ rén dōu qù nǎr le? I 他们是一个学习小 ~ 的。Tāmen shì yí ge xuéxí xiǎo ~ de. I 这项任务是由他们的工作 ~ 完成的。Zhèi xiàng rènwu shì yóu tāmen de gōngzuò ~ wánchéng de.

zǔzhī 组织（組織）［动］

organize 例春天学校 ~ 同学们去春游。Chūntiān xuéxiào ~ tóngxuémen qù chūnyóu. I 星期天留学生办公室 ~ 我们去参观长城。Xīngqītiān liúxuéshēng bàngōngshì ~ wǒmen qù cānguān Chángchéng. I 这次会议 ~ 得很好。Zhèi cì huìyì ~ de hěn hǎo. I 昨天的比赛是谁 ~ 的？Zuótiān de bǐsài shì shéi ~ de? I 下次我们也请您帮助我们 ~ 一次这样的活动。Xià cì wǒmen yě qǐng nín bāngzhù wǒmen ~ yí cì zhèiyàng de huódòng. I 这样的比赛，我们也 ~ 过，可是 ~ 不起来。Zhèiyàng de bǐsài, wǒmen yě ~ guo, kěshì ~ bù qǐlái.

zǔguó 祖国（祖國）［名］

我十八岁离开了 ~，到这儿来留学了。Wǒ shíbā suì líkāile ~, dào zhèr lái liúxué le. → 我十八岁离开了我自己的国家。Wǒ shíbā suì líkāile wǒ zìjǐ de guójiā. 例学习结束后，我就回我的 ~。Xuéxí jiéshù hòu, wǒ jiù huí wǒ de ~. I 在国外工作时，我非常想念我的 ~ 和亲人。Zài guówài gōngzuò shí, wǒ fēicháng xiǎngniàn wǒ de ~ hé qīnrén. I 我的 ~ 很大，人很多，风景很美。Wǒ de ~ hěn dà, rén hěn duō, fēngjǐng hěn měi. I 我们喜欢把 ~ 比作母亲。Wǒmen xǐhuan bǎ ~ bǐ zuò mǔqin.

zuan

zuān 钻[1]（鑽）［动］

go through 例火车马上要 ~ 山洞了，请关上车窗。Huǒchē mǎshàng

Z

yào ~ shāndòng le, qǐng guānshang chē chuāng. | 船从桥下 ~ 过去了。Chuán cóng qiáo xià ~ guoqu le. | 月亮从云里 ~ 出来了。Yuèliang cóng yún li ~ chulai le. | 比尔从水里 ~ 出头来，叫了我一声。Bǐ'ěr cóng shuǐ li ~ chu tóu lai, jiàole wǒ yì shēng. | 太冷了，快 ~ 到被子里去。Tài lěng le, kuài ~ dào bèizi li qù. | 小狗是从门洞里 ~ 进来的。Xiǎogǒu shì cóng méndòng li ~ jinlai de.

zuān 钻² （鑽） [动]

drill; bore 例 在墙上 ~ 两个孔儿干什么？Zài qiáng shang ~ liǎng ge kǒngr gàn shénme? | 在木板儿上 ~ 眼儿比较容易。Zài mùbǎnr shang ~ yǎnr bǐjiào róngyì. | 桌子上不许 ~ 眼儿。Zhuōzi shang bùxǔ ~ yǎnr. | ~ 了一半儿，~ 不动了，太硬了。~ le yíbànr, ~ bú dòng le, tài yìng le. | 这儿不好 ~，就换个地方吧。Zhèr bù hǎo ~, jiù huàn ge dìfang ba.

zuānyán 钻研（鑽研） [动]

公司要求每个人都要 ~ 业务。Gōngsī yāoqiú měi ge rén dōu yào ~ yèwù. → 公司要求每个人都要深入地研究业务。Gōngsī yāoqiú měi ge rén dōu yào shēnrù de yánjiū yèwù. 例 他们刻苦地 ~ 新技术。Tāmen kèkǔ de ~ xīn jìshù. | 最近他打算 ~ 人类学。Zuìjìn tā dǎsuan ~ rénlèixué. | 这几年他 ~ 得很有成绩。Zhèi jǐ nián tā ~ de hěn yǒu chéngjì. | 这个项目他们已经 ~ 好几年了。Zhèige xiàngmù tāmen yǐjing ~ hǎojǐ nián le. | 他们 ~ 的那套理论，我不太懂。Tāmen ~ de nèi tào lǐlùn, wǒ bú tài dǒng. | 他刚三年级，但他很喜欢 ~。Tā gāng sān niánjí, dàn tā hěn xǐhuan ~.

zui

zuǐ 嘴 [名]

张开 ~，让我看看你的牙。Zhāngkāi ~, ràng wǒ kànkan nǐ de yá. → 吃东西说话都要用它。Chī dōngxi shuōhuà dōu yào yòng tā. 例 他的 ~ 长得很漂亮。Tā de ~ zhǎng de hěn piàoliang. | 这个人的 ~ 太大了。Zhèige rén de ~ tài dà le. | 孩子一哭，就把 ~ 张得很大。Háizi yì kū, jiù bǎ ~ zhāng de hěn dà. | 闭上你的 ~，别说了。Bìshang nǐ de ~, bié shuō le. | 光 ~ 上说得好，没用。Guāng shang shuō de hǎo, méiyòng. | 这孩子的 ~ 可甜了，每次看见我就"叔叔、叔叔"地叫我。Zhèi háizi de ~ kě tián le, měi cì kànjiàn wǒ jiù "shūshu、shūshu" de jiào wǒ.

zuì 最 [副]

兄弟三个人中，老大的个子～高。Xiōngdì sān ge rén zhōng, lǎodà de gèzi ～ gāo. →兄弟三个人中，老大比老二、老三个子都高。Xiōngdì sān ge rén zhōng, lǎodà bǐ lǎo' èr、lǎosān gèzi dōu gāo. 例她的表演～精彩。Tā de biǎoyǎn ～ jīngcǎi. |小王～爱踢足球。Xiǎo Wáng ～ ài tī zúqiú. |他～会讲故事。Tā ～ huì jiǎng gùshi. |你的话～有道理。Nǐ de huà ～ yǒu dàoli. |她打扮得～漂亮。Tā dǎban de ～ piàoliang. |举旗子的运动员走在队伍的～前边儿。Jǔ qízi de yùndòngyuán zǒu zài duìwu de ～ qiánbianr. |请同学们看书的～后一段儿。Qǐng tóngxuémen kàn shū de ～ hòu yí duànr.

zuìchū 最初 [名]

出国后，～的几个月她特别想家。Chūguó hòu, ～ de jǐ ge yuè tā tèbié xiǎng jiā. →出国后，开头的几个月她特别想家。Chūguó hòu, kāitóu de jǐ ge yuè tá tèbié xiǎng jiā. 例～是安娜介绍我们俩认识的。～ shì Ānnà jièshào wǒmen liǎ rènshi de. |他～是中学老师，后来成了著名的作家。Tā ～ shì zhōngxué lǎoshī, hòulái chéngle zhùmíng de zuòjiā. |～的时候，这里是绿色的草原，现在逐渐变成了沙漠。～ de shíhou, zhèlǐ shì lǜsè de cǎoyuán, xiànzài zhújiàn biànchéngle shāmò. |～的计划有许多缺点。～ de jìhuà yòu xǔduō quēdiǎn.

zuìhǎo 最好 [副]

今天比较冷，你出门的时候～多穿点儿衣服。Jīntiān bǐjiào lěng, nǐ chūmén de shíhou ～ duō chuān diǎnr yīfu. →今天比较冷，你出门的时候多穿点儿衣服，因为这种方法比其他方法都合适。Jīntiān bǐjiào lěng, nǐ chūmén de shíhou duō chuān diǎnr yīfu, yīnwèi zhèi zhǒng fāngfǎ bǐ qítā fāngfǎ dōu héshì. 例你的心脏不好，～别去爬山。Nǐ de xīnzàng bù hǎo, ～ bié qù pá shān. |明天是圣诞节，大家～穿得漂亮一点儿。Míngtiān shì Shèngdànjié, dàjiā ～ chuān de piàoliang yìdiǎnr. |我上午开会，咱们～下午见面。Wǒ shàngwǔ kāihuì, zánmen ～ xiàwǔ jiànmiàn.

zuìhòu 最后（最後）[名]

我们先去北京、上海，～去西安。Wǒmen xiān qù Běijīng、Shànghǎi, ～ qù Xī'ān. →我们先上北京，接着去上海，然后去西

安；去了西安以后，哪儿也不去了。Wǒmen xiān shàng Běijīng, jiēzhe qù Shànghǎi, ránhòu qù Xī'ān; qùle Xī'ān yǐhòu, nǎr yě bú qù le. 例上午大家先照相，然后听报告，~分组讨论。Shàngwǔ dàjiā xiān zhàoxiàng, ránhòu tīng bàogào, ~ fēn zǔ tǎolùn. |听到~，大家都笑了。Tīngdào ~, dàjiā dōu xiào le. |~一排房子是学生宿舍。~ yì pái fángzi shì xuéshēng sùshè. |事情发生在1999年的~一天。Shìqíng fāshēng zài yī jiǔ jiǔ jiǔ nián de ~ yì tiān.

zuìjìn 最近 [名]

~我听说了许多有趣的消息。~ wǒ tīngshuōle xǔduō yǒuqù de xiāoxi. →离我说话很近的一段日子里，我听说了许多有趣的消息。Lí wǒ shuōhuà hěn jìn de yí duàn rìzi li, wǒ tīngshuōle xǔduō yǒuqù de xiāoxi. 例~我收到了很多信。~ wǒ shōudàole hěn duō xìn. |他~一直很忙。Tā ~ yìzhí hěn máng. |~他去了一趟美国。~ tā qùle yí tàng Měiguó. |~可能要下雪。~ kěnéng yào xià xuě. |~你有什么打算？~ nǐ yǒu shénme dǎsuan? |这些书是你~新买的吗？Zhèixiē shū shì nǐ ~ xīn mǎi de ma?

zuì 醉 [动]

他已经~了。Tā yǐjing ~ le. →他喝了三瓶酒，喝得头疼，还吐了。Tā hēle sān píng jiǔ, hē de tóu téng, hái tù le. 例没喝多少，我就~了。Méi hē duōshǎo, wó jiù ~ le. |他~得躺在地上。Tā ~ de tǎng zài dìshang. |我年轻时也喝~过一次。Wǒ niánqīng shí yě hē ~ guo yí cì. |你看他~成什么样子了，还说没~呢。Nǐ kàn tā ~ chéng shénme yàngzi le, hái shuō méi ~ ne. |他喝多少都~不了。Tā hē duōshao dōu ~ bu liǎo.

zun

zūnjìng 尊敬 [动]

学生应该~老师。Xuésheng yīnggāi ~ lǎoshī. →学生对老师应该重视并且有礼貌。Xuésheng duì lǎoshī yīnggāi zhòngshì bìngqiě yǒu lǐmào. 例我和妹妹都很~父母。Wǒ hé mèimei dōu hěn ~ fùmǔ. |从此他也~起老人来了。Cóngcǐ tā yě ~ qǐ lǎorén lai le. |这位校长受到了全校同学的~。Zhèi wèi xiàozhǎng shòudàole quán xiào tóngxué de ~. |她是一位值得~的母亲。Tā shì yí wèi zhíde ~ de mǔqin.

Z

zūnshǒu 遵守 [动]

每个人都要 ~ 国家的法律。Měi ge rén dōu yào ~ guójiā de fǎlǜ. →
每个人都要按照国家的法律办事。Měi ge rén dōu yào ànzhào guójiā
de fǎlǜ bànshì. 例考试的时候一定要 ~ 考场纪律。Kǎoshì de shíhou
yídìng yào ~ kǎochǎng jìlǜ. | 你到了这儿，就得 ~ 这儿 的规定。Nǐ
dàole zhèr, jiù děi ~ zhèr de guīdìng. | 明天下午两点开会，希望大
家 ~ 时间。Míngtiān xiàwǔ liǎng diǎn kāihuì, xīwàng dàjiā ~ shíjiān.

ZUO

zuótiān 昨天 [名]

今天是星期二，~ 是星期一。Jīntiān shì Xīngqī'èr, ~ shì Xīngqīyī.
→今天之前的那一天是星期一。Jīntiān zhīqián de nèi yì tiān shì
Xīngqīyī. 例 ~ 我去飞机场接朋友去了。~ wǒ qù fēijīchǎng jiē
péngyou qù le. | ~ 我给你打了好几次电话，你家都没人。~ wǒ gěi
nǐ dǎle hǎojǐ cì diànhuà, nǐ jiā dōu méi rén. | ~ 晚上我看了一个非常
有意思的电影。~ wǎnshang wǒ kànle yí ge fēicháng yǒu yìsi de
diànyǐng. | 这本书是 ~ 买的。Zhèi běn shū shì ~ mǎi de. | 再也不要
发生 ~ 那样的事情了。Zài yě búyào fāshēng ~ nèiyàng de shìqing le.

zuǒ 左 [名]

你向 ~ 看，这张地图的 ~ 上方就是我的故乡。Nǐ xiàng ~ kàn, zhèi
zhāng dìtú de ~ shàng fāng jiù shì wǒ de gùxiāng. →我们看地图时，
左表示向西的方向。Wǒmen kàn dìtú shí, zuǒ biǎoshì xiàng xī de
fāngxiàng. 例他已经六岁了，还分不清哪边是 ~，哪边是右。Tā
yǐjing liù suì le, hái fēn bu qīng nǎ biān shì ~, nǎ biān shì yòu. | 请
您向 ~ 拐。Qǐng nín xiàng ~ guǎi. | 这张画儿贴得太靠 ~ 了。Zhèi
zhāng huàr tiē de tài kào ~ le. | 你的头再往 ~ 一点儿，好！照完了。
Nǐ de tóu zài wǎng ~ yìdiǎnr, hǎo! Zhàowán le.

zuǒbiān 左边（左邊）[名]

照相的时候，我站在爸爸的 ~。Zhàoxiàng de shíhou, wǒ zhàn zài
bàba de ~. →我站在爸爸的左手那边。Wǒ zhàn zài bàba de
zuǒshǒu nàbiān. 例桌子上 ~ 儿放着电脑，右边儿是打字机。Zhuōzi
shang ~ r fàngzhe diànnǎo, yòubiānr shì dǎzìjī. | 你的帽子挂在柜子
~ 儿的门上。Nǐ de màozi guà zài guìzi ~ r de mén shang. | 我把汉字

写在右边儿，拼音写在~儿。Wǒ bǎ Hànzì xiě zài yòubiānr, pīnyīn xiě zài ~ r. | 主席台上最~儿的那个人我不认识。Zhǔxítái shang zuì ~ r de nèige rén wǒ bú rènshi. | 报纸上的这些广告，~儿的那则写得最精彩。Bàozhǐ shang de zhèixiē guǎnggào, ~ r de nèi zé xiě de zuì jīngcǎi.

zuǒyòu 左右[1] ［助］

明天下午我三点~到你家。Míngtiān xiàwǔ wǒ sān diǎn ~ dào nǐ jiā. →快三点或三点过几分钟我到你家。Kuài sān diǎn huò sān diǎn guò jǐ fēnzhōng wǒ dào nǐ jiā. 例完成这项研究任务需要一年~的时间。Wánchéng zhèi xiàng yánjiū rènwu xūyào yì nián ~ de shíjiān. | 我猜您的年龄在三十八岁~。Wǒ cāi nín de niánlíng zài sānshíbā suì ~. | 买这样的毛衣五百块~。Mǎi zhèiyàng de máoyī wǔbǎi kuài ~. | 明天要来的客人有三百五十个~。Míngtiān yào lái de kèrén yǒu sānbǎi wǔshí ge ~. | 这条路全长有十公里~。Zhèi tiáo lù quáncháng yǒu shí gōnglǐ ~.

zuǒyòu 左右[2] ［名］

~的邻居们都很喜欢安娜。~ de línjūmen dōu hěn xǐhuan Ānnà. →左边儿和右边儿，也可以说附近的邻居们都很喜欢安娜。Zuǒbiānr hé yòubiānr, yě kěyǐ shuō fùjìn de línjūmen dōu hěn xǐhuan Ānnà. 例你要是听不明白，可以问问你~的同学。Nǐ yàoshi tīng bù míngbai, kěyǐ wènwen nǐ ~ de tóngxué. | 中间放了一张桌子，~摆了很多花儿。Zhōngjiān fàngle yì zhāng zhuōzi, ~ bǎile hěn duō huār. | 这次实验他一直跟在张教授~，学到了不少知识。Zhèi cì shíyàn tā yìzhí gēn zài Zhāng jiàoshòu ~, xuédàole bù shǎo zhīshi.

zuò 作 ［动］

老教授为今天这个喜庆日子~了一首诗。Lǎo jiàoshòu wèi jīntiān zhèige xǐqìng rìzi ~ le yì shǒu shī. →老教授写了一首诗。Lǎo jiàoshòu xiěle yì shǒu shī. 例我写好了歌词，你帮着~曲吧。Wǒ xiěhǎole gēcí, nǐ bāngzhe ~ qǔ ba. | 这部电影里的曲子都是我父亲~的。Zhèi bù diànyǐng li de qǔzi dōu shì wǒ fùqin ~ de. | 这张画儿是一位著名的画家~的。Zhèi zhāng huàr shì yí wèi zhùmíng de huàjiā ~ de. | 请您为这部电视剧~一首歌曲。Qǐng nín wèi zhèi bù diànshìjù ~ yì shǒu gēqǔ.

zuòjiā 作家 [名]

他是一位 ~. Tā shì yí wèi ~. →他的职业是写文学作品。Tā de zhíyè shì xiě wénxué zuòpǐn. 例他从小就想当一名 ~. Tā cóngxiǎo jiù xiǎng dāng yì míng ~. | 他是一个业余的 ~。Tā shì yí ge yèyú de ~. | 我读过这些作品以后，很想去访问这位 ~。Wǒ dúguo zhèixiē zuòpǐn yǐhòu, hěn xiǎng qù fǎngwèn zhèi wèi ~. | 这几位 ~ 我都认识。Zhèi jǐ wèi ~ wǒ dōu rènshi. | 这本书是一个青年 ~ 写的。Zhèi běn shū shì yí ge qīngnián ~ xiě de.

zuòpǐn 作品 [名]

works (of literature and art) 例他的 ~ 很多。Tā de ~ hěn duō. | 这些 ~ 都得过奖。Zhèixiē ~ dōu déguo jiǎng. | 有价值的书画 ~ 保存在博物馆里。Yǒu jiàzhí de shūhuà ~ bǎocún zài bówùguǎn li. | 去年他发表了一些新 ~。Qùnián tā fābiǎole yìxiē xīn ~. | 明年要为孩子们多写些好的 ~。Míngnián yào wèi háizimen duō xiě xiē hǎo de ~. | 这些古代 ~，到现在已经有两千多年的历史了。Zhèixiē gǔdài ~, dào xiànzài yǐjing yǒu liǎngqiān duō nián de lìshǐ le. | 爱情是这些 ~ 的主题。Àiqíng shì zhèixiē ~ de zhǔtí.

zuòwéi 作为[1] （作爲） [动]

我不准备考音乐学院，唱歌儿只是 ~ 我的一种业余爱好。Wǒ bù zhǔnbèi kǎo yīnyuè xuéyuàn, chànggēr zhǐ shì ~ wǒ de yì zhǒng yèyú àihào. →我把唱歌儿当成我的一种业余爱好。Wǒ bǎ chànggēr dàngchéng wǒ de yì zhǒng yèyú àihào. 例他们把钱 ~ 条件。Tāmen bǎ qián ~ tiáojiàn. | 我买了一副眼镜儿 ~ 礼物送给奶奶。Wǒ mǎile yí fù yǎnjìngr ~ lǐwù sòng gěi nǎinai. | 他们在工地旁边儿放了几张桌子，安了一部电话 ~ 临时的办公室。Tāmen zài gōngdì pángbiānr fàngle jǐ zhāng zhuōzi, ānle yí bù diànhuà ~ línshí de bàngōngshì. | 我应该把大家的批评 ~ 动力。Wǒ yīnggāi bǎ dàjiā de pīpíng ~ dònglì.

zuòwéi 作为[2] （作爲） [介]

~ 一名教师，他觉得很光荣。~ yì míng jiàoshī, tā juéde hěn guāngróng. →他觉得教师这种身份是很光荣的。Tā juéde jiàoshī zhèi zhǒng shēnfèn shì hěn guāngróng de. 例~ 医生，就要对病人负责。~ yīshēng, jiù yào duì bìngrén fùzé. | ~ 家长来说，应该配合学校抓好青少年的教育。~ jiāzhǎng lái shuō, yīnggāi pèihé

Z

xuéxiào zhuāhǎo qīngshàonián de jiàoyù . | ~一个老教师来说，有责任帮助青年教师。~ yí ge lǎo jiàoshī lái shuō, yǒu zérèn bāngzhù qīngnián jiàoshī.

zuòyè 作业（作業）[名]

homework 例今天的 ~ 特别多。Jīntiān de ~ tèbié duō. | 你的 ~ 都做完了吗？Nǐ de ~ dōu zuòwán le ma? | 老师给学生们留 ~。Lǎoshī gěi xuéshengmen liú ~ . | 我先去交 ~。Wǒ xiān qù jiāo ~ . | 这是我写的历史 ~。Zhè shì wǒ xiě de lìshǐ ~ . | 不完成 ~ 不能出去玩儿。Bù wánchéng ~ bù néng chūqu wánr. | 这道 ~ 题我做不出来。Zhèi dào ~ tí wǒ zuò bu chūlái.

zuòyòng 作用 [名]

role; function 例这种药的 ~ 我们还不清楚。Zhèi zhǒng yào de ~ wǒmen hái bù qīngchu. | 找她谈了那么多次，可是一点儿 ~ 也没有。Zhǎo tā tánle nàme duō cì, kěshì yìdiǎnr ~ yě méiyǒu. | 我们首先要重视人的 ~。Wǒmen shǒuxiān yào zhòngshì rén de ~ . | 这些成绩的取得，是靠集体的 ~。Zhèixiē chéngjì de qǔdé, shì kào jítǐ de ~ . | 现在大家已经注意到了电脑的 ~。Xiànzài dàjiā yǐjing zhùyìdàole diànnǎo de ~ . | 班长在班里应起带头 ~。Bānzhǎng zài bān li yīng qǐ dàitóu ~ . | 这两种药能起相同的 ~。Zhèi liǎng zhǒng yào néng qǐ xiāngtóng de ~ .

zuòzhě 作者 [名]

这本书的 ~ 是谁？这些艺术作品的 ~ 是谁？Zhèi běn shū de ~ shì shéi? Zhèixiē yìshù zuòpǐn de ~ shì shéi? →写这本书的人，创作这些艺术作品的人是谁？Xiě zhèi běn shū de rén, chuàngzuò zhèixiē yìshù zuòpǐn de rén shì shéi? 例这篇文章的 ~ 我认识。Zhèi piān wénzhāng de ~ wǒ rènshi. | 这本书的 ~ 给我打了个电话，出版之前他想再修改一下儿。Zhèi běn shū de ~ gěi wǒ dǎle ge diànhuà, chūbǎn zhīqián tā xiǎng zài xiūgǎi yíxiàr. | 你通知 ~，明天可以来拿稿费。Nǐ tōngzhī ~ , míngtiān kěyǐ lái ná gǎofèi. | 出版社和 ~ 开了一个座谈会。Chūbǎnshè hé ~ kāile yí ge zuòtánhuì.

zuò 坐¹ [动]

sit 例 ~ 椅子上或沙发上都行。~ yǐzi shang huò shāfā shang dōu xíng. | ~ 在地上凉不凉？~ zài dìshang liáng bu liáng? | 今天 ~ 了一

上午，我都 ~ 累了。Jīntiān ~ le yí shàngwǔ, wǒ dōu ~ lèi le. | 你 ~ 过来一点儿，我告诉你一件事。Nǐ ~ guolai yìdiǎnr, wǒ gàosu nǐ yí jiàn shì. | 椅子上有水，别 ~ 下去。Yǐzi shang yǒu shuǐ, bié ~ xiaqu. | 人太多了，根本 ~ 不下。Rén tài duō le, gēnběn ~ bu xià. | 你一个人 ~ 在河边儿想什么呢？Nǐ yí ge rén ~ zài hé biānr xiǎng shénme ne? | 他好容易安安静静地 ~ 一会儿，别去打扰他。Tā hǎoróngyì ān'ānjìngjìng de ~ yíhuìr, bié qù dǎrǎo tā.

zuò 坐[2] [动]

go by; ride in（car, boat, plane, etc.）**例** 明天我 ~ 火车去上海。Míngtiān wǒ ~ huǒchē qù Shànghǎi. | 飞机比 ~ 火车快多了。~ fēijī bǐ ~ huǒchē kuài duō le. | 我没 ~ 过船。Wǒ méi ~ guo chuán. | 他经常 ~ 公共汽车上学。Tā jīngcháng ~ gōnggòng qìchē shàngxué. | 那天我 ~ 在车上睡着了，~ 过了站。Nà tiān wǒ ~ zài chē shang shuìzháo le, ~ guòle zhàn. | 我上下班来回得 ~ 两个半小时的车。Wǒ shàng xià bān láihuí děi ~ liǎng ge bàn xiǎoshí de chē.

zuòwèi 坐位（座位）[名]

这个电影院有五百个 ~。Zhèige diànyǐngyuàn yǒu wǔbǎi ge ~. → 这个电影院里可以坐五百个人。Zhèige diànyǐngyuàn li kěyǐ zuò wǔbǎi ge rén. **例** 这辆汽车上人很多，~ 已经没有了。Zhèi liàng qìchē shang rén hěn duō, ~ yǐjing méiyǒu le. | 这个 ~ 有人了吗？Zhèige ~ yǒu rén le ma? | ~ 不够的话，就加一个。~ bú gòu dehuà, jiù jiā yí ge. | 咱们换一个 ~ 吧。Zánmen huàn yí ge ~ ba. | 在公共汽车上，一个青年把 ~ 让给了一位老人。Zài gōnggòng qìchē shang, yí ge qīngnián bǎ ~ ràng gěi le yí wèi lǎorén.

zuò 座 [量]

用于山、城市、岛、楼房等比较大的物体。Yòngyú shān、chéngshì、dǎo、lóufáng děng bǐjiào dà de wùtǐ. **例** 我去过那 ~ 小城市。Wǒ qùguo nèi ~ xiǎo chéngshì. | 那是一 ~ 假山。Nà shì yí ~ jiǎshān. | 这 ~ 桥叫友谊大桥。Zhèi ~ qiáo jiào Yǒuyì Dàqiáo. | 这里将要建一 ~ 新楼。Zhèlǐ jiāng yào jiàn yí ~ xīn lóu. | 那儿有两 ~ 发电站。Nàr yǒu liǎng ~ fādiànzhàn. | 这 ~ 宫殿有五百多年的历史了。Zhèi ~ gōngdiàn yǒu wǔbǎi duō nián de lìshǐ le. | 你看那儿，一 ~ ~ 山都连在一起。Nǐ kàn nàr, yí ~ ~ shān dōu lián zài yìqǐ.

Z

zuòtán 座谈（座談）[动]

上午开大会，下午分班~。Shàngwǔ kāi dàhuì, xiàwǔ fēn bān ~. →下午可以在班里说个人的看法，也可以互相交换意见。Xiàwǔ kěyǐ zài bān li shuō gèrén de kànfǎ, yě kěyǐ hùxiāng jiāohuàn yìjiàn. 例三班的~还没有结束。Sān bān de ~ hái méiyǒu jiéshù. | 我们派了两位代表去参加~。Wǒmen pàile liǎng wèi dàibiǎo qù cānjiā ~. | 我们打算~一年来的收获。Wǒmen dǎsuan ~ yì nián lái de shōuhuò. | 大家~得很热闹。Dàjiā ~ de hěn rènao. | 他们从早上一直~到中午。Tāmen cóng zǎoshang yìzhí ~ dào zhōngwǔ.

zuò 做¹ [动]

这件衣服是妈妈~的。Zhèi jiàn yīfu shì māma ~ de. →妈妈把一块儿布加工成了这件衣服。Māma bǎ yí kuàir bù jiāgōng chéngle zhèi jiàn yīfu. 例我会~蛋糕。Wǒ huì ~ dàngāo. | 我要跟我妈妈学~饭。Wǒ yào gēn wǒ māma xué ~ fàn. | 叔叔是木工，家里的家具都是他~的。Shūshu shì mùgōng, jiāli de jiājù dōu shì tā ~ de. | 一天时间~了一个书架，~得真快。Yì tiān shíjiān ~ le yí ge shūjià, ~ de zhēn kuài. | 这裤子~得太短了，我不能穿。Zhèi kùzi ~ de tài duǎn le, wǒ bù néng chuān.

zuò 做² [动]

大学毕业你想~什么？Dàxué bìyè nǐ xiǎng ~ shénme? →大学毕业你想干什么工作？Dàxué bìyè nǐ xiǎng gàn shénme gōngzuò? 例听说他开始~生意了。Tīngshuō tā kāishǐ ~ shēngyi le. | 我还是喜欢~老师这个工作。Wǒ háishi xǐhuan ~ lǎoshī zhèige gōngzuò. | ~这份工作非常辛苦。~ zhèi fèn gōngzuò fēicháng xīnkǔ. | 你~的这个工作，别人都~不了。Nǐ ~ de zhèige gōngzuò, biérén dōu ~ bu liǎo.

zuòfǎ 做法 [名]

我给你们介绍这种菜的~。Wǒ gěi nǐmen jièshào zhèi zhǒng cài de ~. →我给你们介绍做这种菜的方法。Wǒ gěi nǐmen jièshào zuò zhèi zhǒng cài de fāngfǎ. 例这种面包的~很简单。Zhèi zhǒng miànbāo de ~ hěn jiǎndān. | 大家都同意这种~。Dàjiā dōu tóngyì zhèi zhǒng ~. | 咱们按照他说的~试试看。Zánmen ànzhào tā shuō de ~ shìshi kàn. | 对一个孩子采取这种~不合适。Duì yí ge háizi cǎiqǔ zhèi zhǒng ~ bù héshì.

Z

zuò 做³ [动]

你又 ~ 什么文章呢? Nǐ yòu ~ shénme wénzhāng ne? →你又写什么文章呢? Nǐ yòu xiě shénme wénzhāng ne? 例孩子在 ~ 作业。Háizi zài ~ zuòyè. | 这是我昨天 ~ 的作文。Zhè shì wǒ zuótiān ~ de zuòwén. | 这篇作文 ~ 得真好。Zhèi piān zuòwén ~ de zhēn hǎo. | 这首诗我 ~ 了好几天了还没 ~ 好呢。Zhèi shǒu shī wǒ ~ le hǎojǐ tiān le hái méi ~ hǎo ne. | 你 ~ 完这首歌,我来唱好吗? Nǐ ~ wán zhèi shǒu gē, wǒ lái chàng hǎo ma?

zuò 做⁴ [动]

你要听老师的话, ~ 个好学生。Nǐ yào tīng lǎoshī de huà, ~ ge hǎo xuésheng. →你要成为一个好学生。Nǐ yào chéngwéi yí ge hǎo xuésheng. 例将来我想 ~ 一名科学家。Jiānglái wǒ xiǎng ~ yì míng kēxuéjiā. | 再过两个月我就要 ~ 母亲了。Zài guò liǎng ge yuè wǒ jiù yào ~ mǔqin le. | 要是我 ~ 了演员,我请你们免费看戏。Yàoshi wǒ ~ le yǎnyuán, wǒ qǐng nǐmen miǎnfèi kàn xì. | 他从小就想 ~ 一个医生,现在真的成了一名医学家。Tā cóngxiǎo jiù xiǎng ~ yí ge yīshēng, xiànzài zhēnde chéngle yì míng yīxuéjiā.

zuò kè 做客

你穿得那么漂亮去哪ʝ啊? ——我去朋友家里 ~ 。Nǐ chuān de nàme piàoliang qù nǎr a? ——Wǒ qù péngyou jiāli ~ . →我去朋友家里当客人。Wǒ qù péngyou jiāli dāng kèren. 例新年的时候,我到亲戚家 ~ 去了。Xīnnián de shíhou, wǒ dào qīnqi jiā ~ qù le. | 这个星期天我要请学生来我家 ~ 。Zhèige Xīngqītiān wǒ yào qǐng xuésheng lái wǒ jiā ~ . | 欢迎你们到我们家乡来 ~ 。Huānyíng nǐmen dào wǒmen jiāxiāng lái ~ . | 去别人家 ~ 得带一些礼物。Qù biérén jiā ~ děi dài yìxiē lǐwù. | 我去大卫家做过客。Wǒ qù Dàwèi jiā zuòguo kè.

zuò 做⁵ [动]

他们学校遭受水灾,临时用这间屋子 ~ 教室。Tāmen xuéxiào zāoshòu shuǐzāi, línshí yòng zhèi jiān wūzi ~ jiàoshì. →先把这间屋子当做教室来用。Xiān bǎ zhèi jiān wūzi dàngzuò jiàoshì lái yòng. 例他们家在院子里搭了一个小屋 ~ 厨房。Tāmen jiā zài yuànzi li dāle yí ge xiǎowū ~ chúfáng. | 送给你这张画ʝ ~ 纪念吧。Sòng gěi nǐ zhèi zhāng huàr ~ jìniàn ba. | 这个地方太小, ~ 不了足球场。Zhèige dìfang tài xiǎo, ~ bu liǎo zúqiúchǎng.

zuò mèng 做梦（做夢）

have a dream **例** 昨天晚上我～，梦见儿子从国外回来了。Zuótiān wǎnshang wǒ ~, mèngjiàn érzi cóng guówài huílai le. ｜你～了吧? 你还说梦话了呢。Nǐ ~ le ba? Nǐ hái shuō mènghuà le ne. ｜这几天紧张得我～都在考试。Zhèi jǐ tiān jǐnzhāng de wǒ ~ dōu zài kǎoshì. ｜你别白日～了。Nǐ bié báirì ~ le. ｜这些日子我老做些奇怪的梦。Zhèixiē rìzi wǒ lǎo zuò xiē qíguài de mèng. ｜夜里做的梦，早上起来就忘了。Yè li zuò de mèng, zǎoshang qǐlai jiù wàng le. ｜祝你做一个好梦。Zhù nǐ zuò yí ge hǎo mèng.

Z

汉语拼音方案

（1957 年 11 月 1 日国务院全体会议第 60 次会议通过）
（1958 年 2 月 11 日第一届全国人民代表大会第五次会议批准）

一、字母表

字母	Aa	Bb	Cc	Dd	Ee	Ff	Gg
名称	ㄚ	ㄅㄝ	ㄘㄝ	ㄉㄝ	ㄜ	ㄝㄈ	ㄍㄝ
	Hh	Ii	Jj	Kk	Ll	Mm	Nn
	ㄏㄚ	ㄧ	ㄐㄧㄝ	ㄎㄝ	ㄝㄌ	ㄝㄇ	ㄋㄝ
	Oo	Pp	Qq	Rr	Ss	Tt	Uu
	ㄛ	ㄆㄝ	ㄑㄧㄡ	ㄚㄦ	ㄝㄙ	ㄊㄝ	ㄨ
	Vv	Ww	Xx	Yy	Zz		
	ㄞㄝ	ㄨㄚ	ㄒㄧ	ㄧㄚ	ㄗㄝ		

v 只用来拼写外来语、少数民族语言和方言。

字母的手写体依照拉丁字母的一般书写习惯。

二、声母表

b	p	m	f		d	t	n	l
ㄅ玻	ㄆ坡	ㄇ摸	ㄈ佛		ㄉ得	ㄊ特	ㄋ讷	ㄌ勒
g	k	h			j	q	x	
ㄍ哥	ㄎ科	ㄏ喝			ㄐ基	ㄑ欺	ㄒ希	
zh	ch	sh	r		z	c	s	
ㄓ知	ㄔ蚩	ㄕ诗	ㄖ日		ㄗ资	ㄘ雌	ㄙ思	

在给汉字注音的时候，为了使拼式简短，zh ch sh 可以省作 ẑ ĉ ŝ。

三、韵母表

	i 丨　　衣	u ㄨ　　乌	ü ㄩ　　迂
a 丫　　啊	ia 丨丫　　呀	ua ㄨ丫　　蛙	
o ㄛ　　喔		uo ㄨㄛ　　窝	
e ㄜ　　鹅	ie 丨ㄝ　　耶		üe ㄩㄝ　　约
ai ㄞ　　哀		uai ㄨㄞ　　歪	
ei ㄟ　　欸		uei ㄨㄟ　　威	
ao ㄠ　　熬	iao 丨ㄠ　　腰		
ou ㄡ　　欧	iou 丨ㄡ　　忧		
an ㄢ　　安	ian 丨ㄢ　　烟	uan ㄨㄢ　　弯	üan ㄩㄢ　　冤
en ㄣ　　恩	in 丨ㄣ　　因	uen ㄨㄣ　　温	ün ㄩㄣ　　晕
ang ㄤ　　昂	iang 丨ㄤ　　央	uang ㄨㄤ　　汪	
eng ㄥ　享的韵母	ing 丨ㄥ　　英	ueng ㄨㄥ　　翁	
ong (ㄨㄥ)轰的韵母	iong ㄩㄥ　　雍		

(1) "知、蚩、诗、日、资、雌、思"等七个间节的韵母用 i，即：知、蚩、诗、日、资、雌、思等字拼作 zhi, chi, shi, ri, zi, ci, si。

(2) 韵母儿写成 er，用做韵尾的时候写成 r。例如："儿童"拼作 ertong，"花儿"拼作 huar。

(3) 韵母ㄝ单用的时候写成ê。

(4) i 行的韵母，前面没有声母的时候，写成 yi (衣)，ya (呀)，ye (耶)，yao (腰)，

you（忧），yan（烟），yin（因），yang（央），ying（英），yong（雍）。

　　u行的韵母，前面没有声母的时候，写成 wu（乌），wa（哇），wo（窝），wai（歪），
　　wei（威），wan（弯），wen（温），wang（汪），weng（翁）。

　　ü行的韵母，前面没有声母的时候，写成 yu（迂），yue（约），yuan（冤），yun（晕）；
　　ü上两点省略。

　　ü行的韵母跟声母 j，q，x拼的时候，写成 ju（居），qu（区），xu（虚），ü上两点
　　也省略；但是跟声母 n，l拼的时候，仍然写成 nü（女），lü（吕）。

(5) iou，uei，uen前面加声母的时候，写成 iu，ui，un，例如 niu（牛），gui（归），lun（论）。

(6) 在给汉字注音的时候，为了使拼式简短，ng可省作 ŋ。

四、声调符号

阴平	阳平	上声	去声
ˉ	ˊ	ˇ	ˋ

声调符号标在音节的主要母音上，轻声不标。例如：

妈 mā	麻 má	马 mǎ	骂 mà	吗 ma
（阴平）	（阳平）	（上声）	（去声）	（轻声）

五、隔音符号

　　a，o，e开头的音节连接在其他音节后面的时候，如果音节的界限发生混
淆，用隔音符号（'）隔开，例如：pi'ao（皮袄）。